カラーアトラス
病理組織の見方と鑑別診断

7th Edition
Color Atlas of Histopathology and Differential Diagnosis

第7版

●監修
赤木忠厚（岡山大学名誉教授）
松原　修（防衛医科大学校名誉教授）
真鍋俊明（京都大学名誉教授）

●編集
吉野　正（岡山大学名誉教授，特命教授）
小田義直（九州大学医学研究院教授）
坂元亨宇（慶應義塾大学医学部教授）
森井英一（大阪大学大学院教授）

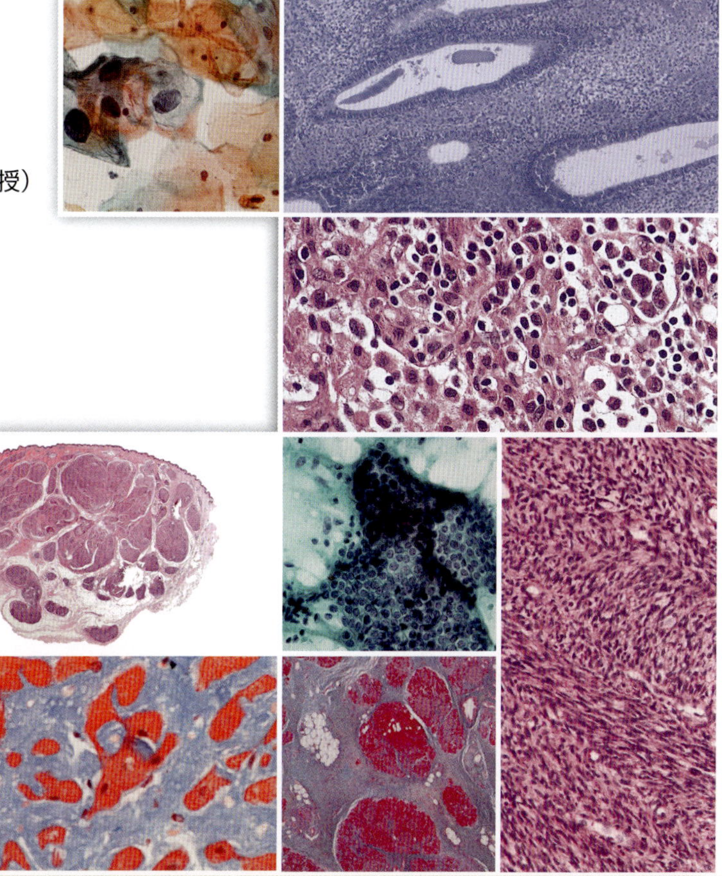

医歯薬出版株式会社

●購読者特典●

CBT・国家試験対策 Webアプリのご案内

以下の URL にアクセスしてパスワードを入力してください.

https://www.ishiyaku.co.jp/ebooks/731970/

パスワード：7eca

※動作保証対象ブラウザは, Google Chrome, Safari, MS Edge の最新版となります.

This book is originally published in Japanese
under the title of :

KARA ATORASU BYORISOSHIKI NO MIKATA TO KANBETSUSHINDAN
—DAI 7 HAN—
(Color Atlas of Histopathology and Differential Diagnosis)

Editors :
YOSHINO, Tadashi et al.
YOSHINO, Tadashi
Emeritus Professor and Specially Appointed Professor, Okayama University

ISHIYAKU PUBLISHERS, INC.
7-10, Honkomagome 1-chome, Bunkyo-ku,
Tokyo 113-8612, Japan

第 7 版 序

本書は昭和 14 年（1939 年）に発刊された『病理組織標本の見方と鑑別診断の付け方』（医学博士浜崎幸雄著）をルーツとする．その後 1972 年には分担執筆による実習書として新規に創刊され，1983 年第 2 版，1994 年第 3 版，2002 年第 4 版，2007 年第 5 版，2018 年に第 6 版が上梓され，幸い好評を博することとなった．読者として，元来医学生，医療系学生を対象としてきたが，その内容は高度であり，病理医を目指す大学院生や研修医，そして現役病理医にも利用されている．結果として，わが国を代表する病理学の本として定評を得てきたところである．

第 6 版が世に出てから短期間に第 7 版を準備することになったのには，重要な理由がある．現在病理診断を統べるものとして本邦においては「癌取り扱い規約」があるが，世界的には WHO 分類がある．後者は 1970 年頃に最初のシリーズが出たが，その評価はさまざまであった．それが，（臓器系により前後があるが）2001 年頃に第 3 シリーズ，2008 年頃に第 4 シリーズが出版され，世界基準といえる存在になっており，本邦の診断にも大きな影響を与えることとなった．2018 年から第 5 シリーズ（第 5 版とも称する）が大々的に出版される運びとなり，そのいくつかはすでに発刊されている．そこに用いられている原則は，疾患概念は厳然と存在しつつも分子異常に重点を置いて分類するということである．臓器系によって差異があるが，たとえば血液疾患では染色体異常や融合遺伝子，骨軟部腫瘍で融合遺伝子が前面に出てきているが，その傾向はすべての臓器系においてますます顕著になってきている．このことにより，発癌の鍵となる分子異常を見出し，分子標的薬の適用といった個別化医療が現実のものとなってきたところである．国家的にもゲノム医療中核病院や連携病院の整備がなされ，専門医制度においても，病理専門医の二階建て部分として分子病理専門医制度が設けられた．このような現状により，より最新のデータを入れた新版を出す必要が生じたところである．また，一部の臓器系においては，著者の交代により新たな進展を組みこんだところもある．いまは免疫チェックポイントなどの斬新な治療法も出現してきているが，ゲノム医療という面からも病理の重要性はますます増してきている．さらに銘記すべきことは，良悪性を含めてそもそもその原点は HE 染色所見による病理診断にあり，それをもとに色々なデータが出ているところであり，「病理診断」が医療の中核に位置することはなんら変わりがないということを銘記すべきである．

本書の目指すところは，「病理組織学をはじめて学ぶ学生と病理学を専攻すべく組織診断の修練をはじめた大学院生や研究生のためにわかりやすい手引書（小川勝士先生）」という精神であり，これはルーツの書に基づく．また，分担執筆者は本邦におけるその分野のエキスパートである．本書を紐解くことにより，病理形態の今までの蓄積と新知見の両者を得ることをこころから期待するところである．

本書を作成するにあたって多大の労力を払われた，医歯薬出版株式会社 白井聡一郎氏，そしてこの第 7 版まで関わってこられた関係者のみなさますべての方々に深く感謝申し上げます．

編集者を代表して　吉　野　　　正

第 6 版 序

本書は昭和 14 年（1939 年）に発刊された『病理組織標本の見方と鑑別診断の付け方』（医学博士浜崎幸雄著）をルーツとする．同書は戦中戦後の大変な時代を生き抜き医学生に広く親しまれたところである．その後 1972 年には多数の分担執筆者を有する実習書として新規に創刊され，1983 年第 2 版，1994 年第 3 版，2002 年第 4 版，2007 年第 5 版が発刊され，わが国を代表する病理学の本として定評を得てきたところである．この間，継続されてきた原則が 2 つある．1 つは，本書は，「病理組織学をはじめて学ぶ学生と病理学を専攻すべく組織診断の修練をはじめた大学院生や研究生のためにわかりやすい手引書（小川勝士先生）」という精神であり，これはルーツの書に基づく．2 つめは，分担執筆者はその分野のエキスパートである，ということである．ルーツの本は単著であったが，学問の進歩はひとりの学者がすべてをカバーすることを不可能にしたのである．

2003 年にヒトゲノムの全塩基配列の解析が終了し，今やポストゲノム時代が到来した．ポストゲノムとは遺伝子の意味や翻訳によるタンパク質の研究が進展することを示すが，ゲノムポストゲノムと並行して，たとえば発癌に関わる分子機構の研究は長足の進歩を遂げ，他の非腫瘍性の分野も同様に分子基盤の研究成果がまさに日進月歩に提出されている．その成果として各種疾患に対して分子標的薬が続々と出現してきたところである．この方向性はとどまるところを知らない．

このたび，好評を博した本書第 5 版をもとにかなりの改変を行った第 6 版を上梓することとなった．この改版の背景として，もはや分子異常の検索なしには最終結論が得られなくなった疾患群が多数出現し，また，鑑別診断上も分子発現や遺伝子異常の検索が必須となった分野がかなり出ているという時代の変化がある．WHO 分類にもこれらの変化は敏感に取り入れ，むしろ先駆的に分子基盤に基づいた疾患分類がごく最近提示されてきた．現下のこのような状況から，今，本書を改訂することは，時宜を得たものとなった．上述したように本書はわかりやすい手引書を目指しており，その姿勢は微動だにしないものであるが，対象となる読者は学生，病理初学者のみならず現在活躍中の病理医もその対象となりうるものと考えている．それが可能になったのは，斯界の代表的学者を著者として網羅したからこそできたことである．

まさに分子基盤に立った医学の時代となったわけであるが，プロローグにも記すように，学問的研究の元となる診断は，あくまでも病理組織診断によるものである．通常のヘマトキシリンエオジン染色が開発され 100 年以上経っても顕微鏡所見に立脚した病理診断の重要性はまったく変わらない．疾患ゲノム研究拠点における病理の重要性が強く示されていることをみてもそれは歴然としている．本書が医学生，今から病理の道を進む人々，病理医，臨床基礎で病理の側面を知るために紐解くすべての人々の最良の羅針盤となることを固く信ずるものである．

本書を作成するにあたって多大の労力を払われた，医歯薬出版株式会社の遠山邦男氏，そしてこの第 6 版まで関わってこられた関係者のみなさますべての方々に深く感謝申し上げます．

編集者を代表して　吉 野　　正

第 5 版 序

本書は学生と病理組織学を学ぶ初心者を対象とした病理組織学実習書として昭和 47 年に創刊され，以来改訂，増補を重ねながら全国的に広く利用されてきたことは，執筆，編集に携わった者一同にとり大きなよろこびである．

臨床医学の進歩，免疫組織化学や分子病理学の病理診断学への導入は，新しい疾患概念の提唱，分類や診断基準の変遷をよび，それに応じて第 4 版では大きな改訂がなされた．前回の改訂からまだ 5 年が経過しただけであるが，日進月歩の医学の進歩は病理組織形態学というほぼ確立した学問領域においても，少なからず新しい知見の集積をもたらしている．

そこで新たに真鍋俊明教授と吉野 正教授を加えた新編集委員会で本書の改訂が話し合われ，一部で新旧執筆者の交代あるいは執筆者の追加を行い，前版の執筆者担当部分にも小改訂を行うことが決められた．

本書は創刊以来学生諸君や初心者が読みやすく見やすい本であることを心がけ，一疾患を一頁に収めることを基本にしてきたが，新執筆者にもこの原則をできるだけ守っていただいた．また全体の体裁を統一するため編集委員会で執筆内容に多少の変更を加えさせていただいたことをお断りしたい．病理組織学実習書の生命は図がきれいなことである．できるだけ鮮明で色調の良い図を用いるよう各執筆者にはお願いし，出版社にも色調の調整をお願いした．まだ十分とはいえないが満足できる出来ばえになったと考える．各章間に内容の濃淡が生じ一部の内容が学生諸君や病理学の初学者には詳しすぎる点については，執筆内容については各執筆者に一任したためでお許し願いたい．

本書が前版同様病理組織学の初期研修に広く活用されることを祈念する．書物は読者によって育てられるものである．読者各位の忌憚のないご批判，ご教示を期待したい．

また最近の CBT や国家試験に病理組織に関する問題がしばしば出題されることに鑑み，本書に掲載された疾患の中から 100 疾患を厳選し，Web サイトを作成した．図に簡単な質問と回答を付し本書購読者の試験対策の便を図ったので，本書とともに活用されることを希望する．

最後に，ご多忙の中をご執筆くださった執筆者各位ならびに編集・出版の万般にご協力くださった医歯薬出版株式会社の関係各位に深甚なる謝意を表する次第である．

2007 年 7 月

監修者　赤 木 忠 厚

第 4 版 序

本書は「学生と，学生のみならず病理組織学の習得を志す初心者に役立つ入門書を」との，創始者　故浜崎幸雄教授の主旨に沿って，1972 年に創刊された実習書である．以来，医学の進歩に応じ大小の改訂，増補を加え，増刷を重ねて全国的に広く利用されてきたことは，執筆，編集に携わった者一同にとり等しく大きなよろこびであり，感謝に堪えないところである．

周知のように医学の進歩は近年格段と著しく，病理学においても，とくに分子病理学的研究の発展が著しく，中でも免疫組織学的検索の相次ぐ開発が疾患の本質を明らかにし，鑑別診断を行うのに多大の貢献を果しつつある．

それに伴い，組織形態の認識を骨子とする病理組織診断の領域でも，これら近代的な知見の導入による疾患概念の変遷や新しい概念の出現，それによる疾患分類や規約の改正，あるいは新しい鑑別診断法の提唱など大小さまざまな刷新が後を絶たない現況である．

このような情勢に鑑み，編集委員会ではかねてから本書の改訂が議論にのぼり，執筆者も新しい世代の病理学者と交代する全面的な改版に踏み切ることに意見が一致した．以来，討議を重ね，編集委員会も改組し，赤木忠厚教授を中心に新しい委員により準備が進められ，旧版ご執筆者のご承諾を得て若干旧版の内容を引用あるいは転載させて頂いたほかは新しい執筆者による時代に即応した改訂第 4 版が上梓に至ったのである．

疾患の採択や内容は原則として執筆者各位に一任したが，さらに編集委員会によって創刊の主旨が継承されるよう慎重な検討が加えられた．このようにして生れ変った本書は，学生諸君や病理組織診断の習熟を目指す諸君の座右にあって，必ずや充分有用であると信じるものである．

ここに末筆ながら，旧版および新版をご執筆下さったすべての方々の並々ならぬご苦労，並びに医歯薬出版株式会社の編集万端をお世話下さった編集担当者ほか関係各位の終始変らぬご協力に深甚の感謝を表明する次第である．

2002 年早春

編集顧問　小　川　勝　士

第３版の増補に際して

本書が面目を新たにカラーアトラスとして世に出てから２年半が経過した．この度増刷の時期を迎えるに際して聞き及んだところ，本書が全国で広く活用されているとのこと，関係者一同の安堵とよろこびは大なるものがある．さらに多くの方々から直接に，あるいは書評や読者カードを通じて病理組織の学習の手引き書としての本書の特色について高い評価を頂いたり，また改善すべき点について忌憚のないご意見を頂戴したことは感謝の至りである．

実は本書の増刷が急がれている時ではあるが，可能な限りこれら貴重なご意見に沿い，また新しい概念や規約など必要な事項があれば多少とも加筆して頂くよう執筆者に検討をお願いした．もとより増刷の場合は頁数に制限があるから充分意を尽すことは許されないが，余白を利用するなど執筆者のご努力により若干の加筆を行うことができた．

書物もまた生きものであり，成長とともに新陳代謝が必要である．日進月歩の医学の進歩の中で病理組織学の内容にも大なり小なり変革の波が及ぶに違いない．本書が時代に則して成長して欲しいと願う者として，今後とも読者各位のご教示，ご鞭撻を切に期待する次第である．

1997 年 1 月

監修者　小　川　勝　士

第 3 版 序

この度本書の第３版が面目を一新して上梓の運びに至ったことはよろこびに堪えない．

顧みると本書はそのルーツを，古く戦中戦後の時代に医学生に広く親しまれた，故浜崎幸雄教授著『病理組織標本の見方と鑑別診断の付け方』に遡ることができる．この教科書は一定の剖検標本について病理組織所見の読み方を懇切に指導した入門書として有名であった．その後時代の推移とともに，臨床医学の要望に応じて外科病理学が華々しく台頭し，病理組織学の教育内容も解剖病理学の基礎知識に留まらず，生検材料の組織診断に対応し得る修練をも目標とするように拡大した．

本書はこのような状況に鑑み，**『病理組織学をはじめて学ぶ学生と，病理学を専攻すべく組織診断の修練をはじめた大学院生や研究生のためにわかり易い手引き書を作りたい』**との浜崎教授のかねてからの念願に基づいて昭和 47 年に創刊されたものである．

以来増刷を重ね，ことに昭和 50 年代後半から目立つようになった種々な疾患概念や分類の変遷，あるいは診断基準の設定などに応じ昭和 58 年には改訂増補が行われたのであるが，この時以来図譜のカラー化を含めて新しい執筆者による次なる全面改訂が企画され，徐々に準備が進められた．

先ず新しい改訂版の執筆については主として旧版執筆者のご推せんに基づき，各専門分野にご造詣が深く，斯界でご活躍中の方々に分担をお願いした．また編集の実際に当たっては編集委員会を設け，収録疾患の選択，図譜の適否をはじめ内容全般にわたり慎重な検討を重ねた．

このようにして**本書には大学のカリキュラムの中で学生実習に必要な重要疾患はすべて網羅**されている筈であり，さらに大学院生や研究生諸君が日常悩みとする**鑑別診断**についても疾患名を挙げ，鑑別の要点が指摘されている．学習の便利を意図して採用した**『一疾患を１頁に収録する体裁』**も初版の形式を踏襲し，記載内容が超過する項目については２頁単位としてそのために不都合が起こることのないよう考慮した．また**「参考事項」**も関連事項の理解に役立つことが多いと思う．

以上のように，執筆者の多くが交替し，執筆者の主体性に応じ内容も一新したが，読者諸氏は本書の随所にこれら編集上の配慮とともに初学者にわかり易いようにとの創刊の主旨が継承されていることに気付かれるであろう．幸い本書が旧版にも増して広く学生諸君や研究生あるいは臨床医家の方々の座右にあって病理組織学の習得に大いに役立って欲しいと念願するものである．

末筆ながら本書の創刊者故浜崎幸雄教授，第１，第２版の執筆をご分担下さった故藤巻茂夫教授，故北村四郎教授，および第３版をご分担下さった故石田陽一教授のご霊前に改訂第３版の上梓をご報告するとともに，謹んでご冥福をお祈り申し上げたい．石田教授のご急逝は大きい驚きであり悲しみであったが，すでにご担当の章はほぼ大綱のご執筆が終っていたので後の諸作業と新しい概念の若干の疾患の追加は中里洋一教授（群馬大学）に引き継ぎをお願いした．

ここに新旧版を通じてご執筆ないしご支援を賜ったすべての方々の並々ならぬご苦労，ご尽力に対し衷心より感謝の誠を捧げるものである．

また長年にわたり企画，編集，出版の万般につき終始快くご協力下さった医歯薬出版の関係各位に心からの御禮を申し述べる次第である．

1994 年 4 月

監修者　小 川 勝 士

第 2 版 序

本書が世に出てから早くも 10 年の歳月が経過した．医学の進歩はじつに目覚ましいものであるが，とりわけこの 10 年間におけるそれは，二世紀にわたる磐石の歴史の上に築かれた病理形態学の殿堂にもまさに怒濤のごとくおし寄せた感がある．その波は，たとえばリンパ腫や軟部組織の腫瘍など，部門によっては分類や概念の柱に大きい動揺をもたらした．本書の内容を，このような日進月歩の動きに即応せしめることがかねてよりの懸案であったが，このたび執筆者各位のご努力によりこの念願を果たし得たことはよろこびに堪えない．

本書は監修者浜崎が，学生，病理学研修生，あるいは臨床医学家を対象に，初心者が学習や日常の組織診断に当たり病理組織学を容易に理解できるようにと意図して編集したものである．医学の前進にとって過渡期の混乱は必然の段階であるから，今回の改訂では時代の流れを踏まえてそれを採り入れたが，終始浜崎の意図は貫かれたはずである．

今回の改訂に当たっては，ご多忙の中をご努力いただいた執筆者各位，ならびに種々無理なお願いを了承され，快くご協力くださった医歯薬出版に心からの感謝を表明したい．

昭和 58 年 4 月

監修者　浜　崎　幸　雄
小　川　勝　士

序

病理組織学は，病理学総論を一応修得したものが，与えられた病的組織を鏡検することによって，理論と実際を対比して病理現象に対する認識を深める学問である．しかし実地医学ではこの学問は基礎医学と臨床医学との干渉地帯であるために，複雑多岐な難問が日常かもし出される．たとえば，由来のはっきりしない標本，固定や切り出しの十分でない標本を見せられることは毎々のことであるが，これらも相当の責任をもって診断をつけねばならない．警戒すべきことは臨床医は標本を病理学者に提出さえすれば，万病立ちどころに確診が得られるかのように考える向きもあって，臨床生化学検査の成績はおろか，性別，年齢の記載すら怠るものがある．いずれにしても，病理診断が四肢の切断や胃の全剔など，重大な治療方針を決定する場合が多いことを，くれぐれも忘れないでほしい．

このように思いをめぐらして来ると，病理学実習に当って従来一般に行なわれているように，この標本は○○病であり，それにはa，b，c…の所見があるといった，被働式な教え方では実地医学の場では物の役に立たない．願わくば学生には診断不明のまま組織標本を与え，この標本にはa，b，cの所見がある．そこでこれは○○病であると言った形式で診断をつける術を修得せしめられたい．

本書の編集に当っては努めて後の形式を目標として，鑑別診断に重きをおいたが，執筆者の好みにより記載の形式にいささか異同が見られるのは止むを得ないことである．そこで本書を教材として病理組織学を学ばんとされる方々にお願い致したいことは，上に述べた編集理念を常に念頭において修学していただきたいことである．

著者は単独執筆としたものが首尾一貫して文体，術語，記載の形式が一定し読者には理解に便利である．しかし近来，病理学の分野は急激に拡大され同時に分化が行なわれ，また他の専門分野との交流が激しくなり，そのために単独執筆ではこの複雑化した病理学を処理することは，はなはだ困難な状態となった．本書の編集に当っては，この点に鑑みそれぞれの分野における新進気鋭の先生方に執筆をご依頼し，日進月歩の学界に適応できる教書たらんと願った．しかしいたずらに高踏して理論に走ることなく，学生，病理学研修生および一般医師に対して病理組織検査の好伴侶となり，日常の診断に直接役立たしめることを終始変わらぬ念願とした．

昭和47年4月

浜　崎　幸　雄

監修・編集・執筆者一覧

●監　修

赤木（あかぎ）　忠厚（ただあつ）	岡山大学　名誉教授
松原（まつばら）　修（おさむ）	防衛医科大学校　名誉教授
真鍋（まなべ）　俊明（としあき）	京都大学　名誉教授

●編　集

吉野（よしの）　正（ただし）〈編集代表〉	岡山大学　名誉教授，特命教授
小田（おだ）　義直（よしなお）	九州大学大学院医学研究院形態機能病理学　教授
坂元（さかもと）　亨宇（みちいえ）	慶應義塾大学医学部病理学　教授
森井（もりい）　英一（えいいち）	大阪大学大学院医学系研究科病態病理学　教授

●執筆者一覧（掲載順）

氏名	所属	担当
赤木（あかぎ）　忠厚（ただあつ）	岡山大学　名誉教授	プロローグ
吉野（よしの）　正（ただし）	岡山大学　名誉教授，特命教授	プロローグ
向井（むかい）　清（きよし）	一般財団法人神奈川県警友会けいゆう病院　参事	プロローグ
森井（もりい）　英一（えいいち）	大阪大学大学院医学系研究科病態病理学　教授	総論
植田（うえだ）　初江（はつえ）	北摂総合病院病理診断科　部長 国立循環器病研究センター　客員研究員	第１章　循環器系　(1)心臓
上杉（うえすぎ）　憲子（のりこ）	福岡大学医学部病理学講座　准教授	第１章　循環器系　(2)血管
大島（おおしま）　孝一（こういち）	久留米大学医学部医学科病理学講座　教授	第２章　血管（骨髄）
吉野（よしの）　正（ただし）	岡山大学　名誉教授，特命教授	第３章　リンパ節・脾・胸腺
中村（なかむら）　栄男（しげお）	半田市立半田病院　顧問 名古屋大学　名誉教授	第３章　リンパ節・脾・胸腺
南（みなみ）　優子（ゆうこ）	国立病院機構茨城東病院胸部疾患・療育医療センター病理診断科 病理診断部長	第４章　呼吸器系　(1)腫瘍
野口（のぐち）　雅之（まさゆき）	成田富里徳洲会病院病理診断科　部長	第４章　呼吸器系　(1)腫瘍
清水（しみず）　重喜（しげき）	国立病院機構近畿中央呼吸器センター臨床検査部　部長	第４章　呼吸器系　(2)炎症など
笠井（かさい）　孝彦（たかひこ）	徳島赤十字病院病理診断科　部長	第４章　呼吸器系　(2)炎症など
長塚（ながつか）　仁（ひとし）	岡山大学学術研究院医歯薬学域口腔病理学分野　教授	第５章　消化器系　(1)口腔
中野（なかの）　敬介（けいすけ）	岡山大学学術研究院医歯薬学域口腔病理学分野　准教授	第５章　消化器系　(1)口腔

氏名	所属	担当
長尾　俊孝（ながお　としたか）	東京医科大学人体病理学分野　主任教授	第５章　消化器系　(2)唾液腺
高田　隆（たかた　たかし）	周南公立大学　学長 広島大学　名誉教授	第５章　消化器系　(2)唾液腺
小川　郁子（おがわ　いくこ）	広島大学病院口腔検査センター	第５章　消化器系　(2)唾液腺
岩下　明德（いわした　あきのり）	福岡大学　名誉教授 AII病理画像研究所　所長	第５章　消化器系　(3)食道・胃
菅井　有（すがい　たもつ）	岩手医科大学医学部病理診断学講座　教授	第５章　消化器系　(4)腸管
常山　幸一（つねやま　こういち）	徳島大学大学院医歯薬学研究部疾患病理学分野　教授	第５章　消化器系　(5)肝
中沼　安二（なかぬま　やすに）	金沢大学名誉教授 福井済生会病院　病理部長	第５章　消化器系　(5)肝
和田　了（わだ　りょう）	順天堂大学　名誉教授 順天堂大学医学部附属静岡病院病理診断科　特任教授	第５章　消化器系　(6)膵臓
福村　由紀（ふくむら　ゆき）	順天堂大学医学部人体病理病態学講座　准教授	第５章　消化器系　(6)膵臓
原田　憲一（はらだ　けんいち）	金沢大学医薬保健研究域医学系人体病理学　教授	第５章　消化器系　(7)胆道
鈴木　正章（すずき　まさふみ）	千葉西総合病院病理診断科　部長 東京慈恵会医科大学　客員教授	第６章　腎・尿路系　(1)非腫瘍
三上　修治（みかみ　しゅうじ）	国立病院機構埼玉病院病理診断科　部長	第６章　腎・尿路系　(2)腎腫瘍，(3)尿路腫瘍
柳井　広之（やない　ひろゆき）	岡山大学病院病理診断科　教授	第７章　生殖器系　(1)男性生殖器
安田　政実（やすだ　まさのり）	埼玉医科大学国際医療センター病理診断科　教授，診療部長	第７章　生殖器系　(2)女性生殖器
梅北　善久（うめきた　よしひさ）	鳥取大学医学部病理学講座　教授	第７章　生殖器系　(3)乳腺
長村　義之（おさむら　よしゆき）	慶應義塾大学医学部　客員教授 日本鋼管病院病理診断科　部長 東海大学　名誉教授	第８章　内分泌系　概説，(1)下垂体
加藤　良平（かとう　りょうへい）	山梨大学　名誉教授 伊藤病院　病理診断科	第８章　内分泌系　(2)甲状腺
笹野　公伸（ささの　ひろのぶ）	東北大学　名誉教授，客員教授 石巻赤十字病院　学術顧問	第８章　内分泌系　(3)副腎ほか
横尾　英明（よこお　ひであき）	群馬大学大学院医学系研究科病態病理学分野　教授	第９章　神経系　(1)腫瘍
中里　洋一（なかざと　よういち）	群馬大学名誉教授 日高病院　病理診断研究センター長	第９章　神経系　(1)腫瘍
豊島　靖子（とよしま　やすこ）	脳神経センター阿賀野病院脳神経内科　診療部長	第９章　神経系　(2)変性・炎症
柿田　明美（かきた　あきよし）	新潟大学脳研究所病理学分野　教授	第９章　神経系　(2)変性・炎症
山口　岳彦（やまぐち　たけひこ）	獨協医科大学日光医療センター病理診断科　教授	第10章　骨関節
小田　義直（おだ　よしなお）	九州大学大学院医学研究院形態機能病理学　教授	第11章　軟部組織
泉　美貴（いずみ　みき）	昭和大学医学部医学教育学講座　教授	第12章　皮膚および皮膚付属器 〈付録〉炎症性疾患を診断するためのアルゴリズム
伊藤　智雄（いとう　ともお）	神戸大学大学院医学研究科病理診断学　教授	第13章　感覚器系
羽賀　博典（はが　ひろのり）	京都大学大学院医学研究科病理診断学　教授	第14章　移植病理
内藤　善哉（ないとう　ぜんや）	日本医科大学　名誉教授	第15章　細胞診

■■■ 監修・編集・執筆者一覧履歴 ■■■

※所属等は発行当時のもの．執筆順．

■第1版第1刷（1972年7月15日発行）

●監修

浜崎　幸雄　岡山大学名誉教授

●執筆

浜崎　幸雄　岡山大学名誉教授
妹尾左知丸　岡山大学教授
大西　義久　新潟大学助教授
北村　四郎　新潟大学教授
真田　　浩　岡山大学助教授
田内　　久　名古屋大学教授
小川　勝士　岡山大学教授
浜崎　美景　徳島県立中央病院
相沢　　幹　北海道大学教授
菊地　浩吉　札幌医科大学教授
藤巻　茂夫　前新潟大学教授
笹野　伸昭　東北大学教授
小宅　　洋　新潟大学教授
堤　　　啓　岡山大学助教授

■第2版第1刷（1983年4月11日発行）

●監修

浜崎　幸雄　岡山大学名誉教授
小川　勝士　岡山大学教授

●執筆

浜崎　幸雄　岡山大学名誉教授
妹尾左知丸　岡山大学名誉教授
大西　義久　新潟大学教授
北村　四郎　新潟大学名誉教授
真田　　浩　岡山大学助教授
田内　　久　愛知医科大学教授
小川　勝士　岡山大学教授
浜崎　美景　香川・公立三豊総合病院
相沢　　幹　北海道大学教授
菊地　浩吉　札幌医科大学教授
藤巻　茂夫　前新潟大学名誉教授
笹野　伸昭　東北大学教授
田口　孝爾　岡山大学助教授
小宅　　洋　新潟大学教授
堤　　　啓　岡山大学助教授

■第3版第1刷（1994年4月25日発行）

●監修

小川　勝士　岡山大学名誉教授，重井医学研究所附属病院顧問

●編集

赤木　忠厚　岡山大学教授
大西　義久　新潟大学名誉教授
笹野　伸昭　東北大学名誉教授

●執筆

赤木　忠厚　岡山大学教授
大西　義久　新潟大学名誉教授
真田　　浩　岡山大学助教授
大森　正樹　香川医科大学教授
高木　　実　東京医科歯科大学教授
浜崎　美景　細胞核病理研究室
渡辺　英伸　新潟大学教授
菊地　浩吉　札幌医科大学教授
鈴木　知勝　札幌医科大学講師
木原　　達　新潟大学教授
藍沢　茂雄　慈恵医科大学教授
田口　孝爾　岡山大学助教授
笹野　伸昭　東北大学名誉教授
石田　陽一　元群馬大学教授
中里　洋一　群馬大学教授
牛込新一郎　慈恵医科大学教授
堤　　　啓　大阪医科大学助教授
福田　芳郎　順天堂大学名誉教授
若狭　治毅　福島医科大学学長

■第3版第6刷（増補）（2001年3月10日発行）

●監修

小川　勝士　岡山大学名誉教授，重井医学研究所附属病院顧問

●編集

赤木　忠厚　岡山大学教授
大西　義久　新潟大学名誉教授
笹野　伸昭　東北大学名誉教授

●執筆

赤木　忠厚　岡山大学教授
大西　義久　新潟大学名誉教授
真田　　浩　前岡山大学助教授
大森　正樹　香川医科大学教授
高木　　実　東京医科歯科大学教授
浜崎　美景　細胞核病理研究室
渡辺　英伸　新潟大学教授
菊地　浩吉　札幌医科大学名誉教授
鈴木　知勝　札幌医科大学講師
木原　　達　新潟大学教授
藍沢　茂雄　慈恵医科大学名誉教授
田口　孝爾　岡山大学助教授
笹野　伸昭　東北大学名誉教授
石田　陽一　元群馬大学教授
中里　洋一　群馬大学教授
牛込新一郎　慈恵医科大学教授
堤　　　啓　大阪医科大学教授
福田　芳郎　順天堂大学名誉教授
若狭　治毅　前福島医科大学学長

■第4版第1刷（2002年4月25日発行）

●編集

赤木　忠厚　岡山大学大学院教授
大朏　祐治　高知医科大学教授
松原　　修　防衛医科大学校教授

●執筆

増田　弘毅　秋田大学教授
朝長万左男　長崎大学大学院教授
栗山　一孝　長崎大学大学院助教授
糸山　進次　埼玉医科大学教授
赤木　忠厚　岡山大学大学院教授
吉野　　正　岡山大学大学院講師
松原　　修　防衛医科大学校教授
二階　宏昌　広島大学大学院名誉教授
高田　　隆　広島大学大学院教授
岩下　明徳　福岡大学助教授
中村　眞一　岩手医科大学教授
中沼　安二　金沢大学大学院教授
常山　幸一　金沢大学大学院
田口　　尚　長崎大学大学院教授
古里　征國　杏林大学教授
笹野　公伸　東北大学大学院教授
鈴木　　貴　東北大学大学院
森谷　卓也　東北大学大学院助教授
井内　康輝　広島大学大学院教授
佐野　壽昭　徳島大学教授
中里　洋一　群馬大学教授
大浜　栄作　鳥取大学教授
野島　孝之　金沢医科大学教授
岩崎　　宏　福岡大学教授
真鍋　俊明　京都大学大学院教授
大朏　祐治　高知医科大学教授

■第 5 版第 3 刷(2010 年 11 月 20 日発行)

●監修

赤木　忠厚　岡山大学名誉教授

●編集

松原　　修　防衛医科大学校教授
真鍋　俊明　京都大学名誉教授
吉野　　正　岡山大学大学院教授

●執筆

赤木　忠厚　岡山大学名誉教授
伊藤　智雄　神戸大学病院教授
井内　康輝　広島大学大学院教授
岩崎　　宏　福岡大学教授
岩下　明德　福岡大学教授，福岡大学筑紫病院院長
植田　初江　国立循環器病センター医長
大浜　栄作　鳥取大学名誉教授
小川　郁子　広島大学病院診療准教授
笹野　公伸　東北大学大学院教授
定平　吉都　川崎医科大学教授
佐野　壽昭　江戸川病院部長
白石　泰三　三重大学大学院教授
高田　　隆　広島大学大学院教授
田口　　尚　長崎大学大学院教授
中里　洋一　群馬大学大学院教授
中沼　安二　金沢大学大学院教授
中村　栄男　名古屋大学大学院教授
中村　眞一　岩手医科大学前教授
根本　則道　日本大学教授
野島　孝之　金沢医科大学教授
廣川　満良　隈病院部長
古里　征國　国際病理ラボラトリー（株）代表取締役
松原　　修　防衛医科大学校教授
真鍋　俊明　京都大学名誉教授
向井　　清　東京都済生会中央病院部長
吉野　　正　岡山大学大学院教授

■第 6 版第 1 刷（2018 年 9 月 10 日発行）

●監修

赤木　忠厚　岡山大学名誉教授
松原　　修　防衛医科大学校名誉教授
真鍋　俊明　京都大学名誉教授

●編集

吉野　　正　岡山大学大学院教授
小田　義直　九州大学大学院教授
坂元　亨宇　慶應義塾大学医学部教授
森井　英一　大阪大学大学院教授

●執筆

赤木　忠厚　岡山大学名誉教授
吉野　　正　岡山大学大学院教授
向井　　清　神奈川県警友会けいゆう病院参事
森井　英一　大阪大学大学院教授
植田　初江　国立循環器病研究センター病理部長，バイオバンク長
上杉　憲子　福岡大学医学部准教授
大島　孝一　久留米大学医学部教授
吉野　　正　岡山大学大学院教授
中村　栄男　名古屋大学医学部教授
南　　優子　国立病院機構茨城東病院部長
野口　雅之　筑波大学医学医療系教授
清水　重喜　近畿大学医学部准教授
笠井　孝彦　国立病院機構近畿中央胸部疾患センター科長
長塚　　仁　岡山大学大学院教授
中野　敬介　岡山大学大学院准教授
長尾　俊孝　東京医科大学主任教授
高田　　隆　広島大学大学院教授
小川　郁子　広島大学病院診療准教授
岩下　明德　福岡大学名誉教授
　　　　　　AII病理画像研究所所長
菅井　　有　岩手医科大学医学部教授
常山　幸一　徳島大学大学院教授
中沼　安二　金沢大学名誉教授
　　　　　　福井済生会病院参与
和田　　了　順天堂大学医学部教授
原田　憲一　金沢大学教授
鈴木　正章　東京慈恵会医科大学教授，診療部長
三上　修治　慶應義塾大学病院副部長，専任講師
柳井　広之　岡山大学病院教授
安田　政実　埼玉医科大学国際医療センター教授
梅北　善久　鳥取大学医学部教授
加藤　良平　山梨大学名誉教授
　　　　　　伊藤病院病理診断科
笹野　公伸　東北大学大学院教授
横尾　英明　群馬大学大学院教授
中里　洋一　群馬大学名誉教授
　　　　　　日高病院病理診断研究センター長
豊島　靖子　新潟大学脳研究所准教授
柿田　明美　新潟大学脳研究所教授
山口　岳彦　獨協医科大学埼玉医療センター教授
小田　義直　九州大学大学院教授
泉　　美貴　昭和大学医学部教授
伊藤　智雄　神戸大学大学院教授
羽賀　博典　京都大学大学院教授
内藤　善哉　日本医科大学大学院教授

目 次

第 7 版序 …… iii
監修・編集・執筆者一覧 …… xi

プロローグ …… 1
赤木忠厚　吉野　正　向井　清
(1) 本書を読むまえに …… 1
(2) 本書の有効な利用法 …… 4
(3) 病理組織診断の心得 …… 5
(4) 特殊染色と免疫組織化学 …… 8

総 論 …… 17
森井英一

第 1 章　循環器系 …… 25

(1) 心臓 …… 25
植田初江
● 概説 …… 25
● 大動脈弁病変 …… 27
● 僧帽弁病変 …… 28
● 心内膜疾患 …… 29
● 冠動脈硬化症 …… 30
● 心筋梗塞とインターベンション後の病理 …… 31
● 心筋炎 …… 32
● 原発性（特発性）心筋症（1） …… 33
● 原発性（特発性）心筋症（2） …… 34
● 特殊（二次性）心筋症 …… 35
● 心臓原発性腫瘍（良性） …… 36
● 循環器原発性腫瘍（悪性） …… 37
● 心臓移植後の拒絶反応 …… 38

(2) 血管 …… 39
上杉憲子
● 概説 …… 39
● 粥状硬化症（1） …… 41
● 粥状硬化症（2） …… 42
● メンケベルグ型中膜硬化症および小動脈硬化症（1） …… 43
● メンケベルグ型中膜硬化症および小動脈硬化症（2） …… 44
● 嚢状中膜壊死（変性），動脈瘤，感染性動脈瘤および大動脈解離（1） …… 45
● 嚢状中膜壊死（変性），動脈瘤，感染性動脈瘤および大動脈解離（2） …… 46
● 分節性動脈中膜融解症 …… 47
● 血管奇形（1） …… 48
● 血管奇形（2） …… 49
● 巨細胞性動脈炎 …… 50
● 慢性大動脈周囲炎および IgG4 関連疾患 …… 51
● 川崎病 …… 52
● 結節性多発動脈炎 …… 53
● 感染性血管炎 …… 54
● 多発血管炎性肉芽腫症（ウェゲナー肉芽腫症） …… 55
● 好酸球性多発血管炎性肉芽腫症（チャーグ・ストラウス症候群） …… 56
● ビュルガー病（閉塞性血栓血管炎） …… 57
● 血栓/塞栓物 …… 58
● 静脈瘤 …… 59

第 2 章　血液（骨髄） …… 61
大島孝一
● 概説 …… 61
● 貧血（鉄欠乏性貧血および巨赤芽球性貧血）（1） …… 67
● 貧血（鉄欠乏性貧血および巨赤芽球性貧血）（2） …… 68
● 類白血病反応，好酸球増加症および無顆粒球症 …… 69
● 血球貪食症候群 …… 70
● ランゲルハンス細胞組織球症（組織球症 X），再生不良性貧血および膠様髄 …… 71
● パルボウイルス B19 感染，特発性血小板減少性紫斑病およびアミロイドーシス（1） …… 72
● パルボウイルス B19 感染，特発性血小板減少性紫斑病およびアミロイドーシス（2） …… 73
● 血鉄症，脂質蓄積性組織球症および結核 …… 74
● 急性リンパ性白血病および急性骨髄性白血病（1） …… 75
● 急性リンパ性白血病および急性骨髄性白血病（2） …… 76
● 急性リンパ性白血病および急性骨髄性白血病（3） …… 77
● 急性リンパ性白血病および急性骨髄性白血病（4） …… 78
● 急性リンパ性白血病および急性骨髄性白血病（5） …… 79
● 骨髄異形成症候群（1） …… 80
● 骨髄異形成症候群（2） …… 81
● 骨髄増殖性腫瘍群（1） …… 82
● 骨髄増殖性腫瘍群（2） …… 83
● 多発性骨髄腫（形質細胞腫） …… 84
● リンパ腫（1） …… 85
● リンパ腫（2） …… 86
● 転移性腫瘍 …… 87

第 3 章　リンパ節・脾・胸腺 …… 89
吉野　正　中村栄男
● 概説 …… 89
● 反応性リンパ節炎 …… 92
● 結核性リンパ節炎およびサルコイドーシス …… 93

●伝染性単核球症およびトキソプラズマ性リンパ節炎（ピリンガーリンパ節炎） 94
●猫ひっかき病 95
●組織球性壊死性リンパ節炎（菊池-藤本病） 96
●皮膚病性リンパ節症 97
●キャッスルマン病 98
●薬剤性リンパ節症 99
●リンパ腫（1） 100
●リンパ腫（2） 101
●リンパ腫（3） 102
●リンパ腫（4） 103
●リンパ腫（5） 104
●リンパ腫（6） 105
●リンパ腫（7） 106
●リンパ腫（8） 107
●リンパ腫（9） 108
●リンパ腫（10） 109
●リンパ腫（11） 110
●リンパ腫（12） 111
●血球貪食症候群 112
●ランゲルハンス細胞組織球症（組織球症 X） 113
●脾の慢性うっ血 114
●脾アミロイド症 115
●脾炎症性偽腫瘍および脾過誤腫 116
●ニーマン・ピック病およびゴーシェ病 117
●胸腺腫 118

第4章 呼吸器系 119

（1）腫瘍 119
南　優子　野口雅之
●概説 119
●腺癌（1） 122
●腺癌（2） 123
●腺癌（3） 124
●腺癌（4） 125
●腺癌（5） 126
●扁平上皮癌（1） 127
●扁平上皮癌（2） 128
●神経内分泌腫瘍（1） 129
●神経内分泌腫瘍（2） 130
●大細胞癌および腺扁平上皮癌 131
●肉腫様癌 132
●分類不能癌および唾液腺型腫瘍 133
●乳頭腫および腺腫 134
●間葉系腫瘍およびリンパ組織球系腫瘍（1） 135
●間葉系腫瘍およびリンパ組織球系腫瘍（2） 136
●悪性胸膜中皮腫 137

（2）炎症など 139
清水重喜　笠井孝彦
●概説 139
●肺水腫，肺うっ血，肺の出血性梗塞および塞栓 144
●肺高血圧症および肺動脈血栓塞栓 145
●肺動脈閉塞症，肺毛細血管腫症およびびまん性肺リンパ管腫症 146
●肺気腫，ブラ・ブレブ，びまん性汎細気管支炎および肺胞微石症 147
●肺リンパ脈管筋腫症 148
●気管支肺炎，大葉性肺炎および器質化肺炎 149
●誤嚥性肺炎，リポイド肺炎および好酸球性肺炎 150
●抗酸菌症（1） 151
●抗酸菌症（2） 152
●サルコイドーシス 153
●アスペルギルス症，カンジダ症およびムコール症 154
●クリプトコッカス症，ニューモシスチス肺炎，巨細胞封入体性肺炎およびイヌ糸状虫症 155
●塵肺症（1） 156
●塵肺症（2） 157
●多発血管炎性肉芽腫症（ウェゲナー肉芽腫症） 158
●肺胞蛋白症およびびまん性肺胞出血 159
●特発性間質性肺炎（1） 160
●特発性間質性肺炎（2） 161
●特発性間質性肺炎（3） 162
●過敏性肺炎および炎症性腸疾患に合併した肺病変 163
●アミロイドーシス，肺硝子化肉芽腫およびIgG4 関連疾患 164
●肺ランゲルハンス細胞組織球症 165
●先天性嚢胞性腺腫様奇形および肺分画症 166

第5章 消化器系 167

（1）口腔 167
長塚　仁　中野敬介
●概説 167
●扁平上皮癌および口腔上皮性異形成（1） 168
●扁平上皮癌および口腔上皮性異形成（2） 169
●顆粒細胞腫，毛細血管腫，海綿状血管腫およびリンパ管腫 170
●口腔扁平苔癬，疣贅型黄色腫および膿原性肉芽腫 171
●エプーリス 172
●口腔カンジダ症および放線菌症 173
●粘液貯留嚢胞，類皮嚢胞およびリンパ上皮性嚢胞 174
●エナメル上皮癌，原発性骨肉腫，NOSおよびエナメル上皮線維肉腫 175
●エナメル上皮腫 176

- エナメル上皮線維腫および
  エナメル上皮線維歯牙腫 …… 177
- 石灰化上皮性歯原性腫瘍および
  腺腫様歯原性腫瘍 …… 178
- 象牙質形成性幻影細胞腫および歯牙腫 …… 179
- 歯原性線維腫，歯原性粘液腫および
  セメント芽細胞腫 …… 180
- 歯根嚢胞および含歯性嚢胞 …… 181
- 歯原性角化嚢胞，正角化性歯原性嚢胞および
  石灰化歯原性嚢胞 …… 182
- 術後性上顎嚢胞，鼻口蓋管嚢胞および
  単純性骨嚢胞 …… 183
- 線維性異形成症，セメント質骨性異形成症および
  セメント質骨形成線維腫 …… 184
- 巨細胞肉芽腫および動脈瘤様骨嚢胞 …… 185
- 根尖性歯周炎および顎骨骨髄炎 …… 186

(2) 唾液腺 …… 187
長尾俊孝　高田　隆　小川郁子
- 概説 …… 187
- IgG4 関連唾液腺炎，シェーグレン症候群，
  唾石症および粘液瘤 …… 189
- 多形腺腫 …… 190
- ワルチン腫瘍および基底細胞腺腫 …… 191
- 粘表皮癌および腺房細胞癌 …… 192
- 腺様嚢胞癌 …… 193
- 唾液腺導管癌，上皮筋上皮癌および分泌癌 …… 194
- 多型腺癌，明細胞癌および多形腺腫由来癌 …… 195

(3) 食道・胃 …… 197
岩下明徳
- 概説 …… 197
- 食道の異所形成とバレット食道 …… 200
- 食道炎 …… 201
- 食道の良性上皮性腫瘍 …… 202
- 食道癌（1） …… 203
- 食道癌（2） …… 204
- 食道の非上皮性腫瘍 …… 205
- 急性胃炎 …… 206
- 慢性胃炎 …… 207
- 特殊型胃炎 …… 208
- 胃潰瘍 …… 209
- 胃ポリープ（1） …… 210
- 胃ポリープ（2） …… 211
- 胃ポリープ（3） …… 212
- 胃癌（1） …… 213
- 胃癌（2） …… 214
- 胃癌（3） …… 215
- 胃癌（4） …… 216
- 胃の非上皮性腫瘍 …… 217

(4) 腸管 …… 219
菅井　有
- 概説 …… 219
- 大腸ポリープ（1） …… 221
- 大腸ポリープ（2） …… 222
- 大腸ポリープ（3） …… 223
- 大腸ポリープ（4） …… 224
- 鋸歯状病変（1） …… 225
- 鋸歯状病変（2） …… 226
- 鋸歯状病変（3） …… 227
- 鋸歯状病変（4） …… 228
- 過誤腫性ポリープ …… 229
- 炎症性筋腺管ポリープ …… 230
- 大腸癌（1） …… 231
- 大腸癌（2） …… 232
- 大腸癌（3） …… 233
- 大腸癌（4） …… 234
- 大腸癌（5） …… 235
- 神経内分泌細胞腫瘍（カルチノイド）（1） …… 236
- 神経内分泌細胞腫瘍（カルチノイド）（2） …… 237
- 大腸ポリポーシス（1） …… 238
- 大腸ポリポーシス（2） …… 239
- 大腸ポリポーシス（3） …… 240
- Gastrointestinal stromal tumor …… 241
- 潰瘍性大腸炎（1） …… 242
- 潰瘍性大腸炎（2） …… 243
- 潰瘍性大腸炎（3） …… 244
- クローン病（1） …… 245
- クローン病（2） …… 246
- 偽膜性腸炎 …… 247
- 虚血性腸炎 …… 248
- アメーバ赤痢 …… 249
- 単純性潰瘍（腸管ベーチェット病） …… 250
- 腸結核および GVHD …… 251
- 特発性腸間膜静脈硬化症 …… 252
- ヒルシュスプルング病および腸管メラノーシス …… 253
- アミロイドーシス …… 254

(5) 肝 …… 255
常山幸一　中沼安二
- 概説 …… 255
- 脂肪性肝疾患 …… 258
- ヘモクロマトーシス（血色素症） …… 259
- ウィルソン病 …… 260
- 急性ウイルス性肝炎（古典的） …… 261
- 急性ウイルス性肝炎（帯状壊死型，架橋性壊死型）
  および亜広汎性・広汎性肝壊死 …… 262
- 慢性ウイルス性肝炎（定義および進展） …… 263
- 慢性ウイルス性肝炎の分類（病期および活動度） …… 264
- 慢性ウイルス性肝炎（C 型肝炎および B 型肝炎） …… 265

- 自己免疫性肝炎 …… 266
- 新生児肝炎 …… 267
- 薬剤性肝障害（胆汁うっ滞型および肝炎型）…… 268
- アルコール性肝疾患 …… 269
- 非アルコール性脂肪性肝疾患および非アルコール性脂肪肝炎（1）…… 270
- 非アルコール性脂肪性肝疾患および非アルコール性脂肪肝炎（2）…… 271
- 肝うっ血（急性および慢性）と静脈閉塞性疾患（1）…… 272
- 肝うっ血（急性および慢性）と静脈閉塞性疾患（2）…… 273
- 閉塞性黄疸（急性期および慢性期）…… 274
- 化膿性胆管炎，肝膿瘍および硬化性胆管炎（IgG4 関連疾患を含む）…… 275
- 原発性胆汁性胆管炎（肝硬変）（初期および肝硬変期）（1）…… 276
- 原発性胆汁性胆管炎（肝硬変）（初期および肝硬変期）（2）…… 277
- 慢性肝疾患および肝硬変症（慢性肝疾患から肝硬変へ）…… 278
- 慢性肝疾患および肝硬変症（肝硬変の定義および分類）…… 279
- 肝硬変（ウイルス性肝炎性）（小結節性，大結節性）…… 280
- 肝硬変（アルコール性および胆汁性）…… 281
- 肝細胞癌（1．肉眼/組織構造および細胞異型）…… 282
- 肝細胞癌（2．組織学的変化および表現型）…… 283
- 肝細胞癌（3．早期肝細胞癌）…… 284
- 肝細胞腺腫（1）…… 285
- 肝細胞腺腫（2）…… 286
- 限局性結節性過形成 …… 287
- 肝内胆管癌 …… 288
- 混合型肝癌 …… 289
- 転移性肝腫瘍および糖原病 …… 290
- 海綿状血管腫，類上皮血管内皮腫および血管肉腫 …… 291
- ウイルス以外の感染症 …… 292
- デュビン・ジョンソン症候群およびアミロイドーシス …… 293

（6）膵臓 …… 295
和田　了　福村由紀
- 概説 …… 295
- 急性膵炎 …… 297
- 慢性膵炎および自己免疫性膵炎（1）…… 298
- 慢性膵炎および自己免疫性膵炎（2）…… 299
- 浸潤性膵管癌および漿液性嚢胞腫瘍（1）…… 300
- 浸潤性膵管癌および漿液性嚢胞腫瘍（2）…… 301
- 膵管内乳頭粘液性腫瘍，膵腺房細胞腫瘍および膵神経内分泌腫瘍（1）…… 302
- 膵管内乳頭粘液性腫瘍，膵腺房細胞腫瘍および膵神経内分泌腫瘍（2）…… 303
- 膵管内乳頭粘液性腫瘍，膵腺房細胞腫瘍および膵神経内分泌腫瘍（3）…… 304

（7）胆道 …… 305
原田憲一
- 概説 …… 305
- 原発性硬化性胆管炎 …… 307
- IgG4 関連硬化性胆管炎 …… 308
- 胆嚢炎および胆石症 …… 309
- 胆道閉鎖症，胆嚢コレステローシス/コレステロールポリープおよび黄色肉芽腫性胆嚢炎 …… 310
- 胆嚢腺筋腫症，胆嚢幽門腺型腺腫，肝外胆管癌および胆嚢癌 …… 311
- 胆管内乳頭状腫瘍および混合型腺神経内分泌癌 …… 312
- 胆管内上皮内腫瘍および膵胆管合流異常 …… 313

第6章　腎・尿路系 …… 315

（1）非腫瘍 …… 315
鈴木正章
- 概説 …… 315
- 膜性腎症（膜性糸球体腎炎）…… 319
- 巣状分節性糸球体硬化症 …… 320
- IgA 腎症（炎）…… 321
- 管内増殖性糸球体腎炎（連鎖球菌感染後急性糸球体腎炎）…… 322
- 半月体形成性糸球体腎炎（血管外増殖性糸球体腎炎）…… 323
- 膜性増殖性糸球体腎炎（1）…… 324
- 膜性増殖性糸球体腎炎（2）…… 325
- 硬化性糸球体腎炎および末期腎 …… 326
- ループス腎炎 …… 327
- 糖尿病性腎症（1）…… 328
- 糖尿病性腎症（2）…… 329
- 腎アミロイドーシス …… 330
- 結節性多発（性）動脈炎（結節性動脈周囲炎）および顕微鏡的多発性血管炎 …… 331
- 遺伝性腎疾患およびファブリー病 …… 332
- 多発性嚢胞腎および馬蹄腎 …… 333
- 腎硬化症，腎梗塞およびコレステロール結晶塞栓症 …… 334
- 尿細管の変性および急性尿細管壊死 …… 335
- 尿細管間質性腎炎（尿細管炎），腎盂腎炎および腎移植拒絶反応（1）…… 336
- 尿細管間質性腎炎（尿細管炎），腎盂腎炎および腎移植拒絶反応（2）…… 337

（2）腎腫瘍 …… 339
三上修治
- 概説 …… 339

●淡明細胞型腎細胞癌 342
●嚢胞性腎腫瘍（低悪性度多房嚢胞性腎腫瘍，混合性上皮間質性腫瘍ファミリー） 343
●乳頭状腎細胞癌 344
●嫌色素性腎細胞癌およびオンコサイトーマ 345
●集合管癌および粘液管状紡錘細胞癌 346
●MiT ファミリー転座型腎細胞癌 347
●透析関連腎腫瘍 348
●その他の良性腎腫瘍 349
●腎芽腫（ウィルムス腫瘍） 350

(3) 尿路腫瘍 351
三上修治
●概説 351
●非浸潤性尿路上皮癌 355
●非浸潤性乳頭状尿路上皮癌 356
●浸潤性尿路上皮癌（1） 357
●浸潤性尿路上皮癌（2） 358
●異なる分化を伴う尿路上皮癌 359
●扁平上皮癌および腺癌 360
●尿膜管癌，腎原性腺腫（化生）および線維上皮性ポリープ 361
●尿路上皮乳頭腫 362

第7章 生殖器系 363

(1) 男性生殖器 363
柳井広之
●概説 363
●非浸潤性胚細胞腫瘍 368
●セミノーマおよび精母細胞性腫瘍 369
●胎児性癌および絨毛癌 370
●卵黄嚢腫瘍 371
●奇形腫および退縮胚細胞腫瘍 372
●精巣リンパ腫および白血病浸潤 373
●その他の精巣腫瘍 374
●精巣の発育異常 375
●精巣およびその周囲の炎症性疾患 376
●前立腺炎 377
●結節性過形成（前立腺肥大）および腺症 378
●前立腺癌（1） 379
●前立腺癌（2） 380
●前立腺癌（3） 381
●前立腺癌（4）―特殊な前立腺癌 382
●陰茎の腫瘍 383

(2) 女性生殖器 385
安田政実
●概説 385
●尖圭コンジローマ，腟上皮内腫瘍，パジェット病および平滑筋腫 392
●扁平上皮化生，微小腺管過形成および子宮頸部ポリープ 393
●扁平上皮内病変/頸部上皮内腫瘍（1） 394
●扁平上皮内病変/頸部上皮内腫瘍（2） 395
●扁平上皮癌および頸部腺癌（1） 396
●扁平上皮癌および頸部腺癌（2） 397
●扁平上皮癌および頸部腺癌（3） 398
●腺扁平上皮癌および神経内分泌癌 399
●子宮内膜増殖症 400
●子宮内膜癌（1） 401
●子宮内膜癌（2） 402
●子宮平滑筋系腫瘍 403
●子宮内膜間質細胞由来の腫瘍 404
●上皮性・間葉性混合腫瘍およびアデノマトイド腫瘍（1） 405
●上皮性・間葉性混合腫瘍およびアデノマトイド腫瘍（2） 406
●漿液性腫瘍（1） 407
●漿液性腫瘍（2） 408
●粘液性腫瘍および明細胞腫瘍（1） 409
●粘液性腫瘍および明細胞腫瘍（2） 410
●類内膜腫瘍（1） 411
●類内膜腫瘍（2） 412
●ブレンナー腫瘍および漿液粘液性腫瘍 413
●性索間質性腫瘍，胚細胞腫瘍，卵黄嚢腫瘍および胎芽性癌（1） 414
●性索間質性腫瘍，胚細胞腫瘍，卵黄嚢腫瘍および胎芽性癌（2） 415
●奇形腫 416
●カルチノイド，胚細胞・性索間質性腫瘍および二次性腫瘍 417
●胞状奇胎（1） 418
●胞状奇胎（2） 419

(3) 乳腺 421
梅北善久
●概説 421
●乳管内乳頭腫 425
●乳管腺腫，乳頭部腺腫および腺筋上皮腫 426
●線維腺腫および葉状腫瘍 427
●乳管内増殖性病変 428
●非浸潤癌 429
●浸潤性乳管癌 430
●浸潤性小葉癌および粘液癌 431
●浸潤性微小乳頭癌，分泌癌，アポクリン癌および髄様癌 432
●パジェット病，腺様嚢胞癌および化生癌 433

●乳腺症，女性化乳房症，乳腺線維症
および過誤腫 …… 434

第8章 内分泌系 …… 435

概説 …… 435
長村義之

(1) 下垂体 …… 445
長村義之
●概説 …… 445
●下垂体前葉壊死，下垂体卒中，Crooke 変性 …… 448
●下垂体炎（1） …… 449
●下垂体炎（2） …… 450
●下垂体腺腫（1） …… 451
●下垂体腺腫（2） …… 452
●下垂体腺腫（3） …… 453
●下垂体腺腫（4） …… 454
●下垂体腺腫（5） …… 455
●下垂体腺腫（6） …… 456
●下垂体腺腫（7） …… 457
●頭蓋咽頭腫およびラトケ嚢胞 …… 458

(2) 甲状腺 …… 459
加藤良平
●概説 …… 459
●腺腫様甲状腺腫 …… 461
●バセドウ病 …… 462
●亜急性甲状腺炎 …… 463
●橋本病 …… 464
●濾胞腺腫 …… 465
●乳頭癌 …… 466
●濾胞癌 …… 467
●未分化癌 …… 468
●髄様癌（1） …… 469
●髄様癌（2） …… 470

(3) 副腎ほか …… 471
笹野公伸
●概説 …… 471
●副腎皮質過形成（1） …… 474
●副腎皮質過形成（2） …… 475
●副腎皮質過形成（3） …… 476
●副腎皮質腺腫（1） …… 477
●副腎皮質腺腫（2） …… 478
●副腎皮質腺腫（3） …… 479
●副腎皮質骨髄脂肪腫 …… 480
●副腎皮質好酸性腫瘍 …… 481
●副腎血管性嚢胞および副腎アデノマトイド腫瘍 …… 482
●副腎皮質癌（1） …… 483
●副腎皮質癌（2） …… 484
●副腎皮質癌（3） …… 485
●副腎褐色細胞腫（1） …… 486
●副腎褐色細胞腫（2） …… 487

第9章 神経系 …… 489

(1) 腫瘍 …… 489
横尾英明　中里洋一
●概説 …… 489
●限局性星細胞系腫瘍 …… 492
●びまん性星細胞系腫瘍 …… 493
●膠芽腫（1） …… 494
●膠芽腫（2） …… 495
●乏突起膠腫 …… 496
●上衣系腫瘍（1） …… 497
●上衣系腫瘍（2） …… 498
●神経細胞系腫瘍（1） …… 499
●神経細胞系腫瘍（2） …… 500
●松果体部腫瘍 …… 501
●胎児性脳腫瘍 …… 502
●シュワン細胞腫 …… 503
●髄膜腫 …… 503
●血管芽腫および孤立性線維性腫瘍/血管周皮腫 …… 505

(2) 変性・炎症 …… 507
豊島靖子　柿田明美
●概説 …… 507
●細菌性髄膜炎 …… 510
●単純ヘルペス脳炎 …… 511
●進行性多巣性白質脳症 …… 512
●真菌性髄膜炎 …… 513
●クロイツフェルト・ヤコブ病 …… 514
●脳梗塞 …… 515
●脳出血 …… 516
●くも膜下出血および脳動静脈奇形 …… 517
●高血圧性脳小血管病 …… 518
●遺伝性脳小血管病 …… 519
●アルツハイマー病 …… 520
●ピック病 …… 521
●進行性核上性麻痺 …… 522
●皮質基底核変性症 …… 523
●嗜銀顆粒性認知症および Globular glial tauopathy …… 524
●パーキンソン病 …… 525
●多系統萎縮症 …… 526
●筋萎縮性側索硬化症 …… 527
●家族性筋萎縮性側索硬化症 …… 528
●ハンチントン病 …… 529
●マシャド・ジョセフ病および
歯状核赤核-淡蒼球ルイ体萎縮症 …… 530

●遺伝性皮質性小脳萎縮症 …… 531
●神経軸索スフェロイド形成を伴う遺伝性びまん性白質脳症 …… 532
●神経核内封入体病 …… 533
●多発性硬化症 …… 534
●視神経脊髄炎 …… 535
●橋中心髄鞘崩壊およびニコチン酸欠乏症 …… 536
●ミトコンドリア脳筋症 …… 537
●ガラクトシアリドーシス …… 538
●副腎白質ジストロフィー …… 539

第10章 骨関節 …… 541
山口岳彦

●概説 …… 541
●骨粗鬆症 …… 545
●骨軟化症/くる病 …… 546
●副甲状腺機能亢進症 …… 547
●骨折 …… 548
●骨・関節の感染症 …… 549
●変形性関節症 …… 550
●特発性大腿骨頭壊死 …… 551
●関節リウマチと関連疾患 …… 552
●痛風および偽痛風 …… 553
●良性軟骨性腫瘍（1） …… 554
●良性軟骨性腫瘍（2） …… 555
●異型軟骨性腫瘍（ACT）および軟骨肉腫（1） …… 556
●異型軟骨性腫瘍（ACT）および軟骨肉腫（2） …… 557
●良性・中間悪性骨形成性腫瘍/腫瘍類似疾患 …… 558
●骨肉腫（1） …… 559
●骨肉腫（2） …… 560
●骨巨細胞腫 …… 561
●骨軟部組織発生未分化小円形細胞肉腫 …… 562
●脊索細胞性腫瘍 …… 563
●アダマンチノーマ …… 564
●未分化多形肉腫 …… 565
●ランゲルハンス細胞組織球腫症 …… 566
●嚢胞性骨病変 …… 567
●転移性骨腫瘍 …… 568
●腱鞘滑膜巨細胞腫 …… 569
●滑膜軟骨腫症 …… 570

第11章 軟部組織 …… 571
小田義直

●概説 …… 571
●脂肪腫および血管脂肪腫 …… 577
●脂肪芽細胞腫および紡錘形細胞/多形性脂肪腫 …… 578
●脂肪肉腫（1） …… 579
●脂肪肉腫（2） …… 580
●結節性筋膜炎および弾性線維腫 …… 581
●乳幼児線維性過誤腫および封入体性線維腫症 …… 582
●腱鞘線維腫，石灰化腱膜線維腫および血管線維腫 …… 583
●手掌/足底線維腫症 …… 584
●デスモイド型線維腫症 …… 585
●隆起性皮膚線維肉腫 …… 586
●孤立性線維性腫瘍 …… 587
●炎症性筋線維芽細胞性腫瘍および乳児線維肉腫 …… 588
●（成人型）線維肉腫および粘液線維肉腫 …… 589
●低悪性線維粘液肉腫 …… 590
●良性線維組織球腫 …… 591
●血管腫，リンパ管腫およびカポジ肉腫 …… 592
●偽筋原性（類上皮肉腫様）血管内皮腫および類上皮血管内皮腫 …… 593
●血管肉腫 …… 594
●グロムス腫瘍 …… 595
●筋周皮腫および血管平滑筋腫 …… 596
●平滑筋腫および平滑筋肉腫 …… 597
●横紋筋肉腫（1） …… 598
●横紋筋肉腫（2） …… 599
●骨外性間葉性軟骨肉腫および骨外性骨肉腫 …… 600
●末梢神経鞘腫瘍 …… 601
●顆粒細胞腫および悪性末梢神経鞘腫瘍（1） …… 602
●顆粒細胞腫および悪性末梢神経鞘腫瘍（2） …… 603
●筋肉内粘液腫および滑膜肉腫（1） …… 604
●筋肉内粘液腫および滑膜肉腫（2） …… 605
●類上皮肉腫 …… 606
●胞巣状軟部肉腫 …… 607
●明細胞肉腫 …… 608
●骨外性粘液型軟骨肉腫，ラブドイド腫瘍，PEComa，未分化肉腫（1） …… 609
●骨外性粘液型軟骨肉腫，ラブドイド腫瘍，PEComa，未分化肉腫（2） …… 610
●ユーイング肉腫，*CIC* 遺伝子再構成肉腫および *BCOR* 遺伝子異常肉腫（1） …… 611
●ユーイング肉腫，*CIC* 遺伝子再構成肉腫および *BCOR* 遺伝子異常肉腫（2） …… 612
●壊死性筋膜炎，木村病およびシリコン肉芽腫 …… 613
●痛風，ピロリン酸カルシウム結晶沈着症/偽痛風，リウマトイド結節およびアミロイド沈着による手根管症候群 …… 614

第12章 皮膚および皮膚付属器 …… 615
泉　美貴

●概説 …… 615
●HVP 感染症 …… 620
●尋常性乾癬および膿疱性乾癬 …… 621
●湿疹および慢性単純性苔癬（結節性痒疹） …… 622
●多形（滲出性）紅斑 …… 623
●（全身性）エリテマトーデス（全身性紅斑性狼瘡）および円板状エリテマトーデス …… 624
●扁平苔癬 …… 625

●尋常性天疱瘡 626
●水疱性類天疱瘡および単純疱疹/水痘・帯状疱疹 627
● IgA 血管炎（アナフィラクトイド紫斑）
および結節性多発動脈炎 628
●顔面播種状粟粒性狼瘡およびサルコイドーシス 629
●環状肉芽腫およびリポイド類壊死症 630
●リウマトイド結節および痛風結節 631
●強皮症および皮膚アミロイドーシス 632
●結節性紅斑および硬結性紅斑/結節性血管炎 633
●ケラトアカントーマ 634
●日光角化症 635
●ボーエン病 636
●扁平上皮癌 637
●乳房外パジェット病 638
●表皮嚢腫および脂腺嚢腫 639
●外毛根鞘嚢胞および増殖性外毛根嚢胞/腫瘍 640
●脂漏性角化症 641
●石灰化上皮腫 642
●毛芽腫/毛包上皮腫 643
●基底細胞上皮腫 644
●汗孔腫および汗孔癌（1） 645
●汗孔腫および汗孔癌（2） 646
●汗管腫および Tubular adenoma 647
●乳頭状汗管嚢胞腺腫および乳頭状汗腺腫 648
●汗腺腫 649
●らせん腺腫および皮膚混合腫瘍 650
●脂腺腺腫および脂腺腫 651
●皮膚線維腫 652
●隆起性皮膚線維肉腫 653
●神経鞘腫（シュワン鞘腫） 654
●神経線維腫 655
●化膿性肉芽腫およびグロムス腫瘍（1） 656
●化膿性肉芽腫およびグロムス腫瘍（2） 657
●血管肉腫およびカポジ肉腫 658
●母斑細胞母斑（先天性母斑）および Spitz 母斑 659
●悪性黒子および表層拡大型黒色腫 660
●末端黒子型黒色腫および結節型黒色腫（1） 661
●末端黒子型黒色腫および結節型黒色腫（2） 662
●菌状息肉症およびメルケル細胞癌 663
〈付録〉“炎症性疾患を診断するためのアルゴリズム”
弊社ホームページ（https://www.ishiyaku.co.jp/search/details.aspx?bookcode=731970）に収載

第13章 感覚器系 665
伊藤智雄

(1) 眼球および付属器 665
●概説 665
●眼瞼の炎症性疾患および脂腺癌 667
●リンパ腫 668
●網膜芽細胞腫および悪性黒色腫 669

(2) 鼻・副鼻腔 670
●概説 670
●鼻茸および乳頭腫 671
●扁平上皮癌 672
●リンパ上皮癌 673
●リンパ腫 674
●悪性黒色腫 675
●嗅神経芽腫 676

(3) 耳 677
●概説 677
●真珠腫 678
●反復性多発性軟骨炎 679

第14章 移植病理 681
羽賀博典

第15章 細胞診 685
内藤善哉

●概説 685
●多形腺腫 687
●腺様嚢胞癌 688
●胃腸管間質腫瘍 689
●浸潤性膵管癌 690
●膵管内乳頭粘液性腫瘍 691
●神経内分泌腫瘍および浸潤性乳管癌（1） 692
●神経内分泌腫瘍および浸潤性乳管癌（2） 693
●浸潤性小葉癌 694
●線維腺腫 695
●甲状腺乳頭癌 696
●甲状腺濾胞性腫瘍 697
●橋本病（慢性リンパ性甲状腺炎） 698
●膀胱癌（尿路上皮癌） 699
●コイロサイトーシス/軽度異形成，
軽度扁平上皮内病変 700
●中等度異形成，高度異形成，高度扁平上皮内病変 701
●肺扁平上皮癌 702
●肺小細胞癌 703
●星細胞腫，膠芽腫および髄膜腫（1） 704
●星細胞腫，膠芽腫および髄膜腫（2） 705
●体腔液（中皮腫および腺癌）（1） 706
●体腔液（中皮腫および腺癌）（2） 707
●リンパ腫（びまん性大細胞型 B 細胞リンパ腫） 708

略語一覧 709
文献 713
索引 718

プロローグ

（1）本書を読む前に

1．本書の一般的（総論的）姿勢

病理学 pathology は pathos（苦しみ転じて病気）を研究対象とする学問である．病気の原因とその過程を追究する手段として，最初に病理解剖がなされてきた．これは不幸にして亡くなられた患者さんから病気の進展を読み取るものであり，得られた情報を臨床にフィードバックすることによって医学の進歩に多大な貢献をしてきた．また，原因の研究をする途上で寄生虫学，細菌学，ウイルス学，免疫学，分子生物学といった学問が分離確立し，それぞれが大きな体系となって今日にいたっている．したがって，病理学は医学・医療の原点である．

近年の医療においては，投入される検査手段の進歩，多くの領域における知識の深化はその詳細を記すことができないほどである．それに伴って病理学に求められていることも著明に増大してきた．というのは，平均余命の延長に伴い罹患率と死亡数が一貫して増加している「がん」の確定診断を病理が行っているからにほかならない．

現在，おおまかに2人に1人は一生のうち一度はがんに罹患する．がんが不治の病と思っている人は今でもかなり多いが，治癒とほぼ同義とされる5年生存率は全がんを総合して7割にまで上昇してきた．逆に言うと，3割の人が不幸な転帰になるのであるが，50年前とは比率がまったく逆になっている．

病理診断も，以前は悪性腫瘍であることがわかれば，それで十分であったが，いまや，たとえば癌とリンパ腫や肉腫を区別することは必須であり，癌腫であれば腺癌，扁平上皮癌，未分化癌の区別が必要とされる．その理由は，治療法が異なるからである．がんと良性病変の鑑別は病理のABCであり，ミスは許されない．

検査方法も長足の進歩を遂げ，画像診断についても格段の進歩をみているが，最終診断としての病理診断の重要性はいささかも減じていない．超音波やCTなどを併用することによって病変部の正確なアプローチが可能となり，いまやミリ単位で病変部が採取されるようになってきた．現在でも採取された材料の大半はホルマリン固定後パラフィン材料となり，薄切されてヘマトキシリン・エオジン（HE）染色が施される．それによる形態診断が大部分の材料でなされ，必要に応じて外科手術あるいは化学療法が施行されるのである．ただちに診断ができない場合には，組織，細胞の分子発現が免疫組織学的に検討され，また，場合によってはPCR法などで融合遺伝子の検索やFISH法なども用いられ，根拠に基づいた診断がなされる．しかし，それらの補助的診断法を選択する元になるのは通常の形態診断であることは，ゆるがせにできない事実である．

診断の先には続々と開発されている分子標的薬や免疫チェックポイント阻害薬の適用の有無があり，病理はその適用可否の判断も求められる．臨床各分野は患者さんを診療する科からなっているが，「病理診断科」は臨床の基本領域に属している．病理は患者さんを診療する機会が非常に少ないにもかかわらず基本領域となっているのは，患者さんの診療においてその重要性が認識されていることの証左である．

本書の読者対象は学生を中心にしているが，研修医あるいは病理専門医の取得を目指している人にも対応するようにしている．初版は，故浜崎幸雄博士が単独で出版された，わが国で最初の病理組織実習書を分担執筆に変えた書籍として，昭和47年に上梓された．浜崎博士の序文の一部を引用する（一部改変）．

「実地医学では複雑多岐な難問が日常かもし出される．たとえば，由来のはっきりしない標本，固定や切り出しの十分でない標本を見せられることは毎々のことである．警戒すべきことは臨床医は標本を病理学者に提出すれば，万病たちどころに確診が得られるかのように考える向きもあって，臨床生化学検査の成績の記載すら怠るものがある．いずれにしても病理診断が重大な治療方針を決定する場合が多いことを，くれぐれも忘れないでほしい．このように思いをめぐらせて来ると，病理学実習に当って従来一般に行なわれているように，この標本は○○病であり，それにはa，b，c…の所見があるといった，被働的な考え方では実地医療の場では物の役に立たない．願わくば学生には診断不明のまま組織標本を与え，この標本にはa，b，cの所見がある．それでこれは○○病であると言った形式で診断をつける術を習得せしめられたい．」

ほぼ半世紀前の記述であるが，実に要を得た言葉である．また，注目すべきは，本書で学ぶ学生，若手の医師に対して述べたものというよりは，それを指導する教官，指導医の心得を示されたものである．

さらに，浜崎博士は総論の冒頭で診断の心得を示されている（一部改変）．

「肉眼で認められる標本の特徴を観察したのち，顕微鏡にかけて弱拡大から次第に強拡大に移していく．なるべく弱拡大で見当をつけるよう練習を積むべきであるが，決して弱拡大のみで最終診断をつけてはならない．(中略)正常組織成分が，病的機転によって変化する行程を追究して，診断に至ることが肝要である．難しい標本に出くわして“これは手がつけられない”と気おくれしてはならない．どんな場合にも平静を失わず，注意を集中すれば，必ず血路を見出しうるであろう．(中略)いったん自分の能力によって判断を下すときには十分な自信をもって行うことが肝要である．診断名を堂々と記録に残す．万一それが誤診であったことが明らかになったときには，強い悔恨を残す．これによって前に作られた回路網（診断への神経回路網：著者註）は根本的に修正せられることになる．AかBかの診断に迷い，記録もうやむやにしておき，後日正しい診断がBであるとわかったときに，“俺もB臭いと思ったが，やはりBであったか”などと自己欺瞞を平気でやるものがいたとすると，いたずらに迷いの種をつくることになる．」

これも学生，若手の医師を対象とした文章から始まっているが，実に含蓄のある，豊富な経験に裏打ちされた文章である．むしろ病理医が味読すべき内容となっており，今でもみずみずしさをまったく失っていない．

患者さんの診療における病理の重要性は，この50年間に大きく拡大してきた．また，社会の仕組み・システムも相当に変わってきており，それとともに訴訟も明らかに増大し，診断の誤りから訴訟となることもある．したがって，誤診を堂々と記すことは往時と同様にはできないが，診断を行うときの心がけと根本的な原則はなんら変わっていない．

このように，本書は初学者を対象とするという最も大きな枠組みは変わっていないが，それにより病理学の形態診断を行うことの重要性を認識し，その後CBTを経て臨床実習を行うときにも役に立つことを企図している．さらに，卒後実際に患者さんの診療をする段階になっても参考にできるような内容を目指し，また病理学を専門にしようとする人も対象としている．この姿勢は初版から第6版となった現在でも維持されている．疾患単位として記載されていることは，最新でかつ重要なことを網羅しつつ，それを用いるには，ななめ読みをするのではなく，真剣に標本に向かう，その羅針盤として活用いただきたいからである．

2．本書の特徴と第5版までとの相違点

学問の進歩は，日進月歩とも表現される．大規模集積回路の進歩を予言したものに「ムーアの法則」というものがある．それは，技術的進歩が指数関数的に進むというものであり，提示された1965年以降ほとんどそうした方向を示している．

遺伝情報を解析することは，生命現象あるいは病的状態を理解するために必要不可欠とされ，世界規模のプロジェクトの推進によりついに全塩基配列の解読がなされた．この領域における進歩あるいは費用逓減も，ムーアの法則と同様に指数関数的な進展をみた．それにより，たとえば，がんの発生機序も解明されてきており，ついには分子異常を標的とする治療薬も急速に開発され使用されてきている．しかし，分子異常を同定することのみで的確な診断が得られるのではないかという誤った論調も存在する．

ひとつ忘れてはならないことがある．すなわち，がんの研究はいわば国策として多額の研究費が投じられ，赫赫たる成果を上げてきているが，いちばん基になる，がん（悪性腫瘍）か非がん（良性腫瘍）かを決定してきたのは，実にシンプルな病理診断によるのである．しかし，故浜崎博士が看破しておられるように，診断にあたっては患者さんの状態や各種検査成績を咀嚼することが必要不可欠である．言い換えれば，病理診断は通常のHE染色のみで最終診断を下してよいかというと，そうではない症例が多数存在するのである．

1つの例をあげよう．癌かリンパ腫かHE染色のみで判断できない症例がある．そのような例では，躊躇なく免疫染色を施行し，上皮系マーカーあるいは白血球マーカーのいずれを発現しているかを検索し，後者であればB細胞あるいはT細胞のどちらに属しているかを決定していく．細胞の増殖能は核の大きさをみればおおよその見当がつくが，核分裂像を数えるという方法に加えて，Ki-67といったマーカーをみることによりG_0期以外の細胞増殖サイクルに入っている細胞

の割合も算定できる．

肺癌などで扁平上皮癌か腺癌かの判断を求められることがしばしばある．この場合も，以前なら非小細胞癌であることを伝えることでほぼ十分な情報であったが，現在では両腫瘍に特異性の高いマーカーがあり，非常に低分化あるいは未分化な場合にはそれらを駆使して診断決定している．

さらに，前述のように発癌にかかわる分子基盤から分子標的薬の開発がなされているが，それを適応することが可能かどうかについても病理が判定することが多い．分子基盤の研究は，2000年頃までは，学問的好奇心によるものであり，真理を追究するという研究者に特有の性格によるものであったが，ついにそれが直接的な治療法にまで結びついたことは驚嘆すべきことである．したがって，「趣味的な」分子機序の研究とそれによる知識が，日常診療上にも必須のものとなってきたのである．このようなことから，第5版までは断片的に示された分子基盤について，編者により別の章を設けて網羅的に示すこととした．また，分子基盤は染色体異常とも深くかかわっており，取り上げた疾患のなかにその知見を散りばめていただいている．

要するに，最近の知見も得られるような改版となっている．さらに，本書名が『病理組織の見方と鑑別診断』となっていることに注意を払ってほしい．故浜崎博士が明快にお書きのように，AとBの診断が浮かんだ際にどのような態度で最終診断をすべきかが重要で，患者さんを診療する場合も鑑別診断をいかに想起し，それらをいかに正しい診断に結びつけるかが診断能力を示す指標となる．

半世紀前には細胞，組織の増殖態度あるいはパターンということのみが鑑別の便となったのである．その重要性は現在も変わらないが，いまやどのような細胞に近似しているかをより科学的方法で調べることが可能である．それは前述の免疫染色だけではなく，サザン法によるDNA解析やフローサイトメトリー等々あらゆる手段を用いることも可能となってきた．鑑別診断というのは，もしもその診断が想起されなければ永久にその患者さんの診断とはならない．いかにたくさんの鑑別診断を理知的にあげることができるか，それは臨床力，診断力そのものである．

医師となるためには国家試験に合格する必要がある．国家試験が非常に細かいことまで問うようになってきて，あるいは一生に一度も遭遇しない可能性の高い疾患まで問題になってきている．それに対する批判はもっともなものであり，改善が望まれる．病理組織像もかなりの頻度で出題されている．もちろん，それには病歴や各種検査成績も示されており，その部分をしっかりと把握するだけで正解にたどりつくことも多い．しかし，病理組織像を正しく読むことができれば，より容易にその問題を終えることができるのも事実である．

本書は学生諸君をおもな対象としており，資格試験に対して対応することも必要である．記述は簡略にし，必要な知識と所見を要領よく示すこと，これが重要なポイントである．本書を携えて日々の研鑽を積み，医療の中枢人となられることを祈念する．

(2) 本書の有効な利用法

本書ではそれぞれの臓器で典型的な病変を観察した場合に，どのような所見がみられるか，また鑑別に重要な病変や鑑別点はどのようなものであるかを示している．これらにより初学者が病理標本を見て正しい診断にたどりつけるような手引きとなることを目的としている．

実際の診断においては典型例ばかりでなく，診断に苦労する病変や本書に書かれていないような疾患も多くあるが，まずはよくみられる病変の典型的な組織像を理解することが重要で，そのうえで応用問題にあたる必要がある．

病理組織診断はヘマトキシリン・エオジン（HE）染色の光学顕微鏡像でなされるのが基本であり，本書ではHE像が主として述べられている．しかし，正しい病理組織診断を下すためには各種の特殊染色や免疫組織化学が必要な場合がある．重要なものはできるだけ記載するようにしたので，それらの所見の解釈については「(4) 特殊染色と免疫組織化学」の項（☞p.8）を参照していただきたい．

電子顕微鏡は，糸球体腎炎や心筋症，一部の腫瘍の診断以外には以前ほど使用されなくなっているが，いくつかの診断に有用な電子顕微鏡所見を大朏佑治 高知大学名誉教授のご厚意により第4版から転載しておく（☞p.12）．

本書では［参考事項］で関連した臨床事項などを補足説明しているが，病理総論的な説明は一部を除いて十分になされていない．実習を行う場合には病理学の総論，各論の参考書を座右に置いて，常時参照されることが望ましい．

そのほか本書を利用されるうえでの注意点を以下に列記する．

図（写真）の倍率：本書では電顕写真や特別正確な拡大を要する写真以外は対物レンズの倍率×10を尺度として次のように概略の拡大を示すにとどめた．

ルーペ＜弱拡大（×20～×40)＜中拡大（×100～×200)＜強拡大（×400～×1,000)．ただし，大型の付図（131 mm×80 mm）では×200以上を強拡大とした．

染色：標本の染色は図の説明に記載のないかぎり，すべてHE染色によるものである．特殊染色は一覧表（**表1**）を付した．

表：病理学の性格上，分類，診断基準などを示す表は多々存在するが，本書では最小限の表に厳選して掲載した．

略語：本書で用いた学術用語の略語一覧を巻末に一括表示した．

Webアプリ：インターネットでhttps：//www.ishiyaku.co.jp/ebooks/731970/の画面から，パスワード7ecaを入力するとアクセスできる．本書に掲載された疾患のなかから厳選し，Webアプリを作成した．図に簡単な質問と解答を付し本書購読者のCBTや国家試験対策の便を図った．

（3）病理組織診断の心得

形態学はロマンである．人体を形作っている多種類の細胞や組織はいろいろと形を変えながら，環境の変化に順応し，また順応が不調になると病的になる．どの細胞も同じ遺伝情報を有していながら，そのなかの一部を使い，ある特定の場所で特定の機能を果たすように運命づけられている．その機構を考えるだけでも夢がふくらんでくる．形態を学ぶものは，形の変化は機能の変化を惹起し，機能の変化には形態の変化を伴うと信じている．病理医が組織を観察して病気の診断を行う際にも，意識するかしないかは別として，形態と機能の関連を考慮している．本書は病理組織診断学の教科書であるが，単に形態から診断にいたる過程をなぞるだけではなく，形態と機能の関連を重視していく姿勢を大事にしたい．

病理診断の目的は形態的変化から病理の診断，すなわち分類を行うことである．病理診断は多くの場合その患者の最終診断となる．病理診断は治療法の選択や予後予測に必要な情報を提供する．形態診断はこれまで100年以上にわたって蓄積された病気による形態変化に関する知識をもとに，病理医が顕微鏡観察によって得られた画像情報を解析して診断を行っている．診断の精度は診断を行う病理医の知識と経験に大きく依存する．診断基準の多くはこれまで言語により記述されてきた．たとえば「細胞密度が高い」，「核の大小不同が著明である」という基準ではその解釈が病理医によって一定せず，主観の関与が大きい．病理診断はしばしばその患者の最終診断となりgolden standardといわれるが，病理診断そのものには絶対的基準がない．癌かどうかの鑑別では患者の方々の経過を観察すれば良・悪性は明らかとなるが，倫理的には許されない．

最近では形態学のみならず分子生物学や遺伝学の知識，そしてCTやMRIなどの画像診断の知識も適正な病理診断にいたる一助として重要視されている．ある種の腫瘍に特異的な遺伝子異常（滑膜肉腫におけるキメラ遺伝子の存在など）が発見されると，これまで形態のみでは鑑別診断の難しかったような症例でも，診断を確定することができるようになる．一部の分子生物学者は「病気はすべて遺伝子あるいはDNAの異常で説明できるようになり，形態学は不要である」とすら述べている．しかし，1つの腫瘍の中でも形態的に異なる部分が存在し，そこでは異なった遺伝子異常が存在することは形態学の知識なしには理解できない．形態学の修得には長い年月が必要であるが，そこには大きな楽しみがあり，本書の読者がそのような世界にふれて大きく夢をふくらませることを期待している．

1．標本観察の基本

1）顕微鏡の設定

顕微鏡観察する際にはまず顕微鏡を適正に設定する必要がある．病理診断に用いられる顕微鏡では2〜40倍の対物レンズをおもに使用する．場合によっては65倍の対物レンズ，100倍の油浸レンズを用いることもある．10倍以上の対物レンズを用いる場合はコンデンサーを跳ね上げて光路に入れる．電圧は10V付近に設定し，明るさはNDフィルターを出し入れして調整するのが正しい．レンズごとに電圧を変えて明るさを調整する人が多いが，色調が一番わかりやすいのは写真撮影用に設定されている電圧である．ヒトの眼は野球の投手の肩と同様に消耗品であり，明るすぎる視野での長時間観察は避けるべきである．電圧を設定した後には光軸の調整が必要となる．10倍対物レンズを用いて眼の幅に合わせ，左右の眼のピントを調整する．

次に光源部の視野絞りを絞って視野絞りの像がはっきり見えるようにコンデンサーを上下させる．視野絞り像が観察視野の中心にくるように2本のコンデンサー芯出しねじを調節する．次いで視野絞り像が観察視野よりわずかに広くなるように絞りを開く．調整が不十分だと視野に影やむらができる．

最後にコンデンサーの開口絞りを調節する．対物レンズには倍率の後に0.25〜0.7ぐらいまでの数字が打刻してある．この数字が開口数といわれるもので，解像度やコントラストに関係する．通常は開口数の70〜80%に開口絞りを絞る（0.5の開口数の場合0.35〜0.4）．対物レンズにより開口数が異なるので写真撮影の際は特にこまめに調整するとよい．

2）病理標本の作製

病理検査は組織診断を必要とする臨床医の依頼に始まる．生検診断を診療に有効に生かすためには病理医と臨床医の信頼関係と密接な連携が必要である．臨床医は臨床経過や所見，そして標本の採取部位を正確に依頼書に記載するとともに，どのような情報を病理医に求めているかを明記する必要がある．一方，病理医は依頼書の内容と臨床医の必要とする情報を理解して簡潔な報告書を作成することが求められる．また，病理医は主治医や画像診断医とカンファレンスをもち，交流を深めるとともに，診断用語の意味などを互いに理解しておく必要がある．特に略語の濫用には注意すべきで，同じ略語が科により，あるいは臓器により異なる意味合いに使われていることを認識する必要がある．

病理標本を作製する第一歩は固定である．固定は臨床医がホルマリンに組織を浸漬することで行われる．この際に組織量の5倍以上のホルマリン量が必要であることを臨床医に周知しておく必要がある．小さいビンに無理やり組織を押し込め，少量のホルマリンしか加えていないことがしばしば見受けられるが，慎むべきである．

病理検査室での作業は切り出しである．生検組織や摘出臓器の肉眼観察は非常に重要で，あとで他の人が見てもわかるような記録を残す必要がある．特に癌を含む臓器ではTNM分類のT因子を病理学的に決めるために必要な情報が得られるような切り出しをするとともに，断端の検索にも気を配る必要がある．組織標本はいつでも再検討することが可能であるが，肉眼観察は切り出しを行った者のみが行える作業なので，詳細な観察と記録が必須である．

3）標本の観察

病理標本を顕微鏡で観察する際には，いきなり標本を顕微鏡に載せて観察を始めるのではなく，まず臨床経過，臨床所見，臨床診断が何であるかを把握する．その段階で意識するかどうかは別として，病理医の頭のなかでは鑑別診断が始まっている．たとえば腫瘍の場合，患者の年齢や発生場所のみですでに可能性が絞られることがある．一方では臨床診断に影響されることなく病理画像情報を先入観なく観察することも大事である．

顕微鏡観察は弱拡大で広い視野から始める．正常部と病変の位置関係など病変全体像をまず把握し，倍率を上げながら(弱拡大から強拡大に移していきながら)組織構築や個々の構成細胞の詳細を検討し，それらの情報を集約して診断にいたる．病理報告書の所見の記載も観察の順序に沿って記載されるべきである．いきなり強拡大の細胞像から記載することはしない．

一見すれば診断のつく病変も多く，すべての標本でひとつひとつステップを踏んでいるわけではないかもしれないが，病理医の頭のなかではごく短時間でこのような思考過程が進んでいると思われる．経験を積むことにより弱拡大で適正な診断を行う能力が向上し，強拡大での観察は弱拡大での診断を確認するために用いられるようになる．

どのような画像因子に注目するかは病理医により異なっている．細胞の配列を重視する場合や，個々の細胞の形状に注目するなど，人それぞれであるが，ほとんどの場合，同じ結論になるということは，顕微鏡画像には実に多くの情報が含まれているということの反映でもある．

2. 病理組織診断へのアプローチ

病理組織診断へのアプローチには一定のルールはなく，それぞれの見方で実践しているが，基本的には「常識を逸脱しない」ということに集約されると思われる．また，はじめにだれに習ったかでその病理医の一生が決まるともいわれている．

以下は，病理診断を行ううえでの注意点である．

1）弱拡大の顕微鏡像から得られる情報のほうが，強拡大画像から得られる情報よりも診断に有用である．たとえば，腫瘍と非腫瘍性病変の鑑別，良・悪性の判定などの基本的な診断にとって病変と正常部位との境界，病変の組織構造，部位による組織像の差などが非常に重要である．

2）診断がつかないときや，良・悪性の判定ができないときは，それを素直に認める．自己の診断能力の限界と生検診断自体の限界を十分に認識することは病理医にとって非常に重要である．その意味では，難しい症例について同僚や先輩の意見を聞いたり，専門家にコンサルテーションをすることを決して逡巡するべきでない．不十分な標本，不十分な情報や知識・経験によって診断を誤れば，一番被害を受けるのは患者であり，つまらないプライドや臨床医からの圧力で無理に白黒をつけるようなことは慎むべきである．

3）既往の標本があるときは必ず参照する．これにより，治療による組織像や悪性度の変化などを検討できる．また，治療により組織像が変化して，あたかも第2の病変が発生したかと思える場合でも，既往標本を参照して，一元的に考えるほうが多くの場合は正しい．

4）標本は必ず端から端まですべて鏡検する．たとえば，リンパ節で転移癌を見つけて安心してしまい，背景のリンパ節組織にある病変（リンパ腫，肉芽腫など）を見落とすことがないようにする．つまり，病変は1つだけであるという先入観をもたずに鏡検することが重要である．

5）免疫組織化学的検索や遺伝子解析などを行う場合も，まず組織学的に鑑別診断を絞って，そのなかで正しい診断を選択するにはどのような検索が決め手になるかを考えて実施する．診断困難な症例すべてに，多くの抗体を用いた免疫染色をむやみに施行しても時間と労力と経費の無駄使いになることがほとんどである．

6) HE 染色標本での診断と免疫染色などの結果が矛盾する場合は慎重に対処して，組織診断と免疫染色の結果の解釈に問題がないかを再検討する．どうしても両者が矛盾する場合は HE 標本での組織診断を優先させる．もちろん，ある病変でこれまで報告されていなかったような免疫組織化学的マーカーが陽性になることはあるが，その可能性を考えるときは多数例で検討して慎重に結論を出すべきである．

7) 病理診断学の知識は常に更新され，新しい疾患単位が確立され，新しい免疫組織化学的マーカーが発見されている．このような新しい知識を吸収することに貪欲であるべきで，それぞれの病理医の診断精度は，その知識と経験によっていることを忘れないようにする．つまり，見たことのない，聞いたことのない，読んだことのない病変は正しく診断できないということである．

8) 新しい臨床情報が得られたり，臨床病態と診断が合わなかったり，あるいは病理医による見直しなどの精度管理の努力などにより誤診が見つかった場合は，それをふせておくのではなく，すみやかに訂正すべきである．病理診断は白黒のはっきりつくデジタルな世界ではなく，パターン認識の要素の強いアナログの世界であり，所見の解釈が変わることはありうるし，少数の誤診は避けられない．誤りは誤りとして認めることが，医療に従事する者としては当然の心構えであろう．

9) 組織診断は一定の診断基準に則って行われるべきであり，他の病理医に説明できないような「以前同じような症例をこう診断したことがある」とか，「自分がこう思うからそうなんだ」というような根拠のない診断は正当化されない．

10) 診断が困難な症例にあたったときは，長時間悩むよりも，いったんその標本は脇に置いて，ほかの標本の診断を終わらせ，頭をリフレッシュしてから見直すと，重要な所見が見えてくることがある．

11) 体調や気力が充実していないときに，ともすれば見落としや誤診が起こるので十分に注意する．

12) 症例報告に値するようなまれな病変は，病理医の一生のうちでそうそう遭遇するものではない．まず臨床経過，発生部位などを考えて可能性の高い病変を完全に除外してから，まれな病変の可能性を考えるべきである．

13) 最後に，重要性からは上の項目のどれにもひけをとらないことであるが，正しい診断の基礎には正常の組織像についての知識が必要である．いいかえれば，正常を知らないで異常を認識することはできないということである．

*

世の中に分子生物学者を名乗る研究者は非常に多くいるが，しっかり形態学を学び，形態から病気の診断をできる病理医・病理学者は少ない．病理診断は膨大な知識と経験を必要とし，患者との直接接触の機会も少なく，仕事はきつく収入は少ないという先入観が医学生のなかにある．しかし，全身の病気を対象とし，病気の最終診断を行う病理医は医療のなかでも中心的役割を担っている．

最近では形態の変化を裏づける遺伝子異常についての知識も増え，さらに形態学が進歩している．このような新しい知識を加えた形態学に若い読者が興味をもってくれれば幸いである．

（4）特殊染色と免疫組織化学

本書ではHE染色標本の光顕像を中心に解説しているが，診断に際してはある種の細胞やその産物などを染め分ける特殊染色を用いる．また，特異的な抗体を用いて細胞内や細胞間に存在する抗原の有無や分布を見る免疫組織化学（酵素抗体法や蛍光抗体法）も診断に広く用いられている．さらに遺伝子や遺伝子の発現を見る *in situ* hybridization法や *in situ* PCRなども徐々に病理診断の分野に導入されるようになってきた．1990年代の末ごろまで病理医はこれらの染色法を一通り自分でも実践していたが，最近では技師まかせあるいは機械まかせとなってきて，染色の原理や限界，そして問題が起こったときの対処法などについての知識が不十分となってきた．染色については診断の基本でもあるので一般的知識は習得しておくことが望ましい．

1．特殊染色

よく用いられる特殊染色の染色性と本書に記載されている特殊染色の略号の一覧を示しておくので参考にしていただきたい（**表1，2**）．

2．免疫組織化学

免疫組織化学は多くの病理検査室でルーチンとして取り入れられ，特殊染色以上にしばしば用いられるようになってきた．腎生検や皮膚生検における蛍光抗体法を除いては，ほとんどの場合，酵素抗体法（免疫染色）が行われる．その応用範囲は非常に広く，本書のなかでもしばしば取り上げられている．病理診断における免疫染色の応用についての詳細はあまりに広汎にわたるため専門書を参照されたいが，ここでは特に腫瘍の診断への応用について概説する．

① モノクローナルな増殖の確認

例：多発性骨髄腫やリンパ腫における免疫グロブリン軽鎖の染色．

② 腫瘍の良・悪性の鑑別

腫瘍全体に応用できるマーカーはないが，限られた状況では免疫染色が有用である．たとえば，胸腺上皮性腫瘍におけるCD5陽性像は悪性を強く示唆する．腸管の上皮性腫瘍や色素性腫瘍においてp53の陽性率が高い場合は悪性の可能性が高い．

③ 腫瘍の分化と機能

- 上皮性か非上皮性かの鑑別：中間径フィラメント，EMA，CEAなど
- 軟部腫瘍の分化：筋肉マーカー，c-kit，内皮マーカーなど
- 造血器腫瘍の細胞起源：CDマーカー
- 神経内分泌腫瘍の鑑別：synaptophysin，chromogranin，CD56，各種ホルモンなど
- 腫瘍産生酵素：アミラーゼ，前立腺アルカリホスファターゼ，トリプシンなど

④ 原発不明転移癌の原発巣の推定

サイトケラチン7/20，組織特異マーカー（PSA，サイログロブリン，TTF-1など）．

⑤ 腫瘍の増殖能の検討

Ki-67標識率による腫瘍の悪性度判定など．

⑥ ホルモン・増殖因子受容体の同定

エストロゲンレセプター，EGFレセプターなど．

⑦ 予後因子

Her2/neu，Ki-67標識率，癌遺伝子/癌抑制遺伝子の発現など．

⑧ 免疫染色による腫瘍の鑑別診断

未分化腫瘍の鑑別ではケラチン，ビメンチン，CD45（LCA），S-100蛋白を用いて，まず一次スクリーニングを行い大まかな分類をしたうえで，さらにマーカーを追加して診断を絞り込む（**表3**）．可能性が絞られたところで，さらに診断の確認や，組織亜型の決定のために免疫染色を追加する（**表4**）．免疫染色に用いられるマーカーは日々増えており，そのすべてを知ることは難しいが，診断の決め手となるマーカーについての知識は常に新たにしておく必要がある．また，抗体にはある種の細胞に特異的というような宣伝がついて回るが，ラベルをうのみに信用してはならない．その抗原の分布や抗体の反応性などを十分に理解したうえで解釈すべきである．同じ試薬，同じ方法を用いても検査室により結果が異なることはよく経験することである．

表1　特殊染色

1．膠原線維染色
- アザン（Azan）染色：膠原線維および細網線維は青色，筋線維は赤色，線維素は赤色，細胞内分泌顆粒は好塩基性のものは青色，好酸性のものは赤色，好中性のものは中間色，核は赤～赤褐色
- マッソン・トリクローム（Masson-trichrome）染色：Azan 染色とほぼ同様，核がより濃い
- ワンギーソン（van Gieson）染色：膠原線維は赤色，原形質，筋線維は黄色，核は黒褐色

2．弾性線維染色
- ワイゲルト（Weigert）弾性線維染色：弾性線維は黒紫色～黒褐色，しばしば van Gieson 染色（EvG：elastica van Gieson 染色）またはマッソン・トリクローム染色（EM：elastica-Masson 染色）と併用する
- オルセイン（orcein）染色：弾力線維は茶褐色，B 型肝炎 HBs 抗原も茶褐色に染色される

3．細網線維の鍍銀法
- 渡辺鍍銀法：細網線維，核は黒色，膠原線維は赤味がかった紫色．Gomori 法など他の変法でも同様の結果を得る
- PAM（periodic acid methenamine silver）染色：腎糸球体基底膜，尿細管基底膜，毛細血管，細網線維が黒色

4．線維素染色
- ワイゲルト（Weigert）染色：線維素は青紫色
- リンタングステン酸ヘマトキシリン（PTAH）染色：線維素は深青色，膠線維，横紋筋の横紋も青色，膠原線維は帯黄赤色～帯褐赤色

5．多糖類の染色法
- PAS 反応（periodic acid-Schiff reaction）：中性ムコ多糖，上皮性酸性ムコ多糖，グリコーゲンなど糖蛋白のほとんどが赤紫色
- アルシアンブルー（alcian blue）染色：酸性ムコ多糖が青色

6．アミロイド染色
- コンゴーレッド（Congo red）染色：アミロイドは橙赤色

7．中性脂肪染色
- ズダンIII（Sudan III）染色：脂肪は橙黄色～桃赤色
- オイルレッド O（oil red O）染色：脂肪は赤色
- ズダンブラック B（Sudan black B）染色：脂肪は黒青色，類脂質も染まる

8．鉄染色
- ベルリンブルー（Berlin blue）染色：3 価の鉄イオンが青藍色

9．好銀性細胞の染色
- グリメリウス（Grimelius）染色：好銀性細胞は茶褐色～黒褐色

10．メラニン染色
- フォンタナ・マッソン（Fontana-Masson）染色：メラニンが黒色

11．グラム（Gram）染色
- グラム陽性菌が青黒色，グラム陰性菌は赤色

12．抗酸菌染色
- チール・ニールセン（Ziehl-Neelsen）染色：抗酸菌（結核菌やらい菌）は濃紅色

13．真菌染色
- グロコット（Grocott）染色：真菌は黒色

14．神経系の染色法

（1）神経細胞染色
- ニッスル（Nissl）染色：神経細胞のニッスル小体は赤紫色（チオニン，クレシルバイオレット），または青色（トルイジンブルー）

（2）神経原線維，軸索染色
- ボディアン（Bodian）法：軸索は黒色
- ビルショウスキー（Bielschowsky）法：軸索は黒色

（3）髄鞘染色
- ルクソール・ファストブルー（luxol fast blue：LFB）染色，クリューバー・バレラ（Klüver-Barrera）染色：髄鞘は青色
- 巣鴨法：髄鞘は濃青色

（4）膠細胞染色
- カハール（Cajar）鍍銀法：星膠細胞の核，突起は褐色～暗褐色，細胞質は褐色

（5）膠線維染色
- リンタングステン酸ヘマトキシリン（PTAH）染色：膠線維，核，毛基体（blepharoplast）は深青色，線維素，横紋，筋原線維も染まる
- ホルツァー（Holzer）染色：膠線維は暗青色

(6) 樹状突起の染色法
・ゴルジ（Golgi）法：神経細胞の樹状突起が黒褐色
15. カルシウムの染色
・コッサ（Kossa）鍍銀法：石灰は黒色
16. 血液細胞の染色
・メイ・グリューンワルド・ギムザ（May-Grünwald Giemsa）染色またはギムザ染色：核の顆粒は青紫色，細胞質は淡青～青色，骨髄球の顆粒は好酸性はレンガ色，好塩基性は紫青色，赤血球はピンク，肥満細胞は紫色
・ナフトール-ASD-クロロアセテート・エステラーゼ（naphthol-ASD-chloroacetate esterase）染色：好中球系細胞，肥満細胞が基質の違いにより赤色または青色に染まる
・ペルオキシダーゼ（peroxidase）染色：顆粒球系細胞が褐色

表2 特殊染色略号一覧表

略号	内容
ABC 法	avidin-biotin-peroxidase complex method
alcian 青	alcian blue stain
AB-PAS	alcian blue-PAS double stain
A-M	Azan-Mallory stain
Azan	Azan stain
B-C 青	brilliant cresyl blue
Berlin 青	Berlin blue（=Prussian blue）method for hemosiderin pigment
Bielshowsky	Bielshowsky silver impregnation method for axon（neurofibrils）
Bodian	Bodian's silver impregnation method for axon（neurofibrils）
Cajal	Cajal methods for glial cells（gold-sublimate method, pyridine silver method etc.）and for axon（silver impregnation）
Congo-red	Congo red stain for amyloid
E-M	elastica-Masson stain（Weigert stain with Masson stain）
EvG	elastica van Gieson stain（Weigert stain with van Gieson stain）
FITC	fluorescein isothiocyanate
Fontana	Fontana-Masson stain
GFAP	glial fibrillary acidic protein
Giemsa	Giemsa stain
Golgi	Golgi osmiobichromate silver stain
Gomori	Gomori methenamine silver nitrate method
Gram	Gram stain
Grimelius	Grimelius silver nitrate stain for argyrophil granules
Grocott	Grocott methenamine silver nitrate method
Hale	Hale colloidal iron method
HE	hematoxylin and eosin stain
Heidenhain	Heidenhain iron hematoxylin stain
Holzer	Holzer method for glial fiber stain
HRP	horseradish peroxidase method
K-B	Klüver and Barrera luxol fast blue stain for myelin and nerve cells
Kossa	von Kossa method for calcium
luxol fast blue-HE	Klüver-Barrera method combined with HE stain
LFB-PAS	Klüver-Barrera method combined with PAS
M-A	Mallory-Azan stain, Mallory anilin blue-azokarmin collagen stain（Heidenhain）
Mallory	Mallory anilin blue-acid fuchsin collagen stain（original）
Masson	Masson trichrome stain
M-G	May-Giemsa（May-Grünwald Giemsa stain）
N-ASD-CE	naphthol ASD chloroacetate esterase
Nissl	Nissl stain（methylene blue, thionin or cresyl echt violet stain for Nissl substance）
NSE	neuron specific enolase
oil 赤	oil red O stain
orcein	orcein stain
PAM	periodic acid methenamine silver stain
Pap	Papanicolaou stain
PAP 法	peroxidase anti-peroxidase method
PAS	periodic acid-Schiff reaction
PAS-al-Mas	PAS-alcian blue-Masson stain
PDMABR	paradimethyl-aminobenziriden rodamin
Prussian 青	Prussian blue stain（Berlin blue-method）
PTAH	phosphotungstic acid hematoxyline stain
R-F	Resorcin-fuchsin
Rub	Rubeanic acid
S-100	S-100 protein
Sudan Ⅲ	Sudan Ⅲ stain
Sudan B	Sudan black B stain
Sugamo	Sugamo method for myelin stain
v-Gieson	van Gieson stain for collagen fibers
Watanabe	Watanabe silver impreganation
Weigert	Weigert elastica stain
Ziehl-Ne	Ziehl-Neelsen stain for acid-fast bacilli

表3　形態的に分化方向を決定できない腫瘍の鑑別

ケラチン	＋	−	＋	−	−	−
ビメンチン	＋	−	＋ or −	＋	＋	＋
CD45（LCA）	＋	−	−	−	＋	−
S-100蛋白	＋	−	−	−	−	＋
最も考えられる結果	人工的変化（正常組織を再度チェック）		癌，中皮腫，胚細胞腫瘍	肉腫	リンパ腫	メラノーマ

表4　上皮性および非上皮性腫瘍の免疫組織化学的マーカー

上皮性腫瘍（ケラチン＋）		非上皮性腫瘍（ビメンチン＋）	
乳癌	EMA Brst2（GCDFP-15） ER/PR Her-2/neu（c-erb B-2）	横紋筋腫瘍	muscle specific actin（HHF-35） sarcomeric actin（asr-1） desmin myogenin MyoD1 ミオグロビン
肺癌	p60，CK5/6 TTF-1	平滑筋腫瘍	muscle specific actin（HHF-35） smooth muscle actin（1A4） desmin
肝癌	AFP HepPar1 低分子量ケラチン （carm5.2，35bh11）	GIST	CD117（c-kit） CD34
胆管癌	Villin 高分子量ケラチン（34be12）	血管内皮腫瘍	第Ⅷ因子関連抗原（または von Willebrand 因子） CD34 CD31 Ulex lectin
甲状腺癌	TGB カルシトニン TTF-1	脂肪肉腫	Type Ⅳ collagen，S-100蛋白
前立腺癌	PSAP PSA PSMA	隆起性皮膚線維，線維組織球腫瘍	リゾチーム，ⅩⅢa因子，CD68
		滑膜肉腫，類上皮肉腫	ケラチン，EMA
腎癌	RCC-renal tubular ag（gp200） CD10	リンパ腫	B細胞系 CD20，CD23，CD79a，CD138，CD10，Bcl-6，cyclin D1，免疫グロブリン T細胞系 CD3，CD5，CD43，CD4，CD8 未分化大細胞型リンパ腫（ALCL） CD30，ALK リード・シュテルンベルグ細胞 CD30，CD15，BLA36，fascin 組織球系 CD68，リゾチーム
膀胱癌	ウロプラキンⅢ		
卵巣癌	OC-125 WT-1（serous） mesothelin（serous）		
大腸癌	COTA（colonic ovarian tumor antigen） CEA CK20		
膵癌	エキソクリン（外分泌性腫瘍） WT-1 エンドクリン（内分泌性腫瘍） NSE，synaptophysin，Leu7，chromogranin，インスリン，VIP，ソマトスタチン，グルカゴン	黒色腫	S-100蛋白 HMB-45（melanosomes） melan A（MART 1） tyrosinase
神経内分泌腫瘍	NSE，synaptophysin，Leu7，chromogranin		
中皮腫	ケラチン（高分子，低分子，CK5） calretinin mesothelin OC-125 WT-1 ビメンチン （CD15，CEA.Ber-EP4-negative）	小型円型細胞腫瘍	CD45（lymphomas） CD99，myogenin，WT-1 NF（neurofilament），FLI-1
		胚細胞腫瘍	ビメンチン，ケラチン，フェリチン PLAP AFP HCG CD30

（Taylor CR. Tumors of unknown origin. In：Taylor CR, Cote RJ, editors. Immunomicroscopy. A Dignostic Tool for the Surgical Pathologist. 3rd ed. Saunders Elsevier；2006. p.379-395. の表15-1より改変）

診断に有用な特徴的電子顕微鏡所見

ヒト乳頭腫ウイルス（HPV）は，70 型以上の亜型が見いだされており，核内粒子が結晶状配列を示す（**図 4A，B**）．尋常性疣贅，尖圭コンジロームなど良性病変のほかに，16，18，33 型などは子宮頸癌との関連性が示唆されている．**サイトメガロウイルス**（CMV）は，核内粒子と胞体内粒子が見いだされ，核内では，coreless，ドーナツ状でクロマチンに密接して配列し，胞体内では，大小の空胞内に小集積を示す（**図 5A，B**）．日和見感染としての代表的なウイルスであり，光顕的には核内封入体が Owl eye として認められる．**成人 T 細胞白血病ウイルス**（HTLV-Ⅰ）は，ヒトではじめて発見された C 型ウイルス粒子で，動物由来のそれらと類似するが，大小不同性を示し，発芽像がまれである（**図 6**）．成人 T 細胞白血病，HTLV-Ⅰ関連疾患として，HAM（HTLV-Ⅰ関連脊髄症），甲状腺炎，関節炎，ぶどう膜炎，間質性肺炎などを惹起するとされる．**Epstein-Barr ウイルス**（EBV）は広くヒトに感染している DNA 型ウイルスで，核内粒子と胞体外粒子での fuzzy spikes が特徴である（**図 7**）．バーキットリンパ腫，鼻咽頭癌，伝染性単核症などと関連がある．

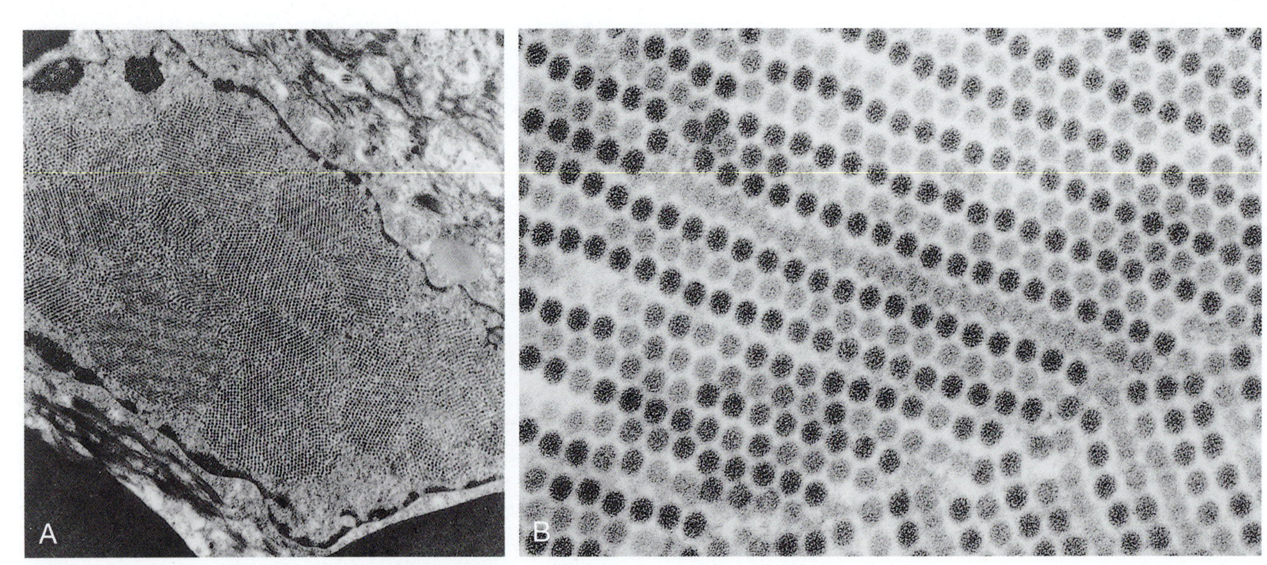

図 4　核内に結晶状に配列した HPV 核内粒子（図 A，×7,000）とその拡大像（図 B，×80,000）

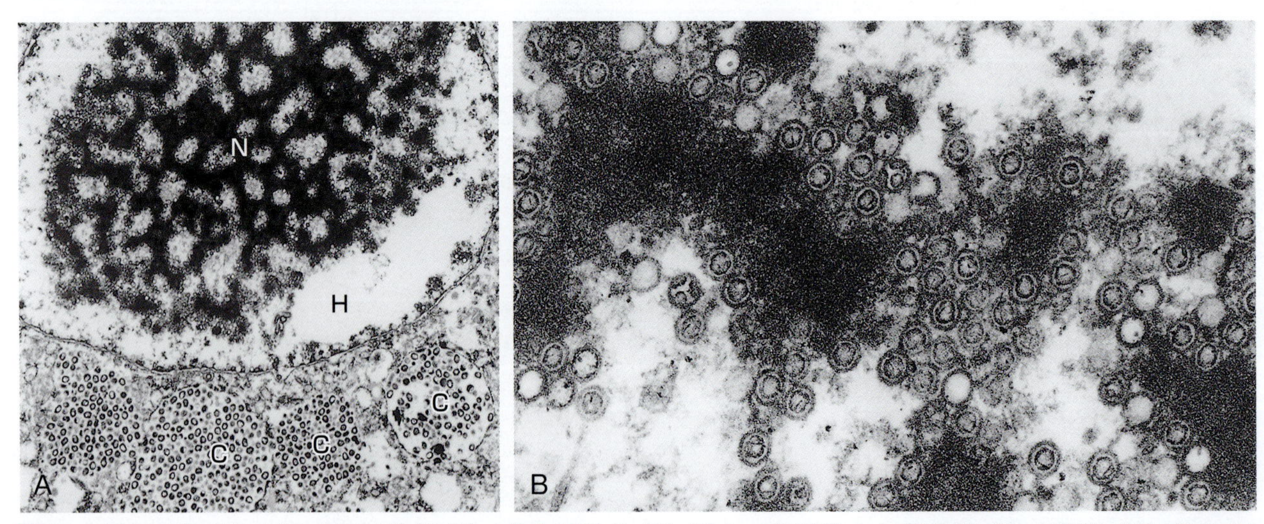

図 5　CMV の明野（H）を有した核内封入体（N）と胞体内封入体（C）（図 A，×6,000）および染色質に沿って配列した核内粒子（図 B，×40,000）

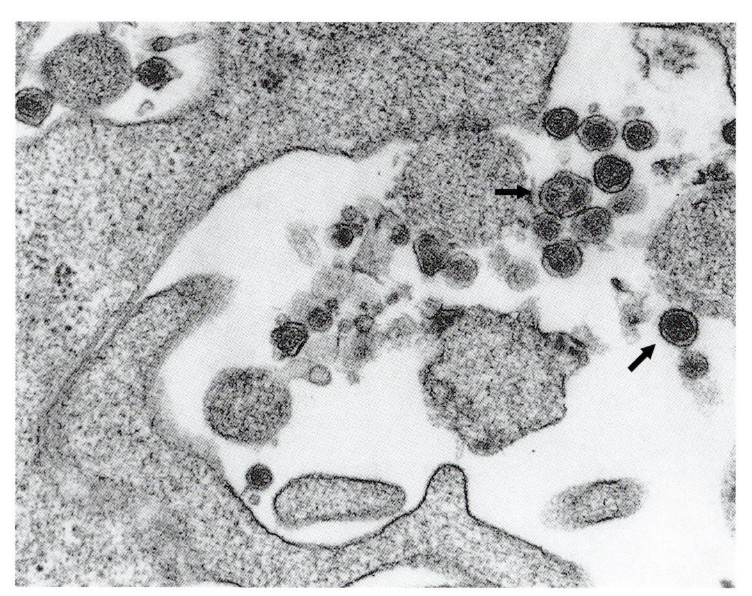

図6　胞体外にみられる大小不同性の強いC型粒子である成人T細胞白血病ウイルス（⬆）（×40,000）

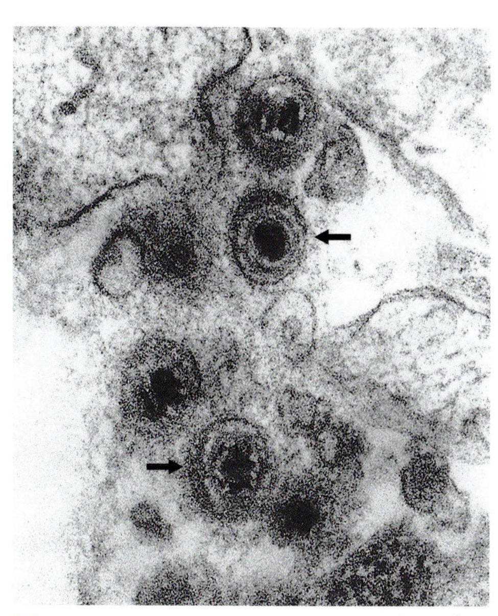

図7　胞体外に認められるEBVの成熟粒子（⬆）（×80,000）

線維芽細胞と平滑筋細胞双方の特徴を併せもつ**筋線維芽細胞** myofibroblastは，胞体内にfusiform densityないしdense patchを有しており，**粗面小胞体**の発達が良好である（**図8**）．各種線維症や線維化の時に出現する．粗面小胞体の発達がきわめて良好な細胞は，多発性骨髄腫や膵の腺房細胞癌で認められる（**図9**）．胞体内に中間径線維が同心円状に凝集した構造を有する細胞は，rhabdoid cellとよばれ（**図10**），rhabdoid tumor，類上皮肉腫，メルケル細胞癌などで認められる．線毛の微小管配列構造は，9+2構造をとるが，inner or outer dynein armの欠損を伴う場合は（**図11**），immotile cilia syndrome（primary ciliary dyskinesia；PCD）とよばれる．Kartagenar症候群を呈する．

Z帯部の蛋白増加により形成される**ネマリン小体** Nemaline body（**図12**）は，抗α-actinin抗体で特異的に染色され，ネマリンミオパチー，膠原病付随筋疾患などで見いだされる．同心円状層板構造とこれに介在するリボソーム様顆粒からなる**ribosome lamella complex**（**図13**）は有毛細胞性白血病，前立腺増生症などで認められる．**神経内分泌顆粒**は類円形で膜に囲まれ，内にさまざまな電子密度を示す物質を含んでいる（**図14**）．内分泌癌，カルチノイドや内分泌への分化が認められるときに観察される．単位膜からなる桿状構造をとり，内に横紋模様を示す**Birbeck顆粒**は細胞膜からの嵌入により形成される（**図15**）．histiocytosis Xの確診やLangerhans細胞の同定に重要である．

筋原性腫瘍では，不整なZ帯構造を有し，ミオシンとアクチンが同定できる**横紋構造**（**図16**）は，横紋筋腫や横紋筋肉腫の確定には重要な所見であり，また，**dense patch**を伴うミオシンとアクチンの束状構造（**図17**）は平滑筋腫や肉腫において見いだされる．**基底膜**を伴う細長い胞体のきわめて複雑な嵌合像（**図18**）は，Schwann細胞由来のneurinomaで特徴的であり，**ケラチン線維**を伴う多数の**接着斑**形成（**図19**）は扁平上皮癌など扁平上皮への分化の診断に重要である．

〔大朏祐治．診断に有用な特徴的電子顕微鏡所見．赤木忠厚，大朏祐治，松原修編集．カラーアトラス病理組織の見方と鑑別診断．第4版．医歯薬出版；2002．p.8-12．より〕

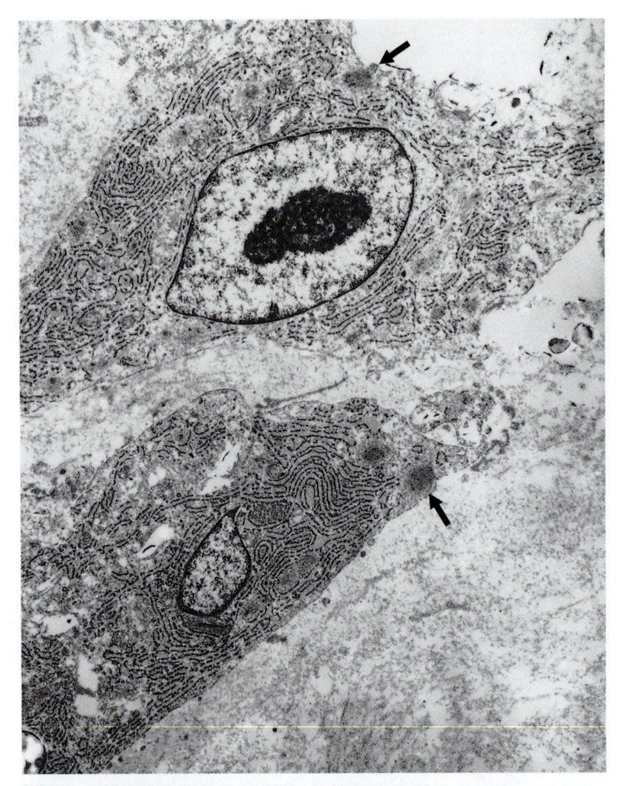

図 8　筋線維芽細胞の発達した粗面小胞体と fusiform densities（⬆）（×6,000）

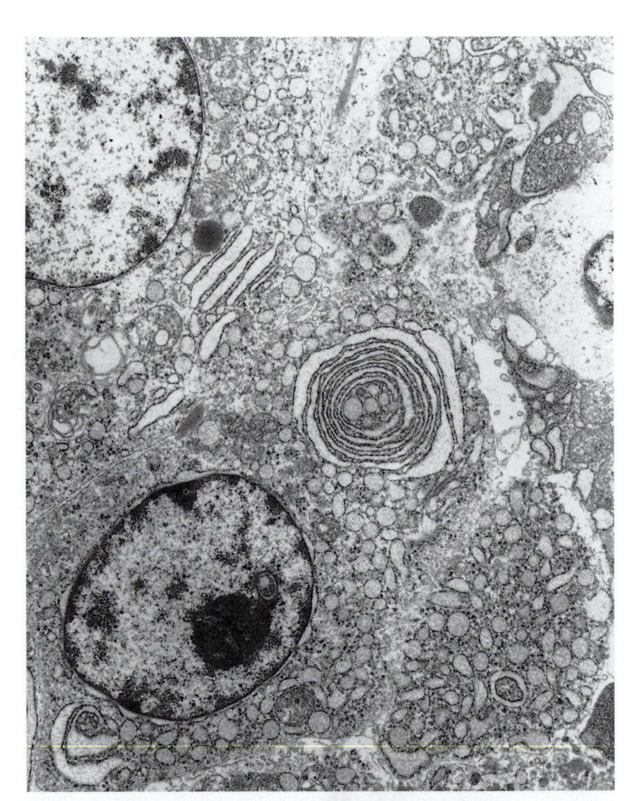

図 9　形質細胞腫におけるよく発達した粗面小胞体（×6,000）

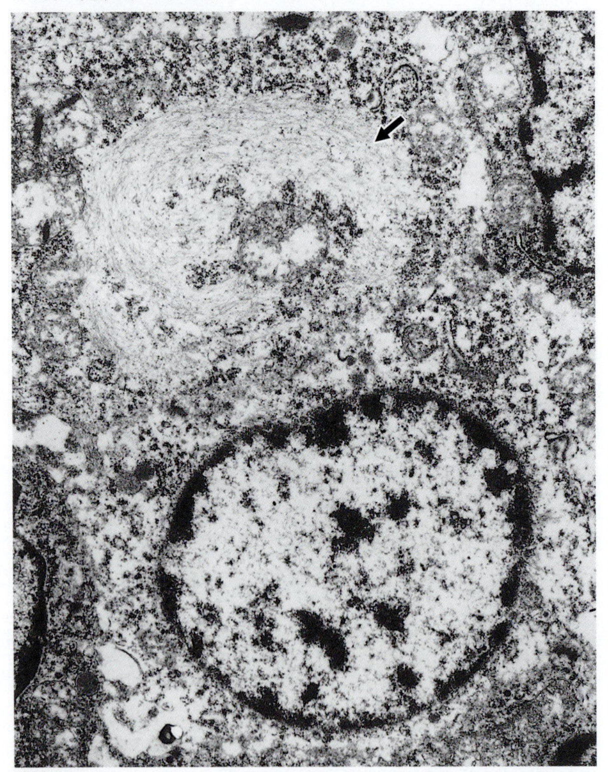

図 10　rhabdoid cell の核近傍における中間径線維の凝集（⬆）（×10,000）

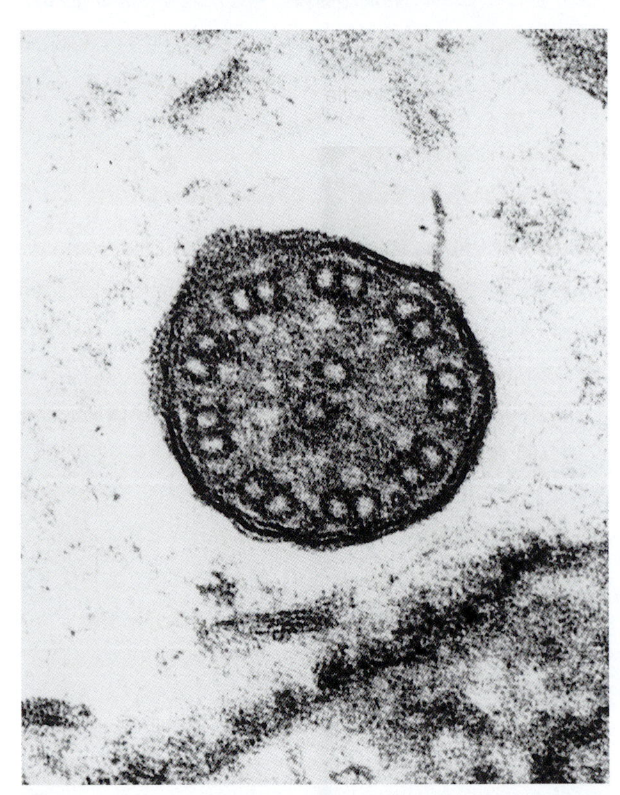

図 11　inner や outer dynein arm の欠損した PCD における線毛の横断面（×230,000）

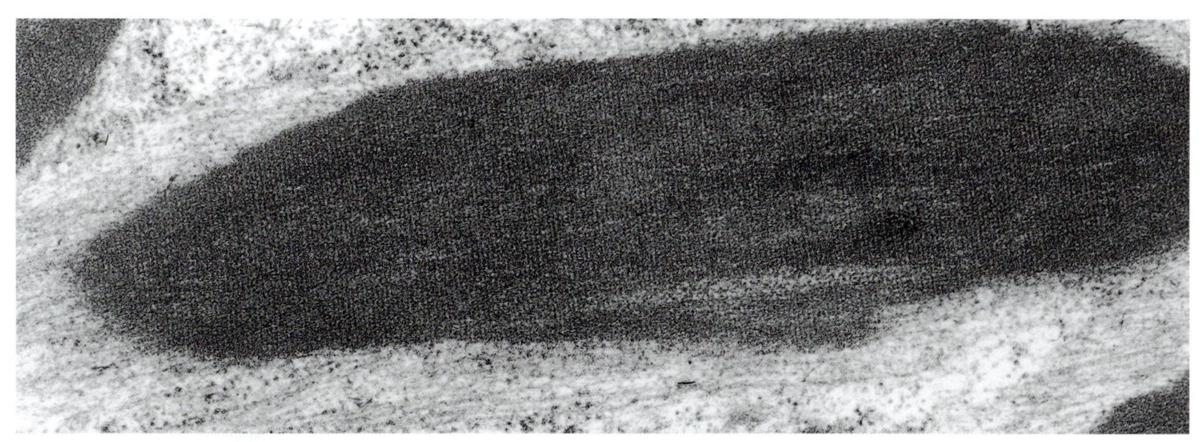

図 12　ネマリン小体の縦断像（×40,000）

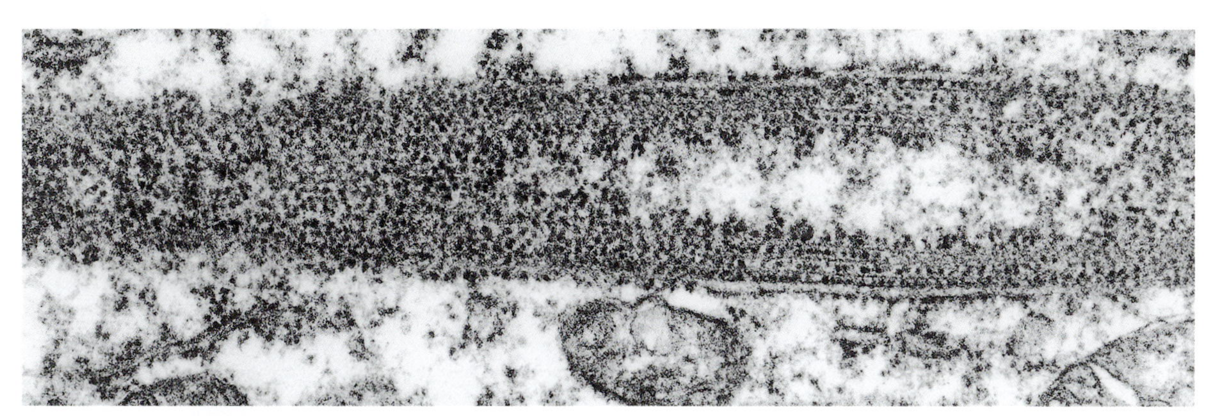

図 13　ribosome lamella complex の縦断像（×40,000）

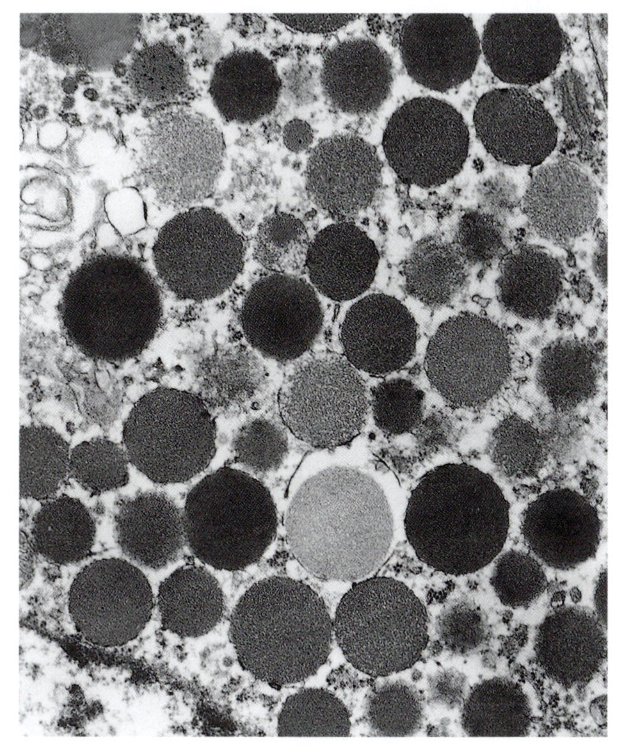

図 14　カルチノイド腫瘍における神経内分泌顆粒（×20,000）

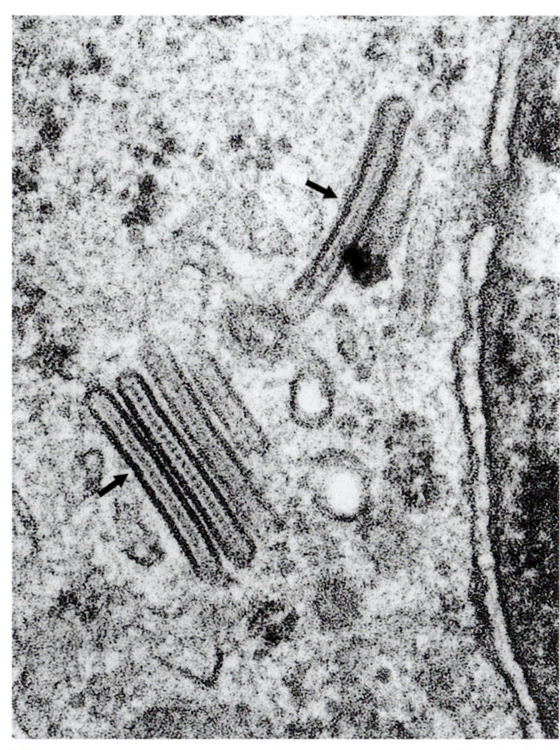

図 15　histiocytosis X における Birebeck 顆粒の拡大像（⬆）（×90,000）

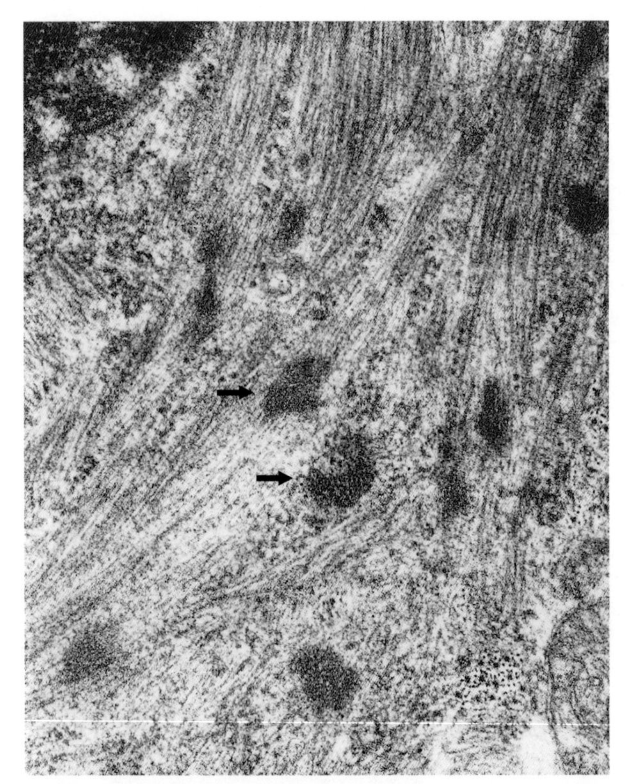

図 16　横紋筋肉腫における不整な Z 帯形成（⬆）（×40,000）

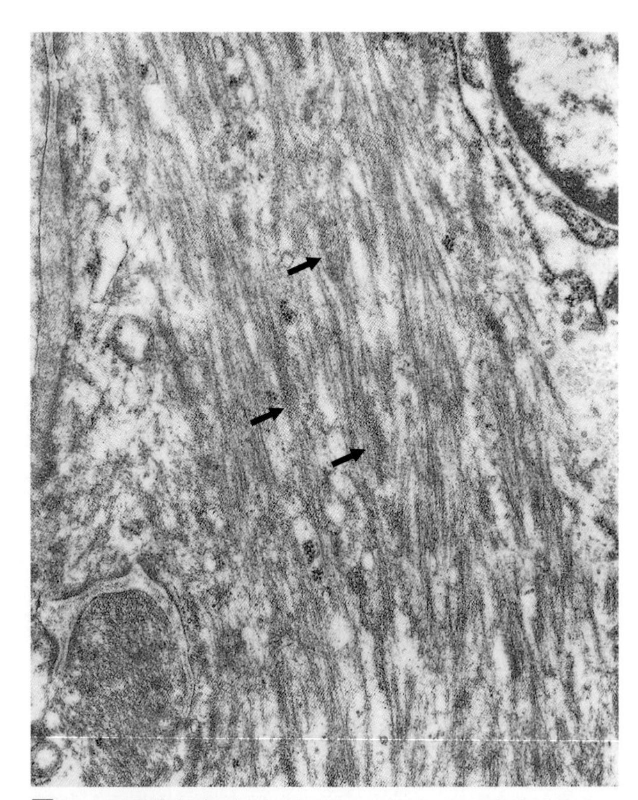

図 17　平滑筋肉腫におけるミオシンとアクチンからなる dense patches（⬆）（×20,000）

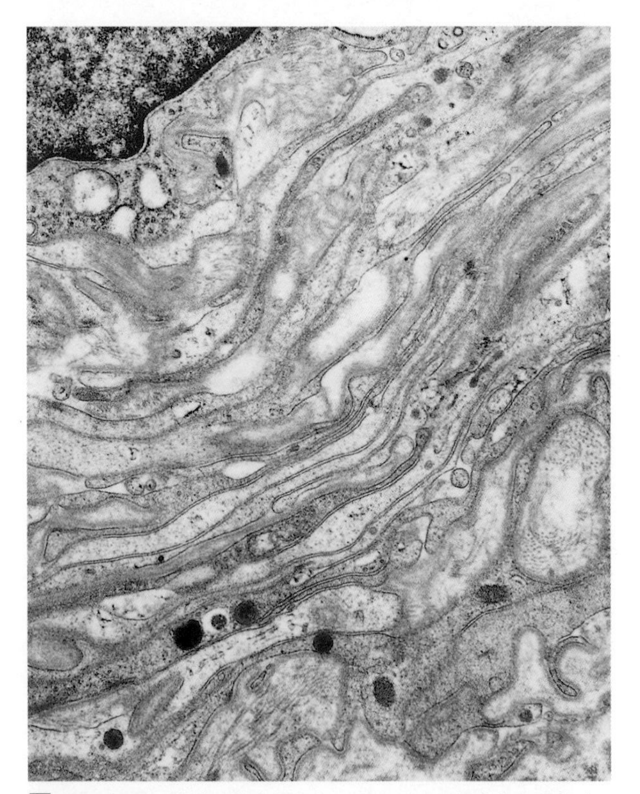

図 18　細長い胞体の嵌合からなる Schwann 細胞由来腫瘍（×12,000）

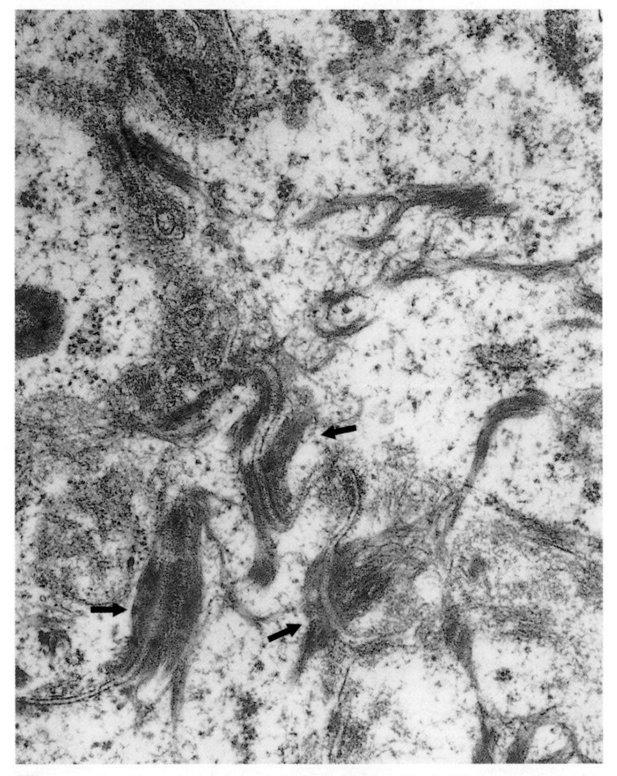

図 19　ケラチン線維を伴う著明な接着斑形成（⬆）（×24,000）

総　論

生体は1個の受精卵から生じるが，受精卵が分裂を繰り返し，多彩な組織を構成していく過程は分化と呼ばれる．分化した組織のなかには，常にリニューアルされている血液のような組織と，損傷を受けたときのみ再生する肝臓などの組織，損傷を受けても通常では再生しない神経や心筋のような組織がある．生理的に常にリニューアルされる細胞を不安定細胞，損傷時に再生する細胞を安定細胞，再生能力の低い細胞を永久細胞と呼ぶ．

生体を構成する細胞は環境から多様な刺激を受ける．通常はホメオスタシスによりその機能は維持されるが，一定以上の刺激が細胞に加われば，変性，萎縮，肥大，過形成，化生などの形態的変化が起こり，さらにその変化が不可逆的になると細胞は死に陥る．生体が損傷を受ければ，それを修復すべく反応するが，この反応が炎症である．損傷組織が修復されるなかで，未熟な状態から細胞が分化していく．この分化過程には，多くの細胞増殖因子が秩序正しく関与する．ところが，その秩序がなんらかの原因で破綻すれば，細胞は自律的に増殖を始める．細胞の自律性増殖を防ぐために多くの安全装置が生体には備わっているが，それにもかかわらず細胞が増殖している状況が腫瘍である．

変　性

組織中に物質が過剰に蓄積した状態を変性と呼ぶ．蓄積する物質は，細胞の代謝異常で過剰に産生された蛋白質や脂質，色素などであり，蓄積物質の種類によりさまざまな変性様式がある．

1．蛋白質変性

細胞内に蛋白質が蓄積している状態で，蓄積蛋白質の種類で粘液変性，フィブリノイド変性，アミロイド変性などに分類される．

粘液変性では，糖蛋白質からなる粘稠透明な粘液が細胞内や細胞間に蓄積する．蓄積物はHE染色でやや灰白色を呈し，PAS染色やalcian blue染色で陽性となる．硝子変性ではHE染色でピンク色に染色される無構造で均質な硝子物と呼ばれる物質が出現する．肝細胞障害時のマロリー体は，硝子変性の一例である．フィブリノイド変性では，血漿蛋白質が沈着しており，HE染色で無構造，均質に赤く染色される．硝子変性と一見区別がつきにくいが，PTAH染色で血漿蛋白質は陽性となるので見分けることができる．アミロイド変性は細胞間にアミロイドの沈着を伴う変性である．Congo red染色で橙黄色に染まり，偏光顕微鏡では緑色に光る特徴があるが，近年では免疫染色で使用できるアミロイドに対する抗体が開発されている．

2．脂肪変性

細胞内あるいは細胞間に脂質が蓄積することを脂肪変性という．中性脂肪の蓄積が多いが，細胞内に中性脂肪以外の脂質が沈着することもある．コレステロールや，そのエステルを多量に蓄積したマクロファージが集積した状態を黄色腫といい，脂質変性の一種である．大動脈の細胞間にコレステロールが沈着して隆起した粥腫も脂質変性の一種で，動脈硬化の本態である．

3．色素変性

色素変性とは，着色した物質の異常な蓄積である．紫外線に反応してメラニンが過剰産生された場合，赤血球を貪食したマクロファージの中でヘモジデリンが沈着した場合，胆汁が肝細胞に異常に蓄積した場合など，いずれも色素変性である．

4．糖原変性

細胞内にグリコーゲン（糖原）が蓄積した変性である．糖尿病では，肝細胞の核にグリコーゲンが沈着することがあり，核糖原と呼ばれる．通常，HE染色では核は青く染まるが，核糖原ではグリコーゲンが蓄積し白く抜けて見える．グリコーゲンはPAS染色で染色される．前述の粘液もPAS陽性であるが，ジアスターゼであらかじめ組織を処理しておくことで，両者を判別できる．ジアスターゼによりグリコーゲンは分解されるので，ジアスターゼ処理後にPAS染色が陰性化した場合はグリコーゲンの沈着で，PAS染色陽性のままなら粘液の沈着である．

上記以外にも，痛風で尿酸結晶が組織に沈着する結晶変性，カルシウムが異常に組織に沈着する石灰変性など，さまざまな変性様式がある．

萎　縮

萎縮とは正常な大きさまで達した組織の容積が減少することである．細胞の大きさか数の減少で萎縮が起こるが，大きさが減少して生じる萎縮を単純萎縮，細胞数の減少で生じる萎縮を数的萎縮と呼ぶ．

原因によって萎縮を分類することもあり，廃用萎縮，圧迫萎縮，内分泌性萎縮，生理的萎縮などに分けられる．骨折でギプスをはめて長期にわたり筋肉を使わない場合の骨格筋萎縮など，組織の活動が長期にわたり制限されて起こるものが廃用萎縮である．尿管狭窄により腎盂に尿がたまり水腎症を起こすと腎臓が萎縮するが，これは圧迫萎縮である．閉経後の卵巣萎縮や，授乳期にいったん増生した乳腺が萎縮する現象は，ホルモンの関係した萎縮であり内分泌性萎縮と呼ばれる．胸腺では成人後に著明に容積減少が起こるが，これは生理的萎縮の一例である．

肥　大

組織を構成する細胞自体の容積が増加することを肥大と呼ぶ．組織の容積が増大する場合，たいていは細胞の容積増加と数の増加の両者が起こっているが，出生後に細胞増殖がほとんどみられない永久細胞である心筋と骨格筋では肥大が起こる．運動を頻回に行った場合の骨格筋細胞や，高血圧における心筋細胞では肥大が起こり，前者を作業性肥大，後者を病的肥大と呼ぶ．これは肥大の原因が生理的なものか，血管抵抗の増加に伴い末梢まで血液を送るために心臓の機能を増加させないといけないといった病的なものかの違いによる．

過形成

組織を構成する細胞の数が増加することを過形成と呼ぶ．肥大と同じく，過形成も原因によって生理的過形成と病的過形成に分けられる．妊娠中に増加する女性ホルモンや卵胞ホルモンなどの影響による乳腺細胞の増加は生理的過形成である．これに対し，肝不全では本来肝臓で代謝されるべき卵胞ホルモンの活性が残存し乳腺が発達するが，これは病的過形成である．

化　生

分化した細胞が，別の分化を示す細胞に変化することを化生と呼ぶ．損傷を受けた組織が修復する場合，元の組織とは異なる細胞が再生することがある．その状態が化生で，胃粘膜上皮の腸上皮細胞への化生（腸上皮化生），気管支粘膜上皮や子宮頸部腺上皮の扁平上皮への化生（扁平上皮化生），肺胞上皮の気管支上皮への化生（気管支上皮化生）などがある．いずれも慢性炎症が持続することで組織に傷害が起き，それを修復する過程で起こっているものと考えられている．

細胞の死

細胞死には，あらかじめプログラムされている死（生理的な細胞死）と，予期せぬ死（非生理的な細胞傷害による細胞死）がある．前者は正常な組織が形成されるときや病原体が排除されるときなど，生物の生命維持に利益のある細胞死である．これに対し，血行が遮断されることで細胞が低酸素状態に陥って死にいたる場合などが後者で，この予期せぬ細胞死を壊死と呼ぶ．

プログラムされた細胞死は，その形態によって，アポトーシス，オートファジー，ネクロプトーシスという3個のタイプに分けられる．アポトーシスでは核が断片化して細胞全体が縮小する．オートファジーでは，オートファゴソームと呼ばれる細胞質内の小胞が形成され，細胞内小器官全体がこの小胞に飲み込まれて消化される．ネクロプトーシスでは，細胞内小器官が膨化し細胞が弾けるように死にいたる．最後の細胞内小器官が膨化するタイプの形態変化は，予期せぬ細胞死である壊死に特徴的な変化と考えられてきたが，プログラムされた細胞死でも同様の変化が起こることが近年報告され，新たなプログラム細胞死の形態として注目されている．

壊死の原因として，血行障害，温熱因子，化学的因子，物理的因子などがあげられる．血行障害では，血管内の塞栓などが原因で血流が途絶し，組織が低酸素状態になることで壊死が起きる．温熱因子による壊死としては，やけどや凍傷がある．強酸や強アルカリによる組織障害は，化学的因子による壊死に含まれる．また，寝たきりになり局所が圧迫されれば，いわゆる床ずれという仙骨部皮膚の潰瘍が生じるが，これは物理的因子による壊死の一例である．

壊死は，その形態から凝固壊死と融解壊死に分けられる．凝固壊死は，元の細胞の輪郭を保ったまま壊死に陥る形態で，虚血性腸炎の場合の腸上皮が一例である．細胞そのものの輪郭が残ることから，樹木が立ったまま枯れてしまう形態によく似ており，立ち枯れ壊死とも呼ばれる．融解壊死は，脳動脈の閉塞でよく認められる．凝固壊死では蛋白質が変性するが，脳の壊死ではミエリン鞘の崩壊により多量の脂質が遊離して蛋白質の変性が阻害される．また小膠細胞が壊死部分に速やかに集積し壊死物質を貪食する．これらにより，壊死部はあたかも融解したかのような状態になる．星状膠細胞が増殖して壊死部を置換すれば，グリオーシスという修復された組織になるが，もし置換しきれない場合は，そのまま空洞で残ることもある．

細胞死の分子機構

プログラムされた細胞死は，細胞死を惹起する遺伝子，細胞死を継続させ実行する遺伝子，逆に細胞死を抑制する遺伝子といった多くの遺伝子の発現調節により，緻密に制御されている．

アポトーシスの進行には，カスパーゼと呼ばれる一群の蛋白質分解酵素が働く．この蛋白質分解酵素は不活性型の状態で存在するが，一度 1 つのカスパーゼが，分子内の一部が分解されることで活性化すると，次々と他の種類のカスパーゼの一部を分解して活性化が誘発される．この一連の流れの結果，最終的にカスパーゼ関連 DNA 分解酵素が活性化し，DNA の分解を経て細胞は死にいたる．アポトーシスを惹起する因子は，カスパーゼを最初に活性化する因子である．これには，Fas や TNF-α といった膜に存在するレセプター蛋白質と，ミトコンドリアから放出されるチトクローム c がある．チトクローム c のミトコンドリアからの放出は，Bcl-2 ファミリーの蛋白質によって制御される．Bcl-2 ファミリーには，チトクローム c のミトコンドリアからの放出を抑制する Bcl-2 や Bcl-xl と，逆に放出を促進する Bad や Bax がある．これらの相反する蛋白質を調整することでアポトーシスは制御されている．たとえば，放射線照射された細胞では p53 蛋白質が活性化する．p53 は Bax 遺伝子などを活性化してミトコンドリアからチトクローム c を放出させ，細胞をアポトーシスに陥らせる．これにより放射線照射によって DNA が傷ついた異常な細胞を生体から除去することができる．

ネクロプトーシスではアポトーシスと異なり，カスパーゼの活性化は起こらない．ウイルスに感染した細胞では，カスパーゼを阻害する物質が産生され，通常のアポトーシスが惹起できない状況にあり，ネクロプトーシスが起こる．ネクロプトーシスではカスパーゼのかわりに RIPK（receptor interacting protein kinase）が働く．RIPK の中でも，RIPK1 と RIPK3 が自己あるいは相互リン酸化することで necrosome と呼ばれる微小フィラメント様の複合体が形成される．Necrosome は MLKL（mixed lineage kinase domain-like）をリン酸化し，細胞を膨化させ破裂に導く．

炎　症

組織の一部に傷害が起これば，その要因を除去し，傷害を受けた組織を取り除いて正常な組織あるいは生体にとって無害な組織に修復する必要がある．この一連の生体反応を炎症と呼ぶ．本来は病的刺激を除去するための生体反応であるが，刺激が強すぎる場合や長期にわたり持続する場合，炎症による組織破壊によりときに致死的になることもある．

炎症は，病原刺激により傷害を受けた細胞や，生体内に存在する免疫監視細胞が産生する化学物質により開始される．病原刺激によりキニン系や補体系といった血漿由来因子が活性化されても炎症が開始される．次に，炎症メディエーターなどにより，局所の毛細血管の血管内皮細胞の透過性が亢進し，血漿成分や白血球が動員される．局所に動員された白血球や病原刺激となっている病原体などを速やかに貪食して排除する．

病原刺激が除去されると炎症は終息に向かう．白血球はアポトーシスに陥り局所から消失し，傷害を受けた組織は肉芽組織という毛細血管や線維芽細胞が豊富な組織に置換され，やがては元の組織が再生される．完全に組織が修復できない場合は，生体にとって無害な線維成分の多い瘢痕組織となる．

炎症の種類

炎症には，血漿蛋白質の滲出と好中球の浸潤が特徴である急性炎症と，リンパ球，マクロファージ，線維増生が特徴である慢性炎症がある．急性炎症は，発赤，発熱，腫脹，疼痛という古典的な炎症の 4 主徴を伴い，数時間から数日持続する．慢性炎症は，数カ月から数年といった長い期間続き，組織破壊と修復が随伴する．

1．急性炎症の過程

通常，大半の毛細血管は毛細血管前括約筋によって閉じられた状態で局所の血流は多くはない．病原刺激が組織に生じると，ただちに毛細血管前括約筋が一過性の収縮を経て弛緩し，それまで閉じられていた毛細血管に多量の血液が流れ込む．その結果，局所が赤くなり（発赤）熱感をもつ（発熱）．

血管外への液の漏出には，血管内の蛋白質が液を管内にとどめる能力である膠質浸透圧と，血管内の液体の静水圧の2つの要因が働く．炎症が起これば局所への血流が増加し静水圧が上がり，血管内から血管外へ多くの血漿が漏出する．さらに血漿蛋白質が血管外に移動することで，血管内の膠質浸透圧は低下し液を血管内にとどめておく能力が低下する．この結果，血管外には蛋白質に富む液体が貯留し浮腫の状態になる．

血管外に液が漏出すると，次に白血球が病原刺激を除去するために血管内から局所に移動する．通常，白血球は血管の中心部を流れており，血管内皮細胞と相互作用しにくい．血管の透過性亢進の結果，血漿粘性が増大し，血流速度が低下してくると，白血球は血管内皮細胞と接触し，その上を転がるように移動する(ローリング)．白血球と血管内皮細胞の細胞膜表面には，セレクチンとシアロムチンと呼ばれる糖蛋白質が発現している．セレクチンとシアロムチンとの結合は弱く，血管内皮細胞と白血球との接着は一過性となり，これがローリングの分子機構である．

セレクチンとシアロムチンとの結合は弱いが，炎症刺激により白血球の細胞膜に発現しているインテグリンが活性化されると，白血球と血管内皮細胞との結合は強固なものとなる．このとき，活性化インテグリンは血管内皮細胞の表面に発現している分子と強い結合を示す．血管内皮細胞に接着した白血球は，次第に偽足を伸ばして血管下腔へ移動していく．移動した白血球はコラゲナーゼを産生して基底膜を分解し，組織内へ移行する．組織に移行した白血球は，炎症を起こしている原因となる病原刺激物質に向けて遊走する．このとき，白血球は走化性因子の濃度勾配に従って移動していく．病巣に到達した白血球は，貪食作用により刺激の原因となっている物質を消化する．病原刺激がなくなると，白血球はアポトーシスに陥り，炎症は終結する．

炎症後，傷害を受けた組織は修復に向かうが，組織破壊の程度，宿主側の栄養条件などの要因により，どの程度の修復が行われるかが異なる．組織破壊が軽微な場合や，傷害の程度は大きくても組織再生能が高い肝臓などの臓器では組織は正常に戻る．これに対し，傷害部位が大きいときや，再生能の大きくない臓器では，傷害部位は線維に置き換わり瘢痕となる．

2．急性炎症の分類

急性炎症は，形態学的に漿液性炎，線維素性炎，化膿性炎，出血性炎，壊死性炎，壊疽性炎に分類される．漿液性炎は，アレルギー性鼻炎のように細胞成分の少ない水様の滲出液が主体の炎症である．高度の血管透過性亢進により血漿成分が滲出し，多量のフィブリンが存在する炎症を線維素性炎と呼ぶ．化膿性炎は，著しい好中球が出現する急性炎症極期にみられ膿を伴うことが特徴である．出血性炎は，滲出物に多量の赤血球が含まれる炎症で，腸管出血性大腸菌による炎症がその例である．組織壊死が顕著な場合は壊死性炎と呼び，ここに腐敗菌が感染すると壊疽性炎と呼ぶ．

3．慢性炎症の分類

慢性炎症は，病原刺激が持続する場合や，容易に取り除けない場合に起こる．急性炎症では好中球の組織浸潤が特徴的であるが，慢性炎症ではリンパ球，マクロファージ，形質細胞の浸潤が特徴的である．

慢性炎症は，形態学的に慢性非特異性炎症と肉芽腫性炎症に分けられる．慢性非特異的炎症は，炎症細胞としてマクロファージ，リンパ球，形質細胞の浸潤があり，線維芽細胞と新生血管の増殖が特徴である．急性炎症が持続する場合やウイルス感染などでみられる．肝硬変は，持続する炎症刺激により線維化が進み，肝小葉の再構築が起こった状態である．慢性膵炎でも，高度な線維化が認められる．一方，肉芽腫性炎症はマクロファージが自ら消化できない物質を大量に貪食したときにみられる．この場合，マクロファージは豊富な細胞質をもち，あたかも上皮のように見えることから類上皮細胞と呼ばれる．類上皮細胞はしばしば癒合して多核の巨細胞となる．多核巨細胞は変性したミトコンドリアなどの細胞内小器官をもち，マクロファージの終末分化状態と考えられる．類上皮細胞と多核巨細胞が結節状に集まったものを肉芽腫と呼び，結核やサルコイドーシス，リウマチなどで認められる．

正常細胞の分化過程

生体は1個の受精卵が分裂を繰り返し形成されていく．ヒトの生体を構成する細胞の数は数十兆と報告されているが，1個から数十兆個に分裂する中で形態や機能の異なる細胞が生み出される．細胞の核の中に存在するDNAはチミン，アデニン，グアニン，シトシンという4種類のヌクレオチドで構成されており，その一部がRNAに転写される．RNAのなかには，リボソームに運ばれ蛋白質に翻訳されるmRNA以外にもtRNAやrRNA，non-coding RNAなどがあるが，これらRNAが転写されるDNA上の特定の領域を「遺伝子」と呼ぶ．細胞のもつDNAは分裂の過程で正確に複製され，親細胞から娘細胞に受け継がれる．つまり，減数分裂後の精子，卵子を除き，生体を構成する細胞は最初の受精卵と同じDNAを有する．それにもかかわらず多彩な細胞が分化していくのは，DNA上に存在する数多くの遺伝子のなかから転写される遺伝子群のレパートリーが個々の細胞で異なっているからである．分化とともに，他の細胞とは異なるレパートリーの遺伝子群が転写され，その結果，おのおのの細胞に特徴的な蛋白質群が合成され，機能や形態の異なる細胞が生じるのである．

遺伝子が転写される過程では，転写因子と呼ばれる一群の蛋白質がDNAの一部に結合し，転写開始に必要なRNA polymeraseなどをリクルートする．しかし，通常DNAはヒストンと呼ばれる巨大な蛋白質複合体と結合しており，転写因子が容易には結合できないパッキングされた状態にある．ヒストンを構成する蛋白質のアミノ末端は直鎖状構造をとっており，この部位に存在するリシンやアルギニン，セリン，スレオニンでリン酸化，アセチル化，メチル化などの化学修飾が起こる．その結果，ヒストンとDNAの結合様式に変化が生じ，パッキング状態が緩み転写因子が結合し転写が開始される．ヒストンとDNAの結合を制御するのは，ヒストンの化学修飾だけではなく，DNA自身のメチル化も関与する．DNAのなかには，シトシンとグアニンが並んで存在する領域が多数あり，シトシンのCとグアニンのG，それをつなぐリン酸基のpをとって，CpGアイランドと呼ばれる．CpGアイランドのシトシンがメチル化されるとDNAとヒストンの結合が強くなり転写因子が容易に結合できない状況になる．ヒストンの化学修飾，DNAのメチル化による遺伝子の転写制御機構をepigeneticな転写制御と呼ぶ．

正常細胞の分化を制御する因子

正常細胞が分化していく過程は空間的，時間的に厳密に制御されている．このような緻密な制御が行われるためには，ある細胞に適切な刺激を与える外的因子が重要である．細胞は環境から受け取るシグナルをレセプターと呼ばれる特殊な蛋白質で受容し，適切な遺伝子を転写する機構を備えている．外的因子には，物理的な外力，浸透圧，温度のほか，種々の蛋白質がある．

外的因子としての蛋白質は数多く知られている．種々のサイトカイン，ケモカイン，成長因子，神経伝達物質などは細胞外液中を拡散し，おのおのの因子に結合するレセプターを表面にもつ細胞を刺激する．フィブロネクチンなどの細胞外マトリックスを構成する因子も細胞膜表面にあるインテグリンなどがレセプターとなり細胞を刺激する．ステロイドホルモンは脂溶性で細胞膜を透過し，核内に存在するレセプターに結合して細胞を刺激する．核内レセプターの場合は直接DNAに結合して転写因子として機能するが，細胞膜表面に存在するレセプターは直接核内へ入ることはなく，転写因子として機能しない．これらのレセプターは，細胞内に存在する多種類の蛋白質を段階的に活性化し，最終的に転写因子を活性化し適切な遺伝子の転写を行う．この段階的な細胞内蛋白質の活性化を「シグナル伝達」と呼ぶ．

細胞膜表面のレセプターは細胞膜を貫通しており，細胞外領域と膜貫通領域，細胞内領域をもつ．サイトカインなど外的因子は細胞外領域に結合し，その結果，レセプターの三次元構造が変化しシグナル伝達がスタートする．シグナル伝達に関与する蛋白質の多くは，リン酸化や脱リン酸化反応などの酵素である．たとえば上皮成長因子epidermal growth factor（EGF）のレセプターはEGFが結合すると三次元構造が変化し二量体となる．すると細胞内領域内にあるチロシンキナーゼ部位がATPを利用して同じ細胞内領域にあるチロシンをリン酸化する．自己リン酸化を起こしたEGFRには，さらにGrb2やSOSという別の蛋白質が結合する．SOSは，GDPが結合して不活性化状態にあるRasからGDPを外し，かわりにGTPを結合させRasを活性化する．活性化したRasがRafと会合すると，Mekをリン酸化して活性化する．次にMekがMAPキナーゼを活性化し，さらにMAPキナーゼがFosなどの転写因子をリン酸化し，その結果，細胞増殖や分化にかかわる遺伝子の転写が活性化する．

シグナル伝達の経路として上記のRas>Raf>MAPキナーゼ以外にも多くのものが知られており，互いにリンクすることも多い（**図**）．

ケモカインや神経伝達物質などは細胞膜を7回貫通する特徴的な構造を有するG蛋白質共役受容体G protein coupled receptor（GPCR）をレセプターとする．GPCRにはGTP結

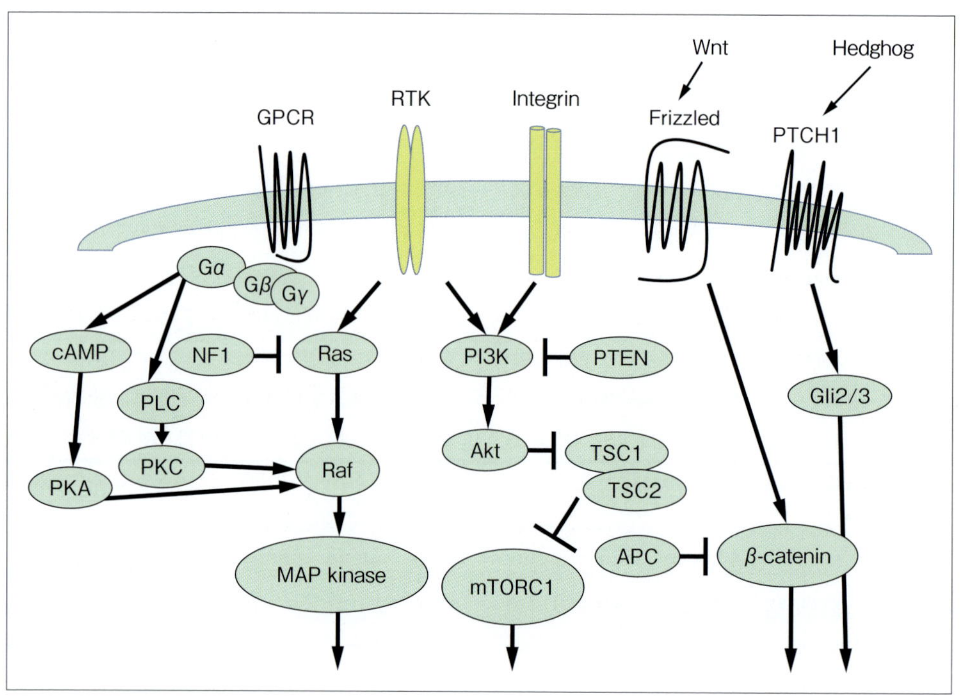

図　シグナル伝達経路

細胞膜表面に存在するさまざまなレセプターにリガンドが結合すると，多くの蛋白質が順次活性化され，最終的に核内での遺伝子発現が制御される．活性化シグナルを矢印で，抑制性のシグナルをT字で示している．

たとえば，PI3KはAktを活性化するが，PTENによって抑制される．AktはTSC1/TSC2複合体の活性化を抑制し，TSC1/TSC2複合体自身はmTORC1を抑制するため，結果的にはAktは間接的にmTORC1を活性化する．

図示した蛋白質は，シグナル伝達に関与する蛋白質のごく一部であり，実際にはより多くの蛋白質が関与している．

合蛋白質が三量体で結合しており，レセプターが刺激されるとαサブユニットが離れcyclic AMP(cAMP)やphospholipase C（PLC）を，そして最終的にRafを活性化する．EGFレセプターなどレセプター型チロシンキナーゼは，前述のRasからMAPキナーゼを活性化する経路以外にも，phosphoinositide 3-kinase（PI3K），Aktを経てmTORC1につながる経路も活性化する．インテグリンもPI3Kを活性化する．さらにWntやHedghogという発生過程で働くリガンドが刺激するシグナルも細胞増殖，分化の制御に重要な役割を果たしている．図に示すシグナル伝達経路はごく一部で，他にも多くのものが知られている．

細胞を増殖へ導くシグナルには，必ずそれを抑制する機構がある．たとえば脱リン酸化酵素であるPhosphatase and Tensin Homolog Deleted on Chromosome 10（PTEN）はPI3Kと拮抗し，増殖を抑制する方向に作用する．増殖に対して正に働くシグナルと負に働くシグナルのバランスにより，細胞の増殖や分化状態は緻密に制御されている．腫瘍では増殖に対して正に働くシグナルが活性化し，逆に負に働くシグナルが不活化することが多い．正に働くシグナルを担う蛋白質をコードする遺伝子を癌遺伝子，負に働くシグナルを担う蛋白質をコードする遺伝子を癌抑制遺伝子と呼ぶ．

発癌の分子機構

細胞が正常に分化するために，上記のような精密な制御機構が細胞には備わっている．この機構が損なわれ，細胞が自律的に増殖する状態が腫瘍である．腫瘍細胞では数多くの遺伝子異常がみられ，細胞の分化・増殖を制御する蛋白質に異常が生じている．腫瘍細胞でみられる遺伝子異常の大半は，腫瘍化には関係しない偶発的な異常（パッセンジャー変異）であるが，なかには腫瘍を惹起する変異（ドライバー変異）がある．ドライバー変異には，細胞を増殖へ向かわせる遺伝子（癌遺伝子）を活性化する変異と，逆に細胞の増殖を停止させる遺伝子（癌抑制遺伝子）を不活化する変異がある．遺伝子そのもののDNA配列に変異が入ることで異常な蛋白質が生じる場合もあるが，遺伝子のメチル化異常やヒストン蛋白質のアセチル化やメチル化異常の結果，転写調節が破綻して蛋白質量に変化が生じる場合もある．前者をgeneticな遺伝子変異，後者をepigeneticな遺伝子変異と呼ぶ．Geneticな変異には，リガンドがなくてもレセプターが恒常的に活性化してしまう変異や，レセプターをコードする遺伝子が増幅されてレセプター量が異常に増える変異，癌抑制遺伝子の存在する領域が大きく欠失する変異，染色体に転座が起こり本来活性化されない遺伝子が活性化されてしまう変異などがある．

細胞が腫瘍化しないように生体には多くの安全装置がある．遺伝子変異が生じると，それを修復しようとする機構がある．この修復を担っているのがミスマッチ修復酵素である．ミスマッチ修復酵素をコードする遺伝子そのものに変異が起こってしまえば，遺伝子修復機能が損なわれ，多くの遺伝子に高率に変異が生じ腫瘍が頻発する．リンチ症候群は生殖細胞のミスマッチ修復酵素遺伝子に異常が入った遺伝性の疾患で，遺伝性非ポリポーシス大腸癌などが好発する．また，シグナル伝達経路を担う因子の1つであるB-Rafに遺伝子変異が入ると，ミスマッチ修復酵素遺伝子のCpGアイランドが高率にメチル化し，結果としてミスマッチ修復酵素が作られなくなり腫瘍が高頻度に発生する．

遺伝子修復機構以外にも，宿主の免疫監視による腫瘍排除も腫瘍化を防ぐ安全装置の1つである．腫瘍排除に働くTリンパ球には細胞表面に機能を活性化する因子と抑制する因子が発現している．両者のバランスによりTリンパ球の作用が決定されるが，腫瘍はTリンパ球を抑制する因子であるprogrammed cell death 1（PD1）と結合するPD-L1を産生することで，宿主の免疫監視から逃れる機構を有している．

細胞に遺伝子異常が積み重なった場合には，細胞そのものをアポトーシスに陥らせる機構が備わっている．これも腫瘍化を防ぐ安全装置の1つである．遺伝子に変異が入った細胞では，p53蛋白質が発現することでBaxなどが誘導され，その結果，細胞がアポトーシスに陥る．p53遺伝子そのものに変異が入ると，遺伝子異常があっても細胞はアポトーシスを免れ，変異が蓄積して腫瘍が発生する．

分子標的薬

発癌の分子機構が詳細に解明されることにより，発癌に関与する分子の機能を直接阻害する新たな抗腫瘍薬が開発された．これを分子標的薬と呼ぶ．分子標的薬には，機能をもつ部分を特異的に阻害する低分子化合物と，分子そのものに結合する抗体がある．

低分子化合物は分子量が小さく，血液脳関門や細胞膜を通過することができ，標的蛋白質に結合して機能を阻害する．EGFレセプターのチロシンキナーゼ活性を阻害する薬剤や，より広く，他のレセプターのチロシンキナーゼ活性をも一括して阻害する薬剤などが開発されている．EGFレセプターチロシンキナーゼを阻害する薬剤を使用すると，腫瘍細胞はさらにEGFレセプターに新たな変異を加えて，薬剤耐性を獲得することがある．それに対し，新たな薬剤耐性に関与する変異をもつレセプターのチロシンキナーゼ活性をも阻害する薬剤が近年開発されている．

低分子化合物に対して，抗体薬剤は分子量が大きく細胞膜を通過できない．抗体薬剤は細胞表面に発現している蛋白質を抗原と認識して結合する．その結果生じた抗原抗体複合体に対してNK細胞が作用して腫瘍細胞を破壊するか，補体が作用してアポトーシスに陥らせることで腫瘍細胞が死滅する．B細胞性リンパ腫のCD20に対する抗体薬剤，EGFレセプターに対する抗体薬剤，EGFレセプターと類似したファミリー蛋白質であるHER2に対する抗体薬剤など，多くのものが開発されている．最近では，腫瘍細胞が免疫細胞からの攻撃を免れるために利用しているPD1に対する抗体薬剤も開発されているが，これは腫瘍細胞ではなく，腫瘍を攻撃するTリンパ球の機能を抑制するPD1抗原の活性化を阻害する役割をもつ．つまり腫瘍に対する免疫系を賦活する機能をもち，免疫チェックポイント阻害薬と呼ばれる．

近年，代表的な腫瘍の変異を網羅的に解析するがんゲノム医療が実装化され，腫瘍に適切な分子標的薬が効率的に選択できるようになった．

第1章

循環器系

(1) 心臓

概　説

循環器疾患は総論的に炎症，変性，循環障害，腫瘍のあらゆる病態が発生する．しかもそれらの病変が何であれ，心臓に機能障害が起こるために全身の循環障害をきたすのが特徴である．心臓，血管は非上皮性組織であり，心筋と平滑筋といった筋組織が発達し，その間質を結合組織が埋めている．したがって筋肉と間質との関係が重要となっている．循環器の機能変化がすべて形態変化を伴うわけではないが，心筋細胞，平滑筋細胞は容量負荷，圧負荷にある程度対応し，その大きさが変化する．心筋細胞は肥大するのみで，分裂しないとこれまでいわれてきたが，最近，一定の年齢まではわずかに細胞分裂があるともいわれており，今後の研究が待たれるところである．心臓，血管の構成成分で筋肉以外に重要なのは，血流と接する内皮細胞である．内皮細胞は常に血液と接しているために，血流や血圧の変化で内皮細胞傷害がただちに起こり，その turnover は早い．また，心嚢は本来心臓を守っている結合組織でできた袋であり，心臓側の心外膜（臓側心膜）と心嚢（壁側心膜）の内側の心膜は中皮細胞で覆われている．ここにも炎症その他の病変が起こりうる．そのほか，心内構造物で重要なものは心臓弁である．外科病理学では弁置換術により摘出された心臓弁を観察する機会が多いので，その病理像を知っておくことは重要である．

1．心臓の構造

1）心房，心室

右心房 right atrium　全身の末梢からの静脈が上大静脈や下大静脈となり，右心房に結合する．また冠状静脈洞も右心房に開口している．右心耳，上大静脈基部に刺激伝導系の洞房結節が存在するが，心房性不整脈は右心房起源であることが多く，右心房全体が刺激伝導系に関連しているともいわれている．右心房筋は薄く，線維性組織と脂肪組織も認められ加齢で増加する．

右心室 right ventricle　右心室は壁が薄く，厚さ 3 mm 前後であり，肉柱 trabecula が発達している．なかでも心室中隔から自由壁へ向かう発達した肉柱を中隔縁柱 trabecula septomarginalis と呼んでいる．肺高血圧症では右心室壁の肥大をきたす．

右心房と右心室は膜様部中隔を含む房室間部，心外膜側では房室間溝で結合しているが，正常では三尖弁は 3 枚の弁葉が心内腔側の房室間部に付着し，3 枚の弁葉とも肉柱につながる腱索が牽引している．

左心房 left atrium　正常では左右肺静脈が 2 本ずつ流入する．肺静脈流入部の肺静脈にも左心房筋が入り込んでいるといわれ，心房細動など不整脈症例では迷入した左房筋に対して肺静脈口周囲に電気凝固が行われている．また，心房細動では心房内血栓が形成されやすいが，特に左心耳内に血栓形成がみられ，脳などへの塞栓源となることがある．

左心室 left ventricle　心臓のポンプ機能の役割を担う重要な場所で心筋量が最も多く，左心室を栄養している血管の分布も発達している．左心房との間に僧帽弁があり，前乳頭筋群，後乳頭筋群の収縮により僧帽弁は開閉する．

左右の心室の心筋細胞は大きさの違いはあるが，組織学的にはあまり区別できない．心房筋細胞は心室筋細胞よりも幅が狭く細長い．心筋細胞は直径 10〜15 μm，長さ 50〜100 μm の筋原線維の集まりからなっている．骨格筋と異なり，心筋細胞の核はほぼ中央に存在する．心室筋細胞は筋束を形成し，これを単位として機能している．個々の心筋細胞は endomysium とよばれる非常に薄い細網線維と膠原線維の層で囲まれているが，機能的には心筋細胞がいくつか集まった心筋細胞束が単位になっている．筋束はperimysiumといわれるこれも薄い膠原線維と弾性線維性の層により囲まれており，その中に毛細血管が入り込んでいる．心室筋の走行は外膜側1/3では上下斜めであり，中間層では輪状に，また心内膜側では上下に走行している．これら3層の心筋線維束の走行は通常平行に同一方向に並んでいるが，正常でも心室中隔と自由壁の移行部や心尖部，乳頭筋や肉柱と筋層の境には心筋の錯綜配列が認められる．錯綜配列は心筋線維束の乱れで生じる形態変化である．電顕的にはelectron denseなA帯と，明るいI帯，またI帯の中央にZ帯があり，筋原線維は2本のZ帯により収縮単位である筋節sarcomereに分けられる．細胞間には介在板とよばれるelectron denseな，細胞の境界があり，そこには細胞接着に重要であるデスモソームdesmosomeやネクサスnexusなどが存在する．細胞内は筋原線維が大部分を占め，その間にミトコンドリア，粗面および滑面小胞体，グリコーゲン顆粒，脂肪滴，リソソームなどが存在する．核の周囲にはゴルジ装置がみられる．ミトコンドリアは心筋に多く，心筋細胞の30〜50%を占める．

2）心臓弁

僧帽弁 mitral valve　2枚の膜状の弁尖（房室弁はしばしば弁葉と呼ばれる），腱索，乳頭筋，弁輪部から構成された複合装置である．弁尖は腱索付着部を粗面帯rough zone，弁輪部付着付近を基部basal zone，その中間部を透明層clear zoneと3つの部位でよび，構造的には心内膜側は線維層lamina fibrosaとよばれる密な線維性結合組織で覆われ，弁の中心は海綿状層pars spongiosaとよばれる疎な結合組織からなる．

また，加齢により後尖の一部が心房側に盛り上がる（hooding）現象もみられる．僧帽弁の中心部は組織学的に粘液腫様構造が海綿状層にみられ，加齢とともに，この部に粘液様物質の沈着が著しくなる．腱索断裂も起こることがある．

三尖弁 tricuspid valve　前尖，中隔尖，後尖の3葉からなるが，境界は不明瞭である．弁口面積は僧帽弁より大きく，不規則な形状である．病変としては逆流による変性がみられることが多い．カテーテルやペースメーカーのリードなどによる弁の感染が起こることがある．

大動脈弁 aortic valve　通常3枚の半月弁で，そこに対応した大動脈側にValsalva洞を形成している．弁尖は冠動脈入口部の位置により，左冠尖，右冠尖，無冠尖と呼ばれる．3枚の半月弁の交連部は炎症が起こると癒合しやすく，弁の変形をきたしやすい．また，僧帽弁前尖と無冠尖は心筋の介在がなく線維性接合していることから，両弁間に炎症が波及しやすい．

肺動脈弁 pulmonary valve　大動脈弁と同じ3枚の半月弁であるが，Valsalva洞や三尖弁との線維性結合はない．大動脈弁置換のhomograft弁として肺動脈弁が使用されることがある．

3）心膜，心外膜 pericardium, epicardium

通常，心膜内は1層の中皮細胞に覆われ，10 mL程度の心囊液を認めるが，感染症，梗塞などによる炎症から，心囊液が増加する．炎症の種類により，漿液性，膿性，血性と性状はさまざまであるが，多量であると心タンポナーデの原因となる．慢性化すると心囊腔の癒着が起こる．

原発性悪性新生物も初期は心膜炎の性格を示しやすい．

2．反応性病変

心筋細胞肥大 myocardial hypertrophy　心筋細胞は圧負荷pressure load，容量負荷volume loadにより肥大するが，圧負荷をきたす疾患としては高血圧が代表的なもので，その他，大動脈弁狭窄など流出路の狭窄を伴う疾患でも起こる．通常，圧負荷では求心性肥大をきたすが，心不全で合併すると拡張してくる．また，容量負荷は甲状腺機能亢進症，動静脈シャント，逆流を示す弁膜症などがあり，拡張性心肥大をきたしやすい．肥大型心筋症は原因となる負荷がなくても心筋細胞が肥大し，配列異常を起こす．心筋細胞膜蛋白分子の異常，収縮蛋白の異常により肥大が起こると考えられる．

心筋線維化 myocardial fibrosis　心筋線維化は，心筋細胞周囲に起こる間質性線維化interstitial fibrosisと置換性線維化replacement fibrosisに大別されるが，置換性線維化は心筋炎や虚血，変性などにより心筋細胞の壊死，脱落後の治癒過程の結果としてみられる．そのほか，心筋症でみられる叢状線維化plexiform fibrosisは心筋錯綜配列に伴って出現する（後述）．すなわち，心筋細胞，心筋線維束の走行の乱れを伴った間質にみられる線維化である．

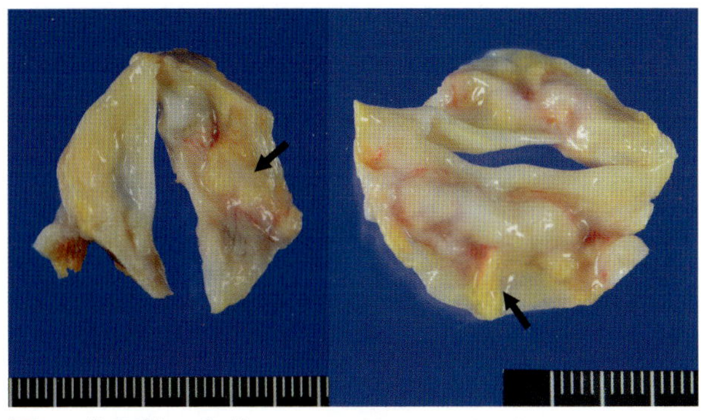

図1　先天性二尖弁．左はほぼ同大の２枚の弁尖．右はrapheを有する弁尖が大きい．石灰化結節は大動脈側に認める．矢印はrapheを示す．肉眼像

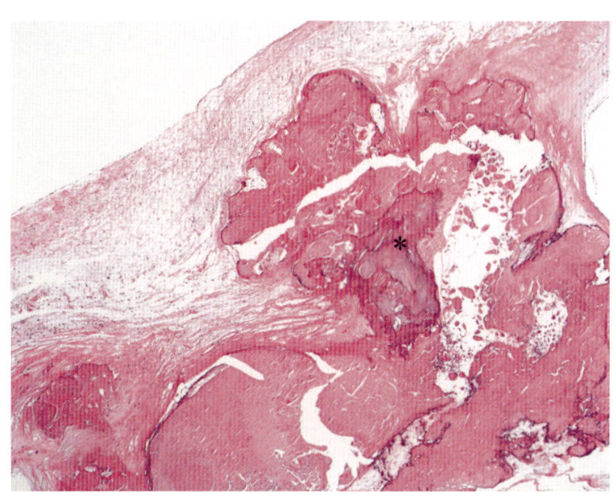

図2　老人性石灰化弁．大動脈弁尖端は肥厚し，塊状の石灰化（＊）が著明である．弱拡大

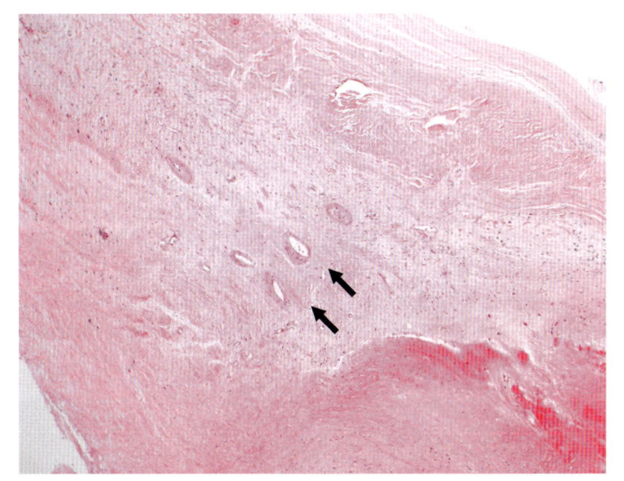

図3　リウマチ性大動脈弁変性．大動脈弁は線維性肥厚し，大動脈弁基部には新生血管増生（⬆）が著明である．弱拡大

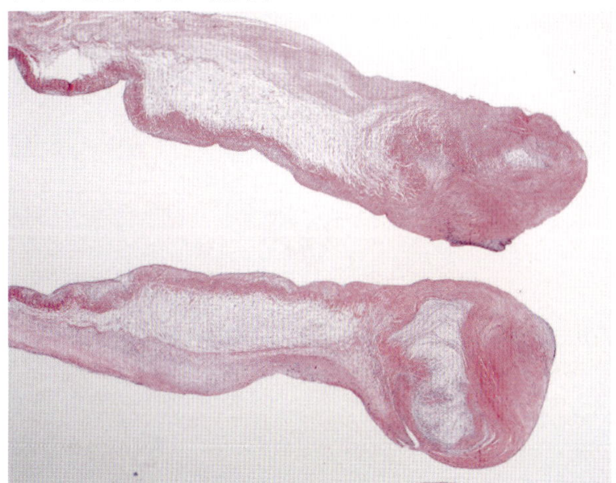

図4　大動脈弁閉鎖不全．膠原線維の消失により，海綿状層の拡大を認める．ルーペ

先天性大動脈二尖弁の石灰化 calcifying congenital bicuspid valve（**図1**）　先天性二尖弁は人口の約1～2%にみられるといわれ，40歳代以降で逆流や石灰化による弁狭窄を呈するようになる．また感染性心内膜炎の合併率も高い．高齢の場合は動脈硬化に伴う老人性石灰化弁と鑑別困難である．

老人性石灰化弁 senile aortic calcification（**図2**）**および粥状動脈硬化性大動脈弁狭窄症** atherosclerotic aortic stenosis　明らかなリウマチの既往がなく，動脈硬化を有する高齢者や若年者の重症高コレステロール血症や透析患者に大動脈弁の高度石灰化が認められる．脂質の沈着も認められる．

リウマチ性大動脈弁変性 rheumatic aortic valvular change（**図3**）　リウマチ熱による弁膜炎後の瘢痕として弁尖の肥厚，硬化，交連部の癒合のため，弁口面積により狭窄する．弁の閉鎖が不完全となり，しばしば逆流を伴う．組織学的には結節性石灰化，硝子化，弁基部に小血管の増生が認められる．リウマチ熱の既往が不明であると老人性石灰化弁と鑑別が難しい．またリウマチ性では僧帽弁変化を合併し連合弁膜症を呈しやすい．

大動脈弁閉鎖不全 aortic valve regurgitation（**図4**）　狭窄症状を伴わない大動脈弁逆流は大動脈弁輪の拡大，変性などによって起こる．弁輪拡大の原因としては，高血圧，Marfan症候群，高安動脈炎，梅毒性動脈炎後などでも合併する．先天性大動脈二尖弁でも逆流を示すことがある．組織学的には大動脈弁基部の粘液腫様変性がみられ，弁尖端部は逆流によるカーリングにより線維性肥厚する．弁中央のpars spongiosaは拡大する．高安動脈炎でもほぼ同様の変化であり，大動脈炎が弁に波及して炎症後の所見を示すことは10%前後と少ない．

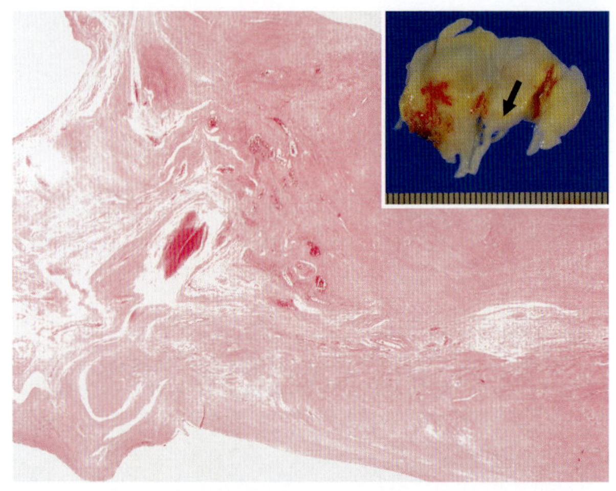

図5 リウマチ性僧帽弁変形. 組織学的に血管新生を認める. 弱拡大. **挿入図**：肉眼的に弁の肥厚, 石灰化, 腱索の癒合が著明

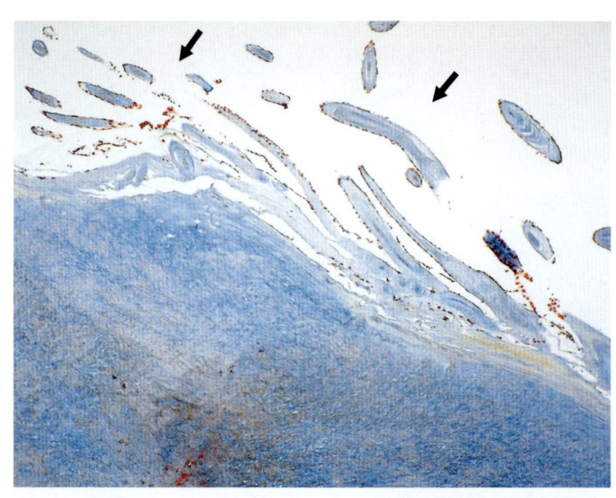

図6 同前. 弁尖の肥厚部にランブル疣贅を認める. Masson. 弱拡大

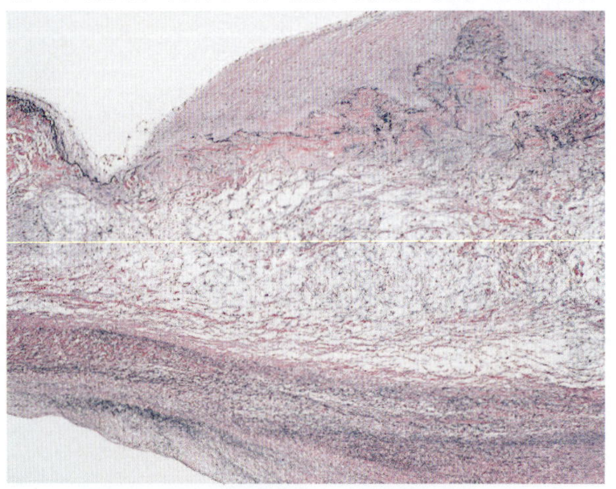

図7 僧帽弁の粘液腫様変性. 弁中層の海綿状層が拡大している. EVG

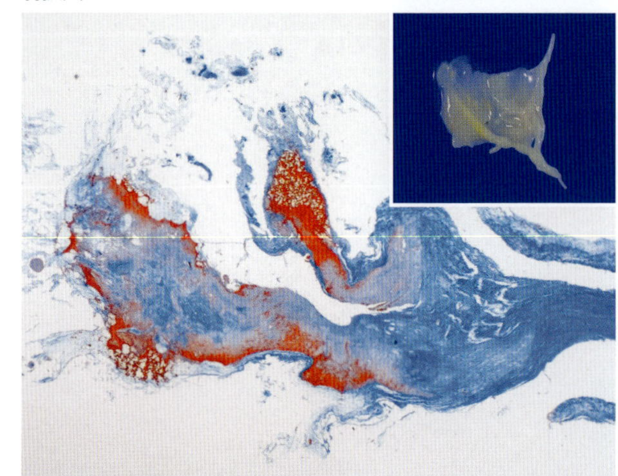

図8 腱索断裂（粘液腫様変性）. 断裂部は膠原線維の破壊が著明. Masson. 弱拡大. **挿入図**：外科的切除の後尖肉眼像

リウマチ性僧帽弁変形 rheumatic valvular deformity（**図5, 6**） リウマチ熱で僧帽弁炎を合併する頻度は高く，僧帽弁弁葉，腱索，乳頭筋などに炎症後の瘢痕化が起こり最終的に弁の構造変化が起こる．組織学的には大動脈弁と同様で石灰化が高度で，血管新生，線維性肥厚が著明である．腱索は炎症のため，腱索の短縮，癒合が高度である．弁尖端にはランブル疣贅の形成のみられることがある（**図6**）．逆流も合併することが多い．心房細動を合併することが多く，左心房内に血栓形成しやすい．ときに遊走した血栓が脳などの他臓器に塞栓症をきたす．

［参考事項］ 僧帽弁逆流 mitral regurgitation 逆流は種々の原因でみられるが，炎症後を除くと弁の変性，腱索の延長に伴う僧帽弁逸脱 mitral valve prolapse が多い．僧帽弁逸脱は後尖に起こりやすい．

粘液腫様変性 myxomatous degeneration 僧帽弁の粘液腫様変性は内皮細胞下の弾力線維の断裂（**図7**），中層の海綿状層の膠原線維の消失による拡大が認められ，アルシアンブルー染色，トルイジンブルー染色でのプロテオグリカンの過剰な沈着を確認する．特発性の僧帽弁逆流，逸脱はこの粘液腫様変性が高度である．しかし，二次性の逆流でも軽度であるが，質的には同様の変化を示す．

粘液腫様変性では，腱索断裂を合併することが多く，最近では弁形成術が適応となっている．

腱索断裂（**図8**）は粘液腫様変性のほかに感染性心内膜炎，心カテーテル操作の合併症などでも起こるとことがある．

【鑑別診断】 僧帽弁輪石灰化 mitral ring calcification：僧帽弁輪に認められる加齢に関連した石灰化．80歳以上では高率に出現する．肉眼的に結核などの肉芽腫との鑑別を要する．

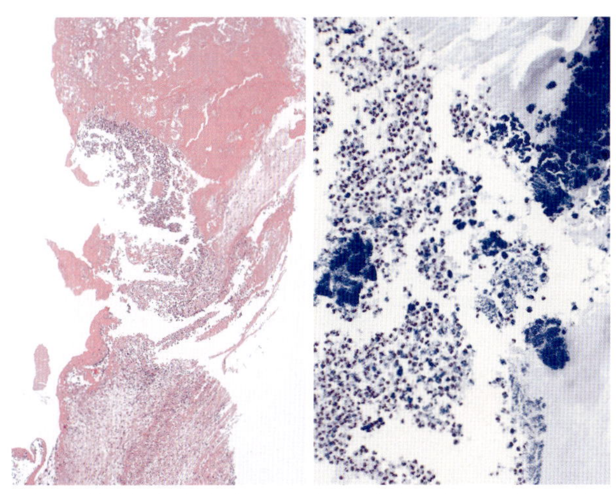

図 9　感染性心内膜炎．左：弁尖の高度の破壊．疣贅の形成．ルーペ．右：Gram 陽性球菌が好中球に囲まれ増殖．強拡大

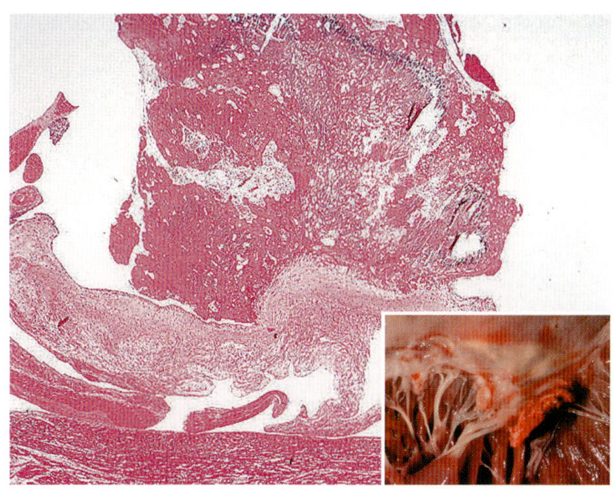

図 10　非細菌性血栓性心内膜炎．炎症細胞なし．フィブリンのみで弁組織破壊なし．弱拡大．**挿入図**：肺癌患者の僧帽弁の NBTE

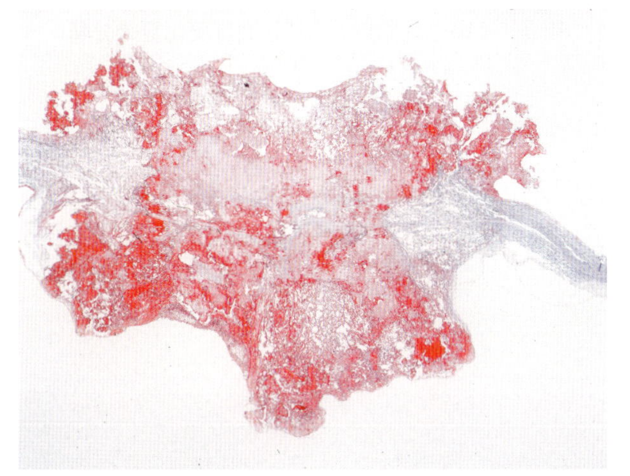

図 11　人工弁不全（生体弁，ブタ心膜）．膠原線維は破壊され，血栓形成，石灰化がみられる．Masson．ルーペ

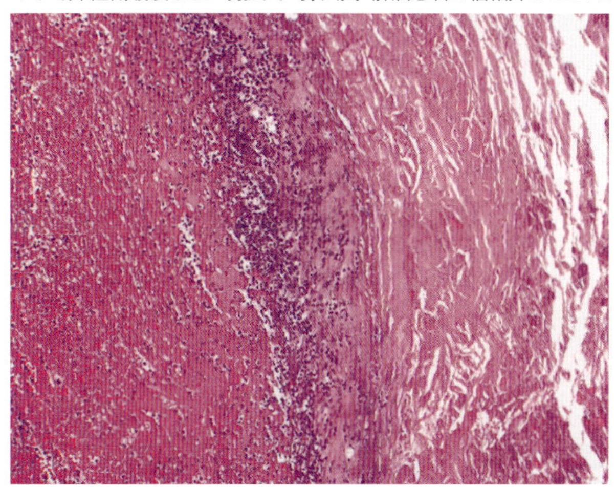

図 12　生体弁感染（生体弁，ブタ心膜）．ブタ心膜の膠原線維は高度に破壊されている．中拡大

感染性心内膜炎 infective endocarditis（**図 9**）　破壊性で，ときに穿孔を伴う．細菌と好中球や壊死物質，フィブリンなどから構成される疣贅 vegetation を形成し，剝がれて塞栓化すると感染性動脈瘤 mycotic aneurysm をつくり，脳など他臓器の梗塞や出血の原因となる．原因菌は以前はブドウ球菌が多かったが，現在では抗生剤への耐性菌が増え，あらゆる細菌で心内膜炎をきたす可能性がある．

非細菌性血栓性心内膜炎 nonbacterial thrombotic endocarditis（NBTE）（**図 10**）　悪性腫瘍，消耗性疾患の死戦期などに大動脈弁，僧帽弁に比較的小型の血栓の付着が認められ，脳梗塞などの塞栓源になる．感染性心内膜炎のように弁の破壊はなく，血栓が付着しているのみで，容易に取れやすい．

人工弁不全，人工弁感染 prosthetic valve failure and endocarditis　異種生体弁はブタ大動脈弁やブタやウマの心膜をカットしてフレームに縫い付けた生体弁が主流である．異種であることから抗原性を低くするために，グルタール処理などがなされており，これによる膠原線維の変性，石灰化など弁の破壊が術後数年から出現する（**図 11**）．生体弁が破れたり，穿孔して急激な逆流の原因となる．感染症の合併も人工弁に生じることがあり，いわゆる人工弁心内膜炎 prosthetic valve endocarditis を起こす．本症は血栓の付着を伴いやすく，塞栓源となって，全身の血栓塞栓症を合併する（**図 12**）．弁輪部の感染も合併することがある．

［参考事項］　現在では機械弁の大部分は2枚のカーボン板からできた半円板が開閉する方式である．破損することは非常にまれであるが，円板に血栓が付着するため血栓弁による閉鎖不全をきたすことがある．また弁輪部の感染により弁輪部膿瘍となり再弁置換が必要となる．

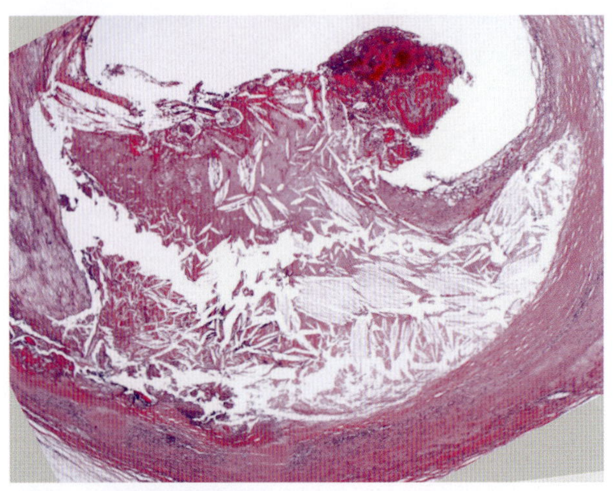

図 13 冠動脈粥腫破裂．被膜が破れ粥腫が内腔に突出し，血栓が付着している．弱拡大

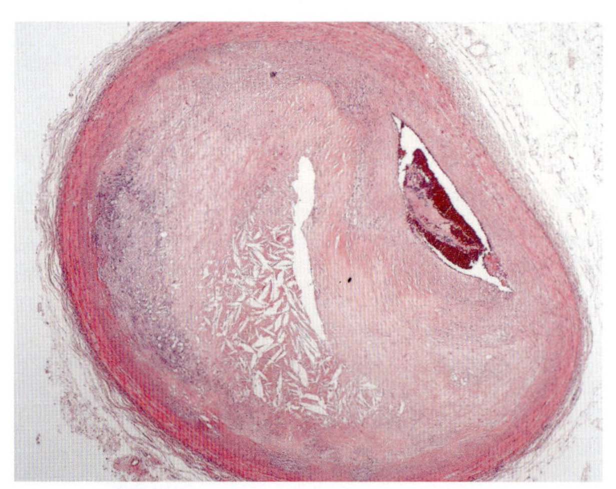

図 14 粥腫びらん．明らかな破裂がなく，内腔に血栓が付着している．ルーペ

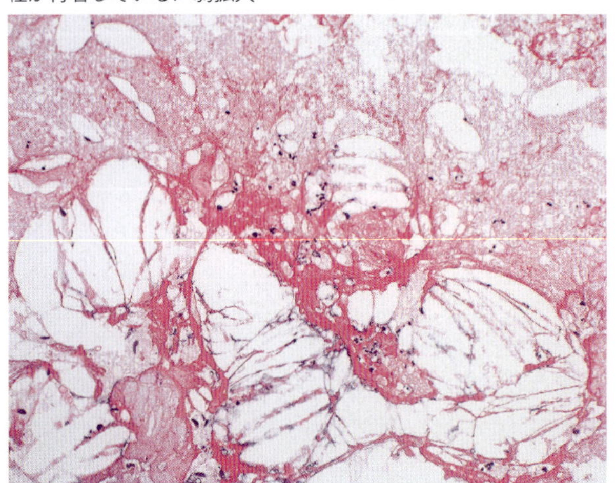

図 15 ACS で血栓吸引された組織．コレステロールを含む粥腫内容を認める．中拡大

表 1 米国心臓協会による冠動脈硬化症の分類

Histological classification of atherosclerotic lesions		Other terms for the same lesions	
Type I	initial lesion	fatty dot or streak	early lesions
Type IIa	progression-prone type II lesion		
Type IIb	progression-resistant type II lesion		
Type III	intermediate lesion（preatheroma）		
Type IV	atheroma	atheromatous plaque, fibrolipid plaque, fibrous plaque, plaque	advanced lesions, raised lesions
Type Va	fibroatheroma（type V lesion）		
Type Vb	calcific lesion（type VII lesion）	calcified plaque	
Type Vc	fibrotic lesion（type VIII lesion）	fibrous plaque	
Type VI	lesion with surface defect, and/or hematoma-hemorrhage, and/or thrombotic deposit	complicated lesion, complicated plaque	

（Circulation 1995；92：1355）

不安定狭心症，急性心筋梗塞，心臓突然死の多くが冠動脈血栓症により発症すると考えられ，これらを一連の疾患として，急性冠症候群 acute coronary syndrome（ACS）とよぶ．冠動脈硬化症が血管内腔の狭窄や閉塞にいたる過程で粥腫の破綻が重要であり，粥腫破綻に引き続いて起こる冠動脈血栓症は，ACS の発症に密接に関与している．ACS をきたす粥腫の性状はマクロファージ（泡沫細胞）の浸潤が有意に多く，粥腫内にコレステロール結晶や壊死産物を多く含む．すなわち粥腫核の大きい，いわゆる soft plaque であり，粥腫の線維性被膜が著明に菲薄化し，マクロファージが浸潤している（**図 13**）．

粥腫破綻は ACS における粥腫の病理として最も重要である．組織学的には，びらんとよばれる血管内皮傷害による内皮細胞の脱落（**図 14**），または線維性被膜の破綻，断裂による粥腫内容の血管内腔への漏出，そこでの血栓形成などさまざまである．粥腫破綻が起こるメカニズムは不明な点が多いが，炎症，血行力学的負荷などの関与が考えられる．粥腫破綻による血栓形成は，最初に血小板フィブリン血栓が形成され，赤血球がフィブリン網に取り込まれ血栓が次第に大きくなる．ACS の急性期に経カテーテル的に血栓を吸引する治療法が有効とされ，盛んに行われれている（**図 15**）．病的意義が高くなるのは Type IV以上の動脈硬化で，脂質を取り込んだマクロファージや平滑筋細胞の増殖に加えて，細胞外の脂質と壊死物質を含む粥腫が形成される（**表 1**）．特に Type VI では，線維性被膜が薄い（thin cap fibroatheroma：TCFA）ことから粥腫が破綻しやすい．soft plaque の大きいことおよび泡沫細胞浸潤が破綻の原因と考えられる．透析患者の冠動脈には内膜内の石灰化が多いことが再確認されている．

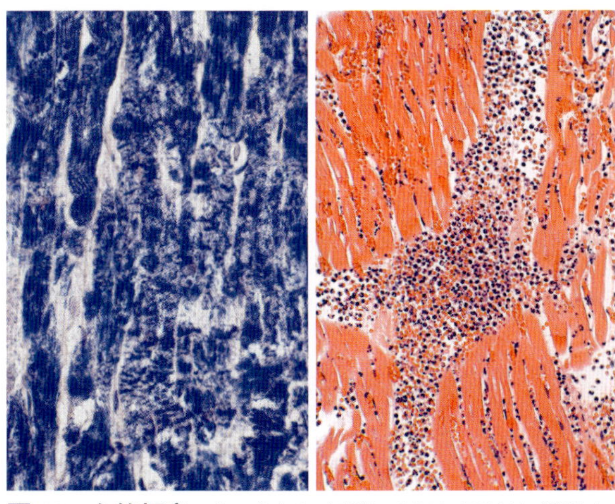

図 16　心筋梗塞．左：発症 6 時間後，CBN，PTAH，強拡大．右：2 日後，好中球浸潤が高度に認められる．中拡大

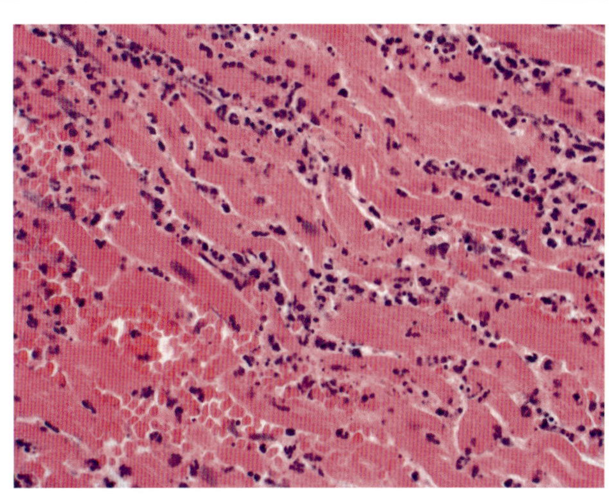

図 17　梗塞後 4 日目．心筋細胞は好中球により高度に破壊され，好中球も崩解し，デブリスに変化．強拡大

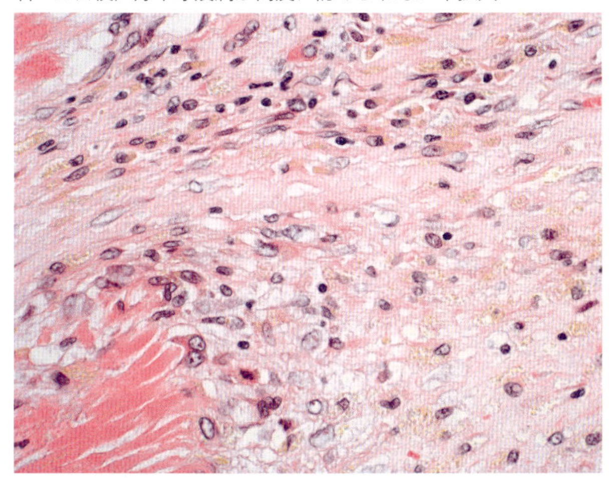

図 18　梗塞後 1 カ月目．壊死心筋はマクロファージに貪食され線維芽細胞も出現している．強拡大

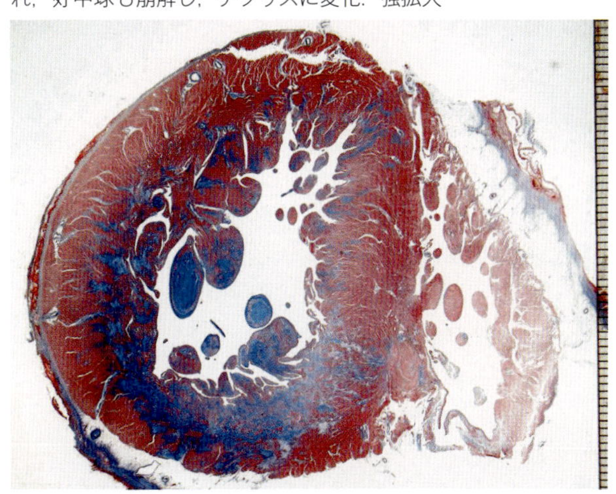

図 19　梗塞後 4 カ月目．右冠動脈閉塞による陳旧性梗塞．後壁が線維組織（青色）に置換されている．Masson．ルーペ

心筋梗塞　冠血流の減少，途絶により，心筋が壊死に陥る．組織学的所見は，発症後 4～6 時間から凝固壊死が認められ，横紋は不規則化，消失し，細胞質はエオジン好性で，核は腫大，崩壊を経て消失する．収縮帯壊死 contraction band necrosis（CBN）は，虚血に陥った心筋への比較的早期の再灌流障害で出現するが，数日後には凝固壊死になると考えられる．過収縮した横紋の集積像が特徴である（**図 16 左**）．CBN は再灌流のみならず遷延する低血圧，カテコラミン，除細動などでも出現する．梗塞後2～3日以内に壊死部とその周辺に白血球が浸潤し，その後マクロファージが浸潤する（**図 16 右**）．4 日目から 1 週間までに心筋細胞は好中球により完全に破壊され，好中球も破砕化する（**図 17**）．梗塞後約 10 日目から梗塞部周辺から肉芽組織で置換され，2～3 カ月で線維化に置換される（**図 18，19**）．この治癒機転は再灌流治療効果などにより変化し，ときに再灌流による出血性梗塞もみられる．

［参考事項］　冠動脈バイパス静脈グラフト閉塞　冠動脈バイパスには，大伏在静脈（SVG）を用いていたが，最近では内胸動脈，橈骨動脈などを用いる．SVG は内膜肥厚，中膜肥厚により静脈グラフトの動脈化が起こり動脈硬化と同じ変化をきたし，そこに粥腫形成を認め閉鎖の原因となる．

経皮的血管形成術（PCI）後再狭窄　狭窄した冠動脈を経カテーテル的にバルーンにて拡張する治療は内弾性板の断裂，中膜の損傷が起こり，そこでの血管修復として新生組織増殖がもたらされ，これが再狭窄の原因となることがある．外膜の線維化もみられ，vascular shrinkage とよばれる．

ステント後再狭窄　ステント留置後は vascular remodeling が起こりにくいが，以前は新生内膜肥厚による再狭窄は約 20％出現していた．現在は，内膜肥厚を抑制する薬物（免疫抑制薬，抗腫瘍薬など）が塗布されたステントが主流となっている（drug eluting stent：DES）．近年，ステントの再狭窄は減少したが，ステント内血栓形成が問題となっている．

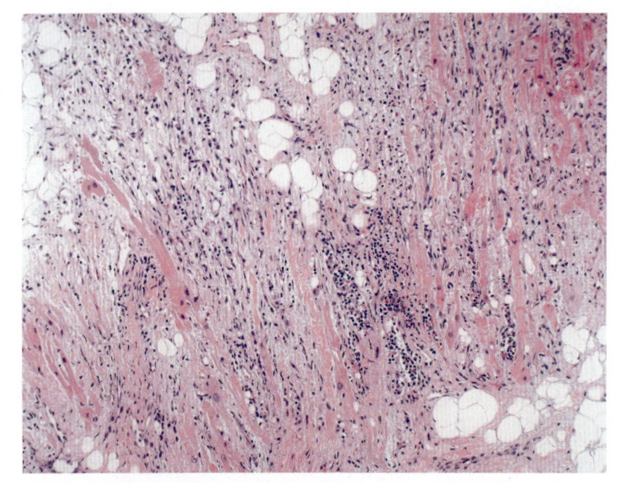

図 20　急性心筋炎．発熱後 3 週の組織．心筋細胞を破壊するリンパ球浸潤．間質の線維化が始まっている．中拡大

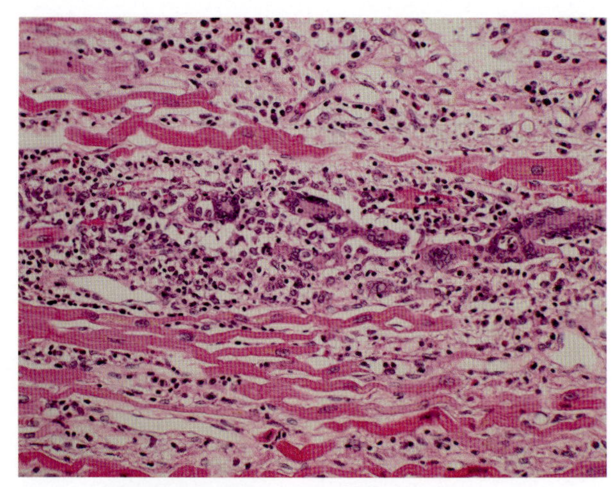

図 21　巨細胞性心筋炎．心筋細胞破壊が高度に認められ，リンパ球の他に多核巨細胞が出現している．

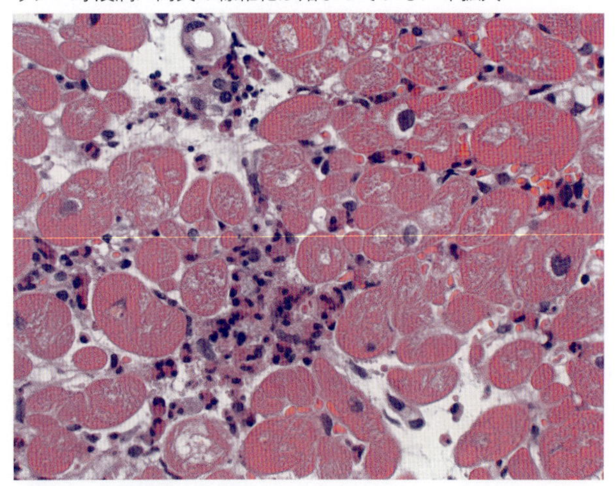

図 22　好酸球性心筋炎．末梢血で好酸球増多症を示したが，心筋中にも好酸球がリンパ球と混じって認められる．強拡大

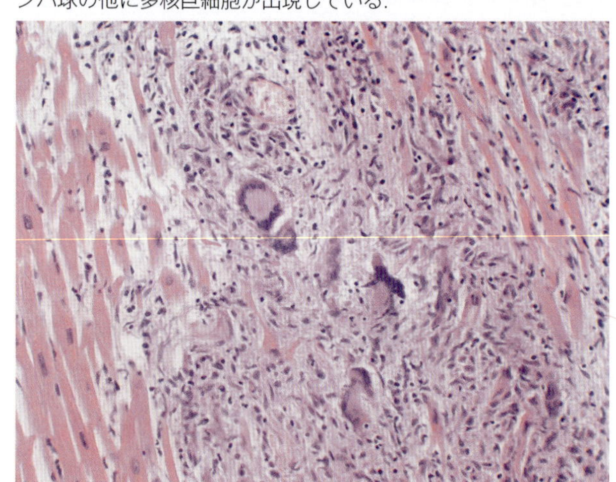

図 23　心臓サルコイドーシス．辺縁に核が並んだ多核巨細胞と類上皮細胞からなる肉芽腫を心筋層内に認める．乾酪壊死はない．中拡大

急性心筋炎 acute myocarditis　臨床的に心筋炎が疑われた場合，その多くはウイルス性心筋炎と考えられるが，患者血清の抗体価の上昇や，免疫染色の組織標本上でウイルスを検出する確率は非常に低い．

心筋炎の浸潤細胞はリンパ球が中心だが，しばしば多核白血球，好酸球，形質細胞なども出現する（**図 20**）．まれに激症型をしばしば呈する巨細胞心筋炎も認められる（**図 21**）．ウイルス以外の病原微生物が原因となることもある．好中球優位な場合は好酸球性心筋炎（**図 22**）と呼ばれ，しばしばステロイド治療が有効である．薬剤性心筋炎もある．

また，髄液，尿，便や心嚢液，心筋などからウイルスを証明することが必要であるが，実際にはウイルスの検出は困難なことが多い．

［参考事項］　RNA ウイルス，とりわけコクサッキーB 群ウイルス，アデノウイルスなどが，原因ウイルスであることが多い．近年，拡張型心筋症や心筋炎の生検心筋よりエンテロウイルスゲノムがしばしば検出され，注目されている．これまでの成績では拡張型心筋症と診断された標本からも約 20% の陽性率である．しかし形態学的所見との一致は少なく，今後の問題である．

心臓サルコイドーシス cardiac sarcoidosis（**図 23**）　肺門リンパ節や肺あるいは皮膚などの病変が明らかでなく，心ブロックなどの不整脈から心筋生検が施行された場合，病理組織学的に心臓に典型的な類上皮細胞肉芽腫，星芒小体や Schauman 小体を認め，心臓サルコイドーシスと診断されることがある．しかし，多くは典型的な所見に乏しく，巨細胞のみとか線維化に陥った組織にリンパ球浸潤だけが存在する場合など，必ずしも巨細胞性心筋炎あるいは Fiedler 心筋炎との鑑別は容易ではない．

［参考事項］　サルコイドーシスの肉芽腫は結核と異なり乾酪壊死はない．治癒後は線維化して線維組織に置換され，拡張型心筋症様となる場合があり，二次性心筋症に含まれる．

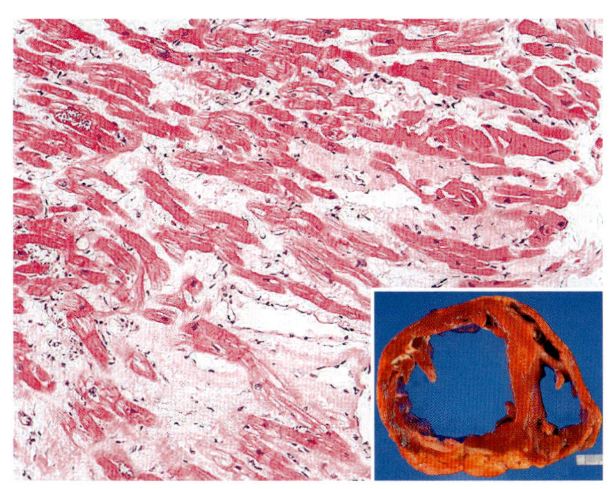

図 24　拡張型心筋症．心筋細胞を置換する間質の線維化．中拡大．**挿入図**：両心室の著明な拡張．肉眼像

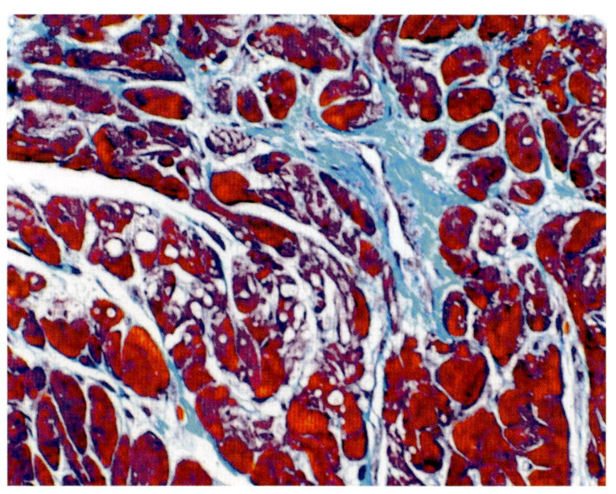

図 25　同前．心筋細胞の大小不同，空胞変性が著明．間質には線維化をみる．Masson．強拡大

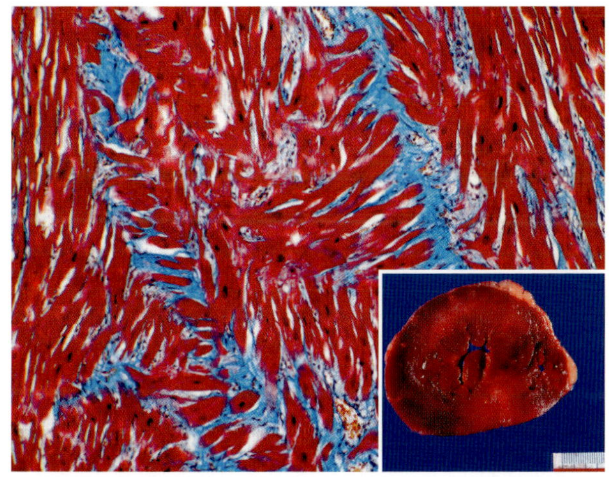

図 26　肥大型心筋症．組織では花むしろ状の錯綜配列を示す．**挿入図**：中隔の高度の肥厚．乳頭筋の発達．肉眼像

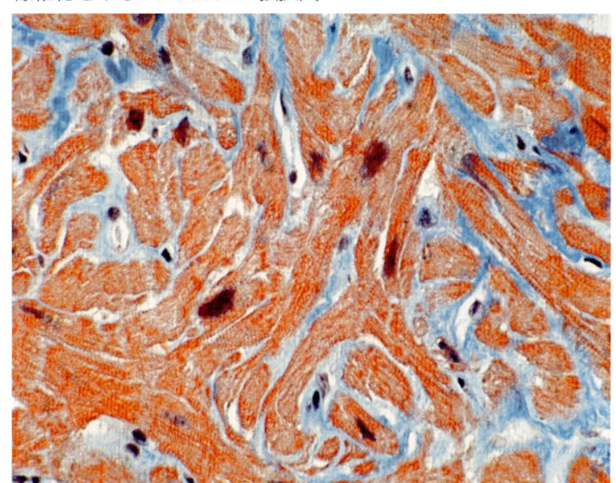

図 27　同前．心筋細胞核の濃染，大型化を認め錯綜配列を示す．Masson．強拡大

心筋症 cardiomyopathy は WHO により“心不全を伴う心筋疾患”と定義され，原発性（特発性）心筋症と基礎疾患または全身疾患との関連が明らかな二次性心筋症（特殊心筋症）と区別される．原発性には遺伝性・非遺伝性（混合性，後天性）がある（**表 2**）．

拡張型心筋症（DCM）（**図 24, 25**）　明らかな原因がなく，内腔の拡張と左心室あるいは両心室の収縮不全を主体とする．遺伝子異常も報告されている．光顕的には軽度から中等度の代償性の心筋細胞肥大と空胞変性がみられる．線維化は間質性および置換性線維化が認められる．小円形細胞浸潤は線維化や変性心筋の周辺でときに認められるが，心筋傷害を伴う心筋炎の所見は乏しい．アルコール性心筋症，周産期/産褥性心筋症は通常，拡張型心筋症の形態をとり，組織学的には鑑別できない．

肥大型心筋症（HCM）（**図 26, 27**）　HCM は心室壁の非対称性肥大，僧帽弁前尖の収縮期前方運動，心筋の錯綜配列 myocardial disarray が特徴とされている．家族性肥大型心筋症の研究から β-ミオシン重鎖（β-MHC）や α-トロポミオシンなどの収縮蛋白の遺伝子異常があることが明らかになってきており，HCM は“sarcomere disease”ともよばれている．肥厚した心室壁に顕微鏡学的に心筋の錯綜配列を認めることが多い．錯綜配列の間質の線維化は叢状線維化 plexiform fibrosis とよばれる．また，心筋層内小動脈壁の肥厚がみられ，しばしば狭窄し広範な線維化を伴うことがある．組織学的には心筋線維の著しい乱れとして重畳 overlapped，渦巻き whorled，交錯 intertwined，異常分岐 abnormally branched が認められ，核形不整，核クロマチンの増量がみられたりする．HCM の中で高度な線維化，心内腔の拡大が著明なものを特に拡張相肥大型心筋症 dilated phase of HCM（dHCM）とよび，DCM と同じ扱いになっており，心移植の適応疾患である．

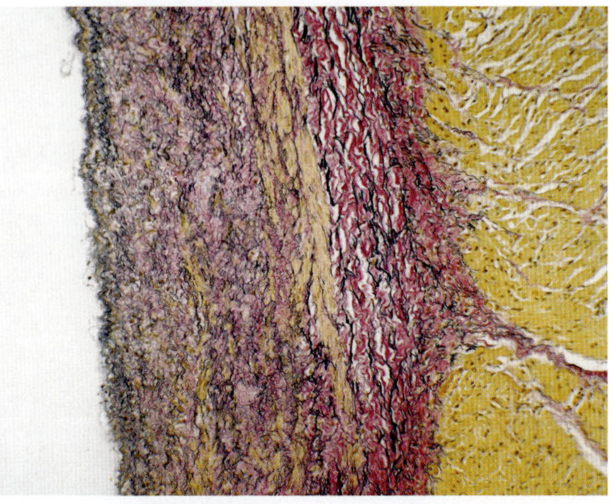

図 28　心内膜線維弾性症．心内膜内に弾性線維の層が 10 層以上になり，RCM 病態を示す．EvG．中拡大

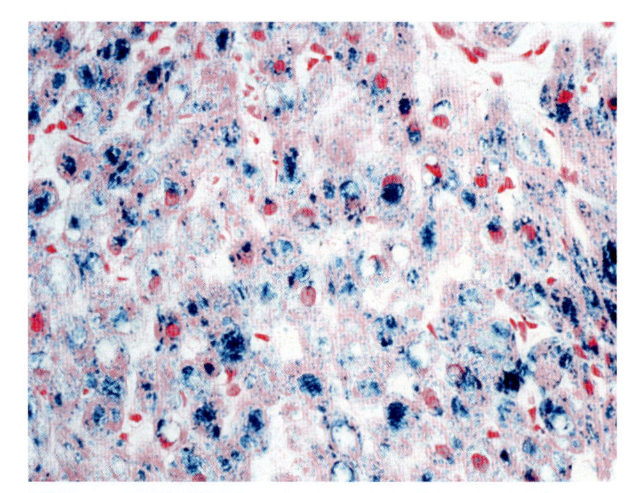

図 29　ヘモクロマトーシス．心筋細胞内に鉄の沈着を認める．Berlin 青．中拡大

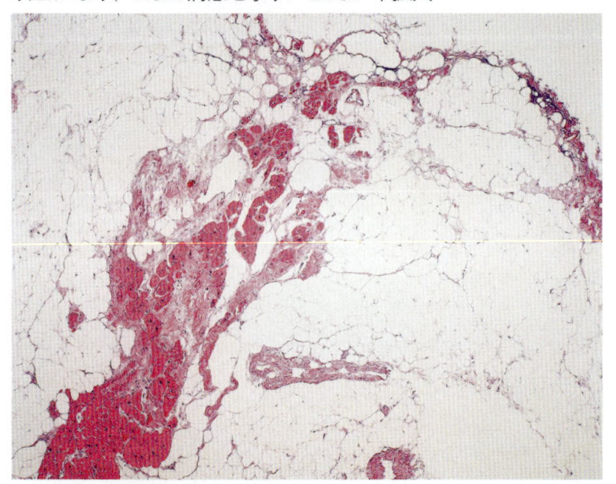

図 30　不整脈源性右心室心筋症．右室心筋はほとんど消失し，脂肪組織に置換されている．弱拡大

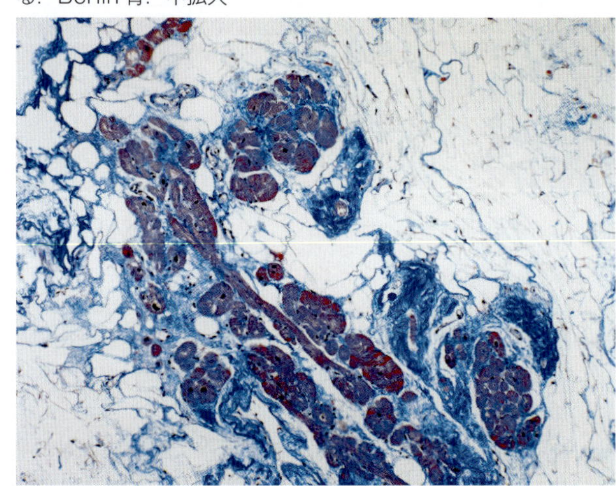

図 31　同前．脂肪化とともに線維化も認められる．Masson．中拡大

拘束型心筋症（RCM）　心収縮は保たれているが，心室拡張不全の病態を示す疾患．種々の原因があるが，組織学的には DCM や高血圧性心肥大と鑑別できないことが多い．RCM と同様の病態を示す疾患として，心内膜心筋層が線維化する**心内膜線維弾性症** endocardial fibroelastosis（**図 28**）や好酸球増多症を伴うレフラー心内膜炎また心アミロイドーシス，ヘモクロマトーシス（**図 29**），糖原病などの蓄積病がある．

不整脈源性右心室心筋症（ARVC）（**図 30，31**）　1979 年 Fontaine らが難治性の心室性頻拍を起こす原発性の右心室に限局した心筋病変を不整脈源性右心室異形成と名づけたが，1996 年の WHO/ISFC（WHO と国際心臓連合）合同委員会で心筋症の範疇に入れられた．本症は右心室が線維化と脂肪浸潤により進行性に置換されることを特徴とし，この置換は最初は限局性であるが後には右心室全域に及び，しばしば左心室も侵される．ときに炎症細胞浸潤も認められる．遺伝子変異が多く見つかっていることから遺伝性に属する．

［参考事項］　心筋症の分類は 2006 年にアメリカ心臓学会（AHA）が改訂版を発表している．

表 2　心筋症の分類（AHA 2006）

原発性心筋症			二次性心筋症
［遺伝性］	［混合］	［後天性］	浸潤・沈着性（**アミロイドーシス**など）
HCM	DCM	**炎症性心筋症**	蓄積疾患（**Fabry 病**など）
ARVC	RCM	たこつぼ心筋症	心毒性（薬剤，化学物質など）
左室緻密化障害		産褥性心筋症	心内膜心筋性（**Löffler 心内膜炎**など）
Danon 病		頻拍誘発性心筋症	炎症性・肉芽腫性（**サルコイドーシス**など）
伝導欠損		幼児 IDDM	内分泌性（糖尿病性など）
ミトコンドリア心筋症			心・顔貌異常（Noonan 症候群など）
イオンチャネル異常			神経筋疾患（**Duchenne, Becker 筋ジストロフィー，ネマリンミオパチー**など）
			栄養障害
			自己免疫性/膠原病
			電解質異常
			癌治療（抗癌剤，放射線など）

（Circulation 2006；113：1807）

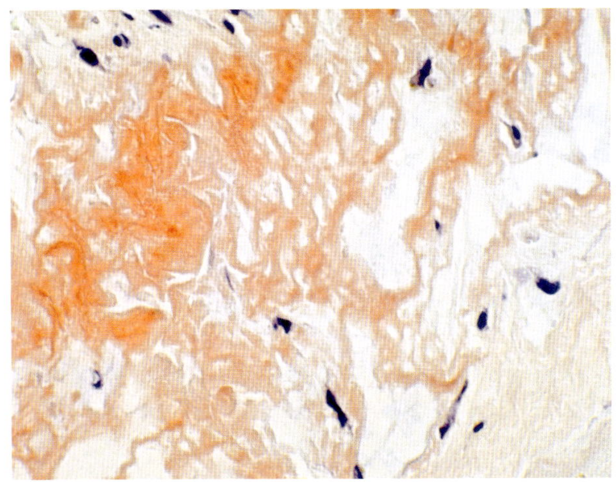

図 32 AL アミロイドーシス．心筋間質にコンゴーレッド陽性の沈着物をみる．Congo-red．中拡大

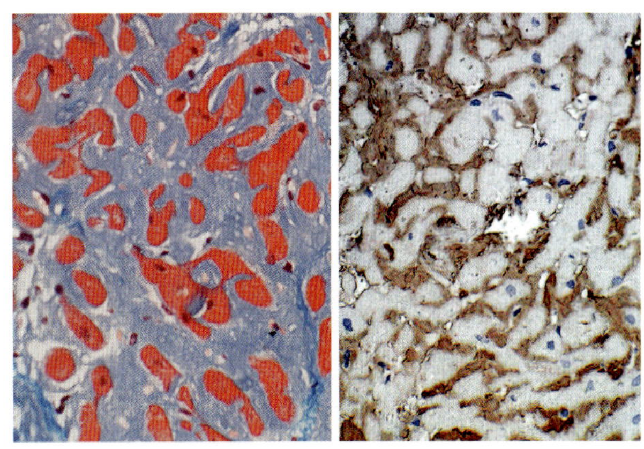

図 33 ATTR アミロイドーシス．左：間質に青灰色組織を認める．中拡大 Masson．右：ATTR の免疫染色間質に陽性．中拡大

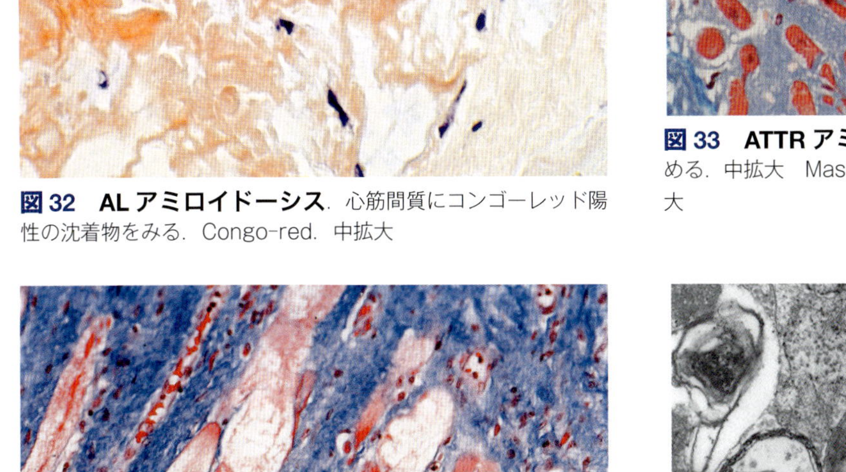

図 34 ファブリ病．心筋組織の空胞化を認め，細胞自体も数倍に腫大している．Masson．中拡大

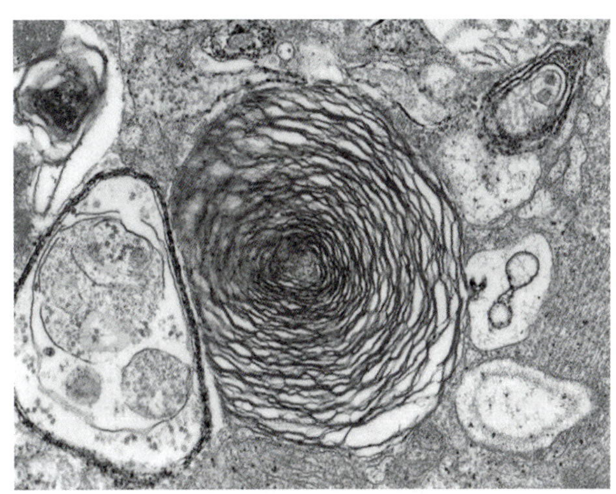

図 35 同前．電顕像．セラミド沈着による同心円状の lamellar body をリソソーム内に認める．E-M．×30,000

アミロイドーシス amyloidosis 心アミロイドーシスの心臓の肉眼所見は粘土細工様と特徴的で，割面はギラギラしている．組織学的には多臓器で認められる間質へのアミロイド沈着と同じでコンゴ赤染色で陽性である（**図 32**）．

アミロイド物質は電顕では幅 8～15 nm の枝分かれのない細線維の集積を示す．アミロイド物質の蛋白構成から AL, AA, ATTR, β_2 ミクログロブリンなどがあり，原発性アミロイドーシスや骨髄腫に合併するアミロイド蛋白は大部分が AL 蛋白，続発性の場合はそのほとんどが AA 蛋白であり，老人性アミロイドは ATTR 蛋白であることが多い．ATTR は，他の原発性アミロイドーシスに比較して予後が長い．血管に沈着するタイプと心筋を取り囲むように間質に沈着するタイプがある（**図 33**）．ATTR の偏光顕微鏡下のアップルグリーン複屈折が通常の AL，AA アミロイド症よりも弱い（**図 33 右**）．心筋，血管のみならず，心内膜下（弁を含めて）や心外膜下にも沈着する．

ファブリ病 Fabry disease α-ガラクトシダーゼ（ceramide trihexoside 分解酵素）の欠損による X 染色体連鎖性遺伝形式の脂質代謝異常であり，心筋にも特有の脂質沈着（グロボトリアオシルセラミド）がみられる．ホモ表現型は若年で死亡するが，ヘテロ接合体では女性にも中年以降に心拡大を示し心筋症としてみつかることがある．初期は肥大する．組織学的に心筋細胞は明るく空胞化がみられる（**図 34**）．電顕的にはミエリン様層状構造をもつ封入体をリソソーム内に認める（**図 35**）．α-ガラクトシダーゼ酵素欠損あるいは活性低下，またガラクトシダーゼの遺伝子異常で確定診断される．近年では早期から酵素補充療法による治療が開始されるようになった．

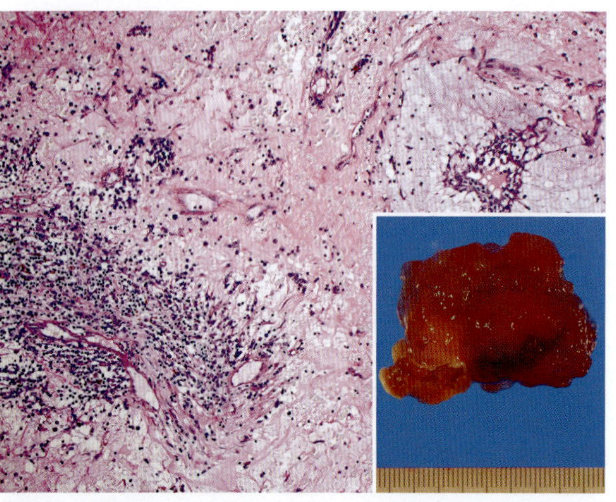

図 36　粘液腫．細胞外基質が豊富である．PAS．中拡大．**挿入図**：ゼリー状の表面が不規則な腫瘤．肉眼像

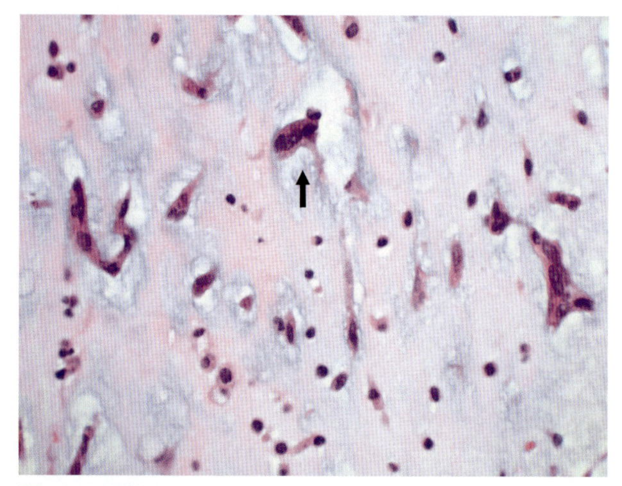

図 37　同前．細胞外基質に浮遊するように異型のない粘液腫細胞（⬆）がみられる．強拡大

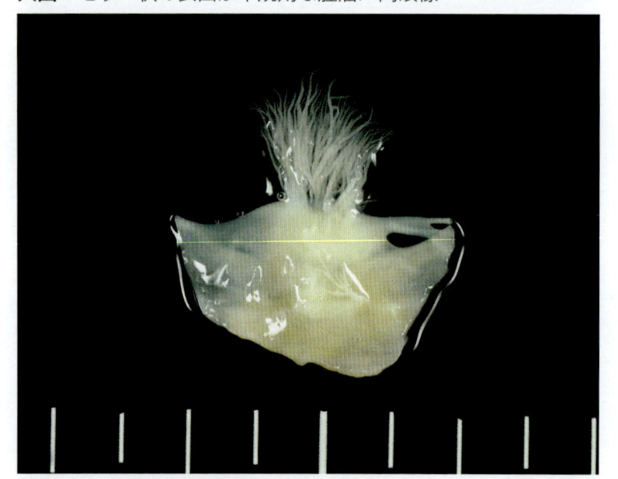

図 38　乳頭状線維弾性腫．大動脈弁に発生した多数の糸状（枝状）の線維性組織からなる腫瘤．肉眼像

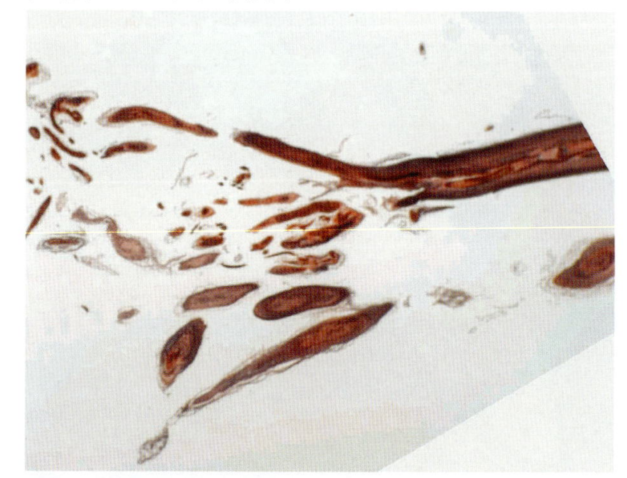

図 39　同前．枝状組織の先端まで弾性線維が認められる．EvG．弱拡大

心臓の原発性腫瘍の頻度はArmed Forces Institute of Pathology（AFIP）の報告でも全臓器腫瘍の0.001～0.03％であり，その頻度はきわめて低い．その中で心臓粘液腫は外科材料として提出される頻度が最も高い．

心臓粘液腫 cardiac myxoma　心臓原発腫瘍の中で最も多く認められる．大部分が有茎性で心腔内に突出する．その3/4が左心房に発生することから，脳塞栓症などの合併症により発見されることも多い．表面はゼラチン様で出血巣や血栓の付着がみられる（**図 36**）．組織学的に，粘液腫はPAS反応陽性，アルシアンブルー染色陽性の細胞外基質を背景に粘液腫細胞が浮遊する形で認められる．ヘモジデリンの沈着も認められる．粘液腫細胞は紡錘形から星形あるいは多形性で，索状配列，管腔様構造をとることもある（**図 37**）．第Ⅷ因子関連抗原が陽性で，IL-6が陽性のこともある．組織学的には良性でも腫瘍の断片が血管内播種して末梢で増殖することがある．多くが良性腫瘍であるが，肉眼的には粘液肉腫と鑑別困難である．また，腫瘍付着部での取り残しがあると再発する．

乳頭状線維弾性腫 papillary fibroelastoma　乳頭状の突起物で大動脈弁閉鎖縁に発生することが多い（**図 38**）．乳頭状の突起は線維性の芯と弾性線維が同心円状に配列している．良性であるが，臨床的には血栓が付着して塞栓症の原因となるため，大きい場合は摘出される．ランブル疣贅（ゆうぜい）Lambl excrescence と組織学的には類似している（**図 39**）．

［参考事項］ その他の心臓良性腫瘍としては横紋筋腫，線維腫，血管腫，脂肪腫などが発生する．組織学的には他臓器に発生するものと同様の所見である．心嚢には中皮嚢胞，気管支原性嚢胞などができることがあり，心臓手術の際に発見され摘出されることがある．

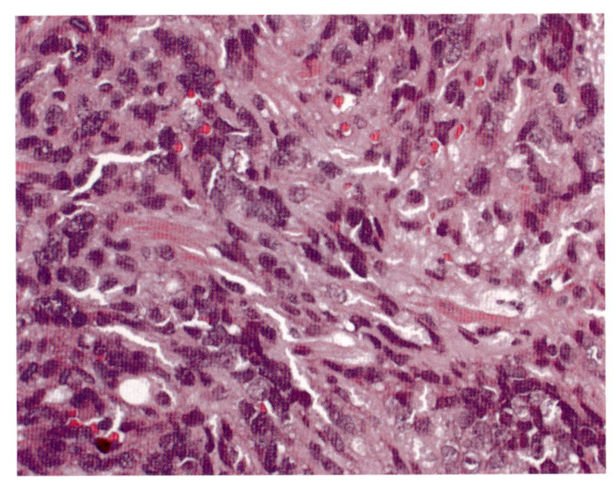

図 40　血管肉腫　核の大きい異型のある細胞が小血管を形成している．強拡大

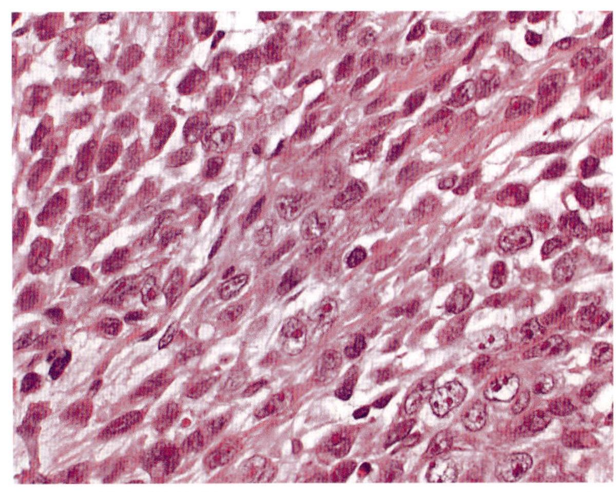

図 41　横紋筋肉腫．核小体明瞭な紡錘形細胞と円形細胞が混在して増殖している．一部横紋様構造がみられる．強拡大

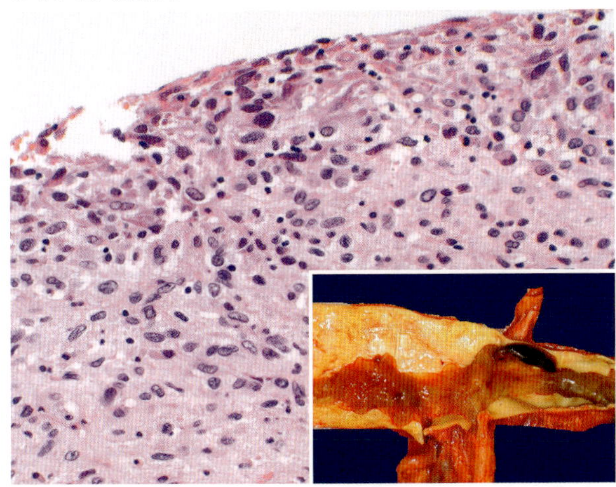

図 42　内膜肉腫．円形．類円形高度異型細胞の増殖．強拡大．
挿入図：ゼリー状の大動脈内膜内腫．肉眼像

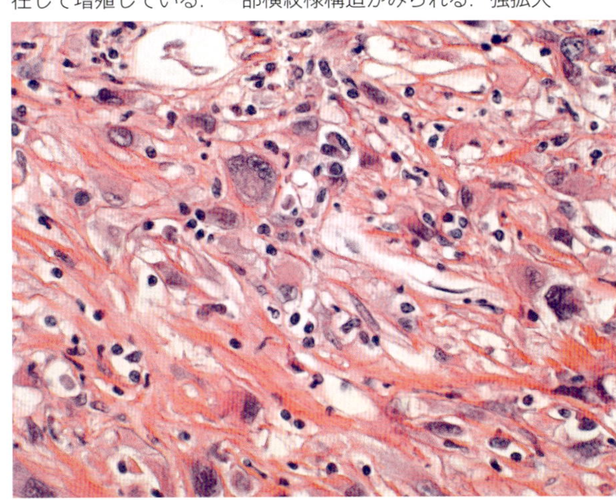

図 43　心膜悪性中皮腫．異型の強い多核の大型細胞と紡錘形細胞の増殖を認める．強拡大

心臓肉腫 cardiac sarcoma　原発性悪性腫瘍としては頻度が非常に低い．その中では血管肉腫（**図 40**）と横紋筋肉腫（**図 41**）がほとんどである．心臓の横紋筋肉腫はほとんどが胎児型である．ときに，軟骨肉腫，平滑筋肉腫などに分化傾向を示すものも認められる．心臓肉腫の組織像は軟部組織に発生する肉腫と同様である．心臓に連続した大動脈，肺動脈の内膜に発生する内膜肉腫はさらに非常にまれである（**図 42**）．

中皮腫 mesothelioma　悪性中皮腫はアスベストの吸入による塵肺および肺腫瘍が有名であるが，まれに心膜にも発生する．心嚢液貯留を認めることから心嚢液細胞診で発見される．大部分がびまん性に心臓を覆う形で発育する．肉眼的には割面は灰白色から黄色を呈し，心膜を侵し，心筋に浸潤する（**図 43**）．そのため，心筋の動きが制限され，心臓の拡張障害を示し拘束型心筋症様となる．組織学的には，腺管を形成する上皮型，紡錘形細胞と結合組織性間質を有する線維型および両方の混在する混合型がみられる（**図 43**）．組織化学的に間質はコロイド鉄反応，アルシアンブルー染色が陽性であり，ヒアルロニダーゼにより消化される．PAS 反応は陽性で，ジアスターゼには消化されない．免疫組織化学ではカルレチニンが陽性となる．

［参考事項］　その他，心膜にはリンパ腫，悪性線維性組織球腫などが原発性腫瘍として発生するが，肺癌などの転移性心膜腫瘍の頻度が高い．特徴がある心膜腫瘍は心臓の拡張障害をきたし，心不全に陥りやすい．良性腫瘍としては脂肪腫，平滑筋腫，心膜嚢胞腫が，まれではあるが報告されている．

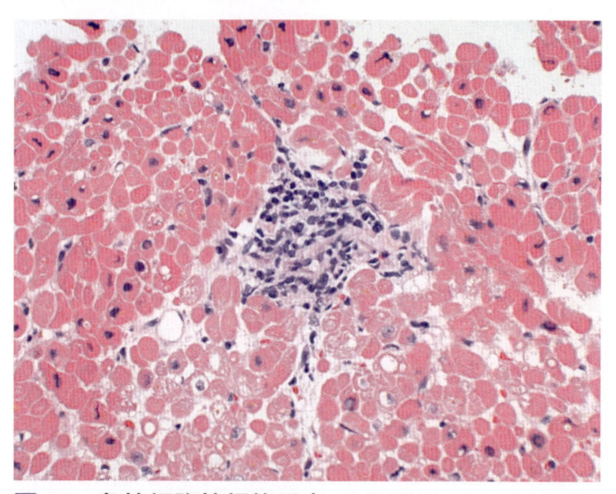

図 44　急性細胞性拒絶反応．血管周囲のリンパ球浸潤．Grade 1R（旧 G1A）．中拡大

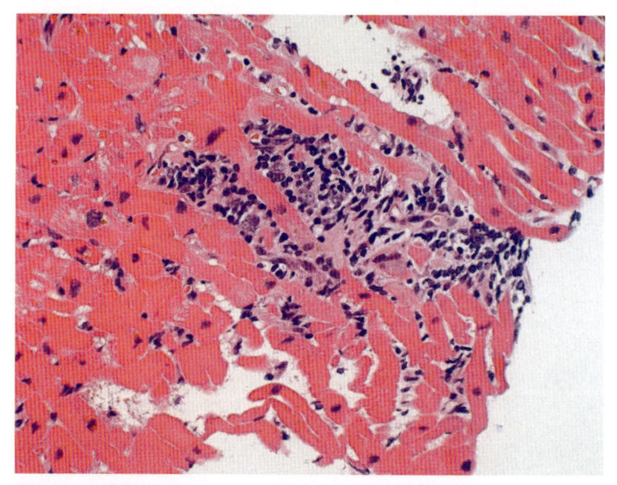

図 45　同前．Grade 1R（旧 G2）．心筋細胞傷害を伴うリンパ球浸潤あり．中拡大

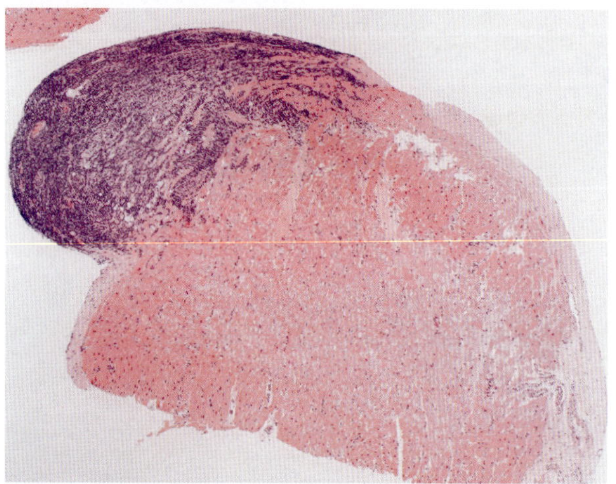

図 46　Quilty 効果．心内膜への浸潤細胞は T 細胞，B 細胞，マクロファージなど多彩である．弱拡大

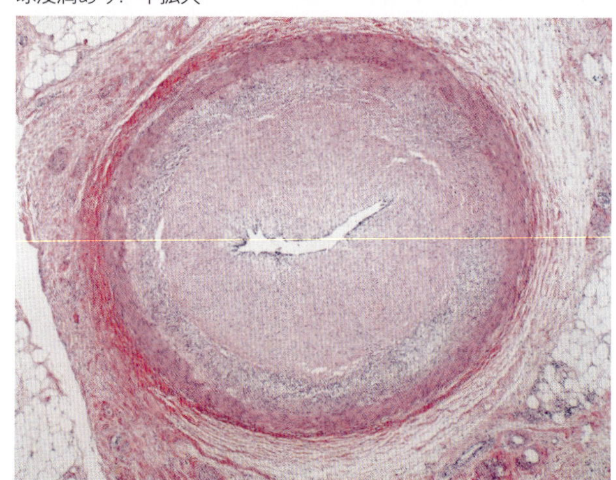

図 47　移植心冠動脈病変．冠動脈の内膜肥厚を示す．ルーペ（東京 JR 病院症例　丹野正隆博士提供）

急性細胞性拒絶反応　評価として 1990 年の国際心肺移植学会の grading（カッコ内）が使われてきたが，現在は 2004 年の新分類が一般的に用いられている．

(1) Grade 0, no acute rejection：生検標本に急性拒絶反応や心筋細胞傷害を示す所見が認められない．

(2) Grade 1R, mild（旧 1A<**図 44**>，旧 1B）：1A は局所的な血管周囲の大型リンパ球浸潤が 1 カ所以上であるが，1B はリンパ球が小血管周囲から放射状に浸潤する．心筋細胞傷害はない．新分類では A，B と分けず 1R としている．

(3) Grade 1R, mild（旧 2，**図 45**）：心筋細胞傷害を示す炎症細胞浸潤巣を 1 カ所に認める．炎症細胞は大型リンパ球が主体だが，好酸球も出現することもある．

(4) Grade 2R, moderate（旧 3A）：3A は大型の活性化したリンパ球からなる炎症細胞浸潤巣（旧 Grade 2 病変）が多発性に認められる．炎症細胞浸潤巣の 2 カ所以上が心筋細胞傷害を伴う．後述の旧 3B は 3A の細胞浸潤巣がより融合性またはびまん性となる（新分類では 3A が 2R，3B が 3R）．

(5) Grade 3R, severe（旧 3B，旧 4）：活性化したリンパ球，好酸球，好中球を含むびまん性の多形炎症細胞浸潤が認められる．心筋細胞壊死は常に存在し，浮腫，出血，血管炎も認められる．その他抗体関連拒絶反応もまれに出現する．

Quilty 効果（**図 46**）　局所的で心内膜に限局したポリクローナールなリンパ球の密な集簇像を Quilty 効果と最初の患者の名前にちなんで呼ばれている．急性拒絶反応に関係していないといわれ，治療の対象にならない．

移植心冠動脈病変 cardiac allograft vasculopathy（**図 47**）以前は慢性拒絶反応とよばれていた．心移植後比較的遠隔期に冠動脈に著しい内膜肥厚を示し，最終的には狭窄，閉塞し，心筋梗塞をきたす．内膜，中膜の血管炎を認める．

第1章

循環器系

（2）血管

概説

血管の正常組織

血管は動脈，静脈，毛細血管の総称で，動脈，静脈は，基本的に内膜 intima，中膜 media，外膜 adventitia からなる．内膜は，1層の内皮細胞と内皮下組織（コラーゲン線維，弾性線維，平滑筋，一部マクロファージ）からなり，中膜とは内弾性板（弾性線維の集合体）により境界される．中膜は，平滑筋，結合組織，弾性線維からなり，外膜とは外弾性板により境界される．外膜は，結合組織，線維芽細胞，神経線維や，血管を養う小血管 vasa vasarum からなる．

動脈の構造　動脈は，大きさと中膜の状態から，大型/弾性動脈（**図1a，b**），中型/筋型動脈（**図1c**），小/細動脈の3つに分類される（**図1d，e**）．

大型/弾性動脈は，低圧や高圧で同じ形を保つため弾性線維が豊富な血管で，30～50層に及ぶ弾性線維に富む中膜が特徴である（**図1a，b**）．

中型/筋型動脈は大動脈から臓器や筋組織へ分布する血管とその分枝，臓器内の太い血管，冠動脈などが含まれる．筋型動脈は臓器に行く血液量を調節するため，密に輪状に配列した平滑筋を主体とした中膜が発達し，血管の拡張収縮に寄与する．中膜は弾性線維が少なく（**図1c**），内膜は薄い．

小動脈と細動脈（**図1d，e**）は組織内の血流量の調節とともに，抵抗としての役割があり，中膜に平滑筋が発達し類似した構造をもつが，中膜平滑筋の厚さで区別される（細動脈は1～2層）．細動脈では内弾性板は不連続あるいはないこともある．毛細血管は基底膜に包まれた1層の内皮細胞からなる管で，しばしば周皮細胞が周囲を取り囲む．毛細血管は，血流が緩徐で，周囲組織との間に物質交換を行う．

静脈の構造　毛細血管に続く構造で，細いものは毛細血管と類似し，周皮細胞は有するが中膜はない．太くなると（50 μm）中膜を有するが，発達に乏しく，外膜に富む．中膜の平滑筋は斜走・ラセン状に走行し，筋束の間に結合組織が目立つが弾性線維は少ない．外膜は発達し，大型の静脈には外膜に平滑筋の束が走行する．通常，並走する動脈に比べ，その内径は広いことが多い．大きな静脈は逆流防止のため弁がある．

リンパ管の構造　リンパ管は最も末梢の毛細リンパ管 lymphatic capillary と，より厚い壁をもつリンパ管（lymphatic vessel）からなる．毛細リンパ管は，端は盲端で，その構造は毛細血管に類似し，1層の内皮細胞からなるが，毛細血管と異なり，基底板は不連続で内皮細胞間の結合は緩く，周皮細胞はない．太いリンパ管は静脈と類似し，基底板は連続性となり，その壁は平滑筋と多くの結合組織からなる．より太くなると，平滑筋が束状となる．

末梢組織における動脈，静脈，毛細血管，リンパ管の鑑別は，必ずしも容易ではない．一般に静脈は，並走する動脈に比べ，広い管腔と薄い壁をもつ．動脈は中膜の平滑筋は豊富で密に配列し，静脈では中膜の平滑筋は疎で，結合組織に富み，配列は不規則である．静脈は静脈圧に依存し，種々の形態をとるが，動脈は管腔の形態をとる．毛細リンパ管と毛細血管と細静脈の鑑別は難しい．免疫染色にて，リンパ管内皮マーカー（D2-40）や血管内皮マーカー（CD34，CD31，Factor Ⅷ）などで確定する必要がある．

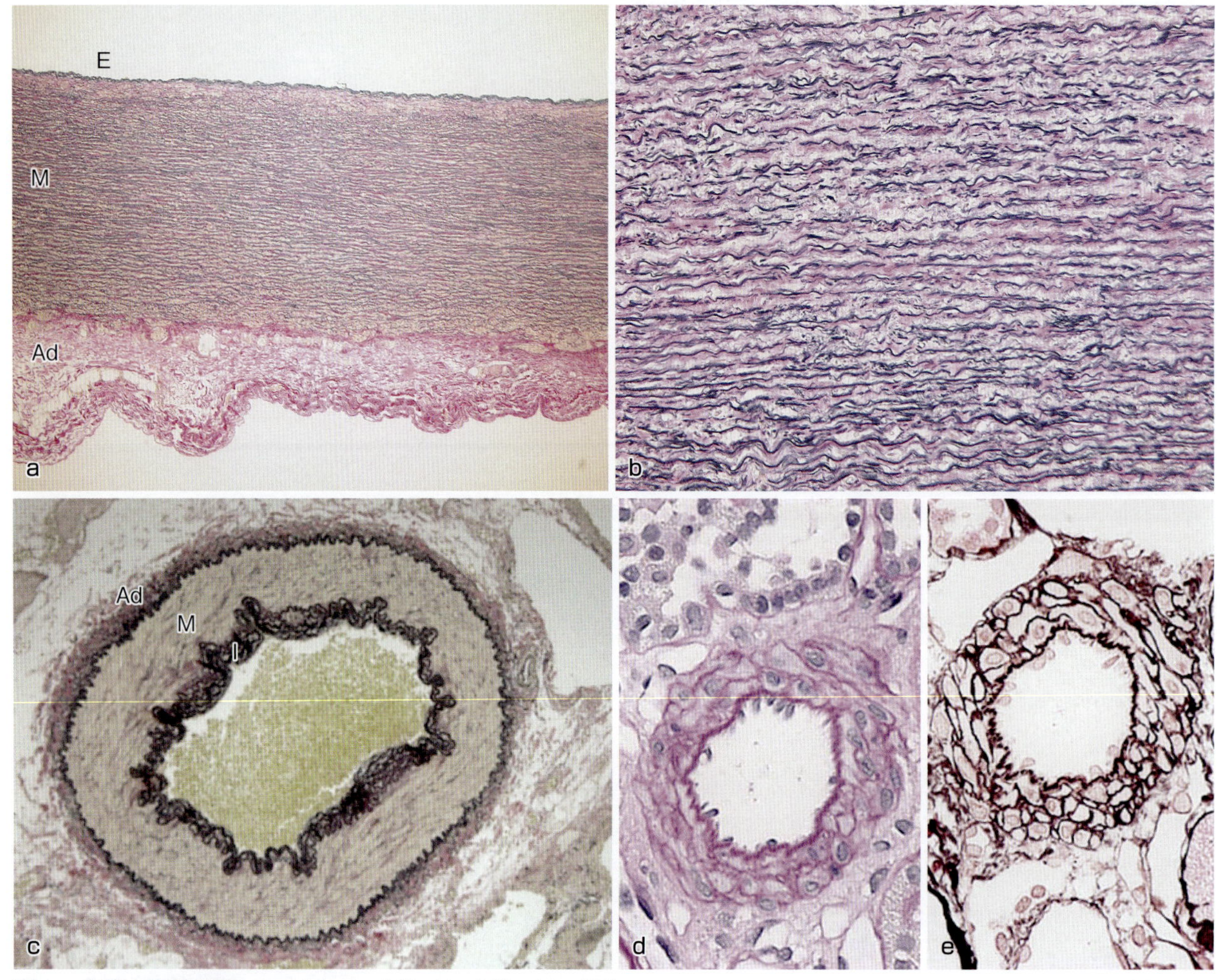

図1 血管の正常組織．E：内皮，I：内膜，M：中膜，Ad：外膜

a，b：大型/弾性動脈．中膜が厚く，多層になった弾性板が目立つ．内弾性板は，中膜の弾性板の続きであり，明瞭ではない．中膜では，弾性板の間に膠原線維（赤色）や平滑筋（やや黄色）が存在する（b）．EvG 染色．a：弱拡大，b：強拡大

c：中型/筋型動脈．中膜には弾性線維が減少し，平滑筋（黄色調）が発達する．外膜は薄い．内膜がやや肥厚し，弾性線維が増加している．EvG 染色．中拡大

d，e：腎内の小/細小動脈．内膜は1層の内皮細胞と基底膜からなる．内弾性板はこの染色でははっきりしないが，通常は基底膜の近傍にある．中膜平滑筋は周囲を基底膜様物質で囲まれ，密に輪状に配列する．外膜はない．d：PAS 染色，強拡大，e：PAM 染色，強拡大

（a，b：京都大学医学部附属病院病理診断科　南口早智子先生提供）

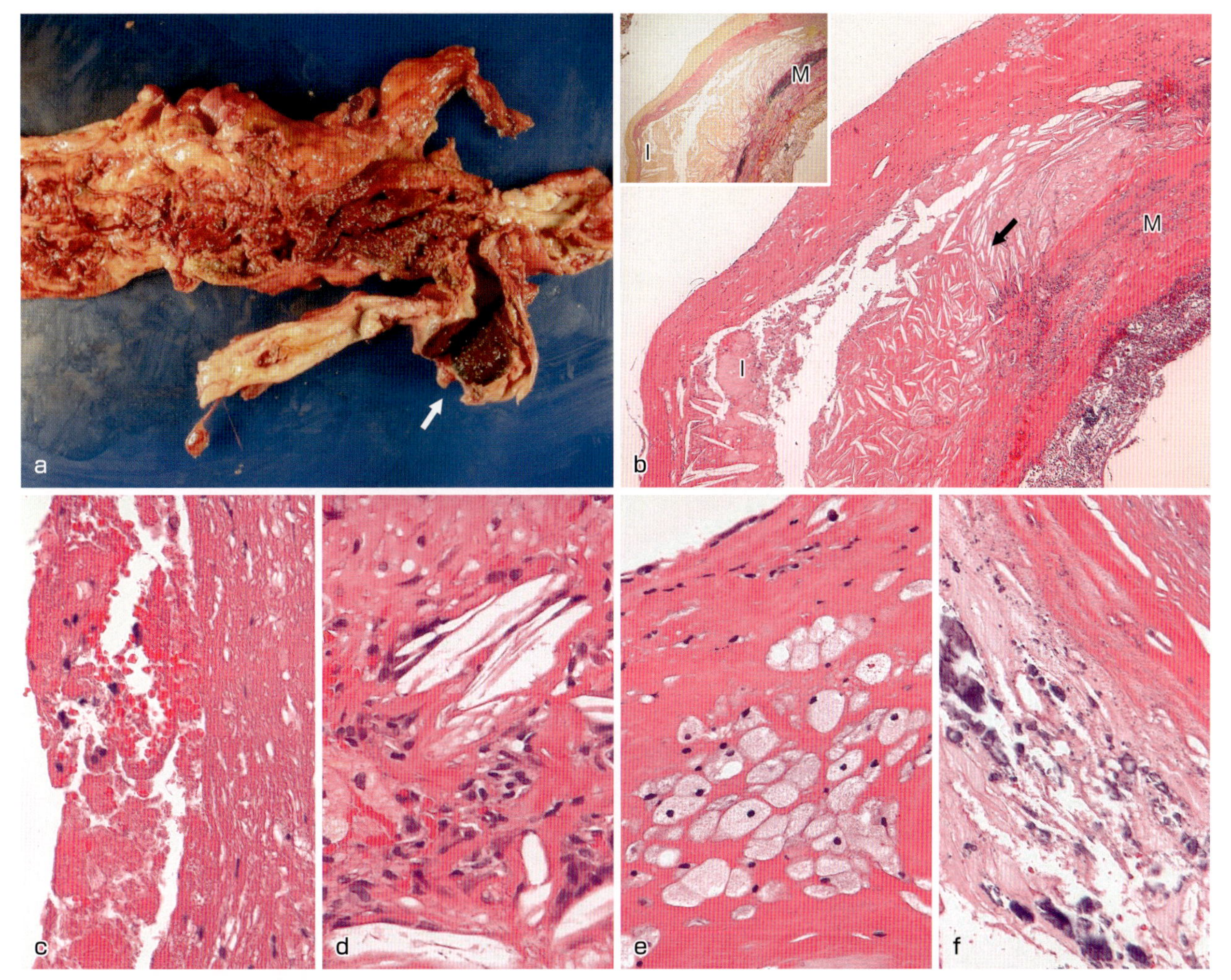

図 2　粥状硬化（腹部大動脈）．コレステロール塞栓症の症例．a：肉眼的には脂質や血球，壊死物からなる粥腫がみられる．総腸骨動脈（⬆）は拡張し，動脈瘤を形成し，内部に大きな血栓がある．b：内膜は高度に肥厚し，内部に脂質の沈着を認める（⬆：粥腫）．中拡大．c：赤血球を主体とした血栓が付着する．中拡大．d：脂質は針状の結晶を呈する（コレステリン結晶）．強拡大．e：脂質を貪食した泡沫状の組織球や石灰沈着（紫色の顆粒）を認める．強拡大．f：多数の石灰沈着（紫色）も認める．強拡大

動脈硬化症とは，肥厚，硬化，改築を特徴とする動脈壁病変であり，動脈の太さにより，組織学的には粥状硬化症（弾性/筋型動脈），メンケベルグ型中膜硬化症（筋型動脈），小動脈硬化症（小・細血管）に分けられる．

粥状硬化症（**図 2，3**）　粥腫を特徴とする内膜の限局性病変．肉眼的に盛り上がった部分をプラークとよぶ．粥腫とは，内膜が高度に肥厚し，脂質滴や脂質を含んだ組織球，線維や細胞外基質（膠原線維，弾性線維，プロテオグリカン）の沈着，組織球，リンパ球，平滑筋細胞などがみられる複合的な病変である（**図 2**）．

粥腫内には，石灰沈着や小血管の増殖や出血がみられる．粥腫は出血，血栓，動脈瘤などを起こし，急性冠障害，心筋梗塞や脳血栓塞栓症の原因となる．症状を起こしやすいものを，不安定プラークとよぶ．大型で閉塞を起こしやすいものだけでなく，表層の被膜が薄いあるいは消失しているもの，炎症所見が強いもの，多数の細血管が出現し，表層が破裂しやすいものなどがそれにあたる．

粥状硬化は，腹部大動脈（**図 2**）や腸骨動脈に最も頻度が高く，次に冠動脈，さらに胸部大動脈，大腿動脈，膝窩動脈，頸動脈（**図 3**），脳動脈（椎骨大動脈，脳底動脈，中大脳動脈）に多い．頸動脈では内頸動脈，特に内頸・外頸動脈分岐部に起こしやすく（**図 3**），脳梗塞の大きな原因となる．

冠動脈の粥状硬化　基本的には，大動脈の粥状硬化と同様．冠動脈では前下行枝に最も多く，回旋枝がそれに続く．冠動脈は細いため，粥腫の影響が出現しやすい．肉眼的に75％以上の内腔狭窄があるときに，臨床的には有意（症状）の狭窄となる．

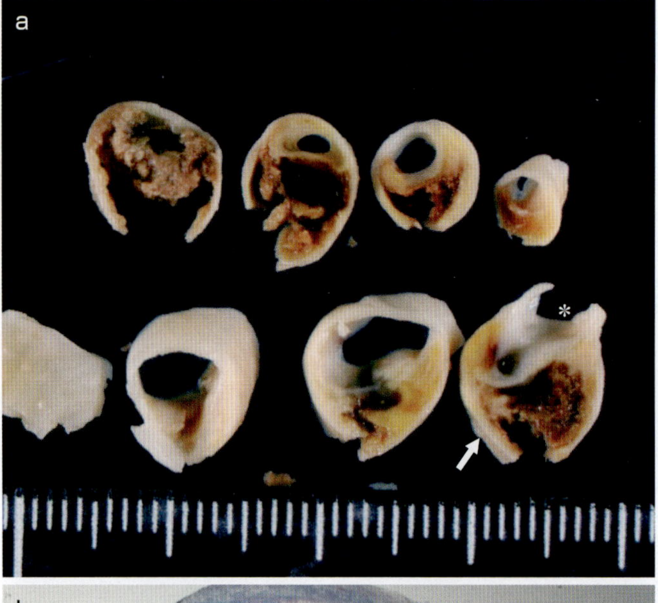

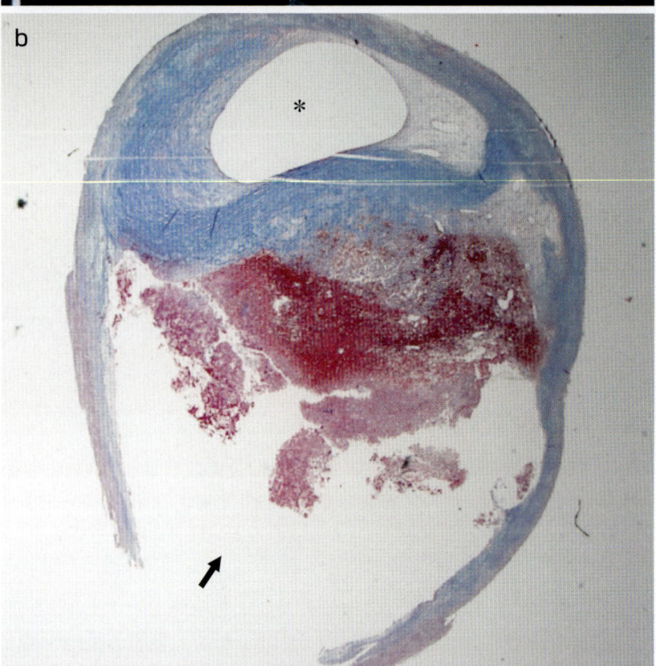

図3 不安定プラークの破裂による血栓性閉塞（頸動脈）．剝離内膜：外頸動脈・内頸動脈の分岐部の内頸動脈側（⬆）に粥腫の形成がみられる．内腔はほとんど消失している．MT染色では，赤く染色されるフィブリン（赤）が析出している（b）．外頸動脈は軽度の内膜肥厚があるがよく保たれている（a：＊）．本例は，粥腫が頭蓋内にとび，一過性の虚血発作を繰り返していた．a：肉眼像，b：MT染色，ルーペ

メンケベルグ型中膜硬化症および小動脈硬化症(1) | Mönckeberg medial calcific sclerosis and Arteriolosclerosis(1)

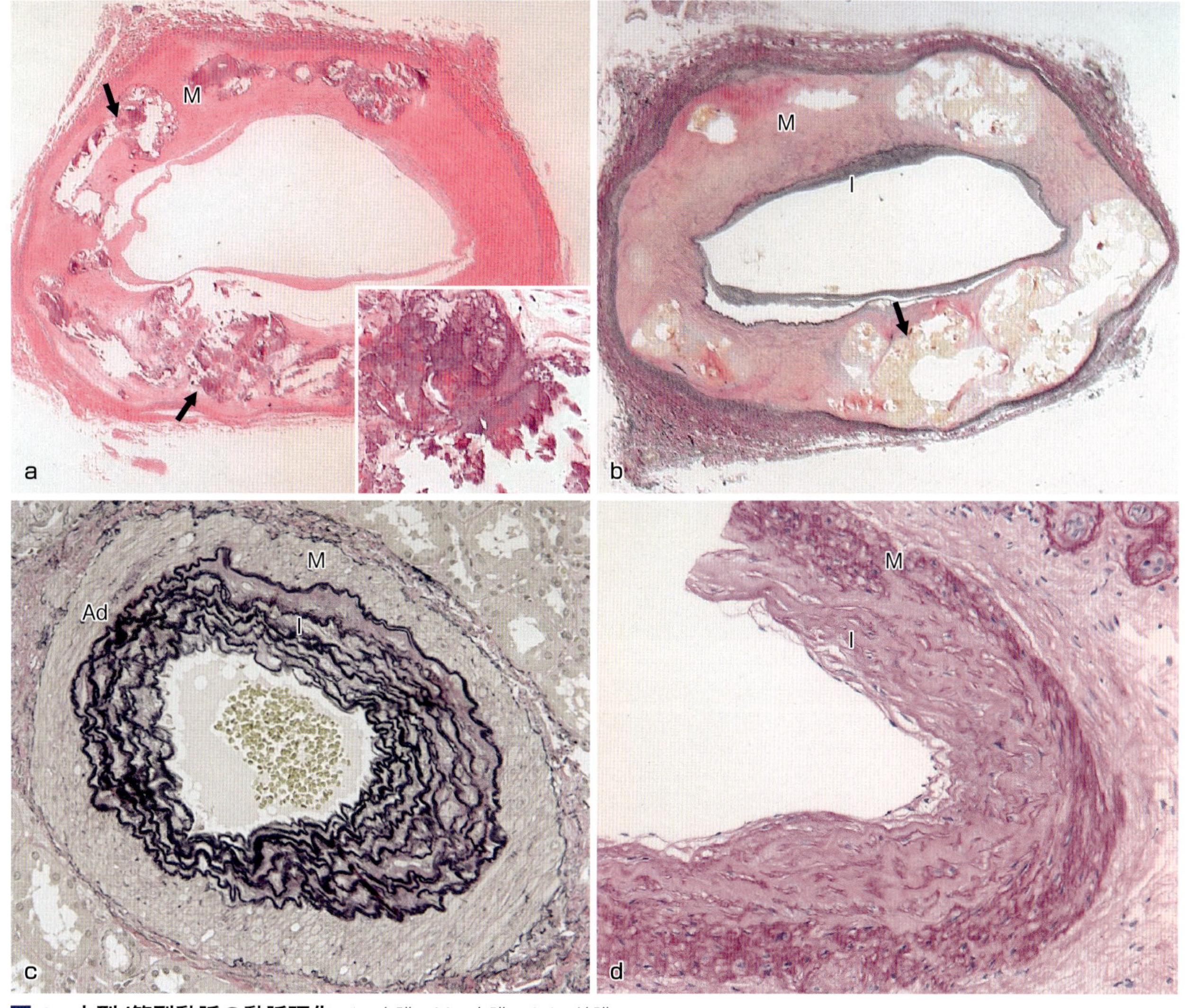

図4 中型/筋型動脈の動脈硬化. I：内膜，M：中膜，Ad：外膜

a，b：メンケベルグ型中膜硬化症の中膜には，多量の石灰沈着がみられる（a：⬆，挿入図：強拡大）．細胞浸潤はほとんどない．内膜は厚くない．a：ルーペ．b：EvG 染色，ルーペ

c，d：内膜線維性肥厚．内膜は肥厚し，層板状に弾性線維が増えている．PAS 染色では，内膜の層板状の変化は確認できないが，中膜の菲薄化が明瞭である．c：EvG 染色，弱拡大．d：PAS 染色，中拡大

メンケベルグ型中膜硬化症（**図4a，b**） 小型から中型の筋型動脈の内弾性板や中膜に著明な石灰沈着が起こる．粥状硬化でも同様な病変が起こるため，内膜病変の高度なものは除かれる．石灰沈着の量はさまざまである．慢性腎障害（特に副甲状腺機能亢進症を伴う），骨粗鬆症，糖尿病に起こりやすい．加齢でも出現する．四肢の血管（足背動脈，脛骨動脈，橈骨動脈）や側頭動脈，乳腺や臓器動脈（子宮，甲状腺）に起こる．通常は，偶然に発見され，無症状．ときに四肢の高度の虚血を伴う．

小動脈硬化症 小型の血管の変化．高血圧症が原因となることが多く，以前は高血圧による小・細動脈の変化をさしていたが，現在では，糖尿病，脂質異常症（高脂血症），高尿酸血症，慢性腎不全，加齢などのいろいろな疾患や状態で生じることが判明し，原因による病理組織学的な差はないとされる．一般には小動脈の内膜の線維性肥厚とそれによる細い動脈の硝子化あるいは壁肥厚に分けられる．

内膜肥厚（**図4c，d**）：小動脈をはじめ，筋型動脈に起こる病変で，筋線維芽細胞，膠原線維や弾性線維の増加，その他細胞外基質などにより内膜肥厚が起こる．増加した弾性線維は内弾性板と同様に，輪状構造を呈し多層化する．内膜肥厚が高度になると中膜が萎縮する（**図4d**）．

硝子化：細動脈に出現する病変．ヘマトキシリン陽性（ピンク色）あるいはPAS 染色陽性の均一な物質が内膜から中膜にかけて出現する．高度になると中膜あるいは壁全層を置換

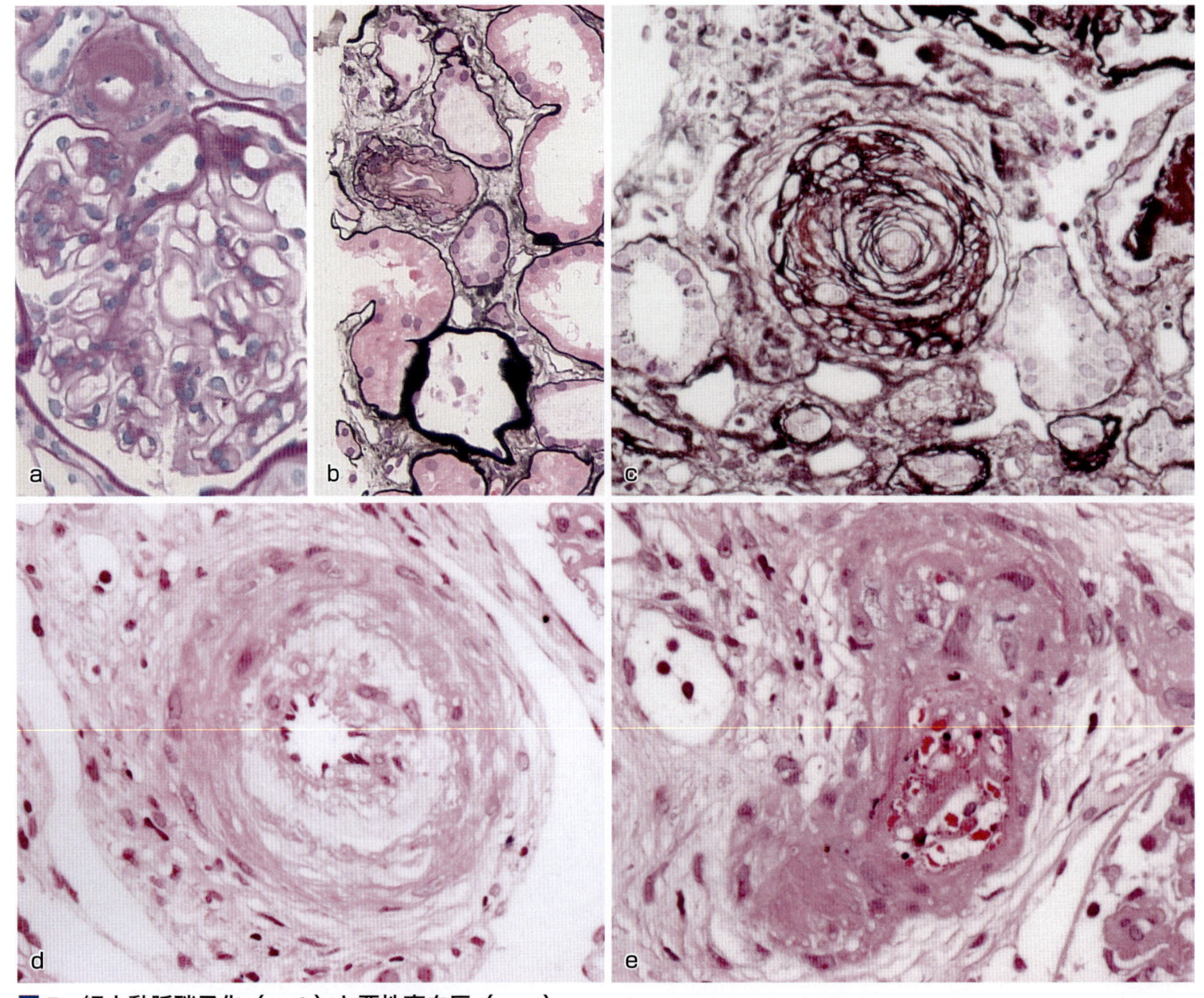

図5 細小動脈硝子化(a, b)と悪性高血圧(c〜e)
a, b:腎内細小動脈・輸入動脈はほぼ全層性にPAS陽性で均一な物質によって置き換わり,PAM染色では,この沈着物の存在場所が明瞭に判別できる.a:PAS染色,中拡大.b:PAM染色,中拡大
c〜e:腎臓.筋線維芽細胞が輪状に増殖し,PAM染色ではタマネギの皮状になる(c).内皮細胞下が浮腫状となる(d).正常な内皮細胞が確認されず,血管壁は浮腫状となり内腔には破砕赤血球やフィブリンが析出している(e).c:PAM染色,強拡大,d:中拡大,e:強拡大

する(**図5a**).糖尿病性腎症では糸球体病変がほとんどないときから出現する.PAM+HE染色では,より認識しやすい(**図5b**).

悪性高血圧が原因となる小動脈硬化症(**図5c〜e**):高度な高血圧症により内皮細胞が高度障害されて起こる細小動脈の障害.内膜に筋線維芽細胞が輪状に増殖することにより,PAM染色では,タマネギ状の外観を呈し(**図5c**;onion skin),内腔は高度の狭窄あるいは閉塞する.内皮細胞障害のため透過性が増し,内膜は浮腫状となる(**図5d**;mucoid intimal thickening).さらに高度な内皮細胞障害が起こると,内皮細胞が壊死し,血栓やフィブリノイド壊死が生じる(**図5e**).最も組織障害が出やすいのは腎臓である.

嚢状中膜壊死（変性），動脈瘤，感染性動脈瘤および大動脈解離（1）｜Cystic medial necrosis（degeneration）（myxoid medial degeneration），Aneurysm，Infected aneurysm and Aortic dissection（1）

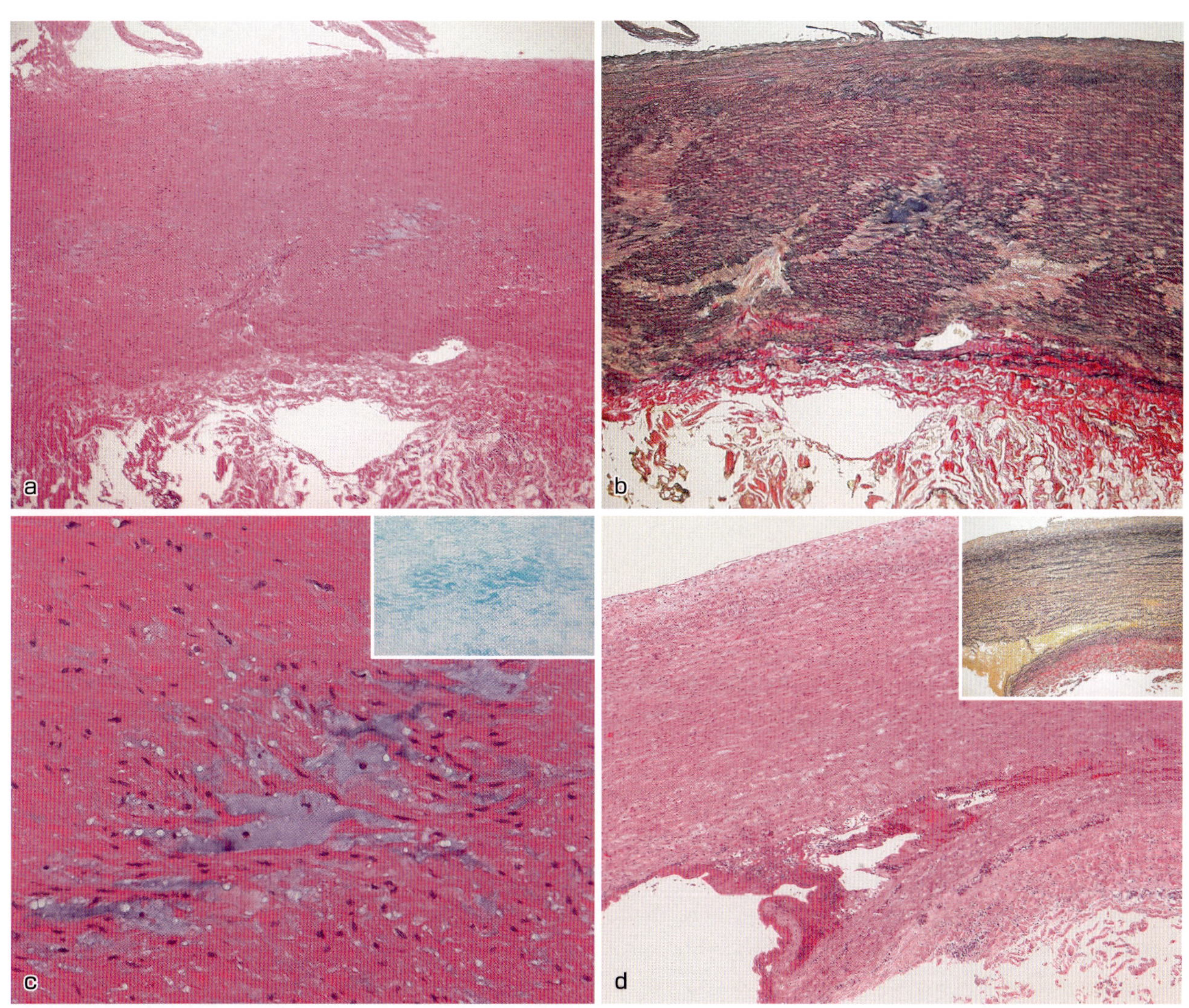

図 6　嚢状中膜壊死（変性）—マルファン Marfan 症候群．動脈中膜には，ところどころ不規則に中膜平滑筋が消失，弾性板が消失している．ヘマトキシリン陽性（c），アルシャンブルー染色（c：挿入図）では青色に染色される酸性ムコ多糖が沈着している．大動脈は中膜で破れ，大動脈解離を起こしている（d）．a：弱拡大，b：EvG 染色，弱拡大，c：強拡大，挿入図：アルシャンブルー染色，d：弱拡大，挿入図：EvG 染色

嚢状中膜壊死（変性）（**図 6**）　大動脈あるいは大型の弾性動脈の非特異的な中膜の変性．しばしば大動脈瘤や解離（**図 6d**）の原因となる．遺伝性結合組織病のマルファン Marfan 症候群（**図 6**），ロイス・ディーツ Loeys-Dietz 症候群，エーラース・ダンロス Ehlers-Danlos 症候群で高率に発症するが，高血圧，大動脈二尖弁，高安病や巨細胞性大動脈炎（**図 10**）などの大動脈疾患にも発症する．中膜弾性線維の断裂や消失，断裂した弾性線維間にプロテオグリカンが蓄積することが特徴で，しばしば嚢状を呈する（**図 6a〜c**）．プロテオグリカンは，アルシャンブルー染色で青色に染色される（**図 6c** 挿入図）．ときに，中膜平滑筋の凝固壊死を伴う．

［参考事項］　マルファン症候群は常染色体優性遺伝，特徴的な体格（高身長，長い手足），水晶体偏位や嚢状中膜壊死に起因する若年性大動脈瘤・解離を合併する症候群で，その原因遺伝子は microfibril の成分であるフィブリリン 1 あるいは TGFβ レセプター（TGFBR）遺伝子である．フィブリリン 1 は弾性線維や重要な構成成分であるとともに TGFβ 前駆体と結合し，その安定化や制御に関与する．その異常により，弾性線維が脆弱化するとともに，TGFβ が強く活性化されることが，マルファン症候群の症状の発生に関与する．マルファン症候群に酷似した臨床症状を呈するロイス・ディーツ症候群は，TGFβ に関連した TGFBR や TGFβ シグナル伝達系分子である *SMAD* が原因遺伝子である．エーラース・ダンロス症候群はコラーゲン分子またはコラーゲン成熟過程に関与する酵素の遺伝子変異に基づく疾患で，血管型はⅢ型プロコラーゲンの異常，常染色体優性遺伝，原因遺伝子は *COL3A1* とされる．アクチンやミオシンなどの遺伝子異常も動脈瘤や解離を引き起こす．

動脈瘤　真性動脈瘤と仮性動脈瘤がある．動脈の一部の壁が，全周性または局所性に拡大または突出した状態．瘤部の壁には，動脈壁の一部，中膜弾性線維が残っていることが多

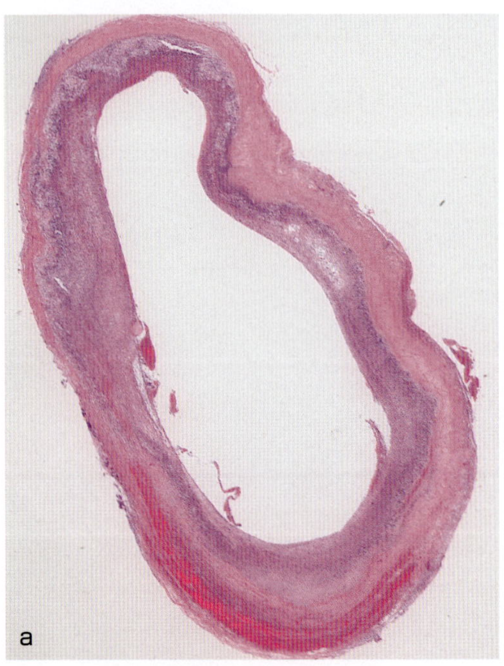

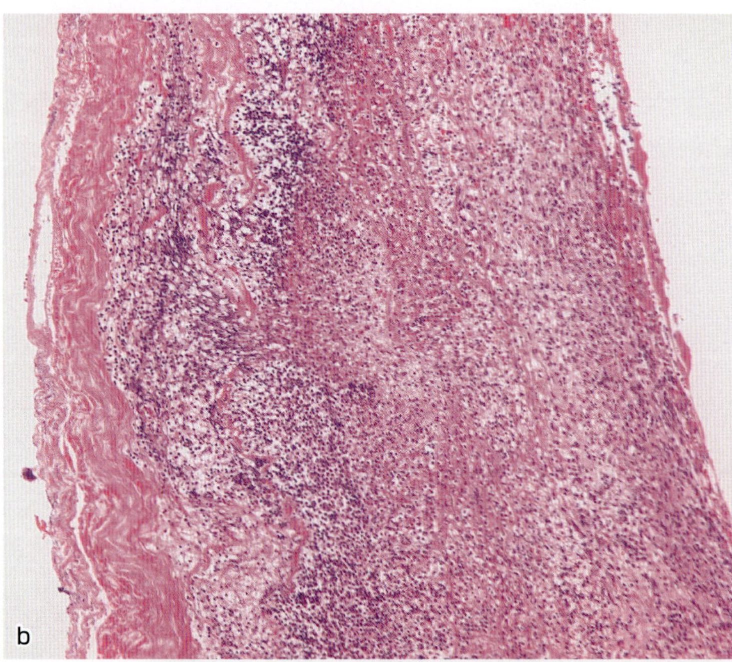

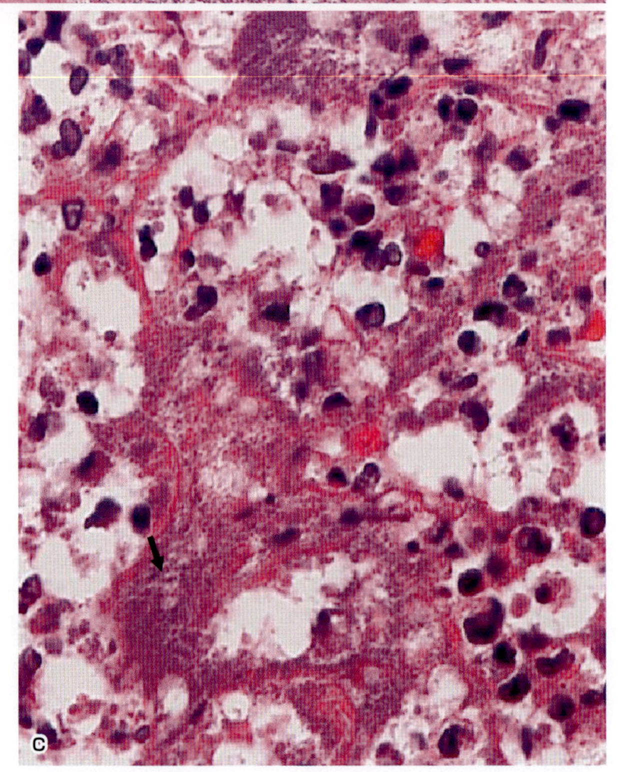

図7　感染性動脈瘤．大腿動脈は拡張し，全層性の炎症がみられ，壁構造は破壊されている（a，b）．拡大すると細菌巣が多数観察される（c：⬆）．a：ルーペ，b：強拡大，c：強拡大

い．仮性動脈瘤 pseudoaneurysm は動脈壁が破綻したために血管外にできた血腫 hematoma による瘤状構造物で，線維性構造物よる被膜により覆われる．動脈瘤の発生には大動脈壁の脆弱化が関与しており，その脆弱化は粥状硬化などによる壁の構造異常や破壊だけではなく，炎症（ベーチェット病，巨細胞性動脈炎，IgG4 関連血管炎，高安動脈炎，感染），先天性結合組織異常（マルファン症候群）によってもたらされる．腹部大動脈瘤の場合，内腔側には強い動脈硬化性変化があり，瘤の発生に動脈硬化が強く関係する．

感染性動脈瘤（**図7**）　感染源（ほとんどが細菌）からの直接感染，あるいはほかの部位の感染巣から二次性に感染することによって起こる血管瘤．原因としては，心内膜炎，敗血症が多い．動脈壁はもともと感染源に対しては高度に抵抗性であるため，なんらかの障害がある血管（血管瘤，粥腫，内皮障害部位，医原性に生じた血管障害部位）に起こる．血管内膜に直接に細菌が付着する以外にも，血管の vasa vasorum への細菌の付着，血管外（骨骨髄炎，膵炎などの二次性感染）からの直接感染などの経路がある．半数以上が頭蓋内動脈に起こるが，頭蓋外では大腿動脈（**図7a，b**）に最も多く，大動脈にも観察される．高度な炎症細胞浸潤，全層性の壁の破壊，膿瘍の形成，肉芽腫性炎症，外膜の高度な炎症細胞浸潤や線維化などがみられる．既知の動脈硬化性の変化がこれに加わる．

大動脈解離（**図6d**）「大動脈壁が中膜のレベルで2層に剝離し，動脈走行に沿ってある長さをもち2腔になった状態」で，大動脈壁内に血流もしくは血腫（ときに血流のない/血栓化した型もある）が存在する動的な病態．動脈解離は本来の動脈内腔（真腔 true lumen）と新たに生じた壁内腔（偽腔 false lumen）からなる．

分節性動脈中膜融解症 | Segmental arterial mediolysis

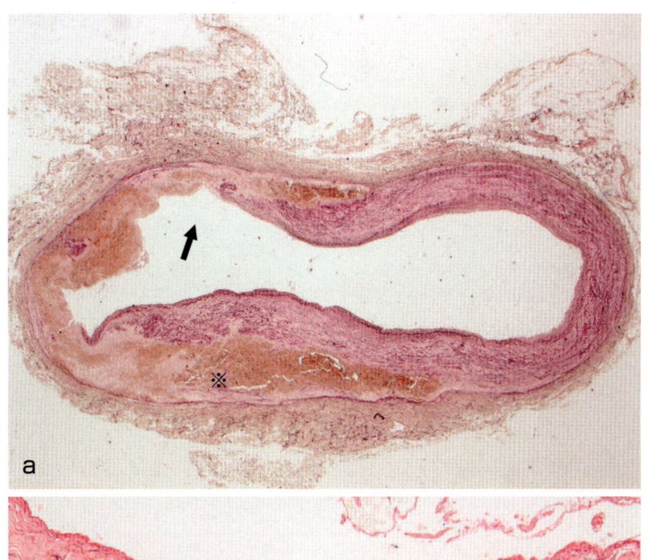

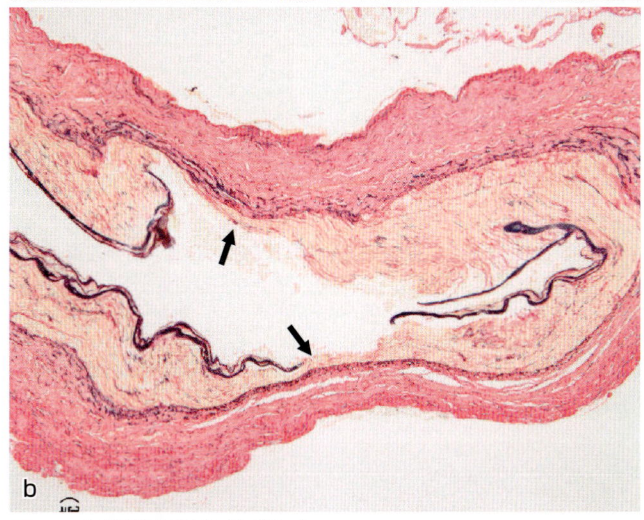

図 8 分節性動脈中膜融解症．a：左外腸骨動脈，b：内頸動脈．いずれも中膜が消失している．a では中膜が解離し，血栓が生じている（※）．いずれも内膜も同時に消失している（⬆）．a，b：EvG 染色，ルーペ
（a：福岡大学病理学講座　坂田則行先生提供，b：国立循環器病研究センター　植田初江先生提供）

原因不明でまれな非炎症性，非硬化性の変性疾患で，主として腹部臓器の筋型動脈の中膜融解により起こる．すべての年齢に起こり，性差はない．腹腔動脈，上腸間膜動脈，下腸間膜動脈の分岐，脾動脈，肝動脈が多い．その他，腎動脈，腸骨動脈（**図 8a**），頸動脈（**図 8b**），冠動脈の報告がある．

中膜，特に外側に，分節性に平滑筋の消失，平滑筋の空胞変性が起こる．平滑筋の消失部位にはいったんは疎な肉芽組織に置き換わるとされ，そのまま線維化・治癒することもあるが，中膜融解部位に出血を伴い，解離が起こり，血管内血腫や動脈瘤が形成され，外側に向かい出血し，ときに偽動脈瘤を形成する．動脈の拡張，狭窄・閉塞も起こる．通常，内膜の変化が高度ではない（内膜の粥状硬化の高度のものは除外する）．病変は1/3以上の症例に多発する．動脈の破綻による出血や血腫，臓器虚血などがおもな症状だが，無症状のものも多い．

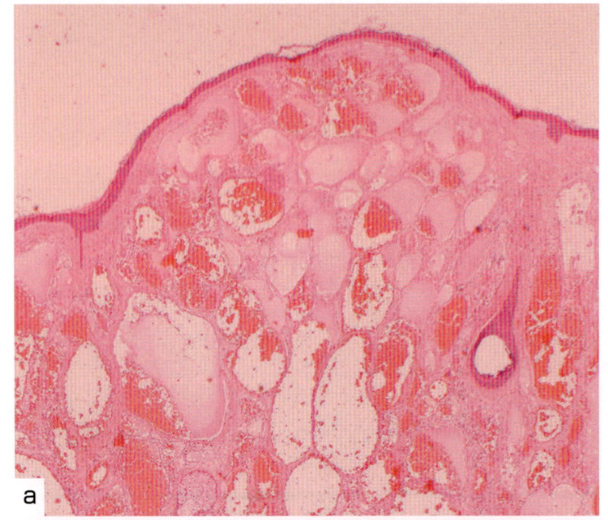

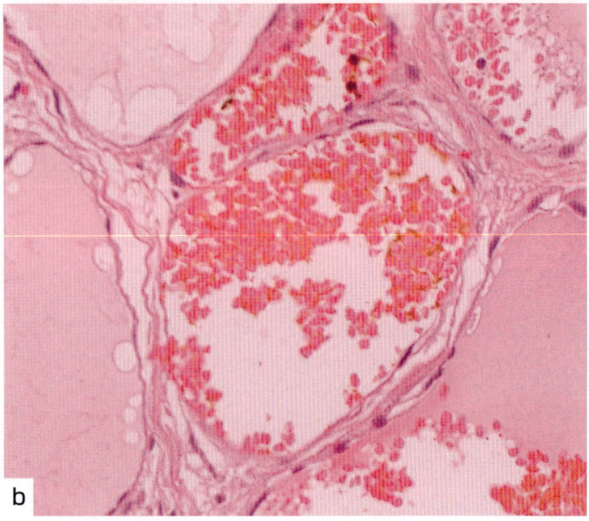

図9　毛細血管奇形．真皮に種々の大きさの拡張した管腔がある．管腔の壁は薄く，内皮細胞と基底膜からなっている．内腔には赤血球を含む．a：x1，b：x40 皮膚

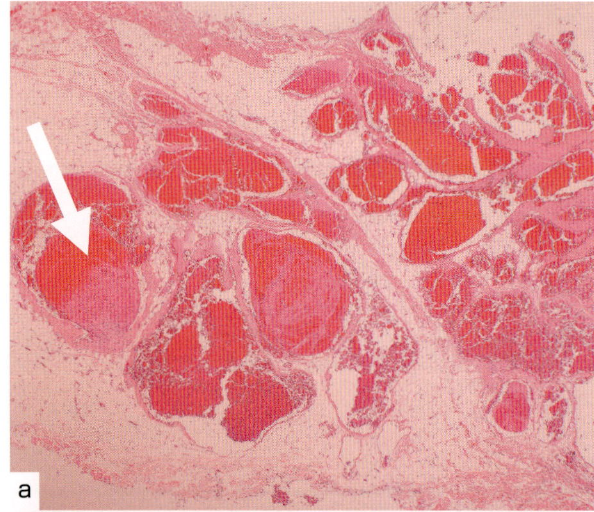

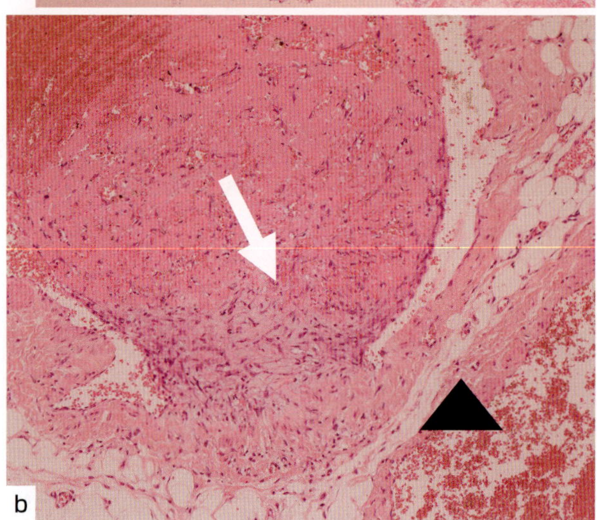

図10　静脈奇形．不規則に拡張した血管腔が皮下組織に存在する．管腔内には，血液が充満し，矢印で示すように器質化した血栓がみられる．管腔壁は内皮細胞とともに，基底膜，薄い平滑筋がみられる（▲）．a：x2，b：x10

毛細血管奇形 Capillary malformation（**図9**）：同義語：毛細血管腫・単純性血管腫・ポートワイン母斑．毛細血管拡張症も含まれる．出生時より存在する皮膚や粘膜面の平坦な赤色斑で，体表面，粘膜に存在し，成長につれ，拡大し，色調も変化する．周囲の骨や軟部組織の過形成が生じると，美容状問題となる．組織では，拡張した小型円形の血管が集簇し(a)，内皮細胞と基底膜からなる薄い血管壁をもつ(b)．血管壁が肥厚すると，動脈との鑑別が難しく，EVG染色で弾性板がないことを確認する．

静脈奇形 Venous malformation（**図10**）：脈管奇形では最も頻度が高い．大きさや分布はさまざまで，皮膚，軟部組織，骨，腹部臓器に分布する．出生時よりみられるが，小児期，成人での初発もある．年齢，好発部位により，静脈血管腫，海綿状血管腫，筋肉内血管腫，蔓状血管腫の名称がある．組織では，血管はいびつに拡張し，血管の壁は薄く(b)，通常弾性線維と平滑筋が存在するが，欠損もある．管腔には新鮮/器質化血栓やそれが石灰化した静脈石がみられる．

動静脈奇形 arteriovenous malformation（**図11**）：病変内に動静脈短絡（シャント）をひとつ以上有する，拡張，蛇行した異常血管の増生からなる高流速の血管病変である．脈管の吻合部が複雑に網目状に絡みあう様子は，ニーダス（nius，巣）と称され，太いレベルで，流入動脈と流出静脈が吻合すると動静脈瘻といわれる．発生部位や大きさはさまざまで，皮膚・軟部組織以外に骨，脳脊髄，内臓に生じ，病変は限局性〜びまん性である．組織では，動脈，静脈のほかに，中間的な構造を示す血管が不規則に集簇する．弾性板や平滑筋層は乱れ，壁の厚さはさまざまである．

リンパ管奇形 Lymphatic malformation（**図12**）同義語：リ

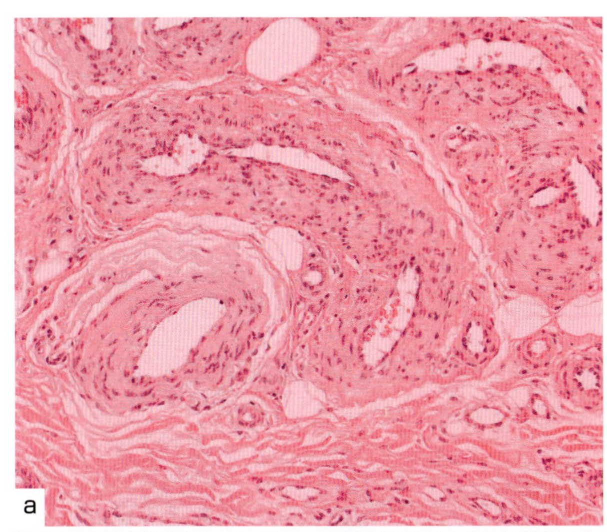

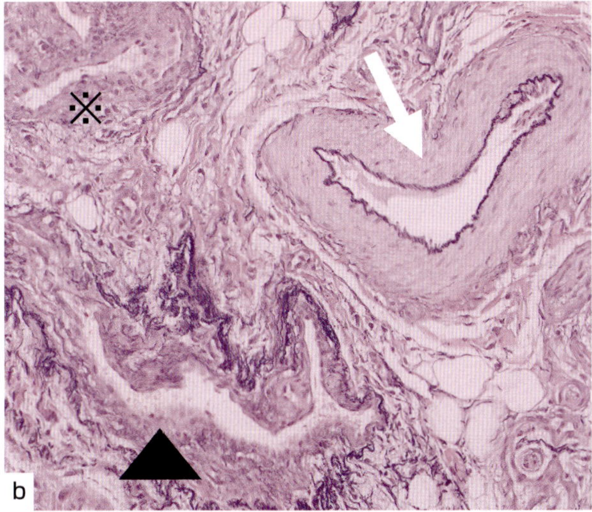

図 11　動静脈奇形．a では動脈静脈とは区別がつかない血管がみられるが，EVG 染色（b）では，連続性の内弾性板を認める動脈（→）と内弾性板ははっきりしないが，外膜の弾性線維がめだつ静脈（▲），弾性板がめだたない血管（※）が存在する．x10

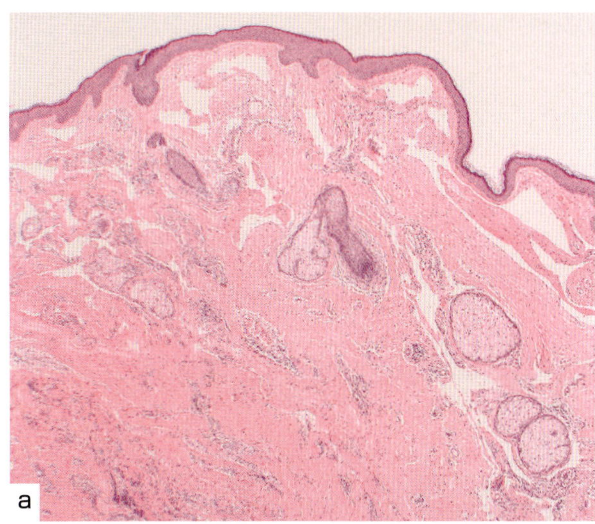

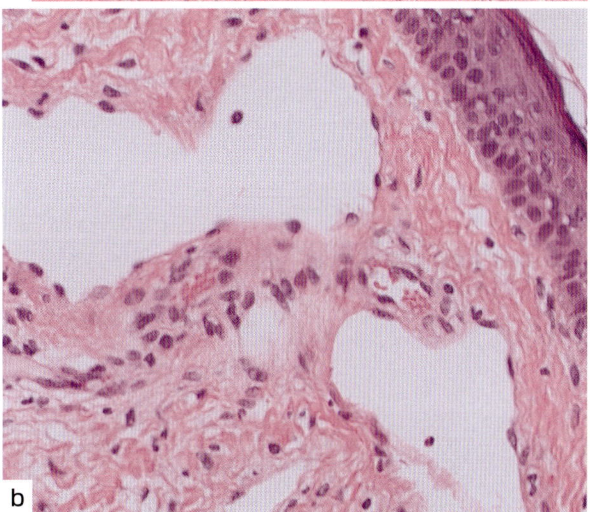

図 12　リンパ管奇形．真皮には，管腔が不規則な形に拡張した管腔が存在するが，赤血球はこの写真ではみとめない．管腔は，リンパ管内皮細胞と基底膜からなり，平滑筋層はめだたない．a：x10，b：x40

ンパ管腫，ヒグローマ，lymphangioma．主に小児に発生する大小のリンパ嚢胞を主体とする腫瘤性病変．全身に発生するが，頭頸部，縦隔，腋窩，腹腔，後腹膜内，四肢に好発する．組織は，リンパ管内皮細胞に裏打ちされる大小の嚢胞からなり，内腔には好酸性の蛋白様物質，リンパ球がみられる．機序は不明だが，赤血球が混在する．間質にはリンパ球の集簇が確認される．感染や刺激を繰り返すと，線維化する．嚢胞は，リンパ管内皮マーカー D2-40 に陽性だが，血管内皮マーカーの CD31 は種々の程度に陽性，CD34 がときに一部陽性となり，注意が必要である．

［参考事項］　従来血管腫といわれてきた脈管異常は，現在でも新生物，反応性，先天奇形の分類が困難で，疾患名も統一されていない．International society for the Study of Vascular anomalies（ISSVA）では，脈管異常を腫瘍と奇形と 2 つに分類し，腫瘍は，血管構成細胞の増加が主体，奇形は血管の形の異常が主体の病変とした．ISSVA 分類では，腫瘍は【良性群】【局所浸潤性・境界群】【悪性群】の 3 つに分類され【良性群】；乳児血管腫，先天性血管腫，房状血管腫【局所浸潤性・境界群】：カポジ肉腫様血管内皮細胞腫，網状血管内皮細胞腫，【悪性群】：血管肉腫，類上皮型血管内皮細胞腫とした．

奇形は構成成分や合併疾患により【単純型】【混合型】【主幹型】【関連症候群】に分類し，分類困難群として被角血管腫，疣状血管腫，カポジ肉腫様リンパ管腫がある．【単純型】は毛細血管奇形，静脈奇形，リンパ管奇形，および動静脈奇形（動脈は単独で奇形になりにくい）に分けられる．【混合型】は，複数の脈管成分が混在，【主幹型】は，解剖学的名称を有する血管やリンパ管の起始，走行異常，低形成，狭窄，拡張，瘤化，短絡，胎生期血管遺残が含まれる．【関連症候群】は，脈管奇形に系統的な骨軟部組織異常を合併する．

脈管異常の鑑別には，脈管の種類を同定する必要があり，動・静脈，毛細血管の内皮マーカー（C31，CD34，Factor Ⅷ）やリンパ管内皮マーカー（podoplasmin，D2-40）や周皮細胞や中膜平滑筋のマーカー平滑筋アクチン（αSMA）の抗体による免疫染色が汎用される．弾性板や弾性線維を黒色に染色する EVG 染色は，これらを欠くリンパ管病変の鑑別に有用である．

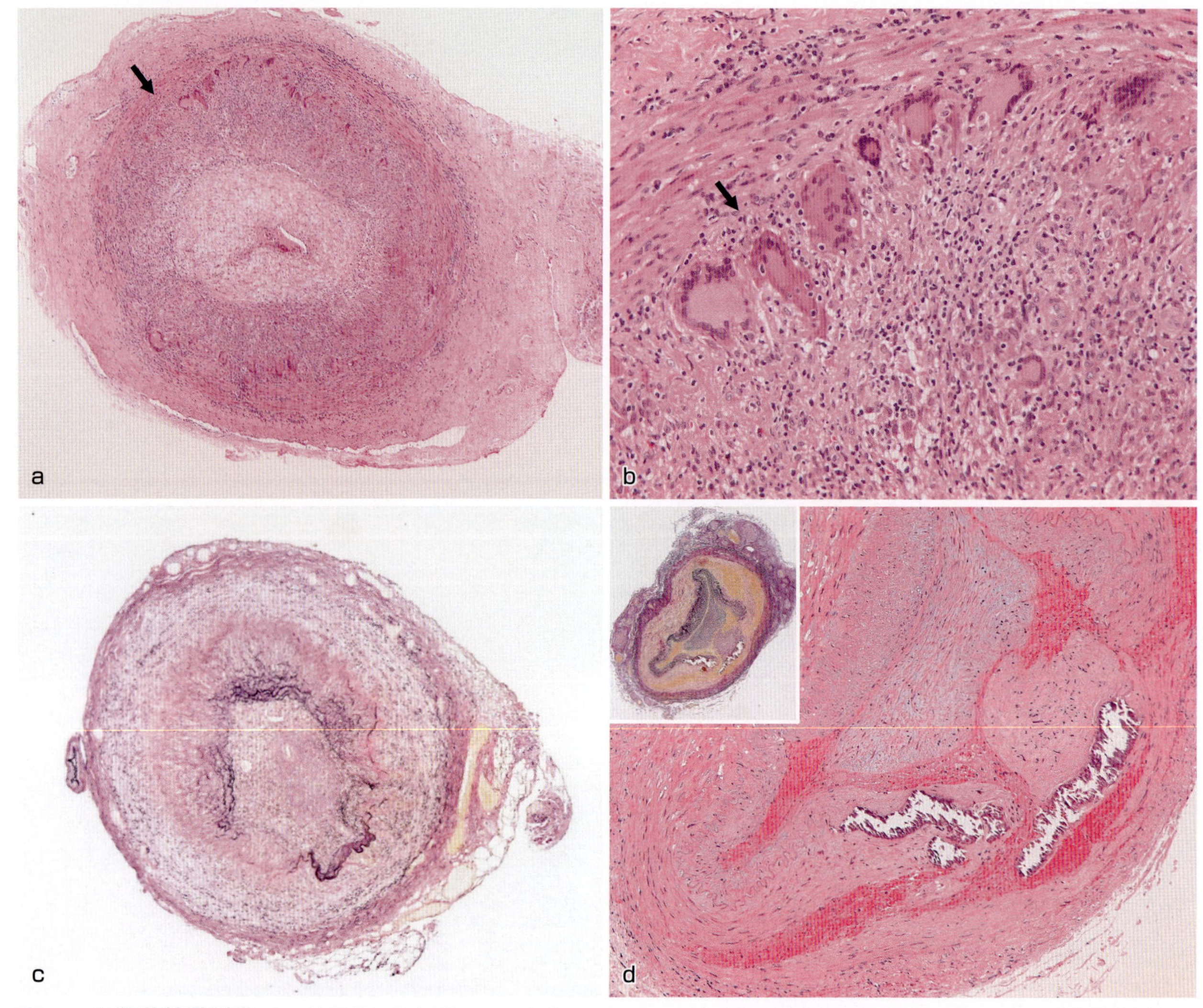

図 13　巨細胞性動脈炎．ほぼ全層性に炎症が起こり，内腔は閉塞している．外膜は高度に肥厚している（a；⬆）．中膜の外側寄りには多核巨細胞がみられ，周囲には多数のリンパ球が浸潤している（b；⬆）．内弾性板は分節性に断裂（c）．陳旧化すると，炎症細胞や巨細胞は消失し，線維性結合組織で置き換わり石灰沈着なども生じる（d）．a：ルーペ．b：強拡大．c：EvG 染色，ルーペ．d：中拡大，挿入図：EvG 染色

血管炎とは，血管の構築を障害する血管の炎症の総称で，すべての脈管に起こりうるが，多くは小型の血管を障害する．動脈炎は，壊死や梗塞などの高度な組織障害を惹起する．組織学的には，血管炎は急性期には，血管壁の細胞浸潤，フィブリノイド壊死，内皮細胞の障害や壊死，内外弾性板の断裂，中膜の弾性線維の断裂や平滑筋の壊死や消失，血栓を認める．周囲の組織には，炎症細胞浸潤や赤血球血管外遊走がみられ，壊死や梗塞など高度の組織障害を誘発する．慢性期には平滑筋，（筋）線維芽細胞の増殖や結合組織の産生により内膜肥厚や中膜・外膜の線維化が起こり，ときに血管外の組織に線維化や血管増生を認める．慢性期の組織は動脈硬化症との鑑別が難しい．

巨細胞性動脈炎（**図 13**）　以前は側頭動脈炎とも称されていた．高齢者に好発し，主として頭蓋内の側頭動脈・眼動脈などの動脈と，頭蓋外の動脈，大動脈，総頸動脈，外頸・内頸動脈，鎖骨下動脈の狭窄・閉塞あるいは拡張をきたし，病理学的に巨細胞を伴う血管炎を呈する．高齢の男性に多い．脳動脈・冠動脈，総腸骨動脈にも報告がある．リウマチ性多発筋痛症を約 30％に合併する．

全層性の炎症で，内膜，中膜，外膜を障害するが，中膜・外膜に強い炎症がある（**図 13a，b**）．内弾性板の限局性断裂（**図 13a，c**），中膜の平滑筋の消失とそれに変わる線維化，リンパ球や組織球の浸潤（好中球は少ない），巨細胞がみられるが，明瞭な肉芽腫は形成しない（**図 13b**）．治癒すると，炎症は消失するが，内膜の肥厚や弾性線維の消失は残る（**図 13d**）．慢性化した病変は動脈硬化症に類似し，以前の病変は同定できない．なお，病変は分節性であり，生検にて診断できないことも多い．

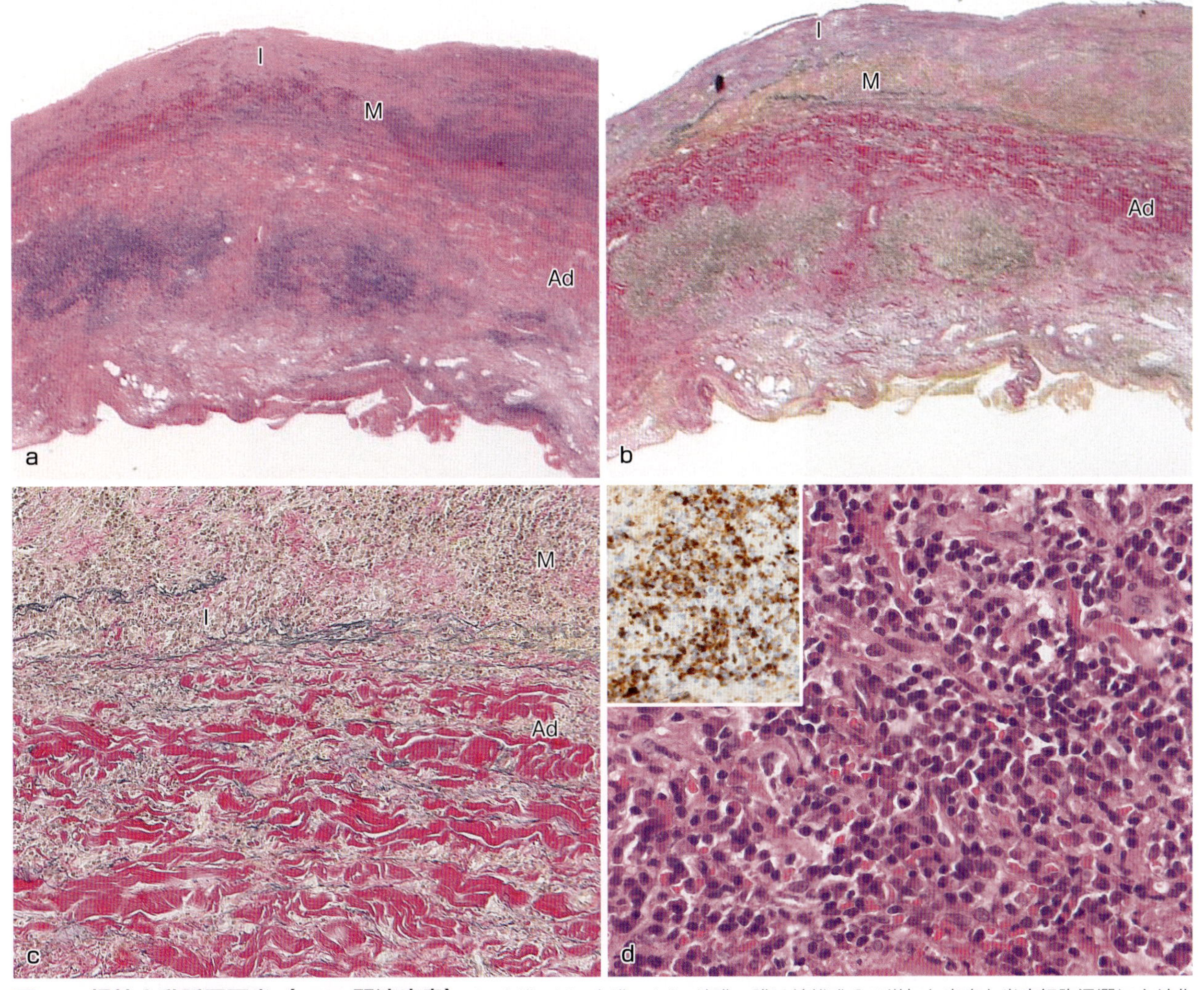

図 14 慢性大動脈周囲炎（IgG4 関連疾患）．I：内膜，M：中膜，Ad：外膜．膜は線維成分の増加と高度な炎症細胞浸潤により非常に厚くなっている．炎症細胞は外膜だけでなく，中膜にも浸潤している（c）．浸潤している細胞は IgG4 陽性（d 挿入図）の形質細胞やリンパ球が多い．好酸球の介在も目立つ．a：弱拡大，b：弱拡大，c：中拡大，d：強拡大

慢性大動脈周囲炎　大動脈周囲に慢性炎症性線維増生を認める疾患の総称で，炎症の主座が外膜にあるのが特徴で，大動脈，特に腹部に多い．半数以上あるいは 2/3 は IgG4 関連疾患によるとされるが（**図 14**），それ以外にも膠原病や感染関連のものなどがある．

IgG4 関連疾患　後腹膜線維症，腹部大動脈炎，動脈瘤周囲線維化などと病理学的に分けられることもある．IgG4 関連疾患では，腹部大動脈あるいはその主要分岐部に好発し，胸部大動脈にも出現するが，高安病や巨細胞性動脈炎とは異なり，胸部大動脈の太い分岐，鎖骨下動脈や総頸動脈には発症はまれである．冠動脈や総腸骨動脈，腸間膜動脈，脾動脈の動脈周囲炎など小型の血管の動脈周囲炎も報告されている．

病理学的には，高度な外膜の肥厚，好酸球や好中球も混じる著明な形質細胞の浸潤と高度な線維化が特徴である．リンパ濾胞の形成，閉塞性静脈炎の存在，巨細胞の出現や肉芽腫も出現する．中膜にも障害が及び，炎症細胞（形質細胞やリンパ球）が浸潤し，弾性線維や中膜平滑筋が消失する．炎症はしばしば全層性にわたる．IgG4 陽性の形質細胞の浸潤と特徴的な線維化が主要の所見だが，慢性化すると浸潤細胞は目立たなくなる．storifirm fibrosis，閉塞性静脈炎は進行した症例でも残存する．

［参考事項］　IgG4 関連疾患では，以下のように包括的な診断基準がある．(1) 臨床所見：単一または複数臓器に，びまん性あるいは限局性腫大，腫瘤，結節，肥厚性病変を認めること．(2) 血液所見：高 IgG4 血症（135mg/dL 以上）を認めること．(3) 病理学的所見　a. 著明なリンパ球，形質細胞の浸潤と線維化．b. IgG4/IgG 陽性細胞比 40%以上かつ IgG4 陽性形質細胞が 10/HPF を超えること．(1)＋(2)＋(3)＝確診群，(1)＋(3)＝準確診群，(1)＋(2)＝疑診群．しかし，診断に際し，臓器別の診断基準を優先すること，除外疾患が多数あること，血中の IgG4 の高値や組織での IgG4 陽性形質細胞の浸潤は，非 IgG4 関連疾患でも認められることに注意が必要である．

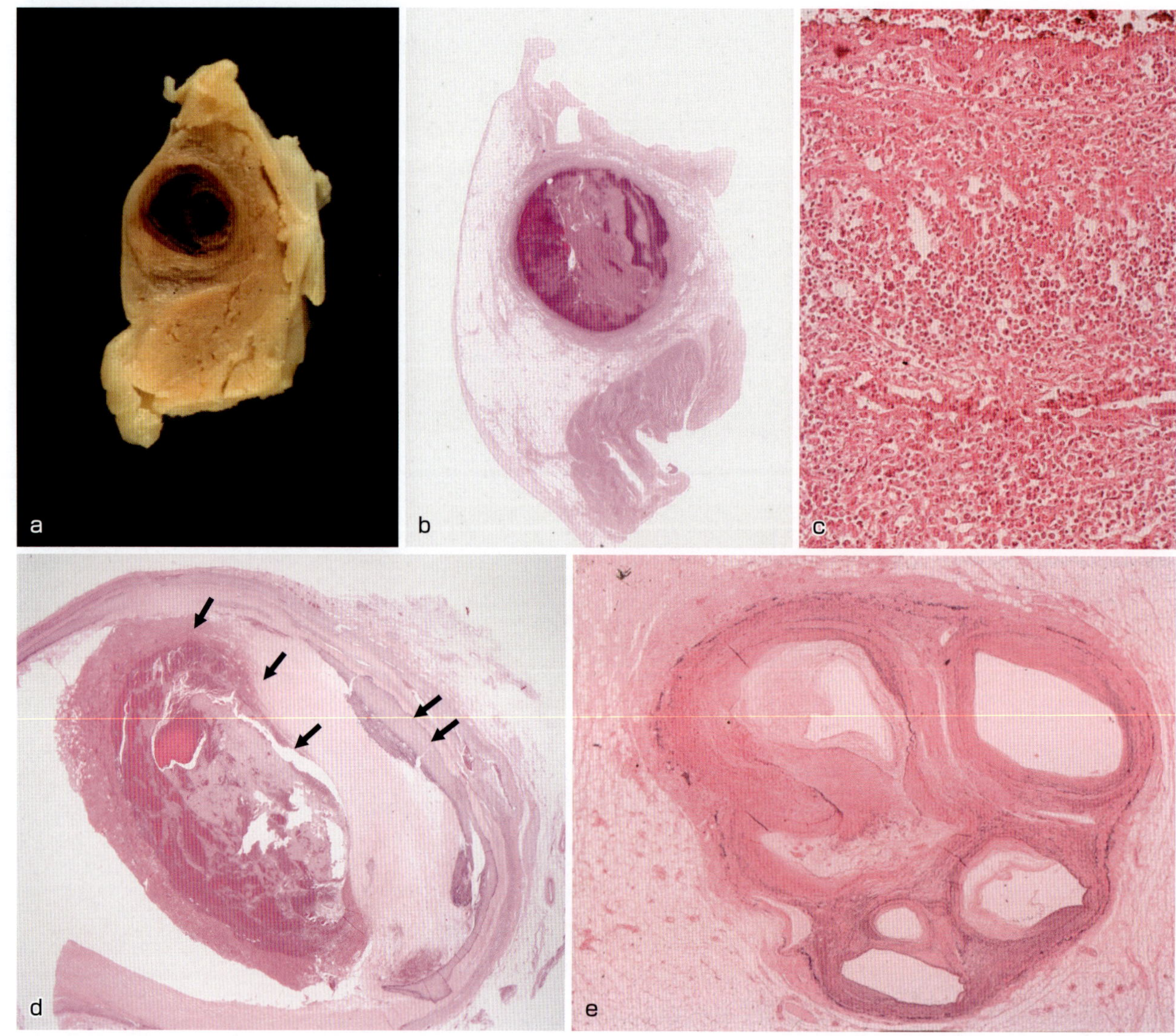

図 15　川崎病．a，b：急性期．冠動脈に血栓が生じる．c：急性期．冠動脈壁には，単球/マクロファージを主体とする大単核細胞の浸潤を認める．d：川崎病後遺病変．動脈瘤壁には層状の石灰化（⬆⬆）を伴い，内腔には血栓（⬆）が充満する．e：血栓閉塞後の再疎通像．EvG 染色．a：肉眼像，b：ルーペ，c：強拡大，d：弱拡大，e：中拡大
（東邦大学医療センター大橋病院病理診断科　髙橋　啓先生提供）

乳幼児期に好発する原因不明の急性有熱性疾患で，特徴的な皮膚（不定形発疹，手足の硬性浮腫），粘膜（眼球結膜の充血，口腔咽頭粘膜のびまん性発赤）所見を呈し，病理学的には全身の大型から小型の動脈の動脈炎を発症する（**図 15**）．アジア，特に日本での報告が多い．冠動脈に好発し，小児期における虚血性心疾患の原因となる．

急性期では，冠動脈全層の炎症があり，単球/マクロファージを主とする高度の炎症細胞浸潤が認められ，内弾性板や中膜の平滑筋や結合組織は，炎症により高度に傷害される．炎症が高度な場合には動脈の拡張が始まり，動脈瘤が形成される．炎症は 40 日前後で消退するが，その後，動脈瘤が残存，血栓後にて内腔閉塞したあとに再疎通した動脈瘤が生じ，求心性内膜肥厚がみられる．

［参考事項］ 日本では，2016 年度の全国患者数は約 36 万人，0～4 歳人口 10 万対罹患率は約 309（0.3%）．3 歳未満の罹患が 66%で，やや男児に多い．冠動脈に好発し，急性期には冠動脈炎を発症する．弁膜症や心筋炎も報告される．多くは自然軽快するが，その後遺症として冠動脈瘤を生じ，瘤内に血栓を生じて，心筋梗塞に陥る症例がある．心血管合併症は，急性期 7.9%で，後遺症は，冠動脈瘤，冠動脈狭窄，弁膜症を含め，2.3%である（2016 年，川崎病全国調査）．

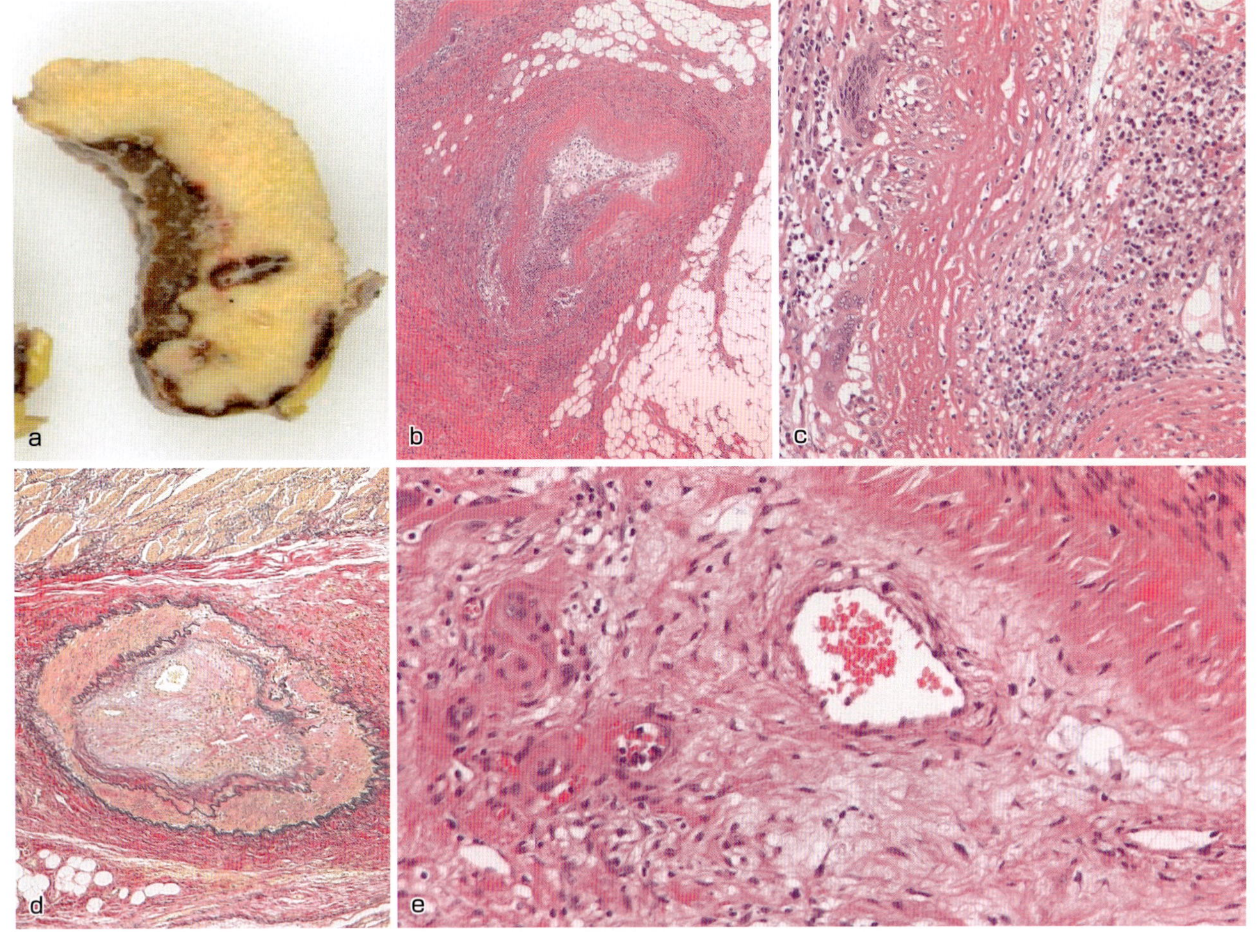

図 16　結節性多発動脈炎. a～c：脾梗塞．黄色のところは壊死部（a）．脾臓内の血管は高度に壊死し，血管壁の構造はほとんど消失し，巨細胞を含む高度の炎症細胞浸潤を認める（b，c）．d，e：陳旧化した病変（大腸の漿膜下）．炎症は消失し，閉塞後の再疎通を認める．多数の細かい血管が出現．a：肉眼像，b：弱拡大，c：強拡大，d：中拡大，e：強拡大

中・小型の動脈に壊死性血管炎を認め（**図 16a**），毛細血管炎（糸球体腎炎を含む）や細静脈炎を認めない疾患と定義される．そのおもな組織像は壊死性血管炎で，血管中膜のフィブリノイド壊死像が特徴である（**図 16b，c**）．しかし，この組織像は時間軸で異なる．

Arkin の病期分類は有名で，血管炎の病理学的進展を考えるうえでも有用である．

Ⅰ期（変性期）は，血管内膜・中膜の浮腫や，内膜下へのフィブリンあるいは硝子様物質の析出を主とする漿液性滲出性炎．

Ⅱ期（急性炎症期）では（**図 16b，c**），フィブリン析出を伴う中膜の壊死，外膜に多核白血球，好酸球，リンパ球，形質細胞の浸潤が起こり，血管壁が全層性にあるいは部分的にフィブリノイド変性に陥る．この時期には，内弾性板の断裂，破壊，消失像が認められ，血栓や動脈瘤が形成される．

Ⅲ期（肉芽形成期）では，外膜側にマクロファージ，線維芽細胞の浸潤が目立ち，肉芽組織を形成する．内膜には（筋）線維芽細胞の遊走がみられ，内膜肥厚による血管内腔の狭窄をきたす．内膜肥厚は血管の縦軸に沿い進展し，血管横断面によっては必ずしも中膜傷害病巣を伴っていない．

Ⅳ期（瘢痕期）では（**図 16d，e**），内膜の線維性肥厚，中膜の線維化，外膜の肉芽性瘢痕組織の形成を認める．器質化血栓や再疎通像をみることもある．

これらの病変は同一個体でも血管傷害部位によりさまざまであり，臨床的な病期分類と必ずしも一致するものではない．PAN は全身の血管炎であり，症状は多彩．炎症による全身症状と，罹患臓器の炎症，および虚血・梗塞による臓器障害の症状が組み合わさって出現する．

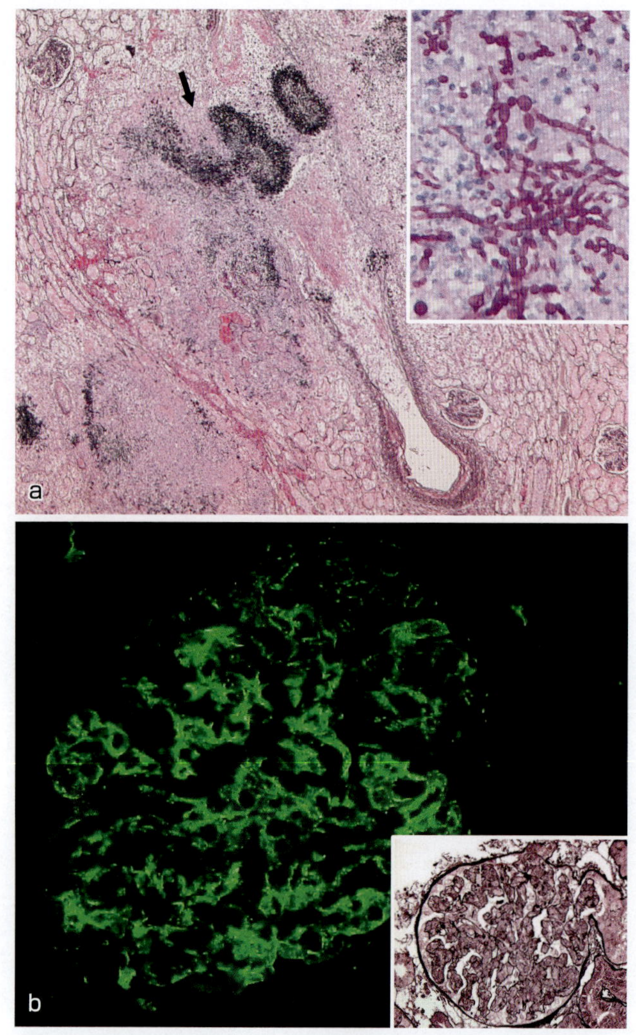

図 17　感染性血管炎（a）と溶連菌感染後糸球体腎炎（b）.
a：敗血症例．真菌が腎内の多数箇所に膿瘍を形成し，直接的に小葉間動脈に進展し，増殖している（⬆）．b：溶連菌感染後糸球体腎炎ではC3が係蹄壁に陽性．管内増殖性糸球体腎炎を呈している（挿入図）．a：PAM染色，中拡大，b：IgG蛍光抗体法，強拡大（挿入図：PAM染色）

感染性微生物による直接的あるいは間接的な血管の炎症．直接的とは，血中の病原体（敗血症，菌血症）に血管内皮を通して血管壁に浸潤することである（**図 17a**）．すべての細菌，真菌，ウイルスで起こりうる．真菌では特に，アスペルギルスやムコール，コクシジウム病が有名である．高度な炎症が生じ，フィブリノイド壊死などがみられる．

近傍の微小膿瘍などの感染巣による炎症により，二次的に血管壁が障害され血管炎を起こることがある．感染症による免疫複合体の産生が惹起され，血管炎を生じることがある．最も有名なのは，溶連菌感染後糸球体腎炎だが，多くの細菌や真菌などが免疫複合体を介した糸球体腎炎を含む血管炎を症じる．病原菌により異なるが，免疫複合体の沈着を反映して，C3（**図 17b**）をはじめ，IgA，IgGなどが糸球体に陽性となり，管内増殖性糸球体腎炎（**図 17b** 挿入図）やメサンギウム増殖性腎炎の形態をとる．

多発血管炎性肉芽腫症（ウェゲナー肉芽腫症）｜Granulomatosis with polyangiitis（GPA）（Wegener granulomatosis）

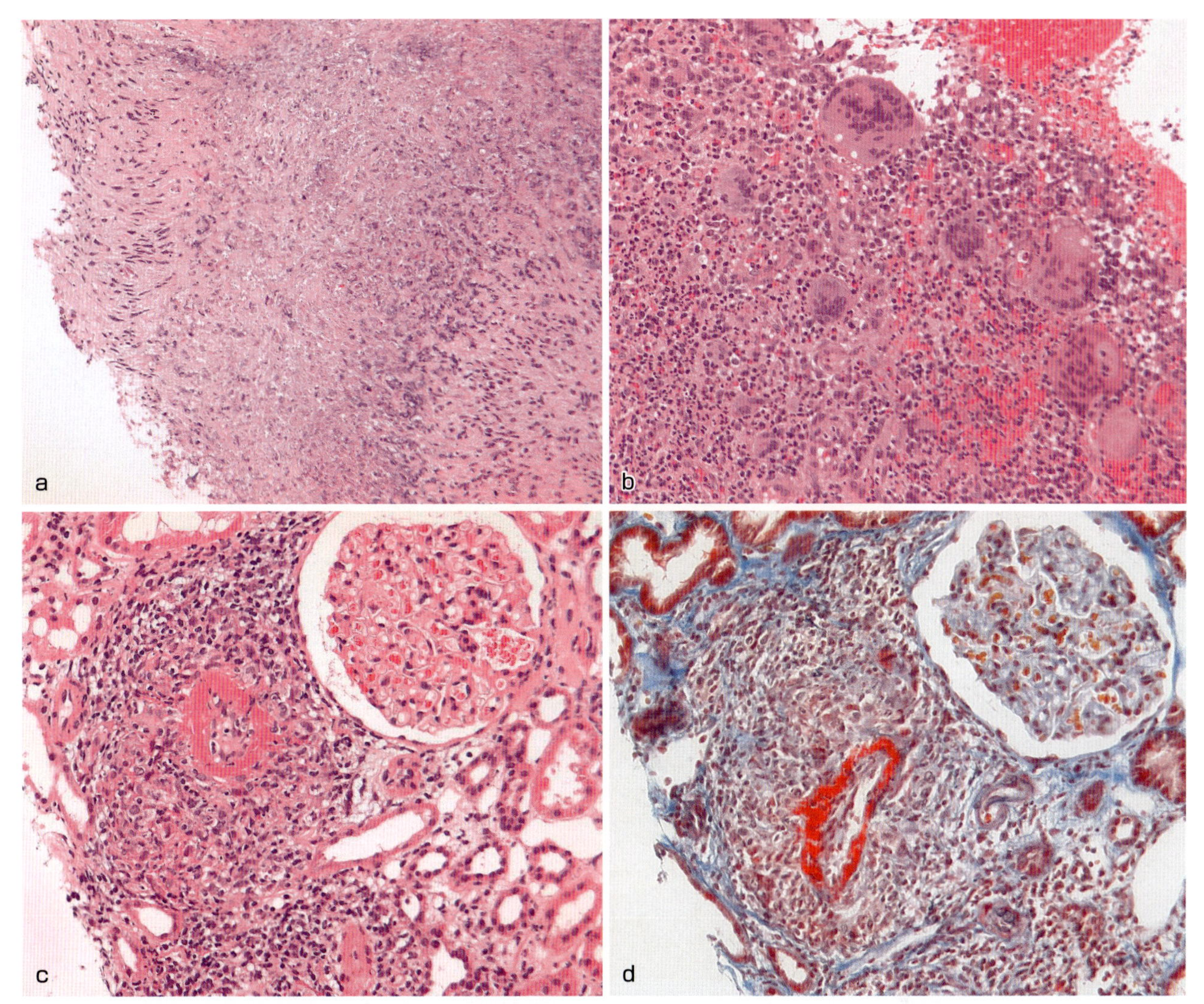

図 18　多発血管炎性肉芽腫症（ウェゲナー肉芽腫症）．a，b：肺高度の壊死や炎症が特徴的．壊死組織の周りには紡錘形の細胞が palisading をしている．多核巨細胞が壊死巣に多数出現している．c，d：腎臓では，細小動脈のフィブリノイド壊死を認める．壊死した血管周囲には，組織球を主体とする肉芽腫が形成されている．フィブリンは MT 染色では鮮紅色となる．d：MT 染色．a～d：強拡大

抗好中球細胞質抗体 antineutrophil cytoplasmic antibody（ANCA）が関与する血管炎症候群で，病理組織学的に①小動脈および静脈を主とした全身の壊死性・肉芽腫性血管炎，②上気道と肺を主とする壊死性肉芽腫性炎，③巣状分節性の壊死性あるいは半月体形成性糸球体腎炎を呈し，特徴的な臨床症状，上気道症状（膿性鼻漏，鼻出血，鞍鼻，中耳炎）や，下気道（肺）症状（血痰，間質性肺炎，急速進行性腎炎）などの特徴的な症候を呈する疾患である（**図 18**）．

壊死性肉芽腫とは，典型的には palisading granuloma（中心に壊死があり，その周囲に紡錘形になった組織球）が，平行にあるいは曲線的に配列する．肺では壊死巣が多発し，地図状となる．多数の類上皮細胞や多核巨細胞の出現を伴う．肉芽腫性の血管炎は多いが，本疾患に特異的ではない．

好酸球性多発血管炎性肉芽腫症（チャーグ・ストラウス症候群） Eosinophilic granulomatosis with polyangiitis（EGPA）（Churg–Strauss syndrome）

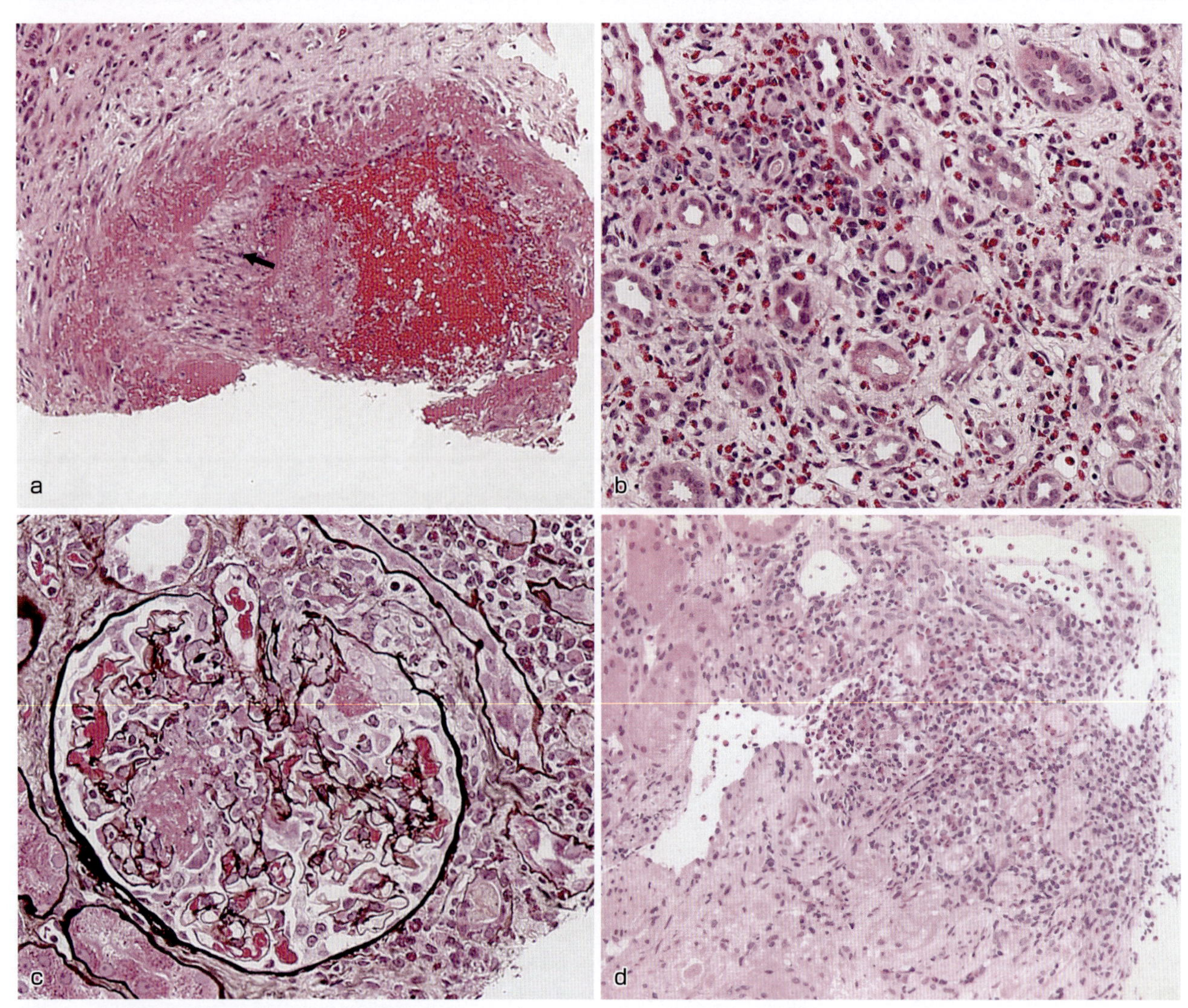

図 19　好酸球性多発血管炎性肉芽腫症（チャーグ・ストラウス症候群）（腎臓）．a：小葉間動脈に壊死性の血管炎を認める．多数の好酸球（⬆）が観察される．b：壊死性糸球体炎．PAM 染色．c：間質に多数の好酸球の浸潤を認める．d：静脈炎．静脈壁を破壊しながら多数の好酸球が浸潤している．a～d：強拡大

ANCA関連血管炎の一種．全身の小中血管炎を呈する疾患で，喘息，血中の好酸球増多を呈するまれな症候群である．臨床，病理学的に多彩な疾患で，複数の疾患の混在も指摘されている．肺は最も障害が多いが，約1/4に腎臓，消化管，心臓に障害がみられる．頻度は低いが中枢神経症状（脳梗塞，脳出血）の症状を合併し，致死的となる．

組織所見的には，①好酸球浸潤（血管炎のない時期から生じる），②組織の壊死，③好酸球を伴う肉芽腫性血管炎，血管外肉芽腫 allergic granuloma が特徴的である．腎臓では，壊死性半月体形成性糸球体腎炎を呈し，糸球体以外の血管壁への炎症細胞浸潤（好中球，好酸球，組織球など），破壊を伴う血管炎，好酸球を伴う肉芽腫性血管炎とともに，間質の好酸球浸潤も目立つ（**図 19**）．

ビュルガー病（閉塞性血栓血管炎）｜Buerger disease（Thromboangiitis obliterans）

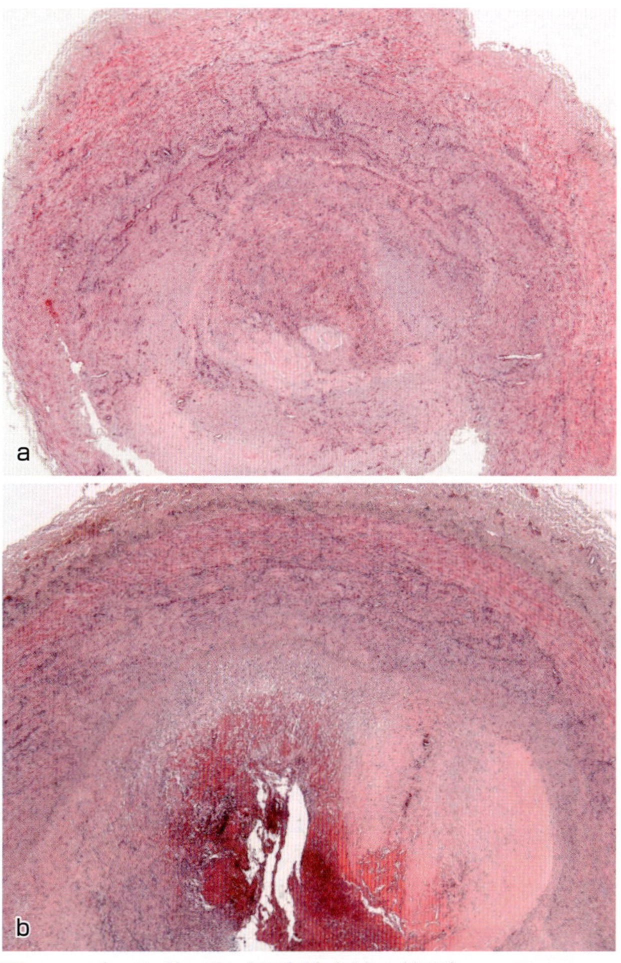

図 20　ビュルガー病（閉塞性血栓血管炎）．a：静脈壁には全層性の炎症がみられ，内腔が閉塞している．b：内腔には血栓が観察される．内膜の高度な肥厚がみられるが，それ以外では血管構築は保たれている．a：ルーペ，b：弱拡大
（国立循環器病研究センター　植田初江先生提供）

中型から小型の四肢の動脈に多発性の分節的閉塞と四肢の表在性の静脈炎をきたす血管炎で，40 歳以下の比較的若い男性に好発し，喫煙（間接喫煙を含む）が発症に強く関与する．近年，女性の発症が増えている．全身症状はまれで，血液中の炎症マーカー上昇や免疫学的なマーカーを伴わない．下肢動脈に好発し，虚血症状として間欠性跛行や安静時疼痛，虚血性皮膚潰瘍，壊死（特発性脱疽ともよばれる）をきたす．まれに大動脈や内臓動静脈にも病変をきたす．

病理組織像は非特異的で，急性期から慢性期までの所見がみられる．急性期には好中球や組織球，リンパ球（T 細胞）などの細胞成分が多い血栓が特徴で，しばしば閉塞性となる．血栓は器質化が急速に進行するが，炎症細胞が残存するとともに多数の細血管が出現し再疎通となることが多い．同様な細胞が全層性に出現する．フィブリノイド壊死は少なく，血管構築の高度破壊がない．巨細胞の出現はまれである．免疫グロブリンや補体が，内弾性板や中膜に線状に沈着も観察される．慢性期には，結節は器質化し，血管は閉塞・収縮して，外膜や血管周囲の線維化が進むといわれる．表在性の静脈では，急性期には閉塞性血栓性静脈炎がみられる．血管全層性に分布する種々の程度の炎症が特徴とされる（**図 20**）．

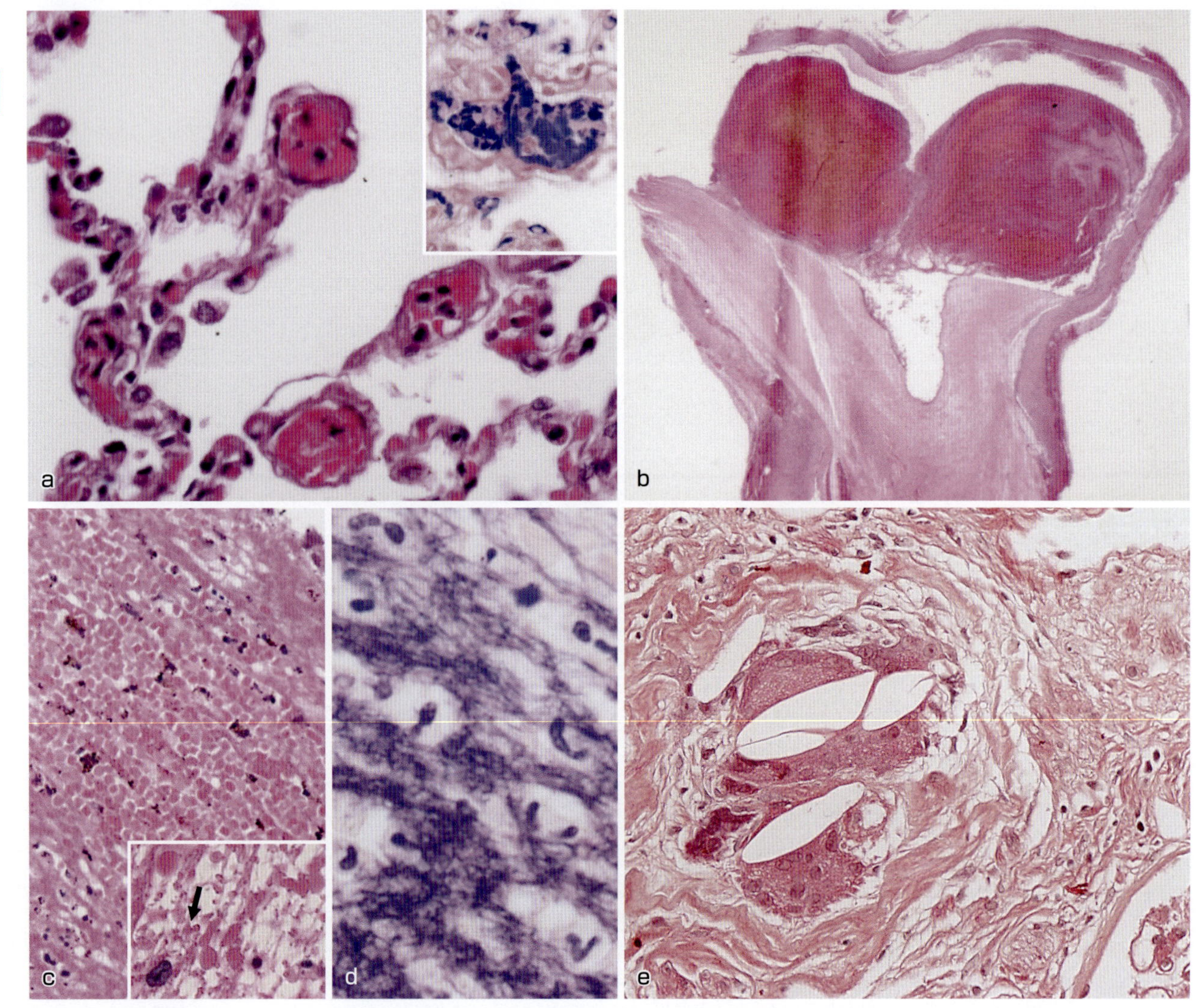

図 21　血栓/塞栓．a，b：DIC 肺の微小血管腔にフィブリンを主体とした血栓が詰まっている．PTAH 染色（a 挿入図）ではフィブリンは青色に観察される．c，d：頭蓋内内頸動脈-中大脳動脈に生じた血栓．血栓は赤血球，壊死物，フィブリン（d），血小板（c 挿入図：⬆）などが含まれる赤色血栓である．e：腎内コレステール塞栓．小血管内に粥腫に由来するコレステリン結晶を貪食した組織球がみられる．a：強拡大，b：ルーペ，c：強拡大，d：強拡大，e：強拡大

播種性血管内凝固症候群 disseminated intravascular coagulation（DIC）　微小血管内に，フィブリンを主体とする血栓が沈着する．フィブリンはPTAH染色で証明される．より大型の動脈では，赤色血栓が形成される．赤色血栓は，赤血球，血小板，フィブリンからなる（**図 21a〜d**）．

コレステロール塞栓　ほかの部位の粥状硬化性血管のプラークが塞栓物として小動脈内に沈着する．皮膚や腎臓（**図 21e**）に多いが，肺を除く全身に出現する．針状の形をとり，多核巨細胞に貪食されていることが多い．周囲には好酸球が浸潤することがある．

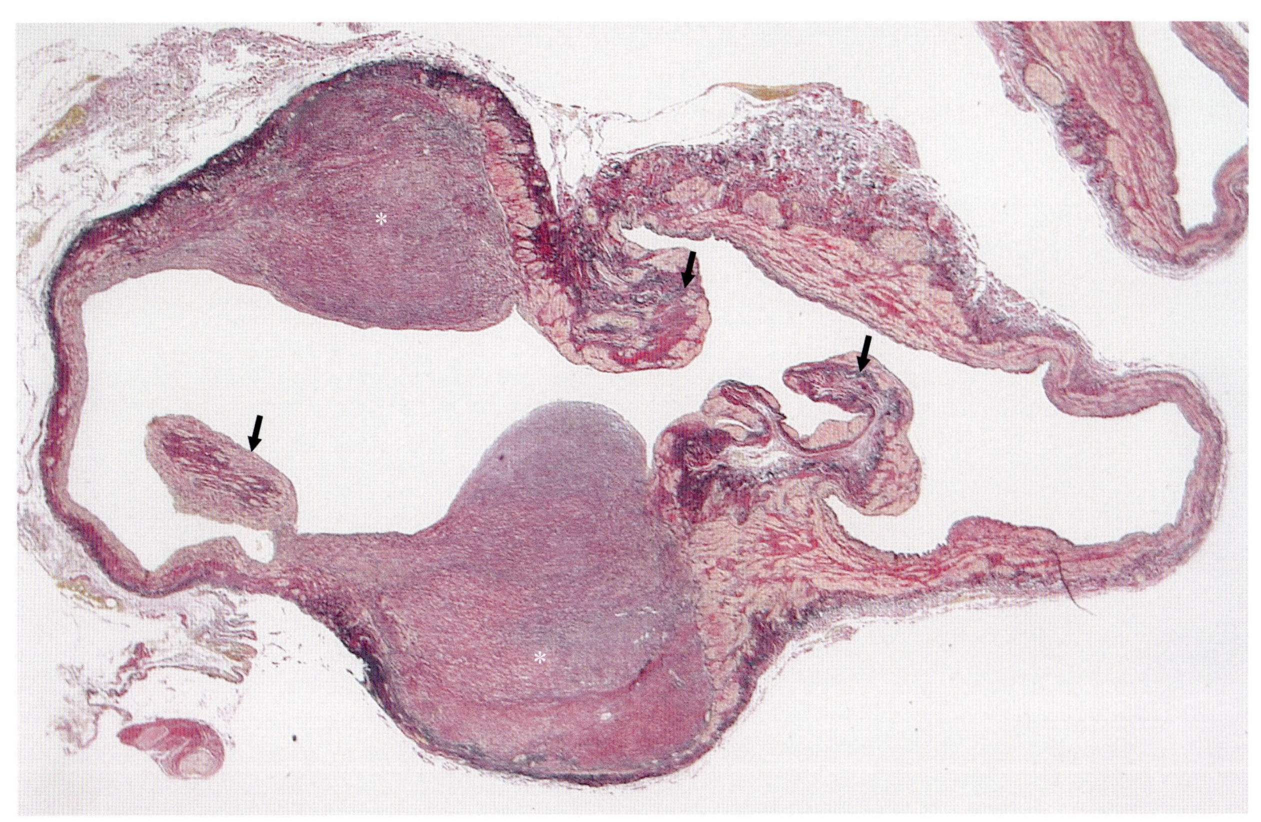

図 22　静脈瘤（大伏在静脈）．静脈は高度に拡張し，弁（⬆）は肥厚している．壁構造が変性し，内膜が高度に線維性肥厚をしている（＊）．EvG 染色，ルーペ

血管の延長・屈曲・蛇行，壁肥厚などを伴う限局性の静脈の拡張．表在静脈（特に下肢，大伏在静脈：**図 22**）や肝硬変の際の食道静脈瘤がよく知られている．静脈高血圧や弁機能不全が原因となり生じる．下肢の表在静脈では，静脈血のうっ滞により，皮膚障害（浮腫，うっ血性皮膚炎，潰瘍形成）をきたし，瘤形成の部位に壁在血栓を形成し，下肢の場合は肺血栓塞栓症の素因となる．静脈は異常に拡張し，屈曲・蛇行・硬化し，組織学には内膜の肥厚，内膜下および中膜の線維性肥厚（動脈化），壁在血栓，弁の肥厚がみられる．

第2章

血液

（骨髄）

概　説

1．発生，正常構造，造血細胞の分化，機能とおもな疾患

血液は血球と血漿成分からなり，血球は赤血球，白血球，血小板からなる．赤血球は血液1 μL（mm^3）に500万個含まれ，ヘモグロビンを介し，酸素の運搬を行う．白血球は，血液1 μLに約5,000個前後含まれ，主として炎症や免疫反応の主体を担い，特に感染などに対し生体防御を行う細胞である．これらは顆粒球，単球，リンパ球に大別され，顆粒球には好中球，好酸球，好塩基球がある．血小板は血液1 μLに約20万個前後含まれ，主として血液凝固に関与する．

骨髄は，上記の血球が産生される場であり，全身の骨に分布し，骨髄腔を満たす組織である．骨髄は肉眼的には，赤色骨髄（造血細胞が主体）と黄色骨髄（脂肪が主体）に大別される．骨髄の重量は成人男子で1,600～3,700（平均2,600）gとされている．骨盤（40%），脊椎（28%），頭蓋・顔面骨（13%），肋骨（8%），胸骨（2%），その他に存在するとされる．

骨髄は間質細胞と血液前駆細胞が複雑に関係しあい微小環境を構成していて，すべての血液細胞（リンパ球，赤芽球，顆粒球，マクロファージ，血小板）は骨髄の幹細胞に由来する．幹細胞は微小環境に依存性に存在し，自己再生能，多分化能をもつ．また幹細胞が分化していくと，その機能により，形態像および抗原性が異なってくる．たとえば，多分化能をもつ幹細胞は$CD34^+$で$CD38^-$，$HLA\text{-}DR^-$だが，制限された分化能しかもたない幹細胞に分化すると$CD34^+$ $CD38^+$ $HLA\text{-}DR^+$となる．骨髄微小環境は間質細胞，血管，間質マトリックスで構成され，血液細胞や間質細胞を多様にするサイトカインを調整している．この調節の過程は，場所や，細胞と細胞の関連，細胞とマトリックス，細胞とサイトカインの関係により複雑に成り立っており，各分化段階で腫瘍化が起こる（**図1**）．このことを理解することが，骨髄の細胞の多様性，病変を理解するうえで重要である．

代表的な疾患単位として，反応性疾患，変性症，蓄積疾患，腫瘍性疾患がある．骨髄には，非常に多種の疾患が認められる．**表1**に代表的疾患を示す．また近年，免疫染色の進歩により，組織上でも細胞の起源がわかるようになってきており，これらを一覧表として**表2**に示す．

2．正常の骨髄像

1）骨髄の組織像（成人正常骨髄像）

骨髄は血球が産生される場であり，肉眼的には赤色骨髄（造血細胞が主体）と黄色骨髄（脂肪が主体）に大別される．

胎児，幼児期は赤色骨髄のみであるが，年齢が上がり成長するにつれて，四肢末端から黄色骨髄に置換されていく．

造血細胞としては，骨髄系細胞としての好中球（骨髄芽球，前骨髄球，骨髄球，後骨髄球，桿状核球，分葉核球），好酸球，好塩基球，リンパ球系細胞，赤芽球系細胞，骨髄巨核球がみられる．通常，骨髄系細胞と赤芽球系細胞が3：1の割合でみられる．組織において，細胞密度は骨髄腔に占める造血細胞の面積比で示され，胎児，新生児ではほぼ100%細胞髄で，年齢とともに減少し，成人では50%前後，70歳を過ぎると30%以下となる．目安として，40～60%を正形成髄，40%以下を低形成髄，60%以上を過形成髄，100%を細胞髄とよぶ．ただ，細胞密度は，骨の中は均一ではなく，左は正形成髄（**図2，3**）で，右は低形成髄（**図2，4左**）というようにまだらに存在することが多い．この場合は細胞密度の高い正形成髄のほうを所見としてとる．

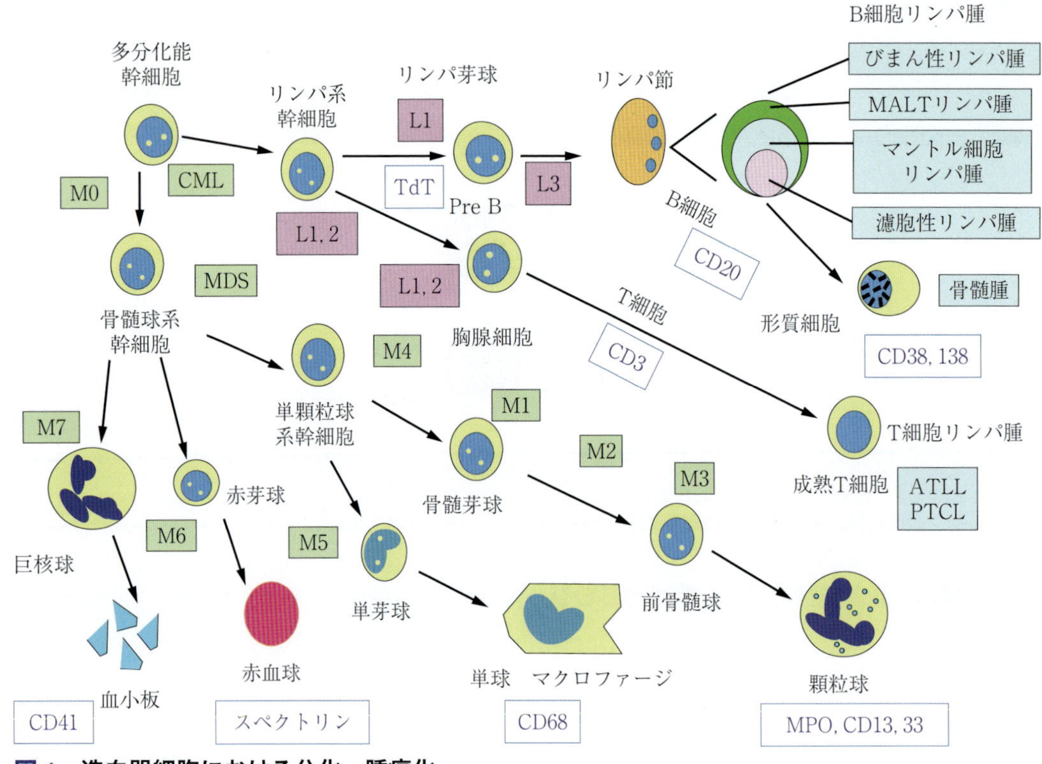

図 1　造血器細胞における分化・腫瘍化

2）骨髄の組織像（新生児骨髄像）

血球の産生は胎生期ではまず卵黄囊に始まり，2カ月からは肝臓が造血の主座となり，また脾臓でも胎生期には造血がみられる．造血の主座が骨髄に移行するのは，7カ月から生後にかけてである．**図 4 右**は新生児の骨髄像で，脂肪細胞はほとんど認められない．

3）造血細胞

造血細胞 hematopoietic cells としては，骨髄系細胞としての顆粒球（骨髄芽球，前骨髄球，骨髄球，後骨髄球，桿状核球，分葉核球)，好酸球，好塩基球，リンパ球系細胞，赤芽球系細胞，骨髄巨核球がみられる（**図 5**）．通常，骨髄系細胞と赤芽球系細胞が3：1の割合でみられる．

顆粒球系細胞は，類円形の核，淡い核網，明瞭な核小体，好塩基性の狭小な細胞質をもつ骨髄芽球から，次第に細胞質が豊富にみられるようになり，核の偏在，くびれをみるようになる前骨髄球，骨髄球，後骨髄球，さらに，くびれが強くなった桿状核球，分葉核をもつ分葉核球までの各成熟過程の細胞がみられる．組織像ではスメアのように正確な分類は不可能である（**図 6**）．

4）赤芽球

赤芽球 erythroblasts はヘマトキシリンに濃染する円形均質の核をもち，主として静脈洞周囲に集簇してみられ，赤血球より大きく，狭い好塩基性の細胞質をもつものから，赤血球とほぼ等しく，核が濃縮しやや好酸性に染まる豊富な細胞質をもつものまでみられる．一般的に赤芽球系の細胞は，小型で濃染した円形の核をもつものが分化したもので，淡い核をもつものが未熟なものとされる．赤芽球はときに十数個が集簇し，その中心部に細網細胞がみられる．この細網細胞は，鉄の受け渡し，脱核した赤芽細胞の貪食など，赤芽細胞の代謝に関与する．これらの赤芽球の集簇巣は赤芽球島 erythroblastic island とよばれる（**図 5，7**）．

5）骨髄巨核球

骨髄巨核球 megakaryocytes は，多能性幹細胞，巨核球前駆細胞，巨核芽球，前巨核球，巨核球と分化する．成熟巨核球では，細胞膜が陥入し，それに連続して細胞質を分割する分離膜が形成され，細胞質が断片化されることで血小板が産生される（**図 5**）．

3．顆粒球系細胞，リンパ球系細胞の鑑別

1）顆粒球系細胞

顆粒球系細胞 myeloid series は，骨髄芽球，前骨髄球，骨髄球，後骨髄球，桿状核球，分葉核球（**図 6**）と分化する．特に後二者は好中球とよばれ末梢血に出現する．

表1　骨髄の構成細胞とおもな疾患

構成細胞（図 2〜11）
- 骨髄系細胞
  - 好中球
    - 骨髄芽球
    - 前骨髄球
    - 骨髄球
    - 後骨髄球
    - 桿状核球
    - 分葉核球
  - 好酸球
  - 好塩基球
- リンパ球系細胞
- 赤芽球系細胞
- 骨髄巨核球
- 脂肪細胞
- 間質細胞

反応
- 赤芽球反応（Erythroid reaction）（図 12〜16）
  - 鉄欠乏性貧血（Iron deficient anemia）
  - 球状赤血球症（Spherocytosis）
  - 自己溶血性貧血（Autoimmune hemolytic anemia）
  - 悪性貧血（Pernicious anemia）
  - 慢性腎不全へのエリスロポイエチン投与（Erythropoietin for chronic renal failure）
  - 赤芽球癆（Pure red cell aplasia）
- 顆粒球系反応（Myeloid reaction）（図 17〜19）
  - 敗血症による顆粒球過形成（Myeloid hyperplasia in sepsis）
  - なまけもの白血球症候群（Lazzy leukocyte syndrome）
  - 好酸球増加症（Eosinophilia）
  - 無顆粒球症（Agranurocytosis）
  - Transient abnormal myelopoiesis（TAM）
  - 形質細胞増加症（Plasmacytosis）　Crow-Fukase syndrome など
- 組織球の反応および腫瘍（Histiocytic reaction and neoplasm）（図 20，21）
  - EB ウイルス感染による貪食症候群（Hemophagocytic syndrome due to EBV infection）
  - 細胞障害性リンパ腫による貪食症候群（Hemophagocytic syndrome due to cytotoxic lymphoma）
  - 悪性組織球症（Malignant histiocytosis）
  - 組織球腫瘍（Histiocytic tumor）
  - ヒスチオサイトーシス X（Histiocytosis X）
- その他の反応
  - 再生不良性貧血（Aplastic anemia）（図 24）
  - 特発性血小板減少性紫斑病（Idiopathic thrombocytopenic purpura：ITP）（図 27）
  - 発作性夜間血色素尿症（Paroxysmal noctural hemoglobinemia：PNH）

変性，蓄積疾患
- アミロイドーシス（Amyloidosis）（図 28）
- 血鉄症（Hemosiderosis）（図 29）
- 粘液水腫様変性（Myxoid degeneration）
- 食思不振症による脂肪萎縮（Fat atrophy due to anorexia）
- 化学療法による線維化（Fibrosis due to post chemotherapy）
- G_{M1}-ガングリオシドーシス（G_{M1}-gangliosidosis）（図 31）

感染症
- 結核（Tuberculosis）（図 32）
- 伝染性単核球症（Infectious mononucleosis）
- パルボウイルス B19 感染（Parvovirus B19 infection）（図 26）

腫瘍
- 急性リンパ性白血病（Acute lymphoblastic leukemia：ALL）（図 33〜36）
- 急性骨髄性白血病（Acute myelogenous leukemia：AML）（図 37〜46）
- 骨髄異形成症候群（Myelodysplastic syndrome：MDS）（図 47〜52）
- 慢性骨髄性白血病（Chronic myelogenous leukemia：CML）（図 53，54）
- 骨髄増殖性疾患（Myeloproliferative disorder：MPD）（図 55〜57）
- 多発性骨髄腫（Multiple myeloma）（図 58，59）
- 慢性リンパ球性白血病（Chronic lymphocytic lukemia：CLL）
- 転移
  - リンパ腫（図 60〜65）
  - 癌，肉腫（図 66〜69）

顆粒球系細胞は，核クロマチン構造が成熟に伴って繊細緻密から次第に粗造になってくる．また好中球は通常，前骨髄球で出現する一次顆粒（アズール好性顆粒）と骨髄球で出現する二次顆粒（好中性特殊顆粒）を有する．細菌感染症などの炎症が強い場合，好中球の分裂回数が減少し早期に末梢血に出てきた好中球の一次顆粒は融合し，大小不同の顆粒としてアズール色素に濃く赤紫色に染まる中毒顆粒とよばれるものが出現する（**図 8，9**）．正常では分葉好中球の核は 5 分葉までみられるが，6 分葉以上のものは，悪性貧血，敗血症，MDS などのときみられる（**図 10**）．単球で桿状核をもつ場合，好中球の桿状核球との鑑別を要する（**図 9**）．空胞をもつ細胞質のくすんだ色と核網の繊細さに対し，桿状核球の細胞質は淡橙色で粗造な核が鑑別点となる．

2）リンパ球

末梢血中のリンパ球 lymphocyte 数が 4,000/μL 以上の場合をリンパ球増加とよび，原因として産生の亢進，分布の異常・停滞などがある．

末梢血のリンパ球形態異常として問題になるのが，異型リンパ球 atypical lymphocyte と異常リンパ球 abnormal lymphocyte である．異型リンパ球は反応性の形態変化（抗原刺激による活性化したリンパ球形態），異常リンパ球は腫瘍性の形態変化としてとらえられている（**図 9，11**）．

表2 パラフィン材料でも染色可能な血液細胞関連抗体

抗原名	分布
顆粒球系	
MPO（myeloperoxidase）	顆粒球
CD13	好中球，好酸球，好塩基球および単球などほとんどの骨髄系細胞
CD33	単球，顆粒球，マクロファージ前駆細胞
組織球/単球系	
CD15	単球，顆粒球，ホジキン病，肺癌
CD68	単球（マクロファージ），マスト細胞
CD163	単球（マクロファージ）
CD1a	ランゲルハンス細胞，汎T細胞
巨核球系	
CD41（GPⅡbⅢa）	血小板，巨核球
CD42b（GPⅠb）	血小板，巨核球
CD61	血小板，巨核球，血管内皮
Factor 8	巨核球，血管内皮
PDGF（platelet derived growth factor）	巨核球，血管内皮，血小板，マクロファージ
赤芽球系	
hemoglobulin	赤血球，赤芽球
glycophorin C	赤血球，赤芽球
spectrin	赤血球，赤芽球
CD71	赤芽球
Tリンパ系	
CD3	Tリンパ球（sCD3），NK細胞（cCD3）
CD4	Tリンパ球サブタイプ，単球，マクロファージ
CD5	Tリンパ球，一部Bリンパ球
CD7	Tリンパ球，NK細胞
CD8	Tリンパ球サブタイプ，一部NK細胞
CD45RO	メモリーTリンパ球，顆粒球，単球，一部Bリンパ球
TCR gd（TCR d1）	Tリンパ球（gd型）
TCR ab（TCR bF1）	Tリンパ球（ab型）
Bリンパ系	
CD20	Bリンパ球
CD79a	Bリンパ球，形質細胞
cIg（cytoplasmic immunoglobulin）	Bリンパ球，形質細胞
NKリンパ系	
CD56	NK細胞，神経芽腫，肺小細胞癌，形質細胞
細胞障害因子	
TIA1	細胞傷害性Tリンパ球，NK細胞
granzyme B	細胞傷害性Tリンパ球，NK細胞
perforin	細胞傷害性Tリンパ球，NK細胞
帰属特異性のないもの	
CD30	ホジキン細胞，未分化大細胞型リンパ腫，胎児性癌
CD34	造血前駆細胞，血管内皮
CD45，leukocyte common antigen（LCA）	白血球全般
CD99	PNET/Ewing肉腫，横紋筋肉腫，リンパ芽球性リンパ腫
CD117/c-kit	造血前駆細胞，肥満細胞，GIST
CD123	造血幹/前駆細胞，骨髄系細胞，DC
CD246/ALK	未分化大細胞型リンパ腫
Bcl2	休止期T/B細胞，濾胞性リンパ腫（皮膚原発を除く），一部リンパ腫
cyclin D1	マントル細胞リンパ腫，形質細胞腫
MIB1	増殖細胞
terminal deoxynucleotidyl transferase（TdT）	リンパ芽球，一部顆粒球系の芽球
CD103	粘膜関連T細胞，活性化細胞，ヘアリー細胞

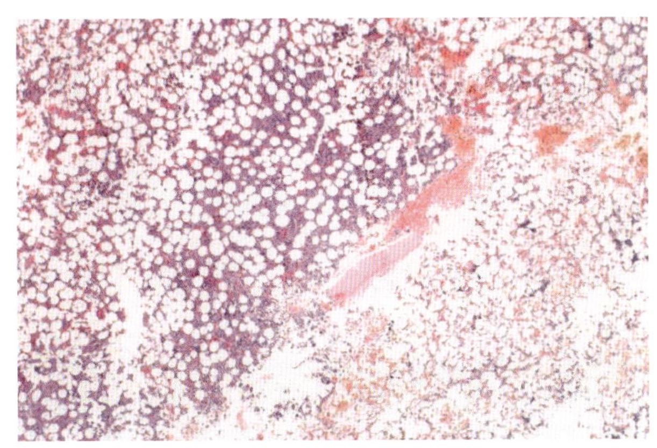

図2　成人正常骨髄像．骨髄の中は均一ではなく，左は正形成髄で，右は低形成髄．このときは正形成髄のほうを所見としてはとる．弱拡大

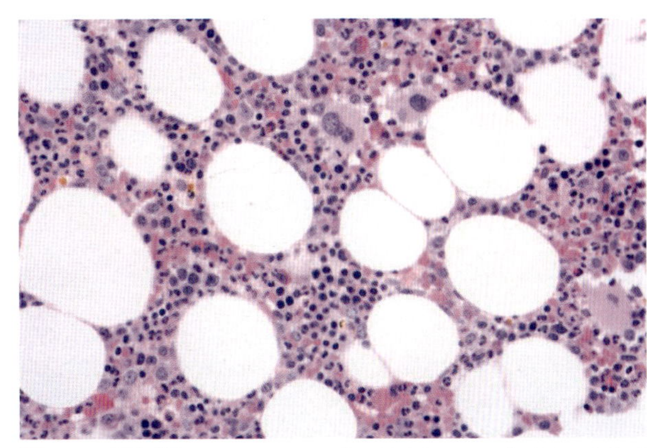

図3　正形成髄．正形成髄の部位の拡大像で，顆粒球系，赤芽球系，リンパ球系，骨髄巨核球といったさまざまな造血細胞がみられる．中拡大

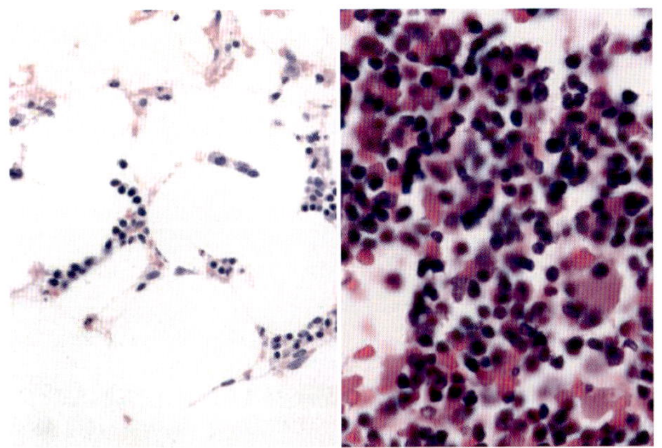

図4　低形成髄と新生児骨髄．左：低形成髄の部位の拡大像で，脂肪細胞の間に赤芽球系を主体とした造血細胞がみられる．右：新生児骨髄．細胞密度は，年齢とともに減少してくる．出生直後は細胞密度も高く，未熟な細胞が多い．中拡大

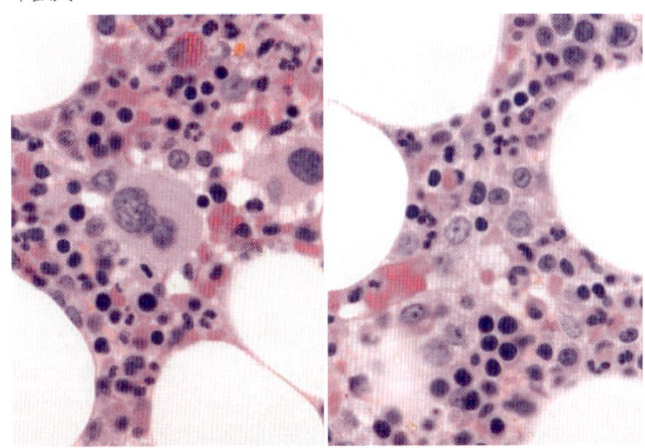

図5　顆粒球，骨髄巨核球と赤芽球細胞集団．左：分葉核の分化した顆粒球（好中球），分葉のない未分化な顆粒球（前骨髄球），多核の巨核球，偏在核を示す形質細胞もみられる．右：赤芽球細胞集団．赤芽球系の細胞は，小型で濃染した円形の核をもつ分化したものと淡い核をもつ未熟なものが混在し，通常，集団化してみられることが多い．強拡大

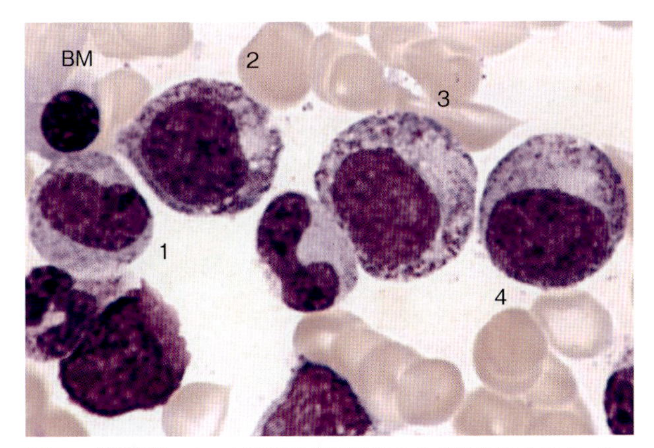

図6　顆粒球．1～4は顆粒球系細胞の各成熟段階を示す．3，2，4，1の順に成熟している．3は前骨髄球，4は骨髄球，1は後骨髄球，中央はさらに成熟した桿状核球である．強拡大

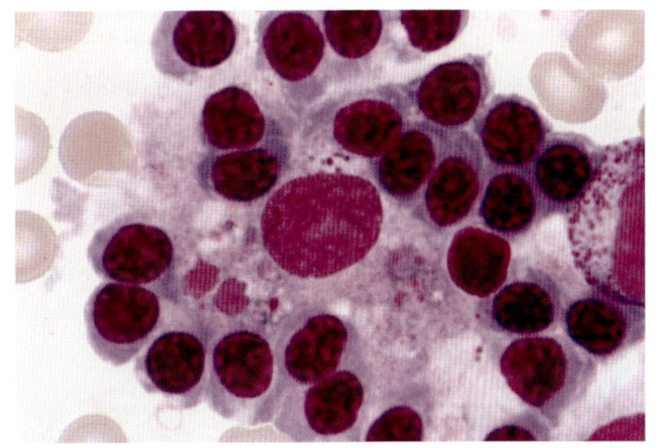

図7　赤芽球島．中央の細網細胞がみられ，周囲を赤芽球が取り囲んでいる．強拡大

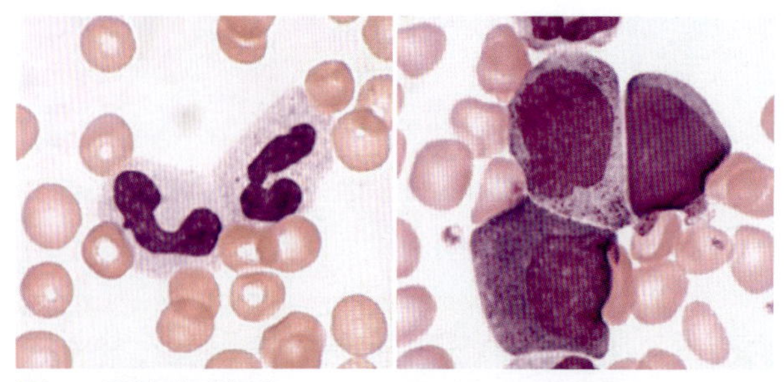

図 8 顆粒球系細胞．左：好中球の桿状核球の細胞質は淡橙色で，粗造な核がみられる．好中球顆粒がみられる．右：顆粒球の細胞は，核クロマチン構造が成熟に伴って繊細緻密からしだいに粗造になってくる．またアズール顆粒，好中球顆粒もみられる．強拡大

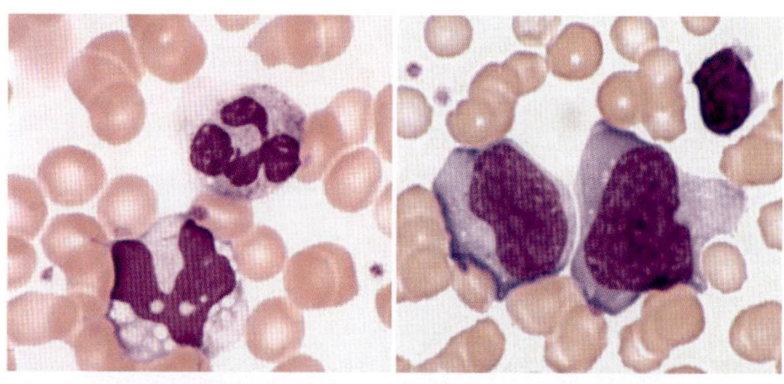

図 9 桿状核単球と異型リンパ球．左：桿状核単球．単球で桿状核をもつ場合，好中球の桿状核球との鑑別を要する．空胞をもつ細胞質のくすんだ色と核網の繊細さに対し，桿状核球の細胞質は淡橙色で粗造な核が鑑別点となる．右：異型リンパ球．中央の2個は上の小リンパ球に比べると大型で，N/C比は低く，核形不整がみられ，クロマチンは粗網状で，細胞質は好塩基性が強く異型リンパ球と思われる．強拡大

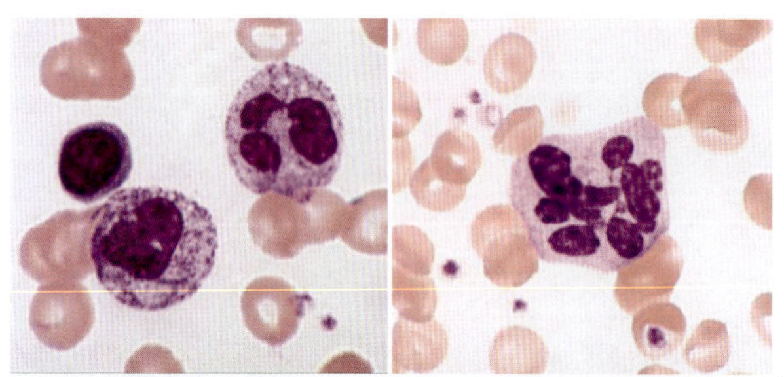

図 10 顆粒球系細胞．好中球は通常，前骨髄球で出現する．細菌感染症などの炎症が強い場合，好中球の分裂回数が減少し早期に末梢血に出てきた好中球の一次顆粒は融合し，大小不同の顆粒としてアズール色素に濃く赤紫色に染まる（中毒顆粒）．強拡大

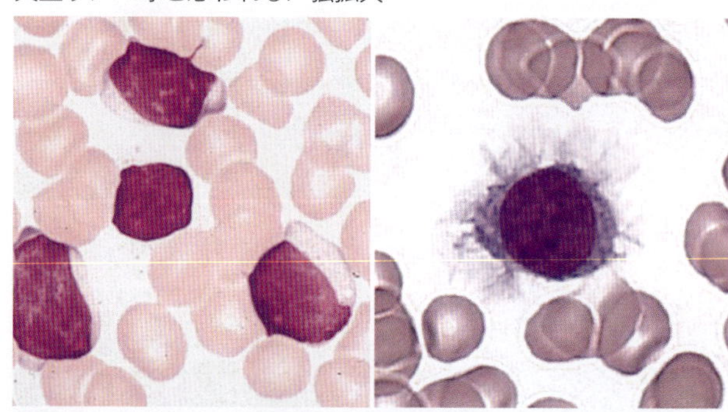

図 11 慢性リンパ球性白血病（CLL）と有毛細胞白血病．左：CLL．細胞は小型でクロマチン粗造，細胞質の乏しい円形から類円形の核をもつ成熟リンパ球である．右：有毛細胞白血病 hairy cell leukemia．自然乾燥標本で，有毛状の突起が細胞にみられる．通常の強制乾燥では豊富な細胞質としてしかみられない．強拡大

【鑑別診断】 異型リンパ球の特徴として，①細胞径，核径ともに大リンパ球より大型，②細胞質の好塩基性が小リンパ球より強い，③核構造は粗大かつ鮮明などがある（伝染性単核球症などのウイルス感染などでみられる）．異常リンパ球は白血病（急性・慢性リンパ球性白血病），成人T細胞性白血病 adult T-cell leukemia（ATL），リンパ腫の白血化などがある．一般的に反応性リンパ球増加の形態的多様性に対し，単調な異常細胞の増加としてみられることが多い．

異常な形態として，①細胞の大きさの異常（同一成熟段階でありながら大小不同が著明），②核の異常（巨大，クロマチンの著増，著しい切れ込み，異常分葉，著明な核小体），③異常細胞質（異常顆粒，封入体，空胞形成など），④核/細胞質比（N/C比）の増大などがあげられる（**図 9，11**）．

表3　貧血の成因による分類（図12〜14）

Ⅰ．赤血球産生低下（正球性正色素性貧血）
1．エリスロポエチン産生低下：腎性貧血，内分泌異常，感染，炎症など
2．血液幹細胞の異常：再生不良性貧血，赤芽球癆，白血病，骨髄異形成症候群（**図13左**）など
3．赤血球の成熟障害
a．DNA合成障害（一般的には大球性正色素性貧血）：葉酸欠乏，ビタミン B_{12} 欠乏（悪性貧血）など（**図12左**）
b．ヘモグロビン合成障害（一般的には小球性低色素性貧血）：鉄欠乏，感染，炎症，腫瘍などのヘム合成障害，サラセミアなどのグロビン合成障害（**図12右**）
Ⅱ．赤血球の破壊亢進（溶血性貧血）（一般的に正球性正色素性貧血）
1．赤血球自身の異常：遺伝性球状赤血球症（**図14左**），遺伝性楕円赤血球症，発作性夜間血色素尿症など
2．赤血球以外に異常がある場合：自己免疫性溶血性貧血，細血管障害性溶血性貧血など（**図13右，14右**）
Ⅲ．出血（図12右）
Ⅳ．赤血球分布異常：脾腫など

貧血の分類（**表3**）は，成因による発症機序を理解するうえで，また鑑別診断を行ううえで重要である（**図12〜14**）．

鉄欠乏性貧血　鉄欠乏により生じる貧血で，鉄の排泄が吸収を上回った際に生じる．ヘモグロビンのヘム合成障害が起こる．末梢血の赤血球は，急性期には正球性正色素性であるが，慢性期には小球性低色素性となる．成人では，消化管潰瘍からの慢性出血や過多月経に伴うことが多い．骨髄組織像では，軽度の細胞密度の増加がみられる．**図15**では細胞密度60％とやや造血細胞の増加が目立つ．巣状を示す成熟段階の赤芽球の増生がみられ，顆粒球系と赤芽球系の比率の低下がみられる．増生する赤芽球は全体として形態は小型である．骨髄塗抹標本でも，小型で核の濃縮，細胞質の狭小化がみられる赤芽球が目立つ（**図15**）．

【鑑別診断】　小球性低色素性貧血をきたす疾患：①鉄芽球性貧血sideroblastic anemiaでは環状鉄芽球ringed sideroblast（鉄顆粒が赤芽球核を環状に1/3以上取り囲むように染色される）が出現する（**図47挿入図**参照）．②慢性疾患（慢性感染症，自己免疫疾患，悪性腫瘍，肝疾患）における二次性貧血では，血清フェリチン値は低下しない．③サラセミア，無トランスフェリン血症，ポルフィリアなど．

巨赤芽球性貧血　巨赤芽球性ならびに大赤血球で特徴づけられる貧血で，先天性または後天性に異常なプリンあるいはピリミジン代謝やDNA合成障害が存在する．ビタミン B_{12} 欠乏はDNA合成障害により巨赤芽球性貧血を生じるが，消化管からの吸収障害によることが多い．ビタミン B_{12} は，胃壁細胞から分泌された内因子と結合し複合体を形成し，回腸に運ばれ，回腸遠位部にある内因子受容体と結合し，内因子が離れ自由になったビタミン B_{12} が吸収され，門脈に入り，トランスコバラミンと結合し肝臓に運ばれる．悪性貧血 pernicious anemiaでは，ビタミン B_{12}・内因子複合体形成阻止抗体により，回腸よりの吸収障害が生じる．内因子欠乏は胃切除で，回腸での吸収障害はクローン病でみられる．骨髄像は，軽度中等度の細胞密度の増加がみられ，巣状を示す赤芽球の

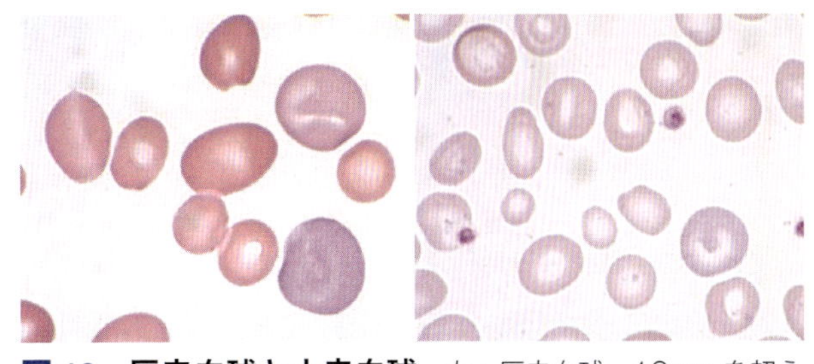

図12　巨赤血球と小赤血球．左：巨赤血球．10 μmを超える巨赤血球がみられる．分裂増生の過程でDNA合成が障害され，細胞分裂が行われず細胞質が発育し大きくなったもので，悪性貧血などでみられる．右：小赤血球．小型の赤血球，中心部の明るい部分が目立つ，ヘモグロビンの合成異常によるもので，鉄の不足，ヘム合成障害，グロビン合成障害（サラセミア）がある．強拡大

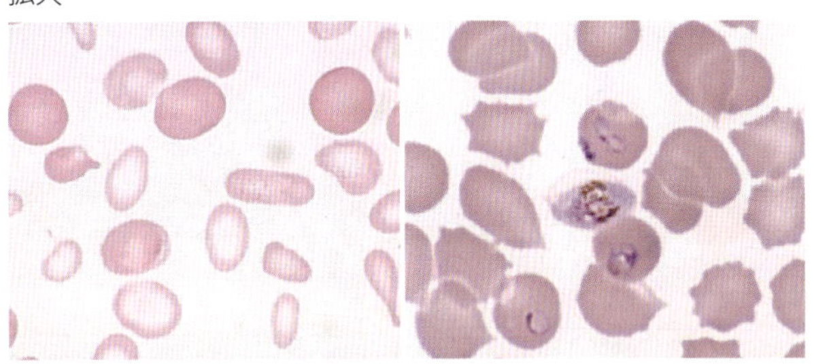

図13　赤血球の二相性とマラリア感染．左：赤血球の二相性．正常の赤血球と低色素性赤血球が混在する．鉄芽球性貧血に特異的で，この二相性は鉄欠乏性貧血に鉄剤投与を開始し，その回復途上や輸血後にもみられる．右：マラリア感染．マラリアは赤血球内に寄生する原虫で，三日熱，四日熱，熱帯熱，卵形三日熱の4種がある．赤血球内にtrophozoiteとring formがみられる．強拡大

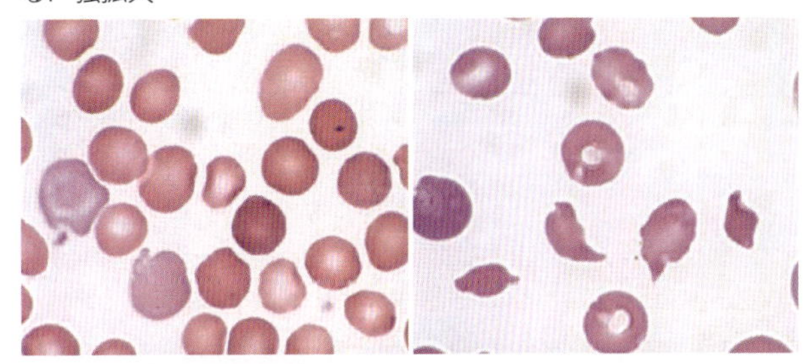

図14　球状赤血球と断片化赤血球．左：球状赤血球．高色素性に濃染する小型赤血球で遺伝性球状赤血球症にみられる．右：断片化赤血球．小さく，引き裂かれた部位が鋭角や突起となって残存する赤血球．①人工弁による赤血球の断片化，②血栓のフィブリン糸による切断（DICなど），③赤血球膜の一次異常などで生じる．強拡大

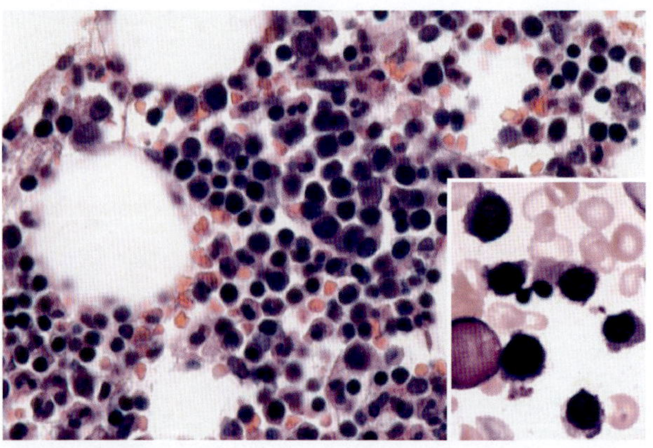

図 15　成熟赤芽球．鉄欠乏性貧血で，小型で濃染した円形の核をもつ分化した赤芽球系の増加がみられる．強拡大．**挿入図**：小型の赤芽球で核の濃縮，細胞質の狭小化がみられる

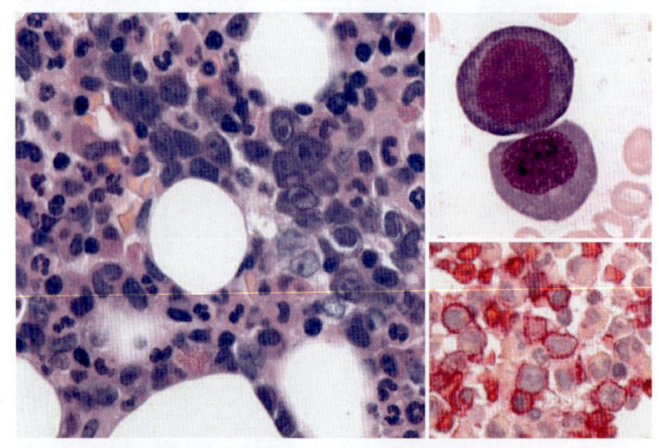

図 16　巨赤芽球性貧血における巨赤芽球．成熟した赤芽球よりも，すりガラス状の淡く大きな核をもち，核小体が目立つ．過分葉した好中球もみられる．**挿入図上**：巨赤芽球性貧血における巨赤芽球．粗網状のクロマチン，好塩基性の細胞質をもつ．強拡大．**挿入図下**：免疫染色（グリコホリン C）．非常に幼若なものを除き赤芽球に陽性

増生がみられ，顆粒球系と赤芽球系の比率の低下が認められる．巨赤芽球は大型で，すりガラス状の淡く大きな核をもち，核小体が目立つ．過分葉した好中球もみられる．骨髄塗抹標本でも，小型で核の濃縮，細胞質の狭小化がみられる赤芽球が目立つ．粗網状のクロマチン，好塩基性の細胞質をもつ巨赤芽球が目立つ（**図 16**）．

【鑑別診断】 骨髄増殖性疾患，骨髄異形成症候群，妊娠，アルコール性肝障害．化学療法中には，巨赤芽球様細胞 megaloblastoid cell が認められる．骨髄標本のみで骨髄異形成症候群を区別することは難しく，また，巨赤芽球は病理標本では白血病の腫瘍細胞との鑑別が必要となり，その場合には血中ビタミン B_{12}，葉酸値を参考にする．

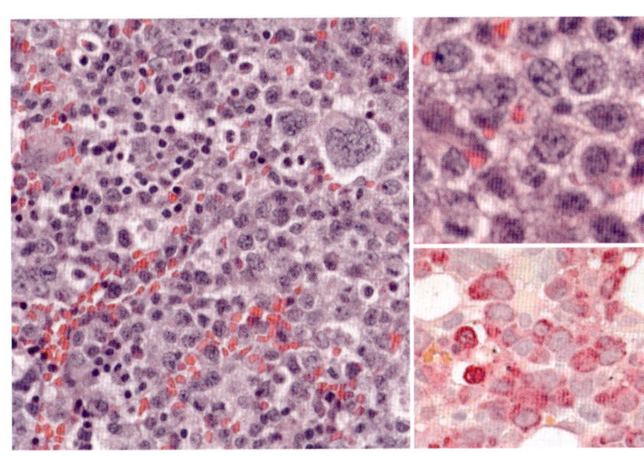

図 17　顆粒球過形成．敗血症に伴い，やや分化の悪い顆粒球系の増加が著明であり，赤芽球系はむしろ減少している．強拡大．**挿入図上**：拡大．やや分化の悪い，豊かな顆粒状の目立つ胞体（中毒顆粒）をもつ前骨髄球-骨髄球．**挿入図下**：免疫染色（myeloperoxidase：MPO）．陽性の顆粒球系の増加が確認できる（骨髄芽球は未熟なため MPO は陰性）

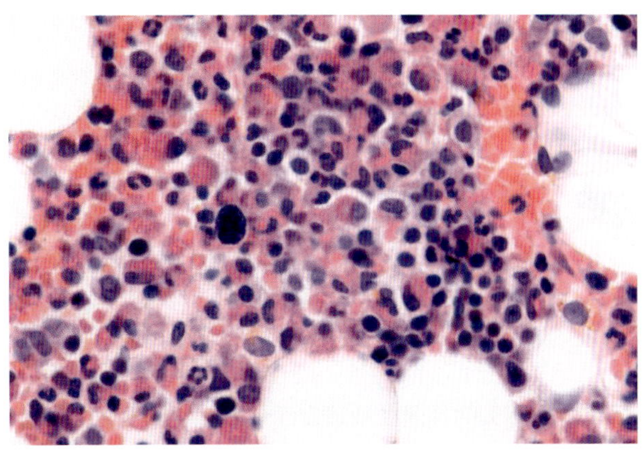

図 18　好酸球増加．寄生虫感染により，好酸性の赤い顆粒をもつ好酸球の増加が，成熟，未熟なものともにみられる．強拡大

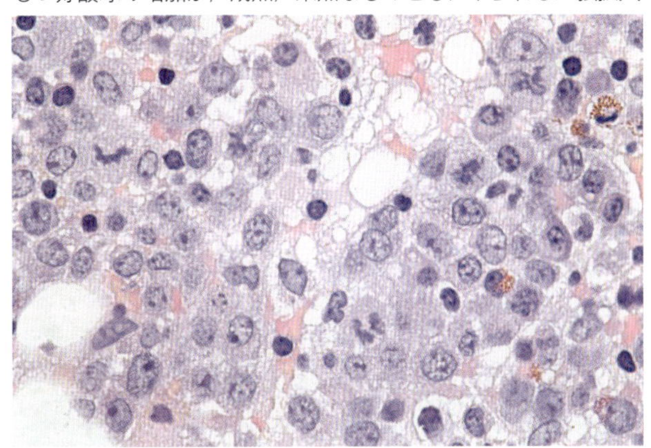

図 19　初期無顆粒球症．抗生物質投与後に生じ，未熟で豊かな顆粒状の胞体をもつ顆粒球系細胞（骨髄芽球-前骨髄球）がみられる．強拡大

類白血病反応　好中球が 7,500/μL 以上に増加した場合を好中球増加症という．白血球のなかでも好中球が最も多いことから，白血球増加症といった場合，好中球増加をさすことが多い．10,000～20,000/μL を軽度増加，20,000～50,000/μL を中等度増加，50,000/μL 以上を高度増加とよび，多くは感染症であるが，高度の場合慢性骨髄性白血病に類似することから類白血病反応とよばれ，形態的にも血液腫瘍との鑑別が重要となる．

骨髄では，顆粒球系細胞の過形成がみられる．末梢血では，桿状好中球の増加や幼若顆粒球の出現である核の左方移動や細胞質内に中毒顆粒やデーレ小体などの形態異常がみられる（**図 8～10** 参照）．**図 17** に敗血症による類白血病反応の骨髄像を示す．細胞密度は著増しており 90％と造血細胞の増加が目立つ．多くの細胞は顆粒球系であり，赤芽球系はむしろ減少している．顆粒球系細胞は，分化が悪く，豊かな顆粒状の目立つ胞体（中毒顆粒）をもつ前骨髄球-骨髄球が目立つ．

【鑑別診断】　好中球増加の機序として，①好中球需要の増加により，骨髄貯蔵プールからの成熟好中球の放出のために起こる．急性の細菌感染，炎症，組織障害，肉体的ストレス，薬剤，エンドトキシンなどでみられる．②精神的ストレス，運動，アドレナリン投与などで辺縁プールの好中球が循環プールに偏移し，見かけ上の好中球増加を起こす．③副腎ステロイドの慢性投与でみられるもので，骨髄から末梢血への好中球の動員がある．④慢性的な感染，炎症による好中球増加で，好中球産生は亢進し，骨髄では顆粒球系細胞の過形成がみられる．特に鑑別診断として，腫瘍性増殖による慢性骨髄性白血病が重要であり，染色体検査・遺伝子が必要である．

好酸球増加症　好酸球増加をきたすおもな疾患は，寄生虫感染とアレルギー疾患であるが，その他多くの疾患でみられる．これらのなかには好酸球増加の機序が明らかでないものが多い．**図 18** は寄生虫感染による好酸球増加で，好酸性の赤い顆粒をもつ成熟，未熟な好酸球の増加がみられる．

【鑑別診断】　血液疾患では，ホジキン病，成人 T 細胞性白血病，急性リンパ性白血病などリンパ系腫瘍に伴うものは反応性であり，急性骨髄性白血病（M4），慢性骨髄性白血病，骨髄異形成症候群に伴うものは腫瘍性である．

無顆粒球症　薬剤や自己免疫に生じるが，ときに原因不明である．先天性のものも知られている．組織像は原因，時期により多彩である．薬剤性では壊死や滲出性病変が初期にみられるものや顆粒球系細胞の成熟障害を伴うものなどがあるが，骨髄巨核球は比較的よく保たれている．**図 19** は抗生物質投与後に生じた無顆粒球症で，発病 5 日で骨髄が採取されている．細胞密度は著増しており，90％と造血細胞の増加が目立つ．未熟で，豊かな顆粒状の胞体をもつ顆粒球系の細胞（骨髄芽球-前骨髄球）の著増がみられる．

【鑑別診断】　幼若な顆粒球の増加の場合，急性骨髄性白血病との鑑別が重要となり，臨床経過が重要となる．

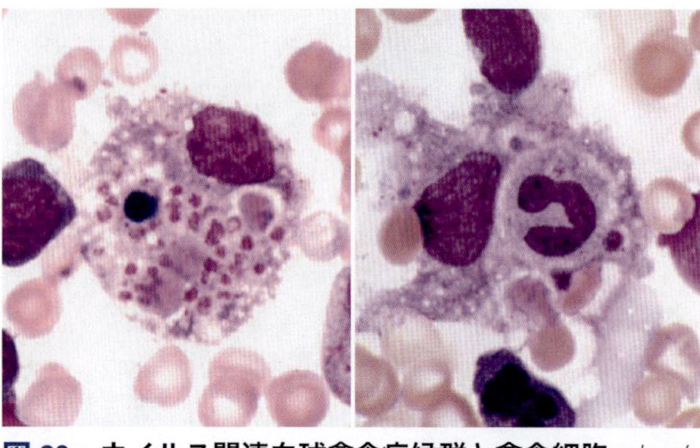

図 20　ウイルス関連血球貪食症候群と貪食細胞．左：血球貪食組織球で，赤芽球，血小板の貪食がみられる．右：貪食細胞．血小板，赤芽球，赤血球，白血球を貪食するマクロファージの増加がみられる．強拡大

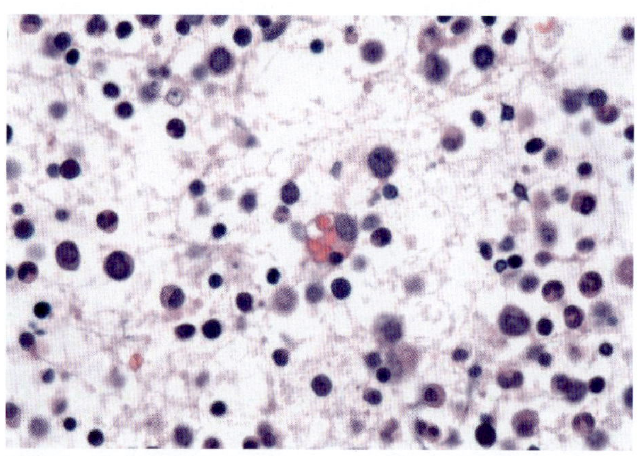

図 21　貪食細胞．組織像では貪食像の確認は困難であるが，この貪食細胞では，赤血球の貪食がみられる．強拡大

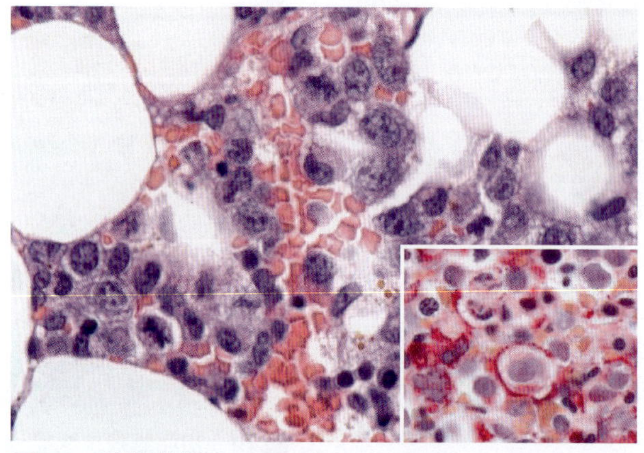

図 22　組織球肉腫．異型組織球および顆粒球系の細胞の増加がみられる．強拡大．**挿入図**：免疫染色（CD68），陽性

血球貪食症候群（HPS）は，末梢血，骨髄，リンパ節，脾臓などに血球貪食細胞 hemophagocyte が著明にみられ，リンパ球，組織球の増殖をみる疾患群の総称で，血球貪食細胞が存在するだけでなく，臨床的な診断名であり，全身型症状を呈し，持続性高熱，汎血球減少，リンパ節腫脹，肝脾腫，DIC（播種性血管内凝固症候群）がみられるが，軽症から重症例まで幅広い．これらの初症状は高サイトカイン血症によるものと考えられている．

血球貪食の定義としては，赤血球のみに限るものは erythrophagocytosis とするが，一般的にはその他の血球や造血前駆細胞がマクロファージにより貪食された現象をいい，これはリンパ球が組織球や巨核球の胞体内に移動する emperipolesis と異なる．

【鑑別診断】　原発性 HPS としてウイルス感染など感染が引き金になると考えられる VAHS（virus-associated hemophagocytic syndrome，または infection AHS：IAHS）（**図 20, 21**）と遺伝性疾患の FEL（familial erythrophagocytic lymphohistiocytosis）がある．

二次性のものとして，①先天性あるいは後天性免疫不全や白血球機能不全に伴うもの，②長期にわたり脂質溶液を経静脈的に投与した場合，③悪性腫瘍に伴うものがあり，一部は以前より，リンパ節腫脹，血球減少，肝脾腫を伴って急速に致死的経過をたどる症例を臨床症状から悪性組織球症 malignant histiocytosis（MH）として取り上げられている（**図 22**）．これらの多くは，末梢性 T 細胞性リンパ腫が背景にあって血球貪食像が前面に出ていることが証明されている．また NK（natural killer）細胞性リンパ腫や未分化大細胞型リンパ腫，B 細胞性リンパ腫が背景にあることもある．非常にまれであるが，真の組織球が腫瘍化（組織球肉腫）（**図 22**）して，同様の臨床病理を呈することがある．これらの疾患による MH の臨床症状も，VAHS，FEL と同様，高サイトカイン血症によるものと考えられている．

ランゲルハンス細胞組織球症（組織球症 X），再生不良性貧血および膠様髄 | Langerhans cell histiocytosis（Histiocytosis X），Aplastic anemia and Gelatinous marrow

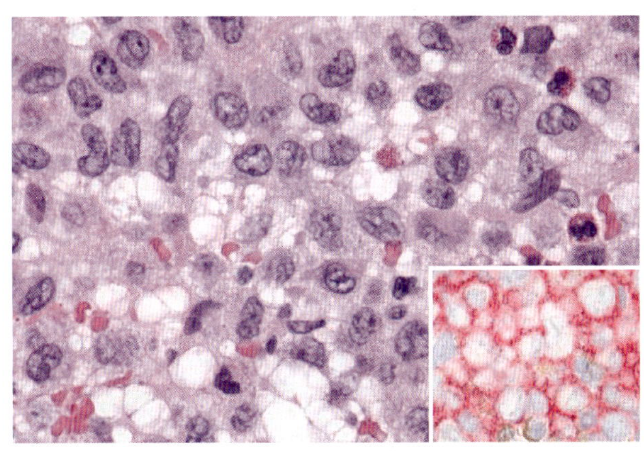

図 23　ランゲルハンス細胞組織球症．大型円形および類円形で，泡沫状の細胞質で核小体をもつ異常細胞がみられる．強拡大．**挿入図**：免疫染色（CD1a）．陽性

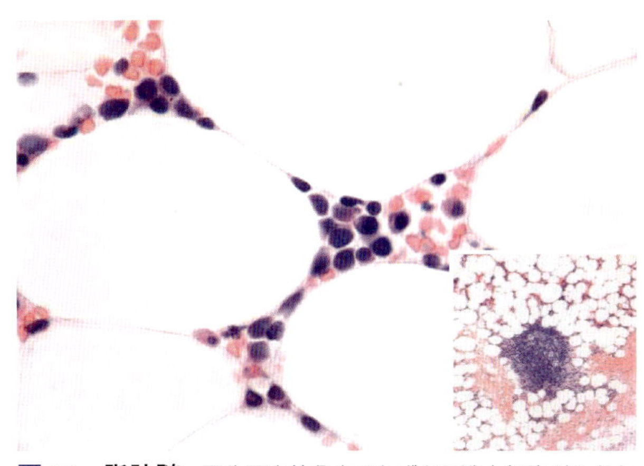

図 24　脂肪髄．再生不良性貧血でわずかに造血細胞がみられる．強拡大．**挿入図**：リンパ濾胞．再生不良性貧血の症例で，免疫異常による反応のためか，リンパ濾胞がみられる症例がある

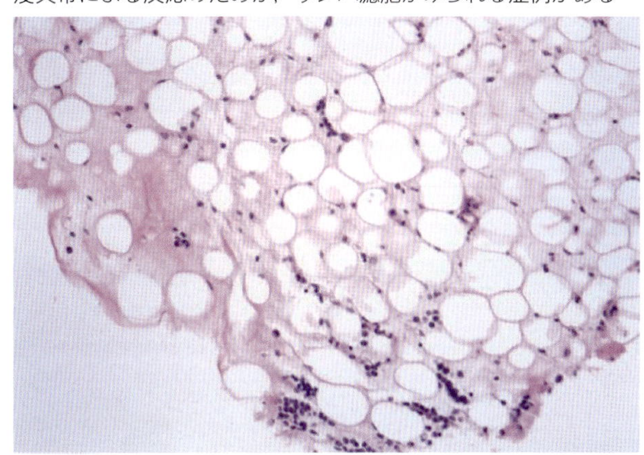

図 25　膠様髄．神経因性食思不振症による過度の栄養不良により，大小不同の脂肪細胞がみられ，造血細胞は減少している．強拡大

ランゲルハンス細胞組織球症（組織球症 X）　従来の定義によるレッテラー・シーベ Letterer-Siwe 病，ハンド・シュラー・クリスチャン Hand-Schüller-Christian 病，好酸球肉芽腫 eosinophilic granuloma が含まれ，原因は不明であるが，多くの症例で *BRAF* 遺伝子の変異があり，腫瘍性が考えられている．この細胞の特徴は，Birbeck body をもち，免疫染色で S-100, CD1a 陽性である（**図 23**）．ランゲルハンス細胞の浸潤臓器としては皮膚，骨，リンパ節，軟部組織，肝，脾，肺，下垂体，骨髄などがあり，細胞増殖に伴う腫瘍形成や臓器不全を主徴とする．まれに，リンパ節に孤在性に原発するが，多くは骨に孤在性または多発性にみられる．幼児では系統的疾患の初期病巣であることが多いが，成人では一般的に限局性である．症状としては，貧血，血小板減少，肝障害，呼吸器不全，尿崩症などがある．

【鑑別診断】　急性骨髄性白血病，組織球肉腫がある．

再生不良性貧血　骨髄 3 系統の細胞が末梢血で減少し，骨髄造血の低下をみる疾患である．再生不良性貧血は先天性と後天性に分けられる．先天性再生不良性貧血の代表的疾患であるファンコニ Fanconi 貧血は常染色体劣性遺伝形式をとり，汎血球減少のほか，種々の奇形，変異原性物質に対する染色体の不安定性などを特徴とする．後天性のものには，原因の明らかな続発性のものと，原因が特定できない特発性のものがある．

骨髄像は，赤芽球や顆粒球系細胞ならびに骨髄巨核球が減少し，全体を脂肪細胞が占める脂肪髄を呈する．骨髄 3 系統の細胞のうちでは骨髄巨核球の減少が特に著しい．脂肪細胞の間にリンパ球，形質細胞ならびに組織球を少数認めるのみで，造血細胞は通常みられない．なかには低形成髄を示すこともある．また，リンパ濾胞のみられる症例がある（**図 24**）．ただし，一般的に高齢者にはリンパ濾胞がみられる．

【鑑別診断】　低形成骨髄異形成症候群との鑑別はしばしば困難である．

膠様髄　悪液質を示す癌の末期や，神経性食思不振症などによる栄養障害が著しい際にみられる．脂肪細胞は萎縮し脂肪滴は小さくなり，一部で細胞間は好酸性の蛋白様物質で満たされる．肉眼的にはゼラチン様に見えるためこの名がついている（**図 25**）．栄養状態が改善されるとすみやかに回復し，通常の脂肪髄から造血髄に回復する．

【鑑別診断】　再生不良性貧血，低形成骨髄異形成症候群．

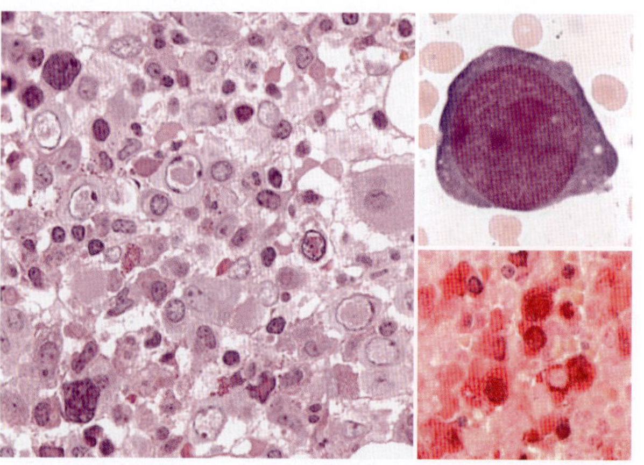

図 26　パルボウイルス B19 感染．赤芽球にパルボウイルス B19 感染による核内封入体がみられる．強拡大．**挿入図上**：前赤芽球の巨大化．**挿入図下**：免疫染色（パルボウイルス B19 ウイルス）．陽性．核内封入体と一致

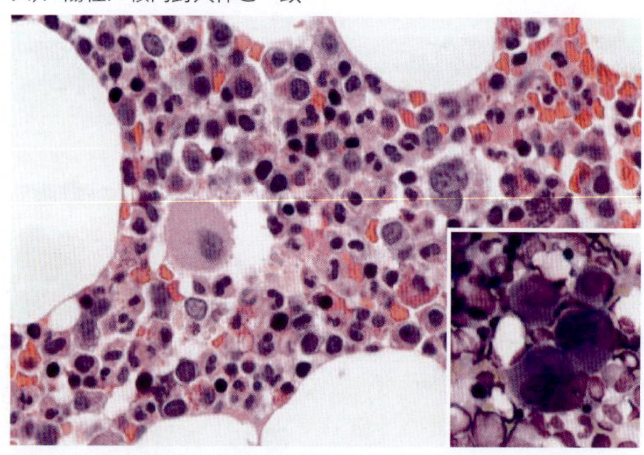

図 27　特発性血小板減少性紫斑病．血小板の産生増多のため，巨核球の胞体はやや狭く，血小板の産生がみられやすい．また，やや幼若な単核の骨髄巨核球もみられる．強拡大．**挿入図**：好塩基型の巨核球の増加がみられ，血小板の産生はみられない

パルボウイルス B19 感染　パルボウイルス B19 は DNA ウイルスで，通常小児に伝染性紅斑を起こす．まれに溶血性貧血の患者に感染すると aplastic crisis が起こる．パルボウイルス B19 は赤芽球系幹細胞および前赤芽球段階の細胞に親和性が強く，その侵入によって赤芽球は破壊され，それ以降の成熟段階の赤芽球の脱落が起こり，貧血が起こる．中和抗体が産生されウイルスが排除されると，赤芽球は一過性の過形成像を呈し（**図 26**），網状赤血球も著増する．

【鑑別診断】　赤芽球癆，先天性（Diamond-Blackfan anemia）と後天性のものがあり，後天性で慢性のものには胸腺腫の合併がみられる．

特発性血小板減少性紫斑病（ITP）　血小板減少はその産生の低下あるいは破壊の亢進により起こる．産生低下としては再生不良性貧血，薬物，放射線，腫瘍細胞浸潤，感染などがある．破壊の亢進としては，免疫機序の関与するものと関与しないものがある．

ITP は，血小板産生は正常ないしは亢進しているにもかかわらず明らかな原因疾患や薬物との接触が認められない後天性の血小板減少症であり，このなかには血小板破壊によって生じる血小板減少の種々の病態が含まれているが，主体となる血小板破壊機序は自己免疫反応によるものである．この機序では血小板抗体が関与し，抗血小板抗体で被覆された血小板は Fc あるいは C3 レセプターを介して早期にマクロファージを中心とした食細胞系（脾臓，肝臓）で貪食破壊され，血小板減少が起こる．血小板抗体は PAIgG（platelet associated IgG）とよばれ，90％以上の症例で上昇している．

骨髄像は正形成もしくは軽度の過形成で，骨髄巨核球は増加していることが多い．形態的には異常はみられないが，細

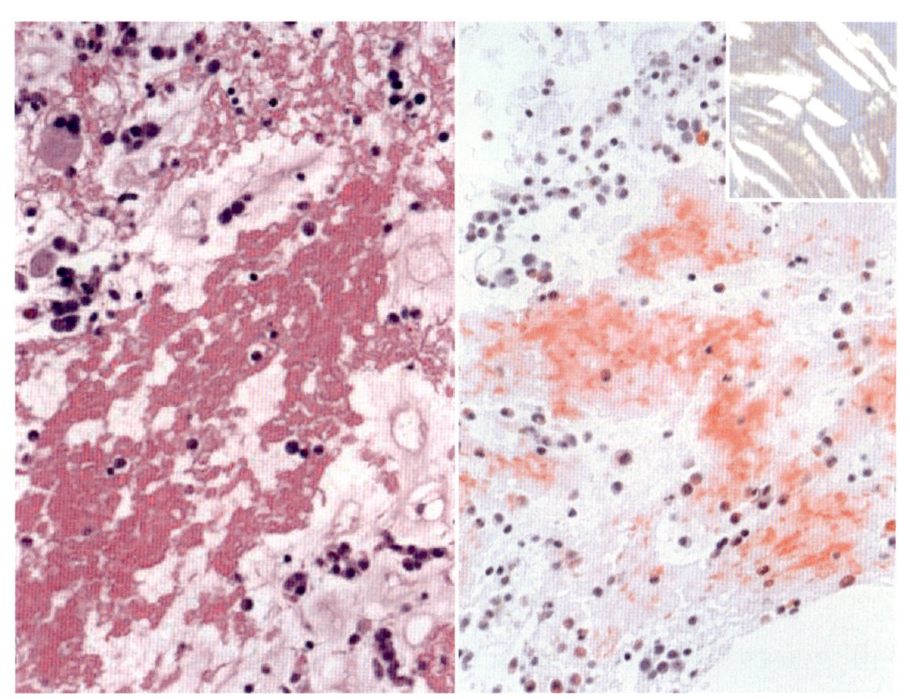

図 28　アミロイドーシス．細胞間に好酸性の物質が単調に沈着している．右：特殊染色（コンゴーレッド染色）．陽性のアミロイドの沈着がみられる．強拡大．**挿入図**：偏光顕微鏡で緑色の偏光を呈する

胞質は顆粒に乏しく血小板産生が少ないことがある．骨髄塗抹標本では，好塩基型の巨核球の増加がみられ，細胞表面は平滑で突出する血小板の産生は認められないことが多い（**図 27**）．

【鑑別診断】　血小板減少と骨髄の巨核球の増加をきたす疾患には，骨髄異形成症候群（MDS），播種性血管内凝固症候群（DIC），血栓性血小板減少性紫斑病 thrombotic thrombocytopenic purpura（TTP），溶血性尿毒症症候群（HUS）がある．その他，抗凝固薬としてエチレンジアミンテトラ酢酸を使用した場合にみられる偽性血小板減少症を鑑別する必要がある．

アミロイドーシス　アミロイドの由来物質により，Ig の L 鎖による「アミロイド L 鎖（AL）」原発性アミロイドーシス，アミロイド A（AA）による続発性アミロイドーシス，プレアルブミンによる家族性アミロイドーシス，β_2ミクログロブリンによる人工透析関連アミロイドーシス，老人性アミロイドーシスに分類される．アミロイドーシスの約 90％は原発性アミロイドーシスである．AL アミロイドーシスの 80％は骨髄腫に関連したものである．骨髄では，血管壁や間質に好酸性無構造物の沈着がみられ，コンゴーレッド染色により赤色に染色される（**図 28**）．また，偏光顕微鏡下で緑色の偏光を呈し，それにより同定される．

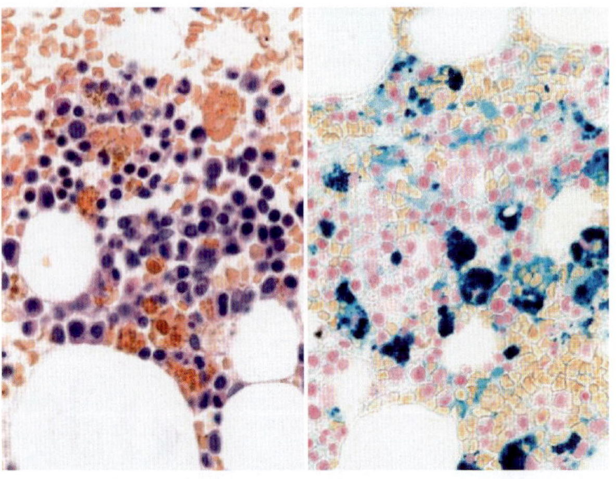

図29　血鉄症．褐色の鉄に沈着がみられる．特に組織球の鉄の貪食像が著しい．右：特殊染色（鉄染色）．青色に染色される鉄の沈着，また組織球への貪食もみられる．強拡大

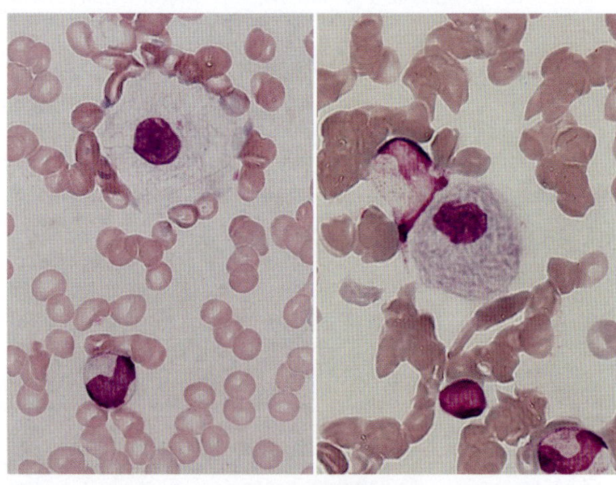

図30　Glucocerebrosideを蓄積したマクロファージ．強拡大

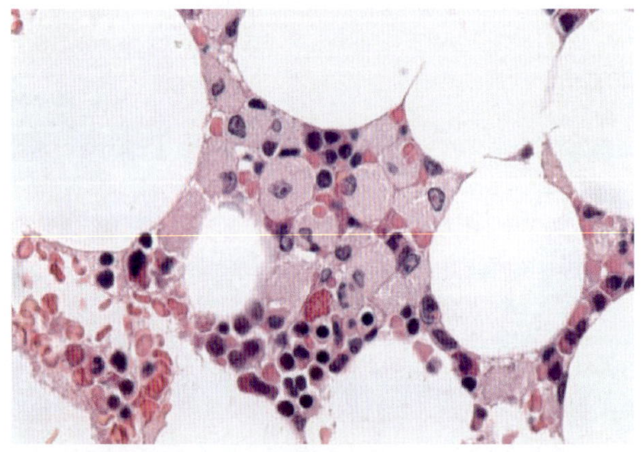

図31　G_{M1}-ガングリオシドーシス．リン脂質の蓄積した泡沫状の胞体をもつ組織球がみられる．強拡大

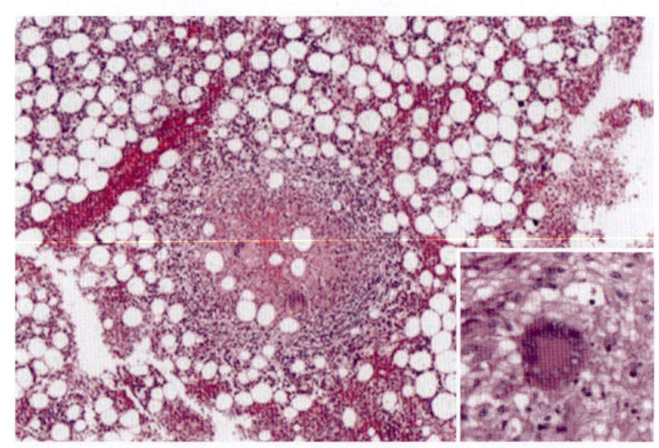

図32　結核．乾酪壊死巣とその周囲に類上皮細胞層がみられる．弱拡大．**挿入図**：拡大すると，中央に多核のラングハンス巨細胞，周囲に類上皮の反応がみられる

血鉄症　鉄過剰症は全身の鉄量の絶対量が増加するものと，特発性肺ヘモジデローシスに代表される，ヘモグロビン鉄が少ないにもかかわらず組織鉄が増加する相対的鉄過剰症に分けられる．鉄に沈着の型として細網細胞と実質細胞の一方または両方に沈着するものがある．病因として食事鉄の吸収増加，非経口投与による過剰負荷があるが，多くは輸血もしくは鉄剤投与である．骨髄像としては，褐色の鉄の沈着がみられ，特に組織球の鉄の貪食像が著しい（**図29**）．

脂質蓄積性組織球症　遺伝性疾患であり，臓器に脂質が貯留する．主としてゴーシェGaucher病，ニーマン・ピックNiemann-Pick病がある．ゴーシェ病はglucocerebrosidaseが欠損するためglucocerebrosideが代謝されず蓄積される．glucocerebrosideを貪食したマクロファージ（ゴーシェ細胞）（**図30**）が脾臓，肝臓，骨髄にみられる．ニーマン・ピック病はsphingomyelinaseが欠損することで，その結果sphingomyelinが蓄積する．これを貪食した細胞がゴーシェ病と同様にみられる．骨髄像は，G_{M1}-gangliosidosisによる，泡沫細胞へのG_{M1}-gangliosideの蓄積を示す（**図31**）．

結核　骨髄の結核は全身性粟粒結核military tuberculosisの部分症としてみつかる．結核は通常，肺に初感染巣を形成し，その後，二次感染巣を形成する．粟粒結核は，宿主の免疫状態低下による結核菌による血行性播種で，全身性に粟粒大の結核結節が形成される．結核病巣は，乾酪壊死を中心にリンパ球，類上皮細胞epithelioid cellよりなる結核肉芽の層が取り巻き，さらに非結核肉芽の層が取り巻く．類上皮細胞が癒合することで多核のラングハンスLanghans巨細胞が形成される．骨髄では通常，乾酪壊死はみられず，類上皮細胞とラングハンス巨細胞よりなる小結節のことが多い（**図32**）．また，抗酸菌染色では陰性のことがほとんどである．

表 4　急性白血病の分類（FAB 分類）

急性骨髄性白血病（acute myeloid leukemia：AML）
- M0：MPO 陰性，CD13/33/EMMPO/抗 MPO 抗体のいずれか陽性，リンパ球系マーカー陰性
- M1：骨髄芽 90％以上，芽球 MPO 陽性率 3％以上
- M2：顆粒球系の分化傾向，前骨髄球 10％以上
- M3：前骨髄球様異常細胞（M3V 光顕でアズール顆粒がみえない）
- M4：骨髄系と単球系の異常細胞の混在（M4Eo 異常な好酸球の増加）
- M5：単球系 80％以上，M5a 単球系，M5b 成熟単球主体
- M6：赤白血病，骨髄芽球（非赤芽球成分の 30％以上）と赤芽球（50％以上）の混在
- M7：巨核芽球（EMPPO 陽性/CD41 陽性） 30％以上

急性リンパ性白血病（acute lymphoblastic leukemia：ALL）
- L1：核小体に乏しい小型リンパ芽球が主体
- L2：核小体の明瞭な大型リンパ芽球が主体
- L3：大型，円形核と濃青色胞体に空胞を多数もつ．Burkitt 白血病

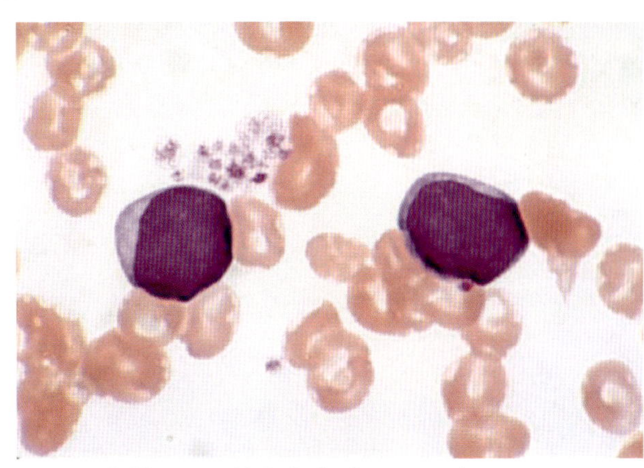

図 33　急性リンパ性白血病（ALL；L1）．クロマチン粗顆粒状で，一部に核小体を有する芽球様細胞がみられる（末梢血）．強拡大

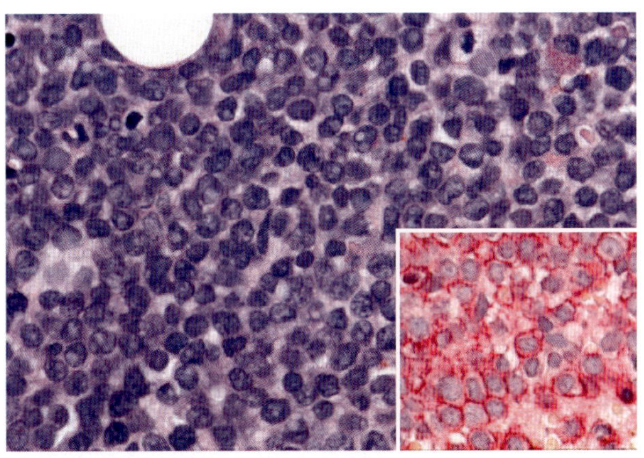

図 34　同前．細胞髄で，核小体に乏しい小型のすりガラス状の核をもつ，円形，楕円形のリンパ芽球が増殖している．強拡大．**挿入図**：免疫染色（CD20）．細胞質および膜が CD20 陽性

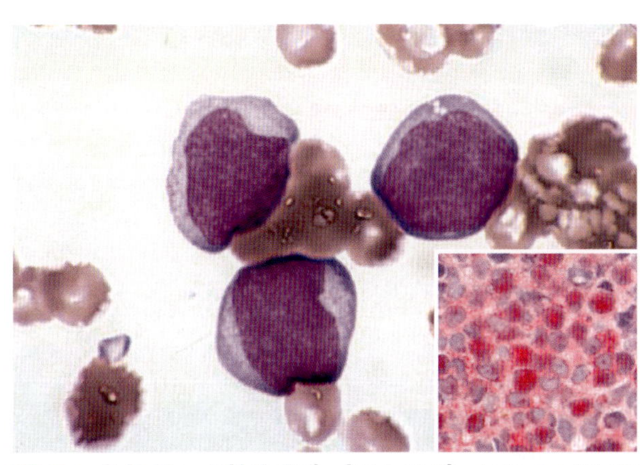

図 35　急性リンパ性白血病（ALL；L2）．N/C 比の低い芽球がみられ，核形不整，核小体が著明である．強拡大．**挿入図**：免疫染色（TdT）．核に TdT 陽性（まれに一部骨髄芽球も陽性）

急性リンパ性白血病（ALL）　白血病の分類として，塗抹標本による形態を主体とする 1976 年の FAB 分類（**表 4**）が一般的である．FAB 分類では骨髄で芽球が 30％以上存在すると白血病になる．ALL は L1，L2，L3 の 3 型に分けられる．

L1：円形の核を有し，核小体が不明瞭で，N/C 比の高い小型の芽球が主体である（**図 33，34**）．

L2：核小体明瞭で，核の切れ込みなどを有し，N/C 比の低い大型の芽球が主体である（**図 35**）．

L3：円形核を有する大型のリンパ芽球で胞体が広く，濃青色に染まり，特徴的な大きな空胞を多数もつ（**図 36**）．

骨髄芽球との鑑別のため，免疫組織化学でリンパ球マーカーを同定することが重要である．芽球マーカー（CD34），リンパ芽球マーカー（TdT），B リンパ系マーカー（CD19，CD20，CD10，HLA-DR，sIg など），T リンパ系マーカー（CD2，CD3，CD4，CD5，CD7，CD8 など）などである（**表 2** 参照）．L1 と L2 で治療成績や生物学的特徴に明らかな相違は認められておらず，2017 年の WHO 分類（**表 5**）では，前駆 B リンパ芽球性白血病/リンパ腫（B-ALL）で，再現性のある染色体転座がないものとあるもの，前駆 T リンパ芽球性白血病/リンパ腫に大別される．Ph 染色体 t(9；22)(q34；q11) 陽性の B-ALL は，成人例 ALL の約 25〜30％を占めきわめて予後不良である．ALL-L3 は，バーキットリンパ腫/白血病 Burkitt lymphoma/leukemia に相当する．

【鑑別診断】　ミエロペルオキシダーゼ陰性の急性骨髄性白血病である．AML-M0（CD13，CD33 陽性），AML-M5a（CD15，CD68 陽性），AML-M7（CD41，CD61 陽性）が鑑別の対象となる．また，白血化したリンパ腫との鑑別には，TdT や CD34 の免疫染色が役立つ．

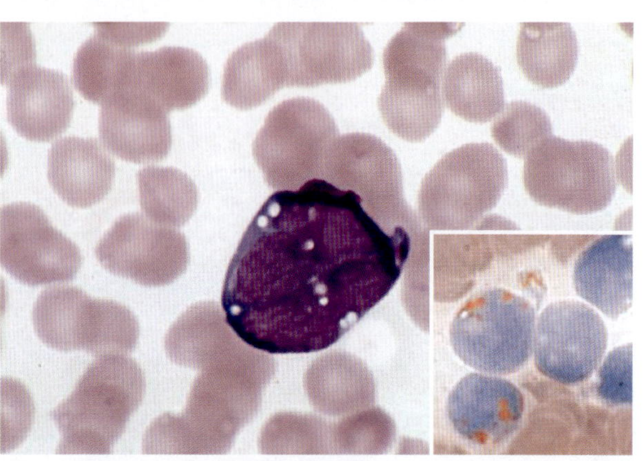

図 36 急性リンパ性白血病（ALL；L3）．大型で，クロマチンは粗顆粒状で好塩基性の細胞質に空胞を有する芽球がみられる．強拡大．**挿入図**：特殊染色（オイルレッドO染色）．芽球の空胞に一致して橙黄色の陽性像

表 5 リンパ性白血病の WHO 分類（2017 年）

分類 白血病名および疾患名
1 前駆リンパ系細胞腫瘍
1）Bリンパ芽球性白血病/リンパ腫，非特定型
2）再現性のある遺伝子異常を有するBリンパ芽球性白血病/リンパ腫
a）(9;22)転座型Bリンパ芽球性白血病/リンパ腫；*BCR-ABL1* 遺伝子（Ph 陽性 ALL）
b）(v；11q23）転座型Bリンパ芽球性白血病/リンパ腫；KMT2A 遺伝子異常
c）(12；21）転座型Bリンパ芽球性白血病/リンパ腫；*TEL-AML1* 遺伝子
d）多二倍体染色体型Bリンパ芽球性白血病/リンパ腫
e）少二倍体染色体型Bリンパ芽球性白血病/リンパ腫
f）(5；14）転座型Bリンパ芽球性白血病/リンパ腫；*IL3-IGH* 遺伝子
g）(1；19)転座型Bリンパ芽球性白血病/リンパ腫；*E2A-PBX1* 遺伝子
2 Tリンパ芽球性白血病/リンパ腫（前駆T急性リンパ芽球性白血病）（T-ALL）

表 6 急性骨髄性白血病（AML）の WHO 分類（2017 年）

1 再現性のある遺伝子異常を有する急性骨髄性白血病
a）均衡型染色体転座/逆位を有する急性骨髄性白血病
b）遺伝子変異を有する急性骨髄性白血病
1）(8；21）転座型急性骨髄性白血病；*RUNX-RUBX1T1* 遺伝子
2）(16）逆位型急性骨髄性白血病；*CBFB-MYH11* 遺伝子
3）(15；17）転座型急性前骨髄球性白血病；*PML-RARA* 遺伝子
4）(9；11）転座型急性骨髄性白血病；*MLLT3-MLL* 遺伝子
5）(6；9）転座型急性骨髄性白血病；*DEK-NUP214* 遺伝子
6）(3）逆位型急性骨髄性白血病；*GATA2, MECOM* 遺伝子
7）(1；22）転座型急性巨核芽球性白血病；*RBM15-MKL1* 遺伝子
8）(暫定病型）*BCR-ABL1* 転座型急性骨髄性白血病
9）遺伝子変異を伴う急性骨髄性白血病
①*NPM1* 遺伝子変異型急性骨髄性白血病
②*CEBPA* 遺伝子変異型急性骨髄性白血病
③（暫定病型）*RUNX1* 遺伝子変異型急性骨髄性白血病
2 骨髄異形成像を伴う急性骨髄性白血病
3 治療関連骨髄性白血病
4 上記以外の急性骨髄性白血病
a）低分化急性骨髄性白血病（FAB 分類の M0 に相当）
b）成熟傾向のない急性骨髄性白血病(FAB 分類の M1 に相当)
c）成熟傾向のある急性骨髄性白血病(FAB 分類の M2 に相当)
d）急性骨髄単球性白血病（FAB 分類の M4 に相当）
e）急性単球性白血病（FAB 分類の M5 に相当）
f）急性赤白血病（FAB 分類の M6 に相当）
g）急性巨核球性白血病（FAB 分類の M7 に相当）
h）急性好塩基球性白血病
i）骨髄線維症を伴う急性汎骨髄症
5 骨髄肉腫
6 ダウン症候群関連骨髄増殖
a）一過性異常骨髄形成
b）ダウン症候群関連骨髄性白血病
7 系統不明確な急性白血病
a）急性未分化白血病
b）(9；22）転座型混合形質急性白血病；*BCR-ABL1* 遺伝子
c）(v；11q23）転座型混合形質型急性白血病；*KMT2A* 遺伝子異常
d）混合形質型急性白血病，B細胞/骨髄性
e）混合形質型急性白血病，T細胞/骨髄性
f）混合形質型急性白血病，その他稀少型
g）分化系統不明な急性白血病，非特定型

急性骨髄性白血病（AML） FAB 分類では**表 4** のように M0～M7 の 8 型に分類され，骨髄芽球比率が 30%以上のものを白血病としている．芽球を顆粒球系の指標である赤色のアズール顆粒をまったく認めないタイプⅠ芽球（未分化芽球）と，それを認めるタイプⅡ芽球（骨髄芽球）に分ける．FAB 分類では AML と ALL の判別法として芽球のミエロペルオキシダーゼ myeloperoxidase（MPO）反応が重視されていて，ALL の芽球は常に MPO 陰性で，MPO 陽性率が 3%以上のものが AML とされている．しかしながら，M5a の単芽球と M7 の巨核芽球は MPO 陰性である．また 3%以下のもので従来 ALL とされていた症例の一部に，リンパ球系マーカーを欠き骨髄系マーカーのみ陽性な未分化な AML が少数存在することが明らかになり，M0 として設定された．

AML の診断における MPO 以外の重要な指標としては，AML 症例の約半数の芽球に見いだされるアウエル Auer 小体，単球系に特異的な酵素である非特異的エステラーゼ，同じく単球性白血病で増加する血中・尿中のリゾチーム活性があげられる．

2017 年の WHO 分類（**表 6**）では，骨髄芽球比率が 20%以上のもの白血病として定義しており，染色体変化，t(8；21)(q22；q22.1)，t(15；17)(q22；q21)，inv(16)(p13.1q22)，t(16；16)(p13.1；q22)，t(9；11)(p21.3；q23.3)，t(6；9)(p23；q34.1)，inv(3)(q21.3q26.2)，t(1；22)(p13.3；q13.3) などや *BCR-ABL1* 転座，*NPM1* 遺伝子変異，*CEBPA* 遺伝子変異，*RUNX1* 遺伝子変異などが重要視されている．

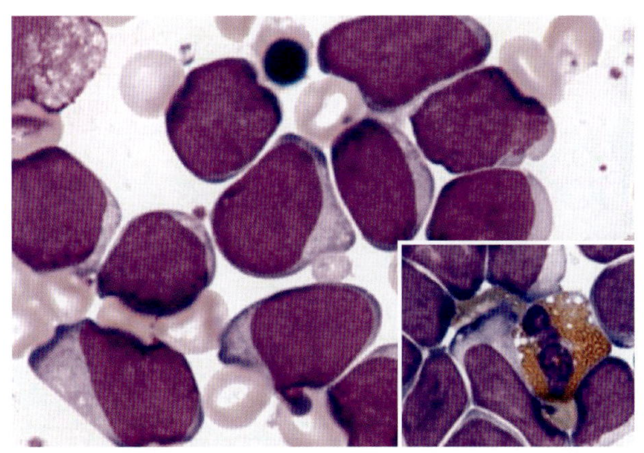

図 37　急性骨髄性白血病（AML；M0）．リンパ芽球に比較して，核のクロマチンが粗く，核の不整がみられる骨髄芽球が増殖している．強拡大．**挿入図**：特殊染色（peroxidase 染色）．陰性・陽性（茶色）の正常好中球がみられる

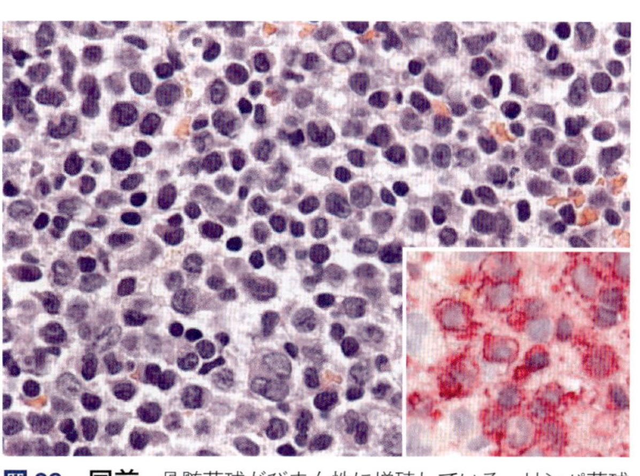

図 38　同前．骨髄芽球がびまん性に増殖している．リンパ芽球に比較して，核のクロマチンが粗く，核の不整がみられる．強拡大．**挿入図**：免疫染色（CD34）．細胞質に陽性

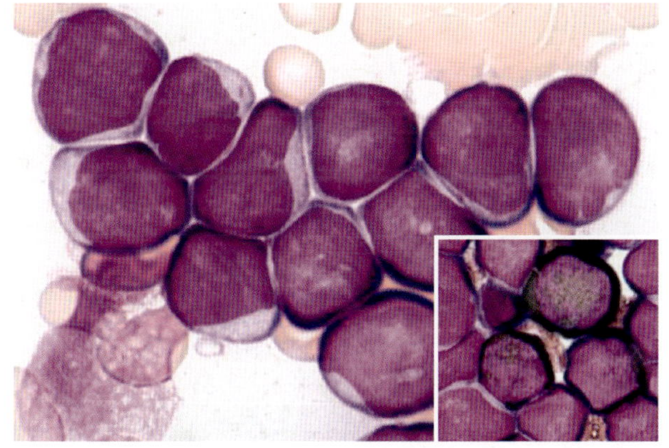

図 39　急性骨髄性白血病（AML；M1）．やや大型で，N/C 比はやや高く，クロマチン繊細網状な芽球の増生がみられる．強拡大．**挿入図**：特殊染色（peroxidase 染色）．陽性

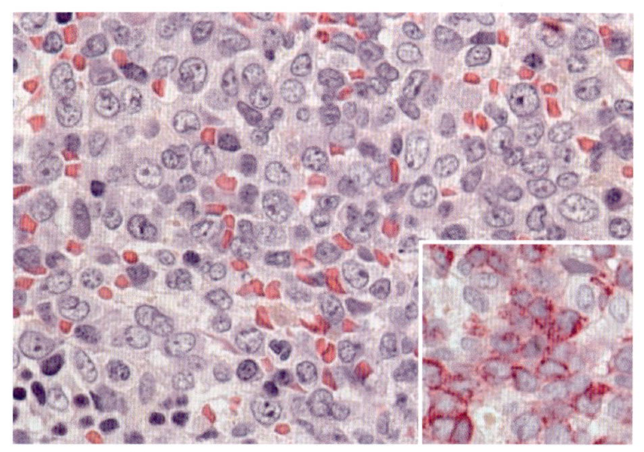

図 40　同前．骨髄芽球が増殖，AML M0 に比較して，細顆粒状の胞体が大きく，核小体の明瞭で，核も顆粒状である．強拡大．**挿入図**：免疫染色（CD34）．細胞質に陽性

M0：形態学的には種類の判別が困難なタイプⅠ芽球（未分化芽球）が主体で，MPO 陽性率は 3%未満，骨髄系の表面マーカーである CD13, CD33 が陽性で，かつリンパ系のマーカーを欠くものが含まれる（**図 37, 38**）．AML のなかでは最も未分化な病型で，AML の 2〜5%を占める．

M1：タイプⅠ芽球（未分化芽球）とⅡ芽球（骨髄芽球）が 90%以上を占める最も典型的急性白血病で，MPO 陽性率は 3%以上である．陽性率はさまざまで，アウエル小体（アズール顆粒の針状結晶化した封入体）を約半数で観察できる．白血病裂孔が明瞭である（**図 39, 40**）．

M2：白血病細胞は顆粒球系で，前骨髄球とそれ以後に成熟した顆粒球の合計が骨髄有核細胞から赤芽球を除いた細胞数の 10%以上を占める．すなわち，一定の成熟傾向を示す白血病で，白血病裂孔はやや不明瞭である．アウエル小体を半数以上にみる．20〜40%に t(8；21)(q22；q22) の染色体異常がみられる．t(8;21) は *AML1* 遺伝子と *MTG* 遺伝子の再構成による融合遺伝子で形成されている．

M3：白血病細胞のほとんど 90%以上が前骨髄球様で，従来，急性前骨髄球性白血病 acute promyelocytic leukemia (APL) とされていたものである．アウエル小体が複数，特に束 faggot になってみられることがある（**図 41**）．ほとんどの症例に t(15；17)(q22；q21) の染色体異常がみられ，17 番染色体上にあるレチノイン酸レセプター（*RAR*）α 遺伝子と 15 番染色体にある *PML* 遺伝子が，*PML-RAR*α 融合遺伝子を形成している．ビタミン A の誘導体の全 *trans*-レチノイン酸の内服により白血病細胞の成熟抑制は解除され，成熟好中球まで分化誘導されるとともに，白血病細胞集団はしだいに消失していき正常造血が再開される．

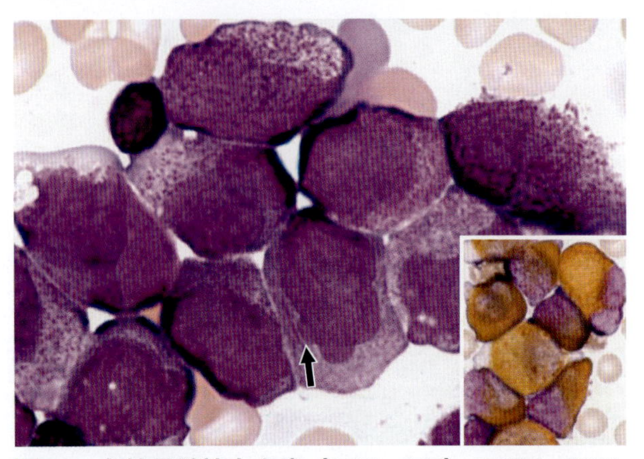

図41　急性骨髄性白血病（AML；M3）．大型で，顕著な核形不整で，胞体には核との境が不明になるほど豊富なアズール顆粒がみられ，中央には束 faggot 状のアウエル小体（⬆）もみられる．強拡大．**挿入図**：特殊染色（peroxidase 染色）．強陽性

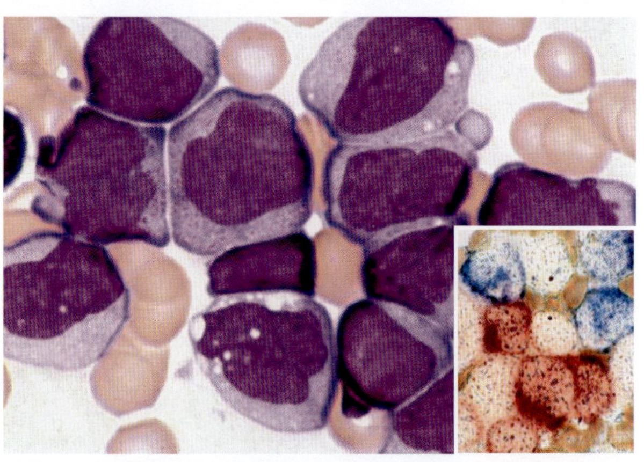

図42　急性骨髄性白血病（AML；M4）．骨髄芽球と単芽球の混在がみられる．強拡大．**挿入図**：特殊染色（esterase 二重染色）．顆粒球系は青色に，単球系は茶褐色に陽性である

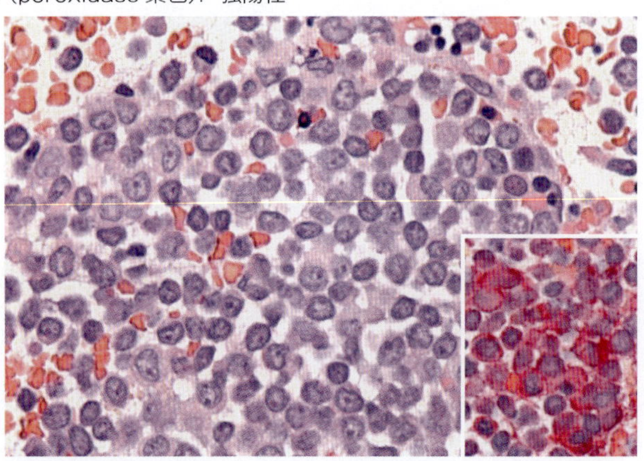

図43　同前．胞体の広い前骨髄球様細胞がみられる．また核小体は明瞭で，核は顆粒状である．強拡大．**挿入図**：免疫染色（CD68）．細胞質に陽性

M4：従来の急性骨髄性単球性白血病 acute myelomonocytic leukemia に一致する．骨髄での単球系細胞の割合が20％以上ないし80％未満で規定される（**図42, 43**）．単球成分の増加は非特異的エステラーゼ染色（**図42**），血中・尿中リゾチームの増加で確認できる．好酸球顆粒に好塩基球顆粒様の色調変化をみる異常な好酸球が骨髄で5％以上増加しているものを特に M4Eo とし，その多くで inv(16) の染色体異常がみられる．

M5：ほぼ単球系のみの増殖によるもので，未分化な単芽球が増加する（単球系細胞の80％以上は単芽球）M5a と成熟傾向のある単球が主体（単芽球が80％未満）の M5b に分けられる．M5a は MPO 陰性のことが多いので，非特異的エステラーゼ反応陽性所見が重要である．また血中・尿中リゾチームの増加がみられる．M5b は皮膚，歯肉，中枢神経などの組織浸潤傾向が強い．

M6：赤白血病 erythroleukemia であるが，顆粒球系と赤芽球系の両系統の白血病細胞が増殖しており（**図44**），それらは同一の異常クローンと考えられている．赤芽球が全有核細胞の50％以上で診断される．

M7：巨核芽球が増殖の主体を占める急性巨核芽球性白血病で，M0 と同様塗抹標本だけでは診断できない．電顕による血小板ペルオキシダーゼの確認や免疫学的マーカーの CD41，CD61，PDGF（platelet derived growth factor）などによる巨核球系の確認が必要である．芽球は MPO 陰性で，クロマチン構造がやや粗く，細胞質から蕾状の突起がみられることがある（**図45**）．しばしば骨髄線維症を併発する（**図46**）．

【鑑別診断】　M4 は M2 や M5 との鑑別が必要で，末梢血の単球が5×10^9/L以上，あるいは血中または尿中のリゾチー

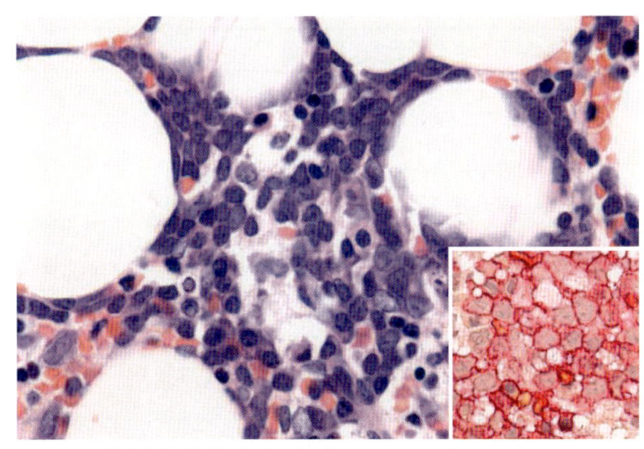

図 44　急性骨髄性白血病（AML；M6）．好塩基性の細胞質をもつ巨赤芽球様白血病細胞が増生している．強拡大．**挿入図**：免疫染色（glyophorin C）．細胞質に陽性

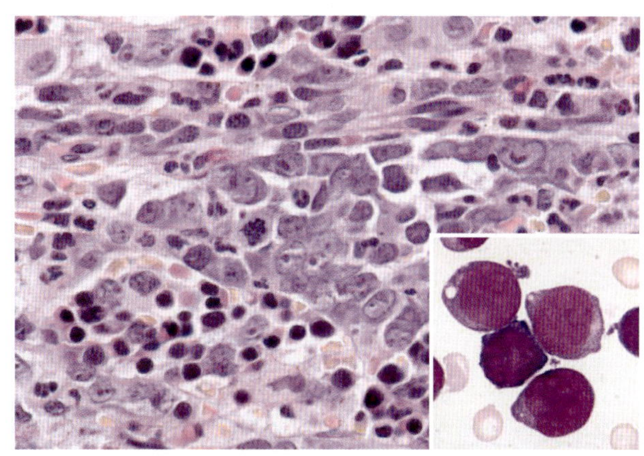

図 45　急性骨髄性白血病（AML；M7）．好塩基性の胞体をもち，核小体明瞭な異型の強い大細胞が集団化してみられる．強拡大．**挿入図**：芽球は大型で，一部に細胞質に budding（つぼみ）状の突起がみられる

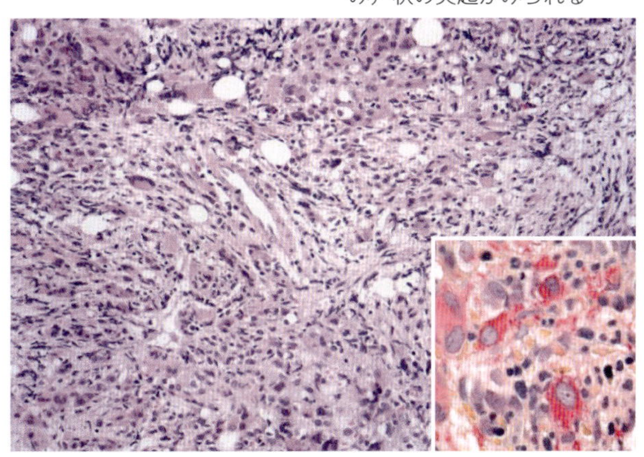

図 46　同前．骨髄の線維化が高度にみられる．強拡大．**挿入図**：免疫染色（platelet derived growth factor：PDGF）．細胞質に陽性

ム値が正常の 3 倍以上であれば M4 と診断する．M5a の芽球は光顕的ミエロペルオキシダーゼが陰性のことが多く，非特異的エステラーゼ染色陽性を確認しないと ALL と誤診しやすい．M6 は骨髄異形成症候群や巨赤芽球性貧血との鑑別が必要である．

表7 骨髄異形成症候群（myelodysplastic syndrome：MDS）の FAB 分類

1）Refractory anemia：RA（不応性貧血）
骨髄中の芽球＜5%，末梢血の芽球＜1%
2）Refractory anemia with ringed sideroblast：RARS（環状鉄芽球を伴う RA）
骨髄中の ringed sideroblast＞15%，末梢血の芽球＜1%
3）Refractory anemia with excess of blasts：RAEB（芽球増加を伴う RA）
骨髄中の芽球が，
赤芽球＜50%のとき，有核細胞の 5〜20%
赤芽球＞50%のとき，赤芽球以外の有核細胞の 5〜20%
末梢血の芽球＜5%
4）RAEB in transformation：RAEBt（白血病移行期 RAEB）
a）骨髄中の芽球が，
赤芽球＜50%のとき，有核細胞の 20〜30%
赤芽球＞50%のとき，赤芽球以外の有核細胞の 20〜30%
b）末梢血の芽球＞5%
c）Auer 小体の存在するとき
5）Chronic myelomonocytic leukemia：CMMoL（慢性骨髄単球性白血病）
末梢血の単球＞1000/μL
骨髄中の芽球＜30%
末梢血の芽球＜5%

表8 骨髄異形成症候群の WHO 分類（2017 年）

分類	白血病名および疾患名
1	一系統の不応性血球減少症
	a）不応性貧血（RA）
	b）不応性好中球減少症（RN）
	c）不応性血小板減少症（RT）
2	環状鉄芽球を伴う不応性貧血（RSRA）
3	多系統の不応性血球減少症（MLRC）
4	芽球過剰の不応性貧血（RAEB）
	1）タイプ-1（骨髄中の芽球が 5〜10%）
	2）タイプ-2（骨髄中の芽球が 10〜20%）
5	単独 5q-関連骨髄異形成症候群
6	分類不能骨髄異形成症候群
7	小児骨髄異形成症候群

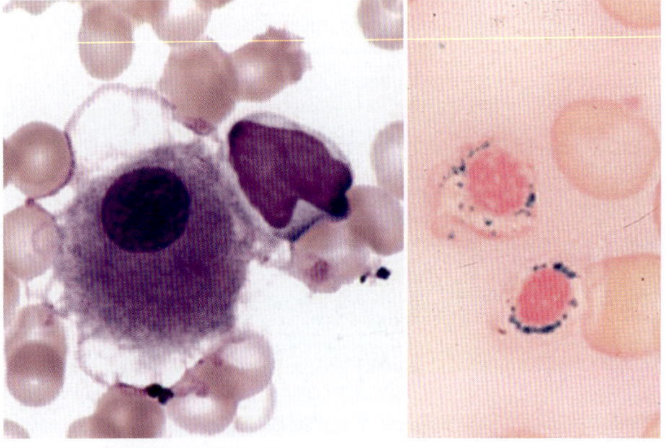

図47 骨髄異形成症候群．左：RA（不応性貧血）．成熟型であるが，小型の形態異常の巨核球．強拡大．右：RARS（鉄芽球を伴う不応性貧血）．鉄染色で核周囲に環状的陽性を示す環状鉄芽球がみられる．強拡大

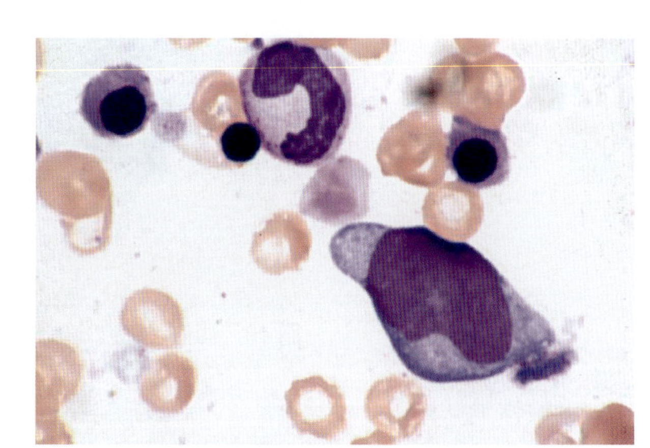

図48 骨髄異形成症候群（RA）．芽球様細胞がみられ，大型で N/C 比は低く，核形不整が顕著である．多少のアズール顆粒を有する．強拡大

骨髄異形成症候群（MDS）は白血病と同様，多能性造血幹細胞の形質転換に起因するクローン性の造血障害である．異常クローンは無効造血と骨髄 3 系統の細胞の形態異常を特徴とし，末梢血では 2 血球もしくは汎血球減少を呈する．骨髄は正〜過形成である．中高年に好発し，しばしば急性白血病に移行する．FAB 分類では，骨髄芽球は 5%以上，30%未満で，30%以上になれば白血病とされる．一方，2008 年 WHO 分類では，20%以上になれば白血病とされる．FAB 分類では，RA，RARS，RAEB，RAEBt，CMMoL の 5 型に分類される（**表7**）．WHO 分類では，異形成が赤芽球系のみならば RA，顆粒球のみなら RN，巨核球のみなら RT にし，環状鉄芽球を伴う RARS，芽球が 5〜20%の場合は RAEB とされる（**表8**）．化学療法や放射線療法に続発するものは二次性 MDS となる．

RA（不応性貧血）：汎血球減少をみるが，ときに貧血が主症状である．血球の形態異常がみられ，赤血球にギムザ染色で赤紫に染まる輪状の構造物であるカボット環状体 Cabot ring body がみられたり，小型で円形核と狭い好塩基性の細胞質をもつ骨髄巨核球やペルオキシダーゼ反応陰性の好中球などが出現したりする（**図47，48**）．骨髄中の芽球は 5%以下である．

RARS（環状鉄芽球を伴う不応性貧血）：骨髄は過形成を示

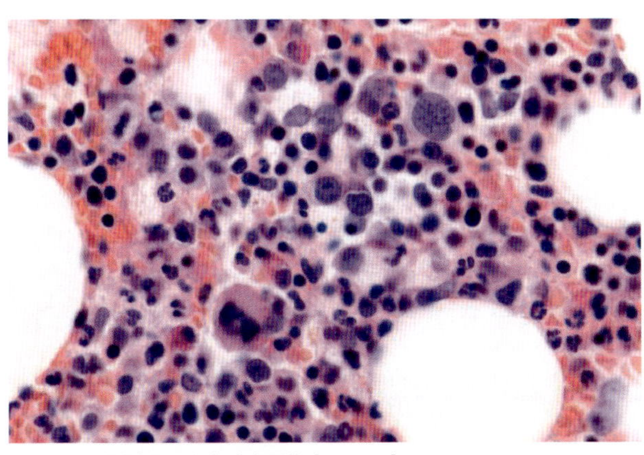

図 49　骨髄異形成症候群（RARS）．芽球の増加（5%以下）と小巨核球がみられる．強拡大

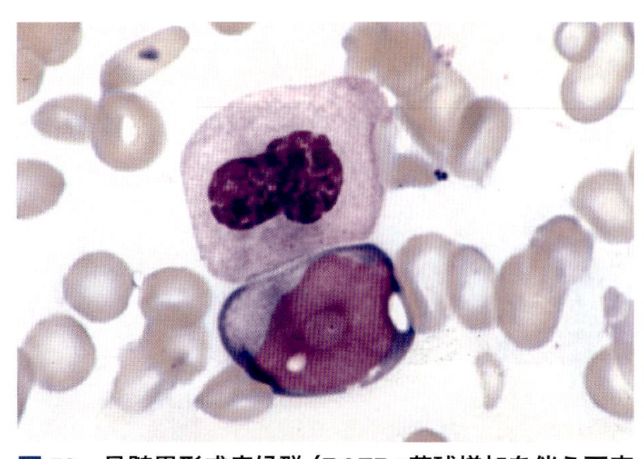

図 50　骨髄異形成症候群（RAEB：芽球増加を伴う不応性貧血）．芽球様細胞と顆粒の減少を伴うペルゲル様核異常を伴う細胞がみられる．強拡大

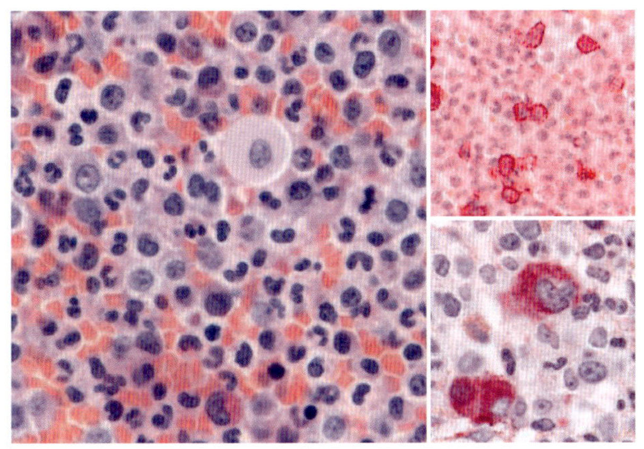

図 51　同前．核は細顆粒状で顆粒球系を思わせる芽球の増加（20%）と単核の小巨核球がみられる．強拡大．**挿入図上**：免疫染色（CD34）．陽性芽球．**挿入図下**：免疫染色（CD41，ⅡbⅢa）．細胞質，膜に陽性

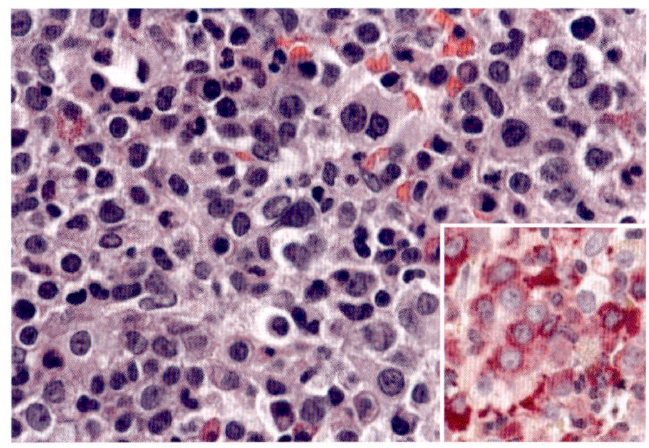

図 52　骨髄異形成症候群（CMMoL：慢性骨髄単球性白血病）．豊かな胞体をもつ成熟した単球が均一に増加している．強拡大．**挿入図**：免疫染色（CD68）．細胞質に陽性

し，赤芽球増生が目立つ増殖した赤芽球の一部に核を取り巻くように，鉄反応陽性顆粒を認める環状鉄芽球 ringed sideroblast がみられる（**図 47，49**）．

RAEB（芽球増加を伴う不応性貧血）：骨髄では芽球の巣状増殖を認める．また顆粒球系細胞のびまん性増殖がみられるが，骨髄の細胞の 20%未満である．また，小型の巨核球が散在性にみられ，小型円形核をもつ赤芽球が数個から十数個集合してみられる（**図 50，51**）．

RAEBt（白血病移行期の芽球増加を伴う不応性貧血）：RAEB よりもさらに芽球，特に幼若顆粒球の増生が目立ち，骨髄の細胞の 20〜30%を占める．小型巨核球，赤芽球の異形も目立つ．

CMMoL（慢性骨髄単球性白血病）：骨髄では単球の増生が目立つ．また顆粒球系の細胞の増生もみられることが多い．一般的に豊かな胞体をもつ成熟した単球で，異形のあるものが増生する（**図 52**）．

【鑑別診断】　汎血球減少を示す疾患．血球の異形成像は MDS に特異的とはいえず，ほかの要因を除外することが重要である．

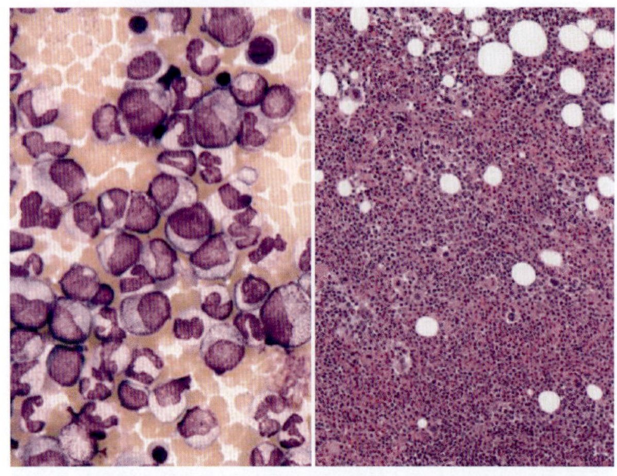

図 53　慢性骨髄性白血病（CML）．左：有核細胞数は著増し，多彩で，顆粒球系の各成熟段階の増加が主体であり，赤芽球の抑制がみられる．強拡大．右：過形成髄（90%）で顆粒球系の増加が著明である．強拡大

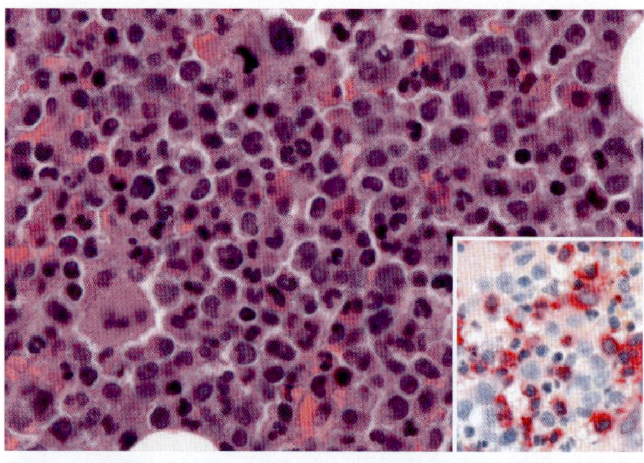

図 54　同前．成熟した顆粒球系の増加が著明で，芽球が 5%程度，赤芽球は抑制されている．強拡大．**挿入図**：特殊染色（naphtol-AS-D chloroacetate esterase：NSADA 染色）．成熟した顆粒球系が陽性

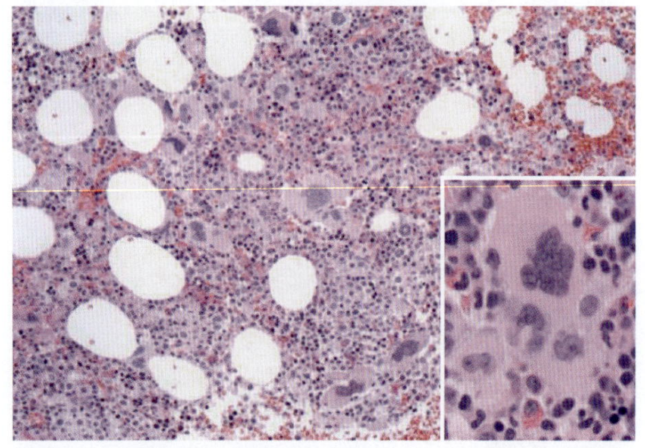

図 55　本態性血小板血症．細胞髄で，巨大な異形の目立つ巨核球が増生している．強拡大．**挿入図**：拡大像．拡大すると巨核球は核濃染が強く，分葉も強い

表 9　骨髄増殖性腫瘍群（MPN）WHO 分類（2017 年）

1）慢性骨髄性白血病（chronic myelogenous leukemia, CML, BCR-ABL1 positive）
2）慢性好中球性白血病（chronic neutrophilic leukemia, CNL）
3）真性赤血球増多症（polycythemia vera, PV）
4）原発性骨髄線維症（primary myelofibrosis, PMF）
5）本態性血小板血症（essential thrombocythemia, ET）
6）慢性好酸球性白血病（chronic eosinoophilic leukemia, CEL）
7）骨髄増殖性腫瘍，分類不能型（MPN, unclassifiable）

骨髄増殖性腫瘍群（MPN）は骨髄において細胞増殖をきたす疾患の総称で，慢性骨髄性白血病 chronic myelogenous leukemia（CML），真性多血症 polycythemia vera（PV），本態性血小板血症 essential thrombocythemia（ET），原発性骨髄線維症 primary myelofibrosis（PMF）などが含まれる．多能性血液幹細胞のクローン性増殖を示す疾患と考えられている（**表 9**）．

慢性骨髄性白血病（CML）　多能性血液幹細胞のクローン性増殖を示す疾患で，フィラデルフィア Philadelphia（Ph）染色体異常がみられる．Ph 染色体では，t(9；22)(q34；q11) で 9 番染色体上の *abl* 遺伝子と 22 番染色体上の *bcr* 遺伝子が融合を起こし，チロシンキナーゼを活性化し細胞増殖を起こす．チロシンキナーゼ活性阻害薬のイマチニブが開発され，治療に効果を上げている．末梢血では白血球増加，軽度の貧血，血小板増加がみられ，白血球数増加は 1〜2 万/μL から数十万/μL に及ぶ．幼若な骨髄芽球や前骨髄球から成熟した分節核球まで連続して増加しており，いわゆる白血病裂孔はみられない．好中球系顆粒球の増加のみならず，好塩基球増加や好酸球増加もみられる．好酸球増加は初期病期からみられることが多い．好中球アルカリホスファターゼ（NAP）活性は著明に低下し，診断上重要である．また肝脾腫を伴うことが多い．

骨髄像は，細胞髄で著明な顆粒球の増生がみられる．各分化段階の顆粒球系細胞（骨髄芽球，前骨髄球，骨髄球，後骨髄球，桿状核球，分葉核球）をみるが，増生する細胞には核異常を伴うことが多い（**図 53，54**）．好酸球の増生も伴う．また骨髄巨核球もやや増加し，特に小型や大型で分葉核をもつ巨核球がやや集簇してみられる．急性転化では多くは

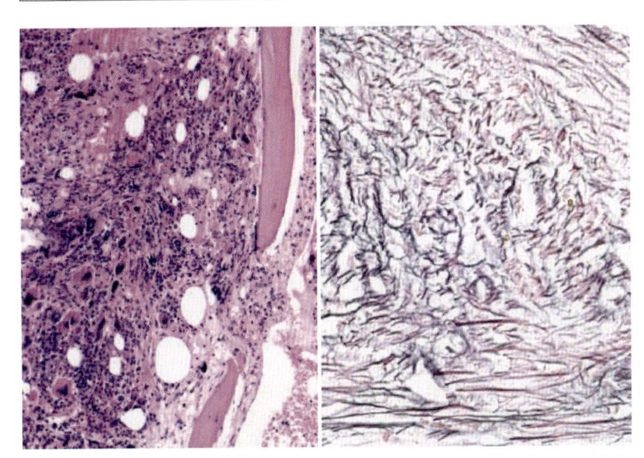

図 56　原発性骨髄線維症．左：過形成髄（80%）で，線維化と異型の強い巨核球の増加が著明である．強拡大．右：特殊染色（銀染色）．びまん性の密な線維化で交叉が強く，束状の線維化もみられる（MF2）．強拡大

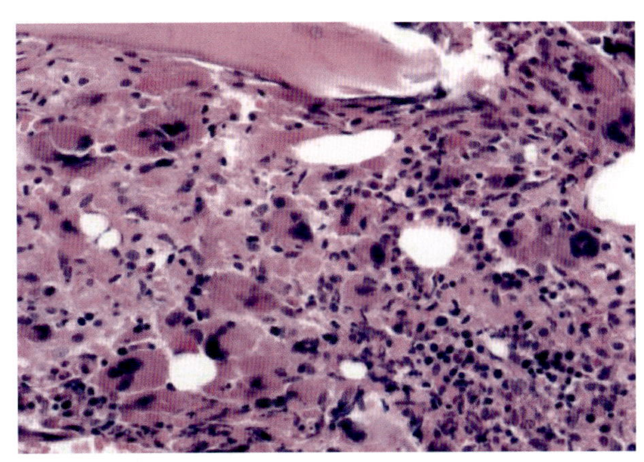

図 57　同前．拡大すると，線維化の中に異型の強い核濃染を示す巨核球の増加が著明である．強拡大

表 10　線維化のグレード

MF0	散在する直線状の線維で交叉がない
MF1	緩い網目状の線維化で交叉があり，特に血管周囲にみられる
MF2	びまん性の密な線維化で交叉が強く，ときに束状の線維化や骨硬化を伴う
MF3	びまん性の密な線維化で交叉が強く，粗い束状の線維化と骨硬化を伴う

AML になるが，一部は ALL になる．

【鑑別診断】　白血球数増加を示すほかの骨髄増殖性疾患（真性多血症，本態性血小板血症，特発性骨髄線維症），慢性骨髄単球性白血病 chronic myelomonocytic leukemia（CMML），非定型慢性骨髄性白血病 atypical CML，類白血病反応，好酸球性白血病などがあり，t(9；22)(q34；q11) や *bcr/abl* の癒合の確認が重要である．

真性多血症（PV）　赤血球数ならびに赤血球量が著明に増加するとともに，少数の幼若骨髄球の出現やときに血小板数の増加をみる．通常，血色素濃度は 18〜24 g/dL，赤血球数は 700 万/μL を超える．骨髄は過形成で，赤芽球系細胞のみならず骨髄 3 系統の細胞が増加する．核異型の著しい分葉核の巨核球の増生が目立つ．

本態性血小板血症（ET）　末梢血で血小板数は 60 万/μL 以上に増加しており，貧血は通常なく，白血球数の正常のことが多い．骨髄像では真性多血症と区別が困難である．骨髄は過形成で骨髄 3 系統の細胞が増加し，核異型の著しい分葉核の巨核球の増生が目立つ（**図 55**）．

原発性骨髄線維症 primary myelofibrosis（PMF）　骨髄組織の広範かつ高度な線維化と，肝臓，脾臓を中心として髄外造血がみられる．線維化の程度により段階があり（**表 10**），初期は，骨髄は過形成で骨髄 3 系統の細胞が増加し，好銀線維の軽度増加をみる．末梢血の白血球はあまり増加せず，少数の骨髄幼若球や赤芽球の出現をみる．また赤血球は多形を示し，涙滴奇形赤血球がみられる．程度が進むと，高度にびまん性に線維化がみられ，増生した結合線維の間に異型の強い骨髄巨核球が多数介在し，骨硬化もみられる（**図 56，57**）．

PV，ET，PMF には，*JAK2* 遺伝子変異や *JAK2* 変異がないものには *CALR* 遺伝子変異がみられる．

【鑑別診断】　CML，MDS，AML，リンパ腫や癌の骨髄浸潤．PV では二次性多血症，ET では反応性血小板増加症．

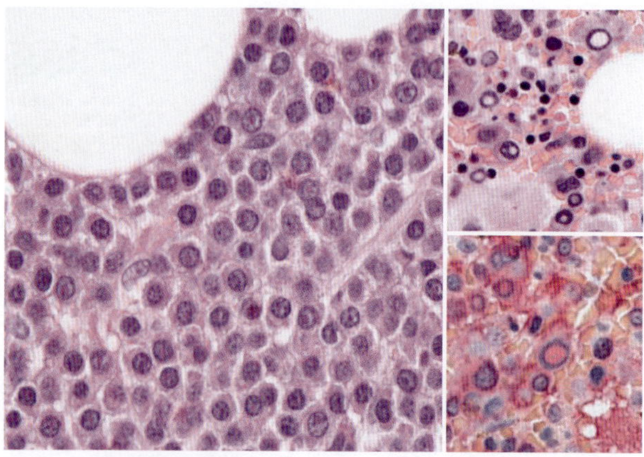

図 58　多発性骨髄腫．正形成髄（60％）で形質の増加がみられる．正常造血は抑制されている．強拡大．**挿入図上**：症例によっては，形質細胞および核内封入体（ダッチャー体 Dutcher body）をもつ形質細胞が増生している．**挿入図下**：免疫染色（免疫グロブリン軽鎖λ）．陽性．核内封入体も陽性で，免疫グロブリンの蓄積である

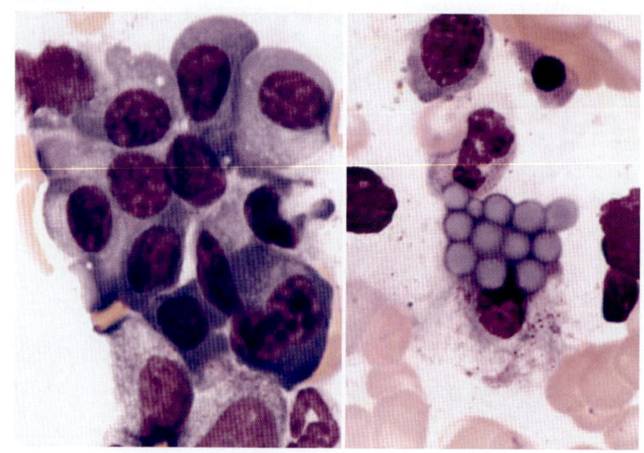

図 59　同前．左：やや大型で，核形不整，核偏在性で，細胞質が好塩基性で核周明庭を有する細胞より形質細胞であることがわかる．強拡大．右：核偏在性のブドウの房状細胞がみられる．ラッセル体（免疫グロブリン）が充満したものである．強拡大

形質細胞腫瘍は次の 4 型に分けられる．①多発性骨髄腫：2 カ所以上の骨髄に骨髄腫細胞の浸潤がみられる．②孤立性骨髄腫：1 カ所に病変が限局する．③髄外性形質細胞腫：骨髄以外に腫瘤を形成する．④形質細胞性白血病：末梢血に 20％以上の単クローン性形質細胞を認める．

骨髄腫は形質細胞の単クローン性増殖を示し，腫瘍細胞は単クローン性の免疫グロブリンを産生し，正常免疫グロブリンは低下する．中高年に発症し，臨床的には病的骨折や腰痛で見つかることが多く，骨融解像や骨打抜き像が認められる．また血清 M 蛋白がみられる．免疫グロブリンからは IgG 型が 50％以上を占めるが，IgA 型，ベンス ジョーンズ Bence Jones 型，IgD 型，IgE 型の順にみられる．免疫グロブリンの増加により，赤血球は凝集しやすくなり，連銭形成がみられることがある．

骨髄像としては，多くの症例で結節性増殖巣を認める．大小不同の好塩基性の細胞質の豊かな形質細胞の増殖がみられる．核は類円形で偏在する．一部の症例では免疫グロブリンの産生のため核辺縁の明庭がみられる．単クローン性の免疫グロブリンが産生されるため，免疫染色で免疫グロブリン軽鎖（κ 鎖，λ 鎖）の一方のみに反応がみられる（**図 58**）．一部の異常形質細胞では核内に免疫グロブリンの産生をみる核内封入体（Dutcher body）（**図 58**）や，核偏在性の細胞質にブドウの房状がみられる．ラッセル体 Russel body（免疫グロブリン）が充満した形質細胞が認められる（**図 59**）．

【鑑別診断】　反応性形質細胞増殖では，形質細胞は血管周囲への集簇傾向を示す．

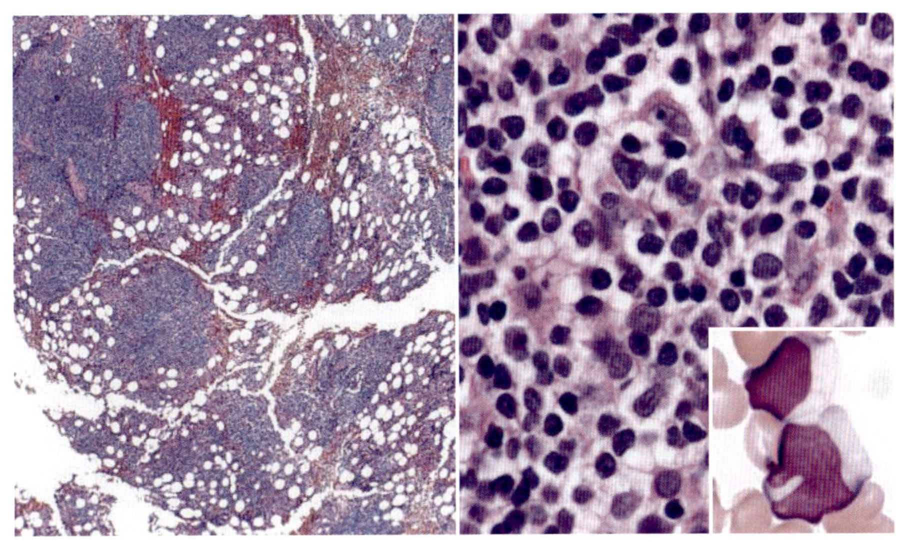

図 60　濾胞性リンパ腫．細胞の増生が結節性にみられ，正常造血細胞は抑制されている．右：拡大すると，中型，大型の円形および捩れた核をもつ細胞がみられる．**挿入図**：核形不整で，堅固な核網と核中心性に切れ込みがみられる．左：弱拡大，右：強拡大

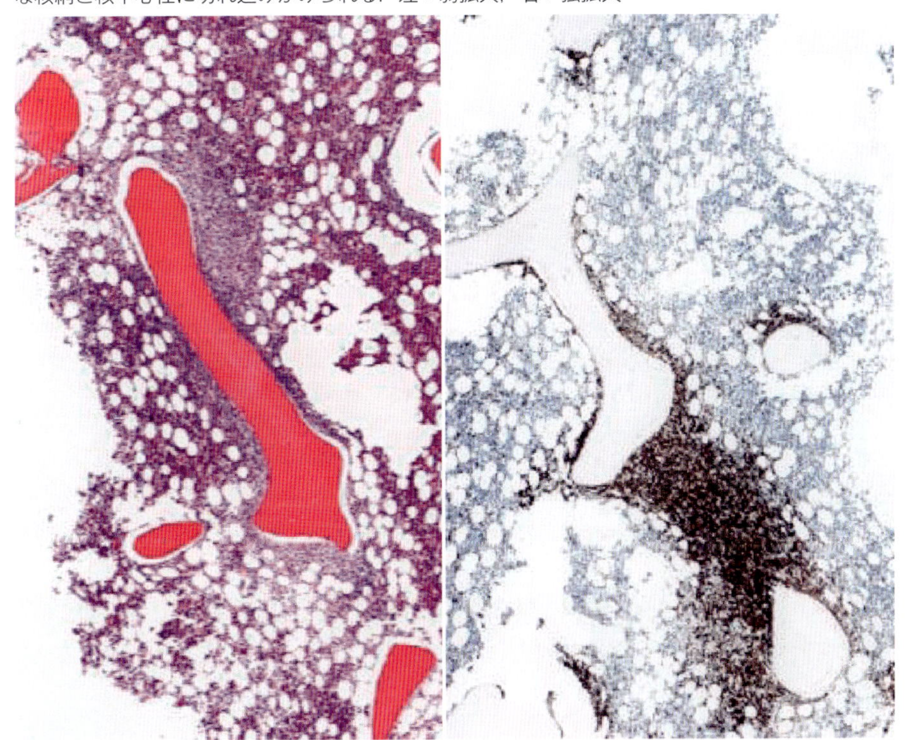

図 61　同前．左：骨稜に沿って細胞浸潤がみられる．弱拡大．右：免疫染色（CD20）．陽性．強拡大

リンパ節原発のリンパ腫もしばしば骨髄転移を示すが，ホジキンリンパ腫よりも非ホジキンリンパ腫のほうが骨髄転移を起こしやすい．

リンパ腫の分類ではホジキンリンパ腫と非ホジキンリンパ腫に分かれる．さらに非ホジキンリンパ腫は，発生分化により，前駆型と分化型に分かれる．前駆型（リンパ芽球型）は，ALLと同様である．また，非ホジキンリンパ腫は，B細胞型，T細胞型（分化型の場合は natural killer〈NK〉細胞を含む）に分けられる．骨髄浸潤はB細胞性のものがT細胞性のものよりも浸潤しやすい．浸潤様式としては，びまん性，結節性のものまで多彩である（**図 60〜65**）．ただし，結節性（**図 60**）の場合には反応性リンパ濾胞と鑑別が必要となる．リンパ腫が結節状に浸潤した場合，構成細胞は比較的均一で細胞異型を伴う．びまん性浸潤のときはリンパ腫の間に正常造血細胞

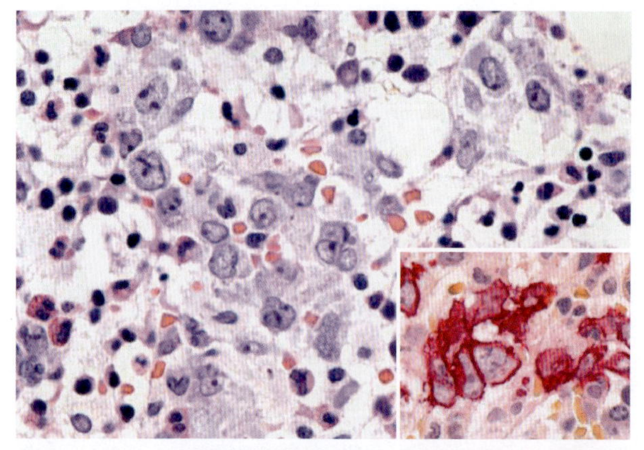

図 62　びまん大細胞性リンパ腫．核小体が明らかな大型・円形の核をもつリンパ腫細胞の増生がみられる．強拡大．**挿入図**：免疫染色（CD20）．陽性

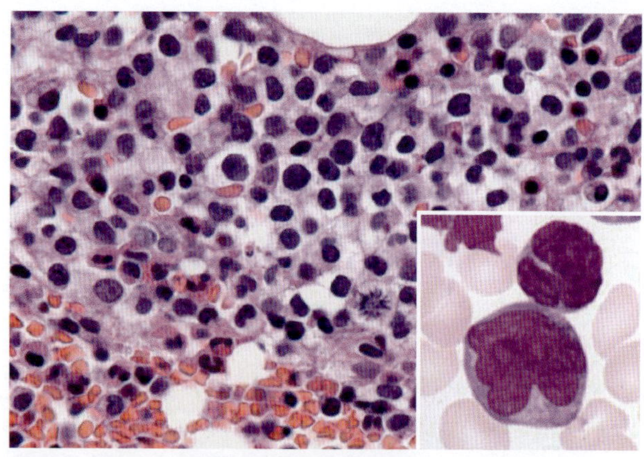

図 63　成人 T 細胞性白血病リンパ腫（ATLL）．核形不整の強い，大型，中型のリンパ腫細胞の増生がみられる．強拡大．**挿入図**：切れ込みの強い花弁様細胞がみられる

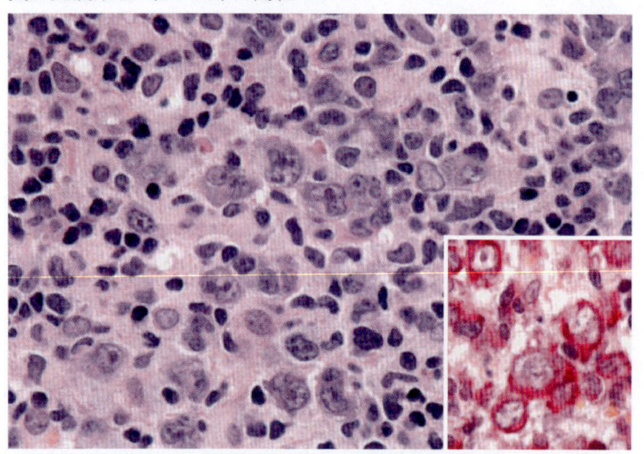

図 64　未分化大細胞型リンパ腫（ALCL）．核小体が明らかで胞体が豊かな非常に大型のリンパ腫細胞の増生がみられる．強拡大．**挿入図**：免疫染色（CD30）．陽性

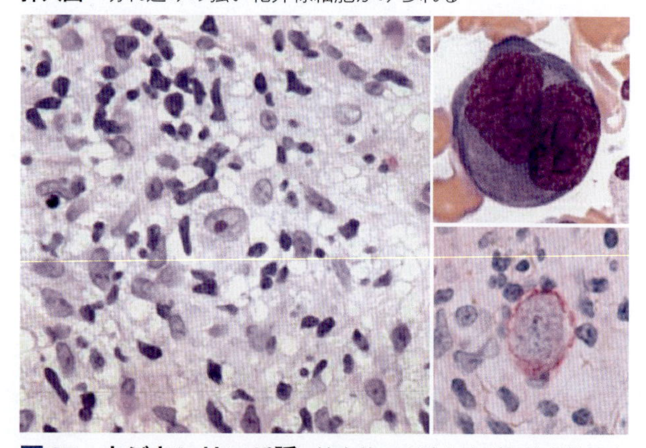

図65　ホジキンリンパ腫．核小体の明瞭な大型細胞が散見されるが，背景に，リンパ球を含む炎症細胞の浸潤がみられる．強拡大．**挿入図上**：大型で，N/C 比は低く，クロマチンは粗顆粒状で，明瞭な核小体を 1～2 個認める（リード・シュテルンベルグ巨細胞）．**挿入図下**：免疫染色（CD30）．陽性

がみられることが多く，この点は癌腫の転移と異なる．濾胞性リンパ腫などの低悪性度B細胞性リンパ腫などの一部は骨稜に沿って浸潤するため，骨髄生検が必要である（**図 61**）．

【鑑別診断】 AML，ALL，MDS，MPN，悪性貧血，転移性癌，反応性リンパ濾胞．

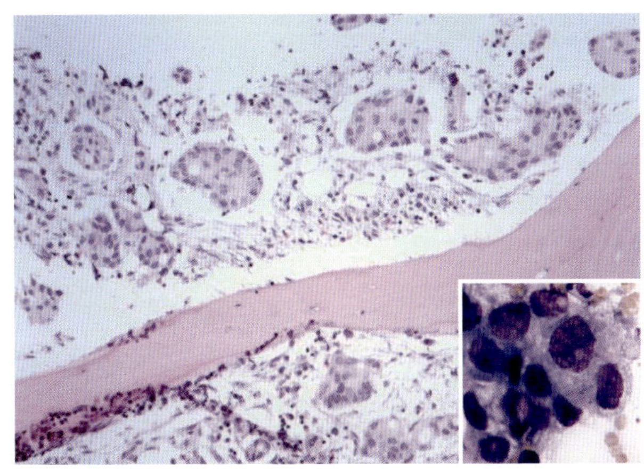

図 66　腺癌．異型のある腺管を形成する腺癌の転移がみられる．強拡大．**挿入図**：細胞集塊がみられ，豊富な細胞質には粘液産生が示唆される

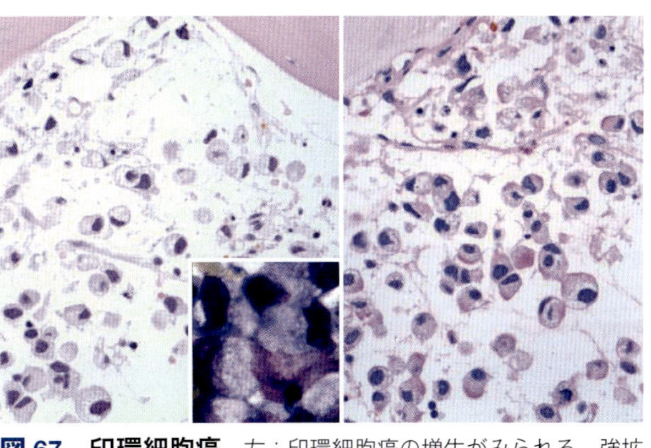

図 67　印環細胞癌．左：印環細胞癌の増生がみられる．強拡大．**挿入図**：細胞集塊がみられ，核は大小不同性で，豊富な細胞質には粘液産生が示唆される．右：特殊染色（PAS：periodic acid-Schiff）．陽性．粘液産生が考えられる

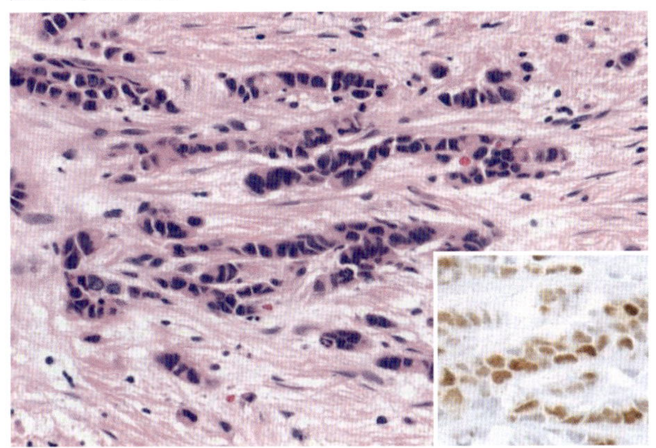

図 68　腺癌（乳癌）．異型上皮が柵状に線維化した骨髄の中を増生している．強拡大．**挿入図**：免疫染色（エストロゲン受容体）．核に陽性

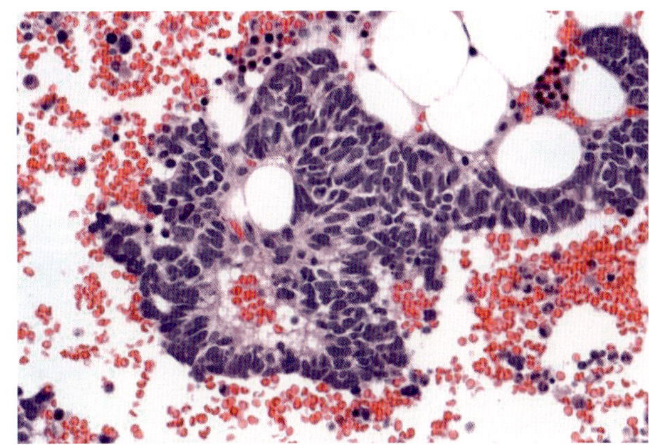

図 69　小細胞癌．島状にロゼット形成を伴う小型異型上皮の集塊をみる．原発は肺癌．強拡大

骨髄は転移性腫瘍をきたしやすい臓器の 1 つである．上皮性の癌腫では，前立腺，胃，肺，甲状腺，乳腺，腎臓，肝臓からの転移が多い．組織型では，腺癌，小細胞癌，扁平上皮癌がみられる．小児にみられる神経芽腫や横紋筋肉腫も転移をきたしやすい腫瘍として知られている．また，一般的に腫瘍が転移すると正常造血は排除抑制される．腺癌の場合，腫瘍細胞は細胞集塊をつくり，豊富な細胞質には粘液産生が示唆されることがある（**図 66**）．特に印環細胞癌 signet-ring cell carcinoma の場合，細胞質中に粘液の産生がみられ，特殊染色で，胞体は粘液産生のため PAS 陽性になる（**図 67**）．また癌の転移に伴って反応性の線維化がみられることがある（**図 68**）．小細胞癌 small cell carcinoma の場合，島状にロゼット形成を伴う小型異型上皮の集塊をみることが多い（**図 69**）．

【鑑別診断】 AML，ALL，悪性貧血，リンパ腫．

第3章

リンパ節・脾・胸腺

概　説

リンパ組織は免疫現象の主たる場であり，その主役はリンパ球である．リンパ球はT，B，NK細胞に大別される．T細胞は機能的にさらにヘルパーT細胞，細胞傷害性（キラー）T細胞，サプレッサーT細胞に分類される．腫瘍免疫にも関係しており，最近腫瘍攻撃性を低下させるT細胞上のPD-1とそのリガンドであるPD-L1の働きが注目され，分子標的薬の開発もなされている．T細胞は種々のサイトカインを産生し，細胞性免疫を担うとともにB細胞などの他の免疫細胞の働きを制御している．B細胞は抗体産生細胞に分化して免疫グロブリンを産生し，NK細胞は主要組織適合複合体（major histocompatibility complex：MHC）非拘束性に標的細胞を傷害する．マクロファージ，樹状細胞は抗原提示細胞として抗原を処理しペプチドMHC分子複合体としてT細胞に提示する．

これらの細胞は骨髄にある多能性造血幹細胞から分化するが，T前駆細胞は胸腺へ移動して胸腺で，B前駆細胞は骨髄（鳥類ではファブリシウス嚢）で成熟リンパ球へ分化する．T細胞は胸腺皮質内でT細胞抗原受容体（TCR）遺伝子の再構成を起こすとともに，表面抗原としてCD4，CD8の両者を発現した細胞からCD4，CD8のいずれかを発現した細胞となり，髄質へ移行する．TCRには$\alpha\beta$鎖と$\gamma\delta$鎖の2つのアイソタイプが存在するが，胸腺内で分化した成熟T細胞は大部分$\alpha\beta$TCRを発現している．$\gamma\delta$TCRを発現したTリンパ球が少数存在し，皮膚，腸管，肺などに分布しているが，これらの多くは胸腺外で分化するといわれている．Bリンパ球は骨髄内で抗原非依存性に分化し，免疫グロブリン遺伝子の再構成を起こし細胞表面にIgM，IgDを発現するようになる．成熟したT細胞，B細胞はそれぞれ胸腺，骨髄から血中に移行し，リンパ節，脾，粘膜関連リンパ組織（mucosa-associated lymphoid tissue：MALT）に分布するようになるが，胸腺や骨髄を中枢性リンパ組織，後者を末梢リンパ組織とよんでいる．

1．胸　腺

胸腺原基は第3，第4鰓弓に由来する．皮質と髄質が区別され，いずれも上皮細胞と胸腺リンパ球（胸腺細胞）からなっている．皮質はリンパ球が密在し上皮細胞は目立たないが，髄質では逆に上皮細胞が目立ちハッサルHassall小体を形成している（**図1**）．皮質リンパ球の多くはCD3$^+$，CD4$^+$，CD8$^+$の小型未熟胸腺Tリンパ球であるが，被膜直下には大型のより未熟なリンパ球が存在し核分裂像も多く認められる．皮質内では自己抗原に対して強い親和性を有するT細胞は死滅し，少数の選択されたT細胞だけがCD4$^+$またはCD8$^+$のsingle positive細胞として髄質に移行する．胸腺重量は思春期に最大に達するが，その後は年齢とともに自然に退縮し脂肪組織によって置換される（**図2**）．胸腺固有の非腫瘍性病変としては，重症筋無力症にしばしば合併するリンパ濾胞過形成，先天性の発生異常と考えられる胸腺嚢胞，腫瘍性病変としては，胸腺腫，胸腺癌，リンパ腫などが発生する．

2．リンパ節

リンパ節の基本構造は**図3**に示すように，B細胞がリンパ濾胞を形成する皮質（**図4，9**），高内皮細静脈high endothelial venule（HEV）が発達し，主としてT細胞が分布する副皮質（**図5，11**），形質細胞が多い髄索に大別される．

リンパ濾胞には一次濾胞と二次濾胞があるが，抗原刺激を受けたB細胞が増殖し芽中心（胚中心）を形成することにより一次濾胞から二次濾胞になる（**図9**）．芽中心の外側には一次濾胞のリンパ球と同じ性状を有した抗原刺激を受けていない小型のnative B細胞が集簇したマントル帯（暗殻）がみられる．芽中心にはB細胞以外にB細胞への抗原提示を行う濾胞樹状細胞follicular dendritic cellとhelper T細胞が存在する．T細胞依存性抗原刺激を受けたB細胞は増殖して大型の

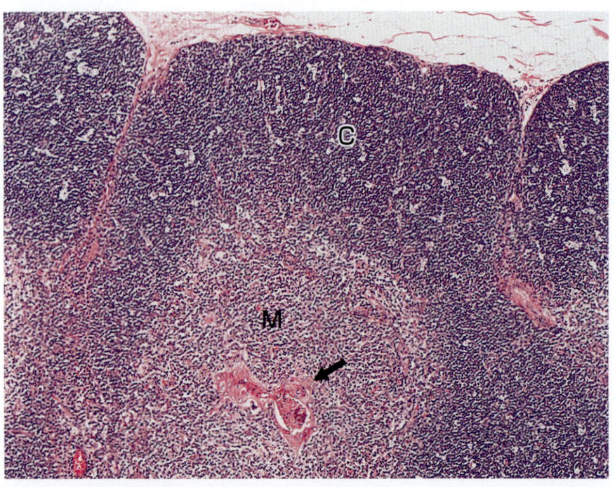

図1 正常胸腺．皮質（C）と髄質（M）が区別され，髄質にはハッサル小体（⬆）を認める．弱拡大

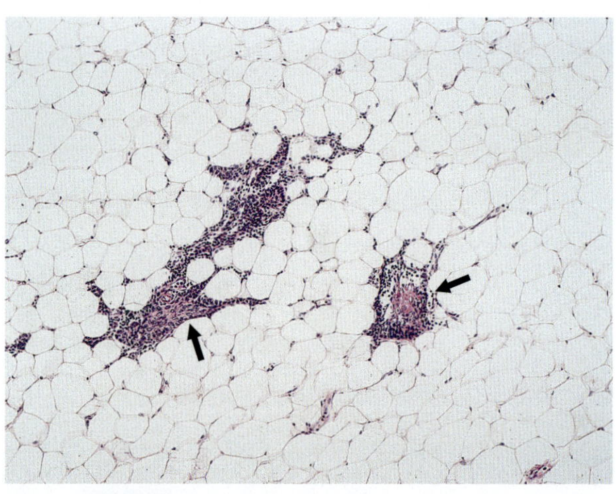

図2 退縮胸腺．大部分が脂肪組織で，痕跡的な上皮細胞巣（⬆）の周囲にリンパ球が集合している．弱拡大

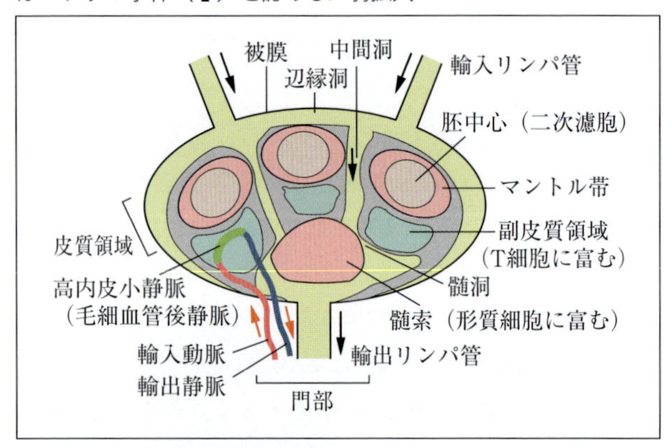

図3 リンパ節の基本構造

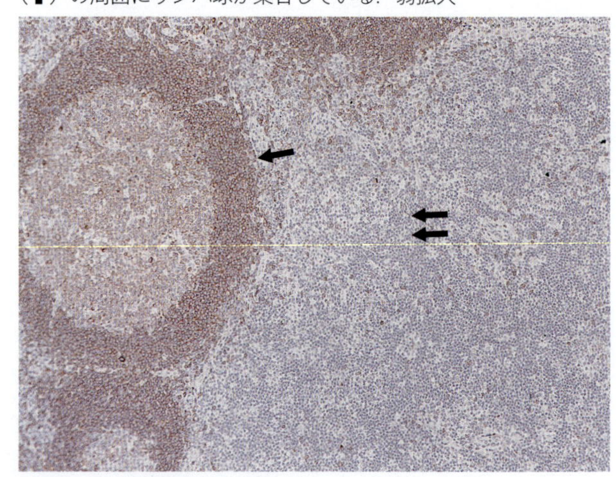

図4 リンパ節．二次濾胞（⬆）と副皮質（⬆⬆）を認める．B細胞はCD79が陽性（褐色）．酵素抗体法．弱拡大

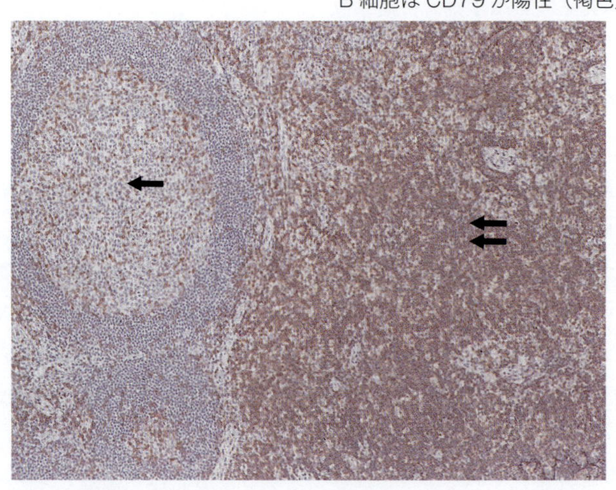

図5 同前．CD3陽性のT細胞は副皮質（⬆⬆），一部胚中心（⬆）内に分布する．酵素抗体法．弱拡大

胚中心芽細胞 centroblast となるが，その過程で抗原に対してより高親和性を示す少数の細胞が positive に選択されて生き残り，胚中心細胞 centrocyte からさらに形質細胞へと成熟する（centrocyte から centroblast になりうるという研究成果が最近提示された）．したがって芽中心においては常に多数のB細胞がアポトーシスによって死滅しており，死滅した細胞の核片を貪食したマクロファージが認められる．

副皮質にはリンパ球以外にT細胞への抗原提示細胞である

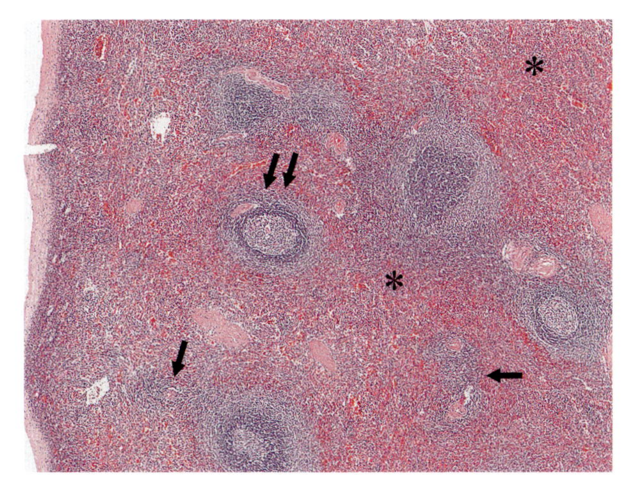

図 6　正常脾臓．白脾髄，赤脾髄（*）が区別される．白脾髄はPALS（⬆）とリンパ濾胞（⬆⬆）からなる．弱拡大

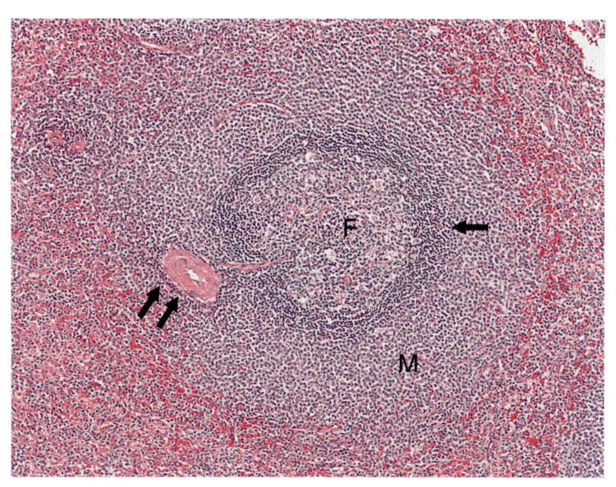

図 7　同前．リンパ濾胞は胚中心（F），マントル帯（⬆），辺縁帯（M）からなる．⬆⬆は中心動脈．中拡大

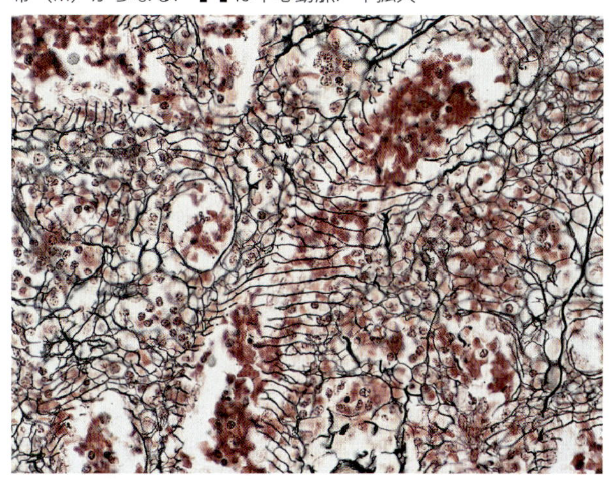

図 8　脾洞輪状線維．鍍銀．強拡大

樹状細胞の一種，指状嵌入細胞 interdigitating reticulum cell が存在し，T 細胞の増殖の場になっている．しかし，B 細胞もこの部位で抗原の一次刺激を受けて増殖することが知られている．したがって副皮質には T 細胞性芽球と B 細胞性芽球の両者が認められる．HEV はリンパ球がリンパ節へ再循環する入り口になっているが，抗原なども血行性にここからリンパ節に入ってくる．一般に副皮質は細胞性免疫が亢進した場合に過形成を示す．諸臓器からのリンパ液は所属リンパ節に輸入リンパ管から入ってくるが，辺縁洞から髄洞を経て門部から輸出リンパ管を通って去る．リンパ洞には細網細胞の網目があり，多くのマクロファージが存在してリンパ管から流入してきた抗原，異物を貪食する（**図 12**）．

リンパ節の非腫瘍性病変としては，結核のように特異的な組織病変を示すものもあるが，多くの原因で多様な非特異的な反応性病変を示してくる．リンパ節のどこに病変の主座があるか，そこに登場する細胞はどのようなものでありどのような構造を示しているかを把握し，臨床所見を参考にしながら鑑別診断を行わなければならない．腫瘍性病変はリンパ球が腫瘍化したリンパ腫が大部分であり，リンパ腫間の鑑別が重要であるが，反応性病変や癌の転移との鑑別が問題になることもある．

3．脾

脾は末梢リンパ組織としての役割を担っている白脾髄と，血液濾過装置，血液貯留槽として働く赤脾髄からできている（**図 6**）．白脾髄には中心動脈を T 細胞が鞘状に囲む動脈周囲リンパ球鞘 periarteriolar lymphatic sheath（PALS）と B 細胞領域であるリンパ濾胞が区別される．リンパ濾胞芽中心の外側には小型リンパ球からなるマントル帯がみられ，さらにその外側には中型リンパ球からなる辺縁帯 marginal zone が認められる（**図 7**）．

赤脾髄は脾洞と髄索とからなる．脾門部から入った脾動脈は分岐して脾柱の中を走った後，中心動脈として白脾髄を通り（中心ではなく辺縁を通る），筆毛動脈からさらに莢毛細血管となって髄索内に開いている．髄索は細網細胞の網目構造でできており，多くのマクロファージが存在する．髄索に流入した血液は脾洞へ入るが，脾洞は長軸方向に平行に突起を伸ばす 1 層の内皮細胞で裏打ちされ，その外側を輪状線維が取り囲んでいる（**図 8**）．内皮細胞間には隙間があるが，老廃赤血球などはこの隙間を通過できずに破壊され，マクロファージに貪食される．

肝硬変などにより門脈圧が亢進すると，容易にうっ血状態になる．脾は胎児の一時期造血を行っているが，生後も骨髄の造血能が著しく低下した場合には代償的血球産生である髄外造血 extramedullary hematopoiesis の場となる．物質代謝異常の際の蓄積臓器として，あるいは骨髄性白血病の際の浸潤臓器としてしばしば著しい脾腫 splenomegaly を招来する．

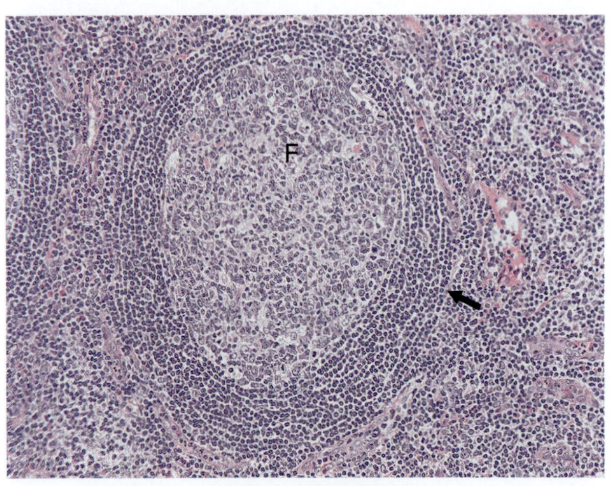

図 9 反応性リンパ節炎，濾胞過形成．胚中心（F）と周囲マントル帯（⬆）の境界は明瞭である．中拡大

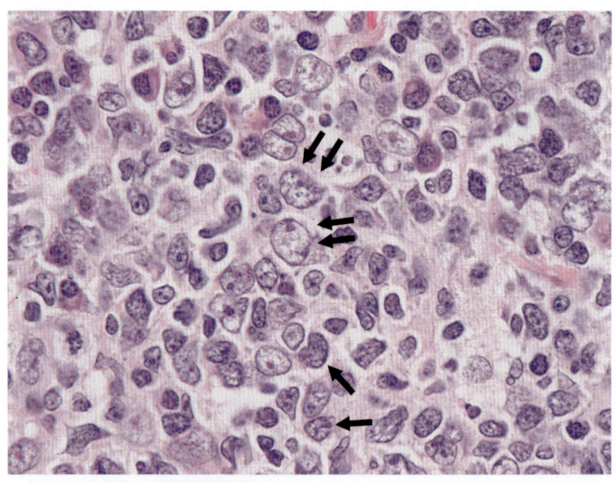

図 10 同前，濾胞過形成．胚中心には中型の胚中心細胞（⬆）と大型の胚中心芽細胞（⬆⬆）が存在する．強拡大

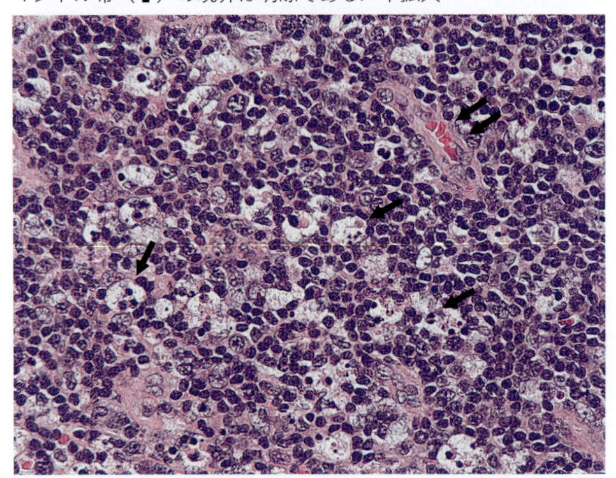

図 11 同前，副皮質拡大．多数の貪食組織球が starry sky 様にみられ（⬆），血管（⬆⬆）にも富んでいる．強拡大

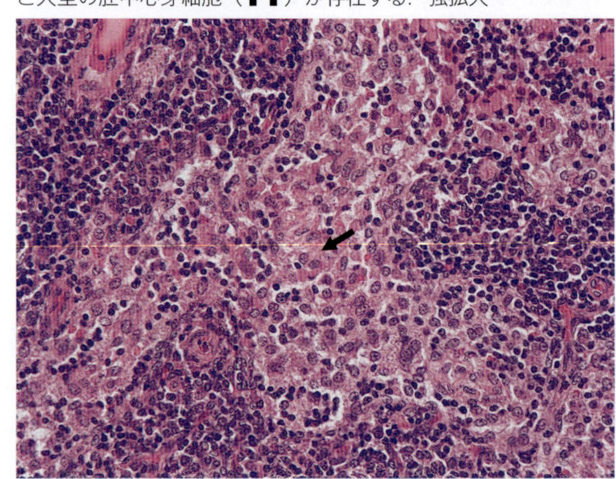

図 12 同前，洞組織球症．リンパ洞は拡張し，豊富な胞体を有する組織球が充満する（⬆）．強拡大

リンパ節の反応性腫大には**濾胞（B 細胞領域）過形成，副皮質（T 細胞領域）の拡大，洞組織球症**の 3 つがみられるが，実際には相混じっていることが多い．

濾胞過形成は成熟リンパ球のマントル帯に囲まれる形で胚中心が認められる（**図 9**）．反応性の場合，胚中心とマントル帯の境界が明瞭である．胚中心の構成細胞は大型類円形核で核小体の偏在する胚中心芽細胞 centroblast と成熟リンパ球よりやや大きい胚中心細胞 centrocyte の占める割合が多い（**図 10**）．胚中心細胞は絞った雑巾をイメージすると理解しやすく核に切れ込みを有する．胚中心芽細胞は large non-cleaved cell，胚中心細胞は small cleaved cell ともよばれる．胚中心は B 細胞の選択の場であるが，選択に残れなかった細胞はアポトーシスにより死滅する．そのような細胞は素早く組織球により貪食され，tingible body となる．

副皮質の拡大は主として成熟 T 細胞と大型芽球の増生からなり核分裂像が散見される．tingible body macrophage もみられる（**図 11**）．

リンパ節洞は外的異物の通り道であり，洞組織球症では洞の拡張と組織球の増生が特徴である（**図 12**）．組織球は類円形核と豊富な淡好酸性胞体を有する．

【鑑別診断】 濾胞過形成は**濾胞性リンパ腫**（☞p.101）と，副皮質過形成は **T 細胞性リンパ腫**（☞p.105〜107）と鑑別を要する．

［参考事項］ 反応性リンパ節炎の原因疾患は多種多様である．たとえば細菌感染や関節リウマチなどでは濾胞の過形成が主であり，ウイルス性や薬剤性リンパ節炎，菊池病などでは副皮質領域の拡大が目立つ．リンパ洞の著明な拡大をきたすものとしては**ローサイ・ドーフマン Rosai-Dorfman 病**が知られている．しかし，特定の疾患単位に属さないリンパ節腫大は**単純性リンパ節炎**（過形成）ともよばれる．

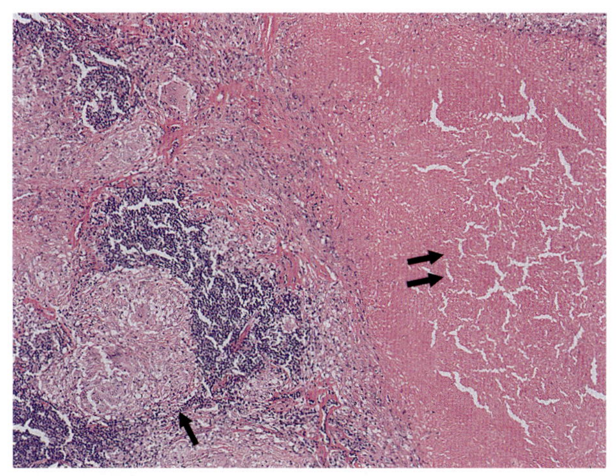

図 13　結核性リンパ節炎. 類上皮細胞結節（⬆）が乾酪壊死巣（⬆⬆）の周囲にみられる．弱拡大

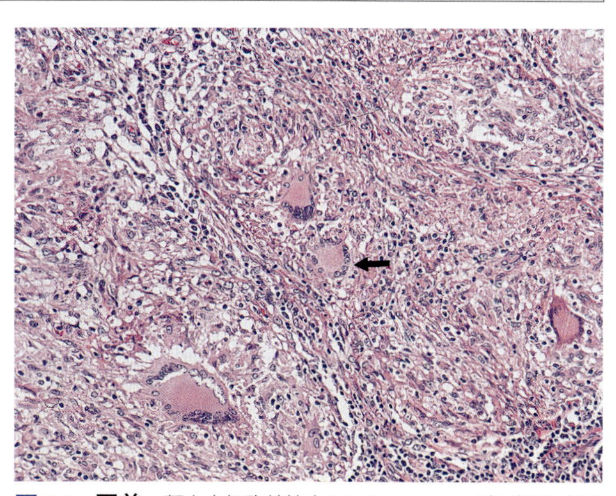

図 14　同前. 類上皮細胞結節中には Langhans 型巨細胞（⬆）が認められる．中拡大

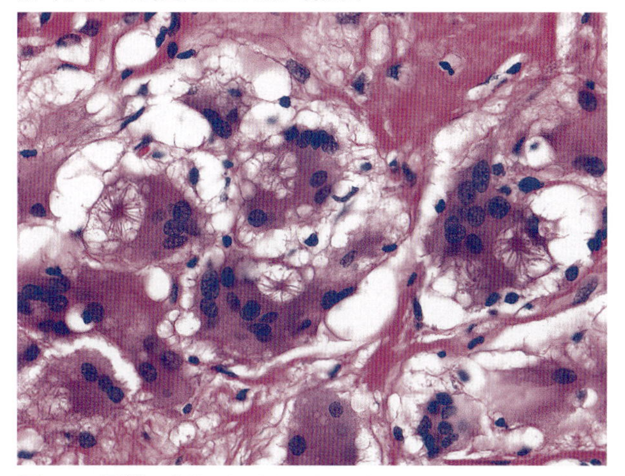

図 15　同前. 多核巨細胞内に星に似た asteroid body が認められる．強拡大

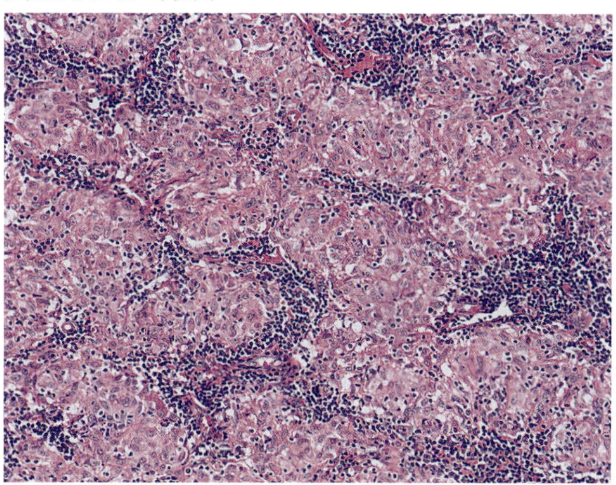

図 16　サルコイドーシス. 類上皮細胞結節が帯状にみられる．壊死を欠く．中拡大

結核性リンパ節炎　他の臓器結核と同様に組織球の集簇と中心部の乾酪壊死からなる結核結節が出現する．結核結節は弱拡大像では淡好酸性に見える（**図 13**）．強拡大では壊死を縁取るように組織球がみられるが，核が卵円形，淡明で弱好酸性の豊富な胞体を有し，表皮の上皮に似ているという意味で類上皮細胞とよばれる．しばしば組織球は融合しラングハンス Langhans 型あるいは異物型巨細胞となる（**図 14**）（☞p.151）．結核菌は抗酸菌染色で赤色の桿菌として証明され，診断的な価値が高いが陽性率は低い．

サルコイドーシスや結核で出現する巨細胞にはときに好酸性針状結晶が観察されることがあり，星に似ている形状から asteroid body とよばれる（**図 15**）（☞p.153）．

サルコイドーシス　結核との鑑別が問題になるが，サルコイドーシスでは類上皮細胞肉芽腫の大きさが比較的そろっており，明瞭な壊死を欠いている（**図 16**）．ときに肉芽腫が融合したようになっているが，中心部は膠原化していることが多い．巨細胞の細胞質には asteroid body とともにシャウマン小体 Schaumann body がよく知られているが，診断特異性はない．

【鑑別診断】　類上皮細胞結節は上記疾患のほか**膿瘍形成性肉芽腫性リンパ節炎**（☞p.95），真菌症，ピリンガー Piringer リンパ節炎（☞p.94），**リンパ腫**でも観察されることがある．鑑別には結節の大きさと壊死を伴っているか否か，好中球浸潤の有無，背景細胞の異型が重要である．

［参考事項］　サルコイドーシスは両側肺門部のリンパ節腫脹をきたしやすいことが特徴の1つである．原因は特定されていない．リンパ節のほか眼，皮膚，循環器，消化器など広い病変分布をとりうる．以前は有用とされていたクベイム Kveim 反応は実施が難しく，現在ではアンジオテンシン変換酵素の測定が有用である．

伝染性単核球症およびトキソプラズマ性リンパ節炎（ピリンガーリンパ節炎）| Infectious mononucleosis and Toxoplasmatic lymphadenitis（Piringer lymphadenitis）

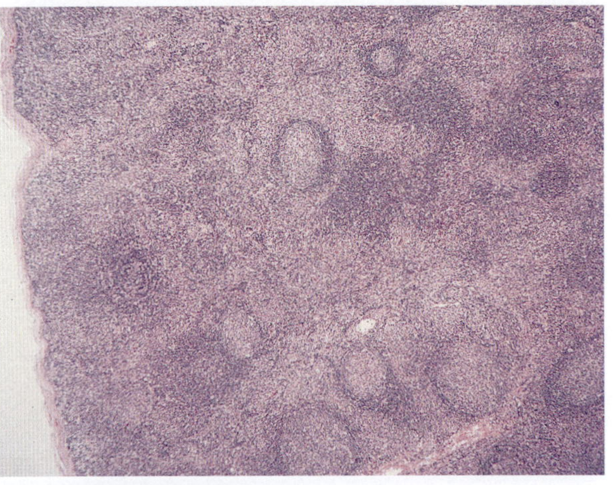

図 17　伝染性単核球症．散在性に胚中心がみられ，主として濾胞間に病変がみられる．弱拡大

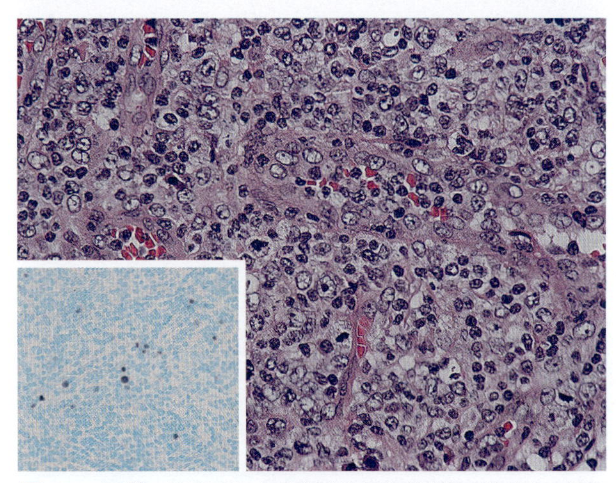

図 18　同前．濾胞間に大型芽球化細胞が豊富．強拡大．**挿入図**：EBER-1，ISH．感染細胞は青黒色．中拡大

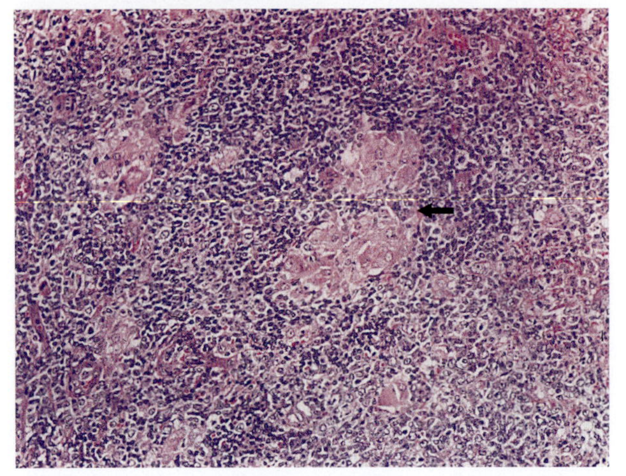

図 19　トキソプラズマ性リンパ節炎．小型の類上皮細胞結節（⬆）が認められる．中拡大

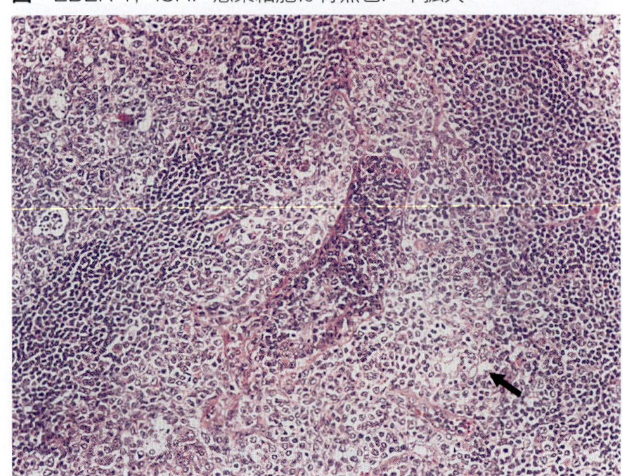

図 20　同前．リンパ洞内に単球様 B 細胞の集簇（⬆）がみられる．左上は胚中心の一部．中拡大

伝染性単核球症　エプスタイン・バー Epstein-Barr ウイルス（EBV）感染による病変で，リンパ節では胚中心，マントル帯を残しつつ濾胞間，副皮質領域が拡大し同部に大型類円形核を有する芽球が多数増生する（**図 17**）．これら芽球は多数の核分裂像を示し（**図 18**），一見すると大細胞型のリンパ腫との鑑別を要する（☞p.104）．診断上は EBV-encoded small RNA-1（EBER-1）を *in situ* hybridization（ISH）で検出する方法が有用である（**図 18** の挿入図）．

［参考事項］　EBV は年齢に伴って感染率が上昇するが伝染性単核球症を発症することは少ない．発症する場合，口腔より入った EBV は当初 B 細胞に感染し多クローン性に増殖させるが，後には T 細胞が増殖する．これら T 細胞は感染 B 細胞に細胞傷害性に働き大多数の症例は治癒する．EBV は伝染性単核球症のみならずリンパ腫のホジキン Hodgkin 病，NK 細胞リンパ腫，アフリカ型バーキット Burkitt リンパ腫，臓器移植後や AIDS 関連リンパ腫，慢性膿胸後リンパ腫などとの深い関連がみられる．

トキソプラズマ性リンパ節炎（ピリンガーリンパ節炎）　後天性トキソプラズマ症によるリンパ節炎では濾胞の過形成，類上皮細胞の小結節巣（**図 19**），単球様 B 細胞の集簇（**図 20**）がみられる．類上皮細胞は結核やサルコイドーシスのそれより明らかに小さく壊死を示すことはない．主として副皮質領域に分布している．単球様 B 細胞は中型〜大型類円形核を有し淡好酸性の比較的豊富な胞体を有することから組織球由来と考えられていたが，本態は記憶 B 細胞である．

［参考事項］　トキソプラズマ症は原虫の一種である *Toxoplasma gondii* による感染症であり，子宮内感染による先天性のものでは脳炎の原因となる．後天性トキソプラズマ症ではリンパ節炎が最も多いが原虫を通常染色で見いだすことはまれであり，組織所見と血清学的検査により診断される．

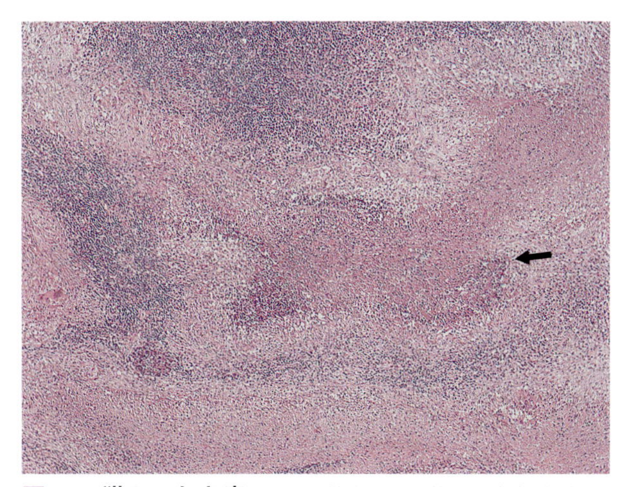

図 21　猫ひっかき病．リンパ節内には不整形の膿瘍（⬆）が観察される．弱拡大

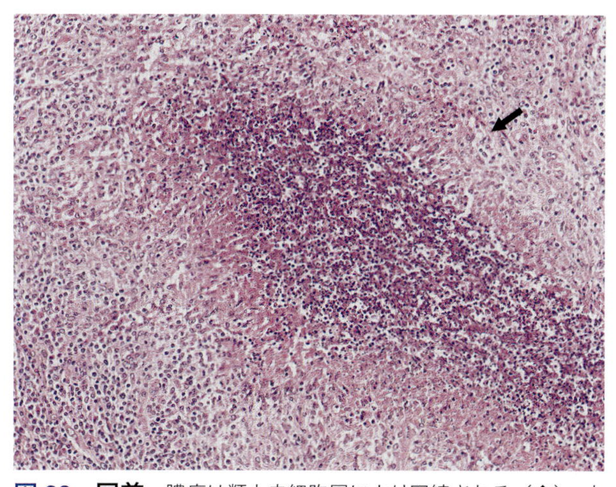

図 22　同前．膿瘍は類上皮細胞層により囲繞される（⬆）．中拡大

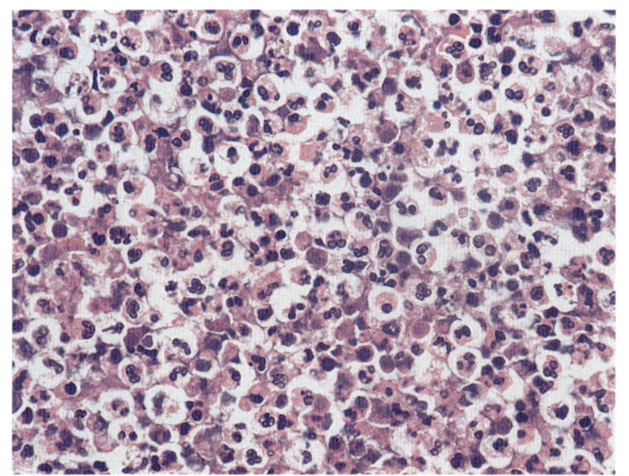

図 23　同前．膿瘍内部には好中球，組織球，リンパ球が充満する．強拡大

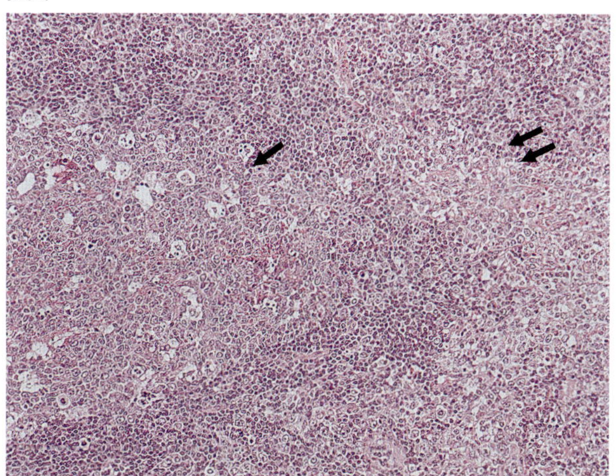

図 24　同前．膿瘍以外の部では胚中心の過形成（⬆），単球様 B 細胞（⬆⬆）がみられる．中拡大

弱拡大ではリンパ節内に大小さまざまの不整形膿瘍が観察される（**図 21**）．強拡大では膿瘍中心部に種々の割合で好中球，核破砕物，大食細胞が見いだされ，膿瘍は類上皮細胞の柵状配列により縁取りされている（**図 22，23**）．膿瘍は大型のものでは好酸性凝固壊死物質が多い傾向がある．病変はしばしばリンパ節外に及び，膿瘍形成のほか濾胞の過形成や単球様 B 細胞の集簇が認められる（**図 24**）．これらは B 細胞性の反応が著明なことを示している．Langhans 型巨細胞が散見されることから結核との鑑別が問題になるが，好中球を主体とする膿瘍は結核性リンパ節炎ではまれである．

【鑑別診断】　膿瘍形成性肉芽腫は**鼠径リンパ肉芽腫症，野兎病，エルシニアリンパ節炎**でも観察される．鼠径リンパ肉芽腫は *Chlamydia trachomatis* による性病で，鼠径部または腸骨リンパ節の腫脹をきたす．フライ Frei 反応陽性である．野兎病は *Francisella tularensis* の感染症で，東北地方や関東甲信越地方を中心に発生し，皮内反応や血清凝集反応が診断上有用である．エルシニアリンパ節炎はグラム陰性桿菌の *Yersinia pseudotuberculosis* や *Yersinia enterocolitica* によるリンパ節炎で，小児に好発し回盲部あるいは腸間膜リンパ節が侵される．急性虫垂炎の症状を呈することが特徴で，細菌培養や血清抗体価の推移が診断上重要である．

［参考事項］　猫ひっかき病はネコなどによる外傷の結果生ずる膿瘍形成性肉芽腫性リンパ節炎である．接触動物としてはネコのほかイヌもあるが外傷歴がはっきりしない症例もある．一般に外傷後約 1～4 週間で所属リンパ節の有痛性腫脹が出現し，侵されるリンパ節は腋窩，頸部に多い．原因菌として近年グラム陰性小桿菌である *Bartonella henselae* が同定された．Warthin-Starry 染色陽性である．

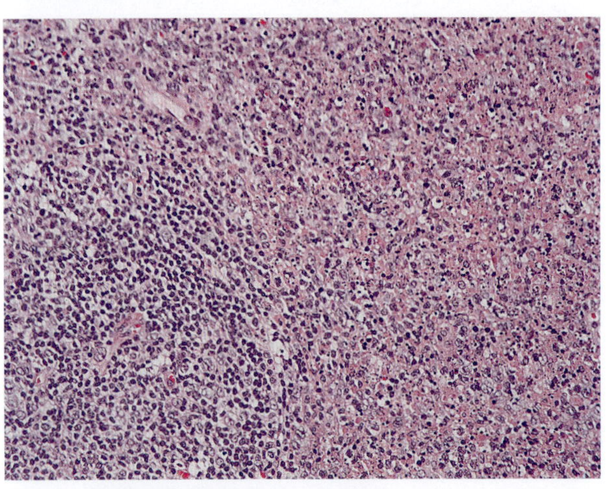

図 25　組織球性壊死性リンパ節炎．胚中心はほとんどなく，右半分に壊死巣がみられる．中拡大

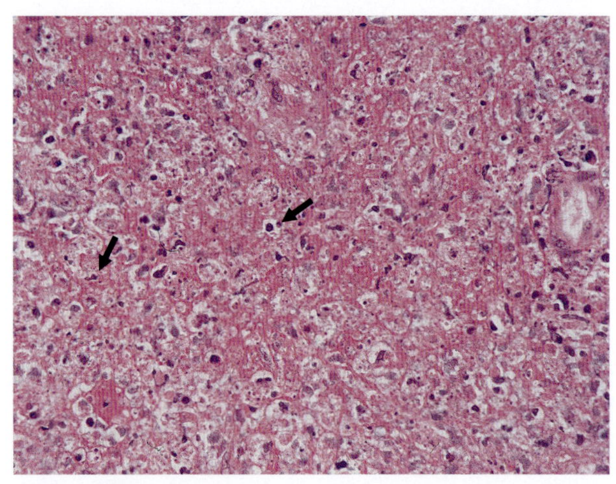

図 26　同前．壊死巣はゴースト細胞が主体であるが，アポトーシス体（⬆）を混在する．強拡大

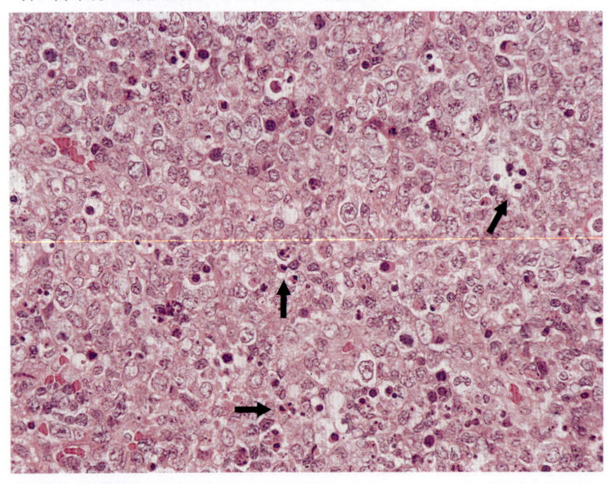

図 27　同前．芽球が目立つ領域でもアポトーシス体（⬆）が頻繁に認められる．強拡大

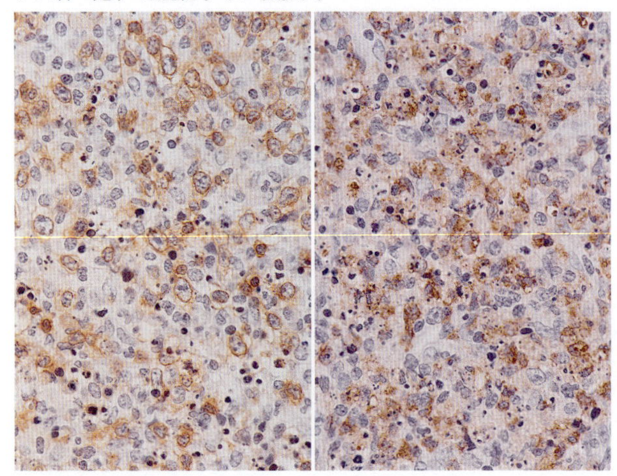

図 28　同前．芽球のほとんどはＴ細胞（CD3，左）で，組織球（リゾチーム，右）が多い．酵素抗体法．強拡大

リンパ節は副皮質から皮質にかけて巣状の壊死巣あるいは芽球化したリンパ球と組織球の集簇巣が認められる(**図 25**)．壊死巣は核の染色性を失い淡好酸性のゴースト細胞が主体であるが，その中に核破砕物が多数みられ，アポトーシスの機序が働いていることを示している（**図 26**）．集簇巣は類円形大型核を有する芽球化リンパ球と核膜繊細な組織球が混在しており，組織球がアポトーシス体を貪食している（**図 27**）．免疫組織化学的検索を行うと芽球リンパ球を判別することができ，集簇巣はほとんどがＴ細胞である（**図 28**）．また，組織球にミエロペルオキシダーゼが証明され，診断上有用である．以上の巣状病変以外では副皮質領域が著明に拡大しておりＢ細胞性領域は狭い．病変はリンパ節の周囲には広がっていない．

【鑑別診断】　鑑別診断としては第一に**リンパ腫**があげられる．発熱やリンパ節腫大が持続し，乳酸脱水素酵素（LDH）が上昇することなどから，臨床的にもリンパ腫が疑われることがある．組織学的には芽球化リンパ球が目立つ部位では大細胞型リンパ腫との鑑別が重要である．壊死巣が不整形で芽球の浸潤が不均一であるのが本症の特徴であり，多数のアポトーシス体と，これを貪食する組織球が多く混在することが鑑別点となる．全身性エリテマトーデス（SLE）との鑑別は難しく，血管炎の像があるか否かを除けば臨床検査所見を必要とする．

［参考事項］　本症は日本で最初に報告され欧米での頻度は低い．平均年齢は 20 歳代で女性に多く，2〜3 週間に及ぶ発熱をきたすことが多い．大部分の症例では頸部のリンパ節が侵されるが，少数例では全身の表在性リンパ節が腫脹する．リンパ節は有痛性で，融合型の腫大をきたすことはない．検査所見では白血球減少や LDH の上昇をきたすことが多い．原因としてはウイルス感染症が最も疑わしいが，現在に至るまで同定されていない．

皮膚病性リンパ節症 | Dermatopathic lymphadenitis

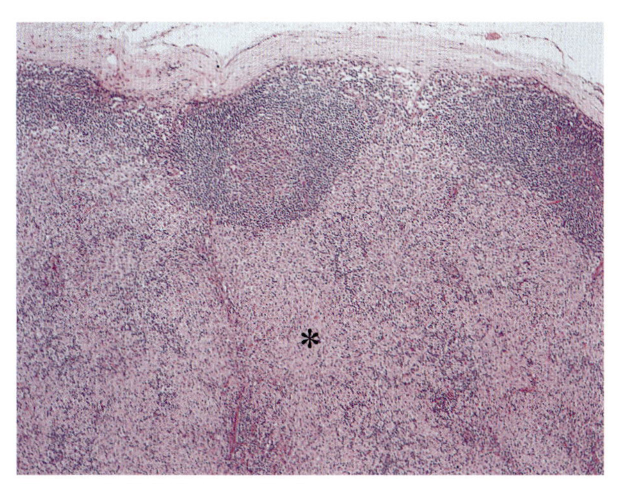

図 29　皮膚病性リンパ節症．濾胞間（副皮質領域）に好酸性細胞の増生が目立つ（＊）．弱拡大

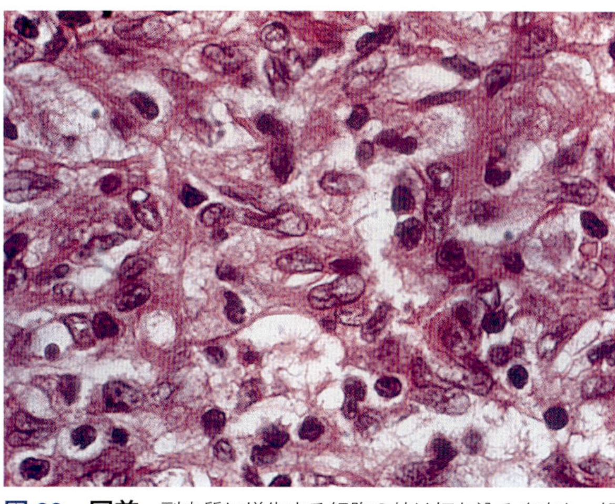

図 30　同前．副皮質に増生する細胞の核は切れ込みを有し，胡瓜形などと表現される．強拡大

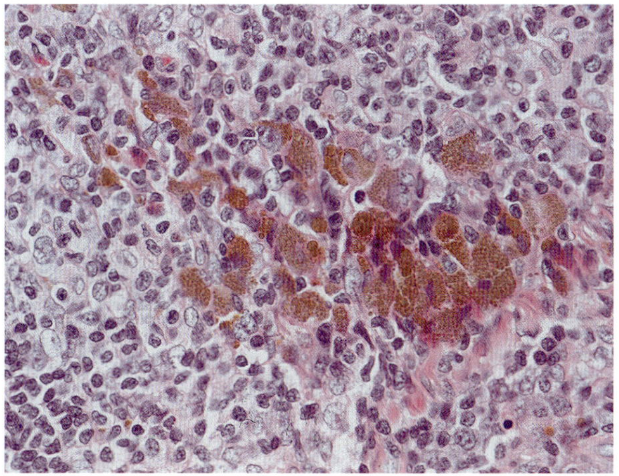

図 31　同前．副皮質にはメラニンを貪食する組織球も認められる．強拡大

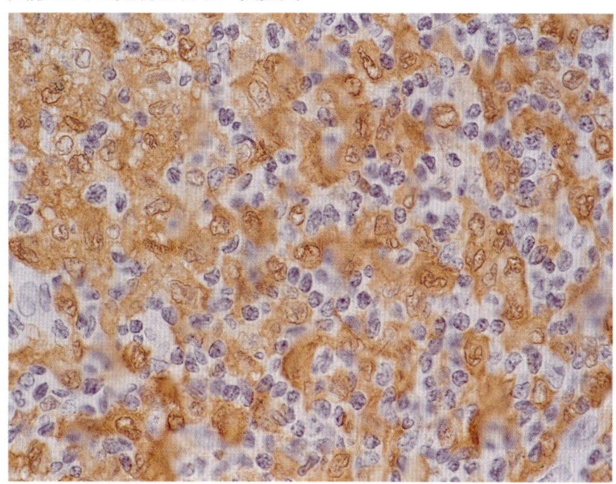

図 32　同前．図 30 の細胞は S-100 蛋白を有している．酵素抗体法．強拡大

皮膚病に随伴するリンパ節腫脹で，病変の主座は副皮質領域にある．リンパ濾胞は病初期には腫大するが進行すると萎縮性である．副皮質領域は弱拡大では淡好酸性で（**図 29**），メラニン色素が多い場合には褐色を帯びる．同部に増生している細胞の核は細長く，腎臓形や胡瓜形などと形容され種々の形態を示すが，クロマチンに乏しく，切れ込みを有し核小体は小さい（**図 30**）．これらの細胞は貪食像をほとんど認めない．一方，メラニンを貪食する組織球は胞体が豊富である点は副皮質に増生する細胞に近似しているが核は類円形でそろっている（**図 31**）．免疫組織学的には副皮質に増生する細胞は S-100 蛋白強陽性であり（**図 32**），メラニンを貪食する組織球はリゾチームなどのリソソーム酵素が豊富である．S-100 蛋白陽性細胞の大部分は皮膚の **Langerhans 細胞**（LC）である．

【鑑別診断】　菌状息肉腫 mycosis fungoides や**セザリー Sézary 症候群**などの皮膚リンパ腫に合併するリンパ節腫大では，皮膚病性リンパ節症のみかリンパ腫細胞の浸潤を伴っているかを鑑別する必要がある．そのようなリンパ節では注意深く細胞異型を観察することが重要であるが，ときには免疫遺伝学的検索や電顕検索を要することもある．

［参考事項］　皮膚の炎症の軽快とともにリンパ節腫大が縮小することが多いが，皮膚病変消退後数カ月してリンパ節腫大に気づくこともある．発症機序は不明な点が多いが，皮膚の LC がメラニンとともに病変部の皮膚から所属リンパ節へ流入して形成されると考えられている．LC はリンパ節の副皮質領域にある interdigitating reticulum cell（IDC）と同様に S-100 蛋白陽性で貪食能は低く抗原提示能が高いが，LC は電顕的に同定されるバーベック Birbeck 顆粒を有し CD1a 陽性である点が IDC と異なっている．

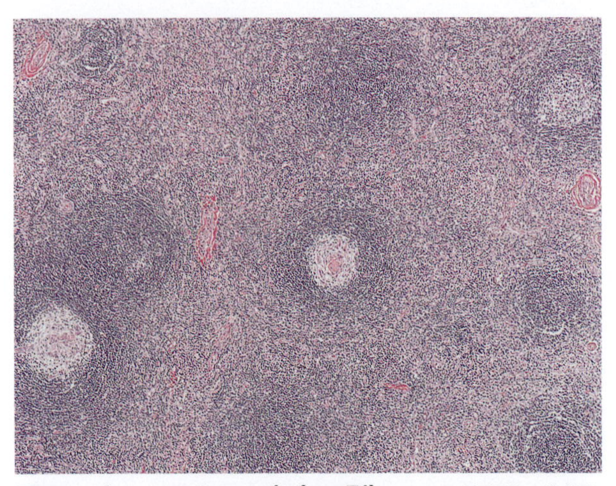

図 33 キャッスルマン病（HV 型）．リンパ節全体に比較的規則正しくリンパ濾胞が分布する．弱拡大

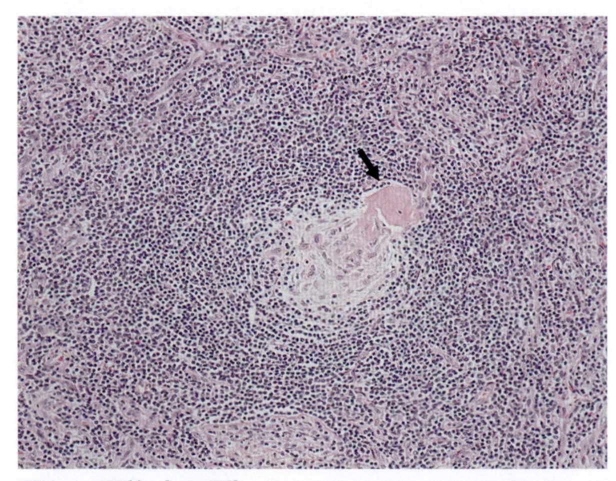

図 34 同前（HV 型）．胚中心内には硝子化した血管（⬆）が穿通している．中拡大

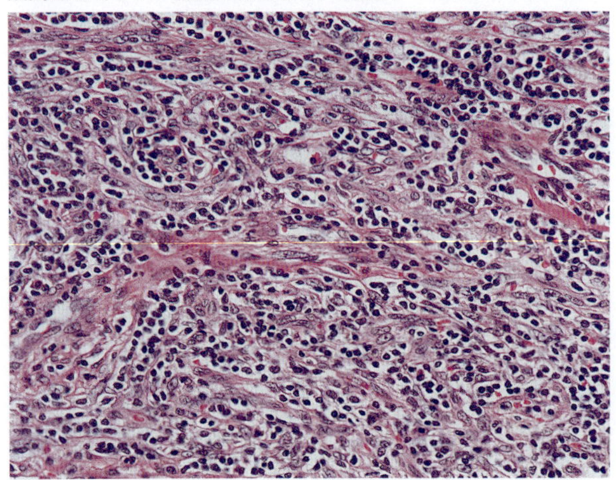

図 35 同前（HV 型）．濾胞間には血管増生と線維増生が著しく，硝子化している．強拡大

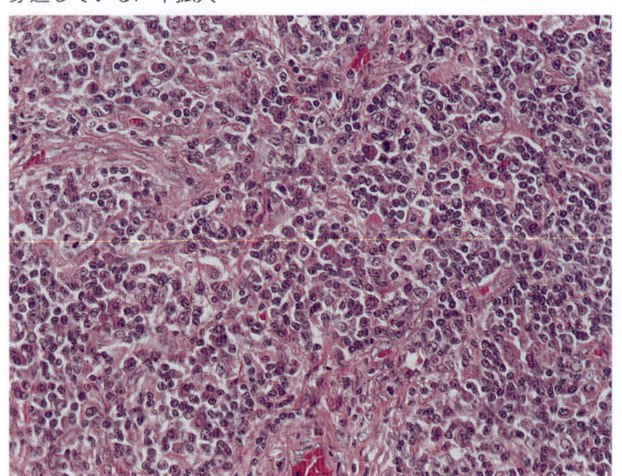

図 36 同前（PC 型）．濾胞間には多数の形質細胞が増生している．異型性はない．強拡大

キャッスルマン病は次の 2 つの病理組織像をとる．hyaline-vascular type（HV 型）ではリンパ節の皮質，副皮質，リンパ洞，髄索といった区別がなくなりリンパ節全体にわたり小型のリンパ濾胞が分布し（**図 33**），胚中心と周囲のマントル帯を貫くように壁の硝子化した血管が認められる（**図 34**）．濾胞間には著しい血管増生と硝子化した結合組織が認められる（**図 35**）．plasma cell type（PC 型）でも濾胞過形成がみられるが胚中心は大きく，濾胞間にはシート状の形質細胞増生がみられる（**図 36**）．単発例では免疫グロブリンは多クローン性で非腫瘍性である．この 2 つの病型は病期を反映したものとする考え方がある一方，別の疾患であるという見解もあり結論が得られていない．

【鑑別診断】 濾胞過形成の目立つ症例では関節リウマチなどでの**反応性リンパ節炎**が鑑別にあがる．反応性リンパ節炎では HV 型でみられるような血管増生はまれであり，胚中心内の硝子化血管もみられない．形質細胞増生が著明な PC 型では**形質細胞腫**も鑑別にあがるが免疫グロブリン軽鎖が bitype であれば非腫瘍性である．

［参考事項］ HV 型キャッスルマン病は基本的には単発病変であり，外科的切除により根治可能である．PC 型は多発例や全身リンパ節の腫脹をきたす症例が多く，**multicentric Castleman disease（MCD）**とよばれる．血中 IL-6 が高値であり，免染でも形質細胞にその発現を認めることができる．また，これに加えて多発性神経炎や内分泌異常などをきたす症例もあり，高月病やクロウ・深瀬 Crow-Fukase 症候群などとよばれている．鑑別としては **idiopathic plasmacytic lymphadenopathy with polyclonal hypergammaglobulinemia（IPL）**や IgG4 関連リンパ節病変が重要である．

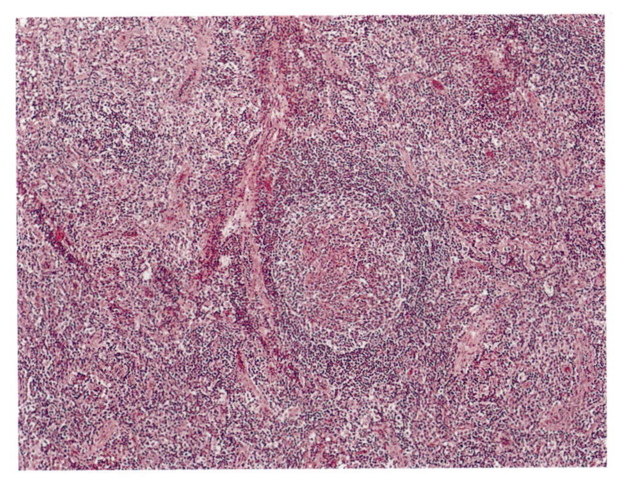

図 37　薬剤性リンパ節症．胚中心は散在性で，濾胞間に病変の主座がみられる．弱拡大

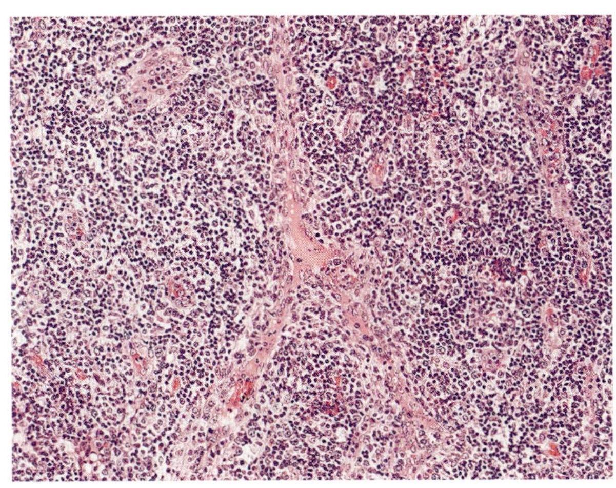

図 38　同前．濾胞間には血管増生が目立つ．中拡大

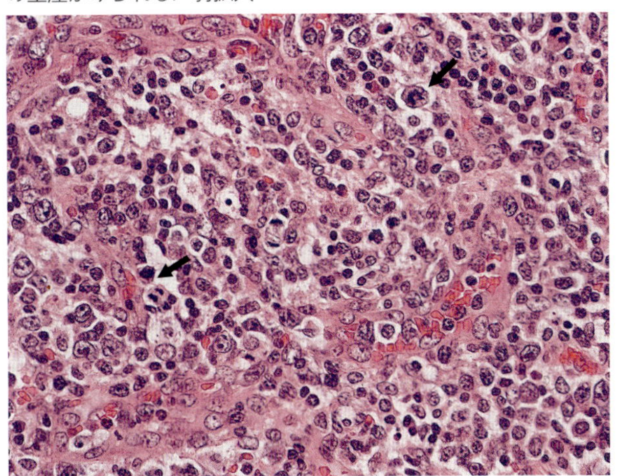

図 39　同前．濾胞間を拡大を上げてみると，多数の核分裂像（⬆）がみられる．強拡大

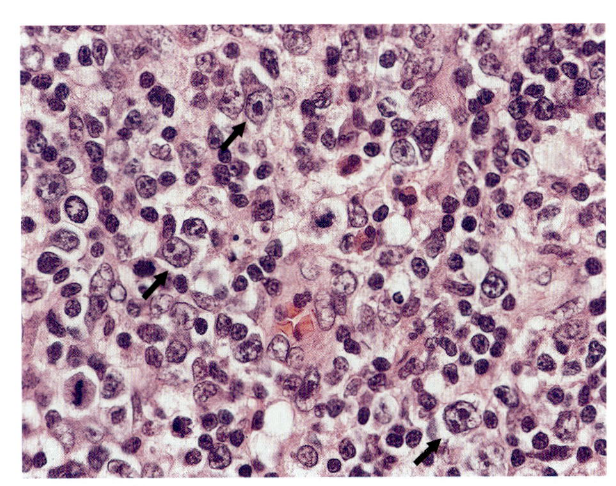

図 40　同前．同部では大型芽球（⬆）がかなり目立っており，リンパ腫との鑑別は難しい．強拡大

薬剤によるリンパ節腫大は与えられた薬剤の蓄積によるものもあるが，本項ではアレルギー性の機転による病像をみることとする．最もよくみる型のものでは副皮質領域の拡大がみられる．リンパ濾胞は萎縮しほとんど認識されないものもあるが，残存している症例もある（**図 37**）．特徴的なのは濾胞間の血管，特に高内皮細静脈（後毛細血管静脈ともいう）の著明な増生であり（**図 38**），この部に一致して明瞭な核小体を有する芽球化リンパ球，形質細胞，好酸球が種々の割合でみられる（**図 39，40**）．

【鑑別診断】　このような像はT細胞性リンパ腫の一型である**血管免疫芽球型T細胞性リンパ腫（AIL-T細胞性リンパ腫）**とたいへん近似している．ときにはリンパ節の構造が全体に破壊され上記のAIL-T細胞性リンパ腫との鑑別が組織学的には困難な症例もみられる．このような症例では臨床経過や検査データを的確に把握することがたいへん重要である．

［参考事項］　薬剤性リンパ節症では原因となる薬剤が投与されて1〜2週後にリンパ節腫大が顕在化することが多い．アレルギー徴候としての発疹や好酸球増多あるいは肝障害に基づく血清学的異常などを伴うこともしばしばある．疑われた場合には当該薬剤の投与を中止することでリンパ節腫大がすみやかに消失する．また，リンパ球の芽球化試験をすることも有効な検索手段である．原因薬剤としてはヒダントインなどの抗痙攣薬のほか抗生物質や消炎鎮痛薬など非常に多くのものがある．このような病変を繰り返して真の（T細胞性）リンパ腫に移行することもあり，腫瘍の前段階あるいは中間的な状態も含まれている．

表1 WHOのリンパ腫分類（一部改変，非ホジキンリンパ腫はわが国の頻度で比較的高率なものに限る）

B細胞性リンパ腫 B-cell neoplasms
- 前駆B細胞性腫瘍 precursor B-cell neoplasms
  - 前駆B芽球性白血病・リンパ腫 precursor B-lymphoblastic leukemia/lymphoma
- 成熟（末梢性）B細胞性腫瘍 mature（peripheral）B-cell neoplasms
  - B細胞性慢性リンパ球性白血病（小細胞性リンパ腫）B-cell chronic lymphocytic leukemia
  - 形質細胞性骨髄腫/形質細胞 plasma cell myeloma/plasmacytoma
  - 節外性辺縁帯B細胞性リンパ腫MALT型 extranodal marginal zone B-cell lymphoma of MALT type
  - 濾胞性リンパ腫 follicular lymphoma
  - マントル細胞リンパ腫 mantle cell lymphoma
  - びまん性大細胞型B細胞性リンパ腫 diffuse large B-cell lymphoma
  - バーキットリンパ腫/バーキット細胞性白血病 Burkitt lymphoma/Burkitt cell leukemia

T・NK細胞性リンパ腫 T and NK-cell neoplasms
- 前駆T細胞性腫瘍 precursor T-cell neoplasms
  - 前駆T芽球性白血病・リンパ腫 precursor T-lymphoblastic leukemia/lymphoma
- 成熟（末梢性）T細胞性腫瘍 mature（peripheral）T-cell neoplasms
  - 成人T細胞性白血病・リンパ腫 adult T-cell leukemia/lymphoma
  - 節外性NK/T細胞性リンパ腫，鼻型 extranodal NK/T-cell lymphoma, nasal type
  - 菌状息肉症/Sézary症候群 mycosis fungoides/Sézary syndrome
  - 末梢性T細胞性リンパ腫（特殊病型を除く）peripheral T-cell lymphoma, not otherwise characterized
  - 血管免疫芽球型T細胞性リンパ腫 angioimmunoblastic T-cell lynphoma
  - 未分化大細胞型リンパ腫，全身型 anaplastic large cell lymphoma, primary systemic type

ホジキンリンパ腫 Hodgkin lymphoma
- 結節性リンパ球優勢型 nodular lymphocyte predominance Hodgkin lymphoma
- 古典的ホジキンリンパ腫 classic Hodgkin lymphoma
  - 結節性硬化型 nodular sclerosis
  - 富リンパ球性古典型 lymphocyte-rich classical
  - 混合細胞型 mixed cellularity
  - リンパ球減少型 lymphocyte depletion

【総説・分類】 腫瘤形成性のリンパ腫とリンパ性白血病との境界は必ずしも明瞭ではない．しかし，急性リンパ性白血病の多くは未成熟な段階の細胞の腫瘍化であり，骨髄が主たる増殖の場である．一方，末梢性リンパ球性の腫瘍の多くはリンパ節や各臓器のリンパ装置に病変の主座をおいている．

リンパ腫を大別すると**非ホジキンリンパ腫**と**ホジキンリンパ腫**に分かれる．最近の研究によるとホジキンリンパ腫の腫瘍細胞であるリード・シュテンベルグ Reed-Sternberg 細胞はその多くがB細胞由来であるが，現在もなお非ホジキンリンパ腫と区別して診断する必要がある．その理由としては，ホジキンリンパ腫は，①リンパ節原発が大半であり節外性臓器に初発することはごく例外的である，②病変の進展はリンパ節のつながりに沿っており，領域の離れたリンパ節に非連続的に進展することはまれである，③特徴的な組織像とマーカーを有する，④現行の治療によく反応し一般に予後が良好であり，治療方針が非ホジキンリンパ腫とは異なっている，という臨床病理学的特徴を有しているからである．非ホジキンリンパ腫は，わが国ではその約半数がリンパ節外に原発し，非連続進展をする症例がまれならず認められる．

現在の最も新しい分類であるWHOのリンパ腫分類に従って，比較的頻度の高いものに限って分類項目を**表1**にあげる．リンパ腫の分類は10年単位くらいで大きく変遷しており，WHO分類は2001年，2008年版が発刊され，2017年に改訂版が出版された．

これらの分類は染色体異常，分子異常により大きく依存する傾向があり，診断上は分子遺伝学的および免疫学的検索手段の顕著な進歩が大きな役割を果たしている．また，分子標的薬の開発は非常に急速であり，対象となる分子の発現の有無を病理として検索することが日常的となっている．非ホジキンリンパ腫は大きくB細胞性とT（NKを含む）細胞性に分けられており，それぞれ中枢性と末梢性に分かれ，母細胞を考慮した診断名が採用されている．

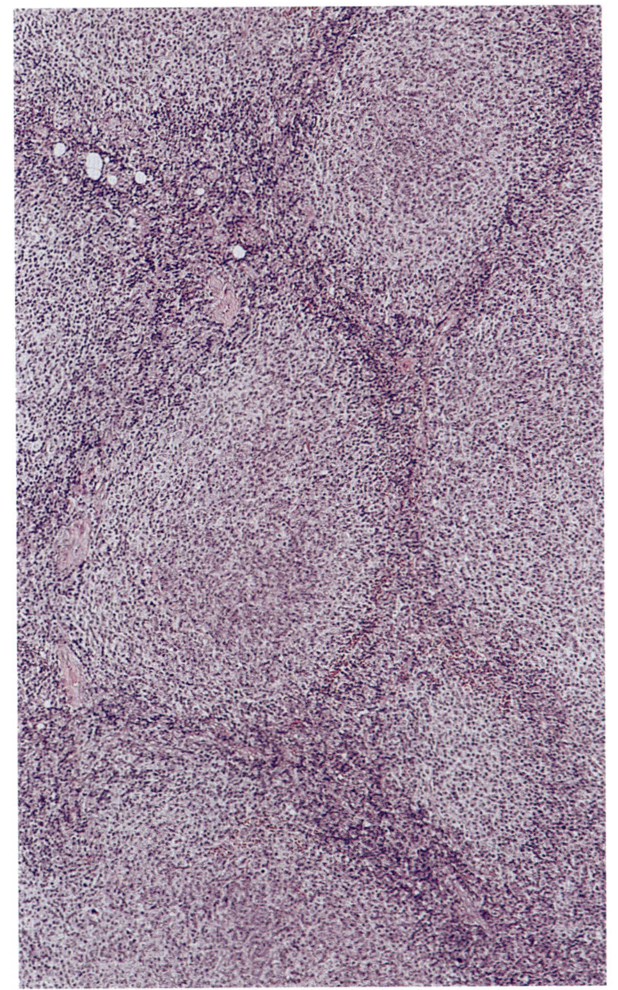

図 41　濾胞性リンパ腫．リンパ節の基本構築は失われ，多数の腫瘍性濾胞が認められる．弱拡大

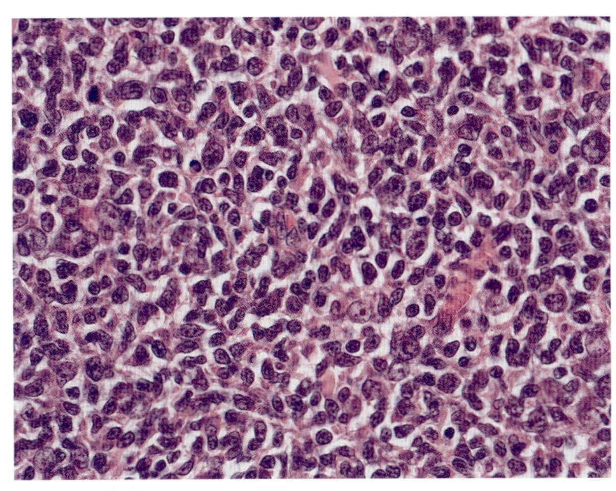

図 42　同前．リンパ腫細胞は中型の small cleaved cell が主体をなす．分裂像は少ない．強拡大

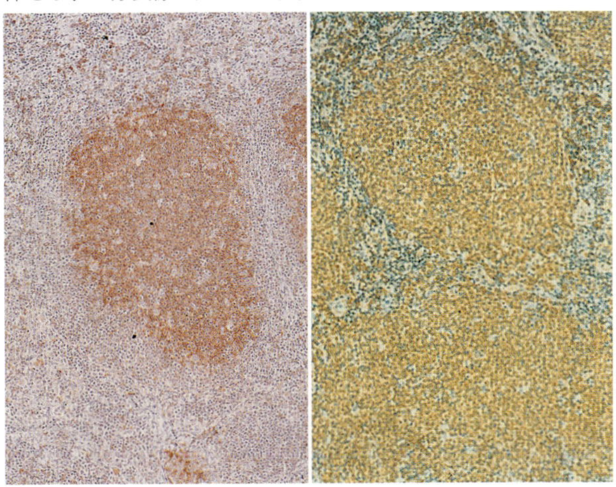

図 43　同前．腫瘍性濾胞は CD10 抗原を発現し（左），BCL-2 蛋白も陽性である（右）．酵素抗体法．弱拡大

濾胞性リンパ腫 follicular lymphoma の大半はリンパ節原発であるが，十二指腸にも好発することが判明し，十二指腸型という亜型が認められた．リンパ節の基本構築，すなわち皮質，副皮質，髄索，リンパ洞などは失われており，弱拡大では大きさのそろった腫瘍性濾胞が多数認められる（**図 41**）．これら腫瘍性濾胞は反応性濾胞と比べてその境界が不明瞭であるが，それはリンパ腫細胞が濾胞構造内にとどまらず周辺にも存在するためである．拡大を上げるとリンパ腫細胞は中型の雑巾を絞ったような核を有する small cleaved cell，centrocyte と大型の large non-cleaved cell，centroblast（**図 42**）が混在しているが，反応性の濾胞に比して核分裂像が少なく，tingible body macrophage も少数にとどまっている（**図 41**）．すなわち反応性の胚中心細胞に比べて増殖能は低くアポトーシスに陥ることも少ないことを示している（☞p.92）．免疫組織化学的検索により，リンパ腫細胞は濾胞中心 B 細胞に陽性である CD10 とともに（**図 43 左**），アポトーシスに抑制的に働く BCL-2 蛋白を高発現していることが証明される（**図 43 右**）．

【鑑別診断】　反応性胚中心細胞は上に述べた鑑別点のほか，BCL-2 蛋白が同定されないことで鑑別しうる．

［参考事項］　濾胞性リンパ腫はいわゆる低悪性度リンパ腫の代表的疾患である．低悪性度とは腫瘍の増殖が遅く 5 年生存率も非常に高率であることに起因する．しかし，病期の進んだ症例では通常の治療では寛解（腫瘍が消失していること）が維持されず再発をきたしやすい．血液性悪性病変では抗がん剤治療を行うのが通例であるが，種々の検討により現在では臓器障害性がないような症例では経過観察をし，病勢の進展が明らかになった時点で初めて抗がん剤治療がなされることも非常に有力な選択項目となっている．濾胞性リンパ腫は染色体転座 t(14;18)(q32;q21) が高率であり，18 番染色体転座部位から *BCL-2* 遺伝子がクローニングされた．

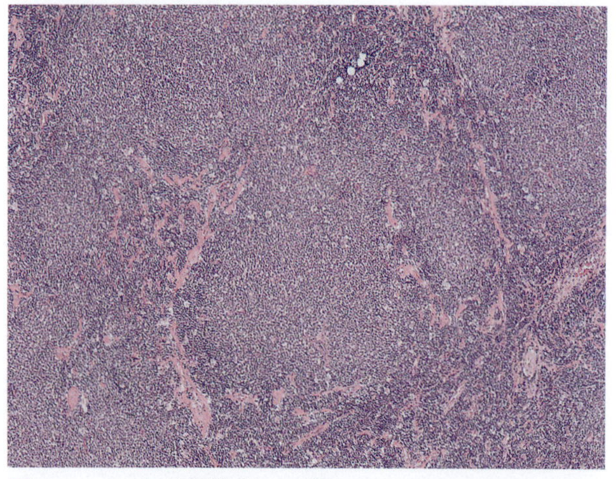

図 44　マントル細胞リンパ腫．リンパ腫細胞が結節状に増生している．弱拡大

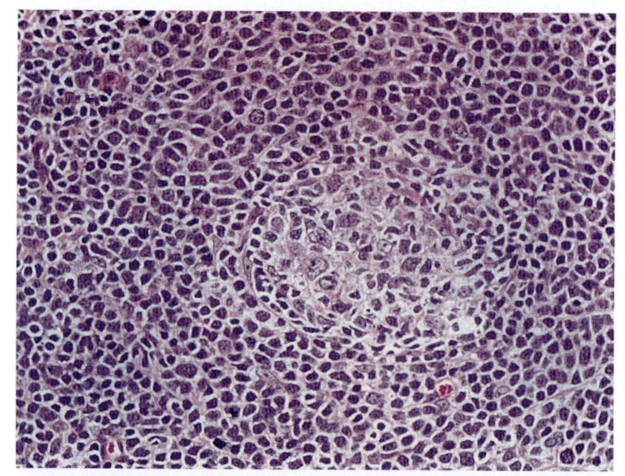

図 45　同前．中型のリンパ腫細胞が小型の胚中心（中央部）に接して増生している．強拡大

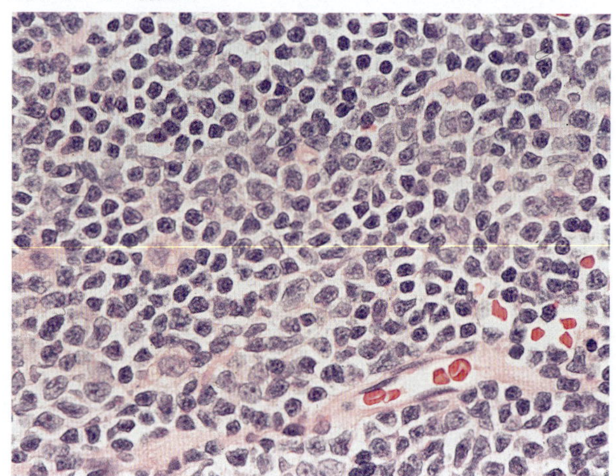

図 46　同前．リンパ腫細胞は small cleaved cell に近似した核型を示し，かなり均一である．強拡大

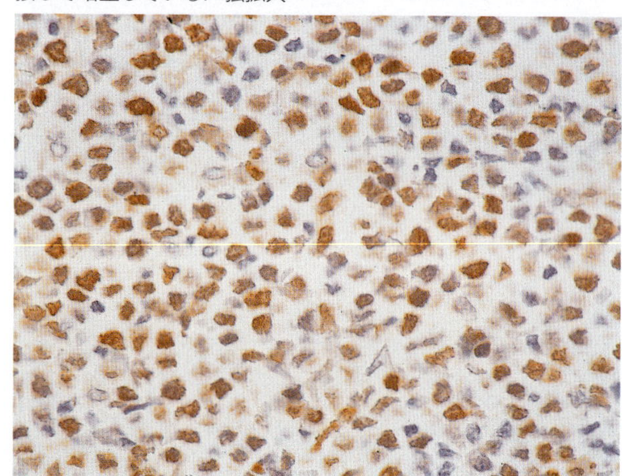

図 47　同前．核に一致して cyclin D1 の高発現を示す．酵素抗体法．強拡大

マントル細胞リンパ腫 mantle cell lymphoma は大部分がリンパ節原発であるが，消化管を侵す頻度もかなりある．弱拡大ではリンパ節の基本構築が失われ，クロマチンに富んだリンパ腫細胞が一見，一様にあるいは結節を形成して増生している（**図 44**）．拡大を上げていくと，そのような増生巣の中に埋没するようにやや明るい細胞の集簇巣を見いだすことができる．この集簇巣は強拡大では胚中心であることがわかる（**図 45**）．リンパ腫細胞は成熟小型リンパ球よりやや大きく，細長で cleaved cell に近い核型を示すが胚中心内のそれよりは小さく，両者の中間にあたる大きさであることが多い（**図 46**）．核分裂像が強拡大あたり 2 個以上，あるいは cell cycle にある細胞が陽性になる Ki-67 が 40％以上の症例は予後不良である．このように胚中心とじかに接する態度は反応性のマントル帯の分布を模倣している．免疫組織学的には CD5 陽性で cyclin D1 が核に一致して高発現をすることが特徴である（**図 47**）．

【鑑別診断】 組織学的に結節形成が目立つものは**濾胞性リンパ腫**や **MALT リンパ腫**との鑑別が問題になる．本症はリンパ腫細胞がより均一でマーカーで cyclin D1 の高発現を示し CD5 陽性，CD10 陰性，CD23 陰性という結果が鑑別に重要である．cyclin D1 陰性例も少数存在し，そのような症例は SOX11 陽性である．

［参考事項］ マントル細胞リンパ腫は中高年に好発し，男性に多い．染色体転座 t(11;14)(q13;q32) が多く前述のように 11 番染色体上の *BCL-1* 遺伝子産物 cyclin D1 が高発現することが特徴の 1 つである．濾胞性リンパ腫と同様に細胞増殖能の点からみると低悪性度リンパ腫の範疇に入るが，骨髄浸潤・白血化する頻度が高く，治療抵抗性で難治性であることが問題である．少数例は節外原発性で，特に消化管に病変の主座をもつものは広い範囲で無数のポリープを形成することが多く，**lymphomatous polyposis** とよばれる病態を示す．

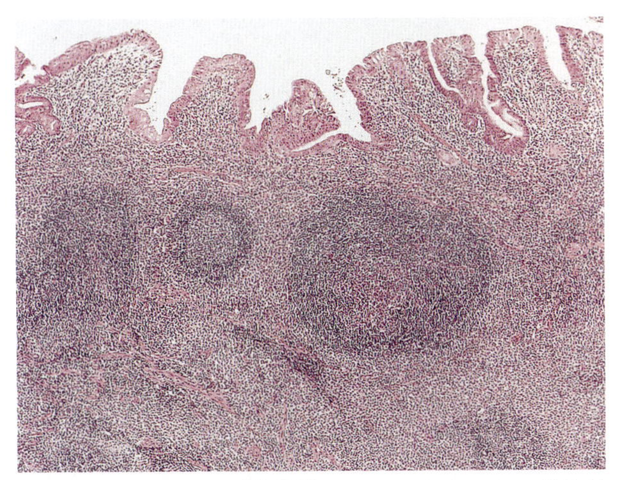

図 48　MALT リンパ腫（胃）．リンパ腫細胞はリンパ濾胞外での増殖が主体である．弱拡大

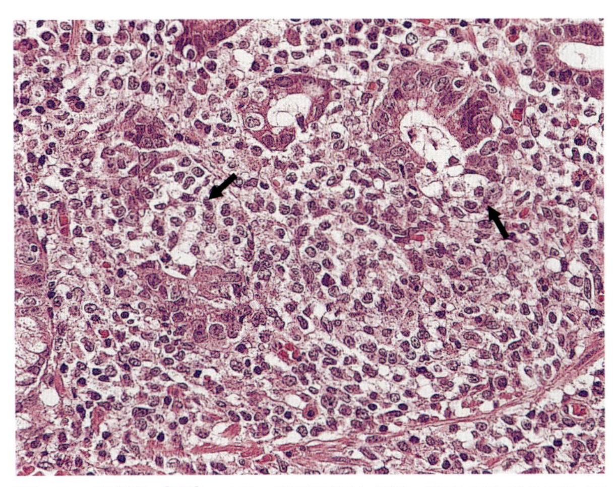

図 49　同前（胃）．リンパ腫細胞は CCL 細胞の核型を示して LEL（⬆）を形成している．強拡大

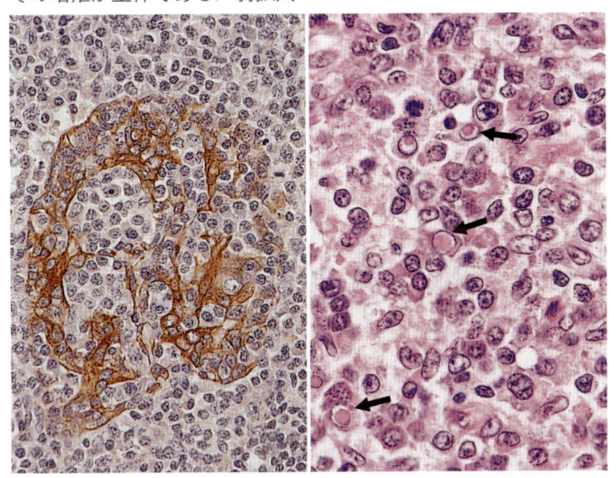

図 50　同前．左（甲状腺）：ケラチン染色で上皮は褐色．酵素抗体法．中拡大．右（胃）：Dutcher 体（⬆）．強拡大

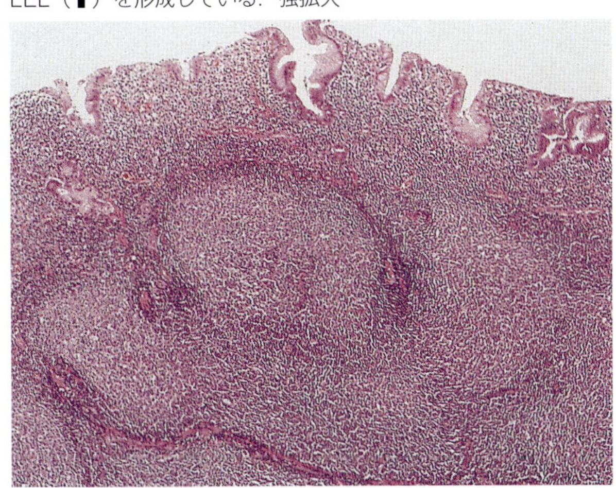

図 51　同前（胃）．リンパ腫細胞は結節状に増殖しており，follicular colonization である．弱拡大

節外性辺縁帯 B 細胞性リンパ腫 MALT 型 extranodal marginal zone B-cell lymphoma of MALT type（**粘膜関連リンパ組織リンパ腫** MALT lymphoma）では弱拡大で粘膜固有層から粘膜下層にかけて著しいリンパ球浸潤がみられるが，しばしば小型の胚中心と狭いマントル帯を残しておりその周辺に病変が広がっている（**図 48**）．リンパ腫細胞は中型で雑巾を絞ったような切れ込みを有する濾胞中心細胞に似た核型を示しており **centrocyte-like cell**（CCL 細胞）とよばれている（**図 49**）．核分裂像は乏しく細胞分裂回転に入っている細胞は少ない．CCL 細胞はしばしば上皮間，腺管内に浸潤し，腺管の変形を伴って **lymphoepithelial lesion**（**LEL**）を形成する（**図 49，50 左**）．MALT リンパ腫はまた形質細胞への分化を示しやすく，この場合核内の細胞質陥入像であるダッチャー Dutcher 体がしばしば形成される（**図 50 右**）．

【鑑別診断】　MALT リンパ腫は慢性炎症から発生する．たとえば胃では *Helicobacter pylori*（*H. pyolri*）感染に起因する慢性胃炎，甲状腺では慢性甲状腺炎（橋本病）を背景とする．慢性炎症との鑑別は胃では LEL の存在，CCL 細胞の形態が鑑別点になる．リンパ腫細胞は胚中心内に浸潤しその拡張をきたすことがあり，**follicular colonization** とよばれている（**図 51**）．これは**濾胞性リンパ腫**との異同が問題となる．濾胞性リンパ腫で陽性になる CD10 は MALT リンパ腫では陰性である．

［参考事項］　MALT リンパ腫は節外性臓器に広く発生するが胃が最も多い．胃の典型的症例では多発性の不整形潰瘍（約 60%）あるいは隆起性病変（約 10～20%）を示す．胃 MALT リンパ腫のかなりのものが *H. pylori* を除菌することにより寛解にいたる．MALT リンパ腫は多くが 1 つの節外性臓器にとどまっており，予後は一般に良好である．

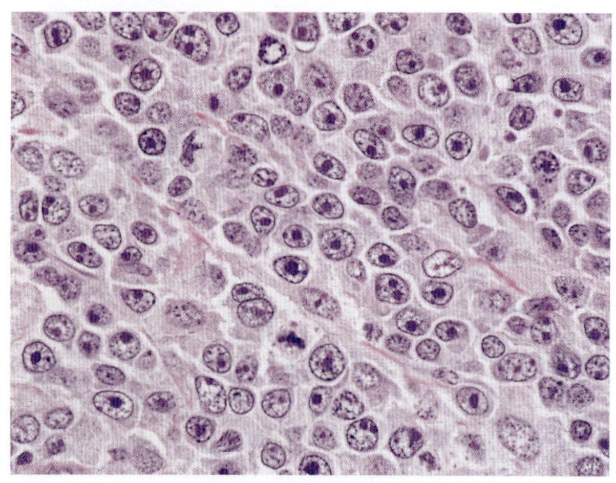

図 52　びまん性大細胞型 B 細胞性リンパ腫．大型核で核小体明瞭な免疫芽球が優位．強拡大

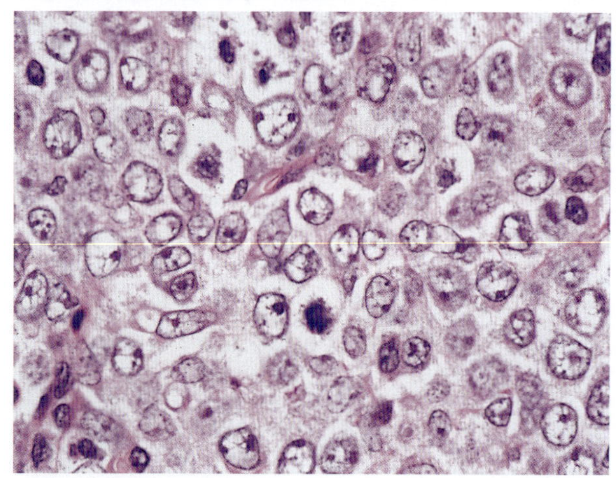

図 53　同前．数個ある核小体は偏在しており，胚中心芽細胞の核型を示す．強拡大

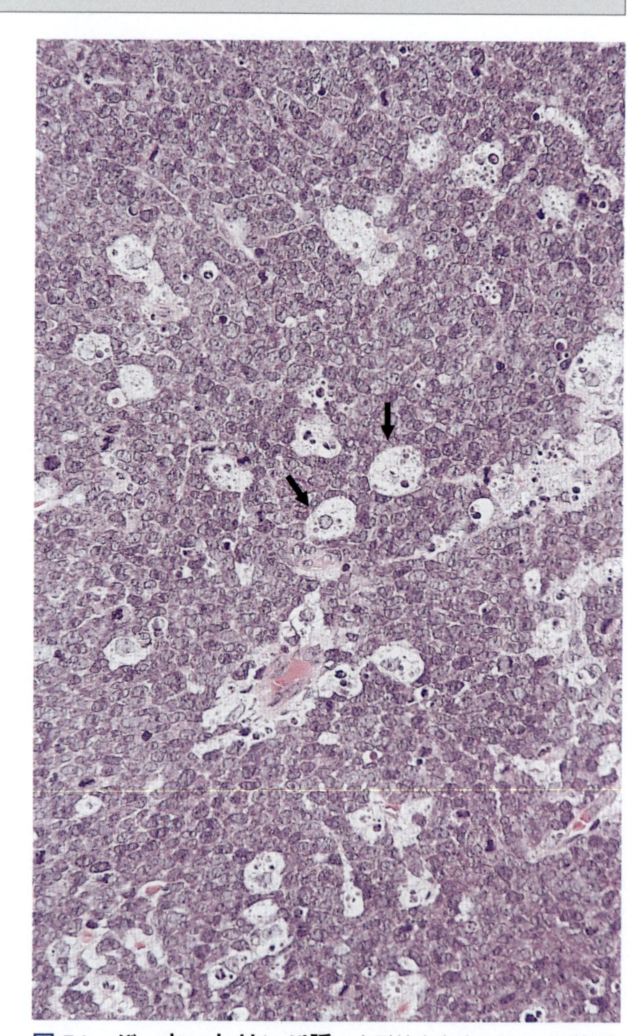

図 54　バーキットリンパ腫．中型核を有するリンパ腫細胞が starry sky 像（⬆）を示して増生する．強拡大

びまん性大細胞型 B 細胞性リンパ腫 diffuse large B-cell lymphoma（DLBCL）ではリンパ節の基本構築は失われており，一様にリンパ腫細胞がびまん性に増殖している．リンパ腫細胞のクロマチンは乏しいことが多く，明るい印象を受ける．強拡大ではリンパ腫細胞は大型類円形核と狭小な胞体からなっており，核分裂像が多く大多数の細胞が分裂周期に入っている．核型を詳細にみると，核の中央に明瞭な 1〜2 個の核小体を有する細胞（免疫芽球 immunoblast）と数個の核小体が核縁に分布している細胞（胚中心芽細胞 centroblast）の 2 種類を指摘できるが，多くの症例では両者が混在している．免疫芽球が大多数を占める場合 **immunoblastic lymphoma**（**図 52**），胚中心芽細胞が多い場合 **centroblastic lymphoma**（**図 53**）とよぶことがある．

【鑑別診断】 中型から大型のリンパ腫細胞のびまん性増生をきたす疾患として**バーキットリンパ腫**が重要な鑑別疾患となる．バーキットリンパ腫ではリンパ腫細胞が核クロマチンに富み胞体が好塩基性で充実性増生をし，組織球が夜空の星のように分布する starry sky 像を示しやすい（**図 54**）．しかし，starry sky 像は大細胞型リンパ腫でもしばしばみられることからこれのみでは鑑別できない．バーキットリンパ腫の大部分は t(8;14)(q24;q32) を示す．

【参考事項】 DLBCL は，リンパ腫の 30〜40％を占めており最も高頻度である．マイクロアレイを用いた研究により DLBCL には，胚中心に近似した GCB 型とそれ以外の ABC 型に分けられうることが判明してきた．両者の予後が異なること，また分子発癌機序が異なることも最近わかってきており，治療法の選択にもかかわる可能性が出てきている．B 細胞性リンパ腫のほとんどに発現している CD20 抗原を標的とする抗体薬も使用され，DLBCL もほぼ 7 割程度の患者が治癒可能となってきた．最初からこの組織像を示す場合と低悪性度リンパ腫が高悪性度化した場合がある．細胞由来は種々雑多であり節性，節外性とも発生頻度は拮抗している．発症年齢も若年から老年まで幅広い．

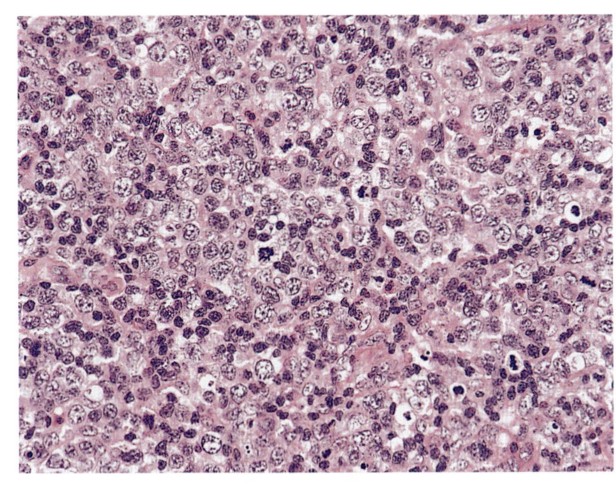

図 55　末梢性 T 細胞性リンパ腫(特殊病型を除く)．中型～大型リンパ腫細胞の増生．強拡大

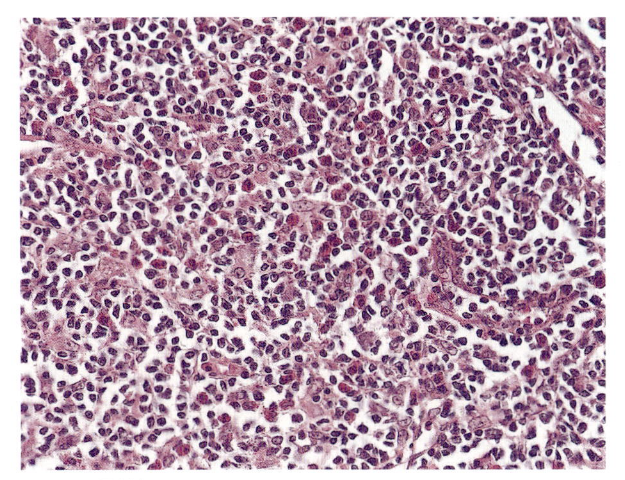

図 56　同前．リンパ腫細胞は好酸球を交えて増殖している．強拡大

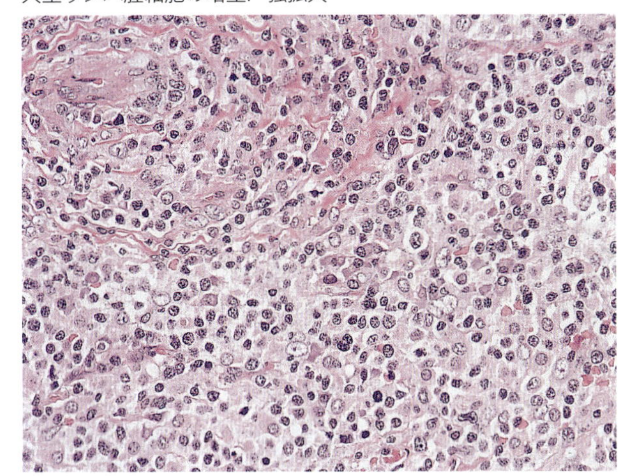

図 57　同前．リンパ腫細胞は形質細胞，血管増生を伴っている．強拡大

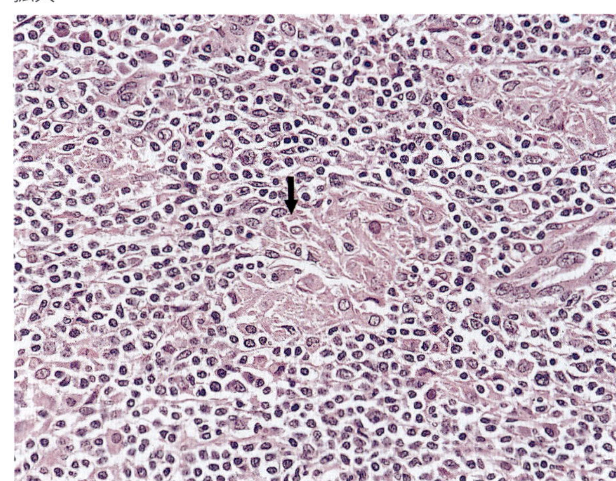

図 58　同前．組織球が集簇したいわゆる Lennert 病変を伴っている（⬆）．強拡大

末梢性 T 細胞性リンパ腫（特殊病型を除く）peripheral T-cell lymphoma, NOS：not otherwise specified は B 細胞性リンパ腫におけるびまん性大細胞型リンパ腫と似た位置づけがなされる疾患である．しかし，B 細胞性の大細胞型リンパ腫が比較的単調な組織像を示すのに対して T 細胞性リンパ腫のそれはより多彩である．たとえば，血管増生や好酸球浸潤，あるいは組織球の増生が著明なことが多く，一見すると腫瘍細胞がそれらに埋没して同定しにくいことがある(**図 55～57**)．このような現象は T 細胞による各種サイトカインの産生に起因する．まれならずリンパ腫細胞が B 細胞性濾胞間に分布し，胚中心・リンパ濾胞を残すように分布することがある（T zone リンパ腫）．組織球が豊富で類上皮細胞結節を多数伴う場合があり，このようなリンパ腫は**レナート Lennert リンパ腫**（**図 58**）ともよばれる．大細胞型 B 細胞性リンパ腫のように大型リンパ腫細胞がびまん性に増生する症例は少ない．

【鑑別診断】　びまん性大細胞型 B 細胞性リンパ腫と鑑別を要するときにはマーカー検索が必須である．多彩な背景を有する症例は**ホジキンリンパ腫**が重要な鑑別になるが，ホジキンリンパ腫は Reed-Sternberg 細胞が出現し背景細胞に異型が乏しい（☞p.110, 111）．成人 T 細胞性リンパ腫は一般に通常の末梢 T 細胞性リンパ腫に比べて核異型が著しくより多彩であるが，鑑別には HTLV-Ⅰの関与を示す抗 HTLV-Ⅰ抗体の有無，proviral DNA の integration の検索を必要とする（☞p.106）．

［参考事項］　特殊病型を除く末梢性 T 細胞性リンパ腫もびまん性大細胞型 B 細胞性リンパ腫同様に節性・節外性ともに認められる．中高年にピークがあるが若年から老年まで幅広い分布をしている．一般に T 細胞性リンパ腫は B 細胞性に比べて臨床病期の進んだ症例が多く予後はより悪い．

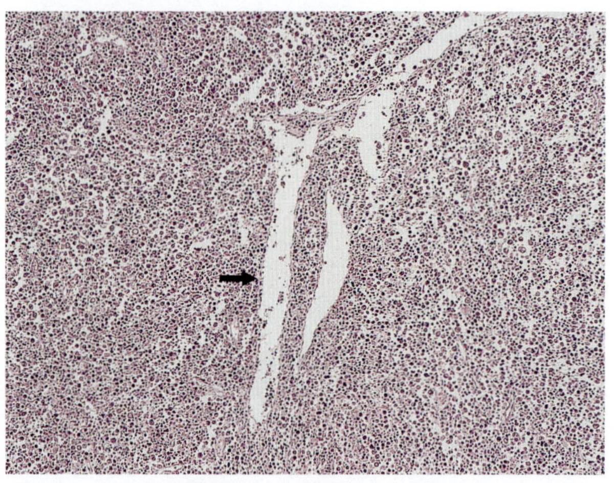

図 59　成人 T 細胞性リンパ腫．リンパ節の構造は大部分破壊されているが，リンパ洞（⬆）を残す．中拡大

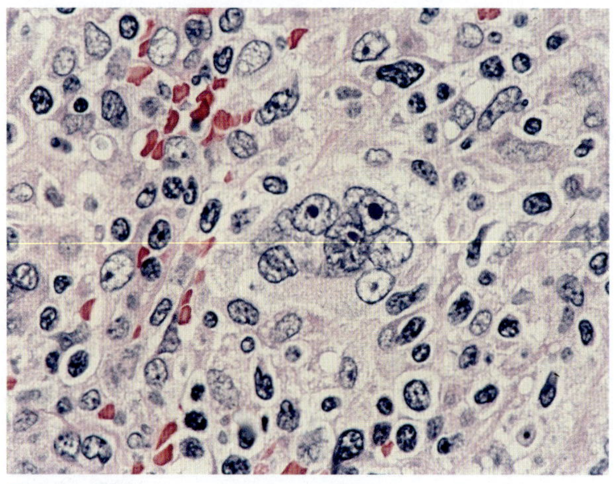

図 60　同前．リンパ腫細胞の異型は強く，大小不同を示し，ときに巨細胞もみられる．強拡大

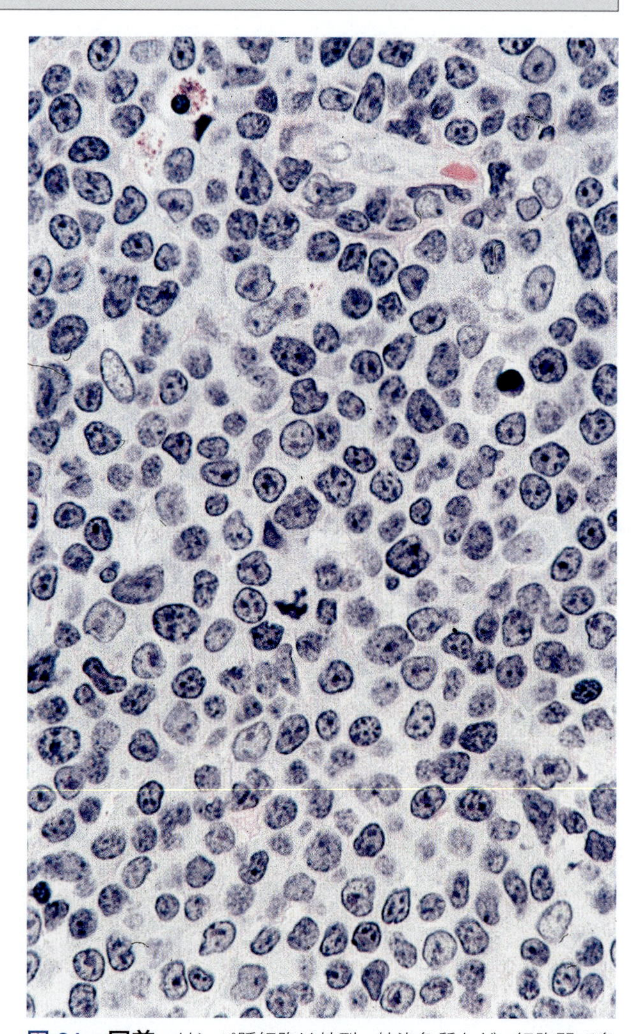

図 61　同前．リンパ腫細胞は核型，核染色質など，細胞間で多形成に富む．強拡大

成人 T 細胞性白血病・リンパ腫 adult T-cell leukemia/lymphoma は九州，四国などの南西日本に高率にみられる T 細胞性リンパ腫で，RNA ウイルスの一種である HTLV-Ⅰを原因とする特異なリンパ腫である．顕在化した症例では白血化することが多い．リンパ節の基本構築は失われ，びまん性にリンパ腫細胞が増生しているが，リンパ洞は残されていることがしばしばで血行性進展を示唆する（**図 59**）．特徴はリンパ腫細胞の異型が非常に強いことである．リンパ腫細胞の核は大小さまざまで核型もたいへん不整である．核分裂像も多数みられる．核には多くの切れ込みを有しているという特徴を示すが，核小体などは明瞭なものも不明瞭なものもあり，視野を変えるごとにいろいろな細胞が認識される（**図 60, 61**）．核異型と切れ込みはピントをずらして鏡検するとより明瞭に認識される．核表面の切れ込みが著しい核型は脳回様 convoluted と形容される．ときにはホジキンリンパ腫における Reed-Sternberg 細胞に似た細胞が出現することもある．

【鑑別診断】　特殊型を除く末梢性 T 細胞性リンパ腫（☞ p.105）と**ホジキンリンパ腫**との鑑別が重要である．成人 T 細胞性リンパ腫はより多彩で小型～中型細胞でも核の不整が顕著であり，核異型の著しい場合はホジキンリンパ腫は否定される．

［参考事項］　リンパ腫細胞は多様であるが proviral DNA の組み込みは単クローン性である．リンパ腫細胞は CD4 陽性の helper/inducer 型の T 細胞の形質を示す．臨床的にはくすぶり型，慢性型，急性型，リンパ腫型があるが，急性型とリンパ腫型は一般に治療抵抗性でほとんどの症例が 1 年以内に死亡する．主として母乳を介してウイルスが伝播するとされている．

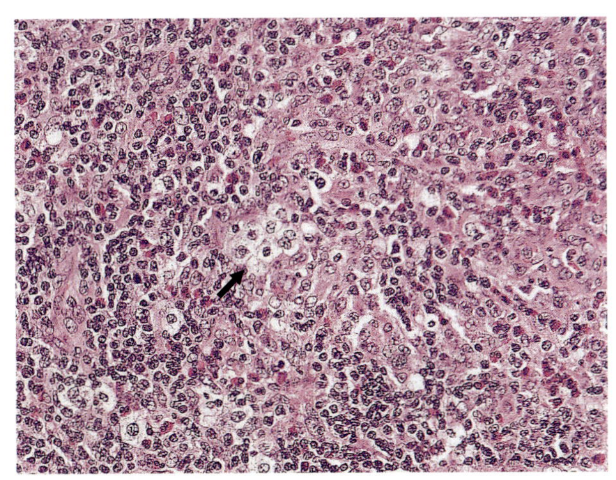

図 62　血管免疫芽球型 T 細胞性リンパ腫．多数の血管増生と clear cell（⬆）の小集簇がみられる．中拡大

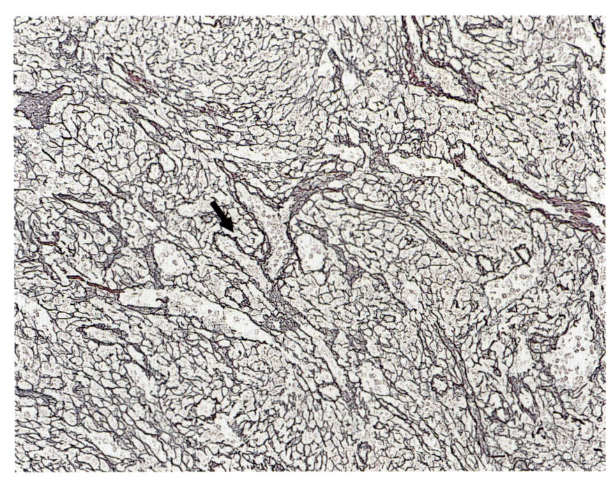

図 63　同前．著明な血管増生が鍍銀法で明瞭に観察される（⬆）．鍍銀．中拡大

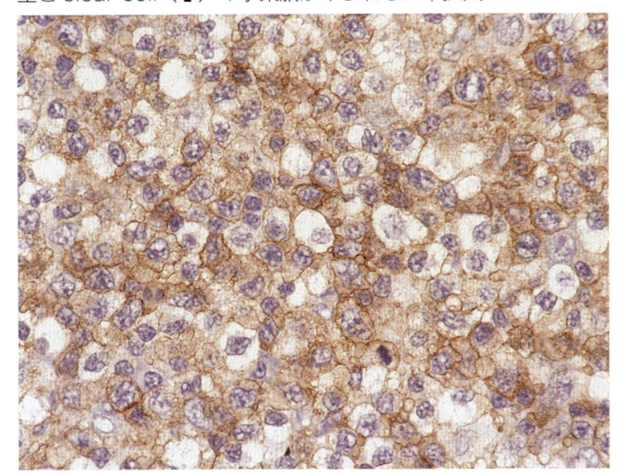

図 64　同前．clear cell は T 細胞の形質（CD45RO）を示す．酵素抗体法．強拡大

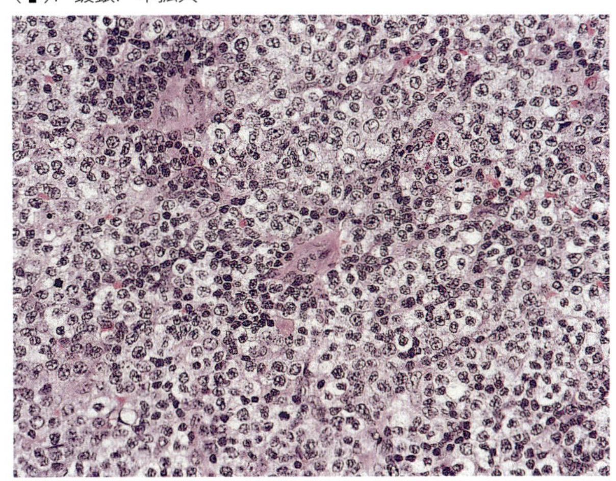

図 65　同前．疾患の進展に伴って，clear cell が全体を占めるようになる．中拡大

血管免疫芽球型 T 細胞性リンパ腫 angioimmunoblastic T-cell lymphoma（AITL）　リンパ節の基本構築はリンパ濾胞が一部で残存することもあるが，その他は破壊されている．中心部から皮質に向かう多数の血管増生がみられ，その多くは内皮細胞が腫大する高内皮細静脈の形態を示す．増生血管の周囲には核小体の明瞭な大型芽球や形質細胞，あるいは好酸球浸潤など多彩な像がみられる（**図 62，63**）．この芽球の多くは B 細胞性であるが，形質細胞とともに免疫グロブリンは多クローン性であり非腫瘍性である．リンパ腫細胞は中型～大型核と淡明な胞体を有し（clear cell または pale cell とよばれる），主として皮質に小集簇性に増生している（**図 62**）．リンパ腫細胞の数が少ないためこれを見逃さないようにすることが重要である．このような細胞は CD3 陽性で大部分は CD4 陽性の helper/inducer 型である（**図 64**）．PD-1，CXCL13，CD10，PD-1，BCL6 といったマーカーが陽性になることが多い．疾患の進行に伴い clear cell の密度が増し，最終的にはリンパ節全体がリンパ腫細胞により置換される（**図 65**）．

【鑑別診断】　本症では clear cell の出現が重要であり，病変内には濾胞樹状細胞の集簇巣がしばしば認められる．clear cell を認識できない場合は良・悪性の中間型や薬剤性リンパ節炎との鑑別は困難である．薬剤（☞p.99）や蚊のアレルギーなどを繰り返すうちに本症に移行する症例もみられる．

［参考事項］　本症はリンパ節原発であり初診時臨床病期の進んだ症例が大部分である．中高年に好発し若年発症はまれである．発熱や多クローン性免疫グロブリン増多症，皮膚発疹などを伴うことがしばしばあり，サイトカインによる徴候を示す．発症当初は進行緩徐で一時的に寛解することもあるが予後は一般に不良で，最終的には感染死することが多い．

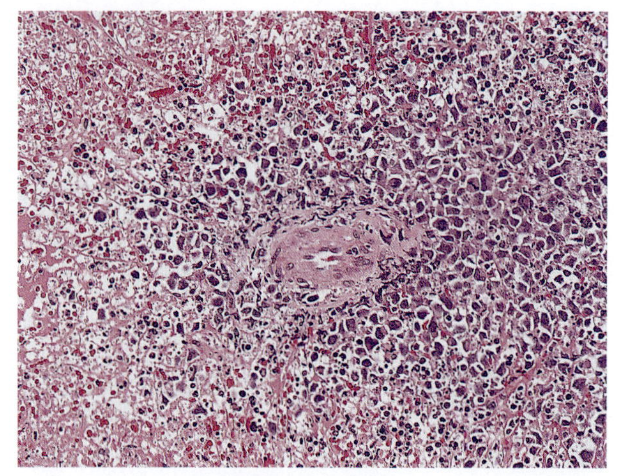

図66　鼻型 NK/T 細胞性リンパ腫．リンパ腫細胞は血管周囲性に分布し，壊死を伴う．中拡大

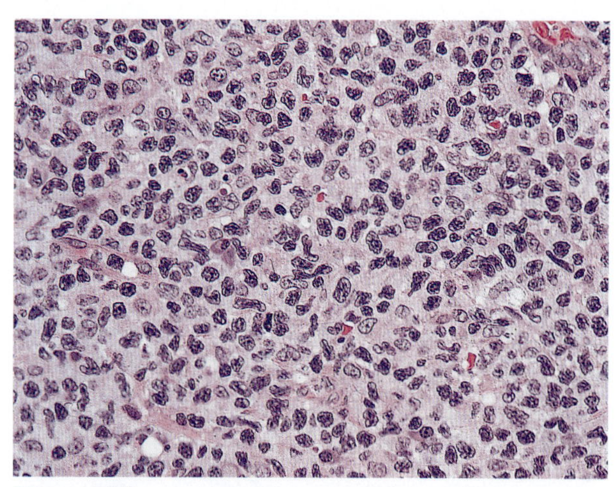

図67　同前．リンパ腫細胞は中型で胡瓜形とも表現される核を有するものが多い．強拡大

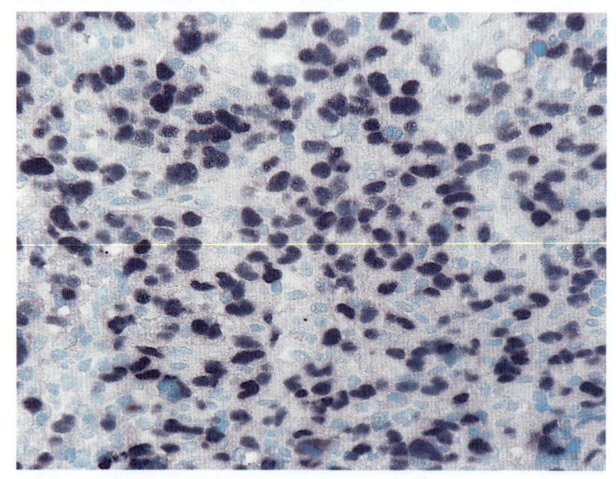

図68　同前．鼻腔に原発するものでは高率に EB ウイルス感染を伴っている．EBER-1，ISH．強拡大

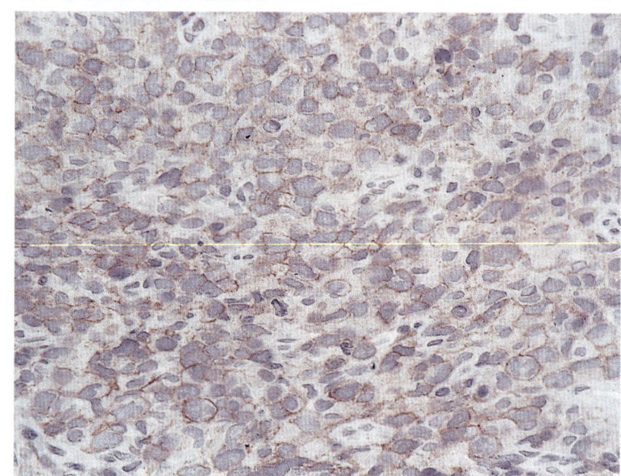

図69　同前．リンパ腫細胞は CD56 陽性で，NK 細胞由来の表現型を示している．酵素抗体法．強拡大

節外性 NK/T 細胞性リンパ腫，鼻型 extranodal NK/T-cell lymphoma, nasal type では血管周囲性に中型から大型のリンパ腫細胞が増生して血管壁を浸潤破壊し，しばしばその周囲に壊死を伴う（**図66**）．鼻腔では病変の進展に伴って周囲の骨を破壊し眼窩や口腔へ進展することがよくある．中型のリンパ腫細胞の核は細長く胡瓜形などとも表現され胞体は狭小である（**図67**）．核分裂像も散見される．この核型は一見胚中心の centrocyte にも似ているが核の切れ込みは不明瞭である．鼻腔のものは EB ウイルスの単クローン性の感染が高率に証明される（**図68**）．

【鑑別診断】　鼻腔原発の典型例では他疾患との鑑別は比較的容易である．しかし，小さい生検材料で壊死巣のみが採取される場合診断にいたらないことがままある．壊死を伴いやすい疾患では**ウェゲナー Wegener 肉芽腫症**が鑑別疾患となる（☞p.158）．ウェゲナー肉芽腫症では血管炎と形質細胞や組織球の浸潤があり，より多彩で出現リンパ球は異型性が乏しい．

［参考事項］　ほとんど節外性で鼻腔に原発することが最も多い．同様の組織像を示す症例が皮膚や消化管，脾臓，精巣などにみられることがある．本症は日本，韓国や香港などアジア地区で多数の症例がみられるが欧米ではまれである．耳鼻科領域では以前から著明な壊死を伴う予後不良な疾患を，**lethal midline necrosis（致死的正中線壊死症）**とよんでいた．現在のマーカー検索ではそのほとんどが細胞質内 CD3 陽性，CD56 陽性の NK/T 細胞性リンパ腫であることが判明した（**図69**）．なお，本症の NK/T とは NK または T 細胞由来ということで免疫学で確立された NK/T 細胞の概念とは一致しない．血管周囲性に増生することが多いため血管中心性リンパ腫 angiocentric lymphoma という名称もある．アポトーシスを誘導する Fas ligand（CD95 ligand）の関与が示唆されている．

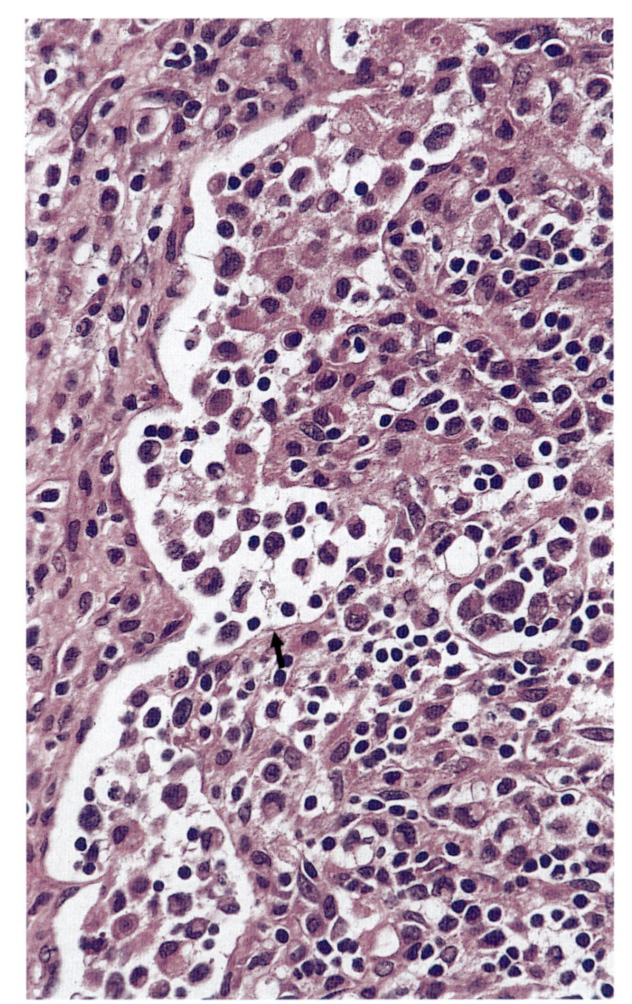

図 70　未分化大細胞型リンパ腫. リンパ洞内にリンパ腫細胞が浸潤する（⬆）. 強拡大

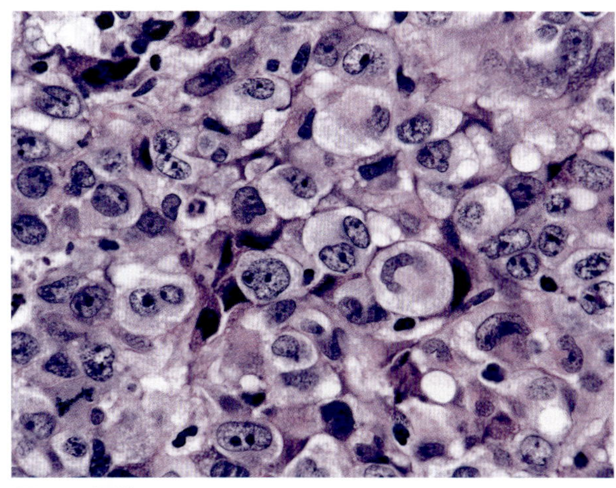

図 71　同前. 典型例では，腫瘍細胞は細胞質が豊富であり，腎臓型，胎児型に似る特徴的な核型を示す．目じるし細胞ともよばれる．強拡大

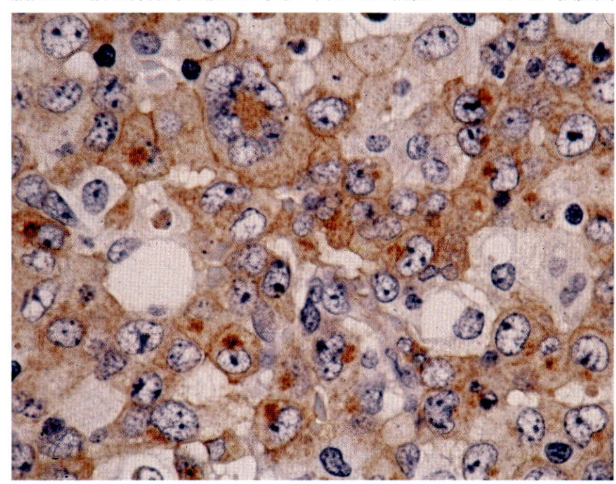

図 72　同前. リンパ腫細胞は CD30（Ki-1 抗原）陽性である．細胞膜とゴルジ野に強く反応している．酵素抗体法．強拡大

未分化大細胞型リンパ腫 anaplastic large cell lymphoma（ALCL）の特徴はリンパ洞内を中心として大型で異型の強い核型を示すリンパ腫細胞が集簇性に浸潤増生することである（**図70**）. 核は類円形のものもあるが不整な切れ込みを有することも多く，しばしば腎臓型，胎児型を示す．これらは目じるし細胞 hallmark cells ともよばれる（**図 71**）．また，多核の巨細胞もしばしば認められる（**図 71**）．胞体は淡好酸性で豊かなことが多く，集簇性を示すことから未分化癌の転移との鑑別が重要である．マーカー検索では多くはT細胞系の形質を示すがT・B細胞の形質をともに欠くことがしばしばあり，このような症例は null cell と表現される．特徴的なのは，活性化抗原でホジキンリンパ腫における Reed-Sternberg 細胞で検出される CD30 を有する点である（**図 72**）.

【鑑別診断】　大型リンパ腫細胞であり CD30 を発現している点でホジキンリンパ腫との鑑別が問題になる．T細胞リンパ腫も要鑑別であり，また両者の中間的な症例も存在するが，ホジキンリンパ腫では ALCL で観察されるようなリンパ洞内の増生浸潤形式を示すことは少ない．また，ALCL ではホジキンリンパ腫における線維化や各種炎症性細胞浸潤などの多彩な背景病変は一般により軽度である．未分化癌の転移とはサイトケラチンが陰性であることで区別される．

［参考事項］　CD30（Ki-1）が陽性であることから，以前 Ki-1 リンパ腫とよばれた．最近この疾患は大きく2つに分かれることが判明してきた．1つは若年に多い特異なリンパ腫である．染色体転座 t(2;5)(p23;q35) を示し p80NPM/ALK を発現するものが多く，予後良好である．ALK の検索は，今や診断に必須である．ALK 陰性例は高齢者に多く，t(2;5) を欠いており T 細胞リンパ腫との鑑別が問題となる．ホジキンリンパ腫との鑑別も問題となることがある．

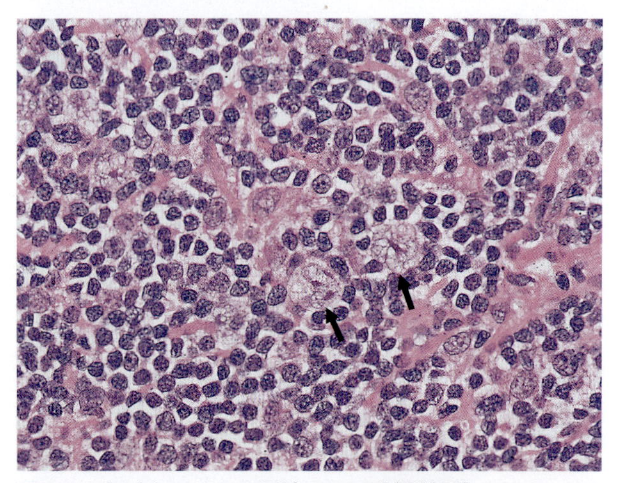

図73　ホジキンリンパ腫（リンパ球優勢型）．大型のL&H細胞（⬆）がみられる．背景リンパ球に富む．強拡大

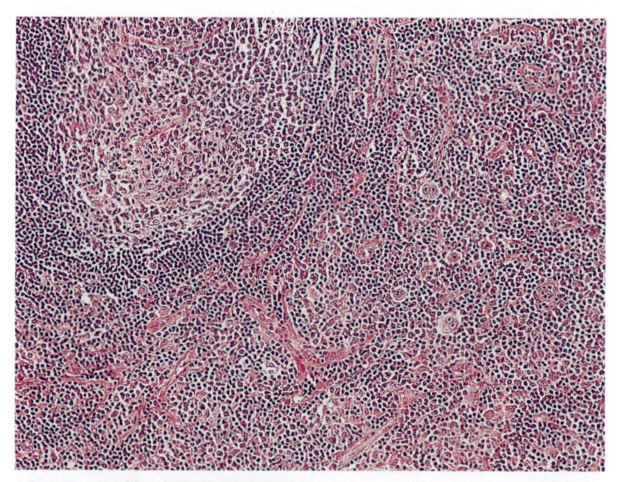

図74　同前（混合細胞型）．リンパ濾胞を残して，濾胞間にH-RS細胞を認める．弱拡大

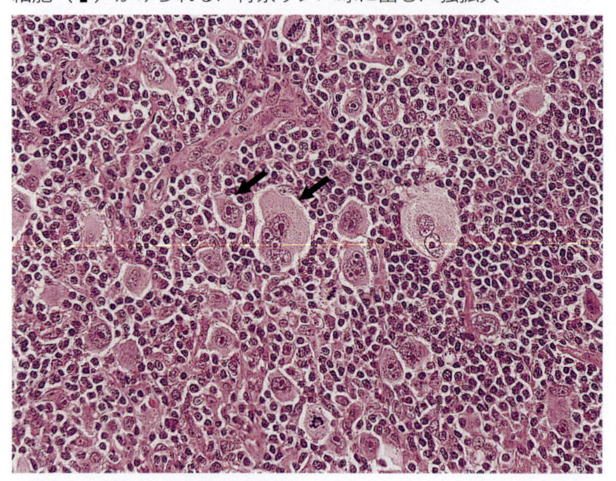

図75　同前（混合細胞型）．単核，多核のH-RS細胞（⬆）が増生している．中拡大

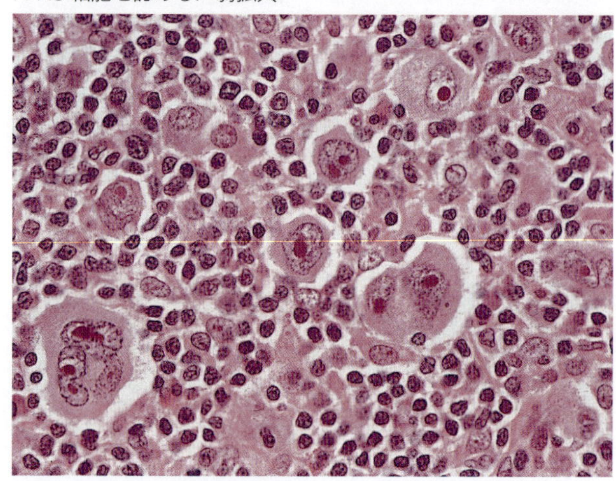

図76　同前（混合細胞型）．H-RS細胞は明瞭な核小体を有し，背景リンパ球と画然としている．強拡大

ホジキンリンパ腫 Hodgkin lymphomaは分類の項で示したように**リンパ球優勢結節型** lymphocyte predominance（LP）nodular（**図73**），**混合細胞型** mixed cellularity（MC）（**図74〜76**），**結節硬化型** nodular sclerosis（NS）（**図77，78**），**リンパ球減少型** lymphocyte depletion（LD），**富リンパ球性古典型** lymphocyte-rich（LR）classicalの5型がある．このうちLP nodular型，LD型，LR classical型は少数にとどまっているので，基本形ともいうべきMC型とNS型に絞って述べる．

ホジキンリンパ腫，特にMC型ではリンパ節の中での病変の分布が不均一であることが特徴の1つである．すなわちリンパ濾胞をしばしば残しており，腫瘍細胞はある部分では集簇しているが，別の部分ではまばらで周囲に多数の成熟リンパ球を伴っている．腫瘍細胞は背景のリンパ球に比べて明らかに大きく，明瞭で小豆色をした核小体を有しており胞体は淡好酸性で豊富である（**図74，75**）．単核のものもあるがしばしば多核化し，このような細胞に核分裂像が観察される．単核，多核の細胞を総称し**Reed-Sternberg細胞**（RS細胞）とよぶが，単核のものを**ホジキン細胞**ともよび，併せてHodgkin-Reed-Sternberg細胞（H-RS細胞）と記載する．MC型ではこのようなH-RS細胞が種々の背景反応を伴っていることが特徴である．背景反応には類円形核と豊富な胞体を有する組織球の浸潤，形質細胞や好酸球浸潤などがしばしば認められ，このように多種細胞が混在することから混合細胞型とよばれている．

NS型はリンパ節を分画するバンド状の膠原線維束の存在が重要な所見である（**図77**）．分画された領域の中に腫瘍細胞が島嶼（とうしょ）状にみられるが，形態的にはH-RS細胞のvariantであるlacunar細胞が主体をなす（**図78**）．

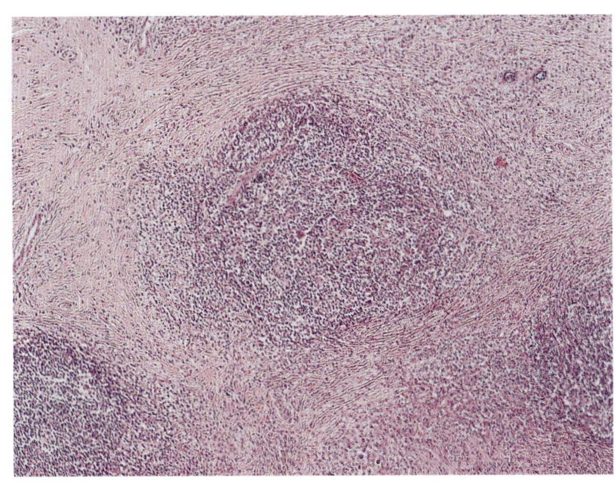

図 77　ホジキンリンパ腫（結節硬化型）．リンパ節を分画するようにバンド状の線維化がみられる．弱拡大

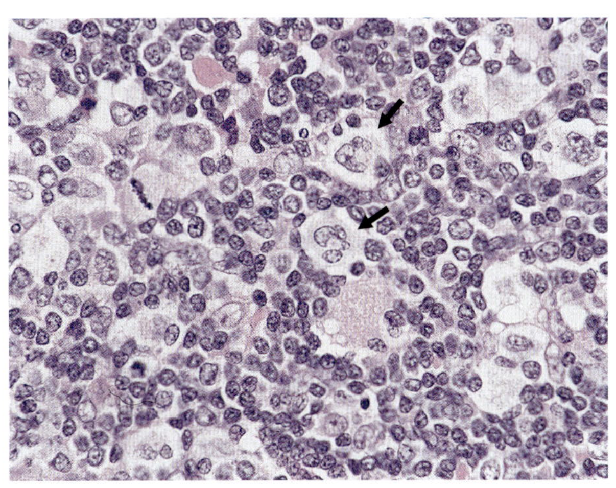

図 78　同前（結節硬化型）．腫瘍細胞は核小体は目立たず，lacunar 細胞（⬆）とよばれる．強拡大

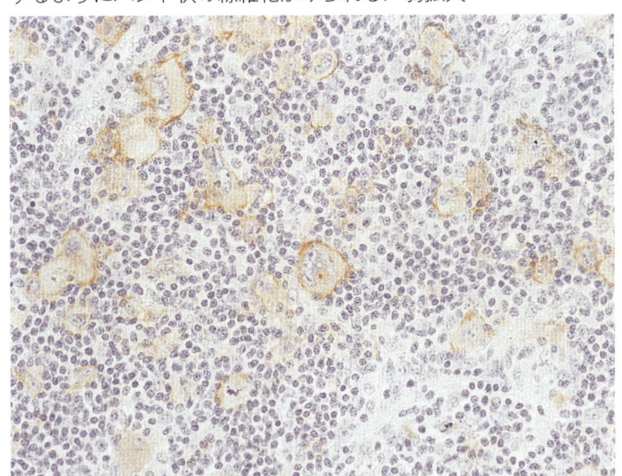

図 79　同前（混合細胞型）．H-RS 細胞は CD30（Ki-1 抗原）を発現する．酵素抗体法．強拡大

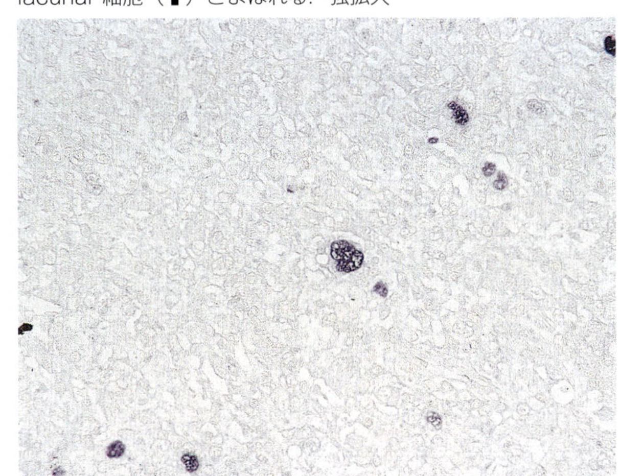

図 80　同前（混合細胞型）．H-RS 細胞は EBER-1 陽性であり，EB ウイルスの関与を示す．ISH．強拡大

lacunar 細胞はまさに空隙に入り込んだように腫瘍細胞がみえるさまから名づけられたものであるが，典型的 RS 細胞に比べて核小体が不明瞭なことが多く，胞体もより淡明で繊細である．しかし，NS と MC の両者はときには連続性であり，H-RS 細胞の著明な NS 型やリンパ節中で両者の混在する症例もみられる．lacunar 細胞を含む H-RS 細胞は大部分が CD30 陽性であり（**図 79**），またしばしば CD15 も陽性で他のリンパ腫との鑑別に有用である．

【鑑別診断】　非ホジキンリンパ腫との鑑別は典型例では容易であるが，両者の境界に属する疾患もみられる．特に非ホジキンリンパ腫の一型である ALCL（☞p.109）は CD30 陽性であり，症例によっては鑑別の困難な症例もみられる．末梢性 T 細胞性リンパ腫と B 細胞リンパ腫との鑑別もときに問題になる（☞p.105）．

［参考事項］　概説の項で述べたようにホジキンリンパ腫のほとんどはリンパ節性である．発症年齢は欧米では若年と中高年の二峰性分布をすることが知られており，わが国でも同様である．NS 型は若年女性の縦隔リンパ節の著明腫大を示すことが比較的多い．臨床的には発熱や白血球増多（特に好酸球増多）がみられることがあり，組織球，好酸球，形質細胞浸潤，線維増生という組織所見とともに H-RS 細胞のつくり出す豊富なサイトカインの影響によると考えられている．MC 型は EB ウイルスとの関連が深く，H-RS 細胞は EBER-1 がしばしば陽性所見を呈する（**図 80**）．現在では H-RS 細胞の多くは B 細胞由来とされているが，通常の B 細胞で発現している転写因子 BOB1，OCT2 を欠いていることが判明した．LP nodular 型は胚中心の腫大と破綻による progressively transformed germinal center の中に大型の lymphocytic and histiocytic cell（L & H 細胞）が混在するもので，これは明らかに B 細胞由来である．

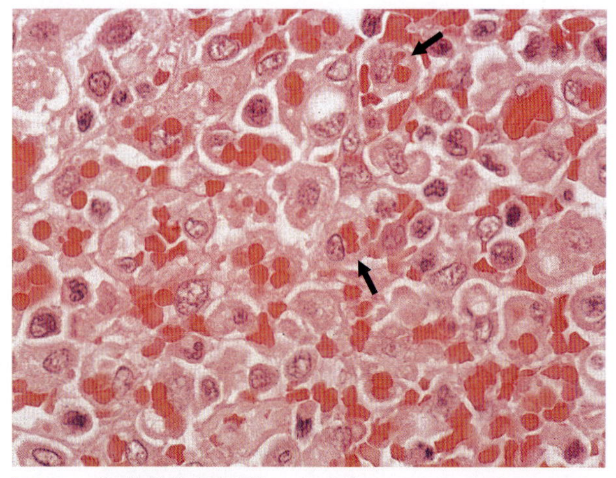

図 81　血球貪食症候群. T 細胞性リンパ腫の脾臓. 組織球が多数の赤血球を貪食している（⬆）. 強拡大

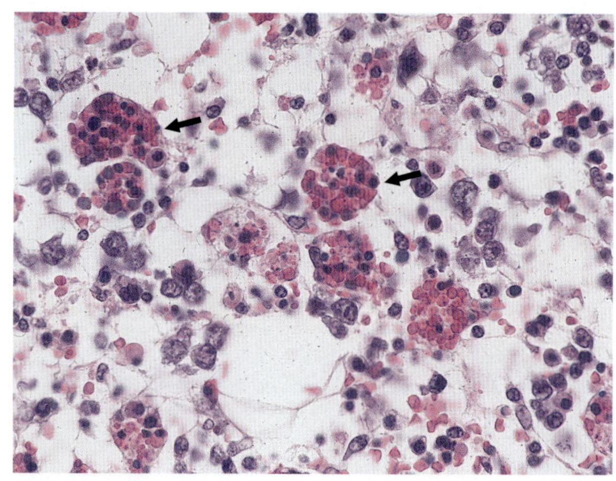

図 82　同前. EB ウイルス感染に伴い, 骨髄中の増生組織球は赤血球や白血球を貪食している（⬆）. 強拡大

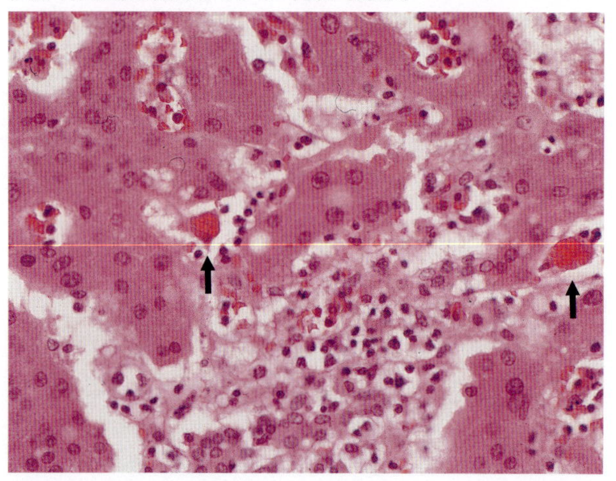

図 83　同前. T 細胞性リンパ腫に伴うもので, 肝臓では Kupffer 細胞が赤血球を貪食している（⬆）. 強拡大

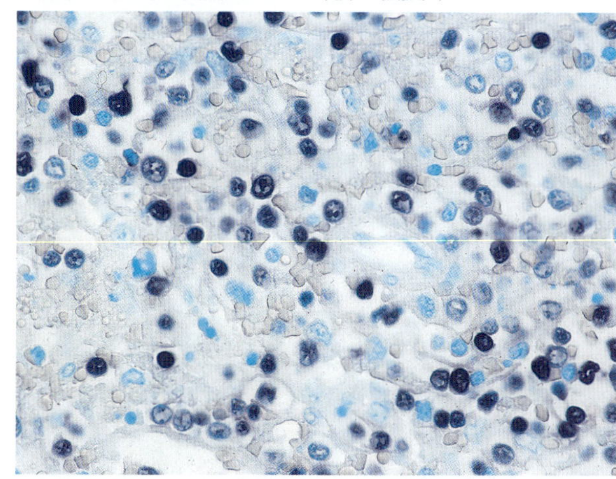

図 84　同前. 多数の EB ウイルス感染細胞核が黒色に証明される. EBER-1, ISH. 強拡大

血球貪食症候群　骨髄, 脾, リンパ節, 肝などで血球を著明に貪食する組織球を多数認める疾患群である. 比較的小型, 類円形の核を有する組織球が多数の赤血球（**図 81**）を貪食して細胞質が腫大し核は偏在している. ときには赤血球のみならず白血球も貪食されている（**図 82**）. このような細胞が多数観察される骨髄では正常造血細胞の占める割合が減少している. 脾では主として赤脾髄に赤血球貪食性組織球が見いだされ, リンパ節では洞内に同様の細胞が見いだされる. 肝ではクッパー Kupffer 細胞に貪食像が見いだされる（**図 83**）. これらの臓器は血球貪食性組織球の増生のため腫大している. 血球貪食性組織球が出現する原因あるいは背景としては, リンパ腫やウイルス感染, 特に EB ウイルス感染が多い（**図 84**）. リンパ腫では B 細胞性リンパ腫よりも T/NK 細胞系腫瘍が背景として存在することがより高頻度である. このほか, 各種癌腫, 家族性や細菌感染に伴うものもあるが頻度は低い.

［参考事項］　リンパ腫に伴うものは, 臨床的に発熱, 肝脾腫, リンパ節腫脹, 2 系統以上の血球減少, 黄疸, 血管内凝固症候群などの症状を呈し, 適切な加療がなされない場合は急激な経過をとり予後不良である. 発症には腫瘍細胞などの産生するサイトカインの介在が示唆されている. この症候群は Scott, Robb-Smith らが記載した histiocytic medullary reticulosis や Rappaport による悪性組織球症 malignant histiocytosis との異同が問題である. これらの概念は貪食能を有する組織球の腫瘍性増殖をその本態とみなしていたが, 以前それらに分類されたほとんどの症例は血球貪食症候群であり, 背景にリンパ腫やウイルス感染が潜んでいるということが判明してきた. しかし, 少数ながら真の組織球性の悪性腫瘍というものもあり, 他のリンパ球系や骨髄球系腫瘍と鑑別する必要がある.

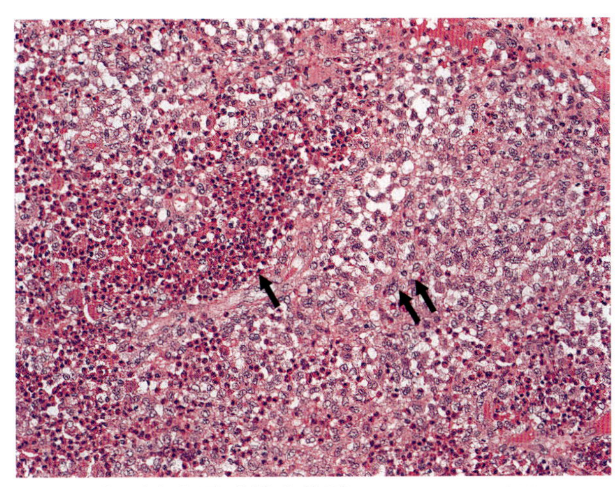

図 85 （旧名）好酸球性肉芽腫．好酸球の浸潤（⬆）と，LC 細胞の増生（⬆⬆）を認める．中拡大

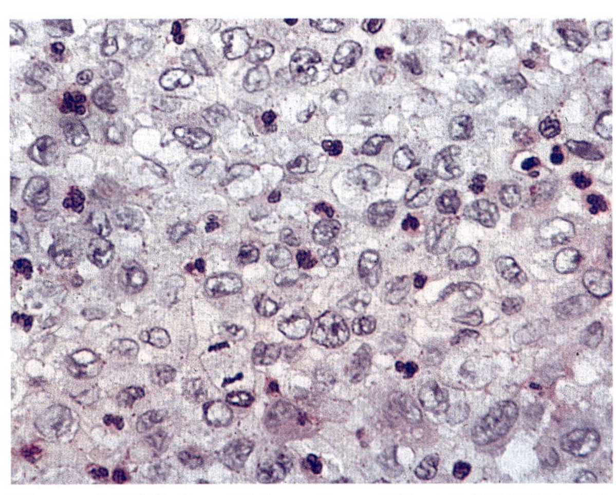

図 86 （旧名）レッテラー・シーベ病．LC 細胞は切れ込みを有する核と淡好酸性胞体を有する．強拡大

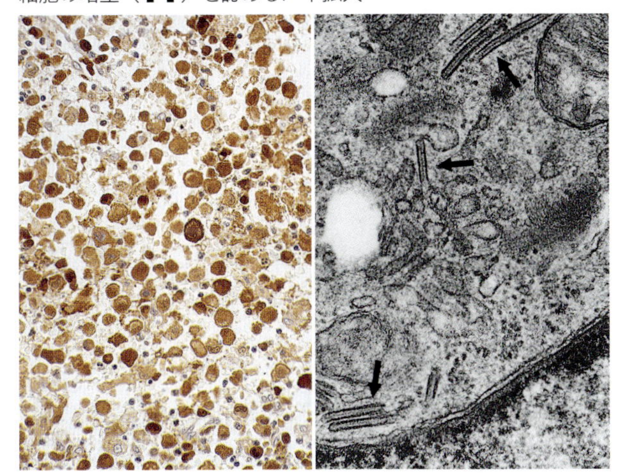

図 87 同前．左：LC 細胞は S-100 蛋白陽性．酵素抗体法．強拡大．右：Birbeck 顆粒（⬆）．電顕像．×20,000

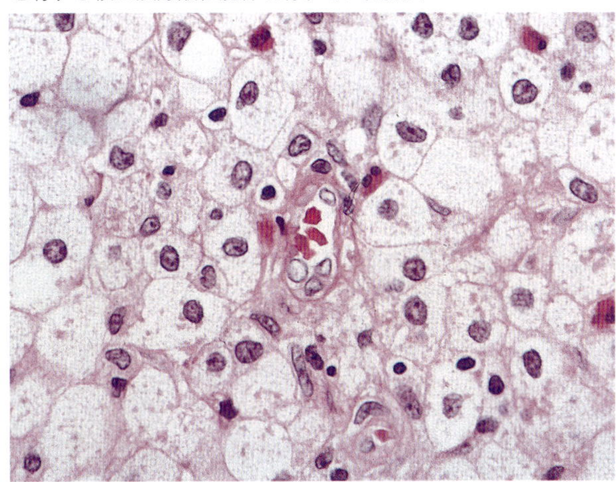

図 88 （旧名）ハンド・シュラー・クリスチャン病．多数の泡沫細胞を認める．強拡大

表皮内に存在する Langerhans 細胞（LC）と同一の細胞が，孤立性にあるいは系統的全身性に増殖する疾患であり，レッテラー・シーベ Letterer-Siwe 病，ハンド・シュラー・クリスチャン Hand-Schüller-Christian 病，骨の好酸球性肉芽腫の 3 疾患が有名である．Lichtenstein はこれら 3 疾患は同一疾患の表現型の違いにすぎないとして，histiocytosis X という総称名を用いることを提唱した．今日では，一括して LC 組織球症とよばれ，単一臓器型か複数臓器型に分けられることとなっている．

LC は細胞異型は乏しく，淡好酸性の中等量の胞体と“コーヒー豆様”と表現される切れ込みを有する核を有し，クロマチンは繊細で核小体は目立たない（**図 85，86**）．核分裂像の程度はいろいろであるが一般的にはまれである．S-100 蛋白（**図 87 左**），HLA-DR，CD1 が陽性で，電顕的には Birbeck 顆粒を認める（**図 87 右**）．LC 以外に泡沫細胞を含むマクロファージ（**図 88**），多核巨細胞，好酸球，好中球，リンパ球が種々の程度に混在する．

（旧名）レッテラー・シーベ病（**図 86**） 通常幼少児に発症する．びまん性に皮膚，肝，脾，リンパ節，骨，肺などに LC 細胞が増生し，感染を反復したり汎血球減少を示して急激な経過をたどり数か月以内に死にいたる．

（旧名）ハンド・シュラー・クリスチャン病（**図 88**） レッテラー・シーベ病よりも慢性の経過をとり，多発性骨病変を形成する．頭蓋骨を侵すが肺や皮膚にも病変を形成する．

（旧名）骨の好酸球性肉芽腫 eosinophilic granuloma of bone（**図 85**） 孤立性骨病変で最も予後がよい．子供に多いがどの年齢にも発症しうる（☞p.165，566）．

［参考事項］ 腫瘍性か否かの決着がついていないが腫瘍性を示唆する見解が多い．病変の数，臓器系で分けることが近年なされている．

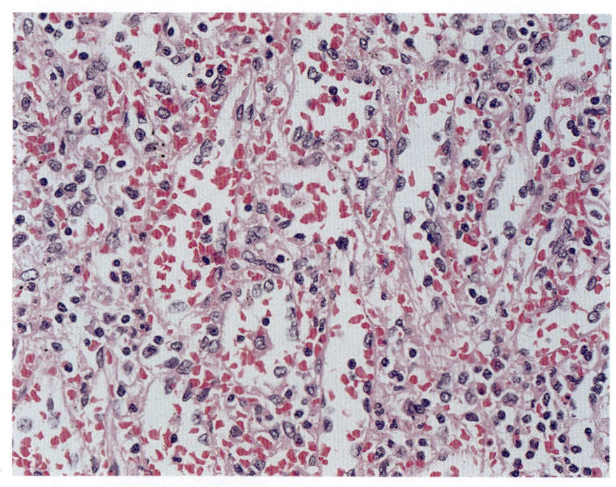

図89　正常脾の赤脾髄．中拡大

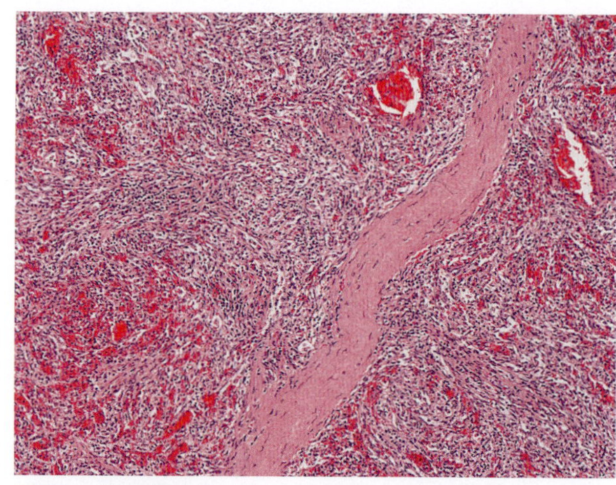

図90　脾の慢性うっ血．赤脾髄には線維増生が著明で，細胞成分に富む．弱拡大

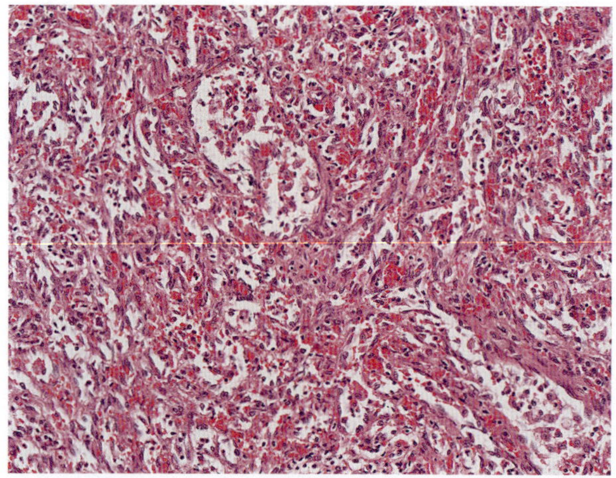

図91　同前．洞が増生し洞内皮も腫大，増生するため一見腺様にみえる．中拡大

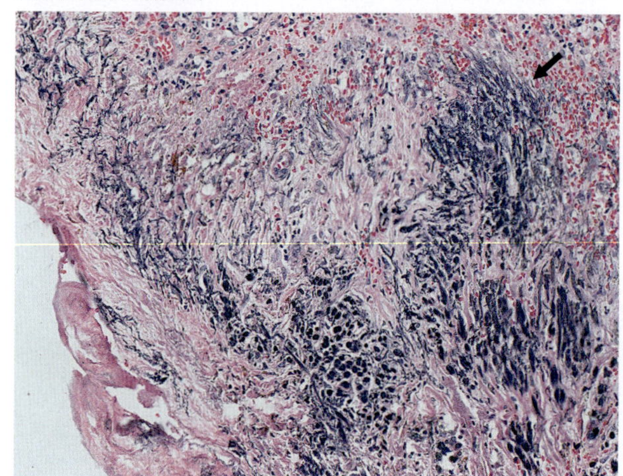

図92　同前．脾柱，被膜にヘモジデリンと石灰が沈着し，Gamna-Gandy 結節（⬆）を形成する．中拡大

長期間門脈系のうっ血が続くと脾は著しく腫大し，**うっ血性脾腫** congestive splenomegaly をきたす．組織学的には白脾髄は一般的に萎縮性で，**図89**の正常脾の赤脾髄に比し，髄索内に線維が増生するとともに，洞が増生し洞内皮も腫大，増生するため一見腺様にみえるようになる（**図90，91**）．これを**線維腺症** fibroadenia とよんでいる．脾柱が線維性に肥厚し脾柱から線維が髄索に向かってウマの尻尾のように分岐して増殖し，脾柱と赤脾髄の境が不明瞭になる．また，線維性に肥厚した被膜あるいは脾柱の膠原線維と弾力線維にヘモジデリンと石灰が沈着し，青褐色に染まる結節をしばしば形成する（**図92**）．これを**ガムナ・ガンディー Gamna-Gandy 結節**とよぶが，うっ血に伴って出血したものが古くなり，ヘモジデリンの沈着，石灰化を生じたものである．Gamna-Gandy 結節は本症に比較的特異的であるが，慢性骨髄性白血病，骨髄線維症，溶血性貧血などでもみられる．

【鑑別診断】　心障害に基づく中心性うっ血の際の脾腫は門脈圧亢進の場合に比し軽度で，300 g を超えることはまれである．洞は赤血球の充満により拡張し，高度の場合には髄索内にも赤血球があふれる．慢性になると脾柱，髄索に線維の増生がみられるが線維腺症を呈することはない．

【参考事項】　脾の慢性うっ血は肝硬変，門脈閉塞症，特発性門脈圧亢進症などによって起こり，脾は 500 g から 1 kg にも達する．以前にバンチ Banti 病といわれたものは，脾腫と貧血で始まり最終的に肝硬変になって腹水，食道静脈瘤を合併する原因不明の疾患であるが，今日ではバンチ病の独立性を疑問視するものが多い．多くは特発性門脈圧亢進症に基づく脾の慢性うっ血と考えられる．貧血は脾腫による二次的な脾機能亢進症 hypersplenism が原因と考えられている．

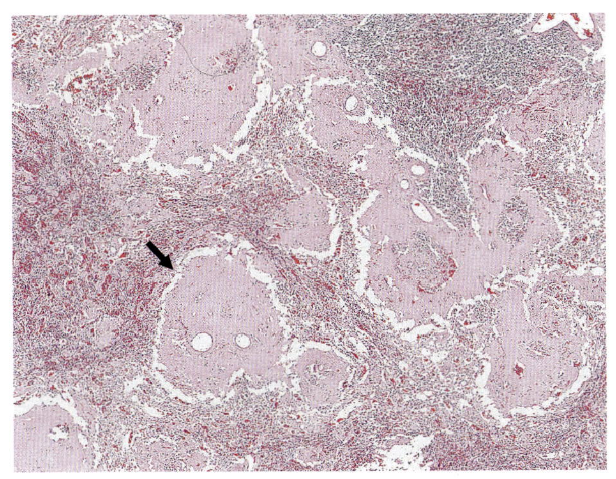

図 93 脾アミロイド症．サゴ脾．リンパ濾胞と一致する形でアミロイドが沈着している（⬆）．弱拡大

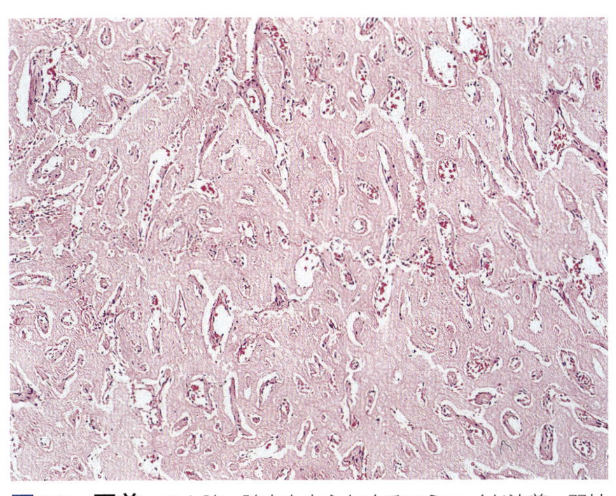

図 94 同前．ハム脾．髄索を中心とするアミロイド沈着．弱拡大

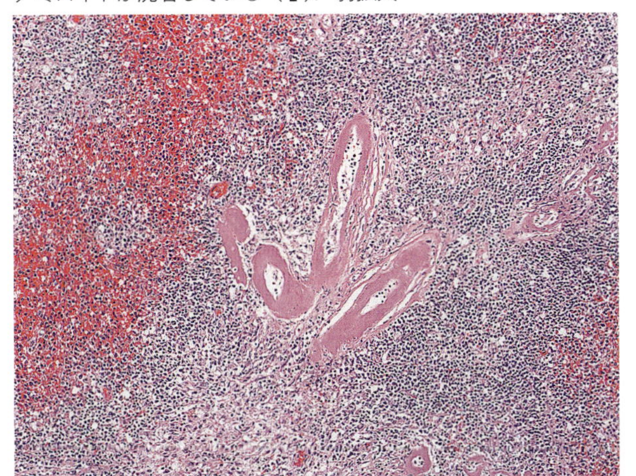

図 95 同前．血管壁にアミロイド沈着が認められる．弱拡大

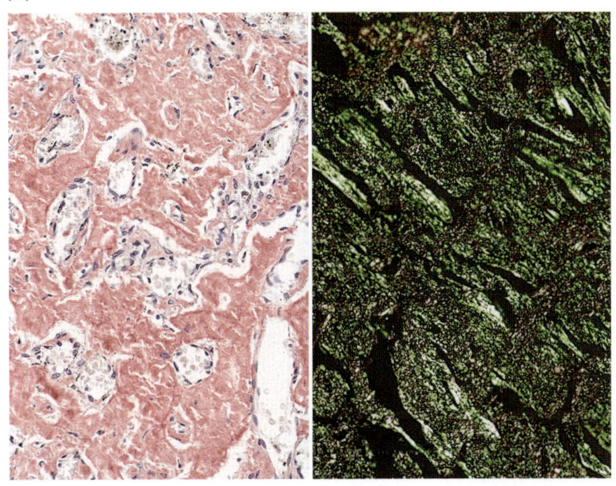

図 96 同前．沈着アミロイドはコンゴーレッド陽性で（左），緑色偏光を示す（右）．中拡大

アミロイド症はHE染色で淡桃色に染まる均質な物質（アミロイド）が細胞外に沈着する疾患である．脾では主として①リンパ濾胞に一致して存在する場合と（**図 93**），②髄索にびまん性に沈着する場合とがある（**図 94**）．肉眼的に①は脾の割面がサゴの実状の白色半透明の小結節をばらまいたようにみえるのでサゴ脾といい，②はハム様に見えるのでハム脾といわれる．②の型が多い．血管壁のみに沈着することもある（**図 95**）．アミロイドはクリスタルバイオレット，メチレンブルーのような好塩基性色素で染めるとメタクロマジー（異染性）を示し，van Gieson染色では黄染する．コンゴーレッド染色，ダイロン染色で赤桃色ないし赤く染まり（**図 96 左**），染色後偏光顕微鏡でみると緑色ないし黄緑色の複屈折を示す（**図 96 右**）．

【鑑別診断】 アミロイドはエオジンに好染することから硝子様物質（ヒアリン），フィブリン，フィブリノイドと鑑別する必要があるが，アミロイドは一般にエオジンに染まる程度がフィブリノイドよりも弱い．フィブリンでは細線維状にみえPTAH染色が陽性，硝子様物質はvan Gieson染色で赤色，フィブリノイドは好酸性が強く細胞反応を伴うことが多い．メタクロマジーを示し，偏光顕微鏡により緑色の複屈折を示せばアミロイドが確実である．

［参考事項］ アミロイドは単一のものではなく，各種の蛋白が折りたたみ構造をとった線維性蛋白質であり，電顕的に7〜10 nmの分岐しない細線維として認められる．AL型（免疫グロブリンL鎖），AA型，AF型（プレアルブミン），AS型（老人性），AE型などが区別される．

リウマチ様関節炎やその他の膠原病，クローンCrohn病，潰瘍性大腸炎，結核症，慢性骨髄炎などの慢性の感染症あるいは非感染性炎症性疾患に続発する続発性アミロイド症（AA型）の場合に脾に沈着しやすい．

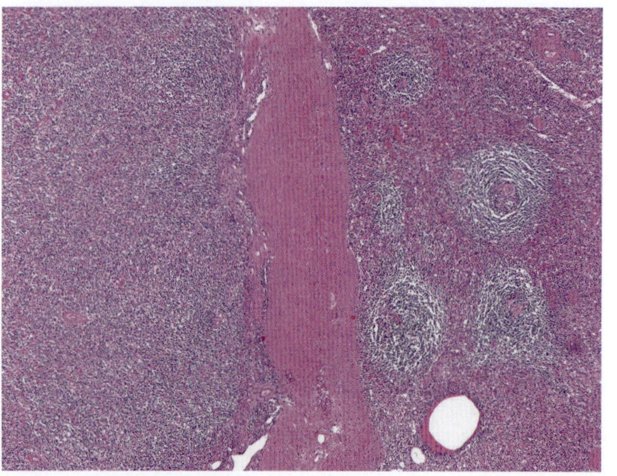

図 97　脾炎症性偽腫瘍．病変部（左側）と脾病変部（右側）とは線維性隔壁様構造により明瞭に境界される．弱拡大（岩手医科大学 佐藤　孝博士提供）

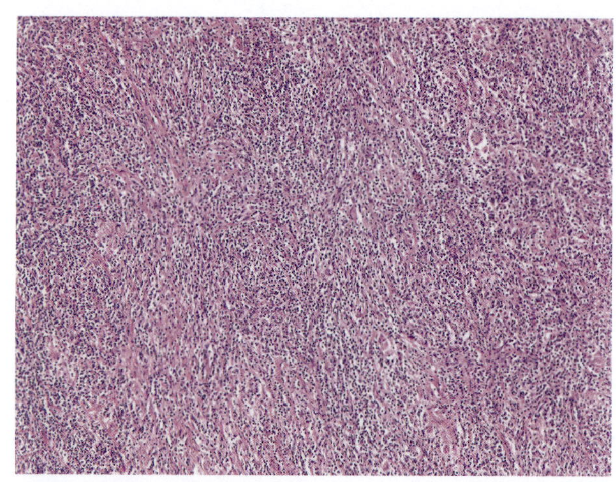

図 98　同前．病変部は好酸性胞体を有する細胞や種々の炎症細胞浸潤からなる．弱拡大

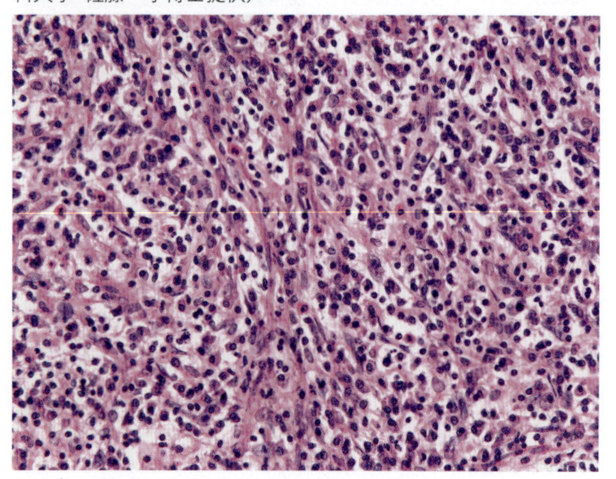

図 99　同前．病変部は紡錘形細胞，血管とともにリンパ球，形質細胞，多核白血球など種々の細胞がみられる．中拡大

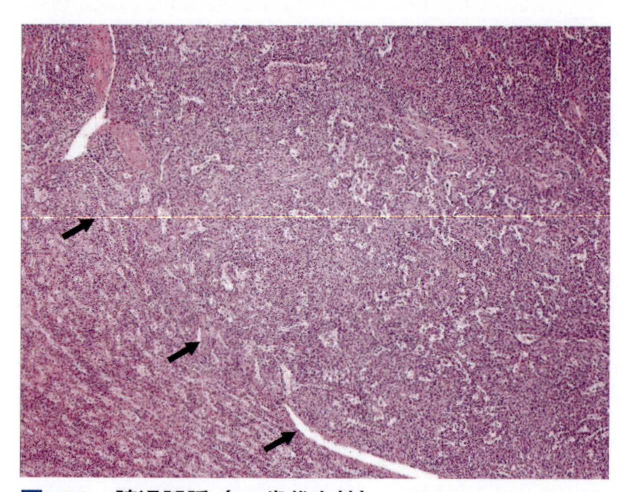

図 100　脾過誤腫（20 歳代女性）．血管主体の病変で，正常脾組織との境界を⬆で示す．境界は組織学的には必ずしも明瞭ではない．弱拡大（岩手医科大学 佐藤　孝博士提供）

脾炎症性偽腫瘍　境界明瞭な結節性病変で多くは成人発症である．病変は白色調を呈して，ほとんどは単発性である．小さな病変では無症状であることが多く，大型病変で上腹部痛や不明熱などを呈することがある．組織学的に紡錘形の線維芽細胞に近似した細胞の増生があり，リンパ球，形質細胞，大食細胞など種々の炎症細胞浸潤を伴っている（**図 97〜99**）．赤脾髄領域に病変を示すことが多く，その場合白脾髄は一部に認めるのみである．しばしば出血，壊死を伴い異物型巨細胞が出現することがある．紡錘形細胞は間葉系のマーカーであるビメンチン陽性で平滑筋アクチン陽性の細胞もみられることがある．また，組織球のなかには紡錘形を呈するものもみられる．一部の症例では EBV *in situ* 陽性で，EB ウイルスの感染との関係が示唆される．基本的には腫瘍性ではなく反応性病変であり，患者の予後は良好である．

【鑑別診断】　リンパ腫は鑑別対象となるが，異型性がなく，重要な鑑別点である．inflammatory myofibroblastic tumor や炎症性偽腫瘍様濾胞樹状細胞腫瘍は近似した組織像を示すが，前者は ALK（anaplastic lymphoma kinase）が陽性になることが多く，この遺伝子変異による腫瘍性病変と考えられる．後者は炎症性背景に濾胞樹状細胞性の腫瘍細胞が増生している．増生細胞は CD21，CD23，CD35 などが陽性で，濾胞樹状細胞由来を示す．EBV *in situ* は陽性，ALK は陰性である．

脾過誤腫　多くは無症状で画像検査や剖検時に偶然発見される結節性病変である．肉眼的には境界が比較的明瞭であるが，組織学的には赤脾髄，白脾髄を種々の割合で混じており，非病変部との境界が必ずしも明瞭ではない（**図 100**）．そのなかで赤脾髄のみからなる病変が多く，この場合は境界部が特定される．単発例が多いが，多発例の報告もある．赤脾髄性の病変では，肉眼的にはやや膨隆しており，暗赤調を呈する．基本構築は赤脾髄のそれと同様であるが，脾洞の幅が狭く，脾索が肥厚する傾向がある（**図 100**）．免疫組織学的には正常の脾洞内皮細胞にみられる CD8 が陽性である．CD34 は発現が乏しい．

【鑑別診断】　血管系腫瘍である側索毛細血管腫，海綿状血管腫が鑑別診断となる．これらは側索の毛細血管の増生であり，過誤腫における髄洞構造は示さない．過誤腫では CD8 陽性 CD34 は低発現であるが，側索毛細血管腫，海綿状血管腫では CD8 陰性で，逆に CD34 が陽性であり，重要な鑑別点となる．

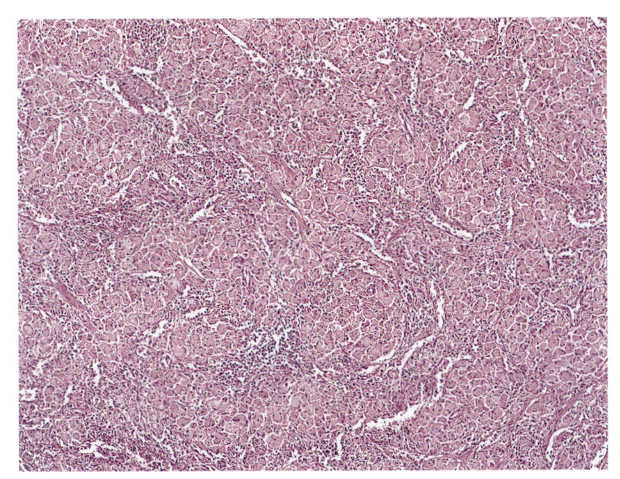

図 101　ニーマン・ピック病（脾）．白脾髄はほとんどみられず，ニーマン・ピック細胞がびまん性にみられる．弱拡大

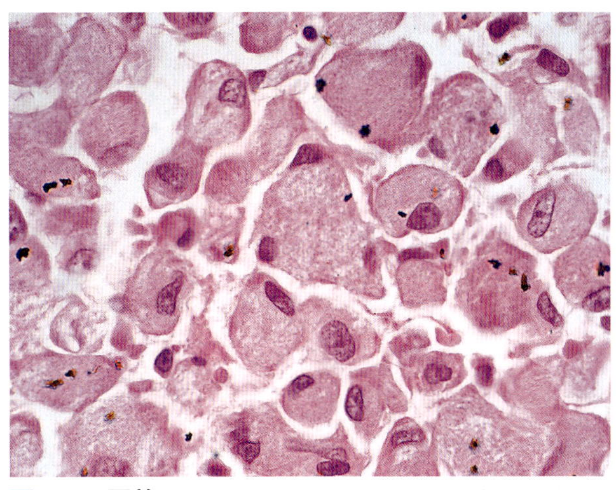

図 102　同前．泡沫状胞体を有するニーマン・ピック細胞．黒色顆粒はホルマリン色素で人工産物．強拡大

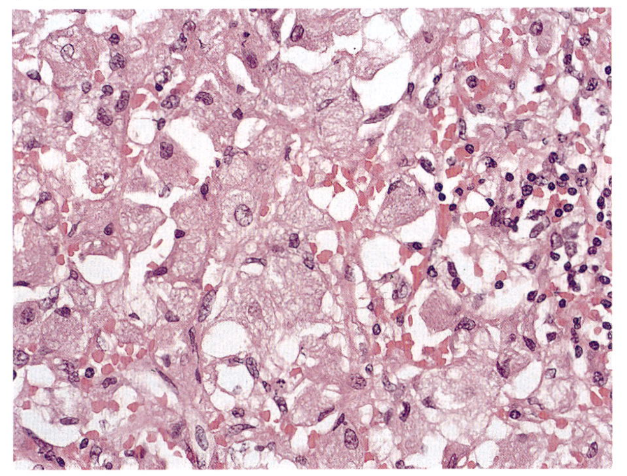

図 103　ゴーシェ病（脾）．胞体はすりガラス状で紙を折りたたんだようなしわがみられる．強拡大

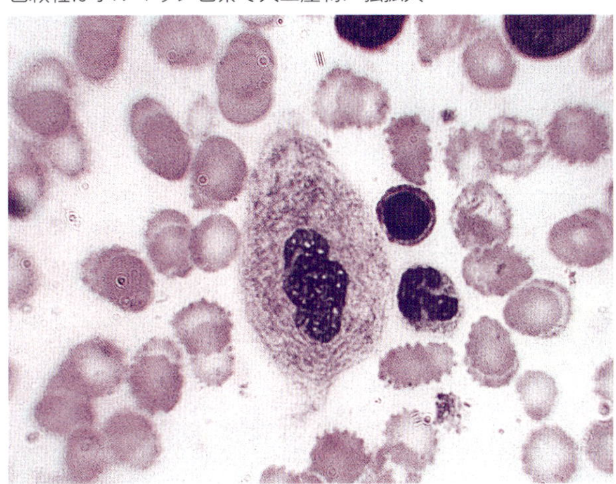

図 104　同前（骨髄塗抹標本）．中央にゴーシェ細胞がみられる．M-G．強拡大

ニーマン・ピック病　スフィンゴミエリンが全身諸臓器のマクロファージ，実質細胞に蓄積する常染色体劣性遺伝の疾患である．最も多いA型では幼児期に発症しスフィンゴミエリナーゼがほとんど完全に欠損している．脂質がリソソーム内に蓄積することにより細胞は著しく腫脹し，細胞質内には多数の比較的大きさのそろった小空胞が認められる．凍結切片のズダンブラック，オイルレッドO染色で脂質が証明される．電顕的には concentric lamellated myelin figures に類似した membranous cytoplasmic bodies を含んだ腫大した二次リソソームである．脾，肝，リンパ節，骨髄などや，中枢神経系を侵す．中枢神経系では神経細胞の胞体が空胞化して風船細胞化する．脾では特に赤脾髄に泡沫状の腫大したマクロファージが充満し，脾は著しく腫大する（**図 101，102**）．

ゴーシェ病　グルコセレブロシダーゼ欠損によりグルコセレブロシドがニーマン・ピック病と同じように全身のマクロファージに蓄積する常染色体劣性遺伝病である．中枢神経を侵すものではやはり神経細胞内にグルコセレブロシドが蓄積する．グルコセレブロシドが蓄積し径20〜50 μm に腫大した組織球はゴーシェ細胞といわれる．ニーマン・ピック細胞と異なり胞体は多空胞状ではなく，微細顆粒状，すりガラス状で紙を折りたたんだようなしわがみられるのが特徴である（**図 103，104**）．

【鑑別診断】　ゴーシェ細胞はティッシュペーパー様の胞体により，多空胞状の胞体のニーマン・ピック細胞とは容易に区別される．空胞状の胞体をもった風船細胞は**テイ・サックス Tay-Sachs 病**のようなガングリオシドーシス，**ハンター Hunter 症候群**，**ハーラー Hurler 症候群**のようなムコ多糖症でもみられる．

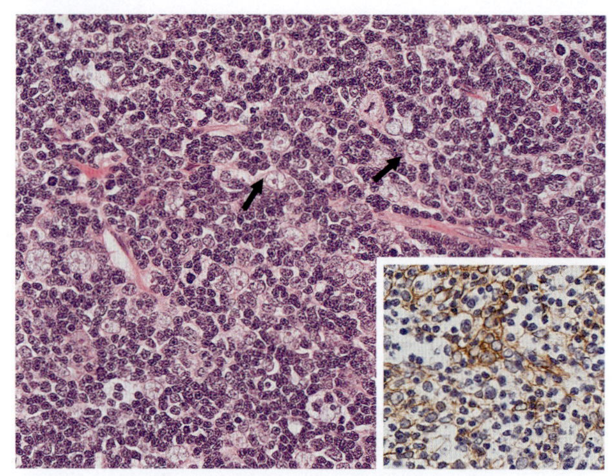

図 105　胸腺腫（B1 型でリンパ球が優勢の像）．多角形の上皮細胞（⬆）は，免疫染色（挿入図）でケラチン陽性．強拡大

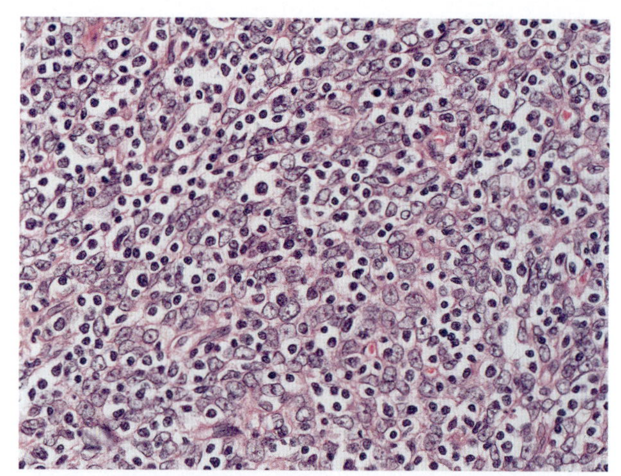

図 106　同前（B2 型で上皮とリンパ球が混在する像）．小リンパ球と多角形の上皮細胞が交じり合っている．強拡大

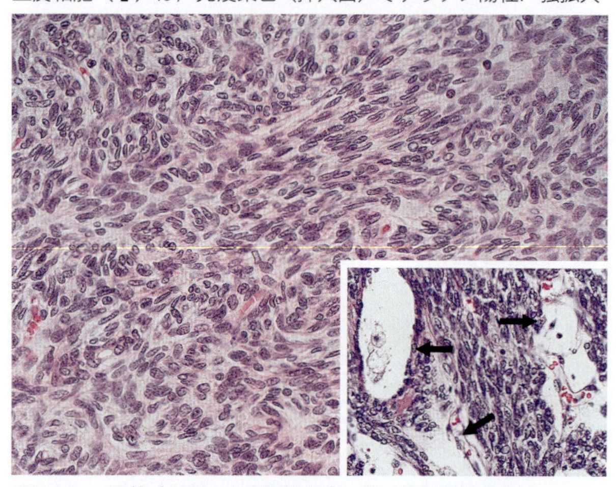

図 107　同前（A 型で上皮細胞が多い像（紡錘細胞主体））．強拡大
挿入図：血管周囲腔（⬆）が形成されている．中拡大

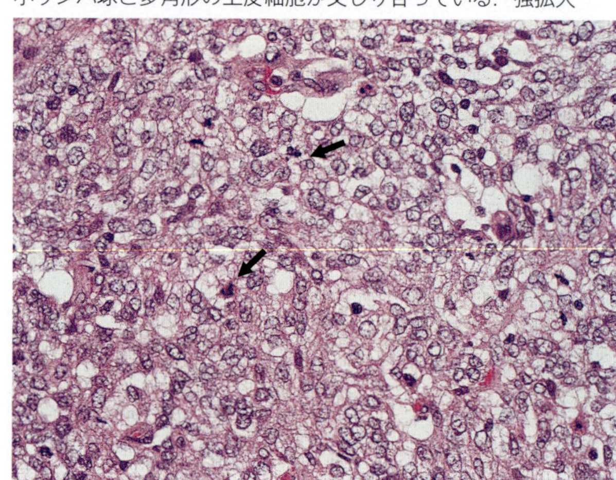

図 108　胸腺癌．上皮細胞型胸腺腫に比し異型性が強く，核分裂像（⬆）も多い．強拡大

胸腺腫は胸腺上皮由来の悪性腫瘍で，種々の程度に非腫瘍性の T リンパ球を混在する．WHO 分類では胸腺上皮細胞の由来とリンパ球の量などにより，**A 型**（Hassall 小体は出現しないが髄質型の形質を示す．**図 107**），**AB 型**（A 型と B 型が混在する），**B1 型**（正常胸腺を模し皮質に近いリンパ球の密在部分と髄質に近いリンパ球が少ない部分がある．**図 105**），**B2 型**（リンパ球と上皮細胞が混在している．分化は不明瞭である．**図 106**），**B3 型**（リンパ球が少なく上皮成分が多い）に分けられる．A 型から B2 型までは予後比較的良好であるが，B3 型は再発などを示す症例が多い．

いずれも上皮細胞は多角形ないし紡錘形で，ケラチンが陽性である（**図 105** の挿入図）．多角形の上皮細胞は通常円形ないし卵円形の淡明な大形核と明瞭な核小体を有するが，核小体は目立たないこともある（**図 105，106**）．紡錘形上皮細胞の核は微細あるいは粗大顆粒状に分散したクロマチンを有し，核小体は目立たない（**図 107**）．大部分の胸腺腫は線維性被膜で完全にあるいは部分的に被包されており，被膜から連続して幅広い線維性隔壁が腫瘍内に分け入っている．もう 1 つの組織学的特徴は血管周囲腔の形成であり，小血管周囲の腔内には漿液とリンパ球，マクロファージを認める（**図 107** の挿入図）．胸腺腫の上皮細胞の多くは癌とするにたる異型性を欠いているが，異型性が強く胸腺上皮としての性格を示さない症例は，胸腺癌 thymic carcinoma である（**図 108**）．胸腺癌は真の被膜は欠くことが多く，中心部が壊死に陥りやすい．組織的には扁平上皮への分化を示すことが多い．

【鑑別診断】　リンパ球が優勢な場合は**非ホジキンリンパ腫**（T 細胞性リンパ芽球型）と鑑別が必要．胸腺腫では上皮細胞が存在，網目状となっていることが重要で，紡錘細胞が目立つ症例では**線維性組織球腫**，胸膜の**限局性良性線維性腫瘍**，**血管周皮腫**に類似の配列をとることがあるが通常組織学的に鑑別は容易．困難な場合，ケラチンなどの免疫染色を行う．

［参考事項］　胸腺腫の 15～50％に**重症筋無力症**が合併し，リンパ球優勢型，多角細胞型であることが多い．その他，**低γグロブリン血症**や純赤血球癆が紡錘細胞型に随伴する．

第4章

呼吸器系

（1）腫瘍

概　説

肺上皮性腫瘍は，2015年のWHO分類では**表1**のとおりに分類されている．

肺上皮性腫瘍には腺上皮細胞に分化した腫瘍，扁平上皮細胞に分化した腫瘍，神経内分泌細胞に分化した腫瘍が含まれ，さらにこれらへの分化が明らかでない，低分化あるいは未分化な腫瘍が存在する．まれではあるが，唾液腺細胞への分化を示す腫瘍や上皮性腫瘍と肉腫成分または肉腫様成分を有する肉腫様腫瘍も認められる．このうち，悪性性質をもつ腫瘍が一般的に肺癌とよばれる．その他，呼吸器にできる腫瘍では間葉系腫瘍，リンパ組織球系腫瘍，異所性起源の腫瘍がある（**表2**）．さらに胸膜由来の腫瘍には中皮腫瘍，リンパ増殖性疾患，間葉系腫瘍がある（**表3**）．

表1　上皮性腫瘍 Epithelial tumours

組織分類	亜型	亜型英語表記
腺癌 Adenocarcinoma	置換型腺癌	Lepidic adenocarcinoam
	腺房型腺癌	Acinar adenocarcinoma
	乳頭型腺癌	Papillary adenocarcinoma
	微小乳頭型腺癌	Micropapillary adenocarcinoma
	充実型腺癌	Solid adenocarcinoma
	特殊型腺癌	Variants of adenocarcinoma
	浸潤性粘液性腺癌	Invasive mucinous adenocarcinoma
	粘液・非粘液混合腺癌	Mixed invasive mucinous and non-mucinous adenocarcinoma
	コロイド腺癌	Colloid adenocarcinoma
	胎児型腺癌	Fetal adenocarcinoma
	腸型腺癌	Enteric adenocarcinoma
	微少浸潤性腺癌	Minimally invasive adenoacrcinoma
	非粘液性	Non-mucinous
	粘液性	Mucinous
	前浸潤性病変	Preinvasive lesions
	異型腺腫様過形成	Atypical adenomatous hyperplasia
	上皮内腺癌	Adenocarcinoma *in situ*
	非粘液性	Non-mucinous
	粘液性	Mucinous
扁平上皮癌 Squamous cell carcinoma	角化型扁平上皮癌	Keratinizing squamous cell carcinoma
	非角化型扁平上皮癌	Non-keratinizing squamous cell carcinoma
	類基底細胞型扁平上皮癌	Basaroid squamous cell carcinoma
	前浸潤性病変	Preinvasive lesion
	異形成	Dysplasia
	上皮内扁平上皮癌	Squamous cell carcinoma *in situ*

表1（つづき）

組織分類	亜型	亜型英語表記
神経内分泌腫瘍 Neuroendocrine tumours	小細胞癌 　混合型小細胞癌 大細胞神経内分泌癌 　混合型大細胞神経内分泌癌 カルチノイド腫瘍 　定型カルチノイド 　異型カルチノイド 前浸潤性病変 　びまん性特発性肺神経内分泌細胞過形成	Small cell carcinoma 　Combined small cell carcinoma Large cell neuroendocrine carcinoma 　Combined Large cell neuroendocrine carcinoma Carcinoid tumors 　Typical carcinoid 　Atypical carcinoid Preinvasive lesion 　Diffuse idiopathic pulmonary neuroendocrine cell hyperplasia
大細胞癌 Large cell carcinoma		
腺扁平上皮癌 Adenosquamous carcinoma		
肉腫様癌 Sarcomatoid carcinoma	多型癌 紡錘細胞癌 巨細胞癌 癌肉腫 肺芽腫	Pleomorphic carcinoma Spindle cell carcinoma Giant cell carcinoma Carcinosarcoma Pulmonary blastoma
分類不能癌 Other and unclassified carcinoma	リンパ上皮腫様癌 NUT 転座癌	Lymphoepithelioma-like carcinoma NUT carcinoma
唾液腺型腫瘍 Salivary gland-type tumours	粘表皮癌 腺様嚢胞癌 上皮筋上皮癌 多形腺腫	Mucoepidermoid carcinoma Adenoic cystic carcinoma Epithelioid-myoepithelioid carcinoma Pleomorphic adenoma
乳頭腫 Papillomas	扁平上皮乳頭腫 　外向型 　内向型 腺上皮乳頭腫 扁平上皮腺上皮混合型乳頭腫	Squamous cell papilloma 　Exophytic 　Inverted Glandular papilloma Mixed squamous cell and glandular papilloma
腺腫 Adenomas	硬化性肺胞上皮腫 肺胞腺腫 乳頭腺腫 粘液嚢胞腺腫 粘液腺腺腫	Sclerosing pneumocytoma Alveolar adenoma Papillary adenoma Mucinous cystadenoma Mucous gland adenoma

表 2　間葉系腫瘍，リンパ組織球系腫瘍，異所性起源の腫瘍
Mesenchimal tumours, Lymphohistiocytic tumours, and Tumours of ectopic origin

組織型	亜型	亜型英語表記
間葉系腫瘍 Mesenchymal tumours	肺過誤腫 軟骨種 血管周囲類上皮細胞腫瘍（PEComa）群 　リンパ脈管平滑筋腫症 　良性血管周囲類上皮細胞腫 　淡明細胞腫 　悪性血管周囲類上皮細胞腫 先天性気管支周囲性筋線維芽細胞腫 びまん性肺リンパ管腫症 炎症性筋線維芽細胞腫 類上皮血管内皮腫 胸膜肺芽腫 滑膜肉腫 肺動脈内膜肉腫 EWSR1-CREB1 転座肺粘液腫様肉腫 筋上皮性腫瘍 　筋上皮腫 　筋上皮癌 その他の間葉系腫瘍	Pulmonary hamrtoma Chondroma PEComatous tumours 　Lymphangioleiomyomatosis 　PEComa, benign 　Clear cell tumour 　PEComa, malignant Congenital peribronchial myofibroblastic tumour Diffuse pulmonary lymphangiomatosis Inflammatory myofibroblatic tumour Epithelioid hemangioendothelioma Pleuropulmonary blastoma Synovial sarcoma Pulmonary artery intimal sarcoma Pulmonary myxoid sarcoma with EWSR1-CREB1 translocation Myoepitheliar tumours 　Myoepithelioma 　Myoepithelial carcinoma Other mesenchymal tumours
リンパ組織球系腫瘍 Lymphohistiocytic tumours	節外性濾胞辺縁帯粘膜関連リンパ組織型リンパ腫（MALT リンパ腫） びまん性大細胞型 B 細胞リンパ腫 リンパ腫様肉芽腫 血管内大細胞型 B 細胞リンパ腫 肺ランゲルハンス細胞組織球症 エルドハイム・チェスター病	Extranodal marginal zone lymphoma of mucosa-associated lymphoid tissue（MALT lymphoma） Diffuse large B-cell lymphoma Lymphomatoid granulomatosis Intravascular large B-cell lymphoma Pulmonary langerhans cell histiocytosis Erdheim-Chester disease
異所性起源の腫瘍 Tumours of ectopic origin	胚細胞腫瘍 　成熟奇形腫 　未熟奇形腫 肺内胸腺腫 メラノーマ（悪性黒色腫） 髄膜腫（NOS）	Germ ell tumours 　Teratoma, mature 　Teratoma, immature Intrapulmonary thymoma Melanoma Meningioma（NOS）
肺転移 Metastases to the lung		

表 3　胸膜腫瘍 Tumours of the pleura

組織型	亜型	亜型英語表記
中皮腫瘍 Mesothelial tumours	びまん性悪性中皮腫 　上皮型中皮腫 　肉腫型中皮腫 　線維形成型中皮腫 　二相型中皮腫 限局型悪性中皮腫 高分化乳頭型中皮腫 アデノマトイド腫瘍	Diffuse malignant mesothelioma 　Epithelioid mesothelioma 　Sarcomatoid mesothelioma 　Desmoplastic mesothelioma 　Biphasic mesothelioma Localized malignant mesothelioma Well-differentiated papillary mesothelioma Adenomatoid tumour
リンパ増殖性疾患 Lymphoproliferative disorders	原発性体腔液リンパ腫 慢性炎症に伴うびまん性大細胞型 B 細胞リンパ腫	Primary effusion lymphoma Diffuse large B-cell lymphoma associated with chronic inflammation
間葉系腫瘍 Mesenchymal tumours	類上皮性血管内皮腫 血管肉腫 滑膜肉腫 孤在性線維性腫瘍 　悪性孤在性線維性腫瘍 デスモイド型線維腫症 石灰化線維性腫瘍 線維形成性小円形細胞腫瘍	Epithelioid haremangioendothelioma Angiosarcoma Synovial sarcoma Solitary fibrous tumour 　Malignant solitary fibrous tumour Desmoid-type fibromatosis Calcifying fibrous tumour Desmoplastic small round cell tumour

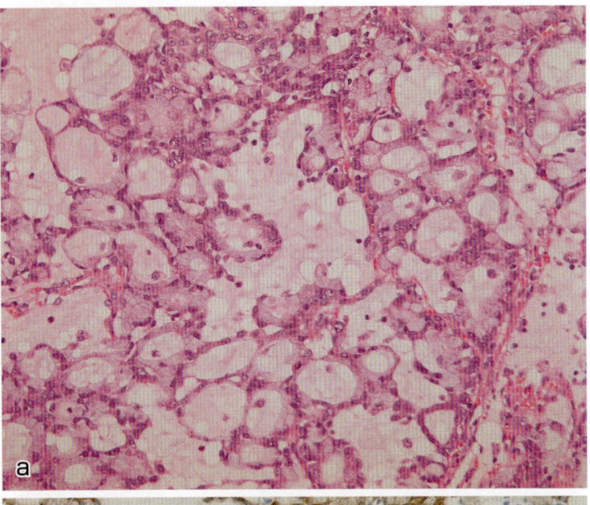

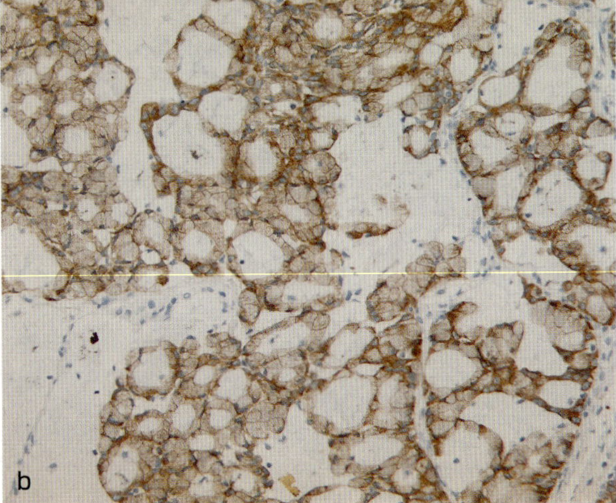

図1 腺房型腺癌（ALK 肺癌）．a：mucinous cribriform pattern（粘液性篩状パターン）を呈する．中拡大．b：ALK の免疫染色が腺癌細胞の細胞質に陽性を示す．中拡大

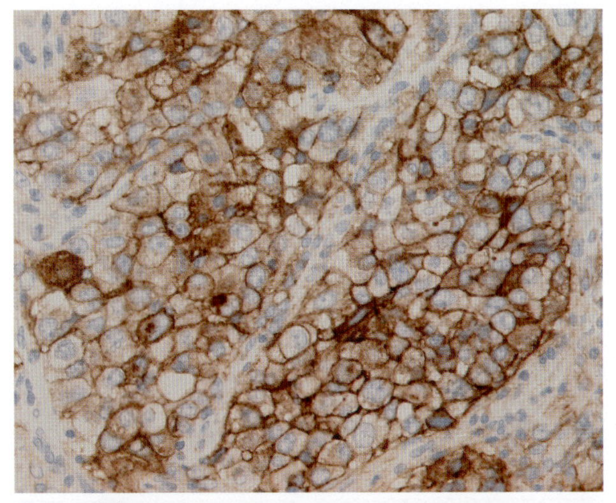

図2 腺癌．PD-L1（22c3）の免疫染色ではほぼすべての腫瘍細胞の細胞膜に陽性を示す．強拡大

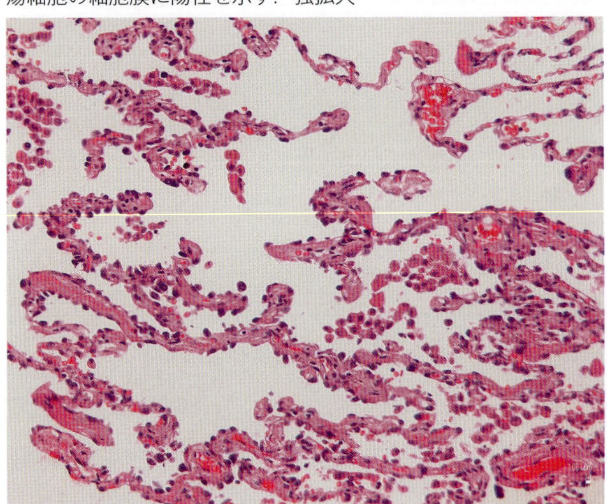

図3 異型腺腫様過形成．軽度から中等度異型を示すⅡ型肺胞上皮細胞やクララ細胞が既存の肺胞隔壁を単層性に置換し，疎に増殖している．中拡大

腺癌は1980年代以降，日本では最も頻度の高い組織型である．女性に発生する肺癌では腺癌が最も多く70〜90％を占め，男性肺癌でも40〜60％が腺癌である．男女比は最近の報告ではおおよそ1：1である．腺癌の多くは，末梢肺に発生し，分化型の腫瘍では腫瘍内の肺胞構造の虚脱により胸膜陥入がみられる．そのため，腫瘍の割面は灰白色のことが多く，中心部に線維化と炭粉沈着がみられる．転移様式はリンパ行性，血行性および経気道的である．リンパ行性に肺門，縦隔リンパ節に転移し，胸膜播種および胸水中にも腫瘍が浸潤する．血行性転移としては，肺内，脳，骨，肝臓，副腎などに転移することが多い．経気道的転移を起こす場合は患側肺内に広く転移することが多い．組織亜型は腫瘍細胞の優位な増殖形式により決定される．また前癌病変となる異型腺腫様過形成 atypical adenomatous hyperplasia（AAH）のほかに2015年には上皮内腺癌 adenocarcinoma *in situ*（AIS），また微少浸潤性腺癌 minimally invasive adenocarcinoma（MIA）の診断名が新たに加わった．

肺腺癌では遺伝子変異，転座なども多数明らかにされてきており，たとえば免疫染色や FISH を用いた ALK 肺癌（**図1a，b**）の診断が行われている．2007年に Mano らにより，肺癌において初めての融合遺伝子 *EML4-ALK* が driver gene として報告された．*ALK* 遺伝子と *EML4* 遺伝子はそれぞれ2番染色体短腕上で約12Mbp 離れたところにあり，それぞれが切断され逆位で融合遺伝子を形成し，driver gene として肺癌，主として腺癌の発生にかかわる．*ALK* 融合遺伝子転座の相手型は *EML4* 以外にも *KIF5B* や *TFG* などが報告されている．*ALK* 融合遺伝子をもつ肺癌が ALK 肺癌とよばれている．ALK 肺癌は平均年齢50代であり，肺癌のなかでは若年発生の傾向にあるが高齢者にも発生する．特徴的な組織型も報告されていて，mucinous cribriform pattern を示す腺房型腺癌，印環細胞癌などが ALK 陽性を示すことが多い．2015年より，

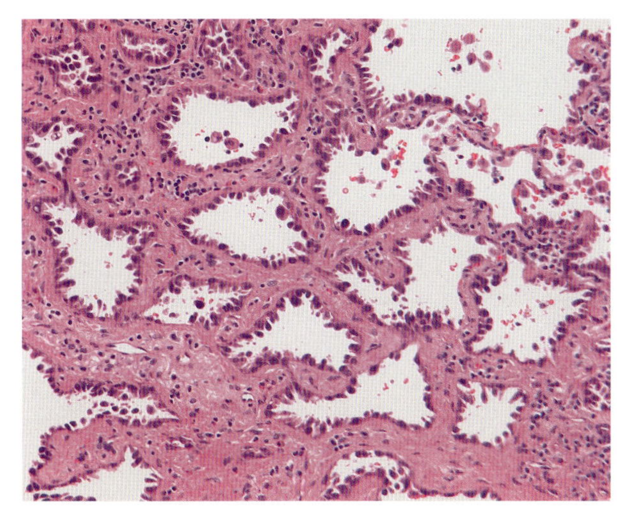

図 4　上皮内腺癌．非粘液産生性の腫瘍細胞が，既存の肺胞隔壁を比較的密に置換性に単層性，ときに重層性に増殖している．中拡大

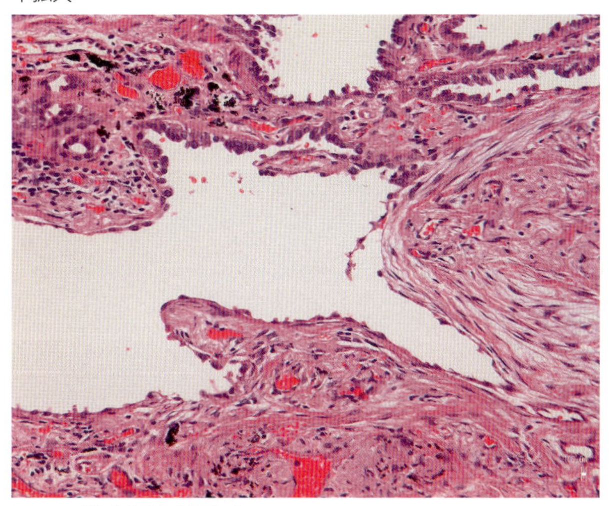

図 5　微少浸潤性腺癌．既存の肺胞上皮を非粘液産生性の腫瘍細胞が置換して増殖し，0.5 cm 以内の範囲に核腫大のみられる活動性線維芽細胞の増生がみられる．中拡大

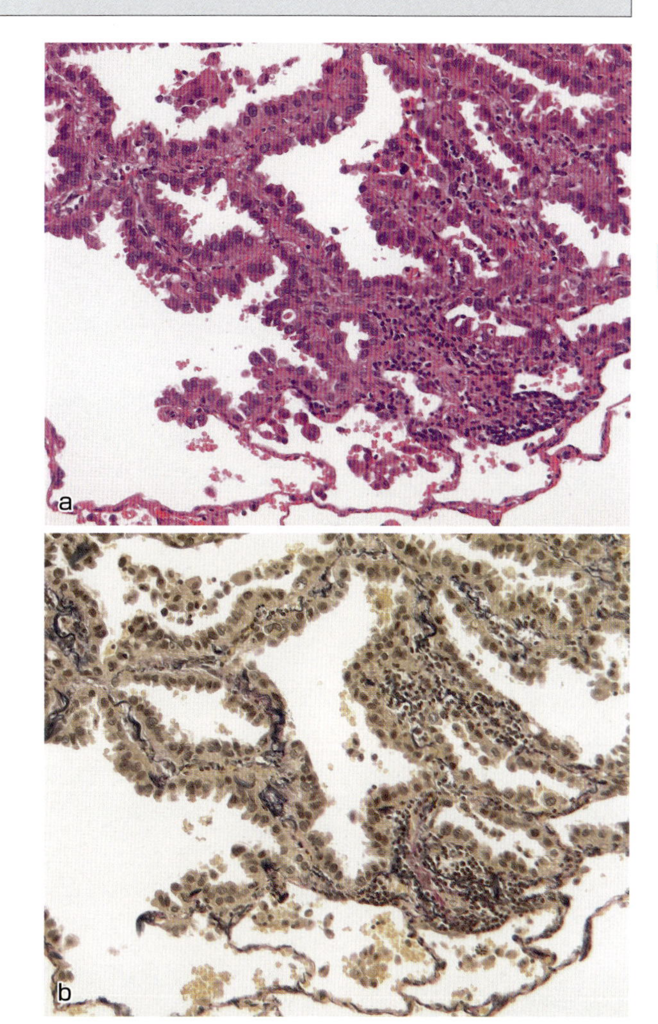

図 6　置換型腺癌．a：Ⅱ型肺胞上皮細胞や Clara 細胞に類似する腫瘍細胞が肺胞壁表面に沿って，単層性，重層性に密に増殖している．中拡大．b：弾性線維が肺胞壁に認められ，flamework が保たれている．中拡大

免疫チェックポイント阻害薬も治療適応になり，たとえば PD-L1 阻害薬の適応の判断には PD-L1 の免疫染色（**図 2**）が用いられている．

肺腺癌において，浸潤と診断すべき所見は，①腺房状，乳頭状，微小乳頭状，充実性増殖など置換型増殖でない組織亜型，②筋線維芽細胞の増生，③脈管，胸膜浸潤，④肺胞腔内への腫瘍細胞の拡散，である．

異型腺腫様過形成（**図 3**）は通常は腫瘍径 0.5 cm 以下の腫瘤であり，軽度から中等度異型を示すⅡ型肺胞上皮細胞やクララ細胞が既存の肺胞隔壁を単層性に置換し，疎に増殖している（置換型）．線維芽細胞の増生はみられず，肺胞の虚脱も通常認めない．

上皮内腺癌（**図 4**）は 3 cm 以下の小型腫瘤で，腫瘍細胞が既存の肺胞隔壁を比較的に密に置換性に単層性，ときに重層性に増殖する（置換型）．非粘液産生性，粘液産生性の腫瘍細胞がある．肺胞隔壁では硬化や炎症性ないしは弾性線維の増生による肥厚を伴うことがある．また肺胞構造の虚脱が起こり，弾性線維化がみられる場合もある．

微少浸潤性腺癌（**図 5**）は，浸潤の初期段階にある腫瘍（浸潤癌ほどの悪性度はないが AIS とはいえない腫瘍）である．既存の肺胞上皮を非粘液産生性または粘液産生性の腫瘍細胞が置換して増殖する 3 cm 以下の孤立性腫瘍で，0.5 cm 以内の浸潤部分がみられる．腫瘍内に壊死や，脈管浸潤，胸膜浸潤，腫瘍周囲の肺胞腔内に腫瘍細胞の散布がみられる場合は微少浸潤の定義から除外される．非粘液産生性および粘液産生性の両方のタイプの腫瘍があるが，粘液産生性の微少浸潤性腺癌はまれである．

浸潤性腺癌 invasive adenocarcinoma は置換型腺癌，腺房型腺癌，乳頭型腺癌，充実型腺癌，微小乳頭型腺癌に分類される．

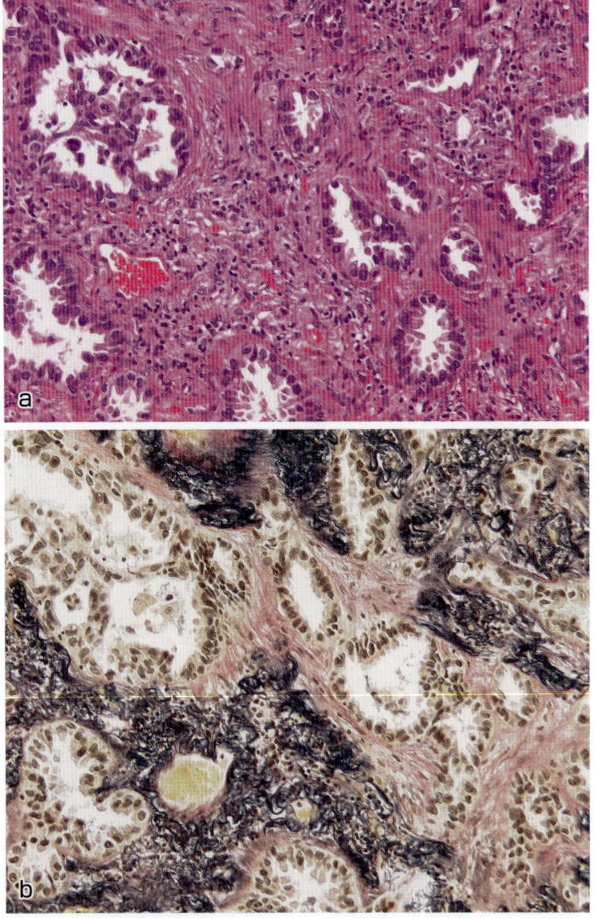

図7　腺房型腺癌．a：円形から楕円形の腺管構造や篩状構造を呈する像がみられ，間質には線維芽細胞の増生を認める．中拡大．b：弾性線維の断裂や消失していて，もとの肺胞構造のflamework がみられない．中拡大

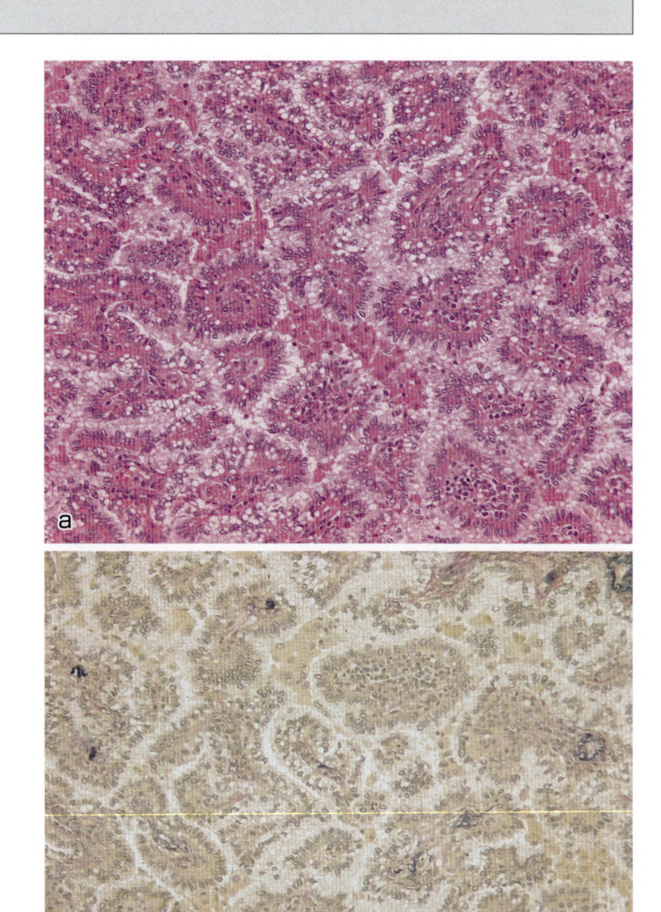

図8　乳頭型腺癌．a：非粘液産生性の腫瘍細胞が弾性線維を有さない膠原線維や線維芽細胞性の線維血管間質を軸とし，房状に増殖している．中拡大．b：線維間質の中心に血管が観察されるものもあるが弾性線維は認められない．中拡大

置換型腺癌 lepidic adenocarcinoma（**図6a, b**）は，II型肺胞上皮細胞やクララ Clara 細胞に類似する腫瘍細胞が肺胞壁表面に沿って，単層性，重層性に密に増殖する像が1つの腫瘍内で最も優位にみられる腫瘍で，最大直径が3 cmを超えるか，0.5 cm長を超える浸潤部分を有している．すなわち胞体，核腫大が認められる活動性のある線維芽細胞の増生を認めることや，腺管形成，篩状構造，充実型，乳頭型，微小乳頭型などの増殖形態を示す部分が1カ所で0.5 cm長以上にみられることが診断の根拠となる．浸潤部が離れて存在する場合は，浸潤部を総和してはならない．置換型増殖とする場合は，腫瘍細胞は必ずしも単層に増殖しているわけではなく，数層の細胞重積がみられることもある．なお置換型部分では肺胞壁の弾性線維は保たれている。粘液産生性腫瘍細胞からなる腫瘍の腫瘍径が3 cm を超える場合は置換型腺癌には含まれず，浸潤性粘液腺癌に分類する．

なお，置換型増殖優位の浸潤癌では異型腺腫様過形成や上皮内腺癌のように異型が弱く，比較的小型な腫瘍細胞で，増殖密度が低い部分が腫瘍辺縁にみられる場合があるが，1つの腫瘍内では異型が弱い部分も置換型腺癌の成分と考える．

腺房型腺癌 acinar adenocarcinoma（**図7a, b**）は円形から楕円形の腺管構造や篩状構造を呈する像が優位に認められる腫瘍である．腫瘍細胞の極性をもった腺管性増殖が置換性増殖との鑑別点になる．腫瘍細胞の胞体内や腫瘍腺管内腔に粘液を有するものもある．腺房型増殖は虚脱巣に封じ込まれた置換型増殖の亜型と間違いやすいので注意が必要である．間質には線維芽細胞や膠原線維の増生がみられ，弾性線維の断裂消失を認める．

乳頭型腺癌 papillary adenocarcinoma（**図8**）は粘液産生の乏しい腫瘍細胞が弾性線維を有さない膠原線維や線維芽細胞性の線維血管間質を軸とし，房状に増殖する像が優位な腫瘍

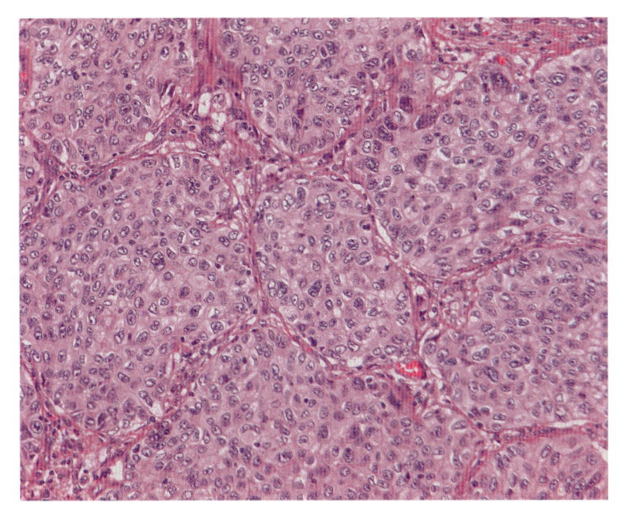

図 9　充実型腺癌．極性に乏しい多角形の腺上皮細胞由来の腫瘍細胞が，充実性，シート状に増殖している．大細胞癌や非角化型扁平上皮癌との鑑別には粘液染色や免疫染色を用いる．中拡大

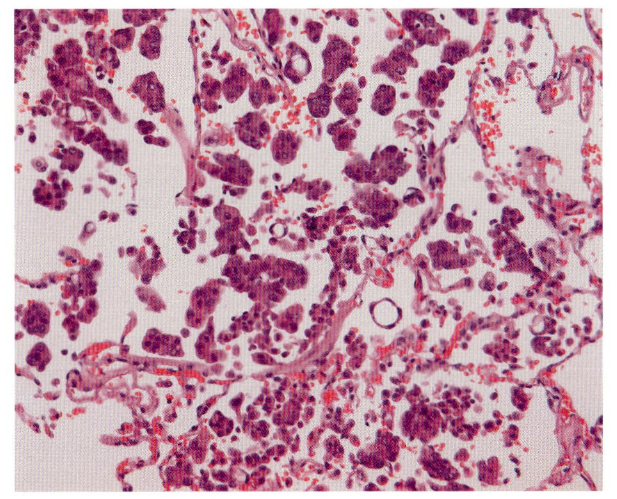

図 10　微小乳頭型腺癌．腺上皮由来の腫瘍細胞が花冠状，小花冠様や指輪状管腔構造に配列し増殖している．核は花冠の外側にみられ極性が外側に向いている．中拡大

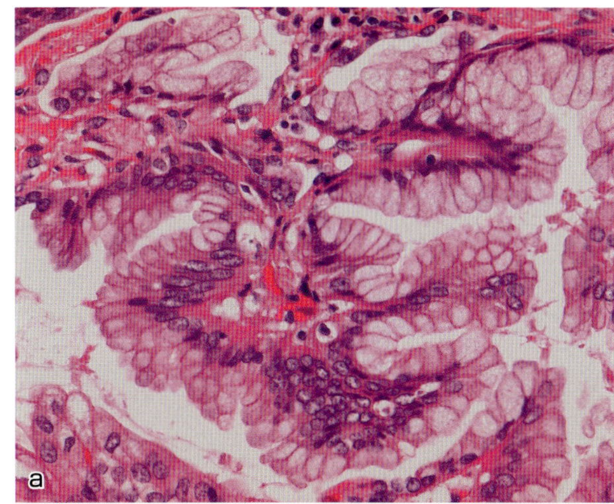

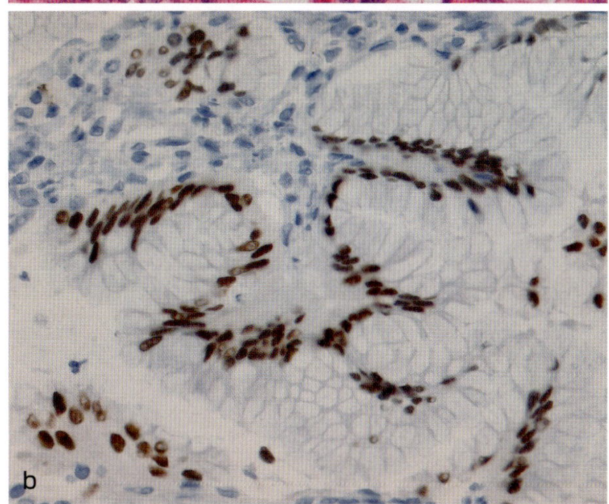

図 11　浸潤性粘液性腺癌．a：高円柱状で胞体内に豊富な粘液を有し，核には異型は乏しく小型で，粘液の存在により腫瘍細胞の基底部に偏在している腫瘍．腫瘍細胞は杯細胞に類似している．強拡大．b：HNF4α が核に陽性を示す．強拡大

である．置換型増殖の腔内や腺管内や肺胞内を充満するように乳頭型増殖がみられる場合は乳頭状や微小乳頭状の増殖と考え，これらの像は線維芽細胞の増生がなくとも浸潤とみなされる．肺胞中隔を腫瘍細胞が置換性増殖する像を乳頭状パターンと誤認しやすいので，弾性線維染色を用いて，乳頭型増殖部分に弾性線維がみられないことを観察することが大切である．

充実型腺癌 solid adenocarcinoma（**図 9**）は極性に乏しい多角形の腺上皮細胞由来の腫瘍細胞が，充実性，シート状に増殖する形態が優位な腫瘍である．一部に置換型，腺房型，乳頭型など腺系細胞由来である構造がみられることもあるが，腫瘍すべてが充実性増殖であった場合，腺癌か非角化型扁平上皮癌か大細胞癌かの鑑別が難しいことがある．その場合は，400 倍視野 2 カ所で 5 個以上の腫瘍細胞内にアルシアンブルーや PAS などの粘液染色を用いるなどして粘液を確認するか，または TTF1 や Napsin A など肺胞上皮細胞マーカーが陽性になることを確認し診断を行う．

微小乳頭型腺癌 micropapillary adenocarcinoma（**図 10**）は 2015 年の WHO 分類より肺腺癌の組織亜型として記載されている．腺上皮細胞が花冠状，小花冠様や指輪状管腔構造に配列し，増殖する像が優位な腫瘍である．核は花冠の外側にみられ，腺房型増殖とは異なり，極性，すなわち核が外側に向いている．花冠状の中心に線維血管間質がみられず，腫瘍細胞塊を呈している．微小乳頭型増殖の腫瘍細胞塊は肺胞壁に非接着で肺胞腔内に浮遊している場合や，接着している場合など両方の増殖形態がある．ほかの浸潤性腺癌の組織亜型と混在してみられることが多い．

浸潤性粘液性腺癌 invasive mucinous adenocarcinoma（**図 11**）は気管支上皮の杯細胞に類似している腫瘍細胞から構成

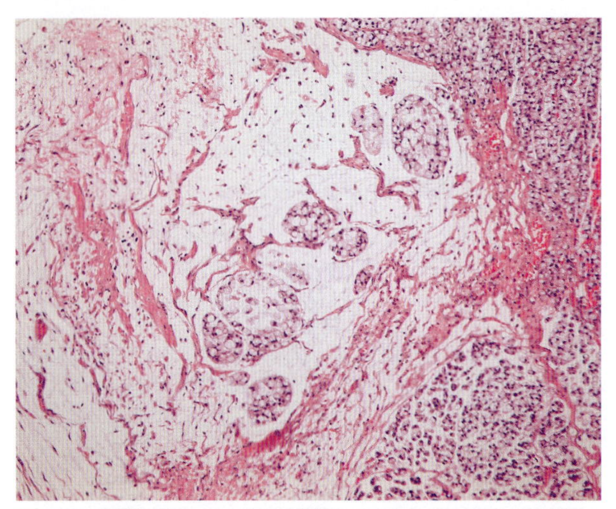

図 12 膠様（コロイド）腺腫．腫瘍細胞の豊富な細胞外粘液により気腔が破壊される．中拡大
（東京医科大学茨城医療センター 森下由紀雄教授提供）

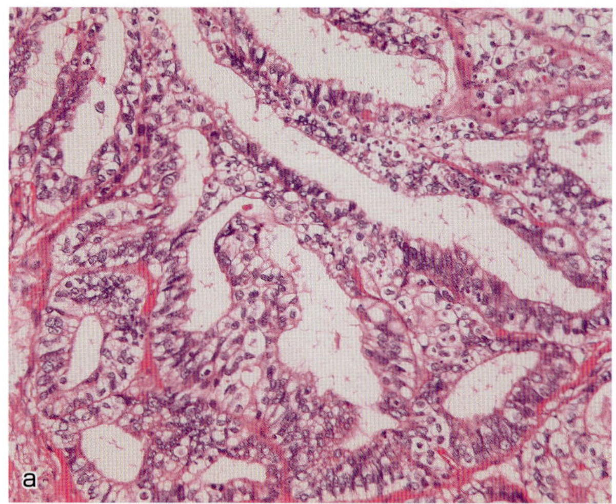

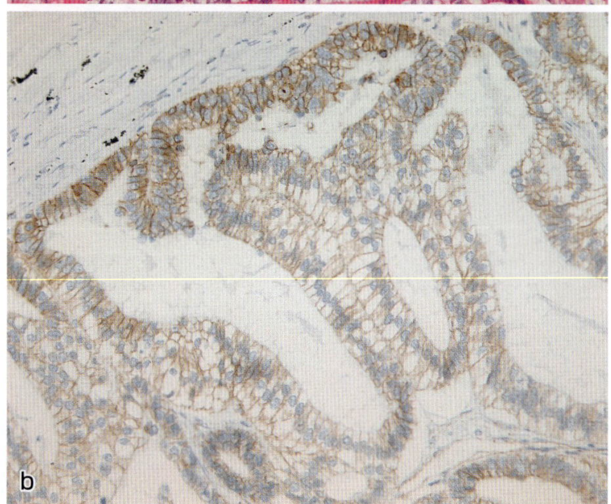

図 13 胎児型腺癌．a：腺様期（5～16 週）の胎児肺に類似した胞体内に豊富な糖原を含有する非線毛円柱上皮が複雑な分岐，乳頭腺管構造を呈している．中拡大．b：βカテニンは細胞膜に陽性を示す．中拡大

される腺癌で，高円柱状で胞体内に豊富な粘液を有し，核には異型は乏しく小型で，粘液の存在により腫瘍細胞の基底部に偏在している．粘液は腫瘍細胞が存在しない腫瘍周囲の肺胞腔内にも充満していることが多い．腫瘍は置換型増殖することが多いが，充実型増殖を除くほかの増殖形態もみられる．粘液非産生性の腫瘍部分が腫瘍全体の 10%を超える場合は粘液産生性・非産生性混合型と診断する．浸潤性粘液性腺癌は 2015 年の WHO 分類より肺腺癌の組織亜型として記載されていて，以前の WHO 分類では粘液性細気管支肺胞上皮癌に分類されていたものである．免疫染色では CK7 はほぼ全例に陽性となるが，CK20 は 80%程度陽性で局所的なこともある．TTF1 や Napsin A は通常陰性で，消化管上皮細胞マーカーである HNF4α がびまん性に陽性となることが多く，HNF4α 陽性が浸潤性粘液性腺癌と診断する根拠と考える病理医が多い．

膠様（コロイド）腺癌 colloid adenocarcinoma（**図 12**）は，豊富な細胞外粘液により気腔が破壊される粘液産生性腺癌である．浸潤性粘液性腺癌と類似しているが，コロイド腺癌は豊富な肺胞腔内に粘液が貯留し既存の肺胞構築が破壊され，ときに肺胞が拡張し嚢胞状になる浸潤性腺癌である．腫瘍細胞は杯細胞に類似していて，肺胞隔壁または線維性隔壁に沿って増殖するが，腫瘍細胞の出現が非連続性のことや極小領域にとどまること，粘液内に浮遊していることがあり注意が必要である．腫瘍細胞がみられなくても粘液結節の大きさをもって腫瘍径とする．免疫組織学的に CDX2，MUC2，CK20，Napsin A が陽性となる．TTF1 や CK7 は弱陽性である．

胎児型腺癌 fetal adenocarcinoma（**図 13**）は腺様期（5～16 週）の胎児肺に類似した胞体内に豊富な糖原を含有する非線毛円柱上皮が複雑な分岐，乳頭腺管構造を呈する腫瘍である．低悪性度型と高悪性度型に分類される．低悪性度型は胎児肺類似成分の上皮性成分から構成され，核異型が乏しく，モルラ形成を認め fibromyxoid な間質を伴う．モルラとは，弱好酸性の胞体を有する卵円形細胞がボール状に増殖する腫瘍細胞塊で，腫瘍腺管内腔や間質内に突出している．低悪性度型は細胞膜，核にβカテニン陽性像がみられることが診断根拠となる．特にモルラの部分でβカテニンの核への移行像が目立つ．高悪性度では，βカテニンは細胞膜優位で，しばしば神経内分泌マーカー（クロモグラニン A やシナプトフィジン）が陽性を示す．高悪性度型は少なくとも 50%が胎児肺類似成分から構成されるもので，複雑に分岐する乳頭腺管構造で，腫瘍細胞は低悪性度型よりも核異型が強くみられる．また壊死巣がみられ，モルラの形成はみられない．しばしば通常型の肺腺癌への移行像が認められ，βカテニンの核移行はみられない．

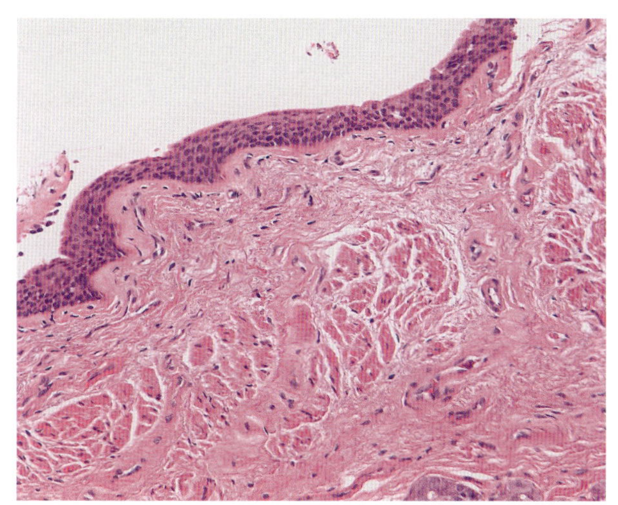

図 14　扁平上皮化生．基底側に多角形，短紡錘形の細胞が重層し，表層は扁平化した細胞で覆われている．中拡大

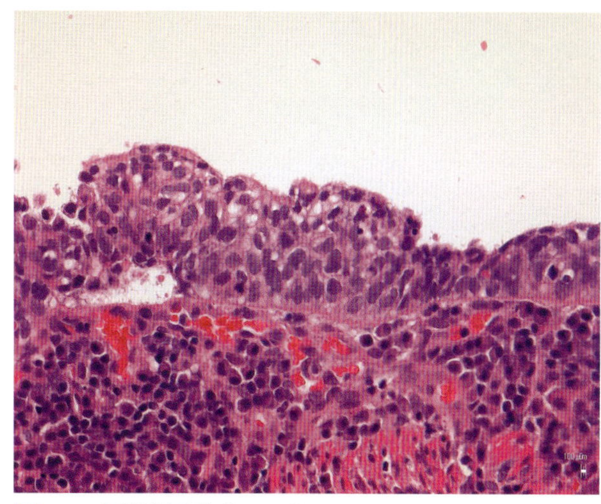

図 15　中等度異形成．異型細胞は上皮の下 2/3 にとどまる．強拡大

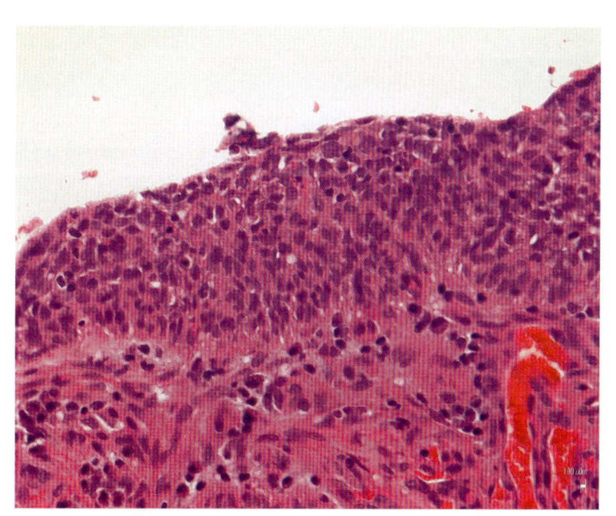

図 16　上皮内癌．上皮全体が異型を有する細胞で置換され，核の極性に乱れある．強拡大

扁平上皮癌は喫煙と強く関係する腫瘍である．そのため，近年は喫煙率の低下に伴い発生頻度が低下してきている．喫煙との関係があるため，中枢側の気管支に発生する腫瘍を経験することが多かったが，近年はむしろ末梢肺に発生する症例が目立ち，発生部位の割合は中枢：末梢で概ね 1：1 である．喫煙者で男性に多く，女性の割合は 10％程度である．

扁平上皮癌では多段階発癌が知られており，基底細胞，杯細胞，中間細胞などの過形成，扁平上皮化生，軽度異形成，中等度異形成，高度異形成，上皮内癌を経て，浸潤性の扁平上皮癌となる．これは中枢型でも末梢型でもみられる．その過程には主として 3p の LOH や p16 のメチル化，p53 や k-ras の点突然変異などがかかわっている．

扁平上皮化生は基底側に多角形，短紡錘形の細胞が重層し，表層は扁平化した細胞で覆われている（**図 14**）．軽度異形成は軽度の異型を有する細胞が上皮の下 1/3 にとどまり，中等度異形成は下 2/3 にとどまる（**図 15**）．高度異形成になると高度異型を有する細胞が上皮層の上 1/3 に達する．核の極性はやや乱れる．上皮内癌（**図 16**）では，上皮全体が高度異型を有する細胞で置換される．核の極性に乱れが認められる．これらの基準はおおむね子宮頸癌のそれに準じているが，経時的に悪性化が観察されることは少ない．浸潤性の扁平上皮癌は，2015 年の WHO 分類では角化型，非角化型，類基底細胞型の 3 つに分類されている．組織学的にはいずれも大小の腫瘍胞巣が線維化内で圧排して増殖（圧排増殖型）するように，または肺胞腔内を充満するように（肺胞充填型）浸潤増殖している．腫瘍胞巣辺縁には円柱状細胞の放射状，柵状の配列がみられ，中心部に向かってシート状，敷石状に配列し，腫瘍細胞が扁平化する．扁平上皮癌の間質には腺癌に比較して形質細胞が著明に浸潤していることが多い．広範は壊死を有していることもあり，腫瘍内にある気管支から排出されて空洞を形成し，画像上腫瘍が一時的に縮小することもある．

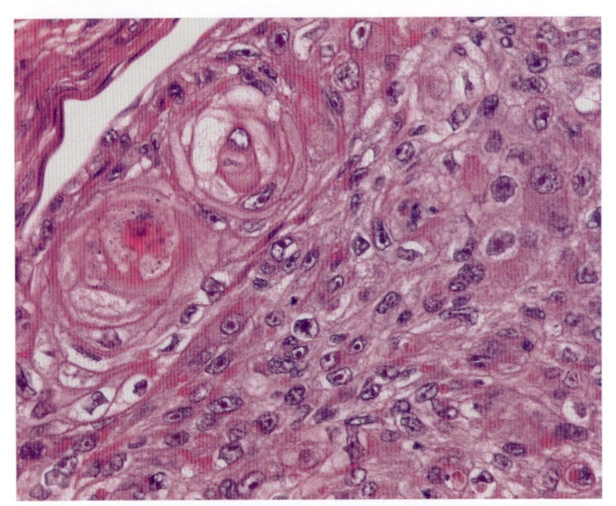

図17 角化型扁平上皮癌．腫瘍細胞が扁平化ないしは奇怪な形になり，核が小型化，濃縮し，好酸性の胞体となる角化，同心円状に配列する角化細胞からなる癌真珠，細胞間橋がみられる．強拡大

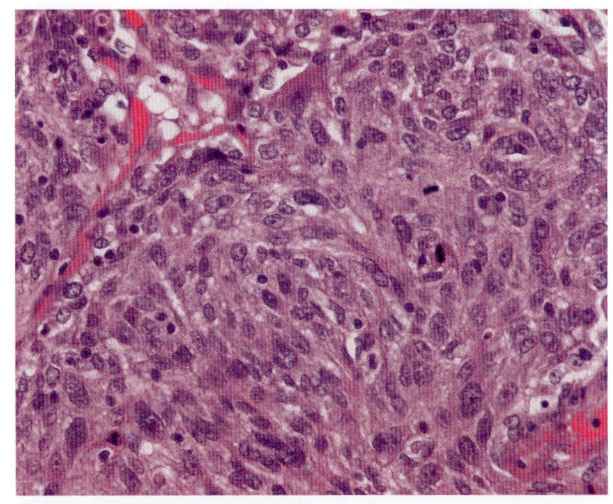

図18 非角化型扁平上皮癌．角化所見を欠き，細胞間橋も不明瞭である．免疫染色での確認が必要である．強拡大

角化型扁平上皮癌 keratinizing squamous cell carcinoma（**図17**） 細胞が扁平化ないしは奇怪な形になり，核が小型化，濃縮し，好酸性の胞体となる角化，同心円状に配列する角化細胞からなる癌真珠，細胞間橋が種々の程度で認められる．

非角化型扁平上皮癌 non-keratinizing squamous cell carcinoma（**図18**）小型の腫瘍細胞が胞巣を形成ないしは小葉状に増殖し，胞巣辺縁では柵状配列を示す低分化な腫瘍で，大細胞癌や充実型腺癌との鑑別には免疫染色が必要となる．扁平上皮癌と診断するには p40，p63，CK5，CK5/6 などが陽性で，TTF1 が陰性であることが必要である．

類基底細胞型扁平上皮癌 basaloid squamous cell carcinoma（**図19**）小型で N/C 比の高い小細胞癌に類似した腫瘍細胞からなり，充実胞巣状に増殖していて（**図19a**），辺縁には多層の柵状配列を認める．扁平上皮癌様の構造はほぼみられないが，まれに癌真珠は観察される場合がある．腫瘍胞巣内に面皰壊死がみられる場合もあり，ロゼット構造も 1/3 の割合で観察される．間質は硝子化ないしは粘液調である．角化型や非角化型の扁平上皮癌が合併してみられる場合は 50％以上類基底細胞癌と診断可能な部分があれば，類基底細胞癌と診断する．免疫染色では p40（**図19b**），p63，サイトケラチンが陽性を示し，10％程度は神経内分泌マーカーが陽性になる．小細胞癌との鑑別が問題になる場合がある．

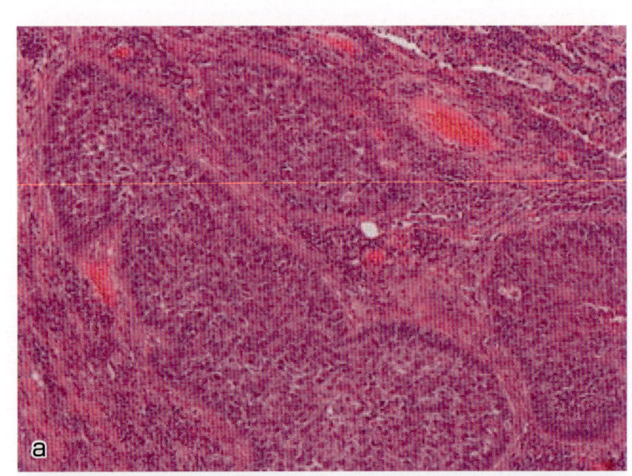

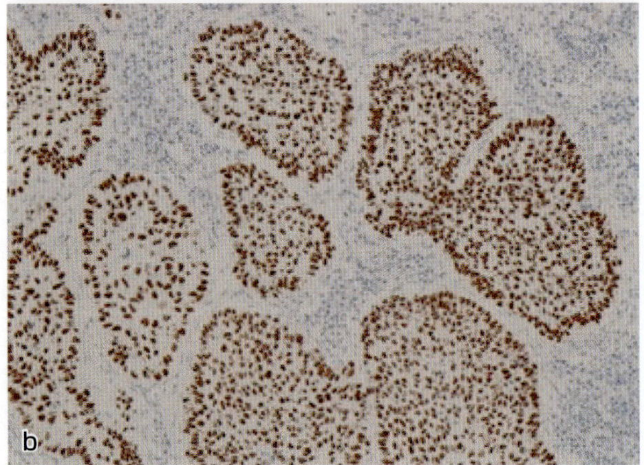

図19 類基底細胞癌．a：腫瘍胞巣辺縁には柵状配列がみられ，比較的小型の腫瘍細胞には明らかな角化など扁平上皮分化がみられない．中拡大．b：p40 の免疫染色では腫瘍細胞は一様に陽性である．中拡大

表 4

	核分裂像数	壊死	腫瘍の大きさ	その他
小細胞癌	≧11/2 mm^2（平均 60-70）	有		
大細胞神経内分泌癌	≧11/2 mm^2（平均 75）	有		神経内分泌マーカー（CD56，クロモグラニンA，シナプトフィジン）が1つ以上陽性
異型カルチノイド	2-10/2 mm^2 または壊死有			
定型カルチノイド	0-1/2 mm^2	無	≧0.5 cm	

神経内分泌腫瘍は2015年のWHO分類から新たに設けられた分類である．神経内分泌腫瘍には既知の小細胞癌，大細胞癌として分類されていた大細胞神経内分泌癌，定型カルチノイドおよび異型カルチノイド（非定型より変更）が含まれ，この前浸潤性病変としてはびまん性特発性肺神経内分泌過形成が含まれる．小細胞癌と大細胞神経内分泌癌の２つは高悪性度腫瘍で，定型および異型カルチノイドを低悪性度〜中間悪性度腫瘍である（**表 4**）．

小細胞癌 small cell carcinoma（**図 20a**）N/C 比の高い腫瘍細胞がびまん状，索状またはリボン状に増殖し，ロゼット構造，鋳型状配列，胞巣辺縁騎兵配列，オルガノイド形態など神経内分泌性の特徴的な形態を示す．腫瘍細胞の核クロマチンは繊細で，ヘマトキシリンで青紫色に濃染している．核小体は目立たない．核は類円形，紡錘形のものがあり，リンパ球の３倍程度の直径といわれてはいるものの，実際はやや大きめの核も含まれる．核は挫滅しやすく，生検検体では核線を引いて形態が不明瞭なものもある．小細胞癌の診断には核所見が大切な情報になる．定義上，神経内分泌マーカーは必ずしも小細胞癌に陽性である必要はなく，組織診断と細胞診断，すなわち構造と細胞形態で診断を行う．ただし，神経内分泌能の確認〔CD56，クロモグラニンA（**図 20b**），シナプトフィジン〕と上皮系由来であることの確認（高分子サイトケラチン抗体：CK1，CK5，CK10，CK14 などのカクテル抗体）のための免疫染色を行うことは勧められる．TTF1（**図 20c**）は腫瘍細胞核に高率に陽性であり，c-kit も陽性を示す．扁平上皮癌，腺癌，紡錘細胞癌，巨細胞癌が存在する場合，あるいは大細胞癌，大細胞神経内分泌癌が 10％以上の領域でみられた場合に混合型小細胞癌と診断される．

大細胞神経内分泌癌 large cell neuroendocrine carcinoma

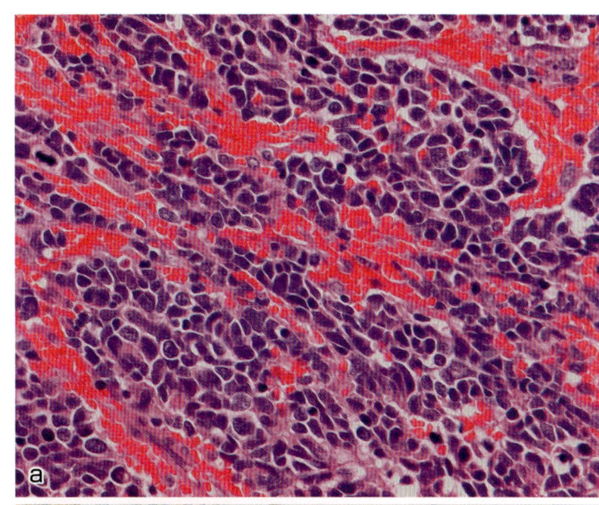

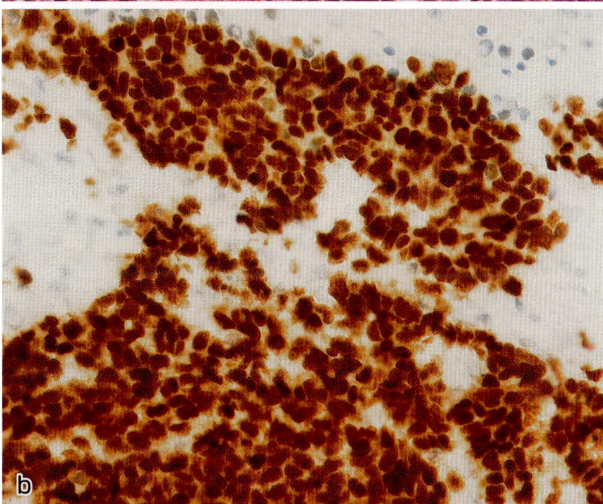

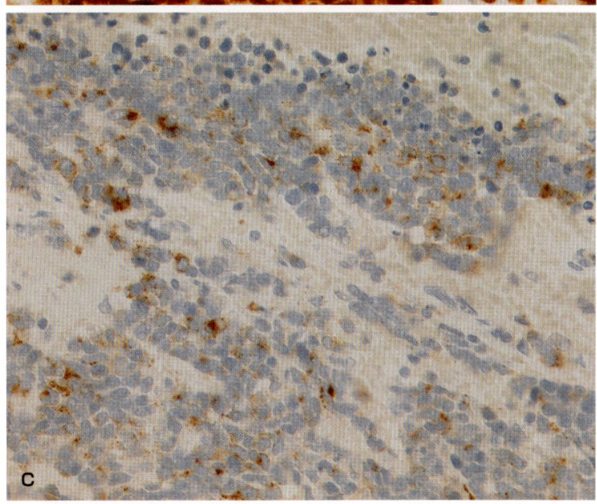

図 20　小細胞癌．a：N/C 比の高い腫瘍細胞がびまん性，索状に増殖している．強拡大．b：クロモグラニン A の免疫染色では腫瘍細胞の細胞質に顆粒状に陽性を示す．強拡大．c：TTF1 の免疫染色では腫瘍細胞の核に陽性を示す．強拡大

小細胞癌と比較して，核は大型で明瞭な核小体を有し，比較的豊富な細胞質をもつ腫瘍細胞が巣状，索状に増殖し，ロゼット構造や鋳型状配列，胞巣辺縁騎兵配列，オルガノイド

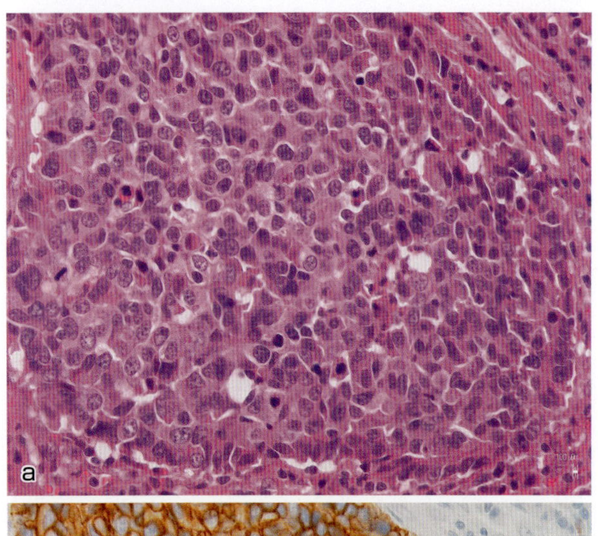

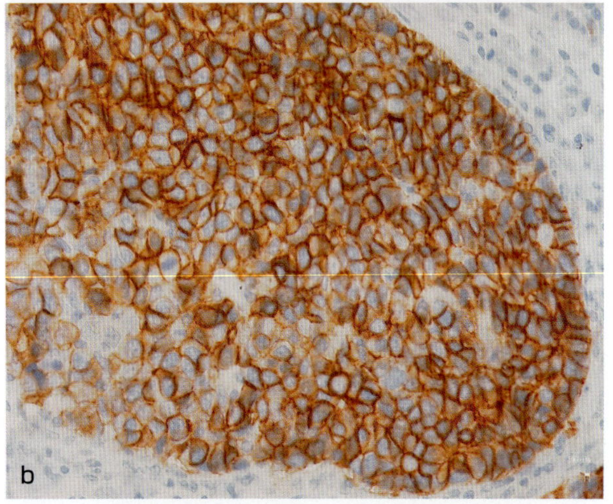

図 21　大細胞神経内分泌癌．a：小細胞癌と比較して，核は大型で明瞭な核小体を有し，比較的豊富な細胞質をもつ腫瘍細胞が巣状，胞巣辺縁騎兵配列など神経内分泌分化形態を呈し増殖している．強拡大．b：CD56 が細胞膜に強く陽性を示す．強拡大

図 22　カルチノイド腫瘍．a：気管支上皮直下にほぼ均一な大きさの類円形，多角形腫瘍細胞が，オルガノイド，ロゼット状などの神経内分泌形態を示し増殖している．間質には毛細血管が目立つ．強拡大．b：Grimelius 染色で黒褐色に染まる神経内分泌顆粒が腫瘍細胞の胞体内にみられる．強拡大

形態など神経内分泌分化形態を呈する（**図 21a**）．小細胞癌と異なり，腫瘍細胞の核ではクロマチンは粗造で，空胞様である場合もある．大細胞神経内分泌癌は小細胞癌とは異なり，神経内分泌マーカー〔CD56（**図 21b**），クロモグラニン A，シナプトフィジン〕が 1 つでも陽性であることが大細胞神経内分泌癌を診断するために必要である．TTF1 や汎サイトケラチンや低分子サイトケラチンが陽性になる．扁平上皮系のマーカーである p40 は陰性で，高分子サイトケラチンも陰性となり，これらの特徴は小細胞癌や扁平上皮癌，特に非角化型や類基底細胞癌との鑑別に有用である．量の多寡によらず扁平上皮癌，腺癌，紡錘細胞癌，巨細胞癌が存在する場合は混合型大細胞神経内分泌癌に分類される．

カルチノイド腫瘍 carcinoid tumors　低悪性度から中等度悪性の腫瘍で，**表 4** にあるように壊死の有無や細胞分裂数によって定型カルチノイドおよび異型カルチノイドに分類される．全体の 3/4 は中枢気管支内に発生し，ほぼ均一な大きさの類円形，多角形腫瘍細胞が，オルガノイド，索状，ロゼット状，リボン状などの神経内分泌形態や乳頭状構造を示す（**図 22a**）．末梢にみられるカルチノイド腫瘍では，まれに短紡錘形細胞もみられる．核クロマチンは細粒状で，いわゆるごま塩状 salt and pepper で，核小体は目立たない．細胞質は好酸性で，N/C 比は小細胞癌に比べて低い．内分泌腫瘍なので間質には毛細血管が豊富で，ときに硝子化や軟骨形成，骨化がある．そのため，生検した場合出血が多いのも特徴である．増殖形態は気管支，細気管支と関連して発生し，気管支内にポリープ状に充満，増殖を示す場合も多い．一般に，神経内分泌マーカー（CD56，クロモグラニン A，シナプトフィジン）に強陽性を示す．TTF1 は多くの場合陰性である．ま

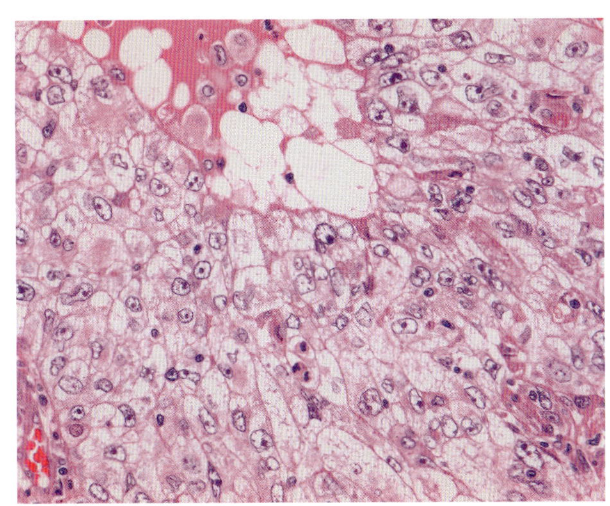

図 23　大細胞癌．多角形で大小不同があり，核にも大小不同，核形不整が目立つ腫瘍細胞が充実性に増殖している．明らかな腺系，扁平上皮系分化はみられない．強拡大

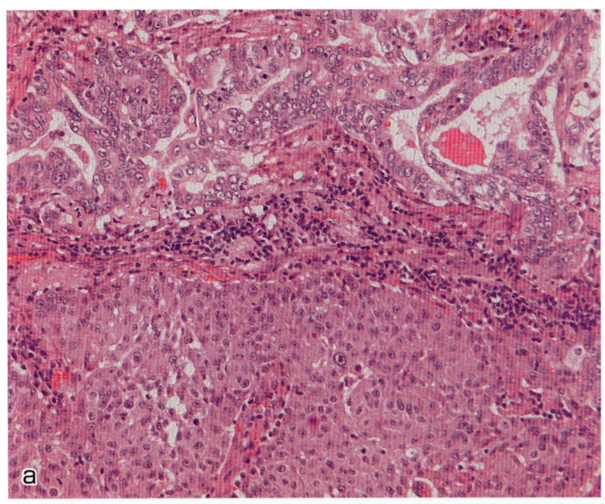

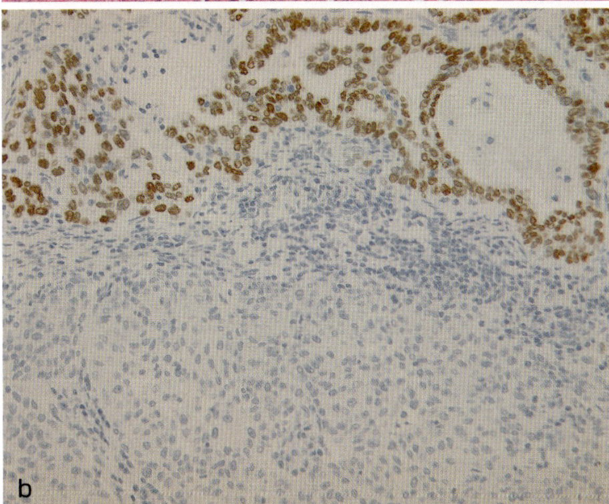

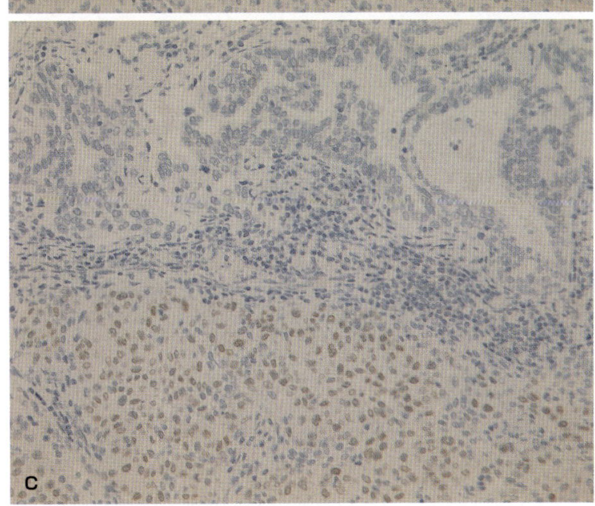

図 24　腺扁平上皮癌．a：腺癌と扁平上皮癌の両方の成分からなる腫瘍である．左下が扁平上皮癌成分，右上が腺癌成分である．中拡大．b：TTF1 の免疫染色では腺癌成分のみが陽性を示す．中拡大．c：p40 の免疫染色では扁平上皮癌成分のみが陽性を示す．中拡大

た Grimelius 染色で黒褐色に染まる神経内分泌顆粒が胞体内に観察される（**図 22b**）．

大細胞癌（**図 23**）　低分化の腫瘍で細胞学的，組織学的，免疫組織化学的にも小細胞癌，腺癌，扁平上皮癌の性質を有さない腫瘍である．腺癌（乳頭状・腺腔状構造や粘液産生），扁平上皮癌（角化や細胞間橋），小細胞癌（神経内分泌系形態）の性質を示さず，かつ，腺系マーカー（TTF-1，Napsin A）および扁平上皮系マーカー（p40，CK5/6 など）が陰性であることが診断の根拠となる．手術検体などで腫瘍全体を十分に検索した場合につけることができる診断名であり，生検診断としては用いない．

腺扁平上皮癌（**図 24**）　腺癌と扁平上皮癌の両方の成分からなり，それぞれの成分が少なくとも腫瘍全体の 10％を占める腫瘍である．腺癌と扁平上皮癌がおのおの領域性をもって存在している腫瘍や，おのおのの成分が連続していて移行像がみられる腫瘍が認められる．含まれる腺癌の亜型，扁平上皮癌の亜型の種類は問わない．

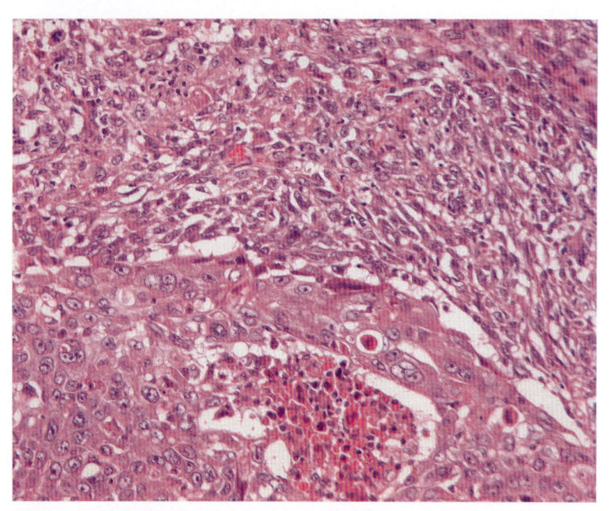

図25　多形癌．扁平上皮癌と紡錘細胞がみられる．扁平上皮癌の成分では角化壊死も観察される．中拡大

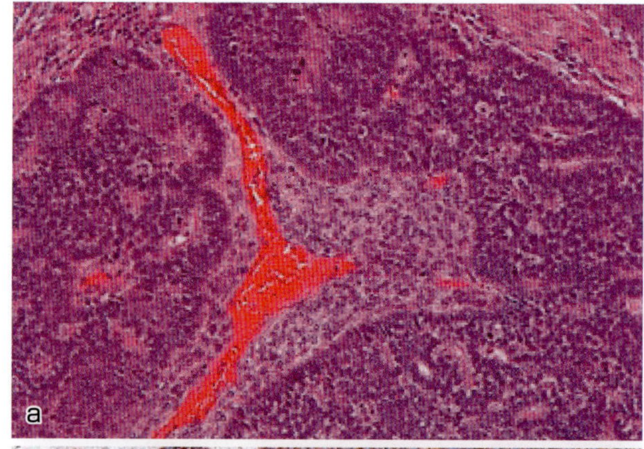

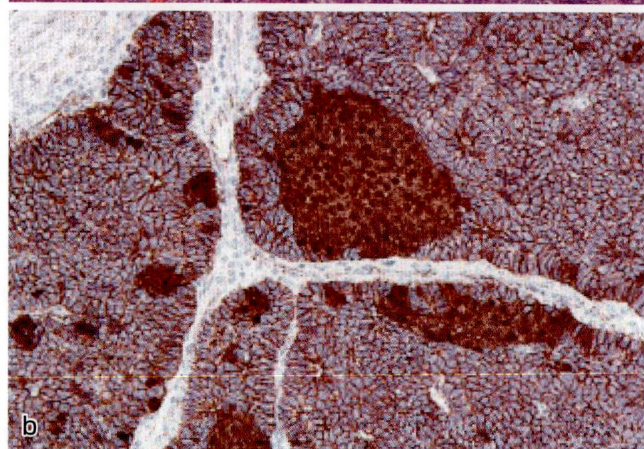

図26　肺芽腫．a：低悪性度の胎児型腺癌と未熟な間葉細胞成分からなる二相性の腫瘍で，上皮成分の腫瘍細胞は円柱状で，小型で類円形の比較的均一な大きさの核を有している．間葉細胞ではN/C比の高い小型で未熟な細胞の密な増殖がみられる．中拡大．b：上皮成分の胎児型腺癌部分でβカテニンが核，細胞質優位に染色されている．中拡大

肉腫様癌　多形癌（**図25**），紡錘細胞癌，巨細胞癌，癌肉腫，肺芽腫（**図26**）が含まれる．

多形癌 pleomorphic carcinomaは，紡錘形細胞あるいは巨細胞を含む腺癌，低分化非小細胞癌，扁平上皮癌，あるいは紡錘形細胞と巨細胞のみからなる癌である．これらの成分のうち，紡錘形細胞または巨細胞の成分が腫瘍全体の10%以上を占めていることが必須である．多形癌で認められる紡錘形細胞は異型性が高度にみられ，胞体は好酸性，核は紡錘形でクロマチンが濃染し，核小体が目立ち，核縁の肥厚がみられる．紡錘形細胞は束状の配列や花むしろ配列を示す．巨細胞は，好酸性ないしは顆粒を含む豊富な胞体で，核は大型で高度の異型，奇怪な形状もみられ，粗顆粒状のクロマチンを含み，明瞭な核小体を有している．

紡錘細胞癌 spindle cell carcinomaは紡錘形細胞のみからなる癌，**巨細胞癌** giant cell carcinomaは巨細胞のみからなる癌で，いずれもまれである．多形癌，紡錘細胞癌，巨細胞癌では，腫瘍組織内に多核白血球やリンパ球の浸潤や血球貪食像をみることがある．

肺芽腫 pulmonary blastomaは，上皮成分が前述した低悪性度の胎児型腺癌と未熟な間葉細胞成分からなる二相性の腫瘍で，発生はきわめてまれであり，全肺癌切除症例のうち0.1%未満である．上皮成分が高悪性度胎児型腺癌の場合は癌肉腫と診断する．通常は大型の充実性腫瘍で，末梢肺に発生する．上皮成分の腫瘍細胞は円柱状で，小型で類円形の比較的均一な大きさの核を有している（**図26a**）．胞体には糖原が豊富に含まれている．間葉細胞成分はN/C比の高い小型で未熟な細胞の密な増殖とその周囲に分化がみられる紡錘形細胞が認められる．ときに骨，軟骨，横紋筋などへの分化を示す肉腫成分や，ごくまれに卵黄嚢腫瘍など胚細胞腫瘍 germ cell tumorや悪性黒色腫がみられるが，診断の必須条件ではない．免疫染色では上皮成分の胎児型腺癌部分でβカテニンがモルラ，分岐した腺管で核，細胞質優位に染色されることが最も特徴的であり（**図26b**），その他の特徴としては，TTF1や神経内分泌マーカーであるCD56，クロモグラニンAなどが染色される．間葉系部分ではビメンチンが陽性で，その他，間葉系細胞の分化によりデスミンやS-100などが染色される．80%の症例ではβカテニン遺伝子のexon 3にmissense mutationが認められる．

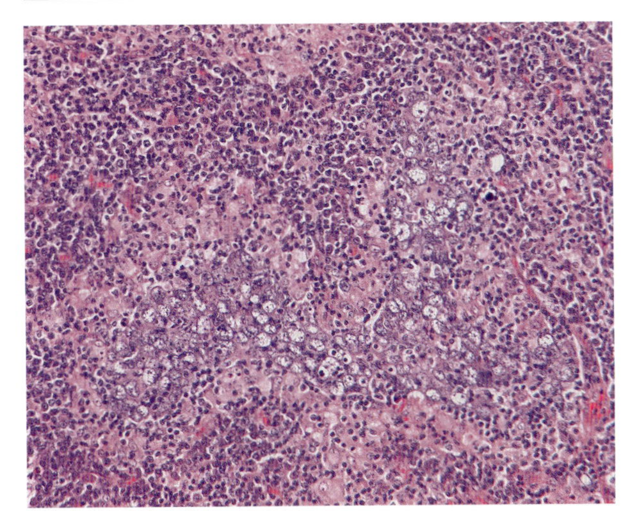

図27 リンパ上皮腫様癌. リンパ球浸潤が高度に認められる低分化または未分化な癌で，腫瘍細胞は大型で明るい核，好酸性で明瞭な核小体を有し，細胞境界が不明瞭で一見細胞同士が癒合しているかのように増殖している．中拡大
（東京医科大学茨城医療センター　森下由紀雄教授提供）

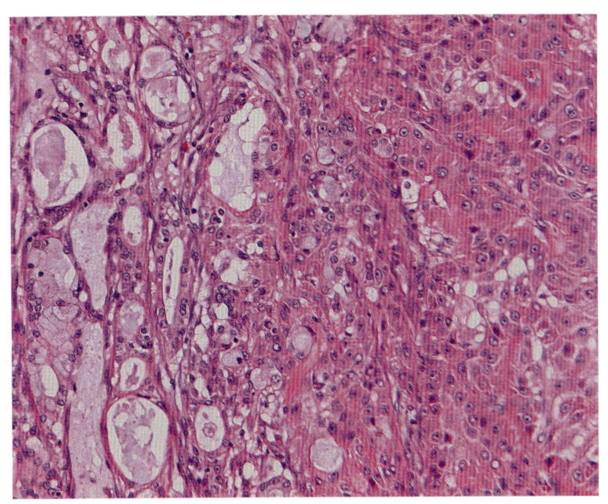

図28 粘表皮癌. 粘液産生細胞，扁平上皮細胞（扁平上皮様細胞），中間細胞から構成された腫瘍で，同名の腫瘍が唾液腺でもみられる．中拡大

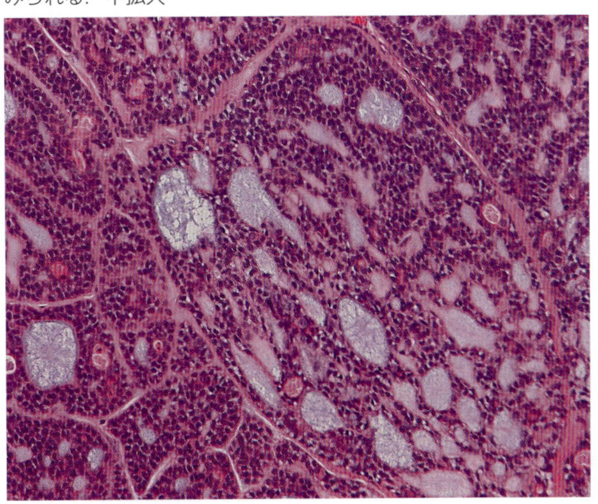

図29 腺様嚢胞癌. 小型の核をもつ上皮様細胞と筋上皮細胞から構成される唾液腺型癌で，篩状に増殖している．中拡大

分類不能癌　リンパ上皮腫様癌（**図27**），NUT転座癌が含まれる．

リンパ上皮腫様癌 lymphoepithelioma-like carcinomaはリンパ球浸潤が高度に認められる低分化または未分化な癌で，*EBER1*が腫瘍細胞の核内に証明されることがある．腫瘍細胞は大型で明るい核，好酸性で明瞭な核小体を有し，細胞境界が不明瞭で一見細胞同士が癒合しているかのように増殖し，背景にリンパ球浸潤が高度にみられる．扁平上皮分化や紡錘形細胞分化がみられる場合もある．肺以外の臓器にみられるリンパ上皮腫瘍癌と同様な所見である．

唾液腺型腫瘍　気道上皮下に局在する気管・気管支腺に由来すると考えられ，粘表皮癌（**図28**），腺様嚢胞癌（**図29**），上皮筋上皮癌，多形腺腫が含まれる．いずれも同名の唾液腺腫瘍と同様の組織形態を示す．

粘表皮癌 mucoepidermoid carcinomaは粘液産生細胞，扁平上皮細胞（扁平上皮様細胞），中間細胞から構成された唾液腺型腫瘍である．気管・気管支内，特に主から区域気管支といった中枢気管支内腔に発生する．低悪性度と高悪性度の2段階に分類され，多くは低悪性度病変である．低悪性度病変では，粘液を豊富に有する円柱状細胞からなる嚢胞状増殖と，それを取り巻く扁平上皮細胞（扁平上皮様細胞），中間細胞からなる充実性増殖を呈す．中間細胞は卵円形，多角形で類円形核をもち，好酸性ないしは明るい胞体を有している．間質は石灰化や骨化がみられることがあり，肉芽様変化も認められる．高悪性度病変は，異型扁平上皮様細胞と中間細胞が主体であり，粘液細胞は乏しく，基本的に腺扁平上皮癌と同義である．免疫組織化学的に，TTF1とNapsin Aは陰性である．*CRTC1-MAML2*融合遺伝子がみられる．

腺様嚢胞癌 adenoid cystic carcinomaは小型の核をもつ上皮様細胞と筋上皮細胞から構成される唾液腺型癌で，気管から葉気管支の中枢気管支内，特に気管内に発生することが多い．篩状構造が定型像であり，円柱腫cylindromaともよばれる．その他，管状，充実型構造を呈する．腺管は2層構造を示し，内腔に上皮様細胞と辺縁に筋上皮細胞がみられ，間質は粘液調，硝子化を呈する．免疫組織化学では，いずれの細胞ともにcytokeratin，vimentin，actin，S-100，CD117が陽性を示す．篩状構造では，真の腺腔と偽腺腔があり，偽腺腔内には粘液と硝子様物が認められ，Ⅳ型collagenやlamininが陽性を示す．

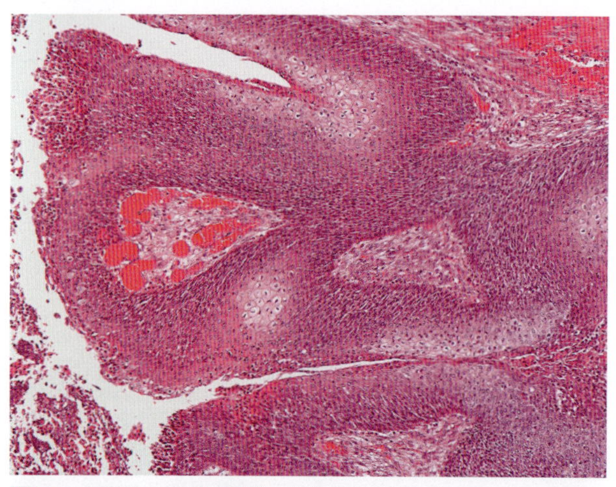

図 30　扁平上皮乳頭腫．線維血管間質を伴い葉状，乳頭状に増殖する扁平上皮に覆われている．中拡大

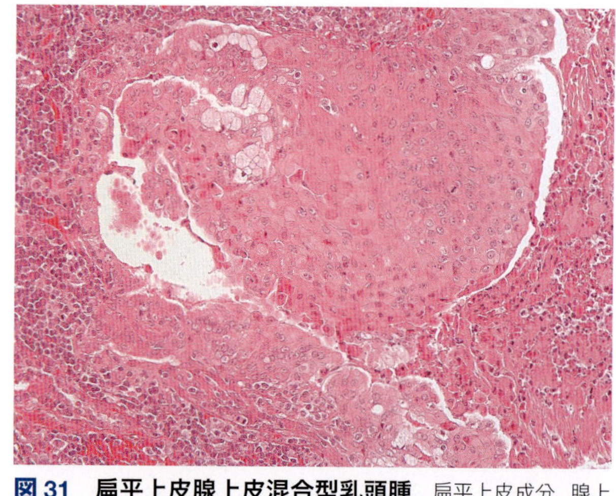

図 31　扁平上皮腺上皮混合型乳頭腫．扁平上皮成分，腺上皮の成分が両方みられる．中拡大

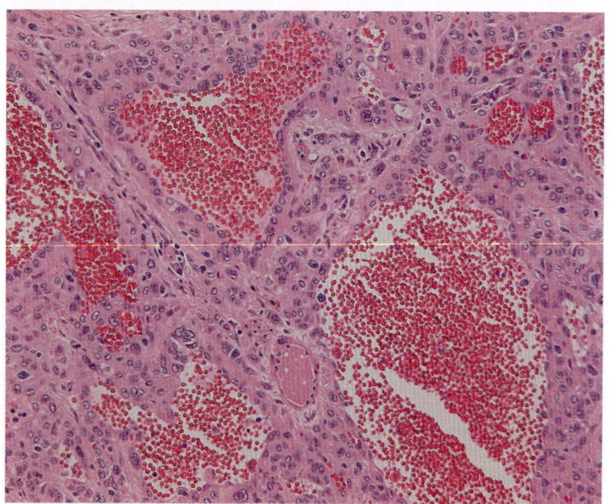

図32　硬化性肺胞上皮腫．II型肺胞上皮に類似する表層細胞と円形細胞の２種類の細胞から構成され，乳頭状，出血性を示している．中拡大

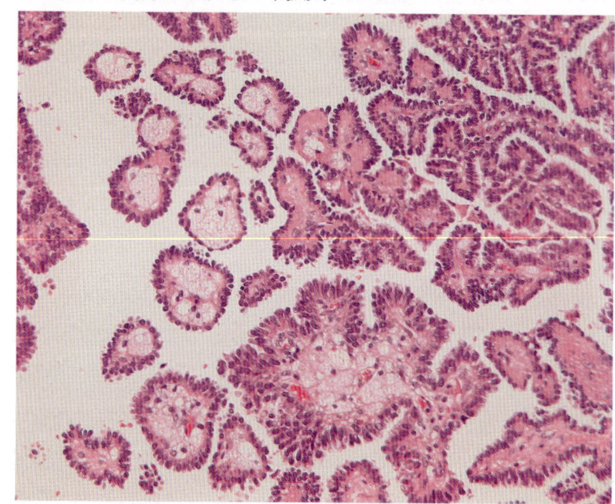

図 33　乳頭腺腫．異型に乏しい立方状から円柱状の細胞が線維血管性間質を伴い単層，乳頭状に増殖している．中拡大

乳頭腫　扁平上皮乳頭腫（**図 30**），腺上皮乳頭腫およびそれらの混合型（**図 31**）がある．単発性，多発性の両者が認められ，外向性，内反性も認められる．単発性の**扁平上皮乳頭腫** squamous cell papilloma は非常にまれな良性腫瘍である．約半数に HPV の関与が考えられている．基底から表層への分化傾向が認められ，表層には角化がみられる場合がある．25％程度の症例に，HPV 感染でみられる核皺や二核化，核周囲の空洞化（halo）などが認められる．まれに異形成が認められる．一方，**腺上皮乳頭腫** glandular papilloma は線毛円柱状あるいは非線毛円柱状の細胞が乳頭状に増殖する腫瘍であり，悪性化の報告はない．**混合型**は扁平上皮成分，腺上皮の成分が両方みられる腫瘍である．

腺腫　硬化性肺胞上皮腫（**図 32**），肺胞腺腫，乳頭腺腫（**図 33**），粘液嚢胞腺腫，粘液腺腺腫がある．

硬化性肺胞上皮腫 sclerosing pneumocytoma はいわゆる硬化性血管腫とよばれている腫瘍である．II型肺胞上皮に類似する表層細胞と円形細胞の２種類の細胞から構成される．組織像は主として，充実性，乳頭状，硬化性（線維化），出血性の4種があり，それぞれが混合して存在していることが多い．間質にはコレステリン沈着，泡沫状マクロファージ，ヘモジデリン貪食マクロファージがみられる．術中の迅速診断では乳頭型腺癌との鑑別が難しいことがあり，割面の肉眼所見が重要である．臨床情報，画像情報などがあると診断の助けになる．

乳頭腺腫 papillary adenoma は，異型に乏しい立方状から円柱状の細胞が線維血管性間質を伴い単層，乳頭状に増殖する腫瘍と定義されている．乳頭型腺癌とは核異形や腫瘍細胞の重層の有無，核分裂像の有無で鑑別が可能である．

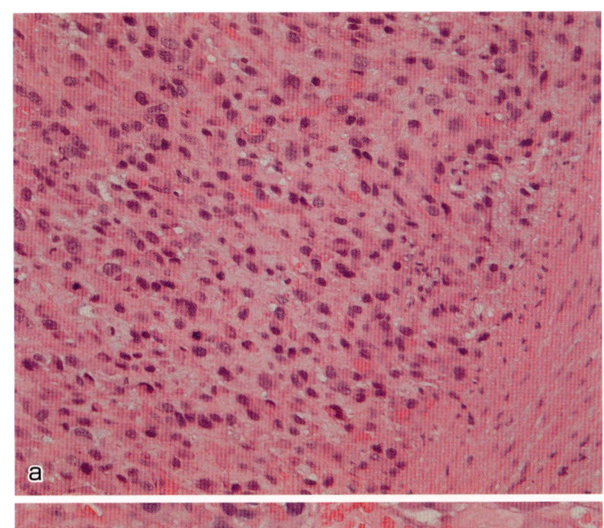

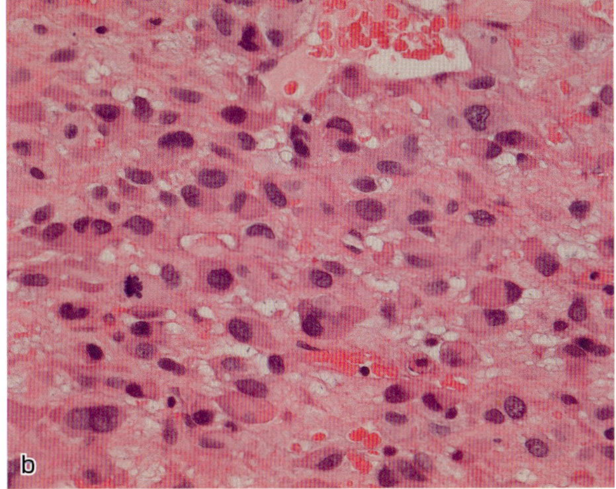

図 34　肺動脈内膜肉腫．肺動脈の内膜から発生し，多角形，紡錘形など多彩な腫瘍細胞がびまん性に増殖している．核異型が目立ち，核分裂像も観察される．a：中拡大，b：強拡大

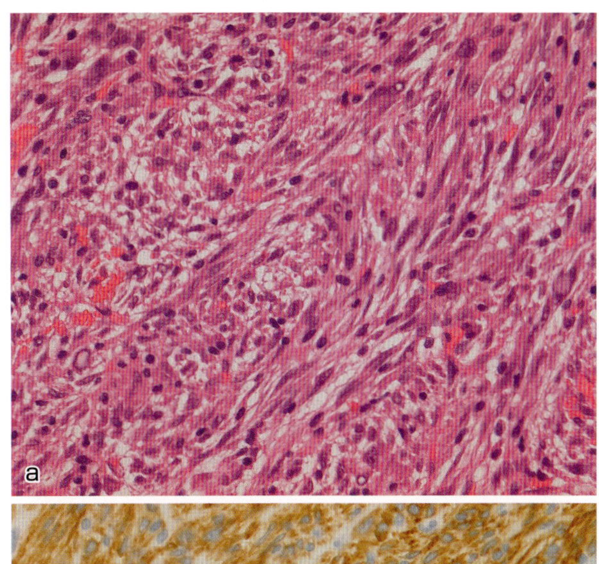

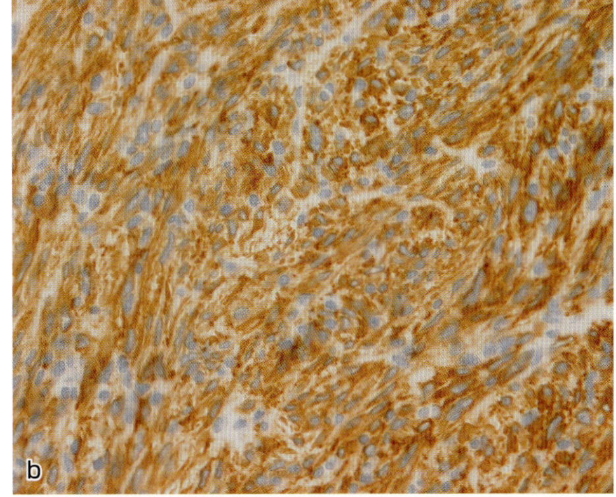

図 35　炎症性筋線維芽細胞腫．a：紡錘形の筋線維芽細胞が束状，錯綜配列で増殖し，形質細胞やリンパ球を主とした炎症細胞浸潤がみられる．強拡大．b：ALK が陽性を示す．強拡大

間葉系腫瘍　肺動脈内膜肉腫（**図 34**），軟骨腫，滑膜肉腫，類上皮性血管内皮腫，炎症性筋線維芽細胞腫（**図 35**），肺過誤腫（**図 36**）など，肺に存在する間葉系組織に由来するさまざまな腫瘍がある．

肺動脈内膜肉腫 pulmonary artery intimal sarcoma は肺動脈の内膜から発生するまれな腫瘍で，肺動脈弁から葉肺動脈までのレベルにある．肺動脈内にポリープ様に突出し，紡錘形細胞が明らかな分化傾向を伴わず増殖しているか，骨，軟骨のような異所性成分への分化を示す肉腫である．MDM2 増幅や PDGFRA 増幅が認められる．

炎症性筋線維芽細胞腫 inflammatory myofibroblastic tumor は紡錘形の筋線維芽細胞が主体の腫瘍で，形質細胞やリンパ球を主とした炎症細胞浸潤を伴っている．以前は炎症性偽腫瘍とよばれていたが，*ALK* 遺伝子異常が報告されてから，真の腫瘍と考えられるようになり，名称が変更された．通常，

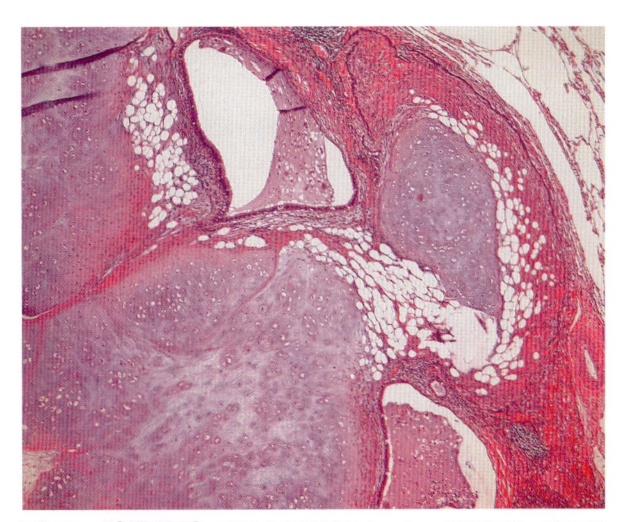

図 36　肺過誤腫．硝子軟骨組織を主とし，脂肪組織，結合組織，平滑筋が含まれている．表面に取り込まれた呼吸上皮が裂隙状に分布し被覆している像がみられる．中拡大

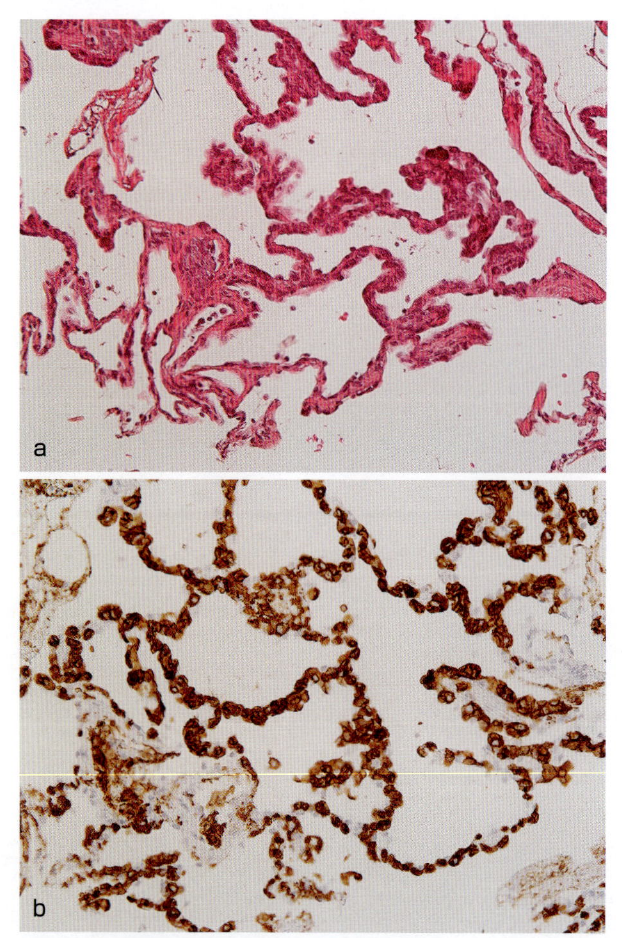

図 37　血管内大細胞型 B 細胞リンパ腫．a：肺胞の毛細血管に，個細胞性に大型の異型リンパ球が認められる．中拡大．b：これらの腫瘍細胞には CD20 が陽性であり，B リンパ球であることがわかる．中拡大

肺の末梢に孤立性に発生するが，10～20％は中枢性の気管・気管支腔内に発生することもある．組織学的には，筋線維芽細胞に分化した核異型の乏しい紡錘形細胞が束状，錯綜配列を示し，膠原線維，形質細胞優位でリンパ球や巨細胞，泡沫状細胞，好中球など炎症細胞浸潤を伴う（**図 35a**）．約半数の症例で，特に小児や若年成人で *ALK* 遺伝子再構成（TPM3/4-ALK，CARS-，CLTC-，RANBP2-，EML4-など）が認められ，ALK 染色が陽性になる（**図 35b**）．ALK 陰性の症例は悪性度が高いとされている．ALK 陰性症例では *ROS1* や *PDGFEβ* の融合遺伝子の報告もある．

肺過誤腫 pulmonary hamartoma は硝子軟骨組織を主とし，脂肪組織，結合組織，平滑筋，骨など間葉系の 2 種類以上の成分が種々の程度に含まれた腫瘍で，その表面に取り込まれた呼吸上皮が裂隙状に分布し被覆している．通常，肺の末梢に境界明瞭で円形または分葉状白色結節として発生する．約 10％は中枢側の気管支腔内に無茎性ポリープとして発生する．高頻度に t(3；12)(q27-28；q14-15) などを示すことから，真の腫瘍と考えられるようになった．再発や悪性転化はきわめてまれである．

リンパ組織球系腫瘍　節外性濾胞辺縁帯粘膜関連リンパ組織型リンパ腫（MALT リンパ腫），びまん性大細胞型 B 細胞リンパ腫 diffuse large B-cell lymphoma（DLBCL），血管内大細胞型 B 細胞リンパ腫 intravascular large B-cell lymphoma（IVL）（**図 37a**）などがみられる．

このうち，IVL は腫瘍性リンパ球が小血管内，特に毛細血管内に認められることを特徴とする，節外性びまん性大細胞型 B 細胞リンパ腫のうち，ごくまれで悪性度が高い亜型である．組織学的には肺胞の毛細血管や小肺動静脈にフィブリンを伴い，個細胞性の大型で，核小体が目立つ異型の強い大型のリンパ腫細胞が認められる．免疫染色では CD20（**図 37b**），CD79a が陽性になり，CD5 も 40％程度陽性になる場合がある．

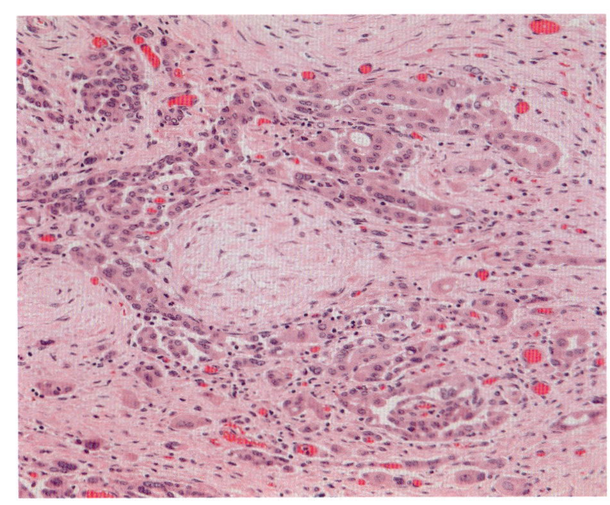

図 38　上皮型中皮腫．上皮様の小型，立方状細胞が腺管状，乳頭状，微小乳頭状など多様な構造を呈して増殖している．腺癌との鑑別が必要であり，免疫染色を行い鑑別する．中拡大

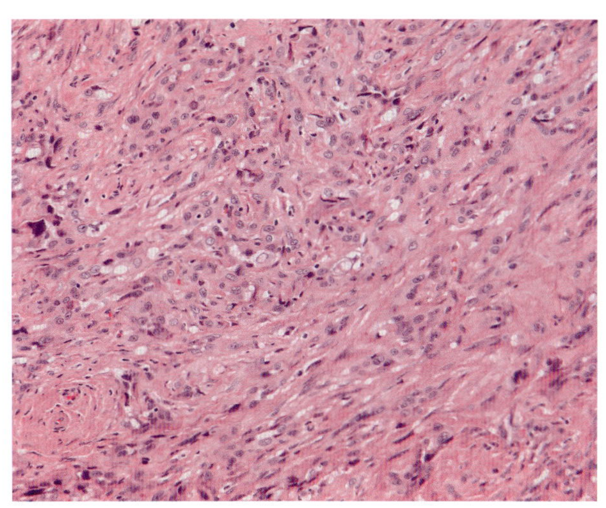

図 39　二相型中皮腫．紡錘形細胞と上皮様細胞が混在して存在している．中拡大

表 5　上皮型中皮腫との鑑別で使用する免疫染色対応表

	上皮型中皮腫	肺腺癌	扁平上皮癌	腎細胞癌	胸腺腫	胸腺癌	漿液性腺癌	非婦人科型腺癌
カルレチニン	○							
D2-40	○		○					
WT1	○						○	
CK5/6	○	○	○		○	○	○	○
MOC31		○	○				○	○
BG8		○	○			○	○	○
CEA		○						○
B72.3		○						○
Ber-EP4		○	○			○	○	○
TTF1		○						
Napsin A		○						
p40/p63			○		○	○		
PAX8/PAX2				○				
CD15				○		○		
RCC Ma				○				
Mesothelin	○							
ER		○					○	
Thrombomodulin	○							
CDX2								○

悪性胸膜中皮腫　中皮腫は中皮細胞由来の腫瘍であり，胸膜，腹膜，心膜，精巣漿膜からの発生があり，圧倒的に胸膜発生が多い．アスベスト曝露との関連があり，曝露から 30～40 年で発症すると報告されている．ただし，アスベスト曝露と関連が見いだせない症例や若年者にも発生することがある．男女比は 4：1 で，男性に多くみられるが，地域性や職業的なアスベスト曝露も関係するので，この限りではない．中皮腫発生部位で体腔液の貯留を伴い，ヒアルロン酸値が10万

表 6　悪性中皮腫と反応性中皮細胞との鑑別

	悪性中皮腫	反応性中皮細胞
EMA	○	
Desmin		○
p53	○	
GLUT-1	○	
IMP3	○	
p16 ホモ接合性欠失	○	
BAP1 loss	○	

ng/mL以上と非常に高いこともある．多くは壁側胸膜から発生し，進行すると肺周囲の臓側胸膜，肺葉間裂胸膜と肥厚がみられ，肺へと浸潤する．まれに臓側胸膜からの発生もみられる．2015 年の WHO 分類では，びまん型，限局型，高分化乳頭型，アデノマトイド腫瘍に分類されている．びまん型では増殖形態，細胞形態から上皮型（**図 38**），肉腫型，線維形成型，二相型（**図 39**）に分類されている．

上皮型では一見上皮様の小型，立方状細胞や脱落膜様細胞，多形細胞など多彩な形態，大きさの異型中皮細胞が腺管状，乳頭状，シート状，微小乳頭状，篩状に多様な構造を呈して増殖している．増殖形態は多彩であり，腺癌の播種と鑑別が難しい場合があり，免疫染色が必須である（**表 5**）．

肉腫型では紡錘形細胞肉腫形態をとり，錯綜し増殖している．肉腫型で線維性間質が優位（50%以上）である場合は**線維形成型**とよぶ．**二相型**は上皮型，肉腫型の混合型であり，それぞれの成分が10%以上含まれる．肉腫型の場合は種々の肉腫との鑑別，線維形成型は線維性胸膜炎との鑑別が必要であり，免疫染色（**表 6**）が有用である．

中皮腫と反応性の中皮細胞との鑑別には，FISH を用いて *p16* 遺伝子のホモ結合性の欠失を認めることが有用である．

第4章

呼吸器系

(2) 炎症など

概　説

1. 肺の構造

びまん性疾患の診断をするときは，肺の構造の把握が重要である．特に，二次小葉の構造を理解し，小葉辺縁分布，小葉中心性分布，リンパ路に沿った病変分布などを理解する必要がある．

1) 気道系

気管と気管支には壁に軟骨を認める．内径が1 mm以下となり，軟骨や気管支腺を欠いたものが細気管支である．終末細気管支は肺胞嚢を伴っておらず，葉気管支を第1次として第16次となる．肺胞嚢を伴ったものを呼吸細気管支（第17-19次）といい，肺胞管から肺胞嚢へつながる．

気管支の上皮は，線毛上皮，杯細胞，基底細胞，クルチッキー Kultschitzky 細胞などからなり，壁には平滑筋，気管支腺，気管支軟骨がみられる．細気管支の上皮は線毛上皮，クララ Clara 細胞，Kultschitzky 細胞などからなる．

肺胞を覆う上皮は，I型肺胞上皮とII型肺胞上皮からなる．比率は3:1ほどである．II型肺胞上皮はサーファクタントを産生し，肺胞嚢の虚脱を防いでいる．肺胞壁にはコーン Kohn 孔があり，周囲の肺胞と交通している．

2) 血管およびリンパ管

肺動脈は気管支や細気管支に伴走している．太い部位は弾性型動脈で，中小では筋性動脈からなり，内および外弾性板をもつ．肺静脈は小葉間隔壁などの小葉間に認められ，外弾性板のみをもつ．肺動脈系でも，細動脈では内弾性板のみをもち，末梢レベルでは動脈系と静脈系の判断が困難である．リンパ管は，気管支血管鞘，小葉間隔壁，胸膜に認められる．

3) 小葉および細葉

小葉の定義は提唱者により若干異なる．よく使用されるのは，Millerの二次小葉で，小葉間隔壁によって囲まれた1 cm四方程度の領域である．支配気管支は直径1〜2 mm程度の細気管支である．小葉間隔壁は薄く疎な結合組織からなり，肺静脈やリンパ管が走行している．小葉間隔壁は，上葉，中葉・舌区では発達しているが，不完全な部位が多い．不完全な部位では，肺静脈が目印になる．

細葉は1つの終末細気管支以下に付属するまとまりを指し，Millerの二次小葉には複数個の細葉が含まれている．

4) 胸　膜

臓側胸膜は結合組織からなり，表面は中皮細胞にて覆われている．ヘマトキシリン・エオジン（HE）染色では確認できないが，elastica van Gieson（EvG）染色にて胸膜弾性線維層を確認できる．

5) 小葉中心部と辺縁部の判定

胸膜直下の末梢の肺組織では，小葉中心部位には細気管支と肺動脈が認められる．小葉辺縁部位は，胸膜や小葉間隔壁（小葉間隔壁が不完全な部位では肺静脈が目印になる）となる．胸膜から離れた中枢側では，小葉中心部位の構造と思われる細気管支と肺動脈が小葉辺縁部位に認められることがあるため，小葉中心部と辺縁部の判定には注意が必要である．

2. 診断方法

1) 染　色

HE染色に加え，EvG染色などの弾性線維染色の追加が望まれる．肺胞の弾性線維などを見ることで，肺胞構造の改変所見，血管炎所見，気道閉塞などが検討できる．特に，閉塞性細気管支炎の診断には必須と思われる．Fibroblastic fociをみる場合には，アルシアンブルー（AB）―periodic acid-Schiff（PAS）二重染色が有用である．

表1　経気管支肺生検で診断可能な疾患と診断困難な疾患

1）決定的な所見が見つかれば，診断が比較的容易な疾患
　肺癌などの悪性腫瘍
　肺胞蛋白症
　アミロイドーシス
　肺リンパ管筋腫症
　肺胞微石症
　起炎菌の判明している感染症　など
2）所見の組み合わせにより，ある程度診断が可能な疾患
　過敏性肺炎
　好酸球性肺炎
　びまん性汎細気管支炎
　サルコイドーシス
　granulomatosis with polyangiitis（多くの場合，診断困難）
　ランゲルハンス細胞組織球症
　塵肺　など
3）診断困難な疾患
　特発性間質性肺炎
　膠原病肺　など

表2　弱拡大での分布からの鑑別

分布	考えられる代表的疾患
①結節性病変	腫瘍性病変，感染症，GPA, EGPA, 器質化肺炎，梗塞，誤嚥性肺炎など
②小葉辺縁性分布で，時相不均一	IPF/UIP，膠原病肺など
③びまん性分布で，時相均一	NSIP，DAD，DIP，LIP，悪性リンパ腫など
④小葉中心性分布	気道病変（過敏性肺炎，感染症や塵肺を含む），RB，COP を含む器質化肺炎など
⑤リンパ路に沿った分布	サルコイドーシス，癌性リンパ管症，悪性リンパ腫，リンパ管腫症など
⑥嚢胞性病変	LAM，LCH 肺気腫，ブラ・ブレブ，BHD，リンパ球増殖性疾患，膠原病肺など
⑦正常に見える場合	閉塞性細気管支炎, intravascular lymphoma, PCH，採取の問題

GPA：Granulomatosis with polyangitis, EGPA：eosinophilic granulomatosis with polyangitis, IPF：idiopathic pulmonary fibrosis, UIP：usual interstitial pneumonia, NSIP：nonspecific interstitial pneumonia, DAD：diffuse alveolar damage, DIP：desquamative intewrstitial pneumonia, LIP：lynphocytic interstitial pneumonia, RB：respiratory bronchiolitis, COP：cryptogenic organizing pneumonia, LAM：lymphangiomyomatosis, LCH：Langerhans cell histiocytosis, BHC：Bird-Hogg-Dube syndrome, PCH：pulmonary capillary hemangiomatosis

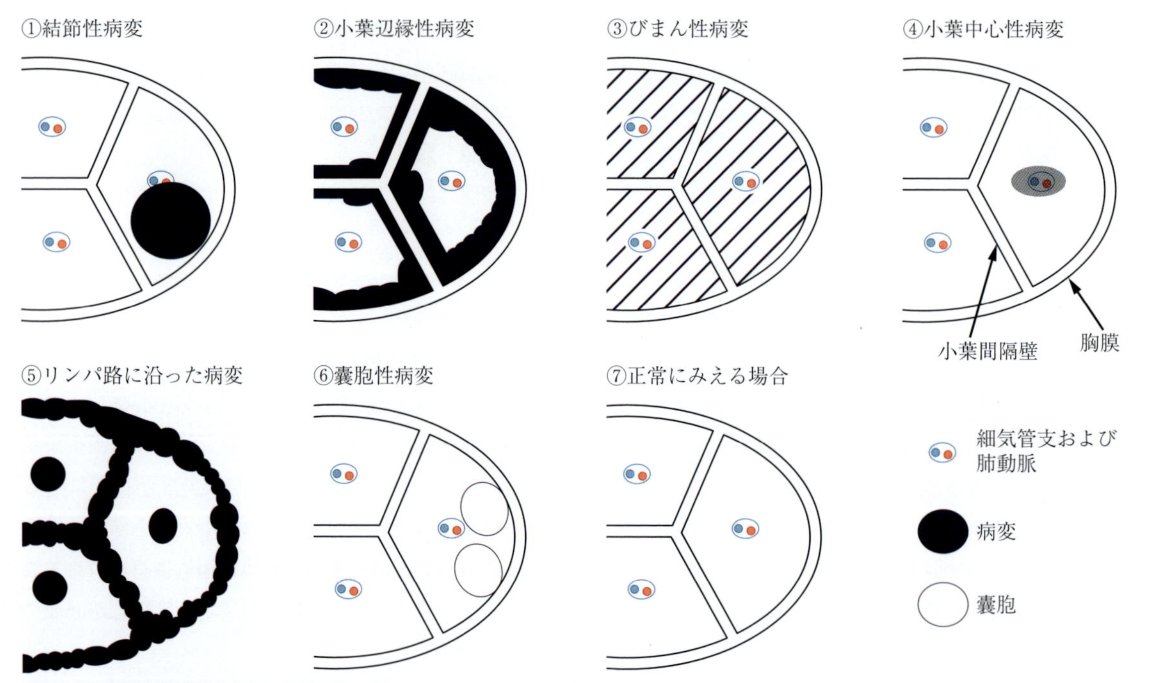

図1　びまん性肺疾患の外科的生検における弱拡大所見

2）経気管支肺生検

すべての肺疾患が経気管支肺生検により診断可能なわけではない．経気管支肺生検にて確定診断が可能な疾患や，臨床所見と合わせてある程度の診断が可能な疾患，経気管支肺生検が有用でない疾患がある（**表1**）．そのため，どの疾患が診断可能かを理解する必要があり，経気管支肺生検が有用でない疾患を無理に診断しないことが重要である．

経気管支肺生検においては，採取時の人為的所見で，フィブリン析出が認められることがよくある．そのため，フィブリン析出に関しては，総合的に判断する必要がある．

表3　所見からの鑑別疾患

1）急性肺障害
A．硝子膜形成をみる場合：DAD（ARDS，慢性間質性肺炎の急性増悪，感染症，薬剤，急性間質性肺炎など）
B．好酸球浸潤が目立つ場合：好酸球性肺炎，薬剤など
C．壊死を伴う場合：感染症など
D．出血を伴う場合：肺胞出血，膠原病肺，感染症など
2）気腔を埋める病変
A．マクロファージ：喫煙関連病変，気道閉塞，肺胞出血など
B．幼若な結合組織：COP，感染症，誤嚥性肺炎，薬剤，膠原病肺など
C．好酸性滲出物：肺胞蛋白症，ニューモシスチス肺炎，肺水腫など
D．赤血球：肺胞出血，膠原病肺，薬剤など
E．好中球：感染症，毛細血管炎をきたす疾患など
3）肺胞壁に炎症細胞が目立つ病変
A．リンパ球および形質細胞が目立つ場合：NSIP，膠原病肺，薬剤，リンパ腫，感染症など
B．肉芽腫が目立つ場合：感染症，サルコイドーシスやベリリウム肺，誤嚥性肺炎など
C．好中球が目立つ場合：感染症，毛細血管炎をきたす疾患など
D．好酸球浸潤が目立つ場合：好酸球性肺炎，薬剤など
4）線維化が目立つ病変
A．小葉辺縁性分布で，時相不均一：IPF/UIP，膠原病肺など
B．蜂巣肺のみ：原因はさまざま
C．びまん性分布で，時相均一：NSIP，DAD，DIP など
D．著しい胸膜炎やリンパ濾胞：膠原病肺など
5）フィブリン析出
DAD，感染症，好酸球性肺炎，放射線肺炎，薬剤性肺炎，GPA など
6）好酸球浸潤
好酸球性肺炎，LCH，GPA，EGPA，感染症，薬剤性肺炎，膠原病肺，喘息，ホジキンリンパ腫などの腫瘍など
7）器質化肺炎
感染症，COP，DAD，膠原病肺，薬剤性肺炎，過敏性肺炎，誤嚥性肺炎，fume exposure，閉塞性肺炎など
8）褐色顆粒をもつマクロファージ集簇
出血，肺うっ血，膠原病肺，塵肺，RB，DIP，LCH，LAM，感染症，PVOD，肺高血圧症，DAD など
9）肉芽腫
感染症，誤嚥性肺炎，サルコイドーシス，過敏性肺炎，薬剤性肺炎，bronchocentric granulomatosis, GPA，塵肺，膠原病肺，クローン病の肺病変，肺癌やリンパ腫といった腫瘍性病変など
10）lymphoid hyperplasia
気管支拡張症などの気道病変，感染症，腫瘍の周囲，膠原病肺，LIP, nodular lymphoid hyperplasia，濾胞性細気管支炎，免疫不全状態，薬剤性肺炎，びまん性汎細気管支など

DAD：diffuse alveolar damage, ARDS：acute respiratory distress syndrome, COP：cryptogenic organizing pneumonia, NSIP：nonspecific interstitial pneumonia, IPF：idiopathic pulmonary fibrosis, UIP：usual interstitial pneumonia, DIP：desquamative interstitial pneumonia, LCH：Langerhans cell histiocytosis, EGPA：eosinophilic granulomatosis with polyangiitis, RB：respiratory bronchiolitis, LAM：lymphangiomyomatosis, PVOD：pulmonary veno-occusive disease, LIP：lymphocytic interstitial pneumonia

現在，クライオ生検という手法がびまん性肺疾患の診断に使用され始め，有用性が示されつつある．しかし，その診断方法は確立されていない．

3）外科的肺生検/外科切除検体/剖検検体

(1) 弱拡大での分布からの鑑別

びまん性肺疾患の外科的生検の診断では，弱拡大の所見が最も重要である．弱拡大所見から鑑別疾患を絞り，細かな所見を見て，各論の知識で診断を行う．

弱拡大の所見は，①結節性病変，②小葉辺縁性分布（胸膜直下や小葉間隔壁の周囲に病変が強い）で，時相不均一，③びまん性分布で時相均一，④小葉中心性分布（細気管支および肺動脈の周囲に病変が強い），⑤リンパ路に沿った分布（気管支血管板，胸膜，小葉間隔壁に病変を認める），⑥嚢胞性病変，⑦一見正常にみえる，などの7つの場合が想定される．**図1**に，その所見のシェーマを示し，それぞれの所見での鑑別診断を**表2**に示した．

注意：弱拡大像にて，一見正常にみえる場合は，注意を有する．その場合は，細気管支病変や血管病変が第一の鑑別となる．診断が難しい細気管支病変としては，閉塞性細気管支炎がある．HE 染色では診断が困難であるが，EvG 染色など

表4 特発性間質性肺炎の分類〔ATS/ERS classification（2013)〕

総合診断	病理組織学的パターン
主要 IIPs	
慢性線維化性間質性肺炎 特発性肺線維症 特発性非特異性間質性肺炎	 Usual interstitial pneumonia（UIP）通常型間質性肺炎 Nonspecific interstitial pneumonia（NSIP）非特異的間質性肺炎
喫煙関連間質性肺炎 呼吸細気管支炎間質性肺炎 剝離性間質性肺炎	 Respiratory bronchiolitis（RB）呼吸細気管支炎 Desquamative interstitial pneumonia（DIP）剝離性間質性肺炎
急性/亜急性間質性肺炎 特発性器質化肺炎 急性間質性肺炎	 Organizing pneumonia（OP）器質化肺炎 Diffuse alveolar damage（DAD）びまん性肺胞傷害
稀少 IIPs 特発性リンパ球性間質性肺炎 特発性胸膜肺線維弾性症	 Lymphocytic interstitial pneumonia（LIP）リンパ球性間質性肺炎 Pleuropulmonary fibroelastosis（PPFE）胸膜肺線維弾性症
unclassifiable IIPs	

表5 主要な特発性間質性肺炎の組織所見の比較

	UIP	NSIP	OP	DAD	DIP	RB
線維化の時相	多彩	一様	一様	一様	一様	一様
間質への細胞浸潤	少ない	通常多い	やや多い	少ない	少ない	少ない
膠原線維増生を伴う線維化	あり，斑状	さまざま，びまん性	なし	器質化期以降で出現	さまざま，びまん性	部分的かつ軽度
線維芽細胞の増生	線維芽細胞巣著明	時々，びまん性（線維芽細胞巣はまれ）	時々（線維芽細胞巣はなし）	器質化期以降で出現	時々	なし
気腔内器質化	まれ	時々，部分的	認める	時にあり	なし	なし
蜂巣肺	あり	まれ	なし	終末期にあり	なし	なし
気腔内マクロファージ集簇	時々，局所	時々	あり（泡沫状）	なし	びまん性	細気管支周囲
硝子膜形成	なし（急性増悪時は認める）	なし	なし	あり	なし	なし

UIP：usual interstitial pneumonia, NSIP：nonspecific interstitial pneumonia, OP：organizing pneumonia, DAD：diffuse alveolar damage, DIP：desquamative intewrstitial pneumonia, RB：respiratory bronchiolitis.

の弾性線維染色では，細気管支内腔が閉塞している所見が観察できる．Intravascular lymphoma も，弱拡大像にて一見正常にみえる場合がある．強拡大にすると，肺胞壁の毛細血管内に異型細胞が観察できる．ときに，病変部位が生検されてこない場合がある．

(2) 所見からの鑑別

細かな所見も鑑別の助けとなる．急性肺障害と思われる病変（肺胞壁が浮腫状にびまん性に肥厚し，肺胞上皮の過形成や剝離が目立ち，ときに気腔内にフィブリン析出をみる場合は，急性肺障害が疑われる），気腔を埋める病変，肺胞壁に炎症細胞が目立つ病変，線維化が目立つ病変などがある．**表3** に所見とその代表的鑑別疾患を，**表4〜7** に特発性間質性肺炎の分類を，**表8** におもな膠原病と間質性肺炎のパターンを示した．

表6　IPF/UIP から見た病理組織学的パターン

UIP	Probable UIP	Indeterminate for UIP	Alternative Diagnosis
○肺胞構造を改変する密な線維化，○胸膜直下および／あるいは小葉間隔壁周囲に優位，○斑状分布，○線維芽細胞巣，○alternative diagnosis を示唆する所見を認めない	●「UIP」の病理所見のいくつかを認めるが，UIP/IPF の確定診断が困難で，alternative diagnosis を示唆する所見がない場合 あるいは ●蜂巣肺のみ	●「UIP」以外のパターンが示唆されるか他疾患に伴う二次性の UIP を示唆する線維化の場合（注 1） あるいは ●「UIP」の病理所見のいくつかを認めるが，alternative diagnosis を示唆する所見を伴う場合（注 2）	●すべての生検標本に，他の特発性間質性肺炎のパターンの所見をみる場合 あるいは ●他疾患（過敏性肺炎，LCH，サルコイドーシス，LAM など）を示唆する病理所見をみる場合

IPF：idiopathic pulmonary fibrosis，UIP：usual interstitial pneumonia，LCH：Langerhans cell histiocytosis，LAM：lymphangiomyomatosis.
（注 1）二次性の UIP を示唆する所見：肉芽腫，硝子膜形成（急性増悪時を除いて），気道中心性病変が目立つ場合，著しい胸膜炎所見，器質化肺炎（急性増悪時を除いて）など
（注 2）alternative diagnosis を示唆する所見：リンパ過形成が目立つ場合（胚中心形成を含んで），気道中心性病変が目立つ場合など
Ganesh Raghu, et al. Am J Respir Crit Care Med 2018 より引用改変

表7　HRCT と生検のパターンに基づく特発性肺線維症（IPF）の診断

		病理組織学的パターン			
		UIP	Probable UIP	Indeterninate for UIP	Alternative Diagnosis
HRCT のパターン	UIP	IPF	IPF	IPF	IPF 以外の疾患（Non-IPF diagnosis）
	Probable UIP	IPF	IPF	IPF の可能性大［IPF（Likely）］	IPF 以外の疾患（Non-IPF diagnosis）
	Indeterninate for UIP	IPF	IPF の可能性大［IPF（Likely）］	不確定（Indeterninate for IPF）	IPF 以外の疾患（Non-IPF diagnosis）
	Alternative Diagnosis	IPF の可能性大/IPF 以外の疾患	IPF 以外の疾患（Non-IPF diagnosis）	IPF 以外の疾患（Non-IPF diagnosis）	IPF 以外の疾患（Non-IPF diagnosis）

IPF：idiopathic pulmonary fibrosis, UIP：usual interstitial pneumonia
Ganesh Raghu, et al. Am J Respir Crit Care Med 2018 より引用改変

表8　おもな膠原病と間質性肺炎のパターン

	関節リウマチ	全身性エリテマトーデス	全身性強皮症	皮膚筋炎・多発筋炎	シェーグレン症候群	混合性結合組織病
UIP pattern	+	+	+	+	+	+
DAD pattern	+	+	+	+		+
NSIP pattern	+	+	+	+	+	+
OP pattern	+	+	+	+	+	+
LIP pattern	+				+	+
リウマチ結節	+					+
アミロイド沈着	+				+	+
びまん性出血	+	+	+	+		+
好酸性肺炎	+			+		+
肺胞蛋白症				+		+

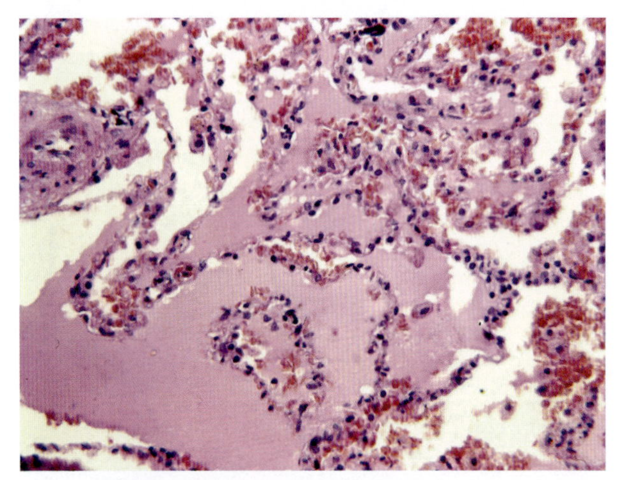

図2 肺水腫．肺胞腔内に漿液が充満している．中拡大

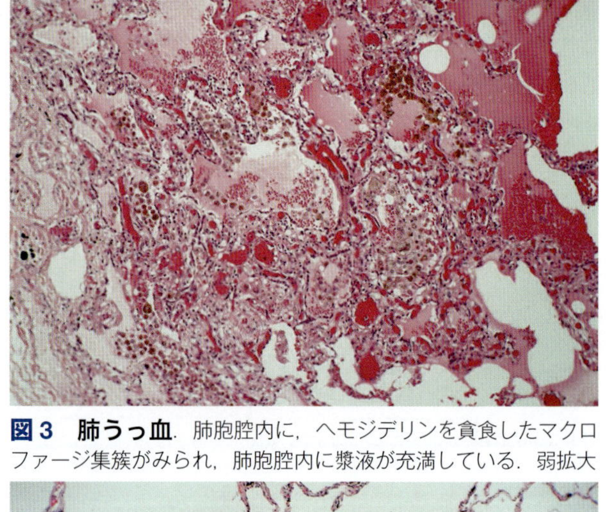

図3 肺うっ血．肺胞腔内に，ヘモジデリンを貪食したマクロファージ集簇がみられ，肺胞腔内に漿液が充満している．弱拡大

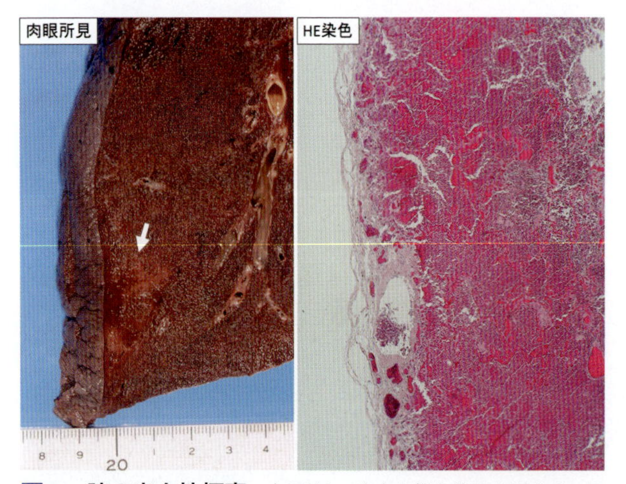

図4 肺の出血性梗塞．肉眼的に，出血を伴う壊死を認める．組織所見にても，広範に肺実質の壊死が認められ，出血を伴っている．弱拡大

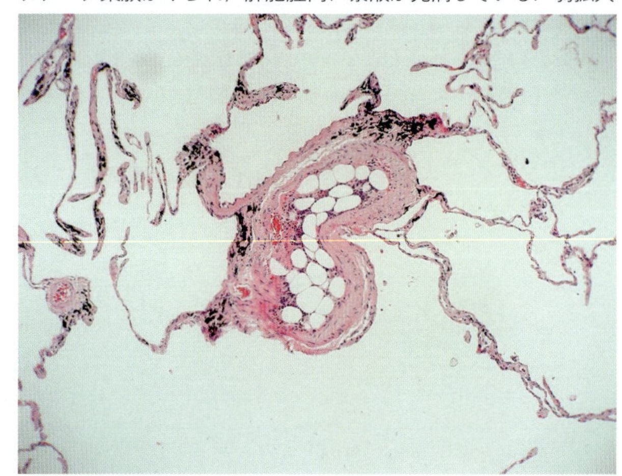

図5 骨髄塞栓．肺動脈内に脂肪組織と造血細胞からなる骨髄組織の塞栓を認める．中拡大

肺水腫 肺胞腔内に漿液が充満したもので（**図2**），急性左心不全などで起こる．静脈系のうっ血，小葉間隔壁のリンパ管の拡張とリンパ液のうっ滞もみられる．

【鑑別診断】 肺炎などによる毛細血管透過性亢進，肺胞蛋白症，ニューモシスチス肺炎などが鑑別となる．肺炎による毛細血管透過性亢進では，好中球やフィブリン析出を認める．肺胞蛋白症では，0.2 μm大の細顆粒状物質の充満と数十μm大の好酸性顆粒状物質を認める．ニューモシスチス肺炎では，グロコット染色で成熟嚢子が認められる．

肺うっ血 急性と慢性があり，急性肺うっ血は急性左心不全などで起こる．慢性肺うっ血は僧帽弁狭窄症などの弁膜症，左心不全，心奇形などで起こり，肺は肉眼的に暗赤色で硬度を増す（褐色硬化）．毛細血管より漏出した赤血球をマクロファージが貪食する．細胞質内に多量のヘモジデリンを含有している肺胞マクロファージを心不全細胞という（**図3**）．HE染色で茶褐色顆粒状にみえ，ベルリン青で染色される．

【鑑別診断】 びまん性肺胞出血などが鑑別にあがる．

肺の出血性梗塞 大循環の血栓が肺動脈に血栓塞栓を生じ，血管閉塞が強いと梗塞となる．肺は肺動脈と気管支動脈により栄養されているため，多くの場合，出血性梗塞となる．

【鑑別診断】 **肺胞出血**などが鑑別となる．出血性梗塞では壊死を認めるが（**図4**），多くの肺胞出血では壊死を認めない．肺梗塞でも出血性でないことがあり，その場合**壊死性肉芽腫**との鑑別が問題となる．類上皮細胞性肉芽腫を認めないことと，肺動脈の閉塞と凝固壊死が診断の手がかりとなる．

骨髄塞栓 外傷，骨折などから骨髄組織が血管内に入り，肺動脈に塞栓を起こすことがある（**図5**）．蘇生時の心臓マッサージによる骨髄塞栓を病理解剖時に認めることもある．その他の栓子として，外傷による脂肪塞栓，羊水塞栓，潜水病などでの空気塞栓，腫瘍細胞による腫瘍塞栓などがある．

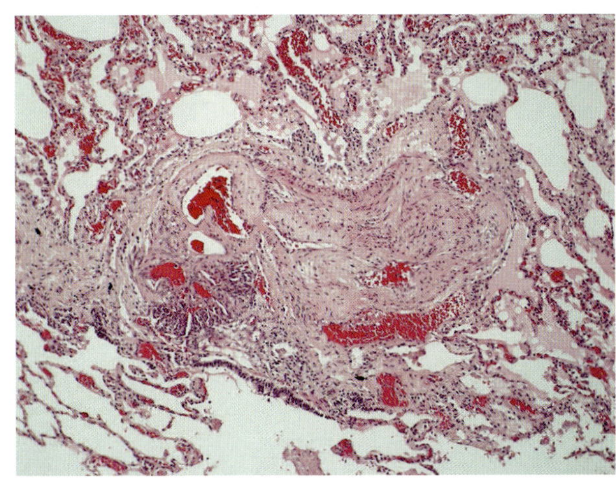

図 6　特発性肺動脈性肺高血圧症．筋性動脈の一部で壁が破壊され，嚢状に拡張し，無秩序な微小血管を容れている．叢状病変とよばれる所見．中拡大

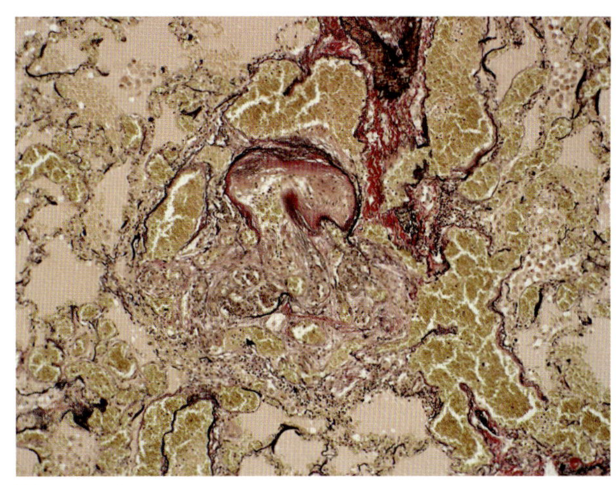

図 7　同上．叢状病変の EvG 染色では，肺動脈の弾性線維が破壊されている．中拡大

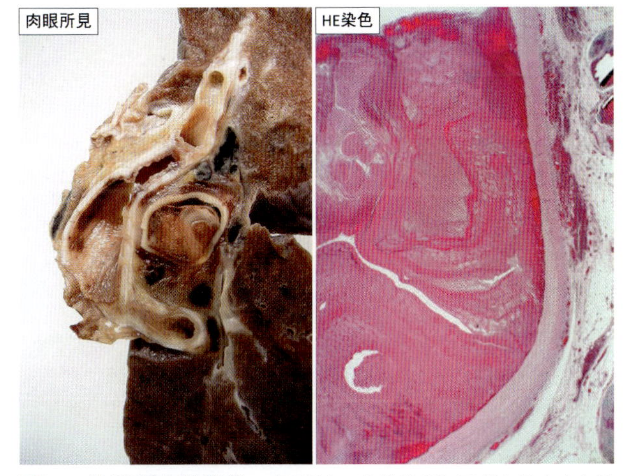

図 8　肺動脈血栓塞栓．肉眼的に，主肺動脈に層状を呈する血栓を認める．HE 所見では，フィブリンからなる血栓を認めた．弱拡大

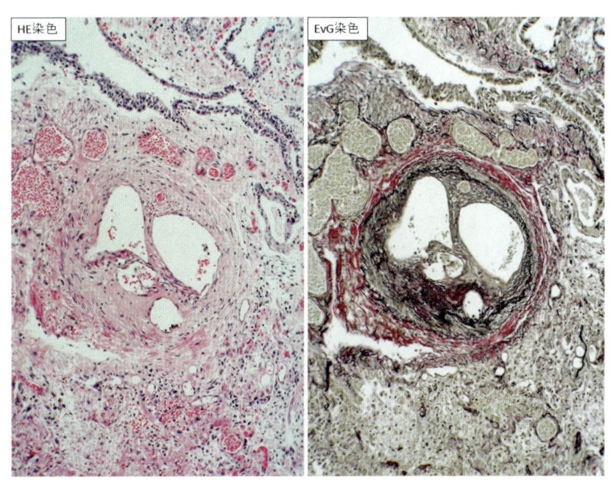

図 9　慢性血栓塞栓性肺高血圧症．血栓に器質化が起こり，毛細血管が入り込み，新たな血管腔が形成されている．EvG 染色では，叢状病変とは異なり，肺動脈の弾性線維が保たれている．中拡大

肺高血圧症は安静時の平均肺動脈圧が上昇した状態（25 mmHg 以上）である．その発生機序は単一ではなく，特発性肺動脈性肺高血圧症のほかにも心疾患や膠原病など種々の疾患に伴って起こりうる．

特発性肺動脈性肺高血圧症　若年女性に好発する予後不良の疾患で，近年では治療の進歩により予後の改善がみられる．病変の主座は外径 500 μm 未満の肺動脈である．肺高血圧症全般に中膜肥厚と弾性動脈の拡張などがある．さらに，閉塞性病変と叢状病変 plexiform lesion を含む複合病変（叢状病変，拡張病変，動脈炎）がさまざまな程度に認められる．叢状病変は本症の肺動脈特有の病変で，筋性動脈の一部で壁が破壊され，嚢状に拡張し，無秩序な微小血管を容れている（図 6, 7）．叢状病変の周囲には，静脈様に拡張した血管を認め，拡張病変といわれる．血管炎もしばしば伴う．

【鑑別診断】　鑑別として慢性血栓塞栓症があげられる．

肺動脈血栓塞栓（図 8）　大循環系の静脈内に発生した血栓が血管壁から遊離して流れ，肺動脈系を閉塞することがあり，肺動脈血栓塞栓症という．もとになる静脈血栓は下肢静脈と骨盤腔静脈にできたものが多い．肺動脈本幹や主肺動脈に生じた場合には，突然の胸痛と呼吸困難が生じ，突然死の原因となる．肺動脈血栓塞栓症が繰り返される状態では，血栓に器質化が起こり，毛細血管が入り込み，新たな血管腔が形成される．毛細血管を通って血流が一部回復することがあり，再疎通という．

【鑑別診断】　**慢性血栓塞栓性肺高血圧症**（図 9）は，器質化した血栓により肺循環動態の異常が 6 カ月以上続く病態を指し，肺高血圧を合併している症例をいう．特発性肺動脈性肺高血圧症との鑑別点は，叢状病変と血管炎が認められないなどがある．再疎通を伴う器質化血栓は叢状病変と区別が困難なことがあるため，EvG 染色にて血管壁破壊の有無の確認も必要になる．

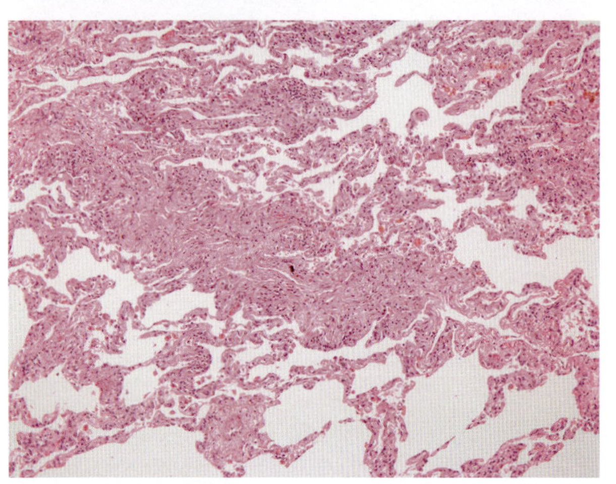

図 10　肺静脈閉鎖症．HE 染色では静脈の閉塞の所見の把握が困難である．気腔内にヘモジデリンを貪食したマクロファージを認める．中拡大

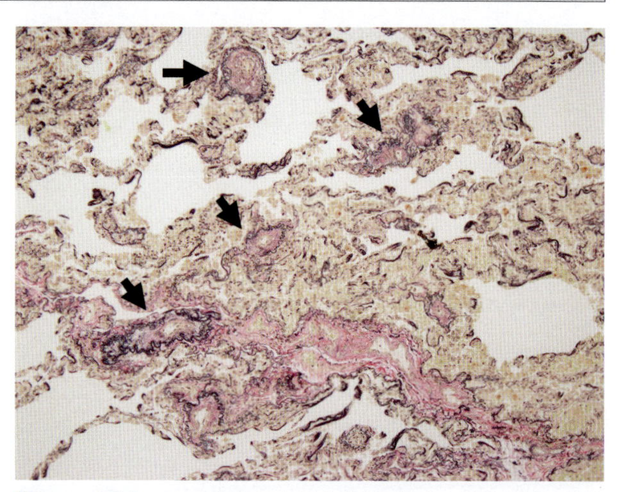

図 11　同上．EvG 染色により小葉間隔壁内や肺胞領域の肺静脈が把握できる．肺静脈の内膜が線維性肥厚し，狭窄や閉塞していることが確認できる（⬆）．中拡大

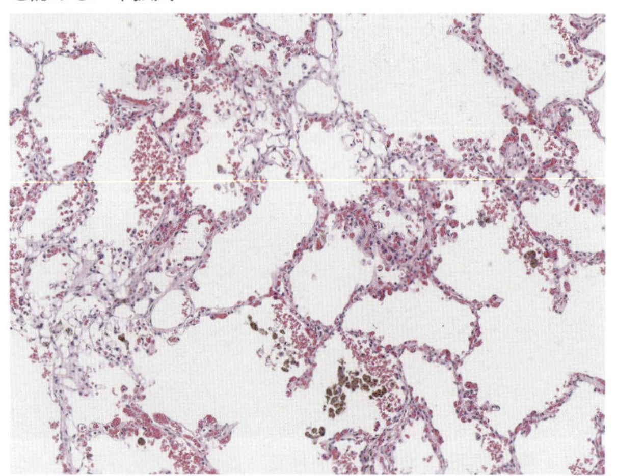

図 12　肺毛細血管腫症．肺胞壁の毛細血管が増生および拡張している．気腔内に赤血球が漏出し，ヘモジデリンを貪食したマクロファージも散見する．中拡大

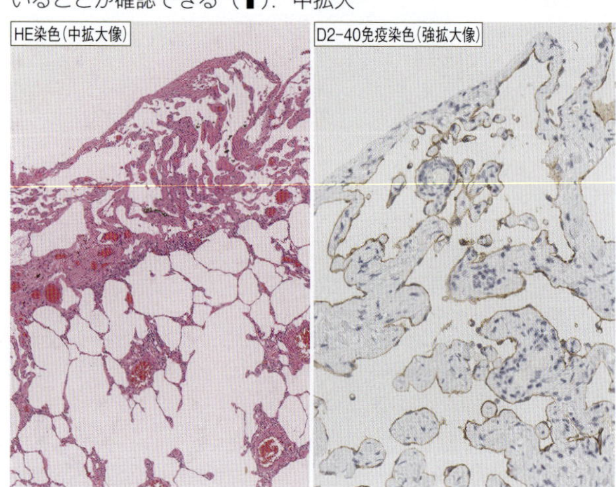

図 13　びまん性肺リンパ管腫症．HE 染色では，臓側胸膜が肥厚し，拡張したリンパ管が増生している．そのリンパ管には吻合傾向がある．リンパ管内皮細胞には核異型を認めない．免疫染色では，リンパ管のマーカーである D2-40 が陽性となる．

肺静脈閉塞症（PVOD）　肺静脈の内膜肥厚や線維化等による閉塞を認める疾患である（**図 10, 11**）．肺内の静脈閉塞を生じ，肺静脈中枢側である肺動脈圧の持続的な上昇をきたす．きわめて稀な疾患であり，治療に抵抗性で予後不良である．病態的は肺動脈性肺高血圧症と類似しており，一般診療において臨床所見からだけでは PVOD を疑うことは困難である．特発性以外に，膠原病，薬剤性，骨髄移植関連，HIV 感染などが原因のことがある．肺高血圧症のある症例の解剖では，肺静脈の変化を丹念に検索することが必要である．ときに，肺動脈の閉塞や狭窄に，PVOD の所見が合併することがあり，注意が必要である．

【鑑別診断】　慢性間質性肺炎（特に，NSIP パターン），慢性うっ血，特発性肺ヘモジデローシスなど．肺胞壁が軽度に肥厚し，NSIP パターンの間質性肺炎と鑑別が必要な場合があり，常に血管系の検索を行うことを心がけたい．

肺毛細血管腫症（PCH）　肺胞壁の毛細血管増生を特徴とする疾患である（**図 12**）．PVOD と同様に，肺静脈中枢側である肺動脈圧の持続的な上昇をきたす．きわめて稀な疾患であり，治療に抵抗性で予後不良である．

【鑑別診断】　肺うっ血，毛細血管炎，正常肺など．肺うっ血の場合は，通常は肺胞壁の毛細血管は一層であるが，PCH では毛細血管の増生を認める．毛細血管炎では好中球浸潤やフィブリン析出をみるが，PCH ではこのような炎症所見を認めない．PCH では一見すると正常肺に見えるため，肺高血圧症の肺標本で正常に見えた場合に鑑別に入れる必要がある．

びまん性肺リンパ管腫症　全身臓器にびまん性に異常に拡張したリンパ管増生がみられる原因不明の希少性難治性疾患である．小児，若年者に多く発症し，先天性と考えられている．骨溶解を起こすゴーハム病も類縁疾患と考えられている．肺のミクロ所見では，胸膜，小葉間隔壁，気管支血管鞘に，吻合する拡張したリンパ管の増生を認め，核異型は伴わない（**図 13**）．

【鑑別診断】　リンパ管拡張症，LAM，カポジ肉腫など．リンパ管拡張症はリンパ管に吻合傾向を認めない．LAM で見られる HMB45 を見ない．カポジ肉腫とは異なり，HHV-8 は陰性を呈する．

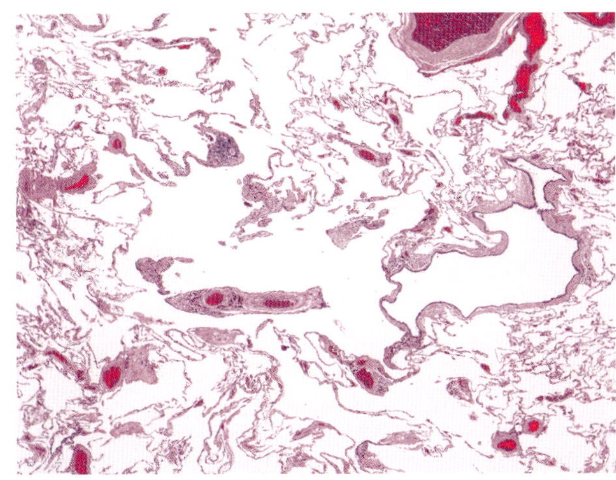

図 14　小葉中心性肺気腫．気管支血管周囲に，気腔内に断裂した肺胞壁が浮かんで見える“free floating alveolar septa”が観察される．弱拡大

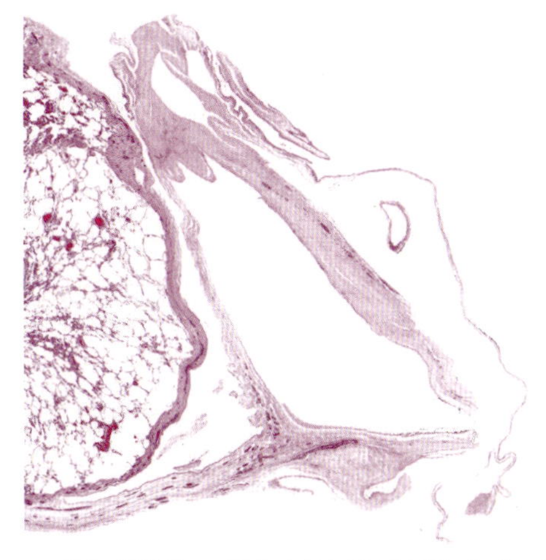

図 15　ブラ．肺胞壁の破壊により気腔が拡張したブラを認め，臓側胸膜の間に入り込んだ気腔であるブレブも伴っている．弱拡大

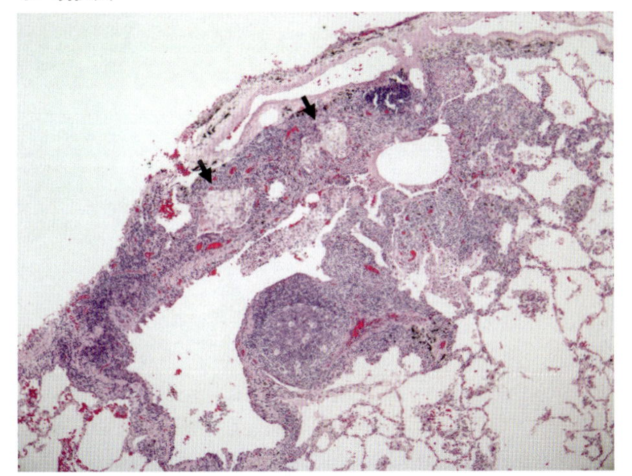

図 16　びまん性汎細気管支炎．呼吸細気管支の炎症所見，リンパ濾胞および泡沫細胞集簇（⬆）（unit lesions of panbronchiolitis とよばれる）を認める．弱拡大

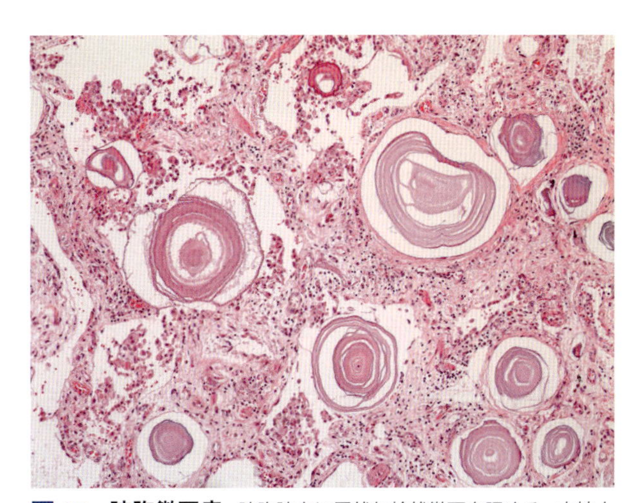

図 17　肺胞微石症．肺胞腔内に層状年輪状微石を認める．中拡大

肺気腫　組織学的には，細気管支よりも末梢の肺胞壁の破壊消失に伴い気腔が拡張した病態を指す．拡張した気腔内に断裂した肺胞壁が浮かんで見える“free floating alveolar septa”が観察される（**図 14**）．生ずる領域が異なることにより，小葉中心性肺気腫，汎小葉中心性肺気腫，巣状肺気腫の3つに分類される．小葉中心性肺気腫はおもに喫煙に関連する．気管支血管周囲のような肺の内側に気腫を認める．上葉肺および S6 に高度である．汎小葉中心性肺気腫は，α_1アンチトリプシン欠損症において認められるわが国ではまれな病態である．巣状肺気腫は，結核瘢痕などの周囲に認められる瘢痕性肺気腫や胸膜や小葉間隔壁に沿って認められる傍隔型肺気腫を指す．

ブラ・ブレブ　ブラは肺胞壁の破壊により気腔が拡張したものを指し，ブレブは臓側胸膜の間に入り込んだ気腔を指す（**図 15**）．

【鑑別診断】　嚢胞性所見をきたす肺リンパ脈管筋腫症，肺ランゲルハンス細胞組織球症，子宮内膜症，Birt-Hogg-Dube 症候群関連肺嚢胞などがあがる．

細気管支病変　びまん性汎気管支炎，移植後の閉塞性細気管支炎，膠原病に伴う細気管支炎，HTLV-Ⅰ関連病変などがある．びまん性汎気管支炎では，呼吸細気管支領域にリンパ球および形質細胞の浸潤や呼吸細気管支壁などに泡沫細胞集簇を認める．呼吸細気管支の炎症所見，リンパ濾胞および泡沫細胞集簇は，unit lesions of panbronchiolitis とよばれ（**図 16**），びまん性汎気管支炎に特徴的とされている．

肺胞微石症　胸部画像でびまん性細粒状陰影を呈し，組織学的に肺胞腔内に層状年輪状微石を認める（**図 17**）．近年，責任遺伝子 *SLC34A2* 変異が同定されている．この変異のために，表面活性物質の分解により放出されたリンが処理できずに，カルシウムが結合して微石が形成されると考えられている．

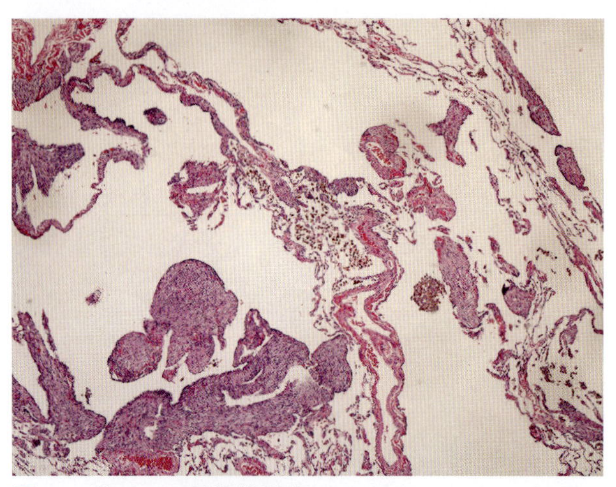

図18　肺リンパ脈管筋腫症．囊胞性病変がみられ，平滑筋様細胞が囊胞壁や細気管支などで増殖している．気腔内には褐色顆粒をもつマクロファージ集簇をみる．弱拡大

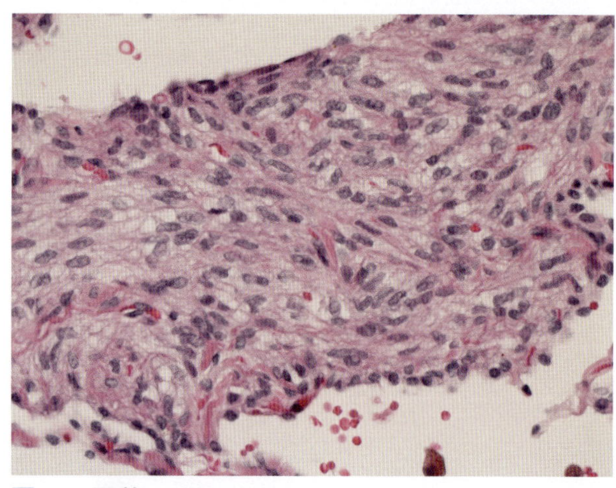

図19　同前．平滑筋様の LAM 細胞の増殖巣を認める．強拡大

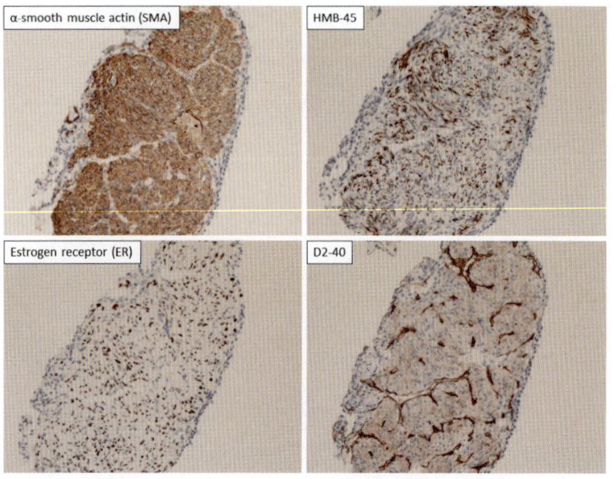

図20　同前．免疫染色では，LAM 細胞は α-SMA，ER，HMB45 が陽性となる．D2-40 の免疫染色では，スリット状にリンパ管腔がみられる．免疫染色．弱拡大

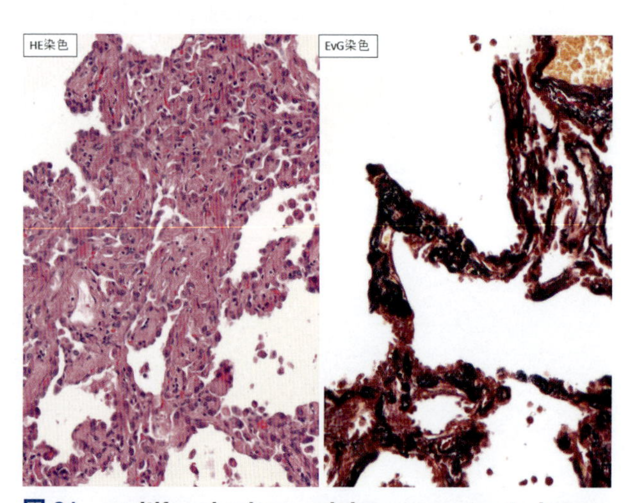

図21　multifocal micronodular pneumocyte hyperplasia．Ⅱ型肺胞上皮の増生を認める．間質の弾性線維凝集に伴う好酸性無構造様物も伴っている．中拡大

肺リンパ脈管筋腫症（LAM）は進行性全身性の難治性稀少疾患で，妊娠可能年齢の女性に好発する．非遺伝性である孤発性 LAM と常染色体優性遺伝の結節性硬化症に伴う LAM に分類される．反復する気胸，多発肺囊胞，体軸リンパ節腫脹，乳び体腔液貯留，リンパ浮腫などの症状を呈する．

組織学的には，細気管支や胸膜に接した囊胞がみられ，平滑筋様の LAM 細胞が，囊胞壁の一部，細気管支，血管周囲などで増殖する（**図18, 19**）．LAM 細胞増殖巣には，スリット状にリンパ管腔がみられる．現在では，perivascular epithelioid cells（PEC）由来の PEComatous tumor の一つと考えられている（肺においては，肺リンパ脈管筋腫症，PEComa，diffuse PEComatosis，血管筋脂肪腫の 4 つの病型がある）．LAM 細胞の免疫染色では，典型例では，α-smooth muscle actin（SMA），estrogen receptor（ER），progesterone receptor（PgR），HMB45 が陽性となる（**図20**）．

LAM 細胞に α-SMA の陽性率は高いが，HMB45 は弱陽性や陰性となることがある．HMB45 が陰性の場合には，診断基準では α-SMA 陽性かつ ER，あるいは PgR が陽性であれば「ほぼ確実」となる．

【鑑別診断】　肺ランゲルハンス細胞組織球症，Birt-Hogg-Dube 症候群関連肺囊胞，蜂巣肺，ブラなどがある．

肺リンパ脈管筋腫症は **multifocal micronodular pneumocyte hyperplasia**（MMPH）とよばれるⅡ型肺胞上皮の増生を合併することがある．この病変は LAM とともに，結節性硬化症の肺病変として知られている．多発することが多く，肥厚した肺胞隔壁には弾性線維の著しい増生をみる．TSC 遺伝子の機能喪失変異により起こる mTORC1 シグナル伝達系の恒常性活性化が関与していると示唆されている．

【鑑別診断】　異型腺腫様過形成や高分化型腺癌が鑑別となる．MMPH では，間質に好酸性無構造様物を認め，EvG 染色にて間質の弾性線維凝集がみられ（**図21**），鑑別の一助になると思われる．

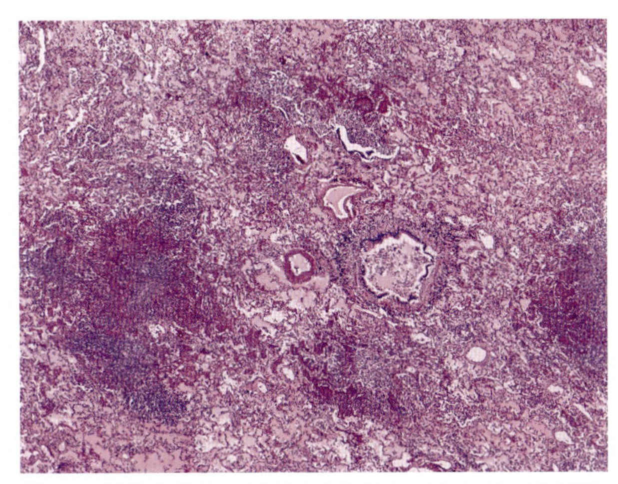

図 22　気管支肺炎．気管支や細気管支の周囲に強い炎症細胞の浸潤を認める．弱拡大

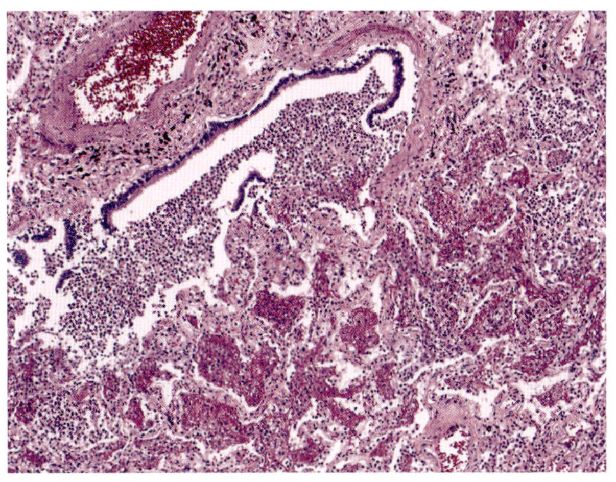

図 23　同前．細気管支腔内およびその周囲に多数の好中球を認める．フィブリン析出も伴っている．強拡大

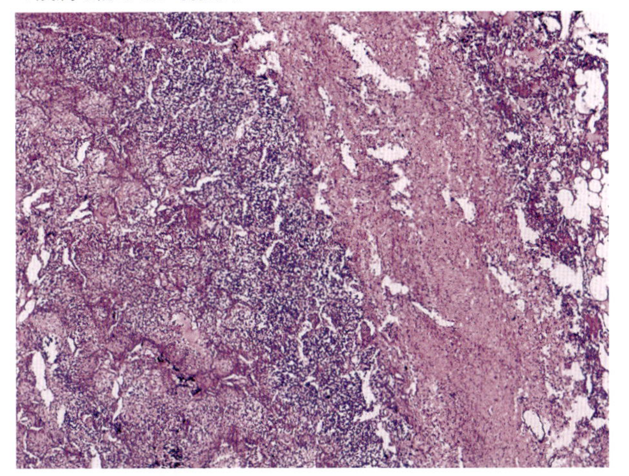

図 24　大葉性肺炎．1 葉以上の広がりを認め，フィブリン析出が目立つ．弱拡大

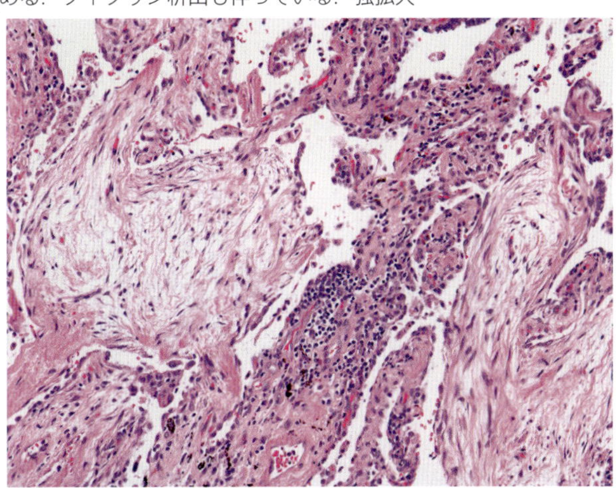

図 25　器質化肺炎．気腔内に，幼若な線維芽細胞などからなる結合組織が認められる．中拡大

肺炎は炎症の部位により，肺胞性肺炎と間質性肺炎に大きく分かれる．細菌性肺炎の多くは，肺胞腔内に病変の主座がある肺胞性肺炎の形をとる．ウイルスやマイコプラズマによる肺炎は，肺胞壁に主座がある間質性肺炎の形をとる．また，病巣の広がりにより，大葉性肺炎と気管支肺炎（巣状肺炎，小葉肺炎，細葉肺炎）に分けられる．

気管支肺炎　通常の細菌性肺炎の多くが気管支肺炎の形をとる．細気管支肺炎から気管支肺炎へと大きな広がりをもつようになる．組織像では，細気管支や気管支内腔およびその周囲の肺胞腔内に好中球，マクロファージ，壊死物が充満する（**図 22, 23**）．肺胞構造は保たれることが多い．起炎菌は，市中肺炎では肺炎球菌（最多），インフルエンザ菌，レジオネラなどがあり，院内肺炎ではグラム陰性桿菌，メチシリン耐性黄色ブドウ球菌（MRSA）などがある．

大葉性肺炎　肺炎病変が急速に 1 葉以上に拡大するものをいう．症状は重症で，肺炎球菌によるものが多い．現在では頻度が減少している．充血期（1 日），赤色肝変期（2〜4 日），灰色肝変期（5〜6 日），融解期（7〜10 日）と推移する．組織学的にはフィブリン析出が目立つ（**図 24**）．

肺膿瘍　化膿菌による肺の感染症で，肺組織が破壊され膿瘍を形成する．発症には，誤嚥と気道閉塞が重要な因子と考えられている．空洞を形成し，空洞内には壊死や出血を認める．空洞壁には線維化と肉芽組織を認める．

器質化肺炎　肺胞性肺炎の治癒過程で，肺胞腔内の滲出物が持続したもの．幼若な線維芽細胞などからなる結合組織やマクロファージなどが認められる（**図 25**）．器質化肺炎所見は，感染に伴うもの以外にさまざまな原因（特発性器質化肺炎，膠原病肺，過敏性肺炎，誤嚥性肺炎など）で呈する非特異的な所見である．

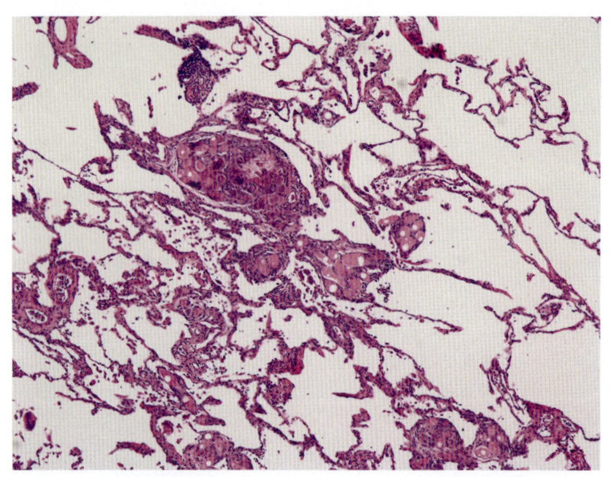

図 26 誤嚥性肺炎．気道周囲を中心に斑状に病変を認める．弱拡大

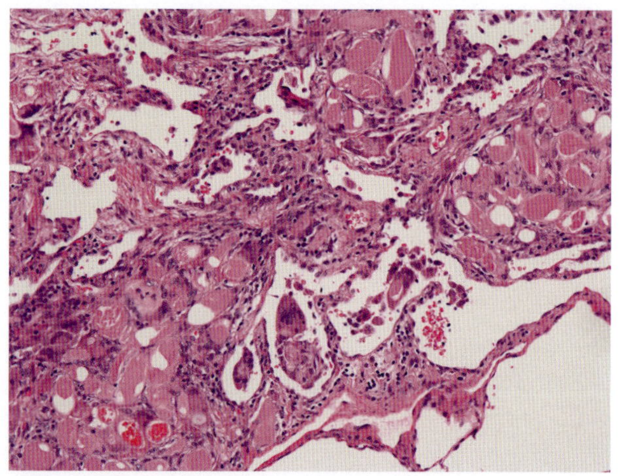

図 27 同前．誤嚥物と考えられる異物とそれを処理している異物性肉芽腫性病変が認められる．中拡大

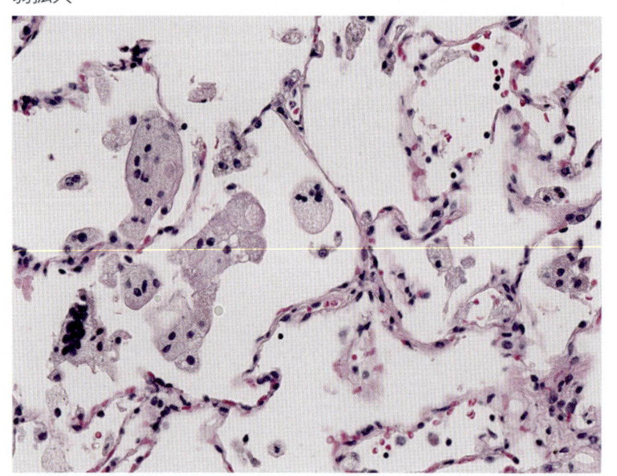

図 28 リポイド肺炎．肺胞内に泡沫細胞を認め，肺胞壁には炎症細胞浸潤をみる．強拡大

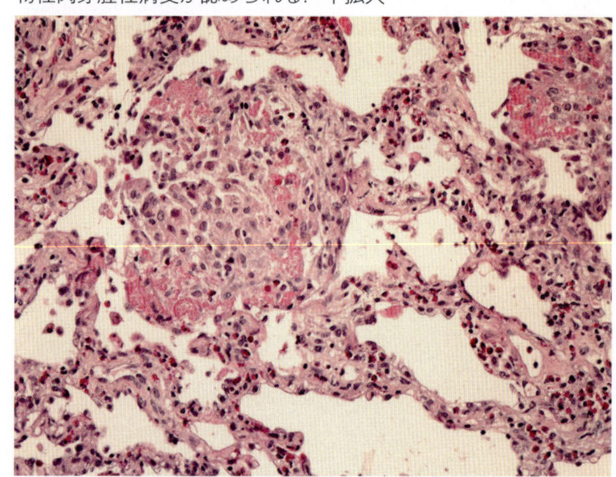

図 29 好酸球性肺炎．好酸球が肺間質や気腔内に浸潤し，リンパ球や形質細胞が混在する．気腔内へのフィブリン析出やマクロファージ集簇も認められる．中拡大

誤嚥性肺炎　口腔内および胃内の内容物を誤嚥することにより起こる肺炎をいう．病理学的には，異物と異物性肉芽腫性病変が認められる（**図 26，27**）．器質化肺炎所見が目立つ場合もある．頻度の高い疾患で，肉芽腫様病変や器質化肺炎所見をみた場合に鑑別する必要がある．

リポイド肺炎　肺胞内にリポイドが蓄積した状態で，原因は外因性（造影剤の誤嚥，スプレーによる脂質吸入など）と内因性（気道の閉塞など）がある．組織所見は，肺胞内に脂質の蓄積，コレステロール結晶，泡沫細胞や異物型多核巨細胞の集簇を認め，肺胞壁には種々の炎症細胞浸潤を認める（**図 28**）．

【鑑別診断】　感染症，storage disease，エルドハイム・チェスター Erdheim-Chester 病などがある．

好酸球性肺炎　肺組織に好酸球が著明に浸潤した病態．原因不明なものと原因を有するものがある．原因不明なものは急性好酸球性肺炎と慢性好酸球性肺炎がある．原因を有するものには，薬剤性，寄生虫誘発性，アレルギー性気管支アスペルギルス症，eosinophilic granulomatosis with polyangiitis などがある．

急性好酸球性肺炎の診断では，肺組織に多数の好酸球が浸潤していることが重要で，びまん性肺胞障害を伴うこともある．好酸球の浸潤は均一でないため，気管支肺胞洗浄液中に多数の好酸球がみられても，採取された経気管支肺生検には好酸球の浸潤がみられないこともある．

慢性好酸球性肺炎の典型例では，好酸球が肺間質や気腔内に浸潤し，リンパ球や形質細胞が混在する．気腔内へのフィブリン析出，気腔内器質化所見やマクロファージ集簇もよく認められる（**図 29**）．ときには肉芽腫をみることもある．

【鑑別診断】　肺ランゲルハンス細胞組織球症，剥離性間質性肺炎，器質化肺炎，気胸に伴う好酸球浸潤，悪性腫瘍に伴う好酸球浸潤などがある．

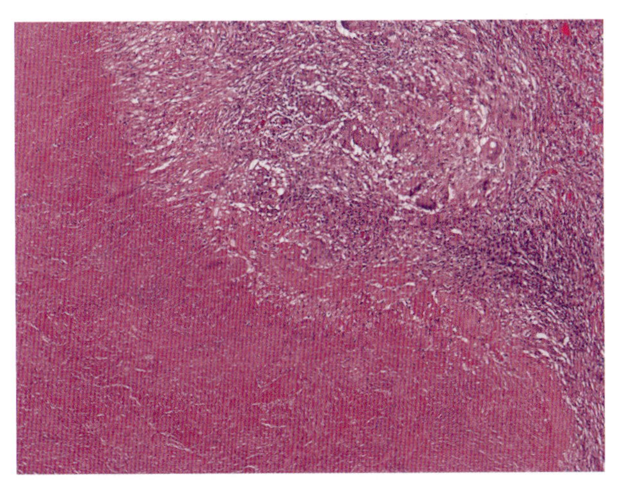
図 30　結核症. 乾酪壊死と肉芽腫を認める. 弱拡大

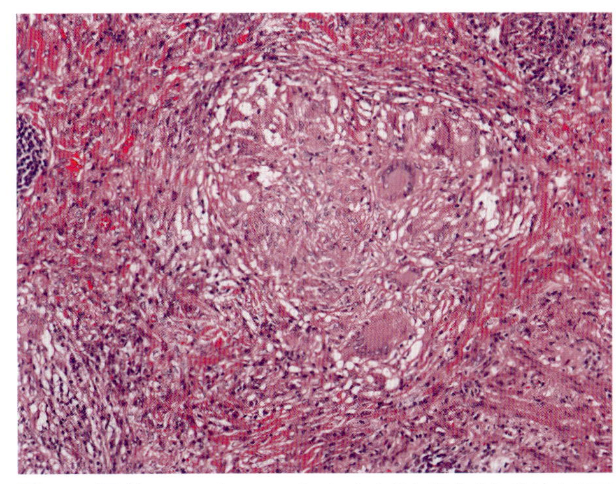
図 31　同前. ラングハンス型巨細胞を伴う類上皮細胞性肉芽腫を認める. 強拡大

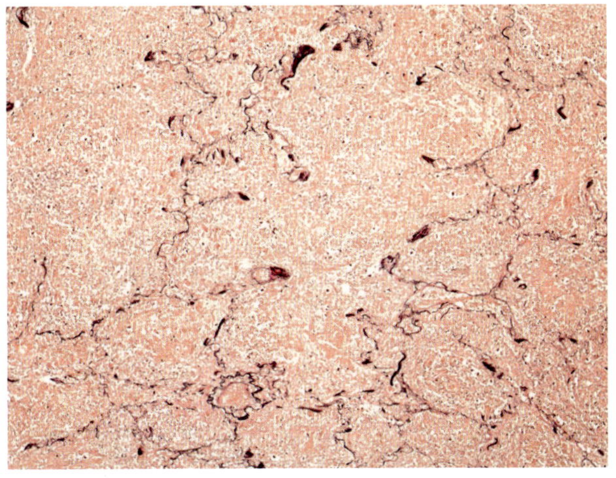
図 32　同前. 滲出性変化がそのまま被包化されると, 壊死内に肺胞や気道の弾性線維が残存する. EvG 染色. 中拡大

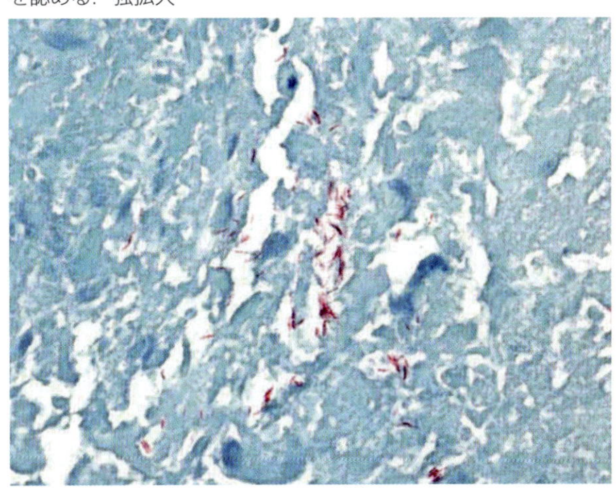
図 33　同前. 壊死内に赤色の桿状菌として結核菌が見える. チール・ニールセン染色. 強拡大

肺結核症 pulmonary tuberculosis　*Mycobacterium tuberculosis* によって起こる慢性肉芽腫性疾患である. 組織学的には, 凝固壊死の一種である乾酪壊死とラングハンス型巨細胞を伴う類上皮細胞性肉芽腫が結核菌に対する宿主反応の基本像である（**図 30, 31**）.

初感染では非特異的防衛機序をすり抜けて, 結核菌が末梢の肺胞に達し, 増殖を開始し感染が成立する. その結核菌は肺胞内の肺胞マクロファージ内で増殖する. 小さな病変を形成し, この病巣は「初感染原発巣」とよばれる. 初感染原発巣のほとんどは肺に存在し, 通常は胸膜直下 1 cm 以内の部位にみられる. 結核菌は肺のリンパ管内に入り, 流域の肺内リンパ節に運ばれ, 同様の病巣を形成する. 初感染巣とリンパ節病変を合わせて「初期変化群」とよぶ. 多くの場合, 不顕性感染で経過する. 初感染に引き続き発症する場合を一次結核という. 粟粒結核, 肺門リンパ節結核, 結核性胸膜炎などのかたちで起こる. 病巣が肺門・縦隔リンパ節群を次々に侵し, 鎖骨上リンパ節から静脈に菌が入り, 全身臓器への散布が起こることがあり, 早期蔓延型結核（粟粒結核）といわれる.

初感染から一定期間以上経過し, 細胞性免疫が獲得されたあとに発症するのが二次結核である. 既感染者の結核は, 多くが内在菌による再燃説と考えられている. 肺結核症の頻度が高く, 右 S1 および S2, 左 S1+2, 左右 S6 に好発する. 二次結核では一臓器に限局することが多いが, 大量の菌が血中に流入した場合には粟粒結核を呈する.

肺結核症の病理形態　空洞：結核菌の増殖の場であるとともに結核菌の散布源である. 結核症が活動性である限り空洞壁は乾酪化・潰瘍化して周囲肺組織を巻き込んで進展する.

被包乾酪巣：壊死組織が類上皮細胞や線維被膜により囲まれた病変をさす. 壊死内に肺胞や気道の弾性線維が残存している場合は, 滲出性変化がそのまま被包化されたと考えられる（**図 32, 33**）.

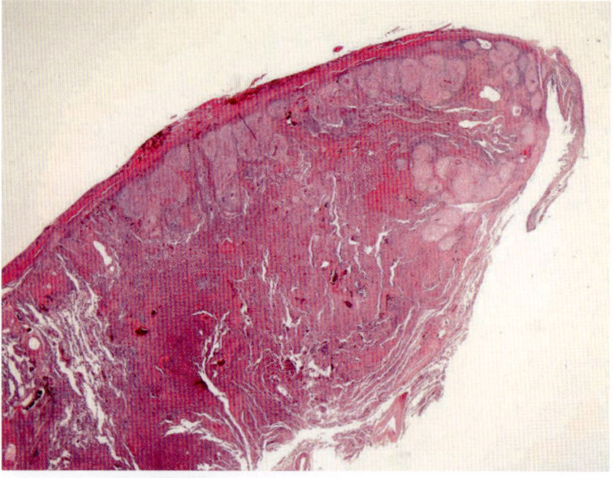

図 34　結核性胸膜炎．臓側胸膜に類上皮細胞性肉芽腫からなる多数の微細粒状隆起を認める．ルーペ

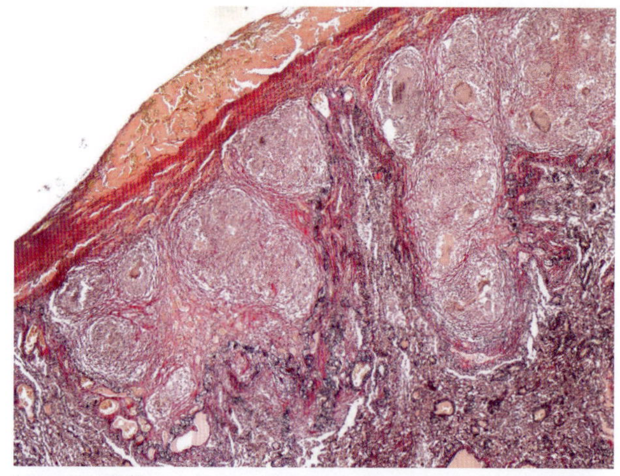

図 35　同前．EvG 染色では胸膜弾性線維層の外に肉芽腫を認める．弱拡大

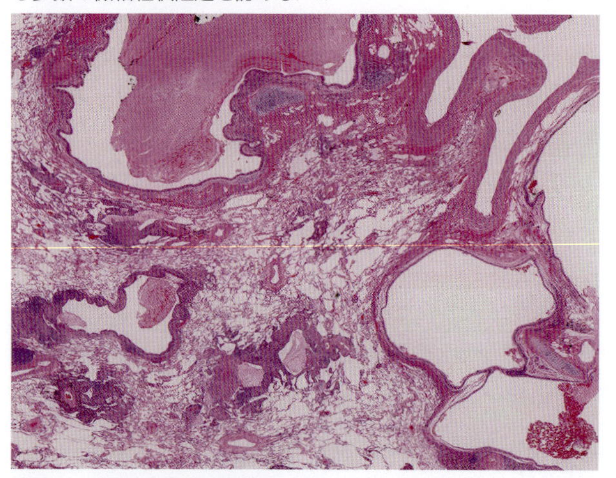

図 36　非結核性抗酸菌症．結節・気管支拡張症型のMAC症．胸膜直下まで連続する嚢胞状気管支拡張を認める．弱拡大

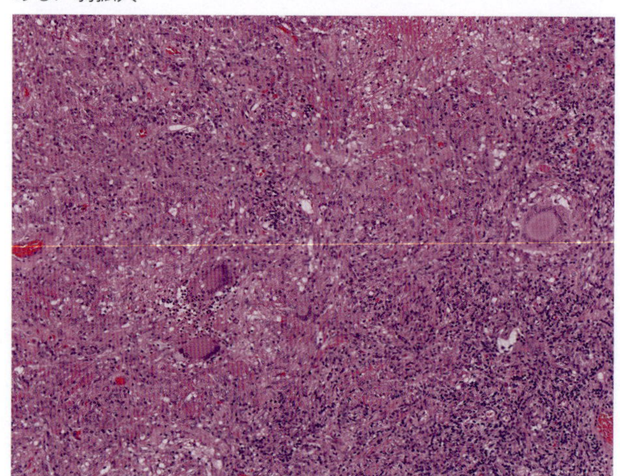

図 37　同前．結節・気管支拡張症型のMAC症．気管支壁には高度な炎症性小円形細胞浸潤や類上皮細胞性肉芽腫を認める．強拡大

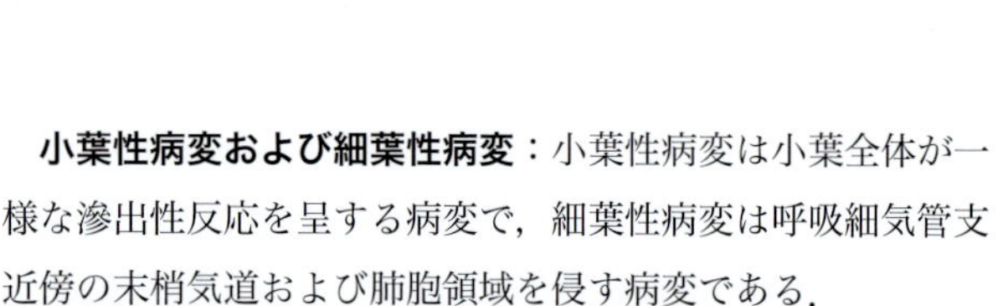

小葉性病変および細葉性病変：小葉性病変は小葉全体が一様な滲出性反応を呈する病変で，細葉性病変は呼吸細気管支近傍の末梢気道および肺胞領域を侵す病変である．

気道病変：空洞からその誘導気管支壁内を連続的に進展する場合，中枢部気管支の気管支腺導管開口部に結核菌が侵入して生じる場合，肺門付近のリンパ節病変が気管支壁に波及して起こる場合などがある．

胸膜病変：**結核性胸膜炎**（**図 34, 35**）は胸水貯留で発症する胸膜炎のみの症例と肺結核に合併する随伴性胸膜炎に分類される．**結核性膿胸**は肺結核の経過中あるいは治療中に胸腔内へ貯留した液が，肉眼的に膿性あるいは膿瘍性になったもの．結核性慢性膿胸では，リンパ腫，血管肉腫，癌などの悪性腫瘍が合併することが知られている．結核性慢性膿胸の病理検体のなかに悪性病変を認めることがあるため，病理診断時に注意が必要である．

非結核性抗酸菌症 nontuberculous mycobacterial infection

非結核性抗酸菌とは，結核菌群以外の培養可能な抗酸菌であり，これらによる感染症は非結核性抗酸菌症とよばれる．そのなかで，ヒトへの感染症の原因となる頻度が高いのが，*Mycobacterium avium-intercellulare* complex（MAC）である．**肺 MAC 症**は，結節・気管支拡張症型と線維空洞型の 2 つが代表である．肺 MAC 症の 90%以上が結節・気管支拡張症型を呈する．肉眼的に胸膜直下まで連続する嚢胞状気管支拡張が特徴的である（**図 36**）．拡張した気管支壁には高度な炎症性小円形細胞浸潤や類上皮細胞性肉芽腫を認める（**図 37**）．

肺 MAC 症は，結核症に比べ組織破壊が軽度であり，太い気管支の閉塞をきたすことはまれである．結核症のような初期変化群の形成は認められない．また，肺 MAC 症には，両肺びまん性病変を呈する hot tub lung や免疫不全者に発症する播種性 MAC 症もある．

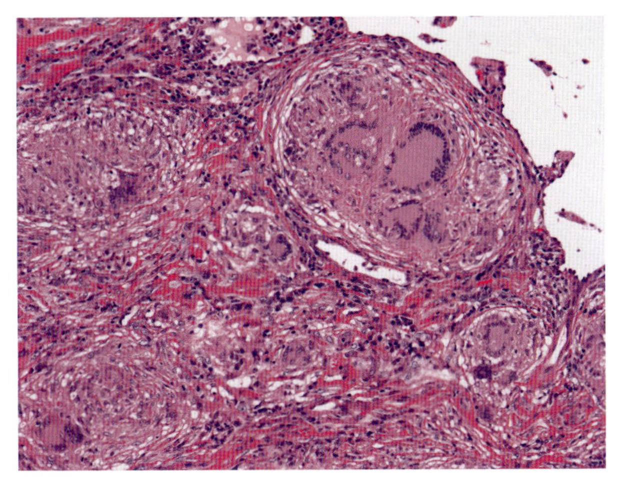

図38 サルコイドーシス．壊死を伴わない類上皮細胞性肉芽腫を認める．ラングハンス型巨細胞も伴っている．中拡大

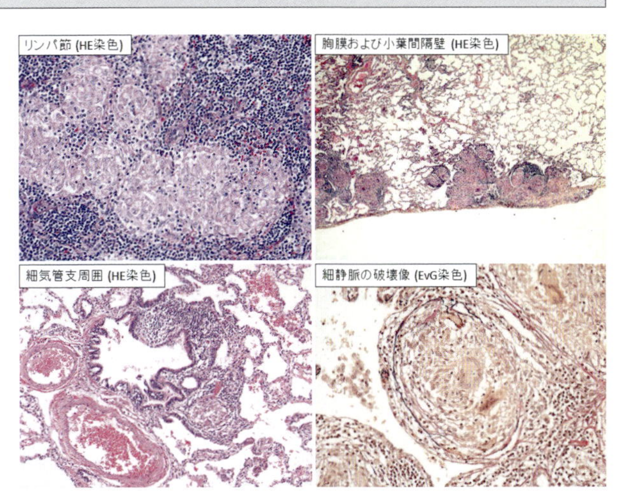

図39 同前．リンパ節に壊死を伴わない類上皮細胞性肉芽腫を認める．その分布は気管支血管鞘，小葉間隔壁，胸膜などのリンパ路に沿った分布をとる．血管壁を肉芽腫が破壊する所見も認めることの多い所見である．左上：中拡大，右上：弱拡大，左下：中拡大，右下：中拡大

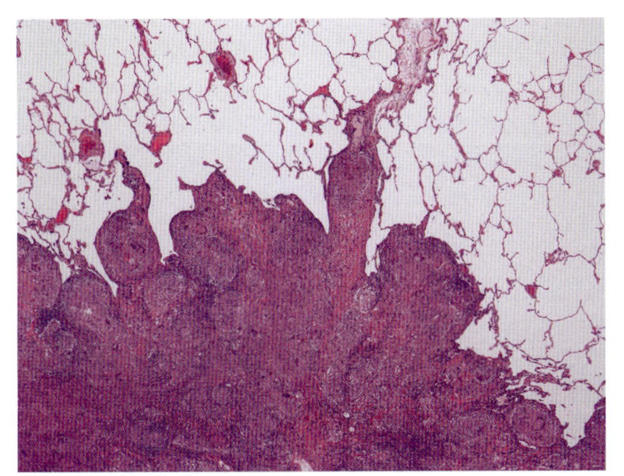

図40 結節性サルコイドーシス．結節を形成しているサルコイドーシス症例（結節性サルコイドーシス）．弱拡大

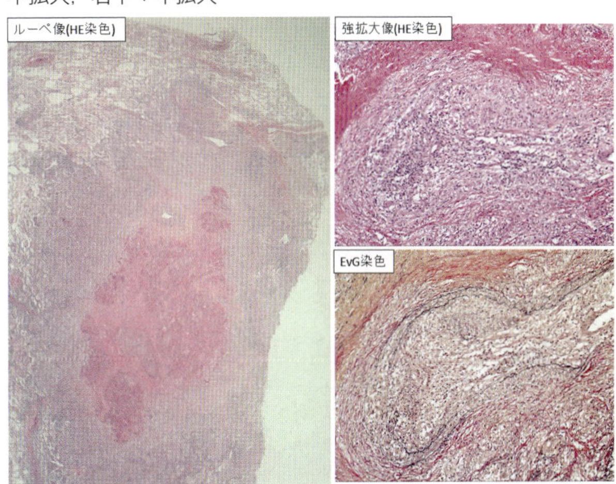

図41 壊死性サルコイド肉芽腫症．サルコイドーシスの亜型である壊死性サルコイド肉芽腫症では，肉芽腫内に壊死が認められ，肉芽腫性血管炎が目立つ

原因不明の全身性肉芽腫性疾患で，この病態は原因不明の抗原に対する特異的な免疫反応亢進によると考えられている．臨床症状は咳や息切れなど非特異的で，無症状で検診発見されることが多い．胸部X線では，両側肺門リンパ節腫脹と両肺微小結節状陰影がみられる．肺外病変としては，皮膚病変や眼病変（ぶどう膜炎）がよく認められる．

壊死を伴わない類上皮細胞性肉芽腫が病理像の特徴で（**図38，39**），その分布は気管支血管鞘，小葉間隔壁，胸膜などのリンパ路に沿った分布をとる．結節を形成していることもある（結節性サルコイドーシス）（**図40**）．血管壁を肉芽腫が破壊する所見も認めることの多い所見である．一般には壊死を伴わない肉芽腫であるが，わずかな壊死を肉芽腫にみることもあり，注意が必要である．星状体 asteroid body やシャウマン Schaumann 体を認めることがあるが，他の疾患でもみられ，診断的意義は少ない．

【鑑別診断】 結核症をはじめとする感染症，ベリリウム肺，過敏性肺炎などがあげられる．ベリリウム肺とは，組織像では鑑別が困難である．壊死を伴う肉芽腫の場合には，結核や真菌などの感染症を念頭におく必要がある．リンパ球浸潤が目立つ場合には，過敏性肺炎や低悪性度リンパ腫などの鑑別が必要になる．

また，サルコイドーシスの亜型である**壊死性サルコイド肉芽腫症**では，肉芽腫内に壊死が認められ，肉芽腫性血管炎が目立つ（**図41**）．EvG染色での血管の存在が鑑別の参考になるが，結核症などの感染症においても，ときに血管が巻き込まれ，血管炎様所見を認めるため，注意が必要である．

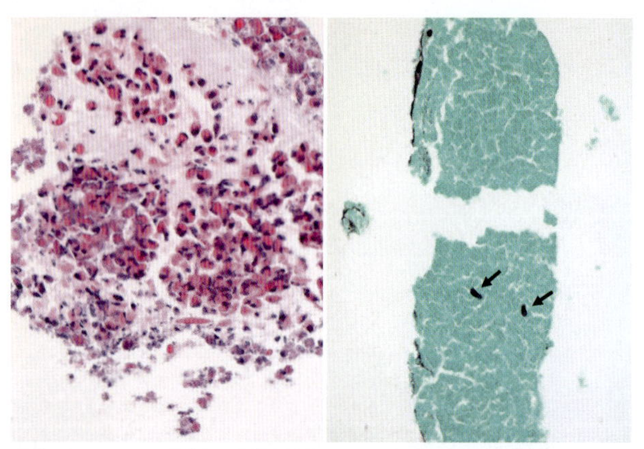

図 42　アレルギー性気管支肺アスペルギルス症．HE 所見では気管支内粘液栓子の多数の好酸球と Charcot-Leyden 結晶を認め（左：強拡大），グロコット染色ではその中に真菌（⬆）をみる（右：中拡大）

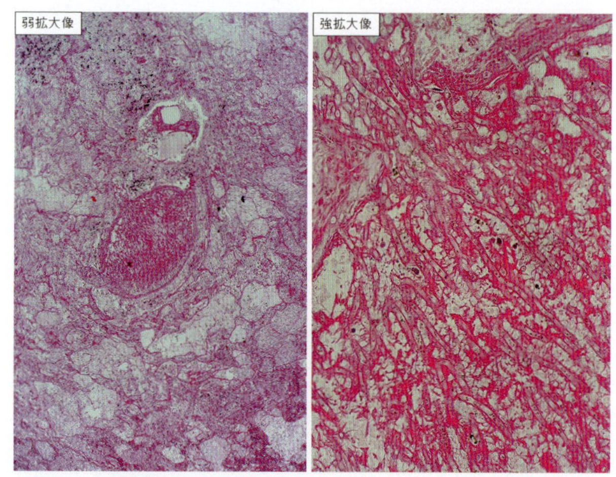

図 43　侵襲性アスペルギルス症．真菌の血管侵襲が強く，梗塞を伴っている．菌糸は直径 2～5 μm で隔壁をもち，Y 字型の 2 分岐を呈する

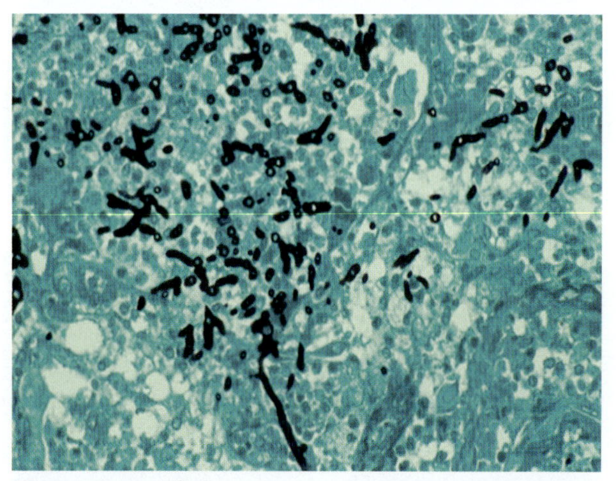

図 44　カンジダ症．ソーセージ様の仮性菌糸に類円状の胞子が付着して増殖し，枝分かれ様にみえる．グロコット染色．中拡大

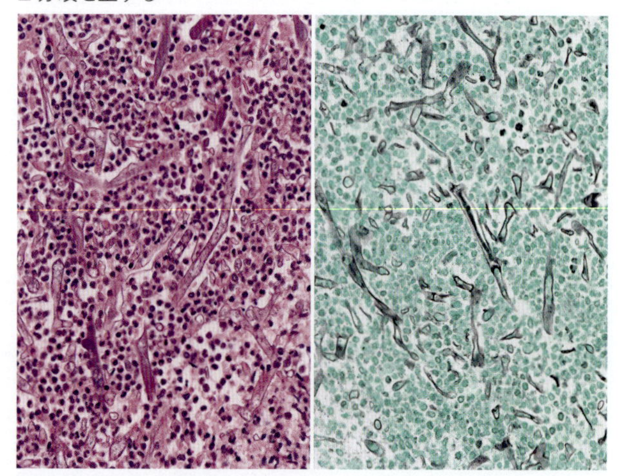

図 45　ムコール症．菌糸は管状，中空状で，幅が広く，大小不ぞろいで，隔壁がない．ほぼ直角に分岐する．強拡大

アスペルギルス症　菌糸は直径 2～5 μm で隔壁をもち，Y 字型の 2 分岐を呈する．PAS 染色やグロコット染色にて染色される．*Aspergillus fumigatus* あるいは *A. niger* の感染が多い．肺アスペルギルス症には，アレルギー性気管支肺アスペルギルス症，アスペルギローマ，慢性壊死性肺アスペルギルス症，侵襲性アスペルギルス症などがある．

アレルギー性気管支肺アスペルギルス症は，喘息，好酸球増多，胸部異常陰影，好酸球やアスペルギルスを含む粘液栓子の喀出を臨床的特徴とする．病理像は，多数の好酸球，Charcot-Leyden 結晶（**図 42**）およびアスペルギルスの菌糸の増生を伴う気管支内粘液栓子，bronchocentric granulomatosis（BCG）および好酸球性肺炎である．**アスペルギローマ**は，結核症などによる遺残空洞に菌球が増殖したもので，空洞壁に類上皮細胞性肉芽腫や palisading granuloma をみることがある．また，空洞周囲にも類上皮細胞性肉芽腫を認めることがある．空洞から真菌が気道散布し，誘導気管支などに BCG 様病変をみることもある．**慢性壊死性肺アスペルギルス症**では，菌球を伴う空洞がみられ，限局的に周囲の肺組織に侵襲が認められる．**侵襲性アスペルギルス症**は，急激に進行する壊死性肺炎の形をとり，血管侵襲も強く，梗塞の合併も多い（**図 43**）．

カンジダ症　カンジダは皮膚粘膜に常在し，宿主の防衛機構が低下すると侵襲を起こす．*Candida albicans* によるものが多い．ソーセージ様の仮性菌糸に類円状の胞子が付着して増殖し，枝分かれ様にみえる（分岐はない）（**図 44**）．PAS 染色，グロコット染色およびグラム染色にて染色される．

ムコール症　接合菌属 Zygomycetes による真菌症の総称で，接合菌症あるいは藻菌症とも称される．血管内と血管壁への侵襲が強く，肺の出血性梗塞を起こしやすい．菌糸は管状，中空状で，幅が広く，大小不ぞろいで，隔壁がない．ほぼ直角に分岐する（**図 45**）．PAS 染色やグロコット染色にて染色される．

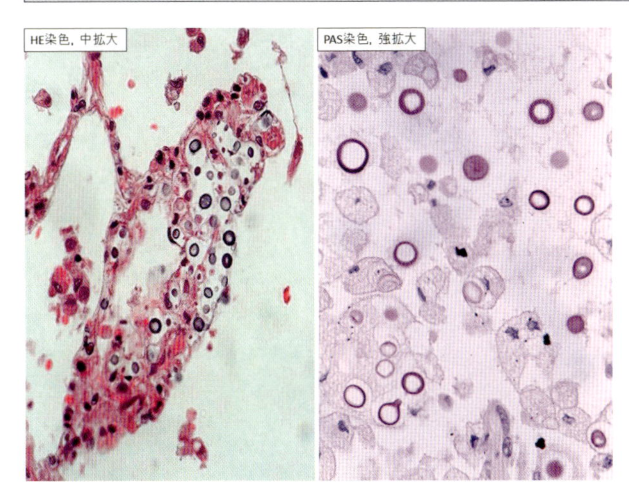

図 46 クリプトコッカス症．透明な小型の円形粒子としてみえる．周囲に透明な空隙 halo がみられる．PAS 染色に陽性

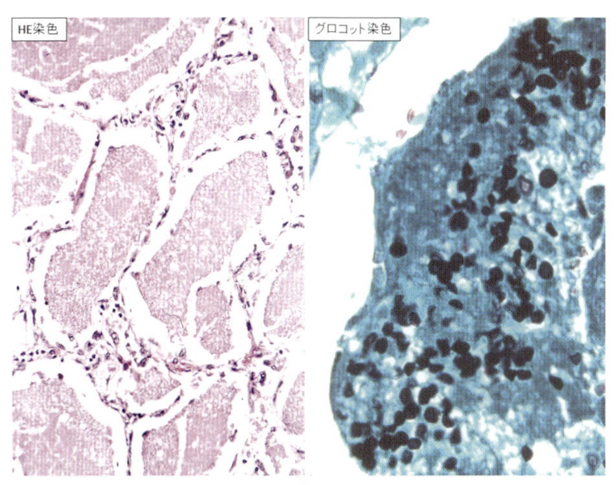

図 47 ニューモシスチス肺炎．肺胞腔内に好酸性泡沫状の滲出物が認められる．グロコット染色では直径 5～7 μm の球形，杯状，三日月状の成熟嚢子がみられる．左：中拡大，右：強拡大

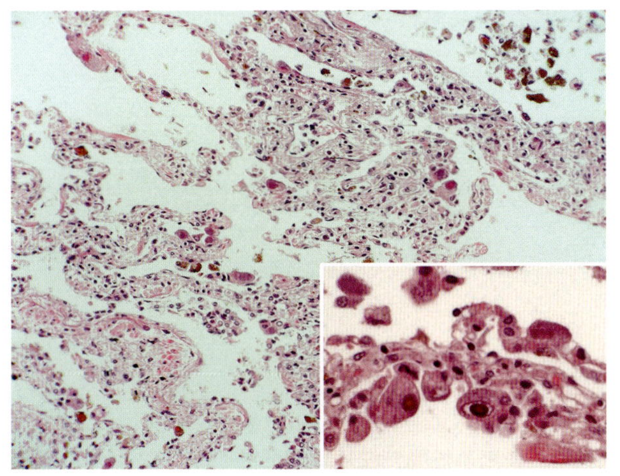

図 48 巨細胞封入体性肺炎．肺胞上皮に，大型の核内封入体を認め，封入体の周囲には halo を伴っている．中拡大（挿入図：強拡大）

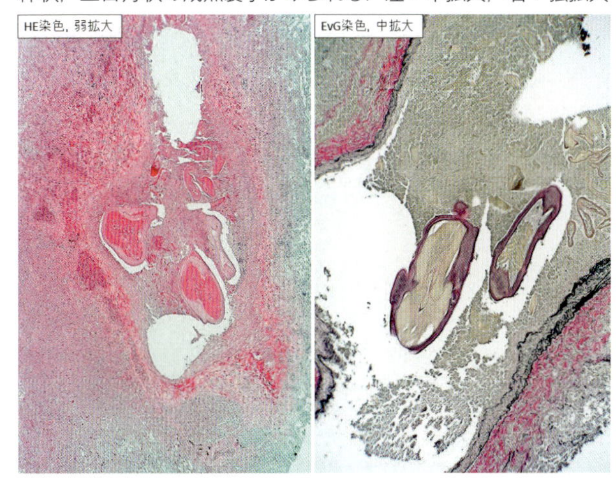

図 49 イヌ糸状虫．壊死内に虫体を認める．EvG 染色では，虫体は肺動脈内であることがわかる

クリプトコッカス症　*Cryptococcus neoformans* を吸入し感染する．健常者では，症状がなく画像上結節陰影として発見される症例が多い．健常者に発症するクリプトコッカス肉芽腫では，*C. neoformans* は組織球や多核巨細胞に貪食されて認められる．細胞外で遊離状態の真菌をみることは比較的少ない．HE 染色では，透明な小型の円形粒子としてみえる．周囲に透明な空隙がみられる．クリプトコッカス症では，PAS 染色やムチカルミン染色が莢膜に陽性となる（**図 46**）．しかし，組織球や多核巨細胞に貪食されている *C. neoformans* は，PAS やムチカルミンに染色されないことがある．この場合でも，Fontana-Masson 染色やグロコット染色は陽性となる．

ニューモシスチス肺炎　*Pneumocystis jiroveci* の感染による肺炎である．免疫力低下状態で発症する日和見感染症の 1 つである．典型像では，肺胞腔内に好酸性泡沫状の滲出物が認められ，間質に形質細胞やリンパ球の浸潤を認める．HE 染色では病原体は染色されない．グロコット染色では直径 5～7 μm の球形，杯状，三日月状の成熟嚢子が認められる（**図 47**）．びまん性肺胞障害を呈することがあり，びまん性肺胞障害をみた場合にはグロコット染色にて確認する必要がある．

巨細胞封入体性肺炎〔サイトメガロウイルス（CMV）肺炎〕　ヘルペス群に属する CMV による肺炎で，免疫力低下状態で発症する日和見感染症の 1 つである．肺胞上皮，血管内皮細胞，マクロファージなどに大型の核内封入体を認める．1 個の好酸性の封入体で，周囲には halo を伴っている（Cowdry type A）．細胞質内封入体も認める（**図 48**）．びまん性肺胞障害，出血，好中球浸潤なども認めることがある．びまん性肺胞障害をみた場合には，丹念に核内封入体を探す必要がある．

イヌ糸状虫　多くは胸膜直下の単発病変として出現する．線維性被膜で覆われた凝固壊死を認める．その壊死内の肺動脈内に虫体（側索基部の角皮が体腔内部へ突出し，internal ridge を形成するのが特徴）を認める（**図 49**）．壊死の周囲には類上皮細胞性肉芽腫や palisading granuloma を認めることがあるため，結核症と鑑別を必要とする．

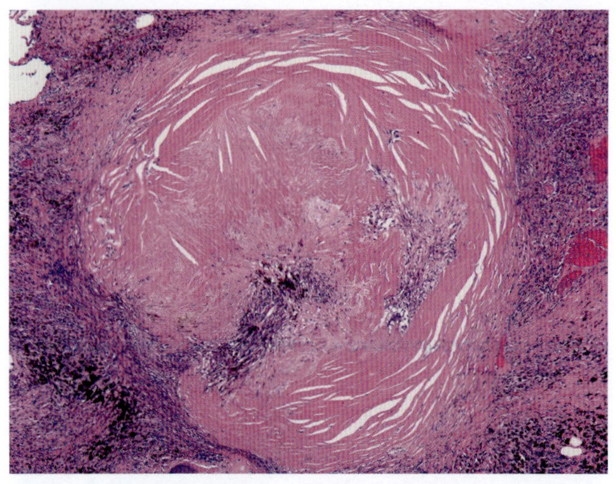

図50 silicotic nodule．境界明瞭な円形結節で，3層からなる．中心は渦巻状線維化，その周囲は硝子化した同心円状の線維化，外縁は粉塵の目立つ層からなる．中拡大

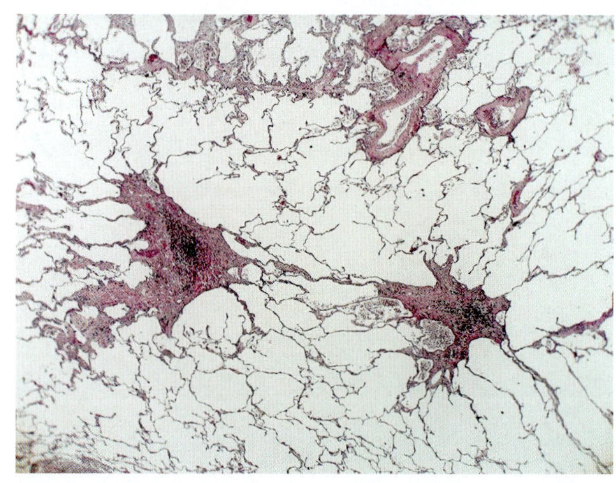

図51 mixed dust fibrosis．粉塵貪食組織球や線維芽細胞の増生からなる結節性線維化巣．辺縁に星芒状に広がる．弱拡大

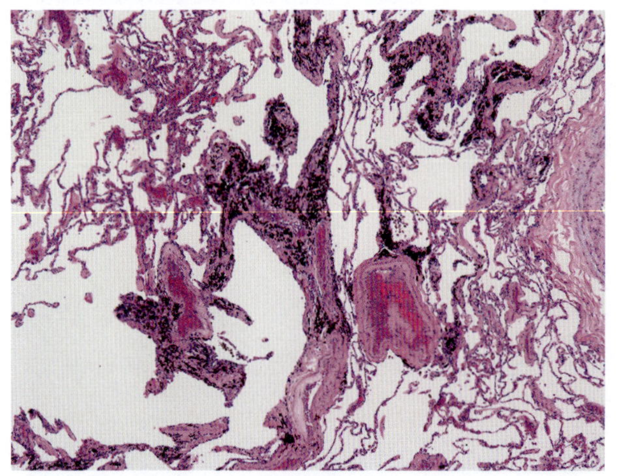

図52 dust macule．呼吸細気管支壁，肺胞管壁および肺動脈周囲間質の肥厚性変化．粉塵沈着が強く，線維化の程度は軽度．細葉中心性肺気腫を伴う．中拡大

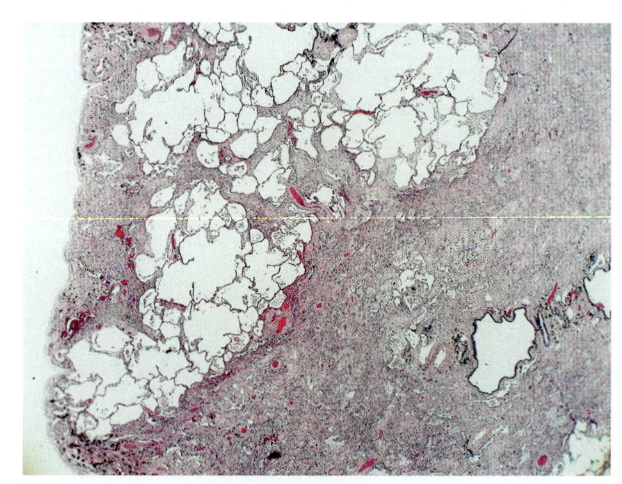

図53 びまん性間質性肺線維症型．肺胞構造を改変する著しい線維化病変を認める．弱拡大

粉塵や微粒子を長期間吸入し，それらが蓄積することによって起きる肺疾患の総称．吸入する物質による診断名（珪肺や石綿肺など）と業種などによる診断名（炭坑夫肺など）がある．

塵肺の基本的形態　珪肺結節 silicotic nodule：3〜6 mm大の境界明瞭な円形結節で，3層からなる．中心は渦巻状線維化，その周囲は硝子化した同心円状の線維化，外縁は粉塵の目立つ層からなる（**図50**）．遊離珪酸濃度が一定以上の場合に生ずる．この所見が主体の塵肺を silicosis とよぶ．

mixed dust fibrosis：粉塵貪食組織球や線維芽細胞の増生からなる結節性線維化巣．高度の同心円状の硝子化した線維化をきたさない．辺縁に星芒状に広がる．遊離珪酸濃度が一定以下で，多種類混合性の粒子状珪酸塩粉塵が主体の場合に生ずるとされている（**図51**）．この所見が主体の塵肺を mixed dust pneumoconiosis とよぶ．

dust macule：呼吸細気管支壁，肺胞管壁および肺動脈周囲間質の肥厚性変化．粉塵沈着が強く，線維化の程度は軽度．細葉中心性肺気腫を伴うことが多い（**図52**）．遊離珪酸濃度がきわめて低く，不活性粉塵や線維起因性の低い多種類珪酸粉塵により起こされるとされている．炭素主体の炭粉高度吸入塵肺，溶接工肺などでみられる．

progressive massive fibrosis：直径2 cm以上の大きさの塊状線維化結節の総称．粉塵の大量曝露で生ずる．

びまん性間質性肺線維症型：高度に進行すると肺胞構造を改変する著しい線維化病変となる（**図53**）．蜂巣肺の形成などを認める．石綿肺で有名であるが，非石綿塵肺でも生ずる．

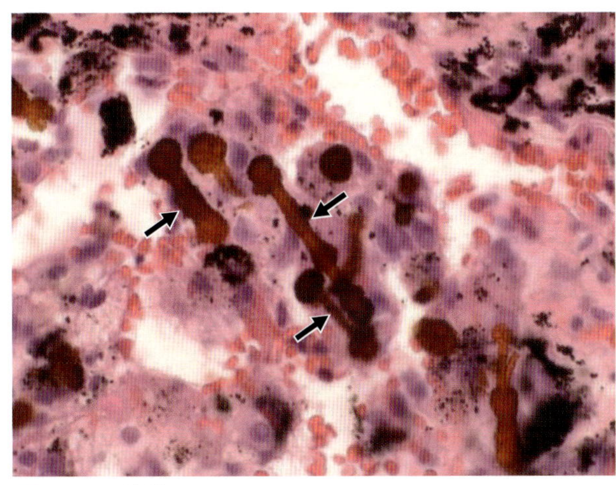

図 54　石綿肺．肺の線維化病変内に石綿小体（⬆）を認める．石綿小体は，長さ 20～200 μm，直径 2～5 μm で，黄金色の数珠状の形態を呈する．強拡大

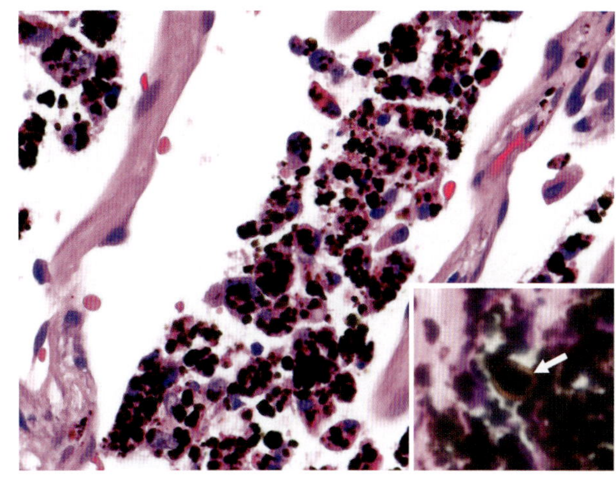

図 55　鉄症．黒色の core を伴う ferruginous body（⬆）を認める．強拡大

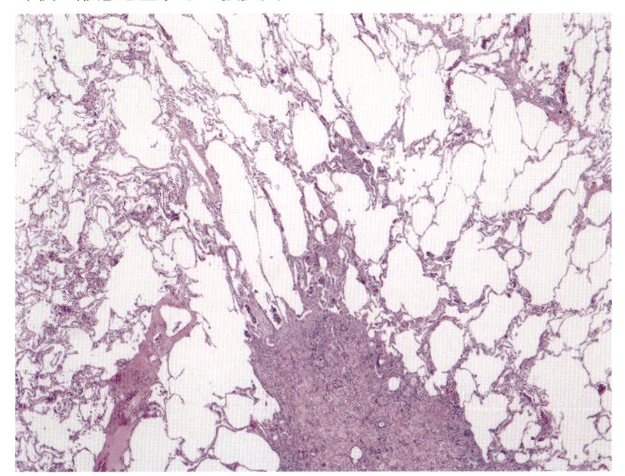

図 56　超硬合金肺．giant cell interstitial pneumonia（GIP）パターン．小葉中心部位に線維化と慢性炎症所見を認める．気腔内にマクロファージや多核巨細胞をみる．弱拡大

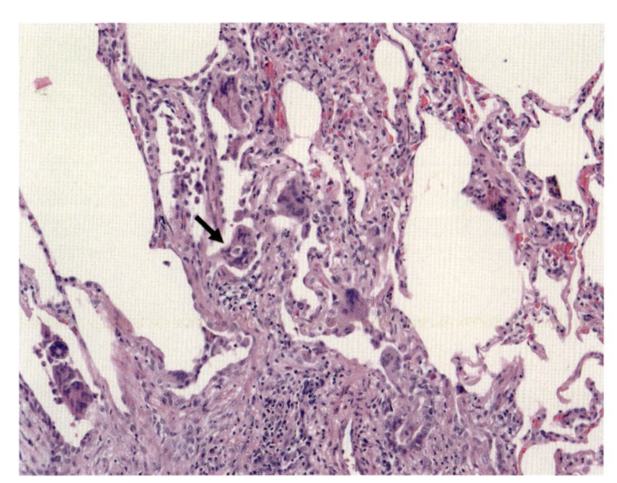

図 57　同前．GIP パターン．気腔内に多数のマクロファージや多核巨細胞を認め，多核巨細胞の一部で，細胞質に貪食された単核細胞を認める（emperipolesis）（⬆）．強拡大

吸入する物質による診断名　石綿肺 pulmonary asbestosis：asbestos fiber を吸入することにより起こる肺線維症である．肺の線維化病変内に石綿小体を認める（**図 54**）．石綿小体は長さ 20～200 μm，直径 2～5 μm で，黄金色の数珠状の形態を呈する．下葉下部や上葉下部の胸膜下領域から線維化が起こる．線維化は呼吸細気管支壁から始まり，徐々に周囲間質に拡大する．嚢胞を伴う蜂巣肺像も生ずる．診断には，①石綿関連の職業歴，②びまん性の肺の線維化，③組織で 2 本/cm^2以上の石綿小体の存在が必要とされる．

珪肺症 silicosis：結晶性のシリカの粒子（遊離珪肺）を吸入して起こる．急性珪肺や慢性珪肺に分類される．急性珪肺では肺胞蛋白症類似の所見を認める．慢性珪肺では silicotic nodule を認める．

鉄症 siderosis：肺実質に外来性の鉄粒子が蓄積した病態である．溶接工や鋳物工場労働者などに起こる．黒色の core を伴う ferruginous body を認める（**図 55**）．

混合塵肺 mixed dust pneumoconiosis：mixed dust fibrosis の所見が主体の塵肺をよぶ．

超硬合金肺 hard metal lung disease：超硬合金は cobalt-cemented tungsten carbide の総称で，切削工具や航空機用部品に用いられる．giant cell interstitial pneumonia（GIP）パターンが特徴的であるが，剥離性間質性肺炎（DIP）や通常型間質性肺炎（UIP）パターンも認められる．GIP では，細気管支周囲に優位な線維化や慢性炎症所見を認め，気腔内にマクロファージや多核巨細胞を多数認める（**図 56**）．多核巨細胞の細胞質に，貪食された単核細胞などの炎症細胞を認めることがある（emperipolesis）（**図 57**）．

【鑑別診断】　DIP や呼吸細気管支炎（RB）がある．診断には，職業歴を含んだ病歴が重要と考えられる．

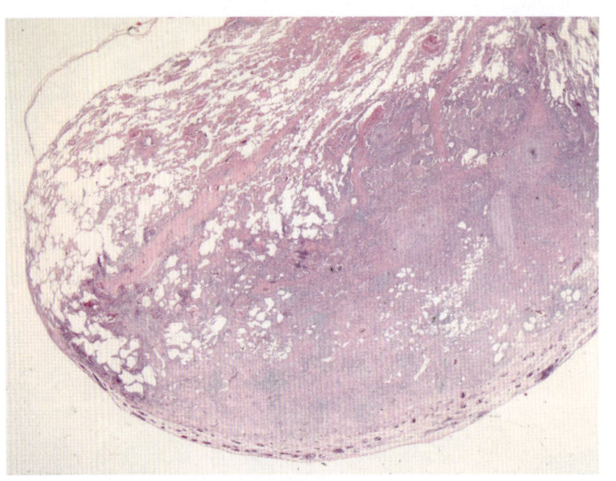

図 58　多発血管炎性肉芽腫症．炎症細胞の浸潤を伴う斑状の病変を認める．弱拡大

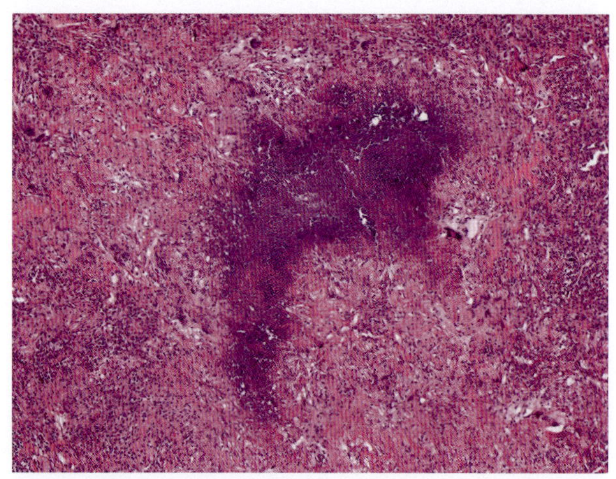

図 59　同上．好塩基性の地図状壊死を認める．壊死部位は，変性した好中球の核残渣がみられる好塩基性の壊死を呈する．弱拡大

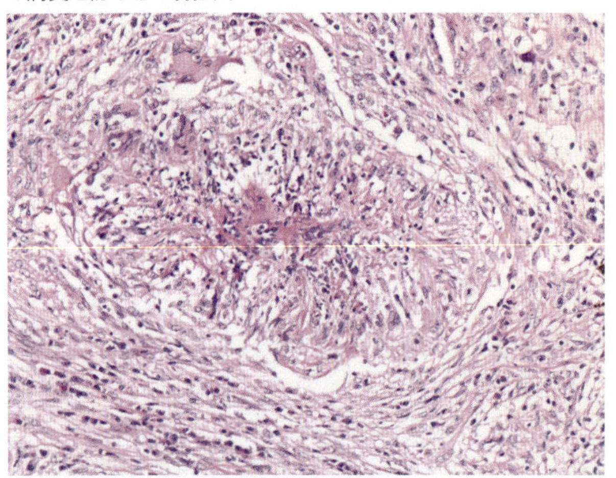

図 60　同上．微小膿瘍と palisading granuloma．中心部位に好中球集簇がみられ，それに向かって柵状に並ぶ組織球（palisading granuloma）を認める．強拡大

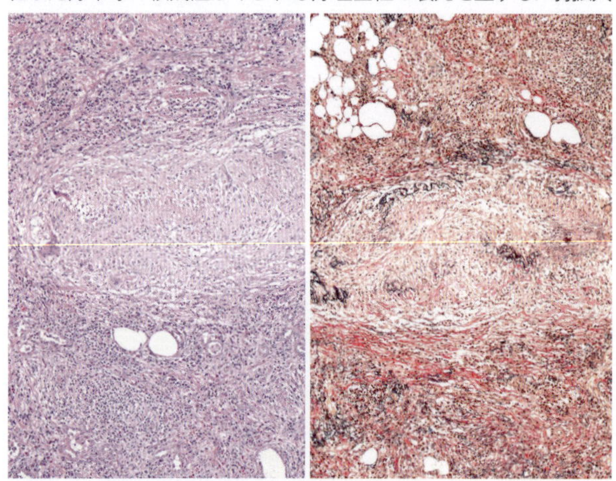

図 61　同上．肺動脈壁に肉芽腫性血管炎がみられ，血管壁の弾性線維を破壊している．強拡大

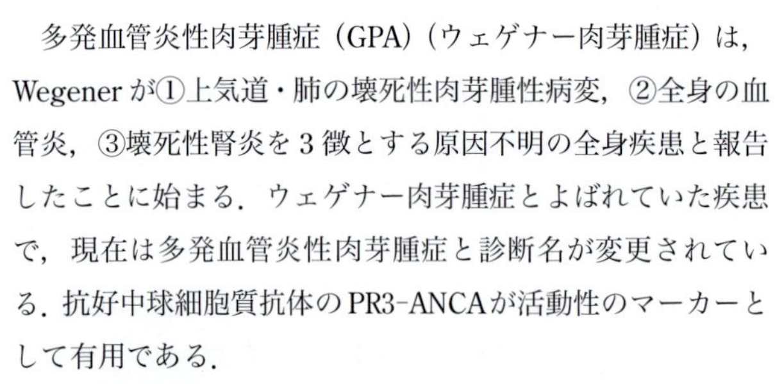

多発血管炎性肉芽腫症（GPA）（ウェゲナー肉芽腫症）は，Wegenerが①上気道・肺の壊死性肉芽腫性病変，②全身の血管炎，③壊死性腎炎を 3 徴とする原因不明の全身疾患と報告したことに始まる．ウェゲナー肉芽腫症とよばれていた疾患で，現在は多発血管炎性肉芽腫症と診断名が変更されている．抗好中球細胞質抗体のPR3-ANCAが活動性のマーカーとして有用である．

肺では空洞を伴う結節性病変（**図 58**），地図状壊死（**図 59**），壊死性血管炎，微小膿瘍，palisading granuloma（**図 60**），胸膜炎，毛細血管炎，器質化肺炎所見などが認められる．壊死部位には，変性した好中球の核残渣がみられる好塩基性の壊死を呈する．好塩基性壊死をみた場合にGPAを鑑別に考える必要がある．壊死性血管炎に加えて，肉芽腫性血管炎を認めることもある（**図 61**）．血管炎が有名であるが，認められないことがある．中心部位に壊死や好中球集簇がみられ，それに向かって柵状に並ぶ組織球(palisading granuloma)は本症に特異性の高い病変とされている．

GPAの診断では，血管炎を必要以上に重要視しないことが重要で，palisading granuloma や microabscess の所見を見つけることが重要である．毛細血管炎の所見はよく認める所見であり，まれに，びまん性肺胞出血を起こすことがある．

【鑑別疾患】　感染症，サルコイドーシス，リウマチ結節，リンパ腫などがある．鑑別診断で最も重要なものは，結核症や真菌感染などに伴う**感染性壊死性肉芽腫性病変**と考えられる．2 ブロック以上での抗酸菌染色やグロコット染色を行うことが望まれる．血管炎の評価に関しては，壊死の中心部位では，巻き込まれた血管が血管炎様にみえるため，壊死から離れた部位で血管炎を検索する必要がある．

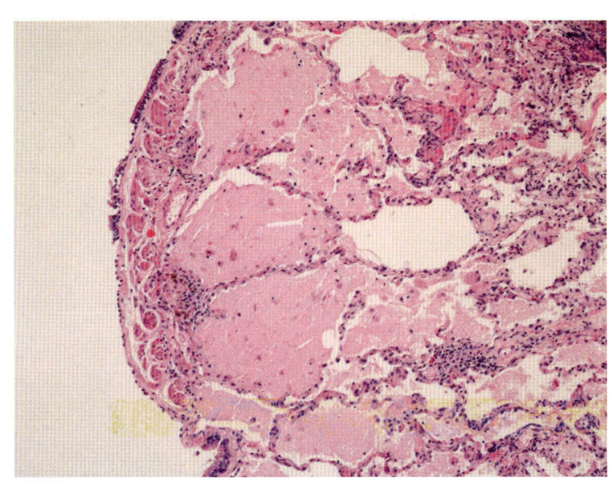

図 62　肺胞蛋白症．末梢気腔内に好酸性顆粒物質の異常貯留を認める．弱拡大

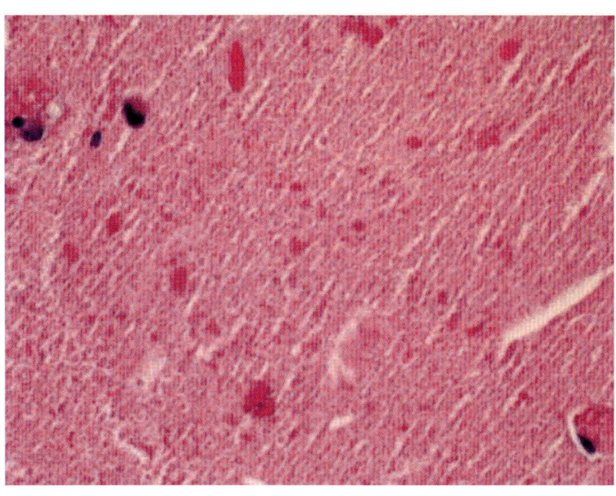

図 63　同上．末梢気腔内に 0.2 μm 大の細顆粒状物質が充満し，細顆粒状物質に数十 μm 大の好酸性顆粒状物質が，また数 μm 大の lipid cleft が混在する．強拡大

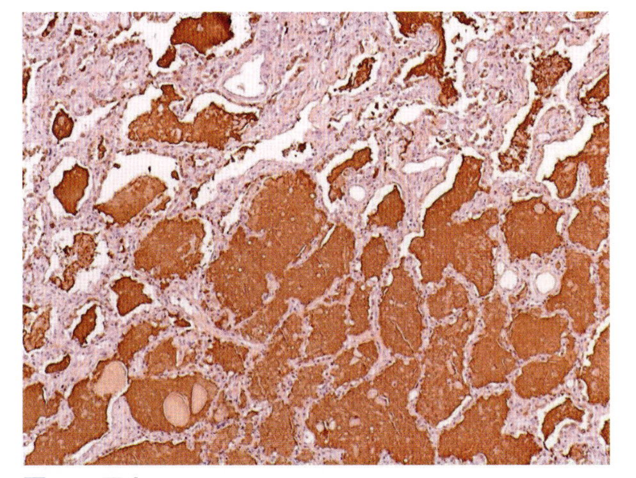

図 64　同上．末梢気腔内の細顆粒状物質はサーファクタントアポ蛋白の免疫染色に陽性所見を示す．弱拡大

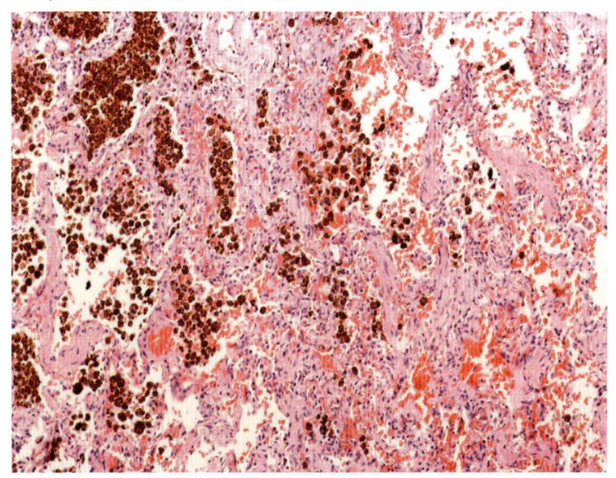

図 65　グッドパスチャー症候群．肺胞腔内にヘモジデリンを貪食したマクロファージと肺胞壁肥厚を認める．弱拡大

肺胞蛋白症(PAP)　サーファクタントの生成または分解過程の障害により，末梢気腔内にサーファクタント由来の好酸性顆粒物質の異常貯留（**図 62**）をきたす疾患の総称である．自己免疫性，続発性，先天性，未分類に分類される．抗 GM-CSF 抗体が自己免疫性 PAP の原因であることが証明されている．続発性では，骨髄異形成症候群，粉塵・金属粒子への曝露，呼吸器感染症などに合併するものがある．先天性では，GM-CSF 受容体欠損やサーファクタントアポ蛋白 B/C の遺伝子変異に伴うものがある．CT 所見は crazy paving pattern が特徴的であり，気管支肺胞洗浄所見では米のとぎ汁様の外観を呈する．病理所見は，末梢気腔内に 0.2 μm 大の細顆粒状物質が充満し，細顆粒状物質に数十 μm 大の好酸性顆粒状物質が混在する．また，数 μm 大の lipid cleft が混在する（**図 63**）．末梢気腔内の細顆粒状物質は PAS 染色とサーファクタントアポ蛋白の免疫染色に陽性所見を示す（**図 64**）．まれに，肺胞蛋白症に通常型間質性肺炎や非特異性間質性肺炎のパターンの間質性肺炎所見が合併して認められることがある．

【鑑別診断】　肺水腫，粘液癌の周囲の粘液貯留，ニューモシスチス肺炎，急性珪肺などが鑑別となる．

びまん性肺胞出血　肺胞腔内に赤血球やヘモジデリンを貪食したマクロファージを認める（**図 65**）．グッドパスチャー Goodpasture 症候群（抗糸球体基底膜抗体病），ANCA 関連血管炎，膠原病，特発性肺ヘモジデローシスなどで生ずる．グッドパスチャー症候群の肺組織では，肺胞出血と肺胞壁肥厚を認めるが，非特異的な所見である．肺胞壁に，IgG，C3 の線状の沈着を証明できることもある．ANCA 関連血管炎や SLE では，毛細血管炎の所見がみられる．毛細血管炎の診断は，肺胞壁の局所的壊死，好中球の浸潤，赤血球の漏出，毛細血管内のフィブリン血栓などの所見から総合的に行う．IV 型コラーゲンの免疫染色が有用とされている．特発性肺ヘモジデローシスの診断は除外診断により行う．

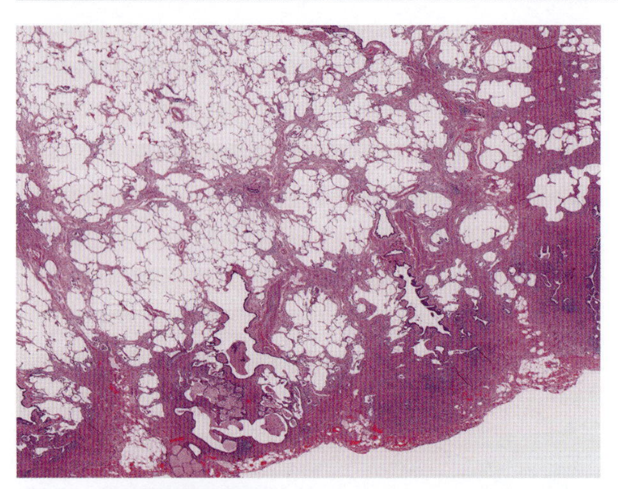

図 66　通常型間質性肺炎．胸膜直下あるいは小葉辺縁部に優位な密な線維化病変がみられる．線維化病変は斑状分布をとる．弱拡大

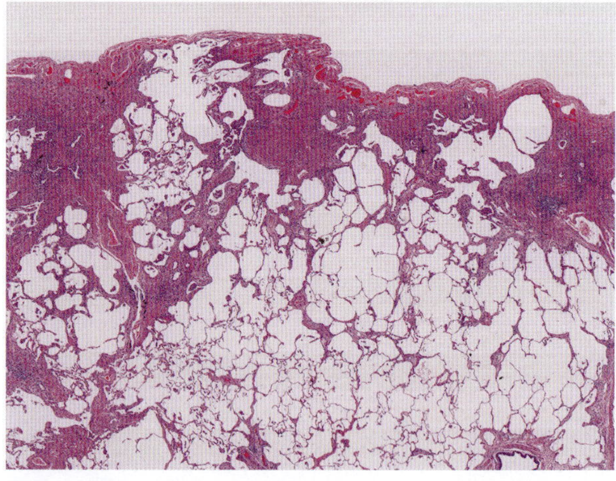

図 67　同上．線維化から急峻に正常に近い肺胞壁に移行する．平滑筋の増生を伴っている．弱拡大

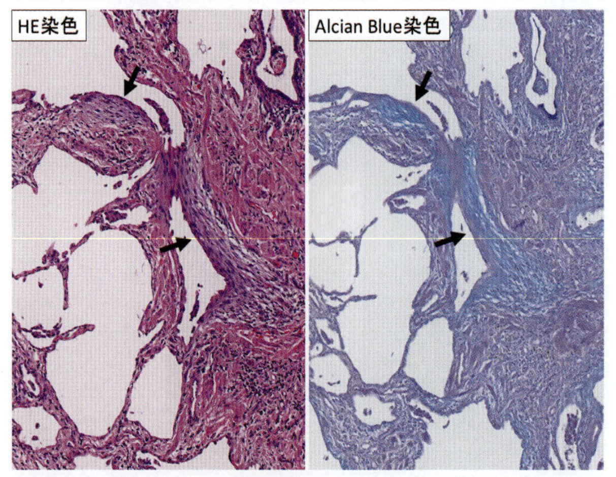

図 68　同上．成熟した線維化病変に隣接して線維芽細胞の増生を認め，fibrobalstic foci（⬆）と考えられる．アルシアンブルー染色で fibroblastic foci が明瞭となる．中拡大

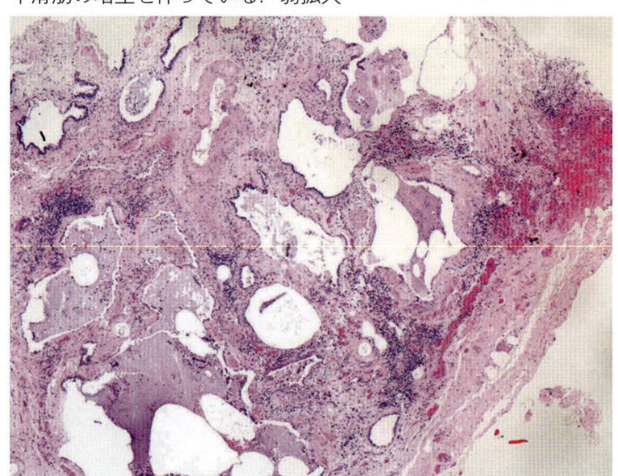

図 69　同上．線維化内に，嚢胞状に拡張した気腔を認める（蜂巣肺）．中拡大

特発性間質性肺炎は原因不明の間質性肺炎の総称で，基本的には臨床用語である．膠原病，塵肺，過敏性肺炎などの病因が特定できない症候群である．

特発性間質性肺炎では，慢性進行性である特発性肺線維症が中心を占めており，通常型間質性肺炎のパターンの病理所見を呈する．特発性間質性肺炎には8つの病型が知られており，概説の**表 4** に，その総合診断と病理組織学的パターンを記載した．また，ATS/ERS classification（2013）では，未分類特発性間質性肺炎も付け加えられた．

通常型間質性肺炎 usual interstitial pneumonia（UIP）　胸膜直下あるいは小葉辺縁部に優位な密な線維化病変がみられる．線維化病変は斑状分布をとり（**図 66**），線維化から急峻に正常に近い肺胞壁に移行する（**図 67**）．成熟した線維化病変に隣接して fibroblastic foci を認める（**図 68**）．また蜂巣肺形成も認められる（**図 69**）．

急性増悪を認めることがあり，その場合には UIP の所見に加えて，下記のびまん性肺胞傷害の所見を認める．IPF/UIP の診断には臨床画像病理の総合的な診断が必要であり，IPF/UIP から見たパターン分類（UIP, Probable UIP, Indeterminate for UIP, Alternative diagnosis）がある（**表 6**）．間質性肺疾患の外科的生検では，その分類の記載が必要とされ，HRCT のパターンと組織パターンにより IPF/UIP の診断がされる（**表 7**）．

【鑑別診断】　鑑別にあがる疾患は，nonspecific interstitial pneumonia（NSIP），膠原病肺，慢性過敏性肺炎，石綿肺，Hermansky-Pudlak 症候群などになる．**NSIP** は，時相が均一であること，fibroblastic foci や平滑筋増生が目立たないことが鑑別点となる．著しい形質細胞浸潤，germinal center を伴うリンパ濾胞，著しい胸膜炎などの所見をみた場合は，膠原病をルールアウトする必要がある．また，**膠原病肺**では，間質性肺炎所見に加えて，気道病変や血管病変を合併していることがよくある．**石綿肺**では，小葉中心性病変が目立つことや石綿小体をみることが鑑別に役立つ．**慢性過敏性肺炎**では，小葉中心部の線維化や肉芽腫の存在などが鑑別に役立つ．**Hermansky-Pudlak 症候群**では，Ⅱ型肺胞上皮の泡沫状腫大や線維化内の鉄染色陰性の黄色顆粒をもつマクロファージがみられる．

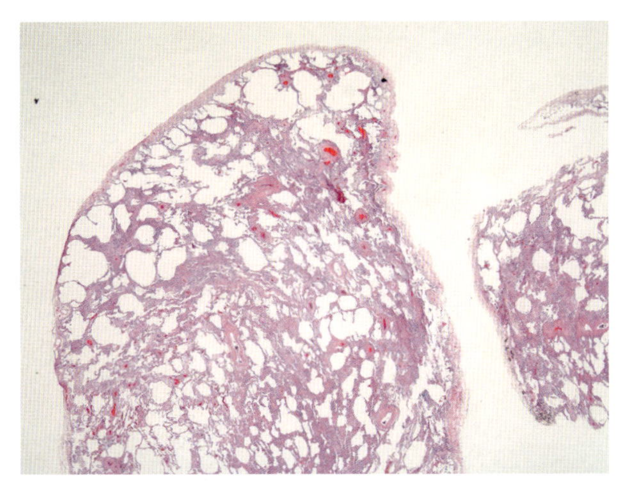

図70　非特異性間質性肺炎．びまん性の病変で，正常肺胞を介さない．弱拡大

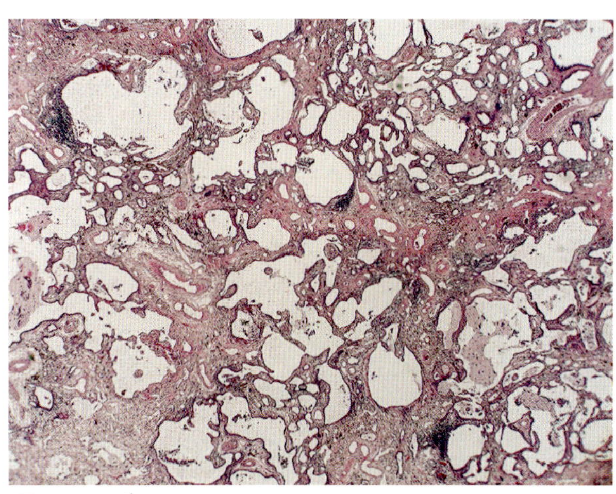

図71　同上．fibrotic NSIPでは，間質はさまざまな程度にびまん性に線維性肥厚するが，時相が均一で，正常肺胞の介在は認めない．中拡大

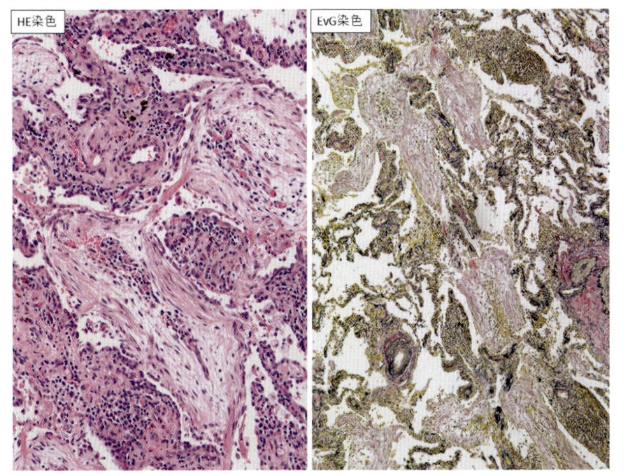

図72　器質化肺炎．末梢気腔内に幼若な結合組織からなる肉芽組織を認め，EvG染色では肺胞壁の弾性線維は保たれている．中拡大

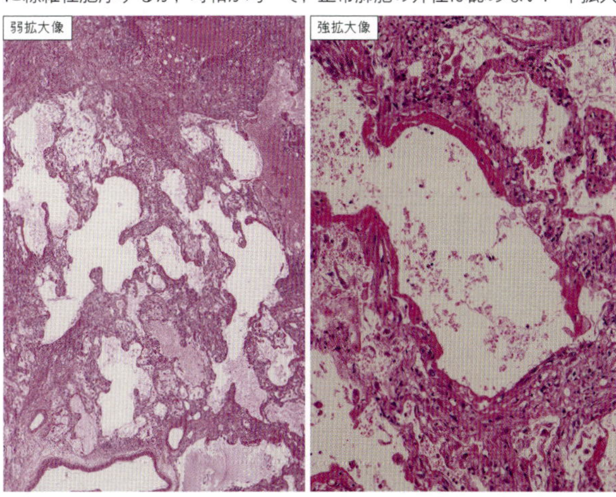

図73　びまん性肺胞傷害．増殖期（器質化期）．弱拡大では周囲肺胞の虚脱，肺胞管の拡張を認め，強拡大像では硝子膜を認める

非特異性間質性肺炎 nonspecific interstitial pneumonia（NSIP）　均一な分布の病変をとる．なだらかな変化で，病期のそろった慢性炎症性病変と線維化病変が肺胞壁に沿った分布で認められる．cellular と fibrotic に分けられるが，cellular and fibrotic が最も多い．cellular NSIP では，肺胞構造はよく保たれ，間質にリンパ球や形質細胞のびまん性浸潤をみる．fibrotic NSIP では，間質はさまざまな程度にびまん性に線維性肥厚するが，時相が均一で，正常肺胞の介在は認めない（**図 70, 71**）．

器質化肺炎 organizing pneumonia（OP）　小葉中心部に優勢な斑状分布をとる．末梢気腔内に，幼若な結合組織からなる肉芽組織を認める．気腔内に泡沫細胞もみる（**図 72**）．OP パターンはさまざまな疾患（感染症，膠原病肺，過敏性肺炎や腫瘍周囲の炎症所見など）で認められる非特異的な所見であることを常に念頭におく必要がある．

びまん性肺胞傷害 diffuse alveolar damage（DAD）　正常肺胞壁を残さずに，病変はびまん性を呈する．病期により滲出期，増殖期（器質化期），線維化期に分けられる．滲出期では硝子膜形成，肺胞壁の浮腫，上皮の変性および剥離を認める．増殖期（器質化期）では，周囲肺胞の虚脱，肺胞管の拡張，肺胞壁内の線維芽細胞増生，硝子膜，気腔内滲出物の器質化などの所見を認める（**図 73**）．数カ月後の変化では，肺胞管レベルでリング状の線維化病変を多所に認める．遷延例では蜂巣肺様所見を認めることがある．

【鑑別診断】　急性間質性肺炎と診断するには，特発性肺線維症/通常型間質性肺炎（IPF/UIP）の急性増悪，感染症，ショック，薬剤，高濃度酸素などの二次性 DAD，膠原病肺，急性好酸球性肺炎などをルールアウトしなければならない．剖検では DAD の所見を認めることが多く，除外診断のため，十分な臨床所見を入手する必要がある．二次性 DAD の原因で最も重要なのは感染症によるものである．ニューモシスチス肺炎除外には，グロコット染色の施行が必要である．サイトメガロウイルス肺炎除外のためには，丹念に核内封入体を探す必要もある．また IPF/UIP の急性増悪をルールアウトするため，下肺野背部の切り出しを必ず行う必要がある．

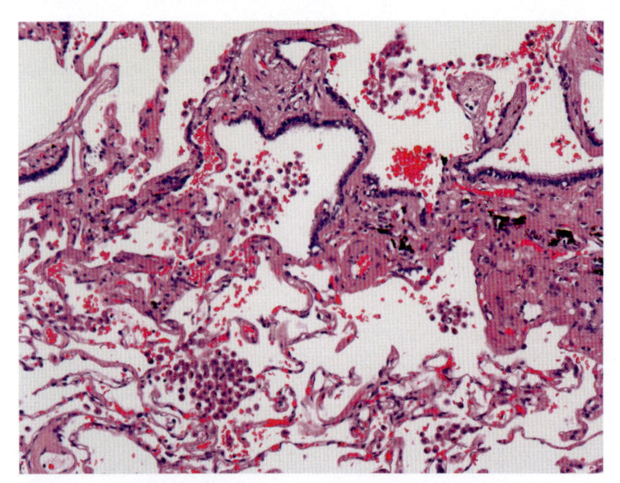

図 74　呼吸細気管支炎. 呼吸細気管支腔内とその近傍に褐色顆粒をもつマクロファージ集簇を認める. 中拡大

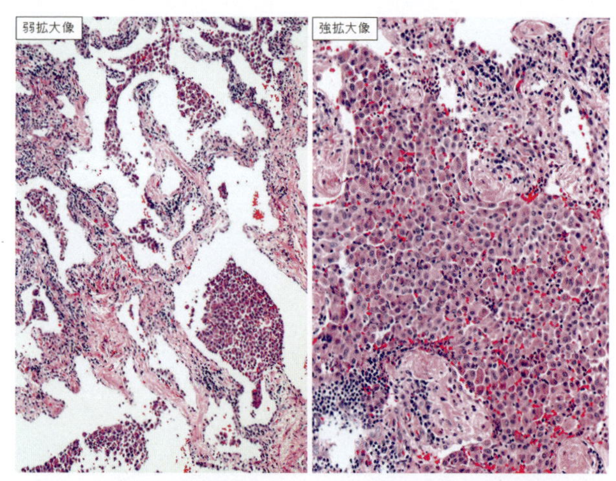

図 75　剥離性間質性肺炎. びまん性に末梢気腔内に褐色顆粒をもつマクロファージが充満する. 肺胞壁が線維性に軽度に肥厚している

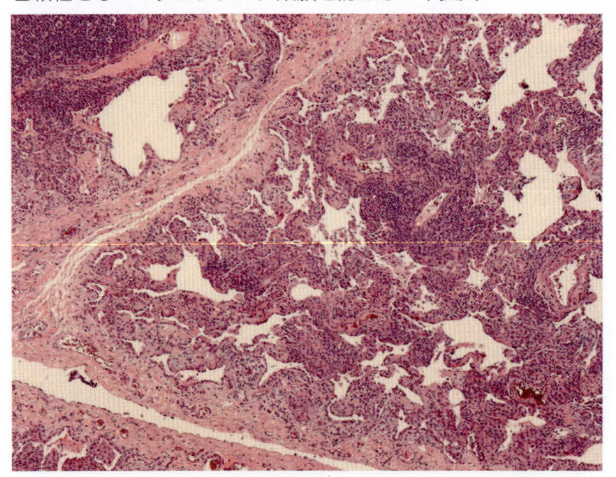

図 76　リンパ球性間質性肺炎. 肺胞壁に沿って多数のリンパ球浸潤を認める. リンパ球には異型性は乏しい. 弱拡大

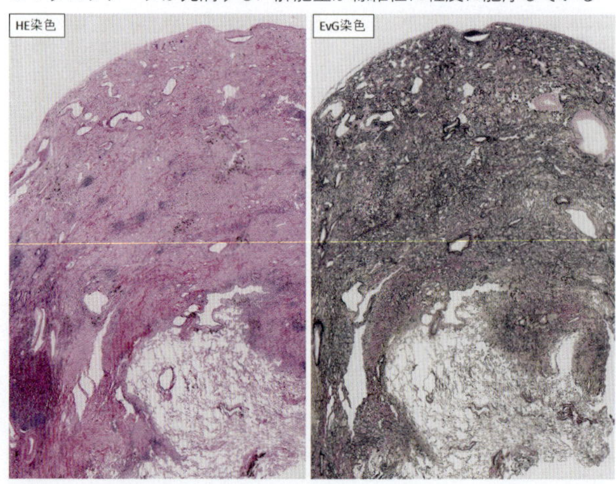

図 77　胸膜肺線維弾性症. 臓側胸膜と胸膜下に線維化病変を認める. EvG 染色にて弾性線維が著しく増加し, 胸膜の線維性肥厚が顕著である. 弱拡大

呼吸細気管支炎 respiratory bronchiolitis（RB）　呼吸細気管支とその近傍に褐色顆粒をもつマクロファージ集簇を認める（**図 74**）. 褐色顆粒をもつマクロファージは, ジアスターゼ抵抗性の PAS 陽性顆粒がみられ, 鉄染色にても軽度の陽性を示すことがある. この所見は通常の喫煙者にしばしば認められる. 通常の喫煙者の肺病変の範疇を超えて, 呼吸困難などの臨床所見と両肺野の間質性陰影をきたした病態と認識されている.

剥離性間質性肺炎 desquamative interstitial pneumonia（DIP）　喫煙と関連があるとされている. びまん性に末梢気腔内に褐色顆粒をもつマクロファージが充満する. II 型肺胞上皮の増生が顕著である. 肺胞壁が線維性に肥厚する（**図 75**）. リンパ濾胞やリンパ球集簇部位を認めることもある. 褐色顆粒をもつマクロファージは, ジアスターゼ抵抗性の PAS 陽性顆粒がみられ, 鉄染色にても軽度の陽性を示すことがある.

リンパ球性間質性肺炎 lymphocytic interstitial pneumonia（LIP）　肺胞壁に沿って多数のリンパ球浸潤を認める（**図 76**）. 特発性はまれであり, 膠原病肺などで認められる. LIP は, CT 所見での分布はびまん性であり, 結節を形成する病変である nodular lymphoid hyperplasia とは異なる.

胸膜肺線維弾性症 pleuropulmonary fibroelastosis（PPFE）　臓側胸膜と胸膜下に線維化病変を認める. EvG 染色にて弾性線維が著しく増加し, 胸膜の線維性肥厚が顕著である（**図 77**）. 特発性以外に, 粉塵曝露, 慢性過敏性肺炎, 薬剤, 骨髄移植など原因は多岐にわたる.

未分類特発性間質性肺炎 unclassifiable interstitial pneumonia　臨床, 画像, 病理的検討を行っても最終診断にいたらず, 未分類とせざるえない間質性肺炎. 臨床, 画像, 病理所見が大きく不一致であった場合, 現行の分類で適切に表現できない場合など複数のパターンがある.

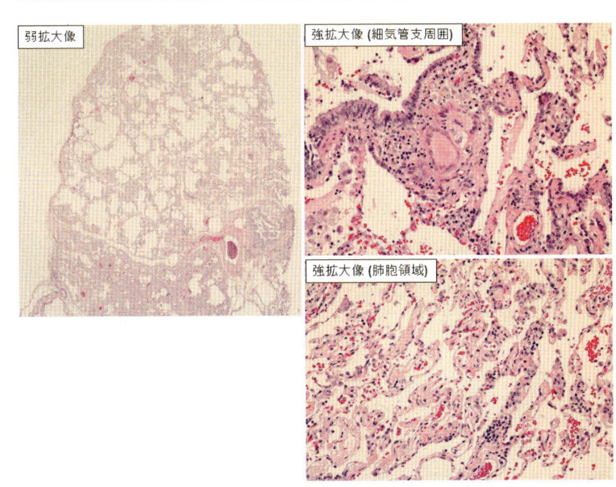

図 78　過敏性肺炎（亜急性）．弱拡大像では，びまん性に肺胞壁に炎症細胞の浸潤を認める．細気管支壁に小型の類上皮細胞性肉芽腫を，肺胞壁には炎症性小円形細胞の浸潤を認め，胞隔炎の所見をみる

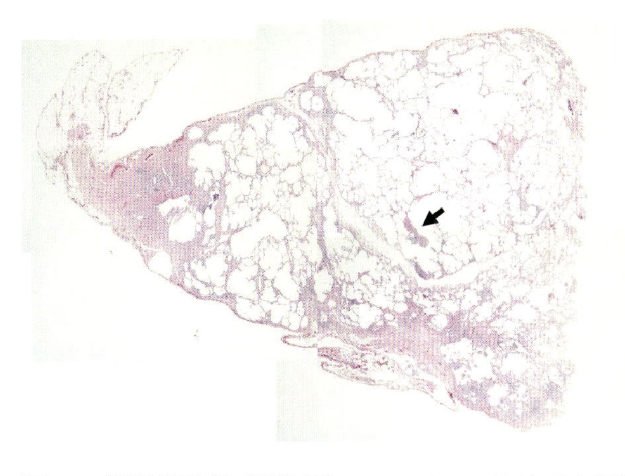

図 79　過敏性肺炎（慢性型）．UIP パターンを思わせる斑状分布の線維化を認める．胸膜直下に線維化を認めるが，小葉中心部位にも病変を伴っている（⬆）．ルーペ像

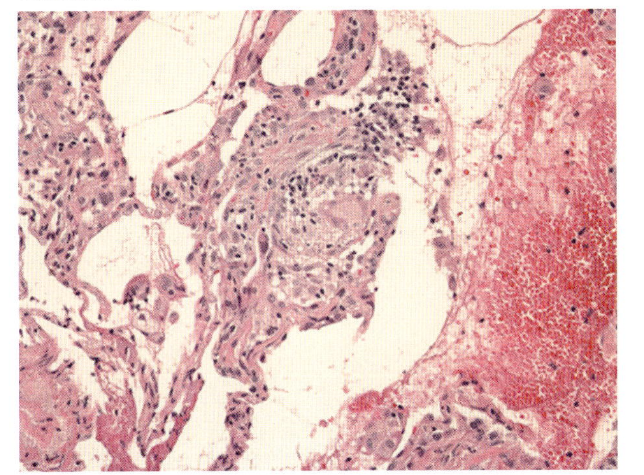

図 80　同上．小型の壊死を伴わない類上皮細胞性肉芽腫を認める．強拡大

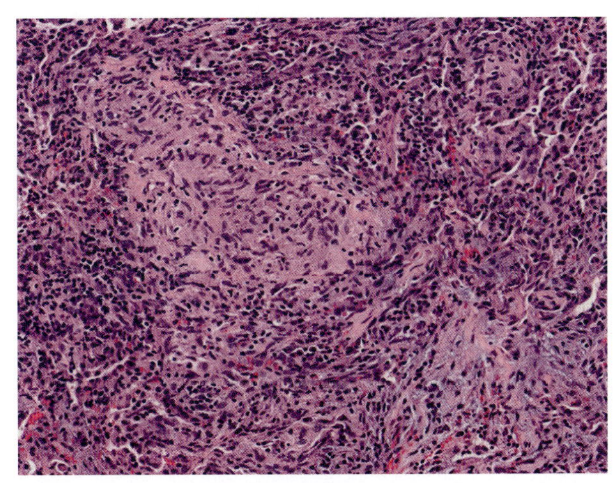

図 81　クローン病に伴う肺病変．壊死を伴わない類上皮細胞性肉芽腫を認める．気腔内器質化所見と肺胞壁に炎症細胞浸潤も伴っている．強拡大

過敏性肺炎　抗原性をもつ物質を吸入することで個体が感作され，その抗原物質を反復して吸入することにより，肺に過敏性免疫反応が引き起こされる肺疾患の総称である．亜急性型は経気管支肺生検で必要な組織像を得ることが多く，胞隔炎，壊死を伴わない類上皮細胞性肉芽腫（**図 78**），Masson 体の所見が重要である．慢性型では，経気管支肺生検の診断的価値は低い．外科的生検では，UIP や NSIP パターンなどの所見を認め，小葉中心性に強い線維化（**図 79**），小葉中心部の線維化と胸膜直下の線維化を結ぶ架橋線維化やコレステリン結晶を貪食する多核巨細胞などの所見を伴う．肉芽腫を認める場合（**図 80**）と認めない場合がある．

【鑑別診断】　膠原病肺，IPF/UIP，塵肺などがあがる．

膠原病に合併した肺病変（**表 8** 参照）　肺組織，胸膜，呼吸筋などを含めて，同時に複数の構成成分を侵しうる．肺組織の病変に関しても，間質性肺炎や気道病変が合併するなど複雑な組織像をとることがしばしばみられる．たとえば関節リウマチでは，間質性肺炎，胸膜炎，血管炎，濾胞性細気管支炎，閉塞性細気管支炎，器質化肺炎，好酸球性肺炎などを起こし，感染症の合併や治療の影響が加わることがあり，複雑な所見を呈する．形態だけでは膠原病と判断できないため，内科医や放射線科医と相談する必要がある．組織学的に，著しい形質細胞浸潤，germinal center を伴うリンパ濾胞，著しい胸膜炎などの所見をみた場合は，膠原病を十分にルールアウトする必要がある．

炎症性腸疾患に合併した肺病変　潰瘍性大腸炎やクローン病においても，まれに肺に病変を伴うことがある．気管支炎，細気管支炎，気管支拡張症や間質性肺炎の報告がある．クローン病では，壊死を伴わない類上皮細胞性肉芽腫を認めることがある（**図 81**）．この場合には，感染症の合併を十分にルールアウトする必要がある．

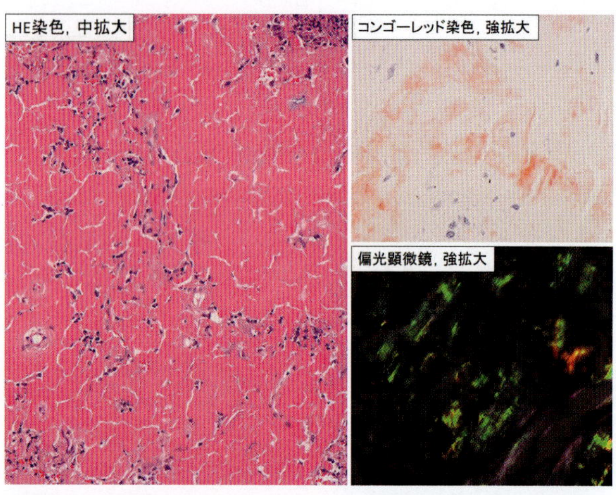

図82 アミロイドーシス．好酸性に染まる無構造の細胞外沈着物を認める．コンゴーレッド染色で赤橙色に染色され，偏光顕微鏡で黄緑色の複屈折を呈する

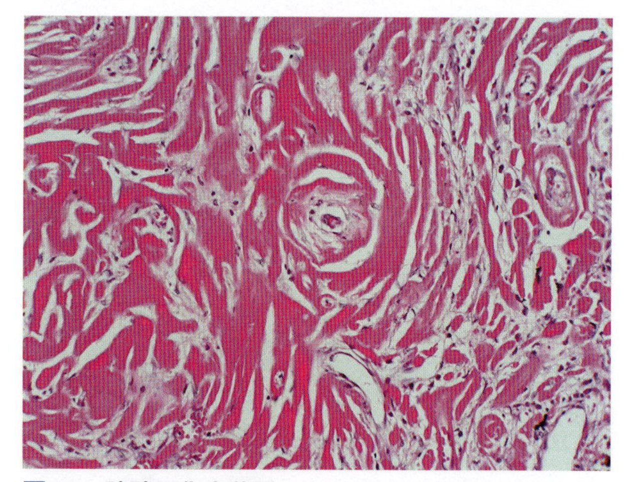

図83 肺硝子化肉芽腫．膠原線維が小血管を中心に同心円状，層状に増生する．強拡大

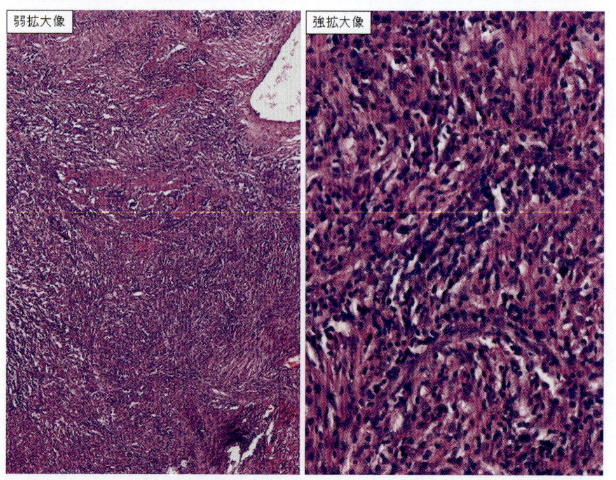

図84 IgG4関連疾患．著明なリンパ球および形質細胞の浸潤，storiform fibrosisを認める

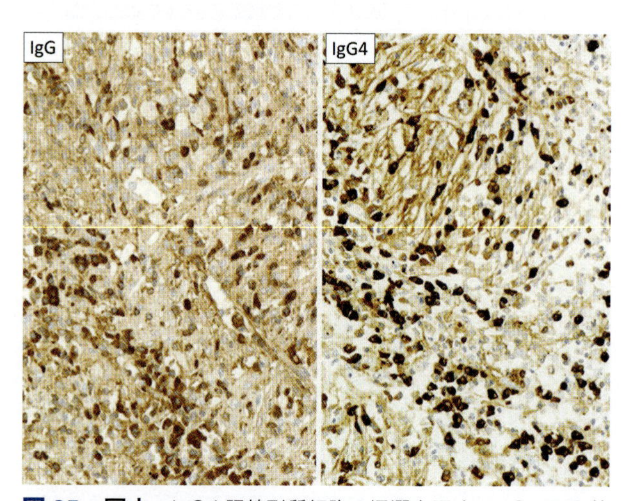

図85 同上．IgG4陽性形質細胞の浸潤を認め，IgG4/IgG比は40%以上を呈する．強拡大

アミロイドーシス　アミロイドが臓器に沈着することで機能障害を引き起こす疾患の総称である．アミロイドはHE染色で好酸性に染まる無構造の細胞外沈着物で（**図82**），コンゴーレッド染色で赤橙色に染色され，偏光顕微鏡で黄緑色の複屈折を呈する．異常形質細胞によって産生される免疫グロブリン軽鎖由来のアミロイドALが沈着するALアミロイドーシスや，慢性炎症疾患に合併するAAアミロイドーシスがある．呼吸器系のアミロイドーシスは，アミロイドALが多く，まれにアミロイドAAによるものも認められる．膠原病やリンパ腫に続発するものや過敏性肺炎，結核症，間質性肺炎などに伴うのもがある．アミロイドALの沈着を認めた場合には，多発性骨髄腫やリンパ腫が背景にあることがあるため，注意が必要である．

肺硝子化肉芽腫　原因不明の多発性あるいは単発性の境界明瞭な病変で，膠原線維が小血管を中心に同心円状，層状に増生する（**図83**）．肉芽腫の名称がついているが，肉芽腫ではない．周辺部にはリンパ濾胞の形成とリンパ球および形質細胞の浸潤を認める．

【鑑別診断】　アミロイドとの鑑別が必要である．リンパ濾胞の形成とリンパ球および形質細胞の浸潤のため，リンパ腫との鑑別に苦慮することもある．

IgG4関連疾患　高齢男性に多く，自己免疫異常や血中IgG4高値に加え，同時性あるいは異時性に全身諸臓器の腫大や結節・肥厚性病変などを認める原因不明の特異な疾患群と考えられている．病理所見は，①著明なリンパ球およびIgG4陽性形質細胞の浸潤，②storiform fibrosis（**図84, 85**），③閉塞性静脈炎である．肺病変では，この3つがそろわないことが多い．また閉塞性動脈炎を認めることがある．

【鑑別診断】　multicentric Castleman diseaseなどが鑑別となる．IgG4関連疾患に比べ，multicentric Castleman diseaseではリンパ球形質細胞浸潤が主体で，活動性線維化や肉芽性変化は乏しい．

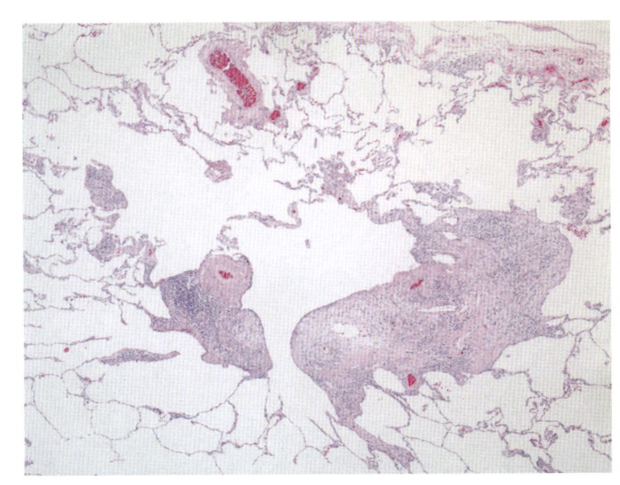

図 86　肺ランゲルハンス細胞組織球症．細気管支周囲に結節状に病変がみられる．弱拡大

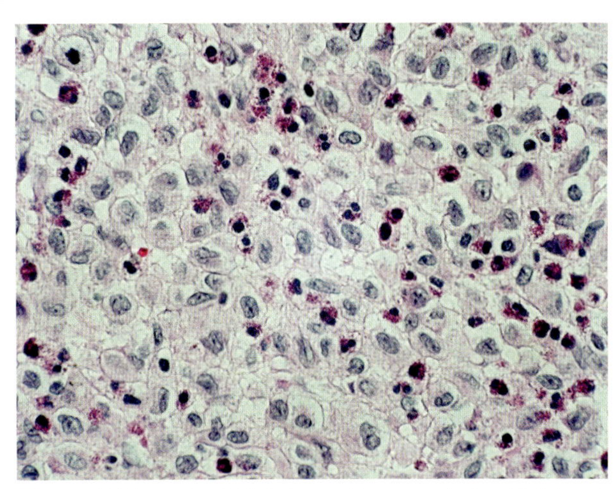

図 87　同上．核溝が特徴的なランゲルハンス細胞の増殖を認める．好酸球の浸潤も伴っている．強拡大

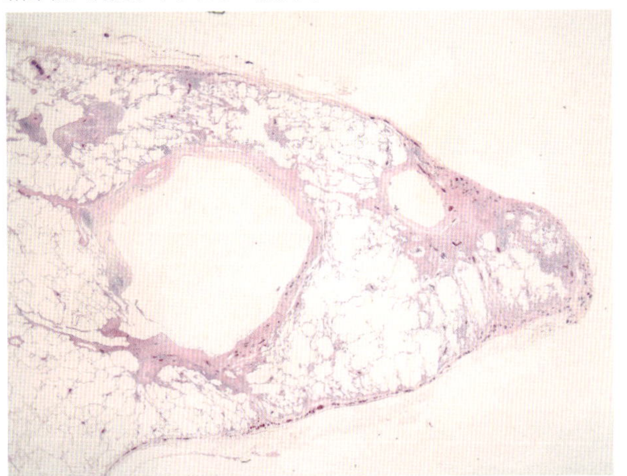

図 88　同上．破壊された細気管支腔は拡張し，嚢胞状病変となっている．ルーペ像

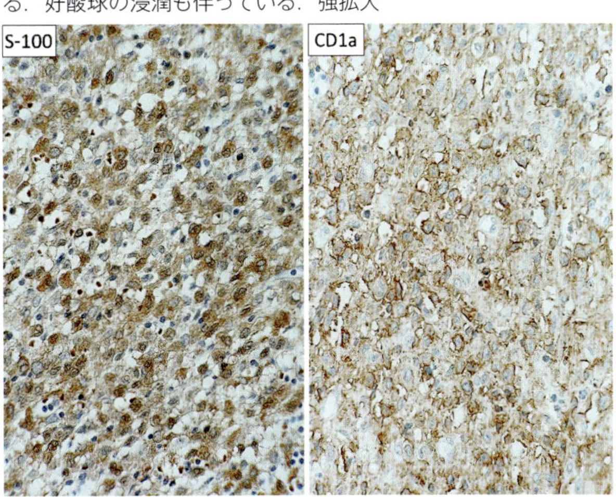

図 89　同上．ランゲルハンス細胞には CD1a や S-100 が陽性を呈する．免疫染色．強拡大

多くは喫煙歴のある成人に生ずる．喫煙を契機とする TNF-α 産生などを介したランゲルハンス細胞の分化・増殖や，*BRAF* 遺伝子異常を伴う腫瘍性病変などの説がある．症状としては，咳嗽，息切れ，自然気胸などがみられる．胸部 CT 所見では，初期には結節陰影が主体で，病変が進行すると嚢胞状病変が認められる．上肺野優位な病変を呈する．

組織像は，細気管支周囲に結節状に病変がみられ(**図 86**)，ランゲルハンス細胞（核溝が特徴的で，CD1a，S-100 および CD207 が陽性）の増殖が認められる．好酸球浸潤を伴っていることが多い（**図 87**）．時間経過とともに，破壊された細気管支腔は拡張し，嚢胞状病変となる（**図 88**）．さらに時間が経過すると，ランゲルハンス細胞は認識しにくくなり，星芒状の線維化となる．また，剝離性間質性肺炎様所見とよばれる気腔内の褐色顆粒をもつマクロファージ集簇も認めることがある．

喫煙者の小葉中心性の結節をみた場合に，核溝が特徴的なランゲルハンス細胞の増殖を確認することが診断に重要と思われる．免疫染色では，CD1a，S-100，CD207 の免疫染色がランゲルハンス細胞の同定に有用とされている（**図 89**）．

時間が経過した病変では，ランゲルハンス細胞の同定が難しい場合がある．ランゲルハンス細胞が目立たない場合には，CD1a や S-100 などの免疫染色で，ランゲルハンス細胞の cluster を確認することが必要になる．ランゲルハンス細胞を認めない場合にも，小葉中心部位に星芒状の線維化を認める場合には，肺ランゲルハンス細胞組織球症の可能性があるため，臨床画像病理の総合的な検討が必要となる．

【鑑別診断】 好酸球性肺炎，陳旧化したサルコイドーシス，UIP, NSIP などが鑑別にあがる．ランゲルハンス細胞の同定や小葉中心部位の星芒状の線維化が鑑別の助けとなる．

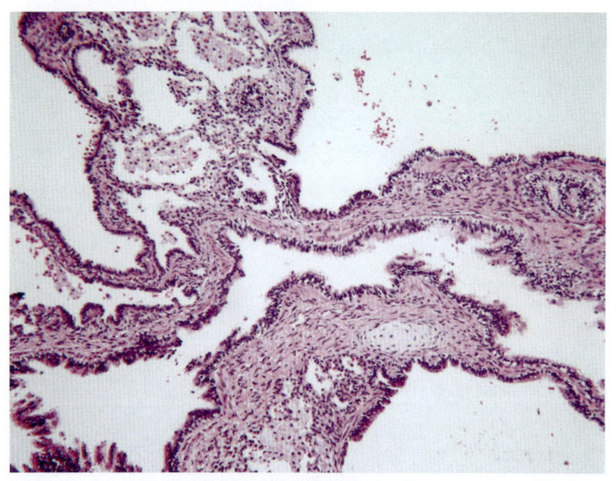

図 90　先天性嚢胞性腺腫様奇形（Type 1）．円柱上皮に覆われた大型の嚢胞がみられ，嚢胞壁に軟骨も認める．中拡大

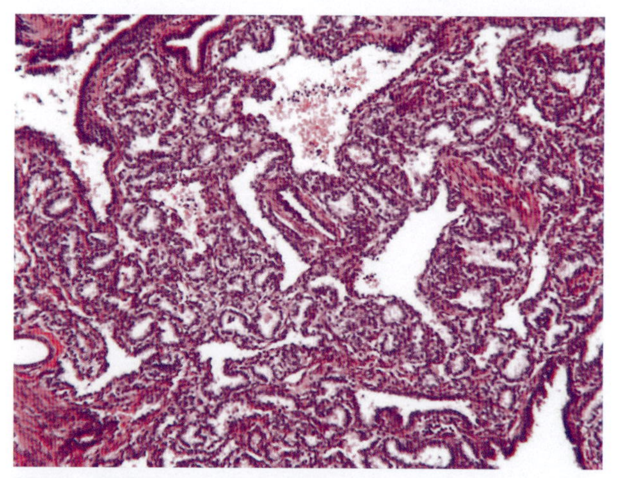

図 91　同前（Type 3）．肺の発育段階での early canalicular stage の肺組織に類似した肺組織を認める．中拡大

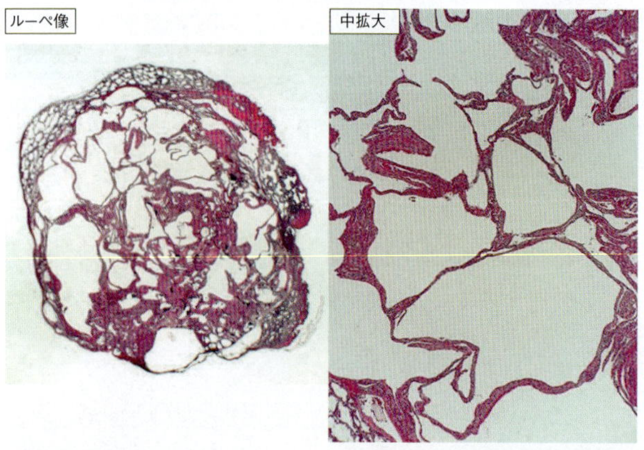

図 92　同前（Type 4）．ルーペ像では，大型の嚢胞形成がみられる．中拡大像では，Type 1 とは異なり，扁平な上皮で被覆されている

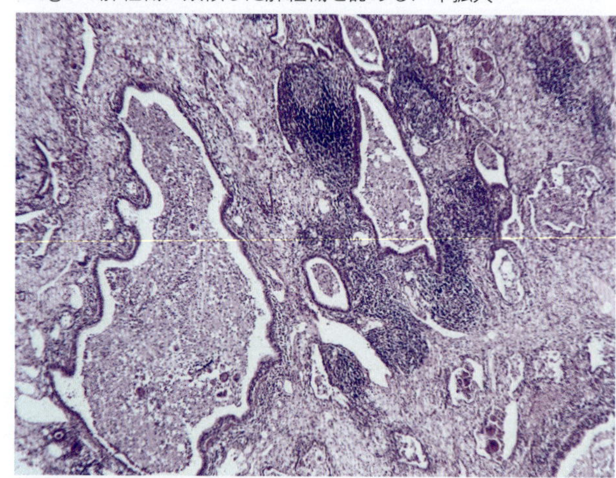

図 93　肺分画症（肺葉内型）．慢性炎症と線維化および気道の拡張を認める．中拡大

先天性嚢胞性腺腫様奇形　無秩序な肺組織からなる過誤腫性病変で，しばしば嚢胞性所見を伴う．現在では，5 型に分類されている．

Type 0：肺胞が形成されない生存不可能なもの．

Type 1：60〜70％を占め，最も多い．円柱上皮に覆われた大型の嚢胞からなる（**図 90**）．33％の症例で粘液細胞を認め，5〜10％の症例で軟骨をみる．

Type 2：比較的小型の嚢胞形成が特徴的で，上皮は終末細気管支に類似している．5％ほどの症例に骨格筋が認められる．他臓器の奇形の合併が多い．

Type 3：肺の発育段階での early canalicular stage の肺組織に類似している（**図 91**）．

Type 4：大型の嚢胞形成がみられるが，Type 1 とは異なり，扁平な上皮で被覆されている（**図 92**）．この型は pleuropulmonary blastoma との鑑別が問題となる．

肺分画症　肺組織の一部が完全ないし部分的に分離し，気管支系と交通がないものをいう．胸膜に覆われて正常肺と完全に分離している肺葉外型と正常肺で囲まれた肺葉内型がある．大循環系から栄養されている．肺葉外型では，静脈系は奇静脈などに還流し，肺葉内型では肺静脈に還流する．

肺葉外型の組織所見は炎症所見に乏しいことが多い．奇形を合併することが多く，横隔膜ヘルニアが多い．

肺葉内型は，反復感染症や喀血をきたすことが多く，組織所見においても，慢性炎症，線維化（**図 93**），膿瘍または嚢胞形成をすることが多い．

第5章

消化器系

（1）口腔

概　説

口腔の機能は食物の摂取や咀嚼，消化と嚥下のほかに，吸啜や哺乳に必要な陰圧の発生，口腔をはじめとする消化管の潤滑化，感染防御，構音，味覚，感覚受容，刺激に対する反射など多岐にわたる．したがって，頭頸部の限られた領域に，これらの機能を司るさまざまな組織が解剖学的，機能的に複雑に入り組んで存在している．すなわち，口腔では身体他部と共通して発生するさまざまな病変のほか，歯をはじめとする口腔に特徴的な組織から発生する病変が存在する．

口腔の全面は粘膜によって覆われており，粘膜中には味覚受容器や小唾液腺などの多数の付属器が存在している．粘膜上皮は重層扁平上皮からなっているが，口腔内の部位により上皮の厚さや角化の状態など組織学的な様相は大きく異なる．咀嚼などの物理的刺激を受けやすい歯肉，舌背部や口蓋粘膜では上皮は厚く，錯角化がみられ，頬粘膜，舌下面，口底部粘膜では上皮は薄く，通常角化はみられない．また口腔粘膜は線維性結合組織からなる粘膜固有層に支持されているが，口腔内の部位により粘膜固有層の構造は大きく異なる．歯肉や硬口蓋のように粘膜と骨が接する部の固有層は密な線維性結合組織で構成されている．一方，口腔底や頬粘膜のように可動性の高い部の固有層は，疎な線維性結合組織を介して筋層へ続いている．

一般に，口腔に発生する病変の主体は炎症性病変であり，いわゆる口腔細菌によって引き起こされる歯髄炎，歯周炎をはじめとして粘膜部での炎症を生じる頻度も高い．また，口腔粘膜においても天疱瘡をはじめとした種々の皮膚粘膜疾患が生じる．

口腔粘膜由来の腫瘍性病変で重要なものは扁平上皮癌であり，粘膜由来の悪性腫瘍として最も発生頻度が高い．扁平上皮癌の診断においては，口腔上皮性異形成，炎症性・反応性粘膜病変との鑑別が必須である．

また口腔内にはクラウンやブリッジ，義歯などの歯科補綴物が存在する頻度が高いが，補綴物による粘膜の傷害を生じることがままある．これらは一見，前癌病変を思わせる組織像を呈する場合もあるので注意が必要である．また，高齢者や，免疫力の低下した患者の口腔内ではカンジダ症などの感染症により著明な角化の亢進をきたす場合があり，単なる上皮の反応性過形成と区別する必要がある．

口腔に特徴的な硬組織である歯は，上皮組織と間葉組織の双方のコンポーネントで構成されている．歯の発生は原始口腔粘膜の肥厚から始まる．肥厚した上皮は次第に間葉に向かって陥入を始め，歯堤を形成する．歯堤の一部分では細胞増殖が活発になり，局所的に膨大がみられるようになる．膨大した歯堤上皮の周囲には神経堤由来の外胚葉性間葉細胞が多数集簇し，歯の原器である歯胚として発生していく．歯胚の上皮性構造はエナメル器，その周囲の外胚葉性間葉が密集した領域は歯乳頭とよばれ，エナメル器からは歯の硬組織であるエナメル質，歯乳頭からは象牙質，歯髄が形成されてくる．発達にともなってエナメル器と歯乳頭の周囲には歯小嚢とよばれる線維性の被膜様構造が出現し，セメント質，歯根膜などの形成に関与する．

歯原性腫瘍はこのような歯の発生過程でみられる組織細胞分化の様相を種々の程度に反映しており，歯原性上皮と外胚葉性間葉組織の相互作用の有無は，歯原性腫瘍の分類の基本となっている．また顎顔面領域は嚢胞性疾患の好発部位とされており，歯原性の炎症性嚢胞や発育性嚢胞が多数生じ，非歯原性嚢胞，歯原性腫瘍との病理組織学的な鑑別が重要になる．

以下，口腔に発生する病変の概要を踏まえ，口腔領域に特有もしくは発生頻度の高い疾患を中心に，病理組織診断を行ううえでのポイントを交えながら解説する．

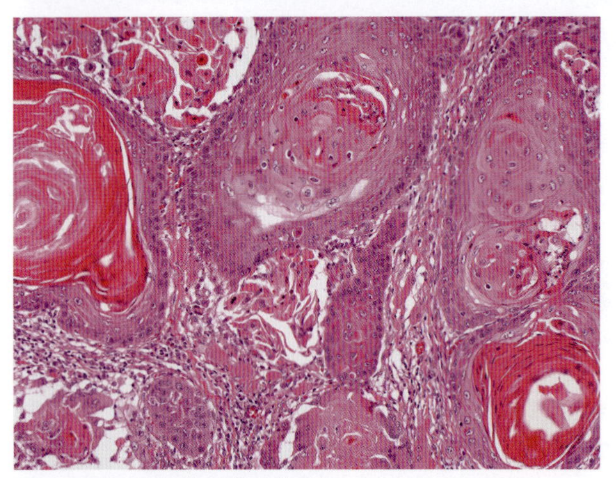

図1　扁平上皮癌（高分化型）. 角質球の形成を伴う大小の胞巣形成がみられる．中拡大

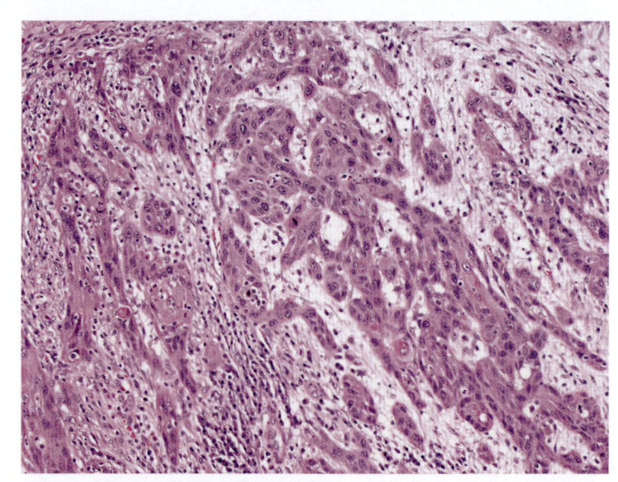

図2　扁平上皮癌（低分化型）. 細胞異型の著明な角化傾向に乏しい細胞が充実性に増殖する．中拡大

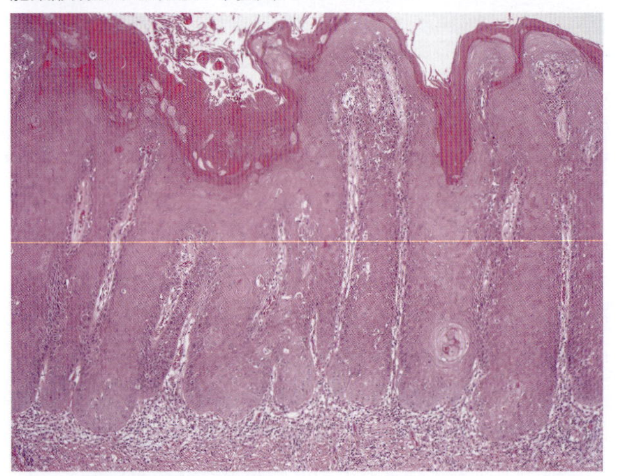

図3　疣贅状扁平上皮癌. 上皮は乳頭状に増殖し，棘細胞の増殖からなる太い上皮突起を伸ばしている．弱拡大

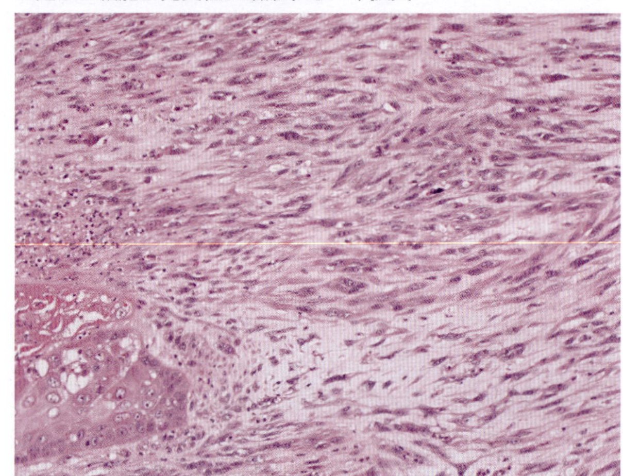

図4　紡錘形細胞扁平上皮癌. 異型紡錘形細胞の肉腫を思わせる増殖がみられる．中拡大

扁平上皮癌　口腔悪性腫瘍で最も一般的な腫瘍であり，舌や歯肉に好発する．50〜60歳代の男性に多い．肉眼的には外向性にカリフラワー状に増殖するものや，潰瘍形成を伴うもの，白板状を呈するものが多い．組織学的には扁平上皮への分化傾向を示す異型細胞が胞巣を形成しながら浸潤性に増殖する．扁平上皮癌は細胞の分化度により分類されており，高分化型，中分化型，低分化型に分類されている．高分化型では胞巣の層状分化や角化が明瞭であるが（**図1**），低分化型では層状分化と角化がみられない（**図2**）．中分化型はその中間に位置する．以下，扁平上皮癌の代表的な亜型を示す．

疣贅状扁平上皮癌 verrucous squamous cell carcinoma　粘膜上皮が外向性，乳頭状に増殖する浸潤性の弱い高分化な癌である．口腔に多く，高齢男性の歯肉や頬粘膜に好発する．肉眼的には外築性発育をする腫瘤として認められ，周囲との境界は明瞭である．組織学的には表層に厚い角質層の形成を伴い，棘細胞層の肥厚した上皮突起が結合組織を圧排するように上皮下へ突出している．表層では角質層の陥入により角質栓を形成する．上皮組織の層状分化は保たれており，浸潤像はほとんどみられない（**図3**）．

紡錘形細胞扁平上皮癌 spindle cell squamous cell carcinoma　紡錘形腫瘍細胞の増殖を主体とする扁平上皮癌の亜型で，高齢者に多く，口腔よりも喉頭に多い．潰瘍を伴うポリープ状の腫瘤形成をみることが多く，組織学的には肉腫を思わせる異型紡錘形細胞のびまん性もしくは束状増殖からなる．腫瘍は異形成上皮からの連続性や通常型扁平上皮癌の像を伴うことが多い（**図4**）．免疫組織化学的に vimentin，cytokeratin ともに陽性を示す．

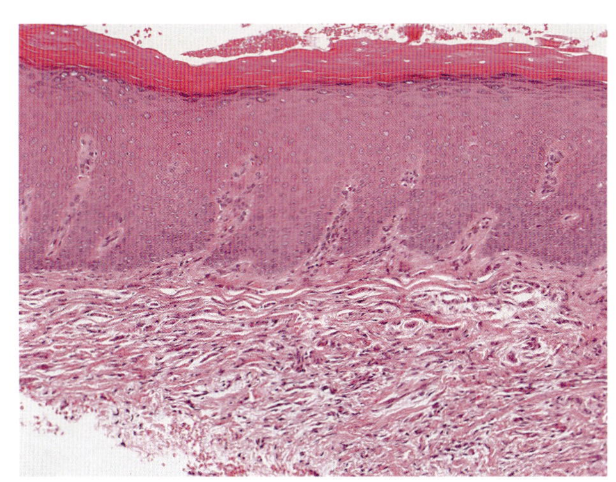

図5　過角化症. 角質層の肥厚と顆粒細胞層が認められる．構造異型や細胞異型はみられない．中拡大

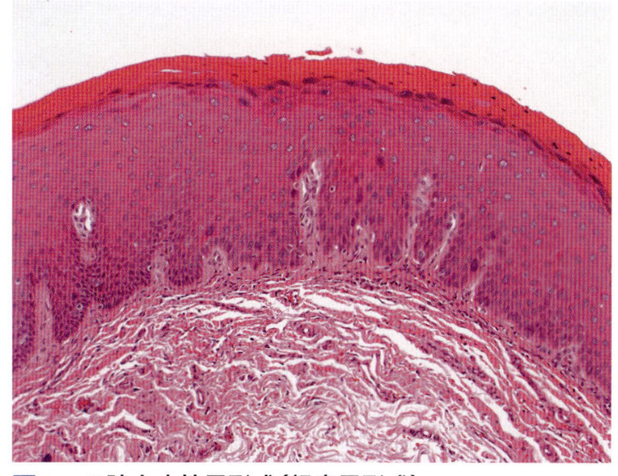

図6　口腔上皮性異形成（軽度異形成）. 細胞異型と構造異型が上皮の下層 1/3 にとどまっている．中拡大

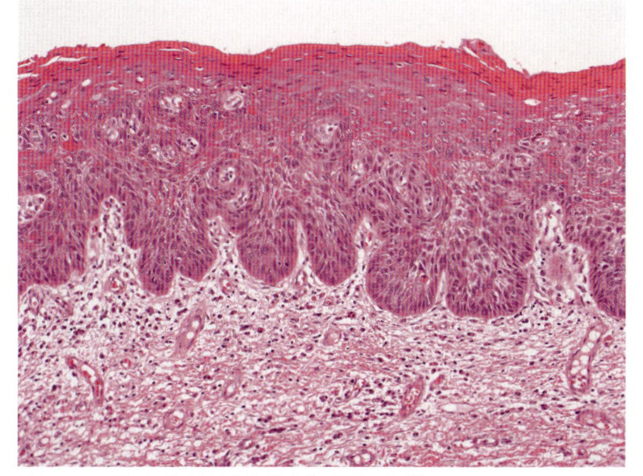

図7　口腔上皮性異形成（高度異形成）. 細胞異型と構造異型が上皮層 2/3 以上でみられる．中拡大

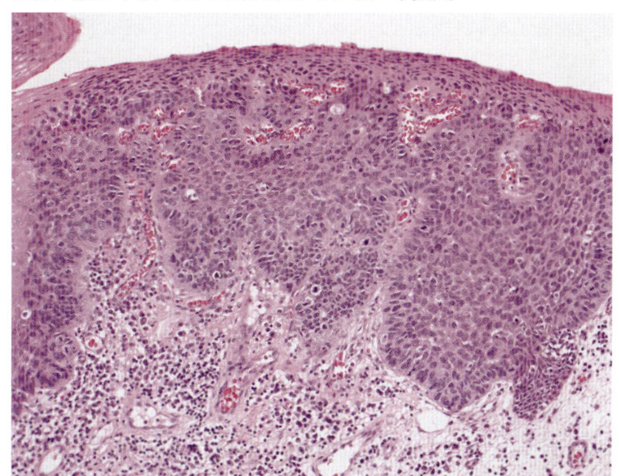

図8　上皮内癌（全層置換型）. 上皮の全層が異型細胞により置換されている．中拡大

口腔潜在的悪性疾患 oral potentially malignant disorders は臨床的に定義可能な前駆病変か正常な口腔粘膜かにかかわらず，口腔癌へ進展する危険性を有する臨床症状と定義され，なかでも白板症 leukoplakia や紅板症 erythroplakia は多く認められる．白板症は臨床的・病理学的に他の疾患の特徴を有さない白色病変に対する臨床病名で，50〜70 歳代に好発し，男性に多い．部位では舌縁，舌下面，歯肉，口腔底に多い．紅板症は鮮赤色を呈する臨床的・病理学的に他の疾患の特徴を有さない平坦な病変に対する臨床病名で，白板症に比べ癌化率が高い．50〜60 歳代に多く，口底部，頬粘膜，舌や口蓋に好発する．これらの病変の多くは病理組織学的に上皮性異形成と診断されるが，**過角化症**（**図5**）や**上皮性過形成**などの非腫瘍性，反応性病変を含む場合があり鑑別が不可欠である．

口腔上皮性異形成　WHO（2017）の組織分類において，口腔上皮性異形成は「遺伝子変異の蓄積により引き起こされ，扁平上皮癌へ進展するリスクの増加を伴う，上皮の構造学的および細胞学的一連の変化」と定義されており，組織学的に①不規則な細胞重層，②基底細胞の極性喪失，③滴状の上皮釘脚形態，④細胞分裂像の増加，⑤上皮表層の細胞分裂，⑥棘細胞層内の角化や単一細胞角化，⑦上皮釘脚内の角化真珠，⑧上皮細胞の接着喪失などの構造異型と，(a) 核の大小不同，(b) 核の形状不整，(c) 細胞の大小不同，(d) 細胞の形状不整，(e) N/C 比の上昇，(f) 異型核分裂，(g) 核小体の増加と腫大，(h) 濃染性核などの細胞異型の程度により軽度異形成（**図6**），中等度異形成，高度異形成（**図7**）に分類されている．WHO（2017）では新しい分類法として低異型度異形成（Low-grade dysplasia）と高異型度異形成（High-grade dysplasia）に分類する 2 分類法についても記載されている．高度の異型が上皮のほぼ全層にみられる場合は上皮内癌 carcinoma *in situ*（**図8**）と診断される．なお口腔粘膜では表層に明瞭な分化を保ちつつ基底細胞側に高度の細胞異型を伴うタイプの上皮内癌が存在しており，浸潤癌へ進展することがあるので注意が必要である．

顆粒細胞腫，毛細血管腫，海綿状血管腫およびリンパ管腫 | Granular cell tumor, Capillary hemangioma, Cavernous hemangioma and Lymphangioma

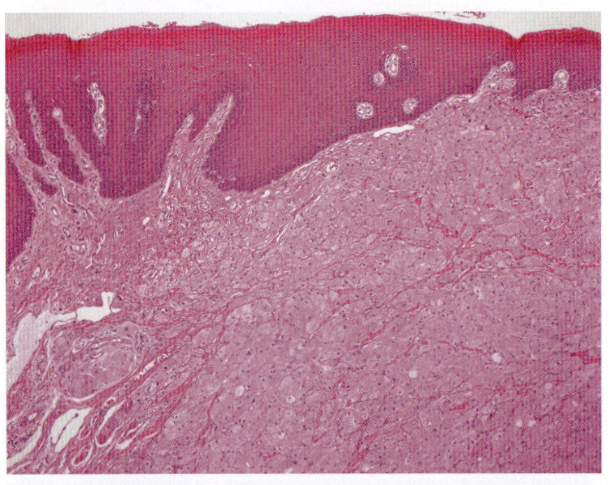

図 9　顆粒細胞腫． 腫瘍細胞は充実性に増殖し細胞境界が不明瞭である．弱拡大

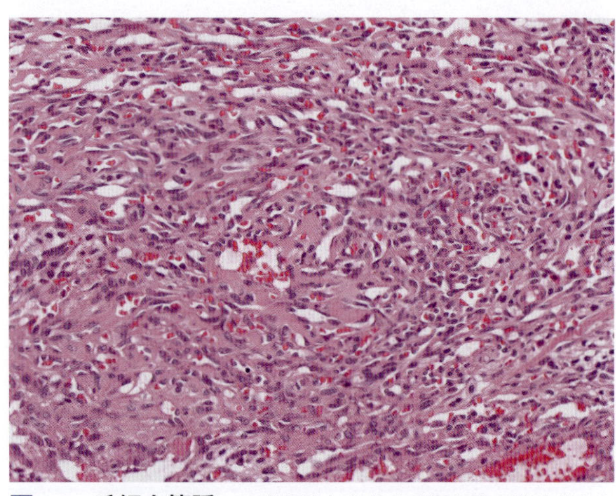

図 10　毛細血管腫． 内皮細胞からなる毛細血管の増殖がみられる．中拡大

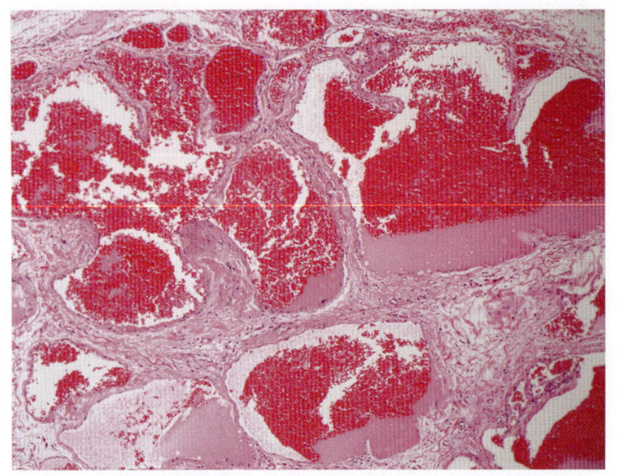

図 11　海綿状血管腫． 拡張した血管が海綿状に増殖している．血管の内腔は 1 層の内皮細胞で覆われている．弱拡大

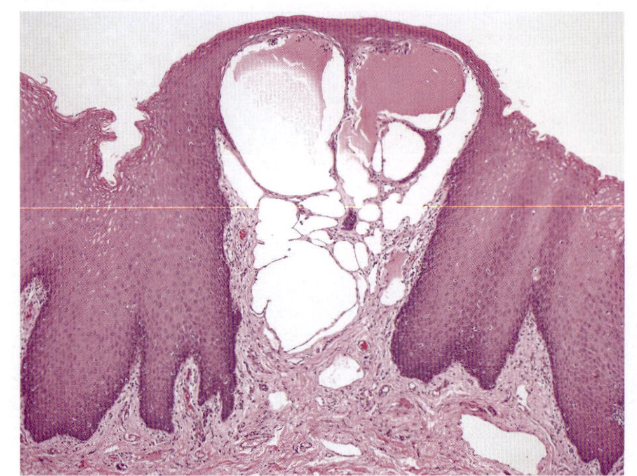

図 12　リンパ管腫． 上皮下に拡張した大小のリンパ管の増生がみられる．弱拡大

顆粒細胞腫　細胞内の微細顆粒の出現を特徴とする軟部組織腫瘍．口腔では舌を好発部位とし，口唇，頬粘膜，歯肉などにも発生する．あらゆる年齢層に生じ，女性に多い．臨床的には無症候性で，粘膜上皮で被覆された有茎性もしくは結節状の腫瘤を形成する．組織学的には細胞質内に好酸性微細顆粒が充満した小型濃縮核を有する円形〜紡錘形の腫瘍細胞がシート状や索状に増殖する（**図 9**）．腫瘍組織内に末梢神経束を認めることが多く，免疫組織化学的に腫瘍細胞は S-100 陽性を示す．ときに被覆上皮で偽上皮様過形成を生じる．

血管腫　口腔領域では粘膜病変として認められることが多く，発生年齢は先天性のものから，小児期〜中高年期まで認められる．好発部位は舌，口唇，頬粘膜であるが，まれに顎骨内での発生をみることがある．粘膜部に発生するものは肉眼的に外向性，隆起性で，色調はうっ血の状態などにより赤色，青紫色を呈し，圧迫により退色する．**毛細血管腫**では 1 層の内皮細胞からなる毛細血管の増殖が，胞巣状，分葉状にみられる．管腔形成に関与しない内皮細胞の充実性増殖も認められる（**図 10**）．乳児から小児期に多く，若年性毛細血管腫の名称がある．自然消退がみられる例がある．**海綿状血管腫**では拡張した血管腔をもつ血管が海綿状に増生する．拡張した血管の内腔は 1 層の内皮細胞に覆われているが，血管壁に平滑筋の増殖はみられない（**図 11**）．また拡張した血管腔内に血栓や静脈石の形成を伴うことがある．

リンパ管腫　リンパ管の増殖からなる腫瘍状病変であるが，多くは先天性組織異常による疾患とされている．通常小児に多く，口腔では舌，頬粘膜，口唇に好発する．腫瘍が当該領域に広範に分布した場合はしばしば巨舌症や巨唇症などを引き起こす．組織学的には粘膜上皮下に 1 層の内皮細胞に覆われた，大小の拡張した多数のリンパ管の増生をみる（**図 12**）．

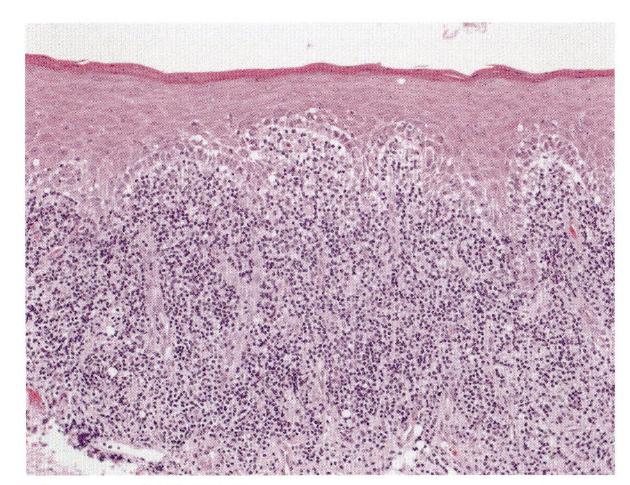

図 13　口腔扁平苔癬．上皮は釘脚を形成し，粘膜上皮下に著明なリンパ球の浸潤を認める．中拡大

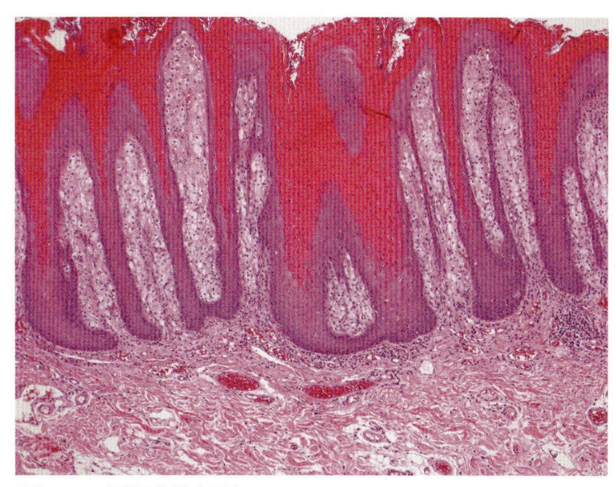

図 14　疣贅型黄色腫．伸長した上皮脚間の結合組織に泡沫細胞が集簇している．弱拡大

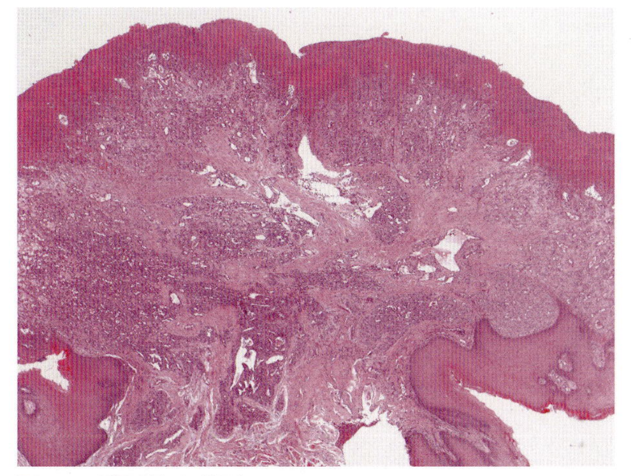

図 15　膿原性肉芽腫．炎症性肉芽組織を伴って小血管が集合して多数の結節を形成している．弱拡大

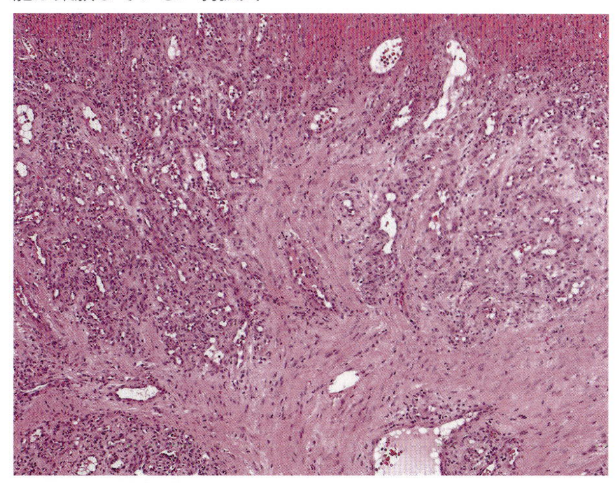

図 16　同前．結節状構造には多数の毛細血管の増生，炎症細胞浸潤がみられる．弱拡大

口腔扁平苔癬　扁平苔癬は口腔において発症頻度の高い粘膜病変で，特徴のある白斑を生じる．臨床的には中年女性に多く，頬粘膜に好発する．病変部では萎縮した上皮と肥厚した上皮が交錯するため紅白の模様がレース状を呈する．経過中に扁平上皮癌が生じることがあり，口腔潜在的悪性疾患と考えられている．発症には細胞性および液性免疫が関与するとされ，口腔では歯科用金属に対するアレルギーとの関連も示唆されている．組織学的には上皮下のリンパ球の帯状浸潤が特徴的で，上皮組織では角化亢進と有棘層の肥厚，基底細胞の変性と消失，鋸歯状の釘脚形成，基底膜近傍で好酸性物質の沈着などがみられる（**図 13**）．

疣贅型黄色腫　口腔粘膜を好発部位とする顆粒状，乳頭状の隆起性病変．40 歳以上の歯肉，歯槽粘膜部に多く，境界明瞭な小腫瘤を形成する．組織学的には被覆上皮の上皮脚が突起状に伸長し，上皮脚間の結合組織乳頭部に泡沫細胞（黄色腫細胞）が集簇する像が特徴的である（**図 14**）．黄色腫細胞は単球/マクロファージ系の細胞で，細胞内顆粒は脂質を含んでいる．より深部では慢性炎症細胞浸潤を伴っている．発症に関しては局所の慢性刺激が原因と考えられている．粘膜上皮が偽上皮腫様を呈する場合もある．

膿原性肉芽腫　口腔粘膜に好発し，臨床的には軟らかく出血しやすい腫瘤性病変としてみられる．表層は潰瘍を形成していることが多い．組織学的には粘膜表面から有茎性に突出する腫瘤を形成する幼若な炎症性肉芽組織で，毛細血管の分葉状増殖を伴っており，毛細血管腫に類似した組織像を呈する（**図 15，16**）．表層の潰瘍部では壊死性変化やフィブリンの析出，好中球の浸潤が目立つ．腫瘤の下方組織ではリンパ球や形質細胞を主体とする炎症細胞浸潤を伴う肉芽組織像を形成している．

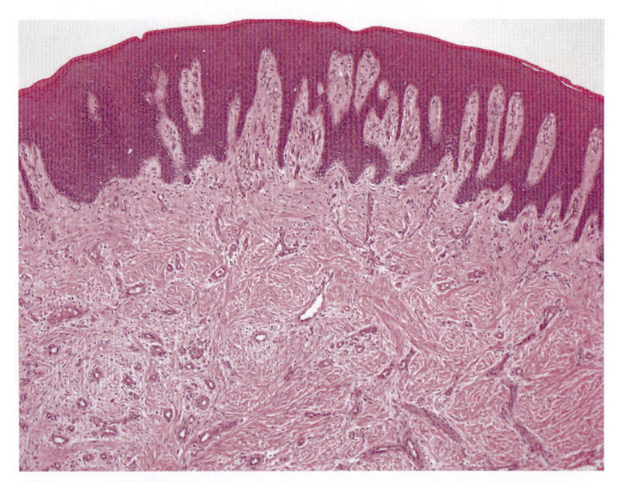

図 17 線維性エプーリス. 細胞成分に乏しい線維性組織で構成されている．弱拡大

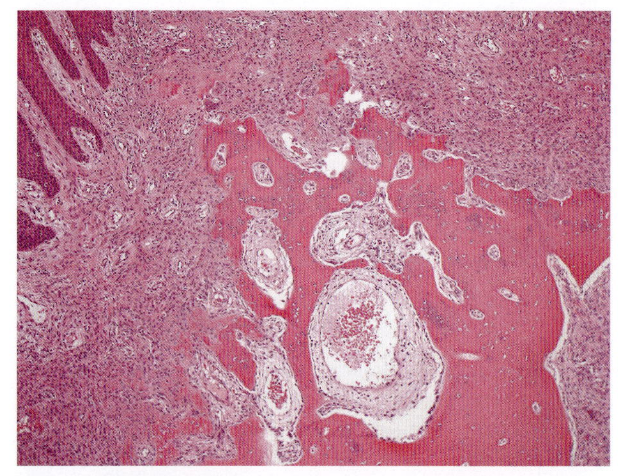

図 18 骨形成性エプーリス. 線維性結合組織内に骨組織の形成がみられる．中拡大

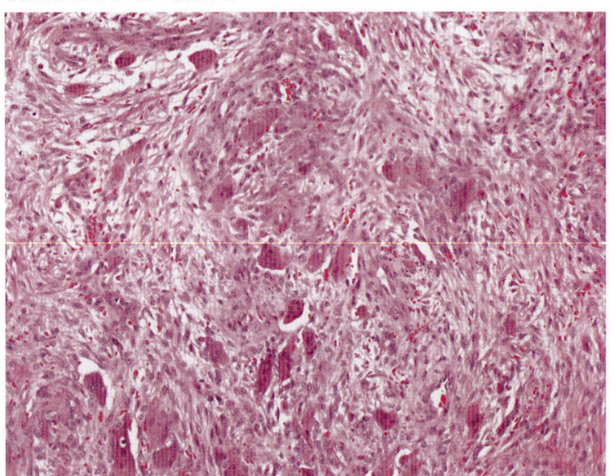

図 19 巨細胞性エプーリス. 毛細血管に富む結合組織内に巨細胞の出現がみられる．中拡大

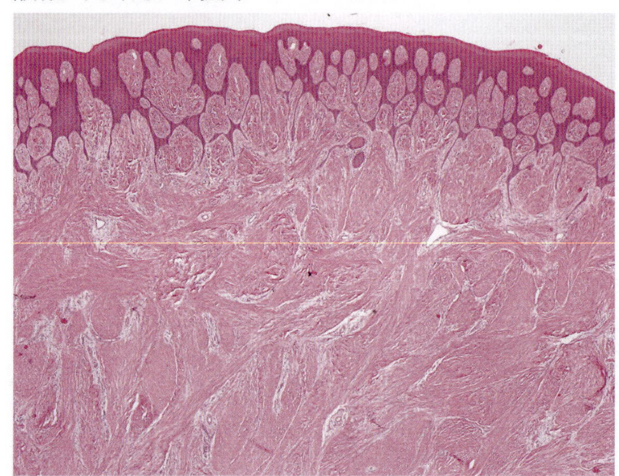

図 20 歯肉線維腫症. 歯肉の線維性過形成と粘膜上皮堤脚の伸長がみられる．弱拡大

エプーリスは歯肉に発生する限局性の腫瘤を表す臨床的な用語で，一般的に炎症性・反応性に生じる歯肉の肉芽組織性腫瘤に対して用いられている．歯や歯肉に対して持続的に加わる局所刺激に対して，歯根膜や歯肉を形成している結合組織から肉芽組織が増生することによって生じる．通常，有歯部歯肉の歯間乳頭部に多くみられ，いずれの年代にも生じる．

組織学的に増生する肉芽組織の性状に応じて次の各型がある．**肉芽腫性エプーリス**は臨床的には柔軟な腫瘤で赤色を呈し，組織学的には炎症性細胞，毛細血管，線維芽細胞の増生が主体を占める細胞成分に富む幼若な肉芽組織である．**線維性エプーリス**は増生した肉芽組織が陳旧化して線維化が亢進したもので，細胞成分は著明に減少している（**図 17**）．肉眼的には白色調で硬い腫瘤を形成する．骨形成性エプーリスは線維性エプーリスに種々の程度の反応性骨形成を伴ったものである（**図 18**）．歯根膜を構成する歯根膜細胞は硬組織形成細胞への分化能を有するとされ，これらの細胞が肉芽組織内で化生骨の形成に関与すると考えられている．**血管腫性エプーリス**は毛細血管に富む肉芽組織の分葉状の増殖からなり，**妊娠性エプーリス**も同様の組織像を呈する．歯肉に生じた周辺性の巨細胞性肉芽腫は**巨細胞性エプーリス**とよばれる．若年者の下顎前歯部に多く，組織学的には巨細胞性肉芽腫と同様で，毛細血管に富む結合組織内に破骨細胞性の多核巨細胞の出現をみる（**図 19**）．

［参考事項］ 歯肉に線維性過形成を生じる疾患として，フェニトイン，ニフェジピン，シクロスポリンなどの薬剤により誘発される薬物性歯肉増殖症のほか，遺伝性および特発性歯肉増殖症がある．組織学的には軽度のリンパ球を主体とする炎症細胞浸潤と密な線維性組織の増生があり，しばしば被覆上皮の肥厚や釘脚の伸長をみることがある（**図 20**）．

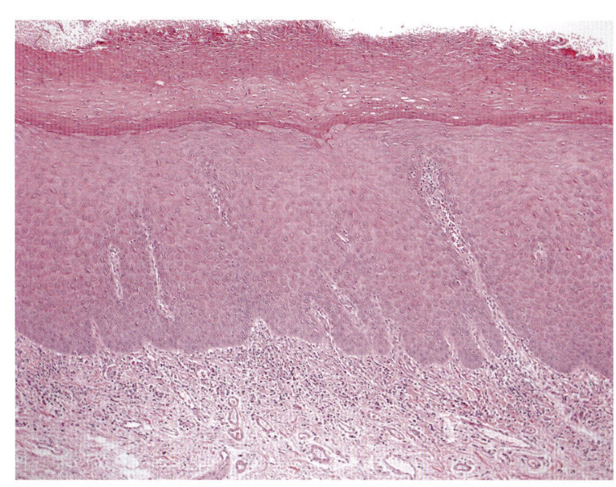

図21　口腔カンジダ症. 角化層の肥厚が著明な上皮にはカンジダ菌が存在する．中拡大

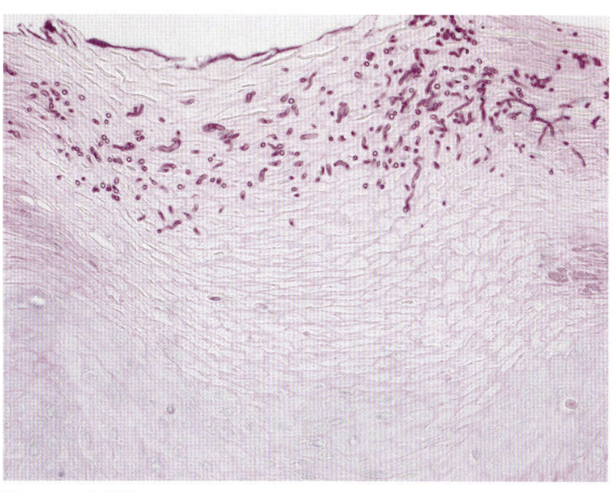

図22　同前. 角質層に多数のカンジダ菌の侵入をみる．PAS染色．強拡大

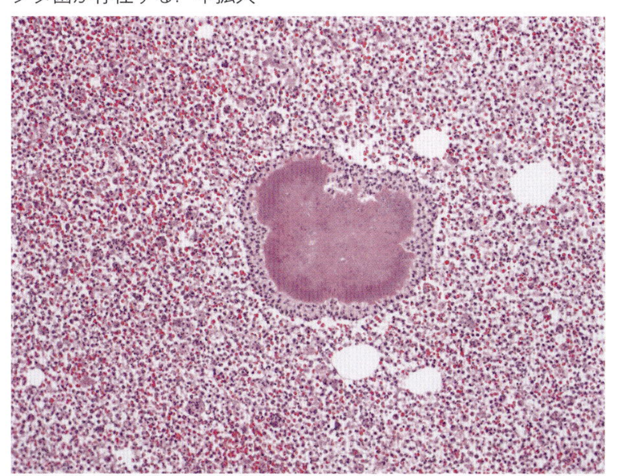

図23　放線菌症. 著明な好中球の滲出がみられる背景中に放線菌塊が存在している．弱拡大

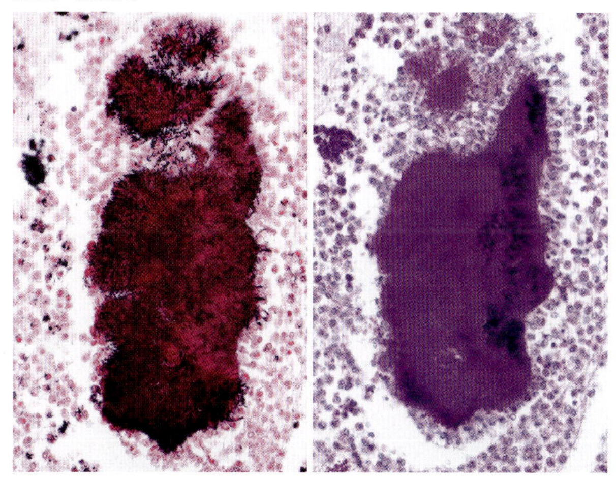

図24　同前. 放線菌塊はGrocott染色（左）およびPAS染色（右）に陽性．強拡大

口腔カンジダ症　口腔では主として *Candida albicans* の日和見感染症として口腔粘膜に発生する．口腔の真菌症として発症頻度が高く，高齢者，白血病やAIDSなど，宿主の免疫力低下によって発症する．また抗生物質の長期連用などによる菌交代現象で生じる場合もある．口腔内では舌，頬粘膜，口蓋に多い．肉眼的に肥厚した白色病変として現れ，容易に剥離する偽膜状の白苔を伴うものを**偽膜性カンジダ症**とよぶ．偽膜性の白苔を伴わない病型としては萎縮性カンジダ症，慢性過形成性カンジダ症がある．組織学像は病型によって異なるが，基本的に粘膜上皮組織における過角化と基底層における上皮脚の伸長があり，表層の角質層内にカンジダ菌の侵入をみる（**図21**）．上皮組織内への炎症細胞浸潤や微小膿瘍の形成をみる場合もある．カンジダ菌の菌体は直状菌糸と芽胞を形成するが，HE染色標本では確認が困難であり，PAS染色やGrocott染色が菌体の同定に用いられる（**図22**）．

放線菌症　放線菌症は口腔常在菌である放線菌による感染症で，主として *Actinomyces israeli* の感染による．放線菌自体の病原性は弱く，常に化膿菌との混合感染を生じている．外傷や重度の歯周疾患，抜歯などの歯科処置に伴って骨内へ感染し，化膿性骨髄炎を生じる．しばしば膿瘍や腐骨の形成，瘻孔の形成をみる．炎症が顎骨外へ波及すると周囲軟組織での多発性膿瘍の形成，線維化による板状硬結を生じる．瘻孔からは放線菌の菌塊が排出されることがある．組織学的に本疾患は好中球や泡沫細胞の著明な浸潤を伴う肉芽組織内に放線菌塊の出現をみる．放線菌塊は好塩基性で周囲には好酸性の棍棒状構造の縁取りがあり，菌塊の周囲には好中球が付着している（**図23，24**）．

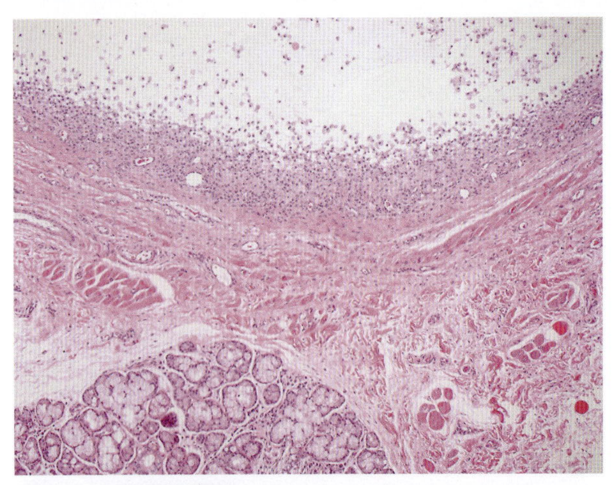

図 25　粘液貯留囊胞． 囊胞壁は粘液肉芽組織で構成されている．腔内に粘液と泡沫細胞をみる．弱拡大

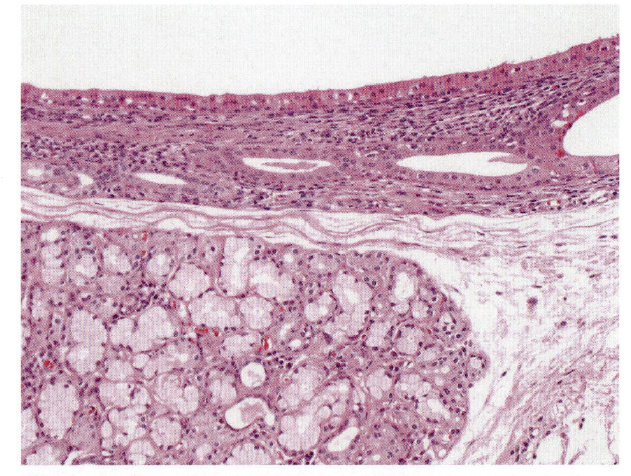

図 26　同前． 停滞型粘液囊胞では内腔側に導管上皮を配する．中拡大

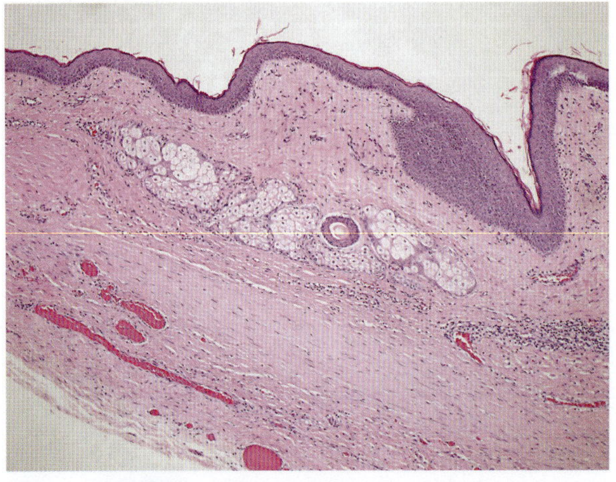

図 27　類皮囊胞． 囊胞の内腔側は正角化重層扁平上皮により裏装され，壁内には皮脂腺と毛包がみられる．弱拡大

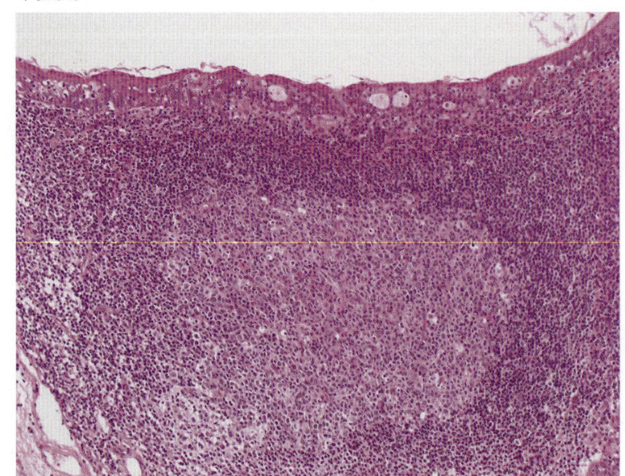

図 28　リンパ上皮性囊胞． 囊胞の内腔側は重層扁平上皮で裏装され，囊胞壁にはリンパ濾胞を伴ったリンパ組織がみられる．中拡大

粘液貯留囊胞　唾液腺の排泄管が外傷などにより傷害され唾液の流出障害が生じた結果，結合組織内に唾液が貯留することにより生じる．口腔粘膜に発生する囊胞のなかでは頻度が高く，下唇に多い．舌下面の小唾液腺に発生するものは**前舌腺囊胞（ブランディン・ヌーン囊胞** Blandin-Nuhn cyst）とよばれる．顎下腺，舌下線の排出導管に関連して口底部に形成される大型の囊胞は**ガマ腫** ranula とよばれる．組織学的に囊胞壁は種々の炎症細胞浸潤と粘液を貪食したマクロファージである泡沫細胞がみられ，粘液肉芽組織を構成している．囊胞の内腔には粘液の貯留と多数の泡沫細胞の出現をみる（**図 25**）．囊胞形成機序の違いにより，溢出型と停滞型に分類されるが，多くの場合裏装上皮が明らかでない溢出型囊胞であり，導管上皮に由来する立方上皮や扁平上皮を認める停滞型囊胞は少ない（**図 26**）．

類皮囊胞と類表皮囊胞　外胚葉性組織の迷入により生じる発育性囊胞で，10〜30 歳代に多く，口腔底正中に好発する．組織学的に囊胞壁が角化重層扁平上皮で裏装され囊胞壁内に皮膚付属器（汗腺，皮脂腺，毛包，立毛筋）を含むものを類皮囊胞（**図 27**），付属器を含まず表皮のみからなるものは類表皮囊胞とよばれる．いずれも囊胞の内腔に角質変性物が充満しており，肉眼的にはオカラ状を呈する．

リンパ上皮性囊胞　胎生期の鰓裂に由来する発育性囊胞で，主として側頸部の胸鎖乳突筋前縁に好発するが，口腔底にも生じる．20〜30 歳代に多く，無痛性，類球形の膨隆を呈する．組織学的に囊胞壁の内腔側は数層の重層扁平上皮からなることが多いが，錯角化上皮，円柱上皮，立方上皮などの出現をみることもある．表層上皮の形状は扁桃陰窩様を呈する場合もある．裏装上皮直下にはリンパ濾胞の形成を伴ったリンパ組織の層が形成され，外側には線維性組織が存在している（**図 28**）．

エナメル上皮癌，原発性骨内癌，NOS およびエナメル上皮線維肉腫 | Ameloblastic carcinoma, Primary intraosseous carcinoma, NOS and Ameloblastic fibrosarcoma

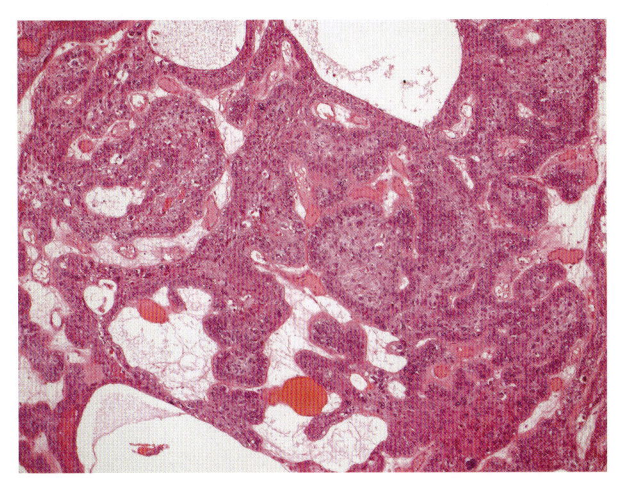

図 29　エナメル上皮癌. エナメル上皮腫に類似した胞巣の形成がみられる．中拡大

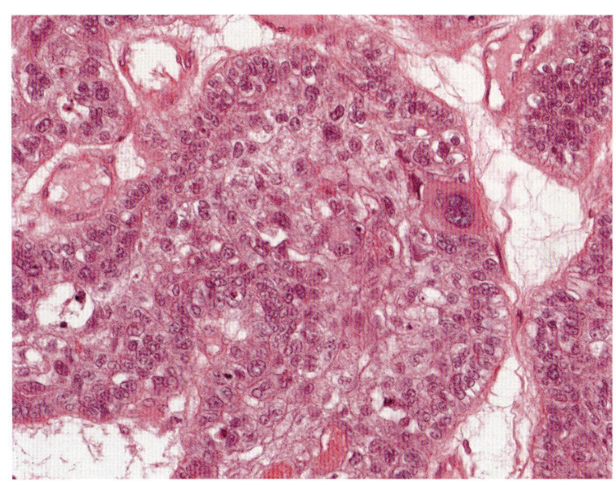

図 30　同前. 胞巣辺縁には柵状配列がみられるが，腫瘍細胞には著しい細胞異型がみられる．強拡大

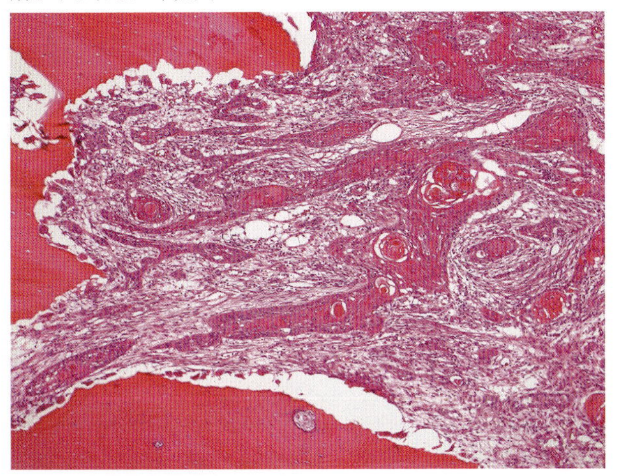

図 31　原発性骨内癌，NOS. 顎骨内を破壊しながら増殖する索状腫瘍胞巣がみられる．中拡大

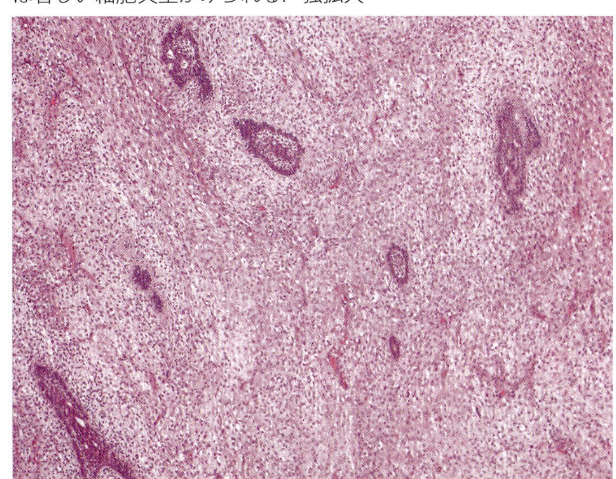

図 32　エナメル上皮線維肉腫. 密な紡錘形細胞の増殖とエナメル上皮腫に類似した上皮成分がみられる．中拡大

エナメル上皮癌　エナメル上皮腫の組織学的特徴と癌腫としての組織学的な悪性像を併せ持つ歯原性腫瘍で，大部分は発生当初から悪性であったもの（原発型）であるが，良性腫瘍であるエナメル上皮腫が悪性転化したもの（二次型）も存在する．臨床的には顎骨の吸収を伴う局所侵襲性の増殖を示す．遠隔転移は肺に多く，胸膜，肝，骨，頸部リンパ節への転移が認められる．組織学的にはエナメル上皮腫と比べ腫瘍胞巣の細胞密度，分裂像，種々の異型性の増加がみられるが，組織学的悪性度には幅があり，腫瘍胞巣辺縁に円柱細胞の柵状配列を呈するものから，高度の細胞異型を示してエナメル上皮腫とかけはなれた未分化な像を呈するものまで多様である（**図 29，30**）．

原発性骨内癌，NOS　歯原性上皮由来と考えられるが，歯原性癌腫のいずれにも該当する組織所見がないものと定義されている．まれな腫瘍で，発症の平均年齢は50歳代で男性に多い．上下顎では下顎に多く，歯根嚢胞，含歯性嚢胞，歯原性角化嚢胞から発生する頻度が高い．組織学的には角化を欠く腫瘍性扁平上皮の増殖からなる小胞巣の増殖である．診断には組織学的，X線的，臨床的に非歯原性癌腫や転移性癌を除外する必要がある（**図 31**）．

エナメル上皮線維肉腫　良性の上皮成分と悪性の間葉成分を含む歯原性肉腫である．発生数の約3割はエナメル上皮線維腫からの悪性転化により生じると考えられている．発生部位は下顎臼歯部で多くみられる．組織学的にエナメル上皮線維腫と類似するが，歯原性上皮成分は島状，索状に増殖し，辺縁を円柱状細胞により縁取りされた，濾胞型エナメル上皮腫の像を呈する．一方，間葉成分では著明な核異型，分裂像を有する紡錘形から多角形の腫瘍細胞の密な増殖がみられる（**図 32**）．

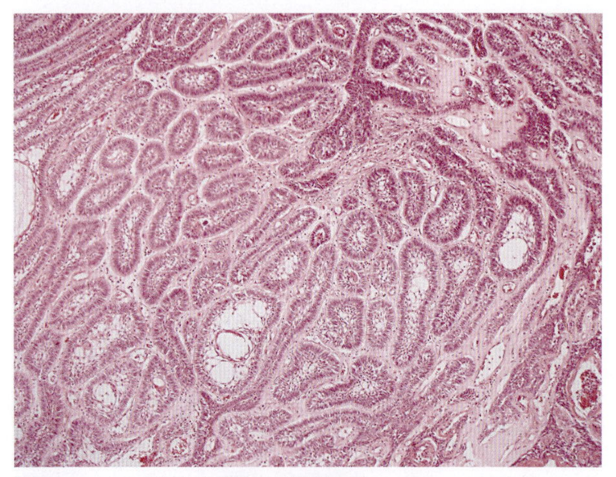

図 33　エナメル上皮腫 (濾胞型). エナメル器に類似した種々の大きさの胞巣からなる．弱拡大

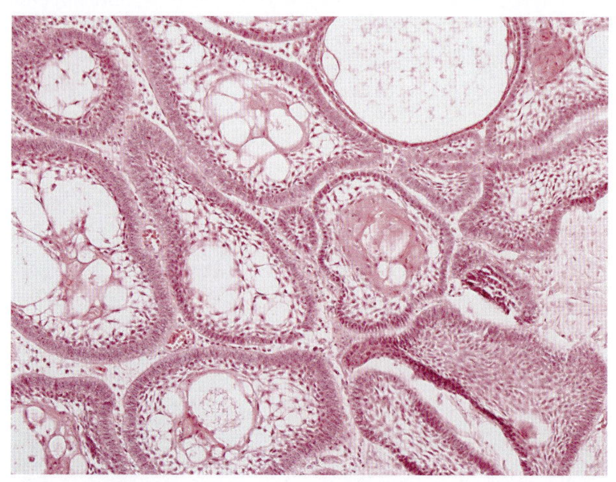

図 34　同前. 胞巣内ではエナメル髄様細胞の一部が扁平上皮化生を示す．胞巣辺縁に高円柱状細胞を配している．中拡大

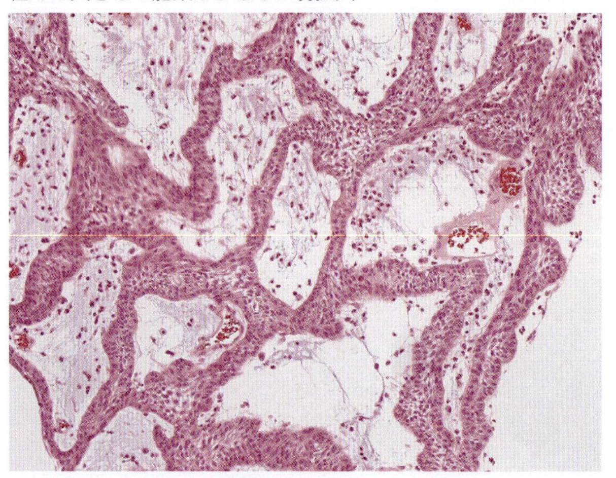

図 35　エナメル上皮腫 (叢状型). 腫瘍細胞が粗な間質を伴って網状に増殖する．弱拡大

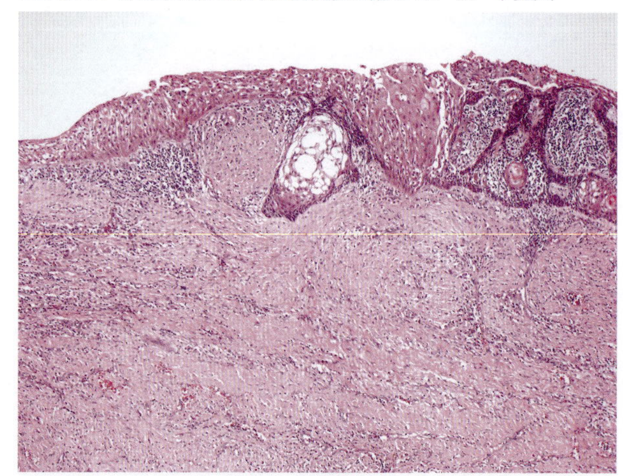

図 36　エナメル上皮腫, 単嚢胞型. 嚢胞構造の内腔はエナメル上皮腫の構築を有する腫瘍細胞で裏装されている．中拡大

エナメル上皮腫は腫瘍実質が歯胚のエナメル器に類似する代表的な歯原性腫瘍であり，わが国の歯原性腫瘍のなかでも発生頻度が高い．臨床的には30〜40歳代に多く，下顎臼歯部から上行枝部に好発し，局所侵襲的性格を示す．X線的には多房性透過像を伴うことが多いが，単房性や埋伏歯を伴う場合もある．組織学的には実質がエナメル器に類似した胞巣を形成する濾胞型 follicular type（**図 33**）と，不規則な網状もしくは索状の胞巣を形成する叢状型 plexiform type（**図 35**）があり，腫瘍胞巣の辺縁はエナメル芽細胞に類似した高円柱状の細胞が柵状に配列し，内部には星状もしくは多角形の細胞が分布する（**図 34**）．濾胞型の胞巣ではしばしば内部に嚢胞化や化生を生じる．胞巣を形成する細胞の形態変化により，胞巣中央部が著明な扁平上皮化生を示す棘細胞型，好酸性の細顆粒状細胞質をもった細胞が目立つ顆粒細胞型，小型の基底細胞に類似した腫瘍細胞からなる基底細胞型などの細胞亜形に分類される．エナメル上皮腫，骨外型/周辺型 extraosseous/peripheral type は，主として歯肉や歯槽粘膜部に発生するもので，骨内性のエナメル上皮腫より発症年齢は高い．エナメル上皮腫，単嚢胞型 unicystic type は単房性の嚢胞状構造を呈する（**図 36**）．10〜20歳代の下顎大臼歯部に好発する．転移性エナメル上皮腫 metastasizing ameloblastoma は，通常のエナメル上皮腫と同様に良性の組織所見を示すが転移を生じるまれな腫瘍で，組織像のみでは確定診断はできない．多くは肺へ転移する．

【鑑別診断】 歯原性角化嚢胞などのX線的に類似の骨吸収像を示す病変との鑑別が問題になるが，組織学的には鑑別は容易である．

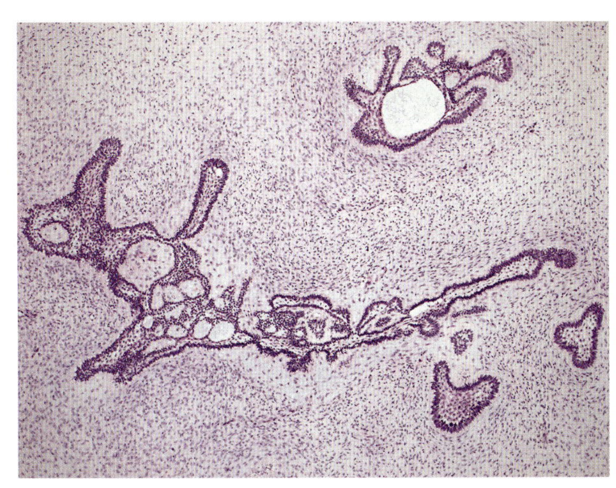

図 37　エナメル上皮線維腫. 島状もしくは索状の上皮胞巣と密に増殖する歯乳頭様組織からなる．弱拡大

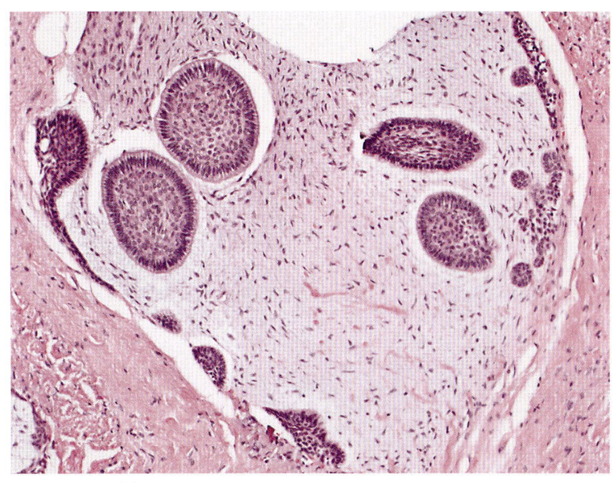

図 38　同前. 上皮性胞巣はエナメル上皮腫と同様の構造を呈し周囲には歯乳頭様細胞の増殖がある．中拡大

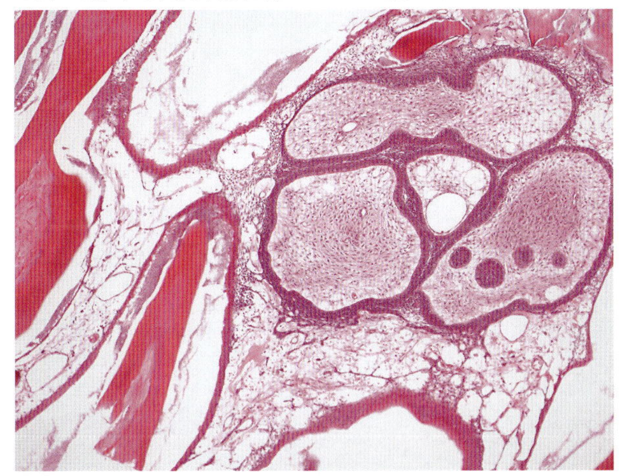

図 39　エナメル上皮線維歯牙腫. エナメル上皮線維腫の像に加えてエナメル質と象牙質の形成がみられる．弱拡大

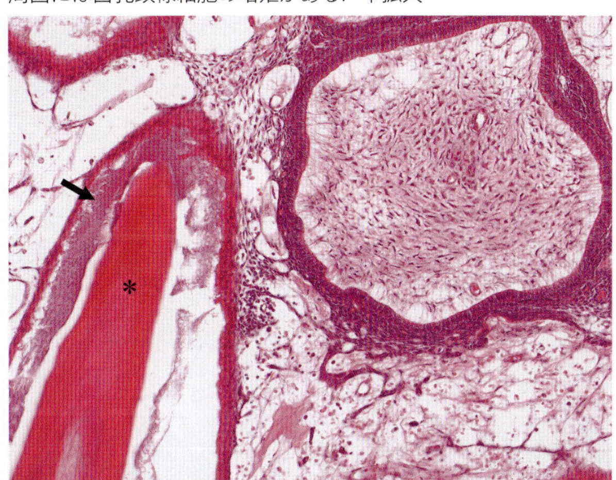

図 40　同前. 象牙質（*）に接してエナメル質（⬆）の形成がみられる．中拡大

エナメル上皮線維腫　歯原性上皮と歯原性間葉組織の両者からなる歯原性混合性腫瘍である．歯原性上皮と歯原性間葉組織の間には上皮-間葉相互作用による細胞の分化誘導がみられるものの，エナメル質，象牙質などの硬組織形成はみられない腫瘍である．20 歳未満に多く，下顎臼歯部に好発する．病変は緩徐な膨張性発育を呈し，X 線的に境界明瞭な単房性もしくは多房性透過像を示す．組織学的には細胞成分に富む歯乳頭様間葉組織の増殖があり，その中に，エナメル上皮腫の実質に類似した腫瘍胞巣が島状もしくは索状に散在性に増殖する（**図 37**）．腫瘍胞巣の辺縁部では立方形から高円柱状細胞が柵状に配列し，胞巣周囲には上皮-間葉相互作用に関連すると考えられる硝子化や歯乳頭様間質の形成がみられる（**図 38**）．上皮成分と間葉成分の比率はさまざまである．

エナメル上皮線維歯牙腫　エナメル上皮線維腫と比較して，腫瘍細胞の分化誘導が進行し，より成熟した段階に移行したものと考えられていたが，WHO（2017）分類では歯牙腫に再分類された．しかし歯牙腫との異同については議論がある．10 歳未満の下顎臼歯部に多くみられる．X 線的には内部に不透過物を入れた境界明瞭な透過像として観察される．組織学的にはエナメル上皮線維腫にさまざまな量の歯牙硬組織形成を伴ったものである．誘導される歯牙硬組織は象牙質，エナメル質であり，象牙質は歯乳頭細胞様細胞によって形成され，エナメル質は腫瘍の上皮成分を構成するエナメル芽細胞様細胞によって，象牙質に隣接して形成される（**図 39, 40**）．

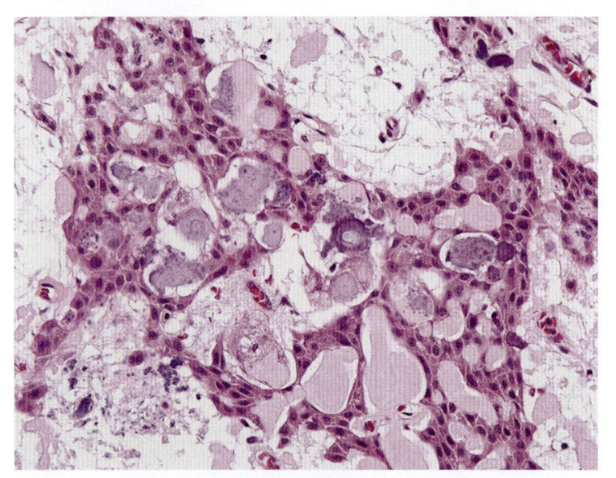

図 41　石灰化上皮性歯原性腫瘍. 多角形の扁平上皮様細胞の増殖とアミロイド様物質の沈着がみられる．中拡大

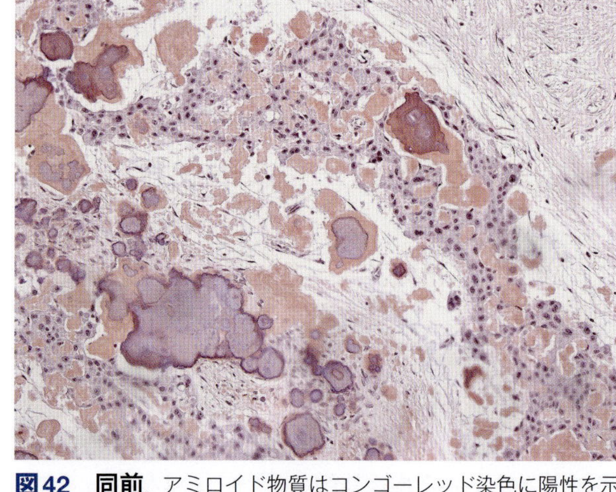

図 42　同前. アミロイド物質はコンゴーレッド染色に陽性を示す．中拡大

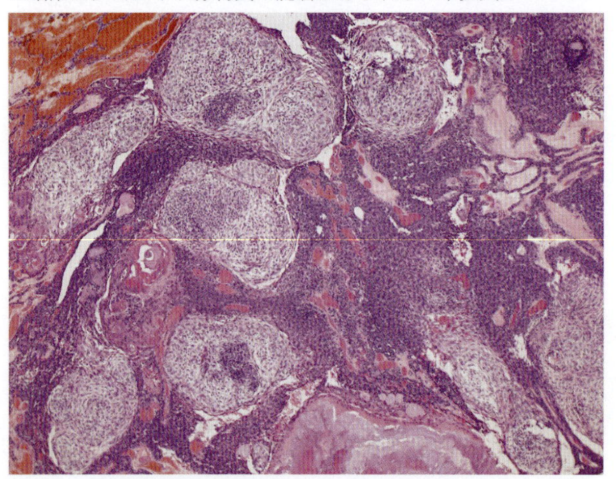

図 43　腺腫様歯原性腫瘍. 結節状増殖巣の形成があり，その間隙を埋めるように腫瘍細胞の充実性および索状増殖がみられる．弱拡大

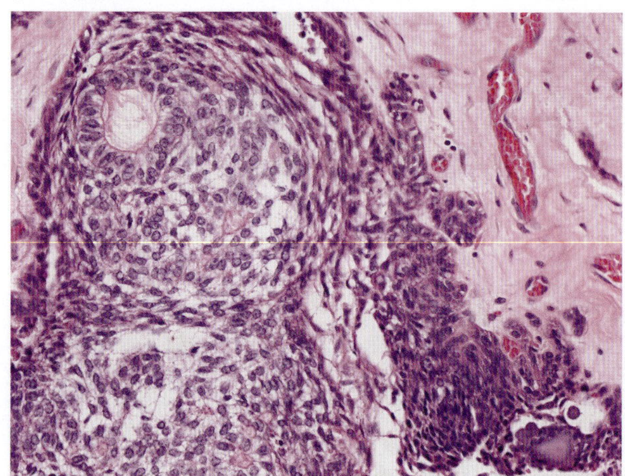

図 44　同前. 結節状胞巣内に腺管状構造や石灰化物の形成をみる．強拡大

石灰化上皮性歯原性腫瘍　腫瘍組織内にアミロイド様物質の沈着とその石灰化を生じる，まれな歯原性上皮性腫瘍で，**Pindborg 腫瘍** Pindborg tumor ともよばれる．30〜50 歳代の下顎大臼歯部に好発する．X 線的には不透過像を伴う境界明瞭な像を呈し，約半数で埋伏歯を伴う．組織学的に細胞間橋の明瞭な多角形，扁平上皮様の腫瘍細胞が敷石状に配列するシート状もしくは索状胞巣よりなる．腫瘍細胞には大小不同や 2 核細胞の出現がみられるが，細胞分裂像はみられない．腫瘍胞巣内およびその周囲にはエオジンに好染するアミロイド様物質の沈着がみられる（**図 41**）．アミロイド様物質は組織化学的にエナメル基質との類似性が示されており，コンゴーレッド染色などによりアミロイド同様の染色性を示す（**図 42**）．また当該領域は石灰沈着をきたし，同心円状の構造を示したり，互いに融合して塊状石灰化物を形成する．

腺腫様歯原性腫瘍　腺管様構造の形成を特徴とする歯原性上皮性腫瘍で，10 歳代の女性の上顎前歯部に好発する．X 線的には単房性の透過像を呈し，多くの症例で埋伏歯を伴っている．また透過像内部に点在性の不透過像がみられることが多い．組織学的に腫瘍は線維性被膜で被包され，充実性〜嚢胞状腫瘤を形成する（**図 43**）．腫瘍細胞は腺管状構造を伴った多数の結節状の増殖巣を形成する．腺管状構造の内面にはエオジンで好染する膜状物の沈着がみられる（**図 44**）．また円柱状細胞が 2 列に向き合って配列した花冠状構造も認められる．上皮性胞巣内には好酸性の滴状物の沈着や石灰化物の形成がみられる．

【鑑別診断】　石灰化上皮性歯原性腫瘍は多形性が目立つ場合があり，扁平上皮癌との類似性を示すことがある．しかし，アミロイド様物質沈着，細胞分裂像の欠如などの特徴から鑑別は容易である．

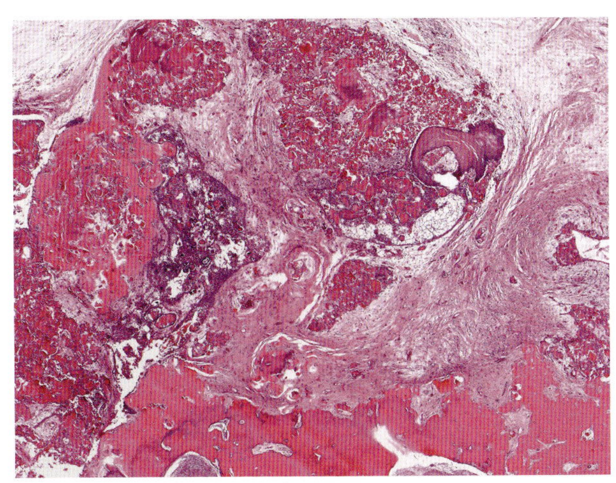

図 45　象牙質形成性幻影細胞腫． 線維性組織内に腫瘍胞巣と硬組織の形成を認める．弱拡大

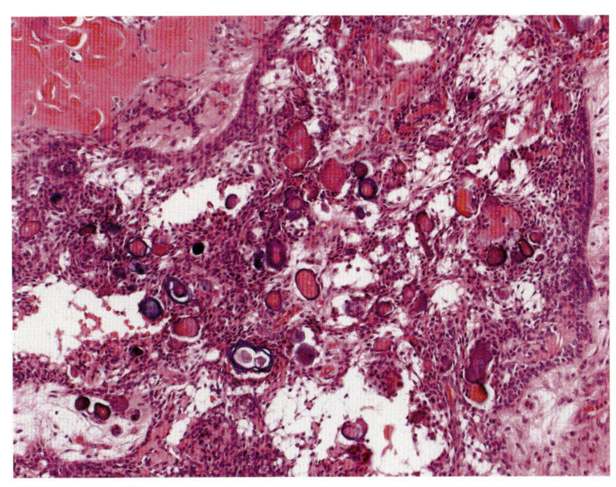

図 46　同前． エナメル上皮腫に類似した腫瘍胞巣内に幻影細胞の出現とその石灰化を認める．中拡大

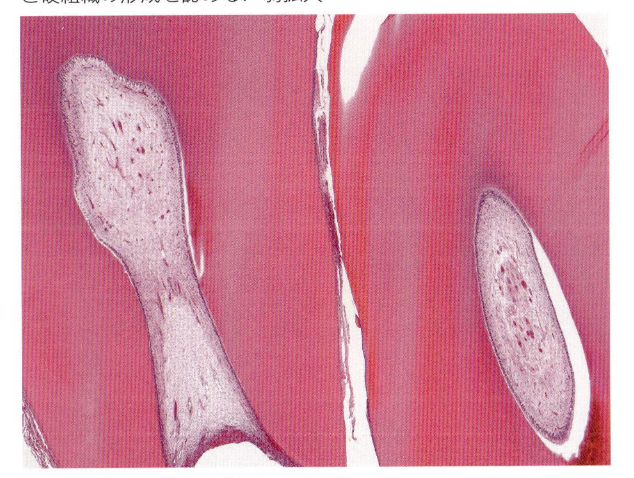

図 47　歯牙腫，集合型． 歯の基本構築を保った組織の集合からなる．中拡大

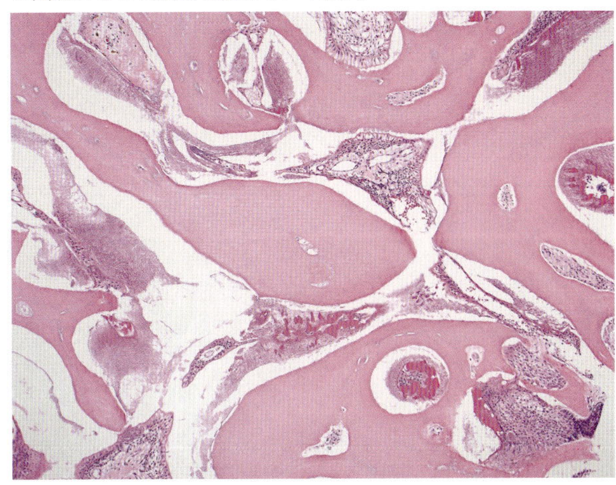

図 48　歯牙腫，複雑型． エナメル質，象牙質，セメント質が不規則に形成されている．中拡大

象牙質形成性幻影細胞腫　充実性増殖を示す良性歯原性腫瘍で，多少とも局所侵襲性の増殖を示す．40 歳代に多く，顎骨内および顎骨外に発生するが，顎骨外の発生はまれである．顎骨内病変は上下顎の犬歯部〜小臼歯部に好発し，顎骨膨隆を引き起こしながら局所侵襲性に発育する．X 線的に顎骨内病変の多くは単房性透過像を示し，石灰化物の形成量に応じてさまざまな程度の不透過像を伴う．皮質骨の菲薄化を生じ，隣在歯の歯根吸収もよくみられる．組織学的には密な線維性組織内にエナメル上皮腫様の腫瘍胞巣の増殖がみられる（**図 45**）．腫瘍胞巣内には幻影細胞が多数分布しており，幻影細胞は一部で石灰化を生じている．上皮成分と間質との境界部に象牙質様硬組織の形成がみられる（**図 46**）．石灰化歯原性嚢胞と同様の細胞成分を有するが，充実性増殖を主体とする腫瘍性病変である．

歯牙腫　エナメル質，象牙質，セメント質，歯髄などの歯を構成する硬組織，軟組織からなる腫瘍様病変で，組織構築の違いから集合型と複雑型に分けられる．**歯牙腫，集合型** compound type は 10 歳代の上下顎前歯部に好発し，X 線的に種々の大きさの不透過物を入れた境界明瞭な透過像として顎骨内にみられる．組織学的には大小多数の歯牙様硬組織の集合からなる病変で，1 つ 1 つの歯牙様硬組織はおおむね解剖学的な歯の構造を維持しており，種々の発育段階の歯が混在している場合もある．また，それぞれの歯牙様硬組織は線維性組織によって隔てられている（**図 47**）．**歯牙腫，複雑型** complex type は集合型よりもやや年長者の下顎臼歯部と上顎前歯部に好発する．歯牙腫，複雑型も集合型と同様，歯の構成成分の増殖からなる病変であるが，これら硬組織・軟組織は本来の歯の形を維持せず複雑に入り組んで塊状の組織塊を形成する（**図 48**）．歯の萌出異常や埋伏歯を伴うことが多い．

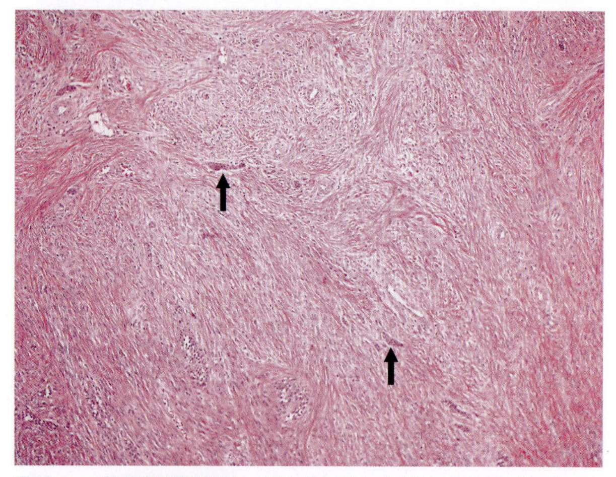

図 49　歯原性線維腫. 線維芽細胞に類似する紡錘形細胞の増殖からなる．歯原性上皮塊（⬆）をみる．弱拡大

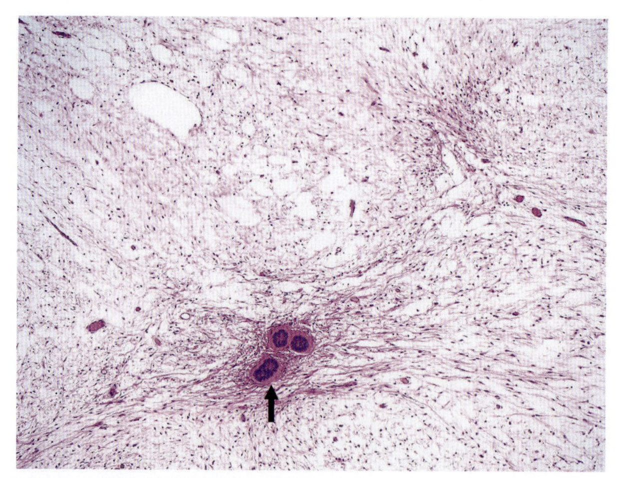

図 50　歯原性粘液腫. 豊富な粘液様基質を産生しながら紡錘形細胞が増殖している．歯原性上皮塊（⬆）をみる．中拡大

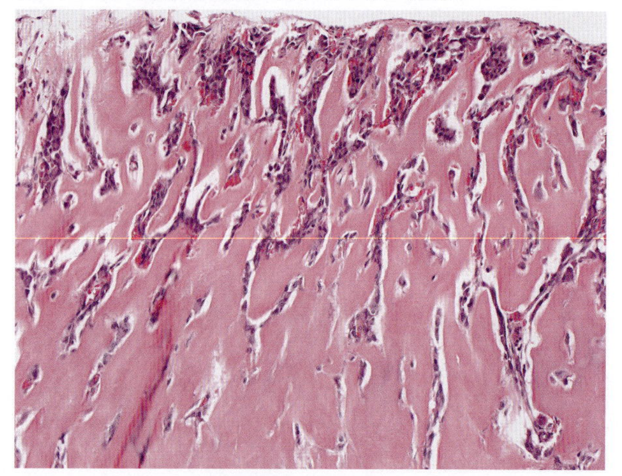

図 51　セメント芽細胞腫. 腫瘍組織の辺縁では多数のセメント芽細胞と均質なセメント質の産生がある．中拡大

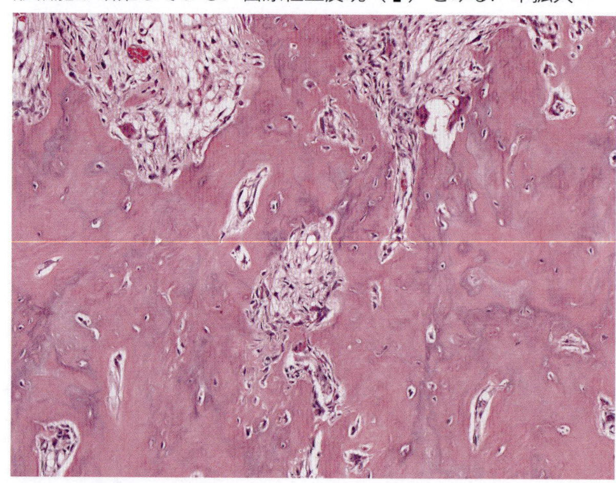

図 52　同前. 腫瘍の中心部では複雑な改造線を有するセメント質と破歯細胞の出現がみられる．中拡大

歯および歯周組織を構成している歯原性外胚葉性間葉組織を発生由来とする腫瘍には，歯原性線維腫，歯原性粘液腫，セメント芽細胞腫がある．

歯原性線維腫　歯小嚢や歯根膜などに由来する線維組織の増殖からなる．好発年齢は10～30歳代で，女性に多い．線維芽細胞に類似した長紡錘形細胞が膠原線維を産生しながら増殖する．間質成分として歯原性上皮を含むことがある．上皮成分は小型立方型細胞で，マラッセ上皮遺残もしくはヘルトヴィッヒ上皮鞘に類似した小塊状もしくは索状の上皮塊としてみられる（**図 49**）．セメント質や骨形成を伴うものも存在する．

歯原性粘液腫　豊かな粘液様基質の産生を伴いながら紡錘形細胞が増殖する腫瘍（**図 50**）．好発年齢は10～40歳代で，下顎大臼歯部，上顎前歯部・大臼歯部に好発する．X線像では多房性の透過像を特徴とし，多少なりとも局所侵襲性を有し，腫瘍の成長にともなって顎骨の破壊吸収がみられる．取り残しによる局所再発をきたす場合がある．ときに偶然，間質として，腫瘍組織内に小塊状もしくは索状の歯原性上皮成分をみることがある．本腫瘍は線維芽細胞様の腫瘍細胞が，いわゆる間質性粘液を産生しながら増殖しているものであるが，膠原線維の産生が目立つものは**歯原性粘液線維腫** odontogenic myxofibroma とよばれる．

セメント芽細胞腫　セメント質様硬組織の形成を特徴とする腫瘍で，30～60歳代の女性に多い．多くは下顎大臼歯部に好発する．X線像では歯根から連続した境界明瞭なX線不透過像が特徴である．腫瘍組織は歯根に連続したセメント質の塊状増殖からなる．腫瘍の周辺部ではセメント芽細胞の豊富な縁取りのある均質な硬組織形成があり（**図 51**），歯根の近傍では成熟した梁状の硬組織形成があり，不規則な改造線や破歯細胞の出現もみられる（**図 52**）．

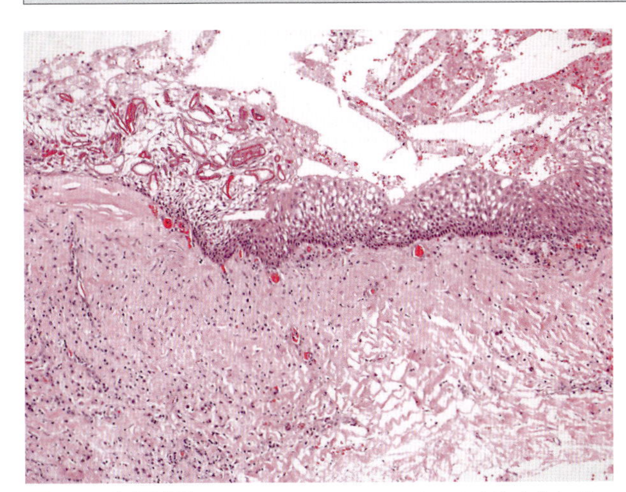

図 53　歯根嚢胞． 嚢胞壁は重層扁平上皮，炎症性肉芽組織，線維性結合組織からなる．上皮内に硝子体をみる．弱拡大

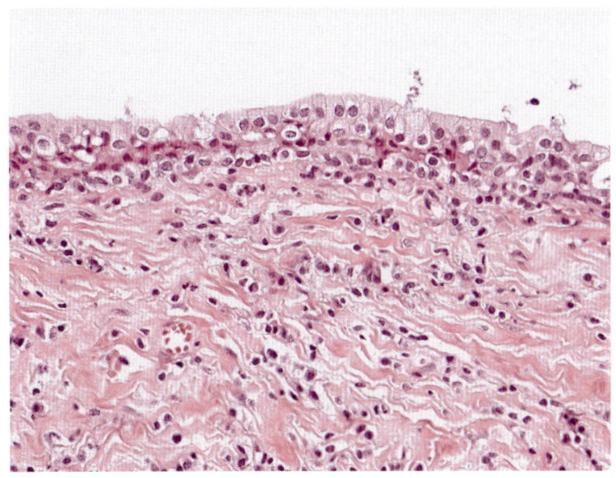

図 54　歯根嚢胞． 裏装上皮は胚細胞を伴う線毛上皮からなる．中拡大

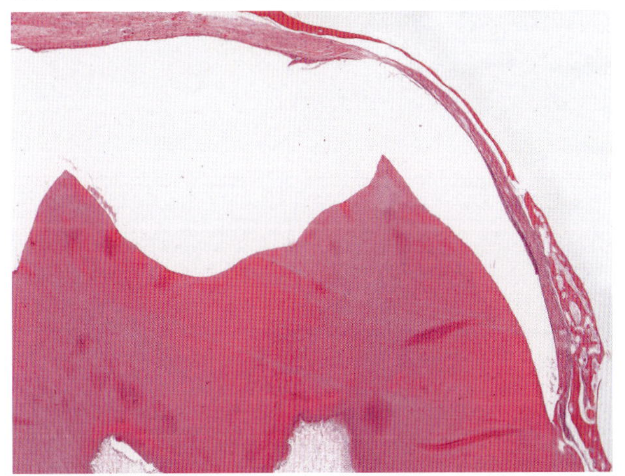

図 55　含歯性嚢胞． 歯冠周囲を取り囲む嚢胞構造がみられる．弱拡大

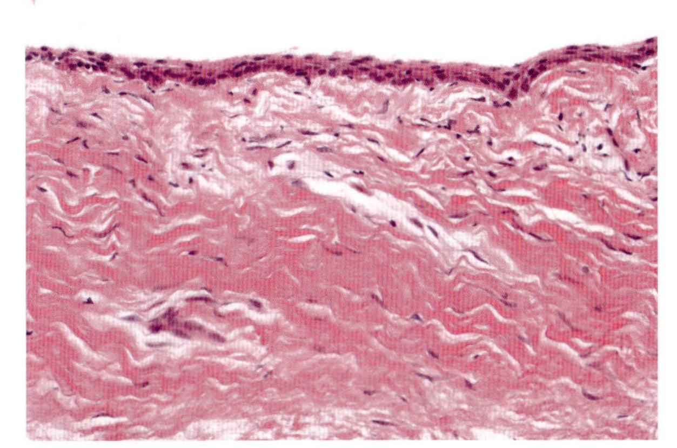

図 56　同前． 裏装上皮は菲薄な非角化上皮で，上皮下の結合組織に炎症はみられない．中拡大

歯根嚢胞　顎骨部に発生する嚢胞の大部分を占めており，その多くは歯髄炎の続発症として歯根尖部に生じる．慢性肉芽性根尖性歯周炎の一形態であり炎症性歯原性嚢胞に分類されている．10〜60 歳代の幅広い年齢層にみられる．後発部位は上顎切歯，下顎大臼歯で病変部はときに数歯の歯根にまたがる場合もある．X 線的には歯根を含んだ比較的に境界明瞭な単房性透過像を示す．組織学的に嚢胞壁の内腔側は非角化重層扁平上皮に裏装され，上皮下に炎症性肉芽組織の層を配し，外層は線維性結合組織が存在している．裏装上皮は炎症性修飾を受けて，索状もしくは網状に増殖し，ときに硝子体もしくはラシュトン体 Rushton (hyaline) body を上皮内に認める（**図 53**）．裏装上皮は一般に重層扁平上皮だが，上顎に生じた歯根嚢胞ではしばしば杯細胞や線毛円柱上皮の出現をみる（**図 54**）．嚢胞壁内には泡沫細胞の出現やコレステリン結晶の沈着が観察される．嚢胞内腔には種々の炎症性滲出物，炎症性細胞，剥離変性した裏装上皮などが認められる．罹患歯の抜歯後に，顎骨内に残留した歯根嚢胞を**残存嚢胞** residual cyst という．

含歯性嚢胞　歯冠形成を終了した退縮エナメル上皮に由来する発育性歯原性嚢胞．10〜30 歳代に多く，埋伏歯が多くみられる下顎智歯部，過剰埋伏歯の発生頻度の高い上顎正中部や犬歯部に好発する．X 線的には埋伏歯の歯冠周囲を取り囲む境界明瞭な単房性透過像を示す．組織学的に嚢胞腔内に埋伏歯の歯冠を配し，嚢胞壁は菲薄な非角化上皮で裏装され，上皮下には炎症を伴わない線維性結合組織が存在する（**図 55，56**）．裏装上皮では歯冠エナメル質表面の退縮エナメル上皮との連続性をみる．嚢胞壁の結合組織内ではしばしば歯原性上皮の小塊が散見される．

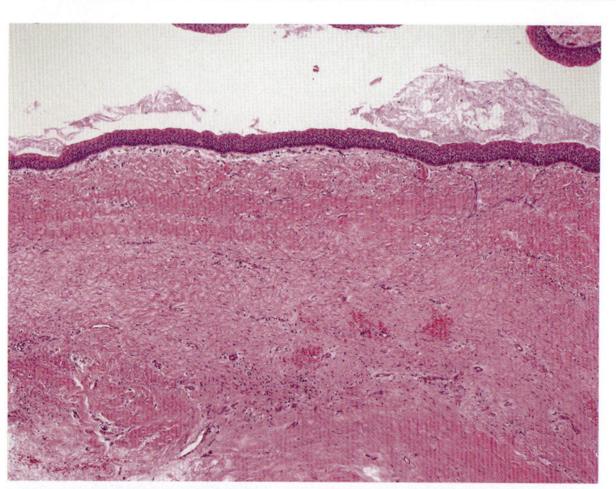

図 57　歯原性角化嚢胞． 上皮は数層の錯角化扁平上皮からなる．弱拡大

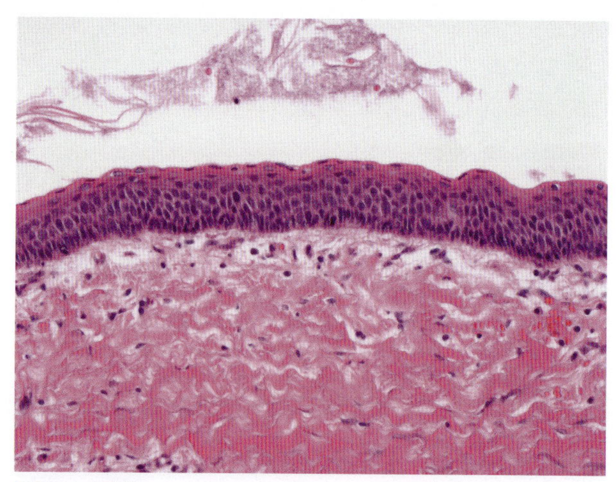

図 58　同前． 上皮表層は錯角化し，基底細胞は円柱状で規則正しい柵状配列を示している．強拡大

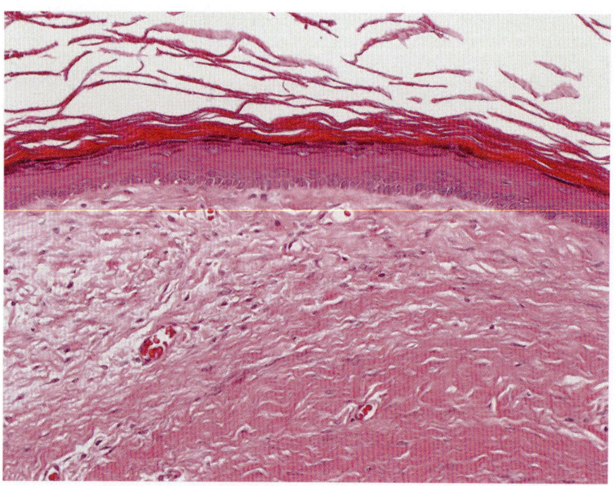

図 59　正角化歯原性嚢胞． 裏装上皮は顆粒層を伴い表層は正角化を示している．中拡大

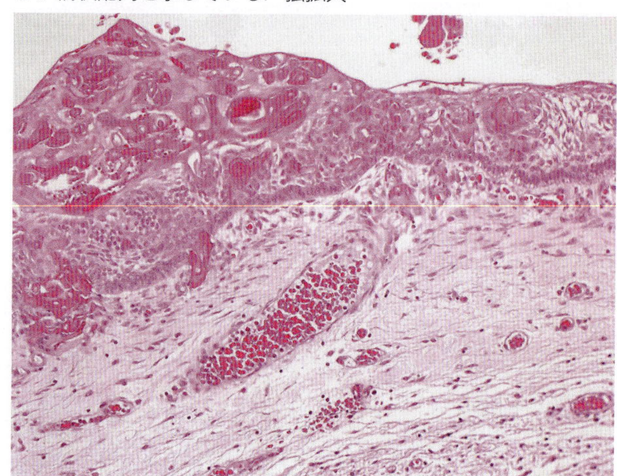

図 60　石灰化歯原性嚢胞． 嚢胞の内腔側にエナメル上皮に類似した組織と幻影細胞の出現をみる．中拡大

歯原性角化嚢胞　2005 年の WHO 分類で上皮性歯原性腫瘍として扱われていたが，2017 年の WHO の分類では歯原性嚢胞として再分類されることになった．本嚢胞は 10～20 歳代に多く，好発部位は下顎臼歯部から下顎枝にわたる骨体部である．嚢胞は顎骨内で単房性もしくは多房性の嚢胞構造を形成しながら局所破壊性に増大する．多くは単発性であるが，ときに多発性で基底細胞母斑症候群 basal cell nevus syndrome の部分症として認められることがある．組織学的には嚢胞の内腔は均一な厚みを保った重層扁平上皮により裏装され，表層では著明な錯角化がみられ波状の形態を示す．上皮の基底層では円柱状細胞が規則正しい柵状配列を示し，基底面は平坦で，基底層と結合組織との境界はしばしば剝離傾向を示す（**図 57, 58**）．嚢胞腔内には剝離した角質変性物からなる半固形状物質を入れる．嚢胞周囲には娘嚢胞や歯原性上皮塊を伴うことが多く，まれに嚢胞上皮に異型性変化や顎骨内扁平上皮癌の発生をみることがある．

正角化性歯原性嚢胞　30～40 歳代に多く，下顎の大臼歯部に好発し，埋伏歯を伴うことが多い．X 線的には境界明瞭な単房性透過像を示すことが多い．組織学的には顆粒細胞層の形成を伴う正角化上皮による裏装のみられる嚢胞で，歯原性角化嚢胞とは区別して扱われている（**図 59**）．

石灰化歯原性嚢胞　20～30 歳代に多く，上下顎の前歯部に好発する．臨床的に顎骨内病変は無痛性の膨隆を呈する．X 線的には不透過物を入れた境界明瞭な透過像を呈する．組織学的に上皮層と線維性組織によって嚢胞状構造が形成されており，上皮層ではエナメル上皮腫に類似した組織とともに，核が消失して膨化した，いわゆる幻影細胞 ghost cell の出現が単独もしくは集簇してみられる．しばしば幻影細胞を核とした石灰化が生じている．上皮層に接する間葉組織では象牙芽細胞の誘導，象牙質様硬組織の形成をみることがある（**図 60**）．本嚢胞は埋伏歯や歯牙腫を伴うことがある．

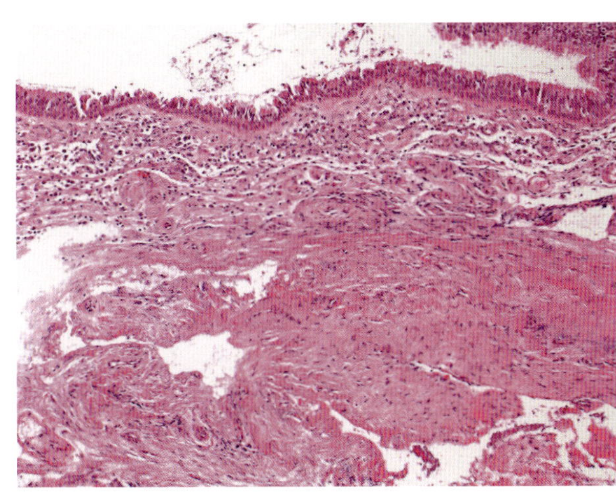

図 61　術後性上顎嚢胞. 嚢胞壁は炎症性肉芽組織からなり，線毛上皮で裏装されている．中拡大

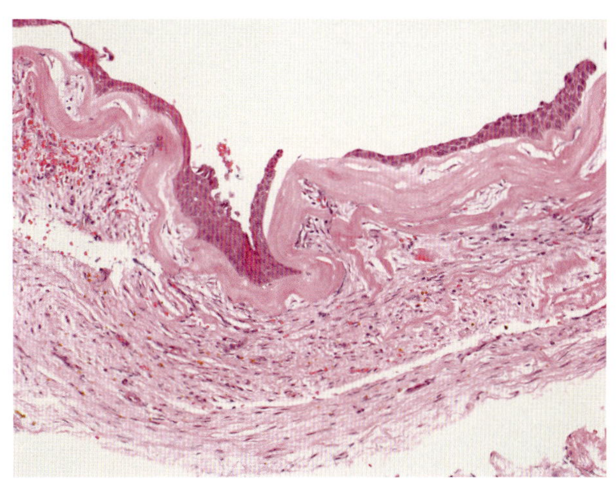

図 62　同前. 扁平上皮化生を示す裏装上皮下に硝子体が分布している．中拡大

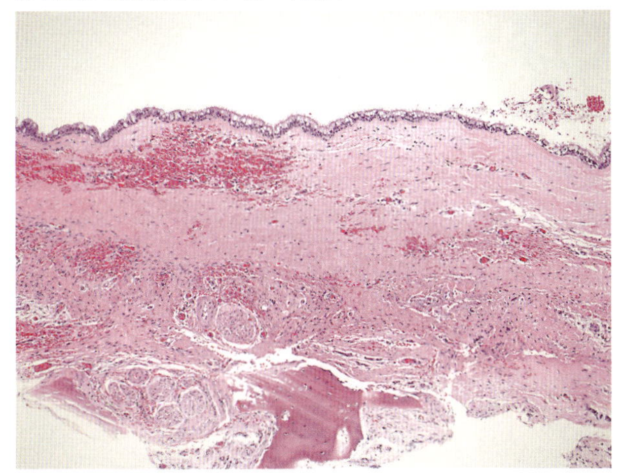

図 63　鼻口蓋管嚢胞. 嚢胞壁内腔側は線毛上皮で覆われ嚢胞壁には神経束がみられる．弱拡大

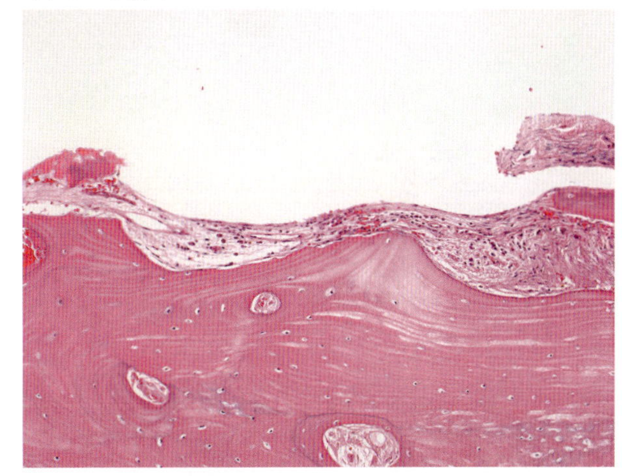

図 64　単純性骨嚢胞. 嚢胞壁は粗な線維性結合組織からなり裏装上皮を欠く．中拡大

術後性上顎嚢胞　上顎洞の根治術後に，長期間を経て生じる炎症性非歯原性嚢胞．手術時の洞粘膜の取り残しや，組織内に埋め込まれた粘膜上皮が増殖し嚢胞形成にいたると考えられている．おもに上顎洞内に位置するが，増大するにつれ口蓋，頬部などへの膨隆をきたす．組織学的に嚢胞壁は主として線毛円柱上皮で裏装されているが，扁平上皮化生もみられる．剥離した裏装上皮下に硝子化をみることがある．嚢胞壁は種々の程度の炎症細胞浸潤をみる肉芽組織と線維性結合組織からなり，洞粘膜本来の構造を欠いている（**図 61，62**）．

鼻口蓋管嚢胞　口腔と鼻腔を連絡する鼻口蓋管の上皮遺残から発生する非歯原性の発育性嚢胞である．多くは切歯管内に発生することから，**切歯管嚢胞** incisive canal cyst の名称もある．30〜50 歳代の男性に多い．X 線的には上顎中切歯の歯根間，根尖部に境界明瞭なハート型もしくは卵円形の透過像をみる．組織学的に裏装上皮は多列線毛上皮，重層扁平上皮，立方上皮などから構成される．切歯管内に発生するため，嚢胞壁の結合組織内には神経束，小動静脈，粘液腺を伴う場合ことが多い（**図 63**）．

単純性骨嚢胞　**外傷性嚢胞** traumatic bone cyst，**出血性骨嚢胞** hemorrhagic bone cyst，**孤在性骨嚢胞** solitary bone cyst などの名称がある．一般的に上腕骨，大腿骨，脛骨などの長管骨に多いとされており，顎骨では下顎臼歯部に好発する．臨床的には無症状で画像診断により偶然発見されることが多い．X 線的には境界明瞭な透過像を示す．組織学的に嚢胞壁は粗な線維性結合組織からなり裏装上皮を欠く．嚢胞内腔には漿液性の液体や血液をみることがある（**図 64**）．

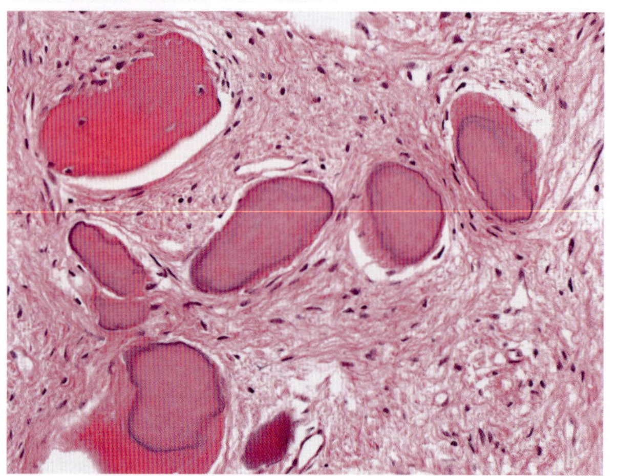

図 65　線維性異形成症. 線維性組織内に不規則な形状の未熟な骨様硬組織の形成をみる．弱拡大

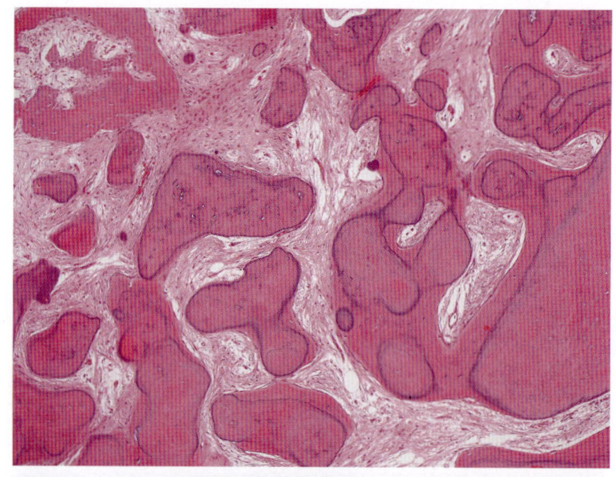

図 66　セメント質骨性異形成症. 線維性組織が骨様硬組織形成を伴いながら増生している．中拡大

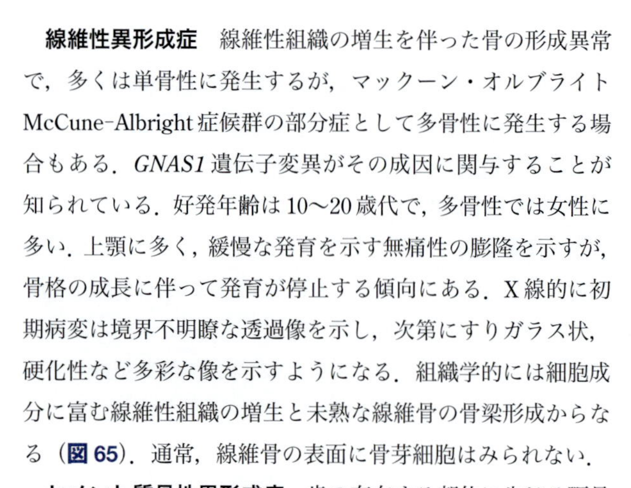

図 67　同前. 骨様組織は骨芽細胞による縁取りを欠く．セメント質様硬組織の形成もみられる．強拡大

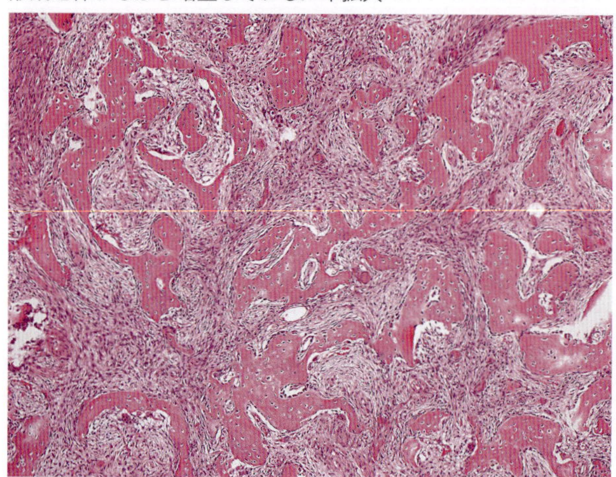

図 68　セメント質骨形成線維腫. 細胞成分に富む線維性組織中に骨芽細胞の縁取りを有する骨梁の形成をみる．中拡大

線維性異形成症　線維性組織の増生を伴った骨の形成異常で，多くは単骨性に発生するが，マックーン・オルブライト McCune-Albright 症候群の部分症として多骨性に発生する場合もある．*GNAS1* 遺伝子変異がその成因に関与することが知られている．好発年齢は 10〜20 歳代で，多骨性では女性に多い．上顎に多く，緩慢な発育を示す無痛性の膨隆を示すが，骨格の成長に伴って発育が停止する傾向にある．X 線的に初期病変は境界不明瞭な透過像を示し，次第にすりガラス状，硬化性など多彩な像を示すようになる．組織学的には細胞成分に富む線維性組織の増生と未熟な線維骨の骨梁形成からなる（**図 65**）．通常，線維骨の表面に骨芽細胞はみられない．

セメント質骨性異形成症　歯の存在する部位に生じる顎骨の線維骨性病変で，骨様もしくはセメント質様硬組織を伴う線維性組織が顎骨を置換する（**図 66，67**）．前歯部に好発する根尖性セメント質骨性異形成症，単発性に臼歯部に発生する限局性セメント質骨性異形成症，左右上下の顎骨に広範に多発する開花性セメント質骨性異形成症に分類される．いずれも 30〜50 歳代の女性に多い．

セメント質骨形成線維腫　顎骨の歯を含む領域に生じる骨形成線維腫の一型である．骨様もしくはセメント質様硬組織の形成と線維性組織の増生からなる腫瘍で，30〜40 歳代の女性に多く，下顎臼歯部に好発する．発育は緩慢で顎骨膨隆による変形や皮質骨の菲薄化を生じる．X 線的に境界明瞭な透過像を呈し，内部には不透過像が種々の割合で存在する．組織学的に細胞成分に富む線維性組織の増生からなり，内部に骨様もしくはセメント質様硬組織の形成をみる（**図 68**）．通常，形成された硬組織表面には骨芽細胞が分布しており，病変部と周囲組織との境界は明瞭である．

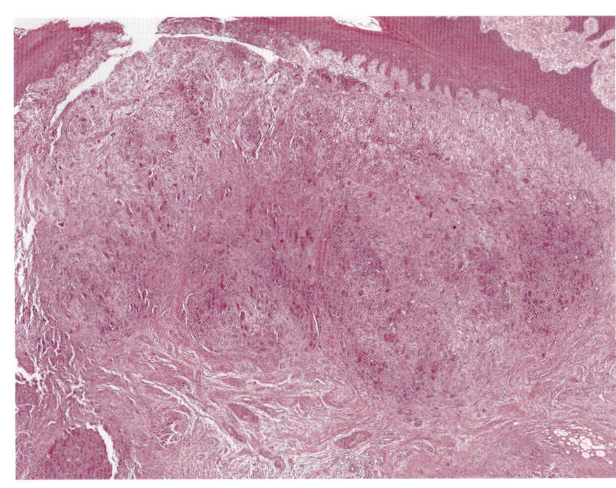

図 69　巨細胞肉芽腫． 出血巣を中心に紡錘形細胞と多核巨細胞の集簇がみられる．弱拡大

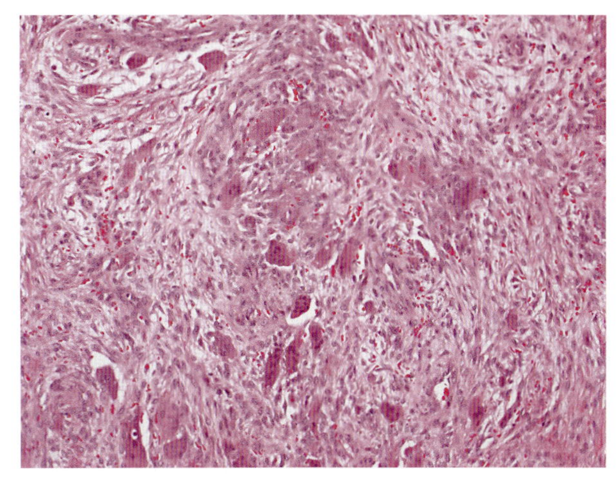

図 70　同前． 紡錘形細胞の増殖する背景中に多核巨細胞が不規則に分布している．強拡大

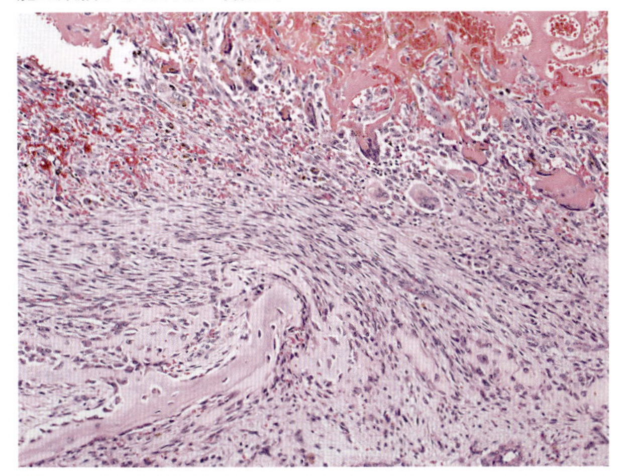

図 71　動脈瘤様骨嚢胞． 病巣内に出血，ヘモジデリンの沈着，多核巨細胞の出現を伴う．強拡大

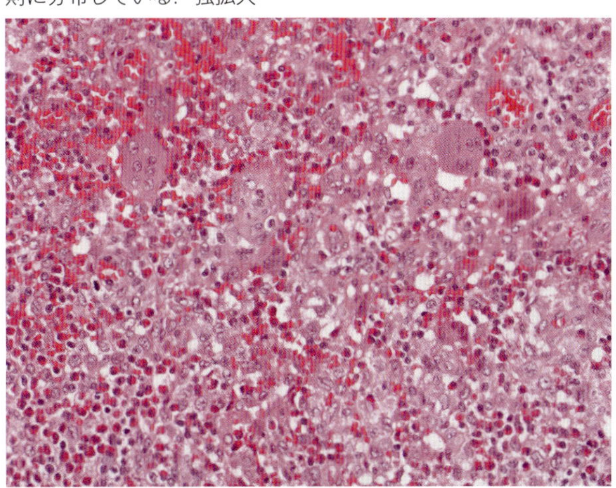

図 72　ランゲルハンス細胞組織球症． 好酸性の細胞質を有する組織球，好酸球，巨細胞の出現をみる．強拡大

巨細胞性肉芽腫　多核巨細胞が出現する非腫瘍性病変で，顎骨内にみられる中心性巨細胞肉芽腫と骨外に生じる周辺性巨細胞肉芽腫がある．多くは 30 歳未満で発生し，女性に多い．上顎骨よりも下顎骨に好発する．臨床的には緩慢な発育と無症状の顎骨膨隆を生じる．X 線的に病巣は境界明瞭な単房性から多房性透過像を示す．組織学的に出血巣を伴った線維芽細胞や筋線維芽細胞の増生からなる肉芽組織ないし線維性組織からなり，出血巣を中心として多核巨細胞の集簇がみられる（**図 69**）．病巣内には反応性骨形成やヘモジデリンの沈着が認められる（**図 70**）．

動脈瘤様骨嚢胞　長管骨や椎骨などに発生する嚢胞状病変．顎骨部での発生頻度は低い．10〜20 歳代に多く，X 線的には比較的境界明瞭な膨隆性透過像を示す．病変部は血液の充満した大小の腔とその周囲を取り囲む隔壁状の線維性結合組織，骨組織からなる．組織学的には内皮細胞の裏装を欠く大小さまざまな血管様腔がみられ，線維性結合組織内には不規則な形状の骨や類骨の形成，多核巨細胞の出現，ヘモジデリンの沈着や出血を伴っている（**図 71**）．

［参考事項］　顎骨に生じて多核巨細胞の出現がみられる病変には**ケルビズム** cherubism がある．小児期に下顎骨の対称性膨隆と特有の顔貌を呈する．家族性のまれな骨関連疾患で，組織像は巨細胞肉芽腫とほぼ同様とされている．**ランゲルハンス細胞組織球症** Langerhans cell histiocytosis はランゲルハンス細胞が異常増殖をきたす疾患で，小児に多く，病変は骨をはじめ皮膚，内臓諸臓器，リンパ節などさまざまな部位に生じる．骨病変では頭蓋骨での発生が多い．組織学的に卵円形の核と好酸性の細胞質を有する組織球の増生からなり，核はコーヒー豆様の特徴のある核溝を認める．好酸球の浸潤を伴うことが多く，破骨細胞型巨細胞の出現をしばしば認める（**図 72**）．

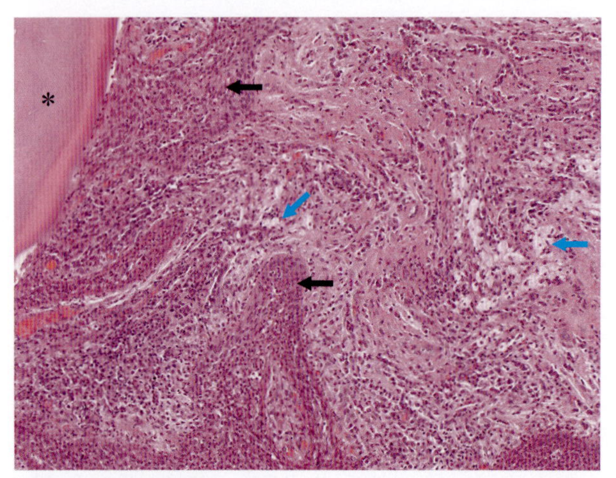

図 73　歯根肉芽腫. 歯根（※）の周囲に泡沫細胞（⬆）や歯原性上皮（⬆）の炎症性増生を伴った肉芽組織の形成がある．中拡大

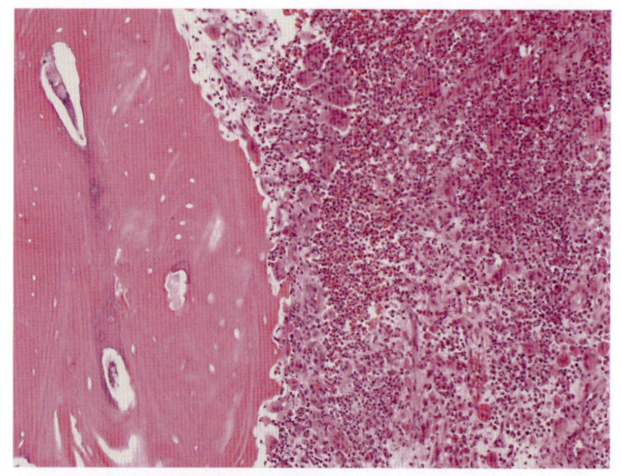

図 74　急性化膿性顎骨骨髄炎. 腐骨周囲に破骨細胞が出現し，骨髄組織では好中球の浸潤をみる．中拡大

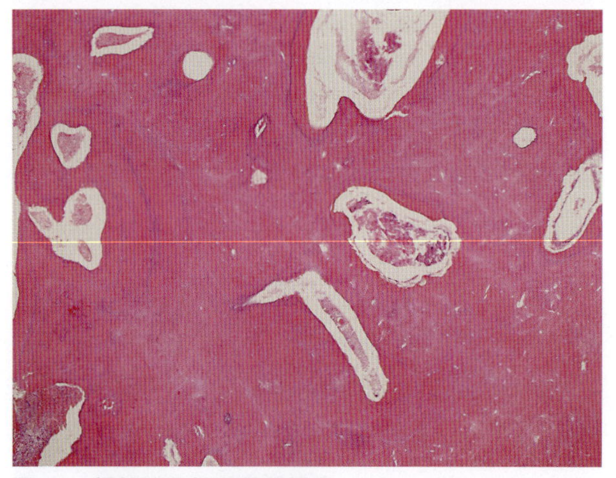

図 75　慢性硬化性顎骨骨髄炎. 複雑な改造線を有する密な骨組織の増生をみる．弱拡大

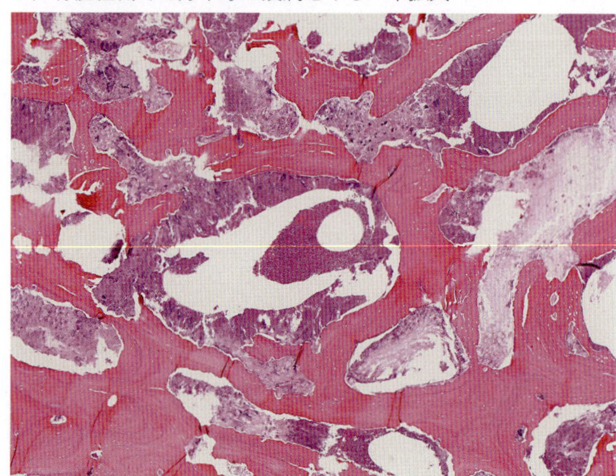

図 76　MRONJ. 腐骨周囲に著明な感染と炎症細胞浸潤をみる．腐骨表面では破骨細胞の出現に乏しい．弱拡大

根尖性歯周炎　歯根尖部歯周組織に生じた炎症が根尖性歯周炎で，主として歯髄炎の継発症として生じる．病理組織学に漿液の滲出と浮腫を伴う急性漿液性根尖性歯周炎，好中球を主体とした滲出や膿瘍のみられる急性化膿性根尖性歯周炎，漿液性炎の持続から肉芽組織の形成がみられる慢性単純性歯周炎，化膿性炎に対して肉芽組織による修復機転と器質化が生じている慢性化膿性根尖性歯周炎，肉芽組織によって根尖部膿瘍が器質化された慢性肉芽性根尖性歯周炎に分類される．慢性肉芽性根尖性歯周炎は膿瘍がほぼ肉芽組織で置換された歯根肉芽腫（**図 73**）と基質化過程で嚢胞を形成した歯根嚢胞に分類される．

顎骨骨髄炎　本症は根尖性歯周炎などから波及進展する場合が多く，辺縁性歯周炎，抜歯創，顎骨部開放創からの感染により生じる場合もある．上顎より下顎に多く生じる．急性化膿性骨髄炎では骨組織の広範な壊死，好中球浸潤と破骨細胞による骨吸収が著明である（**図 74**）．さらに修復機転の進行による肉芽組織の形成を伴うと慢性化膿性骨髄炎へ移行する．慢性骨髄炎の経過中に著明な反応性骨形成を伴うものを**慢性硬化性骨髄炎**とよぶ．組織学的には複雑な改造線を有する密な骨組織と骨梁間の粗な線維性組織がみられる（**図 75**）．

近年，骨吸収抑制作用や血管新生抑制作用を有する薬剤使用に伴って生じる骨髄炎・骨壊死が問題となっている．多くが歯性感染症や抜歯を契機に発症しており，**薬剤関連性顎骨壊死** medication-related osteonecrosis of the jaw（MRONJ）とよばれている．骨壊死が限局せず進行していくことが問題で，組織学的には著明な壊死骨の形成とリモデリングの抑制，成熟した破骨細胞の欠如，著明な炎症細胞浸潤と感染などがみられる（**図 76**）．診断においては投薬履歴など臨床情報の確認を要する．

第5章

消化器系

(2) 唾液腺

概説

唾液腺は，唾液を産生・分泌する器官であり，その分泌物は食物の消化を助け，口腔に始まる上部消化管・呼吸器の粘膜を湿潤させ，防御する働きをしている．

解剖学的に，唾液腺は大唾液腺（耳下腺，顎下腺，舌下腺；おのおの左右1対）と小唾液腺（口蓋腺，口唇腺，など）に大別される（**図1**）．唾液腺実質組織は，唾液を産生・分泌する機能をもつ腺房部と，分泌物を口腔まで運びながら水分や電解質の調節を行う導管部から構成される（**図2，3**）．各部位の唾液腺は，腺房細胞の性状から漿液腺，粘液腺，および混合腺に分類される．導管部は，腺房に近いほうからさらに介在部導管，線条部導管，小葉間導管，および排泄管へと名称が変化していく．これら実質成分を構成している細胞には，腺房細胞，導管上皮細胞，筋上皮細胞，および基底細胞の4種類がある．

唾液腺に発生する疾患は多岐にわたるが，それらは非腫瘍性病変と腫瘍性病変の2つに分けて考えるとよい（本節で取り扱った疾患は，下記のうち太字で示した）．唾液腺非腫瘍性病変としては，発育異常（無形成，異所性唾液腺），退行性病変（変性，萎縮），進行性病変（口蓋腺の腺腫様過形成，オンコサイト症，扁平上皮化生，壊死性唾液腺化生），炎症（急性化膿性唾液腺炎，慢性閉塞性唾液腺炎，**IgG4関連唾液腺炎**，流行性耳下腺炎［“おたふくかぜ”］，サイトメガロウイルス感染症，**シェーグレン症候群**），**唾石症**，嚢胞（**粘液瘤**，ガマ腫，リンパ上皮性嚢胞）などがあげられる．これらの疾患のなかで，IgG4関連唾液腺炎やシェーグレン症候群では，病変が唾液腺にとどまらず，全身性の疾患として他臓器に及ぶことがある．

唾液腺腫瘍の頻度は全腫瘍の約1%であり，全身的には比較的珍しい腫瘍である．唾液腺腫瘍の約80%は大唾液腺，とりわけ耳下腺に生じ，その残りが口腔小唾液腺に由来する．唾液腺腫瘍全体では悪性よりも良性のほうが多いが，舌下腺や臼後腺など一部の口腔小唾液腺由来の腫瘍は良性よりも悪性の占める割合が高い．

病理組織学的に，唾液腺腫瘍の90%以上は上皮性であるが，上述のように唾液腺には腺房や導管を構成する腺房細胞や導管上皮細胞に加えて，筋上皮/基底細胞が存在し，これらが腫瘍化に伴ってさまざまな割合で増殖・分化を示すことから，唾液腺腫瘍はきわめて多様な組織像を呈する．一方で，組織型が異なるにもかかわらず部分的に共通する組織構築を呈することが多く，さらには癌と分類されるもののなかには1つの組織型においてさえも，悪性度の異なるものが含まれる．唾液腺腫瘍ではこのような組織像の多様性や共通性，あるいは生物学的態度の不均一さを十分理解することが重要である．

唾液腺腫瘍には非常に多くの組織型（30種類以上）が存在するが，比較的発生頻度の高い組織型としては，良性では**多形腺腫**（全唾液腺腫瘍の約60%），**ワルチン腫瘍**（同10%），および**基底細胞腺腫**（同5%），悪性では**粘表皮癌**（同8%），**腺様嚢胞癌**（同5%），**多形腺腫由来癌**（同5%），**腺房細胞癌**（同4%）および**唾液腺導管癌**（同3%）があげられる．その他，**上皮筋上皮癌**，**分泌癌**，基底細胞腺癌，**多型腺癌**，**明細胞癌**，などのまれな癌腫も発生する．これら上皮性腫瘍に比べて非上皮性腫瘍の発生頻度は低く，唾液腺腫瘍全体の約5%を占めるにすぎない．軟部腫瘍のなかでは血管腫が最も多く（全体の40%），また血液リンパ球系腫瘍のなかではMALTリンパ腫が多く発生するのが唾液腺に特徴的である．

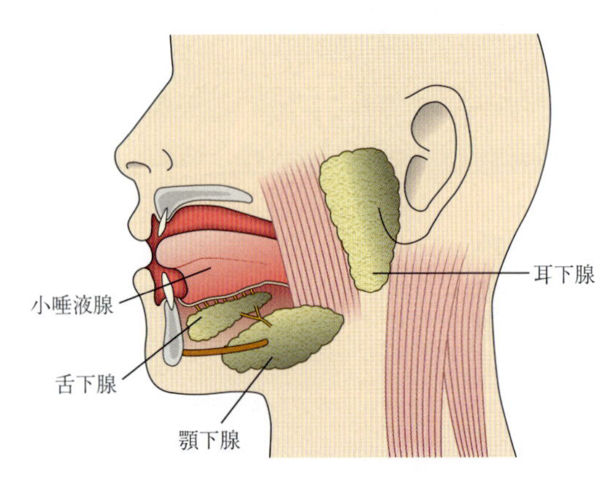

図1　唾液腺の肉眼解剖．耳下腺，顎下腺および舌下腺を総称して大唾液腺とよぶ

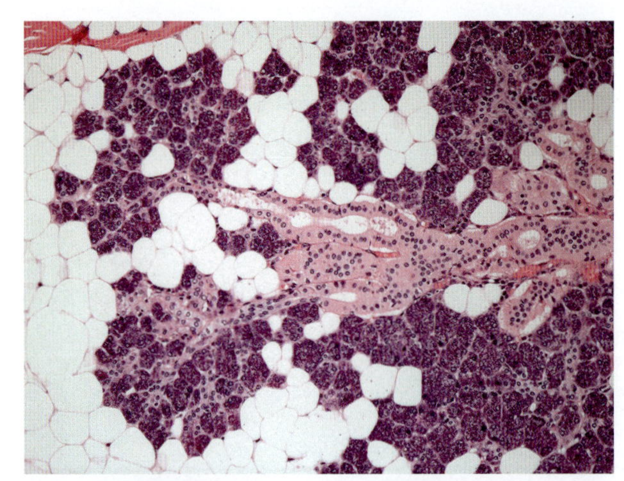

図2　耳下腺組織．導管から連続性に腺房がブドウの房状に認められる．弱拡大

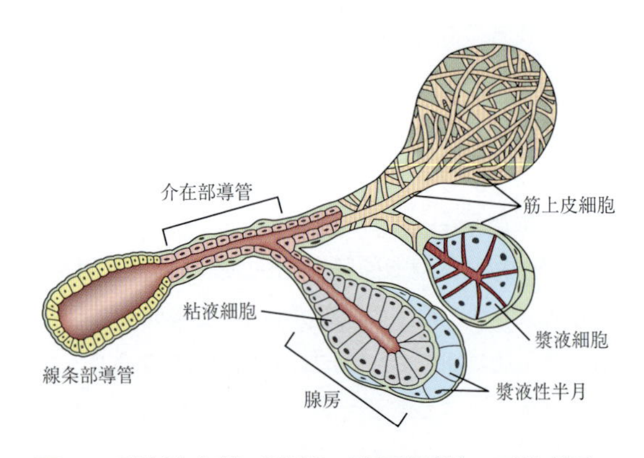

図3　唾液腺小葉（導管―腺房単位）の模式図

表1　唾液腺腫瘍の病理診断

1. 臨床情報 患者の年齢，性，発生部位，および臨床所見の把握
2. 腫瘍の肉眼的性状と発育様式 ・充実性か囊胞性か，出血や壊死の有無など ・境界明瞭か否か：良・悪性の鑑別に最も重要
3. 腫瘍の組織構築 篩状，管状，乳頭状，充実性，索状，囊胞状，微小囊胞状，濾胞状，束状，柵状など
4. 腫瘍細胞の形態・性状と分化 ・形態・性状：立方，円柱，紡錘形，扁平，類基底，類上皮，軟骨様，脂腺，淡明，好酸性（オンコサイト様，形質細胞様），好塩基性など ・分化：筋上皮，導管上皮など（免疫染色が有用）
5. 腫瘍間質成分 基底膜様物質（粘液様・硝子様），リンパ球性など

唾液腺腫瘍の術前診断には，組織針生検や開放生検は一般的ではなく，穿刺吸引細胞診がよく行われる．穿刺吸引細胞診の良・悪性の正診率は高く，治療方針に有用な情報を与えるが，組織型の推定は難しいことが多い．また，術前診断が不確実な場合や腺様囊胞癌など神経に沿った発育を示す腫瘍のときには，術中迅速診断が行われることがある．

唾液腺腫瘍を病理診断する際には，臨床情報，腫瘍の肉眼的性状と発育様式，腫瘍の組織構築，腫瘍細胞の形態・性状と分化，および腫瘍間質成分の各項目について順を追って注意深く把握し，総合的に判断する必要がある（**表1**）．病理組織学的に，唾液腺腫瘍細胞は種々の形態あるいは性状を呈するため，HE染色標本のみでは診断に苦慮することが少なくない．そこで，必然的に免疫組織化学染色（免疫染色）を診断の補助として用いることが多くなる．ただし，特定の組織型の診断に有用なマーカーは非常に限られているのが現状である．免疫染色を行う大きな目的は，腫瘍の筋上皮分化の有無をみることにある．また，粘表皮癌，腺様囊胞癌，分泌癌などいくつかの組織型では腫瘍特異的な融合遺伝子や遺伝子異常が存在し，近年では実際に唾液腺腫瘍の診断に際して遺伝子検索がなされるようになってきた．

以下，唾液腺病変のなかで，実地面で病理組織学的に遭遇する頻度の高い病変やこの部に特有な病変を中心に，鑑別診断のポイントを踏まえて解説する．

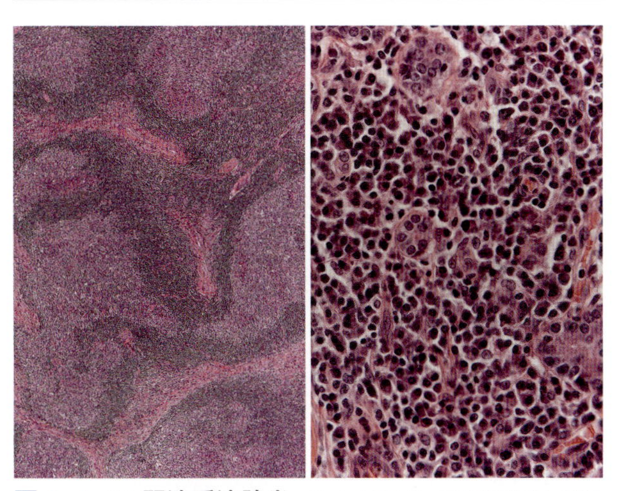

図 4　IgG4 関連唾液腺炎． 左：大型リンパ濾胞形成と線維化．弱拡大．右：著明な形質細胞浸潤．強拡大

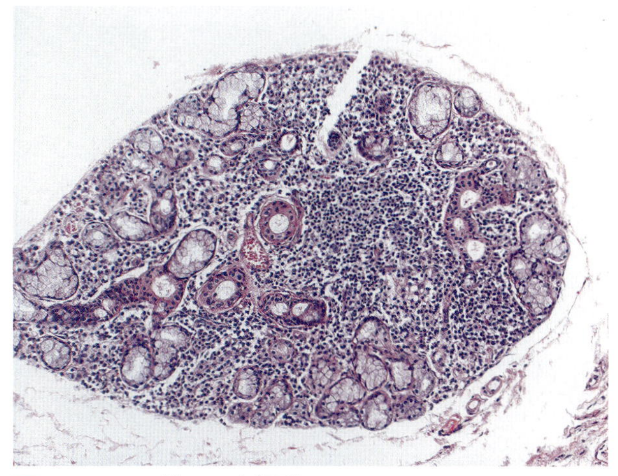

図 5　シェーグレン症候群． 口唇生検組織．導管周囲の巣状リンパ球浸潤が特徴的である．弱拡大

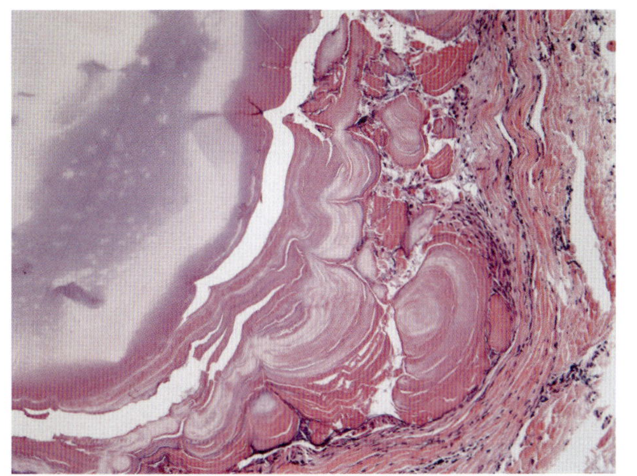

図 6　唾石症． 拡張した導管内には求心性層状の唾石が充満している．弱拡大

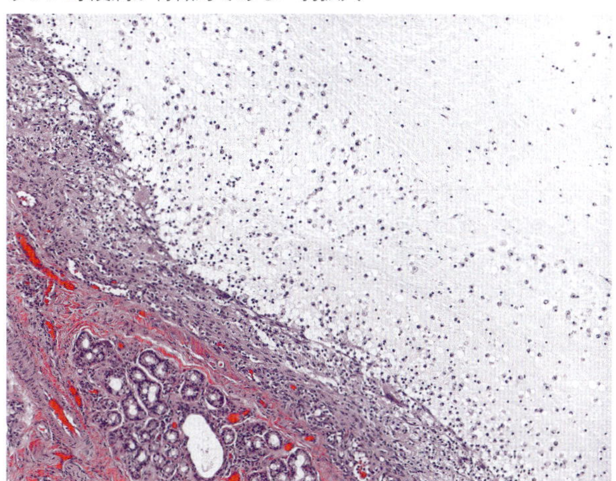

図 7　粘液瘤． 小唾液腺に隣接して肉芽組織の壁で囲まれた嚢胞がみられる．裏装上皮はない．弱拡大

IgG4 関連唾液腺炎　おもに顎下腺が腫瘍様に硬く触れる．血清 IgG4 値が高値を呈し，自己免疫性膵炎など他臓器の IgG4 関連疾患をしばしば合併する．ステロイドの内服が著効する．組織学的に，大型胚中心を伴う高度のリンパ球・形質細胞の浸潤と著明な硬化性線維化が認められ，腺房は萎縮・消失する（**図 4**）．リンパ上皮性病変は通常みられない．免疫染色にて浸潤する形質細胞の多くが IgG4 陽性となる．

シェーグレン症候群　口腔乾燥症と乾燥性角結膜炎を主徴とする自己免疫疾患であり，しばしば関節リウマチなどほかの自己免疫疾患を伴う．中年女性に多く，両側耳下腺の腫脹をきたす．抗 SS-A/B 抗体が陽性を示す．経過が長い場合には MALT リンパ腫を発症することがある．組織学的に，耳下腺では腺実質の消失，高度のリンパ球浸潤，およびリンパ上皮性病変の形成がみられる．診断確定の目的で行われる口唇腺生検では，リンパ上皮性病変は一般的ではなく，導管周囲にみられる 50 個以上の巣状リンパ球浸潤巣を 1 focus とし，4 mm^2当たり 1 focus 以上が認められることを診断基準としている（**図 5**）．

唾石症　多くは顎下腺が腫脹し，しばしば飲食時の痛みを伴う．唾石は肉眼的に白色～黄土色を呈し，組織学的には拡張した導管内に求心性層状の石灰塩の集積として認められる（**図 6**）．導管の拡張，慢性炎症性細胞浸潤，導管周囲性の線維化，および腺房の萎縮が特徴的である．導管上皮には，扁平上皮や粘液細胞への化生がよくみられる．

粘液瘤　最も頻度の高い唾液腺嚢胞性病変で，下口唇に好発する．排泄管の外傷による粘液の流出がその原因となる．組織学的に，粘膜上皮下には嚢胞状の粘液の貯留があり（**図 7**），そこには泡沫組織球を多数含む．嚢胞壁は炎症性肉芽組織からなり，通常被覆上皮を欠く．ガマ腫は口腔底の片側に大型の嚢胞が形成されたものである．

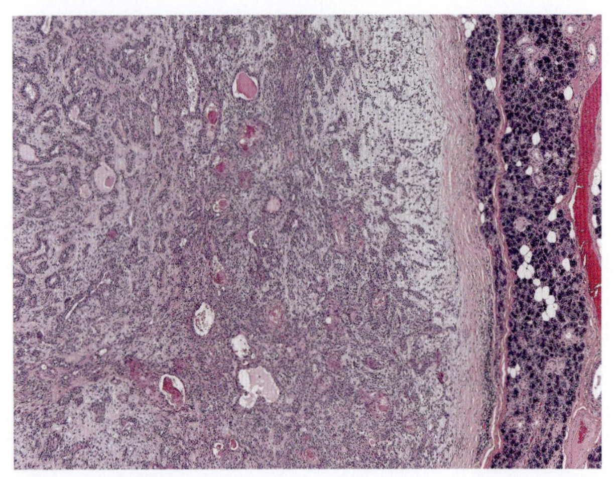

図 8　多形腺腫．腫瘍は線維性被膜で覆われ，唾液腺（図右）との境界は明瞭である．弱拡大

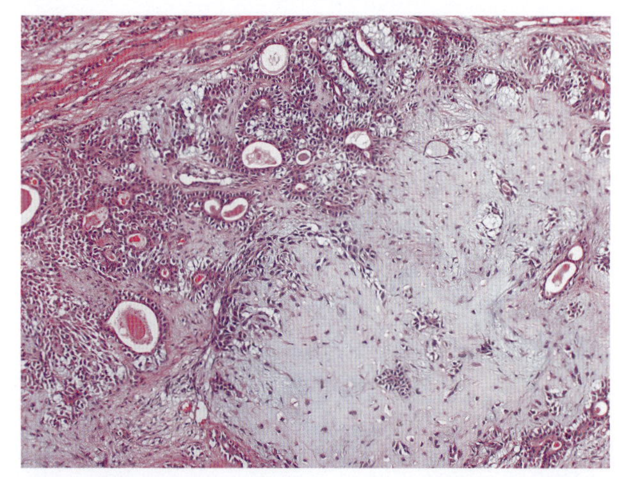

図 9　同前．腫瘍は，腺管構造に加えて粘液腫様，軟骨様の間葉系成分よりなり，それらが混在している．中拡大

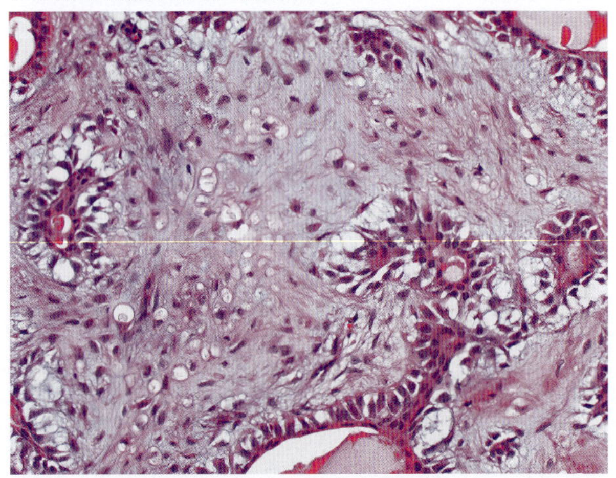

図 10　同前．腺管の外層を形成する腫瘍性筋上皮が解離し，間葉系領域へと移行する像が特徴的である．強拡大

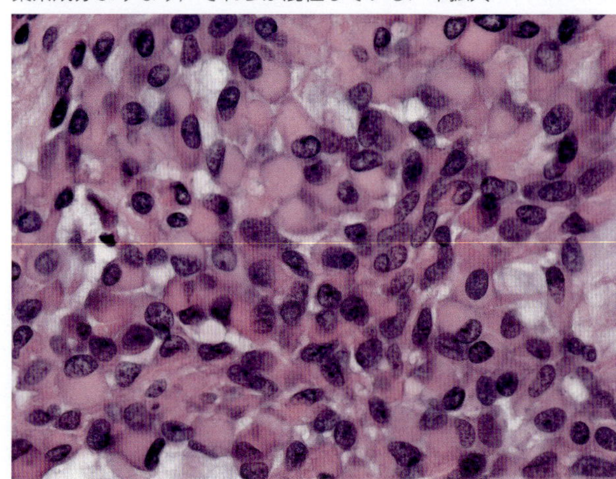

図 11　同前．偏在核と好酸性細胞質を有する形質細胞様細胞がみられる．強拡大

多形腺腫は，最も発生頻度が高い唾液腺良性腫瘍である．発症年齢は幅広いが平均 40 歳で，女性の耳下腺に好発する．長期間経過した症例や再発例では悪性化をきたすことがある．通常被膜を有するが（**図 8**），小唾液腺例では被膜形成が不完全なこともある．

組織学的に，上皮性成分と間葉系成分の互いに境界不明瞭な混在よりなる多彩な像を示すことが特徴である（**図 9**）．上皮性成分は，腫瘍細胞の管状，シート状，索状，あるいは網状の配列からなる．腫瘍細胞は立方状，基底細胞様，扁平上皮様，紡錘形など種々の形態をとる．管状構造を示す部分では立方状の導管上皮系細胞の周囲に筋上皮系細胞からなる層を認める（**図 10**）．扁平上皮様部分では角化を伴うことも多い．紡錘形細胞は束状に錯綜配列を示す．また，しばしば形質細胞様細胞が集簇して増殖している部分がみられる（**図 11**）．間葉系成分は，粘液腫様，軟骨様（**図 9**），線維性，あるいは硝子様を呈する．粘液腫様部分では豊富な粘液性基質内に星芒状腫瘍細胞がまばらに認められる．骨形成や脂肪細胞がみられることもある．免疫組織化学的に，筋上皮系細胞は α-平滑筋アクチン，カルポニン，S-100 蛋白，および p63 が陽性となる．t(3；8)(p21；q12)，t(5；8)(p13；q12) などの染色体転座によって *PLAG1* 遺伝子の発現が活性化されることが一部の腫瘍発生に重要な役割を果たしている．

【鑑別診断】 基底細胞腺腫，腺様嚢胞癌，上皮筋上皮癌など，導管上皮系細胞と筋上皮系細胞の二相性分化を示す組織型があげられる．これらの腫瘍との鑑別には，浸潤性増殖の有無や粘液腫様・軟骨様の間葉系成分の確認が重要である．

［参考事項］ 多形腺腫を構成するのと同様の筋上皮系細胞が腫瘍のほぼ全体を占めるまれな組織型に筋上皮腫がある．また，周囲組織への浸潤や細胞異型のみられるものは悪性で，筋上皮癌とされる．

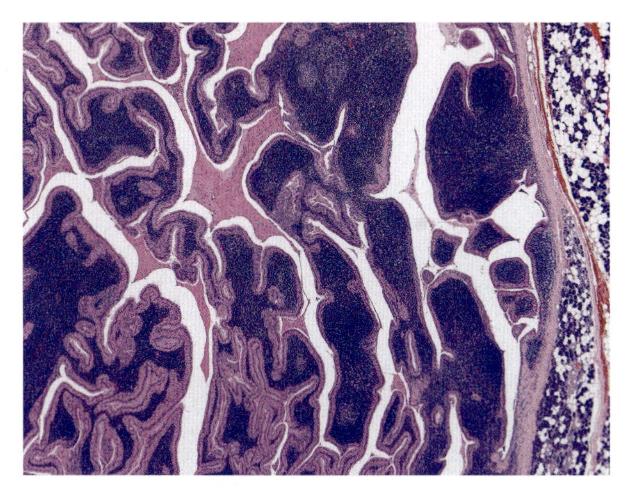

図 12　ワルチン腫瘍. 腫瘍は境界明瞭で，上皮の嚢胞・乳頭状増生とリンパ球性間質からなる．弱拡大

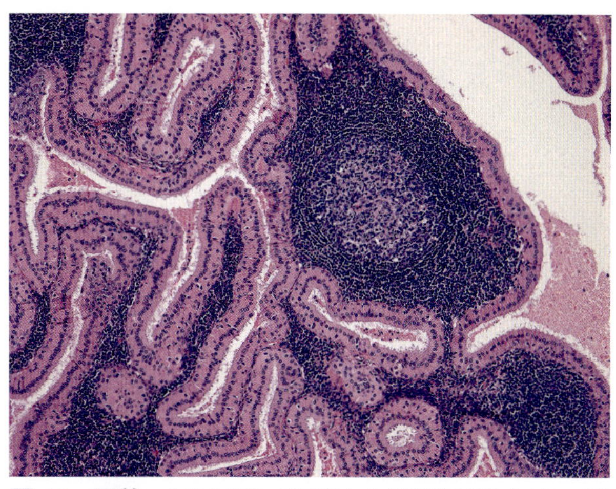

図 13　同前. 上皮の嚢胞・乳頭状および管状の増生とリンパ濾胞の形成を伴うリンパ球性間質がみられる．中拡大

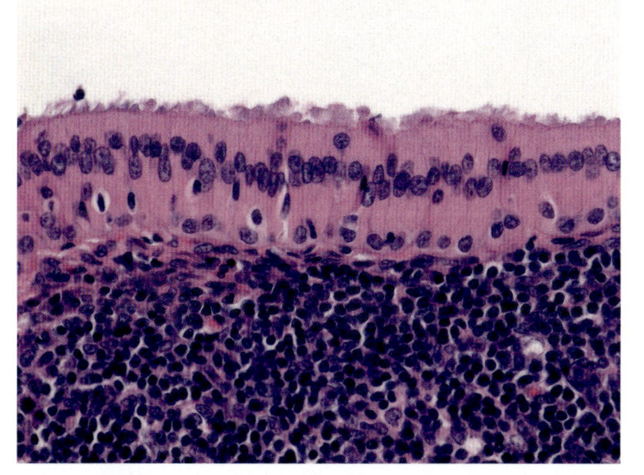

図 14　同前. 上皮は高円柱状の好酸性細胞（オンコサイト）と基底型細胞の２層性を示す．強拡大

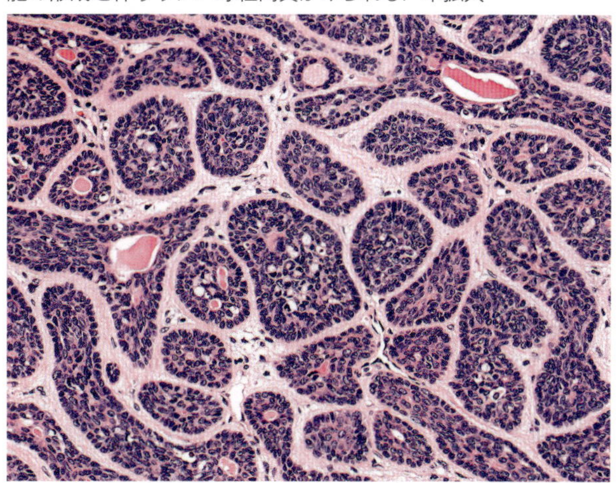

図 15　基底細胞腺腫. 充実性胞巣形成，索状配列，および管状構造をみる．ジグソーパズル様である．中拡大

ワルチン腫瘍　多形腺腫に次いで頻度の高い良性腫瘍で，もっぱら耳下腺とその近傍に発生し，中高年男性に多い．多発や両側性に発生する例もある．悪性化はきわめてまれである．組織像は特徴的で，ミトコンドリアに富み，好酸性顆粒状の細胞質を有する上皮細胞（オンコサイト）が，胚中心を有する濾胞形成を示すリンパ球性間質を伴い，嚢胞・乳頭状あるいは管状に増殖する（**図 12，13**）．オンコサイトには，高円柱状細胞と立方状細胞とがあり，核の位置からこれらが嚢胞や管腔の内腔側と基底側の２層性に配列しているようにみえる（**図 14**）．嚢胞内には好酸性で顆粒状の物質を容れる．ときに杯細胞や扁平上皮細胞を混じる．また，特に術前に穿刺吸引細胞診を行った症例では，広範な壊死，上皮の著明な扁平上皮化生，および間質の線維化と泡沫細胞の集簇を伴う肉芽腫の形成を認めることがあり，注意を要する．

【鑑別診断】　典型例の診断は容易であるが，扁平上皮および杯細胞への化生が目立つ症例では，粘表皮癌との鑑別が必要になってくる．ワルチン腫瘍では浸潤や充実性成分はみられない．

基底細胞腺腫　高齢者の耳下腺に好発する．再発や悪性化はまれである．明瞭な被膜で囲まれ，組織学的に管状，索状，充実性胞巣を形成して増殖する（**図 15**）．しばしば腫瘍胞巣がジグソーパズル様に組み合わさって認められる．ときに一部嚢胞状を呈する．胞巣最外層細胞の柵状配列が特徴的である．多形腺腫と同様に，腺腔を形成する導管上皮系細胞とその外層に位置し，あるいは充実性に増殖する基底細胞様の筋上皮系細胞よりなるが，胞巣と間質との境界は明瞭で，間葉系成分を伴うことはない．胞巣内外に好酸性の基底膜様構造物の沈着を認めることがある．

【鑑別診断】　基底細胞腺癌や腺様嚢胞癌とは浸潤の有無により鑑別する．

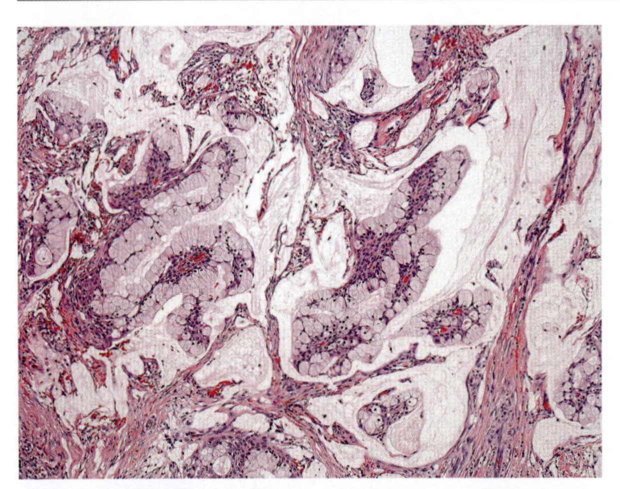

図 16　粘表皮癌．低悪性度型：多嚢胞形成と乳頭状増殖を示す．多数の粘液細胞と粘液の貯留をみる．弱拡大

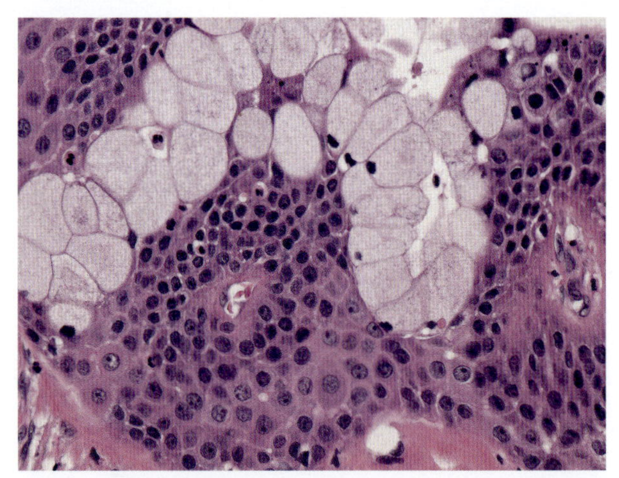

図 17　同前．低悪性度型：粘液細胞，類表皮細胞，および中間細胞をみる．異型性は軽度である．強拡大

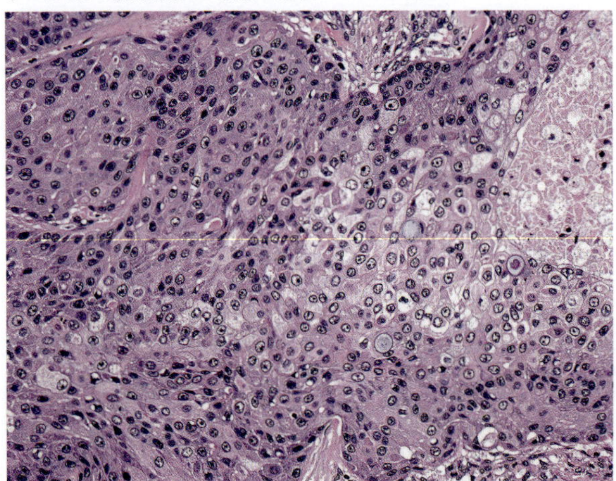

図 18　同前．高悪性度型：異型的な類表皮細胞と少数の粘液細胞の充実性増殖をみる．壊死を伴う．中拡大

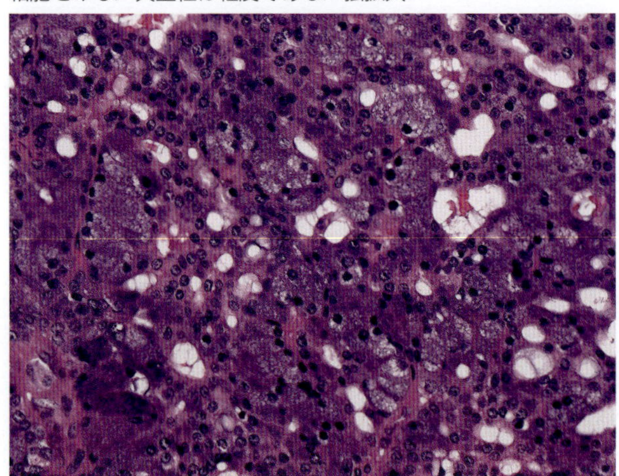

図 19　腺房細胞癌．漿液性腺房細胞に類似した好塩基性腫瘍細胞の充実性および微小嚢胞状増殖をみる．中拡大

粘表皮癌　悪性唾液腺腫瘍のなかで最も発生頻度が高く，若年者にも生じる．耳下腺のほかに小唾液腺にもよくみられる．悪性度は症例によってさまざまであるが，低悪性のものが多い．組織学的に，粘液細胞，類表皮細胞（扁平上皮細胞），および中間細胞が種々の割合で混在し，嚢胞形成や充実性増殖を示す（**図 16，17**）．類表皮細胞は淡好酸性で細胞間橋がみられるが，癌真珠を伴うような角化はまれである．中間細胞は小型で類円形の中心核を有する．その他，ときに明細胞やオンコサイトを混じる．リンパ球性間質を伴う症例もある．低悪性度型では，嚢胞形成が目立ち，粘液細胞と異型に乏しい中間細胞が優位である（**図 16，17**）．一方，高悪性度型では類表皮細胞の充実性増殖が主体をなし，粘液細胞は少なく，細胞の異型性が強い（**図 18**）．核分裂像数，壊死（**図 18**），神経浸潤，骨浸潤も悪性度と関連する．*CRTC1/3-MAML2* 融合遺伝子形成が高率に検出され，その同定は診断の確定に役立つ．

【鑑別診断】　明細胞やオンコサイトが主成分となる症例では，それぞれ明細胞癌とオンコサイトーマ/オンコサイト癌との鑑別が必要となる．また，壊死性唾液腺化生を粘表皮癌と見誤らないようにする．高悪性度型は扁平上皮癌との鑑別が必要で，アルシアンブルー，PASなどの粘液染色を行う．

腺房細胞癌　代表的な低悪性度唾液腺腫瘍で耳下腺を好発部位とする．漿液性腺房細胞に類似した好塩基性顆粒状細胞質と偏在核を有する細胞が，充実性あるいは微小嚢胞状に増殖するのが定型的な組織像である（**図 19**）．腫瘍細胞の細胞質にはジアスターゼ消化 PAS 陽性となるチモーゲン顆粒が認められる．ときに空胞細胞が混在する．

【鑑別診断】　微小嚢胞構造が目立つ症例では，分泌癌との鑑別を要する．漿液性腺房細胞の有無や *ETV6-NTRK3* 融合遺伝子（分泌癌に特異的）の同定が両者の鑑別点となる．

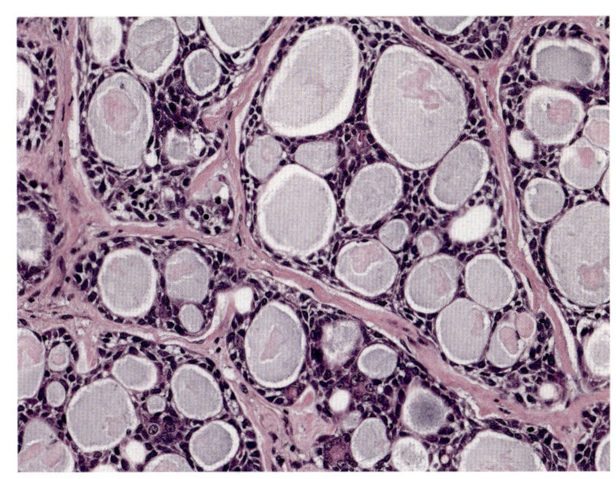

図 20　腺様囊胞癌．多数の偽囊胞からなる篩状構造をみる．偽囊胞内には淡好塩基性物質を容れている．中拡大

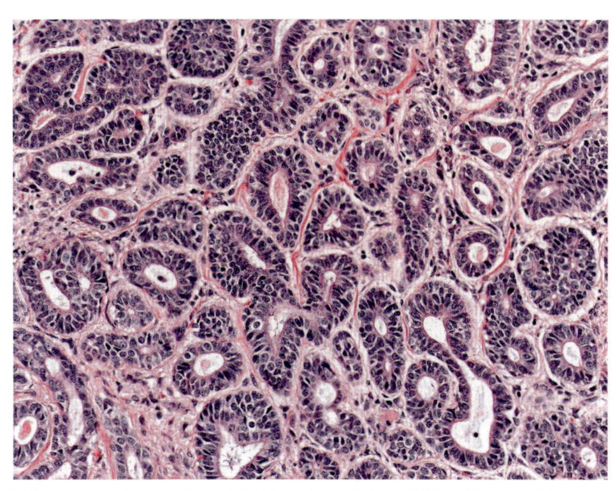

図 21　同前．内腔側の導管上皮系細胞と外側の筋上皮系細胞からなる２相性の管状構造をみる．中拡大

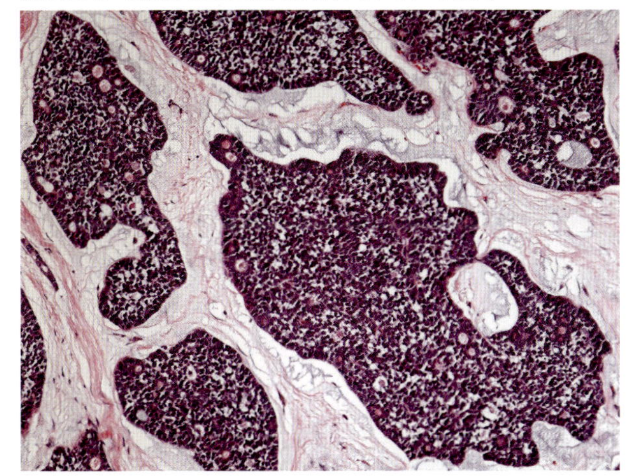

図 22　同前．小型で核クロマチンに富む腫瘍細胞からなる充実性胞巣をみる．粘液様間質を伴う．中拡大

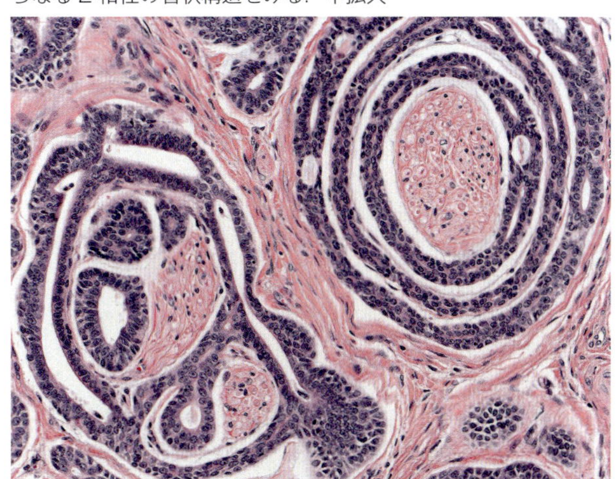

図 23　同前．腫瘍細胞が神経線維束を取り巻くようにして増殖している（神経周囲浸潤）．中拡大

腺様囊胞癌は，代表的な悪性唾液腺腫瘍の１つで，耳下腺に最も多いが，小唾液腺（特に口蓋腺）にもよく発生する．緩徐な増大を示すが，組織侵襲性が高く，長い経過を経て，肺や骨などへの遠隔転移をきたす予後不良の腫瘍である．しばしば顔面神経麻痺を伴う．

組織学的には，本腫瘍に特徴的な篩状胞巣（スイスチーズ様あるいはレンコン様構造）（**図 20**）に加えて，管状（**図 21**），充実性胞巣（**図 22**）を形成して浸潤性に増殖する．胞巣内に多数の腔が形成される篩状胞巣は，偽囊胞と好酸性立方状導管上皮系細胞に囲まれた真の腺管よりなる．偽囊胞は，ヘマトキシリンに淡染し，アルシアンブルー染色で強陽性に染まる粘液様物質が間質に貯留して生じる．偽囊胞腔内が硝子化し，この硝子化した基質内に腫瘍細胞が包埋してみえることもある．管状部は，内腔側の立方状導管上皮系細胞とその外側に位置する淡明な筋上皮系細胞の２層構造からなる．各管状構造は癒合したり，腺腔が不明瞭な索状配列を呈したりすることもある．充実性胞巣は大型で，その中心部はときに壊死に陥っている．一般的に，導管上皮系細胞は類円形核を，筋上皮系細胞はクロマチンに富む角張った小型の核を有し，核分裂像に乏しいが，充実性胞巣部では腫瘍細胞がやや大型で類基底細胞の形態を呈し，核分裂像が目立つことがある．充実性胞巣が目立つ例の予後はより不良である．いずれの増殖形態であっても，しばしば神経周囲浸潤像がみられる（**図 23**）．*MYB*/*MYBL1*-*NFIB* 融合遺伝子が高率に認められる．

【鑑別診断】　篩状構造は本腫瘍の特徴像ではあるが，多形腺腫，基底細胞腺腫/腺癌，多型腺癌にも部分的に認められることがあり，これら腫瘍との鑑別を要する．特に多型腺癌は神経周囲浸潤がみられる点でも腺様囊胞癌と類似し，慎重に鑑別する必要がある．

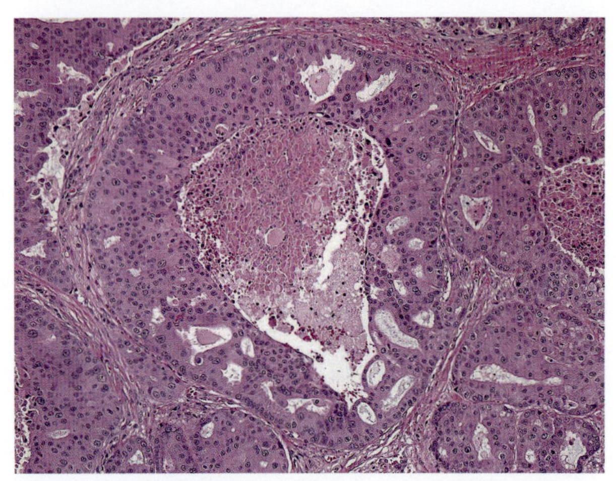

図 24　唾液腺導管癌．篩状構造を示す大型癌胞巣がみられ，その中心部はコメド壊死に陥っている．中拡大

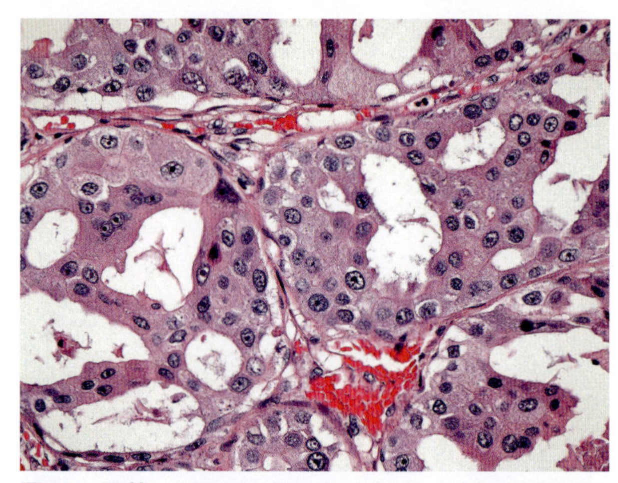

図 25　同前．腫瘍細胞は強い多形性を示し，豊富な好酸性細胞質を有している．強拡大

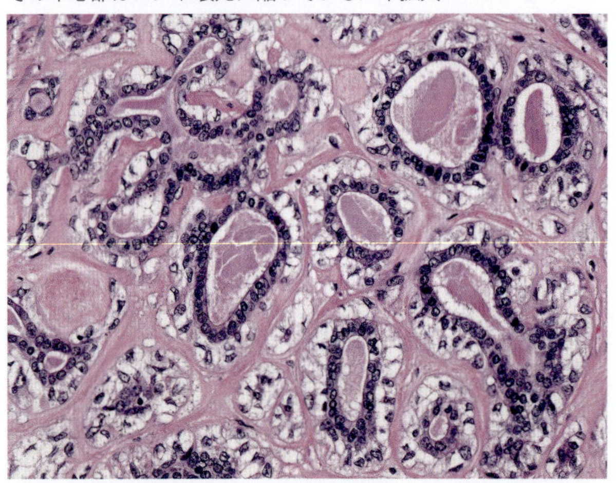

図 26　上皮筋上皮癌．内腔側の導管上皮系細胞と外層の淡明な筋上皮系細胞からなる２相性導管様構造をみる．中拡大

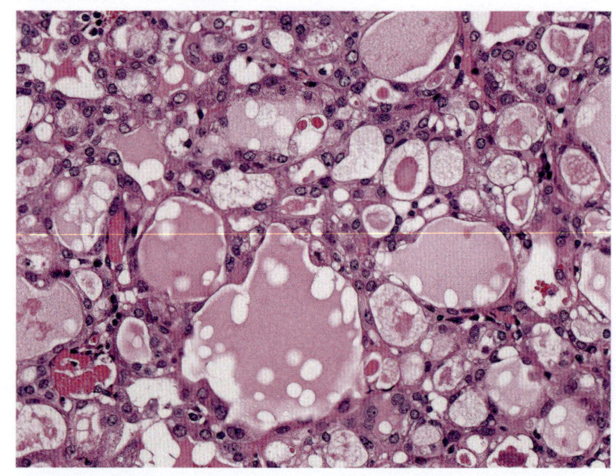

図 27　分泌癌．腫瘍は好酸性の分泌物を容れた濾胞様構造や一部の微小嚢胞状構造を示す．中拡大

唾液腺導管癌　高齢男性の耳下腺を好発部位とする高悪性度腫瘍で，高異型度浸潤性乳管癌に類似した組織像が特徴的である．約半数が多形腺腫由来癌として発生する．組織学的に，中心性壊死（コメド壊死）を伴った充実性や篩状胞巣を形成する（**図 24**）．ときに癌胞巣は嚢胞状拡張を呈したり，乳頭状形態や腺管が連続して Roman bridge とよばれる像がみられることもある．また，部分的には硬癌様に線維性結合組織への小癌胞巣の浸潤性増殖を認める．腫瘍細胞は好酸性の豊かな細胞質を有し，核は大型で多形性が強く，核小体は明瞭である（**図 25**）．核分裂像が目立つ．神経周囲浸潤や脈管侵襲も半数以上の症例で認められる．免疫染色にてアンドロゲン受容体が高率に陽性となる．HER2 も約 40％の症例で強発現を示す．

上皮筋上皮癌　高齢者の耳下腺に好発する低～中悪性度腫瘍で，発生頻度は低い．周囲との境界は明瞭であるが，多結節性に増殖する．組織学的に，介在部導管に類似した２相性導管様構造が特徴的で，それは内腔側の好酸性立方状導管上皮系細胞と外層の淡明な大型筋上皮系細胞からなる（**図 26**）．ただし，同様の組織像は，多形腺腫や腺様嚢胞癌にもみられることがあるので，腫瘍の一部のみでの診断には注意を要する．明細胞が多層になったり，充実性に増殖したりすることもある．細胞異型や分裂像には乏しい．

分泌癌　乳腺分泌癌に組織像が類似する低悪性度癌である．組織学的に微小嚢胞状，管状構造，あるいは嚢胞乳頭状に増殖する（**図 27**）．管腔内には好酸性の PAS 陽性の分泌物を容れる．腫瘍細胞は小～中型均一で，しばしば空胞状の細胞質を有する．部分的に組織像は腺房細胞癌に類似することがあるが，本腫瘍の細胞はチモーゲン顆粒を欠く．また，本腫瘍では特異的に *ETV6-NTRK3* 融合遺伝子が検出される．免疫染色にて mammaglobin と S-100 蛋白に強陽性を示す．

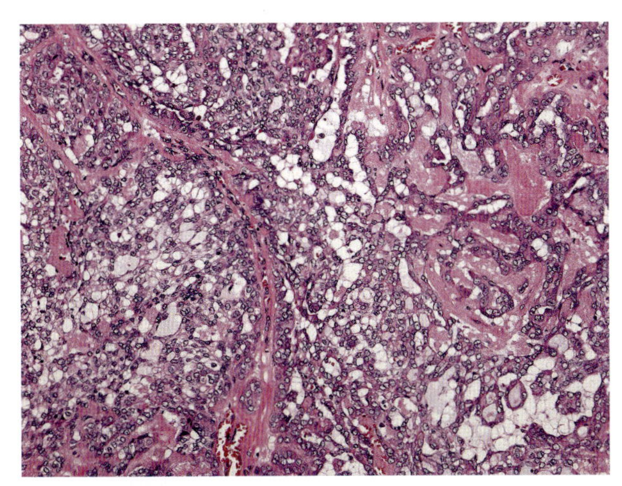

図 28　多型腺癌．腫瘍は篩状，網状，管状，乳頭状など多彩な増殖形態を呈する．中拡大

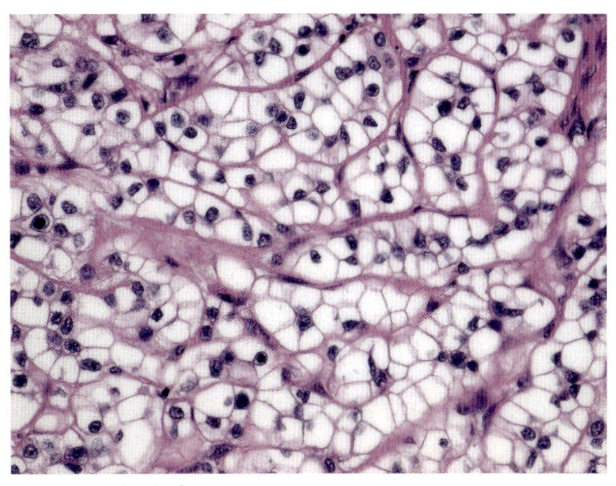

図 29　明細胞癌．細胞質が淡明な腫瘍細胞が索状に増殖している．強拡大

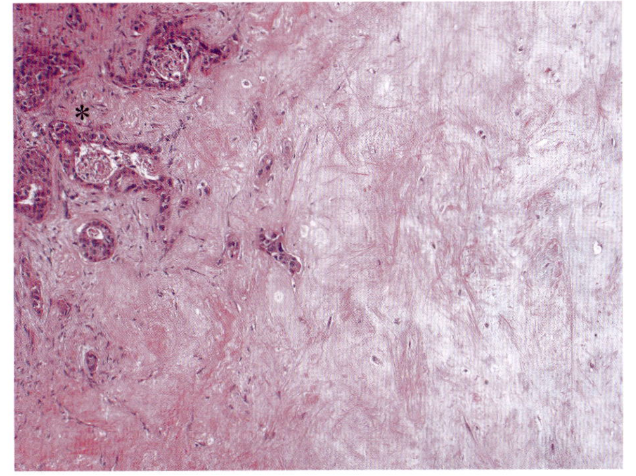

図 30　多形腺腫由来癌．癌腫成分（図左上）と多形腺腫成分．多形腺腫成分は硝子化している．弱拡大

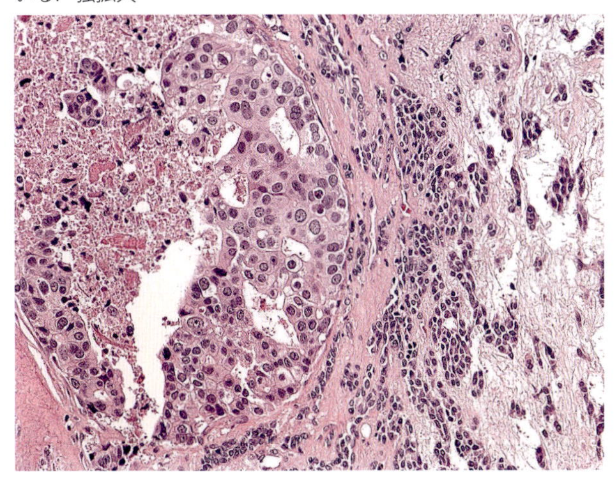

図 31　同前．多形腺腫成分（図右）とともに唾液腺導管癌の特徴を有する癌腫成分（図左）がみられる．強拡大

多型腺癌　大多数が小唾液腺，特に口蓋腺に発生するまれな低悪性度腫瘍で，組織学的に多様な増殖形態と細胞形態の均一性が特徴的である．細胞は，管状，篩状，充実性，乳頭状，嚢胞状，標的様など多様な配列を示しながら浸潤する（**図 28**）．これらの配列パターンは，症例や同一腫瘍内でも部位により，その割合はさまざまである．腫瘍細胞は小型，均一で，淡好酸性の細胞質を有する．核クロマチンは繊細で淡く，核小体は目立たず，異型や分裂像に乏しい．神経周囲浸潤を示す例が多く，好発部位や篩状胞巣の形成なども共通している腺様嚢胞癌との鑑別には注意を要する．

明細胞癌　小唾液腺に好発するまれな低悪性度腫瘍である．組織学的に，おもに淡明な細胞質を有する細胞のシート状あるいは索状配列を示す浸潤性増殖からなり，しばしば硝子様間質を伴う（**図 29**）．典型例では細胞質内にジアスターゼに消化されるPAS陽性のグリコーゲンを含有する．ときに淡い好酸性の細胞質を有する細胞も混在する．少数の粘液細胞を認めることもある．大多数の症例では，*EWSR1-ATF1* 融合遺伝子が検出される．組織像のみでは明細胞が優位な粘表皮癌との鑑別はしばしば困難で，両者に特異的な融合遺伝子の同定を要することも多い．

多形腺腫由来癌　既存の多形腺腫から癌腫が発生したもので，悪性唾液腺腫瘍のなかでの発生頻度は比較的高い．再発多形腺腫例の 12％に生じる．多形腺腫と癌腫の割合は症例によりさまざまであるが，後者の成分が優位な症例が多い．一般的に多形腺腫部分は高度の硝子化を伴う結節状を呈する（**図 30**）．癌腫成分は，唾液腺導管癌の像を示すことが最も多く（**図 31**），その他，筋上皮癌も発生する．予後は，浸潤程度や癌腫の組織型で異なり，多形腺腫の被膜内にとどまっているもの，あるいは微小浸潤を示すものは良好，一方，広範浸潤例は不良である．

第5章

消化器系

（3）食道・胃

概　説

1. 食　道

食道は輪状軟骨下縁の高さ（門歯から約 15 cm の部）で咽頭に連続し，横隔膜のやや下（門歯から約 40 cm の部）で胃の噴門に移行する管腔臓器で，消化管の一部を構成する．長さは約 25 cm で，最後の約 1.5 cm は横隔膜を越えて腹腔内に位置し，空虚時には前後に扁平となる筋性の管である．頸・胸・腹部食道の 3 部に区分され，胸部食道はさらに上・中・下部に細区分される．食道は起始部，気管分岐部の高さおよび噴門に入る最下端の 3 カ所で内腔が狭くなっている．内腔表面は滑らかで白色を呈し，多数の縦走ひだが認められる．胃への移行部では，赤みを帯びた胃粘膜との間に明瞭な境界（Z-line）がみられる．

組織学的には，食道壁は典型的な消化管の基本構造，すなわち粘膜，粘膜下組織（俗称として粘膜下層とよぶ），筋層，外膜の 4 層構造を示す（**図 1，2**）．

粘膜は上皮，粘膜固有層および粘膜筋板からなる．上皮は非角化重層扁平上皮で，電顕および組織化学的に 1 層の基底細胞層，数層の有棘細胞層および 1 層の扁平上皮細胞機能層

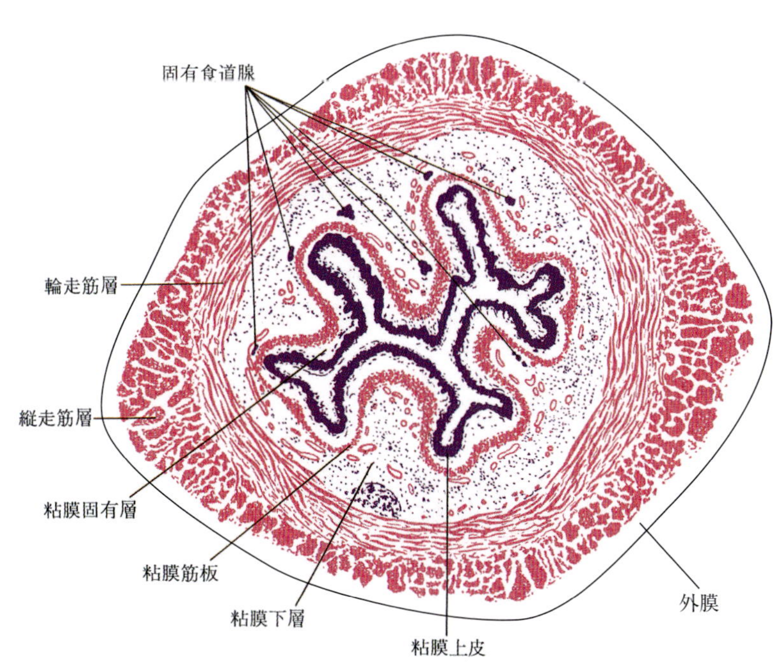

図 1　食道横断面半模式図（Sobotta による図を改変）

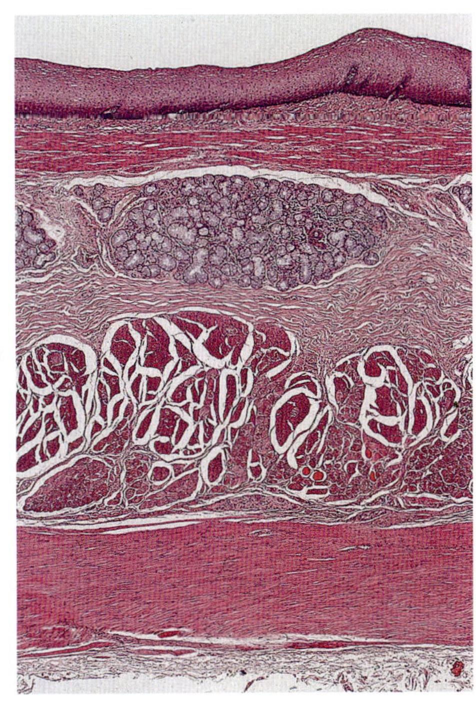

図 2　食道．食道壁全層の組織像．弱拡大

に分けられうる．しかし，実際的には表層と基底層とに区分することが多い．基底層は細胞1〜3・4層からなり，通常全上皮の厚さの約10〜15%程度を占め，核の密在と好塩基性細胞質とからHE染色でもそれと確認できる．表層の細胞は糖原を含む淡明な広い細胞質を有し，PAS陽性に染まる．したがってPAS染色で両層の区分がより容易になる．

上皮の基底細胞層には，内分泌細胞が25%，メラニン細胞が4〜29.9%の頻度で出現する．また，上皮の下層・中層には，Tリンパ球やランゲルハンスLangerhans細胞の出現をみることもある．

粘膜固有層は疎性結合組織からなり，上皮に向かって乳頭を形成する．通常この乳頭は全上皮の厚さの約65%を超えることはない．他の消化管の粘膜固有層に比べて細胞成分に乏しい．しかし，正常でも少数のリンパ球・形質細胞の浸潤を，特に食道腺の導管の周囲にみることがあるので，この所見を即食道炎と解すべきではない．リンパ管や血管は他の消化管固有層に比較してはなはだ豊富である．

粘膜筋板は他の消化管のそれに比べて，かなり厚く（200〜400 μm），主として縦走する平滑筋線維束からなる．

粘膜下組織（粘膜下層）は多量の弾性線維を含むあらい疎性結合組織からなり，可動性に富む構造となっている．固有層と同様に脈管は豊富である．この組織の表層に近い部分には食道腺（粘液腺）が全長にわたり不均一に散在しており，その導管は粘膜を貫通し，上皮表面に開口している．なお，食道には，食道腺以外に，食道の上端（輪状軟骨の高さ）と下端（噴門近く）には，胃の噴門腺に類似した食道噴門腺が粘膜固有層に限局して存在することがあるが，常在のものではない．

固有筋層は内輪・外縦の2層の筋層から構成される．食道上部1/3の筋層は横紋筋線維からなり，中間1/3では平滑筋線維が出現し，漸次横紋筋線維と置き換わり，下部では平滑筋線維のみで構成されるにいたる．筋層の厚さは他の消化管のそれよりも厚く，弾性線維に富む．

外膜は多量の弾性線維を混じえた疎性結合組織からなり，食道を後胸壁ないし隣接臓器に結合し，縦隔の一部を構成する．

2. 胃

胃は食道と十二指腸との間に位置する嚢状の臓器で，食物の一時的貯蔵や攪拌にあずかるばかりでなく，胃液を分泌してこれを消化するとともに，消化に関連する諸種のホルモンを出す．食道からの入り口を噴門，十二指腸への出口を幽門とよび，噴門の左上方に盲嚢状に隆起した部を胃底という．噴門と幽門の両者を結ぶ内側の彎曲を小彎，外側の大きな彎曲を大彎と呼称する．小彎のほぼ半ばにX線像上「くびれ」があり，胃角というが，このあたりには潰瘍，癌などが発生しやすい．胃は噴門部（噴門から5〜30 mmの範囲），胃体部（ほぼ胃の口側2/3の領域）および幽門前庭部（胃の肛側1/3の領域）の3部に大別される．胃の内面には，ほぼその長軸に沿って縦走する多数の粘膜ひだが存在する．粘膜は浅い溝により多数の多角形の小区画（直径約2〜3 mm）に分けられ，これを胃小区という．胃小区の表面には，無数の小陥凹がみられ，これを胃小窩とよび，その底部には平均4個ぐらいの胃腺が開口している．

胃壁は消化管の他の部位と同様に，粘膜，粘膜下組織，筋層，漿膜の4層から構成されている．

胃粘膜は，噴門腺粘膜，胃底腺粘膜（**図3**）および幽門腺粘膜（**図4**）の3種類に分類され，それぞれの粘膜はほぼ上述の3つの解剖学的部位に一致した領域の内面を裏打ちしている．これら3種類のうち2つの胃粘膜の接する部を境界線あるいは中間帯とよぶが，この位置は定常的ではなく，慢性胃炎に伴って生ずる腸上皮化生と腺の萎縮によって変化する．つまり，胃底腺粘膜を限界づける境界線は慢性胃炎の進行とともに胃底腺粘膜領域の収縮する方向に不可逆的に変化する．胃腺(小)窩と腺の長さの比は3種類の粘膜で異なり，胃底腺粘膜で1:3，幽門腺と噴門腺粘膜でほぼ1:1である．

粘膜表面および胃小窩表面を被覆する単層円柱上皮は，表面（腺窩）上皮とよばれ，粘液を分泌する唯一種の丈の高い円柱細胞により構成されている．この上皮は胃の全域において同一性状を示す．この細胞の分泌物は，硫酸ムコ物質を含み塩酸に溶解せず，胃酸，消化酵素，外来性刺激などから粘膜を保護するための被膜となる（mucous barrier）．またこの上皮は外来物質をほとんど通さない第二段の防御機構を形成している（mucosal barrier）．

胃小窩に連続して粘膜固有層に発達する腺のうち，胃底腺は，主として副細胞（頸部粘液細胞），壁細胞（酸分泌細胞）および主細胞（ペプシノーゲン分泌細胞）から構成される単一管状腺ないし単一分枝管状腺で，互いに密接して垂直に配列する．これら3種の細胞の分布は胃底腺の部位（腺頸部，腺体部，腺底部）により異なる．すなわち，腺頸部から副細胞，壁細胞，主細胞の順で密度が高い．幽門腺は主として副細胞に類似した細胞からなる単一分枝管状腺で，胃底腺に比較しその配列は粗である．この細胞からの分泌粘液顆粒にペプシノーゲンやリゾチーム（溶菌作用を有する）が存在することから，細菌感染防御に幽門腺細胞が関与している可能性

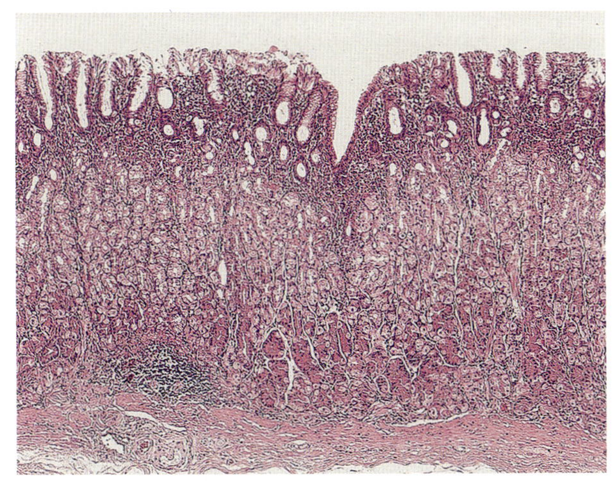

図3 胃．胃底腺粘膜の組織像．胃小窩と固有胃底腺の長さの比は1：3である．弱拡大

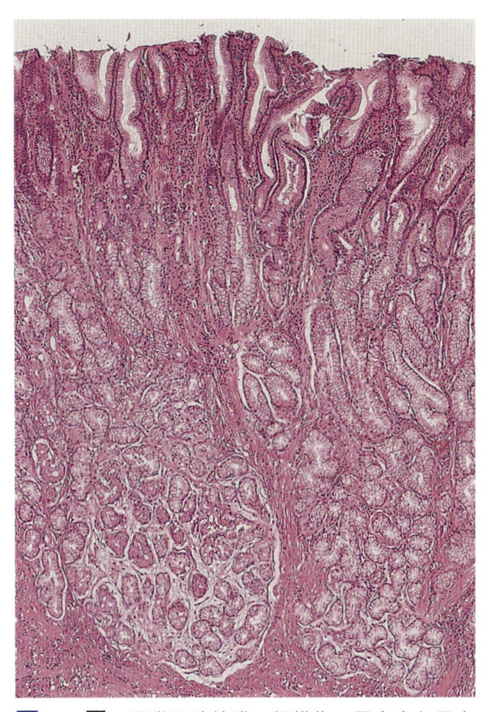

図4 胃．胃幽門腺粘膜の組織像．胃小窩と固有幽門腺の長さはほぼ1：1である．弱拡大

がある．なお，成人の20％には壁細胞が幽門腺細胞の間に単独にあるいは小集団で存在する．噴門腺は幽門腺に類似した単一分枝管状粘液腺で，噴門から遠位になるに従って，主細胞や壁細胞をもつようになる．

その他，胃には多数の内分泌細胞が主として腺上皮の間に存在する．少なくとも7種類の細胞，つまり，EC，ECL，D，D1，P，G，およびX細胞が知られている．ECL，GおよびD細胞の3種の細胞が全内分泌細胞の75％以上を占める．内分泌細胞の構成と分布は胃底腺と幽門腺粘膜では本質的に異なる．幽門腺粘膜では，約50％の内分泌細胞はG細胞，30％はEC細胞，15％はD細胞である．これに対し胃底腺粘膜では優勢な内分泌細胞はECL細胞で，ごく少数のX細胞やEC細胞も存在する．なお，胃の粘膜上皮は中高年になると，特に前庭部において小腸の上皮の形態をとり，腺窩上皮部に表面に刷子縁を備える吸収上皮細胞のほか，杯細胞やパネートPaneth細胞が出現してくる（腸上皮化生）．その他，膵腺房細胞類似の細胞や線毛を有する細胞をみることもある．

胃小窩の深部あるいは腺頸部に増殖細胞帯が存在し，この領域で分裂，増殖した未分化上皮細胞が表層に移行し表面（腺窩）上皮あるいは深部に移動し腺細胞に分化し，成熟していく．もちろん内分泌細胞も増殖細胞帯の細胞から分化して生ずる．

粘膜固有層は，幽門腺粘膜では表層のみならず深層でも豊富に存在するが，胃底腺粘膜では表層にしか事実上存在しない．この固有層にはリンパ球，形質細胞を主とする軽度の炎症細胞浸潤が認められる．粘膜筋板は内輪，外縦の平滑筋線維束の2層構造を示し，特に幽門部では固有層に比較的太い平滑筋線維束を分枝させている．粘膜下組織は主として膠原線維からなるが，弾性線維に富む疎性結合組織である．筋層は内斜，中輪，外縦走平滑筋層が区別される．漿膜は腹膜の続きで，薄い疎性組織からなり，表面を1層の中皮細胞が被覆する．

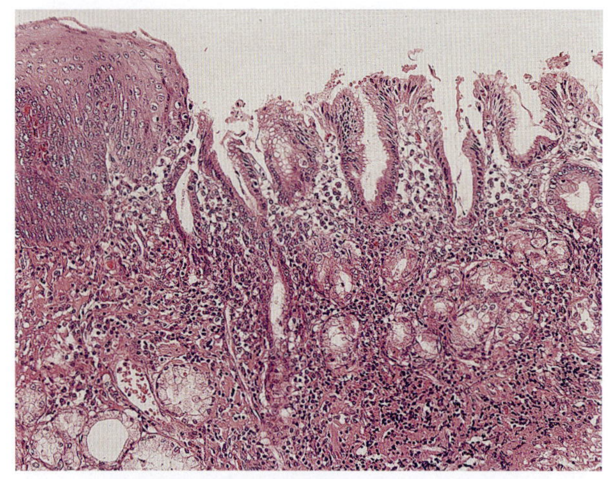

図5 上部食道の異所性胃粘膜. 噴門腺(幽門腺)型の胃粘膜からなる. 中拡大

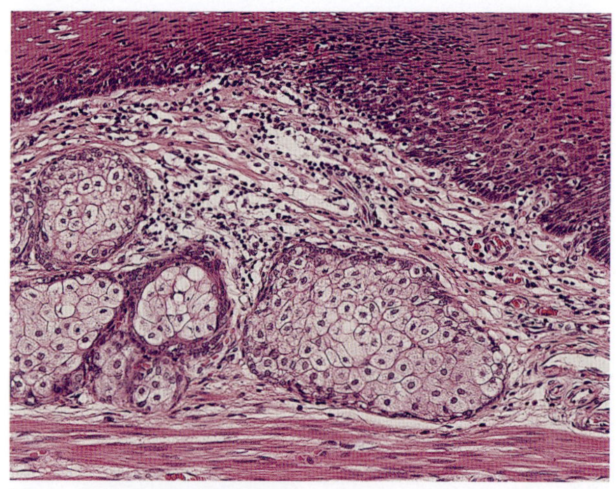

図6 食道の異所性皮脂腺. 粘膜深層に島状に分布する成熟皮脂腺を示す. 中拡大

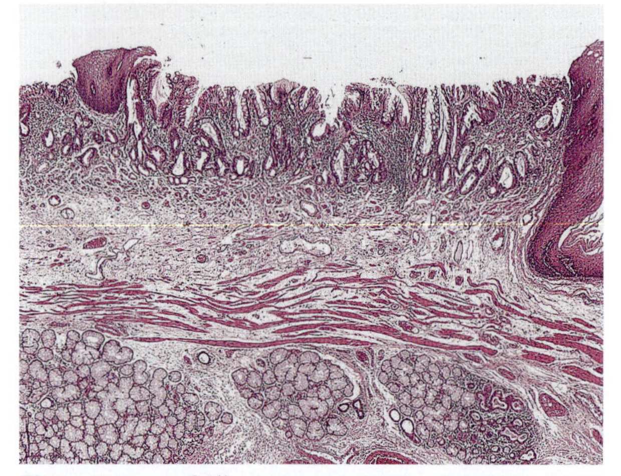

図7 バレット食道. 粘膜下層の食道腺, 粘膜筋板の2層構造, 粘膜内扁平上皮島などがみられる. 弱拡大

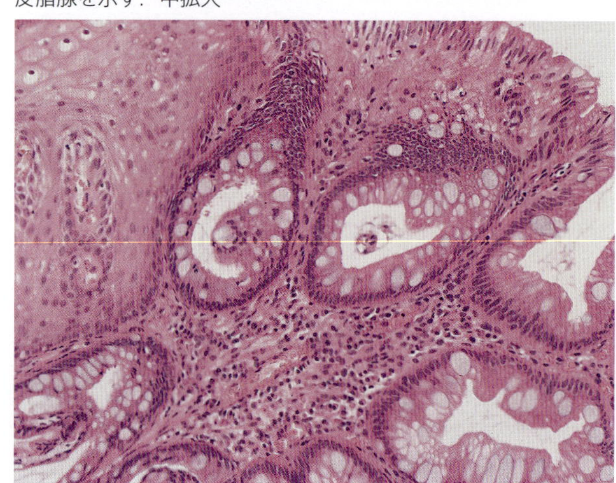

図8 同前. 不完全型腸上皮化生を示す特殊円柱上皮をみる. 強拡大

異所性胃粘膜 heterotopic gastric mucosa は胎生初期粘膜の遺残とみなされ, 食道入口部に最も多いが, 食道のどの部分にも発生しうる. 肉眼ないし内視鏡上, 境界明瞭で橙〜赤色調を呈するビロード状の類円形粘膜領域として容易に認識できる. 組織学的には, 胃底腺型ないし噴門腺(幽門腺)型(**図5**), あるいは両者の移行型の胃粘膜からなり, 内分泌細胞や杯細胞を伴うこともある. 該部に *Helicobacter pylori* 菌を認めることもある.

異所性皮脂腺 heterotopic sebaceous gland はまれに食道中・下部に多発性の小さな黄色粘膜斑として出現する. 重層扁平上皮深部に成熟皮脂腺が島状に分布している(**図6**). 黄色腫と異なり明るい細胞は上皮内に組み込まれている.

バレット食道とは下部食道が噴門と連続して全周性に円柱上皮で覆われた状態をいう. その診断基準としては, ①食道胃接合部より口側へ連続性に3 cm以上広がっている, ②病変部粘膜下組織に食道腺が存在する, ③粘膜筋板が2層構造を示す, ④病変部より肛門側に扁平上皮島が観察される, などがある(**図7**).

バレット食道を構成する粘膜は, 組織学的にその構成成分により, ①噴門腺ないし移行型, ②萎縮状胃底腺型, ③特殊円柱上皮ないし腸上皮(化生)型(**図8**)の3つに大別される. このうち③型は胃の腸上皮化生(特に不完全型の)に類似し, 絨毛状表面構造, 粘液腺および杯細胞により特徴づけられ, バレット食道粘膜のなかで最も多い型である.

【参考事項】 原因は逆流性食道炎による下部食道の重層扁平上皮の脱落に続発した後天性病変と考えられている. 約10%と高頻度に腺癌が発生する. 本症は臨床上腺癌の発生母地として重要である.

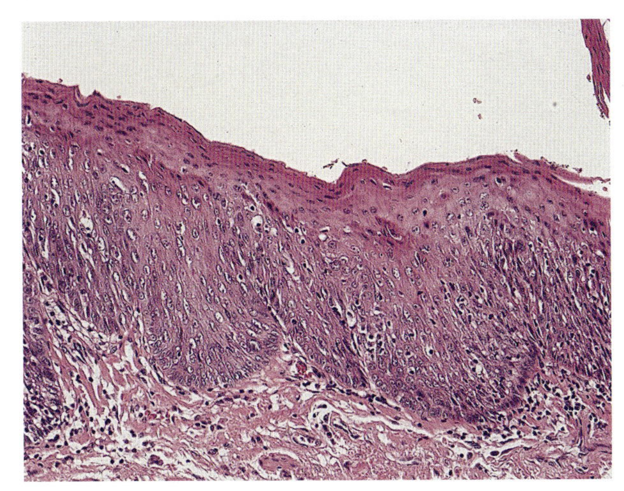

図 9　軽度の食道炎．乳頭上昇，基底細胞層肥厚，固有層と上皮層への軽度の炎症細胞浸潤などがみられる．中拡大

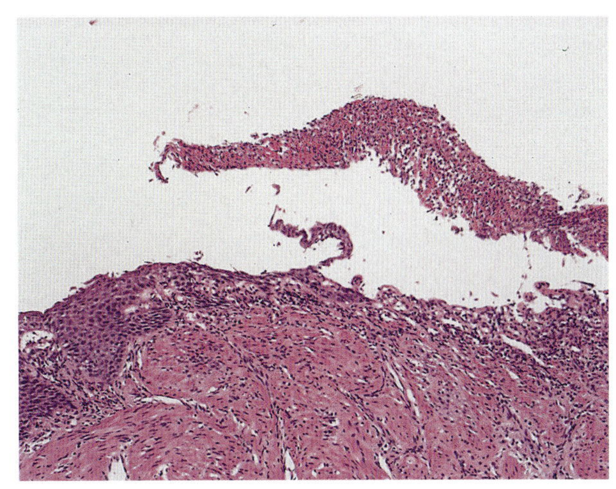

図 10　高度の逆流性食道炎（びらん性食道炎）．上皮は完全に脱落し，表層には炎症性滲出物をみる．中拡大

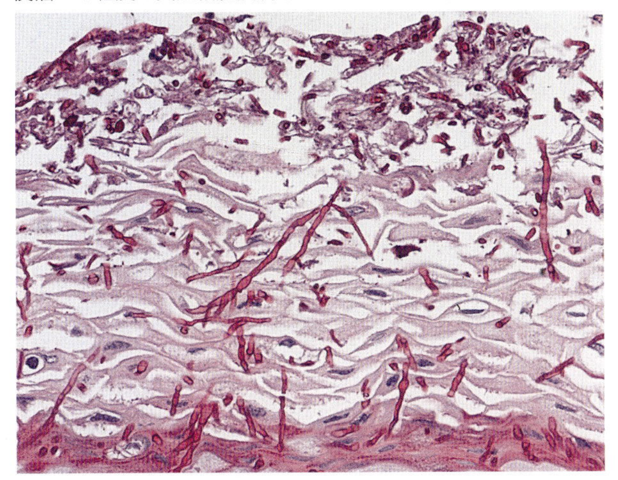

図 11　食道カンジダ症．剝脱上皮層に多数のカンジダの仮性菌子と胞子を認める．PAS．強拡大

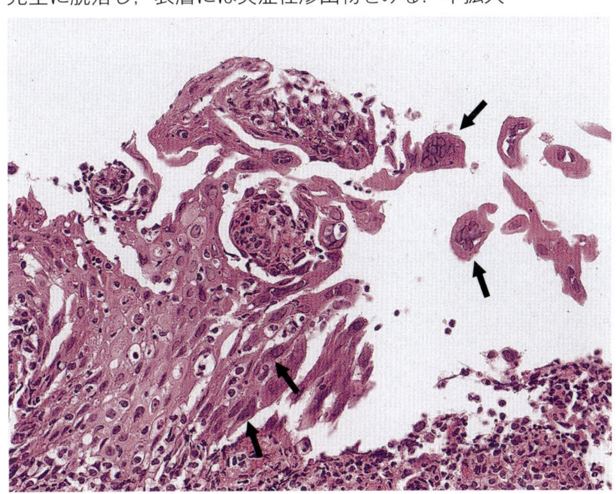

図 12　単純ヘルペス性食道炎．好酸性核内封入体（⬆）が多核化，腫大した扁平上皮細胞内に認められる．強拡大

食道炎のなかで大半を占めるのは**逆流性食道炎** reflux esophagitis である．これは食道下部括約筋機構の不全・破壊に起因する胃内容物，ことに胃液の逆流によって生ずる慢性反復性食道炎で，消化性食道炎 peptic esophagitis ともよばれる．原因からも明らかなように，下部食道に好発する．軽症例では，特徴的組織所見として固有層乳頭の上昇（上皮の厚さの 50％以上），基底細胞層の肥厚（上皮全層 15〜25％以上）があげられている（**図 9**）．しかし，これらの所見は正常の食道粘膜，特に下部のそれにおいても観察されることがあり，必ずしも本症に特異的な所見とはいえない．上皮下の粘膜固有層には好中球・好酸球を混じた炎症細胞浸潤と血管の拡張・増生が認められ，炎症細胞はしばしば上皮間にも出現する．これらの像が加われば食道炎の診断は確定する．炎症が持続すると上皮は肥厚し，固有層と粘膜下組織は線維性に硬化し，リンパ濾胞も形成され，慢性食道炎の像が完成する．高度の逆流性食道炎では上皮は完全に脱落し，びらんが形成される（びらん性食道炎 erosive esophagitis）（**図 10**）．この際，組織学的には炎症性滲出物，肉芽組織の形成，強い炎症細胞浸潤などが観察される．組織欠損が粘膜筋板以下に及ぶと**食道潰瘍**となる．潰瘍のほとんどは食道下端に発生し，ulcer（Ul）-II であるが，粘膜下組織の強い線維化を伴うため食道狭窄をきたす．潰瘍辺縁の未熟再生上皮はときとして多数の核分裂像，相当の細胞異型，不規則な acanthosis などを示し，癌との鑑別が困難なことがある．

感染性食道炎としてはカンジダ症（**図 11**），ヘルペスウイルス感染症（**図 12**），サイトメガロウイルス感染症が代表的なものである．いずれも特徴的な仮性菌糸や封入体出現により，その診断は容易である．

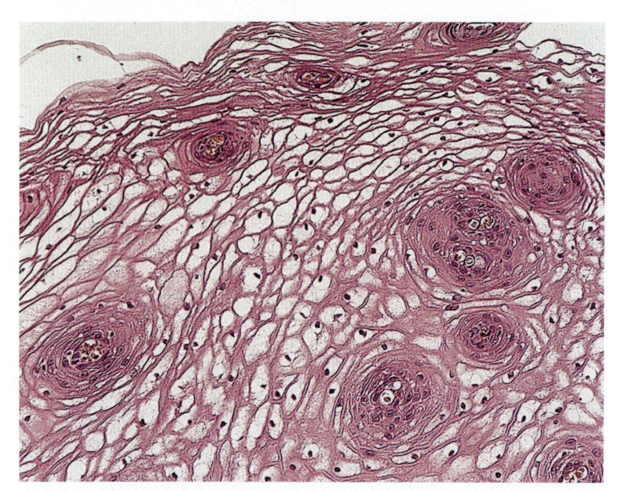

図 13　糖原性棘細胞症. 明るく腫大した扁平上皮細胞の過形成で，軽度の papillomatosis を示す．中拡大

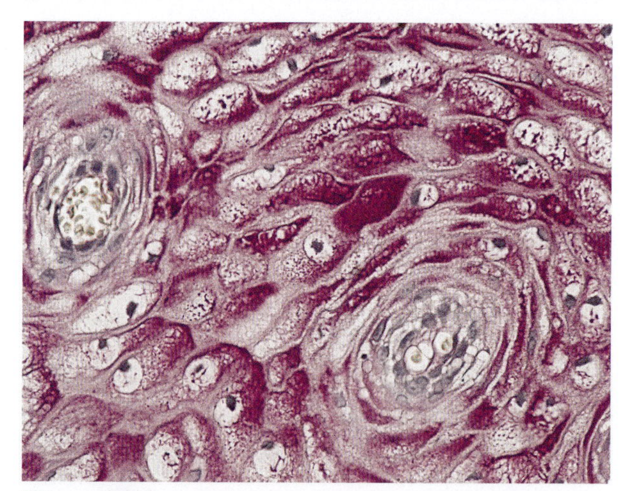

図 14　同前. 明るく腫大した扁平上皮細胞は糖原に富む．PAS．強拡大

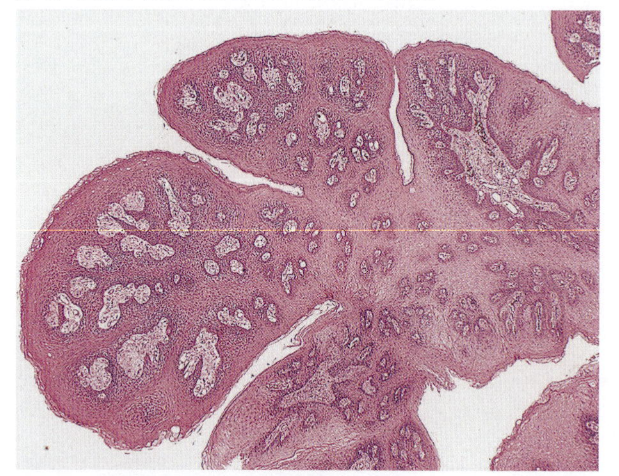

図 15　食道の扁平上皮乳頭腫. 重層扁平上皮の乳頭状増殖からなる．弱拡大

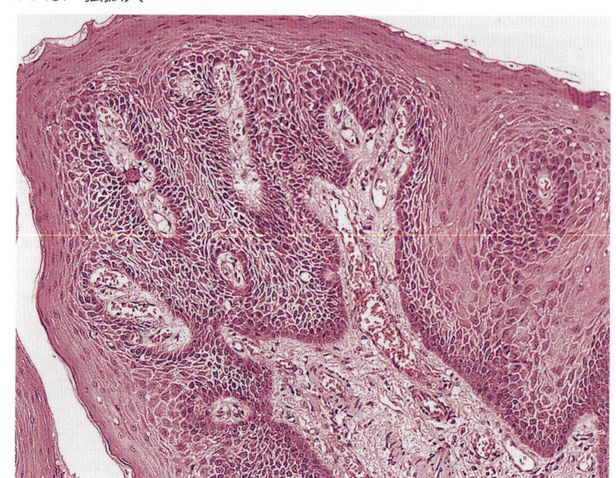

図 16　同前. 上皮は過形成性に肥厚しているが，異型を欠き，基底層から表層へと正常分化を示す．中拡大

糖原性棘細胞症（糖原性過形成） glycogenic acanthosis は良性上皮性過形成 benign epithelial hyperplasia と同義語で，肉眼的には白色の扁平な粘膜隆起で，組織学的には糖原に富む明るい腫大した扁平上皮細胞の限局性の過形成からなる（**図 13，14**）．成人の下部食道に好発し，通常多発性で，均一大の類円形を呈し，大きさは 2〜10 mm 大と小さい．従来**白板症** leukoplakia といわれたものに相当するが，口腔やその他の部位の白板症とは異なり，細胞の異型性を示さない．したがって悪性化することもない．本病変は糖原を豊富に含むので，ヨード染色で強陽性を示す．コーデン Cowden 病では若年時から本病変が多発する．なお，過角化と顆粒層出現を組織学的特徴とする狭義の白板症（表皮化 epidermization ともよぶ）は食道ではまれといわれる．

扁平上皮乳頭腫 squamous cell papilloma は比較的まれな扁平上皮由来の良性腫瘍で，肉眼的には多分葉状の無茎性ないし亜有茎性の隆起を形成する．その表面は顆粒状，疣状あるいは平滑で，色調は白色調〜白みがかった桃色を呈する．組織学的には，粘膜固有層由来の狭い血管結合組織を芯にした重層扁平上皮の乳頭状増殖からなる．上皮は過形成性に肥厚しているが，異型を欠き，基底層から表層へと正常分化を示す（**図 15，16**）．

【鑑別診断】　鑑別疾患は**疣状癌** verrucous carcinoma と**黒色棘細胞症** acanthosis nigricans であるが，疣状癌とは異型の有無で，黒色棘細胞症とは病変の広がりで鑑別診断可能である．

【参考事項】　原因は胃食道逆流，食道炎ないし外傷に対する過剰な再生性反応との説が有力であるが，いくつかの病変，特に上部のそれではヒト乳頭腫ウイルスが病因となっているともいわれる．悪性化したという報告はない．

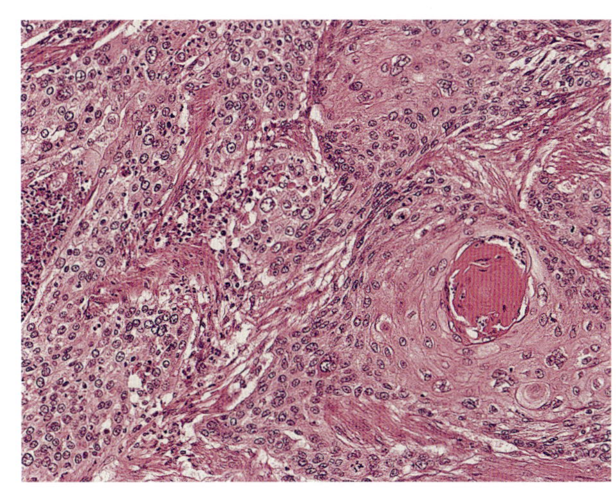

図 17　食道扁平上皮癌（高分化型）．癌胞巣中心部に向かう層状分化が明瞭で，中心に癌真珠形成を伴う．中拡大

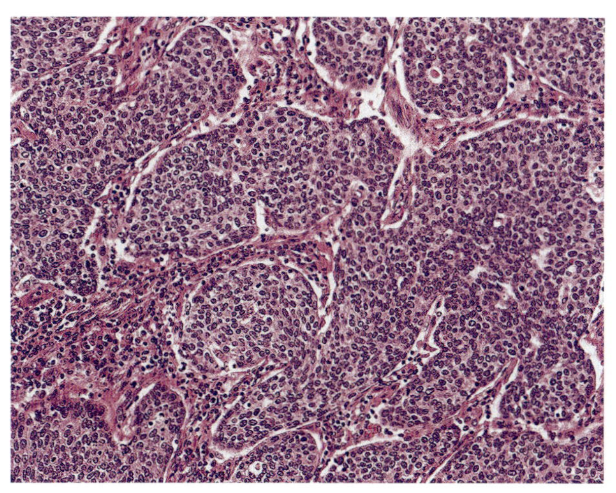

図 18　同前（低分化型）．癌胞巣の層状分化が不明瞭で，角化もほとんどみられない．中拡大

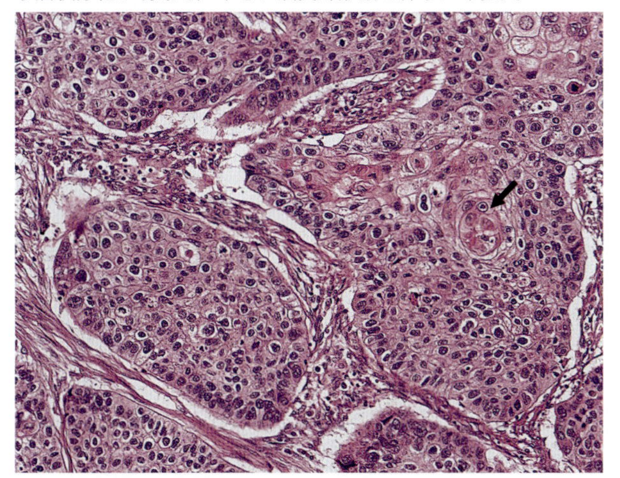

図 19　同前（中分化型）．癌胞巣の層状分化がうかがわれ，一部に角化（⬆）もみられる．中拡大

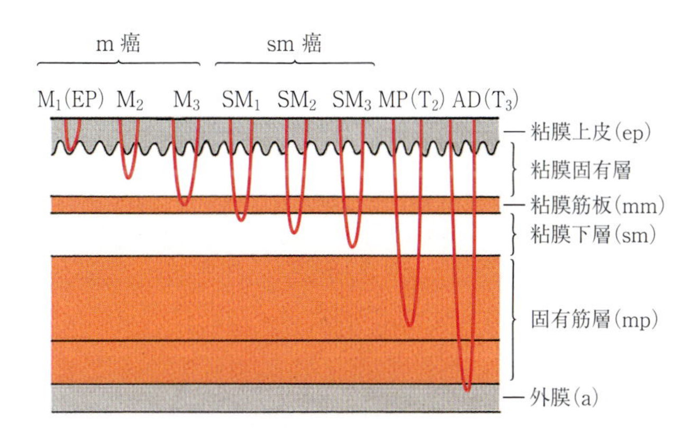

図 20　食道癌の組織学的深達度

食道癌は組織学的に 90％以上が**扁平上皮癌**である．この癌は異型細胞が充実性胞巣を形成し，重層扁平上皮への分化を示す癌であり，角化（個細胞角化，癌真珠）と細胞間橋が特徴的である（**図 17**）．また，胞巣中心部に向かう層状分化を示すことも本腫瘍診断の指標の 1 つとなる．主として角化の程度により，高・中・低分化型の 3 型に亜分類される．同一腫瘍内で分化度が異なる場合は面積的に優勢な像でもって表現する．たとえば「食道癌取扱い規約」（第 9 版）では，広範囲（癌面積の 3/4 以上）にわたり角化の認められる癌を高分化癌（**図 17**），一部（1/4 以下）にしか認めない癌を低分化癌（**図 18**）とし，その中間に位置する癌を中分化癌（**図 19**）としている．いずれの型の癌でも腫瘍細胞の核異型は強く，核/胞体比の増大，核膜の肥厚，核染色質の増加と粗糙化などが明らかであり，異常核分裂を伴う核分裂像も数多く認められる．その他この扁平上皮癌には特殊型ともいうべき**疣状癌**（きわめて高分化で乳頭状発育を示す癌）や**紡錘形細胞癌**（肉腫様にみえる低分化型癌）も含まれる．

上記の癌の分化度と予後とは密接な関係があるとは言いがたい．予後と密接な関係があるのは癌の深達度とリンパ節転移である．食道癌の組織学的深達度分類を**図 20** に示す．癌腫が粘膜内にとどまる病変のうち，上皮内癌 carcinoma *in situ*（EP）（**図 21，22**）を M_1（Tla-Ep），粘膜固有層にとどまる癌を M_2（Tla-LPM），粘膜筋板に達する癌を M_3（Tla-MM）とし，また粘膜下層にとどまる癌は，層を三等分し，SM_1（Tlb-SM1），SM_2（Tlb-SM2），SM_3（Tlb-SM3）とする亜分類が転移や予後を予測するうえで有用とされている．その根拠は脈管侵襲やリンパ節転移は EP 癌ではみられず，M_2 でもごく低頻度であるが，M_3，SM_1 ではいくらか認められ，SM_2，SM_3 ではやや高頻度となるという事実である．

食道の**腺癌** adenocarcinoma（**図 23**）はまれで（全食道癌の 0.2〜15％），腺管形成や腺上皮細胞の乳頭状増殖を示すか，あるいは上皮性粘液を産生する癌と定義され，主として

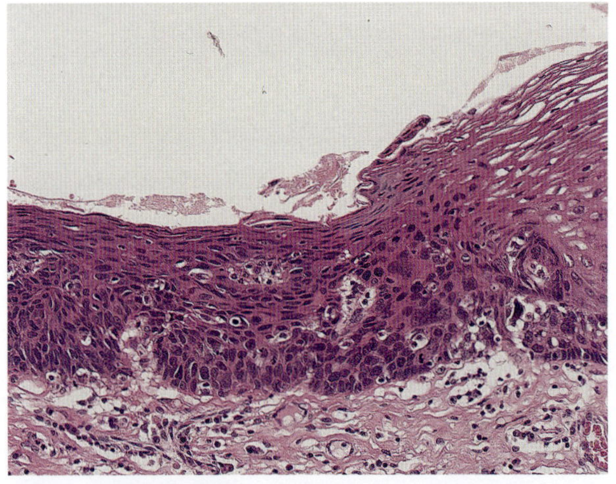

図 21　食道上皮内癌．正常上皮との間に明瞭な境界がある．腫瘍細胞は細胞異型や配列の乱れを示す．中拡大

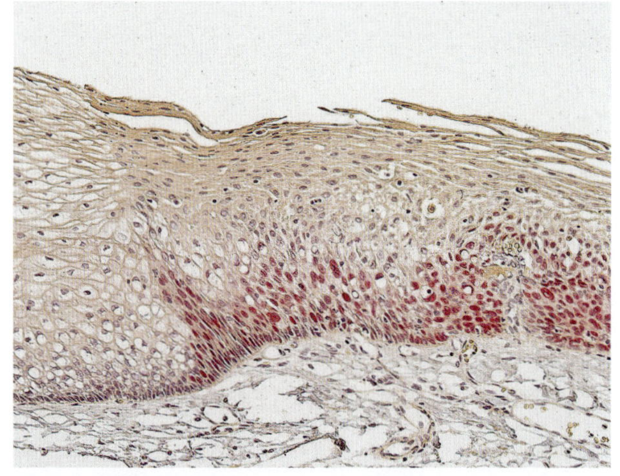

図 22　同前．癌細胞の核は p53 免疫組織化学染色で陽性．この所見は再生異型との鑑別に有用．中拡大

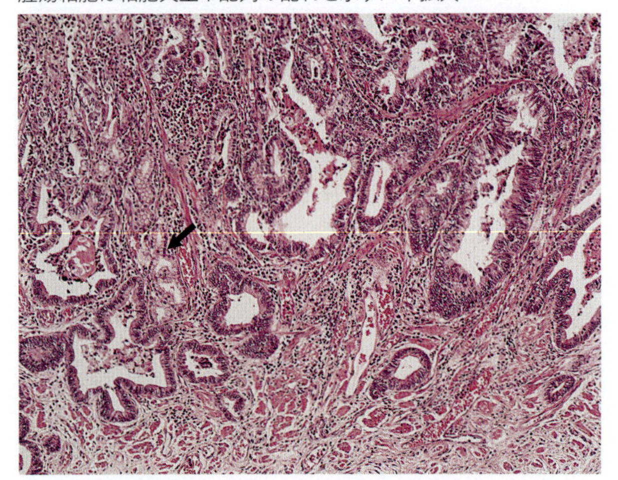

図 23　食道腺癌．Barrett 食道に発生した腺癌で，増殖する癌性腺管の間に非腫瘍性の腺管（⬆）が残存．中拡大

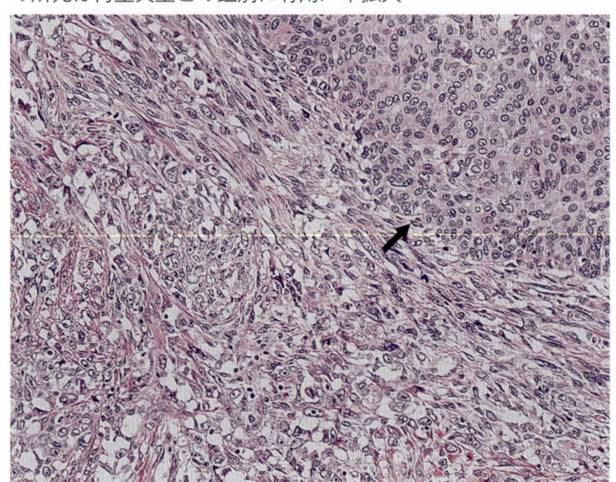

図 24　食道のいわゆる癌肉腫．明らかな扁平上皮癌の部分（⬆）と肉腫様部分からなり移行がうかがえる．中拡大

その構造異型から高・中・低分化腺癌に亜分類される．食道腺，食道噴門腺，異所性胃粘膜，バレット Barrett 食道あるいは胎生期の未分化円柱上皮の遺残から発生すると考えられている．

"癌肉腫""carcinosarcoma"もまれな食道腫瘍で，肉眼的にポリープ状の形態を示すことが多い．組織学的には扁平上皮癌成分と肉腫様成分が混在する腫瘍で，いわゆる癌肉腫 so-called carcinosarcoma（**図 24**）と真性癌肉腫 ture carcinosarcoma に分けられる．癌肉腫は癌腫と紡錘形肉腫様細胞が混在するが，肉腫様細胞は癌細胞の紡錘形細胞化生あるいは癌の偽肉腫性化生である．癌と紡錘形肉腫様の部分に移行像を認めることが診断の要点となる．真性癌肉腫は，肉腫成分に横紋筋，骨，軟骨などへの分化がみられるもので，この場合も起源は単一の細胞で，腫瘍増殖の過程で種々の異分化を生じたものと考えられる．いずれも隆起に隣接する上皮に粘膜内癌を伴うことが多い．予後は通常の扁平上皮癌に比べて良好である．

【参考事項】 食道癌はわが国では比較的多い癌腫で，全癌の約 5%を占める．男性が女性の約 5 倍と圧倒的に男性に多い．50〜70 歳代に頻度が高く，中高齢者に多い癌といえる．好発部位としては 3 つの生理的狭窄部（入口部，気管分岐部，噴門部）が有名である．

異形成 dysplasia は，規約では腫瘍様病変に分類されており，「細胞異型および構造異型を示す上皮内病変であり，上皮内癌と診断するには異型度が十分でない病変」と定義されている．異型の程度により軽度・中等度・高度異形成に分類される．高度異形成と上皮内癌の鑑別はしばしば困難である．

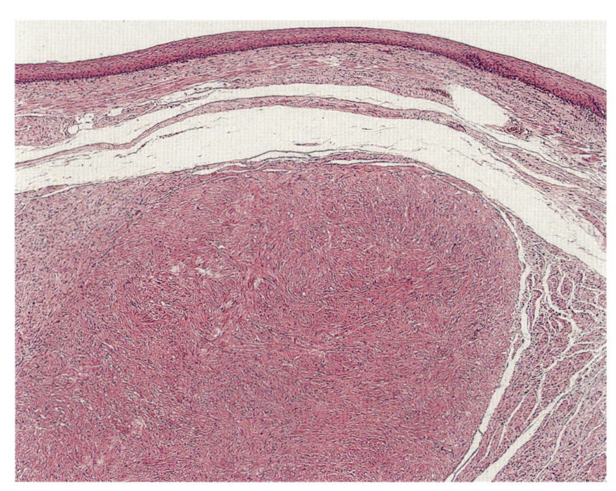

図 25　食道平滑筋腫．固有筋層内に限局して紡錘形細胞が交錯した束状増殖を示す．弱拡大

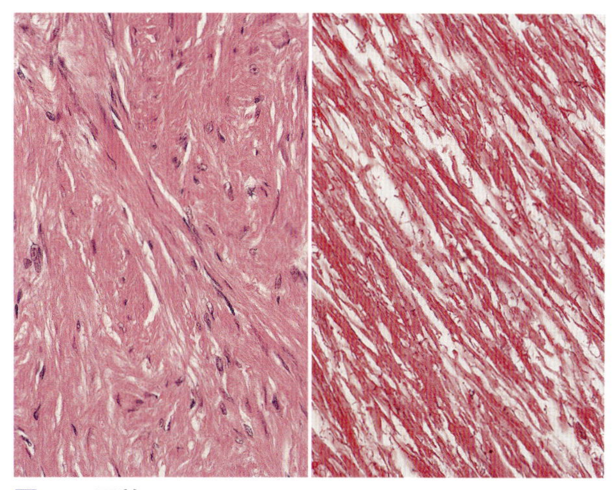

図 26　同前．腫瘍細胞の核は桿状ないし両切りタバコ状．免疫染色（右）で腫瘍細胞は α-SMA に強陽性．強拡大

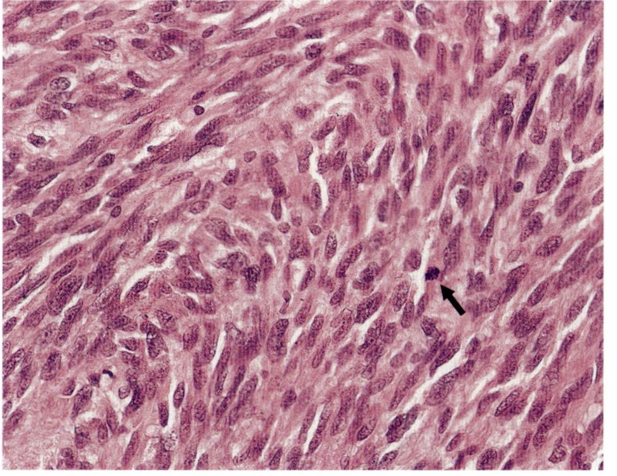

図 27　GIST．腫瘍細胞は紡錘形～桿状の核と好酸性胞体を有し，一部細胞は核分裂像（⬆）を示す．強拡大

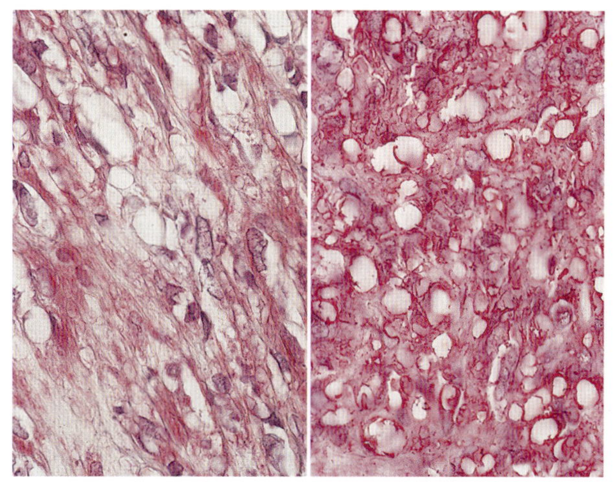

図 28　同前．腫瘍細胞は c-kit（左），CD34（右）ともに陽性．酵素抗体法．強拡大

平滑筋腫 leiomyoma は，組織学的には豊富な縦走性筋原線維を含む好酸性細胞質と桿状ないし両切りタバコ状の核を有する紡錘形平滑筋細胞の交錯する束からなる（**図 25，26**）．核はときに柵状配列を示す．腫瘍細胞間には豊富な好銀線維が介在し，基底膜に一致して個々の細胞を包囲する箱入り像が特徴的である．また太い好銀線維が細胞束を包囲分割する区画像もみられる．腫瘍細胞の異型性はきわめて軽く，多形性や核分裂像はない．免疫組織化学的には腫瘍細胞は α-smooth muscle actin（α-SMA，**図 26 右**）やデスミンに陽性である．なお，食道の平滑筋腫は他の消化管のそれに比較して，細胞成分が少ないという特徴を有する．

【鑑別診断】　平滑筋肉腫 leiomyosarcoma との鑑別に有力な組織学的基準は細胞密度と核分裂像，特に核分裂像である（☞p.597）．しかし従来平滑筋肉腫と診断されたものは（**図 27**），近年の研究により多くは c-kit や CD34 が陽性で（**図 28**），デスミンはほとんど陰性であり，**GIST**（gastrointestinal stromal tumor）（☞p.217）とよばれ，非上皮性悪性腫瘍の一種と考えられている．

【参考事項】　平滑筋腫は食道の非上皮性良性腫瘍のなかで最も頻度の高い腫瘍であり，剖検例では 8%の頻度という．発症年齢は 31～61 歳代が 71%と多く，性比は 2：1 と男性に多い．大部分は固有筋層，特に内輪筋から，約 20%は粘膜筋板から発生し，下部食道に好発する．通常単発性で，その大きさは 5～10 cm 大と比較的大きなものが多い．肉眼的には粘膜下腫瘍状で，大多数は分葉状の壁内腫瘍の形態をとるが，無茎～有茎性ポリープ状のことや壁外性発育を示すこともある．表面に潰瘍を形成することはまれである．腫瘍は限局性で，灰白色の硬い充実性腫瘤をつくる．割面にしばしば唐草模様がみられ，石灰化巣を伴うこともある．

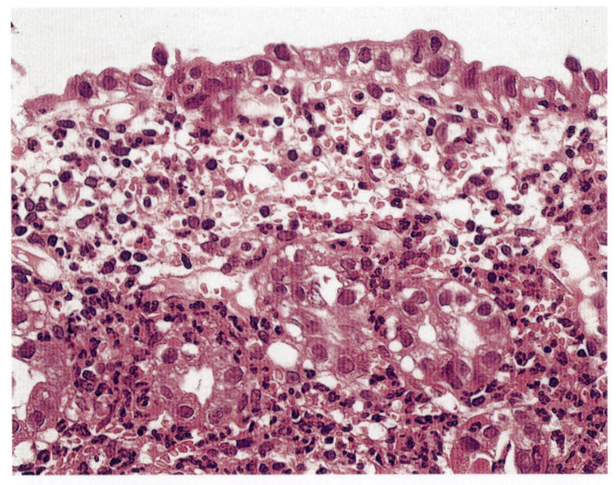

図 29 急性胃炎．粘膜固有層の表層部に浮腫，出血，好中球浸潤をみる．強拡大

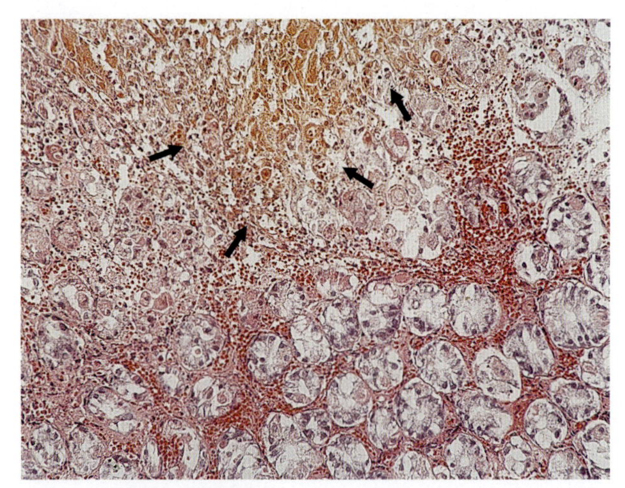

図 30 急性出血性胃炎．出血部は塩酸ヘマチン形成から黄褐色調（⬆）を示す．中拡大

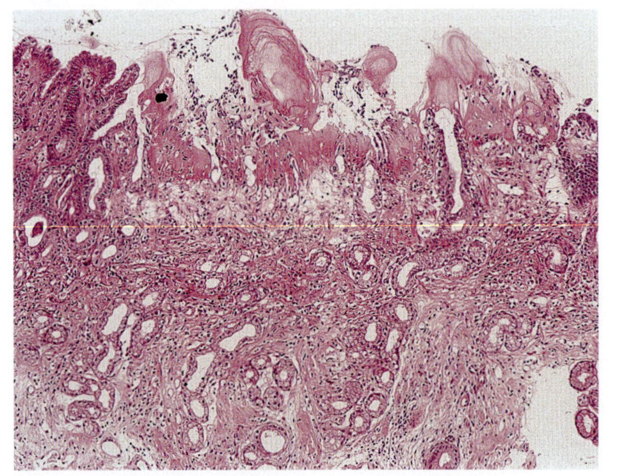

図 31 急性びらん性胃炎．体部腺粘膜表層の壊死・脱落（neck erosion）とその下層の炎症．中拡大

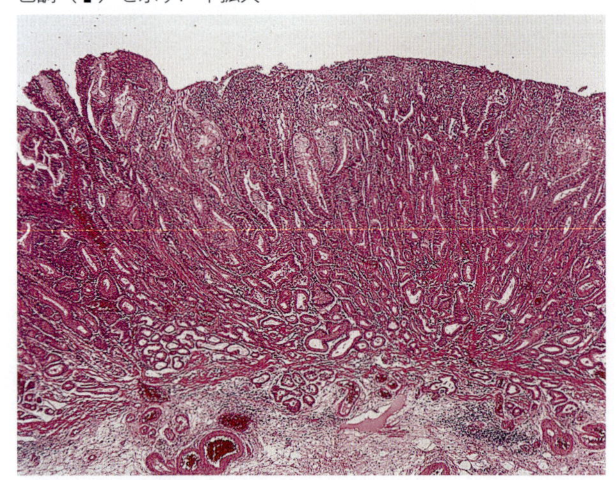

図 32 疣状胃炎．中心陥凹部は各時相の小びらんから，隆起部は主として腺窩上皮の過形成からなる．弱拡大

胃炎は，胃粘膜を主座とする胃壁の炎症で，急性胃炎，慢性胃炎および特殊型胃炎の 3 型に大別される．

急性胃炎 acute gastritis は，急激に発症し，浮腫，充血，出血，びらん，好中球浸潤を中心とする一過性の胃粘膜の炎症とされ，胃内視鏡上高頻度に遭遇する**急性胃粘膜病変** acute gastric mucosal lesion (AGML) の主体をなす．病変は軽症型では粘膜の軽い充血と浮腫がみられ，組織学的には粘膜固有層の表層に好中球を主体とする炎症細胞浸潤がある（**図 29**）．これに加えて表面上皮が脱落して巣状の出血をきたす場合は，急性出血性胃炎 acute hemorrhagic gastritis とよばれる（**図 30**）．急性びらん性胃炎 acute erosive gastritis では多発性巣状の粘膜欠損（びらん）があって常に出血を伴い，その表面は黒褐色コーヒー残渣様物質（塩酸ヘマチン）で覆われる．びらんの深さは種々で，表面上皮のみ，腺頸部の深さ（neck erosion）（**図 31**），粘膜全層に及ぶものなどがある．びらん巣の周囲には好塩基性胞体を有する再生上皮が生じ，同時に固有層に著明な炎症細胞浸潤がある．びらん巣は短時日のうちに上皮再生が主体の像に移行し，1 層の幼若な再生上皮像，腺窩上皮の過形成像，腺窩上皮と偽幽門腺の過形成を伴った房状構造の再生粘膜像などを示す．びらん性胃炎は長期化すると，**疣状胃炎** gastritis verrucosa（**図 32**）となる．

【参考事項】 原因は明らかなことが多く，化学的またはその他の刺激物（胃酸・ペプシン，アスピリン，ステロイド，NSAIDs など），*Helicobacter pylori*（HP），アニサキス，細菌などがあげられ，最近では HP が最も多く，かつ重視されている．これらの原因が胃の粘膜防御機構である粘膜関門 mucosal barrier を破綻させ，本症が惹起されると考えられている．

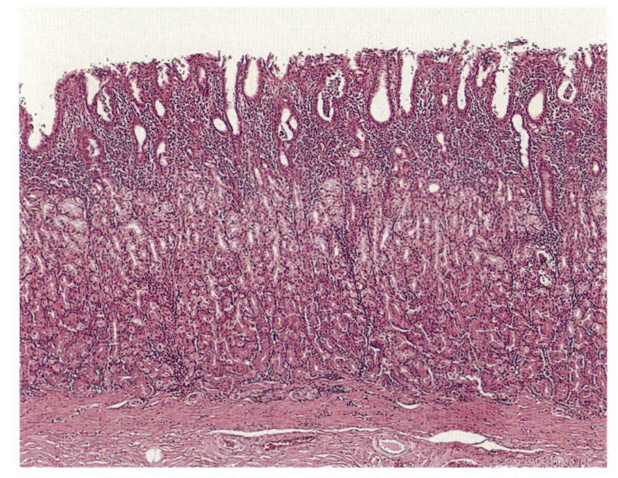

図 33　慢性非萎縮性胃炎（表層性胃炎）．粘膜表層部に細胞浸潤著明で，胃底腺の萎縮はない．弱拡大

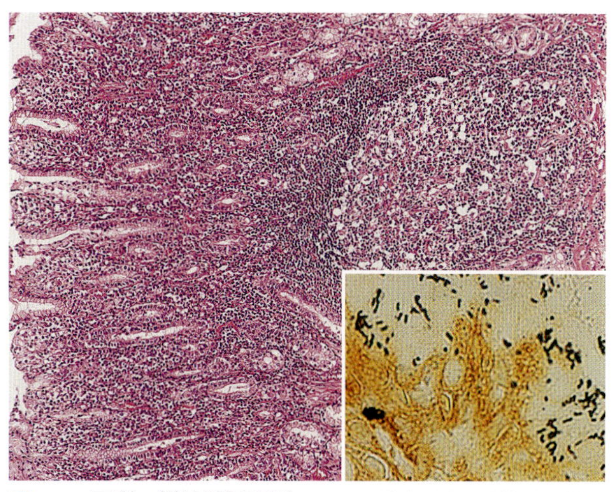

図 34　同前（単純性胃炎）．リンパ濾胞形成．中拡大．**挿入図**：腺窩に HP 菌．Warthin-Starry 染色．強拡大

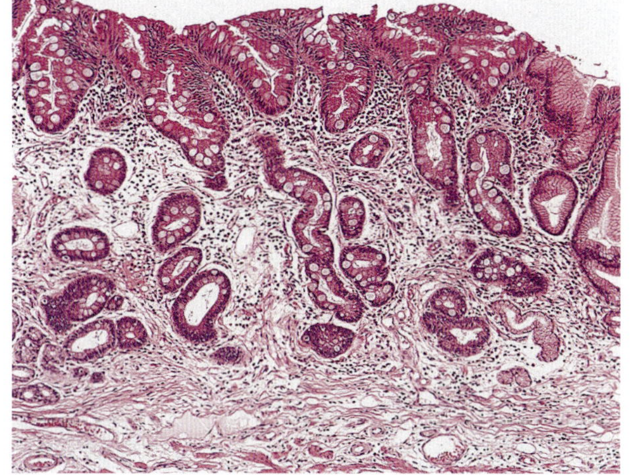

図 35　慢性多発巣状性萎縮性胃炎．幽門腺の著明な萎縮と腸上皮化生を認める．中拡大

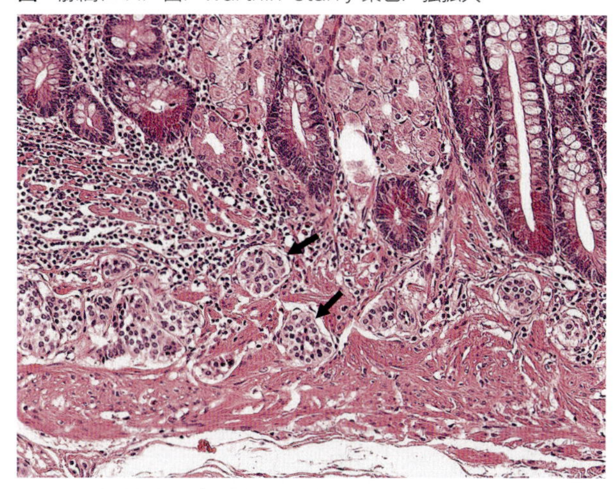

図 36　慢性自己免疫性萎縮性胃炎．完全型腸上皮化生と深部の増殖性内分泌細胞微小胞巣（⬆）をみる．中拡大

慢性胃炎について，“Sydney system”に従って記述する．

非萎縮性胃炎 non-atrophic gastritis は固有胃腺の萎縮を示さず，粘膜表層部，すなわち腺頸部以上の高さの固有層のみにリンパ球と形質細胞の浸潤が著明な**表層性胃炎**（**図 33**）や，幽門腺の萎縮を欠き，粘膜全層に相当の慢性炎症細胞浸潤を認める**単純性胃炎** simple gastritis（**図 34**）などをいう．好中球浸潤が腺頸に集中し，リンパ濾胞形成がみられる場合には，最表層の粘液や腺窩上皮の表面に多数の短桿状の細菌〔コイル状のグラム陰性桿菌である *Helicobacter pylori*（HP）〕が必ず認められる（**図 34**）．

萎縮性胃炎は固有胃腺の萎縮を伴う胃炎で，その原因と分布の違いから多発巣状性萎縮性胃炎 multifocal atrophic gastritis（MAG）と自己免疫性萎縮性胃炎 autoimmune atrophic gastritis（AAG）に分類される．MAG は HP 感染が病因と考えられ，病変が幽門部から胃体部にかけてびまん性に広がっている最も普通の型である．固有胃腺は部分的または完全に消失し，残存腺は短縮，時に嚢状に拡張する．全層性にリンパ球や形質細胞の浸潤，リンパ濾胞形成を伴い，粘膜筋板の肥厚が認められる．最も目立つのは**腸上皮化生** intestinal metaplasia で（**図 35**），完全型と不完全型がある．完全型は明瞭な刷子縁を有する吸収細胞，杯細胞，Paneth 細胞を備え，不完全型は吸収細胞に刷子縁が明瞭でなく，Paneth 細胞を欠いている．AAG は胃底腺領域の胃腺のびまん性萎縮と腸上皮化生を特徴とする．幽門腺領域は正常か軽度の過形成を示し，ガストリン産生細胞の増生を伴う．萎縮の進行した胃底腺粘膜には内分泌細胞微小胞巣（遺残）（**図 36**）や多発性微小カルチノイドが好発する．

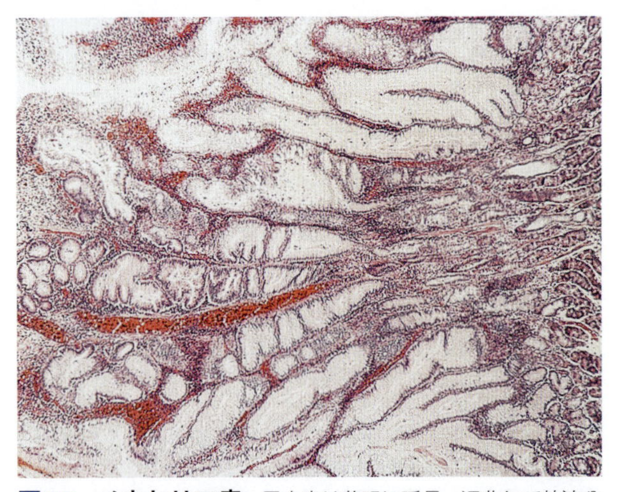

図 37　メネトリエ病．胃小窩は著明に延長・迂曲して粘液分泌細胞で覆われる．弱拡大

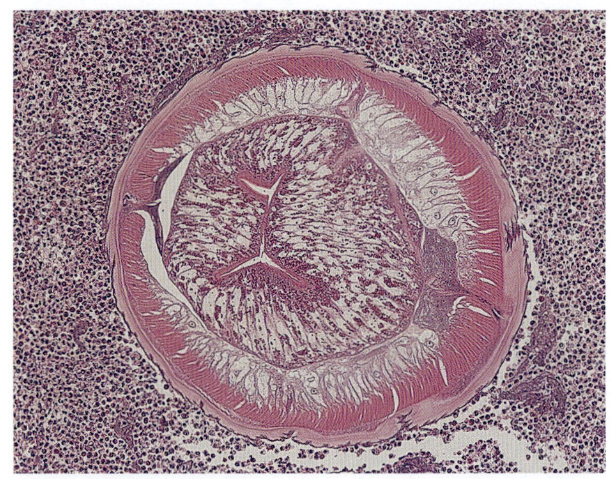

図 38　胃アニサキス症．虫体は横断面では双葉状の側索を示すのが特徴的である．中拡大

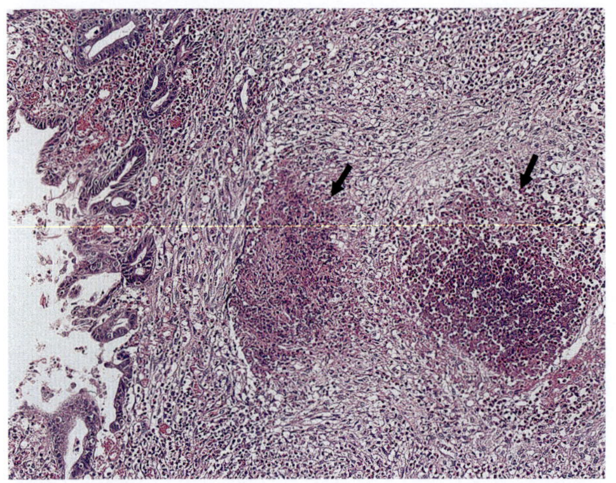

図 39　同前．時間の経過した症例では，異物性好酸球肉芽腫（⬆）を形成する．中拡大

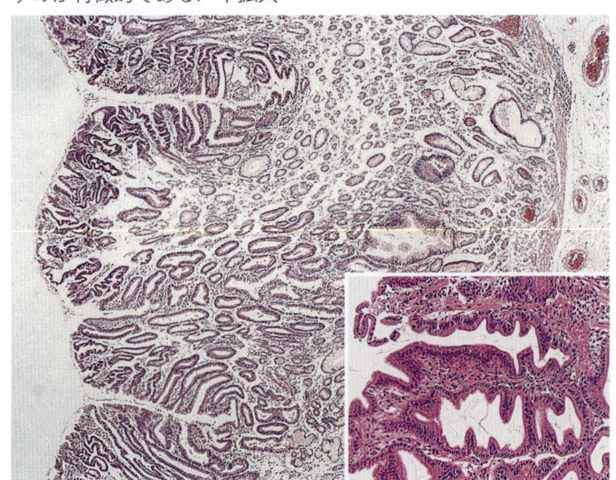

図 40　吻合部ポリープ状肥厚性胃炎．腺窩過形成と胃底腺の偽幽門腺化生．弱拡大．**挿入図**：幼若上皮．中拡大

メネトリエ Ménétrier **病**（**図 37**）は巨肥大性胃炎 giant hypertrophic gastritis ともよばれるが，炎症所見に乏しい原因不明の疾患である．胃の粘膜ひだが異常に肥大し，脳回様にみえるのが特徴である（巨大皺襞 giant rugae）．胃体部と底部に広く生じ，幽門前庭部は侵されることが少なく，その境界は比較的明瞭である．組織学的には胃小窩が延長・迂曲して粘液分泌細胞で覆われ，胃底腺も延長するが，壁細胞と主細胞が減少して粘液分泌細胞が増加し，またときに嚢胞状となる．腸上皮化生はみられない．ごくまれには限局型のものもある．

アニサキス症 anisakiasis はアニサキス幼虫による幼虫移行症で，ヒトがこの幼虫の寄生するサバやイカなどの海産魚を生で食べたときに，幼虫がヒトの胃壁や腸壁に侵入して激しい痛みを招来する．幼虫の刺入部の周囲粘膜に強い発赤・浮腫を伴う急性胃炎像をみる．組織像は虫体を中心に好酸球の目立つ著明な炎症細胞浸潤からなり，虫体は横断面で双葉状の側索を示すのが特徴的である（**図 38**）．さらに時間が経過すると，異物性好酸球肉芽腫を形成する（**図 39**）．

吻合部ポリープ状肥厚性胃炎 stomal polypoid hypertrophic gastritis はポリープ状嚢胞状胃炎ともよばれ，ビルロート Billroth Ⅱ法による胃切除術を受けた例の胃・空腸吻合部の胃側の粘膜に，吻合口を取り囲んでポリープ状の隆起をみるものである．組織学的には幼若な腺窩上皮の鋸歯状過形成，胃底腺の偽幽門腺化生とその不規則な嚢胞状拡張（**図 40**），ならびに一部粘膜下層への進入を示す．

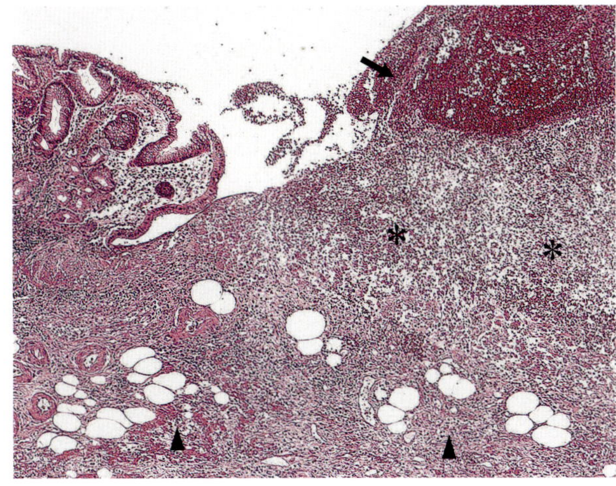

図 41　急性胃潰瘍．潰瘍部表面に壊死層（⬆），下方に浮腫（＊），線維素析出（▲）などをみる．中拡大

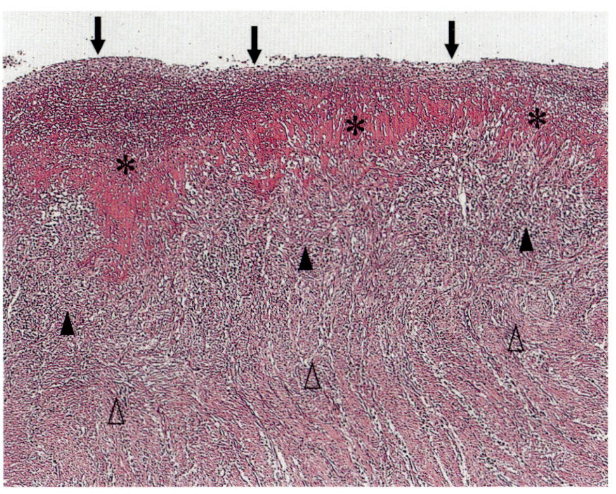

図 42　慢性胃潰瘍．滲出層（⬆），類線維素性壊死層（＊），肉芽組織層（▲），線維性瘢痕層（△）がみられる．中拡大

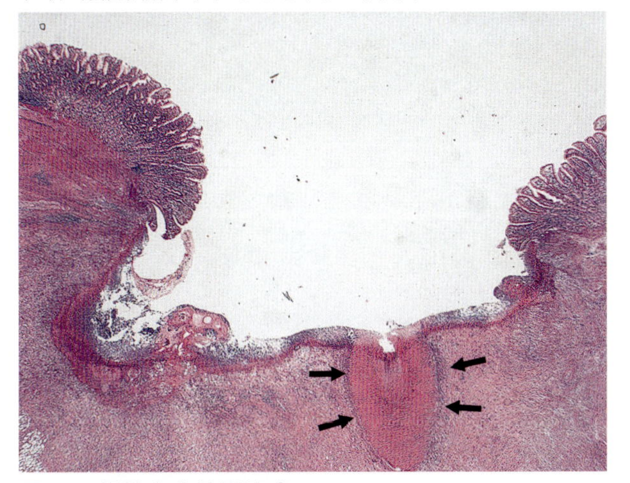

図 43　慢性出血性胃潰瘍．Ul-Ⅳの深い潰瘍で，潰瘍底に破綻動脈（⬆）の露出がある．弱拡大

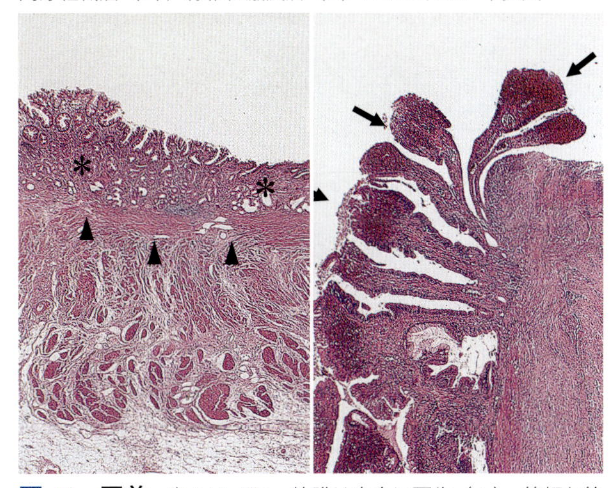

図 44　同前．左：Ul-Ⅲs，粘膜は完全に再生（＊），筋板と筋層の融合（▲）．右：房状再生粘膜（⬆）．弱拡大

胃潰瘍とは，胃底腺から分泌された酸性消化液の作用によって起こる胃壁の限局性の組織欠損と定義される．潰瘍はその深さにより ulcer (Ul) - Ⅰ（粘膜筋板を越えない粘膜層のみの欠損でびらんともいう），Ul-Ⅱ（粘膜下層までにとどまる欠損），Ul-Ⅲ（固有筋層まで及ぶ欠損），Ul-Ⅳ（漿膜に達する欠損）の 4 つに分類される．また，通常急性潰瘍と慢性潰瘍に大別される．

急性潰瘍 acute ulcer は Ul-Ⅱの平坦な潰瘍で，表面に壊死層，下方に浮腫，線維素析出，白血球浸潤をみるが，線維性瘢痕層はない(**図 41**)．つまり胃壁組織の欠損が主体をなす．

慢性潰瘍 chronic ulcer は活動期の潰瘍底にはアスカナジー Askanazy の 4 層，つまり表層から順に①滲出層，②類線維素性壊死層，③肉芽組織層，④線維性瘢痕層が形成される（**図 42**）．肉芽組織や線維化は潰瘍底のみならずその近傍の粘膜下層・筋層・漿膜にも生ずる．潰瘍底にはしばしば静脈血栓，線維性瘢痕組織のなかには増殖性あるいは閉塞性動脈内膜炎の像が認められ，ときには神経周囲炎，切断神経腫，リンパ球集簇巣を伴う．また，潰瘍底に破綻した動脈が露出している（**図 43**）こともある．潰瘍部の両側に存在する固有筋層の断端は先細り状に上向性に彎曲して，断裂した粘膜筋板と癒合を示す像（**図 44 左**）がしばしば認められる．治癒過程期の潰瘍では，滲出層・類線維素性壊死層が清浄化され，潰瘍縁から幼若な 1 層の再生上皮が中心に向かって伸びてきて，漸次欠損の一部から全部を覆うようになる．さらに治癒が進むと房状構造を特徴とする幼若な再生粘膜（**図 44 右**）が形成される．瘢痕期のものは，成熟した再生粘膜つまりほぼ正常の胃粘膜に覆われるようになる（**図 44 左**）．

胃ポリープ（1）| Gastric polyp（1）

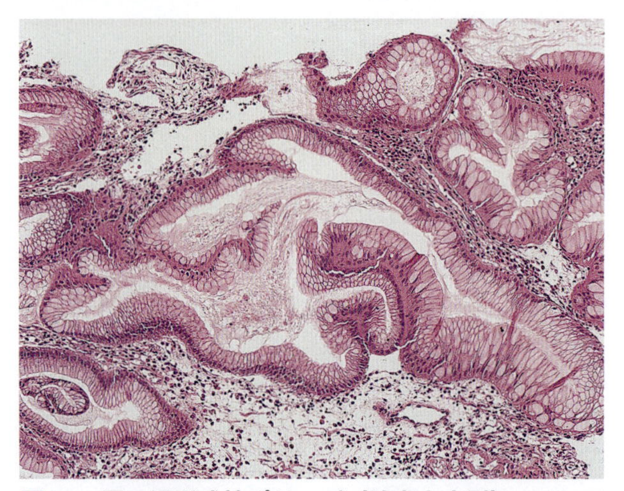

図 45　胃の過形成性ポリープ（腺窩上皮型）．間質に浮腫・炎症細胞浸潤あり．中拡大

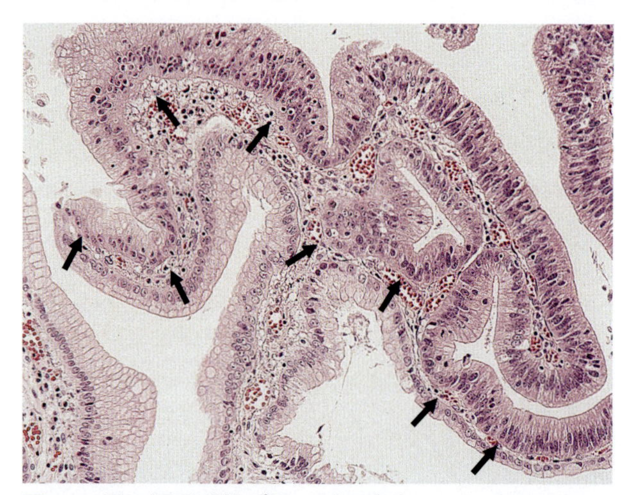

図 46　胃の過形成性ポリープの癌化．過形成性腺窩上皮と胃型高分化型腺癌（⬆）をみる．強拡大

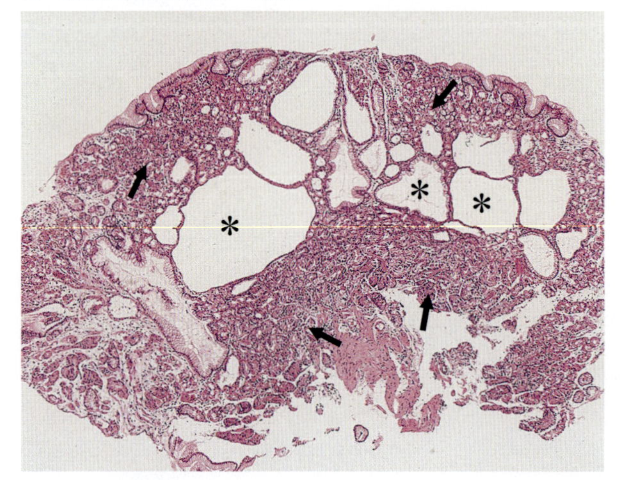

図 47　胃底腺ポリープ．半球状ポリープで胃底腺の過形成（⬆）と小嚢胞化（*）をみる．弱拡大

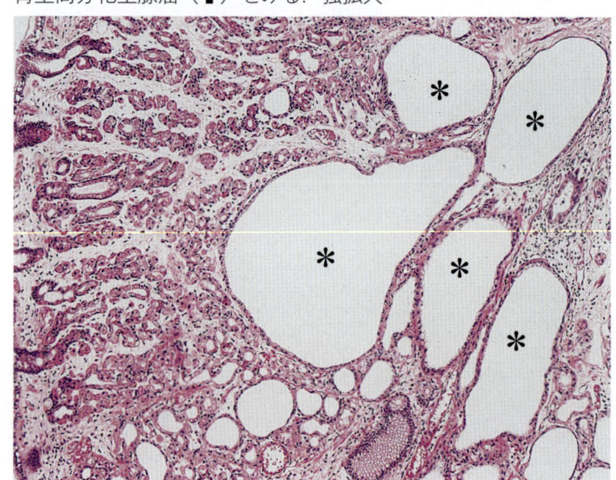

図 48　同前．左が粘膜表層で右が筋板側である．胃底腺の小嚢胞化（*）をみる．中拡大

ポリープとは，粘膜から隆起した限局性病変を表す臨床的肉眼的総称で，組織学的に性質の異なったさまざまな病変を含んでいる．

非腫瘍性ポリープの代表である**過形成性ポリープ** hyperplastic polyp は，再生性ポリープともよばれ，最も頻度が高い．大半は前庭部に発生するが胃体部にも多い．しばしば多発する．小型のものは無茎性であるが，大型では有茎性，かつ分葉状となり赤色調を呈する．組織学的には胃小窩の過形成と延長，胃腺（通常幽門腺型）の過形成と拡張，炎症細胞浸潤・浮腫・毛細血管の新生を伴う繊細な間質，および粘膜筋板から分散した平滑筋束からなるが，主体は腺窩上皮の過形成である（**図 45**）．この腺窩上皮は表層部で大きな細胞質，豊富な粘液空胞を有した過成熟の像を示すことが多い．上皮の異型はない．過形成の上皮の種類により，腺窩上皮型，幽門腺型および混合型の3型に亜分類される．ポリープ内に癌を伴う率は5%以下とされる（**図 46**）．

胃底腺ポリープ fundic gland polyp は頻度の高いポリープの1つで，中年女性に好発する．胃底腺領域に単発または多発する通常5 mm 以下の無茎ないし亜有茎性の半球状ポリープとして出現する．その表面は平滑で，変色を示さない．組織学的には胃底腺の過形成（非腫瘍性増生）と小嚢胞化を主体とする像を示す（**図 47**）．つまり，胃底腺が粘膜表層近くまで増生し，そのため胃小窩や腺頸部は短縮している．そして粘膜中・深層には嚢胞状に拡張した大小の腺腔を認める．嚢胞状腺管を被覆する上皮は，多くは扁平化した胃底腺上皮からなる（**図 48**）が，ときには腺窩上皮を主とするものもある．間質は乏しく，炎症像もほとんどない．組織発生について一種の過誤腫とする考えや過形成との考えがある．なお，最近ではPPI療法により，胃底腺ポリープに類似したポリープが多発することが知られるようになったが，このポリープは過形成性の腺窩上皮，壁細胞の肥大・過形成，Apoptotic body などを伴っている点で古典的な胃底腺ポリープとは区別できる．

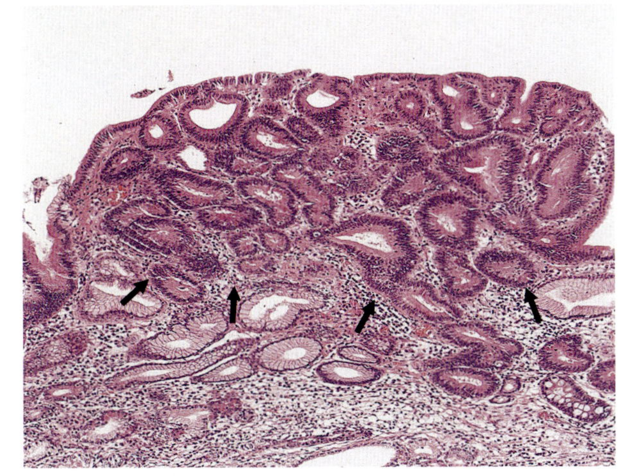

図 49　胃の扁平腺腫．異型腺管（⬆）は上層に密在し，下層には既存腺管があり，２層構造を呈する．中拡大

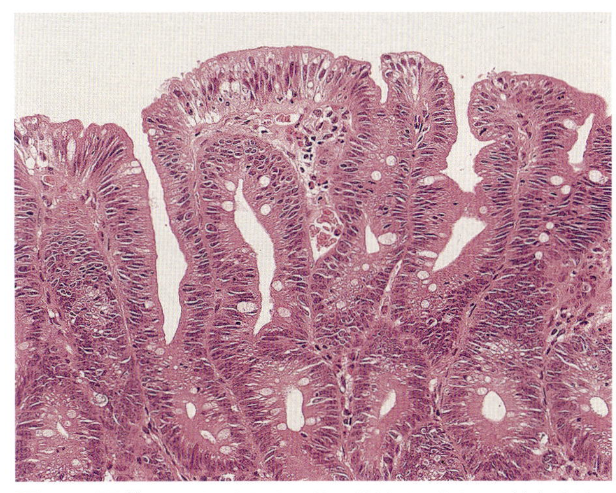

図 50　同前．異型上皮細胞の核は紡錘形で濃染し，基底膜側に極性を保って配列している．また，吸収上皮細胞，杯細胞への分化もみられる．強拡大

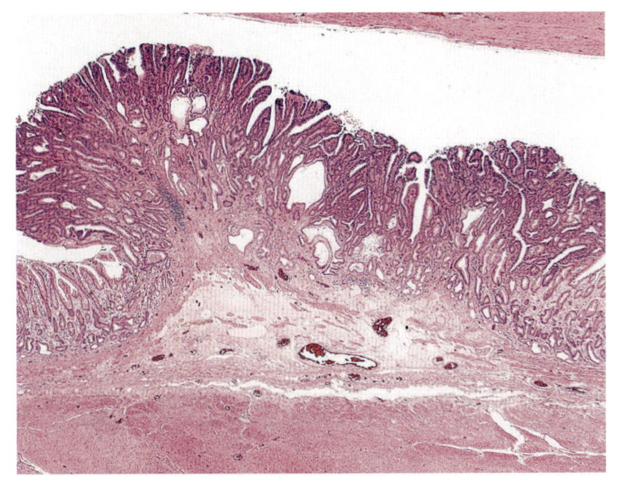

図 51　胃の大腸型腺腫．比較的丈の高い隆起で，異型上皮細胞の乳頭状（管状絨毛状）増殖を示す．弱拡大

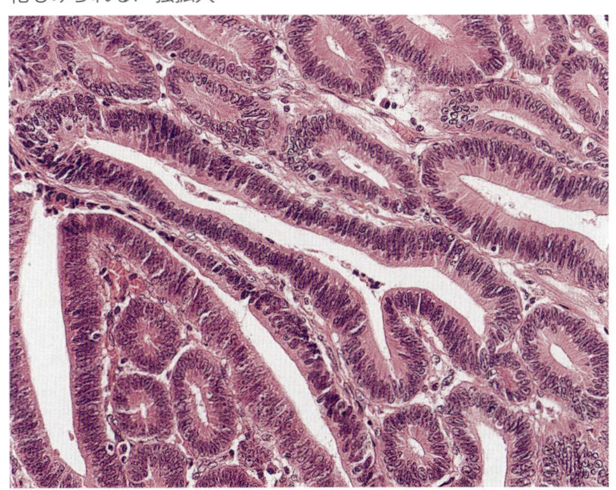

図 52　同前．異型の強い大腸の管状絨毛状腺腫に類似した異型腺管の増殖からなる．強拡大

腫瘍性ポリープは，上皮性と非上皮性ポリープに大別される．上皮性ポリープの代表が腺腫である．これは腸型腺腫と胃型腺腫に大別され，さらに腸型は扁平腺腫（小腸型腺腫）と大腸型腺腫に，胃型は腺窩上皮型腺腫と幽門腺型腺腫に亜分類される．

扁平腺腫 flat adenoma は異型上皮巣 atypical epithelium (ATP) ともよばれ，胃で最も頻度の高い腺腫である．中高年者で，男性に圧倒的に多く，前庭部に好発する．大部分は単発で径 2 cm 以下の無茎性～平板状隆起を形成し，表面は平滑～結節状で褪色調を呈する．まれに平坦型や陥凹型もある．組織学的には管状腺腫で異型腺管からなるが，癌ほどの退形成性や著明な重層化は示さず，腸上皮化生でみる刷子縁を有する吸収上皮細胞，杯細胞，Paneth 細胞，内分泌細胞への分化を残すものもある．異型腺管は通常隆起病巣の上層に密在し，下層には一部拡張を伴う既存腺管があり，全体として 2 階建てないし 2 層構造を示す（**図 49**）のも特徴とされ，上層部は異型腺管で占められる（**図 50**）．癌化率は 4～9% とされ，また癌併存率も高いという．

大腸型腺腫 adenoma of colonic type は腺腫の約 1% と頻度の低い亜型である．肉眼的にも組織学的にも大腸腺腫（特に管状絨毛状腺腫）に類似している（**図 51**）ことから命名された腺腫で，中高年の男性に好発する．肉眼的には通常亜有茎性で比較的大きく，表面は乳頭状～ビロード状で褐色調を呈する．組織学的には管状絨毛状腺腫の型をとり，大腸のそれに酷似し，異型は強い（**図 52**）．それゆえ高分化型腺癌との鑑別が困難なことが多い．その意味ではまさしく良・悪性境界領域病変ともいえる．癌化率は約 31% と高率である．

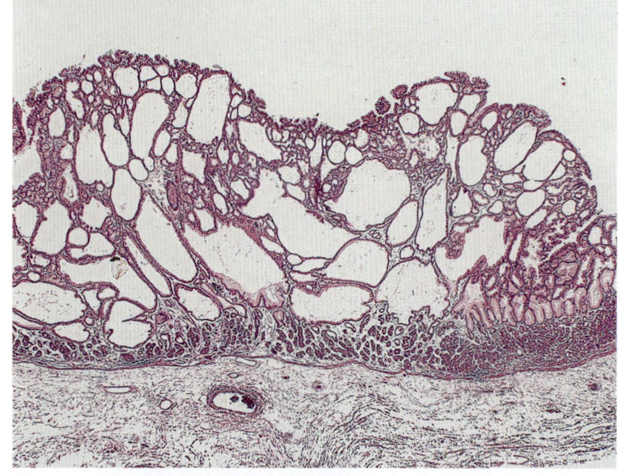

図 53　胃の胃型腺腫（幽門腺型）．体部腺領域粘膜に発生した境界明瞭な広基性隆起を示す．弱拡大

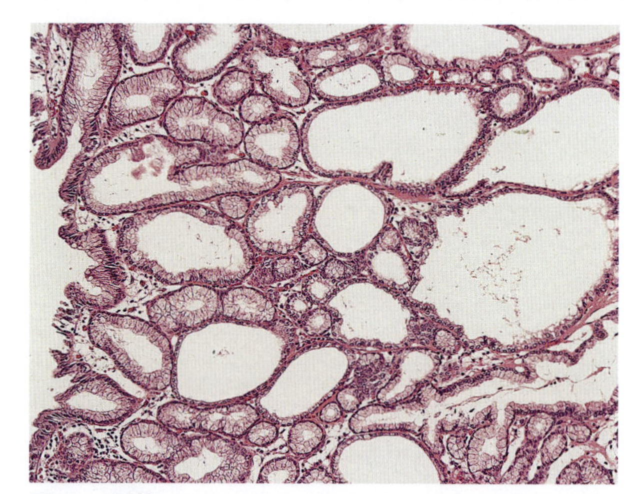

図 54　同前．種々の大きさの管状腺管を形成して増殖．左が粘膜表層．中拡大

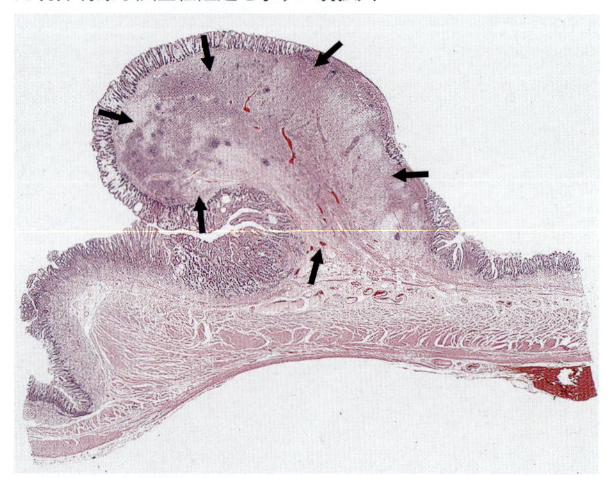

図 55　炎症性線維状ポリープ．亜有茎性隆起で，病変の主体は粘膜下層に存在する（⬆）．弱拡大

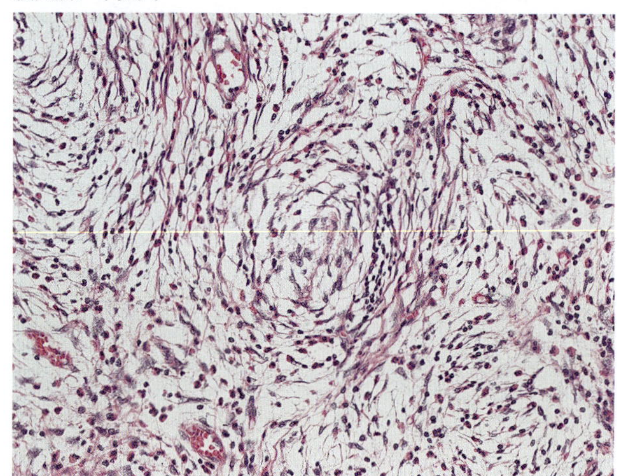

図 56　同前．線維芽細胞が毛細血管周囲に渦巻状に配列し好酸球浸潤を伴う．中拡大

胃型腺腫 adenoma of gastric type は胃腺腫の 3%以下とまれで，組織像から腺窩上皮型 foveolar epithelial type と幽門腺型 pyloric gland type の腺腫の 2 亜型に分類される．腺窩上皮型は肉眼的には半球状〜ヤツガシラ様隆起で，組織学的には軽度の核異型を有する腺窩上皮類似の大型細胞の乳頭状（管状絨毛状）〜絨毛状増殖からなり，間質は狭い．正常組織とは明らかな境界（front）を形成する．一方で過形成性ポリープと他方で胃型超高分化腺癌との鑑別が問題となる．本病変は胃底腺粘膜，幽門腺粘膜のいずれにも発生する．癌化率が高いので注意を要する．幽門腺型は小半球状〜広基性隆起で，幽門腺ないし副細胞類似の細胞の円い管状増殖からなり，間質は少ない（**図 53，54**）．細胞質はときに著明に好酸性で，リゾチーム染色陽性である．本病変は胃体上部に多いが，きわめてまれなため，その自然史は不明である．

炎症性線維状ポリープ inflammatory fibroid polyp は非上皮性ポリープの代表で，好酸性肉芽腫ともよばれる．前庭部に好発し，無茎性または亜有茎性隆起で，直径は 1 cm 以下〜数 cm に及ぶ．小さなものは粘膜内に限局する．大きなものは粘膜下層まで及び表面にびらんを形成し亀頭状外観を呈する．組織学的には粘膜深層と粘膜下層に限局した病変で，著明な好酸球浸潤を伴う血管に富んだ肉芽組織様の組織からなる（**図 55**）．すなわち，繊細な紡錘形の線維芽細胞が増生した毛細血管の周囲に渦巻状ないし同心円状玉ねぎ状に配列して増殖し，かつこれらの間に種々の程度の好酸球浸潤を伴う像が特徴である（**図 56**）．リンパ球浸潤もしばしば認められ，また組織球様細胞も混在する．アニサキスによる好酸性肉芽腫と鑑別が必要である．原因や本態は長い間不明であったが，最近多くの症例で PDGFRA activating mutations が認められることより，その本態は良性の線維芽細胞性の腫瘍（新生物）とされている．

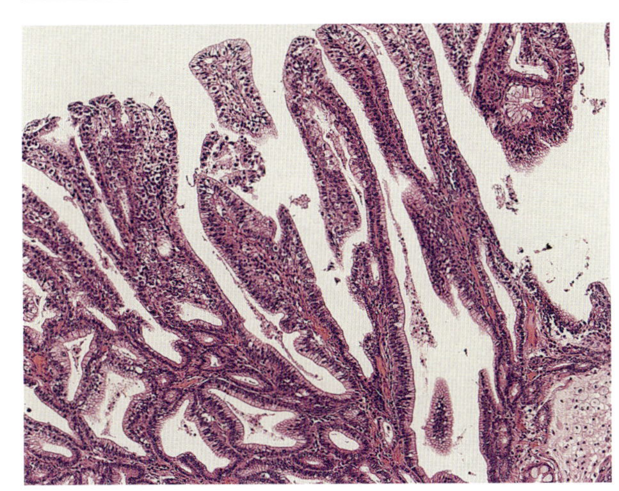

図 57　乳頭腺癌（pap）．線維血管性の狭い間質を芯とする乳頭状構造が目立つ．中拡大

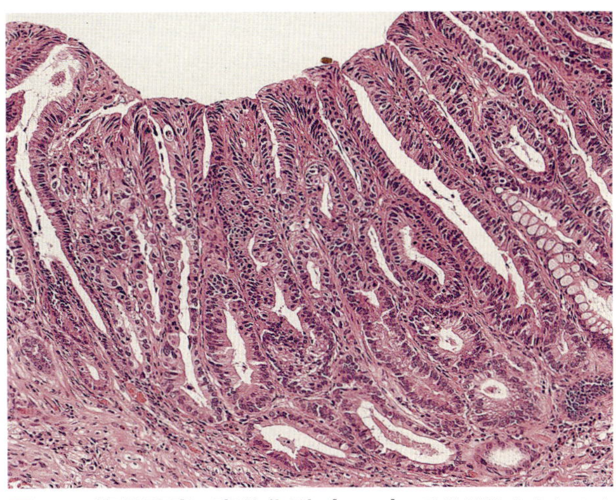

図 58　管状腺癌，高分化型（tub1）．腺管構造からなる高分化腺癌で，明瞭な管状構造を形成する．中拡大

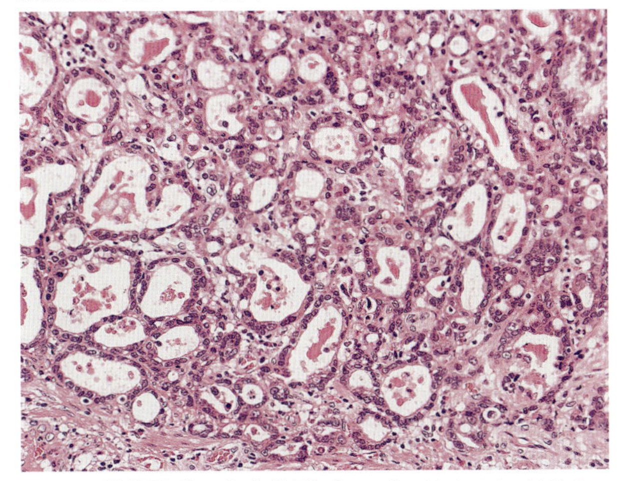

図 59　管状腺癌，中分化型（tub2）．管腔形成は比較的明瞭であるが，大きさ・形が不ぞろいである．中拡大

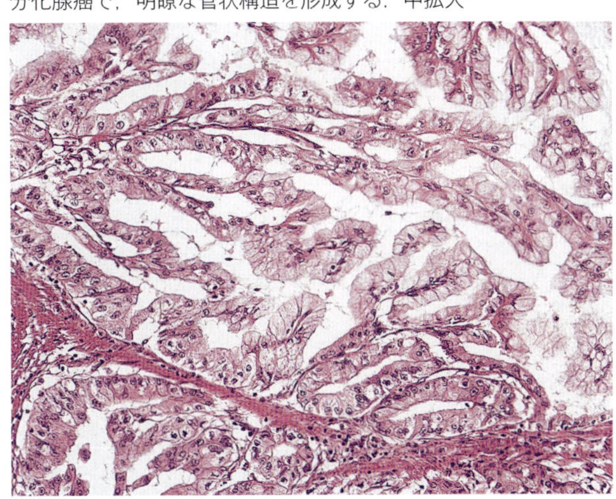

図 60　超高分化型乳頭腺癌（胃型）．腺窩上皮類似の粘液含有細胞からなる超高分化腺癌である．強拡大

多彩な組織像を示す胃癌の組織型は「胃癌取扱い規約」では一般型と特殊型に大別され，一般型は胃癌のほとんどすべてを占める腺癌から，特殊型は腺癌以外のまれなものからなる．一般型の腺癌は癌実質の形態から**乳頭腺癌**，**管状腺癌**，**粘液癌**，**印環細胞癌**などに分けられ，分化度も高・中・低分化型に分類される．また，癌間質の多寡により髄様癌と硬癌に分けられる．組織型は量的に優勢な像に従って分類する．特殊型としては胃底腺型腺癌，腺扁平上皮癌，扁平上皮癌，未分化癌などがある．

一般型のうち，**乳頭腺癌**（pap）（**図 57**）は狭い血管結合組織性の間質を芯とする円柱上皮の乳頭状構造を特徴とする癌で，この構造は胃内腔や大型腺管腔に向かって突出する．しかし，乳頭状構造のみからなる純粋な乳頭腺癌はほとんどなく，多くは管状構造とともに存在する乳頭管状腺癌のなかで乳頭状構造の目立つものを指す．主に早期癌の粘膜内病巣でみられる組織型で，深く浸潤すると管状ないし低分化腺癌像に変わることが多い．したがって進行癌では頻度が低い．**管状腺癌**（tub）は腺腔形成の明瞭な腺癌で，腺管形成の状態により，**高分化型**（tub1）（**図 58**），**中分化型**（tub2）（**図 59**）と亜分類される．腺腫との鑑別には，核/胞体比の上昇，粗糙な核クロマチン像，大型明瞭な赤い核小体，細胞分化の消失などが役立つ．

乳頭腺癌や管状腺癌などの分化型腺癌は，Laurén の分類にみるように従来腸型腺癌とされてきたが，最近このなかに胃型粘液形質を有する胃型腺癌が存在することがわかってきた．胃型腺癌（**図 60**）は刷子縁を欠き明調な胞体を有する腺窩上皮細胞に類似した細胞，あるいは幽門腺細胞類似の細胞から構成される．これらの細胞は乳頭状，乳頭管状，分岐吻合状に増殖する傾向があり，核の重層化は目立たない．

低分化腺癌（por）は腺腔形成が乏しいかほとんど認められない腺癌で，**充実型** solid type（por1）（**図 61**）と**非充実型** non-solid type（por2）（**図 62**）に亜分類される．充実型は線

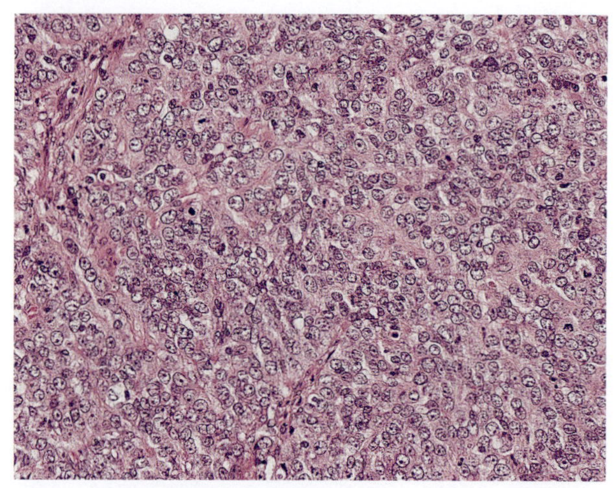

図 61　低分化腺癌，充実型（por1）．癌細胞は腺腔形成に乏しく充実性に増殖している．強拡大

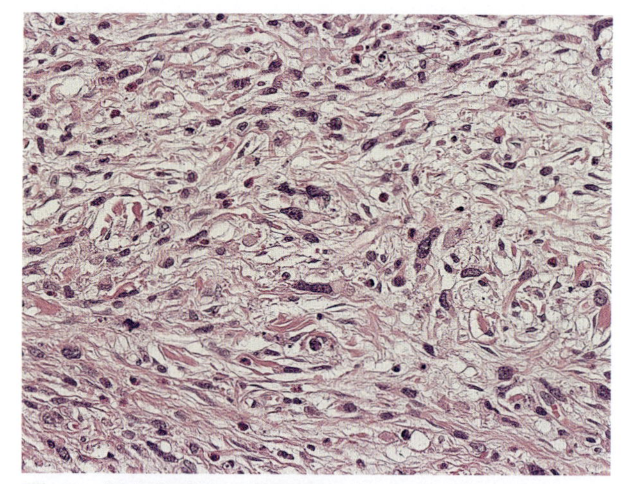

図 62　低分化腺癌，非充実型（por2）．癌細胞は個々ばらばらに浸潤増殖し，結合組織増生を伴う．強拡大

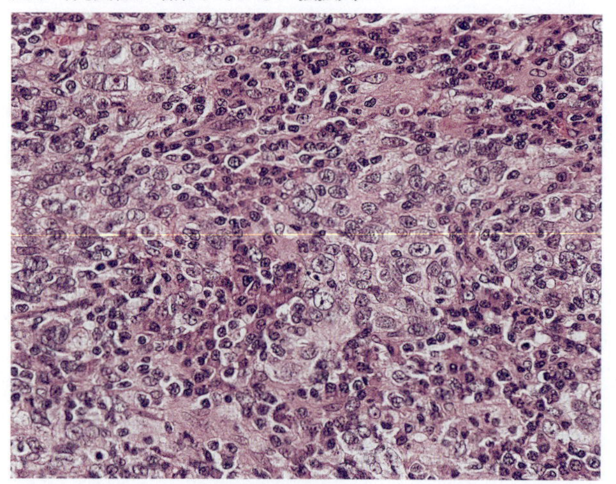

図 63　胃リンパ球浸潤性髄様癌．低分化癌細胞の小胞巣がリンパ球・形質細胞を背景に増殖している．強拡大

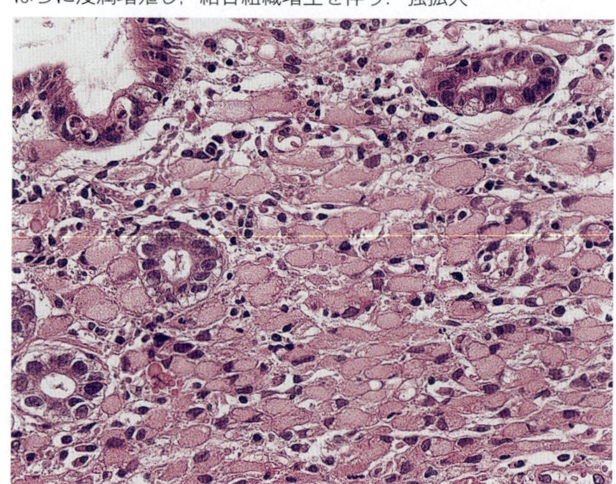

図 64　印環細胞癌（sig）（一般型，胃型）．癌細胞は粘液を含む好酸性胞体を有し，核は偏在する．強拡大

維性間質が少なく癌細胞が髄様増殖を示すもので，非充実型は線維性間質に富む硬性型 scirrhous な増殖を示すものである．両者の予後に大差はないが，充実型に血行転移が多い．充実型のなかには，間質に著明なリンパ球浸潤を伴うものがあり，**リンパ球浸潤性髄様癌** medullary carcinoma with lymphoid stroma（**図 63**）とよばれる．癌実質は小～中型癌細胞が索状，小胞巣状構造をとる低分化型腺癌が主体をなし，Tリンパ球を主体とするリンパ球浸潤は間質のみならず癌胞巣内にも認められる．本腫瘍は特徴的な組織像と予後良好な点が注目され，Epstein-Barr ウイルスとの関連が，病因論的にも関心を集めている．

印環細胞癌（sig）（**図 64～66**）は粘液細胞（性腺）癌と同義語で，癌細胞内に粘液を種々の程度に貯留し，印環型を呈する癌をいう．印環細胞癌には 3 つの種類がある．①最も多い一般型（**図 64**）は，豊富な粘液を含む好酸性胞体を有し，核は偏在するが典型的印環細胞型をとらないもので，粘液は胃粘液腺のそれに類似する（胃型）．②微嚢胞（穴あき）型（**図 65**）は，細胞が微小腔や微小嚢胞を形成し，核はときに印環型を呈するものである．微小嚢胞は PAS 陽性，アルシアンブルー陽性の粘液を含む（**図 65 右**）．③最も頻度の低い杯細胞型（**図 66 左**）は，豊富な粘液を有し，多数の細胞が印環細胞型を呈する．粘液は腸の杯細胞の粘液顆粒に類似している（腸型）（**図 66 右**）．粘膜下層以下に浸潤すると多くが硬性癌となる．**粘液癌**（muc）（**図 67**）は粘液結節（性腺）癌，膠様腺癌ともよばれ，著しい粘液産生のために粘液が細胞外の管腔や組織間隙に貯留し，広範に粘液結節を形成する癌である．粘液結節内あるいは結節中に乳頭状～管状構造の癌組織がみられる場合を高分化型ないし分化型粘液癌とする．これに対し，胞体内に粘液を保持した癌細胞が個々バラバラに浮遊している場合を低分化型ないし未分化型粘液癌とよぶ．

特殊型胃癌はまれに遭遇する腫瘍で，そのうちでは**カルチ**

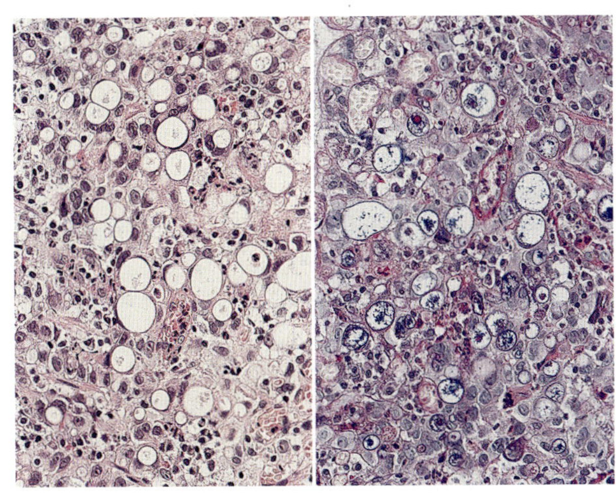

図 65　印環細胞癌（sig）（微嚢胞型，腸型）．左：微小腔や微小嚢胞形成．右：アルシアンブルー．強拡大

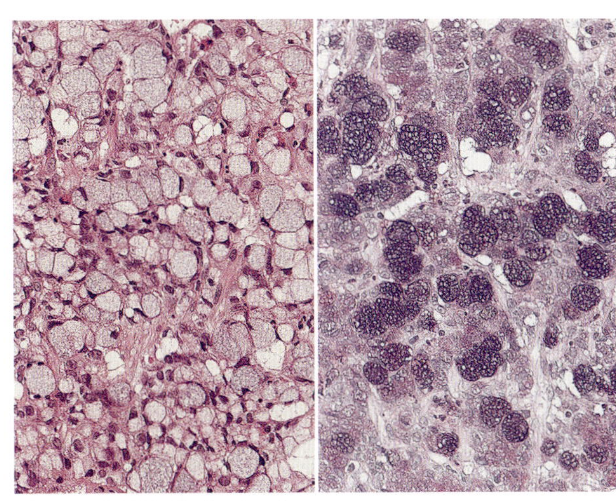

図 66　印環細胞癌（sig）．左：杯細胞型．右：腸型．粘液はPAS＋AB 染色で青紫～青色に染まる．強拡大

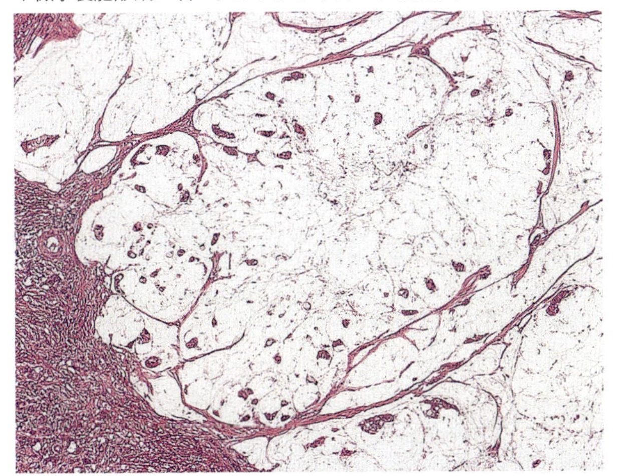

図 67　粘液癌（muc）（分化型）．癌胞巣には粘液が貯留充満し，一部分化型腺癌細胞の残存をみる．弱拡大

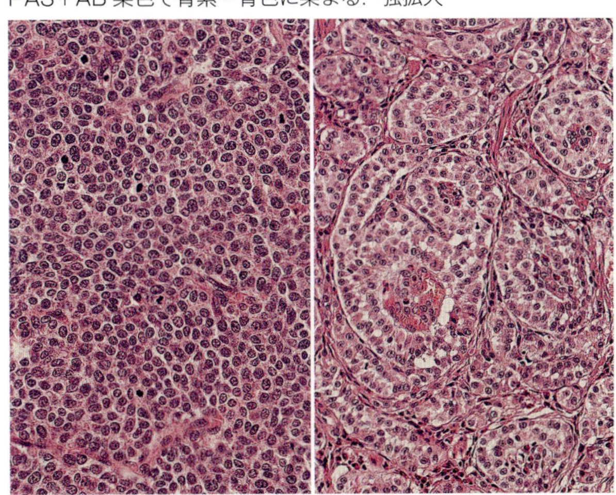

図 68　胃カルチノイド．左：A 型．充実胞巣状増殖．右：B型．索状・リボン状配列．強拡大．

ノイド腫瘍（carcinoid tumor/neuroendocrine tumor）が多い．この腫瘍は胃の内分泌細胞由来で，粘膜深層を発生母地とし，中心陥凹を伴う隆起性病変，さらに粘膜下腫瘍，潰瘍限局型癌に似た形態をとるようになる．隆起性病変として発見されることが多い．好発部位は胃底腺領域で，大きさは平均 1 cm 大，割面は黄色調を呈する．組織学的には腫瘍は，均一小型細胞の充実胞巣状（**A 型**，**図 68 左**），索状・リボン状（**B 型**，**図 68 右**），ときにロゼット状・腺管状（**C 型**，**図 69**）の増殖からなる．腫瘍細胞の核分裂像はまれであり，ほとんどすべての腫瘍細胞は好銀性顆粒（**図 69 右**）を有し，ときにいくつかの細胞は銀還元性顆粒を有する（約 50%）．電顕的には，細胞質内に多数の内分泌顆粒を確認できる．免疫組織化学的にはクロモグラニン A が陽性である．鑑別すべきものに内分泌細胞癌 endocrine cell carcinoma/neuroendocrine carcinoma（小細胞癌）（**図 70**）があるが，本腫瘍では核異型が強く，核分裂像も多い．また早期から脈管侵襲・転移がみられ，予後不良である．

腺扁平上皮癌（**図 71**）は，腺癌と扁平上皮癌成分とが，共存している癌であり，少なくとも 25%が扁平上皮癌であることが必要とされている．**扁平上皮癌**は癌巣がすべて扁平上皮癌成分から構成され，**未分化癌**は紡錘形～円形細胞からなる充実性腫瘍としてみられる．小細胞癌やリンパ腫と鑑別が必要である．脈管侵襲の傾向が強く予後は不良とされる．

【参考事項】　早期癌 early carcinoma はリンパ節転移の有無を問わず，癌の浸潤が粘膜内か粘膜下層にとどまるもの，**進行癌** advanced carcinoma は癌の浸潤が固有筋層以下に及んだものである．胃癌の肉眼型は，「胃癌取扱い規約」によれば，以下の 6 基本型に分類される．

0 型：表在型．早期癌に相当する（**図 72A**）．
1 型：腫瘤型．
2 型：潰瘍限局型．
3 型：潰瘍浸潤型．
4 型：びまん浸潤型．
5 型：分類不能．

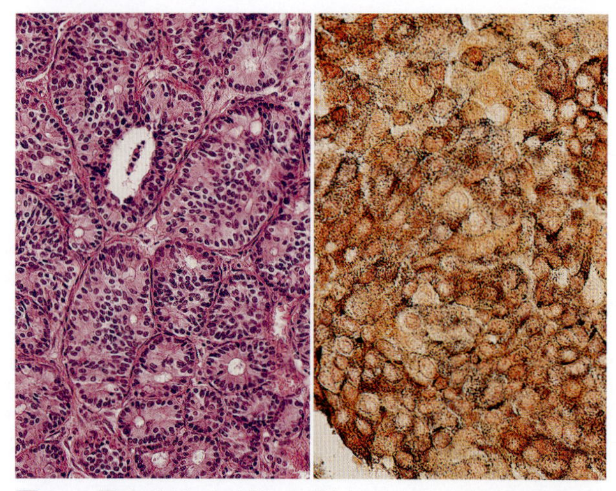

図 69　胃カルチノイド．C 型． 左：ロゼット状・腺管状増殖．右：細胞質内に好銀性顆粒．Grimelius 法．強拡大

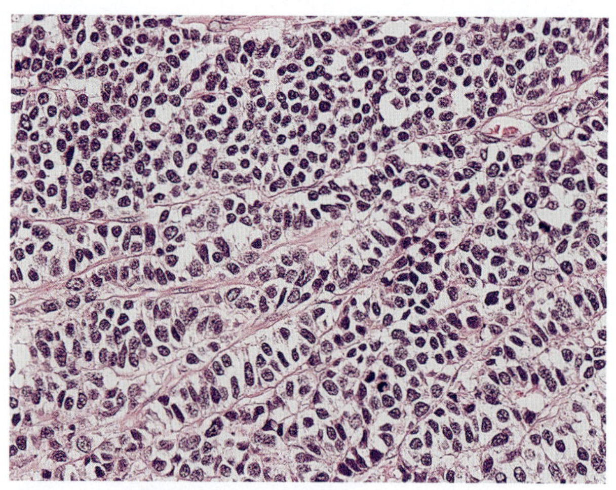

図 70　小細胞癌（内分泌細胞癌）． 乏しい細胞質を有する癌細胞が索状〜充実性に増殖する．強拡大

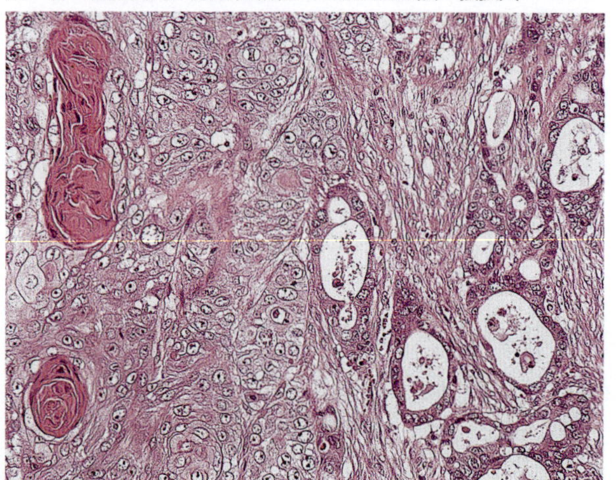

図 71　腺扁平上皮癌． 中分化型管状腺癌成分と角化を示す扁平上皮癌成分が共存している．強拡大

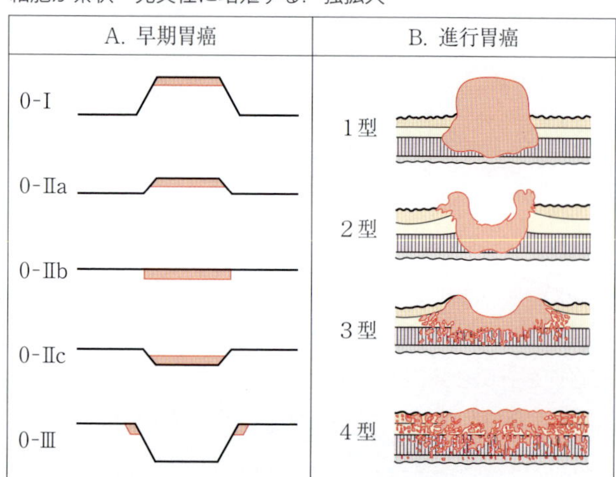

図 72　早期胃癌および進行胃癌の肉眼型分類

このうち，1〜4 型の分類は **Borrmann 分類**（**図 72B**）に準じており，日本では進行癌の予後の判定に役立っており，1，2 型が良好で，3，4 型が不良である．

また，0 型（表在型）は，日本内視鏡学会の早期胃癌の肉眼分類を改変したもの（**図 72A**）に準拠して，0-Ⅰ型（隆起型：正常粘膜の厚さの 2 倍以上の隆起．現実には隆起の高さが 2〜3 mm を超えるもの），0-Ⅱ型（表面型）（0-Ⅱa 型表面隆起型，0-Ⅱb 型表面平坦型，0-Ⅱc 型表面陥凹型に細分類される），0-Ⅲ型（陥凹型）に亜分類される．混在している場合は優勢な型を前に記し，0-Ⅱa＋Ⅱc，0-Ⅱc＋Ⅲ型のように表現する．

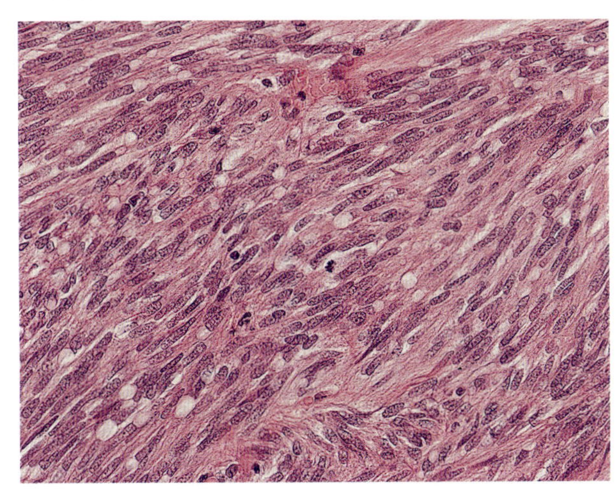

図 73　GIST（紡錘形細胞型）．腫瘍は紡錘形細胞の密な束状増殖からなり，多形性は乏しい．中心に核分裂像をみる．強拡大

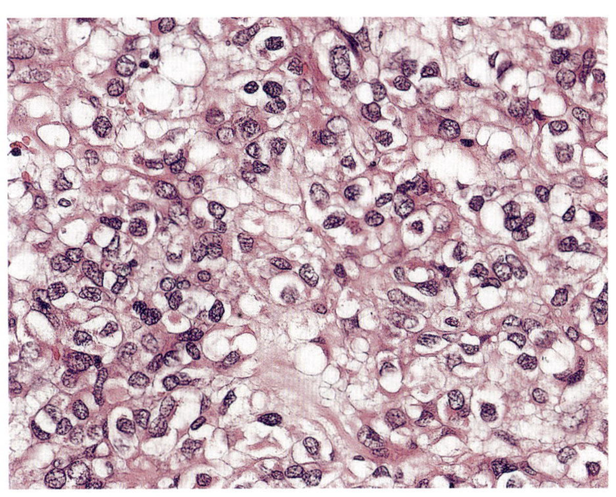

図 74　GIST（類上皮細胞型）．豊富な胞体を有する類円形～多角形の腫瘍細胞がシート状に配列・増殖．強拡大

消化管間質性腫瘍 gastrointestinal stromal tumor（GIST）は細胞形態から紡錘形細胞型（**図 73**）と類上皮細胞型（**図 74**）に分けられるが，紡錘形細胞型が圧倒的に多い．紡錘形細胞型では，淡好酸性の細長い胞体と両端の丸みを帯びた長楕円形ないし両切りタバコ状の核を有する紡錘形細胞が束状に錯綜して配列・増殖する像が主体をなし，ときに核の柵状配列をみ，核周囲空胞化をよく示す．類上皮細胞型では，豊富な細胞質を有する類円形～多角形の腫瘍細胞がシート状に配列・増殖する．核は胞体の中央に位置し，核周囲に人工産物である明暈を有することがある．GISTの良・悪性の絶対的判定基準は，転移と浸潤のみである．しかし，一般には腫瘍の大きさ，細胞密度，核分裂像が比較的重要な基準とされている．

免疫組織化学的には，ほぼ全腫瘍がc-kitに，70～80％の腫瘍がCD34にびまん性に陽性を示す（☞p.205）．30～40％の腫瘍はα-SMAには局所性またはびまん性に陽性を示す．デスミン陽性を示すものは5％以下とごく少数であり，またS-100蛋白陽性を示すのも5％以下と非常にまれであり，その染色性も弱い．本腫瘍の組織発生は，カハール Cajal 介在細胞や平滑筋細胞へ分化しうる多潜能性先祖細胞に由来するとされる．

神経鞘腫 neurilemoma，Schwannoma は組織学的には紡錘形細胞の不規則に交錯する束状配列・増殖からなる（**図 75**）．腫瘍細胞の細胞質は細長く好酸性であるが，平滑筋腫細胞に比べると好酸性に乏しい．腫瘍辺縁に著明なリンパ球巣状集簇 lymphoid cuff を伴うのも特徴の1つで，鍍銀法では腫瘍細胞に沿って直走する細い繊細な好銀線維も特徴的とされる．免疫組織化学的には腫瘍細胞の細胞質と核がともにS-100蛋白陽性を示す．

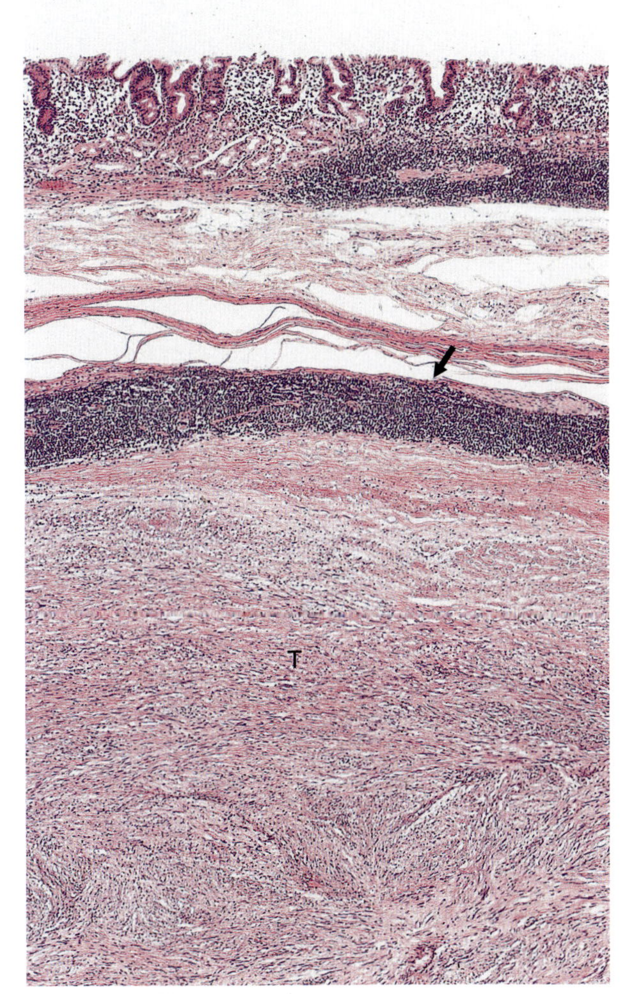

図 75　神経鞘腫．紡錘形細胞からなる腫瘍（T）辺縁に著明なリンパ球巣状集簇を伴う．弱拡大

第5章

消化器系

(4) 腸管

概　説

正常大腸粘膜

大腸は解剖学的に，直腸，S状結腸，下行結腸，横行結腸，上行結腸，盲腸に分けられる．一般に直腸，S状結腸，下行結腸は左側大腸に，横行結腸，上行結腸，盲腸は右側大腸に分類することが行われている（左側は後腸由来，右側は中腸由来で，支配血管も異なっている．右側は上腸間膜動脈，左側は直腸上部までは下腸間膜動脈，直腸下部は内腸骨動脈が支配している）．直腸，下行結腸，上行結腸，盲腸は固定腸で，後腹膜に固定されている．一方，残りの腸は浮遊腸とよばれ，後腹膜には固定されていない．

組織学的には正常大腸は，管腔側から粘膜固有層，粘膜筋板，粘膜下層，筋層，漿膜下層，漿膜の層構造になっている（**図1**）．粘膜筋層は薄い平滑筋層で，2層構造になっている．一方，筋層は厚い層構造で，筋線維の走る方向によって，輪走筋層と縦走筋層の2層に分かれている．粘膜の陰窩は不分岐単一管状腺で（**図2**），正常で分岐を示す陰窩は無名溝

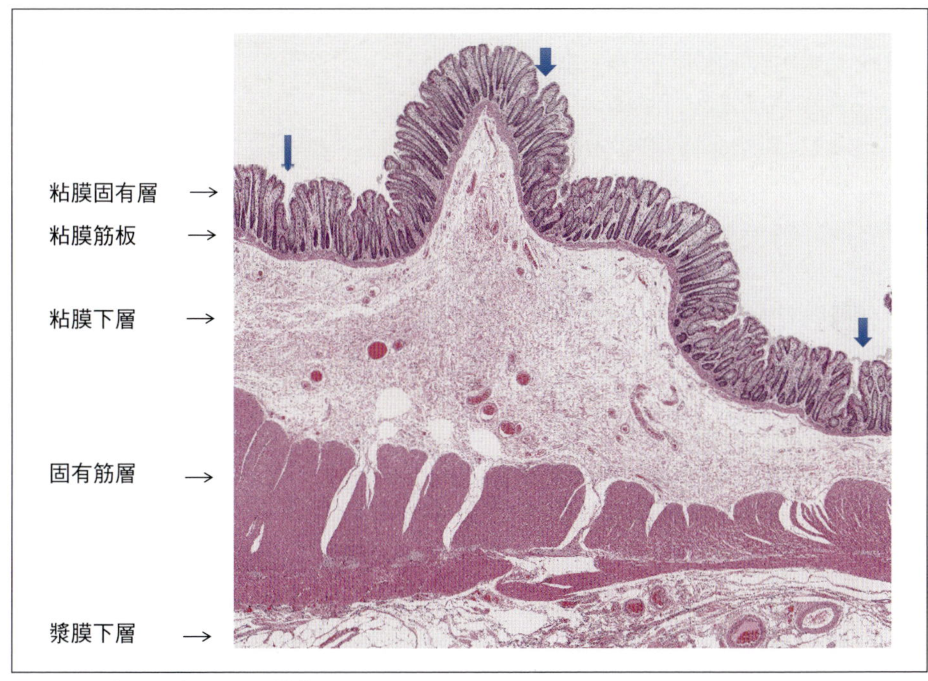

図1　正常大腸各層の組織像．粘膜固有層，粘膜筋板，粘膜下層，筋層，漿膜下層，漿膜（図示されていない）の各層で構成されている．粘膜の構成する大腸陰窩は不分岐単一管状腺であるが，無名溝の部分は分岐腺管がみられる（⬇）

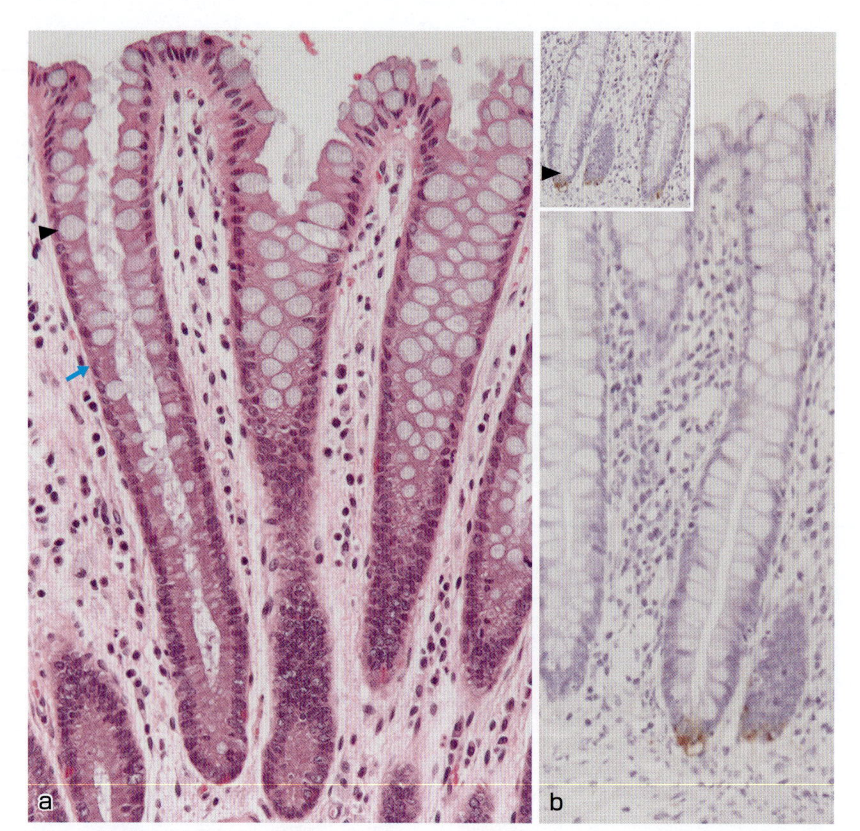

図2 粘膜の陰窩．a：陰窩は不分枝単一管状線である．陰窩の細胞は杯細胞が豊富（▲）．吸収細胞は青矢印．b：クロモグラニン染色．挿入図：矢頭は内分泌細胞（Kulchitsky 細胞）

innominate groove といわれる部分がそれに相当する．分岐を示す陰窩は，正常では無名溝以外はみられず，分岐のみられた粘膜は炎症などによる粘膜障害の可能性を示唆する所見とされる．陰窩を構成する細胞は吸収細胞と杯細胞が主であるが，陰窩底部には内分泌細胞（Kulchitsky 細胞）が散在性にみられる（内分泌細胞のオリジンになる，後述）．幹細胞 stem cell も陰窩底部の存在するものとされている（通常の染色では同定は困難）．

粘膜筋板は厚さ 50 μm 程度の薄い筋線維の束であるが，潰瘍性大腸炎などでは筋板が肥厚することがあり，潰瘍性大腸炎の寛解期の判断に有用とされることがある．

粘膜下層はリンパ管や血管が発達し始めるが，リンパ管は正常粘膜では粘膜筋直上にみられるが，粘膜固有層中層以上にはみられない．このことが粘膜固有層浸潤癌で他臓器転移がみられないことの組織学的根拠になっている．粘膜下層には神経系もみられ，マイスナー神経叢とよばれる．

筋層は通常は内輪，外縦の構造を示す．両者の間にはアウエルバッハ神経叢 Auerbach plexus といわれる筋間神経叢が発達している（**図3**）．アウエルバッハ神経叢の周囲にこれを取り囲むようにカハールの介在細胞が存在する．この細胞は消化管運動のペースメーカー細胞であることが提唱されている．gastrointestinal stromal cell（GIST）はカハールの介在細胞由来であることが示されている．

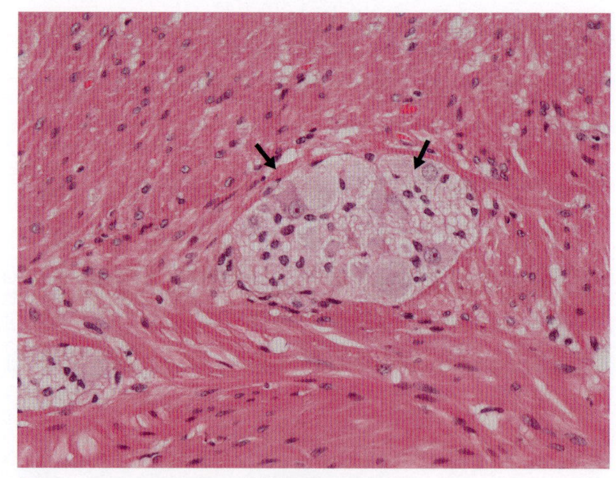

図3 アウエルバッハ神経叢．筋層間にアウエルバッハ神経叢がみられる（⬆）．神経線維と神経節細胞で構成される

筋層の下には漿膜下層，漿膜がみられるが，腹膜翻転部より下の直腸では最外層は外膜であることに注意が必要である．

表1　大腸ポリープの分類

通常型腺腫（Conventional adenoma） 　管状腺腫（Tubular） 　管状絨毛腺腫（Tubulovillous） 　絨毛腺腫（Villous） 　平坦腺腫（Flat adenoma） 鋸歯状ポリープ（Serrated polyp） 　過形成性ポリープ（Hyperplastic polyp；Microvesicular, goblet cell, mucin） 　Sessile serrated adenoma/polyp（SSA/P） 　混合型ポリープ（Mixed polyp） 　Traditional serrated adenoma（TSA） ポリポイド腺癌（Polypoid adenocarcinoma） 炎症性（Inflammatory） 　Mucosal prolapse-associated polyp 　Inflammatory polyp 　Inflammatory myoglandular polyp 　Polypoid granulomatous tissue 　Infection-associated polyp 過誤腫性（Hamartomatous） 　Peutz-Jeghers polyp 　Jevenile polyp 　Cowden syndrome and Bannayan-Riley-Ruvalcaba syndrome 　Cronkhite-Canada syndrome	間質性（Stromal） 　Inflammatory fibroid polyp 　Fibroblastic polyp/peri-neurinoma 　Schwann cell hamartoma 　Neurilemmoma and nerve sheath tumor variants 　Ganglio-neuroma 　Leiomyoma of muscularis mucosae 　Lipoma 　Lipohyperplasia of ileocaecal valve 　Gastrointestinal stromal tumors 　Neurofibroma 　Granular cell tumor リンパ組織性（Lymphoid） 　Prominent lymphoid follicle/rectal tonsil 　Lymphomatous polyposis 内分泌性（Endocrine） 　Well differentiated endocrine（Carcinoid）tumor その他（Other） 　Prominent mucosal fold 　Muco sub-mucosal elongated polyp 　Everted appendical stump or caecal diverticulum 　Elastic polyp 　Endometriosis 　Mucosal xanthoma 　Melanoma-clear cell sarcoma 　Metastasis

表2　大腸癌における分子病型

Chromosomal instability（CIN, microsatellite stable） ⟷	Microsatellite instability（MIN）
染色体不安定性	染色体安定性
マイクロサテライト領域安定性	マイクロサテライト領域不安定性
APC 変異（＋）	*APC* 変異（－）
KRAS 変異（＋）	*KRAS* 変異（±）
TP53 変異（＋）	*TP53* 変異（－）
BRAF 変異（－）	*BRAF* 変異（＋）
LOH（＋）	LOH（－）
CIMP（－）	CIMP（＋）
左側大腸	右側大腸
腸型粘液形質	胃型粘液形質
通常型腺腫が前駆病変	鋸歯状病変が前駆病変
90%	10%

ポリープとは，腔内に向かって突出する限局性病変の総称である．しかし慣習的に良性病変，それも原則的には上皮性病変に限って使用することが推奨されている．

大腸ポリープの分類を**表1**にあげる．多くの異なったカテゴリーのポリープがあるが，大きく分けると腫瘍性と非腫瘍性の2つに分類される．それぞれ異なった組織型を含むが，非腫瘍性病変では過誤腫性ポリープが重要である．腫瘍性ポリープは，基本的には通常型腺腫性病変と鋸歯状病変に大別することが一般的である．両者とも大腸癌の前駆病変とされているが，それぞれ異なった分子病型を示す大腸癌に進展する．

［参考事項］　大腸腫瘍の分子病型　大腸腫瘍の分子病型は chromosomal instability（CIN）型と microsatellite instability（MIN：MSI）型に大別される．MSI 型と microsatellite stable（MSS）型に分類することも行われている（CIN と MSS は大腸癌ではほぼ同義であるが，厳密には同一ではない）．通常型腺腫は最終的には CIN 型に，鋸歯状病変（特に sessile serrated adenoma/polyp）は MIN 型の前駆病変とされる．**表2**に両者の違いをあげる．両者は対照的な関係にある．

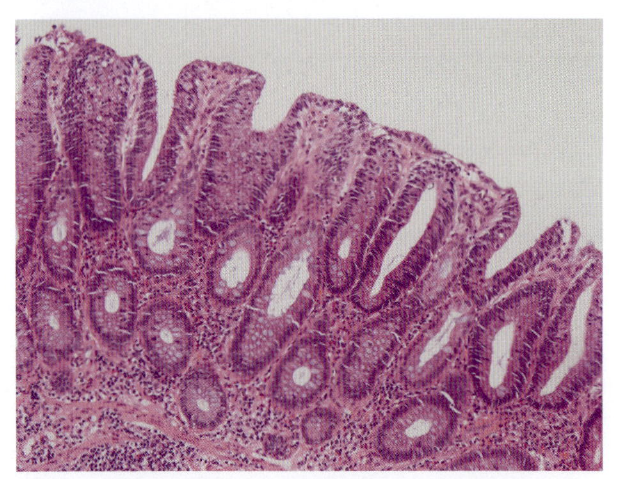

図 4　大腸管状腺腫．管状腺管が規則正しく配列されている．弱拡大

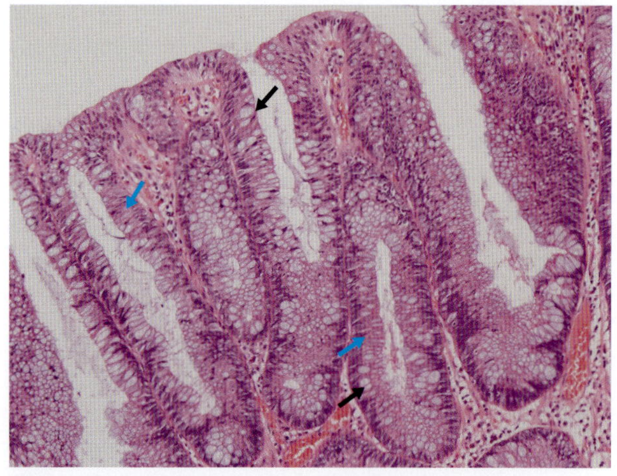

図 5　同前．腫瘍腺管を構成する細胞は吸収上皮細胞（⬆）と杯細胞（⬆）である．管状腺腫と診断される．中拡大

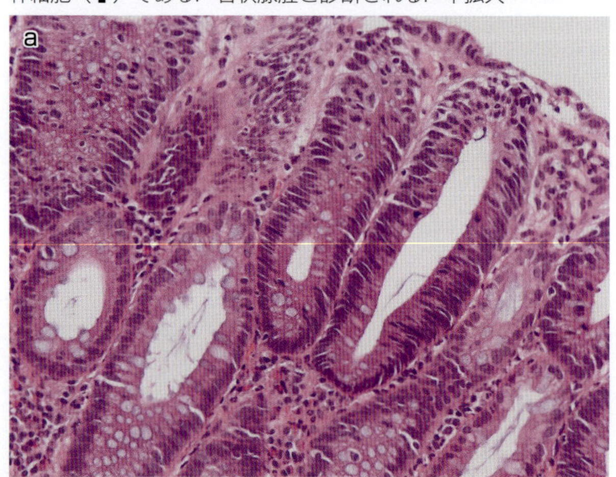

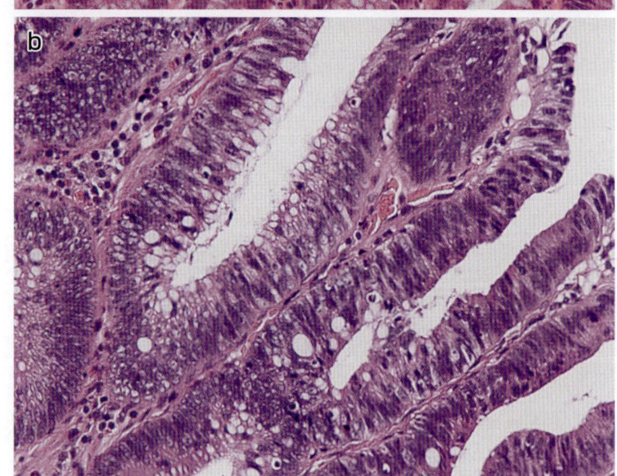

図 6　同前．低グレード管状腺腫と高グレード管状腺腫．a：核は基底側に配置されている．核形の不整さも軽度である．低グレード腺腫と診断される．強拡大．b：核の腫大，核形の不整，クロマチンの増量，核の重層性から高グレード腺腫と診断される．強拡大

大腸腺腫 colorectal adenoma（conventional adenoma）は，管状腺腫，管状絨毛腺腫，絨毛腺腫に分類することが一般的である．これらの腺腫は“通常型腺腫”とも呼称される．腺腫は前癌病変とされる．腺腫の癌化のリスクは，腺腫の大きさ，異型度，絨毛成分の多寡が重要である．

大腸管状腺腫 tubular adenoma　偶発的に発生した管状腺腫は 60 歳代に多く，男女比は 2：1 である．

病理形態学：管状腺腫は直腸および S 状結腸に多いとされるが，癌ほどの好発部位はない．多くの管状腺腫は隆起性であるが，まれに扁平または陥凹しているものがある．組織学的には円柱状から立方状で細胞密度は高く，楕円形の核が基底側に規則正しく配列している（**図 4**）．クロマチンはやや粗で，核小体は目立たないが小さいものはみられる．構成細胞は 2 種類みられ，1 つは吸収細胞に類似したもので，1 つは杯細胞である（**図 5**）．これらは種々の程度に混合してみられるが，一般に異型度が増すにつれて杯細胞が減少する傾向がある．パネート細胞の混在もみられる．

腺腫の異型度は低グレードと高グレードに分類する（**図 6**）．核の不整さ，核の腫大，N/C 比の増大，核クロマチンの増量の程度，核の重層化，核小体の大きさなどを総合的に判断することになる．腺腫細胞の異型性は均一でないこともあり，その場合には異型度の高いほうを記載する．

【鑑別診断】　管状腺腫と鑑別すべき疾患は粘膜内高分化腺癌である．鑑別のポイントは，核の不整，N/C 比の増大，核クロマチンの増量，核の重層化に注意することである．

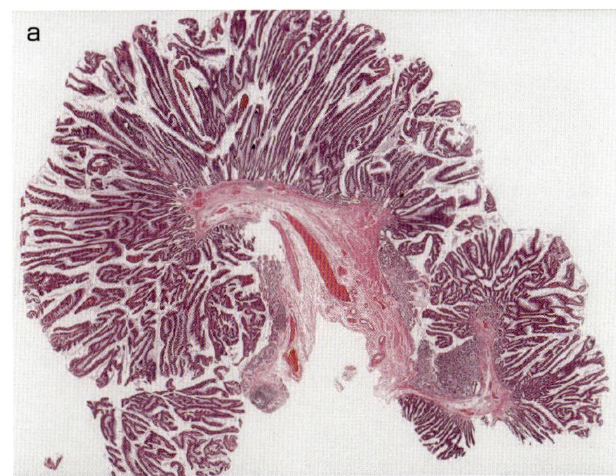

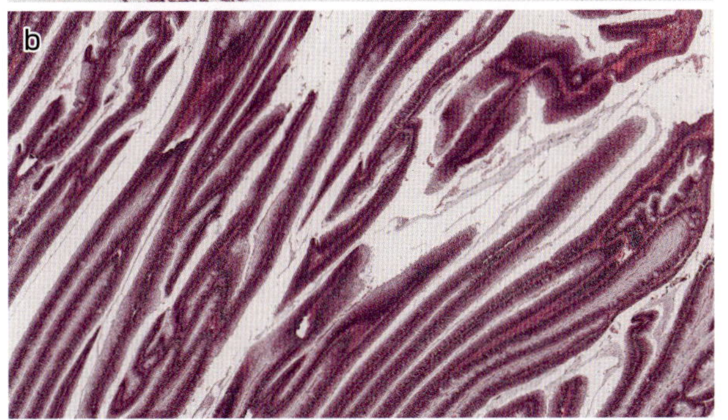

図 7　絨毛腺腫．a：絨毛様構造がみられる．ルーペ．b：管腔に向かって真っ直ぐに伸びた分岐に乏しい腫瘍腺管の増殖がみられ，間質は狭い．弱拡大

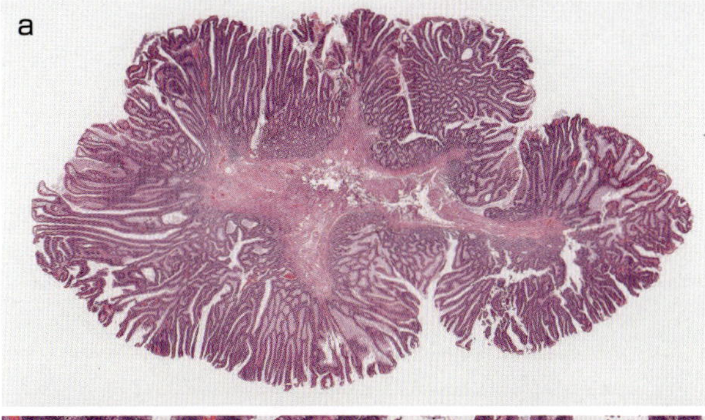

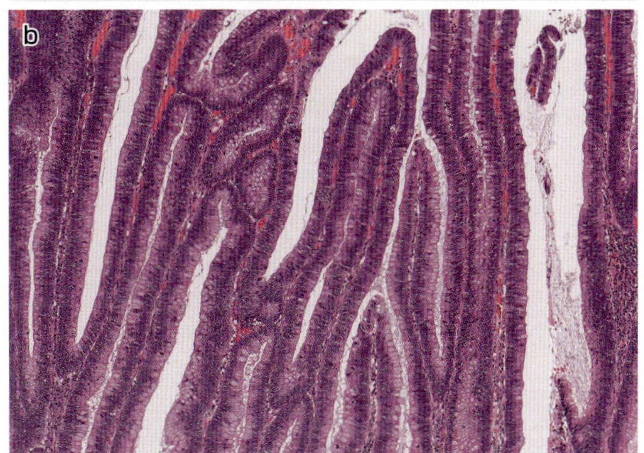

図 8　管状絨毛腺腫．a：ルーペ，b：中拡大

絨毛腺腫 villous adenoma　WHO 基準では，絨毛成分の比率が 75％以上の絨毛成分で構成されている腺腫を絨毛腺腫とするよう推奨している．

病理形態学：絨毛腺腫は直腸および S 状結腸に好発するが，盲腸と上行性結腸にもみられる．大きさは 1 cm 程度から 10 cm 程度までさまざまである．色調は管状腺腫より白色調である場合が多い．表面は，ビロード状で，扁平な隆起性病である．増殖態度の特徴は，側方進展が目立つことである．絨毛腺腫は癌化率が高い．

組織学的には，管腔に向かって真っ直ぐに伸びた分岐に乏しい腫瘍腺管の増殖が最も特徴的である．間質は非常に狭く，腺管の基底膜が互いに隣接していることもある（**図 7**）．絨毛腺腫は，組織学的に絨毛構造を呈する癌（絨毛癌）との鑑別が困難である．絨毛腺腫自体も悪性度の高い病変であることが指摘されているが，いわゆる絨毛癌（組織学的には絨毛腺腫と差異はないが，粘膜下層以深に浸潤する）と絨毛腺腫の鑑別は組織像のみでは困難である．

絨毛腺腫で最も多い症状は出血であるが，ときに蛋白質を含んだ多量の粘液を排出し，これにより電解質異常や低蛋白血症（臨床的に蛋白漏出性胃腸症を呈することもある）を呈する．

【鑑別診断】　前述したように絨毛癌（規約には絨毛癌のカテゴリーはないので，癌の場合は乳頭状腺癌になる）との鑑別は生検組織像からは困難である．したがって専門家のなかには絨毛腺腫，絨毛癌の鑑別はやめて，絨毛腫瘍と診断するよう提案しているものもいる．

管状絨毛腺腫 tubulovillous adenoma（TVA）　管状の構造と絨毛の構造が 25〜75％程度混入しているのをいう（**図 8**）．細胞像は管状腺腫と大差ない．生物学的態度も管状腺腫と絨毛状腺腫の中間的である．

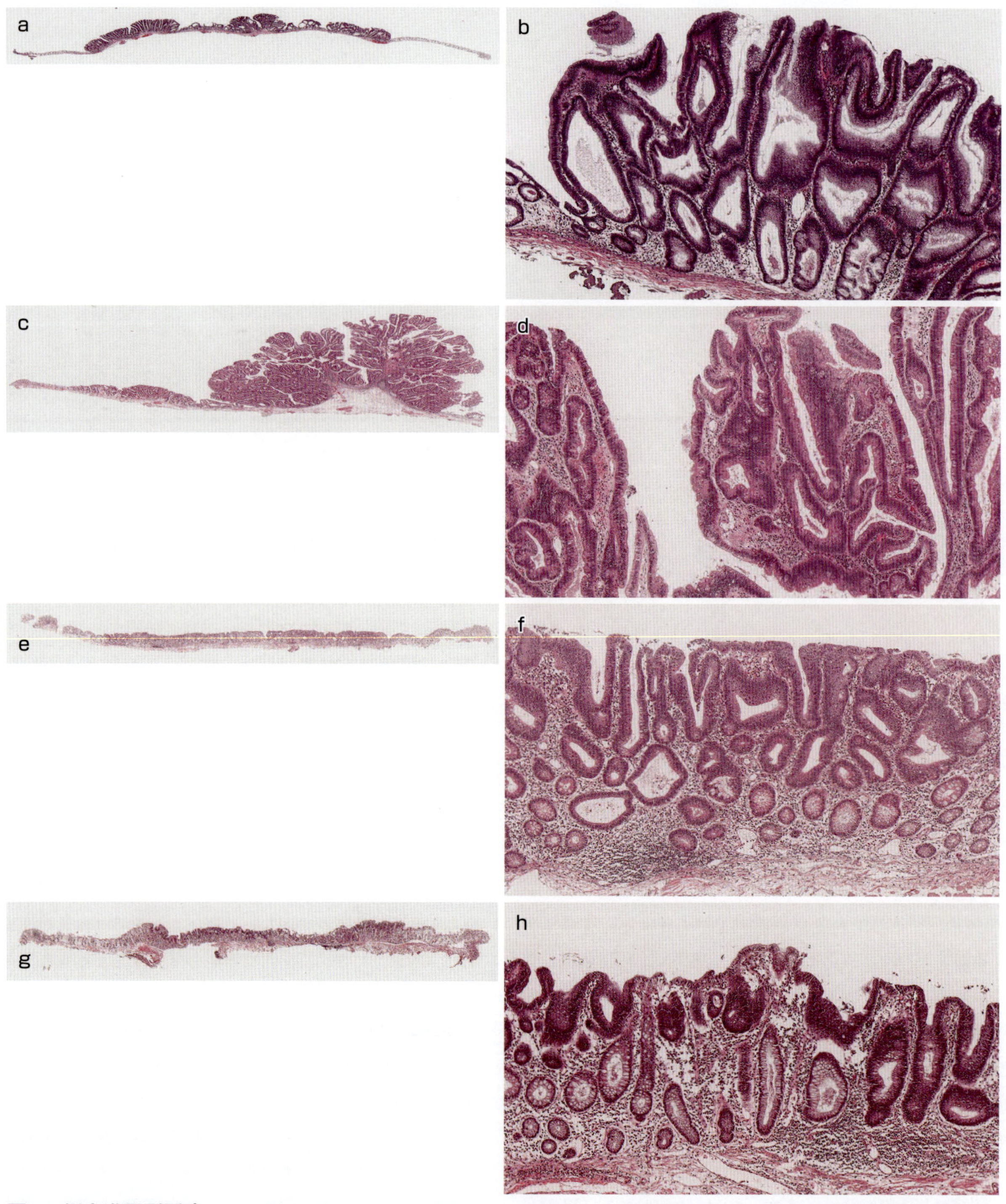

図 9　側方進展型腫瘍．a：結節均一型，ルーペ．b：管状腺腫，弱拡大．c：結節混合型，ルーペ．d：管状絨毛腺腫，弱拡大．e：非結節平坦型，ルーペ．f：管状腺腫，弱拡大．g：非結節偽陥凹型，ルーペ．h：管状腺腫，弱拡大

［参考事項］ 側方進展型腫瘍 laterally spreading tumor（LST） 側方におもに進展する増殖様式を示す腫瘍をいう．結節型と非結節型に分類し，さらに結節型を結節均一型，結節混合型に亜分類し，非結節型を平坦型，偽陥凹型に亜分類する．組織学的には管状腺腫と管状絨毛腺腫がある．結節混合型と偽陥凹型は癌化率や粘膜下層浸潤率が高いことが指摘されている（**図 9**）．

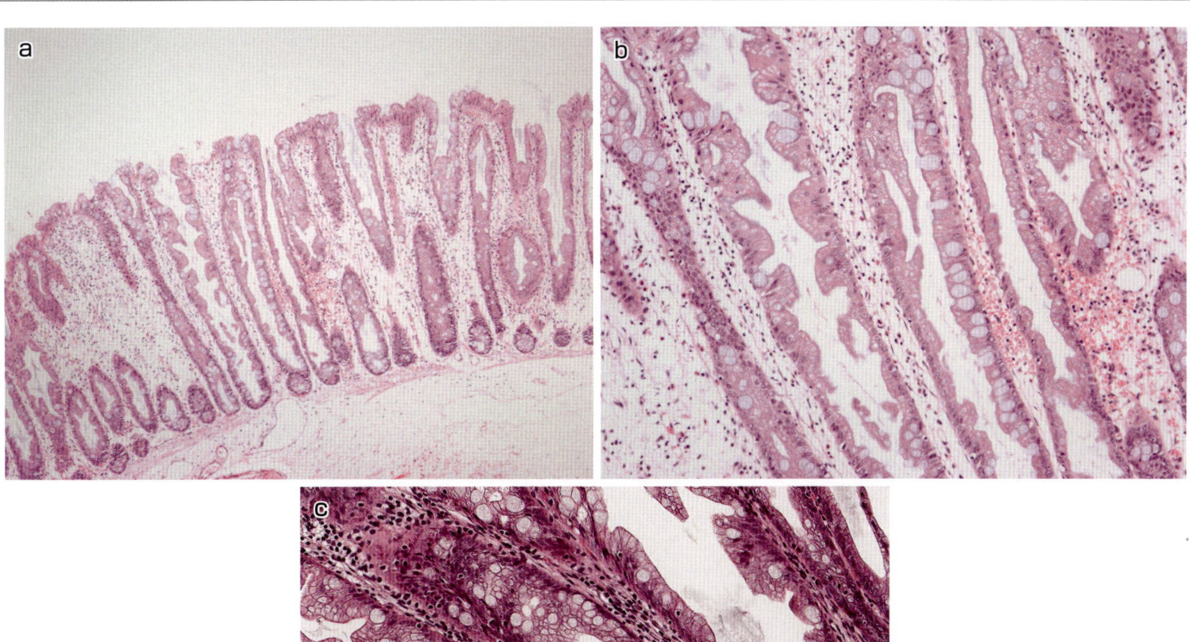

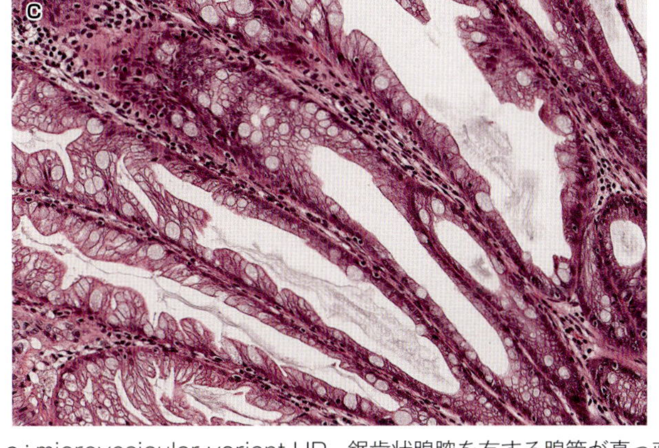

図 10　過形成性ポリープ．a：microvesicular variant HP．鋸歯状腺腔を有する腺管が真っ直ぐに粘膜筋板まで伸びている．弱拡大．b：鋸歯状腺腔が明瞭．中拡大．c：過形成性腺管．強拡大

組織学的に鋸歯状腺腔を特徴とする病変群をいう．過形成性ポリープ，鋸歯状腺腫，sessile serrated adenoma/polyp（SSA/P）に大別される．特に SSA/P は microsatellite instability（MSI）陽性大腸癌の前駆病変として注目されている．

過形成性ポリープ hyperplastic polyp（HP）　microvesicular variant（MVHP），goblet cell rich variant（GRVHP），mucin poor variant に亜分類される．MVHP と GRVHP は同じ過形成性ポリープに分類されるが，組織学的には分子異常的にも両者は異なっている．MVHP は鋸歯状腺腔が明瞭で構成細胞も杯細胞が豊富ではなく，遺伝子変異も *BRAF* 変異であることが多い．一方，GRVHP は鋸歯状腺腔が明瞭ではなく，杯細胞が豊富である．遺伝子変異も *KRAS* 変異であることが多い．日常診療上重要なタイプは MVHP であるので，以下に述べる（**図 10a，b**）．

MVHP は，肉眼的には表面平滑で類円形を呈し，色はやや白色調を呈する．大きさは小さいことが多い．また無茎性であることが多く，有茎性に成長することは少ない．HP は単発することも多いが，多発することもある．

組織学的には，鋸歯状の管腔が特徴的で，構成する上皮には異型性はみられない．腺管は分岐の傾向に乏しく，ストレートに真っ直ぐ伸びた腺管を認めることが多い．分裂像もほとんどみられない．腺底部の細胞は，表面の細胞よりもクロマチンに富み，異型性を有しているようにみえることもあるが，その場合も極性は保たれており，大型の核をみることは少ない（**図 10c**）．

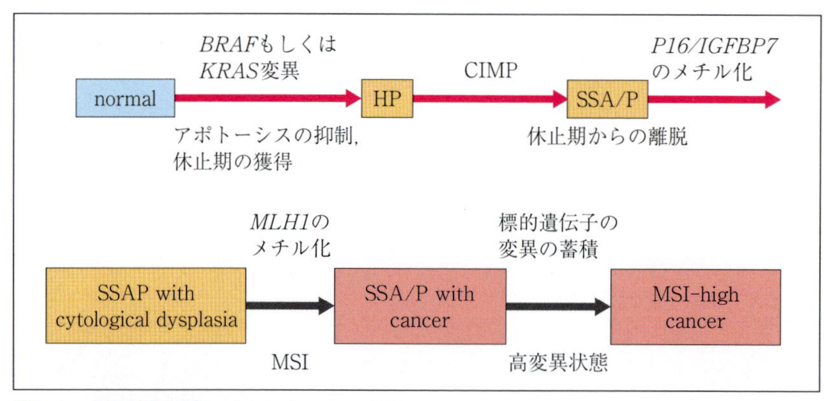

図 11　鋸歯状経路． SSA/P の分子異常

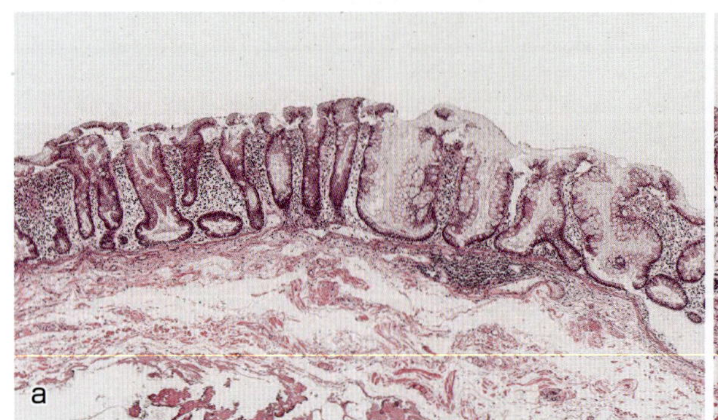

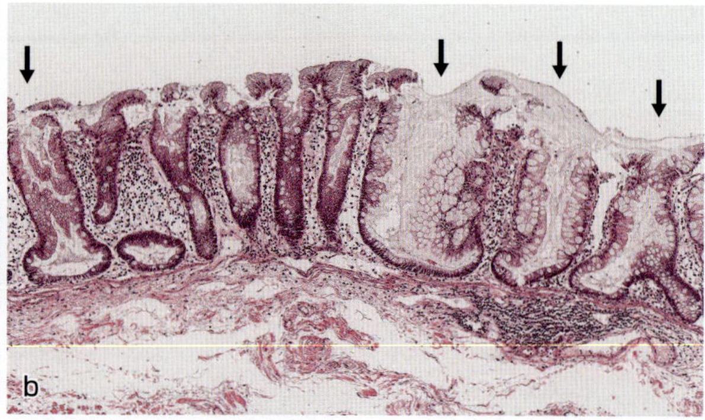

図 12　SSA/P． a：弱拡大．b：腺底部で拡張する腺管，横方向に屈曲する腺管，不規則な分岐を示す腺管をみる（⬆）．中拡大

sessile serrated adenoma/polyp（SSA/P）　右側大腸に好発し，女性に多い．

SSA/P の分子異常は，①*BRAF* 変異，②CIMP（CpG island methylation phenotype）が特徴的である．*BRAF* 変異は MVHP の時期にすでにみられるが，この時期の細胞は休止期に入っており，細胞の増殖は抑制されている．SSA/P に進展すると DNA メチル化がゲノムワイドにみられ（CIMP-high），特に *CDKN2A*（*p16*）や *IGFBP7* がメチル化されると細胞が休止期から離脱し，増殖細胞に変化する．最終的には *MLH1* がメチル化され，MSI（microsatellite instability，後述）が引き起こされ癌化する（**図 11**）．

肉眼的には無茎性病変を呈することが一般的である．表面に粘液の付着していることが多い．

組織学的には，①鋸歯状の拡張，②不規則な分岐像，③腺底部の異常拡張，走行異常（L 字状，逆 T 字，ブーツ状）が重要である（**図 12，13**）．以上のうち，2 つ以上の所見があれば SSA/P と診断し，このなかで最も重要な所見は，腺底部の異常拡張・走行異常像である．

上記に加えて診断上有用な所見は，同一病変内の組織像の多様性である．SSA/P の場合，同一病変内に HP と類似した所見もあれば，腺底部の拡張所見があるなど，組織所見の多様性がみられることが通常である．さらにいえば，SSA/P の診断の場合には弱拡大で観察することが重要である．

［参考事項］ SSA/P with cytological dysplasia　SSA/P に通常型管状腺腫様病変が出現することがある（**図 14**）．この病変の合併は SSA/P の悪性度が増したことを意味しており，SSA/P に通常型腺腫が合併したものではない．すなわち，この腺腫様病変には *BRAF* 変異がみられることを意味しており，*APC* 変異を有する通常型管状腺腫の合併ではないことを意味している．この病変がみられた場合は SSA/P の癌化の前状態にあることを示唆しているので（SSA/P→SSA/P with cytological dysplasia→MSI-high 陽性大腸癌），臨床的にも重要である．

鋸歯状腺腫 traditional serrated adenoma（TSA）　左側大腸に好発する．肉眼的には有茎性か亜有茎性病変であることが多い．組織学的には①好酸性細胞質と円鉛筆状核で構成されるいわゆる “dysplastic cell”，②表面は絨毛様，乳頭状構造を呈する，③芽出像（ectopic crypt foci：ECF）が重要である（**図 15**）．病変基部に過形成性様変化を伴うことが多い．

TSA の分子異常は，①*KRAS* もしくは *BRAF* 変異，②CIMP を示すことが特徴である．TSA から癌にいたる分子経路は 2 つの経路で構成されている．1 つは前半部分を SSA/P のそれと共有している経路で，最終的には *p53* 変異を介して *BRAF* 変異と CIMP を獲得して MSS（microsatellite stable，後述）型癌になる経路で，もう 1 つの経路は *KRAS* 変異を特徴とす

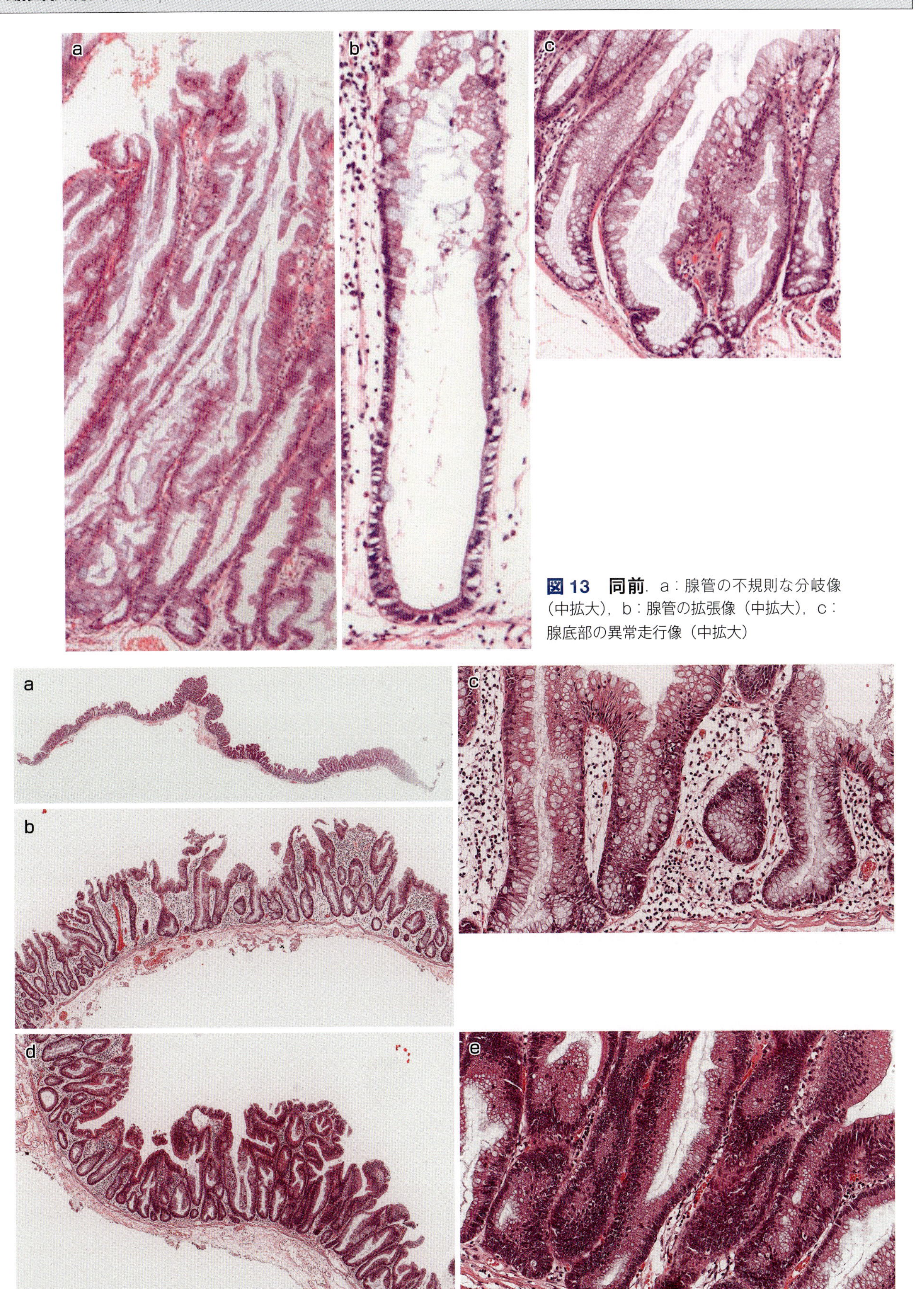

図 13　同前．a：腺管の不規則な分岐像（中拡大），b：腺管の拡張像（中拡大），c：腺底部の異常走行像（中拡大）

図 14　SSA/P with cytological dysplasia．a：ルーペ，b：SSA/P（弱拡大），c：SSA/P（中拡大），d：cytological dysplasia（わが国では腺腫）（弱拡大），e：中拡大

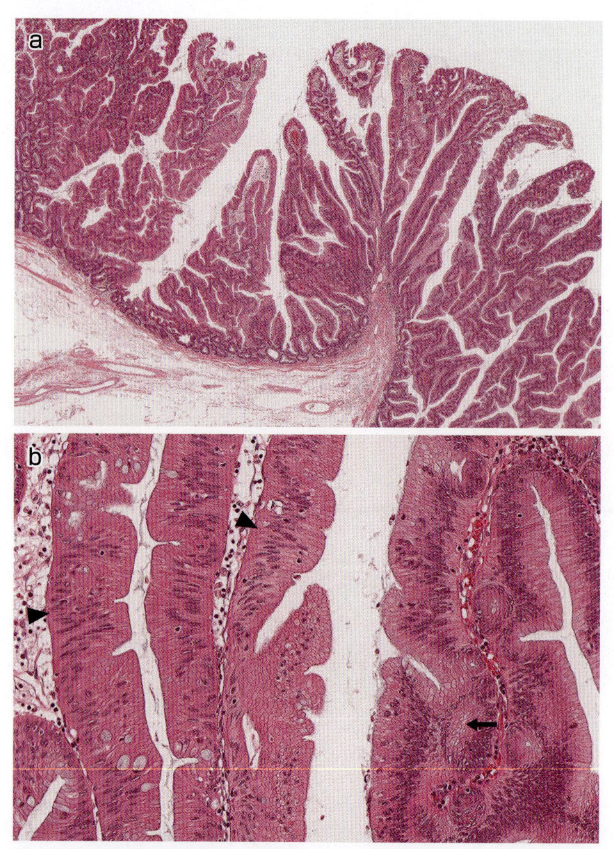

図 15　鋸歯状腺腫．a：腫瘍性円柱細胞が乳頭状に増殖している．弱拡大．b：鉛筆様核と好酸性細胞質で構成される dysplastic cell（▲）および芽出像を認める（⬆）．強拡大

る経路で，CIMP 低もしくはマイナスで MSS 型の分子病型を呈する癌になる経路である（TSA は MSS 型癌，すなわち CIN 型癌に進展することになるので，SSA/P とは最終的な分子病型が異なることに注意）．このように，TSA の癌化の経路には遺伝子変異を異にする 2 つの経路が存在する．しかし，分子経路は異なっているが，組織像からは両者を識別することは困難である．

【鑑別診断】 鋸歯状病変の鑑別診断の中心は SSA/P である．過形成性ポリープと SSA/P の鑑別は，腺底部の異常所見（拡張，走行異常）がみられた場合は SSA/P とする．鋸歯状腺管が垂直の腺管（バレリーナの足所見ともいう）であれば HP とする．TSA の鑑別対象は管状絨毛腺腫が重要である．両者は分子異常が異なるからである．TSA の場合はポリープ基部に過形成性ポリープ様の鋸歯状腺管を伴うことが多く，鑑別上有用であろう．TSA は好酸性細胞質と鉛筆様核で構成される dysplastic cell で構成されている場合は TSA の診断になる．

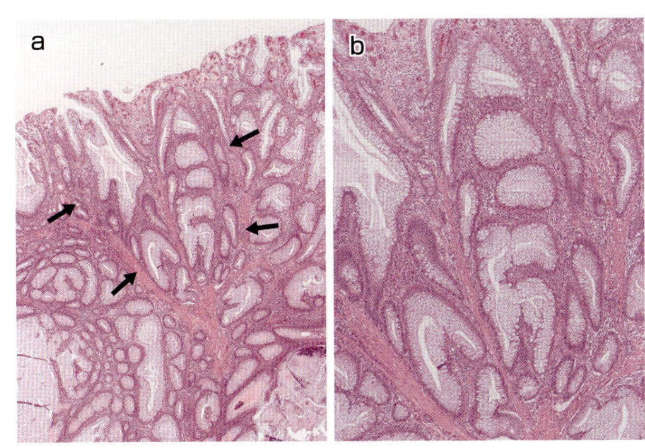

図 16　ポイツ・ジェガース型ポリープ． a：粘膜筋板の樹枝状増生とそれに伴う腺管の分葉状増殖をみる（⬆：分葉状構造）．弱拡大．b：中拡大

ポイツ・ジェガース型ポリープ Peutz-Jeghers type polyp **（P-J 型ポリープ）**　過誤腫性ポリープである．単発にみられることもあるが，ポイツ・ジェガース症候群 Peutz-Jeghers syndrome に関連してみられることもある．多くは前者としてみられる．原因については不明であるが，その本態は過誤腫性性格とされている．

病理形態学：粘膜筋板の樹枝状増生とそれに伴う腺管の分葉状増殖がその特徴であり，腺管には異型性がない（**図 16**）．まれに管状腺腫の合併をみる．単独例は，皮膚色素沈着を伴わず，また消化器系の症状を訴えることがまれであるため，偶然に発見されることが多い．このポリープの癌化はまれであるが，腺腫性病変の合併はときどきみられる．

若年性ポリープ juvenile polyp　粘膜の構成成分の配列異常という観点から過誤腫に分類されている．若年性ポリープの多くは，5 歳以下の小児に発生するが，成人にみられることもある．若年性ポリープの頭部には粘膜筋板がなく，自然脱落する症例もみられる．ポリープの80%は直腸に発生する．

典型的な若年性ポリープは，類円形の大型のポリープで，表面は平滑のこともあるが，びらんを示すこともある．茎を有することが多く，茎は 2 cm に及ぶこともある．茎が捻転を起こしたりすれば，出血性梗塞を引き起こし，自然脱落することもある．これは粘膜筋板がみられないことが原因の 1 つである．

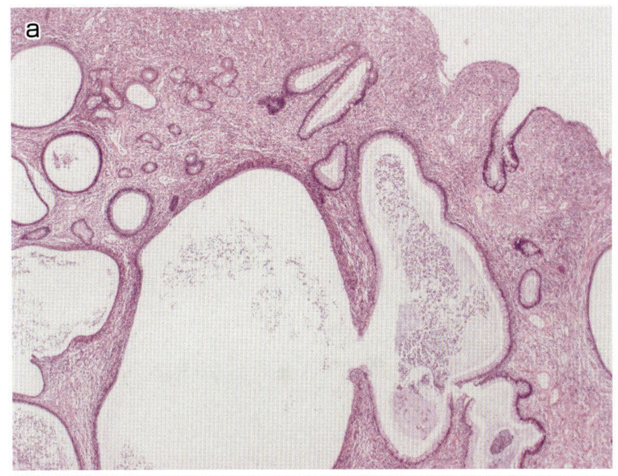

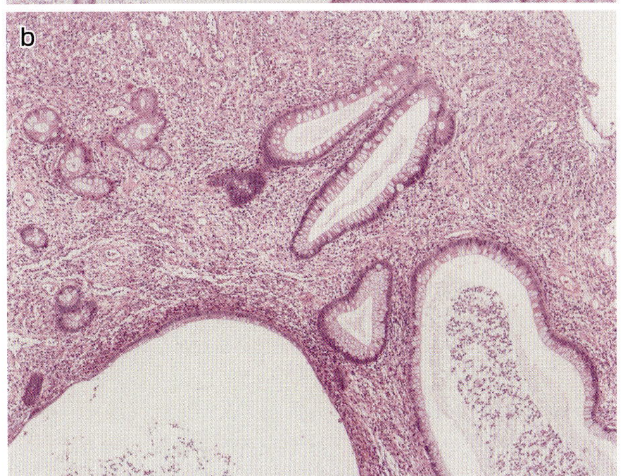

図 17　若年性ポリープ． a：大小の拡張・蛇行した腺管をみる．弱拡大．b：嚢胞状拡張した腺管がみられ，被覆上皮細胞には異型はない．間質には炎症性細胞浸潤が高度で，毛細血管の増生が目立つ．中拡大

組織学的には，異型の乏しい腺管が不規則に分布し，間質にはリンパ球，形質細胞，好酸球，好中球などの炎症性細胞浸潤や浮腫，うっ血などがみられるが，線維筋性線維はないことが原則である（**図 17**）．腺管は拡張していることが目立つ．最も重要な点は，正常の粘膜を構成している腺管，間質の成分，粘膜筋板といった要素が正常の配列形態を認めずに，不規則に配列している点にある．幼若上皮はみられるが，異型性はみられないことも重要である．孤発例の若年性ポリープの癌化はまれである．

若年性ポリープは排便の際に出血することが特徴的である．

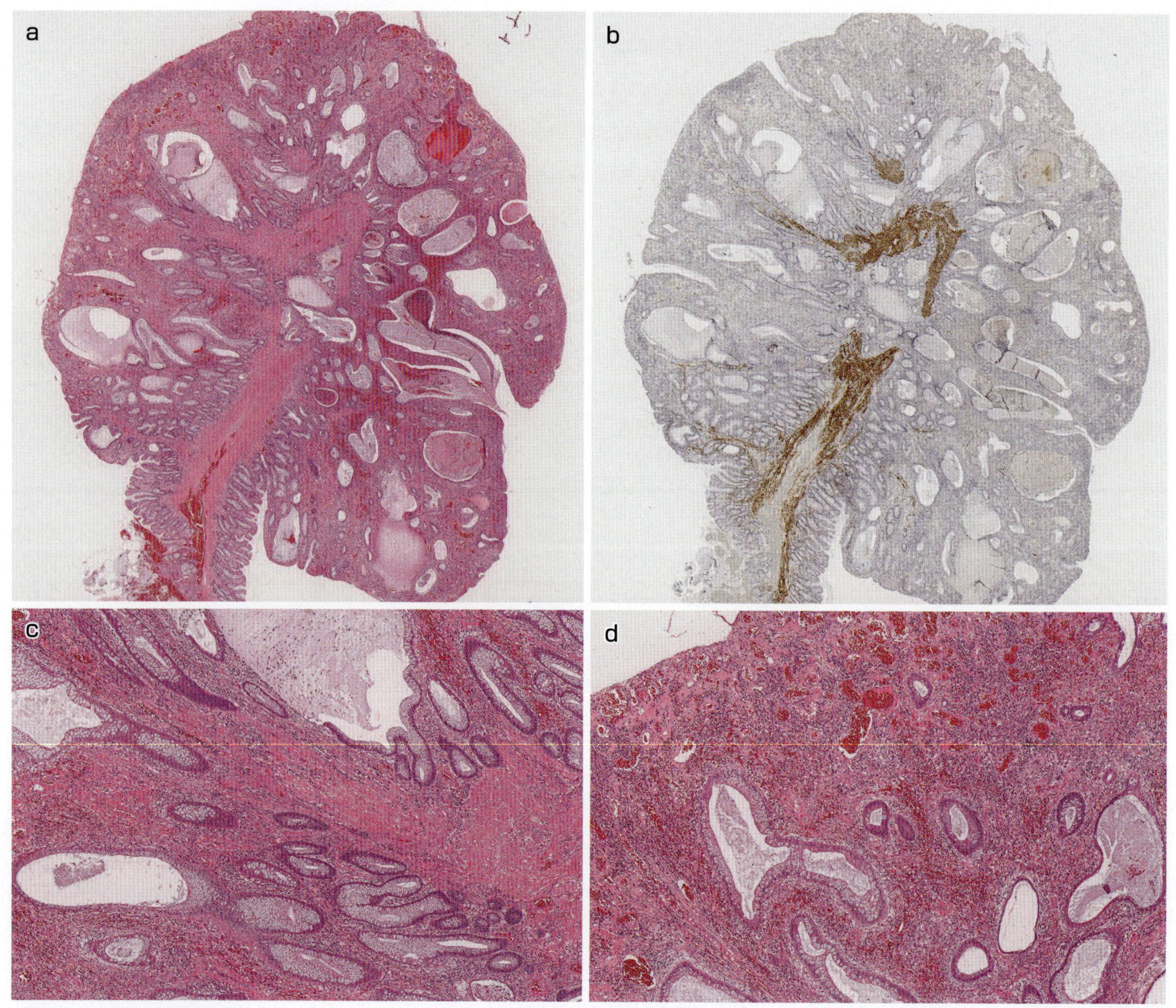

図 18　炎症性筋腺管ポリープ．a：ルーペ像で腺管の拡張と基部の平滑筋の増生をみる．b：SMA 染色．c：ポリープ基部の平滑筋の増生が明瞭．弱拡大．d：陰窩の不規則な蛇行・拡張と間質の炎症性変化をもみる．弱拡大

炎症性筋腺管ポリープ（IMGP）　Nakamura らにより提唱された非腫瘍性ポリープである．過誤腫性病変ではないとされているが，組織学的には P-J 型ポリープや若年性ポリープとの鑑別が必要である．組織学的にはポリープ基部に平滑筋線維の挙手状増生を伴うことと陰窩の不規則な拡張・蛇行，過形成性変化が特徴的な所見である（**図 18**）．癌化の報告例はない．

【鑑別診断】　若年性ポリープとの鑑別は基部に平滑筋線維の増生の有無で判断する．P-J 型ポリープとの鑑別は，分葉状所見を IMGP では認めないことで鑑別する．

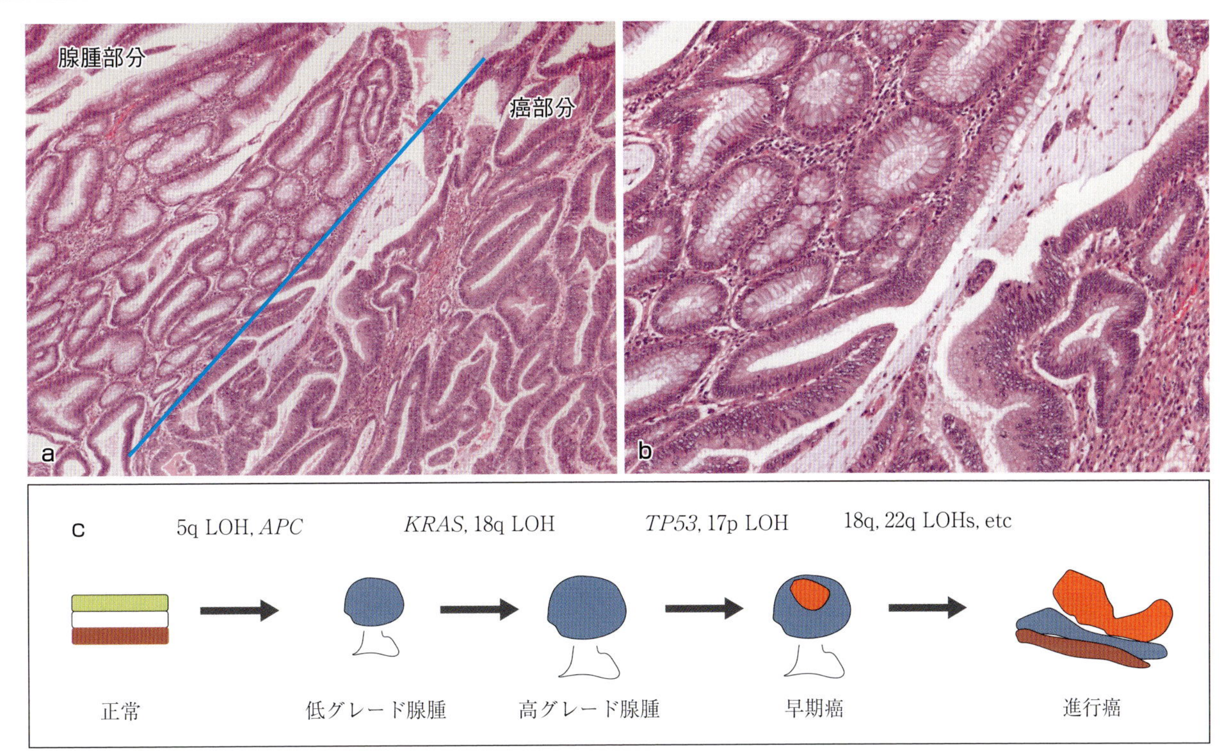

図 19 Adenoma-carcinoma sequence. a：腺腫内癌．左側は腺腫成分，右側は癌成分．弱拡大．b：a の中拡大．c：adenoma-carcinoma sequence の進展模式図

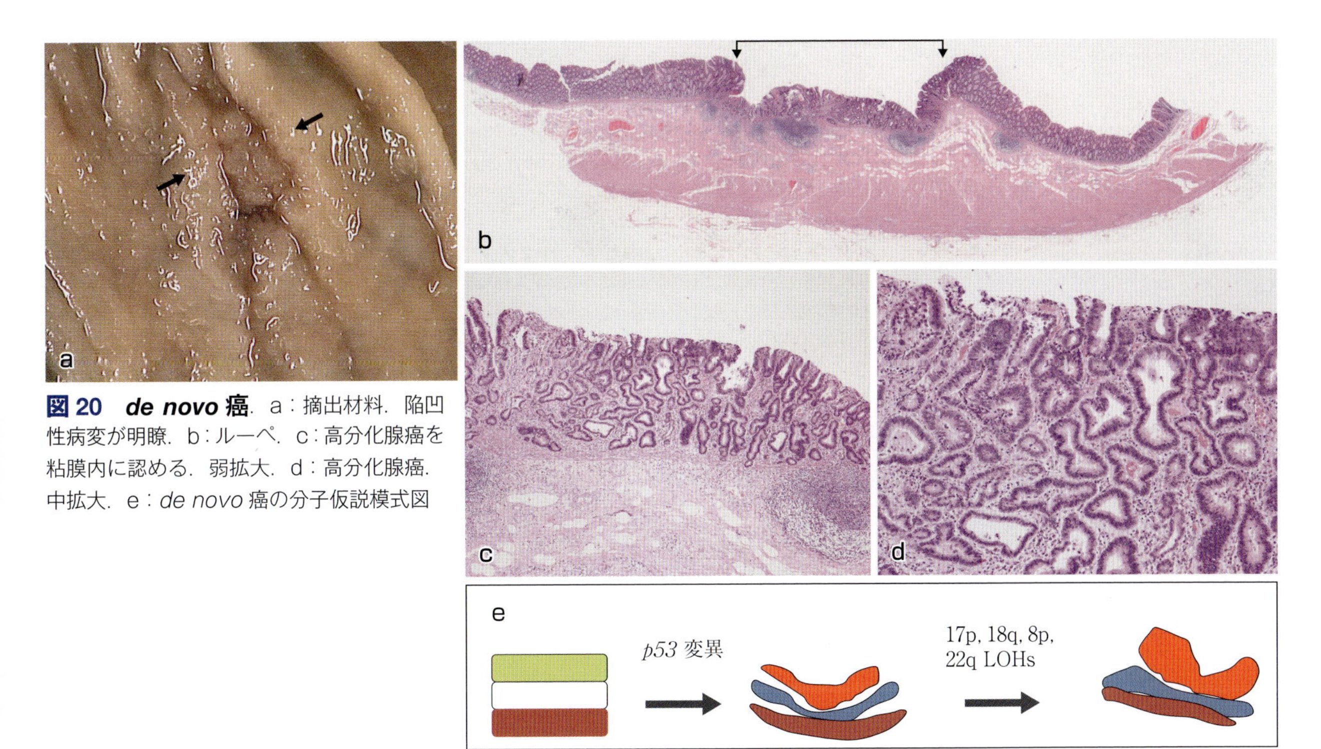

図 20 *de novo* 癌．a：摘出材料．陥凹性病変が明瞭．b：ルーペ．c：高分化腺癌を粘膜内に認める．弱拡大．d：高分化腺癌．中拡大．e：*de novo* 癌の分子仮説模式図

大腸粘膜に発生する上皮性悪性腫瘍の総称で，腺癌が大半である．食生活が大腸癌の発生に関与している可能性が考えられている．脂肪成分に富み，線維性成分の少ない（低残渣食）食事がハイリスクと考えられている．

大腸癌の罹患数は，男性で第 3 位，女性では第 2 位で（男女計で第 2 位），一方死亡数は男性で第 3 位，女性では第 1 位である（男女計で第 2 位）．

大腸癌の分子病型は，大きく分けてマイクロサテライト領

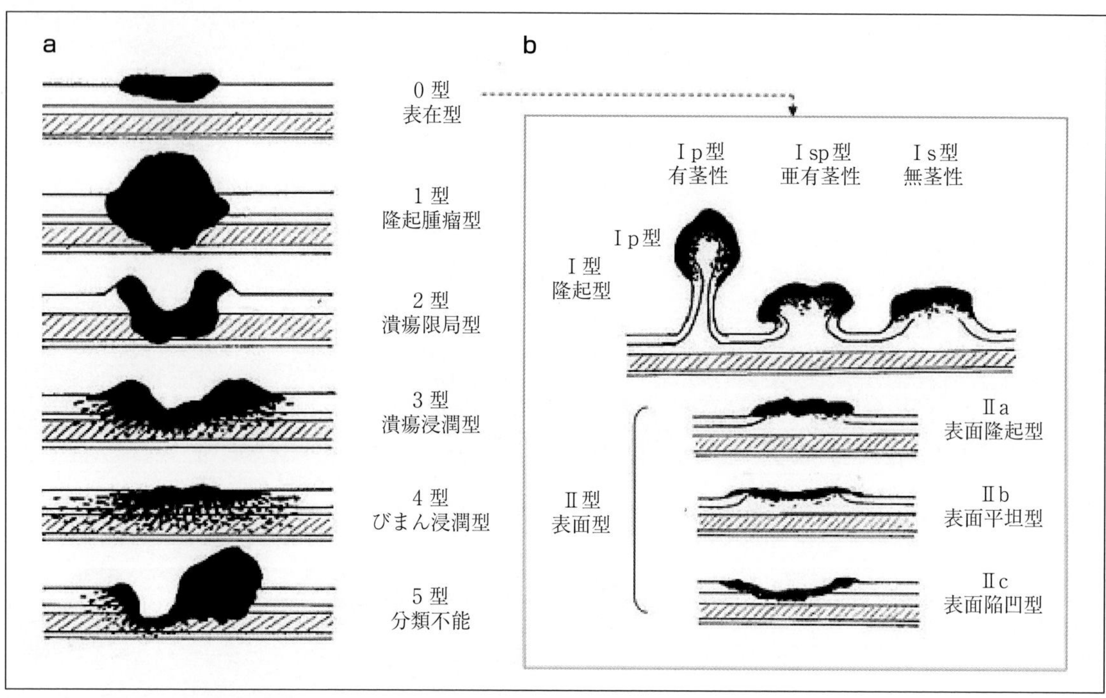

図 21　大腸癌の肉眼型分類．a：進行癌，b：早期癌

表 3　規約分類の大腸癌の組織分類

1．腺癌　Adenocarcinoma
1）乳頭状腺癌　Papillary adenocarcinoma（pap）
2）管状腺癌　Tubular adenocarcinoma（tub）
a．高分化　Well differentiated type（tub1）
b．中分化　Moderately differentiated type（tub2）
3）低分化腺癌　Poorly differentiated adenocarcinoma
a．充実型　Solid type（por1）
b．非充実型　Non-solid type（por2）
4）粘液癌　Mucinous adenocarcinoma（muc）
5）印環細胞癌　Signet-ring cell carcinoma（sig）
2．内分泌細胞癌　Endocrine cell carcinoma（ecc）
3．腺扁平上皮癌　Adenosquamous carcinoma（asc）
4．扁平上皮癌　Squamous cell carcinoma（scc）
5．その他の癌　Miscellaneous carcinoma

域の異常を特徴とするMIN型と染色体異常を特徴とするCIN型の2病型があることは前述した（**表 2**）．大腸癌の発生経路はおもに腺腫を経て癌化する型（adenoma-carcinoma sequence），正常粘膜から癌化する経路（*de novo* pathway），鋸歯状病変を介して癌になる鋸歯状経路の3経路がある．adenoma-carcinoma sequenceは正常粘膜に*APC*遺伝子の変異が発生して腺腫化するとされる（gatekeeper gene）．その後大きさ，異型度に従って*KRAS*遺伝子に変異が起きる．腺腫が癌化するところで*TP53*遺伝子に変異が発生する．18q（*DCC*または*DPC4*）や8p，22qなどの染色体にコピー数変化が蓄積し，進行癌へと進展するものと考えられている（**図 19**）．

*de novo*経路は腺腫を経ないで，正常粘膜から直接癌化する経路を指している．遺伝子学的にも両者は明らかに異なっており，*de novo*型癌（正確には正常腺管から直接癌化した組織学的所見を観察できないので，*de novo*癌ではなく*de novo*型癌ということが多い）には*APC*遺伝子と*KRAS*遺伝子の変異が少ない．*de novo*型癌は陥凹型を示すことが多く，早期に浸潤することが指摘されている（**図 20**）．鋸歯状経路について前述した（**図 11**）．

肉眼所見：好発部位は直腸，S状結腸であるが，高齢の女性では右側が多い．1型は腫瘤形成性で，2型は限局潰瘍型で

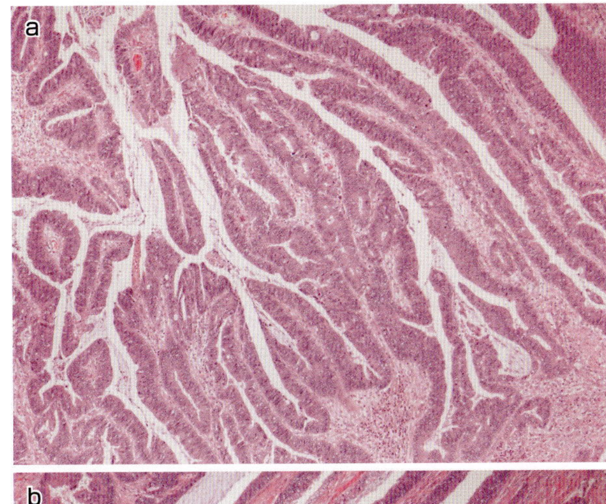

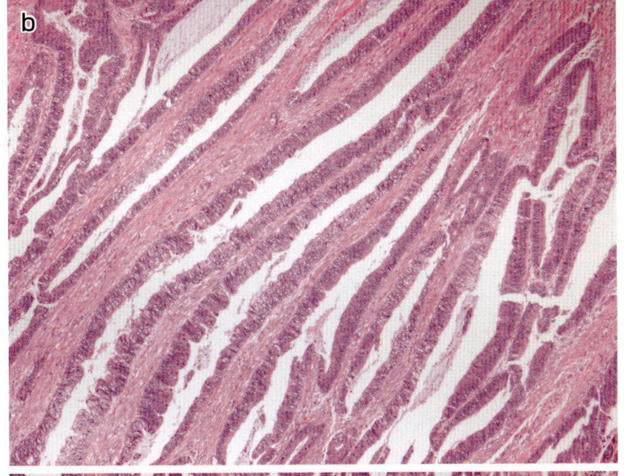

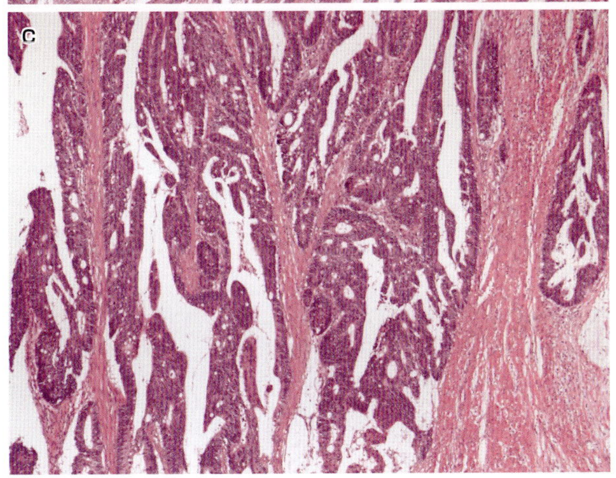

図 22　大腸癌（分化型腺癌）．a：乳頭状腺癌．乳頭状構造が目立つ．弱拡大．b：高分化腺癌．明瞭な腺管形成をみる．弱拡大．c：中分化腺癌．篩状構造がみられる．弱拡大

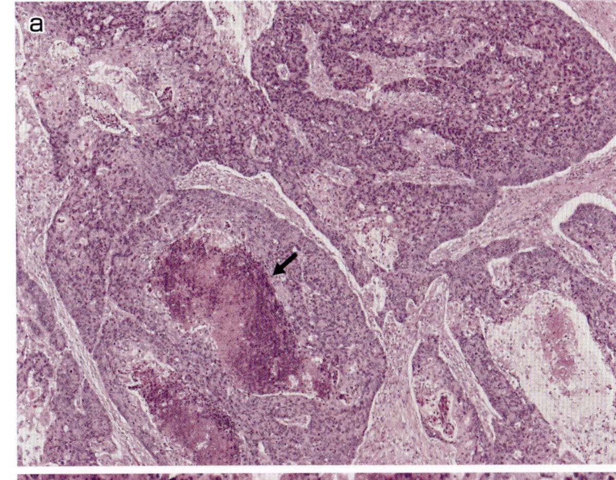

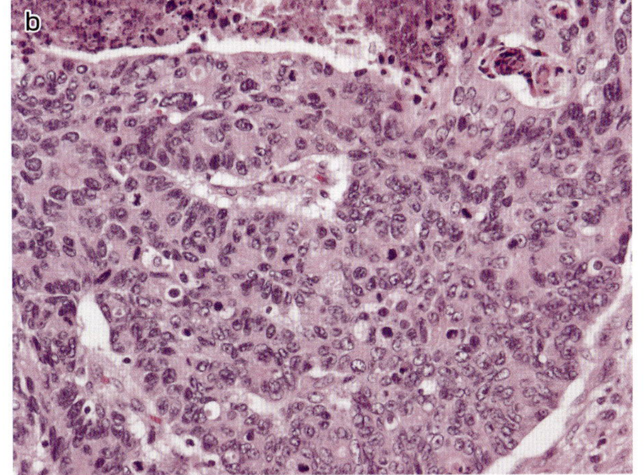

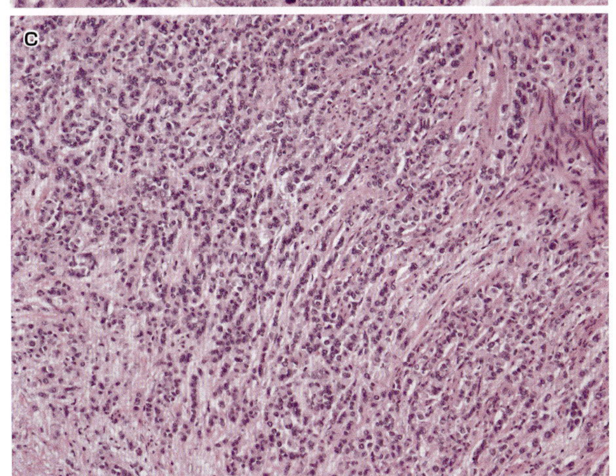

図 23　大腸癌（低分化腺癌）．a：充実性増殖がみられ壊死を認める（⬆）．弱拡大．b：異型細胞の充実性増殖をみる．強拡大．c：異型細胞の索状増殖をみる．中拡大

ある（**図 21a**）．3 型は浸潤潰瘍型で，4 型はびまん浸潤型の癌を指す．2 型が多く，次に 3 型が多い．4 型は大腸癌ではきわめてまれである．X 線の所見として有名な apple core は 2 型の癌である．

組織所見：大腸はほとんどが腺癌である．腺癌を分化の程度により高・中・低分化に分ける（**表 3**，**図 22**）．中分化型腺癌と高分化型が多く，低分化型の頻度は低い．低分化腺癌は充実型（**図 23**）と非充実型に分かれる．粘液癌は間質に多量の粘液が貯留したものである（**図 24**）．右側の粘液癌は MSI 陽性大腸癌との関連性が指摘されている．髄様癌は好酸性細胞質を有する異型細胞が充実性に増殖する病変で，核異型は均一であることが多い（**図 25**）．腫瘍胞巣内にリンパ球（T

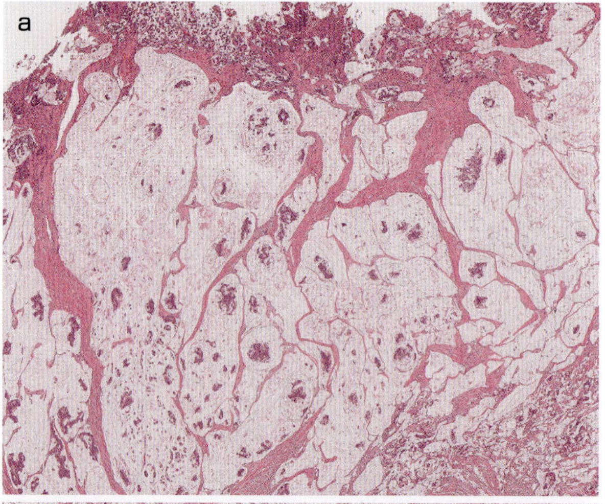

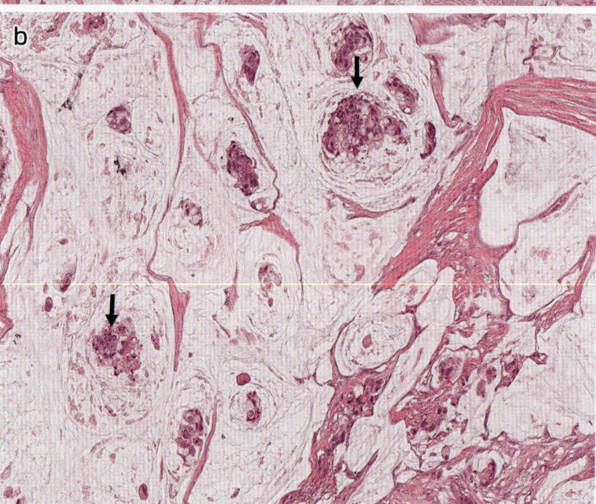

図 24　粘液癌．a：粘液湖の形成がみられる．その中に癌胞巣が浮遊している．弱拡大．b：中型の異型細胞の胞巣をみる（⬆）．中拡大

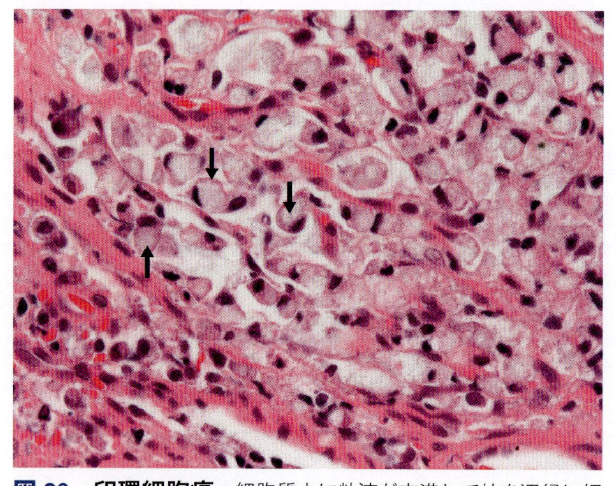

図 26　印環細胞癌．細胞質内に粘液が充満して核を辺縁に押しやっている（⬆）．強拡大

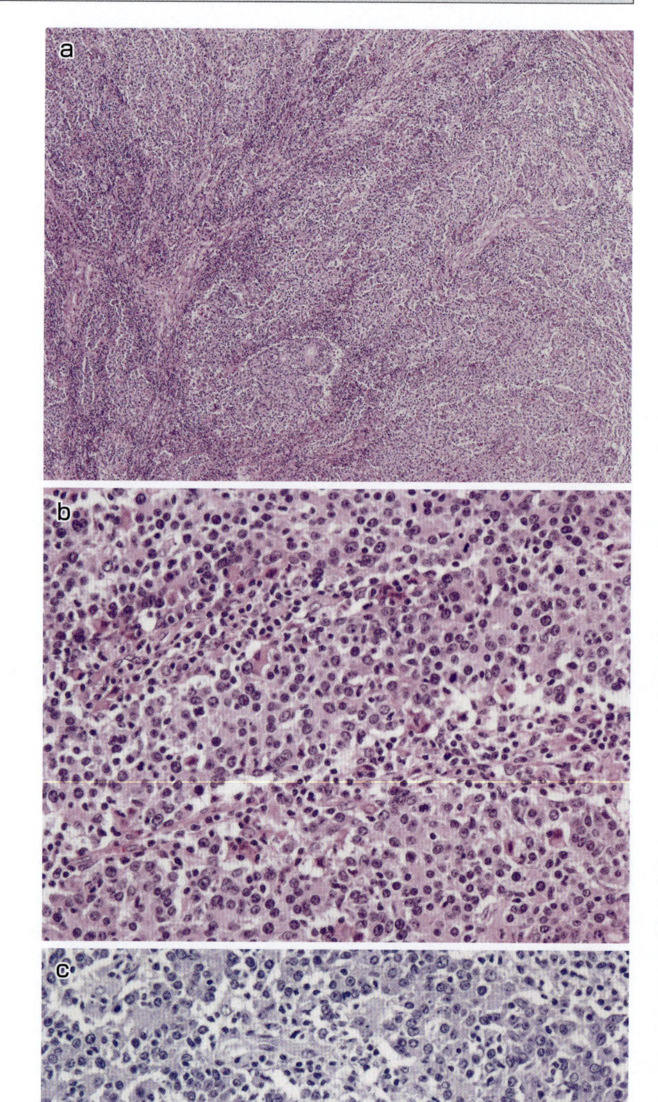

図 25　髄様癌．a：異型細胞の髄様（充実性）増殖をみる．弱拡大．b：小型の異型細胞の充実性（髄様）増殖を認める．中拡大．c：MLH1 の免疫染色．陰性であった

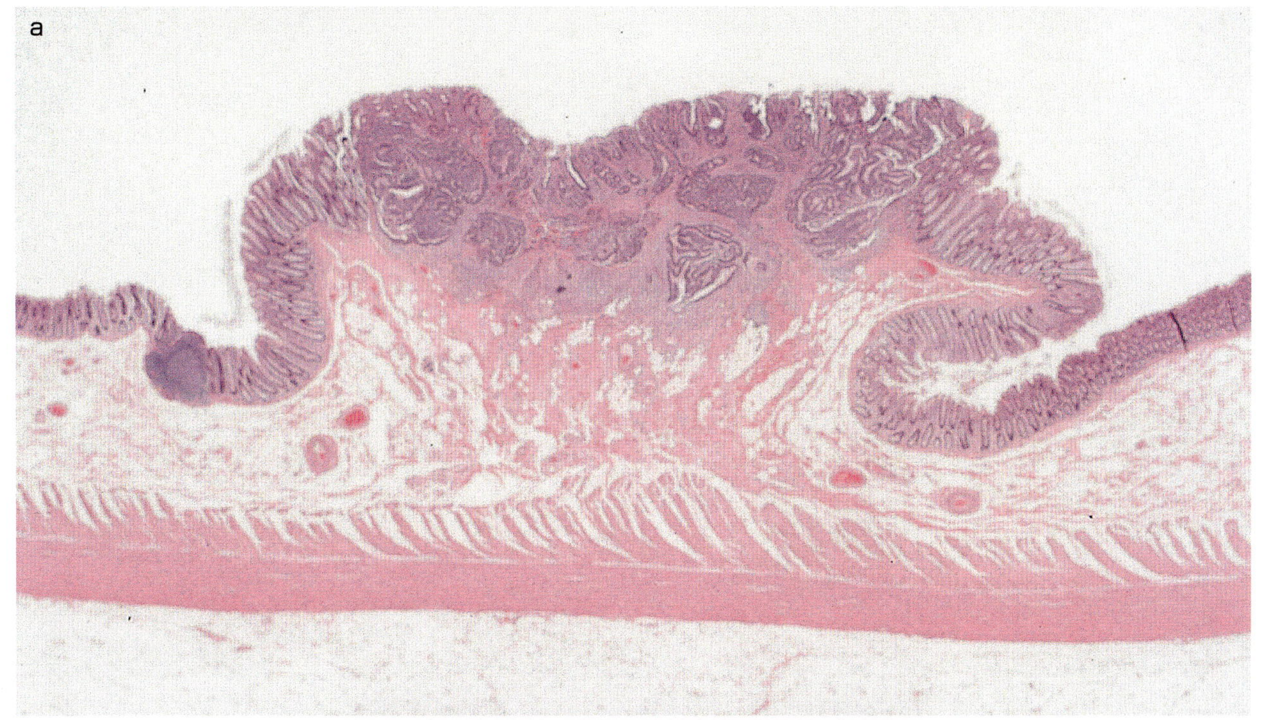

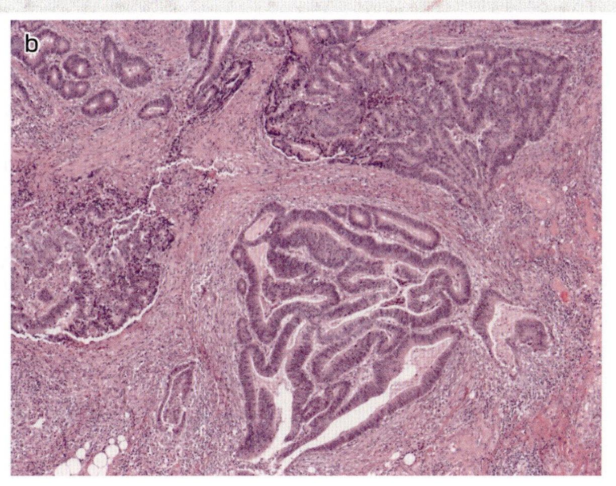

図 27　大腸癌（早期癌）．a：癌が粘膜下層まで浸潤している．ルーペ．b：中分化腺癌の浸潤をみる．弱拡大

細胞）浸潤が目立つ（tumor infiltrating lymphocyte：TIL）．MSI 陽性を示す．印環細胞癌は胃と違いきわめてまれである（**図 26**）．肉眼型と比較すると 4 型にみられることが多い．この型の癌は一般に予後が悪い．

早期癌：粘膜下層までの浸潤でリンパ節転移の有無は問わない（**図 27**）．肉眼分類は隆起型，表面型に分類される（**図 21b**）．表面型はさらに，表面隆起型，表面平坦型，表面陥凹型に亜分類される．頻度的には隆起型と表面隆起型が多い．組織学的には高分化型腺癌，乳頭状腺癌が多い．早期癌の転移率は 10%程度とされる．

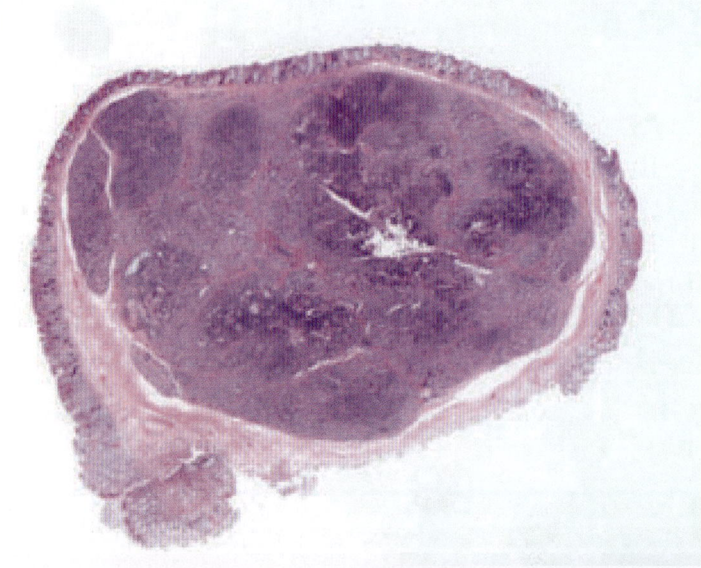

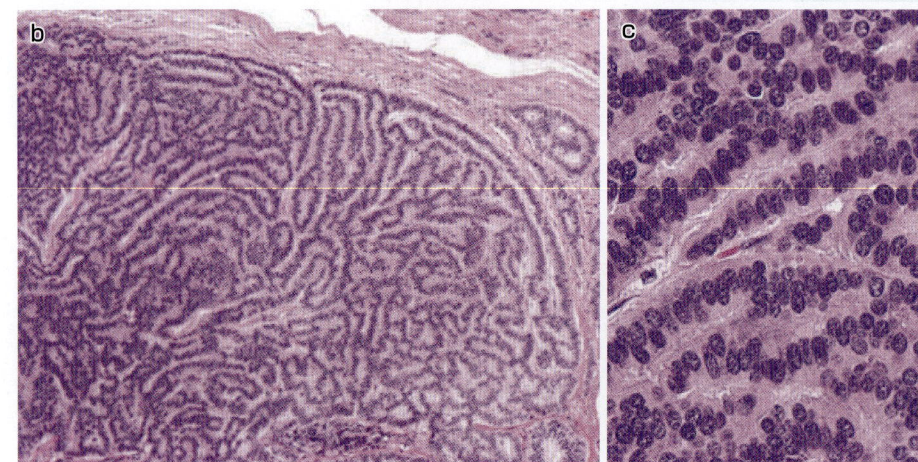

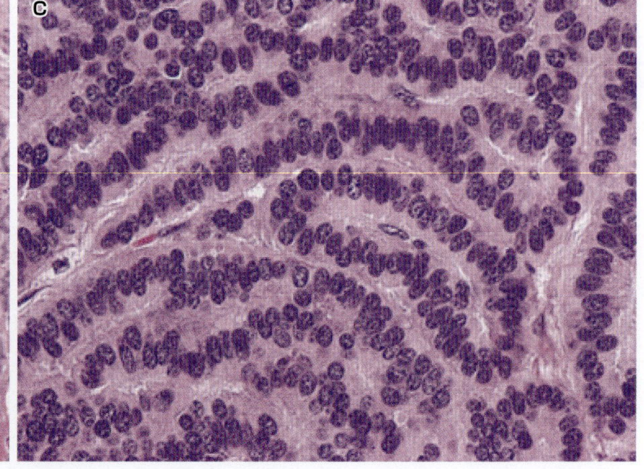

図 28　カルチノイド（NET，G1）．a：粘膜下を中心に腫瘍結節がみられる．ルーペ．b：リボン状増殖をみる．弱拡大．c：類円形核を有する腫瘍細胞がリボン状配列を示している．核分裂像はない．強拡大

クロム親和性細胞（Kulchitsky 細胞）から発生する腫瘍である．組織化学的には銀親和性あるいは好銀性の分泌顆粒をもつ．最近 WHO から神経内分泌細胞腫瘍の分類が提案された．組織学的に類円形核を有する小型細胞の胞巣状増殖を示す高分化腫瘍（従来カルチノイド）の場合は NET（neuroendocrine cell tumor）に分類し（**図 28**），分裂指数，Ki-67 指数でグレード化する．

NET G1：分裂指数＜2，Ki-67 指数≦2％

NET G2：分裂指数 2～20，Ki-67 指数 3～20％

NET G3：分裂指数 20＜，Ki-67 指数 20％＜

組織学的にクロマチン増量を示す N/C の高い低分化腫瘍で増殖能が著しく高い腫瘍を NEC（neuroendocrine cell carcinoma）という（**図 29**）．NEC の発生オリジンは NET と異なり消化管の腺組織内にある内分泌細胞（クロム親和性細胞；Kulchitsky 細胞）ではなく，既存の腺癌から発生することがほとんどである．分裂指数 20＜，Ki-67 指数 20％＜の場合，組織学的に高分化な場合は G3 に，低分化な場合は NEC に分類することに注意が必要である．神経内分泌マーカーであるクロモグラニン A，シナプトフィジンや CD56 の発現がみられるので，これらのマーカーの発現の有無は組織診断に有用である（**図 30**）．ホルモン産生のある機能性を有する割合が高いのは NET G1 あるいは NET G2 とされている．

神経内分泌腫瘍はソマトスタチンに対する受容体が発現している．この受容体を検出するソマトスタチン受容体シンチグラフィにより病巣の検出やソマトスタチンアナログ製剤の治療適応の評価に用いられてきている．

2010 年 WHO 分類では，腺癌の要素を含んでいる場合 NEC と MANEC（mixed adenoneuroendocrine cell carcinoma）に分類しているが，MANEC はそれぞれの成分を 30％以上満たすものと定義され，NEC とともに高悪性度と考えられてい

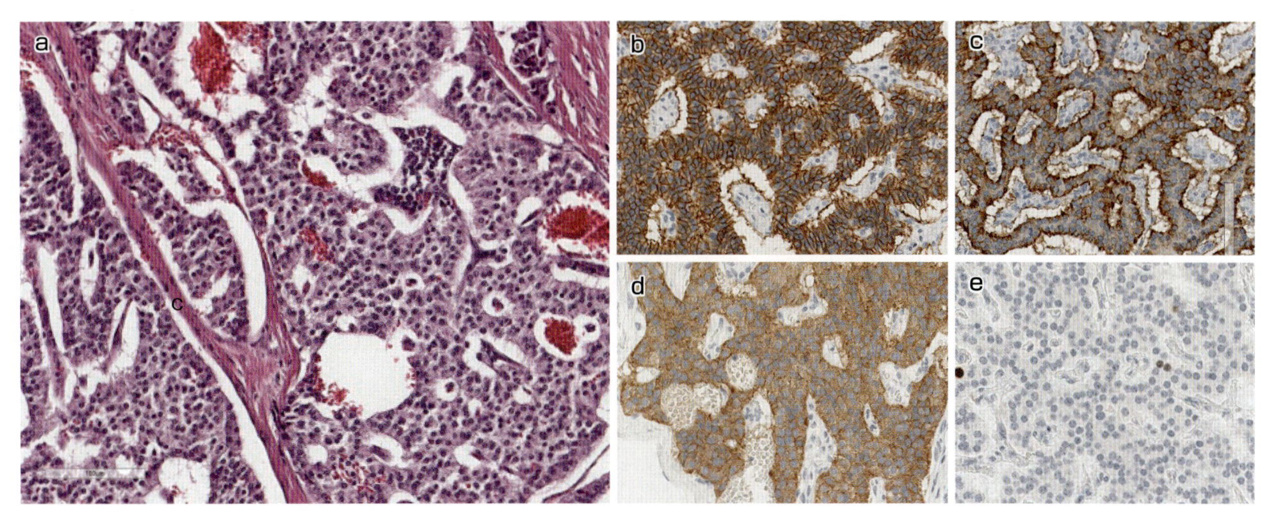

図 29　カルチノイド．組織像と免疫染色像．a：類円形核を有する腫瘍細胞の胞巣をみる．中拡大．b：CD56 が強発現．c：クロモグラニンが強発現．d：シナプトフィジンが強発現．e：Ki-67 の発現はほとんどみられない

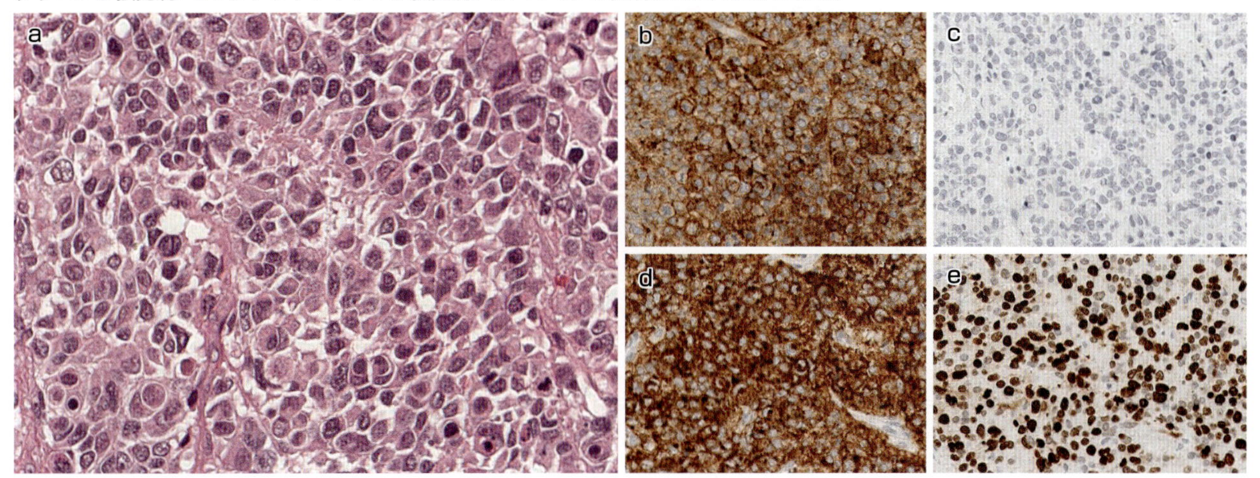

図 30　内分泌細胞癌．a：クロマチン増量の目立つ異型細胞の充実性増殖をみる．強拡大．b：CD56 のびまん性発現をみる．c：クロモグラニンは陰性．d：シナプトフィジンが強発現．e：Ki-67 がびまん性に発現している（高増殖能）

る．

【鑑別診断】 N/C の大きなクロマチン増量の目立つ異型細胞で充実性に増殖する病変が，内分泌細胞癌と低分化腺癌の鑑別対象になる．ロゼット様構造がみられた場合は内分泌細胞癌の可能性がある．内分泌細胞癌は構成細胞が均一である．最終的には内分泌マーカー（クロモグラニン A，シナプトフィジンや CD56）を染色して診断する．組織像が内分泌細胞癌に類似し，上記マーカーが 2 個以上染色されれば内分泌細胞癌と診断して問題ないと思われる．

大腸ポリポーシス（1） Colorectal polyposis （1）

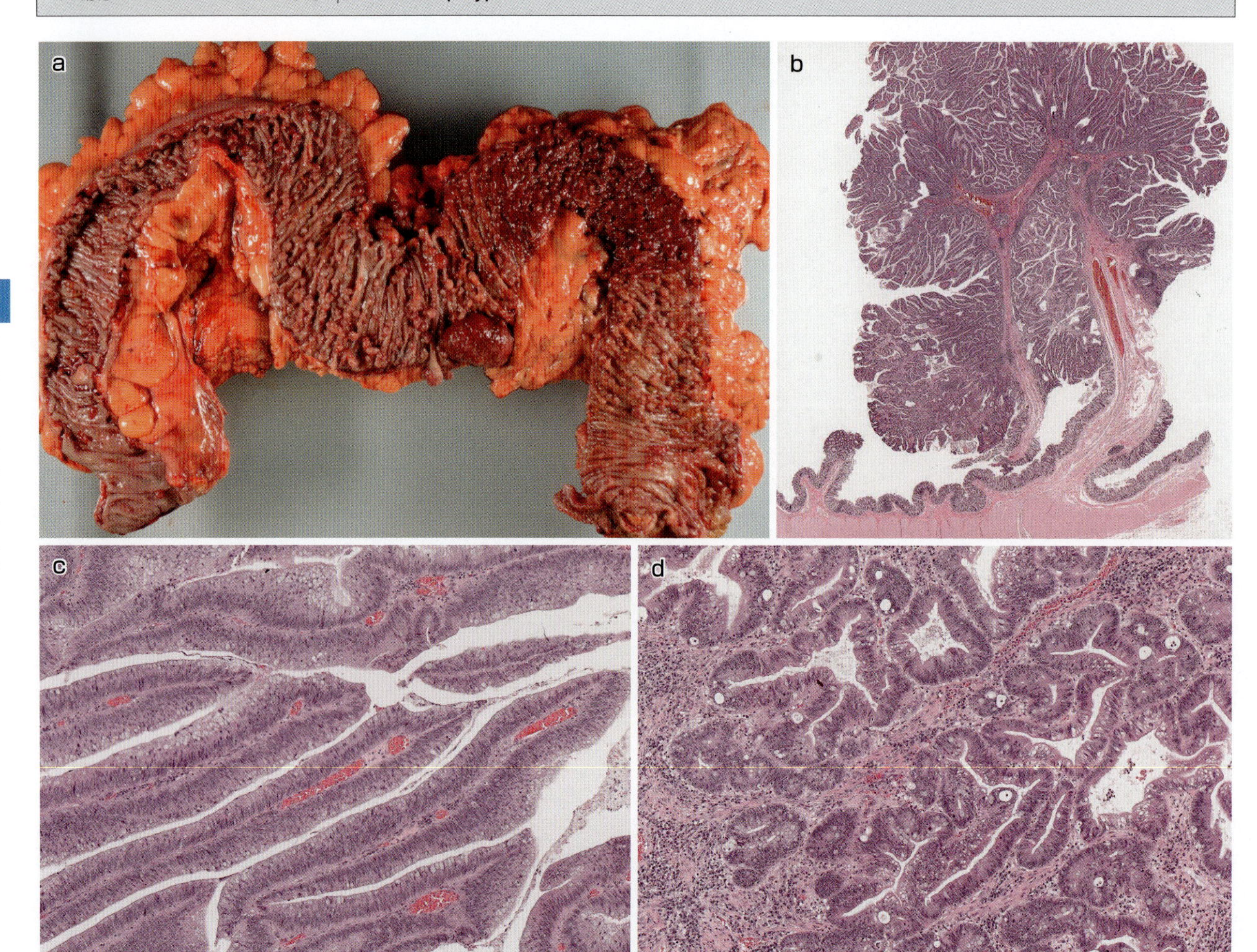

図 31　家族性大腸腺腫症．a：手術材料．多数のポリープを認める．b：有茎性病変．ルーペ．c：腺腫性成分（中拡大）．d：高から中分化腺癌成分（中拡大）

ポリポーシスは100個を超えるものをいい，それ以下のものはポリープ polyp とする．ポリポーシスは，ある臨床症状や症候と関連して症候群を形成することが多く，ポリポーシスは全消化管に及ぶことが一般的である．さまざまなポリポーシス症候群があるが，組織学的診断によってのみ区別される．

家族性大腸腺腫症 familial adenomatous polyposis（FAP）（**ガードナー症候群** Gardner syndrome）　ポリープ（腺腫）が100個以上大腸全体にわたってびまん性に分布する疾患の総称である．常染色体優性遺伝を示す．従来は随伴病変の有無により FAP，ガードナー症候群，ターコット症候群 Turcot syndrome などに分けられていたが，FAP にもガードナー症候群と同様な骨腫や軟部腫瘍の合併が知られるようになり，これら2つの疾患には本質的な違いはないことが理解されるようになった．ターコット症候群は大腸腺腫症に中枢神経腫瘍（髄芽腫と膠芽腫）を合併した疾患で，症例の2/3で *APC*（*adenomatous polyposis coli*）遺伝子に変異が認められ（髄芽腫），残りの1/3の症例（膠芽腫）に遺伝性非ポリポーシス性大腸癌（リンチ症候群）の原因となるミスマッチ修復遺伝子の変異が認められる．リンチ症候群に生じる中枢神経腫瘍は通常は多形性膠芽腫である．消化管外の病変の合併としては，骨腫，歯芽異常，網膜色素上皮の先天性肥大 congenital hypertrophy of the retinal pigment epithelium（CHRPE），良性皮膚病変（類上皮嚢胞，線維腫），デスモイド腫瘍が重要である．常染色体優性遺伝であるため，本症に罹患した患者の子供の半分は男女の別なく本症の遺伝子を持っており，ほとんど全例に癌が発症する．大腸腺腫症の原因は5番染色体の長腕に位置する癌抑制遺伝子である *APC* 遺伝子の変異によって発症する（最も多い高頻度の変異はコドン1309）．病理学的には大腸，小腸に発生する病変は腺腫であることが多い（管状腺腫であることが多いが，管状絨毛腺腫もある）（**図31**）．ファーター Vater 乳頭近傍に発生する腺腫の癌化率が高く，FAP の予後因子とされる．胃病変は，前庭部は腺腫，胃体部は胃底腺ポリープとされる．

attenuated type：通常型 FAP より少ない数の（平均30個）大腸ポリープを生じるが大腸癌のリスクを伴うタイプ．ポリープは古典的 FAP に比べてより口側に認められる傾向がある．大腸癌を診断される平均年齢は50〜55歳とされる．*APC* 遺伝子の5′側（コドン158よりも5′側），エクソン9，3′末端の変異が多いとされる．

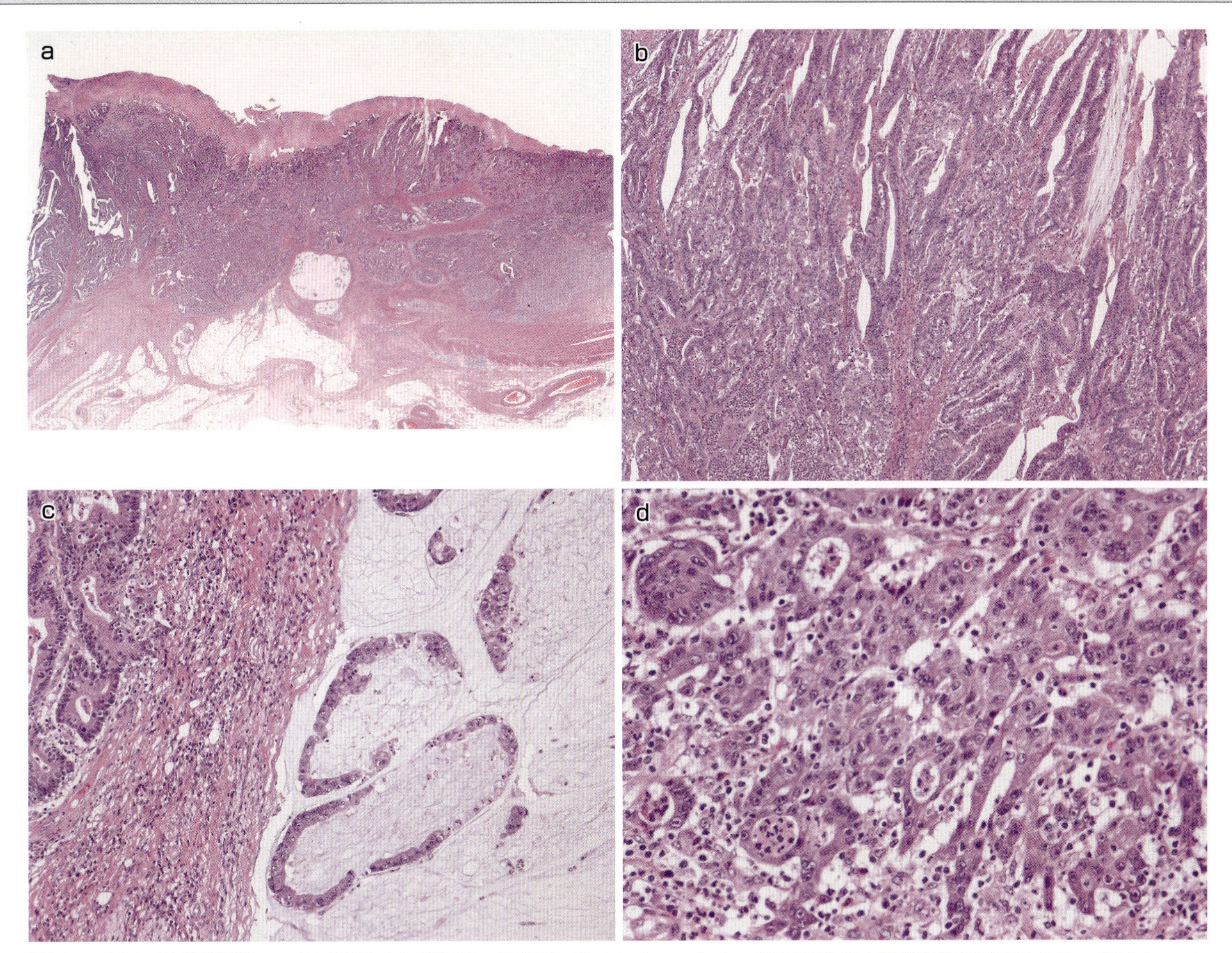

図 32　リンチ症候群．a：腫瘍細胞が漿膜下まで浸潤している．ルーペ．b：腫瘍細胞の不規則な腺管形成をみる．弱拡大．c：粘液癌をみる．中拡大．d：腫瘍細胞の胞巣内増殖をみる（胞巣内にリンパ球浸潤をみる；TIL）．強拡大

APC 遺伝子型と臨床型との関連性：①コドン 1250-1464 の変異は密集型が多い．②CHRPE はコドン 463-1387 の変異と関連していた．③コドン 1444-1580 の変異はデスモイドと関連していた．

リンチ症候群 Lynch syndrome，**遺伝性非腺腫症性大腸癌** hereditary non-polyposis colorectal cancer（HNPCC）　大腸腺腫をほとんど伴わない遺伝性の大腸癌で，ミスマッチ修復遺伝子（*MLH1*，*MSH2*，*PMS2*，*MSH6*）の異常が原因とされている．本症は，phenotype（外観としてはぐらいの意味）は通常の大腸癌と変わらないので，家族歴の詳細な聴取が診断のポイントになる．発生頻度は，欧米では全大腸癌の 5～10％程度とされているが，わが国ではまれである．右側に好発するが，左側にもみられる．低分化腺癌，粘液癌，髄様癌の頻度が高いとされるが，分化型腺癌を含んでいることが多い．腫瘍内リンパ球浸潤がみられることもある（tumor infiltrating lymphocyte：TIL）（**図 32**）．多重癌の合併が起きることが知られており，わが国では男性は胃癌，女性では子宮内膜癌が多い．このほか，尿管癌，卵巣癌などの合併が比較的多いとされる．マイクロサテライト不安定性（MSI）は本症の診断に有用である．腺腫は 10～20％の症例で合併し，数は少ないが本症の原因病変とされる．発症年齢は FAP よりやや遅く，40 歳代が最も多く，60 歳代のリンチ症候群はきわめてまれである．予後は比較的良好である．

若年性大腸ポリポーシス juvenile polyposis coli　組織学的に若年性ポリープの像を呈するポリープが多数発生し（**図 17**），常染色体優性遺伝とされる．ポリープの数は少なく，50～300 個程度であるが，約 70％は直腸に発生する．ポリープの組織像は腺腫を含むもの，腺腫内癌を含むものなどがみられ，若年性ポリープ→腺腫の合併→癌化の経路をたどって大腸癌が発生するとされている．本症は悪性腫瘍の合併がみられるが，大腸癌が最も多い．最近，責任遺伝子の一部が同定された（*SMAD4*/*DPC4*；18q21.1）．組織学的には，腺管の種々の程度の拡張・蛇行と間質の炎症性細胞浸潤，毛細血管の増生がみられる．

ポイツ・ジェガース症候群 Peutz-Jeghers syndrome　色素沈着と優性遺伝する多発性の過誤腫性ポリープで特徴づけられる疾患である（**図 16**）．色素沈着は 1～2 歳頃から始まり，これはポリープの発生に先行するとされる．色素沈着の部位は口唇周囲，口腔粘膜，上肢指，下肢指にみられ，左右対称性に分布する．組織学的にはメラニン細胞の増加とメラニン

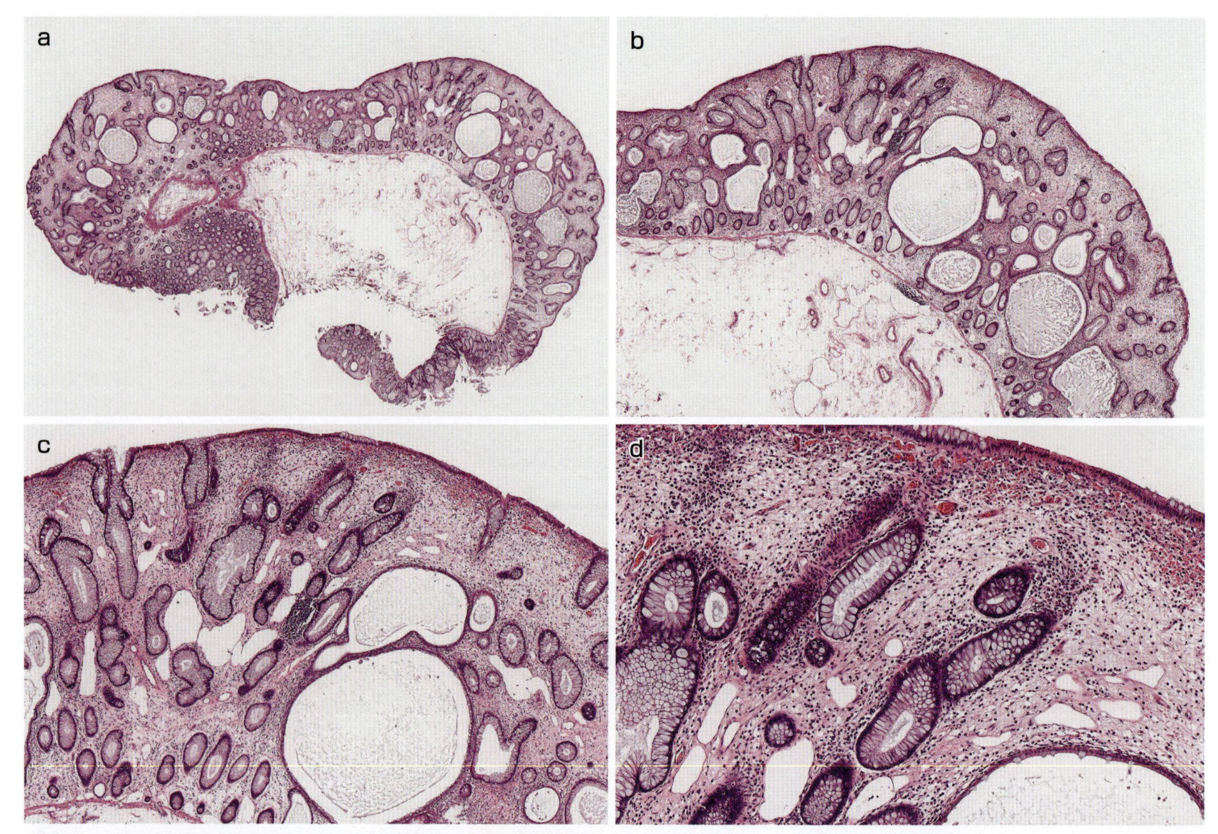

図 33　クローンカイト・カナダ症候群．大腸病変のポリペクトミー像．a：腺管の大小の拡張性変化をみる．ルーペ．b：弱拡大．c：嚢胞状に拡張した腺管をみる．中拡大．d：表面間質の炎症性変化をみる．強拡大

色素沈着がみられる．ポリープの数は多くなく 10～100 未満である．びまん性というよりは，1 区域に限って発生することが多い．組織学的には粘膜筋板の樹枝状増生と，それに伴った異型のない腺管の増生が特徴的である（分葉状構造）．癌化例の報告もあり（腺腫の合併→癌化という経路と推測されている），消化管癌の高危険群に属する．ポイツ・ジェガース症候群に発生した悪性病変は，輪状細管を伴う性索腫瘍 sex cord tumor with annular tubule of the ovary，大腸癌，子宮頸部腺癌などが多いとされる．輪状細管を伴う性索腫瘍は卵巣に発生するまれな良性腫瘍で，ポイツ・ジェガース症候群に特徴的病変として注目されている．原因遺伝子が同定され，19 番染色体 13.3 上の *STK11*（serine/threonine kinase）/*LKB1* がその責任遺伝子とされている．臨床的にはしばしばポリープが先入部分となり，腸閉塞の原因となることが知られている．

クローンカイト・カナダ症候群 Cronkhite-Canada syndrome　消化管ポリポーシスに皮膚色素沈着，爪甲の萎縮・脱落および脱毛を伴うまれな疾患で，50～60 歳代に好発する．わが国ではやや男性に多いとされるが，遺伝性ではないことは留意すべきである．ポリープは消化管全体に発生するが，90％以上は胃・大腸にみられる．胃ではメネトリエ病に類似した巨大皺襞がみられ，大腸では粘膜全体が浮腫状，隆起は小さく一様なことが多い．組織学的には腺管の嚢胞状拡張，間質の増生・浮腫および炎症性細胞浸潤を認める（**図 33**）．臨床症状としては下痢（96％），脱毛（94％），爪変化（94％），色素沈着（72％），体重減少，全身倦怠感などがみられる．味覚異常，特に塩味の異常が初期症状として重要とされている．本症の癌化能に関しては明瞭ではない．ポリープ自体からの癌化はたぶん腺腫を介して癌化するという説が一般的である．

【鑑別診断】　ポイツ・ジェガース（P-J）型ポリープの鑑別診断で問題になるのは上記の分葉状構造が明瞭ではない場合である．分葉状構造が不明瞭でもポリープ基部の平滑筋線維の増生がみられれば P-J 型ポリープと診断することが実務では一般的である（診断医によって診断が異なる場合もある）．若年性ポリープも分葉状構造が不明瞭な場合は鑑別診断の対象になるが，若年性ポリープではポリープ基部の平滑筋の増生がみられないことで鑑別可能である．

若年性ポリープとクローンカイト・カナダ症候群のポリープ病変の組織像は類似しており，組織像のみでは鑑別困難である．クローンカイト・カナダ症候群ではポリープではない平坦な粘膜にも類似の組織像がみられ，病変分布としてはびまん性であることが重要な鑑別点である．Inflammatory myoglandular polyp も若年性ポリープと鑑別の対象になるが，若年性ポリープではポリープ基部に平滑筋線維の増生がない点で鑑別可能である．

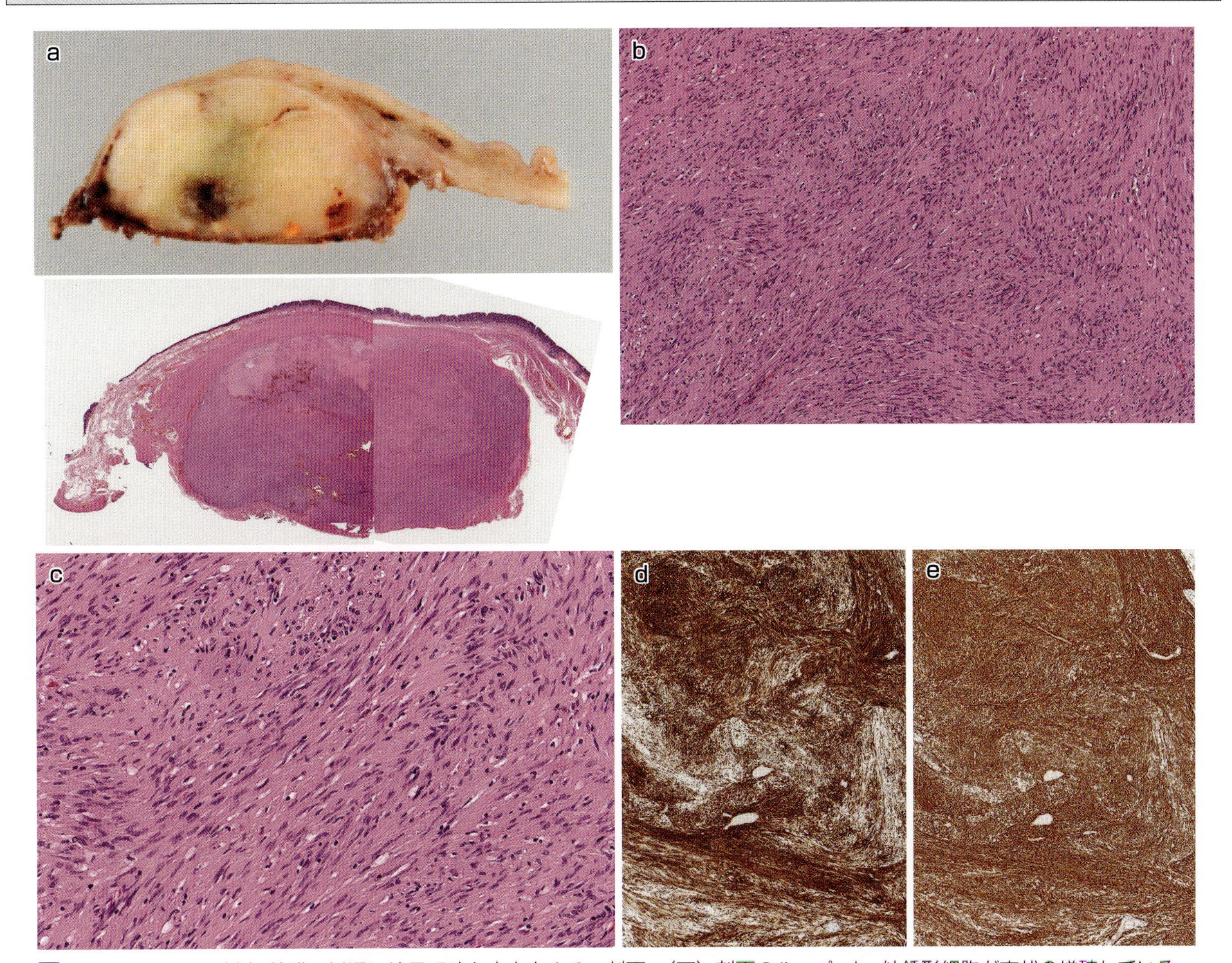

図 34　GIST．a：（上）粘膜下以深に境界明瞭な病変をみる．割面．（下）割面のルーペ．b：紡錘形細胞が束状の増殖している．弱拡大．c：中拡大．d：KIT 陽性．e：CD34 陽性

gastrointestinal stromal tumor（GIST）は大腸にも発生するが，その頻度は胃，小腸と比較してまれである．GIST がカハールの介在細胞から発生することは，消化管のどの臓器にも共通している．原因は *c-kit* 遺伝子の変異であり，エクソン 11 の変異が多い（60～80％）．いかに小さな GIST であっても良性の概念は適切ではなく，すべての GIST は悪性の性格を有していると解すべきである（浸潤，転移，腫瘍破裂があればそれのみで悪性と判断される）．悪性の性格の可能性については，GIST の場合はリスクで評価することが通常である．Modified Fletcher 分類が用いられている（**表 4**）．肉眼的には粘膜下腫瘍の形態を呈する．ときに潰瘍形成を示すが，悪性の所見とは限らないことに注意が必要である．組織学的には多くの場合筋層内にみられることが多いが，壁外に発育することもある．紡錘形細胞が束状に増殖し，柵状配列を示すこともある（**図 34**）．分裂像と大きさがリスク分類の基本になる（**表 4** 参照）．壊死は悪性の性格（浸潤と転移）を示す所見として重視されるが，リスク分類の組織所見には含まれていない．転移は肝臓，腹膜播種が主であり，本症の予後を決定する．治療は腫瘍の摘出が第一選択であるが，イマチニブに効果がある（エクソン 11 の変異を有する例に効果がある）．

表 4　Modified Fletcher 分類

リスク分類	腫瘍径（cm）	核分裂像数（/50 HPF）	原発部位
超低リスク	≦2.0	≦5	—
低リスク	2.1～5.0	≦5	—
中リスク	≦5.0 5.1～10.0	6～10 ≦5	胃
高リスク	—	—	腫瘍破裂あり
	>10.0 — >5.0	— >10 >5	—
	≦5.0 5.1～10.0	>5 ≦5.0	胃以外

HRF：強拡大視野
（Joensuu H. Hum Pathol 2008；39：1411, Rutkowski P, et al. EJSO 2011；37：890, Joensuu H, et al. Lancet Oncol 2012；13：265 より作成）

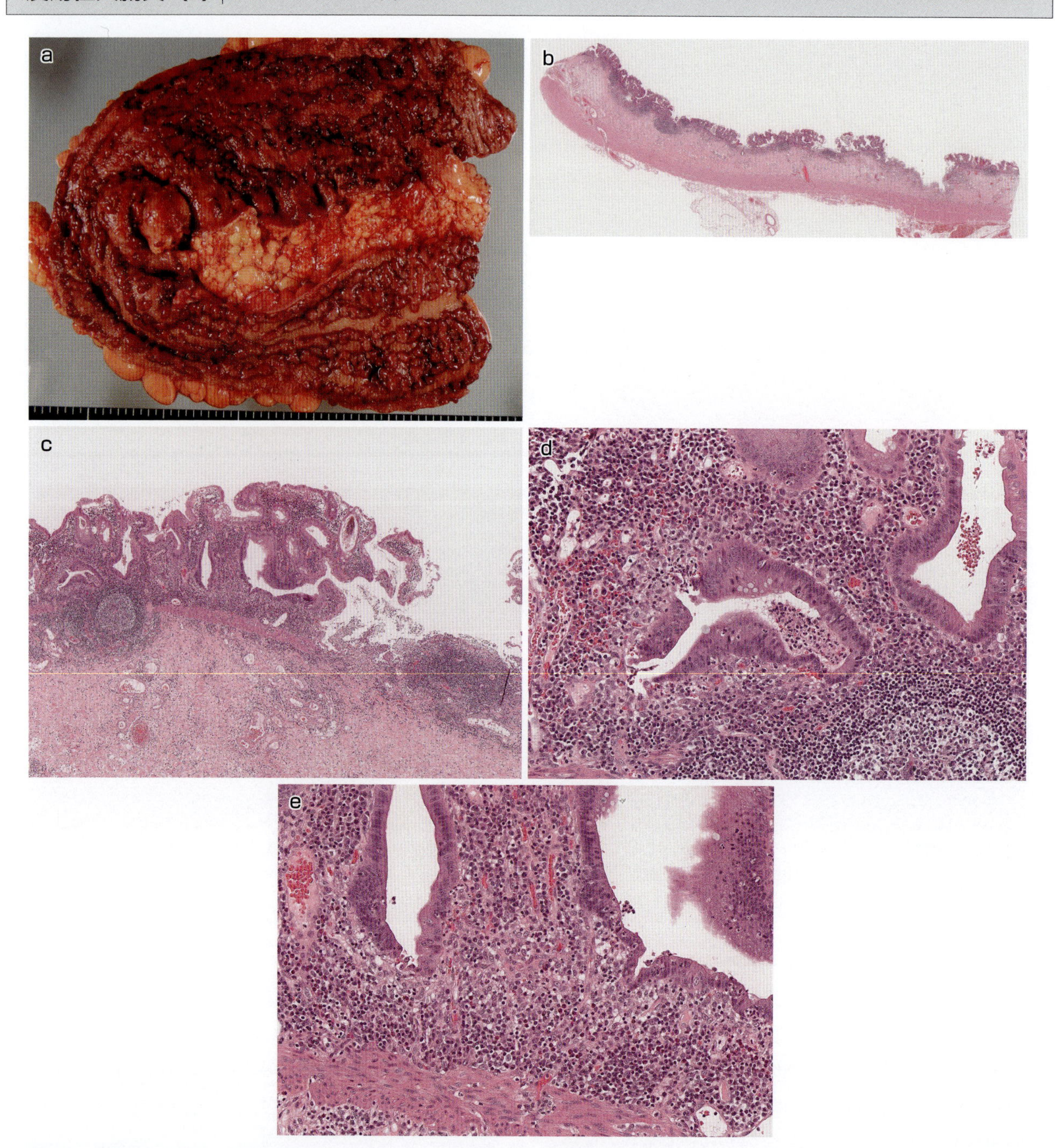

図 35　潰瘍性大腸炎（活動期）．a：摘出材料．b：ルーペ．c：陰窩のねじれがみられる．固有層深部にはリンパ球，形質細胞のびまん性浸潤をみる．弱拡大．d：陰窩のねじれ，陰窩膿瘍をみる．中拡大．e：陰窩深部にもびまん性のリンパ球，形質細胞浸潤をみる．中拡大

潰瘍性大腸炎は原因不明の非特異性の炎症性腸疾患であり，推定されている原因としては，①免疫異常（自己免疫的な異常が推定されている），②腸内細菌叢の異常，③遺伝性素因などが考えられている．潰瘍性大腸炎の罹患数は上昇傾向にあり，現在では若年者の下血の際に鑑別診断の上位にあげるべき疾患とされてきている．

通常の潰瘍性大腸炎は直腸に炎症が始まり，びまん性，連続性炎症が基本的なパターンとされる．炎症の罹患範囲により，直腸炎型，左側型，全大腸型，右側型に分類されるが，左側型，直腸炎型，全大腸炎型の順に多く，右側型はきわめてまれである．また症状の病型から初回発作型，再発寛解型，慢性持続型，急激電撃型に分類されることも行われ，再発寛解型，慢性持続型，初回発作型に順に多い．潰瘍性大腸炎は活動期と寛解期に分けることが一般的であるが，中間的な像として resolving phase をおくことも多い．

活動期：肉眼的には発赤の高度な粘膜でびらん，潰瘍を伴

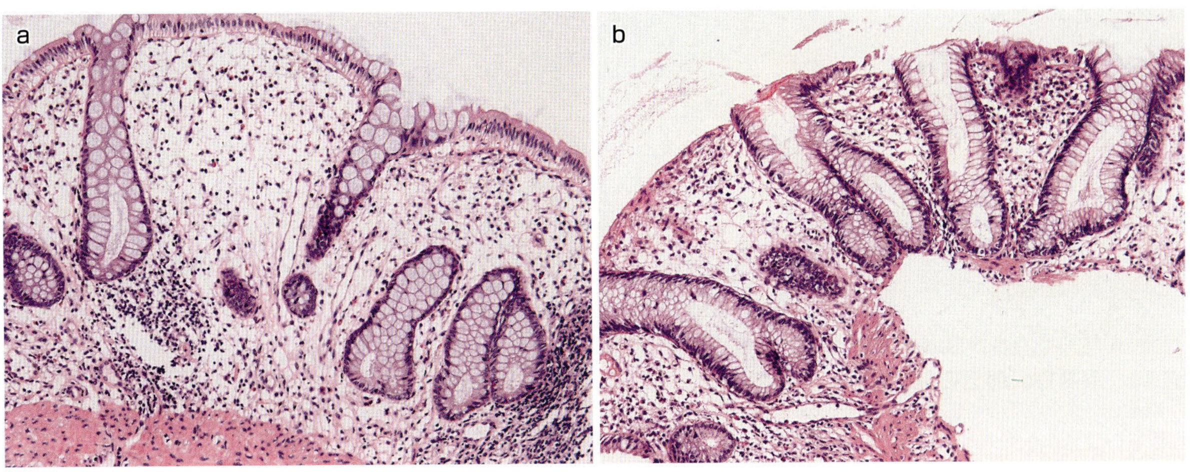

図 36　潰瘍性大腸炎（寛解期）．a：陰窩底部と粘膜筋板との距離の開大をみる．中拡大．b：陰窩の不規則な分岐をみる．中拡大

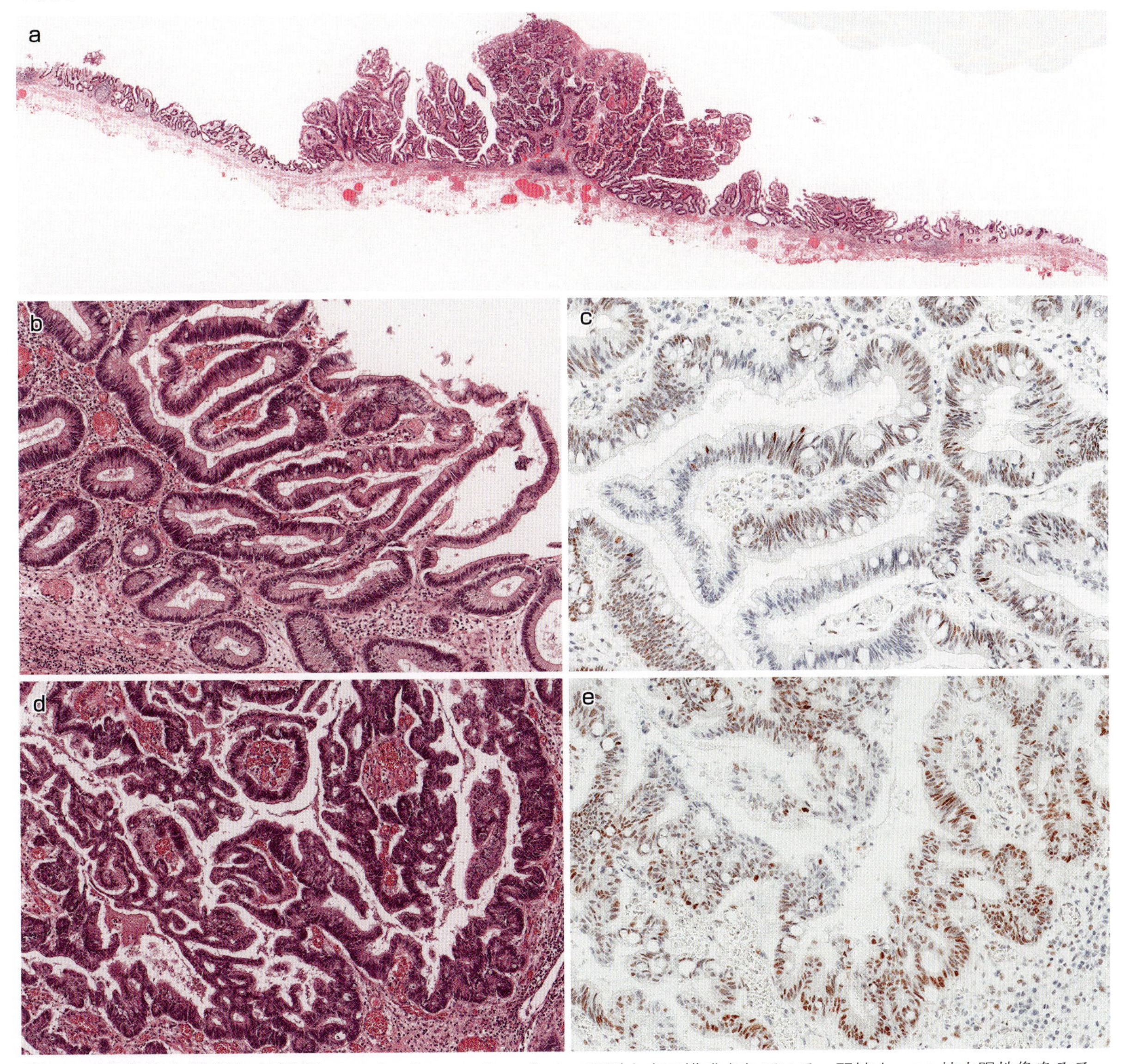

図 37　潰瘍性大腸炎における dysplasia．a：ルーペ．b：異型上皮で構成されている．弱拡大．c：核内陽性像をみる．TP53 免疫染色．d：中分化腺癌．中拡大．e：TP53 免疫染色陽性

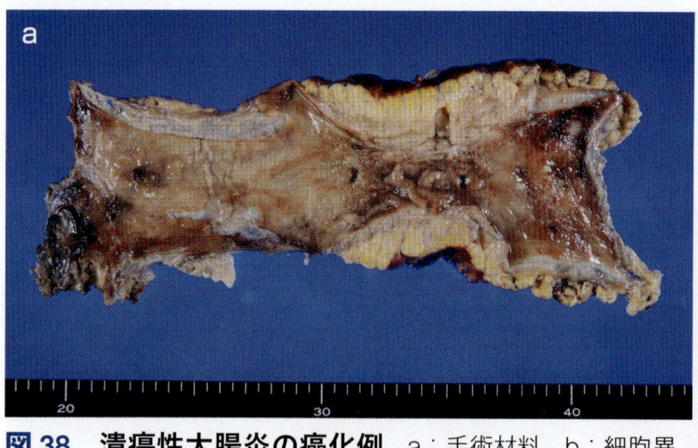

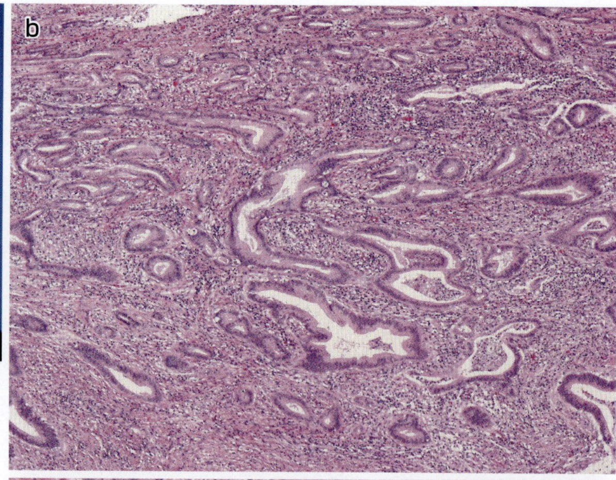

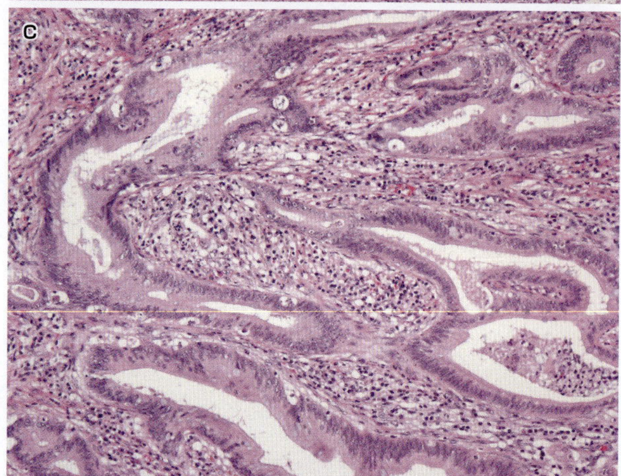

図 38　潰瘍性大腸炎の癌化例. a：手術材料. b：細胞異型の乏しい異型腺管の不規則な配列をみる. 弱拡大. c：不規則な腺管形成をみるが，構成細胞の異型は軽度である. N/C 比が小さく，核も基底側に配置している. 中拡大

表 5　Matts の指標

Grade	
Grade 1	正常
Grade 2	円形細胞，多核白血球の粘膜・粘膜固有への浸潤
Grade 3	より多くの細胞浸潤，一部粘膜下層
Grade 4	陰窩膿瘍，粘膜全層の著明な細胞浸潤
Grade 5	びらん・潰瘍・粘膜壊死，著明な細胞浸潤

うこともあるが，潰瘍は必須の所見ではない．極期では粘膜はビロード状に変化し，潰瘍を伴うことも多い．組織学的には陰窩の萎縮やねじれがみられ，それに対応する程度で間質の種々の炎症性細胞浸潤がみられることが多い（**図 35**）．好酸球，好中球浸潤もみられるが，好中球浸潤が目立つ場合は感染性腸炎が鑑別の対象になる．陰窩膿瘍（**図 35d**）は必須の所見ではなく，活動性の指標としてとらえたほうがよい．表面の絨毛様構造は潰瘍性大腸炎の極期にみられる所見で，比較的特徴的な所見と思われる．

寛解期：潰瘍性大腸炎に比較的特徴的な所見として，①陰窩のねじれや萎縮，②陰窩底部と粘膜筋板との距離の開大がある．粘膜筋板の肥厚も寛解期の所見として重要である（活動期でも慢性に経過している例にはみられる）(**図 36**)．活動性の指標としては Matts の指標（**表 5**）がある．

潰瘍性大腸炎の合併症として dysplasia（異形成）(**図 37**) と癌化がある．dysplasia の鑑別には TP53 免疫染色が有用である．癌化の特徴として，低分化腺癌や粘液癌をあげる研究者もいるが，実際に経験する組織像は分化型腺癌のほうが多いように思われる（**図 38**）．癌化の危険因子としては，罹患期間の長さ，罹患範囲の長さ，dysplasia の有無などが重要である．

実臨床では，潰瘍性大腸炎の病変の範囲内にみられる腺腫性病変が潰瘍性大腸炎関連腫瘍性病変か孤発的に合併した腺腫かの鑑別が問題になる．TP53 の過剰発現の有無を鑑別指標にすることが多いが，周囲に dysplasia を合併しているかどうかを確認することも重要である．

【鑑別診断】 対象になるのは，クローン病と感染性腸炎である．**クローン病**は右側結腸に好発し，非連続性病変で，肉眼像も異なる(後述)．組織学的にも潰瘍性大腸炎は粘膜の炎症が主体であるが，クローン病は粘膜病変より粘膜下層以深に病変の主座があることも鑑別の参考になるであろう．肉芽腫はクローン病の組織診断に有用であるが，潰瘍性大腸炎にも類似の肉芽腫が病変の一部にみられることがあり，この場合臨床経過，肉眼像，その他の組織所見から鑑別する．**感染性腸炎**，特に**アメーバ赤痢**は潰瘍性大腸炎との鑑別対象になることがある．アメーバ赤痢の場合は潰瘍性大腸炎と異なり，陰窩の減少やねじれは目立たないことが多い．最終的には栄養型アメーバ赤痢虫体を確認することで鑑別する．

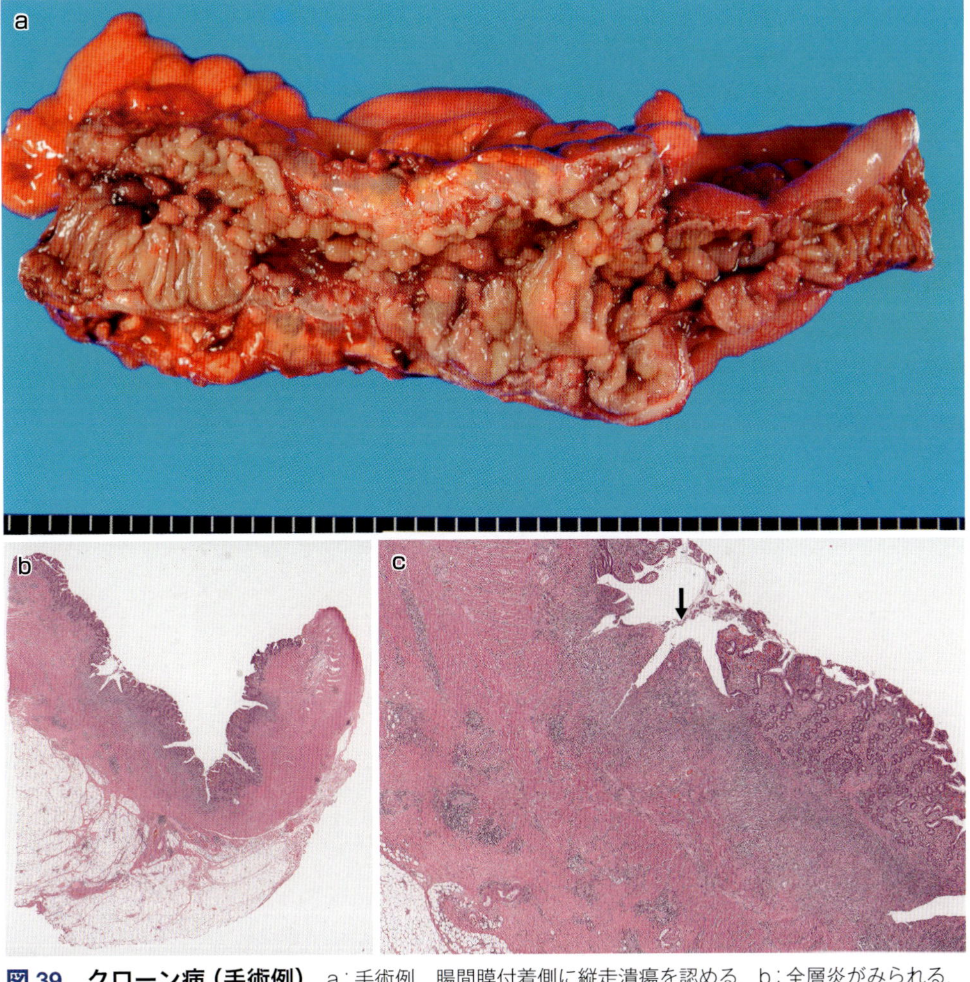

図 39　クローン病（手術例）．a：手術例．腸間膜付着側に縦走潰瘍を認める．b：全層炎がみられる．ルーペ．c：裂孔（⬆）をみる．弱拡大

クローン病の罹患数も上昇傾向にあり，若年者の遷延する下痢の鑑別診断に欠くことのできない疾患の1つとされてきている．クローン病は主として若年者にみられ，口腔にはじまり肛門にいたるまでの消化管のどの部位にも炎症や潰瘍（粘膜が欠損すること）が起こる．大腸にのみ炎症の範囲が限局している潰瘍性大腸炎とは対照的である．後発部位は小腸と大腸を中心として特に小腸末端部が好発部位とされる．非連続性の病変（病変と病変の間に正常部分が存在すること）も特徴である，連続性変化が特徴である潰瘍性大腸炎とはこの点でも対照的である．臨床的には腹痛や下痢，血便，体重減少などが生じる．

肉眼像：クローン病の肉眼像の特徴は，①縦走潰瘍，②敷石状外観 cobblestone appearance である（**図 39a**）．これらの病変は腸間膜付着側に発生することが多い．初期の所見としてアフタ性びらんをあげる専門家もいる．クローン病の所見は全消化管に発生するが，上記の病変の好発部位は回盲部である．またクローン病は肉眼的に病変がスキップしてみられることも重要な所見である．クローン病の特徴的所見は組織像よりは上記の肉眼像にあると考えたほうがよい．

組織像：特徴として①全層炎（**図 39b**），②非乾酪肉芽腫は最も重要である（**図 40**）．前者は手術材料でしか確認できないので，生検材料の診断には役に立たないが，クローン病の組織所見としてはきわめて重要な所見である．クローン病の全層炎はびまん性の炎症性変化ではなく，リンパ濾胞や巣状のリンパ球浸潤が全層性に散在性にみられることは特徴である．クローン病にみられる非乾酪性肉芽腫はやせた肉芽腫が多いとされるが，plump（太った）な肉芽腫もまれではない（**図 40**）．非乾酪肉芽腫はクローン病の所見として最も重視されるが，頻度からすると必ずしもクローン病の診断において絶対視する所見ではないと思われる．しかしクローン病の診断にとっては，肉芽腫の存在は“たかが肉芽腫，されど肉芽腫”であるので，特に生検では連続切片を作製して，検出の

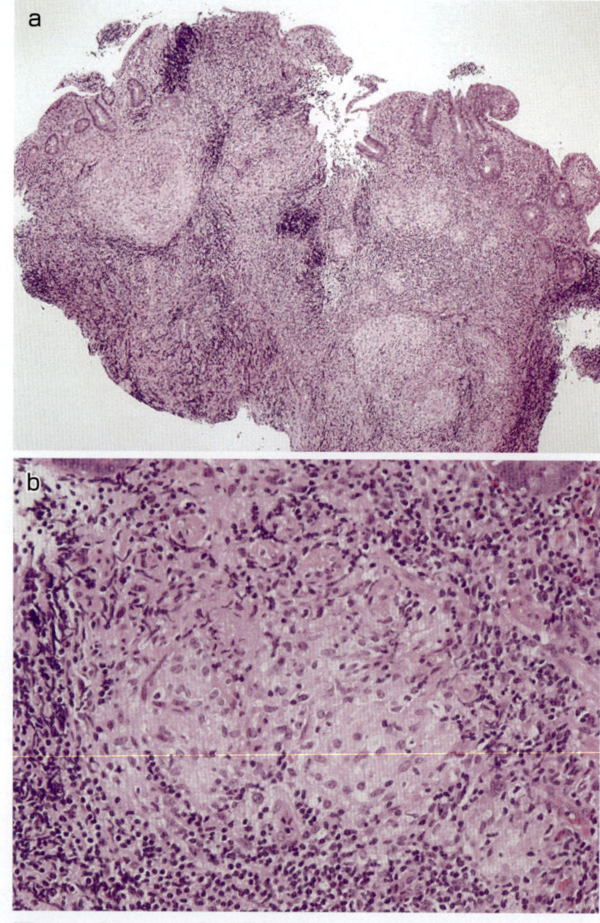

図 40　クローン病（生検例）．a：大腸粘膜で多数の類上皮細胞肉芽腫をみる．弱拡大．b：類上皮細胞肉芽腫の強拡大像．乾酪壊死はみられない

努力を怠るべきではない．また非乾酪性肉芽腫がみられれば即クローン病の診断というわけにもいかず，手術材料では肉眼像，生検材料では内視鏡像を参考にして判断することが重要である．裂孔形成もしばしばみられる（**図 39c**）．生検材料では disproportionate inflammation（粘膜の炎症所見よりも粘膜下層の炎症性変化のほうが高度，という所見）が参考になるが，これがみられればクローン病の診断がつくということではなく，やはりほかの所見との総合判断になることが多いと思われる．

【鑑別診断】　潰瘍性大腸炎，腸結核，非特異性多発性小腸潰瘍などが鑑別の対象になる．**潰瘍性大腸炎**との鑑別ポイントは前述したが，肉眼像に鑑別のポイントがあることを銘記すべきである．後述する輪状潰瘍プラス周囲粘膜の瘢痕萎縮帯があれば乾酪肉芽腫がなくても**腸結核**の診断としたほうがよい．

非特異性多発性小腸潰瘍症は，1968 年に九州大学の岡部，崎村らによって初めて報告された．肉眼的には小腸に潰瘍が多発する非特異性炎症性疾患である．おもに思春期に，高度の低蛋白血症による手足の浮腫，貧血や腹痛といった症状で発症する．これまで原因は不明とされていたが，最近になり *SLCO2A1* の胚細胞変異が原因であることが判明した（常染色体劣性遺伝）．*SLCO2A1* 遺伝子は，小腸粘膜の保護作用をもつプロスタグランジンという物質の輸送に関与する蛋白質をコードしている．同遺伝子変異によって，小腸粘膜でプロスタグランジンを利用することができなくなり，潰瘍が発生するものと考えられている．病理学的には非特異的な組織像を呈する浅い潰瘍が終末回腸以外の回腸に多発する．小腸病変の肉眼所見はきわめて特徴的であり，輪走ないし斜走する帯状の潰瘍が枝分かれ，あるいは融合しながら多発する．

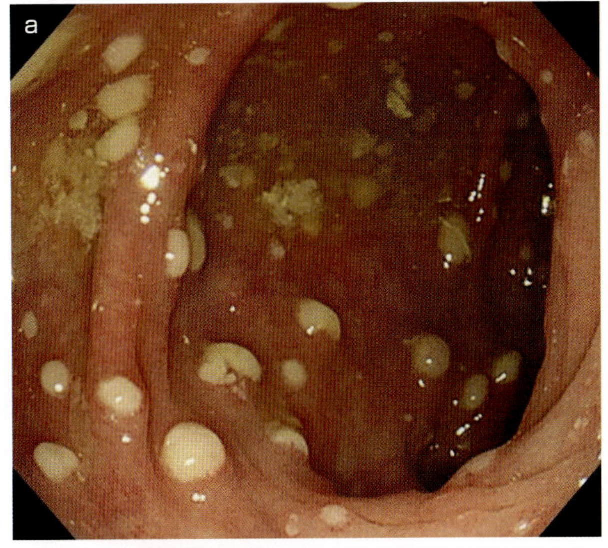

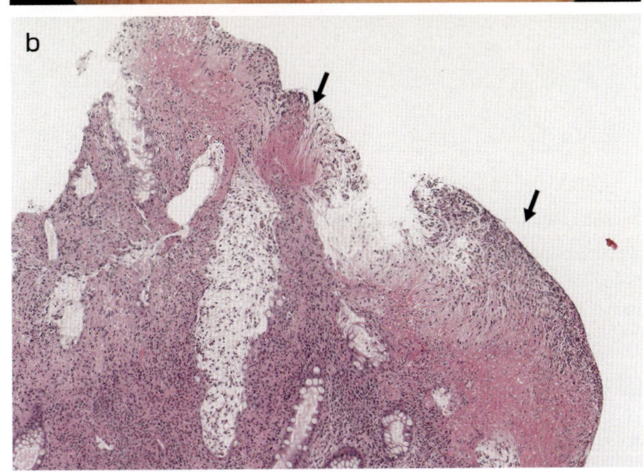

図 41　偽膜性腸炎．a：内視鏡像．多数の黄色調の隆起物をみる．b：偽膜（⬆）の組織像．フィブリン，炎症性細胞などで構成される．弱拡大

偽膜性腸炎（PMC）は腸粘膜に偽膜形成をみる起因性腸炎であり，抗菌薬によることが多い．すなわち，抗菌薬投与により腸内細菌叢が変化し，その結果増殖する *Clostridium difficile* が産生する菌毒素が原因である．偽膜は肉眼的には黄色調のドーム状隆起物にみえ，多発することが通例である．偽膜の構成要素は，好中球を含む滲出物，上皮の断片などで，それらがドーム状に粘膜の上に覆いかぶさっている（**図 41a**）．直下の粘膜にも炎症性変化があり，陰窩の腸細胞も変性し，陰窩も拡張していることが多い（**図 41b**）．偽膜と粘膜が一体になって採取されている場合は診断が容易であるが，偽膜の一部のみが採取されている場合は診断が困難になることもある．本症はS状結腸，直腸に好発する．投与中の抗菌薬を中止するだけで症状の軽快をみることもあるが，治療が必要なことも多い．メトロニダゾールとバンコマイシンの経口投与が有効である．

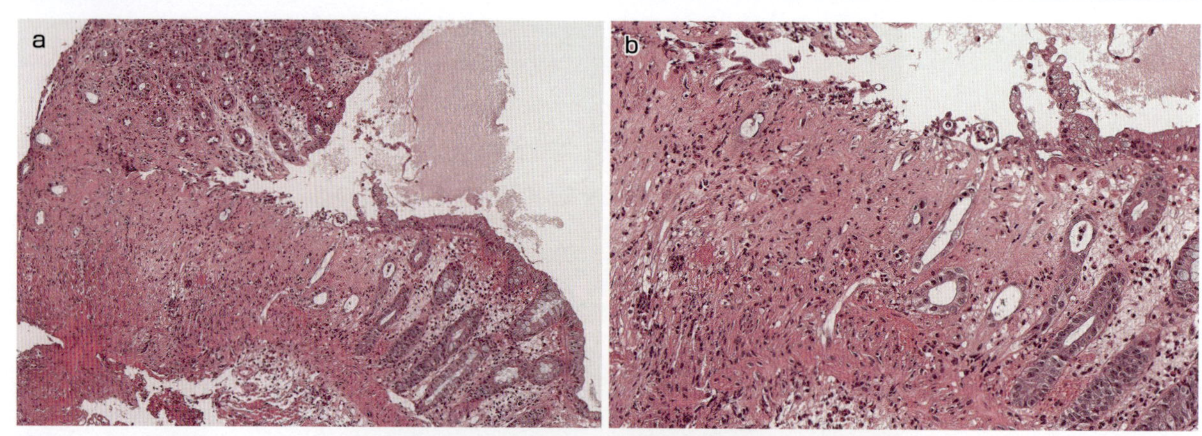

図 42　虚血性腸炎．a：弱拡大．b：好酸性間質と陰窩の変性・壊死像を認める．中拡大

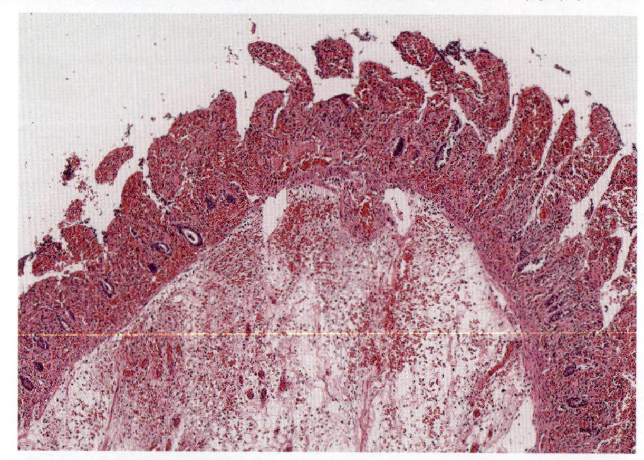

図 43　急性腸管壊死．粘膜の高度の壊死像を認める．弱拡大

虚血性腸炎（IC）は高齢者に好発するが，若年者にもまれに発症することが知られている．臨床的には突然の新鮮下血で発症する．治療は対症療法で軽快することがほとんどである．肉眼的には腸間膜反対側にみられる縦走潰瘍（びらん）がみられる．好発部位は下行結腸，横行結腸である．直腸粘膜は血流が豊富であるので，虚血性腸炎の発症はまれである．組織学的には陰窩の腸細胞の変性・壊死が特徴的で，陰窩の壊死は，陰窩が陰影状になることが特徴的である（**図 42**）．間質は好酸性で，炎症性細胞は通常は軽度であることが多い．

【鑑別診断】　組織像からは薬剤出血性腸炎，感染性腸炎（O157など）である．組織像からの鑑別は困難であるので，臨床経過から鑑別する．

［参考事項］　虚血性腸管壊死　ischemic necrosis of the intestine は先行する症状のない突然の腹痛と継続する腹部全般の腹痛が特徴である．病態としては，上腸間膜動脈塞栓症 SMA embolism（50%），上腸間膜血栓症 SMA thrombosis（15～25%），非閉塞性腸管虚血 non-occlusive mesenteric ischemia（NOMI）（20～30%）の3つがある．最も多いのは塞栓症で，多くは心原性の血栓である．NOMI は透析患者，心臓血管術後に多いとされ，血管収縮薬を使用している際に出現することがある．血管閉塞ではないが，小腸軸捻転も重要である．病理学的には腸管壊死がみられ，粘膜の壊死に始まり全層性壊死（梗塞）にいたることが多い（**図 43**）．

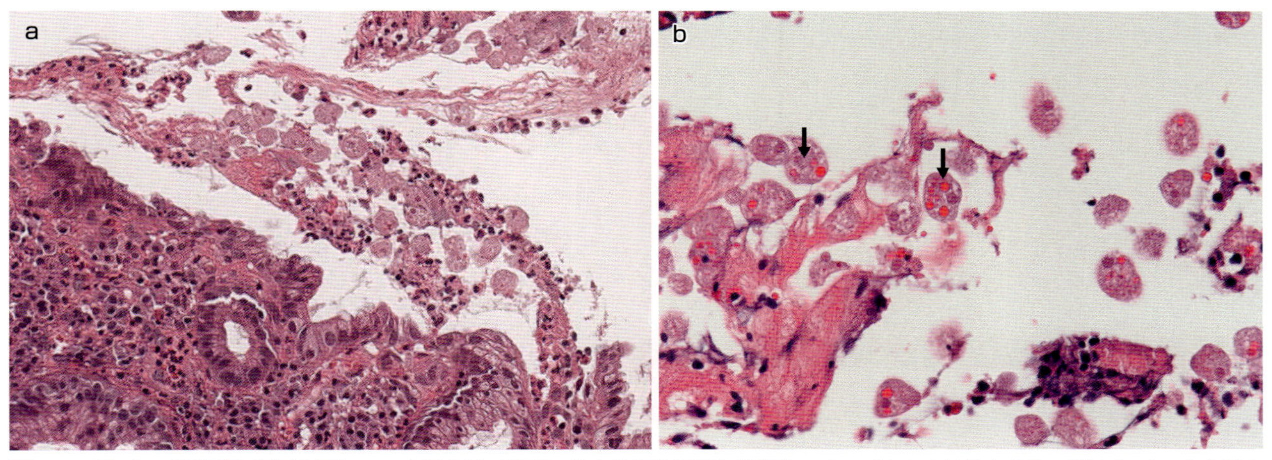

図 44　アメーバ赤痢（生検像）．a：大腸粘膜で間質の炎症性細胞浸潤と栄養芽アメーバ赤痢の付着をみる．強拡大．b：赤血球の貪食像がみられる（⬆）．強拡大

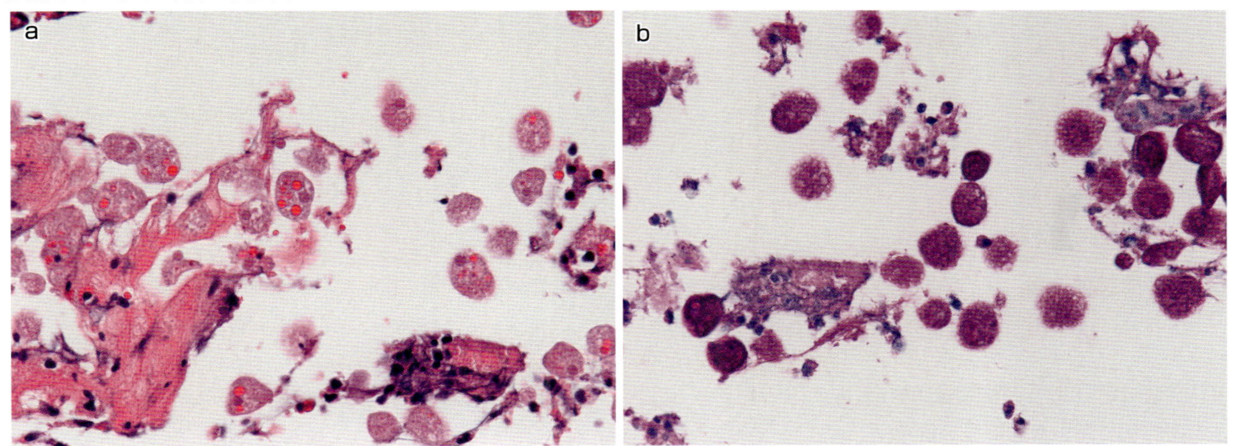

図 45　同前．a：赤血球を貪食している．強拡大．b：PAS 反応陽性．強拡大

本症は *Entamoeba histolytica* の嚢子型の経口摂取により腸管などに炎症を起こす原虫感染症である．本原虫は，外界での抵抗性が強く，胃内の酸性状態下でも生存可能とされる．嚢子型は小腸内で分裂を繰り返し，最終的には大腸内腔で栄養型に変化する．栄養型は，組織の融解・壊死を起こし，腸管内の血管に侵入し，肝膿瘍を引き起こすこともある（脳や腎臓に病変を形成することもある）．本症は輸入感染症として有名であるが，海外渡航歴のない国内感染症も増加しており，同性愛者の感染例もある．また，不顕性感染が多いことも知られており（80～90%），感染例の増加につながっている．

臨床的には粘血便，腹痛が主で，病変部位は盲腸，上行結腸，直腸である．全大腸に及ぶこともあり，以前には潰瘍性大腸炎との鑑別が問題とされていた．肉眼的には，発赤や点状出血，びらんを主とするものから，潰瘍形成の目立つものまで，多彩な肉眼像を呈する．組織学的には，組織の融解・壊死がみられ，粘膜の炎症性細胞浸潤もみられる（**図 44**）．大きさ 20～30 μm の栄養型，嚢子型のアメーバがみられる．栄養型の細胞質は好酸性から好塩基性で，辺縁に 1 個の寄った核を有する．しばしば赤血球の貪食像を認める．細胞質は PAS 反応で陽性に染色される（**図 45**）．

【鑑別診断】　前述した潰瘍性大腸炎が鑑別対象であるが，好中球浸潤が目立つ割には陰窩の減少やねじれが軽度な場合は，潰瘍性大腸炎以外の炎症性病変であることを意識して，栄養型アメーバ赤痢を探すことが肝要である．連続切片の作製も有用である．

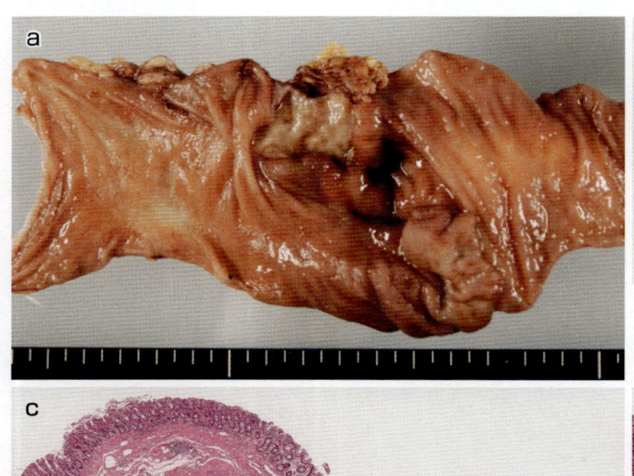

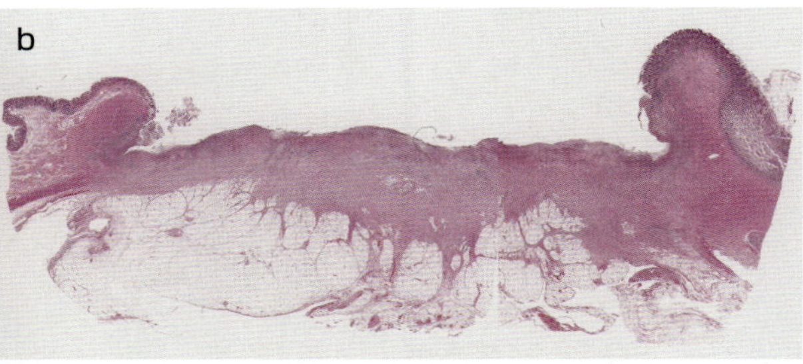

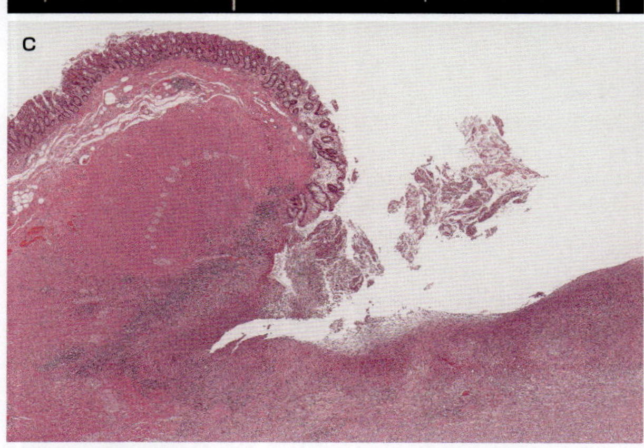

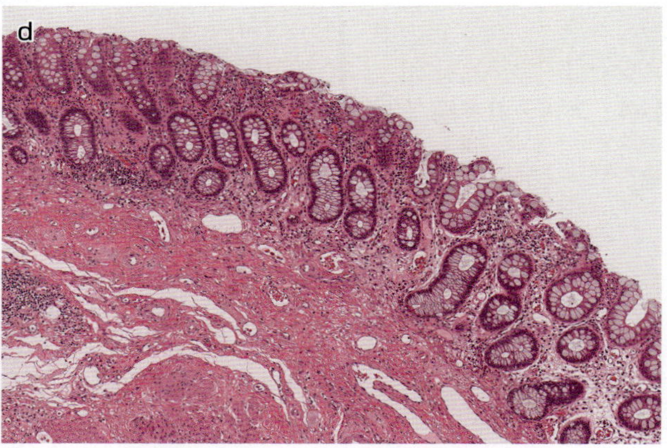

図 46　単純性潰瘍．a：手術材料．b：下掘れ潰瘍をみる．ルーペ．c：潰瘍性病変．弱拡大．d：周辺粘膜．弱拡大

単純性潰瘍症（SU）の肉眼像の特徴は，回盲部近傍に発生する下掘れ状の深い潰瘍形成 punched out ulcer であるが，回腸から結腸に浅い潰瘍性病変が多発することもある．腸病変の肉眼形態のみから腸管ベーチェット病と鑑別することは困難である．ベーチェット病の診断基準を満足した症例が腸管ベーチェット病で，そうでない症例は単純性潰瘍と診断する．腸管病変の発見よりも遅れてベーチェット病の症状が出現することもあるので注意が必要である．

組織学的には Ul-Ⅲ以上の深い下掘れ潰瘍が特徴で，消化性潰瘍の潰瘍底の組織像と類似しており，組織学的な特異像はないとされる（**図 46**）．全層炎を呈することもあるが，クローン病のそれとは異なり部分的であることがほとんどである．肉芽腫がみられることはない（潰瘍に付随する肉芽腫はありうる）．

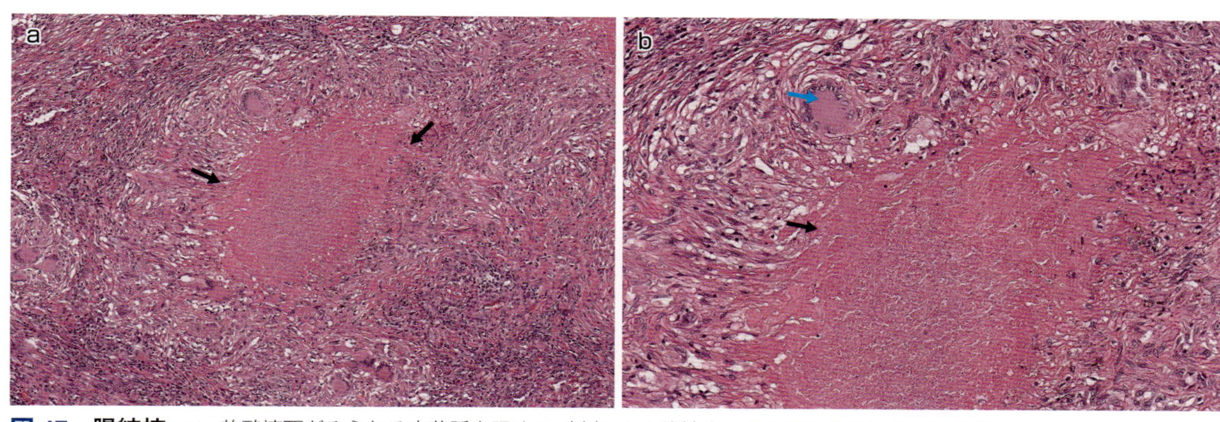

図 47　腸結核．a：乾酪壊死がみられる肉芽腫を認める（⬆）．b：強拡大．⬆：ラングハンス型巨細胞

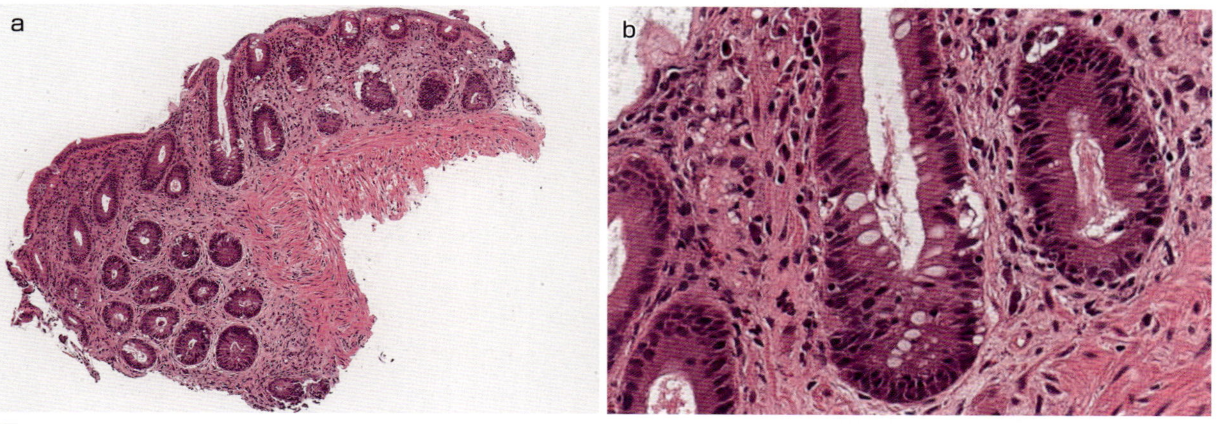

図 48　GVHD．a：杯細胞の減少した変性陰窩で構成されている．弱拡大．b：陰窩の変性像とアポトーシス像をみる．強拡大

腸結核　活動性のヒト型結核菌を含む食物や喀痰（かくたん）を飲み込んだために，結核菌が腸粘膜に侵入して炎症を起こし，潰瘍を形成する．好発部位は回盲部(回腸と盲腸の境界付近)で，リンパ組織が豊富なためと考えられている．肺などの腸管以外の臓器に結核病巣があり，そこから腸管に転移性病変を形成したものを続発性腸結核といい，腸管以外に結核病変がない場合を原発性腸結核という．腸結核は原発性のことが多く，続発性は多くない．肉眼的には，輪状潰瘍とその周囲の萎縮性粘膜が特徴的である．組織学的には潰瘍は浅く，Ul-II程度のことが多い．乾酪壊死を伴う肉芽腫も結核のみに出現するわけではないが，実臨床では腸結核と診断して問題はない（**図 47**）(肉眼所見と総合的に診断することが重要)．しかし乾酪壊死のない肉芽腫であっても結核の否定はできない．肉眼像を加味して総合的に診断することが重要である．結核菌の検出が重要であるが，チール・ニールセン染色が結核菌の検出に有用とされる．糞便の結核菌培養やPCR法による結核菌の遺伝子解析も重要である．

【鑑別診断】　クローン病や非特異性多発性小腸潰瘍などが鑑別の対象になる．肉眼像の特徴と組織像から鑑別する．臨床経過も重要である．

GVHD　急性 GVHD は移植後早期（100 日以内）に発症する皮疹，黄疸，下痢を特徴とする症候群である．その病態は宿主の細胞と移植片のドナーリンパ球によって引き起こされる免疫反応で，多臓器組織障害を生じる．臨床的には下痢，嘔気，腹痛を訴えることが多く，内視鏡像は粘膜の血管透見低下，発赤，浮腫，びらん，潰瘍，出血や“orange peel”所見などの多彩な所見が出現する．終末回腸，右側結腸に好発する．病理組織学的にはリンパ球浸潤を伴う上皮細胞の変性・壊死がみられ，さまざまな程度のアポトーシスを有することが特徴である（**図 48**）．

【鑑別診断】　CMV（サイトメガロウイルス），細菌や真菌などの感染性腸炎，移植関連微小循環障害による腸管 TMA (thrombotic microangiopathy)，移植前処置による粘膜炎である前処置関連毒性 regimen related toxicity などがあり，移植後 21 日以内の生検標本は前治療の影響が残るので注意が必要である．

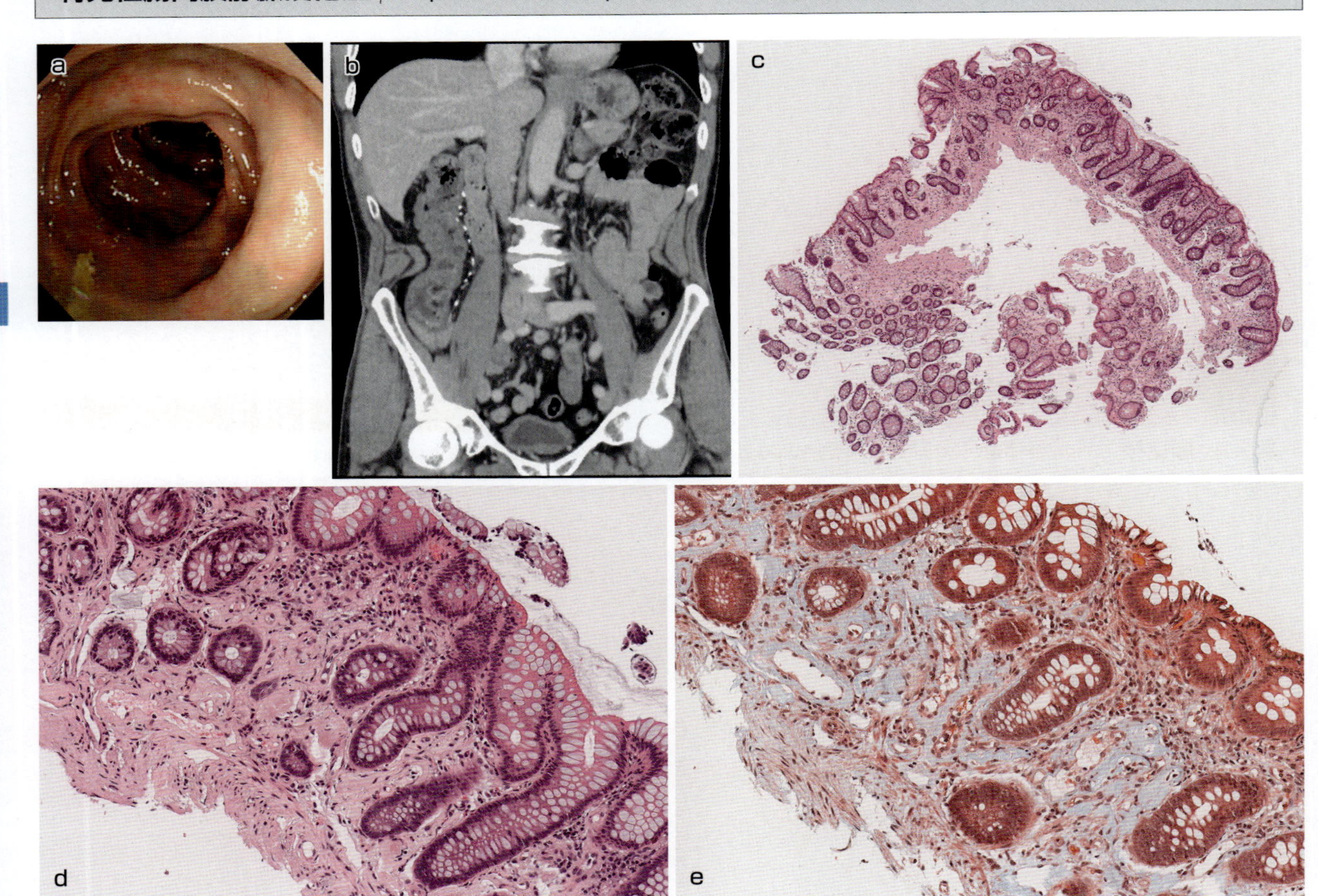

図 49　腸間膜静脈硬化症. a：内視鏡像．粘膜には黒色調をみる．b：CT 像．腸管に沿って石灰化像を認める．c：粘膜固有層間質には無構造な好酸性の沈着物をみる．弱拡大．d：間質の無構造な好酸性物質の沈着をみる．中拡大．e：マッソン染色で青色に染色され，線維性組織であることがわかる．中拡大

腸間膜静脈硬化症 mesenteric phlebosclerosis は，腸間膜の静脈に石灰化が生ずることにより静脈還流の障害が引き起こされ，その結果，腸管の慢性虚血性変化をきたす疾患である．原因は不明とされていたが，最近になりサンシシを含有する漢方薬の長期服用が原因の１つとして注目されている．サンシシ中のゲニポシドが大腸の腸内細菌によって加水分解され，生成されたゲニピンが大腸から吸収されて腸間膜静脈を通って肝臓に到達する間に，アミノ酸や蛋白質と反応し，青色色素を形成するとともに，腸間膜静脈壁の線維性肥厚・石灰化を引き起こし，血流をうっ帯させ，腸管壁の浮腫，線維化，石灰化，腸管狭窄を起こすと考えられている．

肉眼的には右側結腸に好発する．粘膜面の所見が基本で，暗青色，浮腫状で小潰瘍を形成することもある．腸管壁の肥厚と内腔狭窄を認めることもある．

組織像としては，粘膜〜粘膜下層の線維化，静脈壁の線維性肥厚などがみられるが，好酸性の無構造な物質の沈着が特徴的である（**図 49**）．アミロイド沈着との鑑別が必要であるが，アミロイド染色（コンゴーレッド，DFS）は陰性である．

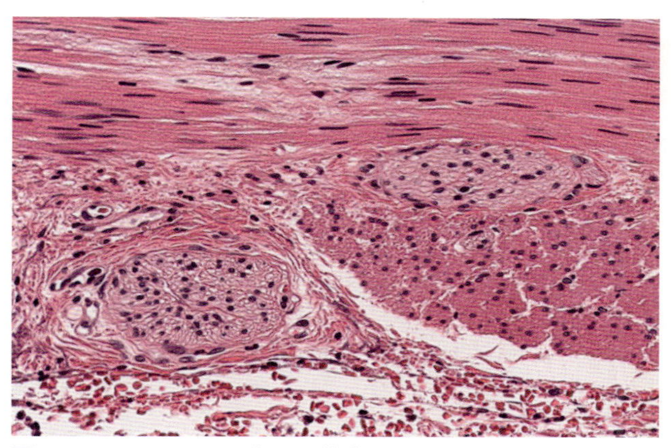

図 50　ヒルシュスプルング病．神経節細胞の減少をみる．中拡大

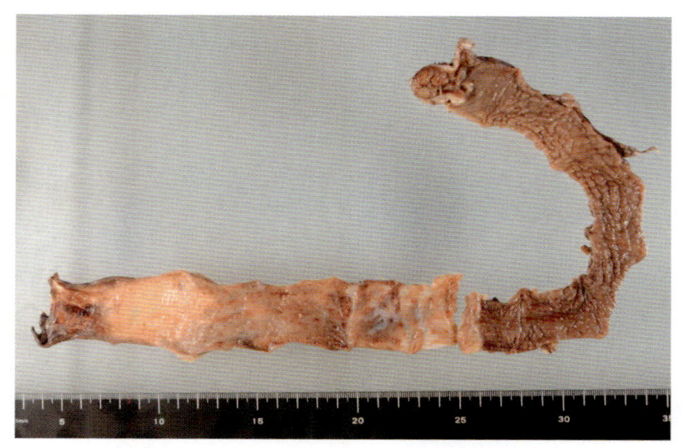

図 51　同前．罹患部位と非罹患部位の境界が明瞭．肉眼像

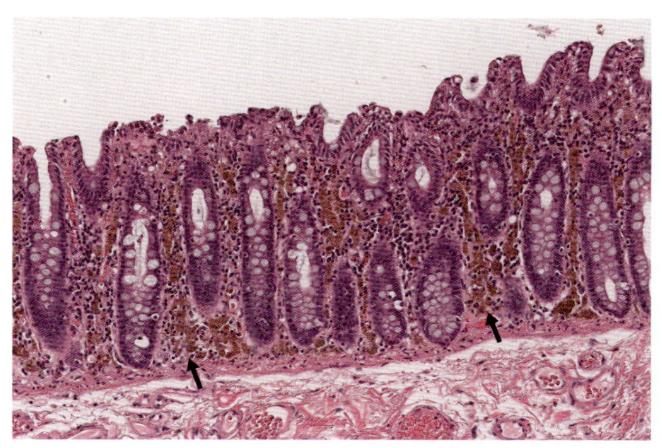

図52　大腸メラノーシス．固有層間質には茶褐色の色素沈着をみる（⬆）．弱拡大

ヒルシュスプルング病　肛門から連続する無神経節腸管のため生後数日の間に機能性の腸閉塞症状で発見される．病理学的には次の所見が重要である．①直腸粘膜生検のアセチルコリンエステラーゼ染色により神経線維の増生および神経節細胞の欠如を認める，②手術により得られた消化管の全層標本で肛門から連続して腸管壁内神経節細胞の欠如を認める（**図 50**）．病変の分布から，直腸下部型（肛門から直腸下部まで），S 状結腸型（直腸下部から S 状結腸まで），左右結腸型（下行結腸から盲腸まで），全結腸型（全大腸と口側 30 cm の回腸まで），小腸型（全大腸と口側 30 cm を超える範囲）に分類される．罹患腸は拡張し，肉眼的にも病変範囲は明瞭である（**図 51**）．

腸管メラノーシス　刺激性下剤を長期服用することによって，大腸の粘膜が黒色に変化する状態をいう．大腸黒皮症ともいわれる．刺激性下剤のアントラキノン系下剤の連用が原因とされる．リポフスチンの沈着によって生じ，右の結腸から始まり，左の結腸に進行する．虫垂や回腸末端にもみられることがある．組織学的には粘膜固有層の深部からさらに重症では粘膜下組織にまで波及する（**図 52**）．このような状況になれば多数の炎症細胞がその周囲に生じ，粘膜層が肥厚する．さらにリポフスチンを取り込んだマクロファージがリンパ節に多数みられるようになる．大腸腺腫の発生の増加との関連性も指摘されている．

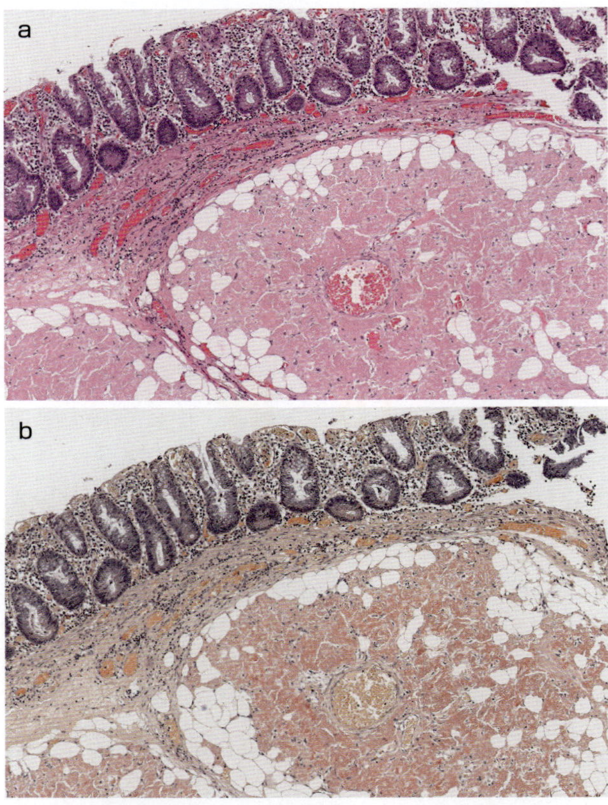

図 53　大腸アミロイドーシス．a：粘膜下に大量の好酸性の無構造物質の沈着をみる．b：コンゴーレッド染色で桃色に染色される．弱拡大

線維構造をもつ蛋白質であるアミロイドが臓器に沈着することによって機能障害を引き起こす一連の疾患群である（**図 53a**）．アミロイドは病理学的にコンゴーレッド染色で橙赤色に染まり（**図 53b**），偏光顕微鏡下で緑色の複屈折を示す．現在，線維蛋白の違いから 25 種類以上の型に分類されているが，消化管に沈着するアミロイドは，慢性炎症による急性期蛋白 SAA（serum amyloid A protein）を前駆体蛋白とした AA 型（amyloid of A protein），免疫グロブリン L 鎖からなる AL 型（amyloid of light chain of Ig），長期透析患者に発生する β_2-ミクログロブリン由来の Aβ_2M 型（amyloid derived from hemodialysis），家族性でトランスサイレチン由来の ATTR 型（amyloidgenic transthyretin）が重要である．

第5章

消化器系

(5) 肝

概　説

肝臓 liver は消化器系では最も大きい充実性の臓器で，成人では 1,200〜1,500 g に達する．上面は横隔膜に直接接しており，肝鎌状靱帯を境界として右葉，左葉に分けられ，通常は右葉が大きい．肝内での門脈，動脈，胆管の走行が区域性であり，わが国では 8 つの肝区域（S1〜S8）が臨床的に用いられている．それぞれの区域は門脈を境に分かれ，中心を肝静脈が走行する．

肝は，肝動脈 hepatic artery と門脈 portal vein の 2 重血行支配を受け，肝静脈 hepatic vein に流出する．肝細胞より毛細胆管に分泌された胆汁は肝内外胆管，総胆管を経て膵管からの膵液と合流し，ファーター Vater 乳頭から十二指腸へと排泄される．肝動脈，門脈，胆管 bile duct は肝門部より結合組織を伴って肝内へ入る．

肝のおもな働きは糖質，蛋白質，脂質などの中間代謝やビリルビン代謝であり，種々の内因性，外来性物質の解毒・排泄にも関連し，免疫系でも重要な役割を担っている．また，肝固有の疾患のみならず，他臓器や全身性の疾患に付随して，肝に種々の病変がみられる．

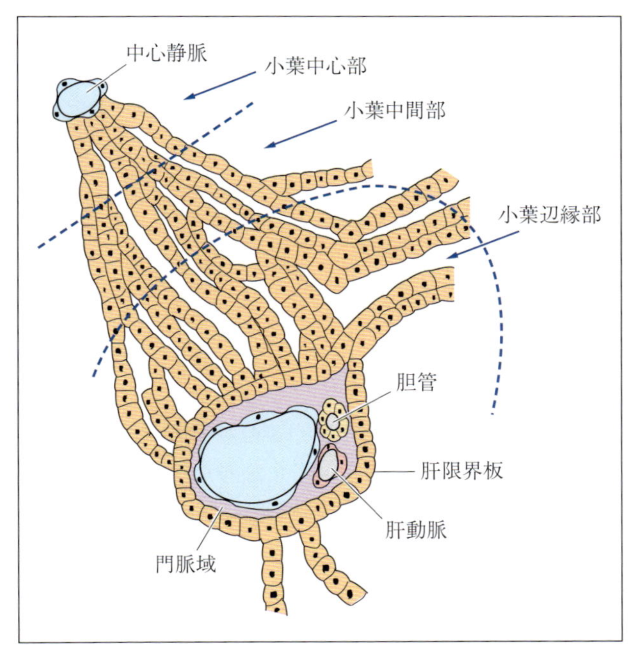

図 1　肝小葉（門脈域と中心静脈に注目して）の模式図

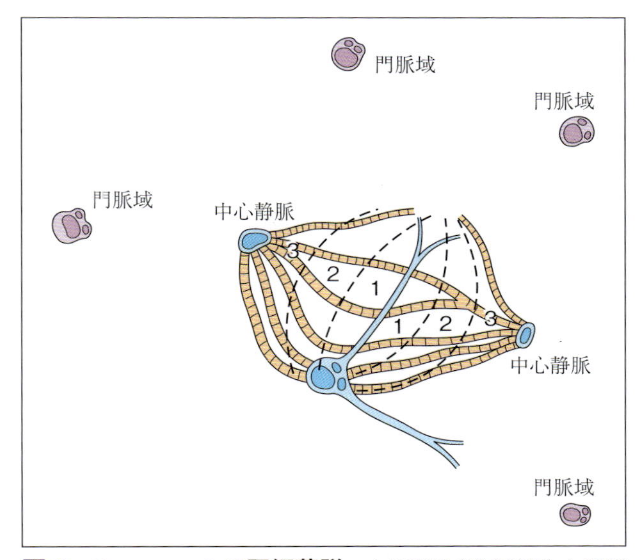

図 2　Rappaport の肝細葉説．中心静脈（終末静脈）と門脈域の間を，zone 1，zone 2，zone 3 に分ける．zone 3 が小葉中心部，zone 2 が小葉中間部，zone 1 が小葉周辺部におおむね対応する

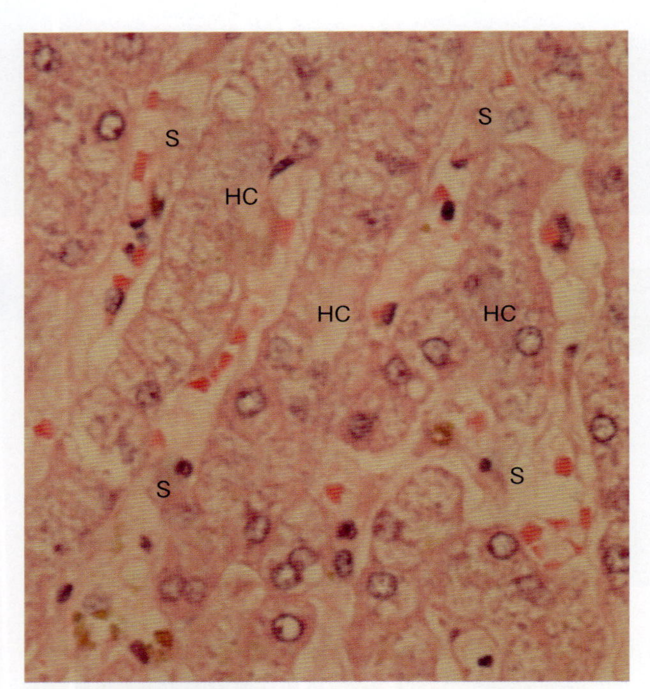

図3　肝細胞索と類洞．肝細胞は索状（柱状）（肝細胞索；HC）に1〜2層に配列し，その間に類洞（S）とよばれる血管腔が存在する．中拡大

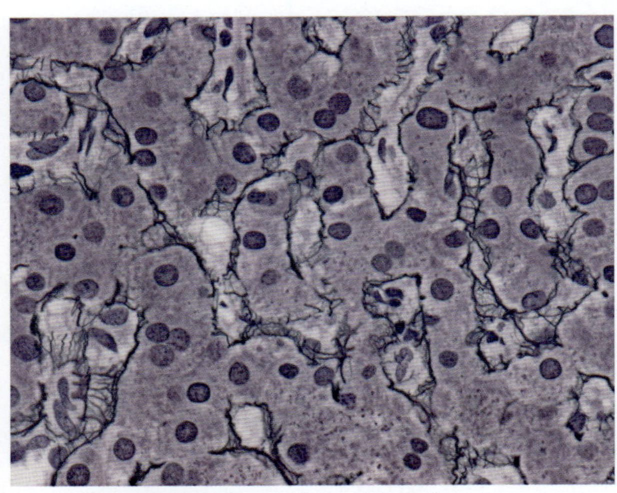

図4　肝臓の鍍銀染色像．類洞壁の細網線維が黒く染まるため，肝細胞索が明瞭に観察できる．高拡大

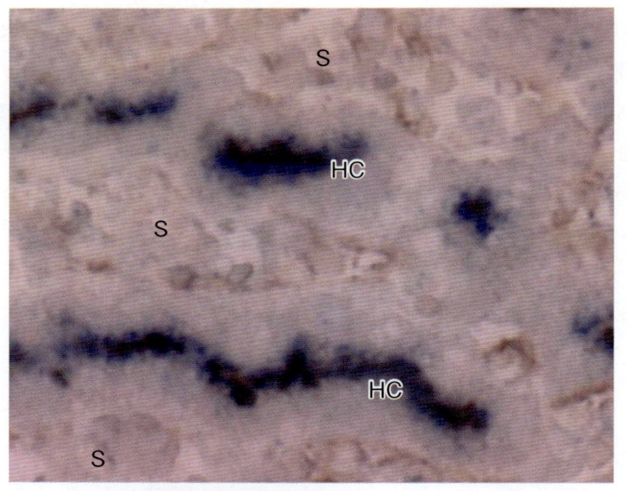

図5　肝細胞索内の毛細胆管．肝細胞索（HC）の中央を毛細胆管が走行している．CD10免疫染色（青色で発色）．毛細胆管は肝細胞索の中を網目のように走行している．S：類洞．強拡大

組織像

肝は実質である肝小葉 hepatic lobule と，支持組織である門脈域 portal tract と中心静脈 central vein より構成され，肝小葉の中央に中心静脈がある．肝の病変を観察する場合，門脈域と中心静脈の相互の位置関係により肝小葉構造を認識し，肝小葉内の変化，門脈域の変化をそれぞれ観察すると病変の局在がわかりやすい．

肝小葉：正常では1〜2層性の肝細胞が索状（柱状）をなして放射状に中心静脈に向かうように配列する（**図1，2**）．中心静脈周囲の肝実質を小葉中心部（Rappaport の zone 3 におおむね対応），門脈辺縁部を小葉周辺部（zone 1），その間を小葉中間部（zone 2）とよぶ．門脈域に面する肝細胞は連続性に限界板 limiting plate を構成する．肝細胞索の間には類洞 sinusoids とよばれる血管腔が存在し，門脈域から門脈と肝動

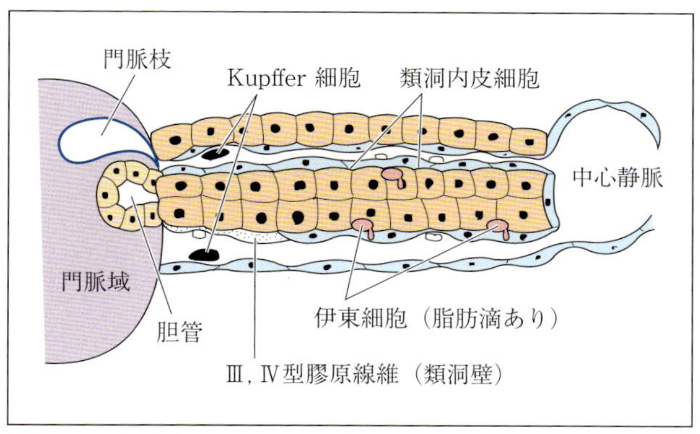

図6　肝細胞索と門脈域と中心静脈の模式図．肝細胞索は1～2層性で，類洞内皮と肝細胞の間に伊東細胞をみる

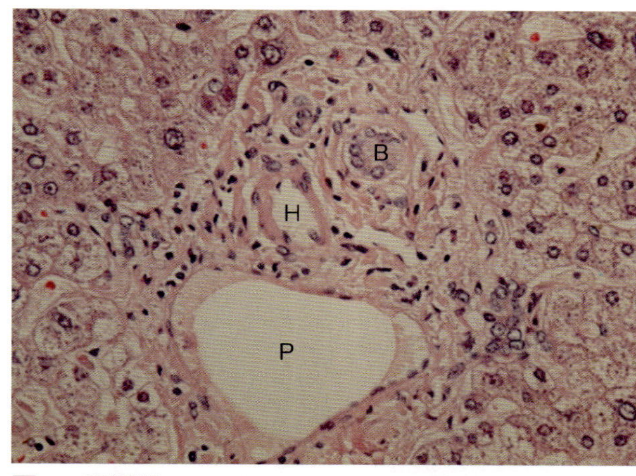

図7　門脈域．門脈（P），胆管（B），肝動脈枝（H）が含まれている．中拡大

脈由来の血液が流れ込み，中心静脈へと注いでいる（**図3**）．鍍銀染色を行うと，類洞壁に分布する細網線維が黒く染まるため，肝細胞索がより明瞭に認識できる（**図4**）．肝細胞は多方形で，胞体は淡好酸性，微細顆粒状で，グリコーゲン（糖原）の固定が良好な場合，胞体が淡明にみえる．核は通常1個で，細胞の中心部にみられ，明瞭な核小体をみる．毛細胆管はHE染色では同定しにくいが，CD10などの免疫染色により描出できる（**図5**）．内皮と肝細胞の間はDisse腔とよばれ，脂肪滴を有する伊東細胞（肝星細胞）が分布し，内皮細胞の類洞側にクッパーKupffer細胞が分布する（**図6**）．

門脈域：グリソン鞘ともよばれる．門脈，胆管，肝動脈枝がおもな構成成分で門脈三つ組portal triadともよばれる（**図7**）．正常肝では少量の線維性結合組織を伴うが炎症細胞はみられない．神経線維やリンパ管も存在する．

中心静脈：肝小葉の中心部に中心静脈が分布する．内腔が300 μm前後までの軽度の線維性の壁を有する小葉下肝静脈sublobular hepatic veinへ移行し，さらに大型の肝静脈枝となり肝部下大静脈へと注ぐ．

肝内胆管系：成人のヒトの肝内胆管は全長2 kmに及ぶとされ，肝細胞から分泌された胆汁を肝外胆管へと導く導管である．肝細胞間に形成される毛細胆管を最上流部とし，細胆管bile ductules，小葉間胆管interlobular bile ducts，隔壁胆管septal bile ductsに分けられ，肝内大型胆管（肉眼的に同定される）に連続する．肝内大型胆管の周囲には胆管付属腺peribiliary glandsが分布する．

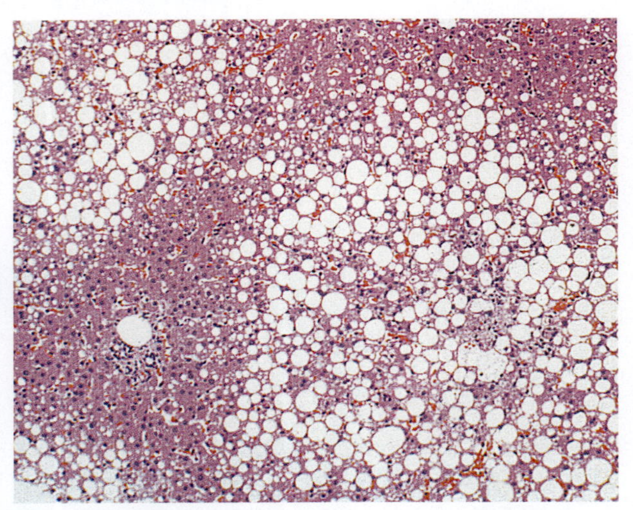

図8 肝小葉中心性の脂肪沈着．肝小葉中心部の肝細胞に大小の脂肪滴の沈着をみる．弱拡大

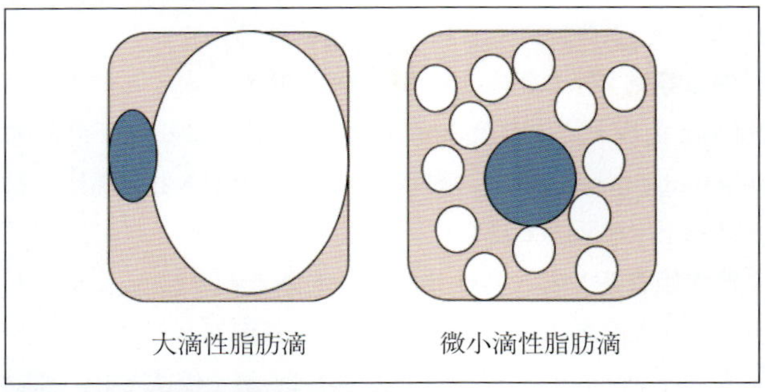

図10 肝細胞に蓄積する脂肪滴

肝は脂質代謝の中心的臓器であり，種々の病態で肝細胞の胞体内に大小種々の脂肪滴（おもに中性脂肪）が出現する．通常のHE染色では染色過程で有機溶剤により脂肪が溶出するため，肝細胞胞体内の空胞として認められる（**図8，9**）．凍結切片を用いると脂肪の溶出が防げるため，脂肪染色（ズダンIII染色など）で陽性像が得られる．肝細胞内の脂肪滴の大きさにより，大滴性 macrovesicular，微小滴性 microvesicular（泡沫状を含む）に亜分類される（**図10**）．大滴性では核より大きい大型の脂肪滴が1〜数個肝細胞内に出現し，核は脂肪滴によって胞体の辺縁に圧排される．微小滴性では微小な脂肪滴が多数胞体内にみられ，核は胞体の中心部に位置する．泡沫状では，肝細胞が腫大し胞体が泡沫状となる．脂肪の沈着した肝細胞が破裂すると，リンパ球，組織球反応を伴う脂肪肉芽腫 lipogranuloma が形成される（**図11**）．肝小葉内での出現部位により，汎小葉性，小葉中心性，小葉周囲性脂肪沈着に分類される．

【鑑別診断】 **風船状腫大** ballooning：肝細胞の変性であり，水分貯留のため肝細胞が腫大する．

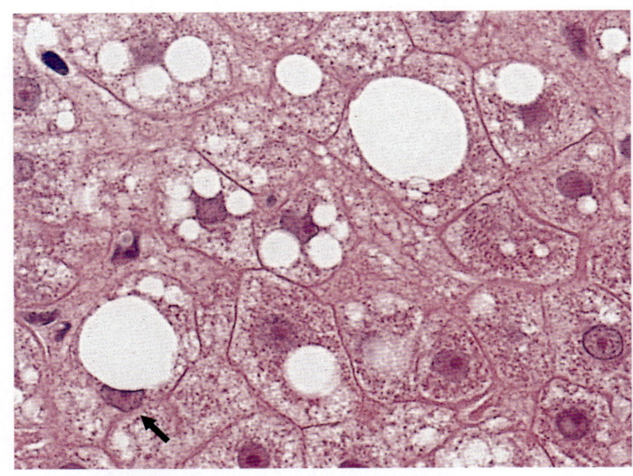

図9 脂肪肝．小型から大型の脂肪滴をみる．大型の脂肪滴が肝細胞の核を辺縁に圧排している（⬆）．強拡大

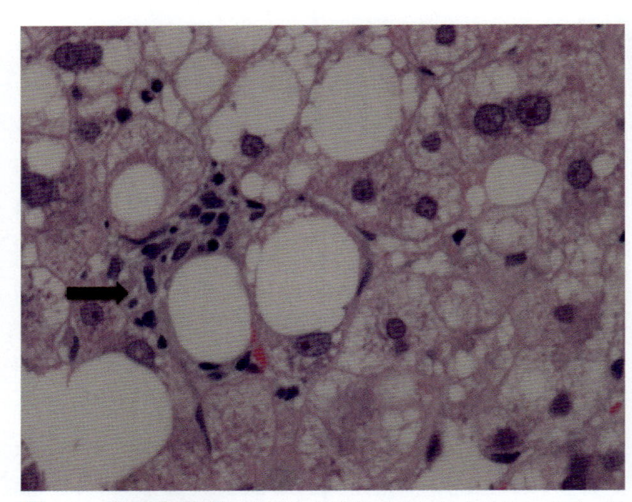

図11 脂肪肉芽腫．漏出した脂肪成分に対するリンパ球，組織球の反応をみる（⬆）．強拡大

核糖原 nuclear glycogen：核内の空胞であり，グリコーゲンの沈着による．糖尿病でみられる．

巨大ミトコンドリア giant mitochondria：好酸性の封入体で球状，葉巻状などの形態を示す．アルコール性や栄養障害性の脂肪肝に出現する．

泡沫状脂肪肝：アルコール性脂肪肝の一型で，特発性妊娠脂肪肝やライ Reye 症候群などでみられる．

［参考事項］ 従来は30％以上の肝細胞に脂肪沈着を認めるものを病理学的に脂肪変性と定義していたが，近年では5％以上の肝細胞に脂肪滴を認めるものを脂肪変性と定義している．画像診断では，20％以上の肝細胞に脂肪滴が沈着した場合に脂肪肝と診断できる．成因としては，過剰飲酒，肥満や糖尿病などのインスリン抵抗性，内分泌疾患，極度の低栄養，薬物などがあげられる．

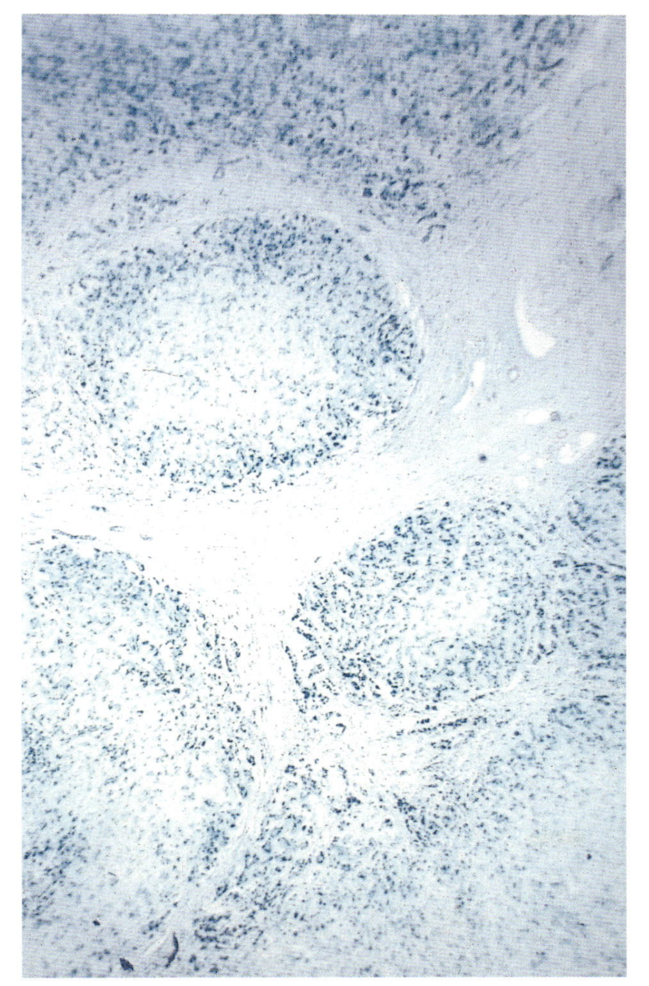

図 12　ヘモクロマトーシス（肝）．再生結節辺縁部肝細胞の高度なヘモジデリン沈着．ベルリンブルー．弱拡大

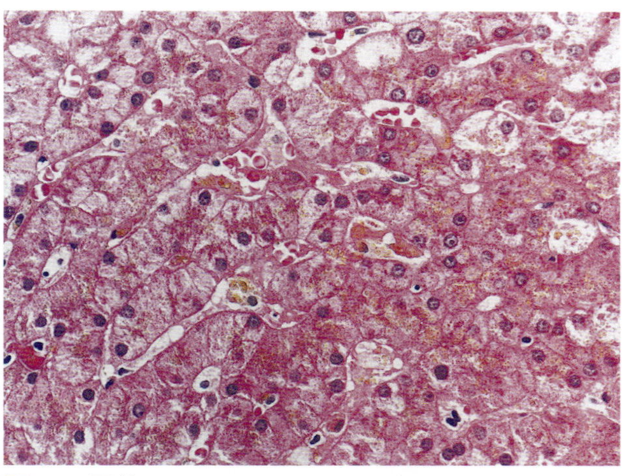

図 13　同前．肝細胞と Kupffer 細胞の胞体内に多数の褐色顆粒（ヘモジデリン）の沈着をみる．中拡大

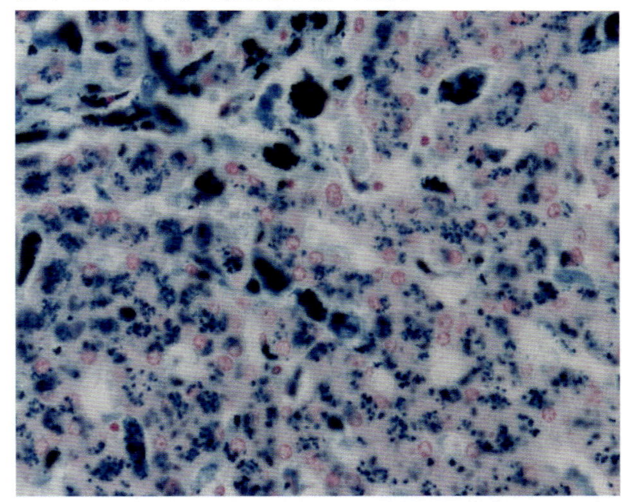

図 14　同前．肝細胞の胞体に顆粒状に，Kupffer 細胞の胞体内には粗大にヘモジデリン沈着を認める．中拡大

肝に過剰に沈着した鉄は，組織中にヘモジデリン（血鉄色素）として検出できる（**図 12**）．ヘモジデリンは褐色の小顆粒（核より小さい）として認められ，ギラギラとして硬い感じがする（**図 13**）．肝細胞内や Kupffer 細胞内，門脈域の食細胞や胆管上皮内にヘモジデリンが沈着する．鉄染色（ベルリンブルー染色）により青色の顆粒として染色される（**図 14**）．肝小葉や再生結節の辺縁部の肝細胞に強く沈着する．鉄の過剰沈着により肝細胞の持続的な脱落と線維増生が生ずる．肝細胞の脱落部には，ヘモジデリンを貪食した Kupffer 細胞の集簇をみる．門脈域の線維化や肝小葉内の線維性隔壁が進展し，小結節性の肝硬変（色素性肝硬変 pigmentary cirrhosis）を生ずることがある．

【鑑別診断】　リポフスチン顆粒 lipofustin：おもに小葉中心性に肝細胞内に出現する．黄褐色を呈し，ヘモジデリンに類似するが，鉄染色は陰性で，di-PAS 染色で陽性となる．

胆汁栓と胆汁色素：毛細胆管内や肝細胞や Kupffer 細胞内にみられ，緑褐色～褐色を呈する．鉄染色は陰性である．

ヘモジデローシス hemosiderosis：ヘモジデリンの軽度～中等度の沈着をみるが，組織破壊のない鉄沈着症．

［参考事項］　鉄代謝と鉄過剰症：体内への鉄吸収はおもに小腸で調節されている（mucosal barrier）．体内に吸収された鉄には固有の排泄経路がなく，過剰の鉄は体内に沈着する．

慢性 C 型肝炎：慢性 C 型肝炎でも肝細胞や Kupffer 細胞内にヘモジデリン沈着がみられるが，程度は軽度である．

遺伝性（一次性）ヘモクロマトーシス：小腸からの鉄の過剰吸収の結果生ずる．Kupffer 細胞でのヘモジデリン沈着に比べ，肝細胞での沈着が目立つ．病変の進行とともにヘモジデリン沈着が肝小葉全体に出現し，肝硬変へと進展する．

輸血，鉄剤投与に伴うヘモクロマトーシス：最初に Kupffer 細胞や門脈域の食細胞にヘモジデリンが沈着し，次いで肝細胞にヘモジデリンが沈着する．線維化は軽度で，肝硬変への移行は少ない．

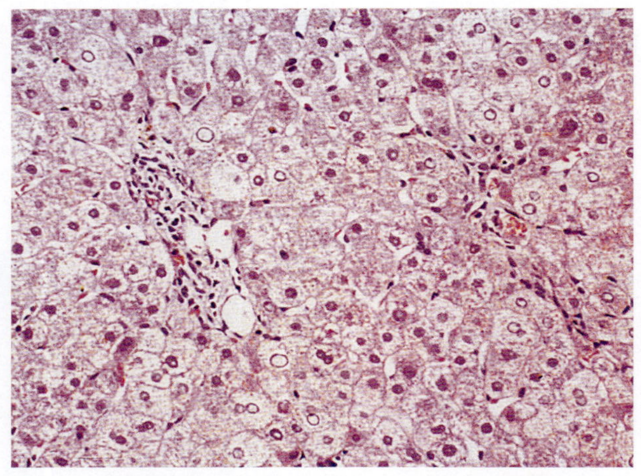

図 15　ウィルソン病．初期．肝の非特異的変化．核糖原をみる．中拡大

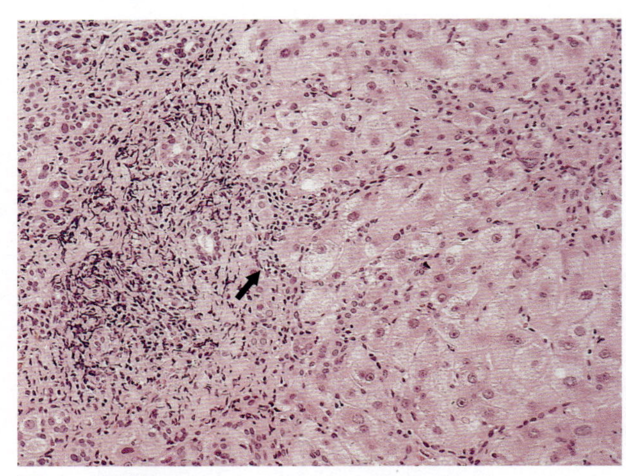

図 16　同前．慢性肝炎．門脈域の線維化，肝細胞の腫大とインターフェイス肝炎をみる（⬆）．中拡大

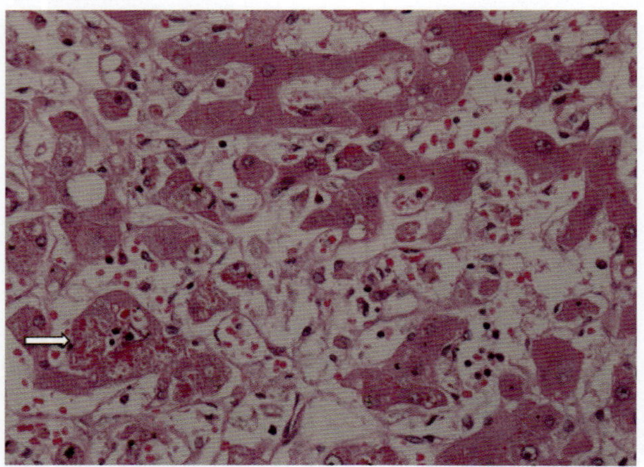

図 17　同前．肝硬変期．肝細胞の腫大，Mallory-Denk 体形成（⬆）や好中球浸潤を認める．中拡大

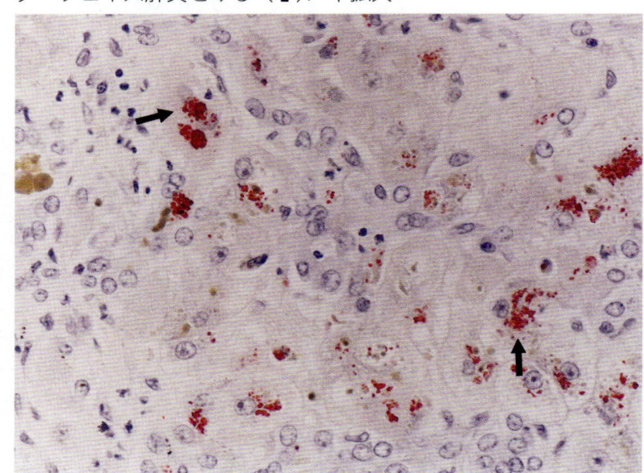

図 18　同前．赤褐色に染まる銅顆粒（⬆）が腫大した肝細胞にみられる．ロダニン染色．中拡大

ウィルソン病は大量の銅の沈着を伴う常染色体劣性遺伝性疾患である．肝細胞の毛細胆管膜に存在する銅輸送蛋白に異常が生じ，肝内に銅が沈着し，次いで神経系や他臓器に沈着する．ATPase をコードする遺伝子 *ATP7B* が原因遺伝子として同定されている．小児期から若年成人に原因不明の肝機能異常として発症することが多い．病初期では，肝小葉構造が保たれ，門脈域の炎症細胞浸潤，肝細胞壊死，軽度〜中等度脂肪沈着，核糖原の出現など非特異的変化がみられるのみである．そのため，若年者の原因不明の肝障害ではウィルソン病を念頭におく必要がある．急性肝炎（ウイルス性急性肝炎に似るが，核糖原，脂肪沈着，Mallory-Denk 体などをみる），重症急性肝炎（広汎，亜広汎性の肝細胞壊死），慢性肝炎＋肝硬変（活動性の強い慢性肝炎．肝硬変は大結節性で，間質の幅は種々）などの病型がある（**図 15〜17**）．

銅は肝細胞内にびまん性，あるいは毛細胆管周囲や核周囲に顆粒状に検出される．病変の進行に伴い，肝実質の脱落（肝小葉内や限界板での肝細胞壊死，帯状壊死〜広汎な肝細胞壊死）が生じ，線維化の進展（門脈域の線維性拡大や線維性隔壁形成）があり，リンパ球，形質細胞を中心とした炎症細胞浸潤をみる．肝細胞には脂肪沈着，核の大小不同，核糖原があり，巣状壊死，好酸体もみられる．慢性肝炎，肝硬変になると，肝細胞内の顆粒状の銅沈着が肝内，肝小葉内に不規則に出現する（**図 18**）．肝硬変では一部の再生結節にのみ銅が組織化学的に証明され，ほとんどの再生結節で銅が認められない場合が多い．

【鑑別診断】　二次性・生理的な銅沈着：慢性胆汁うっ滞（原発性胆汁性胆管炎など）で，肝小葉辺縁部の肝細胞の核周辺部に銅顆粒が沈着する．また，生後 6 カ月以内では生理的に小葉辺縁部肝細胞に銅沈着をみる．

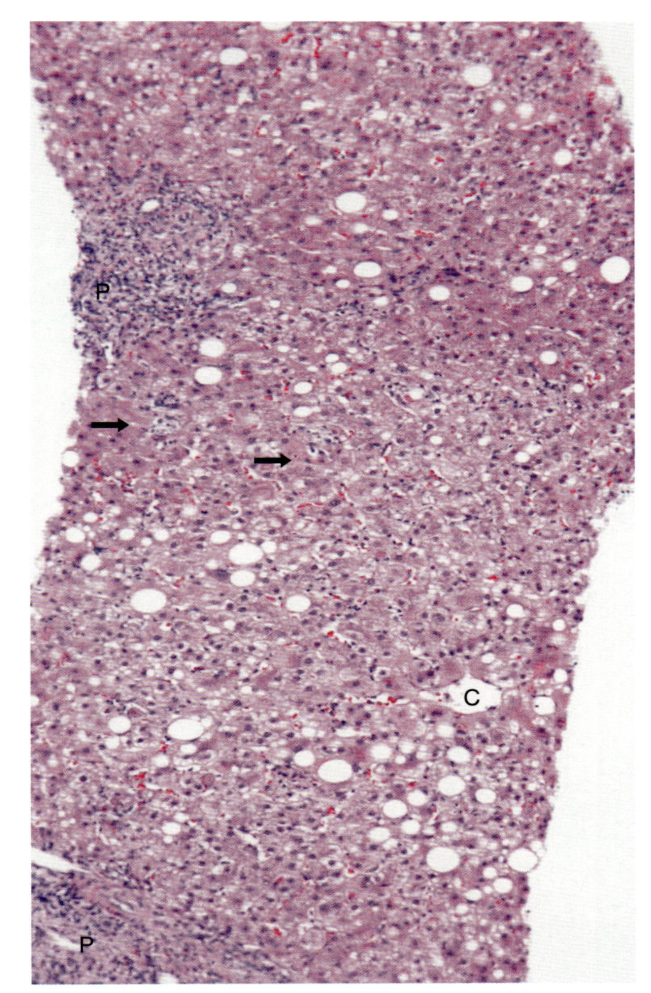

図 19　急性 C 型ウイルス性肝炎．肝小葉内に巣状壊死が多発し（⬆），類洞への炎症性細胞浸潤があり，門脈域（P）にも炎症性細胞の浸潤をみる．C：中心静脈．弱拡大

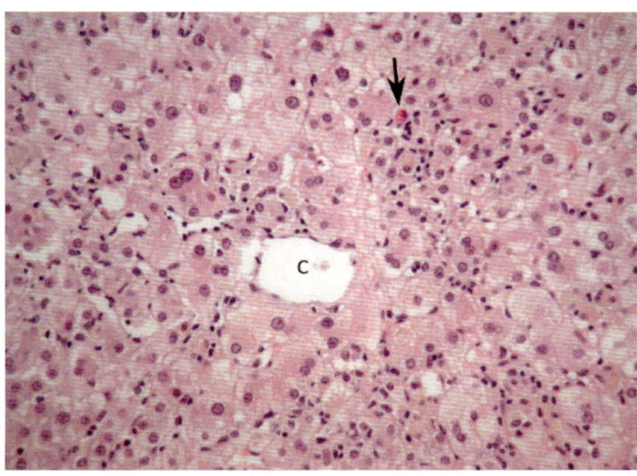

図 20　同前．肝小葉内に巣状壊死が多発し，類洞や門脈域に炎症細胞浸潤を認める．好酸体もみられる（⬆）．C：中心静脈．中拡大

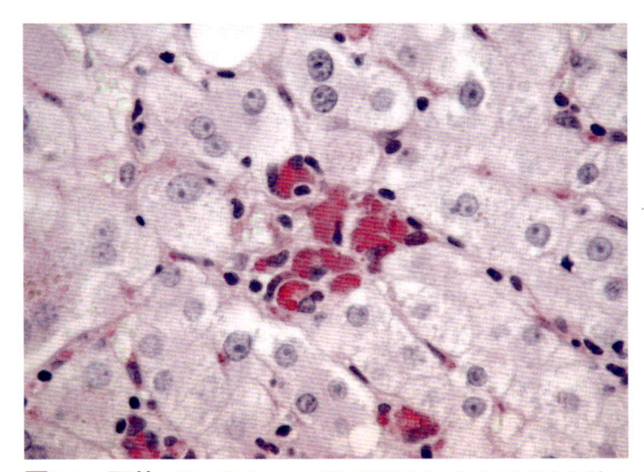

図 21　同前．肝小葉内，および門脈域内に di-PAS 染色陽性の色素貪食細胞を認める．di-PAS 染色．中拡大

肝細胞の腫大，壊死と再生，肝実質と門脈域の炎症反応を特徴とする急性びまん性肝疾患で，点状肝細胞壊死 spotty necrosis 型は古典的急性肝炎とよばれる（**図 19**）．肝細胞は風船状に腫大 ballooning し，肝小葉内に巣状〜単個性肝細胞壊死 focal-spotty necrosis や好酸体 acidophilic body（アポトーシスに陥った肝細胞）が多発する．巣状壊死部では，肝細胞が断裂し，リンパ球と腫大した Kupffer 細胞の集簇をみる．肝小葉全体に腫大した Kupffer 細胞が増加し，褐色色素を貪食し（色素貪食細胞 pigmented macrophage），類洞内にリンパ球浸潤を伴う（**図 20**）．好酸体は隣接する肝細胞から遊離している．これらの変化は肝小葉中心部で目立つ．門脈域内には色素貪食細胞とリンパ球の浸潤がみられ，門脈域は拡大を示す．色素貪食細胞はジアスターゼ消化-PAS（di-PAS）染色で顆粒状に陽性となる（**図 21**）．小葉中心性に胆汁栓や肝細胞内の胆汁色素をみる例がある．肝細胞傷害と並行して小型で淡明な肝細胞の集団状の出現や大小不同の肝細胞や多核の肝細胞も同時にみられる（肝細胞の再生像）．急性肝炎の回復期では壊死・炎症反応は減少し，肝細胞の再生像が目立つ．

【鑑別診断】　薬剤性肝炎：急性ウイルス性肝炎と類似の組織像を呈するものがある．ウイルスマーカー陰性の場合は，薬剤歴の精査が必要である．

肝炎ウイルス以外のウイルスによる肝炎：EB ウイルス，サイトメガロウイルスなどによる肝炎．肝細胞傷害の程度は軽度で，類洞へのリンパ球浸潤が目立つ．

［参考事項］　A，B，C，D，E 型肝炎ウイルスの急性感染で発症．2〜3 カ月の経過で改善し，6 カ月以内に治癒．A 型肝炎では胆汁うっ滞や門脈域へのリンパ球浸潤，B 型肝炎では小葉中心性の壊死・炎症反応が目立つ．急性 C 型肝炎は高率に慢性肝炎に移行．診断には血清学的なウイルスマーカーの確認が必要．

急性ウイルス性肝炎（帯状壊死型，架橋性壊死型）および亜広汎性・広汎性肝壊死 | Acute viral hepatitis with zonal necrosis or bridging necrosis and Submassive or massive hepatic necrosis

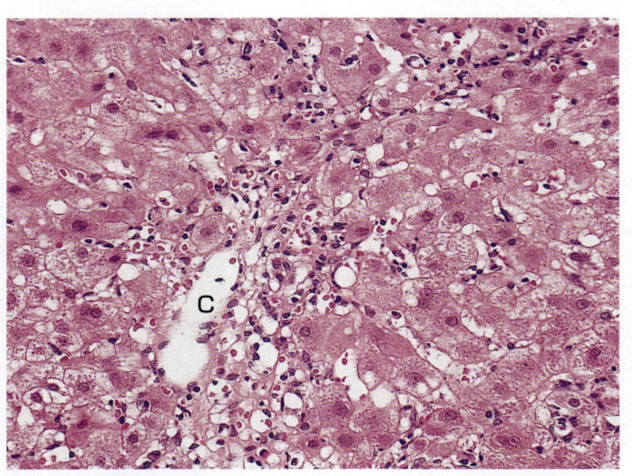

図 22　急性 B 型ウイルス性肝炎．小葉中心部で肝細胞の壊死巣の多発，帯状壊死あり．C：中心静脈．中拡大

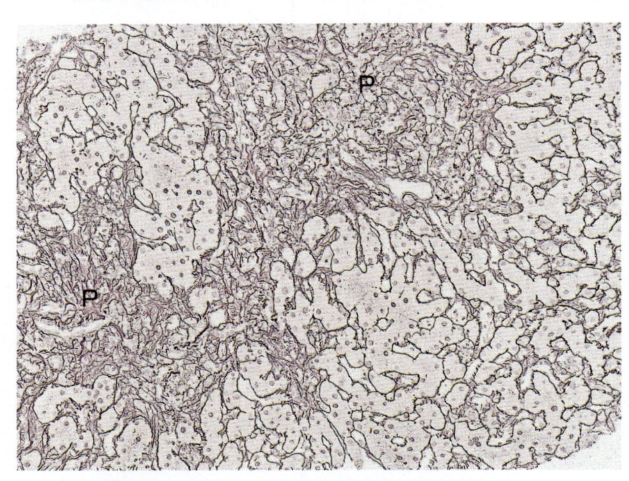

図 23　同前．門脈域と門脈域を結ぶ架橋性の壊死をみる．P：拡大した門脈域．鍍銀染色．弱拡大

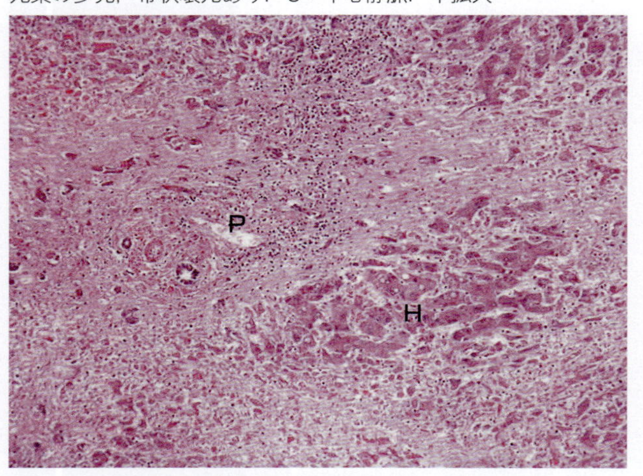

図 24　劇症肝炎（亜広汎性肝壊死）．肝小葉の大半の肝実質は脱落し，一部で残存をみる（H）．P：門脈域

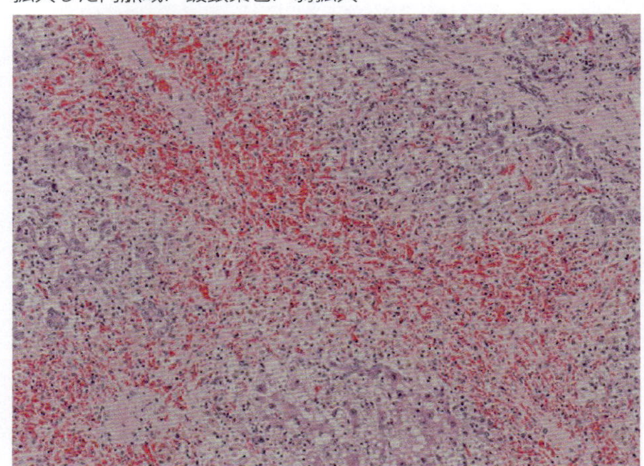

図 25　広汎性肝壊死（劇症肝炎）．肝実質は広汎性壊死に陥り，出血と軽度の細胆管反応をみる．弱拡大

肝細胞壊死が強い例では，巣状壊死に加え，肝小葉中心部あるいは小葉辺縁部の肝細胞が帯状に脱落する（帯状壊死型急性肝炎）（**図 22**）．肝細胞壊死がさらに強い例では，門脈域（P）と門脈域，門脈域と中心静脈（C），中心静脈と中心静脈の間の肝細胞が脱落し，隣接する門脈域や中心静脈域が，橋が架かったように結合する架橋性壊死を呈する（P-P 結合，P-C 結合，C-C 結合）．これを架橋性壊死型急性肝炎とよぶ．鍍銀染色で帯状壊死部や架橋性壊死部での肝細胞の脱落がわかりやすい（**図 23**）．さらに壊死の程度が広汎になると，亜広汎性肝壊死では肝小葉の大半が脱落し（**図 24**），広汎性肝壊死では肝全体の肝小葉のほとんどが脱落する（**図 25**）．これらは臨床的に劇症肝炎の状態である．亜広汎性肝壊死では，種々の程度に肝細胞の再生像がみられる．肝実質の脱落に伴い，肝は種々の程度に萎縮する．そのため，これらの病態は急性肝萎縮，亜急性肝萎縮ともよばれる．

肝細胞脱落部では，リンパ球や腫大した Kupffer 細胞（色素貪食細胞を含む），細胆管の増生などがみられ，出血を伴う場合もある．残存肝実質では急性肝炎や肝細胞再生像の像をみる．

【鑑別診断】　ショック：循環障害などのショック時に，おもに小葉中心性に広汎な肝細胞壊死が起こる．リンパ球を中心とした炎症細胞浸潤が軽微．肝細胞の凝固壊死が目立つ．

慢性肝炎の急性増悪：慢性肝炎の経過中に，急性肝炎に似る肝の壊死・炎症が発生するが，急性肝炎とは区別される．肝細胞の細胞質内にすりガラス状の封入体をみる場合，B 型肝炎キャリアの急性発症と診断される．

［参考事項］　劇症肝炎とは，急激に起こる肝の広汎な壊死に基づく意識障害（肝性昏睡）を主徴とする急性肝不全症状が出現する肝炎．肝ウイルスを含めたウイルス，肝毒性のある薬物や毒性物質の摂取のほか，市販薬や健康食品などでの発症例もある．原因不明例も多い．

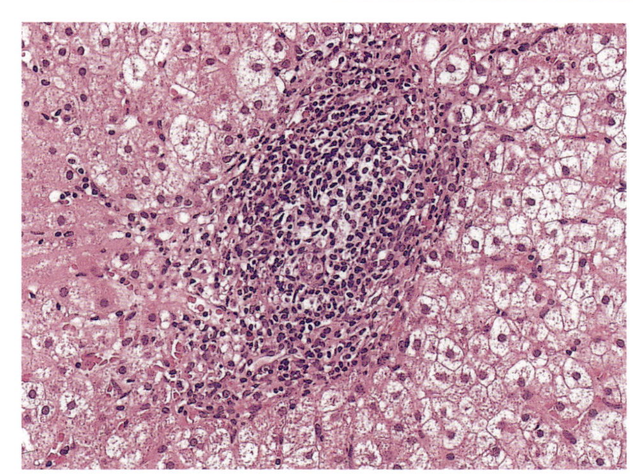

図 26　慢性 C 型肝炎，A1，F1．門脈域にリンパ球の集簇をみる．肝限界板はおおむね保たれている．中拡大

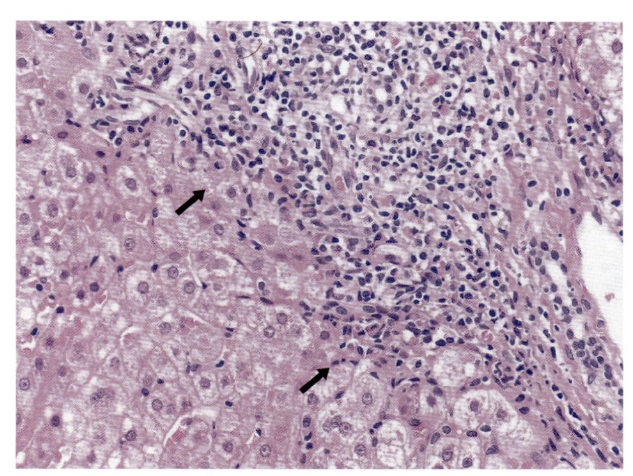

図 27　慢性 C 型肝炎，A2，F3．門脈域は線維性に拡大し，インターフェイス肝炎をみる（⬆）．中拡大

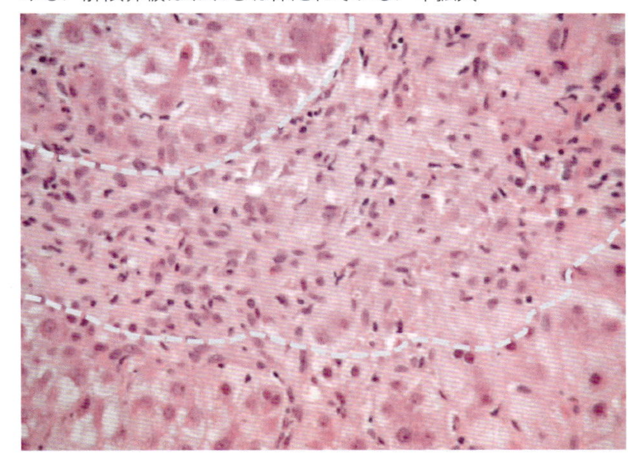

図 28　線維性隔壁の進展．破線で囲った部分で肝細胞が脱落し，線維に置換している．線維化に関与する紡錘形細胞（線維芽細胞，筋線維芽細胞など）がみられる．中拡大

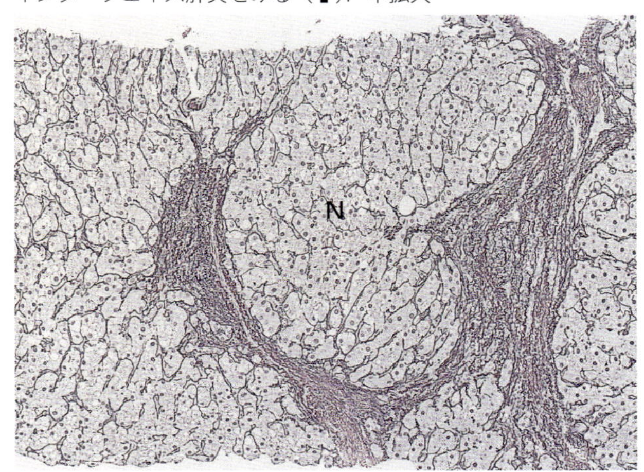

図 29　慢性 C 型肝炎，A2，F3．門脈域の線維性拡大に加え，肝小葉の結節化（N）をみる．鍍銀染色．弱拡大

慢性肝炎は病理学的に門脈域を中心とした炎症（門脈域炎 portal hepatitis）が 6 カ月以上続く疾患で，種々の程度の肝実質の壊死・炎症を伴う．一般的には B，C，D 型肝炎ウイルスの持続感染により生ずる慢性ウイルス性肝炎を指す．門脈域にはリンパ球を中心とした炎症性細胞浸潤があり（**図 26**），線維化も加わり，門脈域が種々の程度に拡大する（**図 27**）．門脈域に面する肝細胞領域の境界部である限界板がリンパ球浸潤により破壊された状態はインターフェイス肝炎 interface hepatitis とよばれる．インターフェイス肝炎は以前にピースミール壊死とよばれていた病態であり，門脈域周辺での細胞障害性 T リンパ球による肝細胞の壊死や肝細胞の腫大，変性，その他の障害を伴う変化である．

肝病変の進展とともに，門脈域周囲の肝実質内に線維化が進展し，線維性隔壁を形成する（**図 28**）．線維性隔壁は，隣接する門脈域や中心静脈域と肝小葉を分断するように進展し，架橋性に連結することで，肝小葉を結節状に取り囲んでいく（**図 29**）．肝小葉内での肝細胞の壊死・炎症性変化（肝細胞の巣状壊死や，好酸体の出現，Kupffer 細胞の腫大・増生，類洞内へのリンパ球浸潤など）もみられ，インターフェイス肝炎とともに慢性肝炎の活動性の指標となる．肝細胞障害と並行して，肝細胞の不規則な再生像が出現する．肝の壊死炎症反応と肝細胞の再生の持続と肝実質内の線維性隔壁の進展で，再生結節が形成され，肝硬変へと進展する．

［参考事項］　わが国では，慢性肝炎は肝炎ウイルスの持続感染に伴う例を指すが，国際的には，自己免疫性肝炎，原因不明の慢性肝炎，ウィルソン病にみられる慢性肝炎も含める．

肝炎ウイルス健康キャリア healthy carrier　HBV 感染マーカーが陽性だが，肝炎症状や所見をほとんど認めない例．C 型肝炎でも健康キャリア（HCV 陽性で肝組織像が正常）が存在する．

慢性ウイルス性肝炎の分類（病期および活動度）| Chronic viral hepatitis（staging and grading）

表1　慢性肝炎の肝組織診断基準–新犬山分類–

慢性肝炎とは臨床的には6カ月以上の肝機能検査値の異常とウイルス感染が持続している病態をいう．組織学的には門脈域にリンパ球を主体とした細胞浸潤と線維化を認め，肝実質内には種々の程度の肝細胞の変性・壊死所見を認める．そして，その組織所見は線維化と壊死・炎症所見を反映させ，各々線維化（staging）と活動性（grading）の各段階に分け表記する．

【staging】
線維化の程度は門脈域より線維化が進展し小葉が改築され肝硬変へ進展する段階を線維化なし（F0），門脈域の線維性拡大（F1），bridging fibrosis（F2），小葉のひずみを伴う bridging fibrosis（F3）までの4段階に区分する．さらに結節形成傾向が全体に認められる場合は肝硬変（F4）と分類する．

【grading】
壊死・炎症所見はその程度により活動性なし（A0），軽度活動性（A1），中等度活動性（A2），高度活動性（A3）の4段階に区分する．すなわち，活動性の評価は piecemeal necrosis（インターフェイス肝炎），小葉内の細胞浸潤と肝細胞の変性ならびに壊死（spotty necrosis，bridging necrosis など）で行う．

【付記】
F0：線維化なし　　A0：壊死・炎症所見なし
F1：門脈域の線維性拡大　　A1：軽度の壊死・炎症所見
F2：線維性架橋形成　　A2：中等度の壊死・炎症所見
F3：小葉のひずみを伴う線維性架橋形成　　A3：高度の壊死・炎症所見
F4：肝硬変

（犬山シンポジウム記録）

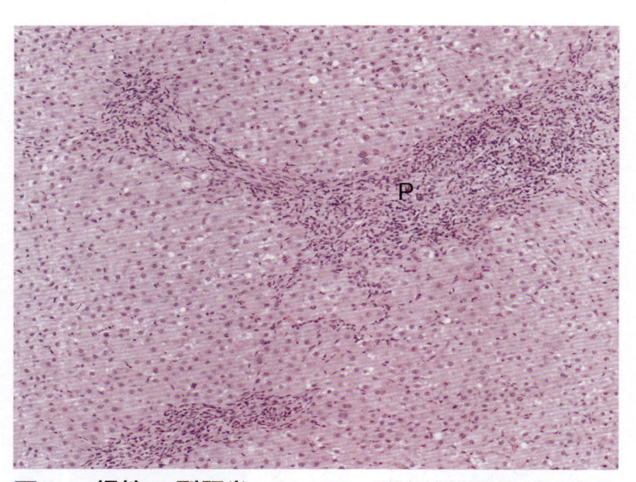

図30　慢性C型肝炎，A2，F3．門脈域は細胞性，線維性に軽度拡大し，線維性隔壁形成をみる．P：門脈域．弱拡大

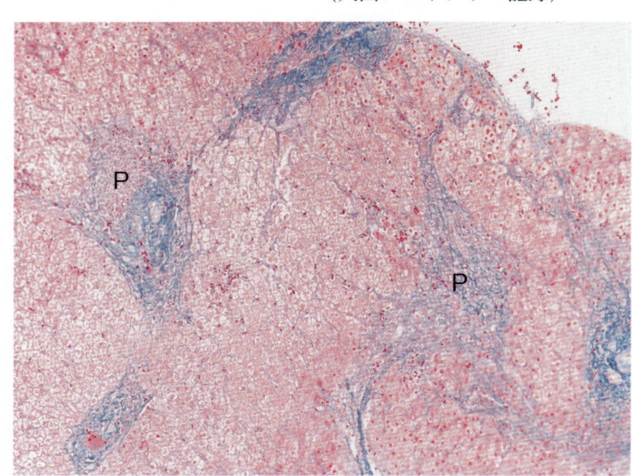

図31　同前．門脈域は細胞性，線維性に軽度拡大し，線維性隔壁形成をみる．P：門脈域．Masson．弱拡大

慢性肝炎は従来，慢性持続性肝炎 chronic persistent hepatitis と慢性活動性肝炎 chronic active hepatitis に分類されていた．慢性持続性肝炎は軽度の門脈域の拡大を示すが，ピースミール壊死を伴わない軽度の慢性肝炎であり，肝硬変への進展の可能性が低いとされた．一方，慢性活動性肝炎は門脈域の進行性の拡大と線維性隔壁の進展を示し，さらにピースミール壊死を伴う肝硬変へ進展しやすい型とされていた．そしてこれらの分類は慢性肝炎の病態および予後判定に用いられていた．

しかし，C型肝炎ウイルス（HCV）の発見や抗ウイルス薬の開発と進歩に伴い，慢性肝炎の進展には病理形態像より病因が深く関係することが明らかとなり，慢性肝炎の分類は変更された．つまり，慢性肝炎の病理組織像を基に，慢性肝炎は活動度や進展度で示され，病態の把握や治療効果の判定に用いられている．慢性肝炎は現在，病因，壊死・炎症の活動度（grading あるいは activity）と病期（staging あるいは fibrosis）で評価されており，わが国では新犬山分類が一般的に用いられている（**表1**）．

慢性肝炎の活動度はインターフェイス肝炎や肝小葉内での壊死・炎症反応（肝小葉炎）および門脈域の炎症（門脈域炎）の程度を総合して4段階に評価される（A0：壊死・炎症所見なし，A1：軽度の壊死・炎症所見，A2：中等度の壊死・炎症所見（**図30**），A3：高度の壊死・炎症所見）．進展度（病期）は肝線維化と肝葉構造の変化により5段階で評価される（F0：線維化なし，F1：門脈域の線維性拡大，F2：線維性架橋形成，F3：小葉のひずみを伴う線維性架橋形成（**図31**），F4：肝硬変）．F4は肝硬変であり，肝全体にびまん性の再生結節の出現を伴う．

［参考事項］　病期と活動度　現在多くの慢性肝疾患（アルコール性肝疾患，原発性胆汁性胆管炎など）では病期と活動度で病態の理解が試みられている．

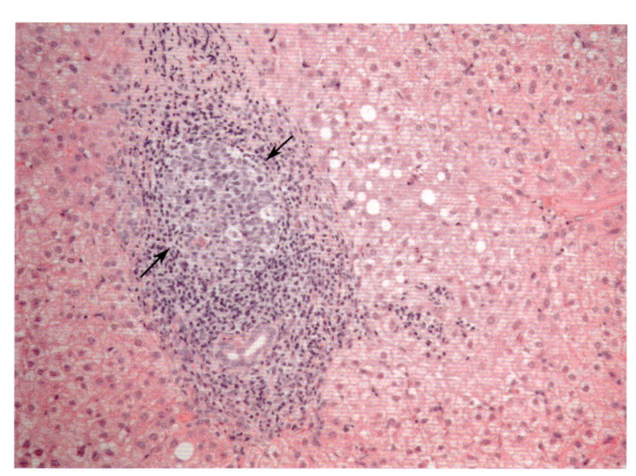

図 32　慢性 C 型肝炎，A1，F1．門脈域は細胞性，線維性に軽度拡大している．リンパ球の集簇がみられ，胚中心の形成を伴うリンパ濾胞（⬆）を形成する

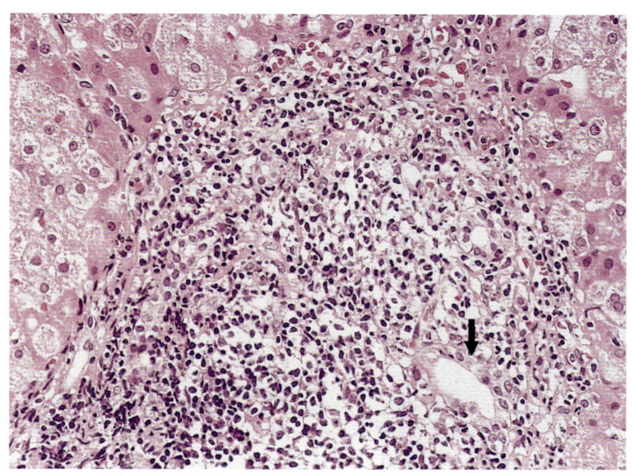

図 33　慢性 C 型肝炎．門脈域にリンパ球の浸潤と，小葉間胆管の障害像（肝炎性胆管障害）をみる（⬆）．弱拡大

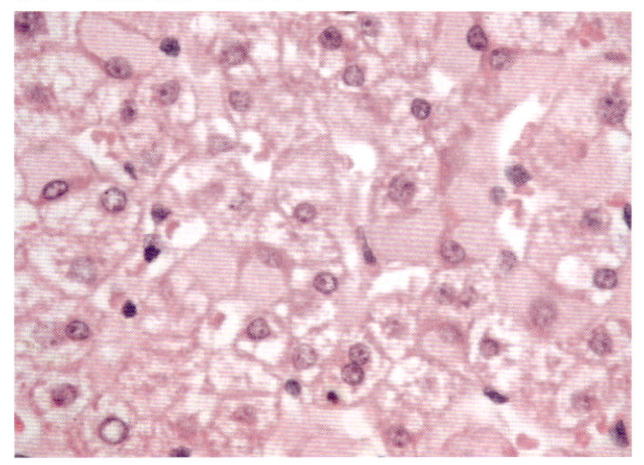

図 34　慢性 B 型肝炎．肝細胞の細胞質に，ground glass appearance とよばれるすりガラス状の封入体を認める．強拡大

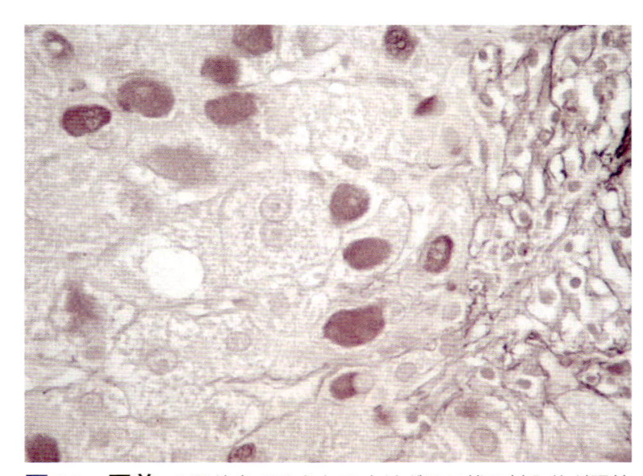

図 35　同前．HE 染色でみられるすりガラス状の封入体が陽性となる．オルセイン染色．強拡大

慢性 C 型肝炎　C 型肝炎ウイルス（HCV）の持続感染による慢性肝炎であり，門脈域にリンパ濾胞やリンパ球集簇を高率にみる（**図 32**）．病期の早い段階では肝実質の壊死・炎症反応は比較的弱いが，病期の進展とともに壊死炎症反応が目立つようになる．門脈域ではリンパ球浸潤に加え，小葉間胆管の障害像がしばしばみられ，肝炎性胆管障害とよばれるが，胆管消失はみられない（**図 33**）．また，肝細胞に大滴性および小滴性の脂肪沈着が出現するものもある．肝臓での鉄の含有量が増加し，その結果生じたフリーラジカルによって組織傷害が引き起こされる可能性が指摘されており，実際に肝細胞や Kupffer 細胞にヘモジデリン沈着がみられる．HCV 感染では 60〜70%が慢性化するが，抗ウイルス薬の目覚ましい進歩で，ウイルスの排除が高率に成功するようになった．ウイルスが排除されると，炎症は軽快し，いったん形成された線維化もある程度は改善するが，高度に進展した肝硬変では回復は困難である．ウイルスが排除されても癌化のリスクはゼロにはならない．

慢性 B 型肝炎　B 型肝炎ウイルス（HBV）の持続感染による慢性肝炎であり，進展例では肝細胞性ディスプラジアや肝細胞の不規則再生像が目立つ．急性増悪時に肝小葉内での急性肝炎様の肝細胞の脱落があり，帯状・架橋性の壊死もみられる（色素貪食細胞も出現）．HE 染色で肝細胞の細胞質に HBs 抗原がすりガラス状の封入体として認められ，ground glass appearance とよばれる（**図 34**）．この封入体はオルセイン染色で陽性となる（**図 35**）．青年期や成人期に HBeAg 抗原の seroconversion を伴う急性肝炎様の病態が生じ，活動性の慢性肝炎が持続する例と，肝炎が鎮静化する例がある．出生時や小児期に HBV に感染すると慢性化するが，成人期での感染では慢性化しない例が多い．なお，B 型肝炎のキャリアの急性発症では HBs 抗原の封入体がみられる．

【鑑別診断】　肝細胞のすりガラス状封入体は薬物性肝障害（シアナミドなど）や糖原病Ⅳ型でもみられるので注意が必要である．

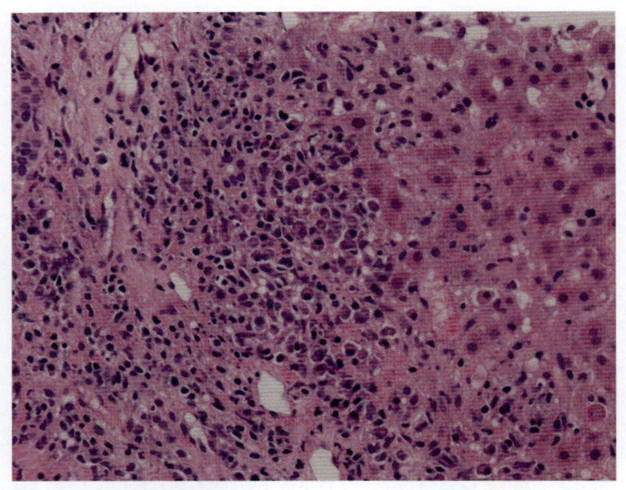

図 36 自己免疫性肝炎．インターフェイス肝炎がみられる．形質細胞浸潤が目立つ．中拡大

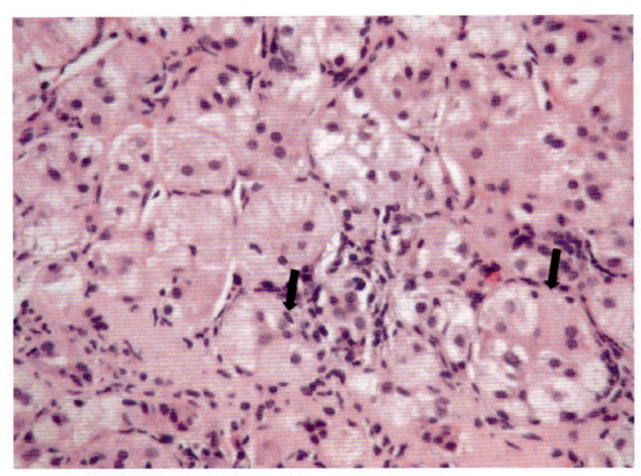

図 37 同前．肝細胞のロゼット配列をみる（⬆）．中拡大

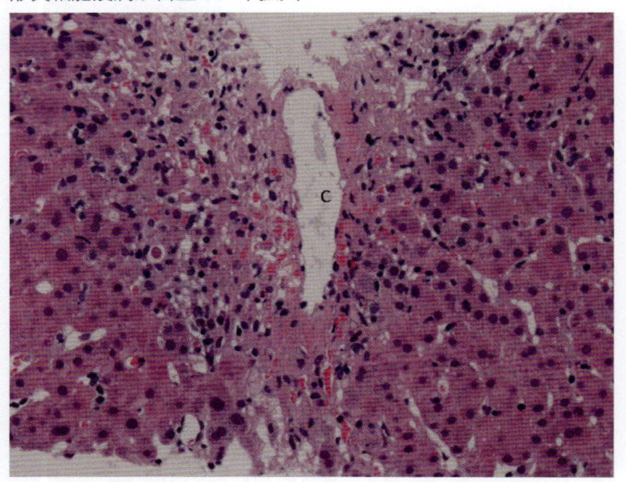

図 38 同前．中心静脈周囲の肝細胞脱落像をみる．C：中心静脈．中拡大

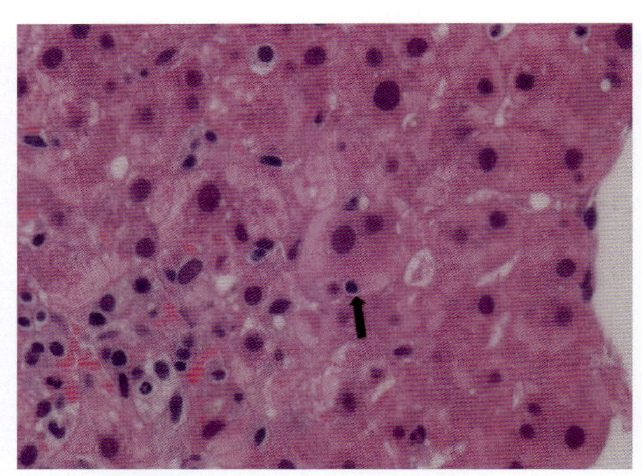

図 39 同前．肝細胞の胞体内にリンパ球が侵入している（⬆）．emperipolesis とよばれる．強拡大

自己免疫性肝炎（AIH）は，自己免疫機序を介した肝細胞障害の発症と持続による慢性活動性肝炎である．中年以降の女性に好発し，男女比は1：6である．慢性活動性肝炎から肝硬変への進展が速く，近年では急性肝炎の症例も増加し，急性肝不全を呈する症例もある．臨床診断は，基本的には除外診断であり，既知の肝炎ウイルスやアルコール，薬剤，代謝性，ほかの自己免疫疾患に基づく肝障害などを除外し，血清IgG値や抗核抗体（ANA）などをスコア化した診断基準が使われているが，急性肝炎や急性肝不全症例では基準を満たさないものも多い．免疫抑制薬による治療が有効である．

AIHの基本像はインターフェイス肝炎を伴う慢性活動性肝炎であり，リンパ球や形質細胞浸潤を伴う門脈域の線維性拡大や，肝実質での多発性の巣状壊死，色素貪食細胞の出現，類洞内のリンパ球浸潤などが特徴的である（**図36**）．インターフェイス肝炎部には線維隔壁内に取り残された肝細胞が管状に配列する肝細胞ロゼットがしばしば認められる（**図 37**）．中心静脈周囲の肝細胞の脱落像 centrilobular necrosis（**図 38**）や肝細胞の敷石状配列なども特徴的である．胆管障害は基本的にはないが，肝炎性の胆管障害像 hepatitis bile duct injury が認められることがあり，注意を要する．肝細胞内にリンパ球が侵入する像emperipolesisも特徴的とされている（**図39**）．

【鑑別診断】　B型とC型の慢性肝炎の鑑別：血清中のウイルスマーカーや肝組織でのウイルス関連抗原の免疫染色や肝炎ウイルスの核酸の検出で最終的に鑑別される．HBs抗原はオルセイン染色で陽性となり，簡便に検出される．

PBC-AIH オーバーラップ症候群：PBC（☞ p.276）とAIHの両方の病態が同時性に，あるいは異時性に存在する症例は，従来PBC-AIHオーバーラップ症候群とよばれてきたが，最近の国際AIHグループからの報告により，その実態はAIH様変化が顕在化したPBC（PBC with feature of AIH）であると結論づけられている．

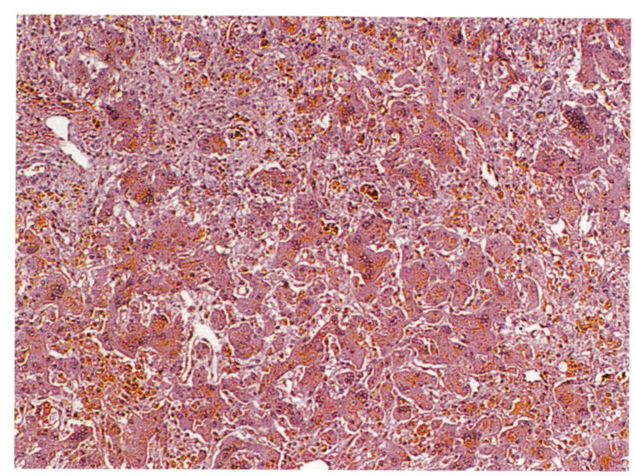

図40 新生児肝炎．門脈域に炎症性細胞浸潤と線維化を認め，肝細胞は腫大し多核となっている．中拡大

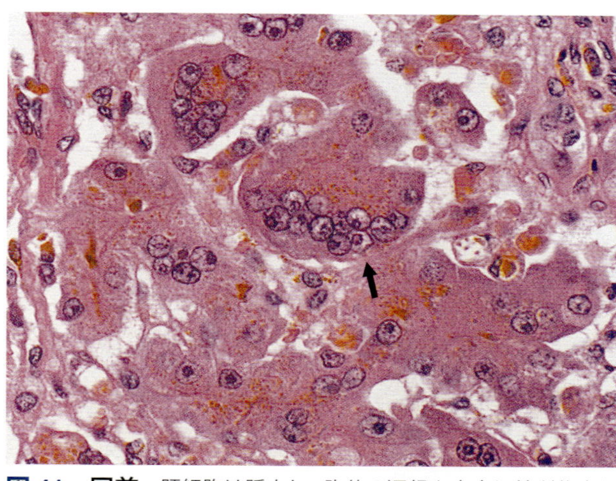

図41 同前．肝細胞は腫大し，胞体の辺縁や中央に核が集合している（⬆）．胆汁色素の沈着が著明．強拡大

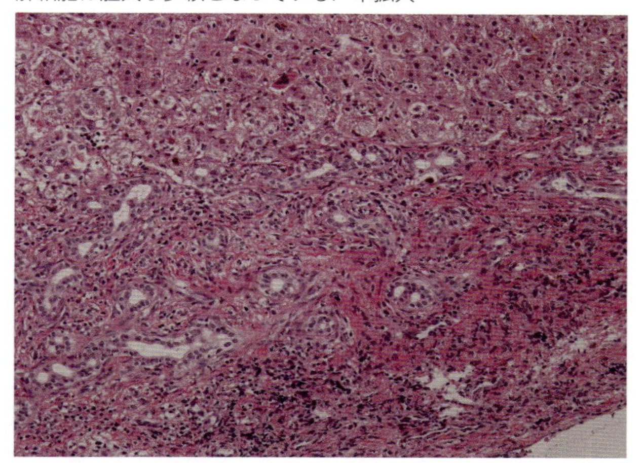

図42 胆道閉鎖症．門脈域の炎症，線維化，胆管の増生をみる．中拡大

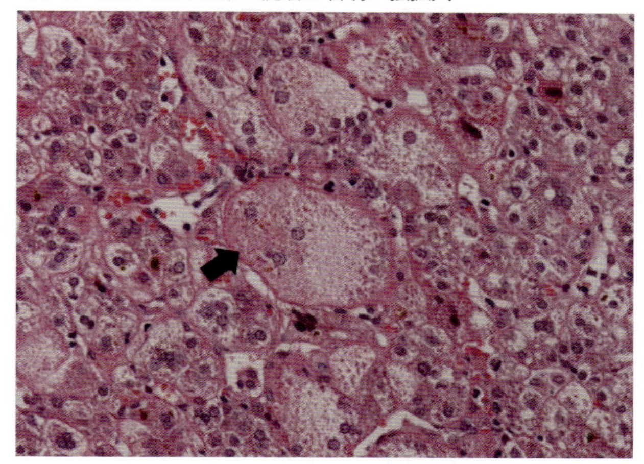

図43 同前．肝実質に多核巨肝細胞（⬆）が認められる．強拡大

新生児肝炎　新生児期にみられる肝炎で，肝細胞は腫大し，肝細胞の巨大化，多核化がみられ（**図40，41**），肝細胞索の配列は乱れている．多核細胞では4個～数十個の核を含む．これらの肝細胞の胞体は好酸性で，胆汁色素やヘモジデリン顆粒をみることがある．多核の巨肝細胞は肝小葉全体にびまん性に出現する場合や，部分的に出現する場合があり，肝小葉中心部に目立つ．患者の加齢とともに多核巨肝細胞は減少する．肝細胞の好酸体や多核巨肝細胞の壊死もみられる．高度の胆汁うっ滞，髄外造血，Kupffer細胞の腫大や炎症細胞浸潤がみられ，門脈域に単核細胞浸潤をみる．慢性化例では門脈域の線維化や線維性隔壁形成をみる．

【鑑別診断】　新生児胆汁うっ滞性疾患 neonatal cholestasis：新生児期に種々の原因による胆汁うっ滞性疾患があり，新生児肝炎との組織学的な鑑別が必要となる．

胆道閉鎖症 biliary atresia：肝外胆管，肝内の大型胆管の硬化性炎と消失を伴う疾患で，肝実質では胆汁栓や多核巨肝細胞，門脈域の炎症，胆管の増生を認める（**図42，43**）．胆道造影や手術による胆道閉塞や狭窄の証明が必要である．

アラジール症候群 alagille syndrome：肝内胆管系の消失を伴い，胆汁うっ滞をきたす胆汁栓が形成され，多核化した巨肝細胞もみられる．

シトルリン血症：新生児肝内胆汁うっ滞を発症する．

［参考事項］　新生児肝炎　新生児期～乳児期にみられる肝炎で，ウイルス感染（サイトメガロウイルス，ルベラウイルス，HBV，単純ヘルペスウイルスなど）が原因と考えられているが，単一の原因による疾患ではなく，遺伝性を示す症例もある．半数以上の例では原因が不明．

肝細胞の巨細胞化 giant cell transformation　乳児のほとんどの胆汁うっ滞性の肝疾患で出現する．肝細胞の分裂異常や肝細胞癒合が原因と考えられている．

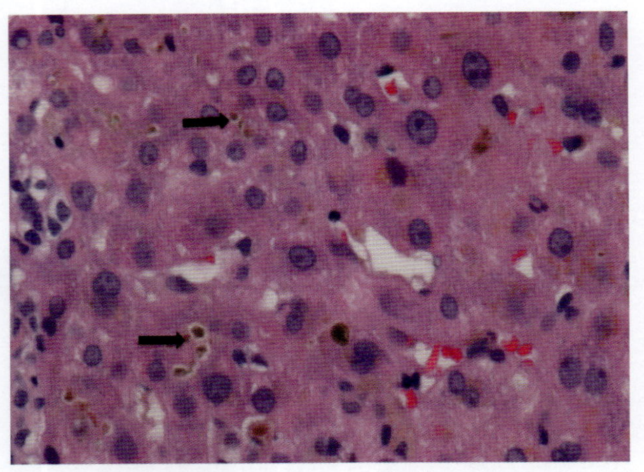

図 44　薬剤性肝障害（胆汁うっ滞型）．肝細胞内胆汁色素と毛細胆管内胆汁栓（⬆）をみる

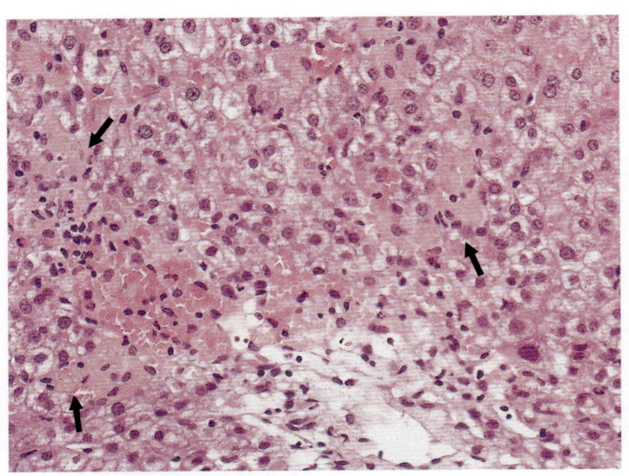

図 45　薬剤性肝障害（肝炎型）．小葉中心性に帯状壊死（⬆），色素貪食細胞をみる．中拡大

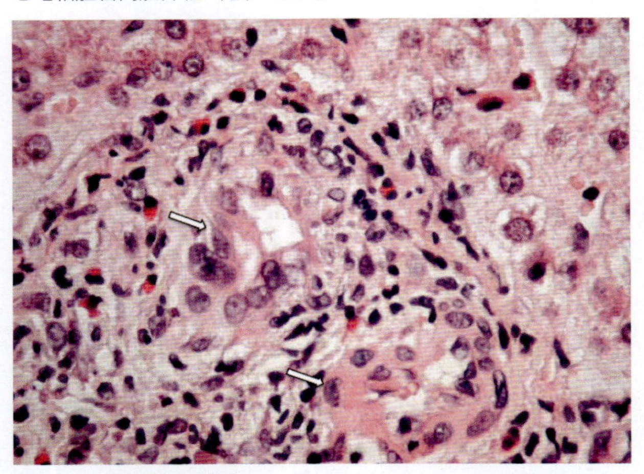

図 46　薬剤性肝障害．門脈域に好酸球を伴う炎症細胞浸潤がみられ，小葉間胆管の障害像（⬆）を伴う．強拡大

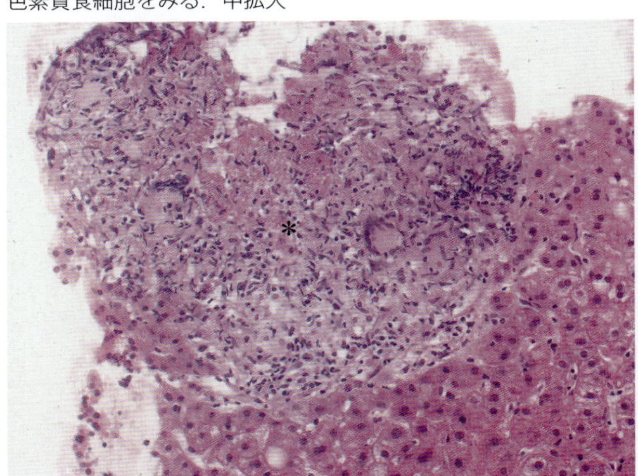

図 47　同前．類上皮肉芽腫（＊）および軽度の脂肪沈着をみる．強拡大

薬物服用に伴う副作用で，ほとんどのヒト固有の疾患（腫瘍性疾患を含む）に類似する肝病変を呈しうる．以下の２型が代表的である．

胆汁うっ滞型　急性の胆汁うっ滞所見（肝小葉中心性の胆汁栓 bile plug，Kupffer 細胞の胆汁色素の貪食，肝細胞内での胆汁色素の沈着）がみられる（**図 44**）．炎症性変化を伴わない純粋な胆汁うっ滞型 pure cholestatic type と門脈域や肝実質内に軽度の炎症（Kupffer 細胞の腫大や類洞内へのリンパ球浸潤），肝細胞壊死，細胆管増生などの肝炎像を伴う型（胆汁うっ滞＋肝炎混合型 combined cholestatic and hepatitic type）がある．肝細胞の脂肪沈着や好酸球の浸潤を伴うことが多い．

肝炎型　急性ウイルス性肝炎に似る．肝細胞の腫大や巣状壊死，好酸体の出現，Kupffer 細胞の腫大と増生をみる．門脈域に炎症反応を認める例と認めない例がある．肝細胞壊死の程度が強い場合，小葉中心性に肝細胞の帯状の脱落があり，色素貪食細胞が出現する（**図 45**）．肝細胞の凝固壊死を示す例もある．好酸球の浸潤をみる例が多い．

【鑑別診断】　薬剤歴や臨床病歴を考慮し，鑑別診断を行う．以下の所見は薬剤性肝障害で出現しやすい．①小葉中心部（zone 3）の打ち抜き状の帯状肝細胞壊死，②肝実質炎や肝細胞脱落をみるが，門脈域の炎症反応や細胆管反応が非常に弱い，あるいはない，③門脈域に好酸球や好中球の浸潤が目立つ，④肝内の小型胆管や細胆管に種々の障害像がみられる（**図 46**），⑤門脈域内および肝実質内での類上皮肉芽腫の形成（**図 47**）がみられる，⑥肝細胞への脂肪沈着．

［参考事項］　薬剤性肝障害には用量依存型と，ごく一部の患者に発生する特異体質型があり，臨床的には後者が多い．薬物性肝障害の診断は，薬物服用との因果関係の証明が重要である．わが国での起因薬物は抗菌薬，鎮痛・解熱・抗炎症薬などのほか，漢方薬や健康食品など多岐にわたる．

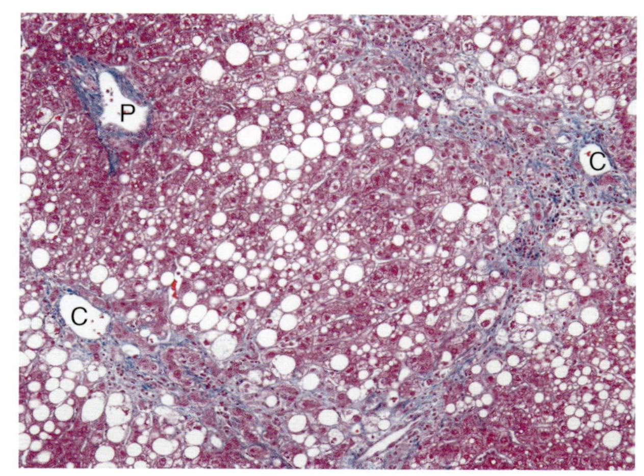

図48　アルコール性肝線維症．小葉中心性に線維化（C）をみる．P：門脈域．アザン・マロリ染色．中拡大

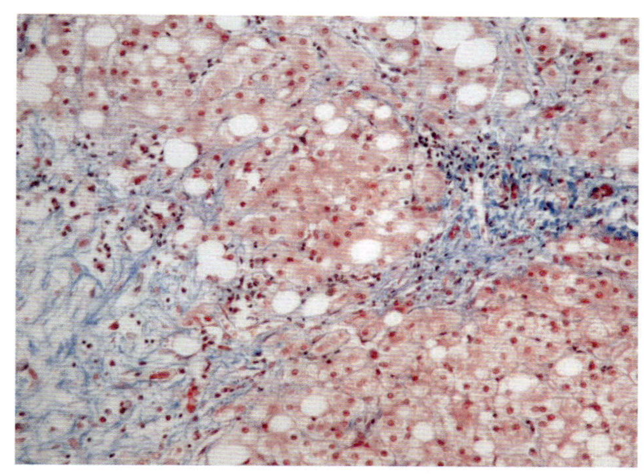

図49　同前．中心静脈周囲～肝細胞周囲に繊細な線維化が進展している．アザン・マロリ染色．中拡大

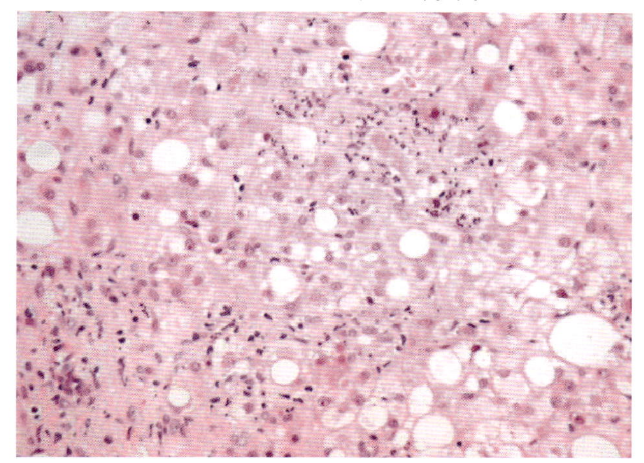

図50　アルコール性肝炎．肝細胞の風船状腫大，脂肪沈着，肝細胞壊死，好中球の浸潤がみられる．中拡大

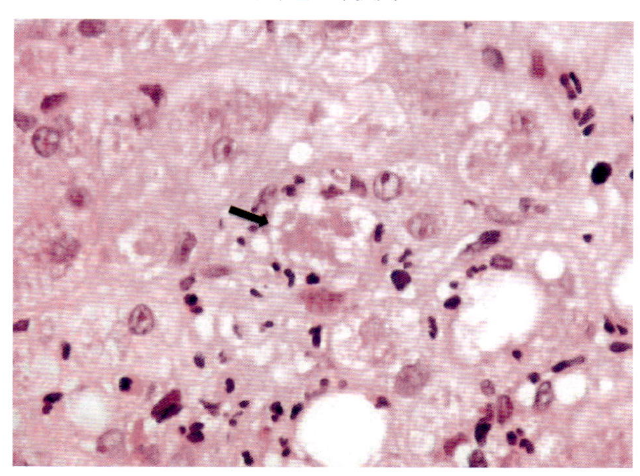

図51　同前．好酸性の封入体であるMallory-Denk体が出現する（⬆）．好中球浸潤もみられる．強拡大

アルコール性脂肪肝 alcoholic fatty liver　肝細胞の脂肪化は多くの場合，アルコール性肝障害の初期から出現する．通常は肝小葉中心領域に優勢に，おもに中性脂肪からなる大滴性の脂肪変性が出現する．脂肪化により腫大した肝細胞は，ときに破裂して脂肪肉芽腫 lipogranuloma を形成する．なお，脂肪化所見は2週間程度の断酒でほぼ消退するが，飲酒を継続した場合は線維化から肝硬変へと進行する可能性がある．

アルコール性肝線維症 alcoholic liver fibrosis　肝小葉中心性に肝細胞周囲性線維化 pericelular fibrosis や小葉中心性線維化 perivenular fibrosis がみられ，肝細胞の障害と脱落を伴う（**図48，49**）．門脈域の変化は相対的に軽度で，硬化像や門脈域辺縁への線維化をみる．線維化が進展する例では，隣接する中心静脈域相互，あるいは中心静脈域と門脈域の線維性結合が出現し，肝小葉を分断し，アルコール性肝硬変へと進展する．アセトアルデヒドや過酸化脂質などの刺激による伊東細胞（肝星細胞）の活性化・増殖が関与すると考えられている．肝細胞の再生像に乏しく，肝細胞に脂肪沈着をみる．炎症性細胞浸潤に乏しいが，軽度の好中球浸潤をみる．

アルコール性（脂肪性）肝炎 alcoholic steatohepatitis　アルコール性肝線維症や肝硬変を背景に大量の飲酒により発症する．肝細胞の風船状腫大，脂肪沈着，肝細胞壊死，好中球の浸潤が特徴で，腫大した肝細胞には好酸性の封入体であるMallory-Denk体が出現する（**図50，51**）．これらの炎症性障害像は小葉中心部で顕著である．アルコール性肝炎を繰り返し，肝硬変へ進展する．

［参考事項］　アルコール性肝疾患　長期に及ぶ大量飲酒に伴う一連の肝疾患で，エタノールの中間代謝産物（特にアセトアルデヒド）による肝細胞障害が重要．純アルコールで男性30 g/日，女性20 g/日以上の飲酒量でアルコール性肝障害を発症しうる．飲酒量の性差は，女性ではエストロゲンなどの作用により，少量の飲酒でアルコール性肝障害をきたすためである．

非アルコール性脂肪性肝疾患および非アルコール性脂肪肝炎（1）｜Nonalcoholic fatty liver disease and Nonalcoholic steatohepatitis（1）

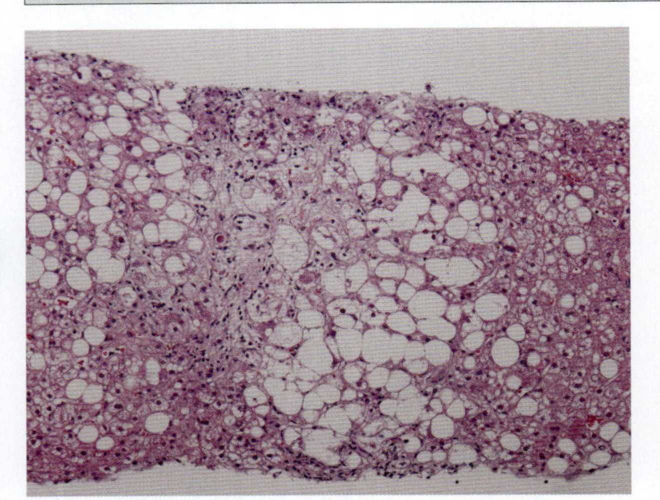

図 52　非アルコール性脂肪肝炎．小葉中心部に強く，大滴性の脂肪変性が認められる．肝細胞の腫大や変性，壊死や線維化を認める．中拡大

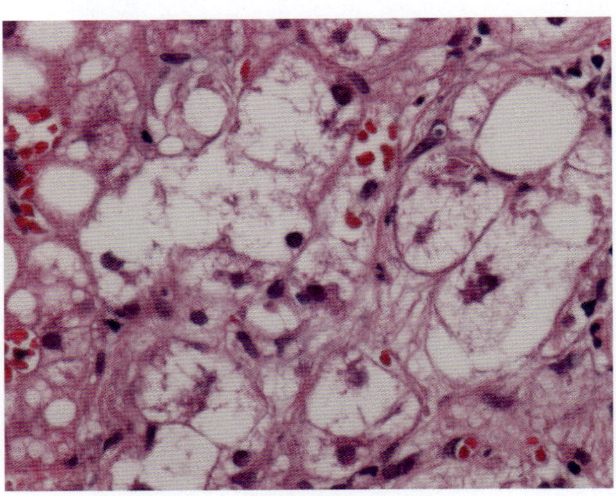

図 53　非アルコール性脂肪肝炎：ballooning．肝細胞は丸みを帯びて腫大し，淡明で，粗く不均一な顆粒状変化を認める．少量の脂肪滴が含まれることもある．このような変化をballooning（風船状腫大）とよぶ．強拡大

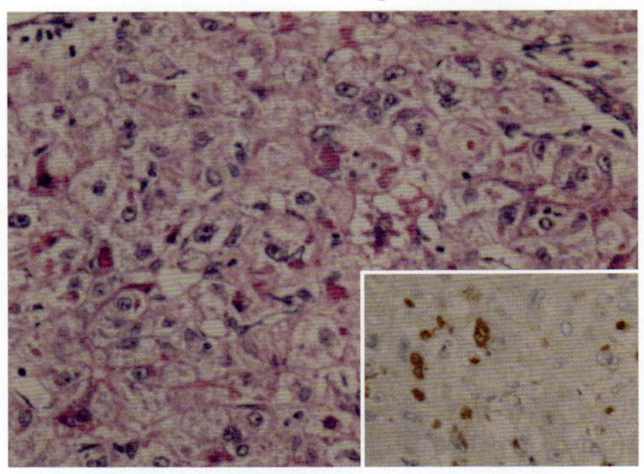

図 54　非アルコール性脂肪肝炎：Mallory-Denk 体．肝細胞内に好酸性の不整形の封入体が認められる．ユビキチンやp62の免疫染色によって陽性となる．**挿入図**：p62免疫染色．中拡大

脂肪性肝疾患 fatty liver disease は，肝細胞におもに中性脂肪が沈着して肝障害をきたす疾患の総称である．脂肪性肝疾患は大きく，アルコール性脂肪性肝疾患と非アルコール性脂肪肝疾患（NAFLD）に分類される．NAFLD は，組織学的に大滴性の脂肪変性を基盤に発症し，病態が進行することのまれな非アルコール性脂肪肝 nonalcoholic fatty liver（NAFL）（単純性脂肪肝 simple steatosis ともよぶ）と，肝細胞変性・壊死・炎症や線維化を伴い肝硬変や肝細胞癌に進行することのある非アルコール性脂肪肝炎（NASH）に大別される（**図 52**）．NASH は NAFLD 全体の 1～2 割である．

NASH の病理診断には，肝細胞風船様変性 ballooning, Mallory-Denk 体，脂肪化，線維化を正しく評価することが重要である．

ballooning　病理学的に水腫変性，空胞変性，淡明化ともいわれる．代謝障害や炎症，循環障害による細胞の変性所見である（**図 53**）．肝細胞マーカーであるサイトケラチン（CK）8/18 の免疫染色を行うと，正常の肝細胞は細胞質がびまん性に陽性となるが，ballooning を示す肝細胞は陰性となるため，脂肪化を示す肝細胞などとの鑑別が容易となる．

Mallory-Denk 体　ユビキチン化された細胞骨格の1つである中間径フィラメントの異常な凝集物からなる．HE 染色で好酸性に染色される不整形，芋虫様の封入体で，アルコー

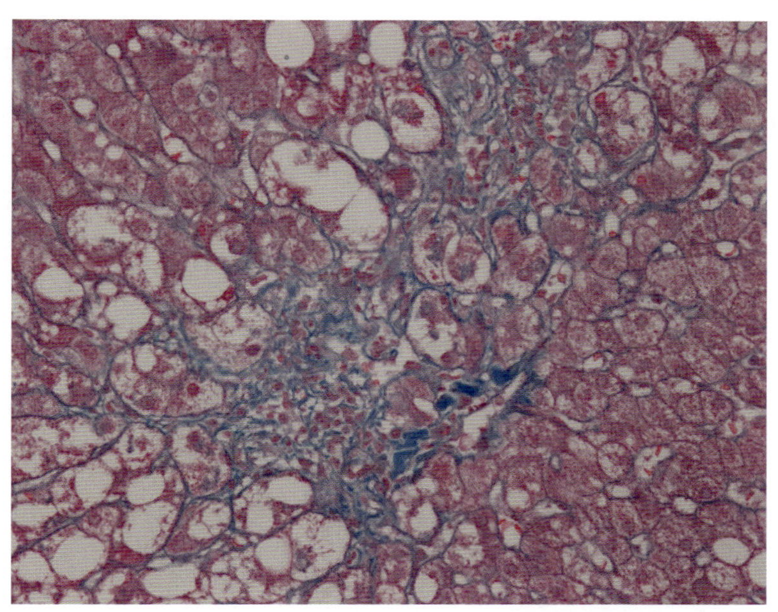

図 55　非アルコール性脂肪肝炎．小葉中心部に繊細な線維化が認められる．肝細胞の腫大や脂肪沈着を認める．アザン・マロリ染色．中拡大

ル性肝炎，NASH のほか，肝癌や原発性胆汁性胆管炎，ウィルソン病などにも出現する（**図 54**）．ユビキチンや p62 の免疫染色で陽性となる．

脂肪化　肝細胞の 5%以上に脂肪滴を認めれば脂肪肝と診断する．脂肪化の分布は不均一なことが多いため，弱拡大で全体を評価する．細胞内の脂肪滴の多くは大滴性であるが，小滴性脂肪変性も評価の対象とする．

線維化　Masson trichrome 染色，アザン・マロリ染色，elastica van Gieson（EvG）染色，鍍銀染色などの特殊染色を行うと評価がしやすい．中心静脈周囲から，肝細胞を縫うように繊細な線維化が進展することが多い（**図 55**）．

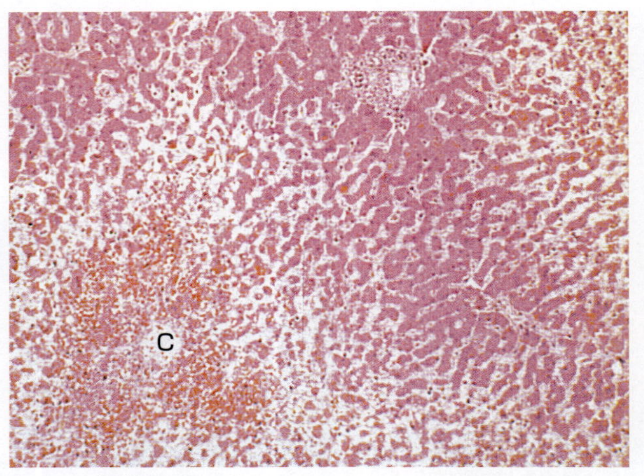

図 56　急性肝うっ血．中心静脈（C）周囲の類洞は拡張し，うっ血と出血を示す．弱拡大

図 57　肉ずく肝 nutmeg liver．暗赤色を呈する小葉中心部と，周辺部の色調の違いにより，網目状の特有の像を呈す．**挿入図**：肉ずく（ナツメグ）種子の割面像

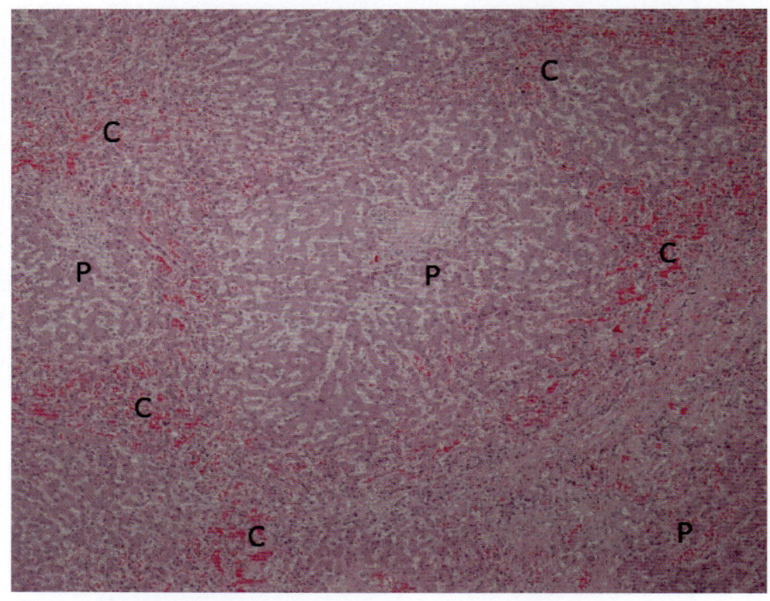

図 58　慢性肝うっ血．小葉中心性の肝細胞脱落，線維化とうっ血を示す．肝小葉の逆転がみられる．P：門脈域，C：中心静脈．弱拡大

急性および慢性のうっ血性心不全，バッド・キアリ症候群 Budd-Chiari syndrome（肝外静脈の血栓形成や膜様閉塞）などの肝静脈系流出障害に伴い，肝にうっ血が生ずる．

急性うっ血　急性例では肝小葉中心部で目立つうっ血（類洞が拡張し，同部に多数の赤血球をみる）があり，同部の肝細胞の萎縮・脱落をみる（**図 56**）．線維化は目立たない．

慢性うっ血　肉眼的に肝は色調の違いによる網目状の特有の像を呈し，肉ずく肝 nutmeg liver とよばれる（**図 57**）．肝小葉中心部でのうっ血と類洞の拡張と線維化があり，肝細胞索は萎縮する．小葉周辺部ではうっ血が乏しく，脂肪沈着や肝細胞の過形成像をみることがある．小葉中心性の肝細胞周囲性の線維化や肝細胞の脱落の結果，中心静脈域からの線維化が進展し（心原性肝線維症 cardiac sclerosis），隣接する中心静脈域間の線維性架橋が生じる．門脈域は相対的に変化に乏しい．このため，肝小葉の中心部に門脈域が分布する形となり，正常の肝小葉構造のパターンが逆転したように見える（肝小葉の逆転 reversed hepatic lobule）（**図 58**）．炎症性細胞浸潤は乏しい．まれに肝硬変にまでいたる例がある．

類洞閉塞症候群 sinusoidal obstruction syndrome（SOS）小葉中心部の肝類洞内皮，中心静脈および小葉下静脈の内皮

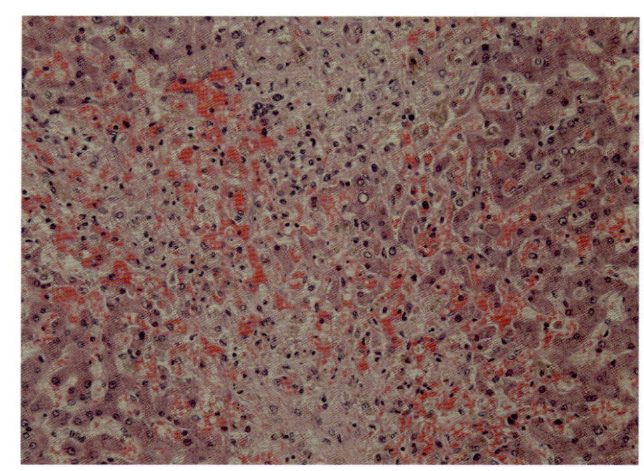

図 59　肝静脈閉塞性疾患．中心静脈の狭小化や閉塞を認め，小葉中心部の肝細胞の脱落やうっ血を認める．中拡大

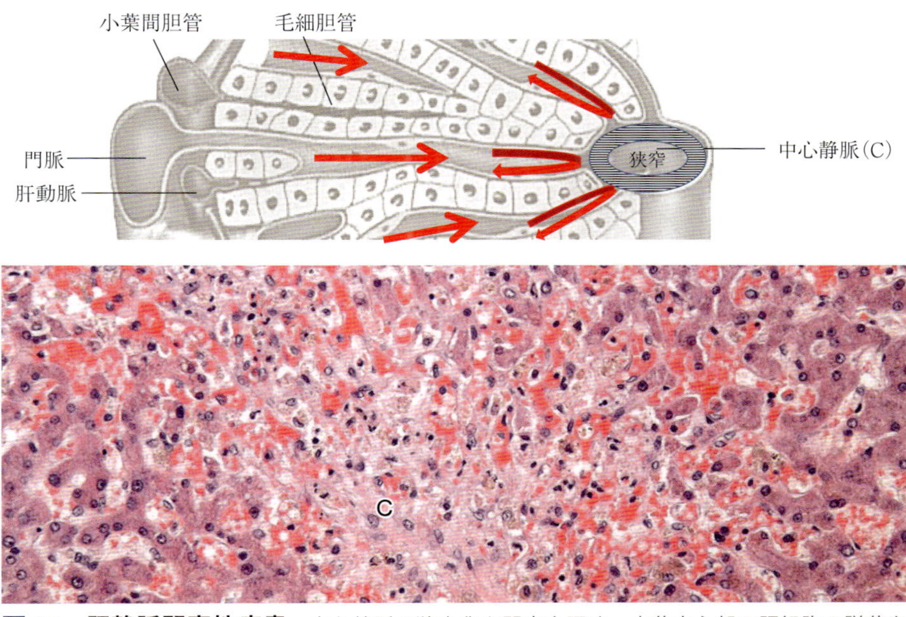

図 60　肝静脈閉塞性疾患．中心静脈の狭小化や閉塞を認め，小葉中心部の肝細胞の脱落やうっ血を認める．C：中心静脈．中拡大

障害のため，小葉中心部のうっ血や肝細胞の脱落，中心静脈や小葉下静脈の内腔の狭小化や潰れが発生する（**図 59**）．元来はアルカロイド属の摂取によって生じる小静脈の線維性閉塞によって特徴づけられる疾患であったが，現在では，肝臓の放射線照射やアルキル化薬の副作用として生じる同様の病態も含まれる．中心静脈，小葉下静脈も同時に障害されるため**肝静脈閉塞性疾患** veno–occlusive disease（VOD）ともよばれる．内皮細胞は核が腫大し，しばしば剝離している．炎症性細胞浸潤や血栓形成は認められない．内膜下には細網線維の増生がみられる．中心静脈周囲には，出血を伴う高度のうっ血，肝細胞の萎縮や壊死を認める（**図 60**）．

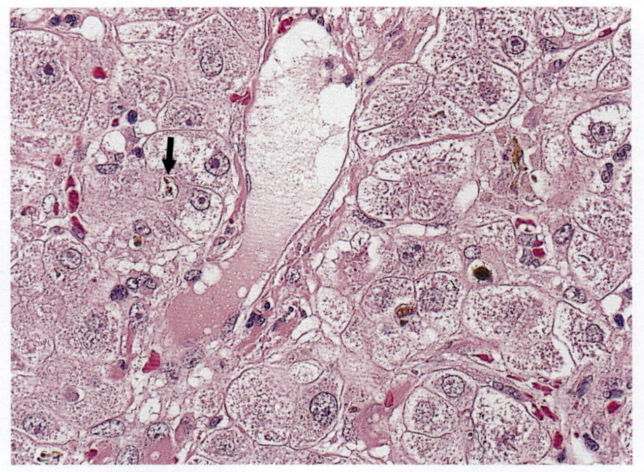

図 61　閉塞性黄疸．肝小葉中心部の胆汁栓（⬆），胆汁色素の沈着，Kupffer 細胞の胆汁色素貪食をみる．強拡大

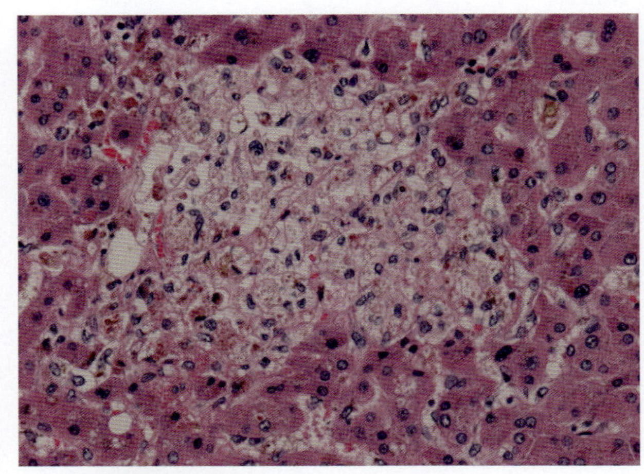

図 62　同前．肝細胞内，および Kupffer 細胞内に胆汁色素沈着がみられ，毛細胆管内の胆汁栓もみられる．肝細胞は網状壊死を示す．中拡大

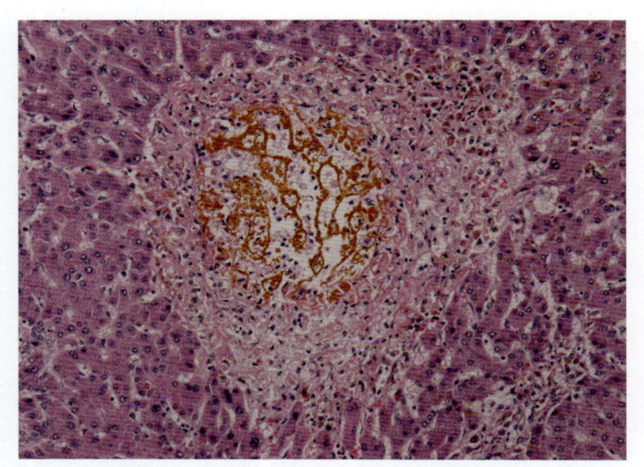

図 63　同前．小型胆管が破綻し，胆汁が逸脱して胆汁湖 bile lake を形成する．中拡大

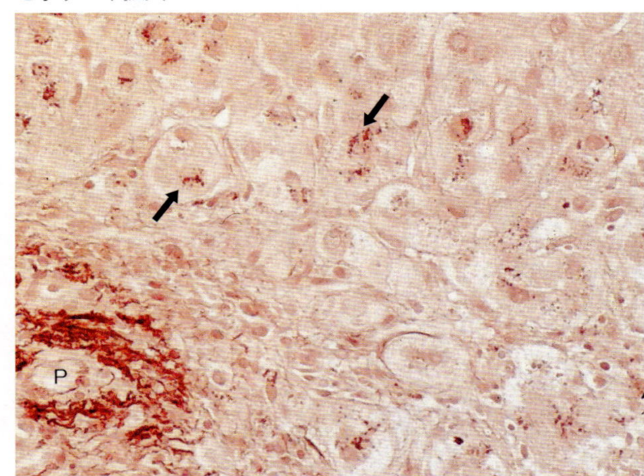

図 64　同前．門脈域周辺の肝細胞胞体へのオルセイン陽性顆粒（銅顆粒）の沈着（⬆）．P：門脈域．オルセイン染色

腫瘍，胆石，胆管炎などにより肝内大型胆管や肝外胆管に機械的な閉塞や狭窄が生じ，そのために発生する胆汁うっ滞 cholestasis．胆管の細菌感染を伴うことが多い．

急性期（急性胆汁うっ滞）　主として小葉中心部の胆汁うっ滞（肝細胞内および Kupffer 細胞内の胆汁色素沈着，毛細胆管内の胆汁栓）がみられ，細胆管内にも胆汁栓をみる（**図 61**）．毛細胆管の破綻に伴い小集団状の肝細胞壊死（網状変性 feathery degeneration）（**図 62**）や胆管周囲の好中球浸潤がみられ，小型胆管が破綻し，胆汁が逸脱し胆汁湖（bile lake）を形成する（**図 63**）．

慢性期（慢性胆汁うっ滞）　胆汁うっ滞が遷延し，胆汁成分の貯留に伴い小葉辺縁部の肝細胞の傷害と脱落が生ずる．慢性胆汁うっ滞を反映する変化として，小葉辺縁部の肝細胞で銅顆粒の沈着，Mallory-Denk 体形成，細胆管増生，肝細胞の腫大が出現する．これに伴い，門脈域の密な線維化や線維性隔壁が形成され（胆汁性肝線維症），肝小葉が分断され，改築され，胆汁性肝硬変へと進展する．肝細胞の再生像に乏しい．

【鑑別診断】　胆汁うっ滞：本来，十二指腸に排泄される胆汁が肝細胞レベルでの排泄障害，あるいは胆道系の閉塞・狭窄の結果として，肝内，胆管内，血中に貯留する状態．

薬剤性胆汁うっ滞：薬物性肝障害の 1 つで，一過性に経過する症例と胆管消失を伴い，慢性に経過する症例がある．

［参考事項］　胆管消失症候群　原因のいかんを問わず，肝内胆管の広汎な消失の結果発生する病態の総称名で，胆汁うっ滞所見が出現する．

銅顆粒の沈着　体内に吸収された銅の多くは胆汁中に排泄される．したがって，胆汁うっ滞が慢性化すると肝細胞内に銅が貯留する．銅結合蛋白であるメタロチオネインと結合し，リソソーム内に貯留し，オルセイン染色で簡便に染色される（**図 64**）．

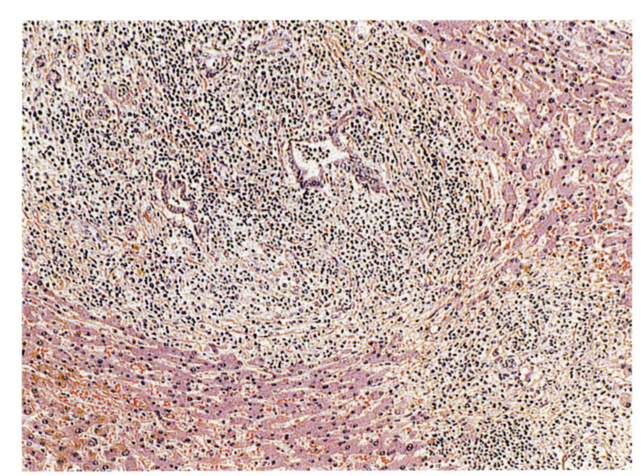

図 65　化膿性胆管炎と肝膿瘍． 胆管周囲性の炎症（上方）および膿瘍（下方）を認める．弱拡大

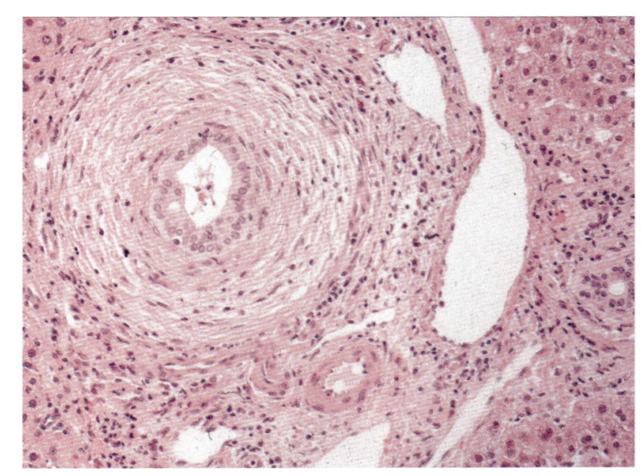

図 66　原発性硬化性胆管炎． 小葉間胆管周囲に浮腫状の輪状線維化をみる．中拡大

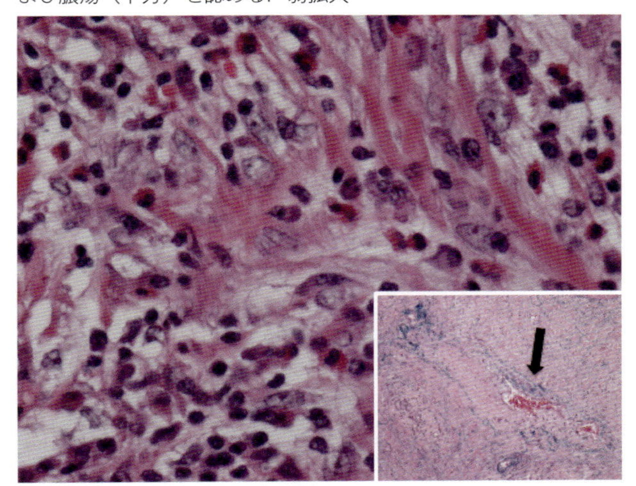

図 67　IgG4 関連硬化性胆管炎． 多数の形質細胞浸潤がみられる．これらの多くは IgG4 が陽性である．強拡大．**挿入図**：閉塞性静脈炎（⬆）も認められる．ビクトリア・ブルー染色

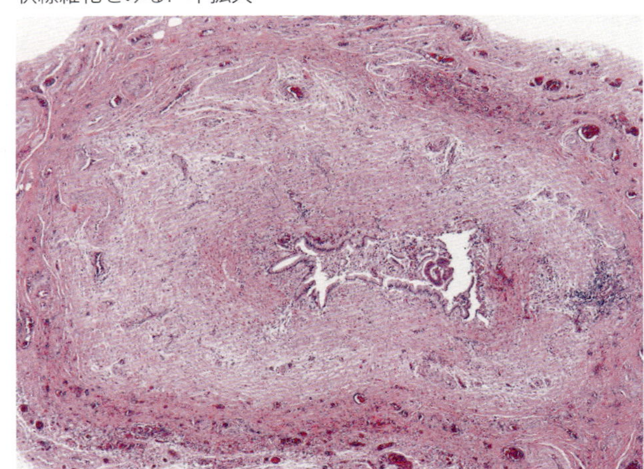

図 68　胆道閉鎖症． 総胆管の高度の線維化と内腔の狭小化をみる．弱拡大

化膿性胆管炎　肝外胆管や肝門部大型胆管の閉塞や狭窄に伴い二次的に発生する胆管炎．肝内胆管は拡張し，内腔に好中球が充満する．胆管を中心に浮腫状変化があり，好中球浸潤を伴う（化膿性胆管炎）．上行性胆管炎 ascending cholangitis ともよばれる．胆管上皮の種々の破壊，増殖性変化をみる．

胆管炎性肝膿瘍 cholangitic abscess　化膿性胆管炎に関連して，胆管壁が破れ胆管中心の膿瘍を形成する（**図 65**）．この変化は周囲肝実質に及び，肝実質の破壊を伴う．膿瘍は顕微鏡レベルから肉眼レベルまでのものがある．膿瘍が遷延すると周囲に肉芽組織（膿瘍壁 abscess wall）が形成される．

硬化性胆管炎　肝内外胆管の線維化，慢性炎症細胞浸潤を伴い，胆管内腔の狭小化や拡張を伴う病変の総称名であり，原因が不明なものは原発性硬化性胆管炎 primary sclerosing cholangitis（PSC）とよばれる（**図 66**）．原因がある程度推定できるものは二次性硬化性胆管炎 secondary sclerosing cholangitis とよばれ，胆管の不完全な閉塞や狭窄に続発する例，細菌感染が遷延する例が知られている．

IgG4 関連硬化性胆管炎　IgG4 陽性形質細胞浸潤が目立つ IgG4 関連硬化性胆管炎が注目されている．多くは自己免疫性膵炎を合併している．胆管壁全層性のびまん性炎症と胆管壁の肥厚が特徴であり，閉塞性静脈炎もみられる（**図 67**）．

［参考事項］　血行性膿瘍は門脈系，全身循環系での菌血症の結果，肝に膿瘍形成をみる．しばしば多発性．アメーバ性膿瘍は急性期の腸アメーバ症を経てアメーバが経門脈的に肝に感染し，膿瘍を形成する．

胆道閉鎖症 biliary atresia は胎生後期や生後まもなく発生する肝外胆管，肝内胆管の進行性の破壊，閉塞．ウイルス感染が原因と考えられている．慢性胆汁うっ滞の組織像を示す．新生児期には多数の巨核肝細胞の出現をみる．胆道閉塞部は硬化性胆管炎の像であり（**図 68**），炎症細胞浸潤，線維化，胆管上皮の壊死や障害像をみる．

原発性胆汁性胆管炎（肝硬変）（初期および肝硬変期）（1） | Primary biliary cholangitis（cirrhosis）（early stage and cirrhotic stage）（1）

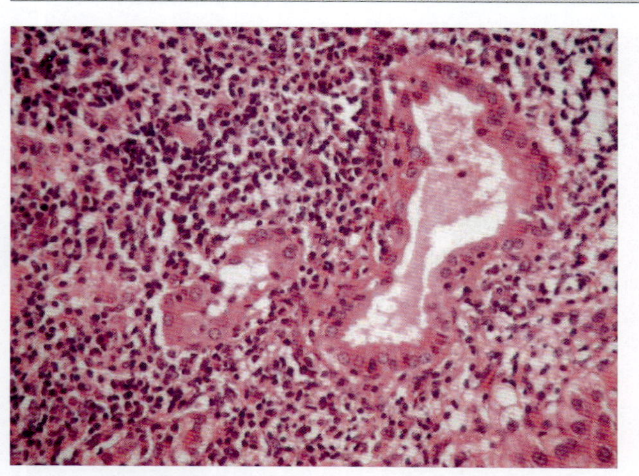

図 69　原発性胆汁性胆管炎．慢性非化膿性破壊性胆管炎（CNSDC）．小葉間胆管の変性破壊像と，周囲へのリンパ球，形質細胞浸潤が認められる．中拡大

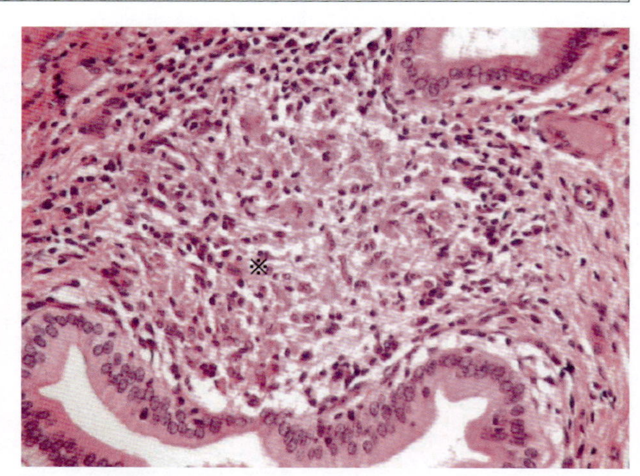

図 70　同前．傷害胆管周囲には類上皮肉芽腫（※）が認められる．中拡大

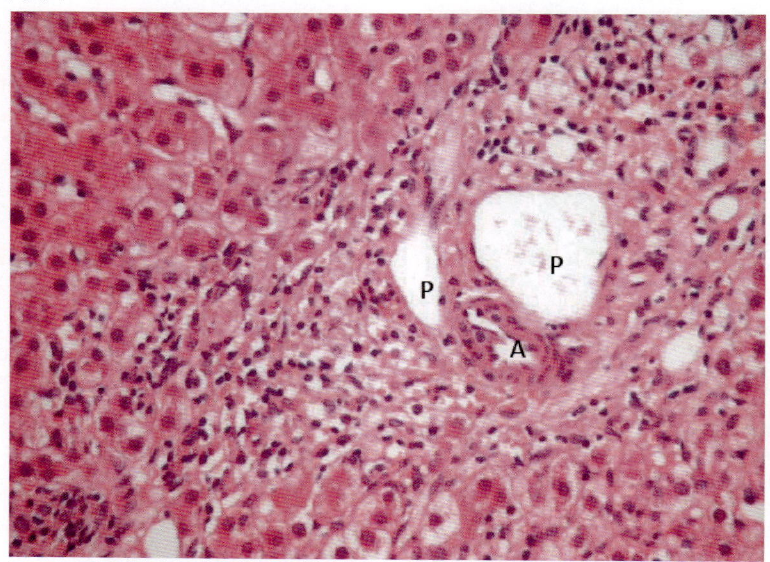

図 71　同前．門脈域に小葉間胆管が認められない（胆管消失）．P：門脈，A：肝動脈．中拡大

原発性胆汁性胆管炎 primary biliary cholangitis（PBC）は，以前は原発性胆汁性肝硬変 primary biliary cirrhosis（PBC）とよばれていた疾患である．最近では肝硬変までいたらないうちに発見される症例がほとんどであり，無症候性の患者も多いことから病名が変更された．

PBC の初期病変は肝内の小葉間胆管の慢性炎症と破壊である．傷害胆管では上皮の多層化，腫大や好酸性変化があり，破壊性変化が同時にみられる．傷害胆管周囲にリンパ球・形質細胞が密に浸潤し，リンパ球の胆管上皮層内への侵入像をみる．このような胆管病変は慢性非化膿性破壊性胆管炎 chronic nonsuppurative destructive cholangitis（CNSDC）とよばれる（**図 69**）．好酸球浸潤もしばしば認められる．CNSDC のような強い炎症を伴う門脈域に隣接して，変化に乏しい門脈域がみられることがあり（skip lesion），生検のような小さな材料で診断する際には注意を要する．また，類上皮細胞肉芽腫が傷害胆管の周囲にしばしばみられる（**図 70**）が，数個の類上皮細胞からなる小型の肉芽腫もみられる．病態の進行に伴い，次第に小葉間胆管の破壊が進行し，胆管が消失した門脈域も出現する（**図 71**）．胆管消失に続発して，慢性の肝内胆汁うっ滞が出現する．種々の程度の肝実質炎が同時にみられる．

PBC の組織学的な病期の活動度分類として，厚生労働省研

表2　PBCの壊死・炎症の活動度（厚生労働省ガイドライン2017年）

胆管炎の活動度 cholangitis activities（CA）	
胆管炎がない，あるいは軽度の胆管上皮障害をみる	CA0（no activity）
軽度ではあるが明瞭な慢性胆管炎を1カ所にみる	CA1（mild activity）
軽度ではあるが明瞭な慢性胆管炎を2カ所以上にみる	CA2（moderate activity）
CNSDCを少なくとも1カ所にみる	CA3（marked activity）
肝炎の活動度 hepatitis activities（HA）	
インターフェイス肝炎がない．小葉炎はないか，軽微	HA0（no activity）
インターフェイス肝炎が1/3以下の門脈域の周辺肝細胞（10個以下）にみられる．軽度～中等度の小葉炎をみる	HA1（mild activity）
インターフェイス肝炎が2/3以上の門脈域の周辺肝細胞（10個前後）にみられる．軽度～中等度の小葉炎をみる	HA2（moderate activity）
半数以上の門脈域の多くの周辺肝細胞にインターフェイス肝炎をみる．中等度～高度の小葉炎，あるいは架橋性，帯状の肝細胞壊死をみる	HA3（marked activity）

（Hiramatsu K, Aoyama H, Zen Y, et al. Proposal of a new staging and grading system of the liver for primary biliary cirrhosis. Histopathology 2006；49：466-478）
（Nakanuma Y, Zen Y, Harada K, et al. Application of a new histological staging and grading system for primary biliary cirrhosis to liver biopsy specimens：Interobserver agreement. Pathol Int 2010；60（3）：167-174）

究班で作成された分類（**表2，3**）が一般的に用いられている．

【鑑別診断】　原発性硬化性胆管炎 primary sclerosing cholangitis（PSC）：肝内外胆管系が障害される胆道系疾患で，胆管の線維化，非特異的な慢性炎症が特徴であり，胆管の破壊も生ずる．潰瘍性大腸炎に合併することが多い．

［参考事項］　PBCの臨床症状　中高年の女性に好発する自己免疫性肝疾患．血中に抗ミトコンドリア抗体（抗M2抗体，抗PDC-E2抗体）が特異的，かつ高率に出現し，血中IgMも高値となる．自己免疫疾患と考えられており，現在，肝胆道系の症状のない無症候性PBC患者が多く見つかっている．

表3　PBCの病期分類（厚生労働省ガイドライン2017年）

（胆管消失（スコア0-3）と胆汁うっ滞（スコア0-3）と線維化（スコア0-3）のスコア合計）

病期（Stage）	スコアの合計
Stage 1　進展なし	0
Stage 2　軽度進展	1～3
Stage 3　中等度進展	4～6
Stage 4　高度進展	7～9

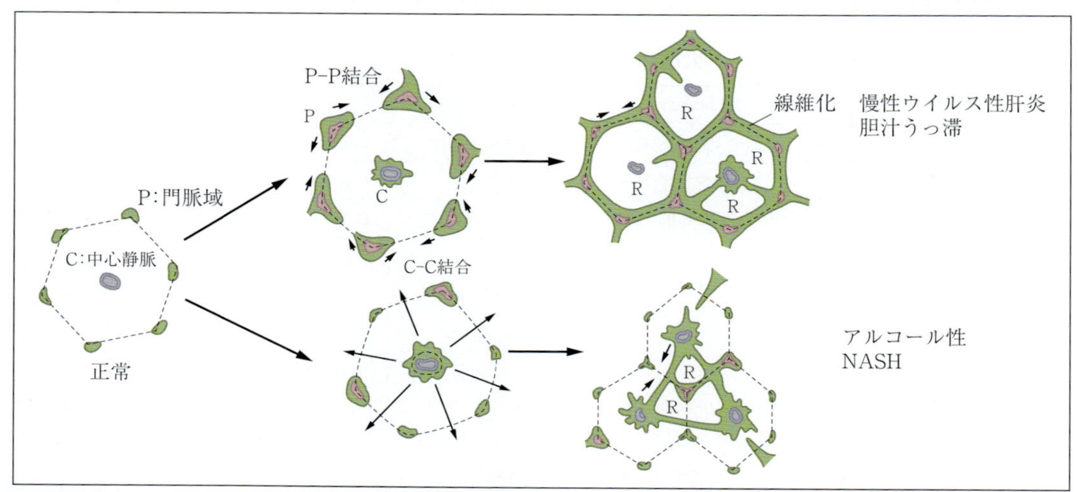

図 72　慢性肝炎，胆汁うっ滞，アルコール性肝障害，非アルコール性肝障害から肝硬変への進展

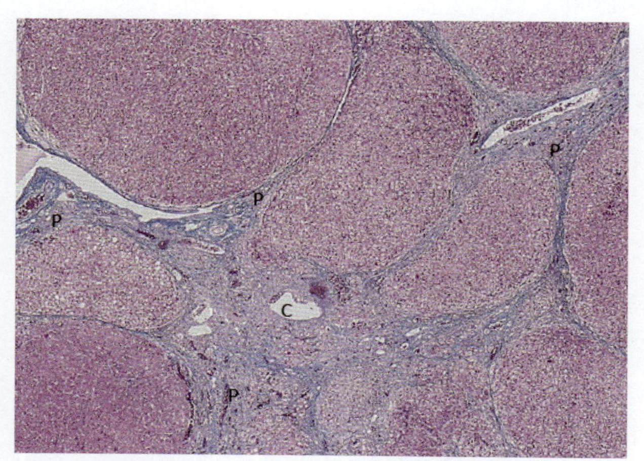

図 73　慢性ウイルス性肝炎からの肝硬変．P：門脈．C：中心静脈．アザン・マロリ染色．弱拡大

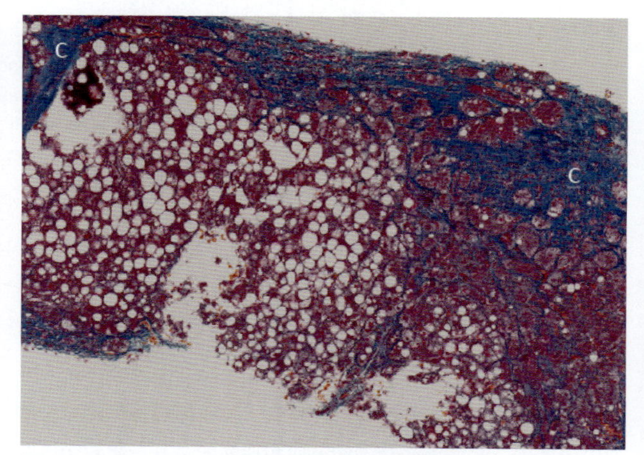

図 74　アルコール性肝障害からの肝硬変．中心静脈と中心静脈を繊細な線維化が結合している．C：中心静脈．アザン・マロリ染色．弱拡大

慢性肝疾患から肝硬変への進展　慢性肝疾患の多くは，原因が排除されないかぎり，肝細胞の傷害と再生が持続し，それに線維増生が加わり，数年～十数年の経過で終末期である肝硬変 liver cirrhosis へ移行する．肝硬変への進展プロセスには3つの因子が重要である．

1）病因に直結した肝細胞傷害因子　慢性肝炎では肝炎ウイルス（おもにB・C型）の持続感染による肝細胞傷害が原因となり，肝病変へと進展する．なお，肝炎ウイルス自体には細胞傷害性はないが，ウイルスをめぐる免疫応答が肝細胞傷害の発生に重要である．アルコール性肝障害では，エタノールの中間代謝産物（特にアセトアルデヒド）による肝細胞傷害が重要である．慢性胆汁うっ滞では，肝細胞に対して毒性のある胆汁成分が肝細胞内に貯留し，肝細胞傷害が生じ，同時に線維増生を伴う．

2）二次的な肝細胞傷害因子　肝細胞の傷害や線維増生が原因となり，肝内での微小循環系の傷害が生じ，肝細胞の脱落や小血管の増生，バイパスが形成され，慢性肝病変の進行を助長する．

3）肝線維化と再生結節（**図 72**）　肝細胞傷害に関連して，伊東細胞（肝星細胞）が主となり線維化が進展する．肝細胞の不規則な再生が出現し，肝小葉の改築が進み，再生結節が肝全体にびまん性に出現して肝硬変に移行する．門脈域での線維増生や線維隔壁形成が中心となり，隣接する門脈域 portal tract（P）が線維性に連結する P–P 結合や，隣接する門脈域（P）と中心静脈 central vein（C）が連結する P–C 結合がみられ，肝実質が分断され，再生結節が形成される．慢性ウイルス肝炎や慢性胆汁うっ滞による肝硬変が代表的である（**図 73**）．一方，小葉中心部での肝細胞の脱落や線維化を契機に，C–C 結合が中心となって進展し，肝小葉が分断されて比較的小さな再生結節が形成されるものもある．アルコール性肝疾患や栄養障害性肝障害（NASH）が代表的である（**図 74**）．

表 4　肝硬変を特徴づける病態

- びまん性進行性肝疾患の終末状態
- 肝全体に及ぶ再生結節
- 再生結節間にびまん性の線維化進展
- 肝の血行動態の異常（血管構造の改変や血流異常）
- 多様な成因に起因

表 5　肝硬変の成因別分類

- ウイルス性肝硬変（おもに B 型と C 型）
- 自己免疫性肝炎後肝硬変
- 栄養障害関連肝硬変
  - ・アルコール性肝硬変
  - ・非アルコール性脂肪性肝炎後肝硬変
- 胆汁性肝硬変
  - ・原発性胆汁性胆管炎，原発性硬化性胆管炎，胆道閉鎖症など
- 代謝性肝硬変
  ウィルソン病，ヘモクロマトーシス（色素性肝硬変）など
- うっ血性肝硬変
- 原因不明

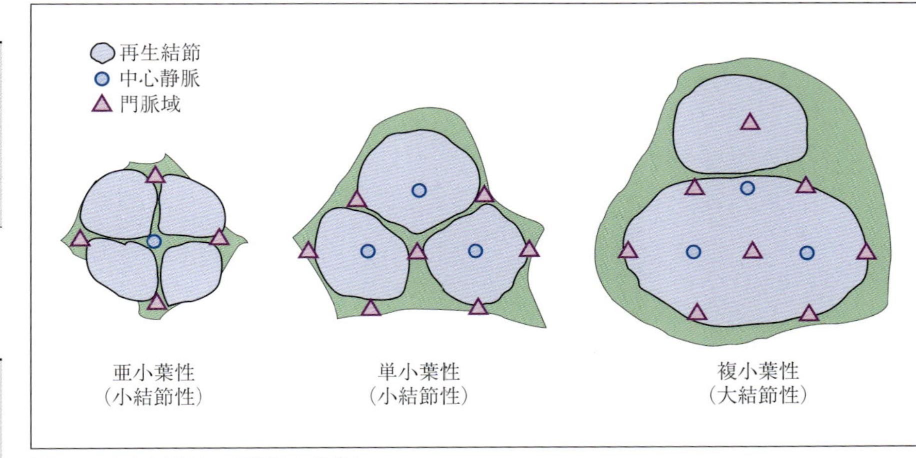

図 75　再生結節の形態と分類

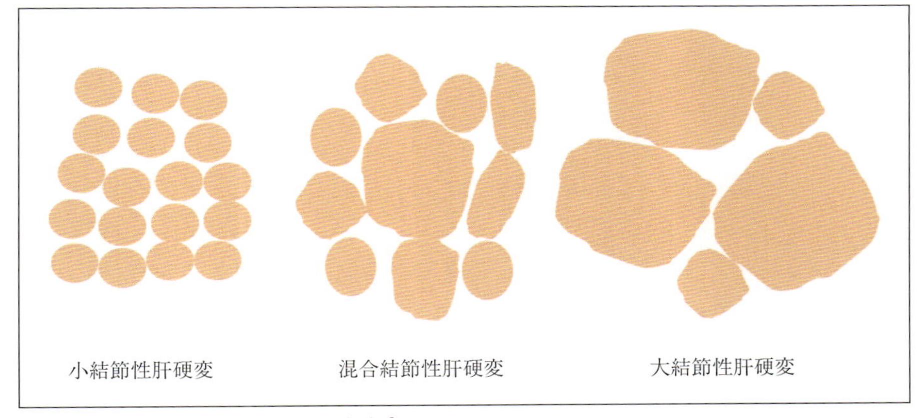

図 76　肝硬変の分類（WHO 分類）

定義（**表 4**）　肝硬変は形態学的に特徴づけられる病態である．肝細胞の障害と壊死，肝細胞の再生，それに線維化が持続する進行性肝疾患の終末状態であり，先行する進行性慢性肝疾患と同一線上にある．肝全体に及ぶびまん性の線維性隔壁の伸びだしや架橋性線維化により，肝実質が細かく分断されている．分断された肝実質は，肝細胞の再生，増生のため丸みを帯び，再生結節 regenerative nodule とよばれる．肝内の血行動態の異常を伴う．

再生結節 regenerative nodule：偽小葉 pseudolobule ともよばれる．再生結節では肝細胞は多層化し，肝細胞の索状配列は乱れ，肝小葉構造は消失している．再生結節は直径が3 mm以上の大結節性（複小葉性）と直径が 3 mm 以下の小結節性（単小葉性，亜小葉性）に分けられる（**図 75**）．大結節性の再生結節では，内部に門脈域や中心静脈がみられ，複小葉性ともよばれる．小結節性は大きさが肝小葉の大きさの単小葉性（結節内部に中心静脈をみる）と肝小葉より小さい亜小葉性（結節内部に中心静脈がない）に分けられる．

分類　現在，肝硬変の背景疾患の病因のほとんどが明らかになり，病因による肝硬変の分類が一般的である（**表 5**）．形態学的には，再生結節の大きさによる WHO 分類が一般的に用いられており，主として大結節性再生結節からなる大結節性肝硬変 macronodular cirrhosis，ほとんどが小結節性再生結節からなる小結節性肝硬変 micronodular cirrhosis，それに種々の大きさの再生結節が混在する混合結節性肝硬変 mixed nodular cirrhosis の 3 型に分類される（**図 76**）．一般的には成因別分類と WHO 分類を組み合わせて行う．

［参考事項］　原因不明の肝硬変　肝硬変，特に早期例では先行する慢性進行性肝疾患を反映する病理学的特徴が残っていることが多いが，進展例ではこれらが消失し，同定不能となる場合がある．現在では多くは NASH の終末像と考えられている．

肝硬変（ウイルス性肝炎性）（小結節性，大結節性）｜Viral liver cirrhosis（micronodular type and macronodular type）

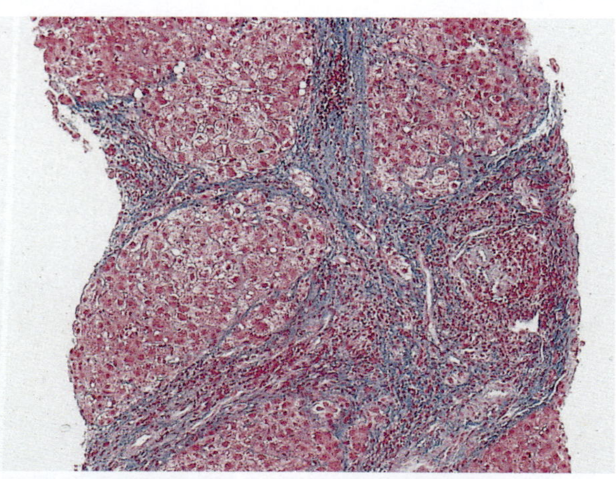

図 77　小結節性肝硬変（C 型慢性肝炎関連）．小葉性，亜小葉性の再生結節をみる．アザン・マロリ染色．弱拡大

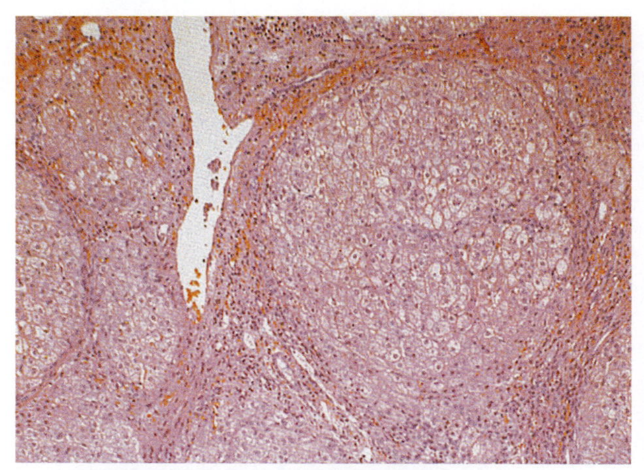

図 78　混合結節性肝硬変（B 型慢性肝炎関連）．種々の幅の結合組織と大小種々の再生結節をみる．弱拡大

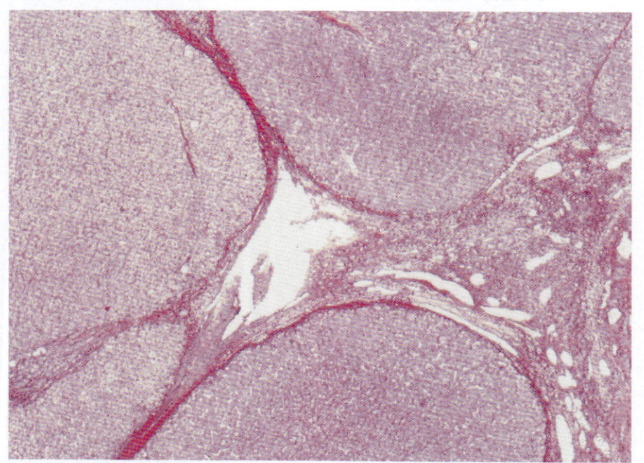

図 79　大結節性肝硬変（B 型慢性肝炎関連）．大型再生結節と狭い線維性間質をみる．弱拡大

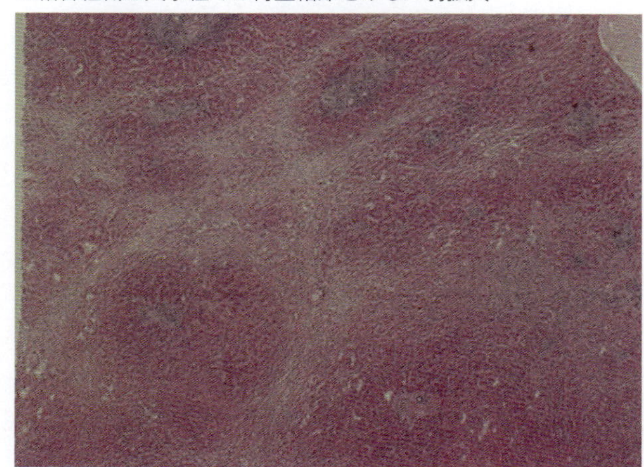

図 80　結節性再生性過形成．びまん性に高度の再生結節が認められるが，周囲に線維化はみられない．弱拡大

わが国における肝硬変の 90% 以上は B 型肝炎ウイルス（HBV），C 型肝炎ウイルス（HCV）の持続感染に起因する．つまり肝炎ウイルスの持続感染のため慢性肝炎が発生し，その終末像がウイルス性肝硬変であり，最終的には高率に肝細胞癌を合併する．ウイルス性肝炎に関連する肝硬変では，肝炎ウイルスの種類により，また病期と活動度により，病理形態像に違いがみられる．慢性ウイルス性肝炎に続発する肝硬変では，壊死炎症性変化（線維性隔壁部でのリンパ球を中心とした炎症反応，リンパ球浸潤を伴った肝限界板の破壊であるインターフェイス肝炎，細胆管増生，再生結節内での実質炎）が持続してみられることが多いが，そのような場合は小結節性肝硬変を呈することがある．線維化は緻密なものが主体で，その量と幅も種々である．壊死炎症反応の強い例では，線維性間質の幅は広く，弱い症例では幅が狭い．アザン・マロリ染色（**図 77**）や Masson-trichrome 染色，鍍銀染色などの特殊染色で膠原線維や細網線維をハイライトすることで，線維化の程度とパターンや，再生結節の大きさと性状が理解できる．大結節性肝硬変は，一般的に慢性肝炎に伴う壊死炎症反応が軽度となり，再生結節は大きく丸みを帯びており，線維性間質の幅は狭いことが多い（**図 78，79**）．

B 型ウイルス性肝炎関連肝硬変　肝硬変に移行するに従い，HBV の増殖が弱くなる例が多く，再生結節や線維性隔壁での壊死炎症性変化が軽減し，炎症反応がほとんど消退した症例もある．肝細胞性ディスプラジア dysplasia がみられ，再生結節は大型化し，線維性隔壁は薄くなる傾向がある．

C 型ウイルス性肝炎関連肝硬変　肝硬変に移行しても HCV の増殖が持続している症例が多く，再生結節や線維性間質での壊死炎症反応が持続し，再生結節は小型のものが多い．

【鑑別診断】　結節性再生性過形成 nodular regenerative hyperplasia（NRH）　びまん性で高度の再生結節を伴う疾患であるが，再生結節の周囲に線維化がなく，肝硬変の再生結節とは異なる（**図 80**）．

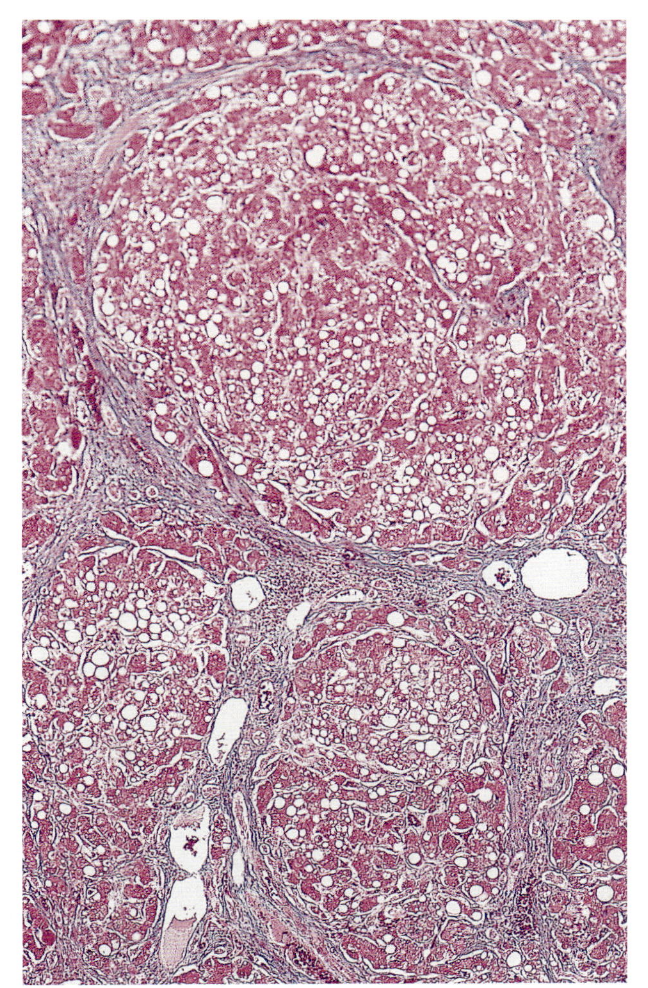

図 81　アルコール性肝硬変．再生像の乏しい亜小葉性の再生結節．脂肪沈着を認める．アザン・マロリ染色．弱拡大

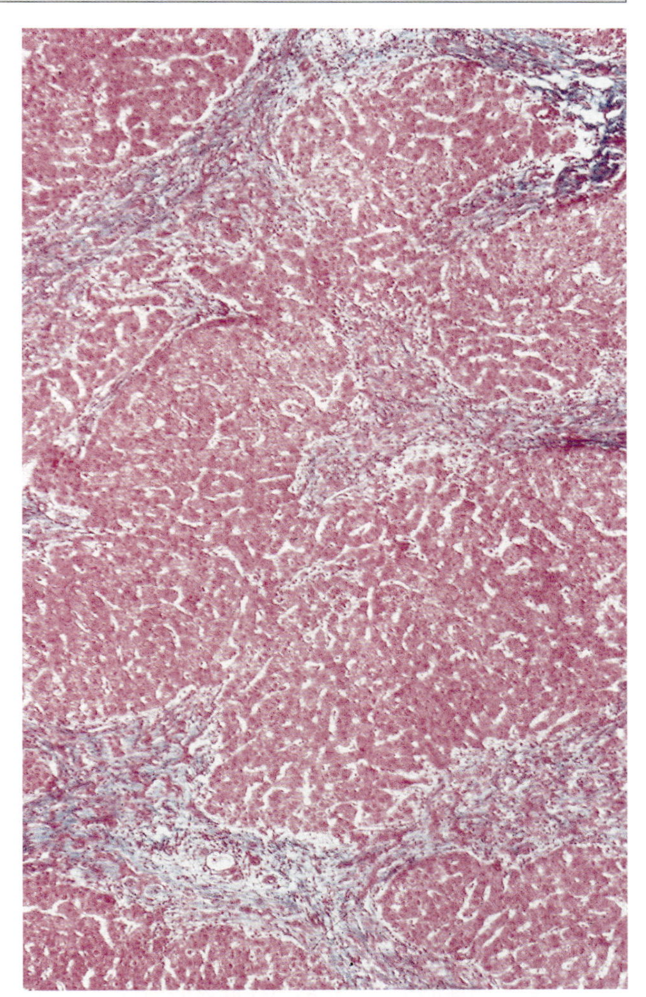

図 82　胆汁性肝硬変．はめ絵状の再生結節．アザン・マロリ染色．弱拡大

アルコール性肝硬変　小結節性，特に亜小葉性の再生結節の形成が特徴的である．間質の幅は種々で，緻密である．炎症性細胞の浸潤は目立たないことが多い（無細胞性線維化 acellular fibrosis）．飲酒を継続している例では再生結節は小結節性で，再生像に乏しく，肉眼的・組織学的に再生結節がわかりにくく，門脈域の病変が相対的に軽度である（**図 81**）．アルコール性肝細胞傷害である脂肪沈着，肝細胞周囲性線維化 pericellular fibrosis がみられる．さらに肝細胞の風船状腫大 ballooning，Mallory-Denk 体形成，好中球浸潤，胆汁栓 bile plug を認める症例があり，アルコール性肝炎が加わった像（acute on chronic）と考えられる．

断酒により肝細胞の再生像が強まり，再生結節が明瞭化してくる．再生結節は大結節性となり，アルコール性肝細胞傷害の変化が消失する．鎮静化したウイルス性肝硬変に類似する場合もある．特徴的な線維化のパターン（肝細胞周囲線維化など）も消失する症例が多い．これらの症例では，肝硬変の形態のみではアルコール性肝硬変の診断が困難となる．

【鑑別診断】　高度のアルコール性肝線維症：アルコール性肝硬変と同一線上の病態であるが，肝小葉の分断状態や再生像などから総合的に診断する．

胆汁性肝硬変　慢性の胆汁うっ滞とそれに伴う持続的な肝細胞障害，肝細胞壊死，線維化に由来する肝硬変．高度の慢性の胆汁うっ滞があり，肝細胞の腫大や Mallory-Denk 体形成，銅顆粒の沈着など，肝細胞の障害像を伴う．門脈域から伸びる線維化のため，肝小葉が分断され，改築される．肝細胞の再生像に乏しく，はめ絵 jigsaw puzzle 状の再生結節を形成する（**図 82**），再生結節周囲にバンド状の浮腫性の変化を示す例もある．しかし，肝硬変が遷延した症例では，混合結節型の肝硬変に移行する．

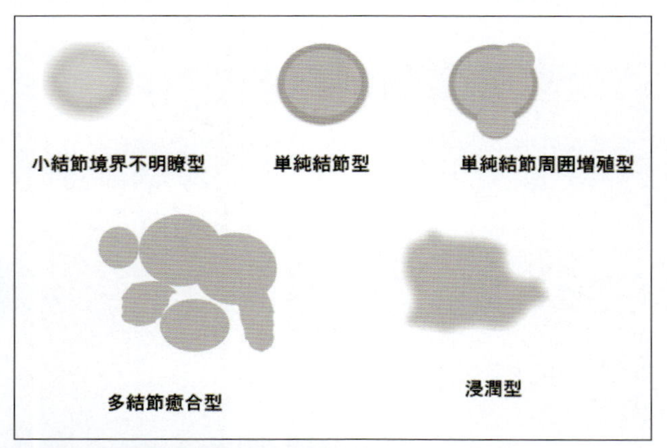

図 83　肝細胞癌肉眼型の模式図

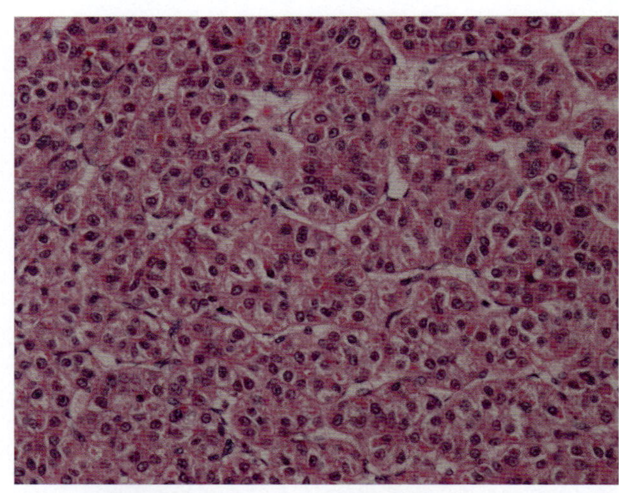

図 84　肝細胞癌．肝細胞に似た好酸性微細顆粒状の胞体の腫瘍細胞が索状配列を示す．中拡大

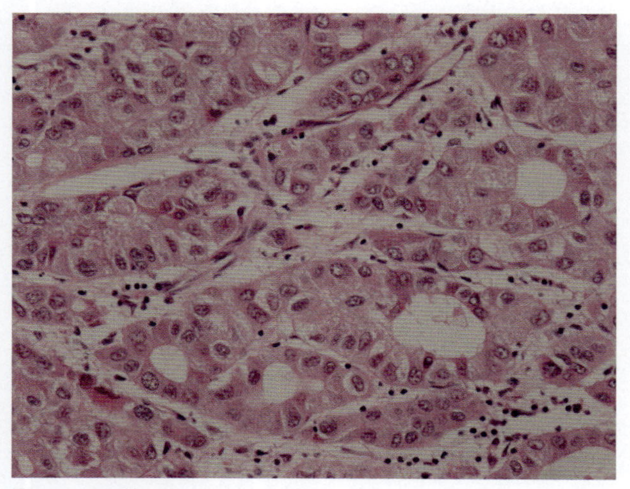

図 85　同前．偽腺管配列を示す．中拡大

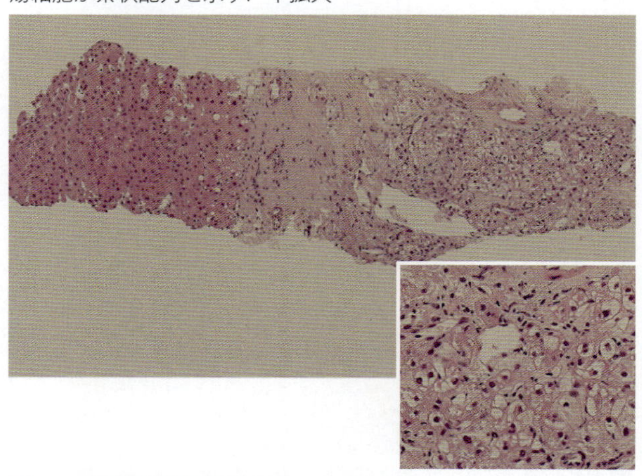

図 86　肝血管筋脂肪腫．淡明な胞体を有する腫瘍細胞（右側および挿入図）は肝細胞（左側）に類似している．弱拡大

肝細胞癌の多くは進行した慢性肝疾患，特に肝硬変を背景に発生し，肝小葉の肝細胞索に類似した構造を呈して増生する．肉眼型は小結節境界不明瞭型 small nodular type with indistinct margin，単純結節型 simple nodular type，単純結節周囲増殖型 simple nodular type with extranodular growth，多結節癒合型 confluent multinodular type，浸潤型 infiltrative type に分類される（**図 83**）．組織型として以下の4型がある．

索状型 trabecular type　肝細胞癌の基本的なパターンで，肝細胞索を模倣した種々の厚さの索状配列が基本で，1層の内皮（洞内皮）で覆われ血洞（正常肝の類洞に似る）を形成する（**図 84**）．多くの肝細胞癌では，血洞そのものが間質で，癌巣が血液内に浮遊する（carcinoma in blood）．血洞面では鍍銀線維が癌部でしばしば消失・減弱し，毛細血管化（第Ⅷ因子や CD31，CD34 が発現）を示す．

充実型 compact (solid) type　癌細胞が密接して充実性の増殖を示し，血洞が圧排され，血洞構造が不明瞭になった状態．

偽腺管型 pseudoglandular type　索状の肝細胞癌の毛細胆管が腺様に拡張し，腺房様の構造を示すもので，内腔に胆汁成分あるいは好酸性の液体を入れる（**図 85**）．少数例では胆汁を入れる．癌細胞索の周囲は血洞構造を示す．腺房様構造ともよばれる．

巨大索状型 macrotrabecular type　索の厚さが10細胞以上となるもの．

病理組織学的亜型　WHO 分類では，Steatohepatitic, Clear cell, Macrotrabecular massive, Scirrhous, Chromophobe, Fibrolamellar carcinoma, Neutrophil-rich, Lymphocyte-rich の8種の亜型があげられている．

【鑑別診断】　肝細胞腺腫：異型の乏しい肝細胞からなる充実性の腫瘍内部に筋性血管をみる．背景に肝硬変は認めない．

肝血管筋脂肪腫：血管，平滑筋，脂肪成分から構成される腫瘍であるが，症例によって割合が異なる．好酸性，または淡明な胞体を有する平滑筋細胞が類上皮様の形態をとり，肝

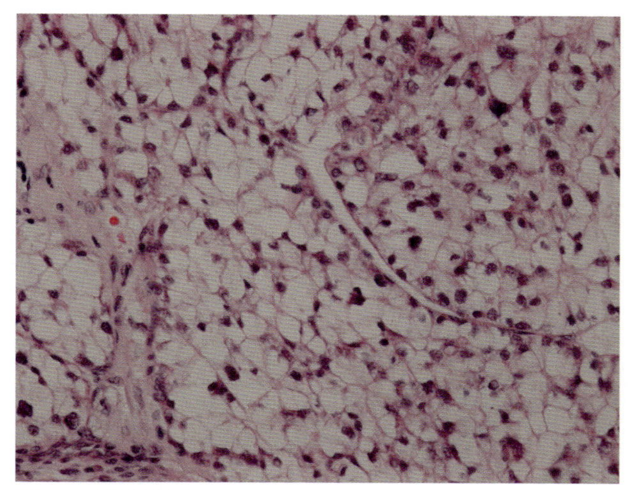

図 87　肝細胞癌．索状配列を示す肝細胞癌．胞体はグリコーゲンが豊富で淡明．中拡大

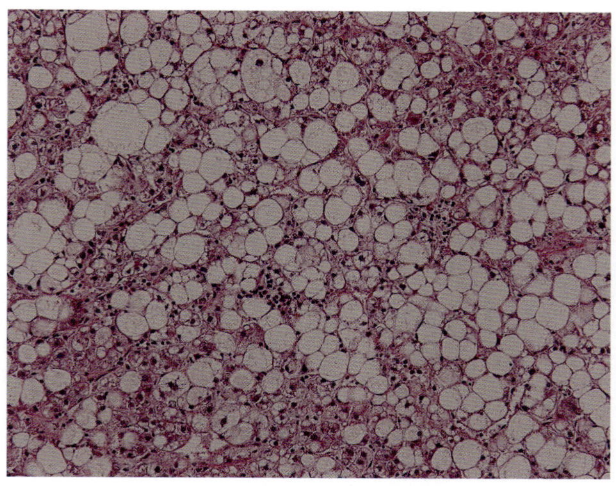

図 88　同前．脂肪沈着が目立つ肝細胞癌．弱拡大

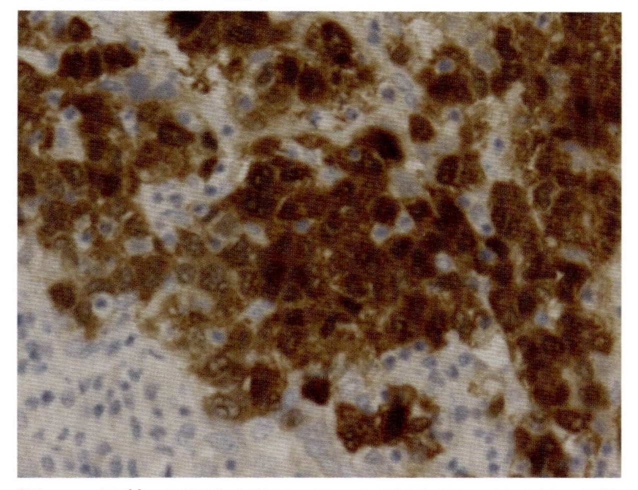

図 89　同前．肝細胞癌はHepPar1 が細胞質にびまん性に陽性である．HepPar1 免疫染色．中拡大

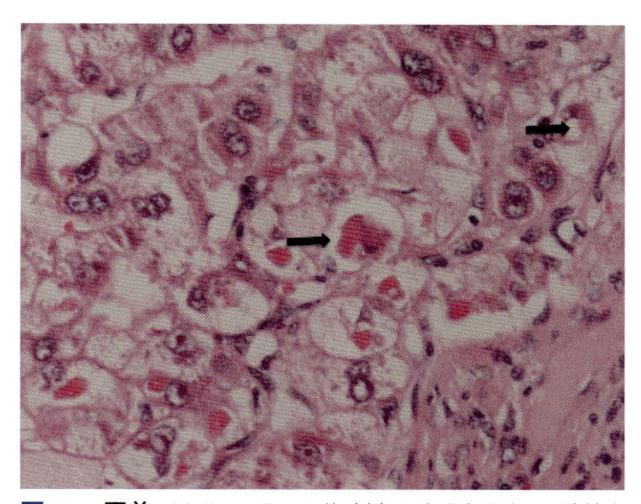

図 90　同前．Mallory-Denk 体（⬆）の出現を認める．強拡大

細胞様に見えることがあり注意が必要（**図 86**）．

肝細胞癌では，種々の細胞学的バリエーションがみられる．多くの肝細胞癌は，肝細胞類似の腫瘍細胞よりなり，胞体は好酸性，微細顆粒状で，核は大きく，好酸性の明瞭な核小体を有する．毛細胆管が拡張し，内腔に濃縮した胆汁栓をみる場合は肝細胞癌の診断価値が高く，高度の場合は肉眼的に緑色を呈する（green hepatoma）．

グリコーゲンが豊富な例では胞体は淡明化し，明細胞型肝細胞癌とよばれる（**図 87**）．脂肪沈着が目立つ肝細胞癌もみられる（**図 88**）．

細胞形質　肝細胞癌には，本来肝細胞がもっている表現型であるアルブミンの産生，肝細胞特異的なマーカーであるHepPar 1（**図 89**）やArginase-1 の発現，また胎生期の肝細胞に発現するαフェトプロテインα-fetoprotein（AFP）の産生がみられる．肝細胞はミトコンドリアが豊富であり，ミトコンドリア染色では細胞質が顆粒状に陽性となる．Mallory-Denk 体は癌細胞胞体内にみられる好酸性の境界不明瞭な封入体で（**図 90**），ユビキチンやp62 が陽性であり，中間型フィラメントの凝集からなる．球状硝子体は境界明瞭な封入体で，種々の蛋白質の貯留像を示す．

【鑑別診断】　肝内胆管癌：腺腔形成，粘液産生が特徴で，間質は豊富な線維性結合組織からなり，肝細胞癌とは区別される．

転移性肝癌：原発巣に類似した像を示す充実性の増殖パターンを示す．乳癌，好酸性の胞体を示す腎癌，明細胞性腎癌は肝細胞癌に形態的に類似するものがあり，鑑別が必要である．異型が高度で，巨細胞を混在する肝細胞癌は，分化度の低い転移性癌との鑑別が必要となる．

［参考事項］　肝細胞癌の細胞異型度分類　Edmondson-Steiner らは，肝細胞癌の細胞異型度をⅠ，Ⅱ，Ⅲ，Ⅳの4段階に分類している．「原発性肝癌取扱い規約」では，高分化型，中分化型，低分化型に分類しており，中分化型と低分化型肝細胞癌が悪性度が高い．早期肝細胞癌は高分化型に含まれる．

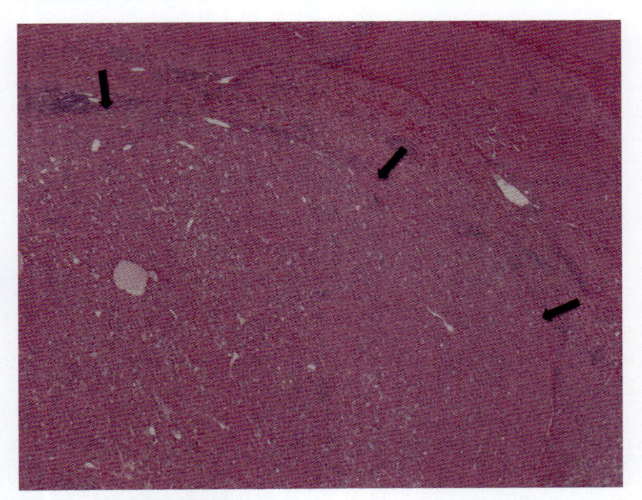

図 91　早期肝細胞癌．周囲との境界が不明瞭な結節（⬆）がみられる．弱拡大

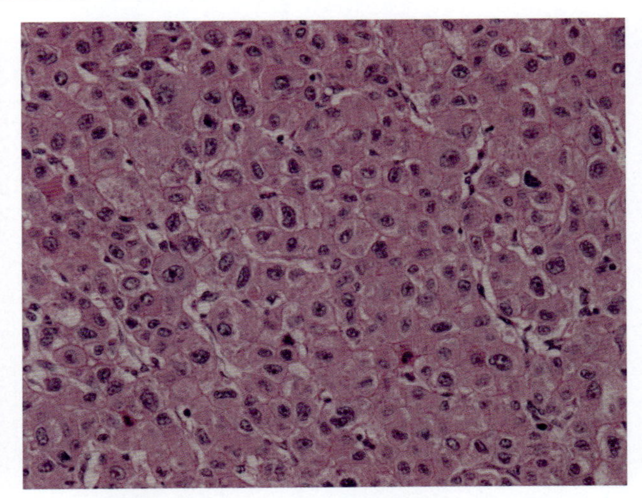

図 92　同前．軽度の核異型を示す腫瘍細胞が索状に増殖している．中拡大

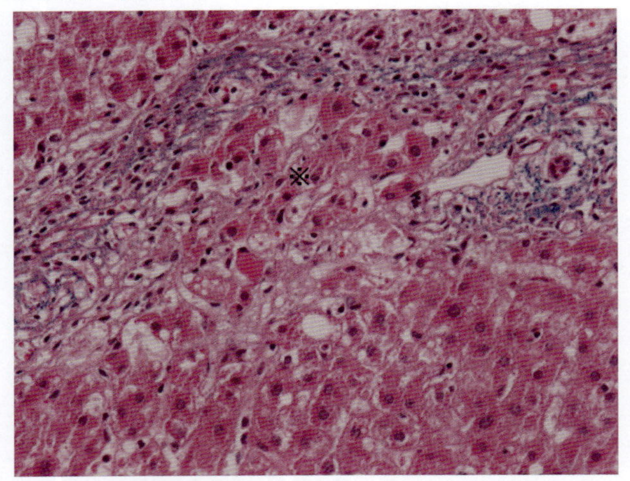

図 93　早期肝細胞癌の門脈域浸潤．門脈域の青色に染まる弾性線維を分け入って浸潤する腫瘍細胞（※）がみられる．ビクトリアブルー染色．中拡大

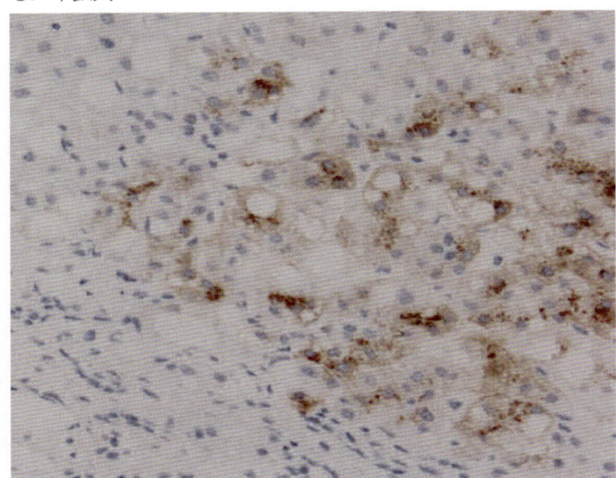

図 94　早期肝細胞癌．腫瘍細胞の細胞質に顆粒状～びまん性に Glypican-3 の陽性像をみる．Glypican-3 免疫染色．中拡大

早期肝細胞癌　進行性のウイルス性慢性肝炎あるいは肝硬変に出現する直径 1～2 cm 前後の小型の肝細胞性腫瘍であり，発生して早い時期の癌である．早期肝細胞癌の中に脱分化で異型が明らかな細胞結節が生じ，これが進行期肝細胞癌へと発展する．そのため早期肝細胞癌は高分化型が主体であるが，内部に分化度の低い古典的な肝細胞癌をみる例もある．

早期肝細胞癌は，構造異型が領域性をもって認められる腫瘍であり，個々の細胞異型は乏しく，間質への浸潤を有している．周囲へは置換性に増殖し，境界は不明瞭なことが多く（小結節境界不明瞭型），結節内に門脈域が残存している．核異型は軽度なことが多く，索構造は2～3層性で正常の肝細胞と大きな変化がないことが多い（**図 91，92**）．また，肝細胞癌の特徴である類洞壁での鍍銀線維の消失や毛細血管化なども目立たないことが多く，境界病変や反応性異型との鑑別が難しいことがある．診断には間質浸潤 stromal invasion，特に門脈域浸潤 portal tracts invasion の評価が重要となる．

門脈域浸潤　小葉内に発生した癌は発育するに従って，門脈域や線維隔壁内に浸潤する．ビクトリアブルー染色などの弾性線維染色を施行すると，門脈域の既存の弾性線維と癌細胞の関係がわかりやすい（**図 93**）．

免疫組織化学　肝細胞癌マーカー heat shock protein 70（HSP70），Glypican-3，glutamine synthetase などの発現が診断に参考となる（**図 94**）．ただし，いずれのマーカーも陽性率は100％ではなく，複数のマーカーでの検索が必要である．

【鑑別診断】　肝細胞癌の境界病変（ディスプラジア結節，異型結節）　腫瘍性の肝細胞病変であり，直径が 1 cm 前後の結節としてとらえられ，構成肝細胞の細胞異型，構造異型の程度が弱く，癌とは診断できない．低異型度と高異型度のディスプラジア結節に分類され，高異型度のものは早期肝細胞癌と同じスペクトラムに属すると考えられている．

表6　肝細胞腺腫の亜分類

	HNF1α 不活化型	β-catenin 活性化型	炎症性 HCA	分類不能型
遺伝子型	*HNF1A* 遺伝子変異	β-catenin 遺伝子変異	*gp130* 遺伝子変異 *STAT3*，*GNAS* 変異	
表現型	LFABP 陰性	GS 陽性	SAA，CRP 陽性	
男女比，年齢	女性のみ	男性にも発生	男女ともに発生	
危険因子，背景疾患	経口避妊薬，糖原病	経口避妊薬，糖原病	肥満，アルコール	
HCA 内での割合	35〜40%	10〜15%	45〜60%	10%
組織学的特徴	細胞異型乏しい 著明な脂肪沈着 多発（adenomatosis）	細胞異型あり 偽腺管構造 境界病変？ 脂肪沈着乏しい	炎症細胞浸潤 細胆管反応 異常血管，類洞拡張	
出血，破裂のリスク	あり	あり	あり	あり
癌化	ほとんどなし	他の亜型より高頻度	あり？	

LFABP：liver fatty acid binding protein，GS：glutamine synthetase，SAA：serum amyloid A，CRP：C-reactive protein

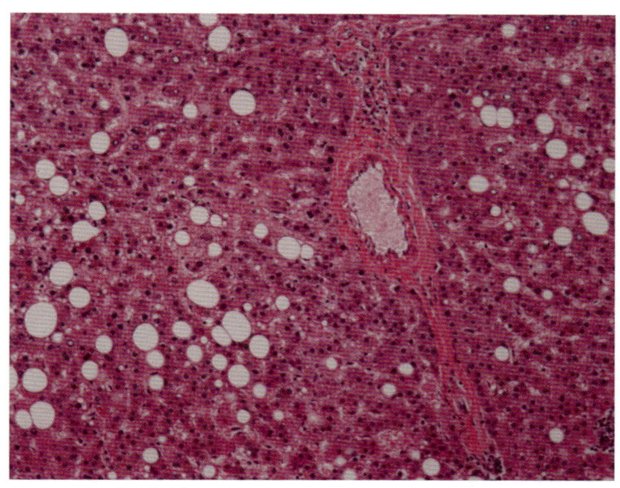

図95　肝細胞腺腫．肝細胞は異型に乏しく，1〜2層性の索状配列を示す．異常筋性血管をみる．中拡大

肝細胞腺腫（HCA）　正常肝に発生する良性腫瘍で，単発例が多いが，多発例も知られている．境界明瞭な肝細胞性の腫瘍で，膨張性の発育を示す．異型性に乏しく，正常と同じか，あるいはやや大型の肝細胞の充実性で単調な増殖からなり，周囲に薄い線維性被膜を伴うものや，被膜が不明で周囲肝実質を圧排しているものがある．増生肝細胞は2〜3層性で多層化は乏しく，内皮で被覆された類洞構造を示す．N/C 比は高くない．類洞は毛細血管化がみられる．腫瘍内部には異常な筋性血管を多数認め，線維性隔壁もみられる（**図95**）．胆管枝や門脈枝を含む通常の門脈域はみられないが，細胆管反応をみることがある．亜型ごとの特徴が報告されている．糖原病患者，経口避妊薬を服用中の患者などに出現するが，原因不明例もある．肝細胞腺腫内に良性・悪性の鑑別が困難な肝細胞性病巣の出現があり，まれに肝細胞癌へ移行する例

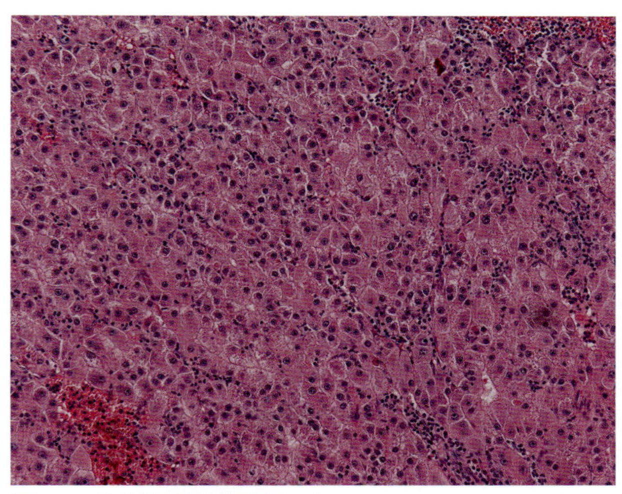

図96　炎症性肝細胞腺腫．腺腫内にリンパ球浸潤が目立つ部位がある．中拡大

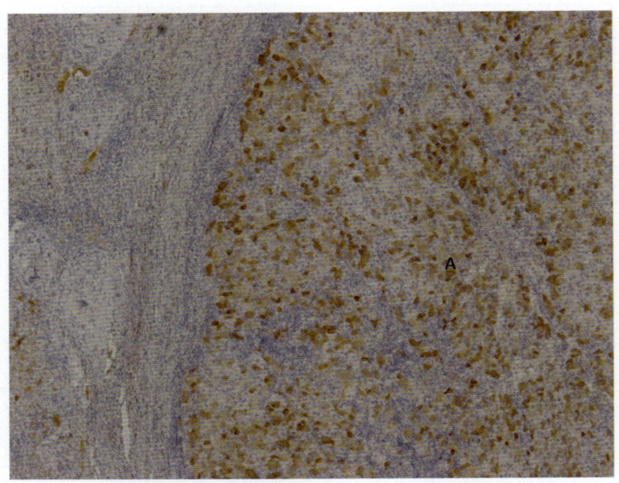

図 97　炎症性肝細胞腺腫．腺腫成分（A）は CRP の過剰発現を認める．CRP 免疫染色．弱拡大

も知られている．現在，**表 6** に示すように，4 型に亜分類されている．

肝細胞腺腫の亜分類

HNF1α 不活化型　*HNF1A* 遺伝子の変異により，下流に存在する liver fatty acid binding proten（LFABP）が陰性化する．女性のみに発生し，多発することもある．脂肪沈着が目立つことが多い．ほとんど癌化しない．

β-catenin 活性化型　恒常的な β-catenin 活性化が生じて発生する．β-catenin 下流の glutamine synthetase（GS）が過剰発現する．免疫染色では β-catenin の核移行もみられる．糖原病や蛋白同化ホルモン服用を背景に，男性にも発生する．他の亜型より肝細胞癌の発生率が高く，細胞異型や構造異型をみることが多い．

炎症性肝細胞腺腫　*gp130* 遺伝子変異などにより，IL-6/gp130/STAT 系の恒常的活性化が生じて発生する．異常血管，類洞拡張，炎症細胞浸潤がみられ，限局性結節性過形成（FNH）に類似した細胆管反応もみられる（**図 96**）．IL-6 が発現誘導する炎症性反応性蛋白の血清アミロイド A（SAA）や C 反応性蛋白（CRP）の過剰発現をみる（**図 97**）．女性に多いが，男性にも発生する．癌化例も知られ，特に男性例や β-catenin 遺伝子変異合併例で癌化リスクが高い．肥満やアルコールの関与があげられる．

図 98　限局性結節性過形成．結節の中心部に星芒状の中心瘢痕 central scar（※）を有し，その周囲に肝細胞が分葉状に増生している

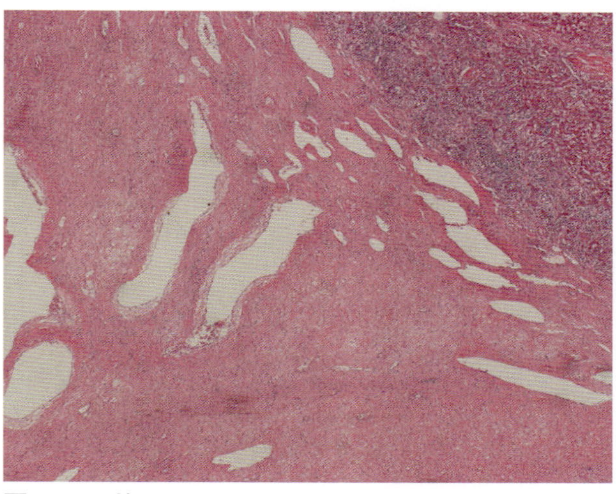

図 99　同前．結節の中心には星芒状の中心瘢痕がみられ，異常血管を認める．中拡大

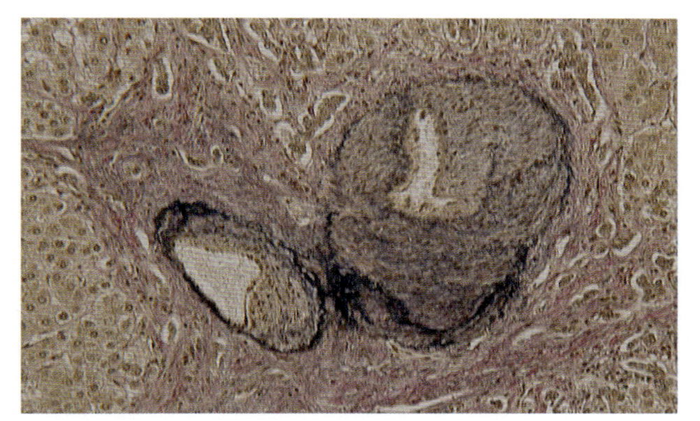

図 100　同前．中心瘢痕には異常血管を認める．EvG 染色（弾性線維が黒色に染まる）．中拡大

図 101　同前．glutamine synthetase（GS）の免疫染色では，腫瘍部で anastomosing map-like pattern とよばれる特徴ある染色像を示す．背景肝では中心静脈周囲のみ陽性．GS 免疫染色．弱拡大

限局性結節性過形成（FNH）　限局性の異常血管などによって肝細胞の過形成が生じた腫瘍様病変であり，真の腫瘍ではない．典型例では，結節の中心部に星芒状の中心瘢痕 central scar を有し，その周囲に肝細胞が分葉状に増生する（**図 98**）．周囲に対して圧排性に増生し，腫瘍辺縁に被膜形成は認められない．単発例が多いが(約 70%)，多発例もある．結節内には種々の程度に不規則な線維化を認める．中心瘢痕には異常な動脈のほか，静脈性血管や胆管を含むことがあり，その周囲には細胆管増生もみられる（**図 99, 100**）．実質内にも異常筋性血管が散見される．肝細胞の異型はみられないが，肝細胞索の肥厚や細胞密度の増加をみることがある．鍍銀染色による細網線維の減少はない．画像や肉眼で中心瘢痕がはっきりしない症例もあるが，顕微鏡的観察では結節内部の中央付近に不規則な線維化がみられることが多い．

免疫組織化学 glutamine synthetase（GS）は，正常肝では小葉中心部に限局して陽性となるのに対し，腫瘍部では太い索状～地図状に陽性となる（anastomosing map-like pattern）（**図 101**）．

【鑑別診断】　肝細胞腺腫 hepatocellular adenoma：肝細胞腺腫は結節内に門脈域がみられず，単一成分が増生している．ある程度の大きさでは被膜をもつことが多い．

肝細胞癌 hepatocellular carcinoma：肝細胞癌は 3 層以上の肝細胞索の肥厚や鍍銀染色による細網線維の減弱や消失がみられることが多い．

結節性再生性過形成 nodular regenerative hyperplasia：肝内にびまん性に過形成結節が分布する．結節内では肝細胞索が肥厚して敷石状に配列する．異型は乏しく，結節周囲の肝組織は萎縮性で，結節を取り囲む線維化はみられない．通常は数 mm 大であるが，ときに 2 cm 以上となる．

大酒家の多血性過形成結節：大酒家にはしばしば結節性病変が多発性に出現し，FNH や肝細胞癌との鑑別が問題になることがある．肝細胞の配列は正常に近く，異型に乏しい．中心瘢痕はある場合とない場合があり，FNH 同様に腫瘍内や周辺に異常小動脈がしばしばみられる．

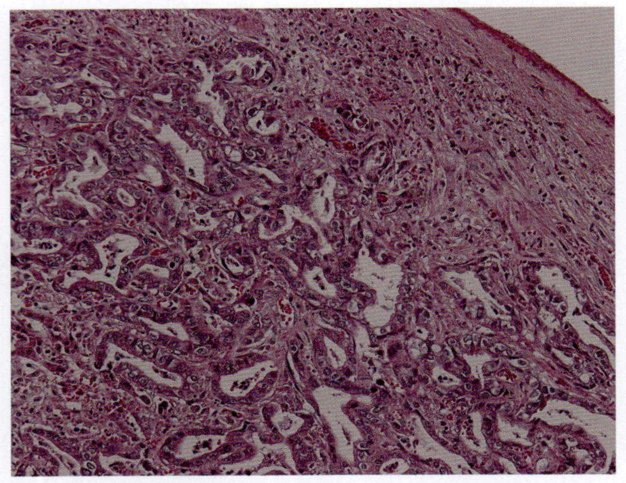

図 102　肝内胆管癌（末梢型）．不規則な腺管構造を示す管状腺癌の浸潤増殖像がみられる．中拡大

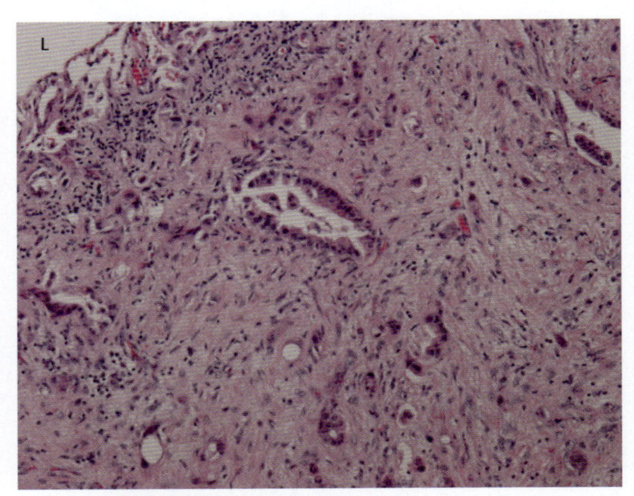

図 103　肝内胆管癌（肝門型）．肝内大型胆管に発生した管状腺癌が，豊富な線維性間質を伴って，胆管壁内に不整管状～小索状に浸潤している．L：胆管内腔．中拡大

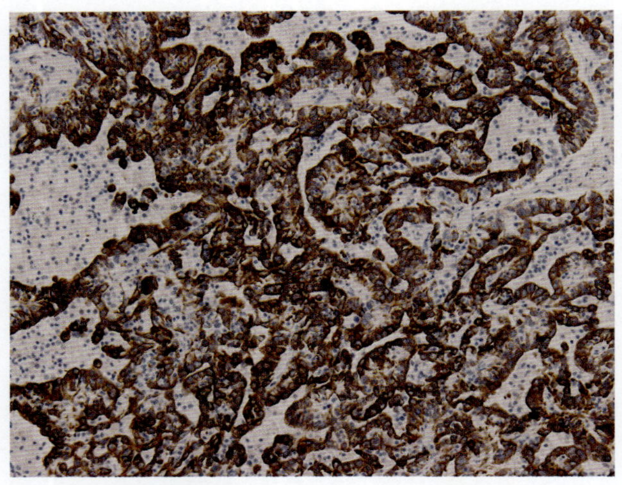

図 104　肝内胆管癌．肝内胆管癌は胆管系マーカーであるサイトケラチン（CK）7 に陽性である．CK7 免疫染色．中拡大

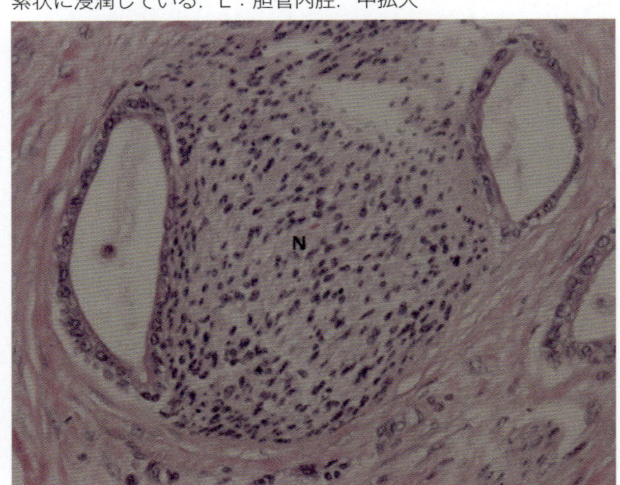

図 105　同前．不整な管状構造を示す高分化管状腺癌が神経（N）の周囲に浸潤している．高拡大

肝実質内に発生する肝内胆管癌（末梢型）（**図 102**）と肝内大型胆管に由来する肝内胆管癌（肝門型）（**図 103**）がある．末梢型の多くは腺癌で，高分化，中分化，低分化に分類される．腺腔形成，乳頭状発育を示し，豊富な線維性間質を伴う．管腔内あるいは胞体内に粘液がみられる．肝内大型胆管に由来する肝内胆管癌（肝門型）では，胆管内腔面で発育する段階では，円柱状，立方状の癌細胞が胆管内腔に増殖する乳頭状癌の像を示したり，胆管内腔面を側方に進展（胆管内進展）したりする．胆管壁や周囲組織への浸潤に伴い，腺腔構造の多様化，篩状配列，コード状の配列，乳頭状構造などのバリエーションが出現する．上皮性の腫瘍マーカー（胆管系サイトケラチン（CK）7，19 や癌胎児抗原 CEA など）が証明される（**図 104**）．リンパ管や静脈内（特に門脈枝）に腫瘍塞栓を形成し，癌の神経周囲浸潤 perineural invasion もしばしばみられる（**図 105**）．

【鑑別診断】　転移性肝癌：結腸癌の肝転移では CK20 や転写因子である CDX2 が陽性で肝内胆管癌との鑑別に有用である．肝内胆管癌と胆道系腫瘍の肝転移との鑑別は困難．

粘液性嚢胞性腫瘍 mucinous cystic neoplasm（MCN）：多胞性，単胞性の嚢胞形成を示し，腺腫～境界病変～腺癌に分類される．卵巣様の間質を伴う．

胆管上皮内腫瘍 biliary intraepithelial neoplasm（BilIN）：肝内胆管癌の前癌病変．核濃染，多層化，増殖を示す胆管被覆上皮の病変．肝内胆管癌とは浸潤の有無，細胞異型や構造異型で鑑別される．

［参考事項］　胆管内乳頭状腫瘍 intraductal papillary neoplasm（IPNB）　胆管内に乳頭状に増殖する上皮性腫瘍で，胆管内腔はしばしば拡張し，粘液産生を伴うことが多い．BilIN と同じく，胆管癌の前癌病変．膵臓の膵管内乳頭状粘液性腫瘍 intraductal papillary mucinous neoplasm（IPMN）に類似する．

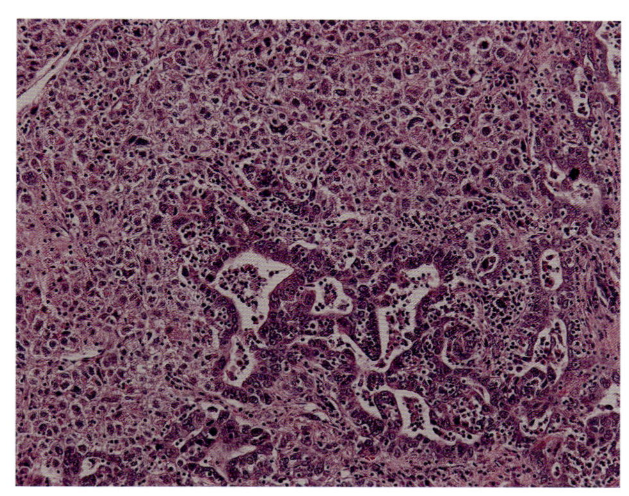

図 106　混合型肝癌. 単一腫瘍内に，肝細胞癌と肝内胆管癌へ明瞭に分化した両成分が密接に混在しており，両者の中間的な細胞からなる領域もみられる．中拡大

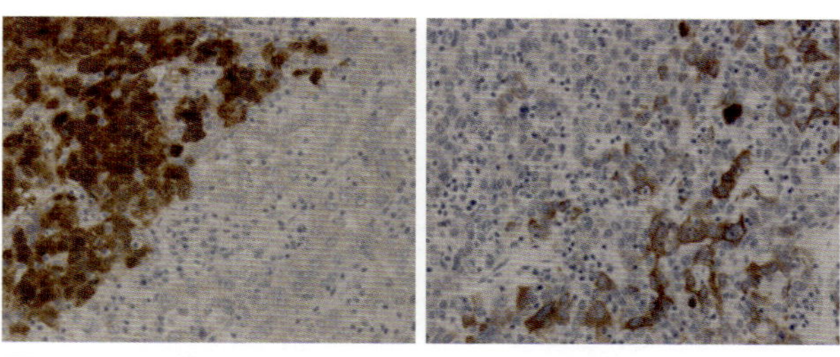

図 107　同前. 左：肝細胞マーカー（Arginase-1）の免疫染色，右：胆管細胞マーカー（CK7）の免疫染色

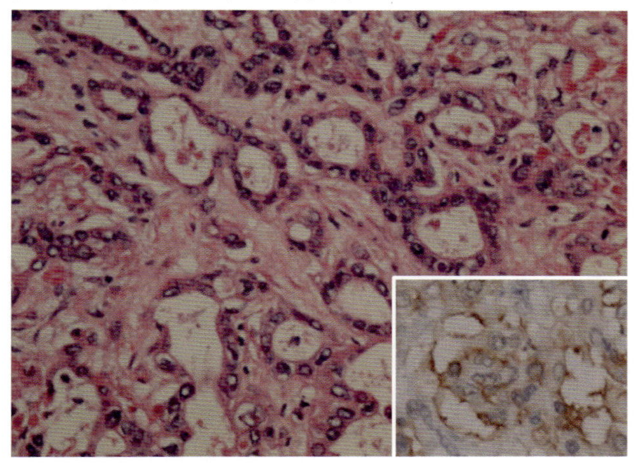

図 108　細胆管癌. 増生細胆管やヘリング管に類似する癌細胞が不規則吻合状に増殖している．**挿入図**：EMA の免疫染色で管腔内面がスリット状に陽性となる．中拡大

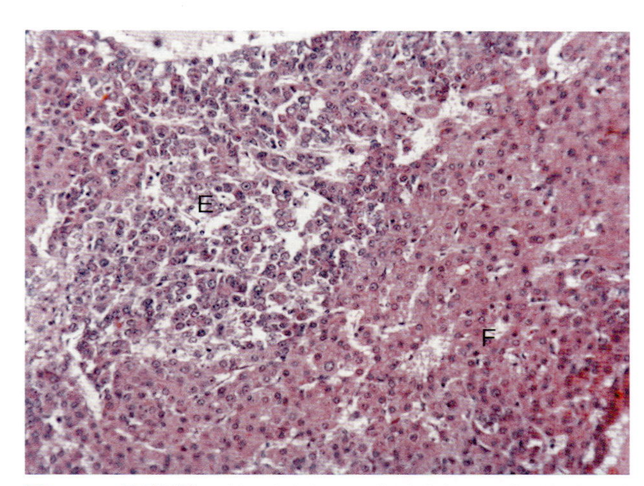

図 109　肝芽腫. 胎児型（F）と胚芽型（E）の肝芽腫細胞の増生をみる．中拡大

混合型肝癌　肝細胞癌成分と胆管癌成分の両成分がみられる原発性肝癌である．単一腫瘍内に肝細胞癌と肝内胆管癌へ明瞭に分化した両成分が密接に混在し，両者の中間的な細胞からなる領域が存在する例も多い（**図 106**）．肝細胞癌成分は，索状型，偽腺管型などの典型的な構造を示し，胆管癌成分には腺腔構造や粘液などが認められる．肝細胞マーカー（HepPar1 や Arginase-1 など）や胆管マーカーで（cytokeratin（CK）7 や CK19 など）が診断に有用である（**図 107**）．WHO 分類(2010)では，古典型 classical type と幹細胞亜型 subtypes with stem-cell features の 2 つに大別され，幹細胞亜型のなかに typical subtype，intermediate type，cholangiolocellular type が含まれている．古典型は粘液産生を伴うもの，幹細胞亜型は粘液産生が不明瞭なものとされ，CK7，CK19，EpCAM，NCAM，c-kit などの免疫染色のパターンを参考にさらに細分されている．

［参考事項］　細胆管癌 cholangiolocellular carcinoma　増生細胆管やヘリング管に類似した異型に乏しい癌細胞が小管腔構造を示し，不規則吻合状に増殖する腫瘍．背景肝との境界はおおむね明瞭で，被膜形成はない．辺縁では置換性発育を示し，内部には既存の門脈域や線維性隔壁構造が保たれていることが多い．豊富な線維性間質と種々の程度の好中球浸潤を伴う．CK7，CK19，EpCAM，NCAM，EMA，MUC1 などの胆管細胞・幹細胞マーカーが陽性となる．EMA が管腔内面にスリット状に陽性となるパターンを確認することが診断に有用である（**図 108**）．わが国の「原発性肝癌取扱い規約」では独立した疾患として扱われているが，WHO 分類では肝細胞癌の併存があれば混合型肝癌に，細胆管癌単独や肝内胆管癌と併存している場合は肝内胆管癌の一亜型として分類されている．

肝芽腫 hepatoblastoma　腫瘍細胞は胎生期の肝細胞に似た形態を示す（**図 109**）．間葉性成分をもつ例は混合型 mixed type とよばれ，軟骨，類骨，粘液腫，肉腫様細胞が混在する．分化した扁平上皮をみる例もある．間葉性成分を伴わないものは純上皮型とよばれる．構成する腫瘍細胞により胎児型 fetal type，胚芽型 embryonal type，未熟型 immature type の 3 型に分類される．

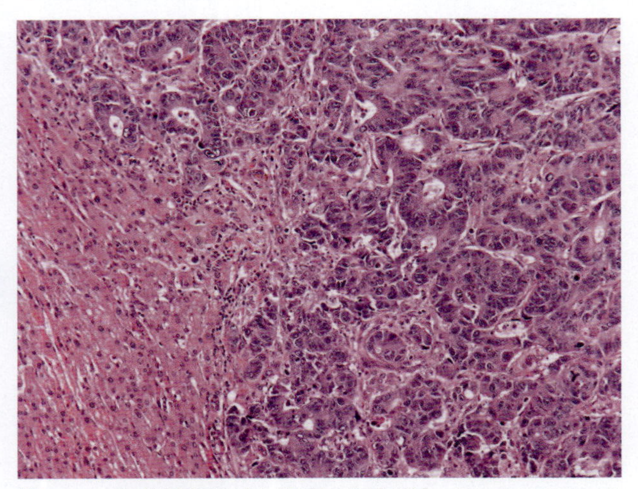

図 110　転移性肝癌（大腸癌の肝転移）．肝実質に腫瘍細胞が，腺管融合状に増殖している．大腸癌の既往があり，組織像は類似している．中拡大

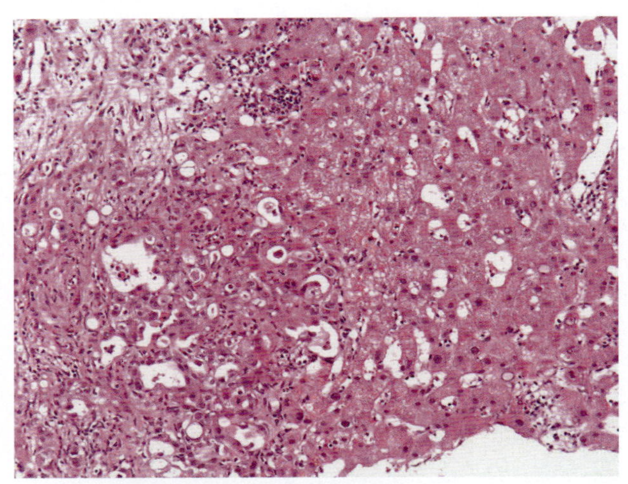

図 111　転移性肝癌（膵癌の肝転移）．肝実質に腫瘍細胞が不整小管状～腺管融合状に増殖している．膵臓に腫瘤があり，免疫染色はCK7陽性，CK20陰性で膵癌の転移に矛盾しない．中拡大

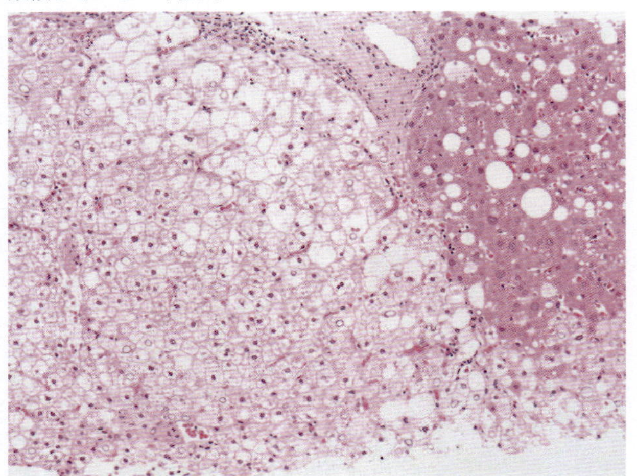

図 112　糖原病Ⅲa 型（Cori 病）．肝実質に淡明な細胞質を有し，腫大する肝細胞が島状に認められる（左側）．淡明な核も散見される．背景の肝細胞には大小の脂肪滴がみられる．中拡大（香川県立中央病院の症例）

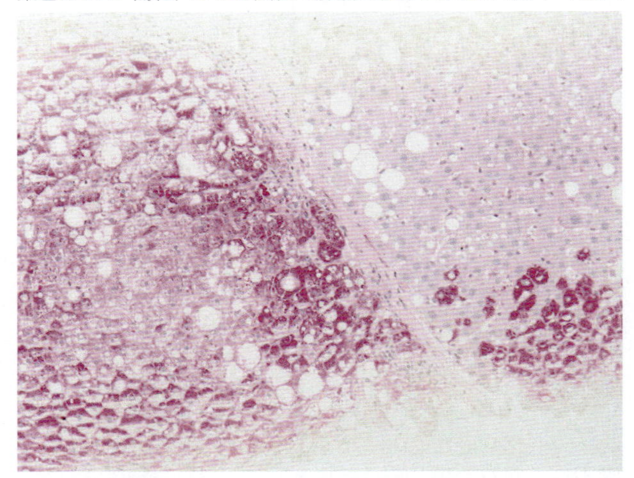

図 113　同前．図 112 と同じ部位の PAS 染色像．淡明な細胞質を有する肝細胞に一致して陽性像がみられる．中拡大（香川県立中央病院の症例）

転移性肝腫瘍　肝臓以外の臓器に発生した悪性腫瘍が，肝臓に血行性，リンパ行性，播種性に到達し，そこで増殖して腫瘍を形成したものを転移性肝腫瘍という．癌腫が大多数を占め，原発臓器は肺癌，大腸癌（**図 110**），膵癌（**図 111**），乳癌，胃癌などが多いが，肉腫を含むあらゆる腫瘍が肝臓に転移をきたす可能性がある．転移性肝腫瘍で発症し，臨床的に原発巣が不明な場合もあり，診断には臨床情報が必須である．初発から数年以上をおいて肝転移で再発する癌腫もあり，既往歴の確認も重要である．転移性肝腫瘍は多発することが多く，大腸癌の転移などでは癌臍とよばれる腫瘤中央の収縮・瘢痕化をしばしば認める．腫瘍の組織像は原発巣の組織像に類似することが多く，特徴的な組織像が認められる場合は原発巣の同定が容易である．その一方で，原発巣の組織像と形態が変化している場合もあり，免疫染色などで染色パターンを比較することが重要である．

糖原病　糖原（グリコーゲン）の合成，分解にかかわる酵素の異常に起因する先天性疾患である．原因遺伝子によって9型に分類されており，肝臓の腫大や低血糖，発育障害を起こし，成人期には肝硬変や肝腫瘍を発症することもある．肝細胞は細胞質へのグリコーゲン貯留のために腫大する．脂肪滴の蓄積もみられ，HE 染色では淡明で植物細胞様にみえる．グリコーゲンは肝細胞の核内に蓄積することもある（核糖原）．淡明な肝細胞は島状にみられ，背景の肝細胞には大小の脂肪滴をみることがある（**図 112**）．グリコーゲンは PAS 染色で顆粒状に陽性となり（**図 113**），ジアスターゼ消化 PAS 染色では消化されて陰性となる．

【鑑別診断】　糖原病Ⅳ型（アンダーセン病）：肝細胞内に異常グリコーゲンが境界明瞭な封入体を形成して蓄積する．この封入体は PAS 染色陽性であり，ジアスターゼ消化抵抗性である．HBV 感染にみられるすりガラス状の封入体 ground-glass appearance に類似している．

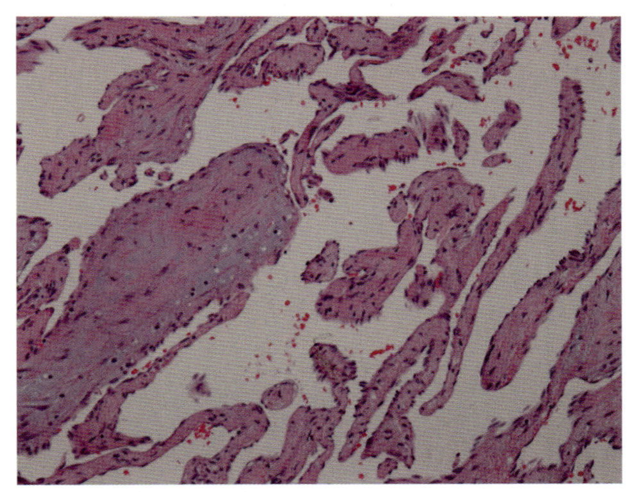

図 114　肝海綿状血管腫．血液を容れた大小の血管腔の集合からなる．個々の腔は血管内皮細胞で覆われている．中拡大

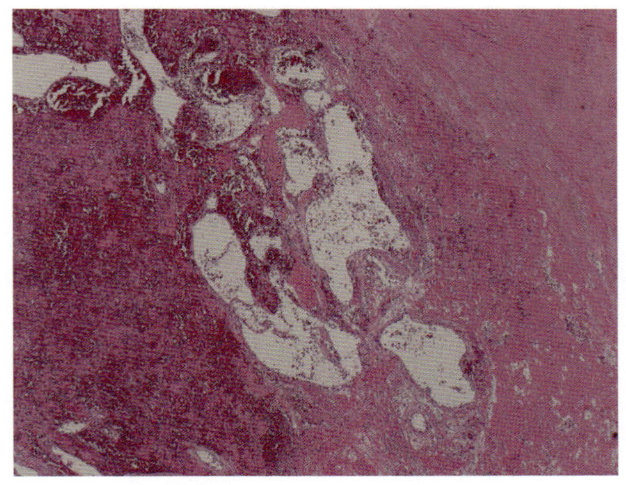

図 115　硬化型血管腫．一部に異型のない内皮細胞で覆われた血管腔をみるが，大部分が高度の線維化，硝子化を示している．中拡大

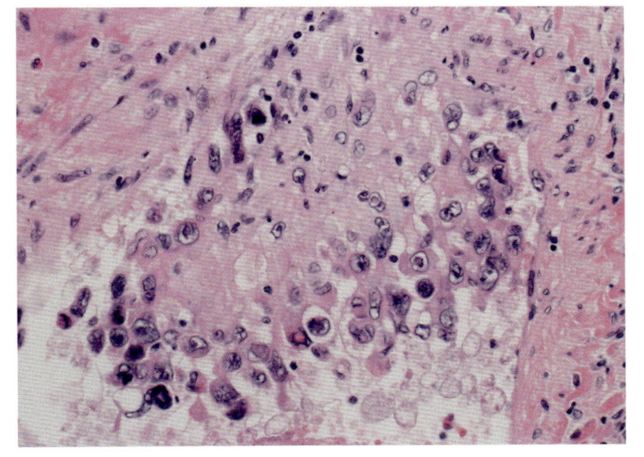

図 116　類上皮血管内皮腫．上皮細胞に似る類円形～乳頭状の腫瘍細胞が既存の類洞内皮面を這うように進展している．高拡大

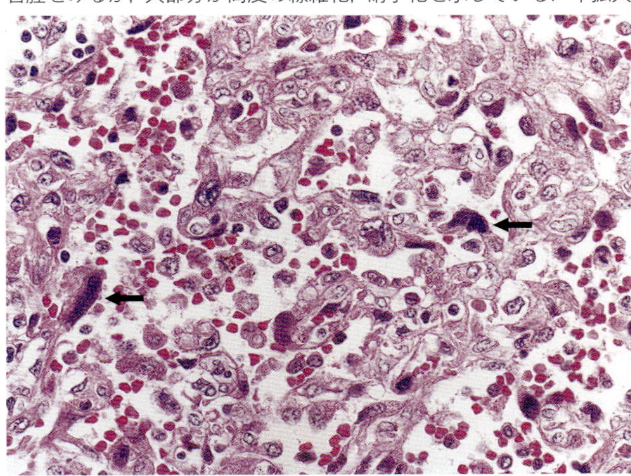

図 117　肝血管肉腫．異型性の強い内皮細胞（⬆）が血管腔を形成．血管腔に赤血球を入れる．中拡大

海綿状血管腫　通常は 5 cm 以下であり，単発で境界明瞭で被膜下に多くみられる．出血性の小血管小集簇巣としてみえ，線維成分の増生もある．被膜形成はない．多数の血管腔があり，細胞成分に乏しい線維性隔壁で区切られている．海綿状で，内腔は血液で充満している（**図 114**），血栓がしばしば形成される．血管腔の内面は，異型のない 1 層の血管内皮細胞で覆われている．経過の遷延に伴い，血栓の器質化，線維化，瘢痕化，石灰沈着がみられる．これらの変化が目立つものは硬化型血管腫，孤立性線維化結節とよばれる（**図 115**）．

類上皮血管内皮腫　血管内皮細胞由来の低悪性度腫瘍．腫瘍細胞は紡錘形，乳頭状，類円形などさまざまな形態を示し，周辺の門脈域や類洞を置換性，浸潤性に増殖する（**図 116**）．腫瘍細胞には CD31，CD34 などの血管内皮マーカーが陽性となる．

血管肉腫　血管内皮細胞に由来する高悪性度腫瘍．多発性の境界不明瞭な腫瘍としてみられる．異型性のある紡錘形，不整形の腫瘍細胞が類洞を置換性に，あるいは充実性に重なり合うように増殖する（**図 117**）．血管腔の形成の著明なものから目立たないもの，充実性増殖を示すもの，など多彩な像を示す．肝細胞は萎縮・消失する．胞体境界が不明瞭で，合胞性の紡錘形あるいは多形性の悪性細胞よりなり，類洞や小静脈などの既存の血管腔の内腔に発育する．髄外造血がみられる．腫瘍細胞には血管内皮マーカーが陽性である．

【鑑別診断】　肝紫斑病（肝ペリオーシス）：血液を容れた球状の腔が多発し，内腔面には内皮細胞はない．血液腔間は肝実質で，海綿状血管腫との鑑別は容易．

［参考事項］　海綿状血管腫　最も多い良性の肝の間葉系腫瘍で，成人の男性・女性いずれにもみられる．

肝血管肉腫の背景病変　トロトラスト沈着症，砒素中毒症，塩化ビニル中毒症などが知られている．

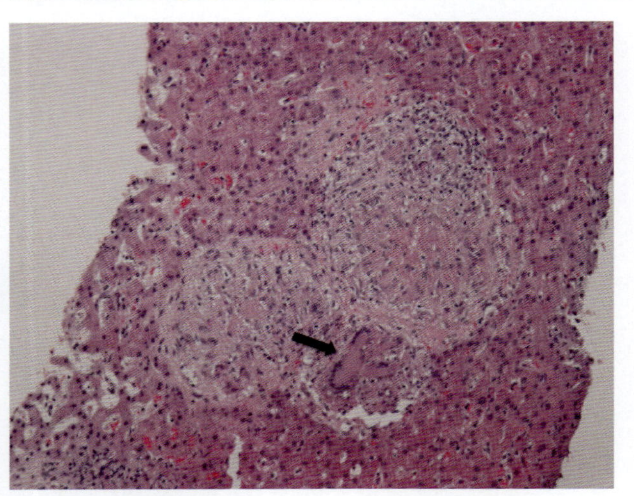

図 118　肝結核症．肝内に小型の肉芽腫病巣が多発している．乾酪壊死を伴うものや目立たないものがある．ラングハンス型巨細胞を伴う（⬆）．中拡大

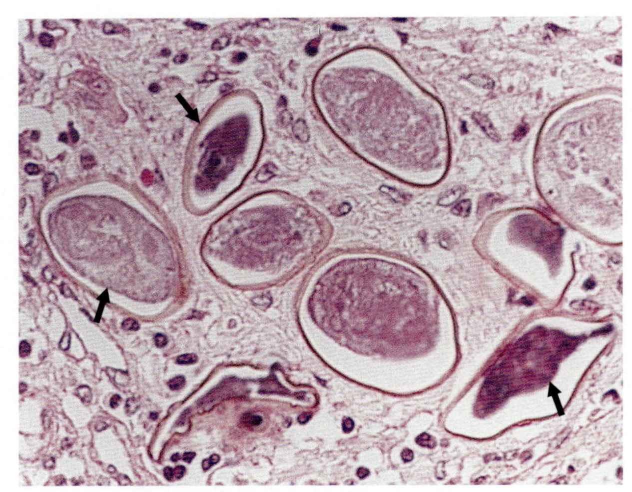

図 119　日本住血吸虫症．虫卵は小型の門脈域内に塞栓様となり，石灰化（⬆）．虫卵の内部構造は不明瞭．中拡大

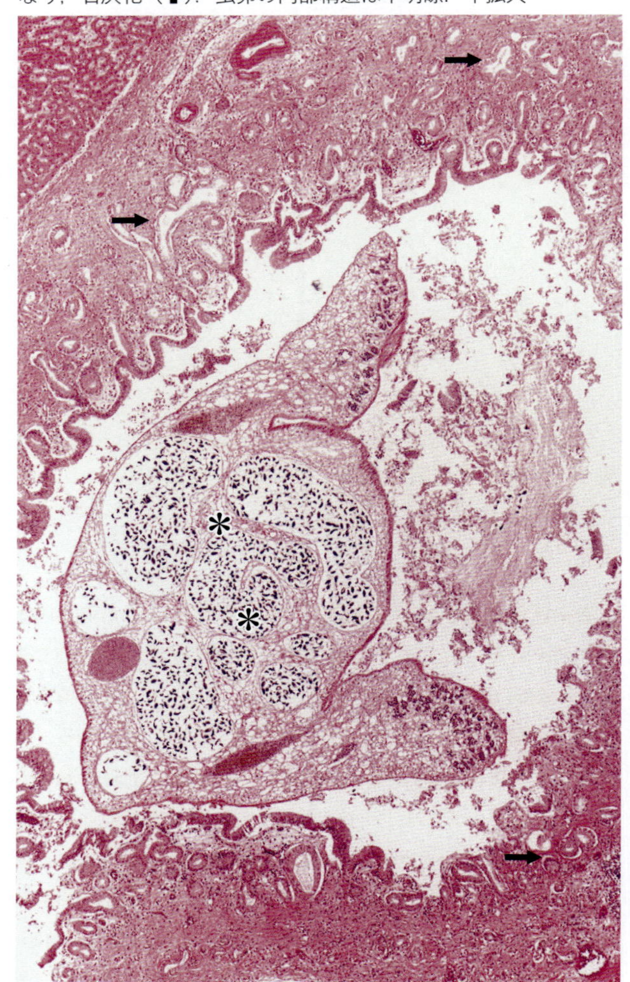

図 120　タイ肝吸虫症．肝内胆管内に肝吸虫をみる（＊）．胆管壁に炎症と胆管付属腺の増生（⬆）をみる．弱拡大

肝結核症 tuberculosis　ヒト型結核菌による感染症で，肝結核として，肝内に小型肉芽腫病巣が多発する粟粒結核，および腫瘤を形成する結核腫が代表的である．肉芽腫は門脈域にもみられるが，肝実質での頻度が高い．中心部に乾酪壊死を伴うのが特徴であるが，壊死を伴わない症例もある．ラングハンス型巨細胞も出現する（**図 118**）．Ziel-Neelsen 染色陽性頻度は高くない（約 10％）．

日本住血吸虫症 schistosomiasis japonica　日本住血吸虫の虫卵が肝内門脈枝に入り，肝内の小型門脈枝に塞栓を起こし，その結果，急性期にはこの周囲に滲出性壊死性炎症（好中球，好酸球，リンパ球浸潤，充血，壊死）が生じる．多くは慢性に経過し，虫卵周辺に単核細胞類上皮細胞，多核巨細胞を伴う肉芽腫を形成する．虫卵は死滅し石灰化が生じ，石灰化した虫卵が剖検肝などの組織切片で確認される（**図 119**）．肉芽腫は結合組織で置換され，門脈域を中心に結合組織増殖が起こり，進行すると線維症となる．

肝吸虫症 clonorchiasis　肝内胆管に寄生し，胆管系や肝組織に種々の変化を認める．世界的には東アジア（朝鮮半島，香港，台湾）に生息している *Clomorchis sinensis*（CS）とタイ北部に流行している *Opisthorchis viverrini*（OV）がある．胆管内に虫体が寄生し，胆管壁は機械的刺激や化学的刺激を受け，炎症細胞浸潤を生じ，胆管上皮の脱落，変性，破壊を認め，胆管付属腺の増生（壁内腺）もみられ，腺腫様過形成 adenomatous hyperplasia とよばれる（**図 120**）．異型性のある胆管上皮の増生をみることがある．この部に結合組織の増殖が起こり，胆管壁の線維化が目立つ．

［参考事項］ 肝吸虫症と肝内胆管癌　タイ北部の肝吸虫症（OV）や韓国の肝吸虫症（CS）は胆管癌の高リスク疾患として知られている．

住血吸虫症と肝硬変　日本住血吸虫症だけで肝硬変症に移行することはない．

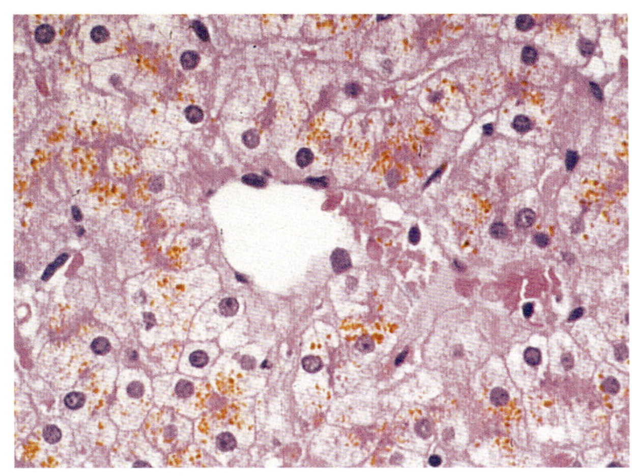

図 121　デュビン・ジョンソン症候群．小葉中心部の肝細胞内に黄褐色の色素顆粒の沈着をみる．中拡大

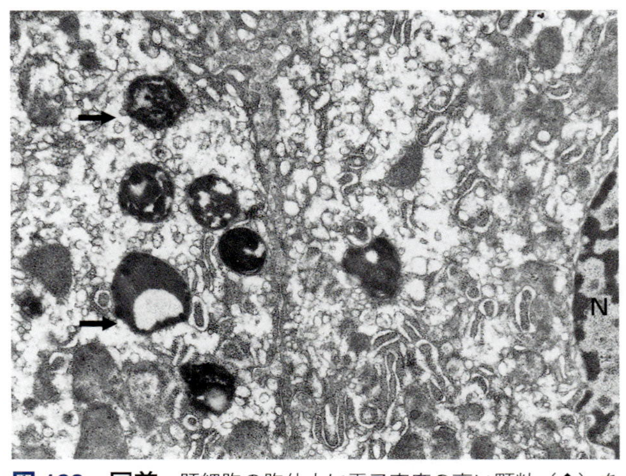

図 122　同前．肝細胞の胞体内に電子密度の高い顆粒（⬆）をみる．N：核．電顕像．×10,000

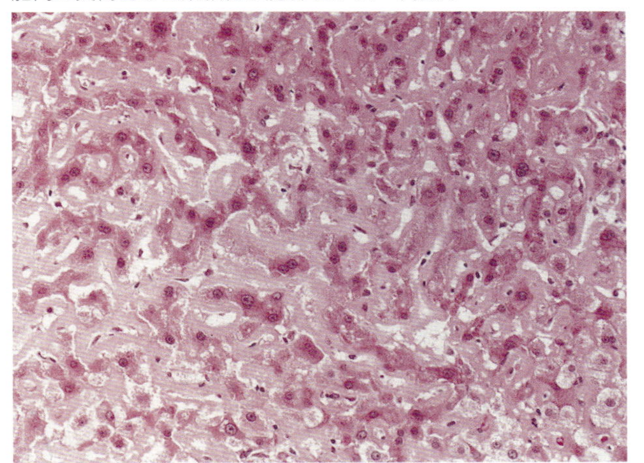

図 123　肝アミロイドーシス．肝小葉内で類洞に沿って高度のアミロイド沈着をみる．肝細胞は萎縮．中拡大

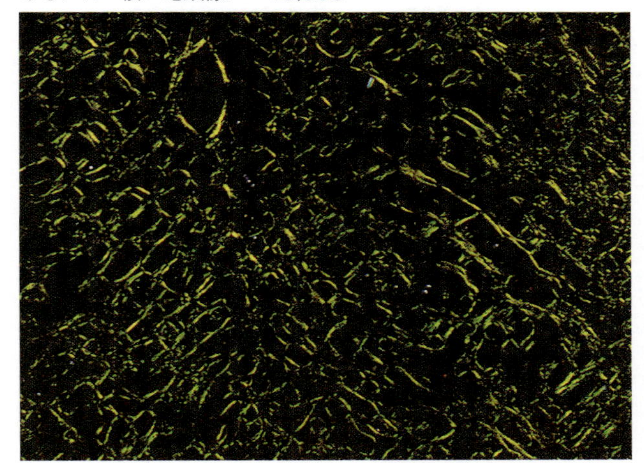

図 124　同前．コンゴーレッド染色標本は黄緑色の偏光を示す．中拡大

デュビン・ジョンソン症候群　体質性黄疸の 1 つで，肉眼的に肝は黒色を呈する．肝の小葉構造の変化や肝実質での壊死・炎症像はなく，正常に保たれ，門脈域にも著変をみない．肝細胞胞体内に高度の黄褐色の色素顆粒が認められる（**図 121**）．この色素顆粒は微細～粗大顆粒状で毛細胆管周囲に多く，肝小葉中心性に程度が強い．これらはビリルビンを含まずリポフスチンやメラニン色素との関連が示唆されている．電顕的には，顆粒は胞体内の不定形で電子密度の高い顆粒状物質である（**図 122**）．

アミロイドーシス　全身性アミロイドーシスでは，肝にしばしばアミロイド沈着がみられる．門脈域の小血管に沈着する型（小動脈に沈着し硝子様となる）と，肝小葉の類洞壁に沿ってびまん性に沈着する型がある（小葉中間帯～小葉周辺部）．肝実質では Disse 腔に沈着し，肝細胞は沈着したアミロイドのため圧排され，萎縮，脱落する（**図 123**）．肝臓に限局し，肝細胞内に球状のアミロイドが沈着する globular amyloidosis も報告されている．臨床的な肝障害は乏しい．アミロイドは無構造の硝子様物質で，線維構造をもつ蛋白．アミロイドはコンゴーレッド染色で赤レンガ色に染まり，偏光顕微鏡下で緑色の複屈折を示す（**図 124**）．電子顕微鏡では幅 8～15 nm の直線上の細線維の集積がみられる．

【鑑別診断】　高齢者や新生児の肝細胞に黄褐色のリポフスチン顆粒をみるが，デュビン・ジョンソン症候群とは程度が異なる．類似疾患であるローター Rotor 症候群では肝細胞胞体内の黄褐色顆粒の高度沈着はない．

［参考事項］　デュビン・ジョンソン症候群は繰り返す黄疸が特徴で，グルクロン酸抱合型ビリルビンおよび関連物質の毛細胆管への輸送蛋白の欠損と毛細胆管への排出障害を伴う遺伝性疾患．予後は良好．

第5章

消化器系

（6）膵臓

概　説

膵臓（膵）pancreas は胃の背後（後下部），第1〜3腰椎の前面にある後腹膜臓器で，前面は腹膜に包まれ，後面は腹部大動脈，下大静脈，左腎臓などに接する．したがって，膵は開腹手術時，病理解剖時に腹腔内を見ても，すぐには正面視できないことが多い．ただし，胃をよけると，十二指腸〜脾臓近く（脾門部）までの間，左上がりぎみに横たわった黄色調の細長い臓器として観察できる．

日本人では，長さが15 cm前後，重さが60〜100 g程度で，上述のように腹部を横行する充実性臓器であり，十二指腸のC字型カーブに抱え込まれ，かつ，門脈・上腸間膜静脈左縁よりも右側の領域を頭部と称する（頭部の後下方突出部を鉤状突起とも称する）．頭部よりも左側の領域を2等分し，十二指腸側を体部，脾側を尾部とよぶ．膵頭部を文字どおり頭部と見立てると，あたかも横向きのオタマジャクシのようにも見えよう．

膵は外分泌機能と内分泌機能を併せ持ち，ともに生体内で重要な役割を果たす．

外分泌機能の主役は，消化酵素（アミラーゼ，リパーゼ，トリプシン，キモトリプシンなど）を含む膵液を分泌し，小型腺腔を形成する，おもに好塩基性からなる細胞群である（**図1**）．これら細胞を腺房細胞 acinar cell とよび，数個〜十数個の腺房細胞と介在部 intercalated duct 寄りにある数個の腺房中心細胞 centroacinar cell から構成される膵腺房 pancreatic acinus が，この外分泌系の最小単位とされる．さらに，膵腺房が多数集まり，線維性結合組織に取り囲まれた領域を膵小葉 pancreatic lobule とよぶ（膵はこの膵小葉が多数集まった臓器ともいえる）．そして，各膵腺房から産生される分泌液はまず介在部に，それから導管 intralobular duct を経て，

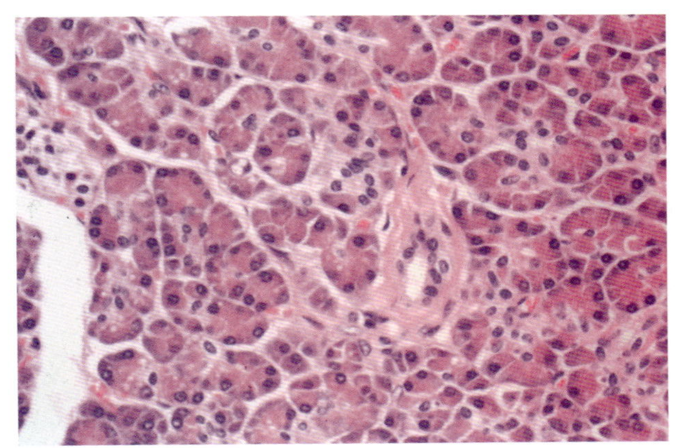

図1　膵の外分泌組織．好塩基性・好酸性細胞などの腺房細胞が豊富にあり，ほぼ中央部には介在部がみられる．中拡大

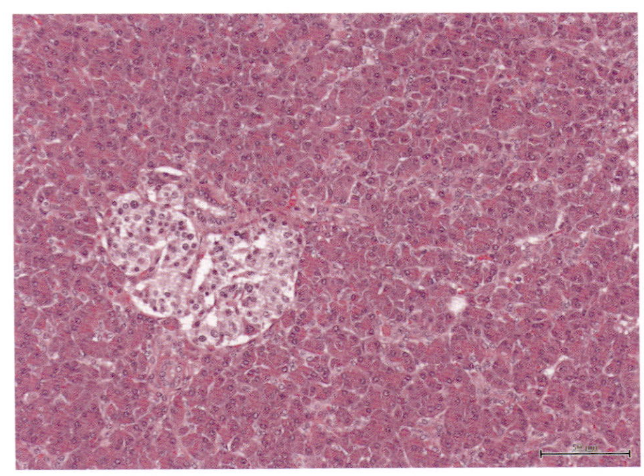

図2　膵の組織像．膵小葉内にランゲルハンス島（写真左側）が散在性にみられる．弱拡大

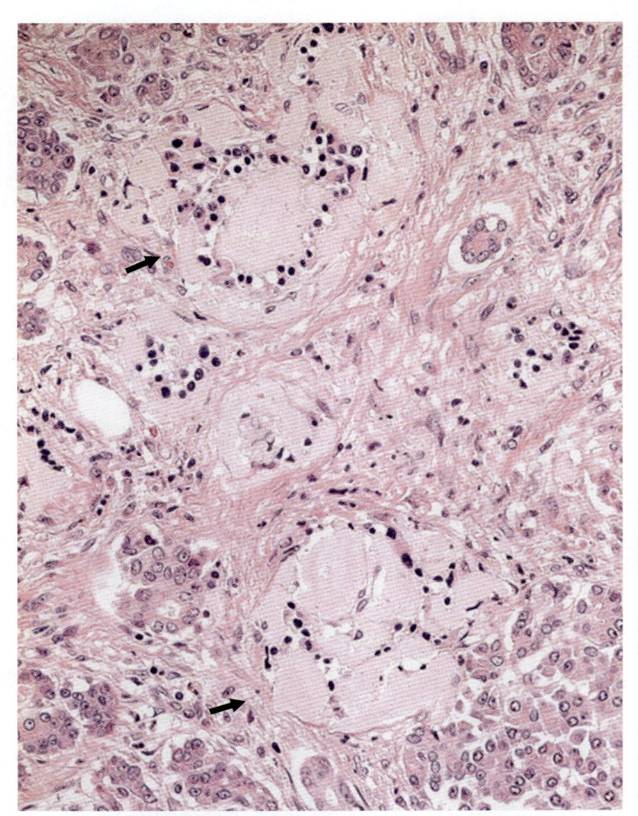

図3　2型糖尿病患者に観察されるランゲルハンス島の硝子化像（⬆）．アミロイド沈着が証明される場合もある．中拡大

膵管 pancreatic duct（頭部〜尾部を横行する川状の管腔組織）に集まる．通常，膵管（主膵管）は括約筋の作用が及ぶ十二指腸壁内で総胆管と合流し（合流後〜開口部までを共通管と称す），その後，十二指腸に開口しており（開口部十二指腸領域をファーター乳頭と称す），その結果，膵液は胆汁と混在した形で十二指腸内腔に流れ出すこととなる（主膵管の分岐からなる副膵管が十二指腸に開口する場合もあり，この場合の開口部十二指腸領域は副乳頭と称する）．

内分泌機能の担い手はランゲルハンス Langerhans 島（膵島）であり，散在性ながら，膵全体の膵小葉内に分布する（約20万個ある）（**図2**）．ランゲルハンス細胞は多種類あり，A細胞からはグルカゴン，B細胞（ランゲルハンス細胞の60〜80％を占める）からはインスリンが産生される．その他にも多種類のホルモン産生・ランゲルハンス細胞があり，多種多様なホルモンが島内の毛細血管内に分泌される．なお，2型糖尿病患者では，ランゲルハンス島にアミロイド沈着〜硝子化が光学顕微鏡的に観察できることがある（**図3**）．結果として，B細胞減少をもたらすこの組織像は，B細胞破壊を基盤とした1型糖尿病患者ではみられない点からも有益な組織所見といえる．

以下，その他の非腫瘍性の膵疾患について，主なものを列挙・説明する．

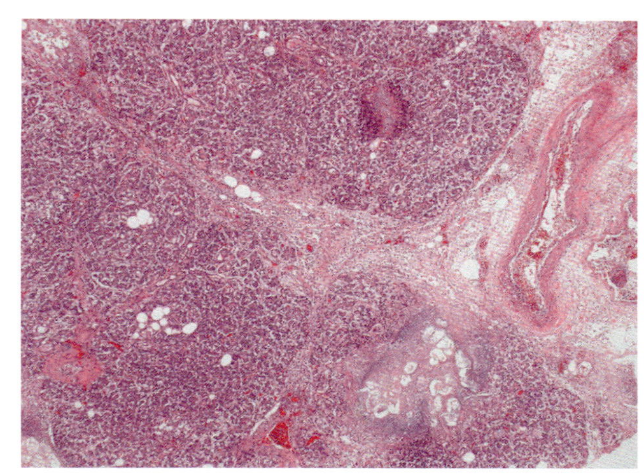

図 4　急性膵炎．小葉間・小葉内の炎症性細胞浸潤，壊死がみられる．弱拡大

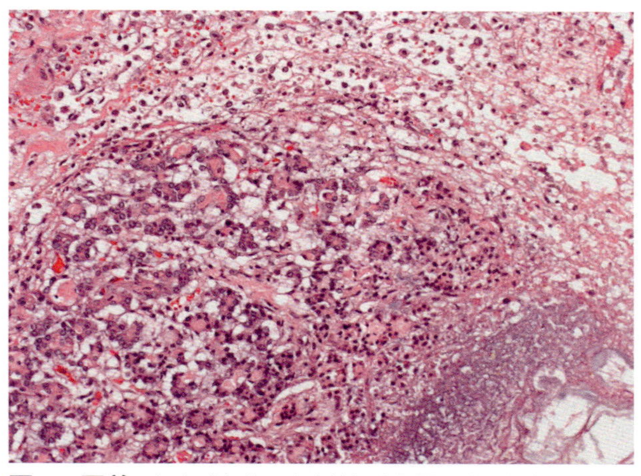

図 5　同前．好中球主体の炎症性細胞浸潤，腺房組織の壊死傾向がみられる．中拡大

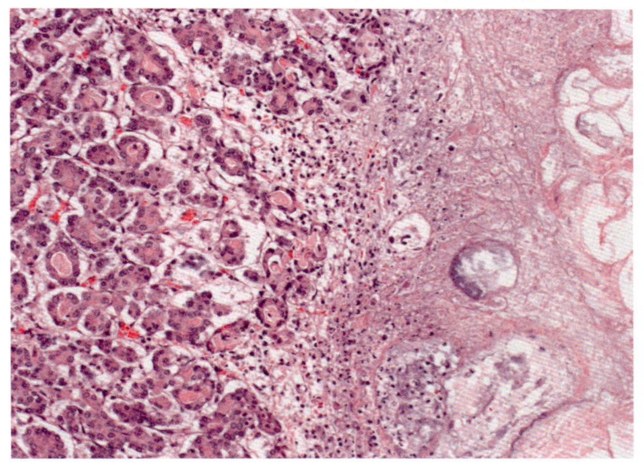

図 6　同前．脂肪壊死内には紫色の石灰化様領域がみられ，石鹸化と称する．中拡大

通常，膵消化酵素は非活性型で貯蔵されている．そして，この非活性型酵素を含む膵液は胆汁と混じり合った形で十二指腸に流れ込んだ後，各種酵素が活性化し，消化系機能を発揮することとなる．

急性膵炎とは，なんらかの原因（アルコール，胆石などの胆道系疾患など）により膵液の排出障害・漏出あるいは胆汁の膵管内逆流が起こり，膵管内外で活性化された膵酵素によって膵およびその周囲組織の自己消化が生じた状態といえる（**図 4**）．

その初期組織像は小葉間・腺房細胞間（小葉内）の浮腫，好中球などの浸潤像（急性間質性膵炎 acute interstitial pancreatitis）（**図 5**）で，病態が進行した場合，トリプシンなどの蛋白分解酵素による膵実質の壊死・リパーゼによる脂肪壊死 fat necrosis が目立った状態（急性壊死性膵炎 acute necrotic pancreatitis）にいたる．脂肪壊死により生じた脂肪酸はカルシウムと結合し，石鹸状態にもなりうる（石鹸化）（**図 6**）．さらに，壊死性病変が広がり血管壁の壊死による出血も加わった場合は，急性出血性膵炎 acute hemorrhagic pancreatitis と称する．急性膵炎の 10～20％は，活性化膵酵素などの膵外逸脱により全身性炎症と化し，重症化することがあり（重症急性膵炎），ときに致死性となる．

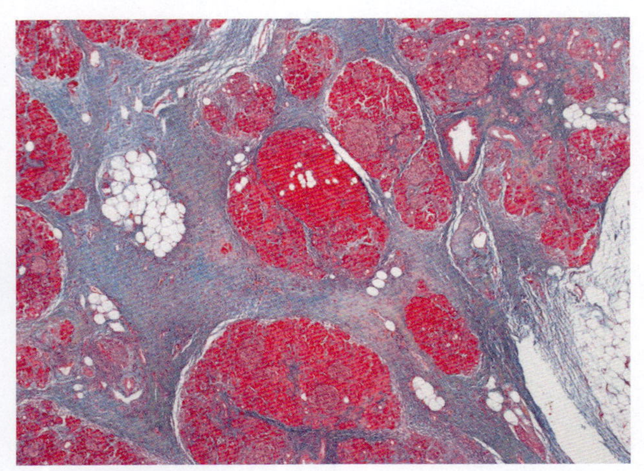

図7　慢性膵炎．小葉間の線維化がよくみられる（青色領域）．アザン染色．弱拡大

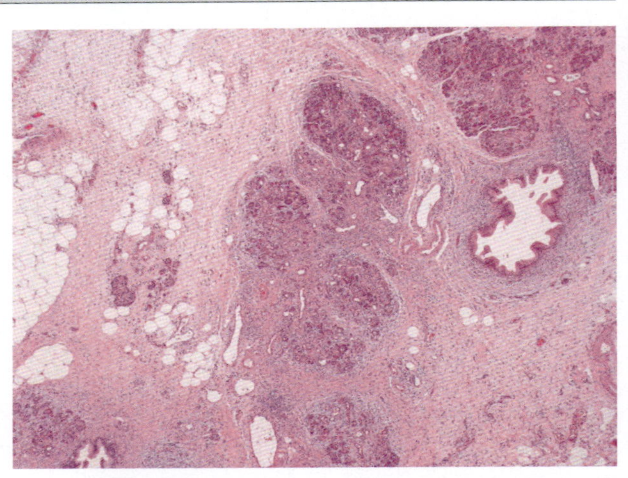

図8　同前．慢性膵炎が進行し，小葉間・小葉内の線維化，炎症性細胞浸潤，粘液細胞化生/過形成（写真右側），残存性状態のランゲルハンス島（写真左側）がみられる．弱拡大

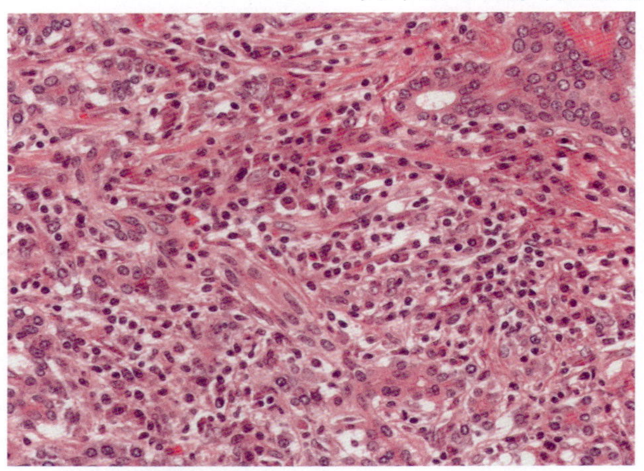

図9　自己免疫性膵炎．リンパ球・形質細胞の浸潤がよくみられる．中拡大

慢性膵炎　小葉間・小葉内あるいは膵管周囲において，線維化，リンパ球・形質細胞などの慢性炎症細胞の浸潤，腺房細胞の萎縮・消失が種々の程度みられる持続性病態を慢性膵炎と称する（**図7**）．

腺房細胞の減少の一方，小膵管の増生・集簇，粘液細胞化生/過形成，残存膵管上皮の変性，扁平上皮化生，幽門腺化生，乳頭状増生など多彩な上皮系異常像が生じることがよくあり，ときに膵癌との鑑別が必要とされ，また進行した状態では残存したランゲルハンス島が文字どおり島状に点在する組織像が観察されうる（**図8**）．導管内に結石が目立つ場合は膵石症 pancreatolithiasis とよばれる．

慢性膵炎の成因も急性膵炎と類似の傾向があり，アルコール多飲・慢性アルコール中毒症，胆石などの胆道系疾患があげられる．

自己免疫性膵炎（AIP）　近年提唱された膵炎の一種で，中高年男性に多く，その発症に自己免疫機序の関与が疑われ，かつ，ステロイド治療が奏功することが特徴である．膵腫大・腫瘤化を呈し，しばしば閉塞性黄疸を呈するため，臨床的には膵癌，胆管癌との鑑別が必要とされる．

国際コンセンサス診断基準により，1型と2型に亜分類される．本邦の多くを占めるAIPは1型とよび，高γグロブリン血症，高IgG血症，高IgG4血症，自己抗体陽性などの血液免疫学的異常を高頻度に認め，病理組織学的にはリンパ球・形質細胞（特にIgG4陽性）の浸潤，閉塞性静脈炎，線維化を特徴とし（**図9，10**），硬化性胆管炎などの膵外病変をしばしば合併する．すなわち，1型AIPは，近年提唱されたIgG4関連疾患の1つと目され，その概念を提唱する起点になった疾患といえよう．このIgG4関連疾患は血清IgG4高値

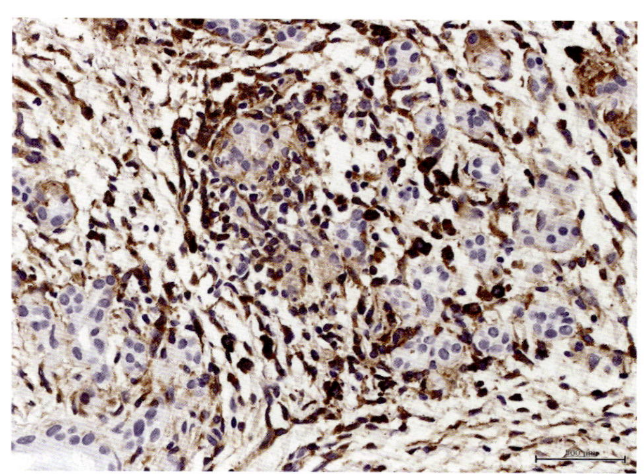

図 10　自己免疫性膵炎．IgG4 陽性形質細胞がよくみられる（茶色細胞の多くは IgG4 陽性形質細胞）．中拡大

と IgG4 陽性形質細胞の増生・浸潤（IgG4/IgG 陽性細胞比：40％以上）を特徴とし，甲状腺，胆管，後腹膜，縦隔，腎，肺，下垂体，動脈など全身のさまざまな臓器にみられることが知られ，その疾患概念は広がってきている．

一方，おもに欧米で報告され（わが国ではまれ），血液免疫学的異常所見に乏しく，病理組織学的には好中球上皮病変を特徴とする場合を，上述のように，国際コンセンサス診断基準では 2 型 AIP と称しているものの，1 型と 2 型は諸々の差異があり，両者を同一の疾患群として扱うか否かは今後の検討によっては流動的と思われる．

表 1　膵腫瘍の組織型分類

［1］上皮性腫瘍
　A．外分泌腫瘍
　　1．漿液性嚢胞腫瘍（腺腫，腺癌）
　　2．粘液性嚢胞腫瘍（腺腫，腺癌）
　　3．膵管内乳頭粘液性腫瘍（腺腫，腺癌）
　　4．異型上皮および上皮内癌
　　5．浸潤性膵管癌：腺癌（高分化型，中分化型，低分化型），腺扁平上皮癌，粘液癌，退形成癌
　　6．腺房細胞腫瘍（腺腫，癌）
　B．内分泌腫瘍
　C．併存腫瘍
　D．分化方向の不明な上皮性腫瘍：Solid-pseudopapillary tumor，膵芽腫
　E．分類不能
　F．その他
［2］非上皮性腫瘍
　血管腫，リンパ管腫，平滑筋肉腫，悪性線維組織球腫，悪性リンパ腫，傍神経節腫，その他

（「膵癌取扱い規約」第 7 版，2016 より簡略的抜粋）

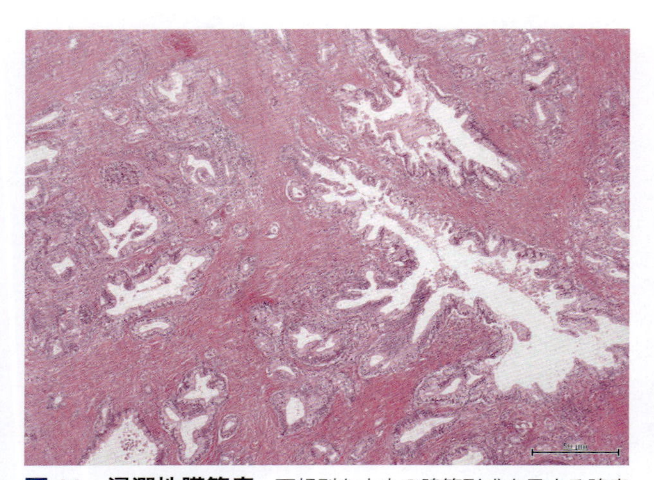

図 11　浸潤性膵管癌．不規則な大小の腺管形成を呈する腺癌像を呈する．弱拡大

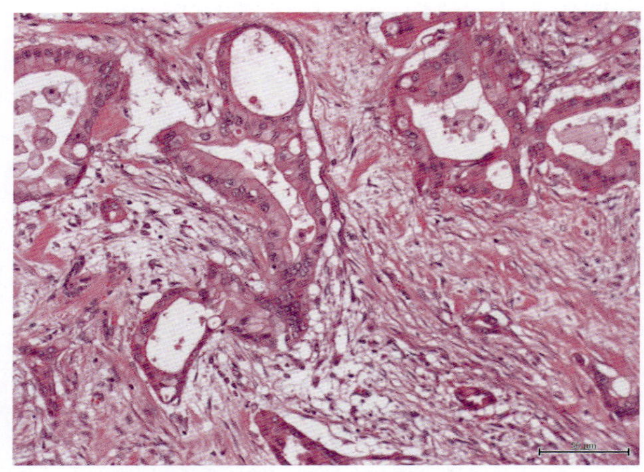

図 12　同前．癌細胞周囲に線維性結合組織がよくみられる．中拡大

他臓器の腫瘍と同等に，膵腫瘍も病理組織学的には多種類に分類される．通常，上皮性と非上皮性に大別され，上皮性は外分泌腫瘍（浸潤性膵管癌など）や内分泌腫瘍などに亜分類され，非上皮性では血管腫，リンパ管腫などがある（**表 1**）．以下，医学生などの医療系学生や研修医などの若手医師などにおいても認知すべき代表的腫瘍のなかから一部の腫瘍を抜粋し解説する．

浸潤性膵管癌　膵癌の代表的腫瘍であり，消化器癌の約 8%程度であるが，近年増加傾向にある．早期発見が困難であることなどから，予後不良の最たる消化器癌とされる．頭部発生が多い．ほとんどの癌は膵管ないしその近辺の上皮細胞由来とされ，そのほとんどが腺癌(優勢像により，高分化型，中分化型，低分化型に亜分類されるものの，これらの混在した状態がよくみられる）からなり（**図 11**），間質浸潤した癌細胞周囲には線維性結合組織の増生が目立つ場合が多い（**図 12**）．外科的摘出手術が可能な場合でも，膵周囲組織への癌浸潤が確認できる例が高率であり，このことが予後不良状況の一因となっていることはいうまでもない．

漿液性嚢胞腫瘍（SCNs）　腫瘍・腫瘤の肉眼的割面は特徴的であり，スポンジ状・蜂の巣状などと称される（**図 13**）．中年女性の膵体尾部に好発し，病理組織学的には淡明細胞（グリコーゲン豊富）から構成される大小の嚢胞の密在からな

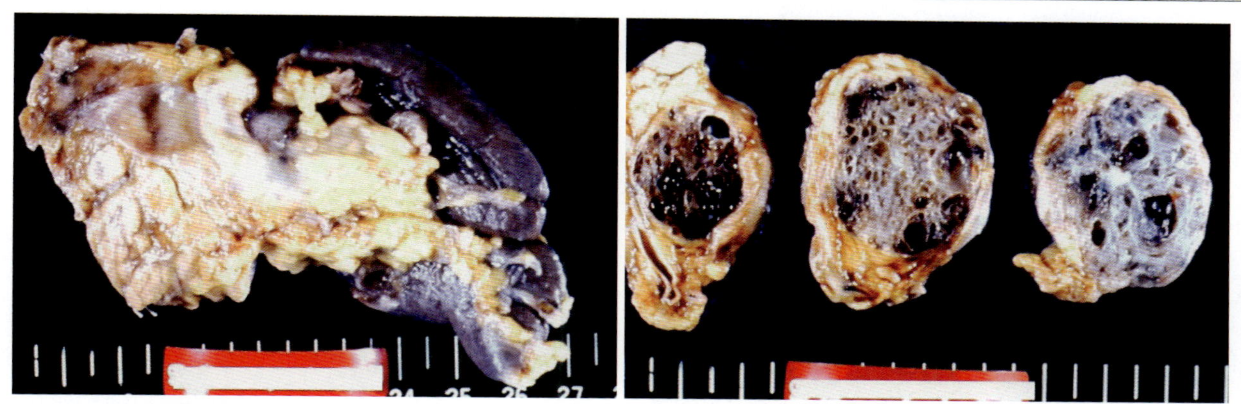

図 13　漿液性囊胞腫瘍．膵体部に腫瘤状領域がみられ（左），その輪切り（割面）は大小の隙間の集簇からなり（右），スポンジ状・蜂の巣状と表現される．肉眼像

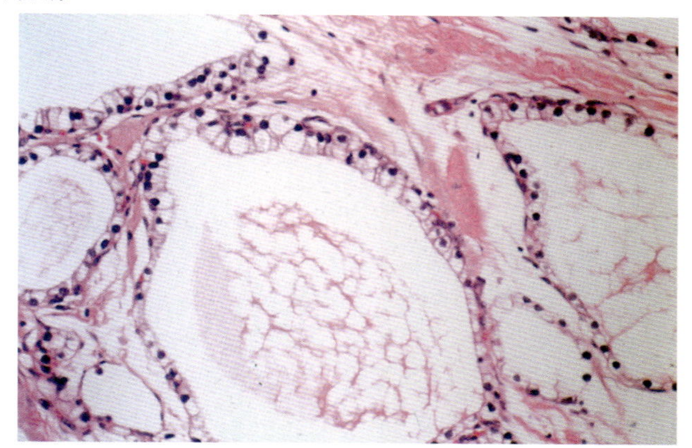

図 14　漿液性囊胞状腺腫．各囊胞はグリコーゲンを豊富にもつ淡明細胞から構成され，異型性は軽度である．中拡大

り（**図 14**），大部分は腺腫（漿液性囊胞腺腫）である．しかし，その組織像が腺腫とおおむね同等であるものの，周囲組織への破壊性浸潤や肝転移を呈する漿液性囊胞腫瘍例も報告されており，腺癌例（漿液性囊胞腺癌）もあるとされている．

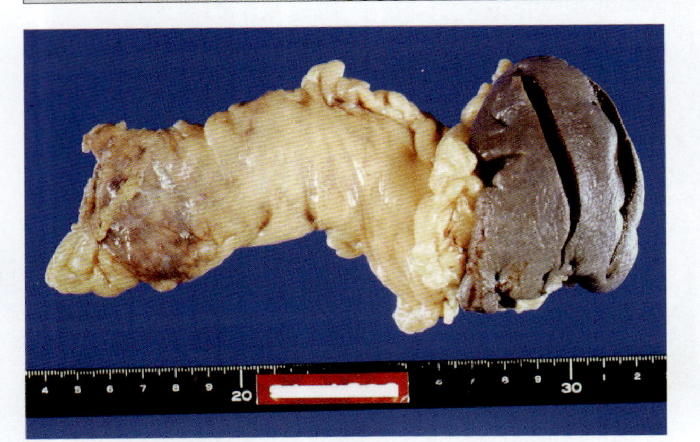

図 15　膵管内乳頭粘液性腫瘍．写真左側・膵頭部〜体部に腫瘤がみられる．肉眼像

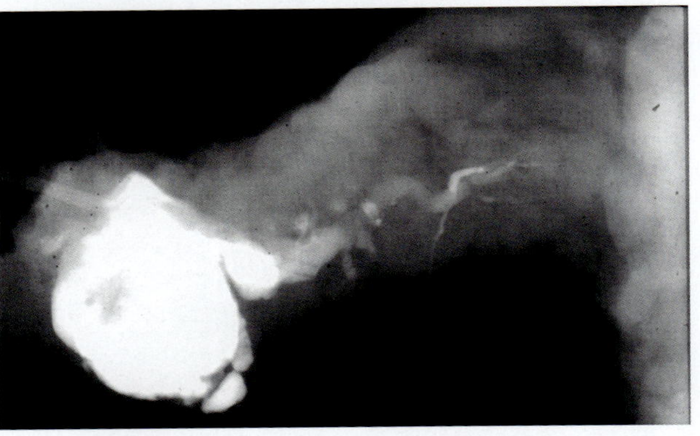

図 16　同前．図 15 の症例の術前画像で，腫瘤部には造影剤が貯留し，拡張性膵管と連続性があると推定できる

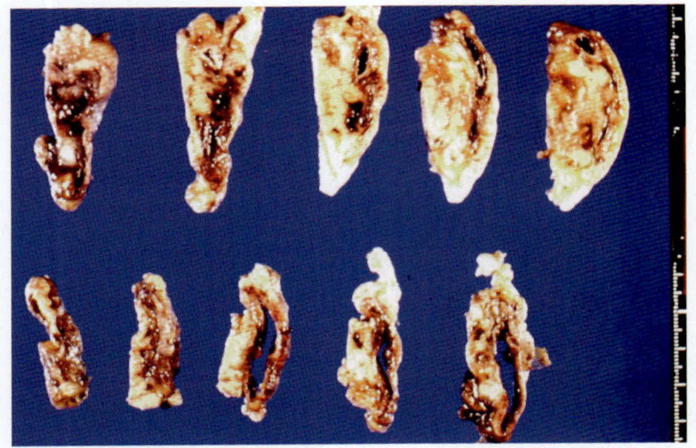

図 17　同前．図 15 の腫瘤を含む膵組織の横断的割面の肉眼像で，嚢胞状拡張を呈する病変と認識できる

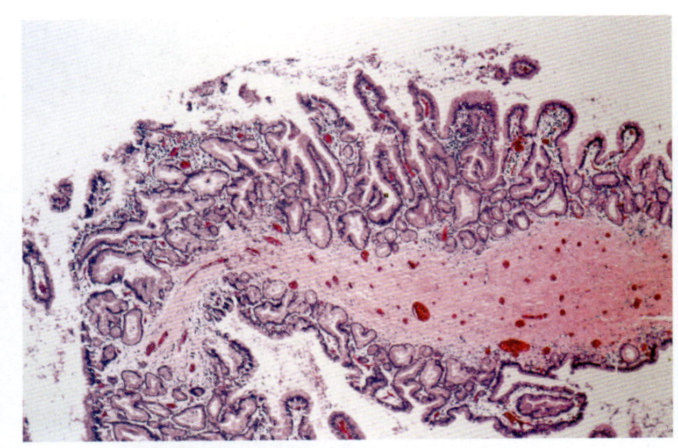

図 18　膵管内乳頭粘液性腺腫．軽度の異型性を伴った腫瘍腺管の亜乳頭状増生がみられ，膵管内乳頭粘液性腺腫と病理診断される．弱拡大

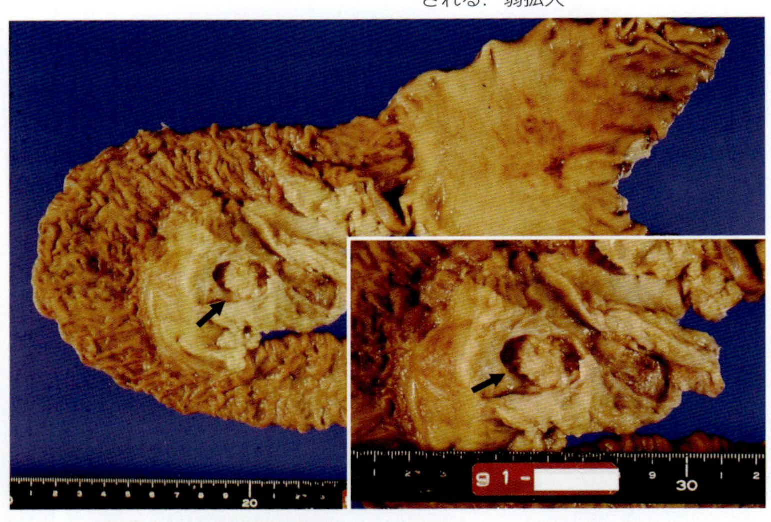

図 19　膵管内乳頭粘液性腺癌．拡張性膵管内に乳頭状腫瘤がみられる（⬆）（挿入図：病変部の拡大）．肉眼像

膵管内乳頭粘液性腫瘍（IPMNs）　従来，膵管内乳頭腫瘍と称していた膵管上皮性腫瘍で，典型例は膵管上皮の乳頭状増生，膵管内の粘液貯留による膵管拡張を特徴とするもの の，乳頭状増生や膵管拡張が目立たない場合も亜型として本腫瘍に含まれる（**図 15〜17**）．

病変の主座によって，主膵管型，分枝型，混合型（主膵管

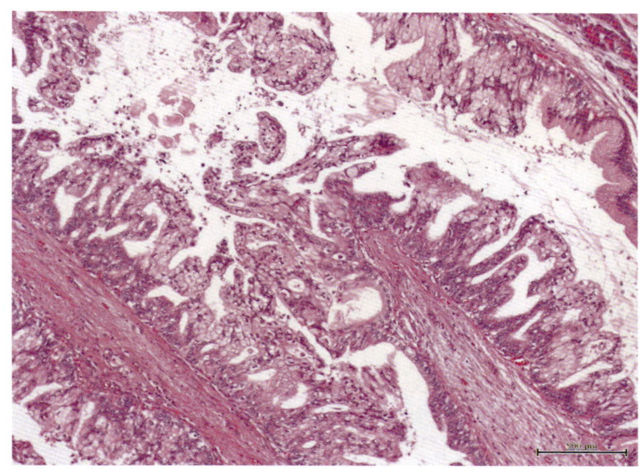

図 20　膵管内乳頭粘液性腺癌．乳頭状増生を呈する腺癌がみられる．中拡大

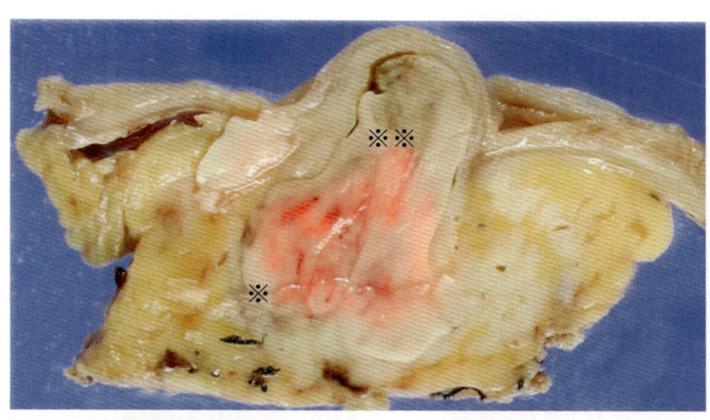

図 21　膵腺房細胞癌の肉眼像．主膵管内（※）から主乳頭部共通管（※※）に進展している

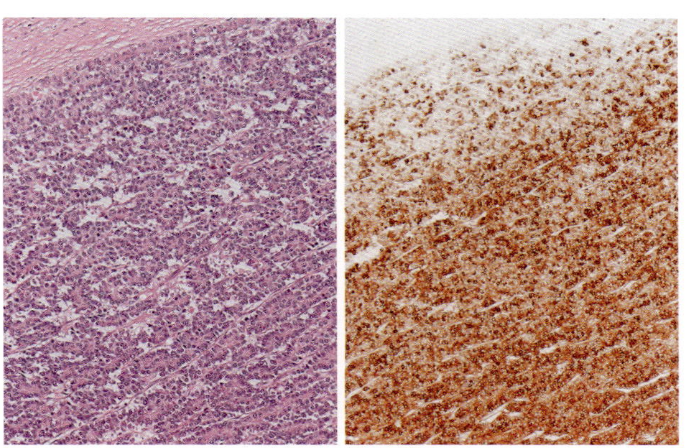

図 22　膵腺房細胞癌の組織像．腫瘍細胞は均一・密在し（左），多くが BCL10 染色に陽性である（右）．ともに中拡大

および分枝にまたがる）に亜分類される．病理組織像からは，腺腫 intraductal papillary-mucinous adenoma（IPMA）（**図 18**），腺癌（腺腫成分が種々の割合にみられる場合を含む）intraductal papillary-mucinous carcinoma（IPMC）に分けられ，さらに IPMC は非浸潤性 non invasive と浸潤性 invasive に分類される．そして上述のように，IPMA は浸潤性膵管癌の先行病変の 1 つと考えられている．一方，IPMC は乳頭状増生した浸潤癌として観察されることが多く，単に IPMA の悪性化であるとはいいがたい側面もあり，その組織発生については未知な部分が残るといえよう（**図 19，20**）．

膵腺房細胞腫瘍（ACNs）　膵腺房細胞への分化を示す良性膵外分泌腫瘍として腺房細胞嚢胞腺腫 acinar cell cystadenoma があるものの，かなり低頻度で，かつ，neoplasm な疾患か否か議論中なので，ここでは，腺房細胞癌 acinar cell carcinoma（ACC）について記す．

ACC は膵外分泌腫瘍の 0.4～1％程度と比較的まれであり，中高年者・男性にやや多い．腫瘍径が数 cm～20 cm（平均 8 cm）とやや大きく，膵頭部にやや多いものの，膨張性発育主体（**図 21**）のためか，黄疸を伴う頻度は低いとされる．肝転移などの遠隔転移は数 10％～50％と高率ではあるものの，外科的切除可能例の 5 年生存率が 40％前後であり，前述の浸潤性膵管癌よりは予後良好と言える．組織像は特徴的で，好酸性・立方状腫瘍細胞の均一な充実性増生に加え，比較的小型の腺腔構造の介在が観察される（**図 22-左**）．腫瘍細胞は，後述の神経内分泌腫瘍のように，免疫組織化学的染色にてシナプトフィジンなどの神経内分泌マーカー陽性になりえるものの，従来から，トリプシンなどの膵外分泌酵素系染色に陽性となることが病理診断的に重要とされ，さらに，近年，より特異性の高い BCL10 陽性像（**図 22-右**）は診断的価値が高いとされる．

膵神経内分泌腫瘍（膵 NEN）　膵の内分泌腫瘍の代表的なものに神経内分泌腫瘍 neuroendocrine neoplasm（NEN）が

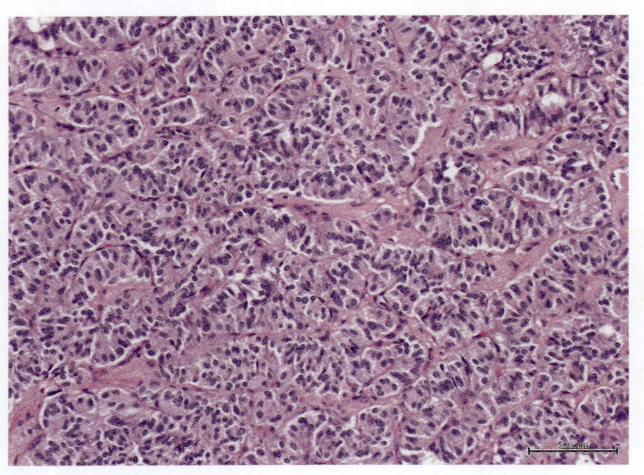

図 23　NET・Grade 1．比較的単調，かつ，細胞質豊富な腫瘍細胞群からなる．中拡大

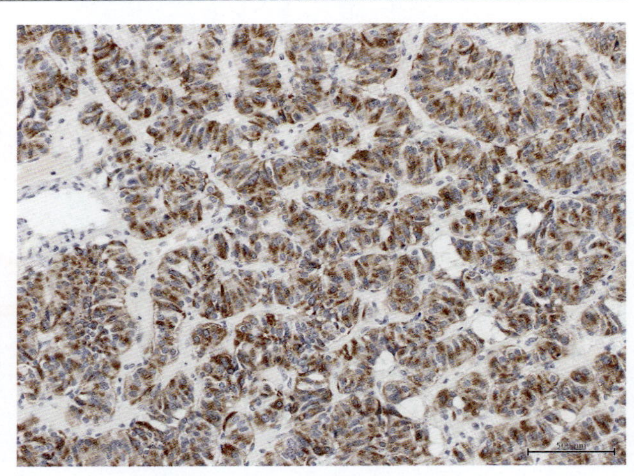

図 24　インスリノーマ．腫瘍細胞は抗インスリン抗体染色にて陽性となり（茶色），臨床症状があればインスリノーマとされる．中拡大

ある．膵 NEN は必ずしも単一な神経内分泌細胞由来ではなく，膵ランゲルハンス島の多彩なホルモン細胞が混在することもある．WHO 分類（2017 年/2019 年）では，NET（neuroendocrine tumor）G1，NET G2，NET G3 及び NEC（neuroendocrine carcinoma）に分類された．WHO 分類（2010 年）との大きな違いは，増殖能の高い NET G3 とは分子生物学的特徴・予後・治療法の異なる NEC を区別した点である．NEN では腫瘍は比較的単調で，細胞質豊富な細胞群から構成され（**図 23**），インスリン産生・これによる臨床症状を呈する場合はインスリノーマ insulinoma（**図 24**）と称される．このようにインスリノーマなどのホルモン産生・症状を呈する NEN は機能性，症状のない場合を非機能性とよぶ．いずれにしても，病理診断の確定にはクロモグラニン A，CD56，シナプトフィジンなどの神経内分泌マーカーの免疫組織化学的染色が必須であり，膵ランゲルハンス島細胞の各種ホルモンの産生の有無を検索することも重要である．

第5章

消化器系

(7) 胆道

概説

胆道は肝細胞から毛細胆管内に分泌される胆汁を十二指腸乳頭部まで排出する導管であるが，粘液産生などの粘膜上皮としての機能も有している．

胆道系は肝内と肝外の胆道系に大別され，発生学的にも両者は異なっており，疾患の病態および発癌についても異なる点が多い．解剖学的に肝外胆道系は，肝外胆管，胆嚢，乳頭

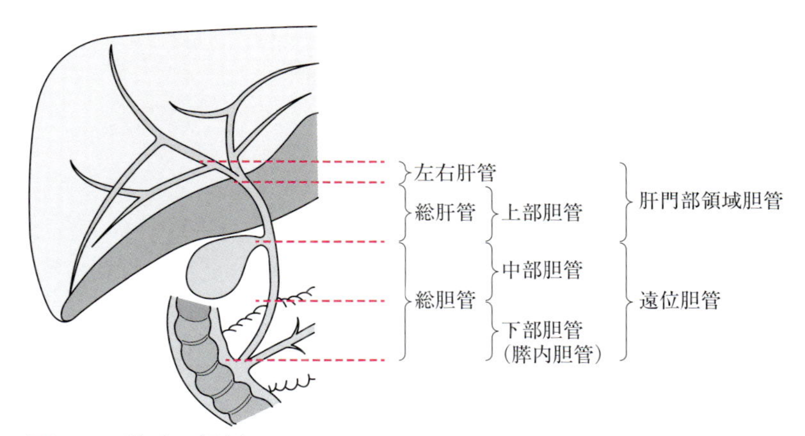

図1　胆道系の解剖．肝外胆道系の区分の違いによる呼称

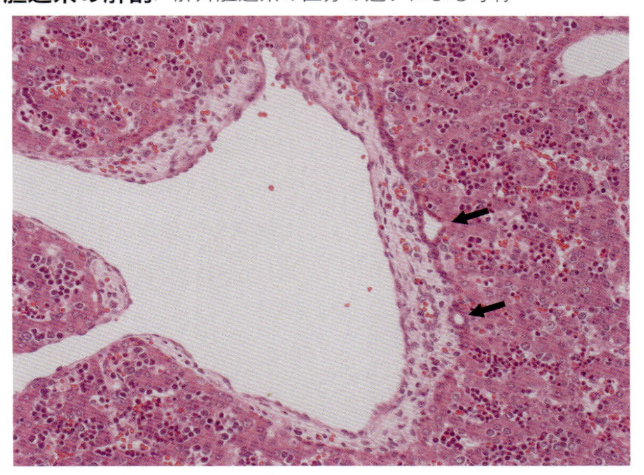

図2　胎生12週の肝臓．Ductal plate に胆管様構造物がみられる（⬆）．強拡大

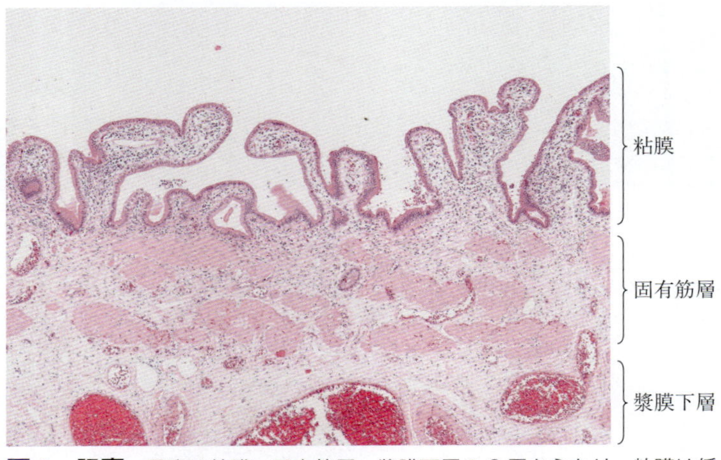

図3　胆嚢．胆嚢は粘膜，固有筋層，漿膜下層の3層からなり，粘膜は低絨毛状を示す．弱拡大

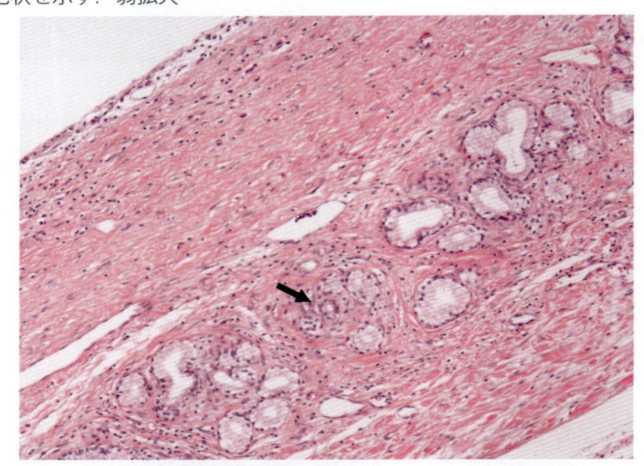

図4　肝外胆管の付属腺．胆管壁内に存在する腺組織で，粘液腺が主体であるが，一部に漿液腺（⬆）も認める．強拡大

部に分類され，肝外胆管は左右肝管，総肝管，総胆管に区分されているが，便宜上，上部，中部，下部胆管と呼称されたり，さらに「胆道癌取扱い規約」では肝外胆管は肝門部領域胆管と遠位胆管とに区分されたりしている（**図1**）．発生学的に肝外胆管は肝臓，胆嚢，腹側膵臓とともに原始腸管の前腸から直接発生することから，肝外胆管と膵管との解剖学的および病態の類似性が注目されている．一方，肝内胆管は胎生中期に門脈域辺縁の肝芽細胞由来の ductal plate とよばれる細胞層（**図2**）からの再構築 remodeling により形成される．

胆道壁の構造は粘膜，固有筋層，漿膜下層の3層からなり，消化管の粘膜筋板に相当する成分はない（**図3**）．なお，「胆道癌取扱い規約」では肝外胆管の固有筋層が菲薄であるため線維筋層と称されている．胆道上皮は一層性の立方あるいは円柱状の固有胆道上皮で被覆されており，上皮細胞の核は楕円形で基底部に偏在する．胆道粘膜は皺襞形成を示し，特に胆嚢では複雑な皺襞を備える．また，肝内大型胆管〜肝外胆管の周囲には付属腺が分布している（**図4**）．この付属腺は粘液腺と漿液腺からなる小葉構造からなり，固有の導管を介して胆管腔と連続しており，多彩な病態を形成する．胆嚢頸部には粘液腺の頸腺が存在する．

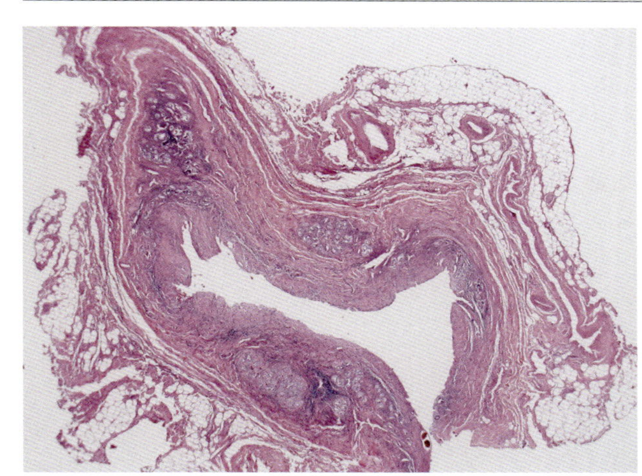

図 5　原発性硬化性胆管炎．粘膜面および付属腺周囲に炎症と線維化を認める．セミマクロ

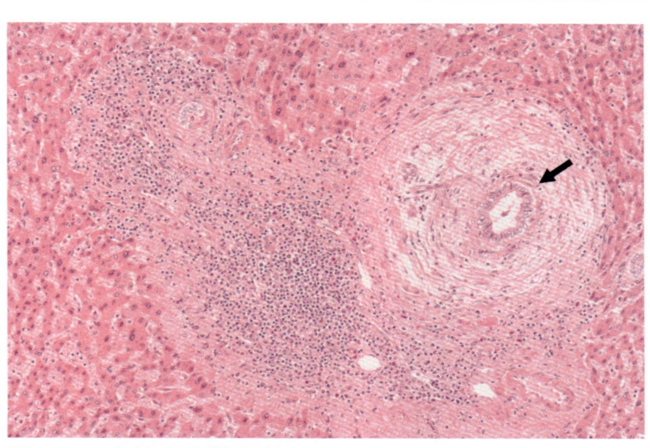

図 6　原発性硬化性胆管炎．肝内胆管の胆管周囲に浮腫性の輪状線維化（⬆）を認める．中拡大

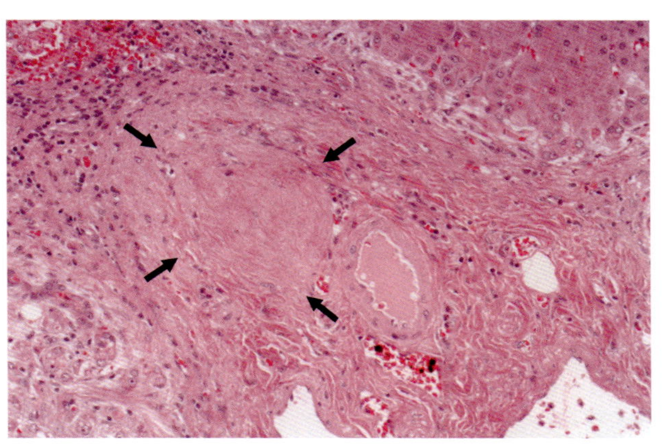

図 7　同前．瘢痕を残して胆管が消失しており（⬆），線維性芯とよばれる．線維性芯の右下に伴走する肝動脈を認める．中拡大

硬化性胆管炎は胆管の線維化を伴う慢性炎症性疾患で，胆管内腔の狭小化をきたす病態の総称であり，原因不明の原発性硬化性胆管炎が代表的な疾患である．

原発性硬化性胆管炎は肝内大型胆管および肝外胆管が障害され，炎症は粘膜面で特に強く，びらんや潰瘍もみられ，粘膜は粗造となる（**図 5**）．肝内胆管では胆管周囲にリンパ球形質細胞浸潤やオニオンスキンにたとえられる輪状線維化（**図 6**）と胆管の狭小化，さらには線維性芯とよばれる円状線維瘢痕（**図 7**）を残し胆管消失をきたす．胆汁うっ滞による胆汁性肝硬変が終末像である．

【鑑別診断】 成人の硬化性胆管炎はIgG4関連硬化性胆管炎（次項）のほか，二次性硬化性胆管炎との鑑別が重要であり，感染性胆管炎，好酸球性胆管炎，黄色肉芽腫性胆管炎，虚血性胆管炎，胆道結石症，胆管手術の既往を確認する必要がある．

［参考事項］ 本邦の原発性硬化性胆管炎は20代と60代に二峰性のピークがあり，若年者で潰瘍性大腸炎などの炎症性腸疾患の合併が多い．肝管壁の肥厚と内腔の狭小化が非連続性にみられるため，胆道造影では特徴的な念珠様の像として描出される．免疫抑制薬が奏効しない非可逆性の進行性慢性炎症疾患で，現在のところ肝移植が唯一有効な治療法である．胆管癌発生の先行疾患として重要であり，前癌病変（BilIN，後述）に加え，本邦の報告では4%に胆管癌を合併する．

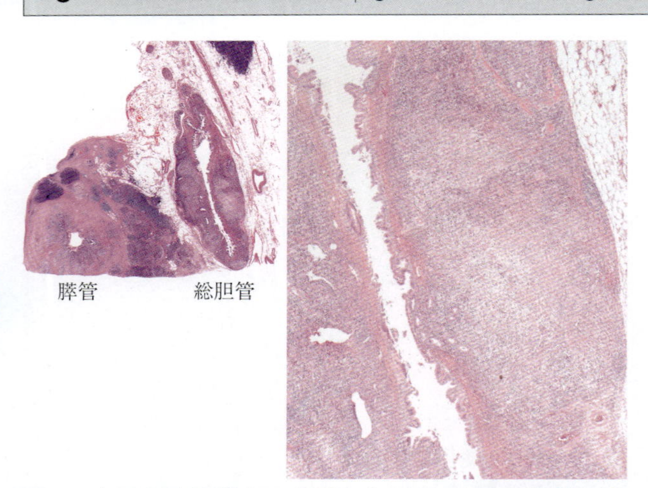

図8 自己免疫性膵炎に合併したIgG4関連硬化性胆管炎．左：セミマクロ．膵管，総胆管ともに壁の肥厚が目立つ．ルーペ．右：総胆管の組織像．粘膜よりは胆管壁に炎症細胞浸潤を伴う硬化性変化が目立つ．弱拡大

図9 IgG4関連硬化性胆管炎．胆管被覆上皮はよく保たれており，粘膜内にIgG4陽性形質細胞を多数認める．IgG4免疫染色．強拡大

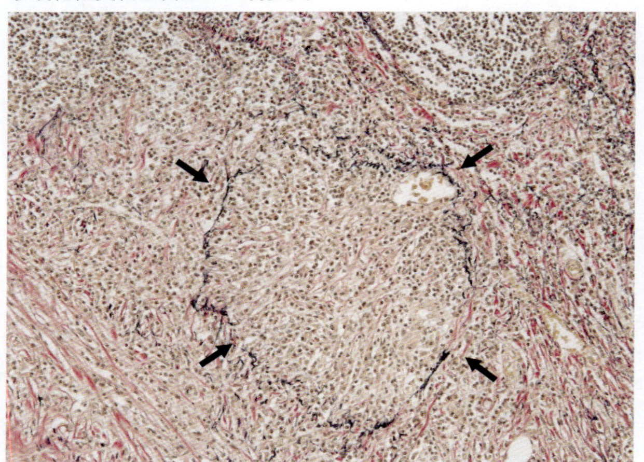

図10 同前．閉塞性静脈炎（⬆）を認める．Elastica van Gieson染色．中拡大

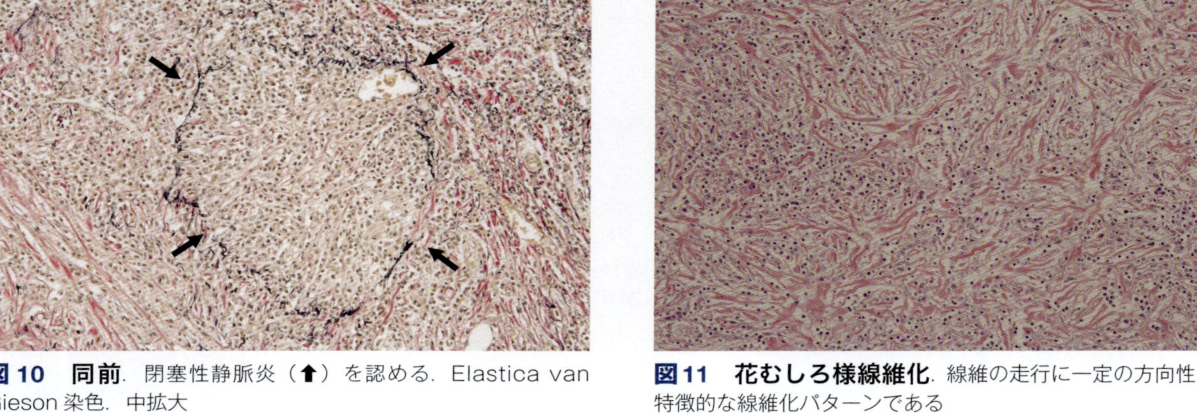

図11 花むしろ様線維化．線維の走行に一定の方向性を欠く特徴的な線維化パターンである

近年，原発性硬化性胆管炎とともに硬化性胆管炎をきたす疾患として注目されている．全身性IgG4関連疾患の胆管病変で，胆道系にびまん性あるいは限局性の硬化と狭窄をきたす．粘膜よりは胆管壁内に炎症が強く，粘膜上皮は通常よく保たれている（**図8，9**）．胆管壁には高度のリンパ球形質細胞浸潤と線維化および胆管内腔の狭小化がみられ，狭窄部位では全周性の壁肥厚を認める（**図8**）．

本邦よりIgG4関連硬化性胆管炎の診断基準が作成されており，①IgG4陽性形質細胞浸潤（**図9**）（10/強拡大以上，かつIgG4/IgG陽性細胞比40%以上），②著明なリンパ球形質細胞の浸潤と線維化を認め，好中球浸潤を欠く，③閉塞性静脈炎 obliterative phlebitis（**図10**）あるいは渦巻様線維化 swirling fibrosis，④花むしろ様線維化 storiform fibrosis（**図11**）が特徴的な組織所見としてあげられている．

【鑑別診断】 成人の硬化性胆管炎は，原発性硬化性胆管炎（前項）のほか，二次性硬化性胆管炎との鑑別が重要である．

［参考事項］ IgG4は成人の免疫グロブリンIgGの約4%と最も比率が低い分画で，補体活性はなく，IgG4関連疾患のほか，アレルギー疾患，寄生虫症や天疱瘡などでも血中IgG4は増加する．IgG4関連疾患はIgG4関連の1型自己免疫性膵炎を代表とする全身性疾患で，血中IgG4値の高値（135 mg/dL以上），標的臓器での高度のIgG4陽性形質細胞浸潤とステロイド反応性が良好な可逆性病変であることが特徴であり，標的臓器特有の所見もみられる．なお，IgG4関連硬化性胆管炎が単独で発生する症例はまれで，多くは自己免疫性膵炎を合併し，特に膵内胆管に病変を認める症例が多い．

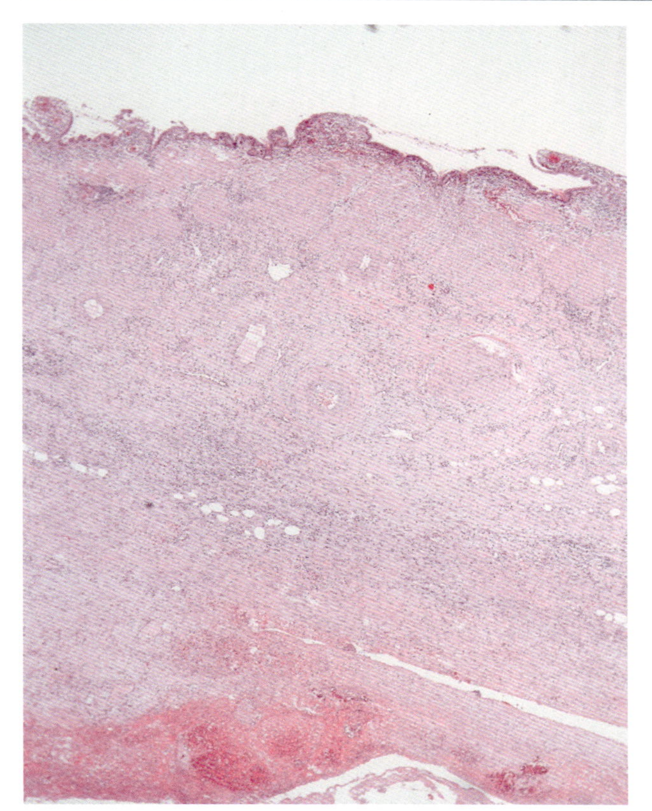

図 12　慢性胆嚢炎．壁全層性の線維性肥厚を認める．粘膜には炎症細胞浸潤と皺襞の平坦化（萎縮）を認める．弱拡大

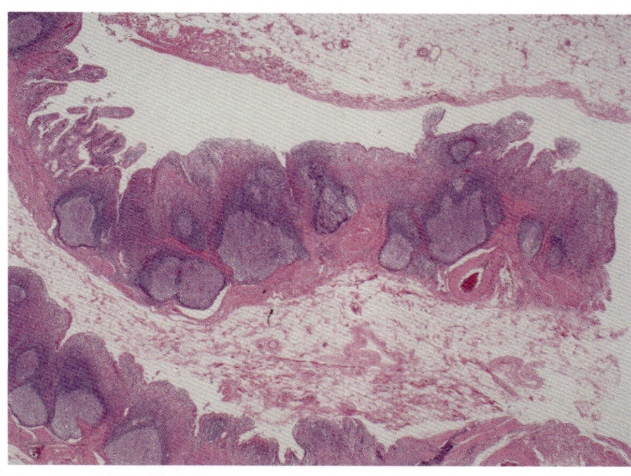

図 13　濾胞性胆嚢炎．粘膜に胚中心を伴うリンパ濾胞形成が目立つ．弱拡大

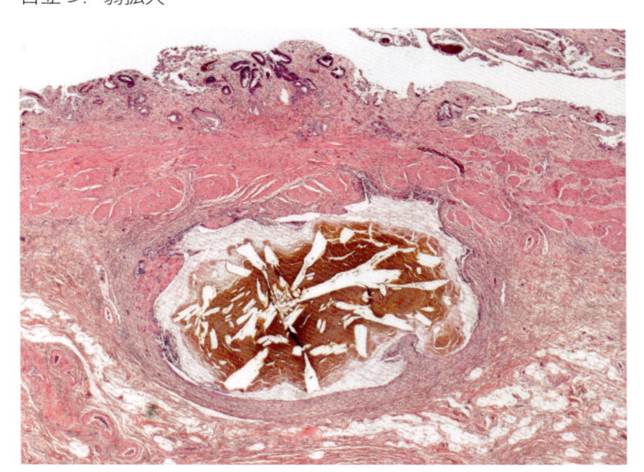

図 14　同前．Rokitansky-Aschoff 洞形成と洞内に結石形成を認める．弱拡大

胆嚢炎　急性胆嚢炎と慢性胆嚢炎に大別され，胆嚢結石に随伴する慢性胆嚢炎が多い．急性胆嚢炎に，循環障害による胆嚢壁の壊死が加わると壊疽性胆嚢炎をきたす．慢性胆嚢炎は，粘膜を中心とする炎症細胞浸潤としばしば（偽）幽門腺化生を認め，粘膜皺襞は平坦化して萎縮する（**図 12**）．胆石嵌頓部の粘膜ではびらんや潰瘍もみられる．リンパ濾胞形成が目立つ症例は濾胞性胆嚢炎 follicular cholecystitis（**図 13**）とよばれる．また，胆嚢粘膜の固有筋層〜漿膜下層への陥凹による Rokitansky-Aschoff 洞がみられ，しばしば洞内に濃縮胆汁や結石を容れる（**図 14**）．線維化は固有筋層の線維性肥厚から壁全層性の高度線維性壁肥厚まで症例によりさまざまである．

胆石症　胆石とは胆道系結石の総称で，胆嚢結石症，総胆管結石症，肝内結石症に大別される．胆石は構成成分により，コレステロール 70％以上含有するコレステロール石と，ビリルビンを主成分とする色素胆石に大別され，胆嚢結石ではコレステロール石が多い．肝内結石と総胆管結石ではビリルビンカルシウム石が多いが，本邦では減少傾向にある．なお，胆石を分類する際には，必ず断面の所見を観察する必要があり，表面だけでは区別できない．

胆道閉鎖症，胆嚢コレステローシス/コレステロールポリープおよび黄色肉芽腫性胆嚢炎 | Biliary atresia, Cholesterosis/Cholesterol polyp of gallbladder and Xanthogranulomatous cholecystitis

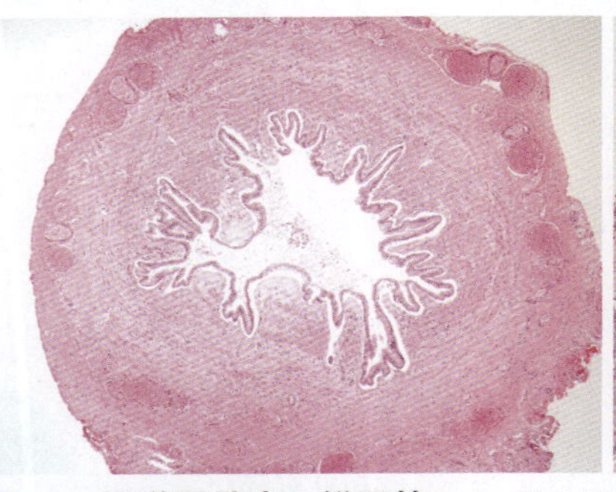
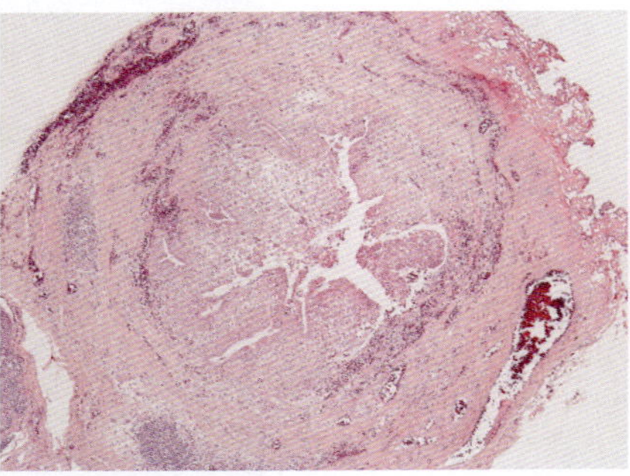
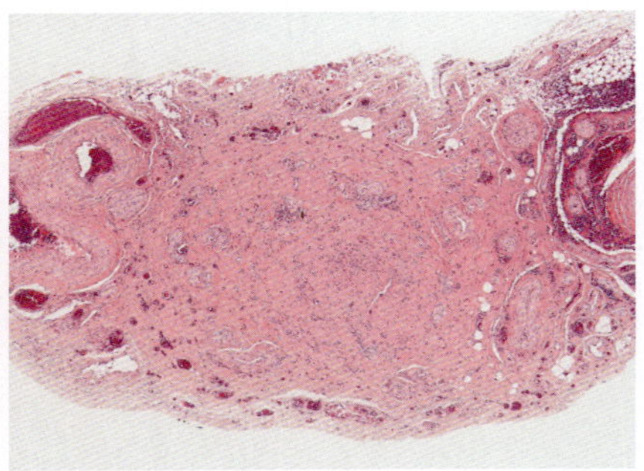

図15　胆道閉鎖症の総胆管．左：壁の線維化を認めるが，粘膜は保たれている部位．中央：粘膜のびらん，潰瘍を示す著明な胆管炎の部位．右：線維性瘢痕を残して胆管閉塞した部位．弱拡大

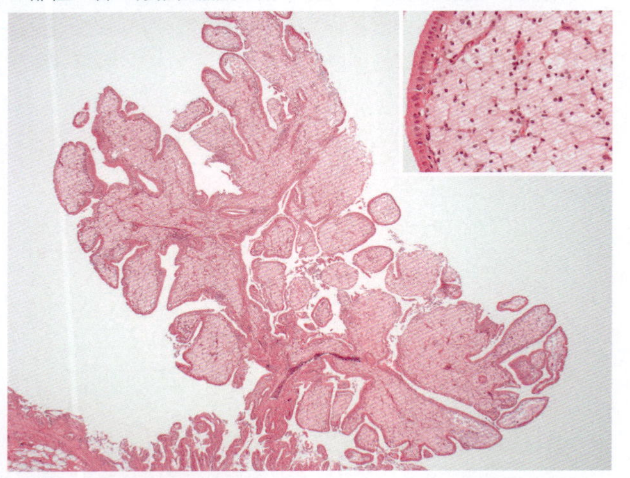

図16　コレステロールポリープ．乳頭状のポリープ病変で，粘膜内に泡沫状組織球の集簇を認める（挿入図）．弱拡大

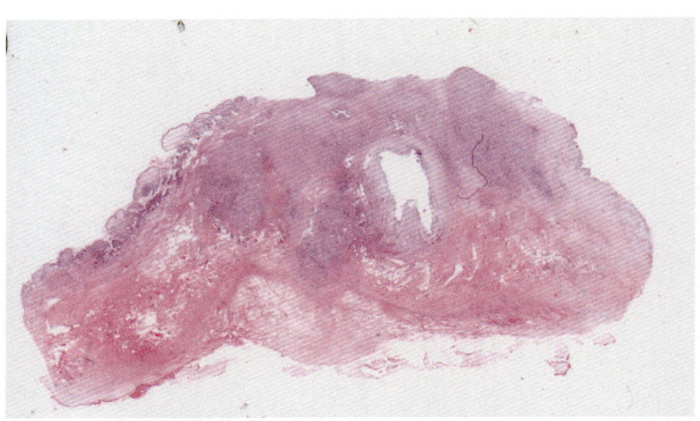

図17　黄色肉芽腫性胆嚢炎．胆嚢壁の割面像（セミマクロ）．Rokitansky-Aschoff 洞の周囲に著明な炎症細胞浸潤による結節性壁肥厚を認める．ルーペ

胆道閉鎖症　新生児期または乳児期早期に発症する硬化性胆管炎の代表であり，肝外胆管の高度の炎症細胞浸潤，線維化，上皮のびらんなどの胆管炎がみられ，病変が進展すると線維性瘢痕を残しつつ胆管消失・閉塞を示す（**図15**）．肝内では胆汁うっ滞のほか，浮腫および線維化による門脈域拡大，ductal plate malformation 様の不規則吻合を示す細胆管を認め，最終的には胆管閉塞機転に伴う慢性胆汁うっ滞から胆汁性肝硬変をきたす．

【鑑別診断】　胆汁うっ滞をきたす新生児疾患すべてが鑑別疾患となる．特に新生児肝炎，Alagille 症候群，先天性胆道拡張症などが重要である．

胆嚢コレステローシス/コレステロールポリープ　コレステローシスでは胆嚢粘膜面に黄色～黄白色の斑点や縞模様を認め，組織では粘膜内に脂質成分を貪食した泡沫状組織球がみられる．泡沫組織球が集簇し，上皮の過形成変化が加わってポリープ状に隆起性病変を形成するとコレステロールポリープとなる（**図16**）．

黄色肉芽腫性胆嚢炎　急性胆嚢炎の寛解期においてみられる病変で，粘膜損傷と引き続く胆汁の壁内流入によって，線維芽細胞を伴う泡沫細胞，異物巨細胞，炎症細胞浸潤による肉芽腫性炎症が形成される．限局性の壁肥厚を示し（**図17**），画像上，胆嚢癌との鑑別が問題となる．

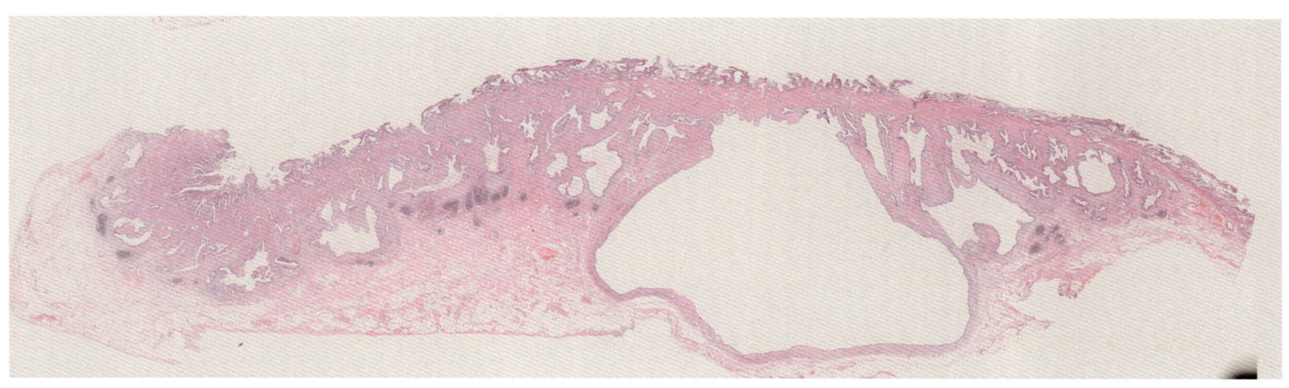

図 18　胆嚢腺筋腫症．胆嚢壁の割面像（セミマクロ）．Rokitansky-Aschoff 洞の集簇により結節性の壁肥厚を認める．ルーペ

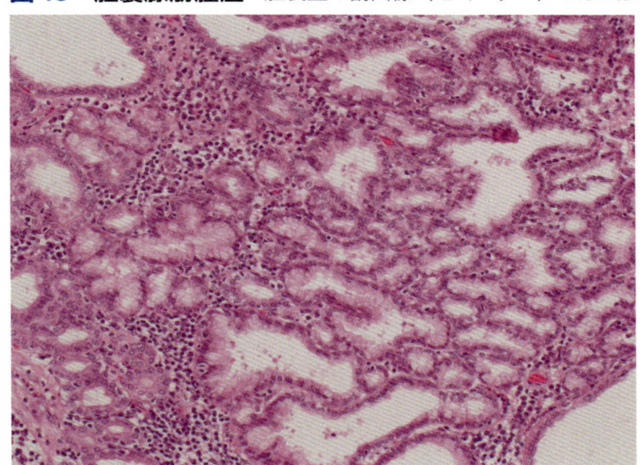

図 19　胆嚢幽門腺型腺腫．異型性に乏しい胃型形質（幽門腺型）の管状腺腫を示す．強拡大

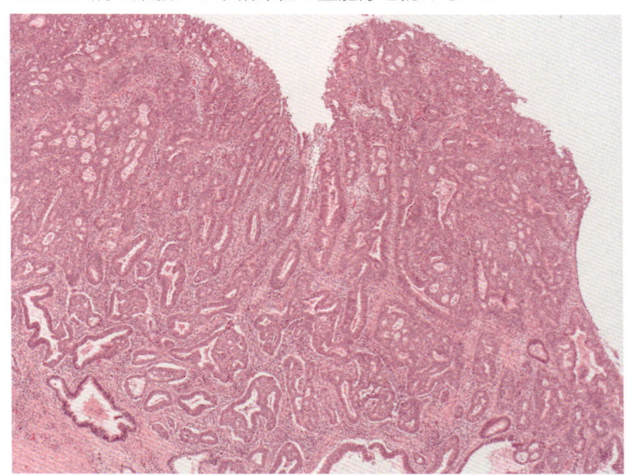

図 20　肝外胆管癌．高分化および中分化型が混在した管状腺癌．弱拡大

胆嚢腺筋腫症　Rokitansky-Aschoff 洞の過形成と集簇および洞の周囲を取り巻く筋線維や線維芽細胞の増生により，胆嚢壁が結節性またはびまん性に肥厚し（**図 18**），画像上，胆嚢癌との鑑別が問題となる．しばしば，Rokitansky-Aschoff 洞内に胆石や胆嚢炎を併発する．

［参考事項］　十二指腸乳頭部近傍に腺組織および平滑筋の増生からなる腺筋症 periampullary adenomyomatous hyperplasia が発生し，臨床的に胆管狭窄をきたす症例がある．

胆嚢幽門腺型腺腫 pyloric gland adenoma of gallbladder　WHO 分類（2019 年，以下同）で独立した組織型として分類された．胃の幽門腺型形質を有する管状腫瘍で（**図 19**），腸型や固有上皮（胆道型）に較べて多くみられる．稀に腺癌成分がみられ，腺腫内癌が発生する．

肝外胆管癌，胆嚢癌　胆道癌の 90％以上は腺癌であり，乳頭腺癌，管状腺癌（高分化，中分化）（**図 20**），低分化腺癌が主たる組織型である．乳頭腺癌は円柱状の癌細胞が血管間質を伴って内腔で乳頭状～絨毛状に増殖する．なお，WHO 分類では乳頭腺癌は後述の IPNB としてとり扱われる．肝外胆管の付属腺，胆嚢の Rokitansky-Aschoff 洞に沿って癌が進展する場合，間質浸潤との鑑別が問題となる．

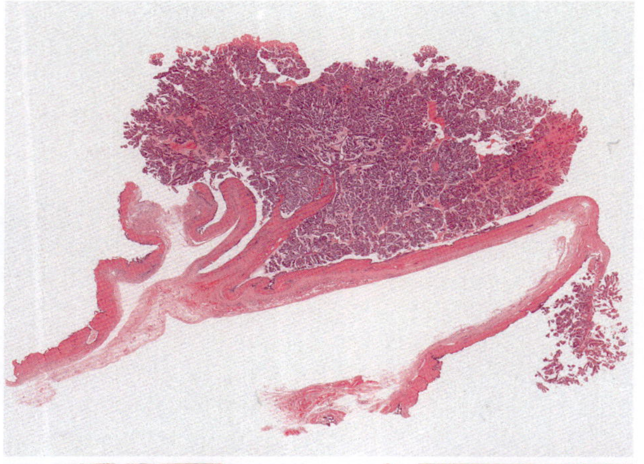

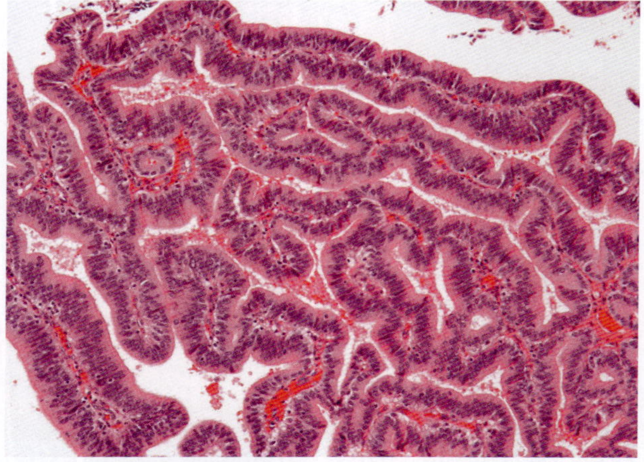

図 21　胆管内乳頭状腫瘍．上：総胆管に発生した乳頭状腫瘍のセミマクロ（ルーペ）．下：胆膵型の上皮からなり，線維血管軸を有する乳頭状増殖を認める．中拡大

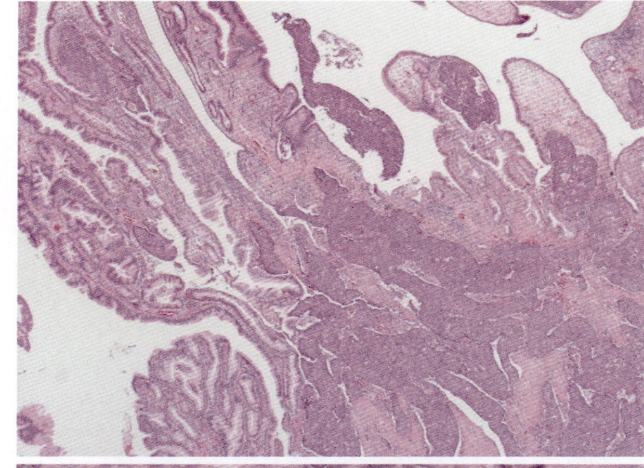

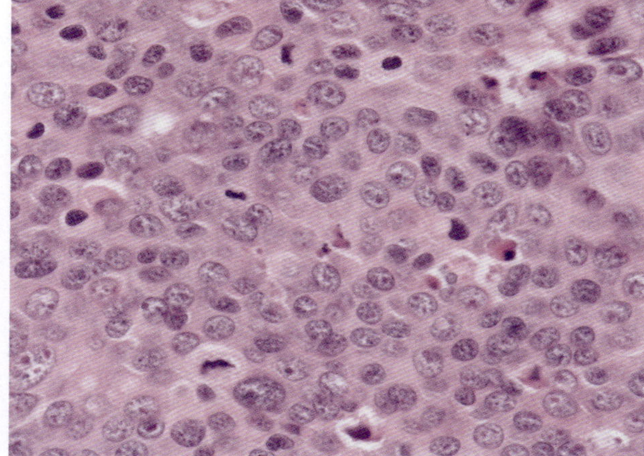

図 22　混合型腺神経内分泌癌．上：腫瘍の表層は乳頭腺癌（左上部分）であるが，浸潤部は神経内分泌癌（右下部分）からなる腫瘍．弱拡大．下：神経内分泌癌の強拡大で，特徴的なごま塩状の核からなる．強拡大

胆管内乳頭状腫瘍（IPNB）　胆道内において肉眼的に同定される乳頭状腫瘍で，胆管は拡張を示す．従来の胆管乳頭腫や乳頭腫症を含有する疾患概念である．組織学的に繊細な線維血管軸を有する乳頭状から絨毛状の増殖を示し（**図 21**），細胞分化の形態より，胃型，腸型，胆膵型，好酸性型に分類される．IPNB は現在 Type I と Type II に亜分類して取り扱われている．Type I（上記の狭義 IPNB）は膵管内乳頭粘液性腫瘍（主膵管型）に類似する型で，粘液産生が著明で肝内大型胆管に多く発生する．Type II（広義 IPNB）は，従来の乳頭型胆管癌で，不揃いな太さの血管芯や不規則分岐を示す複雑な組織像からなる．

混合型腺神経内分泌癌（MANEC）　WHO 分類では，mixed neuroendocrine-non-neuroendocrine neoplasm（MiNEN）と呼称．胆道系に純粋な神経内分泌腫瘍はきわめてまれであるが，神経内分泌細胞癌と腺癌がおのおの 30％以上併存する混合型腺神経内分泌癌がまれに存在する．腫瘍表層部で乳頭腺癌や高分化型管状腺癌の形態を示し，浸潤部で神経内分泌細胞癌を示す症例が多い（**図 22**）．神経内分泌細胞癌の成分が転移などの予後を規定するため，低分化腺癌との鑑別が重要である．

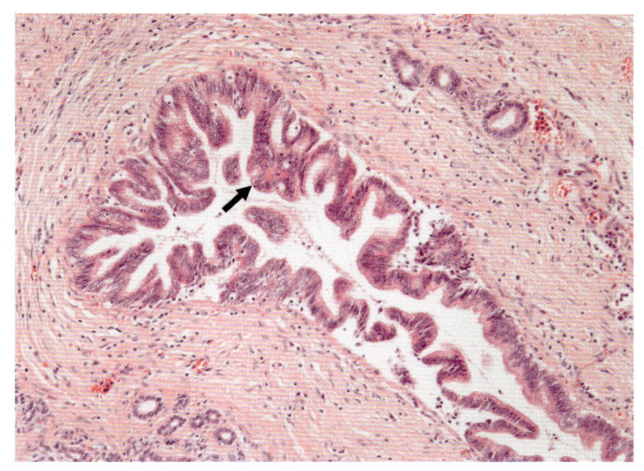

図 23　胆管内上皮内腫瘍（BilIN3, high-grade）．低乳頭状で，びまん性に細胞極性の乱れを認め，一部に篩状の管腔形成（⬆）も認める．中拡大

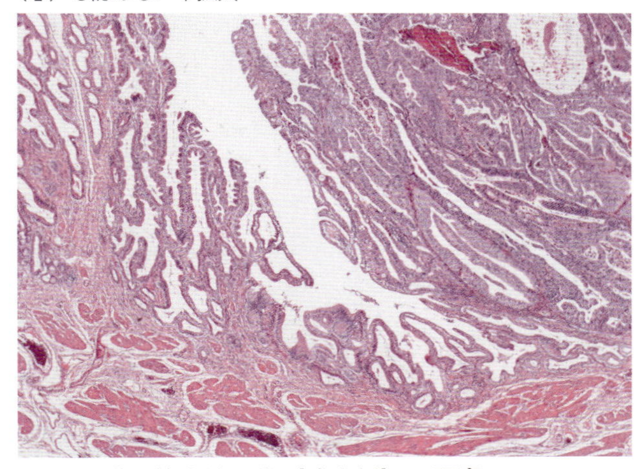

図 24　膵胆管合流異常（成人例）の胆嚢．胆嚢上皮が乳頭状に過形成を示し，腺癌の合併（右上）も認める．弱拡大

胆管内上皮内腫瘍（BilIN）　BilIN は顕微鏡レベルでみられる平坦から微小乳頭状増殖を示す非浸潤性異型上皮である．従来の胆管ディスプラジアや上皮内癌に相当する．異型の程度により BilIN1〜3 に分類され，BilIN3 は高度異型や上皮内癌に相当する（**図 23**）．なお，WHO 分類では，BilIN1，2 を low-grade，BilIN3 を high-grade として分類．

膵胆管合流異常　膵胆管合流異常は膵管と胆管が十二指腸外で合流する先天性の奇形であり，本邦を含め東洋人に多い．幼児期から肝外胆管上皮および胆嚢上皮がびまん性に乳頭状過形成を示す．成人例では無石胆嚢炎および胆嚢癌や肝外胆管癌の発癌率が高い（**図 24**）．

第6章

腎・尿路系

(1) 非腫瘍

概　説

1. 腎　臓

腎臓はホメオスターシスの維持に重要であり，蛋白代謝老廃物の排泄，水分・電解質の調節，酸塩基平衡の維持，ホルモン産生などの機能を有する．

腎臓は4種の構成要素（糸球体，尿細管，脈管，間質）に分けることができる．

腎小体 renal corpuscle（**マルピギー小体** malpighian corpuscle）と尿細管 tubulus を含めてネフロン nephron とよび，構造的な基本単位である（**表1**）．

表1　ネフロンの構成

腎小体 renal corpuscle（マルピギー小体）
糸球体 glomerulus
毛細血管（糸球体係蹄）
内皮細胞
基底膜 glomerular basement membrane
上皮細胞 epithelial cell, podocyte
糸球体内メサンギウム細胞 mesangial cell
メサンギウム基質 mesangial matrix
ボーマン嚢 Bowman capsule
尿細管
傍糸球体装置 juxtaglomerular apparatus
遠位尿細管の緻密斑 macula densa
輸入動脈中膜内傍糸球体細胞（顆粒細胞）juxtaglomerular cell
→レニン産生
糸球体外メサンギウム細胞

腎小体は糸球体とそれを包むボーマン嚢 Bowman capsule からなり，血液濾過の場である．腎小体の直径は100～250 μm（膵臓のランゲルハンス島とほぼ同じ大きさ）で，球状で，一側の腎臓に約100～200万個ある．血管が出入りするほうを血管極（**図1**），近位尿細管につながるほうを尿細管極とよぶ．

糸球体の毛細血管の集合が糸球体係蹄 glomerular tuft で，毛細血管の間にあるメサンギウム細胞 mesangial cell で支えられており，メサンギウム細胞はメサンギウム基質 mesangial matrix で囲まれ，構造の保持や収縮，代謝産物の処理を行う．糸球体が障害されると増殖や活性化を示し，基質成分や生物学的伝達物質を産生する．糸球体毛細血管壁は濾過膜としての役割をもつ．血管腔は有窓性の薄い内皮細胞で覆われ（**図2**），その窓は直径70～100 nm の小孔窓 fenestra である．糸球体基底膜 glomerular basement membrane は厚さ300～350 nm で，3層構造（緻密層 lamina densa，内淡明層 lamina rara interna，外淡明層 lamina rara externa）を示す．糸球体基底膜のおもな成分はⅣ型コラーゲン，ラミニン，プロテオグリカン，フィブロネクチンである．上皮細胞 epithelial cell は足突起 foot process を有し，足細胞 podocyte ともよばれる．足突起は20～55 nm の間隙 slit pores を隔てて相互に入り込み，この間隙は薄いスリット膜 slit membrane で覆われている．

糸球体濾過の特徴として2つのバリア機能がある．1つは，水や小さい分子の溶質は通過させるが，アルブミン（分子量7万，半径3.6 nm）以上の大きさの分子に対する不透過性を示すサイズバリアで，もう1つは，基底膜が陰性荷電しているため陰イオンは通過しにくいチャージバリアである．

尿細管は近位尿細管，ヘンレ係蹄 Henle loop（下行脚，上行脚），遠位尿細管となり，最後は集合管となり，乳頭部で腎盂へ開口する．糸球体で濾過された水，電解質，糖，アミノ酸，蛋白質などの原尿の大部分を尿細管で再吸収する．水の

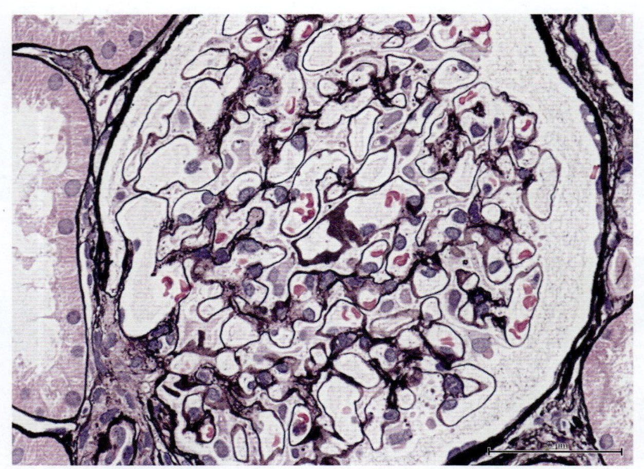

図 1　正常の腎糸球体．左下が血管極で，JGA を認める，PAM 染色．中拡大

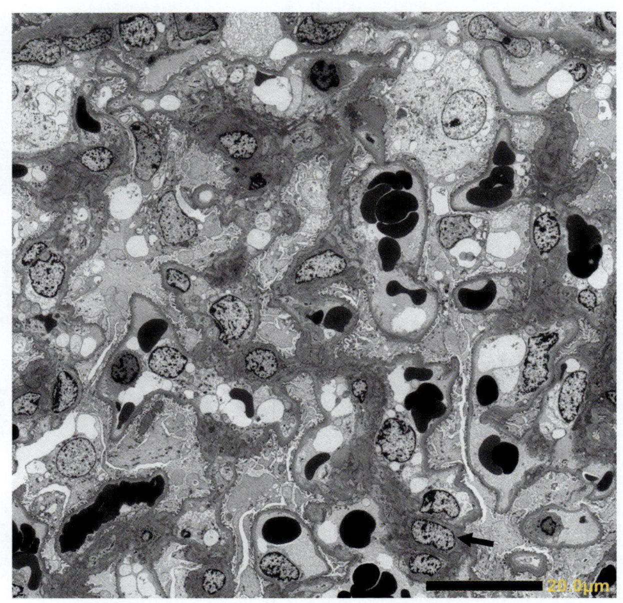

図 2　同前．メサンギウム領域にはメサンギウム細胞（⬆）があり，毛細血管内腔には赤血球と内皮細胞がある．電顕像．×2,000

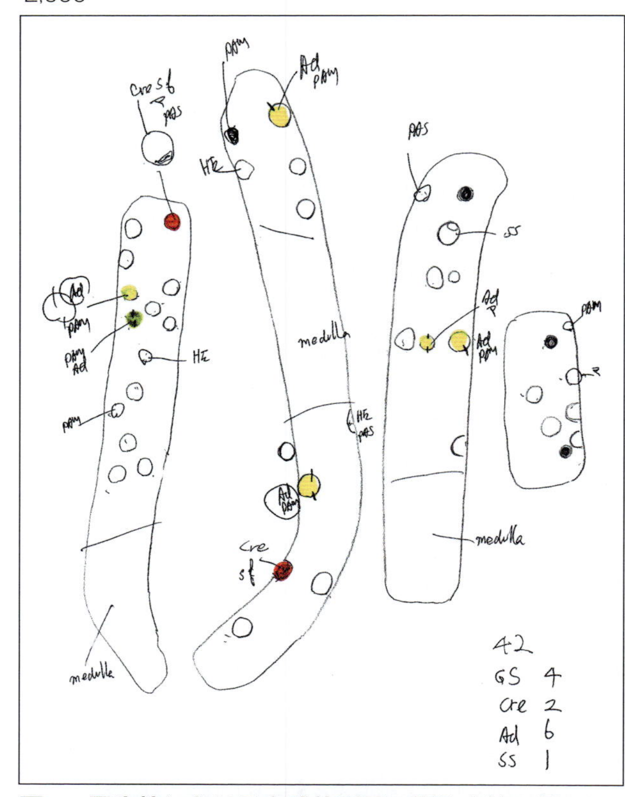

図 3　腎生検における糸球体所見の記入方法の例．球状硬化は●で示し，半月体，癒着，分節状硬化を認める糸球体を示している．HE，PAS，PAM と染色名を記している

排泄は抗利尿ホルモン（ADH）に支配される．

遠位尿細管は糸球体血管極の輸出入細動脈に接するように位置し，血管極に接する側の尿細管上皮細胞は密在する高円柱細胞よりなり，緻密斑 macula densa といわれる．輸入細動脈の中膜平滑筋細胞は上皮様で，傍糸球体細胞 juxtaglomerular cell とよばれ，糸球体入口部でレニン分泌顆粒をもつ．輸入細動脈と輸出動脈との間の小型紡錘形の明るい細胞の小群が，糸球体外メサンギウム細胞 extraglomerular mesangial cell である（**図 1**）．これらの緻密斑，傍糸球体細胞，糸球体外メサンギウム細胞をまとめて，傍糸球体装置 juxtaglomerular apparatus（JGA）といい，電解質代謝や血圧調節に関係する．

2．糸球体腎炎

1）臨床像

腎疾患の臨床像は血尿，蛋白尿，乏尿（無尿）である．

腎炎症候群は臨床上の症候群で，血尿，乏尿，高窒素血症，高血圧を示す．急性腎炎症候群は全身性疾患（SLE など），原発性糸球体疾患（急性感染後性糸球体腎炎など）によって起こる．

ネフローゼ症候群は蛋白尿（尿中蛋白量が 1 日 3.5 g 以上），低アルブミン血症（血清アルブミンが 3 g/dL 以下），全身性浮腫，脂質異常症（血中総コレステロール 250 mg/dL 以上）を示す臨床病態で，この場合の病理組織像は原発性では微小変化（MCNS），巣状糸球体硬化症（FGS），膜性糸球体腎炎（MGN），膜性増殖性糸球体腎炎（MPGN）がおもな鑑別診断である．続発性ではアミロイドーシス，膠原病，多発性骨髄腫，ホジキン病，HIV 感染，HBV 感染，糖尿病などが問題となる．

乏尿とは，尿の排泄量が低下し，1 日の尿量が 400 mL 以下となった病態である（健常者の尿量は 500～2,000 mL/日）．また，乏尿よりもさらに尿量が低下し，50～100 mL/日以下となった場合を無尿とよぶ．乏尿は，①腎への灌流圧の低下

表2　基本的な糸球体病変の分類

Ⅰ．原発性糸球体疾患（糸球体腎炎および関連病変） 　A．微小糸球体変化 　B．巣状分節性病変（他の糸球体は微小糸球体変化で巣状腎炎を含む） 　C．びまん性糸球体腎炎 　　1．膜性腎炎（症） 　　2．増殖性糸球体腎炎 　　　a．メサンギウム増殖性糸球体腎炎 　　　b．管内増殖性糸球体腎炎 　　　c．膜性増殖性糸球体腎炎（1型および3型） 　　　d．半月体形成性（管外性）壊死性糸球体腎炎 　　3．硬化性糸球体腎炎 　D．分類不能の糸球体腎炎 Ⅱ．系統的疾患の糸球体腎炎 　A．ループス腎炎 　B．IgA腎症（Berger病） 　C．IgA血管炎（紫斑病性腎炎） 　D．抗糸球体基底膜性腎炎 　E．抗糸球体基底膜糸球体腎炎（Goodpasture症候群） 　F．系統的感染症での糸球体病変 　　1．ウイルス性 　　2．細菌性 　　3．寄生虫性 Ⅲ．血管疾患の糸球体障害 　A．系統的血管炎 　B．血栓性微小血管症 　　1．感染性溶血性尿毒症症候群 　　2．非典型溶血性尿毒症症候群 　　3．血栓性血小板減少性紫斑病 　C．糸球体血栓症（血管内凝固） 　D．良性腎硬化症 　E．悪性腎硬化症 　F．強皮症（全身硬化症）	Ⅳ．代謝疾患に伴う糸球体病変 　A．糖尿病性腎症 　B．デンスデポジット病 　C．C3腎症 　D．アミロイドーシス 　E．単クローン性免疫グロブリン病 　F．単クローン性軽鎖沈着症 　G．単クローン性重鎖沈着症 　H．軽重鎖沈着症 　I．フィブリラリー糸球体腎炎 　J．イムノタクトイド糸球体症 　K．Waldenström マクログロブリン血症 　L．クリオグロブリン血症 　M．肝疾患の腎症 　N．鎌状赤血球症の腎症 　O．先天性チアノーゼ性心臓病と肺高血圧症の腎症 　P．過度肥満の腎病変 　Q．Aragile症候群 Ⅴ．遺伝性腎疾患 　A．Alport症候群 　B．希薄基底膜症候群と良性反復性血尿 　C．爪膝蓋骨症候群 　D．先天性ネフローゼ症候群（フィンランド型） 　E．乳児性ネフローゼ症候群（びまん性メサンギウム硬化）とDrash症候群 　F．Fabry病と他の脂質沈着症 Ⅵ．その他の糸球体病変 　A．妊娠高血圧症候群の腎症（妊娠中毒症，子癇前症の腎症） 　B．放射線腎症 Ⅶ．終末期腎 Ⅷ．移植後の糸球体病変

（日本腎病理協会・日本病理学会編．腎生検病理アトラス．改訂版．東京医学社；2017より作成）

による腎前性乏尿，②腎実質の障害に起因する腎性乏尿，③尿管・膀胱・尿道の閉塞などが原因となって起こる腎後性乏尿の3群に分けられる．腎性のなかには急性尿細管壊死，急速進行性糸球体腎炎，末期腎などがある．

2）腎生検での診断の実際

筆者は，まずA4の白紙におおまかな検体のシェーマを書き，そこに糸球体の分布を記入し，さらに糸球体の所見を記入している（**図3**）．所見としては，球状硬化（黒く塗りつぶす），分節性硬化，半月体，癒着などである．複数のプレパラート（HE染色，PAS染色，マッソン染色，PAM染色）の所見を合体することにより，より詳細な所見を読み取ることができる．一見，時間がかかりそうにもみえるが，「急がば回れ」であると考えている．

報告書にはまず皮質，髄質の割合，含まれている糸球体の数，各所見ごとの糸球体の数を記載している．PAS染色標本では皮質の尿細管間質障害の割合を記載している．球状硬化の糸球体の割合と尿細管間質障害の割合は，100からeGFRを引いた値と比較できると考えている．球状硬化の糸球体の割合と尿細管間質障害の割合が同等であれば，糸球体の障害が一次性で，二次的に尿細管間質が障害されたと推測できる．球状硬化の割合が小さいのに尿細管間質障害の割合が大きい場合には，尿細管間質性腎炎などを考慮する．100からeGFRを引いた値が小さい（腎機能が保たれている）のに球状硬化の糸球体の割合，尿細管間質障害の割合が大きい場合には，局所的に障害の強い組織が採取されている可能性があり，腎生検組織像が腎の全体像を反映していない可能性がある．たとえば梗塞巣，前回の腎生検後の瘢痕をみているのかもしれない．

3）糸球体腎炎の分類

病変の分布がびまん性か，一部（巣状）かで分ける．この

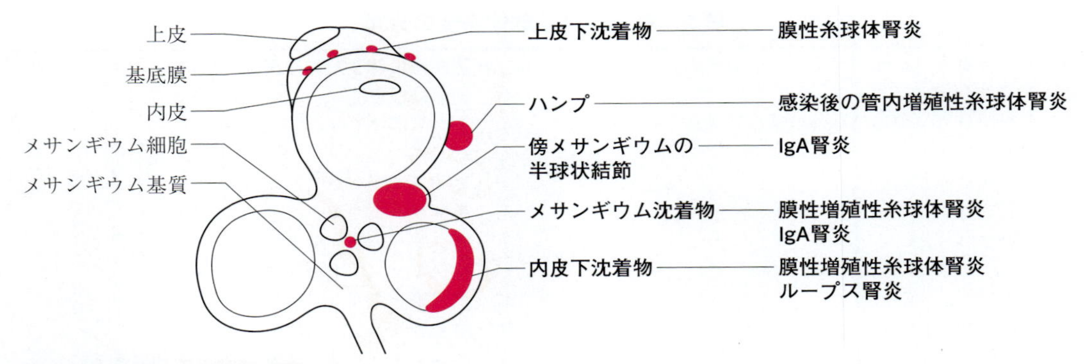

図4　糸球体腎炎の沈着物

判断のためには10個以上の糸球体が生検検体に含まれていることが望ましい.

病変の主座（増生の主体）が，メサンギウム領域か（メサンギウム増殖性糸球体腎炎），毛細血管内か（管内増殖性糸球体腎炎），基底膜か（膜性糸球体腎炎），ボーマン嚢腔か（管外増殖性糸球体腎炎），膜およびメサンギウム領域の両者か（膜性増殖性糸球体腎炎）で分類する（**図4**）.

巣状糸球体腎炎 focal glomerulonephritis は，WHO分類では巣状分節性病変の項に含まれる組織学的診断名で（**表2**），糸球体の中の一部の分節に局所性にメサンギウム細胞の増殖や基質の増生を示し，しばしば硬化像，半月体形成，ボーマン嚢との癒着を示す．原発性の場合には多くがIgA腎症で，二次性の場合には紫斑病性腎炎やループス腎炎でみられる.

メサンギウム増殖性腎炎 mesangial proliferative glomerulonephritis は，WHO分類ではびまん性糸球体腎炎の中に独立してあげられている形態的診断名である．わが国での腎生検症例では，この組織像を示すものの80%以上はIgA腎炎である．その他，紫斑病性腎炎や急性活動期を過ぎた溶連菌感染性急性糸球体腎炎，ループス腎炎などでこの型の組織変化を示す.

糸球体には種々の沈着物が生じ，その沈着部位が鑑別診断に重要である（**図4**）.

臨床像，病理組織像を総合して病態を理解することが望まれる.

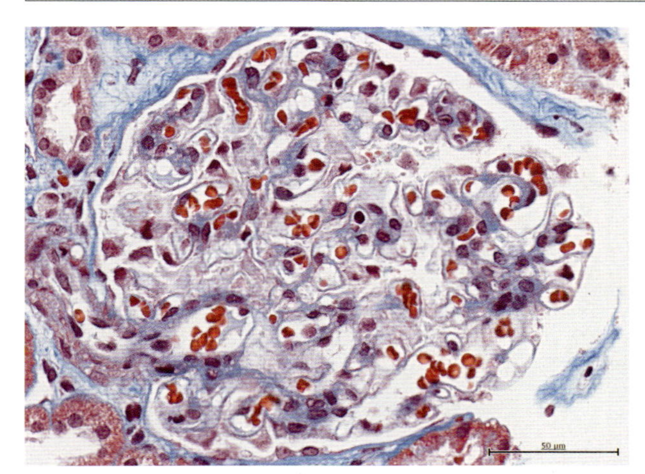

図 5　膜性糸球体腎炎．小さな沈着物が基底膜の外側に顆粒状に赤染される．マッソン染色．中拡大

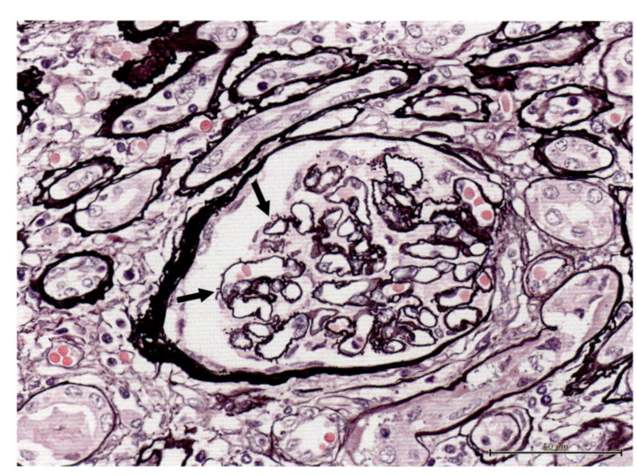

図 6　同前．基底膜から上皮細胞側に細い小突起（⬆）が認められる．PAM 染色．中拡大

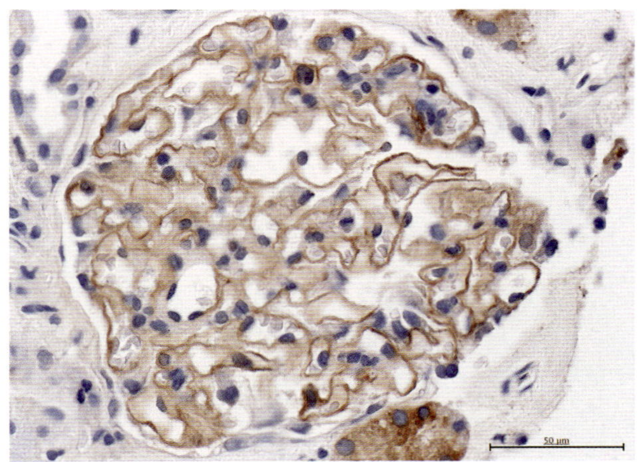

図 7　同前．IgG の沈着．酵素抗体法．中拡大

膜性腎症（膜性糸球体腎症）は糸球体基底膜のびまん性の肥厚を特徴とする糸球体腎炎で，メサンギウムや管内性の増殖性変化はみられない．細胞増殖がないことを重視し，炎症という語を使わないと，膜性腎症という用語になる．臨床的には蛋白尿，ネフローゼ症候群を呈する．マッソン・トリクローム染色では小さな沈着物が基底膜の外側（上皮細胞の下）に顆粒状に赤染される（**図 5**）．PAS 染色では糸球体基底膜がびまん性に均一に肥厚する．メサンギウム細胞の増殖はみられない．PAM 染色で，基底膜から上皮細胞側に細い小突起（スパイク spike）が認められる（stage Ⅱ）（**図 6**）．水平方向に薄切された基底膜では空胞状，泡状 bubbling の所見がみられる（stage Ⅲ，Ⅳ）．この所見は，PAM 染色では基底膜部のみが染め出され，免疫複合物が染まらないため抜き打ち像 punched out lesion ともいわれる．蛍光抗体法または酵素抗体法では IgG と，ときに C3 が基底膜に沿って（peripheral に），顆粒状 granular に沈着する（**図 7**）．

電顕では，免疫複合物は高電子密度物質として観察され，基底膜には経時的に次のような変化が認められる．stage Ⅰ：初期には基底膜上皮細胞側に小さな沈着物がみられる．stage Ⅱ：やがて基底膜に大型の沈着物が連珠状にみられ，沈着物の間に基底膜成分が伸び出す（PAM 染色での spike に相当）．上皮細胞の足突起はびまん性に癒合し，消失する．stage Ⅲ：肥厚した基底膜内に沈着物が取り込まれ，しだいに電子密度が低下する．stage Ⅳ：さらに沈着物は消失し，不規則な基底膜の肥厚のみが認められる．

【鑑別診断】　膜性腎症の初期（stage Ⅰ）では沈着物が小さく，基底膜の肥厚は認めず，PAM 染色でも spike はなく，微小変化ネフローゼ症候群（MCNS）と誤りやすい．マッソン染色で，基底膜の外側の小型の沈着物を強拡大で確認する．蛍光抗体法あるいは酵素抗体法と電顕にて確定診断する．

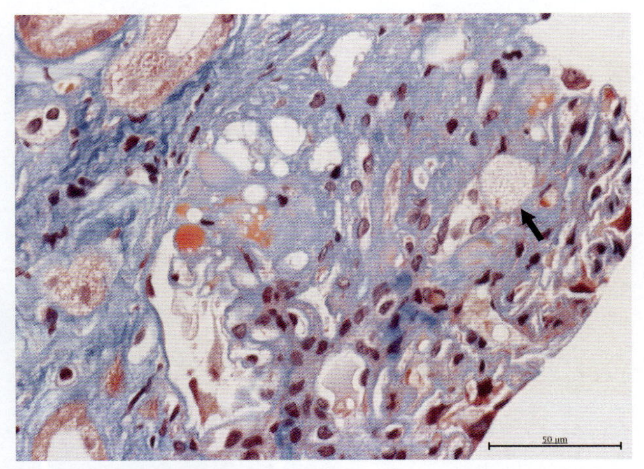

図 8　巣状分節性糸球体硬化症．矢印は泡沫細胞．マッソン染色．中拡大

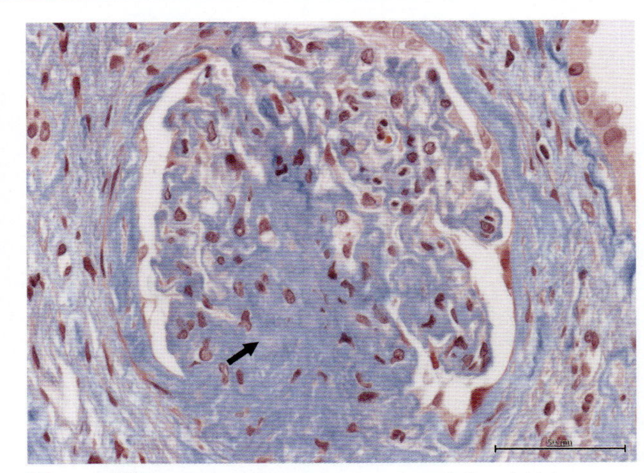

図 9　同前．矢印は分節性硬化．マッソン染色．中拡大

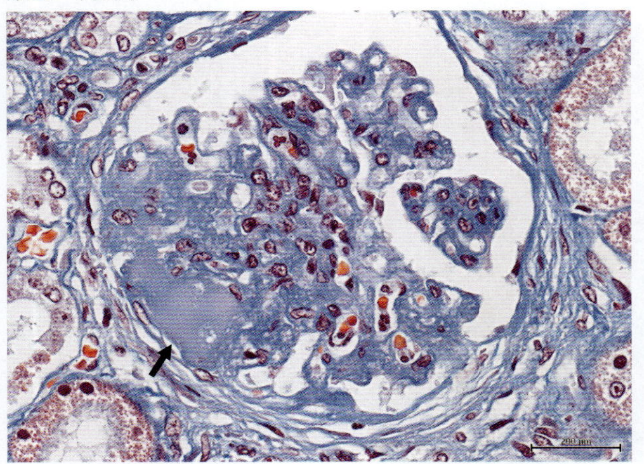

図 10　同前．矢印は segmental hyalinosis．マッソン染色．中拡大

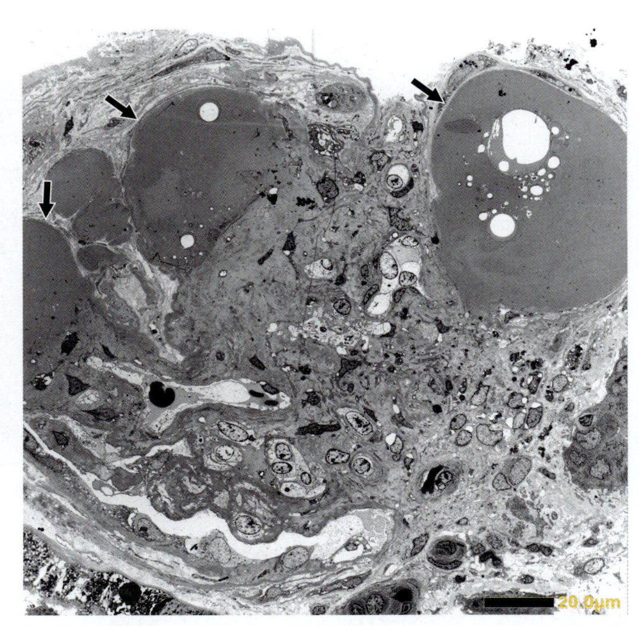

図 11　同前．矢印は segmental hyalinosis．電顕像．×6,000

巣状分節性糸球体硬化症（FSGS）は，大部分の糸球体は明らかな変化を有さず，微小変化の範囲にとどまるが，一部の糸球体のみが（focal に），糸球体の一部に（segmental に），分節性硬化像 segmental sclerosis を示す疾患であり，臨床的に難治性ネフローゼ症候群を示す．病変は髄質に近い傍髄質性皮質 juxtamedullary cortex に起こりやすく，皮質外層部の糸球体の大部分は微小変化の像を示す．分節状の硬化部は局所性のメサンギウム基質の増生や蛇行基底膜成分を有し，均一な硝子物質の沈着を認める場合もある（segmental hyalinosis）（**図 8〜10**）．この硝子物質は脂質を含み泡沫状変化を伴うことが多い．係蹄にマクロファージを認めたり，上皮細胞の賦活増生を認めたり，ボーマン嚢と癒着したり，小半月体様変化を形成したり，球状硬化を示したりする．間質の線維化，尿細管の萎縮，間質の泡沫細胞をみることもある．蛍光抗体法または酵素抗体法では，硝子化部に一致して IgM・C3 の沈着が認められるが，免疫的機序は関与しない．電顕では，硬化部はメサンギウム基質の増生や虚脱化した基底膜成分を有するが，高密度沈着物は認められない（**図 11**）．原因の特定ができない特発性と原因が特定できる二次性がある．

【鑑別診断】　微小変化ネフローゼ症候群（MCNS）：FSGS の腎生検材料に分節状硬化部が含まれていない場合 MCNS との鑑別が問題となる．MCNS で治療抵抗性の場合には，FSGS の可能性を考える．FSGS はステロイド抵抗性で，再発を繰り返し徐々に腎不全に移行する．尿中蛋白の選択性は不良で，これは MCNS との鑑別点となる．FSGS では，MCNS に比べ，間質尿細管変化が強いことや泡沫細胞の出現が鑑別の参考となる．

［参考事項］　glomerular tip lesion は FSGS の一型で，分節性硬化，硝子化がないが，尿細管極で癒着を示す．ステロイド治療に良好な反応性を示す．

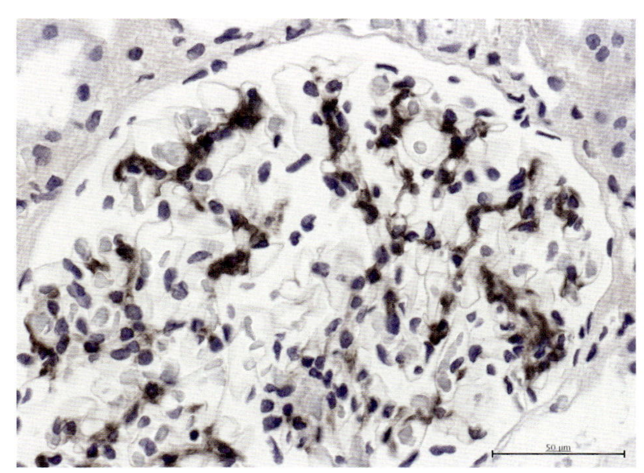

図 12　IgA 腎症．メサンギウム領域に IgA の沈着を認める．IgA の免疫染色．酵素抗体法．中拡大

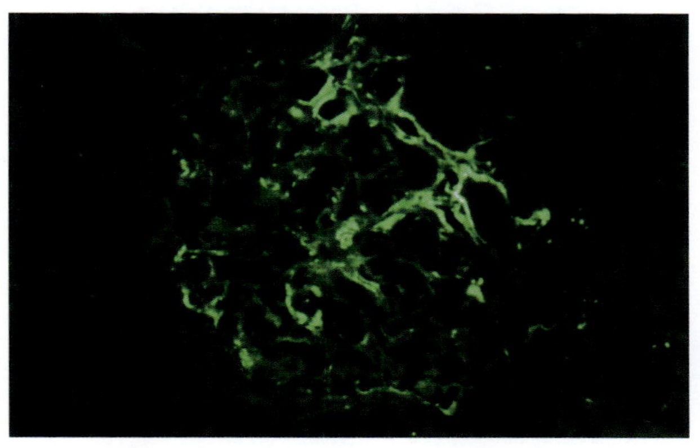

図 13　同前．メサンギウム領域に IgA の沈着を認める．IgA の蛍光染色．中拡大

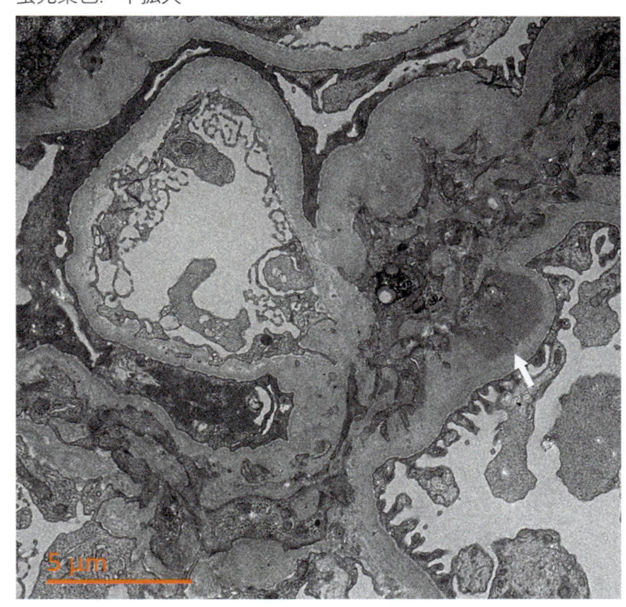

図 14　同前．傍メサンギウム領域に高電子密度物質の沈着（⬆）を認める．電顕像．×6,000

IgA 腎症（炎）は 1969 年に Berger が提唱した疾患で，IgA がびまん性にメサンギウム領域に沈着する腎炎である．わが国の原発性糸球体腎炎で最も頻度が高く，種々の組織像を示す．①微小変化：メサンギウム細胞と基質の増生がごく軽微な微小変化を示す．②巣状増殖性糸球体腎炎：一部の糸球体の（巣状に），一部の分節に（分節性に）増殖性あるいは硬化像を呈し，癒着を認める．巣状病変以外の部にもメサンギウム基質の増生，IgA の沈着がある．③メサンギウム増殖性糸球体腎炎：びまん性にメサンギウム細胞や基質の増生がみられ，係蹄腔内に浸潤細胞を混在することがある．

典型例ではメサンギウム基質部に PAS 陽性で，PAM 染色でも確認される半球状の結節性隆起（hemispheric nodule）をみる．小さい沈着物は傍メサンギウム沈着物として認識される．管内増殖性変化や半月体形成を伴うこともある．進行すると硬化性変化が広がり，間質の線維化や細胞浸潤，尿細管の萎縮を呈する．

蛍光抗体法または酵素抗体法では IgA がメサンギウムにびまん性に沈着する（**図 12，13**）．IgG や IgM が沈着することもあるが，その程度は IgA よりも弱い．補体の C3 はほとんどの症例で共存する．電顕では傍メサンギウム領域に高電子密度物質の沈着が認められ（**図 14**），光顕で半球状の結節性隆起ないしは傍メサンギウム沈着物としてみられた変化に相当する．

臨床的にも種々の発症様式を示し，①検診にて発見される無症候性蛋白尿・顕微鏡的血尿，②反復性・持続性の顕微鏡的あるいは肉眼的血尿，③上気道感染直後に起こる急性腎炎様の発症，④蛋白尿や腎機能低下を伴う慢性腎炎様の経過をとるもの，などさまざまである．臨床像は血尿が主体で，蛋白尿があってもネフローゼ症候群は少ない．蛋白尿が目立つ IgA 腎症では，分節状硬化，分節状硝子化がみられ，巣状分節状硬化症様の組織像が混ざる．長い期間を経て腎不全に移行することもある．

【鑑別診断】　紫斑病性腎炎（IgA 血管炎）purpura nephritis：光顕上は微小変化，巣状糸球体腎炎，メサンギウム増殖性糸球体腎炎などの多彩な像を示し，IgA 腎症に酷似した組織像を示す．紫斑病性腎炎では半月体形成や巣状病変などの活動性変化がより目立ち，沈着物の分布にばらつきが多いが，実際上鑑別は困難である．主として小児にみられ，皮膚の紫斑，腹部痛，下血（腸症状）などの腎外症状を呈する．

管内増殖性糸球体腎炎（連鎖球菌感染後急性糸球体腎炎）| Endocapillary proliferative glomerulonephritis (Poststreptococcal acute glomerulonephritis)

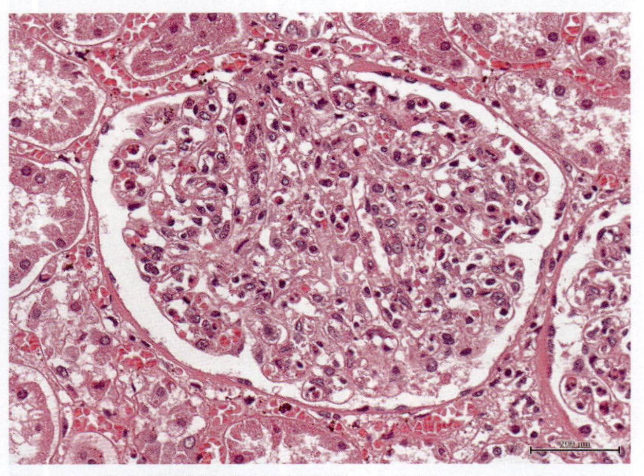

図 15　管内増殖性糸球体腎炎．血管腔内に多核白血球が目立つ．中拡大

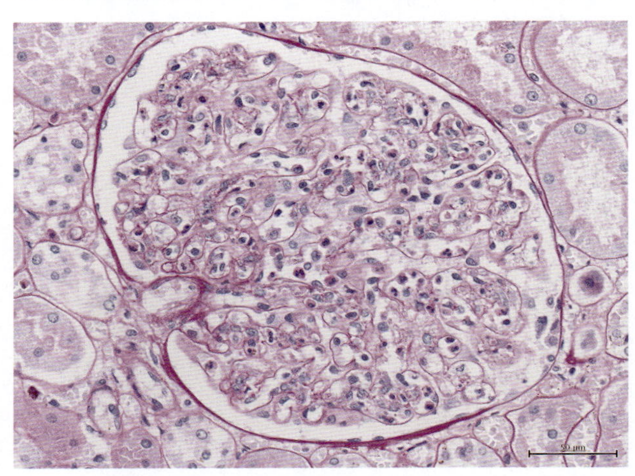

図 16　同前．毛細血管腔内には多核白血球が目立つ．PAS 染色．中拡大

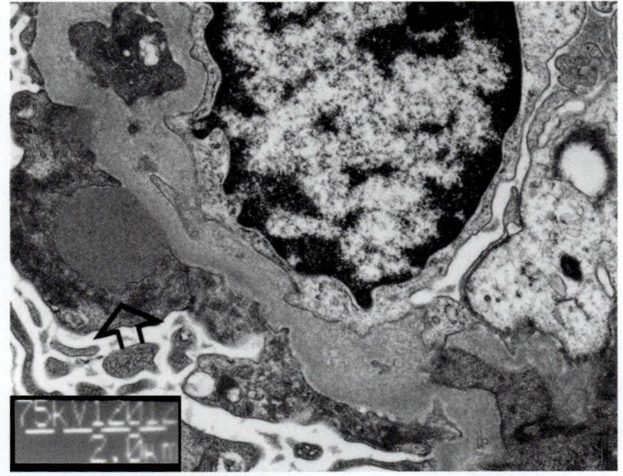

図 17　同前．上皮細胞の基底膜の間に hump（矢印）を認める．電顕像．×15,000

管内増殖性糸球体腎炎は糸球体の毛細血管腔内の著明な細胞増殖（富核）を特徴とする糸球体腎炎で，疾患（原因）としては連鎖球菌感染後急性糸球体腎炎が代表である．上気道の溶連菌感染後 1〜3 週の潜伏期をおいて，血尿，浮腫，高血圧を発症する．抗ストレプトリジン O（ASO）値の上昇や血清補体値の低下を伴う．小児に多く，成人例は少ない．予後は良好であるが，成人例では遷延しやすい．糸球体は腫大し，ときに分葉状を示し，毛細血管腔内に著明な多核白血球（分葉核を有する）の浸潤や内皮細胞の増殖を示し（富核）（**図 15，16**），血管腔は狭小化し，赤血球が目立たない（貧血）．病変が高度の場合，半月体形成や壊死性変化を伴う．メサンギウム領域でも単球の浸潤やメサンギウム細胞の増殖もみられる．蛍光抗体法ないし酵素抗体法で IgG と C3 の陽性所見が認められ，特に C3 の沈着が強い．電顕では糸球体基底膜の上皮細胞下に大型の突出性の免疫複合体沈着物（hump）をみる（**図 17**）．hump は発症から 3 カ月頃には消失する．

［参考事項］　発症早期の活動期を経過すると，多核白血球は減少し，開存した腔内に散見される程度となる．また，メサンギウム領域の細胞増殖が目立つようになり，急性発症期または活動期の IgA 腎症や紫斑病腎炎との鑑別が困難となる．

半月体形成性糸球体腎炎（血管外増殖性糸球体腎炎）| Crescentic glomerulonephritis（Extracapillary proliferative glomerulonephritis）

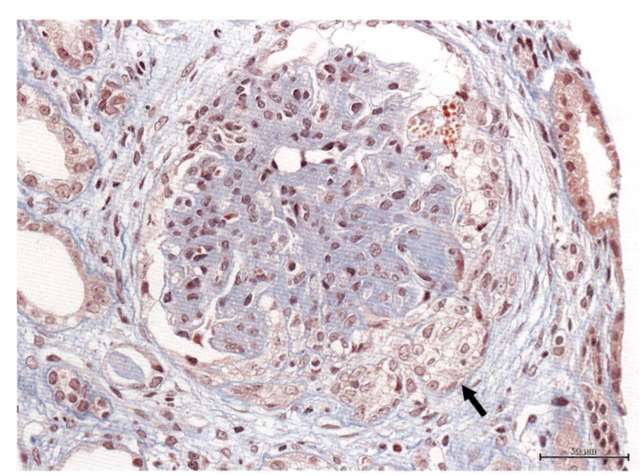

図 18　半月体形成性糸球体腎炎/急速進行性糸球体腎炎．矢印は細胞性半月体．マッソン染色．中拡大

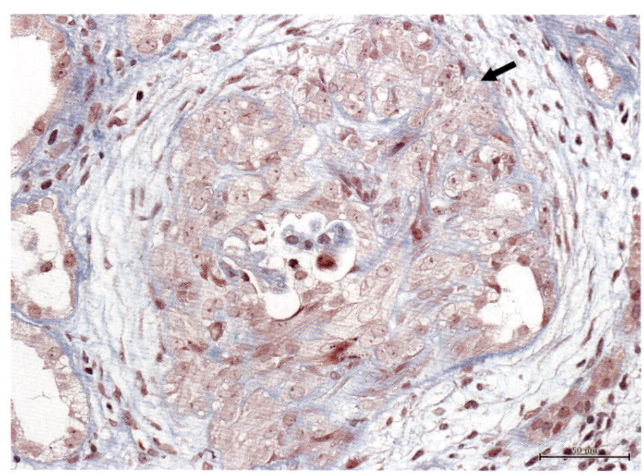

図 19　同前．矢印は細胞性半月体．マッソン染色．中拡大

半月体 crescent とは，糸球体ボーマン囊内に細胞増生を示したものである．半月体が全糸球体の一部にある症例から，過半数を占めるものまでがあるが，原則的には過半数を超える糸球体に半月体があったとき，半月体形成性糸球体腎炎と称する（**図 18，19**）．細胞増生が糸球体の血管係蹄の外で起きるので，血管外増殖性糸球体腎炎とも称される．増殖細胞はボーマン囊上皮細胞が主体であるが，単球も関与する．糸球体係蹄は圧排され，虚脱状となるため，臨床的には急速に腎機能低下が進行し，腎不全に陥ることから，臨床病態は急速進行性糸球体腎炎（RPGN）という．半月体形成の初期病変は糸球体基底膜の壊死性・破綻性変化で，ボーマン腔内にフィブリンや血球成分の滲出がみられる．WHO 分類では初期病変の壊死性変化を重視し，半月体性壊死性糸球体腎炎としている．

半月体の大きさに注目すると，25％以内の小さい半月体から全周性のものまである．半月体の成分については，細胞性から線維細胞性へ移行し，やがて線維性半月体となる．細胞性であれば活動性が高く，今後のさらなる悪化が危惧され，線維性であれば活動性自体は消失していることが推測される．

多くの場合，免疫反応物は認められない（pauci-immune）．しかし血清中の抗基底膜抗体の陽性症例は，蛍光抗体法ないし酵素抗体法で，糸球体基底膜に沿って線状に IgG 沈着をみる．

［参考事項］　英語の crescent の原義は三日月である．したがって crescentic glomerulonephritis の忠実な日本語訳は三日月体形成性糸球体腎炎になるべきだが，日本では慣習的に半月体形成性糸球体腎炎とよんでいる．ちなみに，半月は英語で half moon となる．また，英国のバース近郊に大型の邸宅があり，crescent と称されているが，まさに三日月状の建物であり，中央部分には広大な，芝生の庭がある．

半月体性腎炎は免疫学的所見から次の３つに大別できる．①抗基底膜抗体型：Goodpasture 症候群，肺出血を伴わないもの（特発性）．②免疫複合体型：IgA 腎症，SLE，紫斑病性腎炎など．③非免疫沈着型：顕微鏡的結節性多発性動脈炎，肉芽腫性多発血管炎など．

［参考事項］　**抗好中球細胞質抗体** anti-neutrophil cytoplasmic antibody（ANCA）**関連腎炎**は半月体形成性腎炎の像を示し，上記分類の③に含まれる．

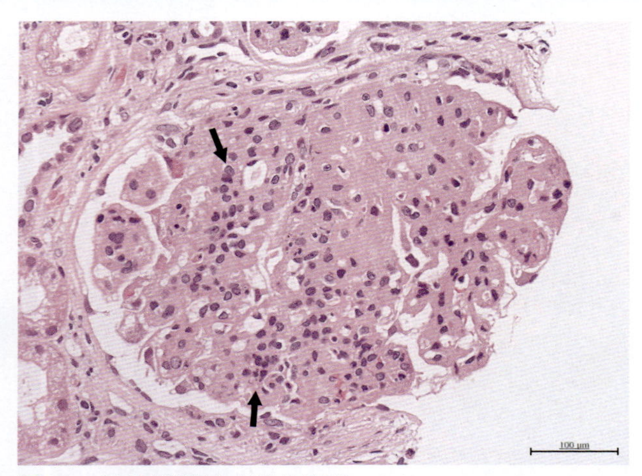

図 20　膜性増殖性糸球体腎炎．矢印はメサンギウム細胞の増生．中拡大

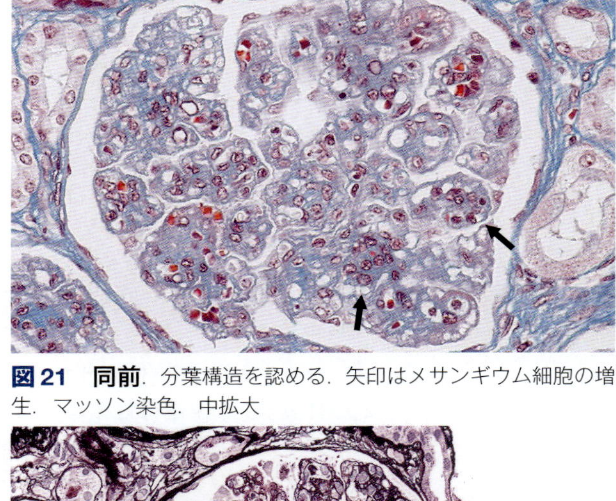

図 21　同前．分葉構造を認める．矢印はメサンギウム細胞の増生．マッソン染色．中拡大

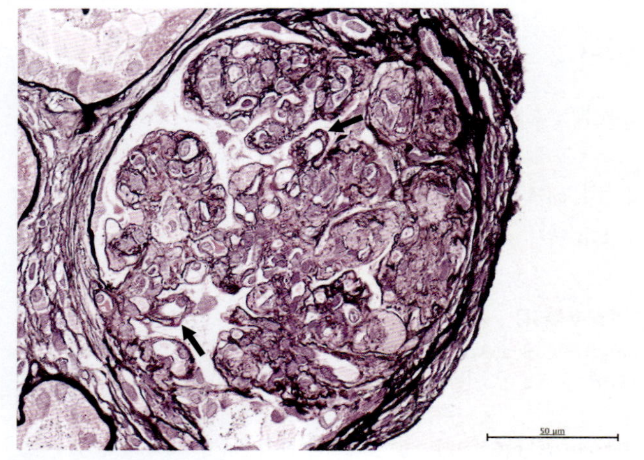

図 22　同前．分葉構造を認める．矢印は基底膜の二重化．PAM 染色．中拡大

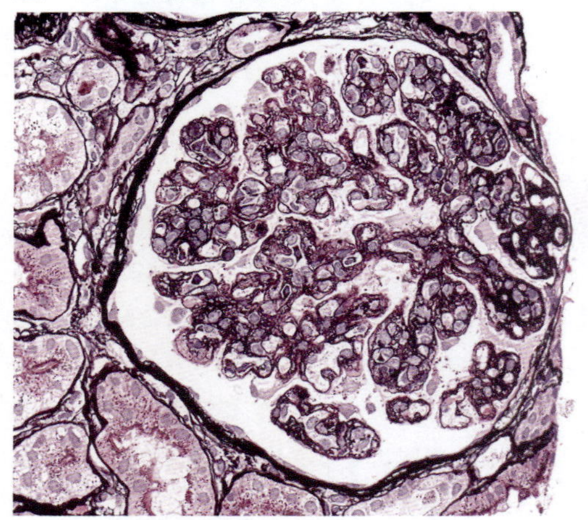

図 23　同前．基底膜の二重化を認める．PAM 染色．中拡大

膜性増殖性糸球体腎炎（MPGN）は糸球体基底膜の肥厚と増殖性変化を示す糸球体腎炎である．糸球体は腫大し，メサンギウム領域での細胞増殖と基質の増生が著明で，しばしば分葉構造 lobulation を示す（**図 20，21**）．また，糸球体基底膜は広汎に肥厚し，電車の線路 tram track のように二重化を呈する（**図 22，23**）．この基底膜の二重化が起こるのは，メサンギウム細胞が基質を伴いながら，糸球体毛細血管の基底膜に沿って末梢まで伸びてきたことによる（メサンギウム間入 mesangial interposition）．

免疫複合物の沈着もみられるが，この沈着によっても基底膜の肥厚やメサンギウム領域の拡大がみられ，病変が進むにつれ癒着や硬化像が目立つようになる．蛍光抗体法ないし酵素抗体法では，主として IgG，IgM，C3 の沈着が認められ，分葉形成型では糸球体係蹄の末梢側に分葉状（peripheral lobular pattern）に沈着する（**図 24**）．

本症は，免疫複合物の電顕的な分布や特徴によりⅠ型とⅢ型に分けられる．かつてⅡ型とされていた疾患群は dense deposit disease（DDD）として独立した疾患群に分類されている．

Ⅰ型はメサンギウム領域とそれに連続して，基底膜の内側（内皮下）に免疫沈着物がみられ（**図 25**），mesangial interposition の像も広汎に認められる．糸球体の分葉傾向あるいは2重化像はこの型で最も顕著である．

Ⅲ型は免疫沈着物が基底膜の上皮側（上皮下）に認められるもので，基底膜自体の破綻性変化を伴って，不規則に肥厚している．メサンギウム細胞の増殖，基質増生，mesangial interposition も認められる．

光顕的にはⅠ型は分葉構造や基底膜の二重化像を示すことが多く，Ⅲ型は基底膜の肥厚が主たる変化で，増殖や硬化を伴う．

MPGN は慢性腎炎の経過をとり，腎不全へ移行する腎炎である．予後は小児よりも成人でより悪い．血尿と蛋白尿は高

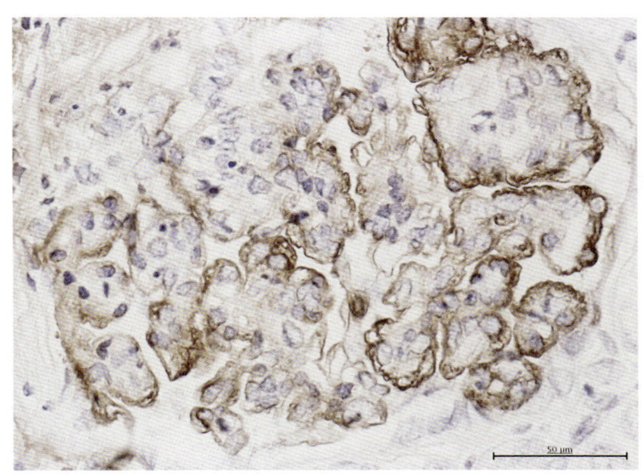

図 24　膜性増殖性糸球体腎炎．係蹄の末梢側に IgG の沈着を認める．酵素抗体法．中拡大

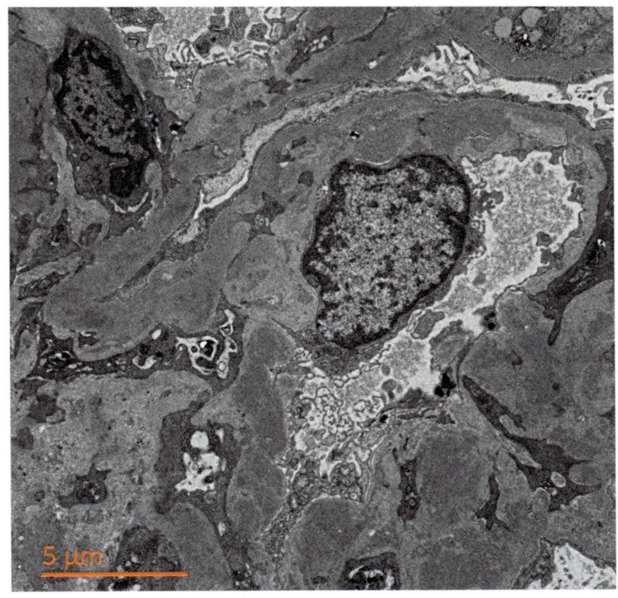

図 25　同前．内皮下に沈着物を認める．電顕像．×6,000

度であり，血尿を伴う難治性ネフローゼ症候群を鑑別する際には本症を考える必要がある．低補体血症を示すことも多く，その場合には低補体性糸球体腎炎 hypocomplementemic glomerulonephritis と呼称されることもある．

【鑑別診断】 次の疾患が鑑別としてあげられる．① DDD：欧米に比較し，日本ではまれな疾患である．光顕的にはメサンギウム細胞の増殖と基質の拡大を示し，PAS 染色で赤染する肥厚した基底膜がみられ，二重化像を呈する．電顕所見では糸球体基底膜の緻密層 lamina densa に一致して，特異な線状沈着物がみられる．蛍光抗体法ないし酵素抗体法では C3 のみ陽性で，免疫グロブリン沈着はない．②分葉状の増殖を示す腎炎：活動期の管内増殖性腎炎も，分葉傾向がときに明瞭となる．臨床経過のほか，C3 の沈着と hump の存在が鑑別点となる．③ループス腎炎：Ⅲ型の MPGN との鑑別が問題になる場合がある．④C 型肝炎関連腎炎．⑤薬剤性腎症．⑥移植後の transplant glomerulopathy.

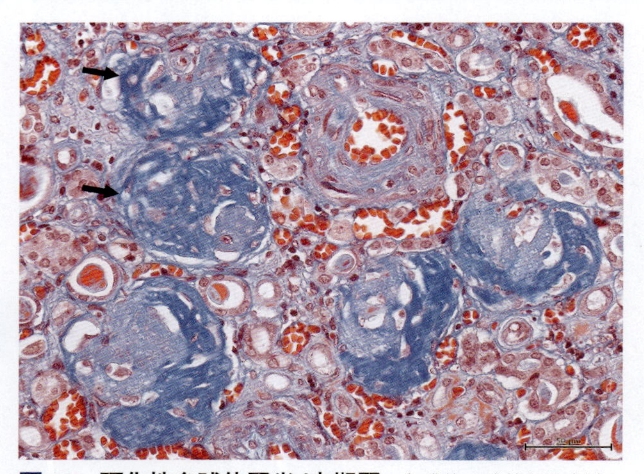

図 26　硬化性糸球体腎炎/末期腎．糸球体の球状硬化（⬆）．マッソン染色．弱拡大

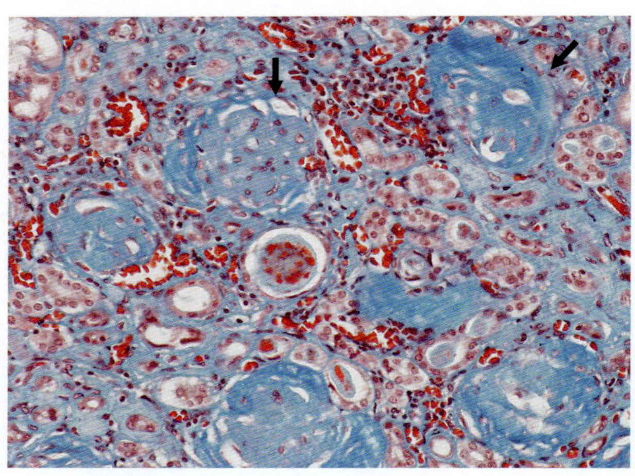

図 27　同前．糸球体の球状硬化（⬆）．マッソン染色．弱拡大

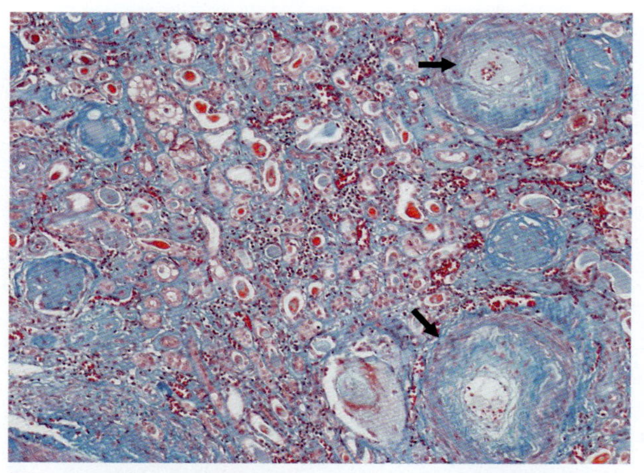

図 28　同前．小葉間動脈（⬆）には内膜の線維性肥厚が目立つ．マッソン染色．弱拡大

各種の糸球体腎炎が進行すると，ほとんどの糸球体は硬化に陥り，わずかの糸球体が本来の形態を保つのみである（**図 26，27**）．糸球体の荒廃に応じて，尿細管や間質の変化も強くなり，尿細管の萎縮や拡張，円柱などを認め，間質の線維化やリンパ球浸潤をみる．高血圧のために，小〜中動脈壁の肥厚も認められる（**図 28**）．この状態は，本来の糸球体疾患が不明となり，**硬化性糸球体腎炎**と総称される．

病変がさらに進むと，糸球体はほとんど完全に硬化する．間質や血管などの構成成分の荒廃が強くなると，基礎疾患が糸球体性か間質尿細管由来か，あるいは血管性のものかも判断できない．この著明な荒廃腎は**末期腎**とよばれる．臨床的にも腎機能が廃絶し，腎移植か透析治療が必要となる．

【鑑別診断】　硬化性糸球体腎炎に移行する原発性糸球体腎炎のなかでは IgA 腎炎が最も多い．残存糸球体の蛍光抗体法ないし酵素抗体法で診断がつくことがある．

二次性腎炎のうち，糖尿病性腎症は末期腎となっても糸球体の結節性変化や滲出病変が残存し，鑑別がつきやすい．糖尿病性腎症は透析患者の基礎疾患として最も多い．

アミロイドーシスや嚢胞腎も組織像から推定可能である．

［参考事項］　硬化性糸球体腎炎では，腎は左右対称性に萎縮し，表面はびまん性に顆粒状となる．透析例では，腎組織の荒廃はさらに進み，極端な萎縮腎となる．透析期間が長くなると，多くが後天性嚢胞腎の状態となり，腎細胞癌の発生率が高くなる．

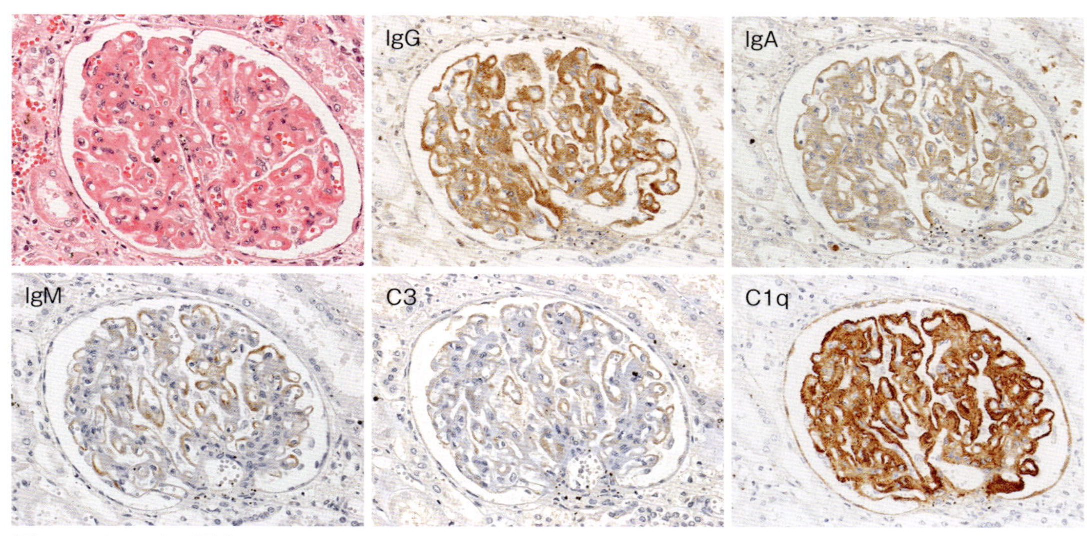

図 29　ループス腎炎．HE 染色と酵素抗体法（IgG，IgA，IgM，C3，C1q）．中拡大

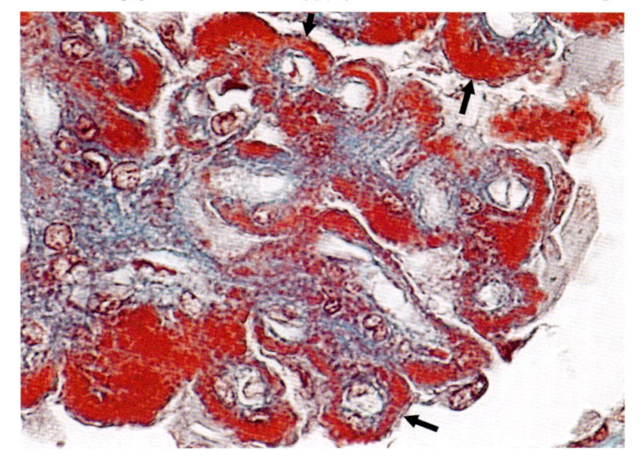

図 30　同前．wire loop lesion（⬆）を内皮下に認める．マッソン染色．強拡大

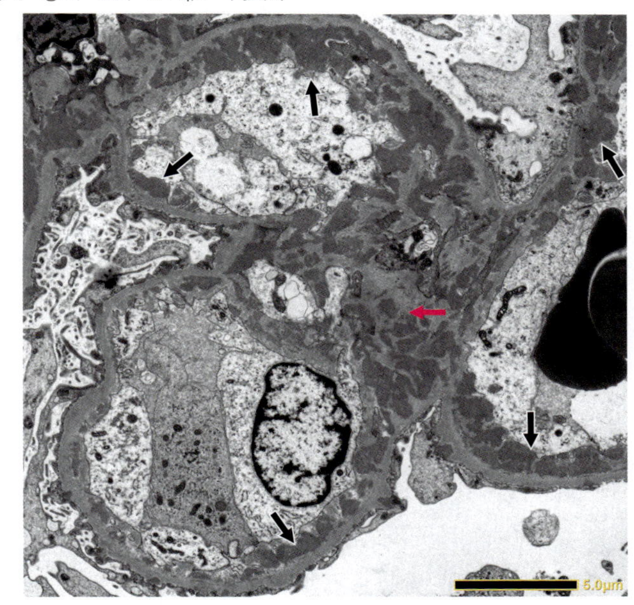

図 31　同前．内皮下を中心に高電子沈着物（⬆）を認める．メサンギウム領域にも沈着物（⬆）がある．電顕像．×6,000

全身性エリテマトーデス（SLE）に合併する腎症はループス腎炎とよばれる．臨床的に SLE の診断確定が必要である．組織像は多彩であり，国際腎学会分類（2003 年）では以下の 6 型に分ける．①微小メサンギウムループス腎炎，②メサンギウム増殖性ループス腎炎，③巣状ループス腎炎，④びまん性ループス腎炎，⑤膜性ループス腎炎，⑥進行した硬化性ループス腎炎．

糸球体病変の基本像は増殖と基底膜の肥厚である．増殖性変化はメサンギウム細胞や基質の増生のほかに，病変が強い場合には管内増殖，壊死性変化，フィブリン血栓が認められる．ループス腎炎ではヘマトキシリン体が特異的とされるが，腎生検で観察されるのはまれである．また，免疫沈着物がみられ，糸球体病変を修飾している．糸球体基底膜は免疫沈着物により不規則に肥厚し，著明な肥厚を示す場合には wire loop lesion とよばれる（**図 30**）．蛍光抗体法ないし酵素抗体法では，各種の免疫グロブリン（IgG，IgA，IgM）と補体（C1q，C3）が基底膜およびメサンギウムに沈着するのが認められる（**図 29**）．特に，C1q の強い沈着はほかの腎炎でみることはまれである．電顕では，糸球体基底膜の上皮下・内皮下，メサンギウムに高電子密度物質の沈着を認め（**図 31**），内皮下の沈着物が著明な場合，光顕的には wire loop lesion として観察される．基底膜の上皮下沈着物が主体の症例は膜型ループス腎炎に分類される．ときに，沈着物中の finger print 像や内皮細胞内の microtubular structure がみられることもある．

【鑑別診断】　形態学的には多彩な糸球体腎炎の像を示すため，糸球体腎炎のほとんどが鑑別の対象になる．

表3 糖尿病性腎症の病理組織

糸球体病変（糖尿病性糸球体硬化） 1. メサンギウム基質の増加—結節性硬化（Kimmelstiel-Wilson 結節） 2. 滲出性病変 fibrin cap—フィブリン様に好酸性が強く，赤染する無構造硝子様物質 内皮と基底膜の間に滲出 capsular drop 3. 基底膜の肥厚 4. 癒着からボーマン嚢腔を埋める硬化 5. メサンギウム融解（mesangiolysis），毛細血管係蹄拡張（microaneurysm） 6. doughnut lesion（濾過面をもたない毛細血管）
血管病変 1. 細動脈の硝子様硬化（arteriolosclerosis） 2. 弓状〜小葉間動脈の動脈硬化（内膜の線維性肥厚）（atherosclerosis） 3. 血管極血管増生（polar angiogenesis，hilar vasculosis）
尿細管病変 1. アルマンニ・エプスタイン病変 Armanni Epstein 病変 2. 尿細管極部から広がる尿細管萎縮

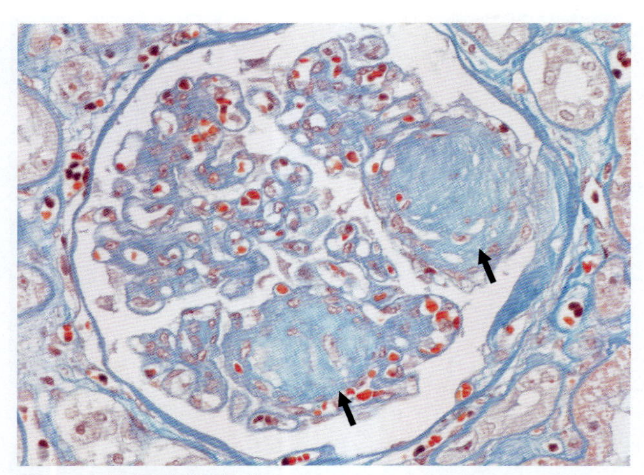

図32 糖尿病性腎症．矢印は結節性硬化（Kimmelstiel-Wilson 結節）．マッソン染色．中拡大

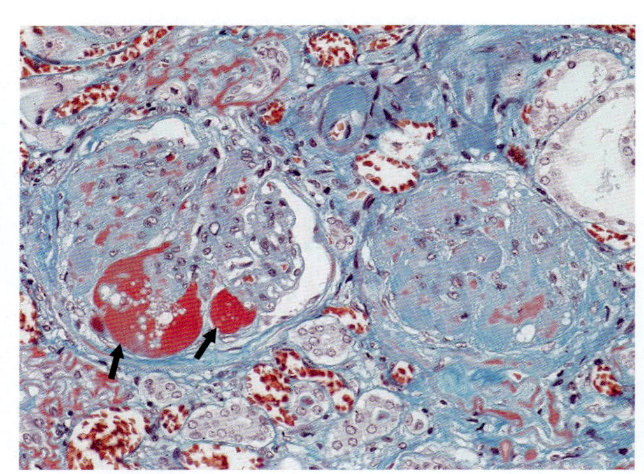

図33 同前．矢印は fibrin cap．マッソン染色．中拡大

糖尿病の合併症としての腎臓病変を糖尿病性腎症という．糖尿病性の変化は糸球体，血管，尿細管に認められるが，糸球体に認められる病変を糖尿病性糸球体硬化症という（**表3**）．糸球体は初期には特徴的変化がみられず，肥大を示すのみである．疾患の進行とともに，①びまん型 diffuse type，②結節型 nodular type，③滲出性病変 exudative lesion の 3 種の特徴的病変を示す．びまん型ではメサンギウム領域の拡大と糸球体基底膜のびまん性肥厚が，ほかの病変に比べ比較的早期にみられる．さらに進行すると，メサンギウムに結節状の増生性や硬化性変化が加わる（結節型）（**図32**）．結節は無細胞性ないし低細胞性で，結節の中心には細胞が含まれず，辺縁に少数の細胞がみられる程度である．PAS 染色では赤く染まり，PAM 染色では層状線維の配列としてみられ，これは Kimmelstiel-Wilson 結節といわれる．中央に濾過面のない毛細血管を認め，メサンギウムが周囲をドーナッツ状に取り囲んでいる場合，doughnut lesion という．滲出性病変の fibrin cap は均一無構造のフィブリン様の硝子物質が糸球体係蹄末梢部の毛細血管腔を充満する（**図33**）．ボーマン嚢に付着する同様の滲出物を capsular drop という．滲出性病変は糖尿病性腎症が進行した時期にみられることが多いが，特異的ではない．電顕的には糸球体基底膜のびまん性肥厚が認められる（**図34**）．

血管では，硝子様肥厚が糸球体の輸入細動脈壁と輸出細動脈壁でみられる．糸球体門部では小血管が増加する（polar vasculosis）．

【鑑別診断】 糸球体でアミロイドが結節性に沈着をすると，糖尿病性の結節様に見えることがある．アミロイドーシスの沈着物は均一無構造で，コンゴーレッド染色（DFS 染色）で陽性である．

巣状分節状糸球体硬化症の hyalinosis は糖尿病の fibrin cap

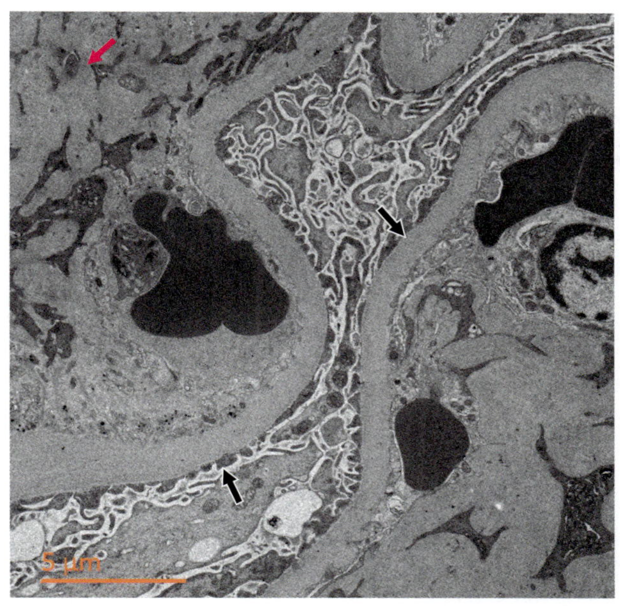

図 34　同前．基底膜の肥厚（⬆），メサンギウム基質の増加（⬆）を認める．電顕像．×6,000

に類似している．

［参考事項］ 糖尿病にみられる腎臓の変化に炎症性変化があり，腎盂腎炎，腎乳頭壊死を合併しやすい．

fibrin cap は線維状ではなく，硝子様なので筆者は hyaline cap というべきであると考えるが，一般的には fibrin cap の用語が使用されている．

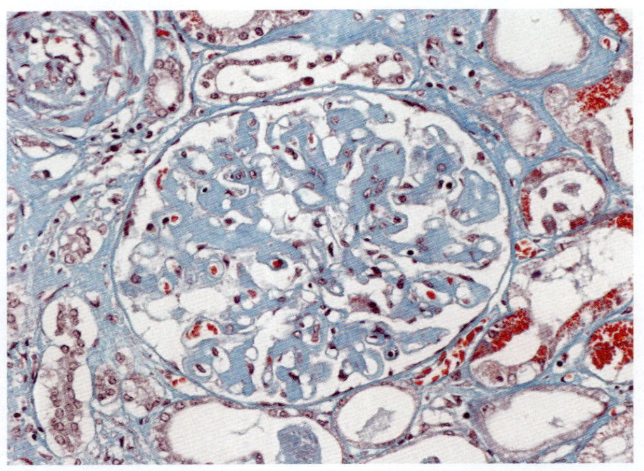

図 35 アミロイドーシス. メサンギウム領域に肥厚があるが，メサンギウム細胞の増生を認めない．マッソン染色．中拡大

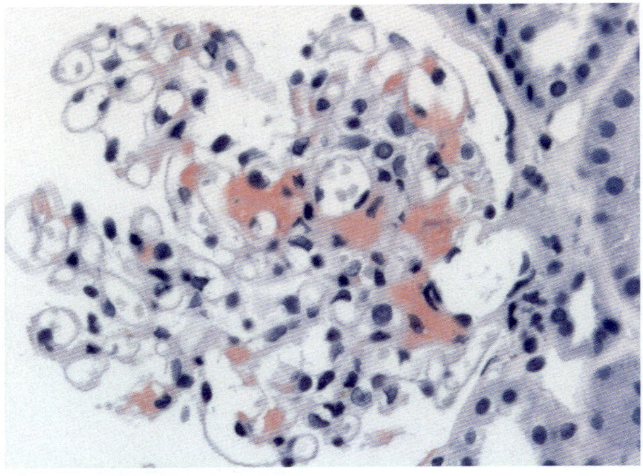

図 36 同前. メサンギウム領域にアミロイドの沈着がある．DFS 染色．中拡大

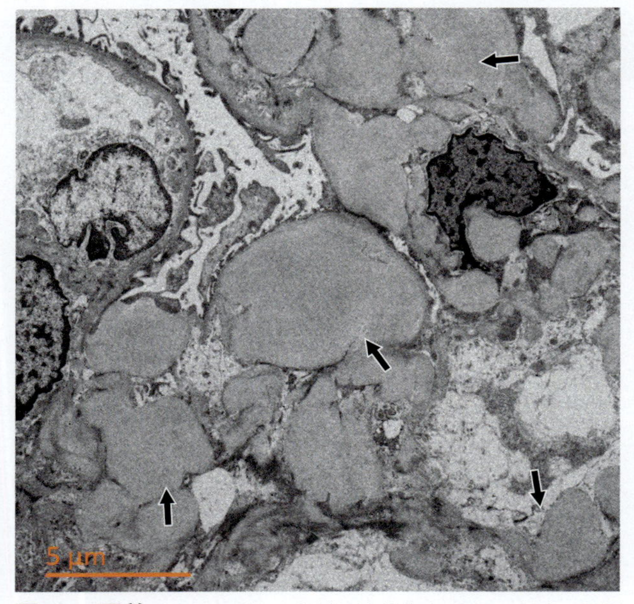

図 37 同前. メサンギウム領域に沈着物を認める（⬆）．電顕像．×6,000

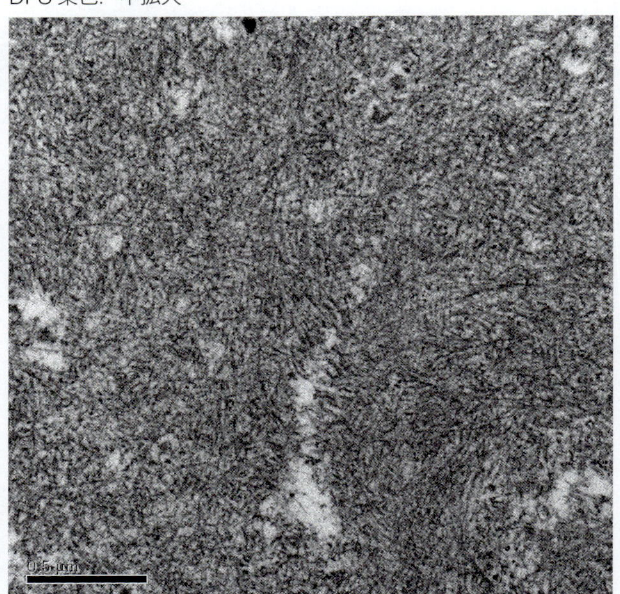

図 38 同前. メサンギウム領域の沈着物の拡大像で，細線維を確認できる．電顕像．×30,000

アミロイドーシスはアミロイド amyloid が全身に，あるいは局所的に沈着し，臓器の機能不全を起こす疾患で，腎への沈着も認められることがある．糸球体のメサンギウム，係蹄壁に沈着し，基底膜は肥厚する（**図 35**）．血管への沈着も強く，壁肥厚，内腔狭窄を示し，間質への沈着もみられる．細胞内に取り込まれず，マクロファージ，リンパ球，好中球などの反応もなく，間質に沈着する．アミロイドは HE 染色では好酸性の均一無構造物であり，PAS 染色では淡く赤染する蛋白である．コンゴーレッド染色，DFS 染色では赤橙色を示し（**図 36**），偏光観察では緑色調を呈する．電顕でアミロイド細線維の幅は 8～10 nm である（**図 37，38**）．基底膜ではときに密に配列し，上皮細胞に対し束状の突出 spicule を形成する．

【鑑別診断】 光顕では，アミロイドが結節状に沈着すると，糖尿病性腎症の結節型に似た像を示す．鑑別は，臨床所見やコンゴーレッド染色による．

［参考事項］ 原発性アミロイドーシスや骨髄腫に伴うアミロイドーシスでは免疫グロブリン L 鎖由来の AL 蛋白が，続発性アミロイドーシスでは AA 蛋白がアミロイド構成蛋白である．透析アミロイドーシスは β_2 ミクログロブリンによる．ほかの沈着症としては細線維性糸球体腎炎と immunotactoid glomerulopathy があり，アミロイド類似の沈着物を有するが，コンゴーレッド染色，DFS 染色は陰性である．電顕的にも細線維構造物を認める．線維はアミロイド細線維よりも大きい．臨床像に共通点が多く，また免疫グロブリン L 鎖の沈着を伴うことから，アミロイドーシスとの類縁疾患と考えられる．

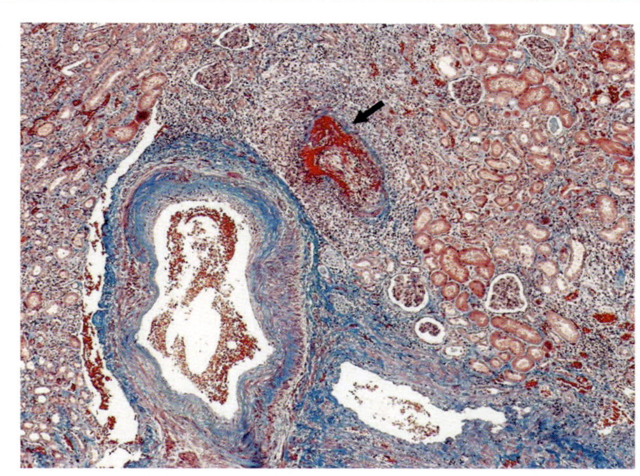

図 39　結節性多発性動脈炎．小葉間動脈のフィブリノイド壊死（⬆）を認める．マッソン染色．弱拡大

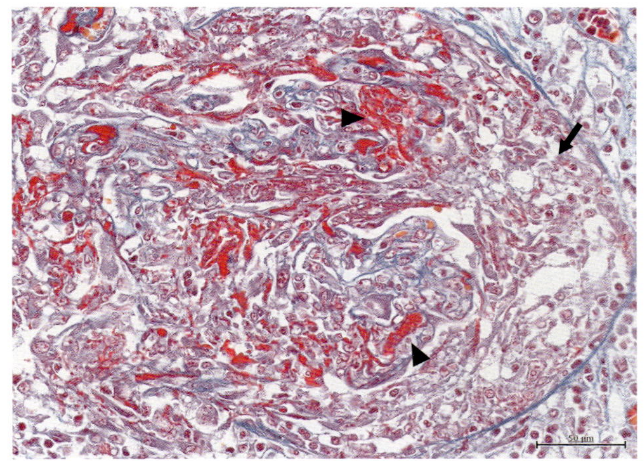

図 40　顕微鏡的多発性血管炎．糸球体に半月体（⬆），フィブリノイド壊死（▲）を認める．マッソン染色．中拡大

結節性多発（性）動脈炎（結節性動脈周囲炎），顕微鏡的多発性血管炎，肉芽腫性多発血管炎はいずれも壊死性肉芽腫性血管炎を示し，後二者は壊死性肉芽腫性変化の強い半月体性糸球体腎炎も起こす．

結節性多発性動脈炎は全身の中型の筋型動脈を侵す古典的なタイプで，フィブリノイド壊死（**図 39**）と血管全層の著明な炎症細胞浸潤を示す．その後，肉芽組織の形成を示し，瘢痕化する．

顕微鏡的多発性血管炎は，主病変が細小動脈や細静脈の末梢血管にみられるタイプで，糸球体では係蹄の壊死や融解がみられ，半月体が形成される（**図 40**）．周囲間質では炎症性壊死性肉芽腫状となり，特発性半月体性糸球体腎炎よりも壊死性肉芽腫性変化が強い．このような糸球体変化は散在性，びまん性にみられる．

肉芽腫性多発血管炎の特徴は各臓器の小血管での壊死性動静脈炎と気道の壊死性肉芽腫性病変である．腎は壊死性血管炎と半月体の形成を伴う壊死性肉芽腫性糸球体腎炎の像を示す．予後は不良で，呼吸不全，腎不全などでの死亡が多い(☞p.158)．

【鑑別診断】　顕微鏡的多発性血管炎やウェゲナー肉芽腫症では半月体性糸球体腎炎の像を示すが，壊死性血管炎の存在が他疾患との大きな鑑別点である．免疫グロブリンの有意な沈着はなく，非免疫沈着型（pauci-immune）に分類される．この型の半月体性糸球体腎炎の多くは血清中のANCAが陽性でANCA関連腎炎とよばれる．抗PR3抗体（C-ANCA）は肉芽腫性多発血管炎に，抗MPO抗体（P-ANCA）は顕微鏡的多発性血管炎で高率に出現する．

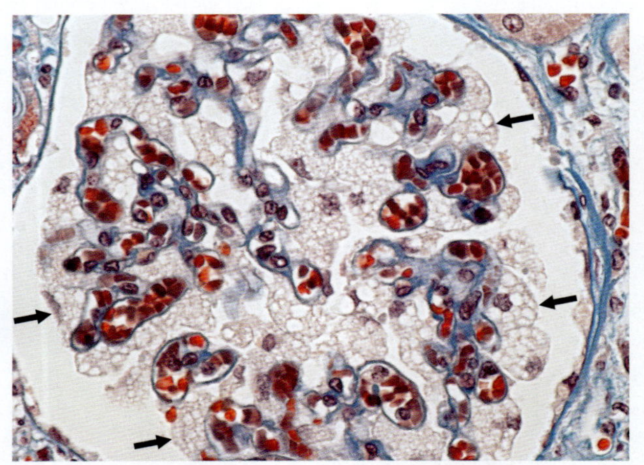

図 41　ファブリー病．上皮細胞の細胞質が泡沫化し（⬆），トリヘキソシルセラミドの沈着に相当している．マッソン染色．中拡大

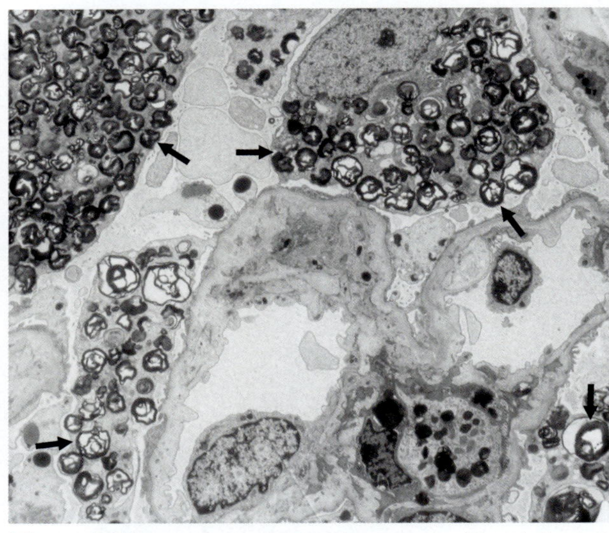

図 42　同前．上皮細胞の細胞質内にミエリン様のゼブラ小体（⬆）を認める．電顕像．×6,000

遺伝性腎疾患で遭遇することが多いのはアルポート Alport 症候群と良性家族性血尿である．

アルポート症候群　遺伝性疾患で，感音難聴，ときに眼症状（水晶体転位，後部白内障，角膜異栄養症）を伴う．男性に起こりやすく，多くは青年期までに腎不全となる．糸球体基底膜を構成するⅣ型コラーゲンの遺伝的異常である．糸球体の光顕像はメサンギウム細胞の増殖と基質の増生で，基底の不整な肥厚をみることもある．病変が進むと硬化像が加わり，ボーマン嚢との癒着や半月体形成を示し，びまん性硬化へと移行する．アルポート症候群の糸球体の増殖硬化性変化に特徴的なものはなく，光顕像のみからは IgA 腎症などの増殖性腎炎と区別できない．尿細管の萎縮，間質の線維化や細胞浸潤もみられ，特徴的なのは間質における泡沫細胞の出現である．また電顕で，糸球体基底膜は薄いが，末期には不規則な肥厚と層状化を示す．糸球体基底膜の緻密層は網目状に分裂し，多層化を呈するようになり，網目間に微細顆粒状物質を有する．間質の泡沫細胞の出現，免疫沈着物が陰性であることを参考とし，電顕にて確定する．

良性家族性血尿 benign familial hematuria　臨床像は無症候性の血尿のみで，腎機能低下はみられず，予後は良好である．光顕上，糸球体に変化は認めない．電顕では，糸球体基底膜のびまん性の菲薄化が特徴である．係蹄全体の 50% 以上の糸球体基底膜が 200 nm 以下で菲薄基底膜病 thin membrane disease と診断できる．蛍光抗体法ないし酵素抗体法では陰性である．

[参考事項]　FGS などのネフローゼ症候群にも間質の泡沫細胞がみられることがある．

ファブリー病　先天性代謝疾患のなかで，腎症状として糸球体変化を示すのがファブリー病である．

ファブリー病では糸球体の上皮細胞の細胞質が泡沫状になり（**図 41**），酵素抗体法でトリヘキソシルセラミド（Gb3）の陽性像を確認できる．電顕ではゼブラ小体を上皮細胞の細胞質に認める（**図 42**）．

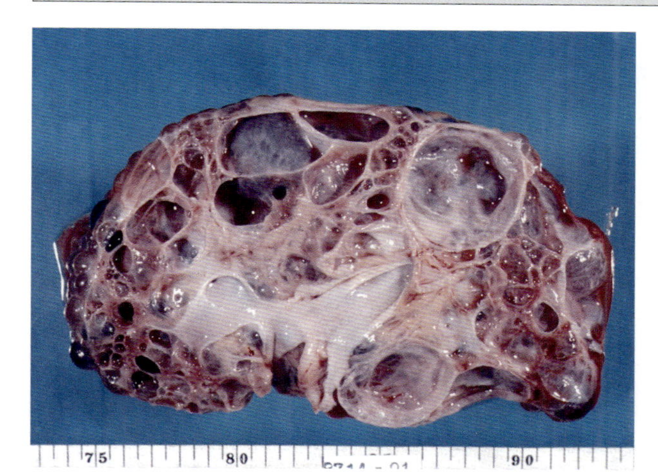

図 43　多発性囊胞腎．50 mm 径までの多発性囊胞を認める．肉眼像

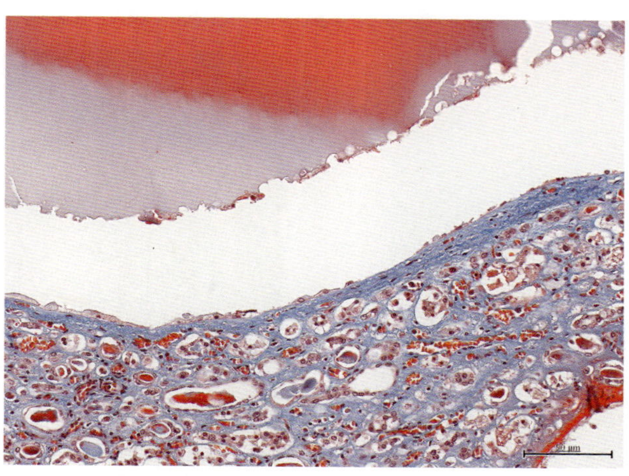

図 44　同前．囊胞の内壁には単壁の扁平上皮を認める．マッソン染色．中拡大

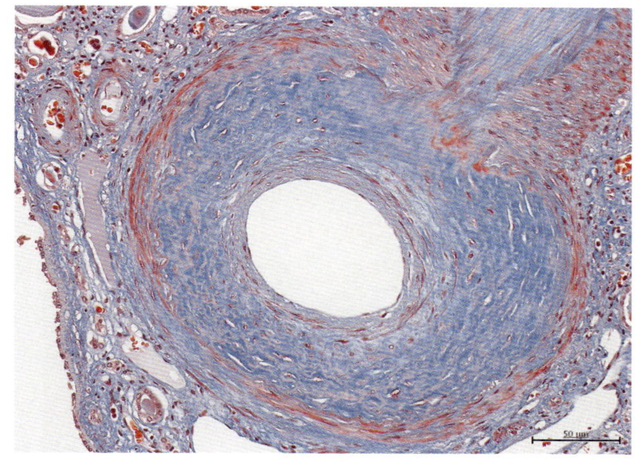

図 45　同前．マッソン染色

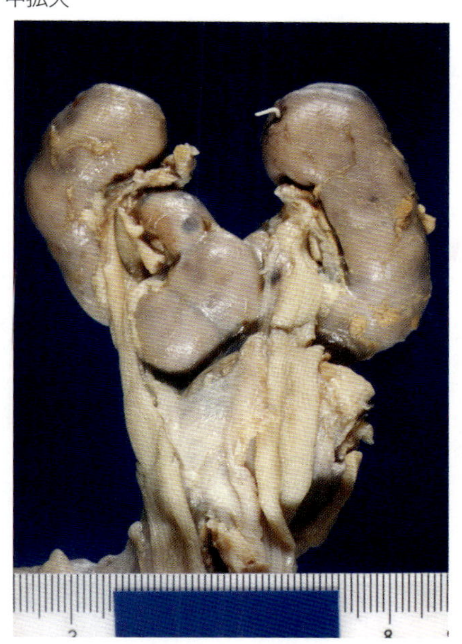

図 46　馬蹄腎．両腎の下極は癒合している．両側の尿管は癒合部の前面を下降する．肉眼像

多発性囊胞腎，成人型 polycystic kidney，adult type　腎に多発性の囊胞を形成する疾患で，多くは重篤な腎機能障害を生ずる．常染色体優性遺伝で，成人になって発症し，50 歳以降に腎不全に陥る．慢性腎不全で来院し診断されることが多いが，腹部腫瘤や肉眼的血尿が初発症状のこともある．合併症として重要なのは高血圧と尿路感染症である．肝囊胞や膵囊胞を有することもある．15％程度に脳底動脈瘤をみる．腎は著明に腫大し，3〜4 cm までの種々の大きさの囊胞で占められ，実質部は乏しい（**図 43**）．腎重量は増加しているが，液状内容物が主体で，腎実質自体の重量は減少している．組織的には囊胞間に圧排された実質が散在する（**図 44，45**）．囊胞は尿細管から集合管にいたるどのレベルからも発生する．実質部は正常な発育を示すが，圧排され虚血性変化を示し，ときに炎症を伴う．

多発性囊胞腎，幼児型 polycystic kidney，infantile type（常染色体劣性遺伝型囊胞腎）　集合管が拡張することによって生じた円柱状の囊胞で，皮質に向かって直角に配列し，皮質と髄質を置換する．ほとんどが新生児期に腎不全となる．腎は両側性に腫大し，表面は平滑で囊胞状隆起ははっきりしない．肝の多発性囊胞と先天性肝線維症を合併する．

多囊胞性腎異形成 polycystic renal dysplasia　腎異形成で囊胞状変化が強い場合を多囊胞性腎異形成という．ほとんどの囊胞は集合管の球状の拡張よりなり，実質部には未熟な糸球体や尿細管など異形成の所見を示し，未熟な間質には軟骨組織などを伴う．人魚体 mermaid syndrome と合併する場合もある．

馬蹄腎　腎の奇形のなかで特徴的なものが馬蹄腎である．左右の腎の下極が連続しており，尿管はその前面を下降する（**図 46**）．

腎硬化症，腎梗塞およびコレステロール結晶塞栓症 | Nephrosclerosis, Renal infarction and Cholesterin crystal thrombosis

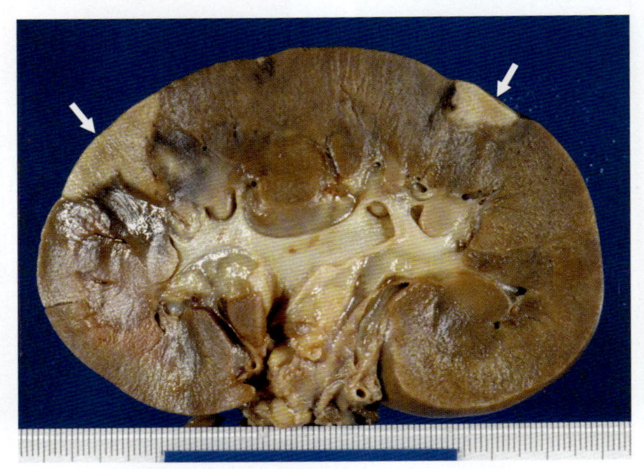

図 47　腎梗塞. 白色調のくさび状の貧血性梗塞（⬆）を生じる．肉眼像

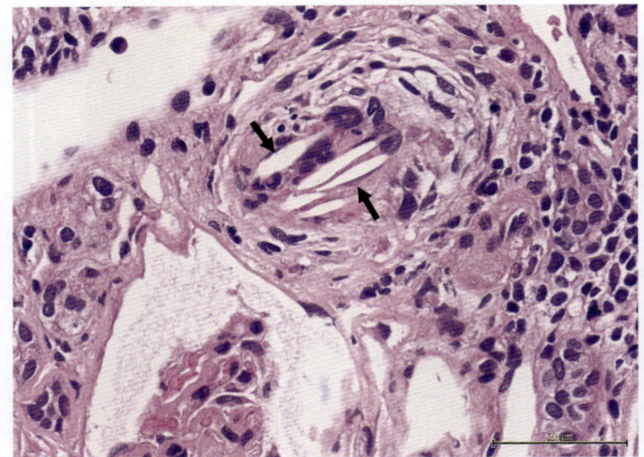

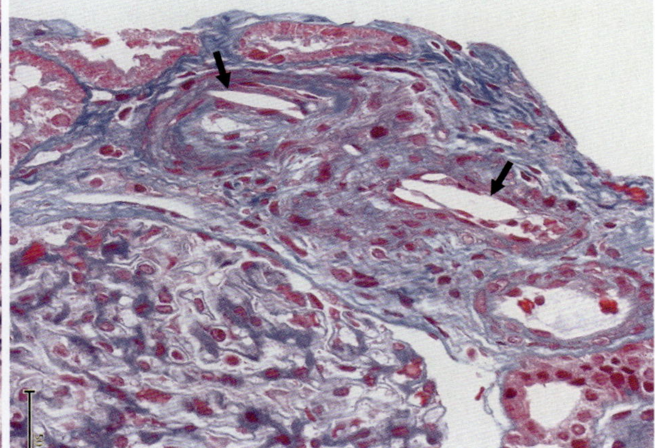

図 48　コレステロール結晶塞栓症. 細動脈内にコレステロール結晶（⬆）を認める．左：HE 染色．強拡大．右：マッソン染色．中拡大

良性腎硬化症 benign nephrosclerosis　良性本態性高血圧症によって起こる腎病変である．血管病変として，細動脈は硝子様肥厚を示す．小葉間動脈では中膜平滑筋細胞傷害，内膜の線維性肥厚がみられ，血管腔の狭小化を示す．進行すると糸球体は虚血のため荒廃し，間質の線維化や尿細管の萎縮などが起こる．また，高血圧のための糸球体内圧の上昇による糸球体係蹄全体の硬化像もみられる．こうした実質の瘢痕性変化により，腎表面は不規則に陥凹し，顆粒状を呈する．

悪性腎硬化症 malignant nephrosclerosis　本態性悪性高血圧症によって起こる腎の病変である．特徴的血管変化として，小葉間動脈から細動脈にフィブリン析出を伴う動脈壁の壊死（フィブリノイド壊死）があり，血管腔の血栓を伴う．ときに炎症細胞浸潤を伴い，壊死性細動脈炎ともよばれる．弓状動脈には内膜における細胞や線維の同心円状の増生がみられ，血管腔の強い狭窄を起こす(タマネギ様肥厚 onion skin lesion)．糸球体には血管腔閉塞による虚血性変化がみられ，糸球体の強い壊死性変化を伴うこともある．

【鑑別診断】　腎生検標本で高血圧を伴う糸球体腎炎と良性腎硬化症を鑑別することはしばしば困難で，蛍光抗体法ないし酵素抗体法や電顕の検索が必要となる．

［参考事項］　良性腎硬化症では腎は強く萎縮するが，悪性腎硬化症では腎は基本的には正常大である．良性腎硬化症の死因は高血圧性心疾患や脳血管障害であるが，悪性腎硬化症の死因の多くは腎不全である．

腎梗塞　血管が閉塞することにより，腎皮質にくさび状に白色調の梗塞が生じる（**図 47**）．このような貧血性梗塞を生じるのは，腎の血管が吻合のない終動脈であるからである．

コレステロール結晶塞栓症　アテローム性の動脈硬化が高度になり，大動脈内膜に沈着していたコレステロール結晶が末梢に流れて，細動脈に塞栓を形成する場合がある(**図 48**)．足の母指に生じることもあり，blue toe syndrome ともいわれる．コレステロール結晶は両端が尖った針状形態をとる．コレステロール自体は標本作製過程で溶解し，針状の空隙(cholesterol cleft) を形成する．

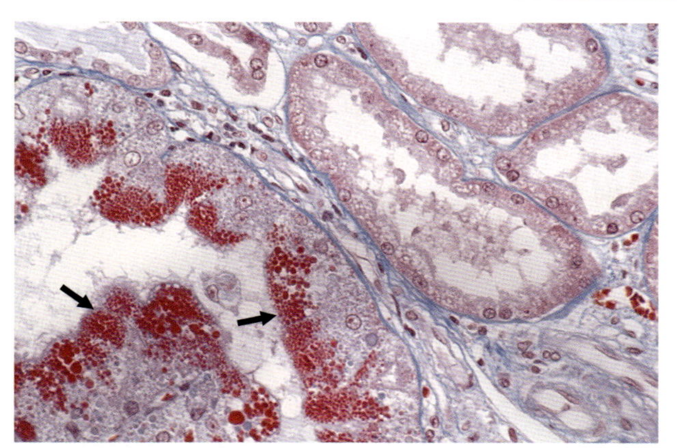

図 49　尿細管の硝子滴変性．近位尿細管上皮の細胞質に赤染する顆粒状物質をみる（⬆）．マッソン染色．強拡大

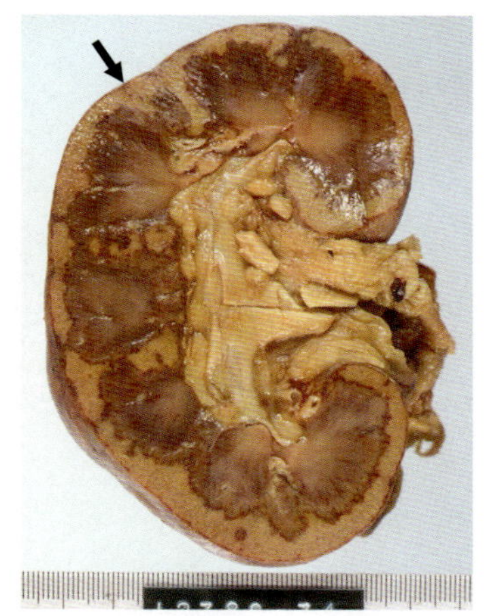

図 50　腎皮質壊死．腎皮質に帯状に虚血がある（⬆）．割面肉眼像

硝子滴変性 hyaline droplet degeneration　近位尿細管上皮細胞内に赤染する多数の顆粒状物質（硝子滴）がみられる状態である（**図 49**）．びまん性，散在性に出現する．糸球体で濾過された蛋白成分を尿細管上皮細胞が再吸収したものであり，糸球体透過性の亢進を示す糸球体障害時に出現する．

水腫様変性 hydropic degeneration　近位尿細管上皮細胞が明るく空胞状に腫大し，核は小型となり基底膜側に位置する．微細な空胞状のことも胞体全体のこともある．水腫状に腫大した上皮細胞のため，内腔は狭くなる．脳浮腫の治療などの目的で高張糖液を用いたときに発症する浸透圧腎症 osmotic nephrosis では，この変化は著しく，びまん性にみられる．低 K 血症でも空胞変性がみられる．

胆汁性ネフローゼ（黄疸性ネフローゼ） biliary nephrosis　高度の閉塞性黄疸に際し，近位尿細管上皮での胆汁色素の再吸収がみられ，上皮の変性や脱落を示す．尿細管内には胆汁色素を含む緑褐色調の円柱が認められ，多くは遠位部尿細管や集合管にみられる．胆道癌や肝癌などの高度の閉塞性黄疸の剖検例でみられることが多く，末期の腎不全の原因となる．

骨髄腫腎 myeloma kidney　多発性骨髄腫では特徴的な尿細管障害と円柱形成を示し myeloma cast nephropathy ともよばれる．円柱は形が不定で，濃染もしくは不均一な染色性を示す．円柱は単核ないし多核巨細胞を伴うが，これらは尿細管上皮細胞あるいはマクロファージと考えられる．尿細管は萎縮性ないし拡張性で，上皮細胞は扁平化，空胞化，壊死を示す．

急性尿細管壊死　尿細管上皮細胞の壊死を特徴とするもので，急性腎不全の原因として最も頻度が高い．原因には，産科的疾患，重症感染症による敗血症性ショック，外傷，熱傷，出血性ショックなどがあげられる．虚血性変化で起こる場合と，腎毒性物質による中毒性の場合がある．

虚血性の場合，ネフロン各部で散在性の尿細管上皮細胞の壊死がみられ，これは近位尿細管に多いが遠位部にも出現する．基底膜の破綻 tubulorrhexis を伴う．病変部の尿細管の壊死は軽微なこともあるが，上皮の変性や脱落，円柱による内腔の閉塞が認められる．円柱は遠位尿細管や集合管に多く，内容として Tamm-Horsfall 蛋白，ヘモグロビン，ミオグロビンなどを含む．経過するにつれ管腔は拡大し，扁平な再生性上皮を有する．虚血の原因には外傷，手術，出産や流産などによる大量出血，熱傷，重篤な嘔吐・下痢，異型輸血などがある．侵襲後，短期間で乏尿ないし無尿となるが，透析などの保存療法にて，尿細管機能は回復し，その後，利尿期を経過し治癒する．

中毒性の場合，尿細管壊死の状態は虚血性変化によるものと同様であるが，分布は近位尿細管全域にわたる尿細管壊死を示し，遠位尿細管から集合管にかけて円柱が目立つ．中毒性急性尿細管壊死の腎毒性物質としては重金属，抗生物質，農薬，四塩化炭素などがあげられる．

【鑑別診断】　腎皮質壊死：播種性血管内凝固（DIC）で腎糸球体に類線維素血栓を生じることにより皮質尿細管が壊死を示し，急性腎不全を生じる．皮質を構成する成分の尿細管，血管，糸球体，間質のいずれも凝固壊死に陥っている（**図 50**）．糸球体に広汎に線維素血栓を認める．

尿細管間質性腎炎（尿細管炎），腎盂腎炎および腎移植拒絶反応（1） | Tubulo-interstitial nephritis（Tubulitis）, Pyelonephritis and Kidney transplant rejection（1）

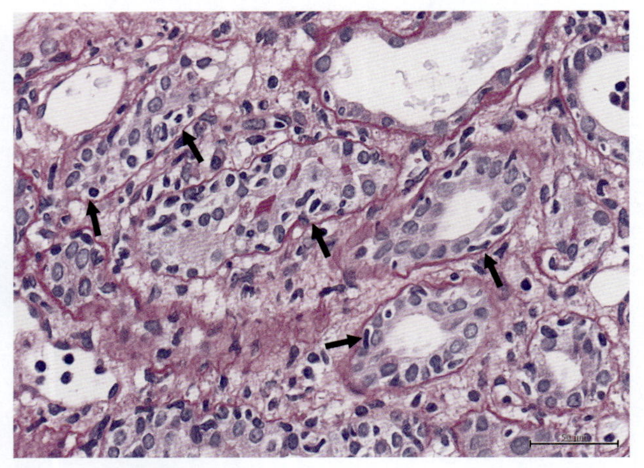

図 51　尿細管炎．尿細管の基底膜を越えてリンパ球が浸潤している（⬆）．強拡大

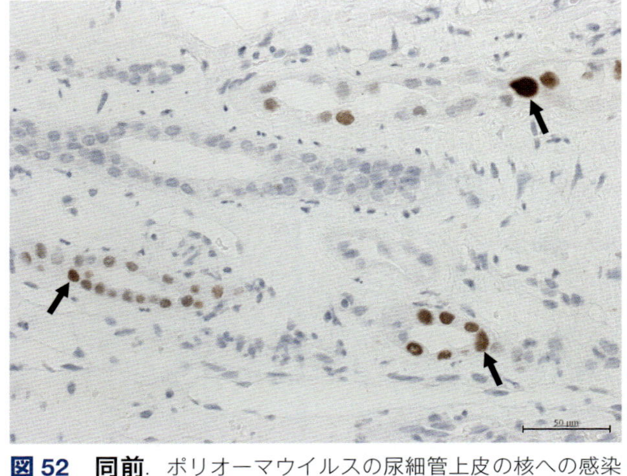

図 52　同前．ポリオーマウイルスの尿細管上皮の核への感染（⬆）．酵素抗体法．強拡大

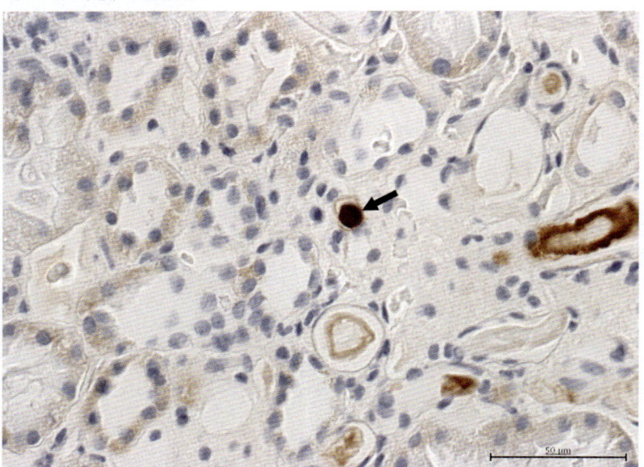

図 53　同前．サイトメガロウイルスの尿細管上皮細胞，血管内皮細胞，あるいは単核球の核内への感染（⬆）．酵素抗体法．強拡大

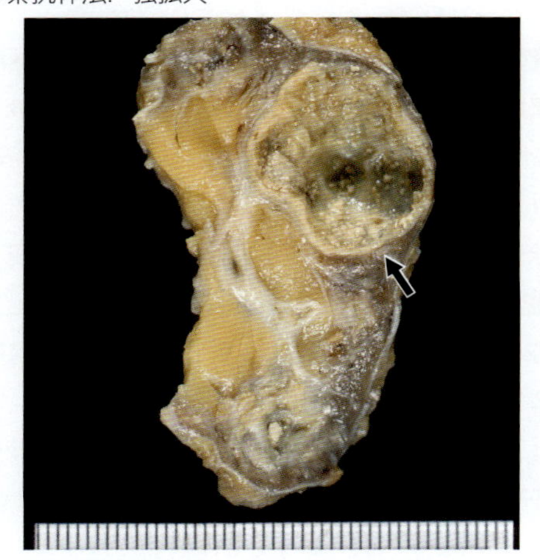

図 54　腎結核．腎実質内に乾酪壊死を含む嚢胞が形成されている．肉眼像

尿細管間質性腎炎　糸球体を中心とした炎症である糸球体腎炎に対し，尿細管，間質を中心とした炎症性疾患である．尿細管障害をきたす疾患の大部分は間質も侵すため，両者を一括して扱う．経過から急性，慢性の診断が行われる．浸潤細胞が何であるかも重要で，リンパ球（**図 51**），形質細胞，マクロファージ（肉芽腫形成の有無，泡沫状細胞），好中球（膿瘍形成），好酸球などの存在を確認する．細菌（菌塊）（**図 54**），ウイルス（核内封入体）（**図 52，図 53**），真菌などの感染の所見も観察する．免疫不全，敗血症，膠原病，循環障害などの基礎疾患があるのかどうかなど，多くの情報を加味して診断していくことになる．

尿細管間質性腎炎は腎臓の間質と尿細管を第一に傷害する炎症性疾患を示す．腎盂腎炎は細菌感染による尿細管間質性腎炎と考えることができる．間質性腎炎は非細菌性の尿細管間質性腎炎である（**図 51**）．

腎盂腎炎　腎盂，腎杯および腎実質の尿細管と間質が侵される細菌感染性疾患で，急性と慢性に分ける．

急性腎盂腎炎では，多数の好中球を主とした急性炎症細胞浸潤が間質にみられ，尿細管上皮の変性・消失や基底膜の破壊が認められる．微小膿瘍は皮質を中心にみられる．また，尿細管への炎症細胞浸潤もみられ，白血球円柱を伴う．糸球体は通常侵されない．尿路閉塞を伴い，大腸菌による上行性感染であることが多いが，血行感染の場合もある．

慢性腎盂腎炎では間質の線維化と，リンパ球や単球を主とした慢性炎症細胞浸潤が認められる．尿細管では萎縮・消失・破壊がみられ，萎縮した尿細管基底膜の肥厚も目立つ．扁平な上皮細胞を有する尿細管内には好酸性の硝子円柱が充満し，いわゆる甲状腺様変化 thyroid-like appearance を示す．糸球体は病変が進行すると，糸球体周囲の線維化 periglomerular fibrosis を伴い，糸球体係蹄の硬化が認められるようになる．慢性腎盂腎炎では腎盂・腎杯の不整な拡張や変形を示し，腎の萎縮は非対称性である．

急性間質性腎炎は薬剤性のことが多く，浸潤細胞はリンパ球が主体で，好酸球浸潤が著明にみられることがある．膿瘍形成はない．

IgG4 関連腎臓病 IgG4–related kidney disease（IgG4–RKD）血清で高 IgG 血症（135 mg/dL 以上）を示し，線維化を伴って，IgG4 陽性形質細胞の腎組織への浸潤がある．病変部と非病変部の境界が比較的明瞭である．IgG4 陽性の形質細胞が40％を超えることが 1 つの基準である．炎症細胞浸潤は腎被膜内および被膜を越え，また髄質深部にも認められる．

黄色肉芽腫性腎盂腎炎 xanthogranulomatous pyelonephritis は泡沫細胞などの単球を含む肉芽腫性炎症を示し，術中迅速診断で淡明細胞型腎細胞癌との鑑別が問題となる（☞p.342）．

腎移植拒絶反応（☞p.681） 拒絶反応には，①液性，②急性，③慢性がある．①液性拒絶反応 humoral rejection は既存抗原に対する抗体の反応で，移植直後に発生する．血管内皮障害が強く，血栓や壊死を示す．②急性拒絶反応 acute rejection は移植後 5 日目から 1 カ月以内に起こることが多い．組織的には血管周囲から間質全体へと広がる単核細胞の著明な浸潤を示す．間質は浮腫性で，尿細管への浸潤細胞の波及（尿細管炎）が認められる．病変が強くなると，尿細管基底膜の破綻や上皮細胞に変性がみられる．血管性拒絶反応による内腔狭窄が起こると，尿細管間質の梗塞や壊死巣を形成する．③慢性拒絶反応 chronic rejection では，中小動脈の内膜の線維細胞性の求心性肥厚がみられ，間質の線維化や尿細管の萎縮がみられる．また，糸球体では基底膜内皮細胞の傷害による基底膜の多層化やメサンギウムの融解などがみられる．

拒絶反応に対する免疫抑制薬（シクロスポリンなど）の進歩により拒絶反応は軽減したが，薬剤性の腎障害（細動脈壁の硝子様肥厚）が問題となってきた．

移植後の実際のフォローアップ腎生検では，軽度の尿細管炎 tubulitis と軽度のリンパ球浸潤を伴う borderline change の診断になることが比較的多い．

第6章

腎・尿路系

(2) 腎腫瘍

概　説

腎腫瘍には多彩な組織型があり，腎細胞癌を含む腎細胞性腫瘍，後腎臓性腫瘍，非上皮性腫瘍，混合性腫瘍などが含まれる．腎腫瘍の組織型は形態学的，分子生物学的特徴に基づいた分類が採用されている．**表1**にWorld Health Organization（WHO）分類の主要な腎細胞性腫瘍を示す．

1．腎上皮性腫瘍

腎細胞性腫瘍は腎実質由来の上皮性腫瘍であり，良性腫瘍である乳頭状腺腫，オンコサイトーマが含まれる．悪性腫瘍は多くの組織型を含む腎細胞癌であり，新しい組織型の腎細胞癌が次々と分類に取り入れられている．腎癌は男性：女性＝2:1と男性に好発する腫瘍であり，子供では比較的まれである．肥満や喫煙，高血圧，長期間の人工透析・後天性嚢胞腎，重金属（カドニウム）や有機溶媒（トリクロロエチレン）などの職業因子，von Hippel-Lindau（VHL）病やBirt-Hogg-Dubé（BHD）症候群などの遺伝因子が腎癌の危険因子である．

腎細胞癌の組織学的異型度はWHO/International Society of Urological Pathology（ISUP）grading systemに基づいて4段階に分類する（**表2**）．Grade 1～3は核小体の所見により定義される．

Grade 1は400倍拡大の観察でも核小体がみられないか核小体が好塩基性で目立たない腫瘍（**図1**）．

Grade 2は100倍拡大の観察では核小体は不明瞭であるものの400倍拡大の観察では好酸性の核小体が認識できるもの（**図2**）．

Grade 3は100倍拡大の観察でも好酸性の核小体を確認で

表1　腎細胞腫瘍の組織分類（WHO分類）

組織型
淡明細胞型腎細胞癌
低悪性度多房嚢胞性腎腫瘍
乳頭状腎細胞癌
遺伝性平滑筋腫症腎細胞癌症候群随伴性腎細胞癌
嫌色素性腎細胞癌
集合管癌
腎髄質癌
MiTファミリー転座型腎細胞癌
コハク酸脱水素酵素欠損性腎細胞癌
粘液管状紡錘細胞癌
管状嚢胞状腎細胞癌
後天性嚢胞腎随伴性腎細胞癌
淡明細胞乳頭状腎細胞癌
腎細胞癌，分類不能型
乳頭状腺腫
オンコサイトーマ

表2　淡明細胞型腎細胞癌および乳頭状腎細胞癌の組織学的異型度分類（WHO/ISUP分類）

Grade	所見
Grade 1	400倍拡大の観察でも核小体がみられないまたは好塩基性で目立たない核小体を認める
Grade 2	400倍拡大の観察で明瞭な好酸性の核小体が認識できるが100倍の観察では目立たない
Grade 3	100倍拡大の観察で核小体は明瞭で好酸性
Grade 4	著明な多形性，多核巨細胞，ラブドイド細胞，肉腫様分化

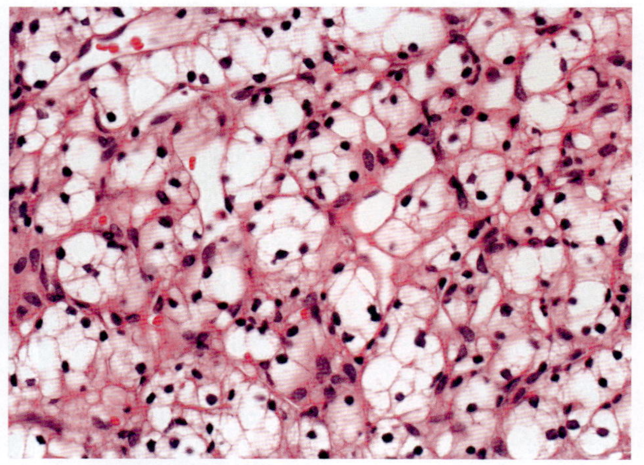

図 1　淡明細胞型腎細胞癌，Grade 1．核小体は不明瞭である．強拡大

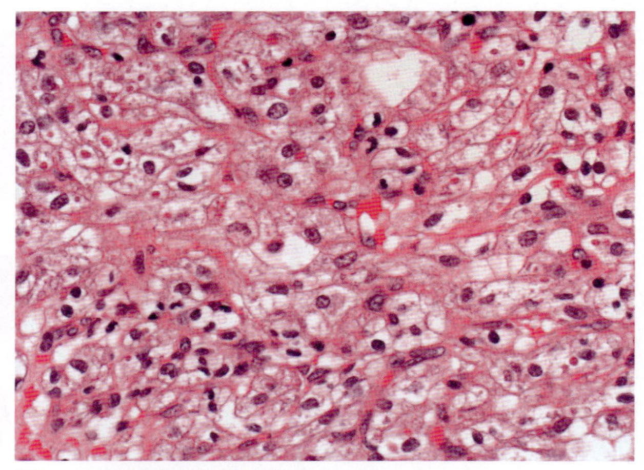

図 2　淡明細胞型腎細胞癌，Grade 2．小型の核小体を認める．強拡大

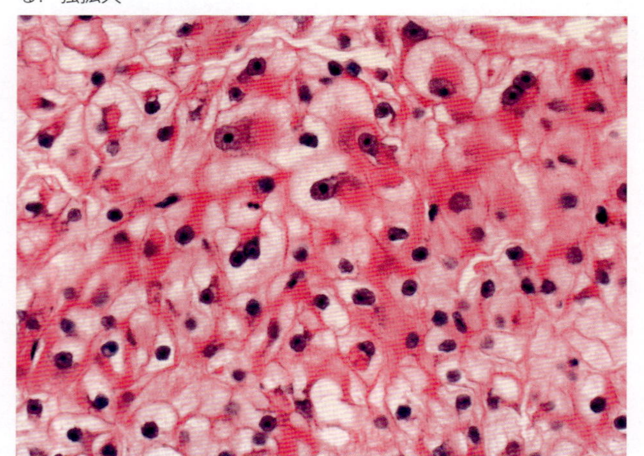

図 3　淡明細胞型腎細胞癌，Grade 3．腫大した明瞭な核小体がみられる．強拡大

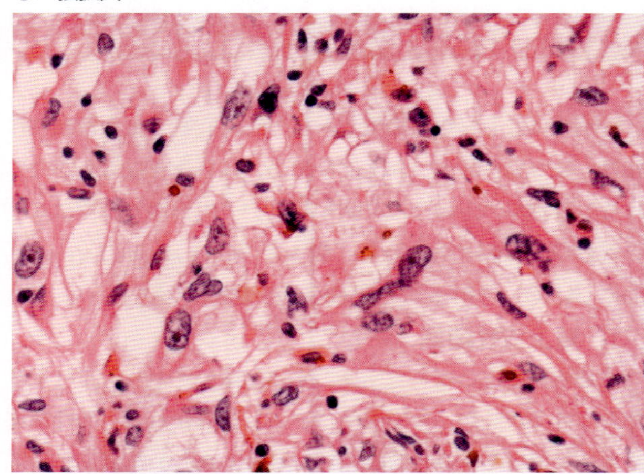

図 4　淡明細胞型腎細胞癌，Grade 4．多形性の目立つ大型の腫瘍細胞を認める．強拡大

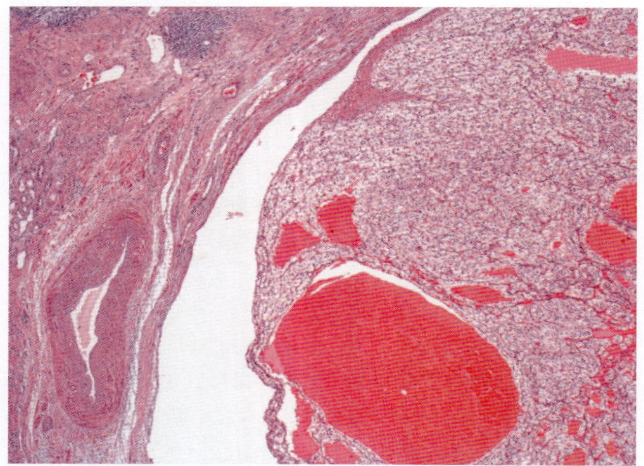

図 5　腎細胞癌の平滑筋を有する大型の静脈（区間静脈）侵襲（T3a）．弱拡大

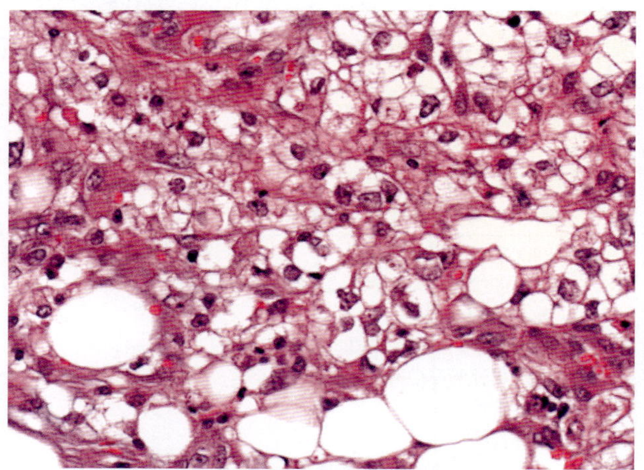

図 6　腎細胞癌の腎周囲脂肪織浸潤（T3a）．強拡大

表 3　腎細胞癌の TNM 分類

T-原発巣
TX　原発巣が評価不能
T0　原発巣が不明
T1　原発巣が最大径で 7 cm 以下で腎臓に限局
　T1a　腫瘍径が 4 cm 以下
　T1b　腫瘍径が 4 cm を超え 7 cm 以下
T2　原発巣が最大径で 7 cm を超え腎臓に限局
　T2a　腫瘍が 7 cm を超え 10 cm 以下
　T2b　腫瘍が 10 cm を超える
T3　腫瘍が主静脈または腎周囲組織に進展するが同側の副腎に及ばず Gerota 筋膜を越えない
　T3a　腫瘍が腎静脈・区域静脈に進展，腎周囲・腎門部脂肪織浸潤するが Gerota 筋膜は越えない
　T3b　腫瘍が横隔膜より下の下大静脈へ進展する
　T3c　腫瘍が横隔膜より上の下大静脈へ進展または下大静脈壁に浸潤
T4　腫瘍が Gerota 筋膜を越えて浸潤（同側の副腎への進展を含む）

N-局所リンパ節
NX　リンパ節が評価不能
N0　局所リンパ節転移なし
N1　局所リンパ節転移を認める

M-遠隔転移
M0　遠隔転移なし
M1　遠隔転移を認める

きる腫瘍（**図 3**）.

Grade 4 は著明な核の多形性，巨細胞，ラブドイド細胞，肉腫様分化と定義（**図 4**）.

WHO/ISUP grading system は淡明細胞型腎細胞癌，乳頭状腎細胞癌の分類に適用することになっているが，ほかの組織型の記載に用いることも可能である.

腎細胞癌の病期は TNM 分類により決定される（**表 3**）. TNM 分類とは局所進行の程度＝Tumor，所属リンパ節転移の有無＝Node，遠隔転移の有無＝Metastasis の組み合わせで腫瘍の進行度を表すシステムである．TNM には治療方針決定時に決められる clinical T（cTNM）と病理学的に決定される pathological TNM（pTNM）がある．腎臓に限局する癌は原発巣の大きさにより pT1，pT2 に分けられる．腎静脈やその区域静脈への癌進展（**図 5**）および腎周囲脂肪織浸潤（**図 6**）は pT3a，横隔膜以下の下大静脈進展は pT3b，横隔膜以上の腎静脈進展は pT3c である．副腎への直接浸潤，Gerota 筋膜への癌浸潤は pT4 である．そのため，腎切除検体では腎洞脂肪織・結合組織浸潤，腎洞内の腎静脈およびその区域静脈内の癌侵襲の有無（**図 5**）を注意深く検索すべきである.

2. 非上皮性・混合性腫瘍

腎臓には多彩な非上皮性腫瘍が発生する．成人では，軟部組織で発生する血管肉腫や平滑筋腫などが発生するが，腎原発と断定するには，ほかに原発巣がみられないこと，後腹膜からの浸潤でないことの確認および紡錘細胞癌や血管筋脂肪腫の鑑別診断が必要である.

混合性腫瘍は上皮成分と間質成分が混在する腫瘍であり，混合性上皮間質性腫瘍ファミリー，滑膜肉腫が含まれる．前者は中高年の女性に好発し，間質成分はエストロゲン受容体，プロゲステロン受容体陽性である.

3. 小児腫瘍

小児腎腫瘍の多くが腎芽細胞性腫瘍である腎芽腫（ウィルムス Wilms 腫瘍）である．小児腎腫瘍は小型類円形腫瘍細胞で構成されることが多いので，免疫組織学的検索および遺伝子解析などを併用して慎重に鑑別診断を行う必要がある.

4. 鑑別ポイント

形態学的所見のみで診断可能な腎腫瘍が多いものの，非典型的な組織像を呈する腎腫瘍では，免疫組織学的検索を併用して慎重に鑑別診断を進める必要がある．近年，腎癌に特異的な遺伝子異常が多数見つかっているため，新鮮標本の保管を行い必要に応じて遺伝子解析を実施すべきである.

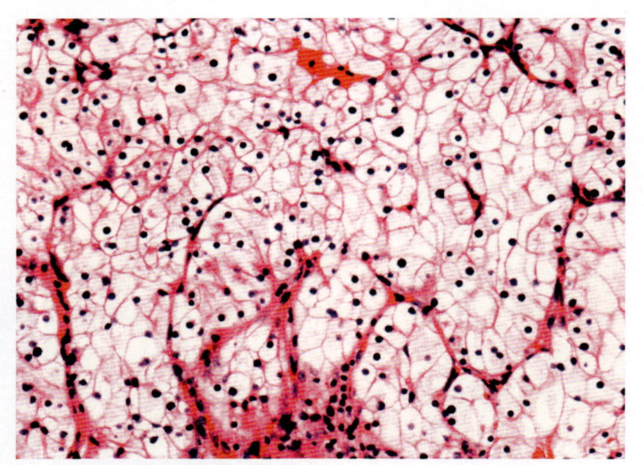

図 7　淡明細胞型腎細胞癌．淡明な細胞質，類円形の核を有する腫瘍細胞が豊富で繊細な血管網を背景に増殖している．中拡大

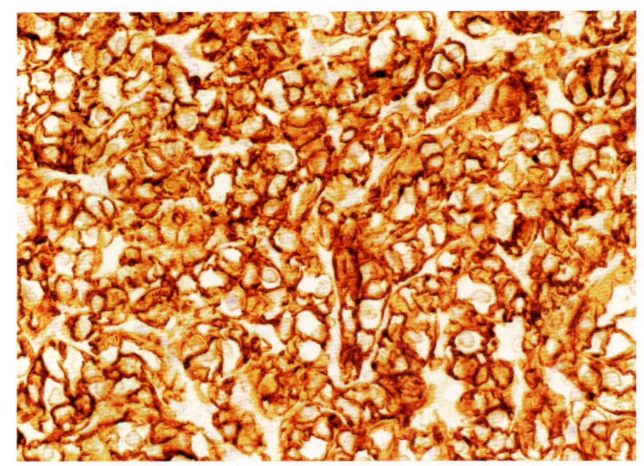

図 8　同前．すべての癌細胞の細胞膜が CA9 染色陽性である．中拡大

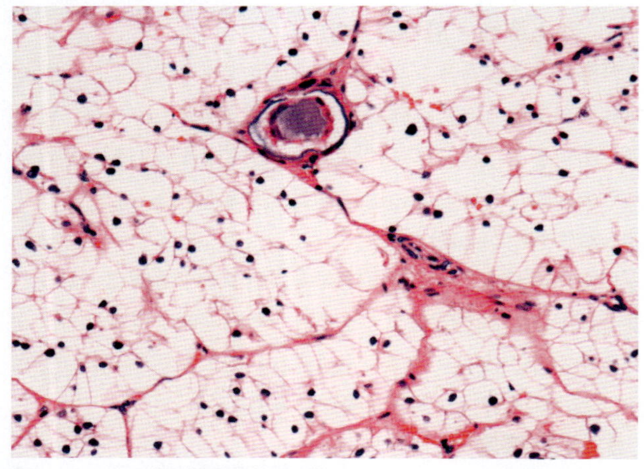

図 9　Xp11 転座型腎細胞癌．類円形核，淡明な細胞質を有する腫瘍細胞が充実性胞巣を形成して増殖している．中拡大

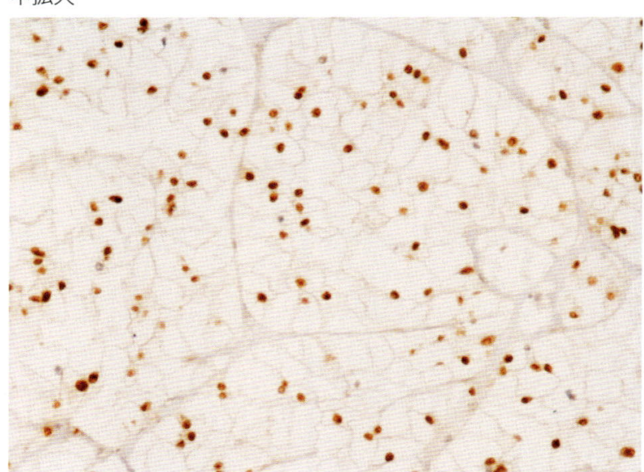

図 10　同前．腫瘍細胞の核が TFE3 陽性である．中拡大

腎細胞癌の約 70%を占める淡明または好酸性の細胞質を有する細胞から構成される悪性腫瘍で，形態学的に多彩な組織像を呈する．典型例では繊細で豊富な血管網や*VHL*遺伝子の不活化・低酸素誘導因子の発現上昇を伴う特徴的な分子背景を有する．血行性に肺，肝，骨など多彩な臓器に転移する．

充実性胞巣状，腺房状構造を呈することが多く，淡明な細胞質，繊細で規則的な血管網を有することが特徴的で診断に役立つ（**図 1，2** 参照，**図 7**）．高異型度（Grade 3, 4）症例では，細胞質が好酸性であることが多く（**図 3，4** 参照），壊死・出血を伴う．約 5%の症例で肉腫様変化（**図 4，25** 参照）やラブドイド細胞がみられ，予後不良である．免疫組織学的に carbonic anhydrase 9（CA9）が細胞膜にびまん性に陽性となる（**図 8**）．paired box 8（PAX8），cytokeratin（CK）AE1/AE3，CK CAM4.2，epithelial membrane antigen（EMA），CD10，vimentin，RCC marker が陽性である．CK7 が陽性となることは少ない．病期，異型度（WHO/ISUP grade），壊死や肉腫様変化，ラブドイド細胞の有無が予後因子である．

【鑑別診断】　淡明細胞乳頭状腎細胞癌は低異型度腫瘍が管状，乳頭状に増殖し，CA9 が基底側・側方に陽性となるため（**図 32，33** 参照），CA9 が腫瘍細胞の全周性に陽性となる淡明細胞型腎細胞癌とは鑑別可能である（**図 7，8**）．

一部の Xp11 転座型腎細胞癌（**図 9**）では，淡明細胞型腎細胞癌に類似した組織像を呈することがあるが CA9 は陰性で，転写因子 transcription factor E3（TFE3）が陽性であることが鑑別に役立つ（**図 10**）．

上皮型の血管筋脂肪腫が高異型度の腎細胞癌に類似した組織像を呈することがあるが，上皮型の血管筋脂肪腫が上皮マーカー陰性，HMB45 および Melan A 陽性であり，高異型度の腎細胞癌が上皮マーカー陽性，HMB45 および Melan A 陰性である点が鑑別に有用である．

［参考事項］　多くの淡明細胞型腎細胞癌では *VHL* 遺伝子が不活化している．VHL 蛋白は低酸素誘導因子を分解するため，*VHL* 遺伝子異常を有する腎細胞癌では低酸素誘導因子によって誘導される vascular endothelial growth factor（VEGF），platelet-derived growth factor，CA9 などが過剰に発現する．

嚢胞性腎腫瘍（低悪性度多房嚢胞性腎腫瘍，混合性上皮間質性腫瘍ファミリー）| Cystic renal tumor (Multilocular cystic renal tumor of low malignant potential, Mixed epithelial and stromal tumor family)

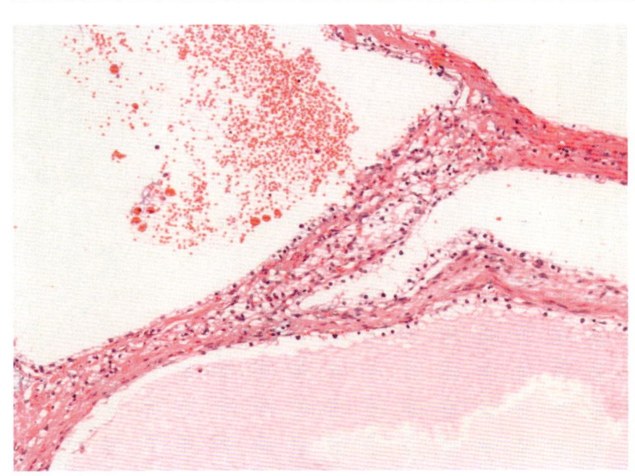

図 11　低悪性度多房嚢胞性腎腫瘍．嚢胞・線維性隔壁から構成される腫瘍．隔壁内の淡明細胞が診断に有用である．弱拡大

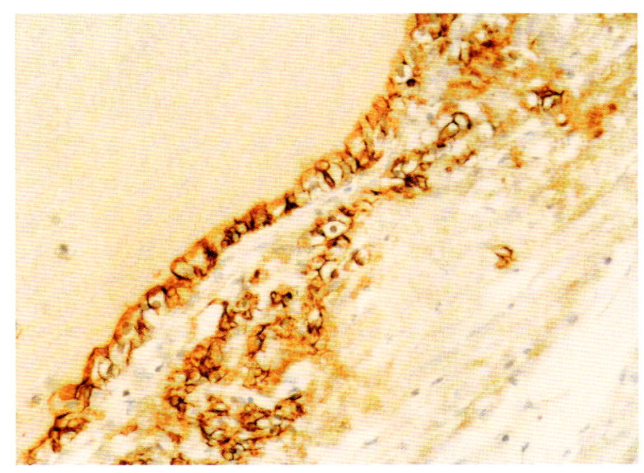

図 12　同前．嚢胞内腔を覆う細胞および線維性隔壁内の淡明細胞が CA9 陽性である．中拡大

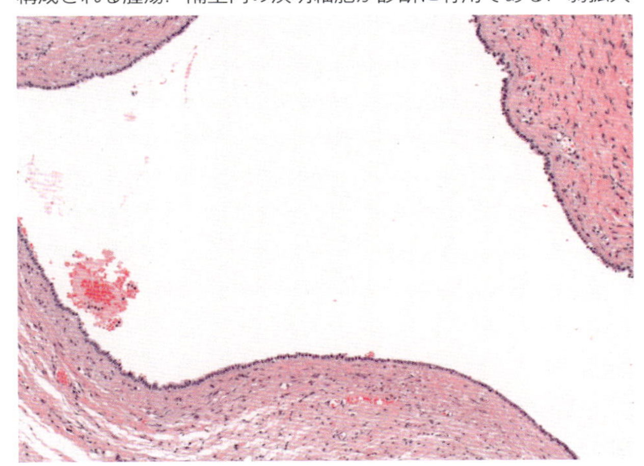

図 13　混合性上皮間質性腫瘍．腫瘍は嚢胞および間質成分から構成される．弱拡大

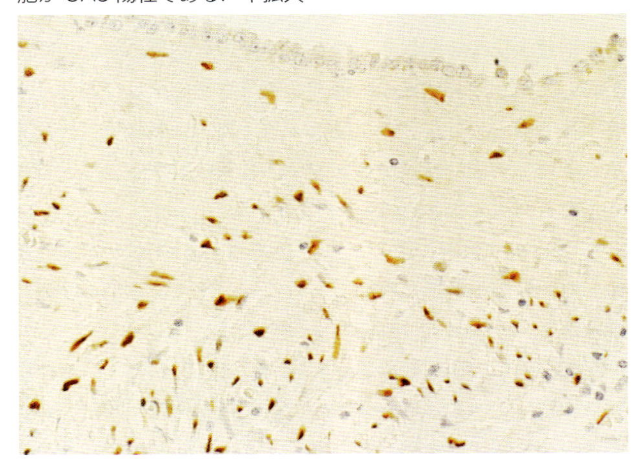

図 14　同前．間質細胞はエストロゲン受容体陽性である．中拡大

低悪性度多房嚢胞性腎腫瘍　多房嚢胞性腎細胞癌とよばれていた腫瘍であり，多数の嚢胞と隔壁から構成され，膨張性発育を欠く．嚢胞は WHO/ISUP grade 1 または 2 相当の類円形核，淡明で豊富な細胞質を有する単層の腫瘍細胞で被覆されている（**図 11**）．線維性隔壁内に膨張性発育を伴わない腫瘍の小集塊がみられることが診断的に重要な特徴である．壊死，脈管侵襲，肉腫様変化はみられない．再発や転移は報告されてない．

腫瘍細胞は淡明細胞型腎細胞癌と同様に PAX8，CA9 陽性である（**図 12**）．

混合性上皮間質性腫瘍ファミリー　成人腎嚢胞腺腫 cystic nephroma および種々の程度に充実性増殖部を含む混合性上皮間質性腫瘍 mixed epithelial and stromal tumor は別の疾患に分類されていたが，現在では同一疾患単位（混合性上皮間質性腫瘍ファミリー）と考えられている．嚢胞成分が主体の腫瘍を成人腎嚢胞腺腫，種々の程度に間質成分を含み上皮・間質成分から構成される腫瘍を混合性上皮間質性腫瘍と診断する．閉経後の女性に起きることが多く（女性：男性＝7：1），単発の髄質または髄質・皮質にわたる腫瘍である．被膜はない場合が多く，種々の割合で充実性，嚢胞性病変が混在している．

組織学的には，境界明瞭で種々の大きさの嚢胞，管腔が間質によって隔てられている（**図 13**）．上皮成分は大部分が中間的な大きさの嚢胞，管腔・腺腔であり，間質成分は平滑筋アクチン，デスミン，CD10，エストロゲン受容体（**図 14**），プロゲステロン受容体陽性である．

【鑑別診断】　嚢胞形成が目立つ淡明細胞の膨張性増殖を伴う腎腫瘍は定義上，低悪性度嚢胞性腎腫瘍ではなく嚢胞性変化を伴う淡明細胞型腎細胞癌である．

管状嚢胞癌は大小不同の嚢胞から構成される腫瘍である．嚢胞内腔を覆う腫瘍細胞が明瞭な核小体を有し WHO/ISUP grade 3 相当であるため鑑別可能である．

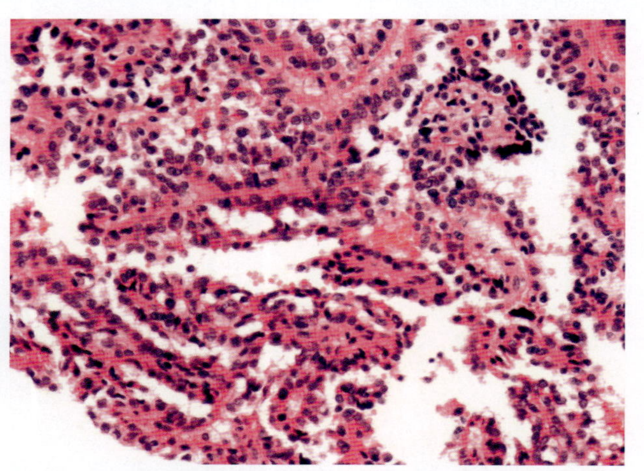

図 15　1 型乳頭状腎細胞癌．低異型度の腫瘍細胞が乳頭状に増殖する．中拡大

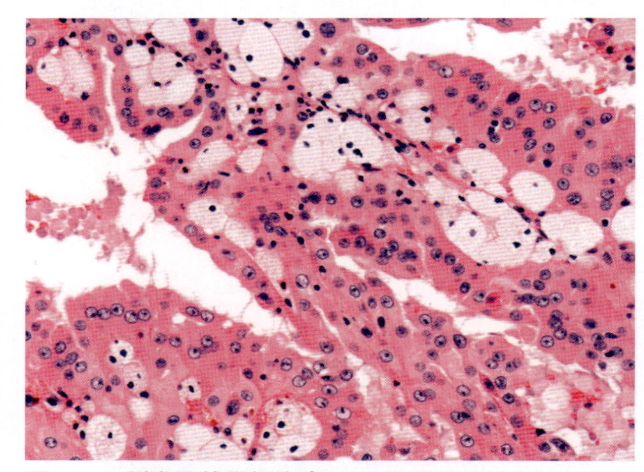

図 16　2 型乳頭状腎細胞癌．高異型度の腫瘍細胞が乳頭状に増殖し，重層化もみられる．間質には泡沫細胞を認める．中強拡大

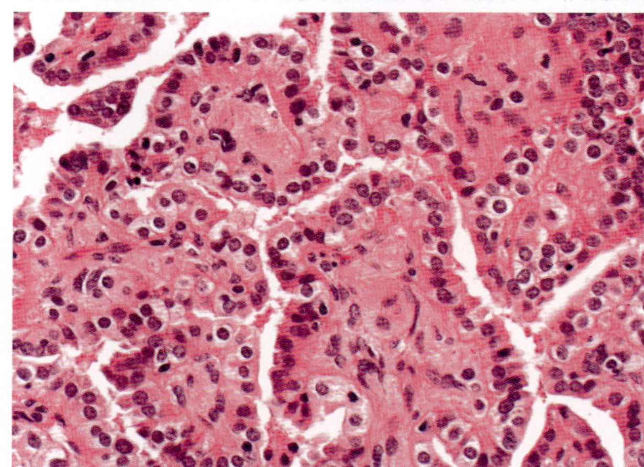

図 17　乳頭状腺腫．低異型度の腫瘍細胞が乳頭状に増殖する〔形態学的所見のみでは 1 型乳頭状腎細胞癌（**図 15**）と鑑別困難である〕．中拡大

尿細管上皮から発生する淡明細胞型腎細胞癌に次いで頻度が高い乳頭状，管状乳頭状構造を呈する腎細胞癌であり，境界明瞭であることが多い．60 歳前後・終末期嚢胞腎に好発する．多発・両側発症例では，遺伝性乳頭状腎細胞癌症候群の可能性も考慮すべきである．

肉眼的には被膜に覆われた灰色～褐色の外観を呈する出血・壊死の傾向が強く脆い腫瘍のことが多く，大型の腫瘍では線維化・壊死および嚢胞性変化を伴う．

組織学的には偽被膜形成が明瞭であることが多く，泡沫細胞や砂粒体を有することが多い繊細な線維血管性間質を芯に癌細胞が乳頭状に増殖する（**図 15，16**）．乳頭状構造を呈する腫瘍でもほかの腎細胞癌（MiT ファミリー転座型腎細胞癌，遺伝性平滑筋腫症・腎細胞癌症候群随伴腎細胞癌，集合管癌，粘液管状紡錘細胞癌など）の特徴を有する腫瘍は乳頭状腎細胞癌とは診断しない（除外診断）．

乳頭状腎細胞癌は低異型度の細胞質の乏しい癌細胞が単層・乳頭状に配列する 1 型（**図 15**）と核の偽重層化を示し細胞質の豊富で高異型度のことが多い 2 型（**図 16**）に分類される．

乳頭状腎細胞癌はサイトケラチン AE1/AE3，CAM5.2，高分子ケラチン，EMA，α-methylacyl-CoA racemase（AMACR），RCC 抗原，vimentin，CD10 などに陽性であることが多い．

淡明細胞型腎細胞癌・集合管癌などと比較すると乳頭状腎細胞癌の予後は良好である．肉腫様，ラブドイド分化の合併は予後不良因子である．また，WHO/ISUP grade が予後因子である．

【鑑別診断】　乳頭状腺腫 papillary adenoma は被膜のない良性腫瘍であり，WHO/ISUP grade 1, 2 相当の核を有する上皮細胞が乳頭状，管状，管状乳頭状構造を呈する長径 15 mm 以内の腫瘍である．腎皮質に発生し，長期透析腎・終末期腎に多く，多発することもある（**図 17**）．組織学的に乳頭状腺腫と 1 型乳頭状腎細胞癌を鑑別することは困難であり，長径 15 mm 以内の被膜のない低異型度の乳頭状腫瘤は乳頭状腺腫と診断する．

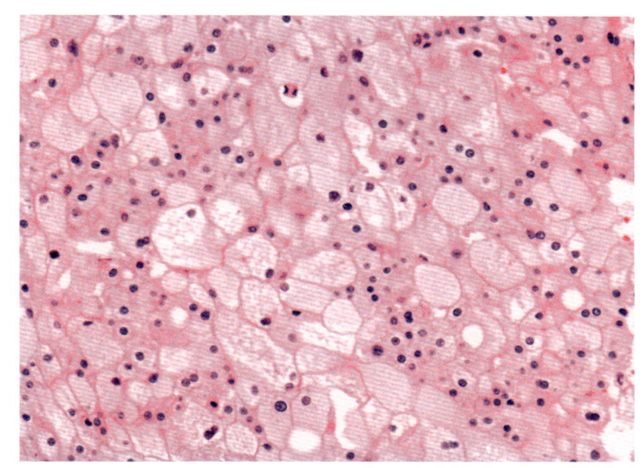

図 18　嫌色素性腎細胞癌. 大型の嫌色素性腫瘍細胞と小型の好酸性腫瘍細胞が混在し充実性に増殖している. 中拡大

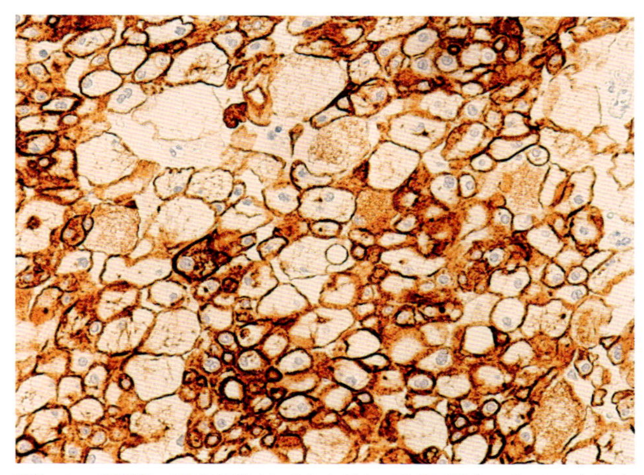

図 19　同前. 腫瘍細胞はびまん性に CK7 陽性である. 中拡大

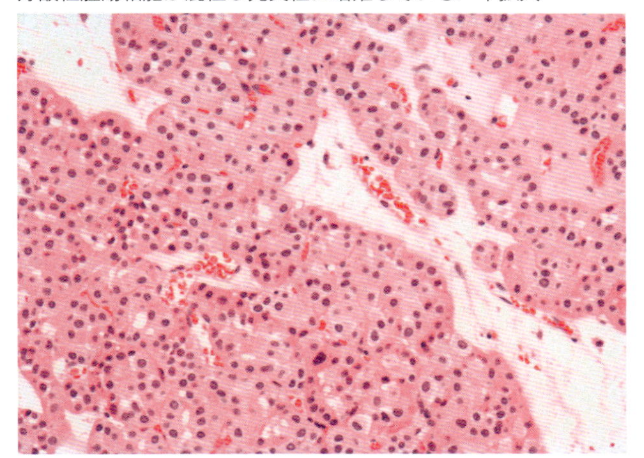

図 20　オンコサイトーマ. 好酸性の小型腫瘍細胞が浮腫性間質を背景に胞巣状構造を呈して増殖している. 中拡大

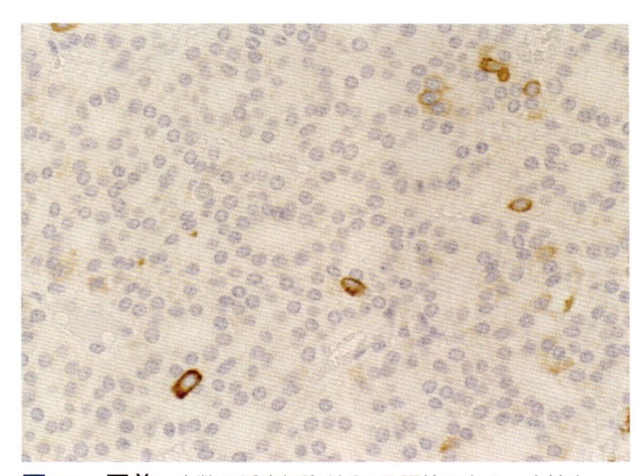

図 21　同前. 少数の腫瘍細胞が CK7 陽性である. 中拡大

嫌色素性腎細胞癌　嫌色素性～好酸性の細胞質，明瞭な細胞膜，核周囲の明瞭帯（halo），皺のある核が特徴的な腎細胞癌の約5～7%を占める腫瘍である．50歳代，男性の患者が多い．

肉眼的に多くの腫瘍は腎臓に限局しており，境界明瞭で被膜のない黄褐色～茶色腫瘍である．組織学的に癌細胞は充実性に配列することが多く，典型例では嫌色素性の細胞質と明瞭な細胞質を有する大型の嫌色素細胞と小型で好酸性の細胞質を有する腫瘍細胞が混在する（**図 18**）．

腫瘍細胞は c-kit 陽性，CK7 陽性である（**図 19**）．vimentin は通常陰性である．予後良好であることが多く，病期，肉腫様変化，脈管侵襲が予後因子である．嫌色素性腎細胞癌は本来核異型を有する癌であるため，WHO/ISUP grade 分類は行わない．

オンコサイトーマ　充実性，胞巣状，嚢胞状構造を呈する豊富なミトコンドリアを有する好酸性細胞が増殖する良性上皮性腫瘍である．腎腫瘍の5～9%を占め，20～90歳代に発症し，男性：女性＝2：1である．通常，オンコサイトーマは皮質に存在し境界明瞭である．割面は淡茶色～黄色であり，中心部瘢痕を有する．

組織学的には充実性胞巣状構造および好酸性細胞の小胞巣が結合性の低下した血管の乏しい間質を背景に増殖する（**図 20**）．オンコサイトーマは c-kit，E-cadherin，S-100，CK AE1/AE3 陽性である．嫌色素性腎細胞癌も c-kit 陽性であり類似した組織像を呈することがあるが，オンコサイトーマでは，CK7 が陰性～ごく少数の細胞で陽性となることが鑑別に役立つ（**図 21**）．vimentin は陰性である．

［参考事項］　常染色体優性遺伝疾患である Birt-Hogg-Dubé 症候群は *folliculin* 遺伝子の変異を有し，嫌色素性腎細胞癌やオンコサイトーマとのハイブリッド腫瘍を高率に発症する．

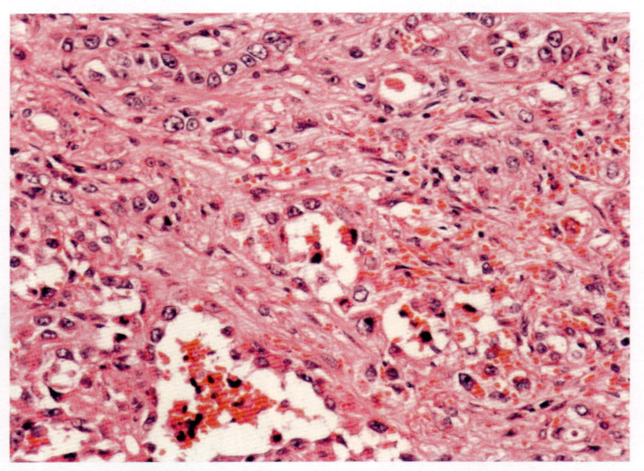

図 22　集合管癌. 異型性の目立つ腫瘍細胞が管状～小嚢胞状構造を呈して増殖し，周囲に炎症細胞浸潤，線維化を伴う．中拡大

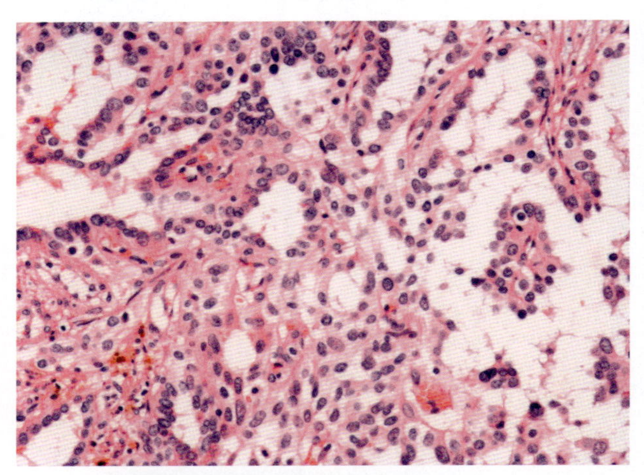

図 23　粘液管状紡錘細胞癌. 管状構造を呈する腫瘍細胞と異型性の目立たない短紡錘形細胞が増殖している．中拡大

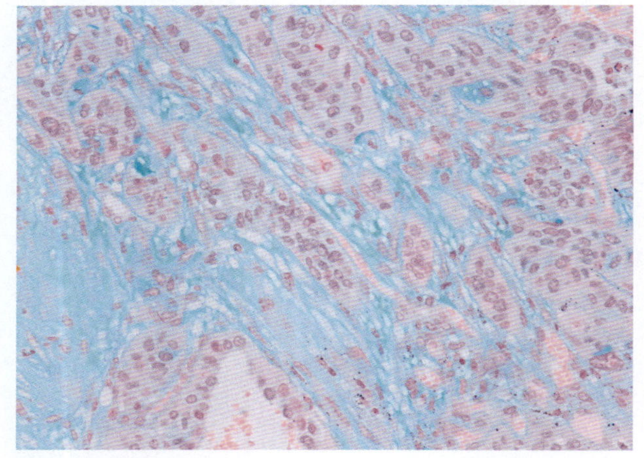

図 24　同前. 粘液性間質はアルシアンブルー陽性である．中拡大

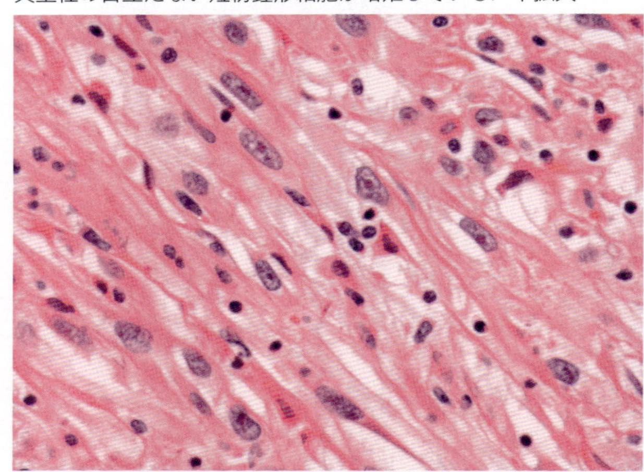

図 25　腎細胞癌に合併した肉腫様変化. 異型性の目立つ紡錘形腫瘍細胞を認める．強拡大

集合管癌　集合管の主細胞由来のまれな悪性腫瘍であり，40～60歳代，男性：女性＝2：1と男性に好発する．2/3の症例において背部痛，血尿などの症状があり，診断時に多くの患者がリンパ節転移や遠隔転移を合併している．

髄質を中心に皮質に及ぶ境界明瞭，硬い白色腫瘤を形成し，出血・壊死を伴う．組織学的には，異型細胞が管状，乳頭状，嚢胞状構造を呈して浸潤性に増殖し，周囲間質に炎症細胞浸潤や線維化を合併する（**図 22**）．核小体は大きく，多形性がみられる．CK34βE12，CK5/6，CK7，vimentin陽性である．2型乳頭状腎細胞癌，浸潤性尿路上皮癌などのほかの組織型の癌の除外診断が必要である．治療抵抗性で予後不良な腫瘍であり，2年以内に2/3の患者が死亡する．

粘液管状紡錘細胞癌　上皮細胞の管状増殖と紡錘形細胞の増殖がみられ，両成分の癒合および粘液性間質が特徴的な腫瘍であり，平均年齢は58歳，女性に多い（女性：男性＝3：1）．

腎皮質に発生することの多い境界明瞭・白色，灰白色，黄褐色調の充実性腫瘍である．組織学的には，立方状上皮細胞が管状，コード状に増殖し，部分的に錯綜・併走傾向を示す異型性の目立たない紡錘形細胞が混在する（**図 23**）．腫瘍細胞はPAS染色，アルシアンブルー染色陽性の粘液性間質を背景に増殖する（**図 24**）．腫瘍細胞は低異型度であることが多いが，高異型度症例や肉腫様変化を伴う症例も報告されている．免疫組織学的には腫瘍細胞はCK7陽性，PAX2陽性，AMACR陽性である．

緩慢な経過をとる症例が多く再発はまれであるが，高異型度症例はリンパ節転移および死亡例も報告されている．

［参考事項］ 腎細胞癌の肉腫様変化　腎細胞癌の進行に伴い肉腫様変化を合併することがある．組織学的に異型性の目立つ紡錘形細胞がみられるが（**図 25**），粘液管状紡錘細胞癌の紡錘形細胞は異型性が目立たないため鑑別可能である．肉腫様変化の合併は予後不良因子である．

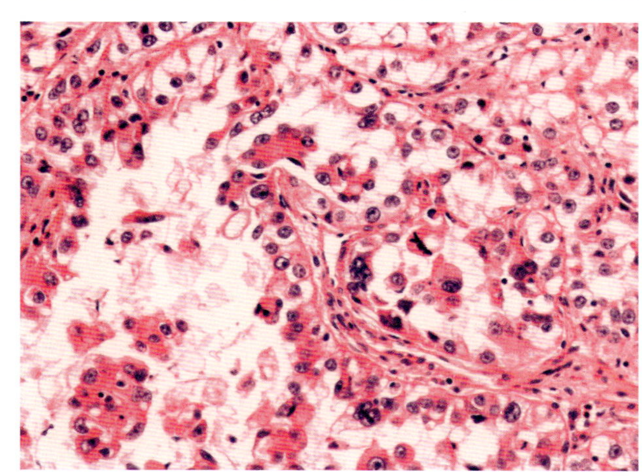

図 26　Xp11 転座型腎細胞癌. 淡明～好酸性の細胞質，類円形腫大核を有する異型細胞が管状～乳頭状構造を呈して増殖している．中拡大

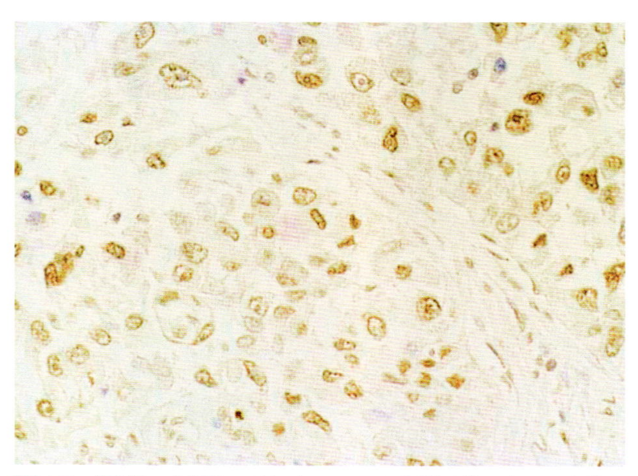

図 27　同前. 癌細胞の核において TFE3 強陽性である．中拡大

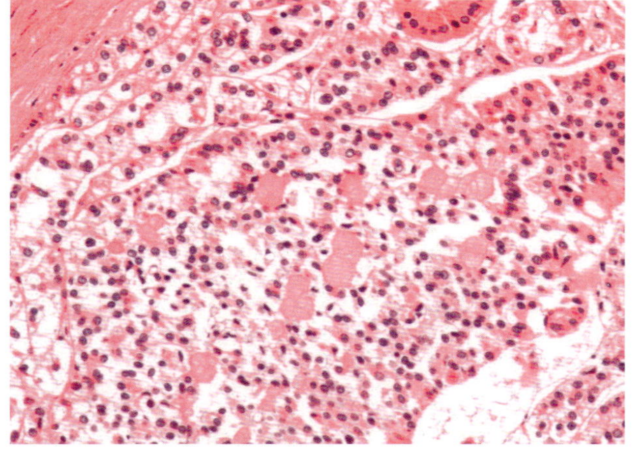

図 28　t(6;11) 転座型腎細胞癌. 淡明な細胞質，類円形核を有する腫瘍組織中に好酸性小体を囲んだロゼット様構造を認める．中拡大

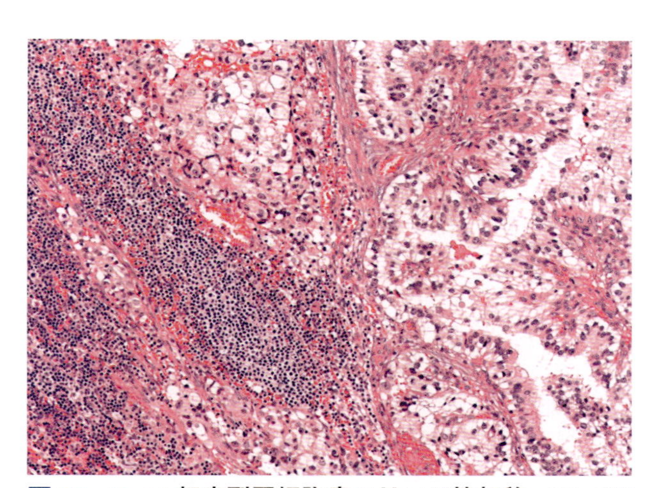

図 29　Xp11 転座型腎細胞癌のリンパ節転移. リンパ節内に**図 26** に類似した癌細胞の転移を認める．弱拡大

microphthalmia transcription（MiT）ファミリー転写因子である *TFE3* または *TFEB* 遺伝子の転座を有する腎細胞癌である．Xp11 転座型腎細胞癌は *TFE3* 遺伝子の，t(6；11) 転座型腎細胞癌は *TFEB* 遺伝子の転座を有する．小児の約 40％の腎細胞癌は Xp11 転座型腎細胞癌であり，成人の 1.6～4％の腎細胞癌が Xp11 転座型腎細胞癌である．t(6；11) 転座型腎細胞癌はまれな腎細胞癌であり，約 60 例が症例報告されている．

特徴的な組織像を呈する Xp11 転座型腎細胞癌では，淡明～好酸性の細胞質を有する腫瘍細胞が乳頭状に増殖する（**図 26**）．しかし，Xp11 転座型腎細胞癌は淡明細胞型腎細胞癌に類似した腫瘍（**図 9，10** 参照）や乳頭状腎細胞癌，低悪性度多房嚢胞性腎腫瘍に類似した組織像を呈することもある．MiT ファミリー転座型腎細胞癌は上皮マーカーの発現は低いが，PAX8 は陽性である．腫瘍細胞の核が TFE3 強陽性であることが特徴であるが（**図 27**），固定の問題で染色性が変わるため，TFE3 break-apart FISH 検査のほうが有用である．

t(6；11) 転座型腎細胞癌では淡明細胞型腎細胞癌に類似した，組織内にロゼット様・偽乳頭状構造から構成される小胞巣が島状に分布することが特徴的である（**図 28**）．また，一部で褐色色素顆粒がみられ，HMB45，Melan A などのメラノサイトマーカーが陽性である．診断には免疫組織学的に腫瘍細胞の核が TFEB 陽性となることが必要である．

Xp11 転座型腎細胞癌は高率にリンパ節転移を合併する（**図 29**）．Xp11 転座型腎細胞癌の予後は淡明細胞型腎細胞癌と同様であり，乳頭状腎細胞癌よりも予後不良である．

［参考事項］ *Anaplastic lymphoma kinase*（*ALK*）遺伝子の転座は anaplastic lymphoma や炎症性筋線維芽細胞性腫瘍および一部の肺癌で報告されていた．本邦および海外において少数ではあるものの *ALK* 転座型腎細胞癌が報告されている．

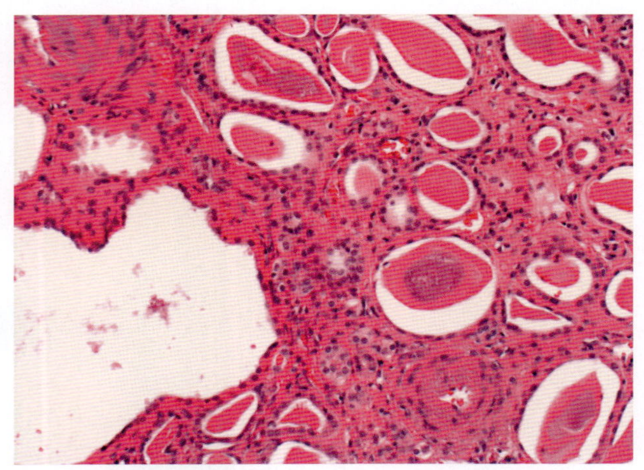

図 30　後天性嚢胞腎．大小不同の拡張した萎縮尿細管を認める．中拡大

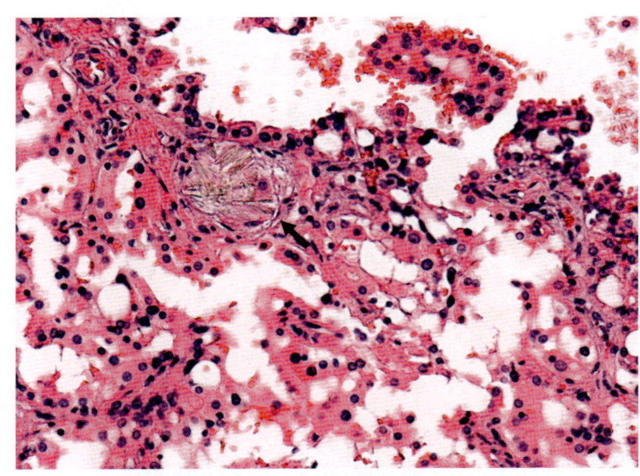

図 31　後天性嚢胞腎随伴性腎細胞癌．好酸性の細胞質を有する腫瘍細胞が特徴的な配列を示して増殖している．シュウ酸カルシウム沈着を認める（⬆）．中拡大

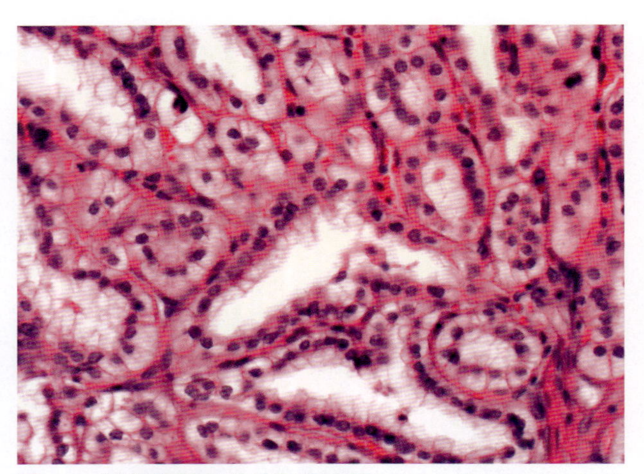

図 32　淡明細胞乳頭状腎細胞癌．淡明な細胞質，類円形核を有する腫瘍細胞が大小不同の管状構造を形成している．中拡大

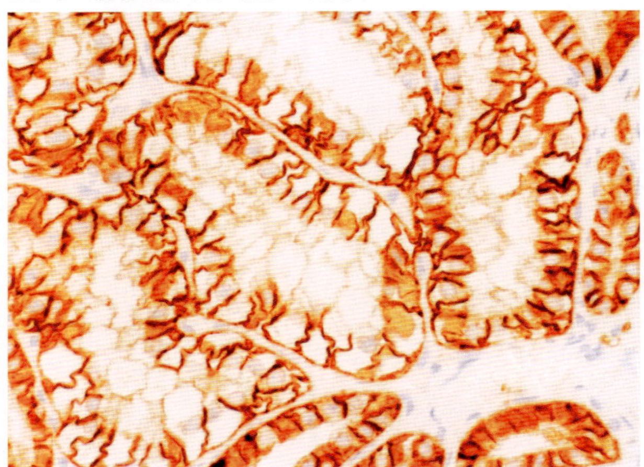

図 33　同前．CA9 染色では細胞膜の側方・基底側に陽性となるカップ状の染色像を認める．強拡大

後天性嚢胞腎随伴性腎細胞癌 acquired cystic kidney-related renal cell carcinoma　終末期腎，後天性嚢胞腎患者に好発する腎細胞癌である．背景腎に多数の嚢胞を認め（**図 30**），多くの腫瘍が嚢胞内から発生する．終末期腎に発生する腎腫瘍の約 1/3 を占め，半数以上の症例において癌が多発し，20%以上の症例において両側腎に発生する．腫瘍は境界明瞭であり，割面は淡黄色～黄色，出血・壊死が散見される．

組織学的には腫瘍は多彩な組織像を呈し，同一腫瘍内でも腺房状，胞巣状，管状，微小嚢胞状，乳頭状，充実性形態を呈する．腫瘍細胞は豊富な好酸性細胞質を有し，淡明な細胞質を有する細胞が出現することがある．間質にはシュウ酸カルシウム結晶がしばしば認められる（**図 31**）．免疫組織学的に RCC 抗原，CD10，AMACR 発現陽性であるが，CK7 は通常陰性である．通常，慢性腎臓病の経過観察において早期発見されるため緩慢な経過を示すが，肉腫様，ラブドイド様変化を伴う症例では，転移することがある．

淡明細胞乳頭状腎細胞癌 clear cell papillary renal cell carcinoma　異型性の目立たない淡明な上皮細胞が管状，乳頭状に配列し，基底膜に垂直に核が配列し，特徴的な免疫組織学的所見を呈し緩慢な経過を示す腫瘍である．腎腫瘍の 1～4%を占め，孤発性に発生する場合と，終末期腎臓病や VHL 病患者に発生する場合がある．臨床的に偶然見つかることが多く，通常，無症状である．腎皮質に発生し，小型で境界明瞭，被膜を有する腫瘍である．嚢胞性変化を伴うことが多く，ほとんどの症例が pT1 である．

組織学的には，管状，腺房状，嚢胞状，リボン状，充実性パターンが種々の程度に混在する．腫瘍細胞は立方状～高円柱状で，概して均一で核小体の不明瞭な核を有し基底側から離れて直線的に配列する（**図 32**）．多くの腫瘍が WHO/ISUP grade 1 または 2 である．腫瘍細胞はびまん性に CK7 陽性，CA9 がカップ状に陽性（**図 33**），PAX2，PAX8，34βE12 陽性，CD10 陰性である．局所再発・転移は報告されていない．

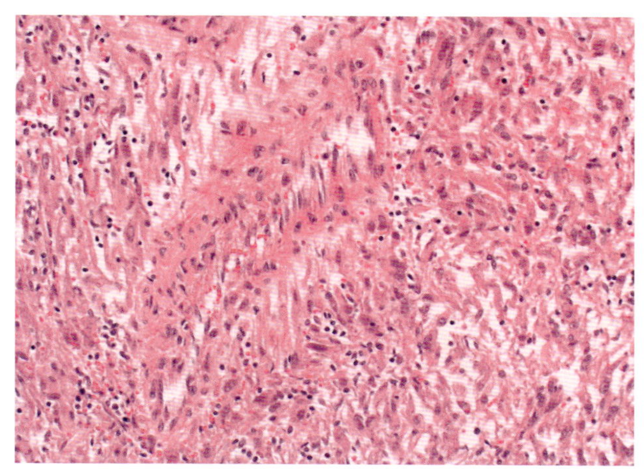

図 34　血管筋脂肪腫．紡錘形平滑筋細胞が増殖しており，異常血管がみられる．中拡大

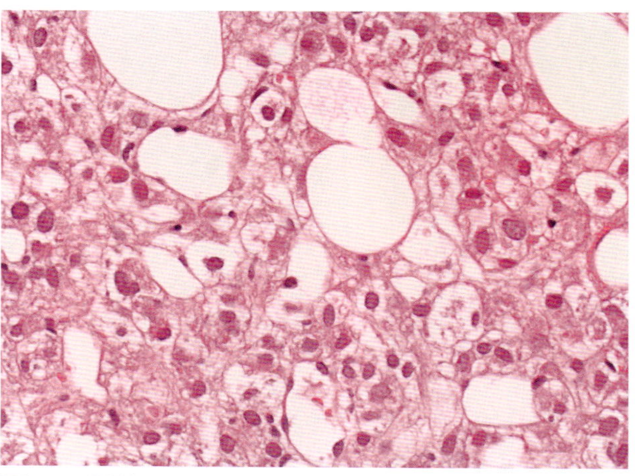

図 35　同前．好酸性～淡明な細胞質を有する上皮様平滑筋細胞，脂肪細胞を認める．強拡大

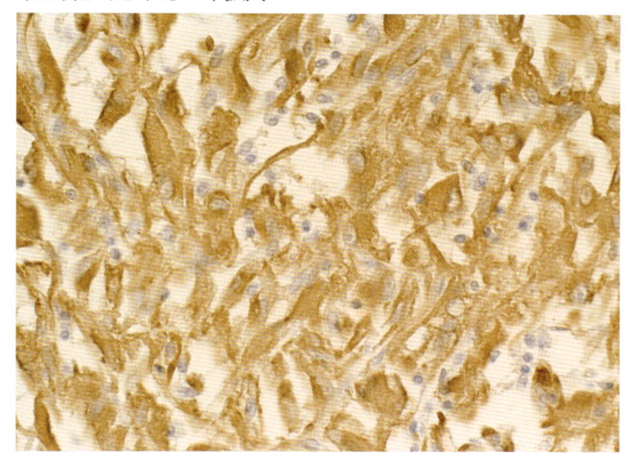

図 36　同前．腫瘍細胞は HMB45 染色陽性である．中拡大

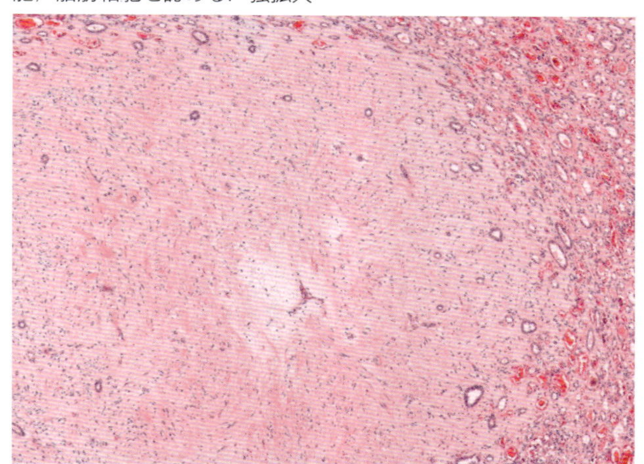

図 37　腎髄質間質細胞腫瘍．線維性間質を背景に異型性の乏しい紡錘形腫瘍細胞が疎に配列している．弱拡大

血管筋脂肪腫 angiomyolipoma　脂肪組織，紡錘形または上皮様平滑筋細胞，壁肥厚を伴う異常血管がさまざまな割合で混合した組織から構成される良性間葉系腫瘍である（**図 34，35**）．腫瘍の 80%以上が上皮様平滑筋細胞で構成される腫瘍は類上皮血管筋脂肪腫という．Perivascular epithelioid cell tumors（PEComas）に所属する腫瘍であり，血管周囲に上皮様細胞が増殖することが特徴である．

孤発性に発症する症例と結節性硬化症患者に発症することがある．女性：男性＝4：1 であり，女性に好発する．血管筋脂肪腫は腎腫瘍の約 1%を占める腫瘍であり，皮質・髄質いずれにも発生し，多発することもある．

肉眼的に血管筋脂肪腫は境界明瞭な腫瘍であるが被膜は認めない．色調は黄色～淡茶色である．組織学的には多くの血管筋脂肪腫は成熟脂肪組織，壁肥厚を伴う低分化な血管および平滑筋から構成される．平滑筋は血管壁から発生し配列している．平滑筋は紡錘形であることが多いが，楕円形の類上皮細胞もみられる．

免疫組織学的に腫瘍細胞はメラノサイトマーカーである HMB45（**図 36**），Melan A，平滑筋マーカー，S-100 蛋白，エストロゲンおよびプロゲステロン受容体陽性であるが，上皮マーカーは陰性である．特に異型性の目立つ類上皮血管筋脂肪腫と高異型度腎細胞癌の鑑別では，類上皮血管筋脂肪腫では HMB45 陽性，上皮マーカー陰性であることが鑑別に有用である．大部分の血管筋脂肪腫は良性であるが，ごくまれに悪性経過をとることがある．

腎髄質間質細胞腫瘍 renomedullary interstitial cell tumor　成人の剖検例でよくみられる腎髄質間質由来の良性腫瘍である（以前は髄質線維腫とよばれていた）．大きさは 1～10 mm であり，腎髄質の白色または淡灰色の結節である．組織学的には，線維性間質を背景に小型，星状，紡錘形細胞の腫瘍細胞が配列している（**図 37**）．良性疾患であり，剖検例や腎切除検体において偶発的に発見されることが多い．

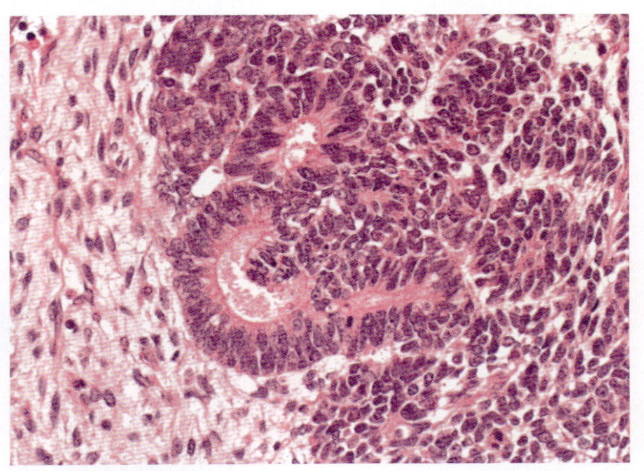

図 38　腎芽腫．管状構造を呈する上皮成分（中央），後腎芽細胞（右）および間質成分（左）を認める．中拡大

図 39　同前．未熟な核を有する高円柱状の腺管（上皮成分）が優勢な部位．中拡大

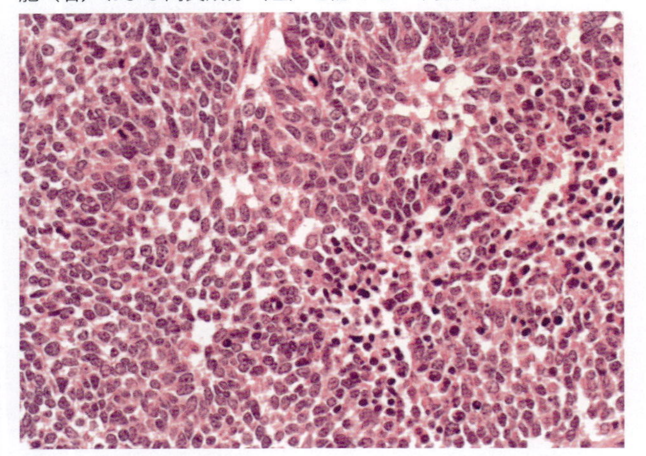

図 40　同前．後腎芽細胞が充実性に増殖している．中拡大

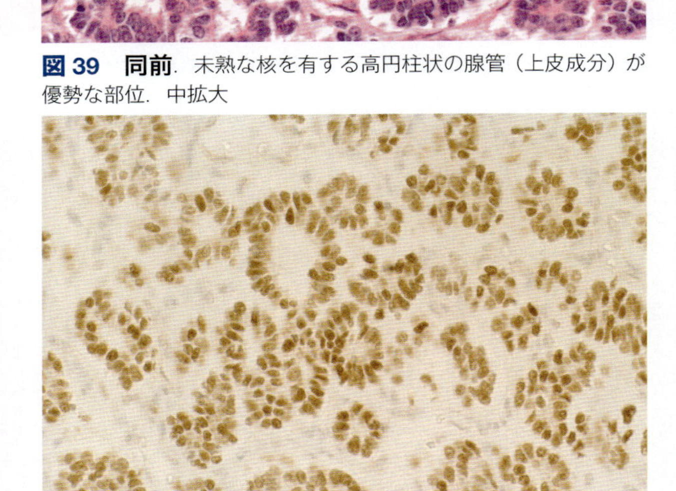

図 41　同前．上皮細胞が WT1 染色陽性である．中拡大

胎生期の腎組織を模倣した形態を呈する悪性腫瘍であり，腎の原基である後腎芽細胞に由来すると考えられており，発達段階にある腎臓を模倣し多彩な分化段階を呈する．腎芽腫は 8,000 人に 1 人の子供に発症し，性差はなく平均年齢は約 40 カ月であり，患者のほとんどが 10 歳未満である．

子供の両親により腹部腫瘤として気づかれることが多く，腹痛，血尿，高血圧，急性腹症などの腹部症状から発見されることもまれにある．腎芽腫は局所リンパ節，肺，肝臓に転移することが多い．

組織学的には未分化な後腎芽細胞とさまざまな段階の上皮・間葉系細胞に分化した細胞から構成される（**図 38〜40**）．後腎芽細胞，上皮細胞，間葉細胞の 3 成分を有する腎芽腫が典型的であるが，2 成分，1 成分のみの病変もしばしばみられる．ほとんどの腎芽腫は上皮成分を有し，原始ロゼット様構造・管状構造を示す（**図 38，39**）．後腎芽細胞は小型で類円形，楕円形核を有し細胞質に乏しく，密に配列し，分裂像が多数みられる（**図 40**）．間葉成分は後腎芽細胞と上皮細胞の間にみられる傾向があり，未熟な間葉組織であることが多いが，横紋筋や軟骨を形成することもある．

腎芽腫の 5%に多極性の核分裂像，巨大核（周囲の細胞の 3 倍以上の大きさ）により定義される退形成が存在し，退形成性変化を有する症例は予後不良である．

腎芽腫に特異的な免疫染色はないため，診断は HE 染色所見により行うことが多い．ただし，鑑別診断に後腎芽細胞が WT1 陽性となることが役立つ（**図 41**）．

【鑑別診断】　腎芽腫は小児悪性腎腫瘍では最も頻度が高いものの，後腎芽細胞優位型の腎芽腫で，上皮細胞・間葉細胞がほとんどない症例では，腎明細胞肉腫や腎ラブドイド腫瘍，ユーイング肉腫ファミリー腫瘍などの鑑別が必要である．そのため，免疫組織学的検索や遺伝子解析が必要となることがある．

第6章

腎・尿路系

(3) 尿路腫瘍

概　説

1. 尿路の構造・組織学

尿路は腎盂から尿管，膀胱を経て尿道にいたるまでの管腔臓器であり，内腔は尿路上皮で覆われている．尿路はいずれも粘膜，固有筋層，外膜から構成され，粘膜は尿路上皮と粘膜固有層に分けられる．部位によって壁の厚さは大きく異なり，膀胱では粘膜固有層における平滑筋細胞が目立ち，粘膜筋板とよばれることもある．

尿路上皮は，以前は移行上皮とよばれており，部位により厚さが異なる．尿路上皮の表層部は大型の傘細胞によって覆われており，深部に淡明な細胞質を有する中間細胞および基底膜と結合した立方状・円柱状の基底細胞を認める（**図 42**）．免疫組織学的に CK7 はすべての細胞において陽性，CK20 は傘細胞のみに陽性（**図 43**），p63 は基底細胞と中間細胞に陽性（**図 44**），CK5/6 は基底細胞に陽性（**図 45**）である．

2. 尿路の炎症性病変・反応性病変

尿路の炎症は背景に尿の通過障害が存在することが多く，上行性感染が大部分を占める．膀胱炎による反応性異型では，核腫大などの細胞異型がみられるものの分化傾向は保たれており，炎症細胞浸潤を伴っている（**図 46**）．

増殖性膀胱炎は膀胱組織診断ではしばしばみられる反応性病変である．表層部は平坦な尿路上皮で被覆されているが，粘膜固有層に軽度の拡張を示す上皮細胞が複雑に混在している（**図 47**）．

3. 尿路腫瘍の組織分類

尿路腫瘍 urinary tract tumor は，発生する悪性腫瘍の 90％以上は尿路上皮癌であり，尿路上皮癌は発育形態から乳頭型と平坦型，浸潤の有無により非浸潤性と浸潤性に大別される．**表 4** に主要な尿路上皮腫瘍の WHO 分類を示す．扁平上

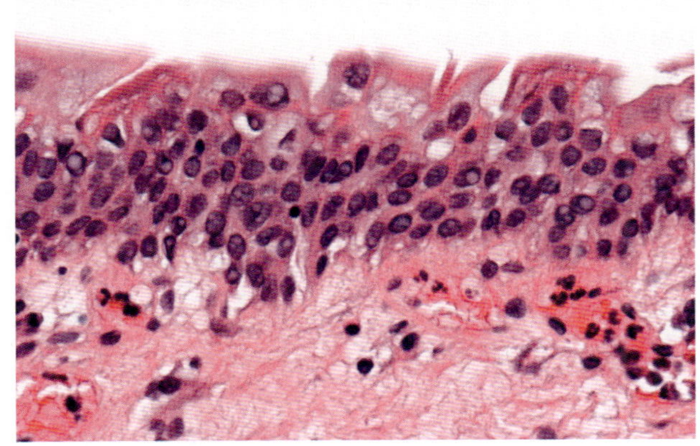

図 42　正常尿路上皮．表層部は傘細胞に覆われ，深部に立方状，円柱状の基底細胞を認める．中拡大

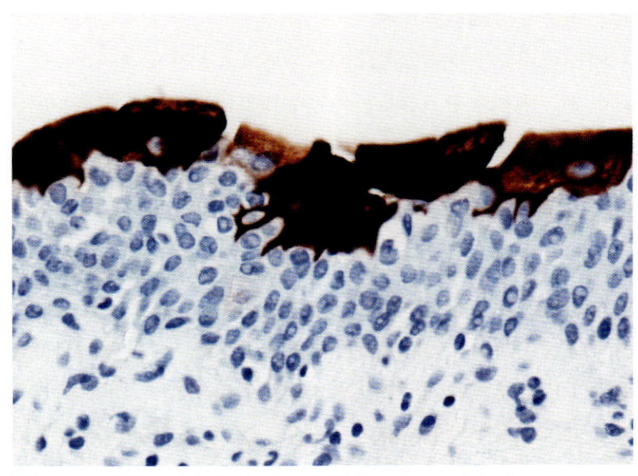

図 43　同前．傘細胞が CK20 陽性である．中拡大

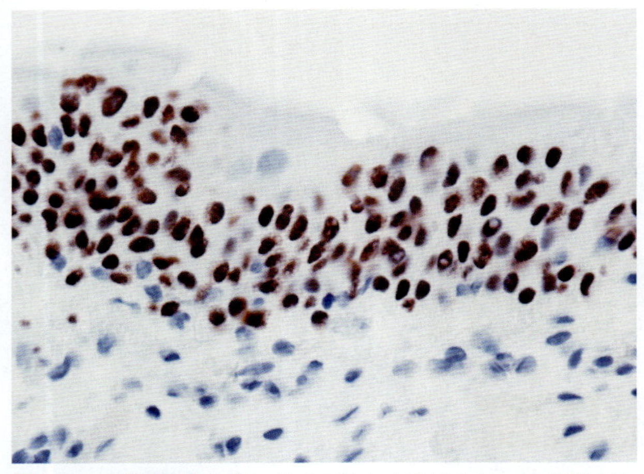

図 44 正常尿路上皮．基底細胞と中間細胞が p63 陽性である．中拡大

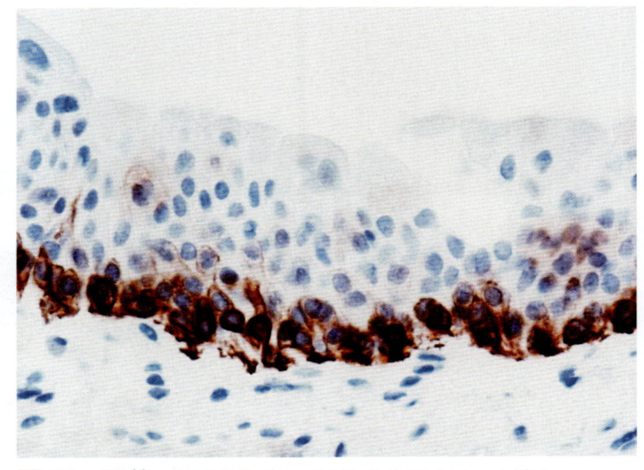

図 45 同前．基底細胞が CK5/6 陽性である．中拡大

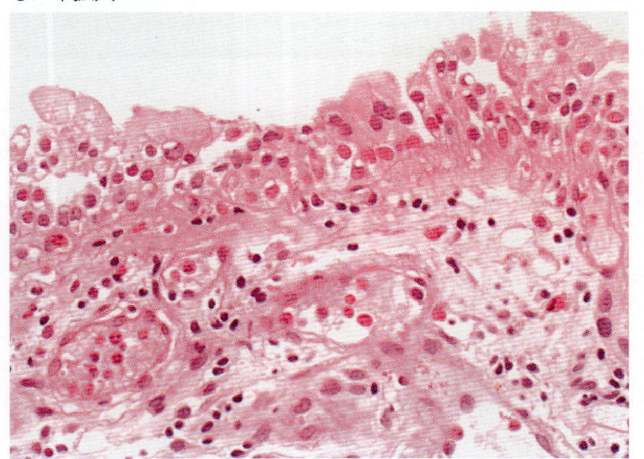

図 46 膀胱炎．上皮細胞に核腫大などの異型がみられるが，炎症細胞浸潤を伴い分化傾向が保たれているため反応性異型と考えられる．中拡大

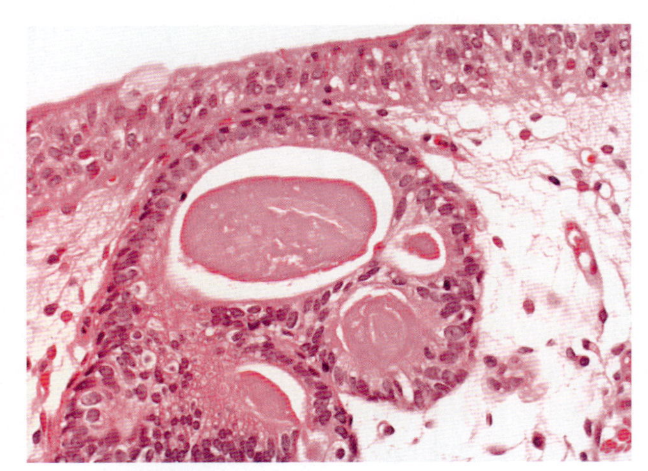

図 47 増殖性膀胱炎．上皮下に不整な構造を示す腺上皮を認める．中拡大

皮癌や腺癌などの尿路上皮癌以外の組織型の癌はまれである．

4. 疫　学

環境因子（さまざまな化学物質への曝露）が尿路上皮の発癌に重要な役割を果たす．

喫煙は尿路上皮癌の危険因子であり，トラック・タクシー運転手，塗装業や，ある種の化学物質に関与する職業が膀胱癌の危険度が高い．

5. 臨床的特徴

尿路上皮癌の 90％以上は膀胱に存在し，5～10％が上部尿路発生である．臨床的に多くの浸潤性尿路上皮癌患者に血尿がみられる．最も多い臨床症状は無痛性の肉眼的血尿であり，尿意切迫感，夜間頻尿，排尿障害が続く．びまん性膀胱癌や上皮内癌患者は膀胱刺激症状がみられる．大型の膀胱腫瘍では，尿路障害症候群や下腹部腫瘤，下肢浮腫，転移性腫瘍では体重減少を認める．肝臓，肺，骨に転移することが多い．

6. 腫瘍の進展・病期

膀胱鏡によって腫瘍が発見されると経膀胱的腫瘍切除が行われ，組織型や膀胱内における腫瘍の進展度が決定される．病理学的な進行期の決定には部分また全膀胱切除術が必須であるが，術前の腫瘍の広がりの決定には経尿道的膀胱腫瘍切除が重要である．

尿路上皮腫瘍の病期は TNM 分類によって決定される（**表 5**，膀胱癌の TNM 分類）．経尿道的腫瘍切除検体を用いて Ta, Tis, T1 または T2 に分類するためには，切除されたすべての組織切片の組織学的検索が必須である．70～80％は非浸潤性または固有筋層への浸潤を認めない早期浸潤癌（T1）である．再発率は 50～70％と高いものの，癌の進行は 15～25％のみに起きる．小型の非連続性の平滑筋線維束への癌浸潤は粘膜筋板への浸潤（T1）として大型の密な平滑筋線維束への癌浸潤である固有筋層浸潤と区別することが重要である（T2）（**図 48，49**）．

表 4　尿路上皮腫瘍の組織分類（WHO 分類）

浸潤性尿路上皮癌
胞巣型（大型胞巣を含む）
微小嚢胞型
微小乳頭型
リンパ上皮腫様
形質細胞/印環細胞/びまん型
肉腫様
巨細胞型
低分化型
脂肪豊富型
淡明細胞型
非浸潤性尿路上皮癌
尿路上皮内癌
非浸潤性乳頭状尿路上皮癌・低異型度
非浸潤性乳頭状尿路上皮癌・高異型度
低悪性度乳頭状尿路上皮腫瘍
尿路上皮乳頭腫
内反性尿路上皮乳頭腫
悪性度不明な尿路上皮の増殖
尿路上皮異形成

表 5　膀胱癌の TNM 分類

T-原発巣	
TX	原発巣が評価不能
T0	原発巣が不明
Ta	非浸潤性乳頭状尿路上皮癌
Tis	上皮内癌（平坦腫瘍）
T1	腫瘍が上皮下結合織に浸潤
T2	腫瘍が固有筋層へ浸潤
T2a	腫瘍が内側の表層筋層に浸潤
T2b	腫瘍が外側の深部筋層に浸潤
T3	腫瘍が膀胱外組織に浸潤
T3a	顕微鏡的浸潤
T3b	肉眼的浸潤（膀胱外腫瘤）
T4	腫瘍が前立腺間質，精嚢，子宮，腟，骨盤壁または腹壁に浸潤
T4a	腫瘍が前立腺間質，精嚢，子宮または腟に浸潤
T4b	腫瘍が骨盤壁または腹壁に浸潤
N-局所リンパ節	
NX	リンパ節が評価不能
N0	局所リンパ節転移なし
N1	骨盤内リンパ節（下腹部，閉鎖，外腸骨，仙骨前）1 個への転移
N2	骨盤内リンパ節（下腹部，閉鎖，外腸骨，仙骨前）複数への転移
N3	総腸骨リンパ節への転移
M-遠隔転移	
M0	遠隔転移なし
M1	遠隔転移あり

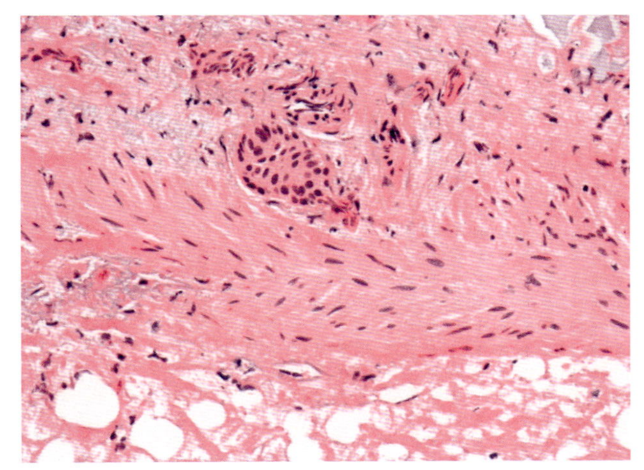

図 48　尿路上皮癌．薄い平滑筋線維束への癌浸潤を認める．粘膜筋板への浸潤が示唆される．中拡大

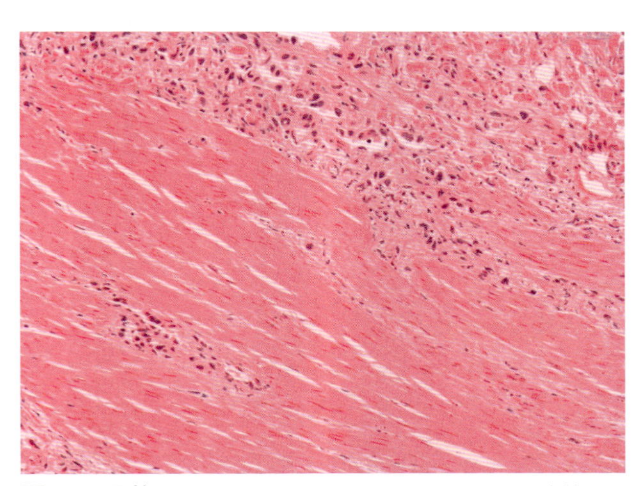

図 49　同前．厚く密な平滑筋層への癌浸潤を認め，固有筋層浸潤（T2）と考えられる．中拡大

7. 形態学的特徴

多くの腫瘍がポリープ状であり，多発することが多い．周囲の平坦な浮腫状，発赤部位には上皮内癌が存在する可能性がある．尿路上皮癌は多彩な形態学的所見を呈し，特殊亜型も存在する．特殊亜型の合併は癌の悪性度と相関し予後因子である．

ほとんどの浸潤性尿路上皮癌は高異型度であるが，低異型度腫瘍と高異型度腫瘍では予後が大きく異なるため，特に粘膜筋板への浸潤癌(T1)では異型度の記載を行うべきである．

8. 免疫組織学的特徴

免疫組織化学的検索は尿路上皮癌の診断の重要な補助となる．ウロプラキンⅡ，Ⅲは尿路上皮に特異的と考えられているが，感度は比較的低い．また，GATA3は大部分の尿路上皮癌において陽性であるが，ほかの癌（特に乳癌）でも発現を認める．高分子ケラチン（34βE12，CK5/6）やp63蛋白は大部分の高異型度尿路上皮癌において陽性であるため鑑別診断に有用である．また，CK20は多くの尿路上皮癌で陽性となるが（**図52，55**参照），反応性尿路上皮，乳頭腫では傘細胞のみで陽性（**図76**参照），内反性乳頭腫では陰性となるため（**図78**参照），良・悪性の鑑別に役立つ．

9. 予後および予測因子

尿路上皮癌の予後を予測する因子は病期であり，同じ病期の場合，Ta/T1腫瘍では単発・多発，腫瘍径，再発の有無が組織学的異型度と上皮内癌の合併の有無が再発・予後因子である．T2～4症例では，根治的膀胱切除の時期，放射線・化学療法の治療効果，遠隔転移の有無により予後が異なる．形態学的予後因子は病期，異型度，脈管侵襲，特殊型の癌の有無である．

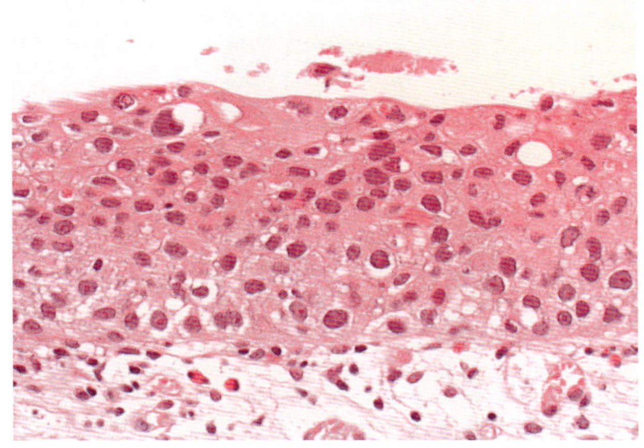

図 50　尿路上皮内癌．濃染核を有する大小不同の異型尿路上皮細胞が上皮の全層を占めて増殖している．中拡大

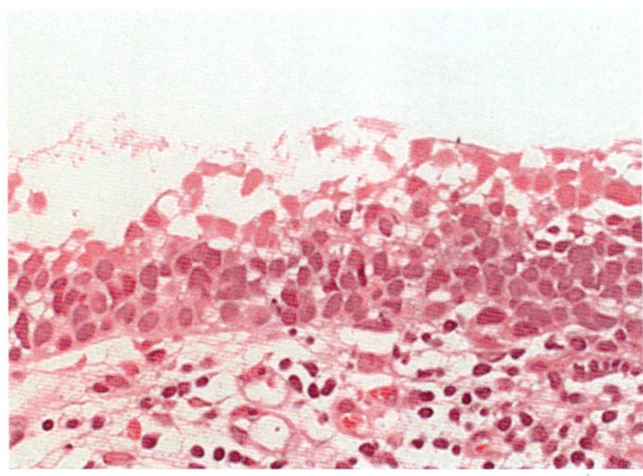

図 51　同前．表層の異型尿路上皮細胞の一部が剝離している（左側）．中拡大

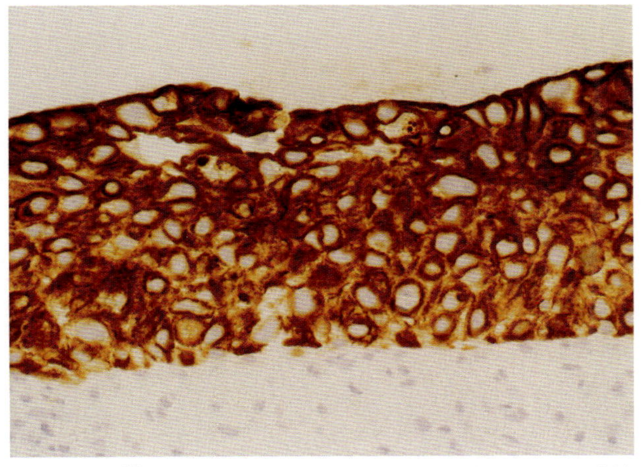

図 52　同前．CK20 陽性細胞が上皮の全層を占めている．中拡大

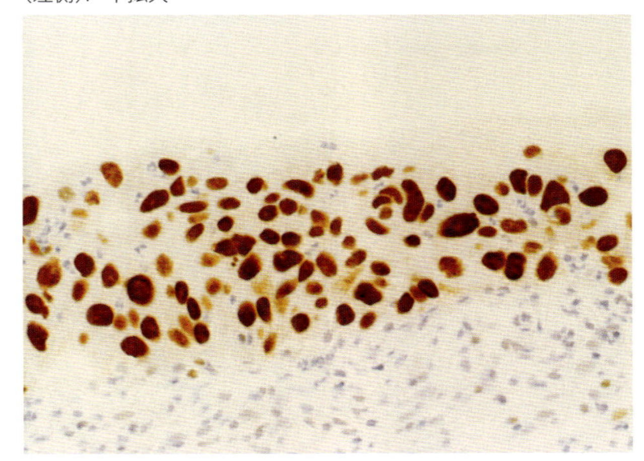

図 53　同前．びまん性に p53 陽性細胞を認める．中拡大

頻度の高い原発性尿路上皮腫瘍であり，乳頭状と平坦型に大別される．非乳頭状病変では反応性病変，および尿路上皮内癌の鑑別が必要である．乳頭状病変は尿路上皮の反応性増生，尿路上皮乳頭腫，低異型度乳頭状尿路上皮癌，高異型度乳頭状尿路上皮癌が含まれる．

尿路上皮内癌 urothelial carcinoma *in situ*　悪性尿路上皮細胞から構成される平坦な尿路上皮病変であり，乳頭状構造を欠く（**図 50**）．浸潤性尿路上皮癌の約半数に尿路上皮内癌を合併する．多発することが多く，浮腫，多発，びまん性病変としてしばしば認識される傾向があり，粘膜は軽度隆起性で顆粒状の外観を呈する．腫瘍細胞が剝離することがあり（**図 51**），尿中に腫瘍細胞が遊離する．

尿路上皮内癌は大型の多形性，濃染核などの細胞異型，細胞極性の消失や不規則な核の密集などの構造異型がみられる．腫瘍細胞の細胞像は多彩であり，小型から大型の細胞がみられる．これらの所見は低倍率〜中倍率でも認識可能である（**図 50，51**）．上皮下の粘膜筋板には炎症細胞浸潤，うっ血を認めることが多く，血管も豊富である．異型細胞は上皮の全層を占める必要はなく，異型細胞が個々に存在している場合でも上皮内癌と診断できる．

形態学的な所見を加味することは必須であるが，免疫染色は上皮内癌と非腫瘍性尿路上皮を鑑別するのに有用である．非腫瘍性尿路上皮では CK20 発現は傘細胞に限局しているが（**図 43** 参照），上皮内癌では CK20 陽性細胞が全層を占める（**図 52**）．上皮内癌は増殖能が亢進しているため，Ki-67 陽性細胞が増加し，p53 強陽性細胞がびまん性に分布することが多い（**図 53**）．

上皮内癌は膀胱内 BCG 療法が奏功するが，ほとんどの症例が再発し，約 1/4 の症例が浸潤癌に進行する．

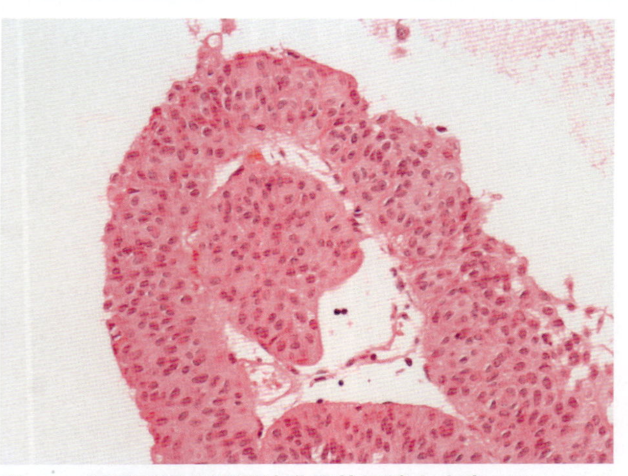

図 54　低異型度非浸潤性乳頭状尿路上皮癌. 低異型度尿路上皮細胞が乳頭状に増殖しており，基底膜を越えた浸潤を伴わない．中拡大

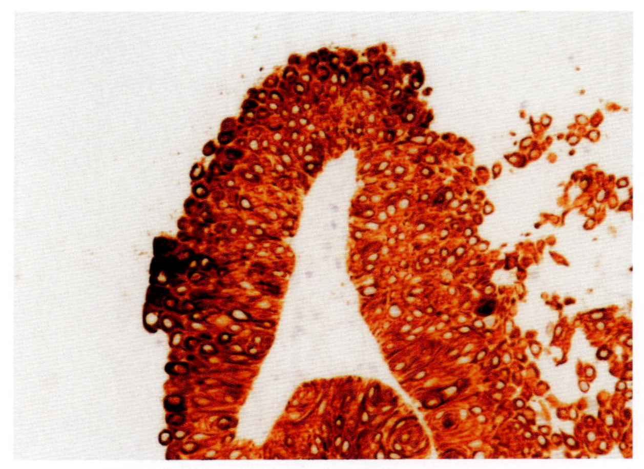

図 55　同前. 腫瘍細胞はびまん性にCK20陽性である．中拡大

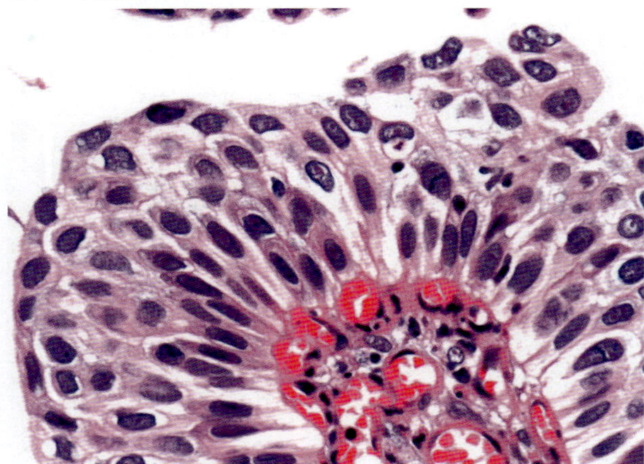

図 56　高異型度非浸潤性乳頭状尿路上皮癌. 高異型度尿路上皮細胞が乳頭状に増殖しているが間質浸潤は認めない．強拡大

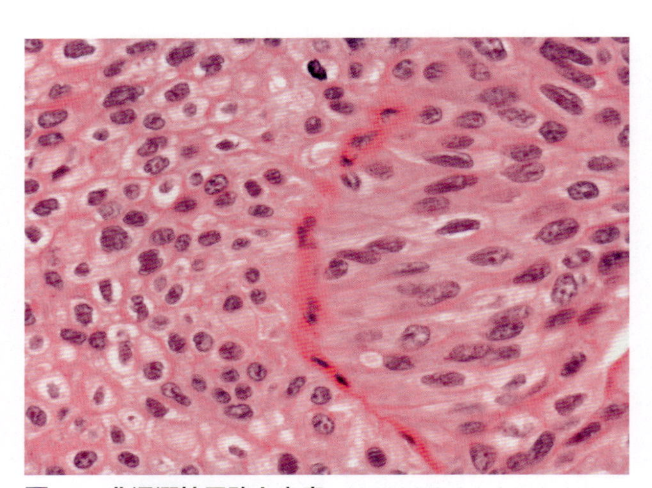

図 57　非浸潤性尿路上皮癌. 低異型度尿路上皮細胞（左）と高異型度尿路上皮細胞（右）が混在している．強拡大

基底膜を越えた浸潤を伴わない，低倍率～中倍率で認識可能な程度の細胞異型・構造異型を有する異型尿路上皮細胞の乳頭状増殖である(Ta)(**図 54～57**)．新規に診断される尿路上皮癌の多くが非浸潤性・乳頭状であり，男性：女性＝3：1，年齢の中央値が70歳である．半数以上の症例が低異型度で，再発することが多いが，浸潤癌への進行は15%未満である．最も多い症状は疼痛を伴わない血尿であり，膀胱鏡では病変は外向性発育を示し多発することもあり，大きさもさまざまである．組織学的に線維・血管性間質を軸に種々の厚さの腫瘍性の異型尿路上皮細胞が乳頭状に増殖する．異型度の異なる腫瘍が混在する場合は，高異型度に分類する(**図 57**)．100，200倍対物レンズを用いて腫瘍を観察し，細胞異型（核の大きさ，形，クロマチン等）や構造異型（細胞の配列，乳頭の基底膜等）を考慮し，異型度を判定する．多くの乳頭状尿路上皮癌では，GATA3，CK20，p63，CK5/6が様々な程度に陽性となる．

低異型度非浸潤性乳頭状尿路上皮癌 non-invasive papillary urothelial carcinoma, low-grade　低異型度病変は比較的軽度の異型性を有する異型尿路上皮細胞が乳頭状構造を形成して増殖し，間質浸潤を伴わない（**図 54**）．低倍率では比較的規則的な配列を示すが，中倍率では極性の消失や軽度の核の不規則性や多形性が明らかになる．CK20陽性となることが多く（**図 55**），尿路上皮乳頭腫（**図 76** 参照）の鑑別に役立つ．

高異型度非浸潤性乳頭状尿路上皮癌 non-invasive papillary urothelial carcinoma, high-grade　高異型度病変は異型性の目立つ尿路上皮細胞の乳頭状増殖により構成され，間質浸潤を欠く（**図 56**）．細胞配列の乱れ，核の大小不同や多形性が顕著であり，低～中倍率で観察される．不規則で明瞭な核小体や多数の核分裂像がみられる．

［参考事項］ 低悪性度乳頭状尿路上皮腫瘍 papillary urothelial neoplasm of low malignant potential（PUNLMP）　尿路上皮乳頭腫に類似した組織像を呈する乳頭状尿路上皮腫瘍であり，WHO分類に採用されている．腫瘍性尿路上皮の厚さは正常の尿路上皮を越えることが多い．PUNLMPの診断者間の一致率は高くないことなどから，日本の「腎盂・尿管・膀胱癌取扱い規約」ではPUNLMPは低異型度非浸潤性乳頭状尿路上皮癌に含まれる．

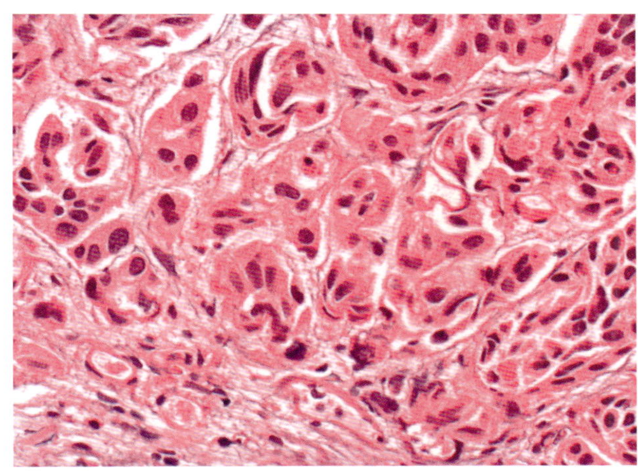

図 58　浸潤性尿路上皮癌．基底膜の不明瞭な結合性の低下した異型細胞が小胞巣を形成して浸潤性に増殖している．強拡大

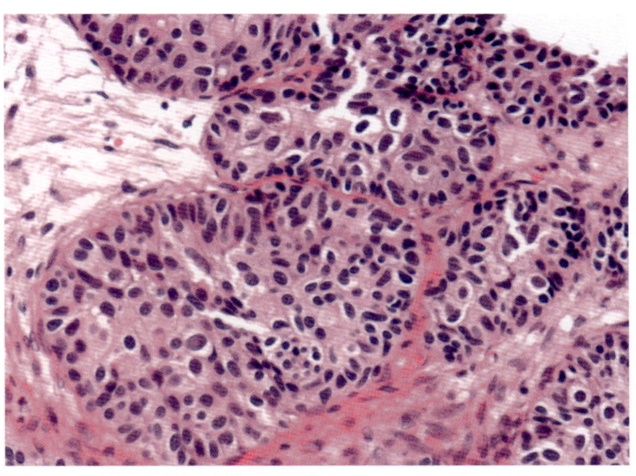

図 59　非浸潤性尿路上皮癌．癌胞巣の下方伸展がみられるが基底膜は保たれており，間質浸潤ではないと考えられる．中拡大

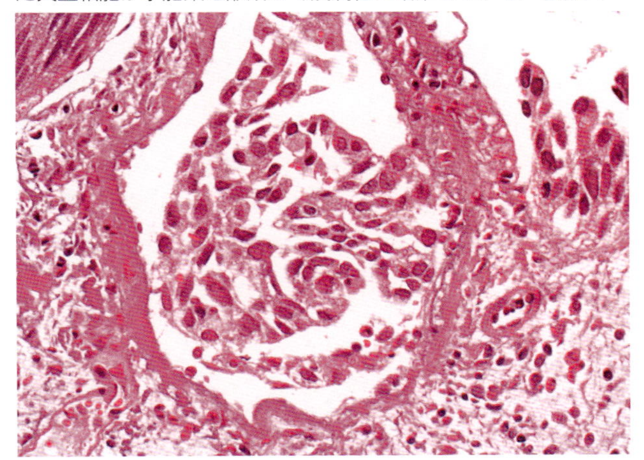

図 60　リンパ管侵襲．薄い壁を有するリンパ管内に癌細胞を認める．中拡大

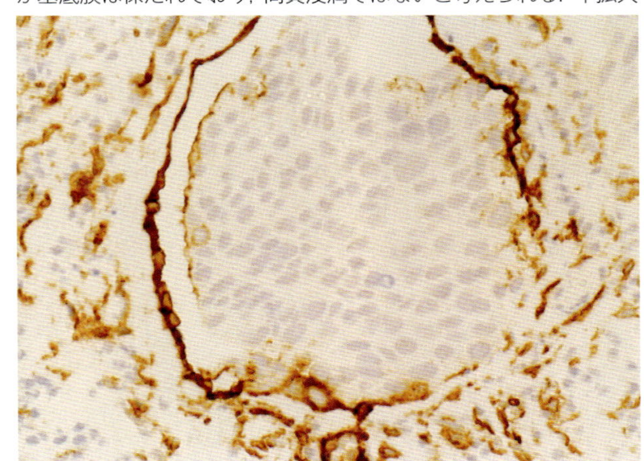

図 61　同前．リンパ管内皮細胞において D2-40 陽性である．中拡大

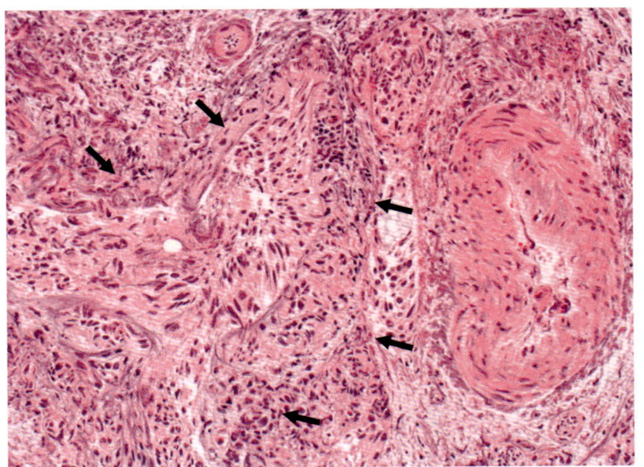

図 62　静脈侵襲．矢印部において静脈侵襲が示唆される．弱拡大

基底膜を越えて異型尿路上皮細胞が増殖する腫瘍である（**図 58**）．大部分は高異型度であるが，T1 腫瘍では低異型度腫瘍もみられる．異型度は悪性度に相関するため，必ず診断報告書に記載すべきである．

【鑑別診断】　下方伸展を示す非浸潤性尿路上皮癌　下方伸展を示す尿路上皮癌では，上皮-間質境界の輪郭は明瞭で

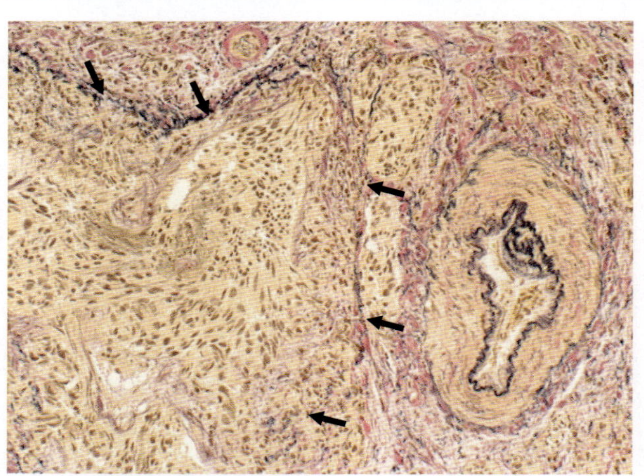

図 63　静脈侵襲．EvG 染色で弾性板が確認できるため（⬆），静脈侵襲と断定できる．弱拡大

ある（基底膜がよく保たれている）（**図 59**）．間質浸潤はみられず，癌細胞が粘膜筋板を巻き込むことはない．

脈管侵襲の判定　脈管侵襲 lymphovascular invasion（LVI）は基底膜を越えて腫瘍細胞が血管・リンパ管内に侵入した状態であり，腫瘍が転移する形質を有している所見である．LVI は尿路上皮癌の再発・転移の危険因子，予後因子であり，診断報告書に記載すべき項目である．リンパ管侵襲では，既存のリンパ管内腔において腫瘍細胞が浮遊しており，確認には D2-40 染色が有用である（**図 60，61**）．静脈侵襲（**図 62**）では静脈の弾性板の確認に EvG 染色が有用である（**図 63**）．

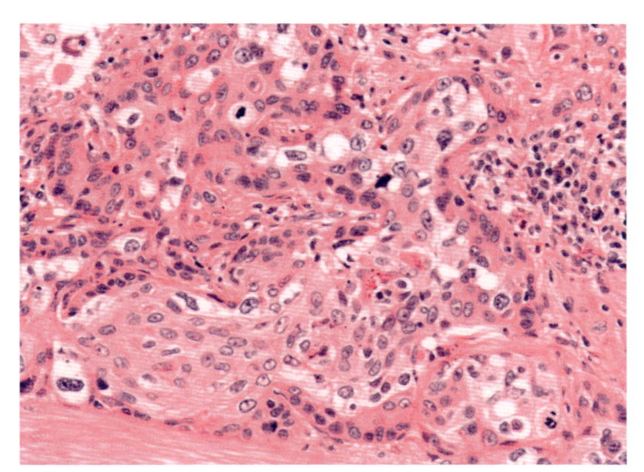

図 64　扁平上皮への分化を伴う尿路上皮癌．細胞間橋，角化傾向を伴う癌細胞が胞巣状構造を呈して増殖している．中拡大

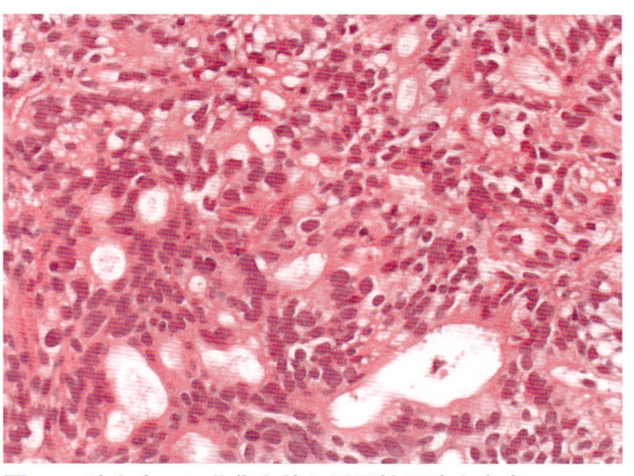

図 65　腺上皮への分化を伴う浸潤性尿路上皮癌．明瞭な腺腔構造を示す癌細胞を認める．尿路上皮癌成分との移行がみられる．中拡大

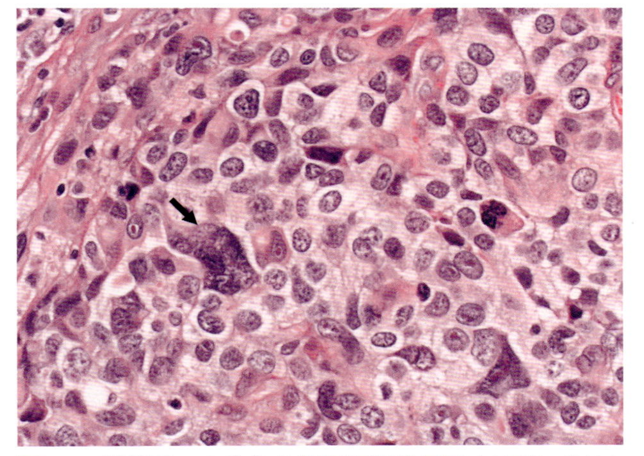

図 66　栄養膜への分化を伴う浸潤性尿路上皮癌．多核の癌細胞を認め，栄養膜への分化が示唆される．強拡大

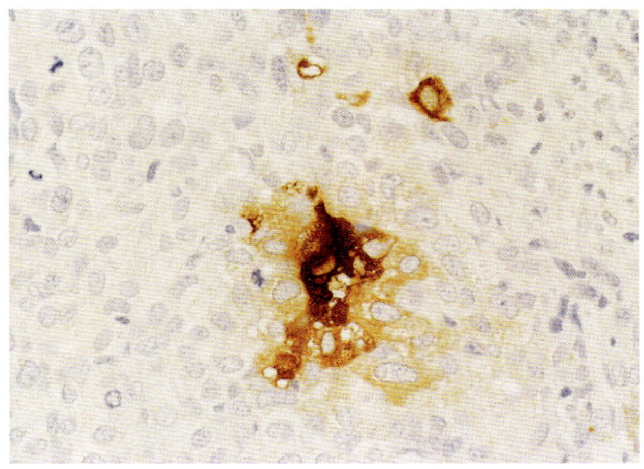

図 67　同前．多核の合胞体栄養膜細胞および単核の癌細胞が βhCG 陽性である．強拡大

尿路上皮癌は多彩な分化を示すこと特徴であり，扁平上皮，腺腔，栄養膜細胞などへの分化傾向を呈することが知られている．以前は 2 種類以上の組織型の癌が混在する場合は優勢な組織型を主診断とし，優勢度を記号で付記していたが（例：尿路上皮癌＞扁平上皮癌），扁平上皮癌や腺癌が共存している尿路上皮癌は扁平上皮や腺上皮への分化を伴う尿路上皮癌と診断する．浸潤性尿路上皮癌の特殊型では扁平上皮への分化を伴う腫瘍が最も多く，次に腺上皮への分化を伴う腫瘍の頻度が高い．栄養膜への分化はまれである．また，扁平上皮への分化を伴う尿路上皮癌は化学療法への抵抗性を示す傾向がある．

扁平上皮への分化を伴う浸潤性尿路上皮癌 invasive urothelial carcinoma with squamous differentiation　細胞間橋，角化傾向により定義される扁平上皮への分化は最もよくみられる分化であり，40％の尿路上皮癌に認められる（**図 64**）．

腺上皮への分化を伴う浸潤性尿路上皮癌 invasive urothelial carcinoma with glandular differentiation　腺上皮への分化は腫瘍内の腺腔形成と定義されており，浸潤性尿路上皮癌の 18％に腺上皮への分化がみられる．通常，腺腔分化は腸型の形態を呈し，大腸型の腺癌に似た腺腔を形成する（**図 65**）．粘液性腺癌もみられる．

栄養膜への分化を伴う浸潤性尿路上皮癌 invasive urothelial carcinoma with trophoblastic differentiation　栄養膜細胞への分化は絨毛癌と鑑別困難な合胞体栄養膜細胞の出現が特徴的な尿路上皮癌である（**図 66**）．免疫組織学的に癌細胞は βhCG 陽性であり（**図 67**），診断に役立つ．ただし，高異型度の尿路上皮癌の約 3 割が βhCG 陽性である点に注意が必要であり，形態学的所見を加味して判断する必要がある．

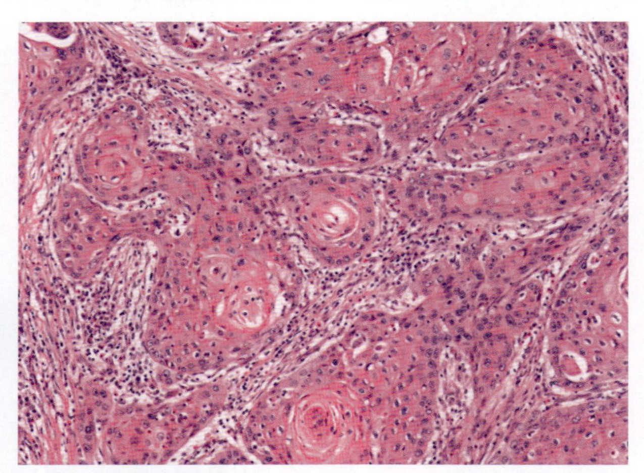

図 68　扁平上皮癌．明瞭な角化傾向を伴う異型扁平上皮細胞が胞巣状構造を呈して浸潤性に増殖している．中拡大

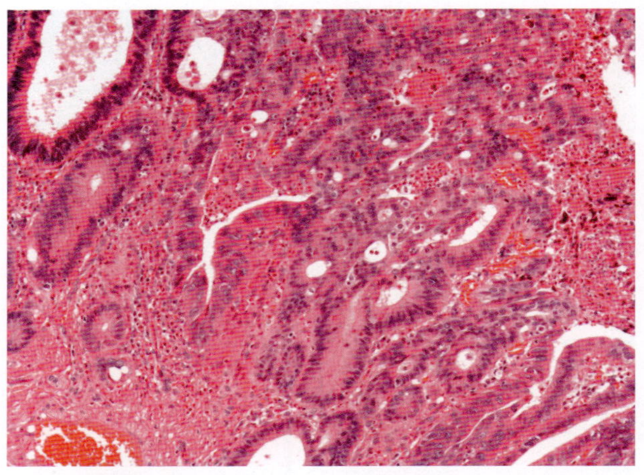

図 69　腺癌．濃染色核を有する異型細胞が不整な管状構造を形成している．中拡大

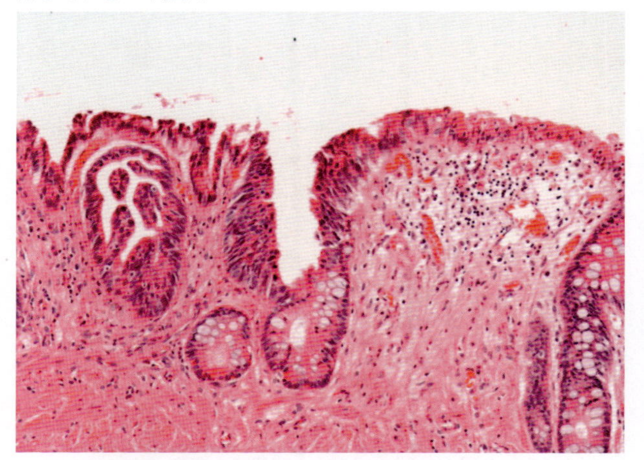

図 70　腺癌と腸上皮化生．腺癌（左）と腸上皮化生（右）が中央で接している．中拡大

扁平上皮癌　明らかな扁平上皮への分化を示す腫瘍細胞のみから構成される尿路上皮由来の悪性腫瘍であり，膀胱癌の3％未満を占める．組織学的には癌真珠形成や細胞間橋などの明瞭な角化傾向を伴う異型扁平上皮細胞が浸潤性に増殖している（**図 68**）．腫瘍近傍の平坦な上皮に角化を伴う扁平上皮化生を伴うことが多い．尿路上皮内癌や典型的な尿路上皮癌成分が腫瘍内に同定された場合は扁平上皮への分化を伴う尿路上皮癌と診断する．

喫煙や種々の職業上，環境上の化学物質への曝露が膀胱扁平上皮癌の危険因子である．西アフリカでは扁平上皮癌が多く，住血吸虫症が扁平上皮癌の主要な危険因子である．住血吸虫の卵が高度の肉芽腫性，炎症性反応を惹起し，扁平上皮化生および扁平上皮癌を起こす．慢性細菌感染も膀胱癌の危険因子である．多くの症例が進行期にみつかり，筋層浸潤を伴う．リンパ節転移を合併することが多い．

腺癌　明らかな腺上皮への分化を示す腫瘍細胞のみから構成される尿路上皮由来の悪性腫瘍である（**図 69，70**）．尿路上皮内癌や典型的な尿路上皮癌成分が腫瘍内に同定された場合は腺上皮への分化を伴う尿路上皮癌と診断する．

膀胱原発の腺癌はまれであり，膀胱悪性腫瘍の 0.5〜2％を占める．50 歳代の成人に好発し，男性：女性＝2.7：1 と男性に多い．長期にわたる腸上皮化生が腺癌に関連している（**図 70**）．ほかの病因としては慢性的な刺激や住血吸虫症がある．血尿が最も多い症状である．

組織学的に腸型の腺癌は胃・腸の腺癌と同様の腺癌であり，腺腔は偽重層化した粘液産生を示す上皮で覆われており，中心部に壊死を伴う．粘液性腺癌は豊富な粘液を背景に腫瘍細胞が胞巣を形成して浮遊する．粘液を有する細胞が印環細胞様外観を呈して個細胞性に出現することもある．免疫組織学的特徴は胃腸の腺癌と同様であり，腫瘍細胞は caudal type homeobox 2（CDX2），CK20 陽性である．

予後は不良であり，5 年生存率は 40〜50％である．

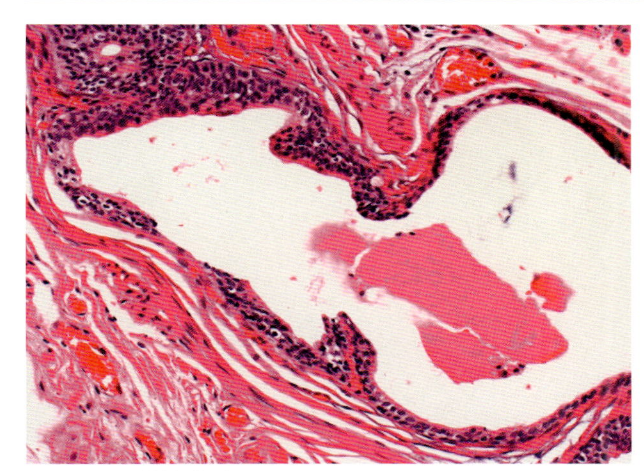

図 71　尿膜管遺残．内腔を尿路上皮で覆われた管腔を認め，上皮下に平滑筋層を認める．中拡大

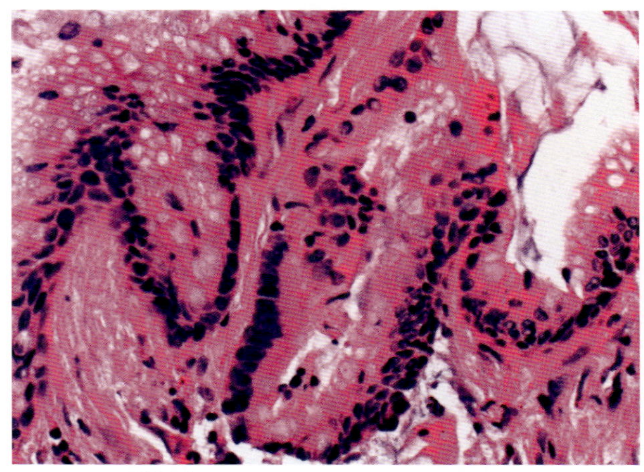

図 72　尿膜管癌．高円柱状の腫瘍細胞から構成される管状腺癌であり，結腸癌に類似している．強拡大

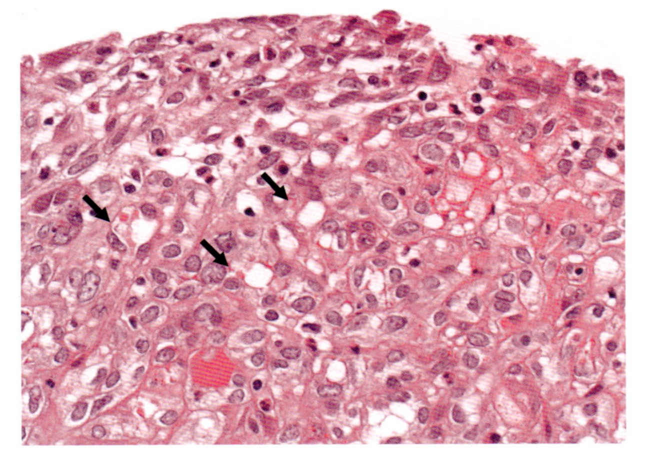

図 73　腎原性腺腫．上皮下に好酸性の細胞質，類円形核を有する立方状上皮細胞が増生しており，腺腔形成傾向を示す（⬆）．中拡大

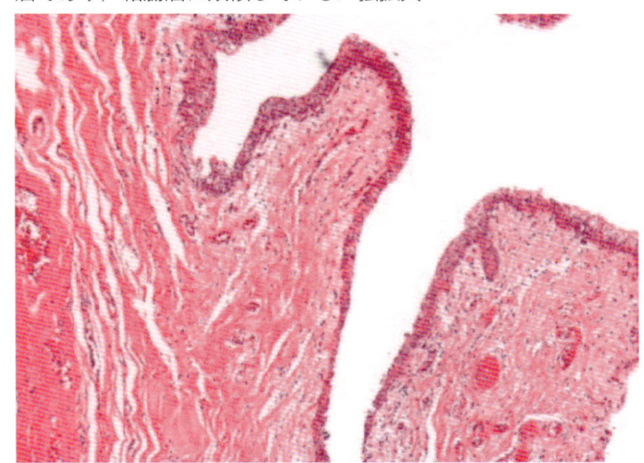

図 74　線維上皮性ポリープ．表層を異型性の乏しい上皮細胞で被覆された病変であり，上皮下に膠原線維を含む間質を認める．弱拡大

尿膜管癌　尿管癌は遺残尿膜管（**図 71**）から発生する悪性腫瘍であり，多くの尿膜管癌は腺癌である（**図 72**）．まれな腫瘍であり 50～60 歳代に好発し，男性に多い（男性：女性＝2-3：1）．尿膜管上皮の腸上皮化生が腺癌の誘発因子と考えられている．血尿が最も多い症状であり，臍分泌物，下腹部腫瘤，粘液性尿などがみられる．膀胱頂部または前壁に出現し，臍に進展する．これらの腫瘍は尿路上皮，腸上皮，扁平上皮や混合上皮によって裏打ちされた，または上皮のない尿膜管遺残がみられることが多い（**図 71**）．

組織学的には，腺癌であり原発性の膀胱腺癌に類似する．免疫組織学的に尿膜管癌は CDX2，CK20，34βE12 陽性である．

腎原性腺腫（化生）　上皮下に腎臓遠位尿細管に類似した立方状細胞から構成される病変であり，TUR-BT などの手術操作による尿路上皮の傷害後に発生することが多い．男性に多く，隆起性病変を形成する．

組織学的には類円形核を有する立方状上皮細胞が増殖し，腺腔形成傾向を伴う（**図 73**；矢印）．AMACR 陽性であるため前立腺癌の膀胱浸潤と間違えないことが重要である．

線維上皮性ポリープ　尿路粘膜に発生する非腫瘍性ポリープである．組織学的には表面を異型性の乏しい尿路上皮細胞で覆われたポリープであり，上皮下に膠原線維を含む間質成分を認める（**図 74**）．

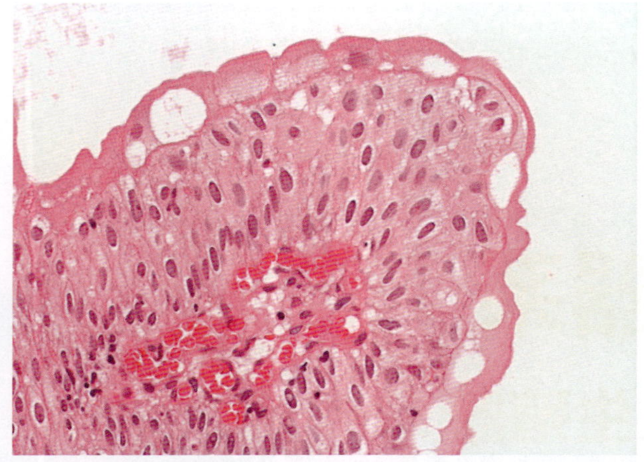

図 75　尿路上皮乳頭腫．正常尿路上皮細胞で覆われた乳頭状腫瘤を認める．中拡大

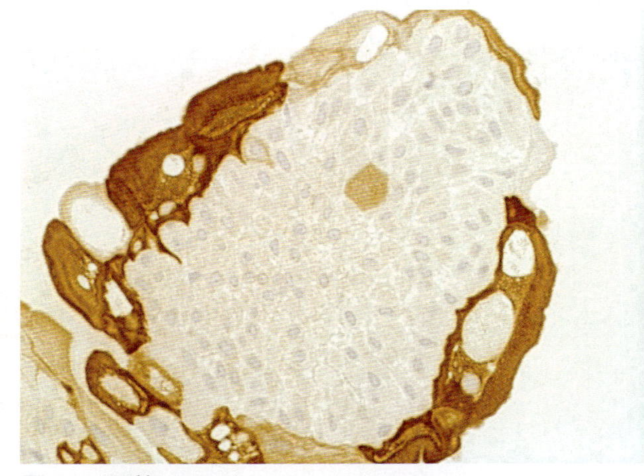

図 76　同前．傘細胞のみが CK20 陽性である．中拡大

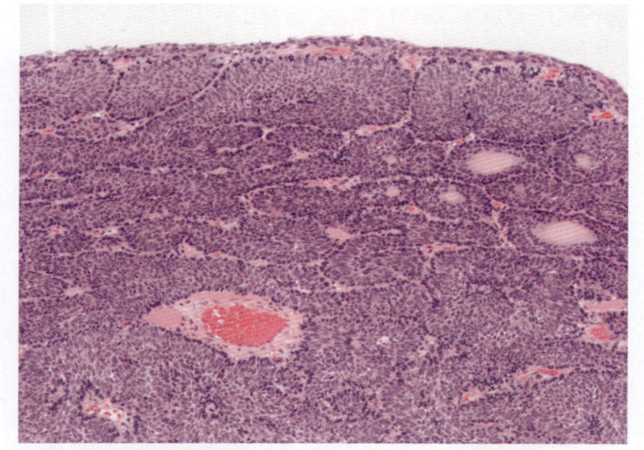

図 77　内反性尿路上皮乳頭腫．尿路上皮細胞が胞巣状構造を呈して内反性に増殖している．弱拡大

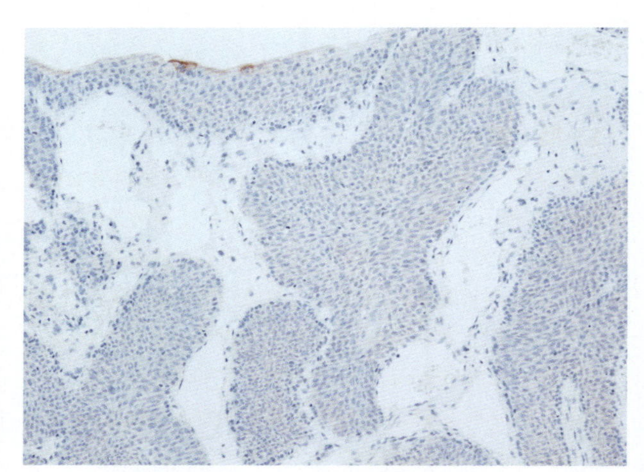

図 78　同前．腫瘍細胞は CK20 陰性である．表層の非腫瘍性尿路上皮の傘細胞のみが CK20 陽性である．弱拡大

繊細な線維・血管性間質を軸に正常の外観・厚さの尿路上皮が乳頭状に配列する良性腫瘍である．非浸潤性尿路上皮腫瘍の 4％未満を占め，50 歳未満に多い．血尿が最も多い症状であり，男性：女性＝2：1 である．膀胱三角部に好発し，多くの乳頭腫は単発で小型である．

組織学的には，分化傾向を伴う尿路上皮細胞が乳頭状に増殖する腫瘍である（**図 75**）．尿路上皮の被覆は厚くなく，正常の細胞像と配列を示し基底膜から直線的・垂直に配列する．傘細胞が豊富なことが多く，細胞質の空胞化がみられる．

免疫染色は診断に必須ではないが，CK20 染色が傘細胞で陽性であり，ほかの尿路上皮細胞は CK20 陰性であることが鑑別診断に有用である（**図 76**）〔低異型度非浸潤性乳頭状尿路上皮癌では CK20 がびまん性に陽性となることが多い（**図 55** 参照）〕．Ki-67 陽性細胞は少数である．

8～14％の症例が再発し，癌への進行は 1％未満である．

内反性尿路上皮乳頭腫 inverted papilloma　内反性尿路上皮乳頭腫は膀胱腫瘍の 1％未満を占める腫瘍である．多くの患者は 40～50 歳代であり，男性は女性よりも多く罹患する（男性：女性＝6：1）．

多くの腫瘍は単発性であり，小型である．隆起性腫瘍であり，表面は平滑である．腫瘍は索状構造を呈して内反性に増殖し，内腔の細胞の小嚢胞性変化を伴う（**図 77**）．腺性膀胱炎を合併することもある．吻合する索状構造は比較的幅が均一で表層尿路上皮から発生し粘膜筋板へ陥入する．表層は正常尿路上皮細胞で覆われている．定義上，外向性乳頭状発育はみられないか微小である．病変の底部と下の間質の境界は平滑である．細胞索・胞巣の辺縁は暗調細胞で被覆されており，柵状配列がみられる．嚢胞性の部位は高円柱状上皮により被覆される．

内反性乳頭腫は，CK20 陰性である点が内反性増殖を示す尿路上皮癌との鑑別に有用である（**図 78**）．

内反性乳頭腫は良性腫瘍であり，再発率は2％未満である．

第7章

生殖器系

(1) 男性生殖器

概　説

1. 精　巣 testis

精巣は胎生期に腹腔内に隆起する未分化な生殖堤 genital ridge を起源とし，Y 染色体上の *SRY* 遺伝子の働きにより精巣へと分化する．胎生 3 カ月くらいで精巣は鼠径部まで下降し，出生時には陰嚢内に納まる．精巣の外側は中皮および厚い膠原線維よりなる白膜に覆われ，内部には直径 200 μm ほどの精細管 seminiferous tube が密在している（**図 1**）．

精細管の中には造精系細胞とセルトリ細胞 Sertoli cell がある．小児期には造精系細胞は目立たないが（**図 2**），思春期以降その数を増す．成人の精細管では基底膜側に最も未熟な精祖細胞 spermatogonia があり，減数分裂を行って精母細胞 spermatocyte，精子細胞 spermatid，精子 sperm と成熟するにつれて精細管の中央部に移動していく（**図 3**）．加齢，抗癌剤投与，抗アンドロゲン療法などにより造精系細胞は減少する．セルトリ細胞は精子形成を促す働きがあり，その作用は卵胞刺激ホルモンにより調節されている．

精細管の外周は筋様細胞が取り囲んでいる．精細管の間には好酸性顆粒状の細胞質をもつライディッヒ細胞 Leydig cell（**図 4**）が分布し，テストステロンを分泌する．ライディッヒ細胞はときに好酸性桿棒状のラインケ Reinke の結晶を含有する．精細管は精巣網，精巣上体に連続する．

2. 精巣胚細胞腫瘍 testicular germ cell tumors の発生と特徴

精巣に生じる腫瘍の多くは胚細胞に由来する胚細胞腫瘍である．胚細胞腫瘍は Germ cell neoplasia *in situ*（GCNIS）に関連する腫瘍と GCNIS と関連のない腫瘍に大別され，それぞれの中で組織像によりさらに分類される（**表 1**）．奇形腫と卵黄嚢腫瘍はいずれの腫瘍としても発生し，特徴的な患者年

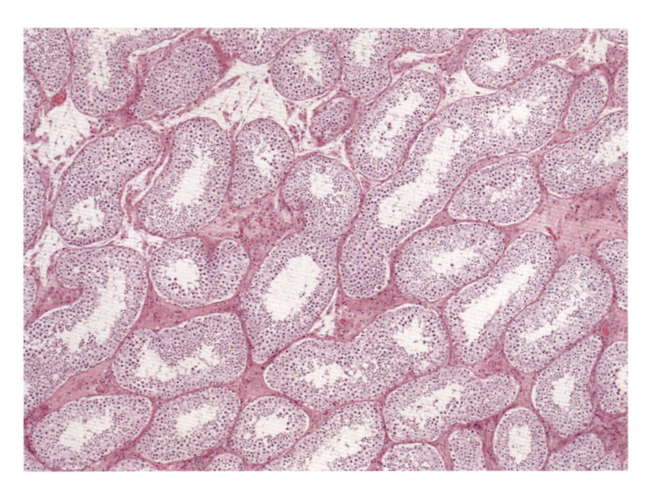

図 1　精巣．精細管が密在している．弱拡大

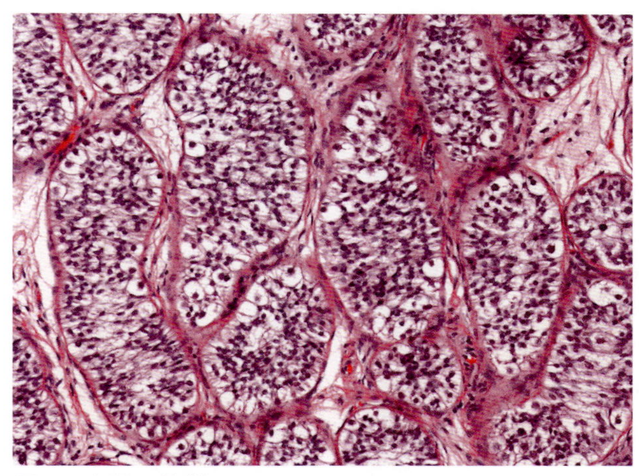

図 2　小児の精巣．精細管の中の細胞のほとんどがセルトリ細胞である．強拡大

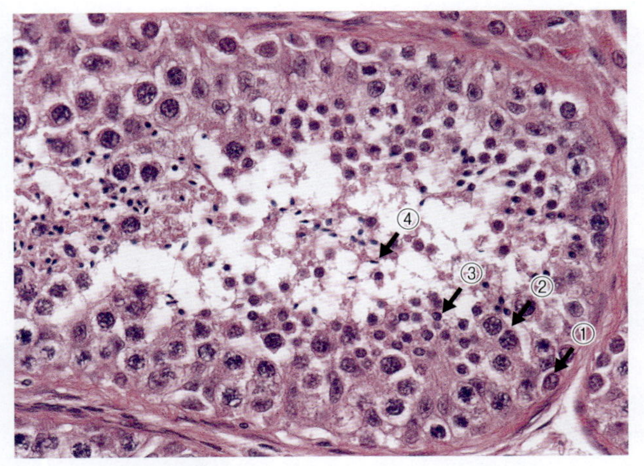

図3 成人の精巣．各成熟段階の造精系細胞が多数みられる（①精祖細胞，②精母細胞，③精子細胞，④精子）．強拡大

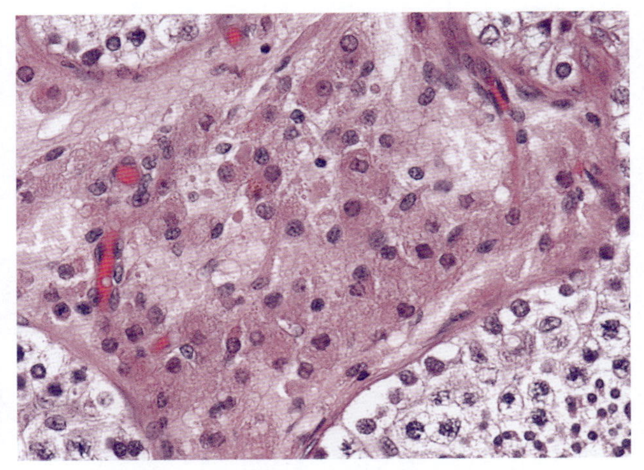

図4 ライディッヒ細胞．精細管の間に好酸性細胞質をもつ細胞がみられる．強拡大

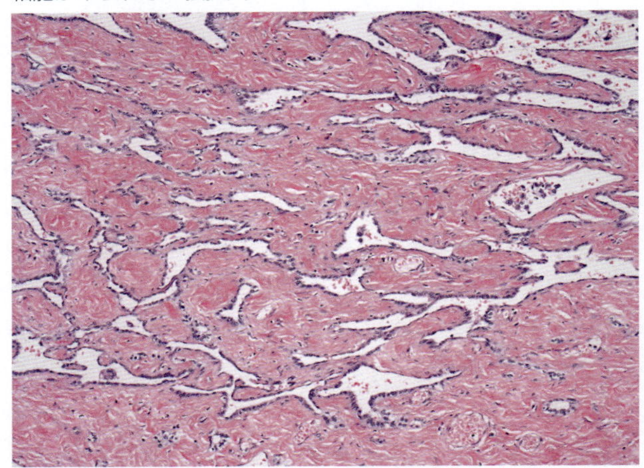

図5 精巣網．立方上皮よりなる裂隙状の腺管構造がみられる．弱拡大

表1 精巣胚細胞腫瘍の分類（精巣腫瘍取扱い規約第4版）

1）GCNIS由来胚細胞腫瘍
- a）非浸潤性胚細胞腫瘍
  - ①Germ cell neoplasia *in situ*（GCNIS）
  - ②精細管内胚細胞腫瘍特異型
- b）単一型
  - ①セミノーマ
  - ②非セミノーマ性胚細胞腫瘍
    - Ⅰ）胎児性癌
    - Ⅱ）卵黄嚢腫瘍，思春期後型
    - Ⅲ）絨毛性腫瘍
      - ⅰ）絨毛癌
      - ⅱ）非絨毛癌性絨毛性腫瘍
    - Ⅳ）奇形腫，思春期後型
    - Ⅴ）体性悪性腫瘍像を伴う奇形腫
- c）複数の組織型を有する非セミノーマ性胚細胞腫瘍
  混合型胚細胞腫瘍
- d）組織型不明な胚細胞腫瘍
  退縮性胚細胞腫瘍

2）GCNIS非関連胚細胞腫瘍
- a）精母細胞性腫瘍
- b）奇形腫，思春期前型
  - ①皮様嚢腫
  - ②表皮嚢腫
  - ③高分化神経内分泌腫瘍（単胚葉性奇形腫）
- c）奇形腫・卵黄嚢腫瘍混合型，思春期前型
- d）卵黄嚢腫瘍，思春期前型

齢の分布からGCNISに関連するものは思春期後型，GCNIS非関連のものは思春期前型とよばれる．

GCNIS関連胚細胞腫瘍は，12番染色体の異常を示すこと，3割程度の症例で複数の組織型が混在することが特徴的である．また，GCNIS関連の非セミノーマ性胚細胞腫瘍はセミノーマよりも転移をきたす頻度が高い．転移病変では原発病変にみられない型の胚細胞腫瘍成分をみることがあるので，診断に注意を要する．

思春期前型の奇形腫，卵黄嚢腫瘍は思春期後型の同じ型の腫瘍と異なる性格を示し，予後は比較的良好である．

3．精巣上体 epidydimis，精管 vas deferens

精巣から出た精細管は精巣網（**図5**）を経て精巣の頭側にある精巣上体（副睾丸）に入る．精巣上体の腺管は単層の円柱上皮により構成されており（**図6**），精巣上体の中で精子は精巣上体管を通過しながら成熟し，受精能を獲得する．精巣上体は後側尾側で精管に移行する．

精管は単層の上皮とそれを取り囲む3層の緻密な平滑筋よりなる（**図7**）．精管は陰嚢から鼠径管を経て骨盤内にいたり，前立腺の頭側で精嚢腺の排出管と合流して射精管となり，前立腺の内部を通って精阜で尿道に開口する．

4．前立腺 prostate およびその周囲の臓器

前立腺は男性膀胱の直下にある臓器で，内部を尿道が貫通している．膀胱頸部と前立腺の間には明瞭な境界はなく，膀

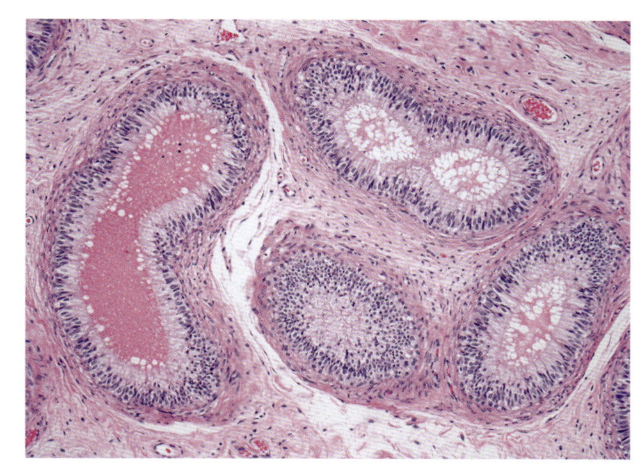

図 6　精巣上体．円柱上皮よりなる腺管がみられる．中拡大

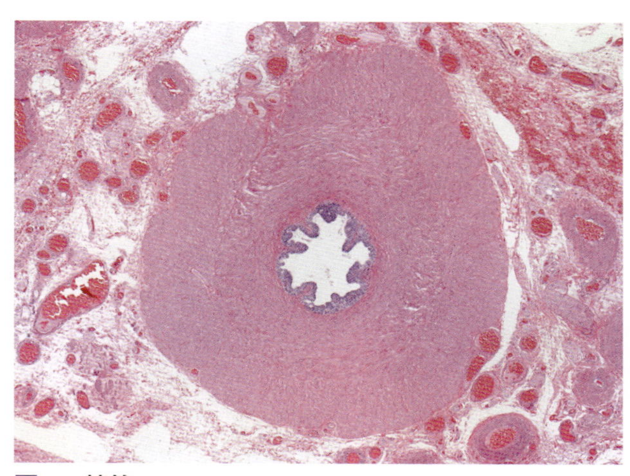

図 7　精管．中心の腺管を取り囲む厚い平滑筋の壁をもつ．弱拡大

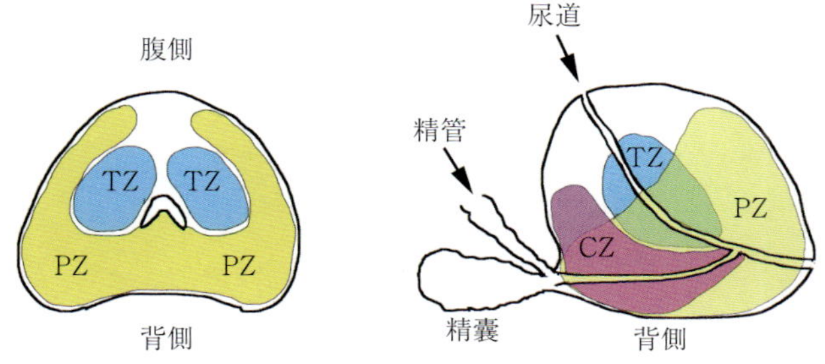

図 8　McNeal の前立腺の区分．PZ：辺縁帯，TZ：移行帯，CZ：中心帯

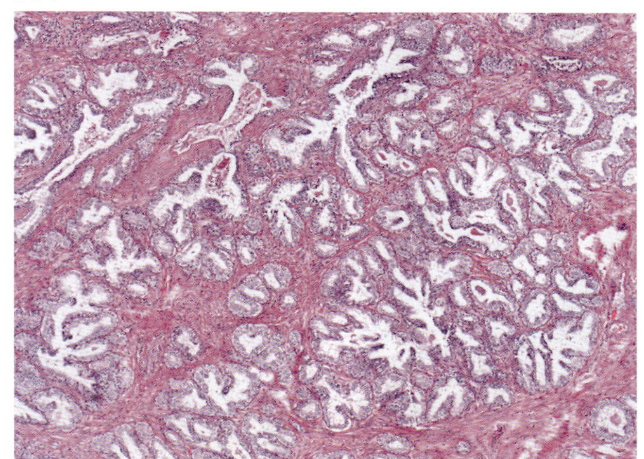

図 9　萎縮のない前立腺組織．円柱上皮をもつ腺管が密にみられ，内腔面はひだ状である．弱拡大

胱の筋層と前立腺は連続している．前立腺の背側には線維性結合組織（Denovillier 筋膜）を挟んで直腸があり，直腸指診では直腸を介して前立腺を触知することができる．前立腺組織の針生検は経直腸的に行われることが多い．

前立腺の内部は McNeal が提唱した 3 つの腺領域に区分される（**図 8**）．前立腺の腺領域は外側および背側の辺縁帯 peripheral zone，尿道を取り囲む領域は移行帯 transition zone，射精管周囲は中心帯 central zone とよばれる．正常な前立腺では辺縁帯が 65％程度，移行帯が 5％程度，中心帯が 20％程度の体積を占め，前立腺の前方に腺が少なく間質のみからなる領域がみられる．前立腺の疾患のうち，前立腺肥大は多くの場合移行帯に発生し，前立腺癌は辺縁帯から発生することが多いが，移行帯から発生することもまれではない．

前立腺の腺管の多くは尿道および精阜から生じた導管が前立腺の辺縁部に向けて放射状に伸びて，末梢部では腺管が分岐し，腺房を形成する（**図 9**）．腺腔内に円形の類でんぷん小体を含むことがある（**図 10**）．腺は腺腔側の分泌上皮細胞と間質側の基底細胞との 2 層の細胞をもつ（**図 11**）．分泌上皮細胞は前立腺特異抗原 prostatic specific antigen を発現している．基底細胞は高分子量ケラチンや p63 を発現しているが，唾液腺や乳腺などの筋上皮細胞とは異なり収縮能をもたず，α-平滑筋アクチンやS-100蛋白は例外的な場合を除き陰性である．前立腺癌の腺管は原則として基底細胞をもたないので，高分子量ケラチンや p63 の発現を免疫組織化学的に検索することは癌の診断の補助となる（**図 12**）．前立腺の分泌液は弱酸性で精液の約 20％を占める．腺の間には線維および平滑筋よりなる間質が介在している．

前立腺組織は性ホルモンの影響を受けて変化し，高齢男性ではアンドロゲンの減少とともに腺が萎縮すると腺密度が低下し，上皮は平坦になる（**図 13**）．

精嚢 seminal vesicle の腺管は前立腺と同様に分泌上皮細胞と基底細胞よりなり，密な平滑筋に囲まれている（**図 14**）．

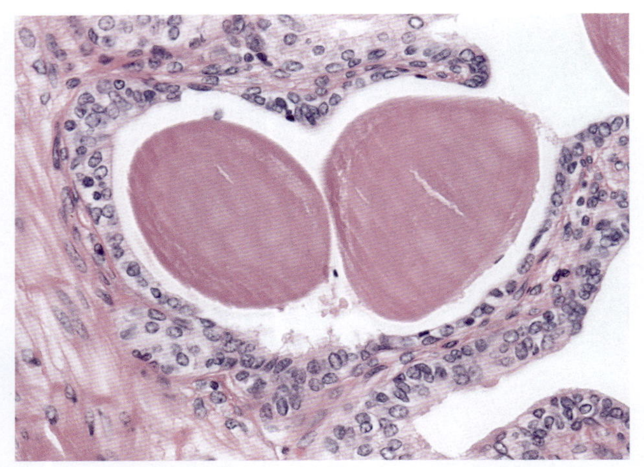

図 10　前立腺の類でんぷん小体．腺腔内に好酸性の同心円状物質がみられる．中拡大

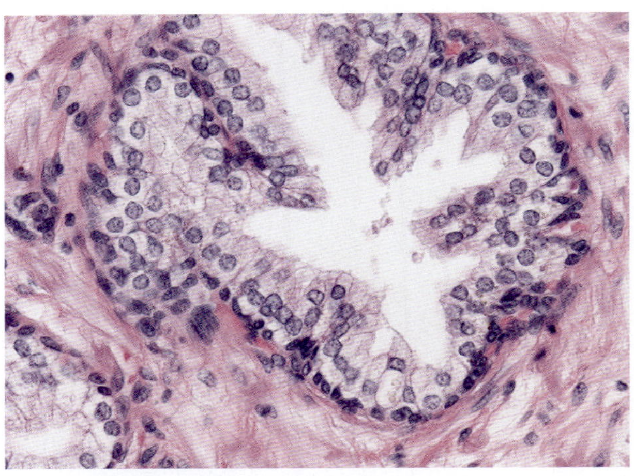

図 11　前立腺の腺管．内腔側に円柱状の分泌上皮を，基底膜側に小型立方状の基底細胞をみる．強拡大

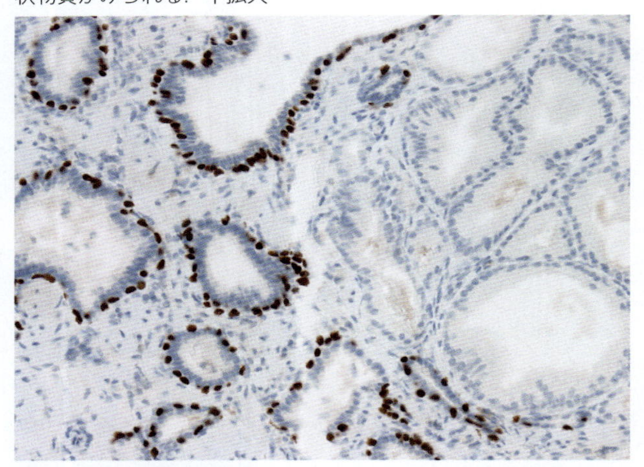

図 12　前立腺基底細胞．基底細胞の核に p63 が陽性であるが，腺癌の腺管（右側）には基底細胞がみられない．p63 免疫染色．中拡大

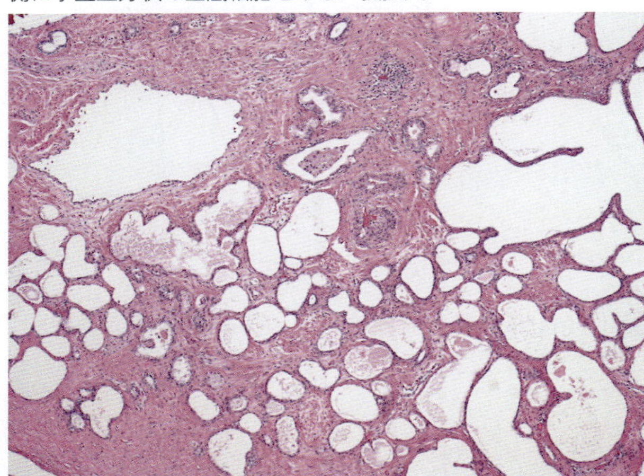

図 13　萎縮前立腺組織．腺管上皮は扁平になり，内腔面のひだはみられない．弱拡大

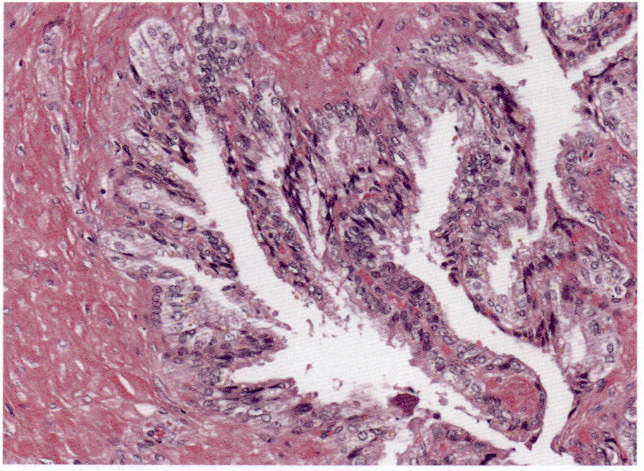

図 14　精囊．複雑な形状の内腔面をもつ腺管の周囲に緻密な平滑筋をみる．中拡大

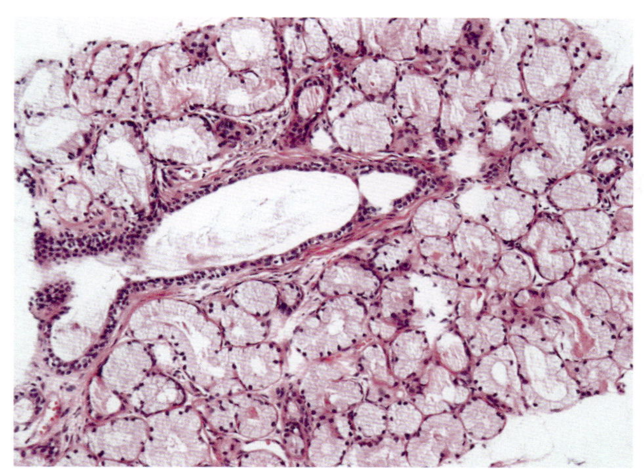

図 15　カウパー腺．細胞質内の粘液に富む細胞が分葉状にみられる．弱拡大

精液の約 60%が精嚢の分泌液である．

前立腺の尖部側尿道周囲に尿道球腺（カウパー腺 Cowper gland）がある．組織学的には細胞質内に粘液を含む細胞よりなる小型腺房が多数集まっており，それらの間に導管がみられる（**図 15**）．ときに前立腺生検組織の中にみられることがあり，前立腺癌と似た組織像を示すので注意を要する．

5．陰　茎 penis

陰茎には尿道とそれを取り囲む尿道海綿体，その背側に左右一対の陰茎海綿体があり，それぞれの海綿体は厚い膠原線維よりなる白膜に包まれる．勃起時に海綿体の中に血液が流入することで容積と硬度を増す．陰茎表面は重層扁平上皮に覆われる．

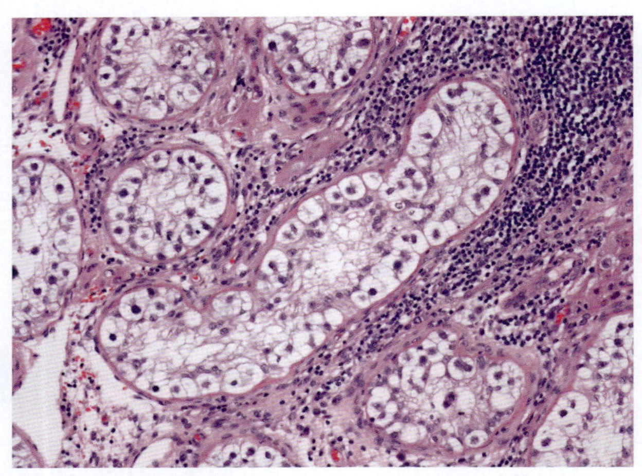

図 16 GCNIS．精細管の基底側に大型細胞が 1 列に配列して増殖している．弱拡大

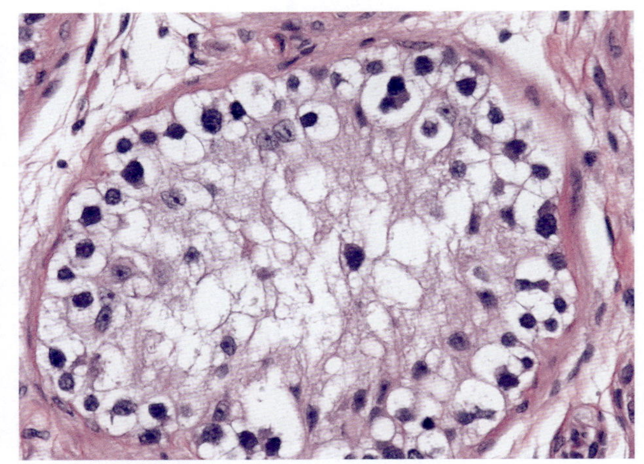

図 17 同前．腫瘍細胞は明澄な細胞質と辺縁の不整な核をもつ．強拡大

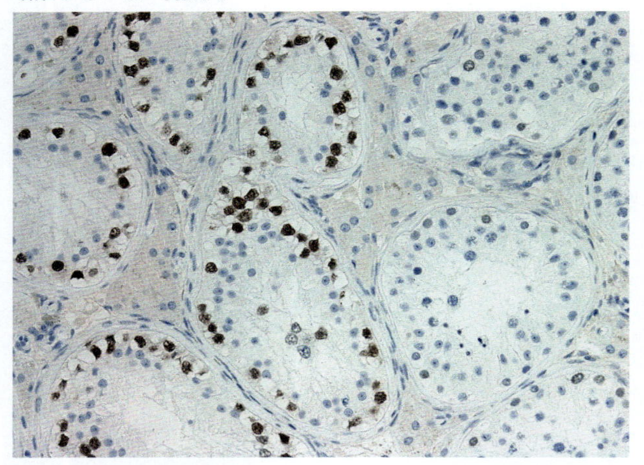

図 18 同前．腫瘍細胞は Oct4 陽性だが（左側），非腫瘍性造精系細胞は Oct4 陰性である（右側）．中拡大

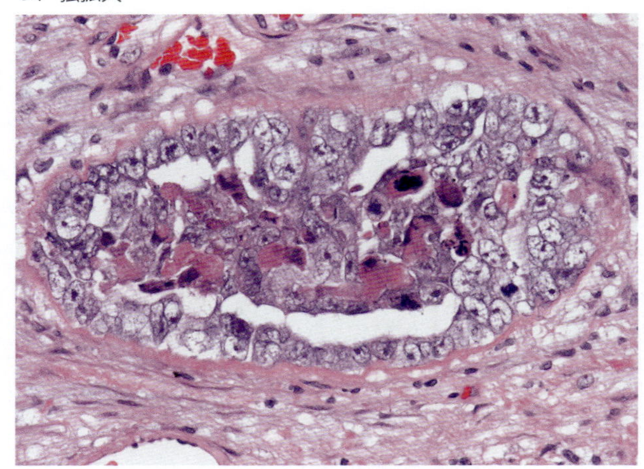

図 19 同前．上皮様配列を示す腫瘍細胞が精細管内に増殖する．強拡大

思春期以降に発生する胚細胞腫瘍のうち，精母細胞性腫瘍を除くものの多くは精細管内に発生する，germ cell neoplasia *in situ*（GCNIS）に由来する．GCNIS 自体は症状を伴うことがなく，思春期以降の胚細胞腫瘍の周囲にみられたり，分化異常のある精巣の中にみられたりする．GCNIS ではセミノーマの細胞に似た，大型で明澄な細胞質をもつ細胞が精細管内の基底膜側に並んで増殖している（**図 16**）．腫瘍細胞の核は大きく形状不整で，凝集したクロマチンをもち，しばしば大型核小体を有する（**図 17**）．腫瘍細胞は免疫染色で Oct4 が陽性である（**図 18**）．精細管内のセルトリ細胞は残っているが，正常な造精系細胞は通常みられなくなる．ときに GCNIS は精巣網内まで進展する．

上記の形態を示す腫瘍細胞が基底膜側だけでなく，精細管の内部を占めるように増殖したものは精細管内セミノーマ intratubular seminoma とよばれる（**図 19**）．また，精細管内胎芽性癌 intratubular embryonal carcinoma，精細管内栄養膜細胞腫瘍 intratubular trophoblastic tumor をみることもある．

【鑑別診断】 GCNIS を含まない精細管では基底膜に沿う精祖細胞は GCNIS の細胞よりも小さく，基底膜側に整然とした配列は示さない．非腫瘍性の造精系細胞は Oct4 陰性である（**図 18**）．管腔構造内に腫瘍組織が存在しているようにみえるときに GCNIS と腫瘍の脈管侵襲との鑑別が必要である．血管内皮のマーカーである CD31 やリンパ管内皮のマーカーである D2-40 が鑑別に有効である．

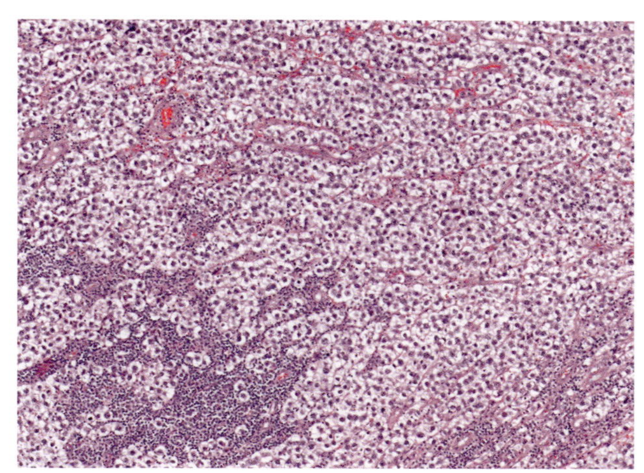

図 20　セミノーマ．大型の腫瘍細胞と小型リンパ球よりなる two cell pattern．弱拡大

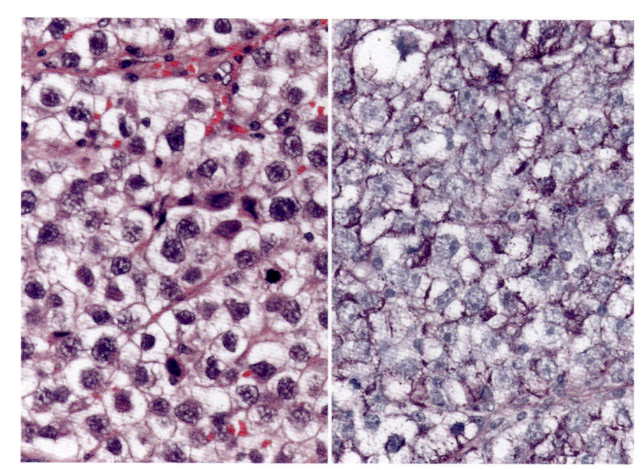

図 21　同前．腫瘍細胞は明澄な細胞質をもち（左），PAS 反応陽性である（右）．強拡大

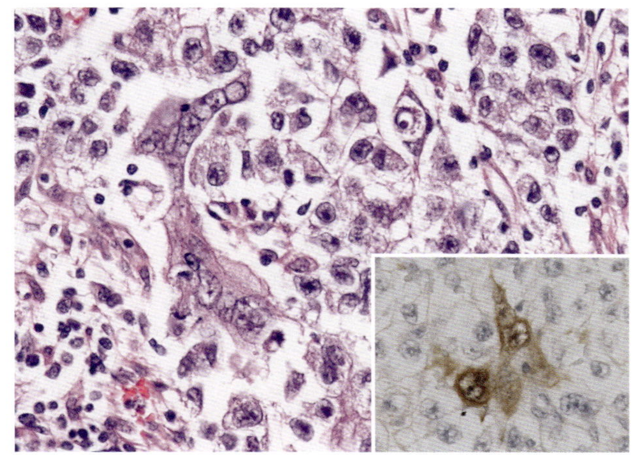

図 22　同前．多核の合胞体栄養膜細胞をみることがある．免疫染色で hCG 陽性である（挿入図）．強拡大

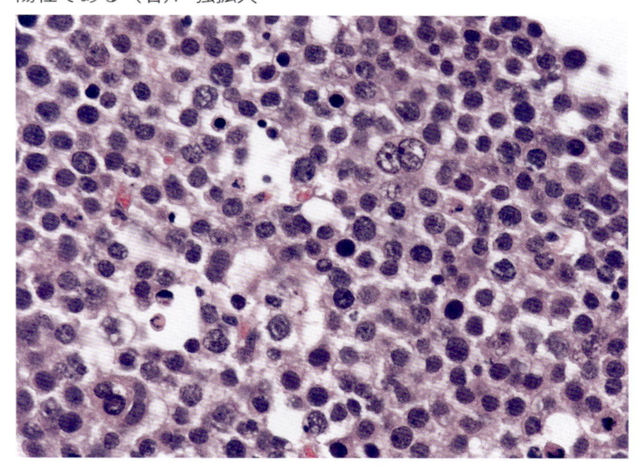

図 23　精母細胞性腫瘍．3 種類の異なる大きさの細胞が増殖する腫瘍である．強拡大

セミノーマ　最も未分化な始原胚細胞に相当する細胞が増殖する腫瘍である．おおむね均一な大型円形細胞がシート状あるいは索状に増殖する．間質には反応性に出現する小型リンパ球が浸潤し，大型腫瘍細胞と混在している様子は two cell pattern とよばれ，セミノーマに特徴的な所見である（**図 20，21**）．腫瘍細胞の細胞質は明澄でグリコーゲンを含むことから PAS 反応陽性，ジアスターゼ消化 PAS 反応は陰性となる．核は大型円形で内部に明瞭な核小体をもつ．腫瘍細胞は免疫染色で胎盤様アルカリホスファターゼ（PLAP），c-kit，Oct3/4，SALL4 が陽性である．ときに合胞体栄養膜細胞様の多核細胞が混在することがある（**図 22**）．それらの細胞はヒト絨毛性ゴナドトロピン（hCG）が陽性であり，ときに血中 hCG の軽度を伴う．純粋なセミノーマは精巣に限局することが多い．

精母細胞性腫瘍　従来は精母細胞性セミノーマとよばれていたが，上記のセミノーマとは関連のない腫瘍であり，現在は精母細胞性腫瘍という名称が使われる．高齢者に発生することが多く，精巣胚細胞腫瘍の 1～2% とまれな腫瘍である．セミノーマを構成する細胞が均一であるのに対し，精母細胞性腫瘍は大きさの異なる 3 種類の細胞がみられる（**図 23**）．すなわち，大型でときに多核となる細胞，中型で糸玉状の核クロマチンをもち精母細胞に類似する細胞，小型で濃縮した核をもつ精子細胞に類似する細胞が混在して充実性に増殖する．免疫染色で PLAP，Oct4 は陰性であるが，c-kit，SALL4 は陽性である．一般に予後は良好であるが，肉腫様の成分を伴う場合は予後不良である．

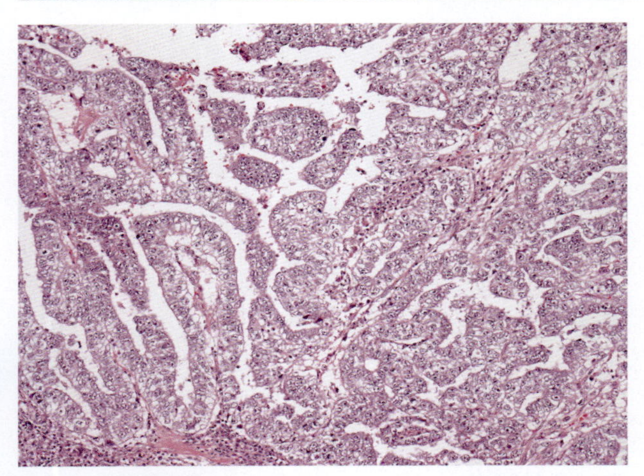

図 24　胎児性癌．異型円柱上皮が主として乳頭状に増殖している．弱拡大

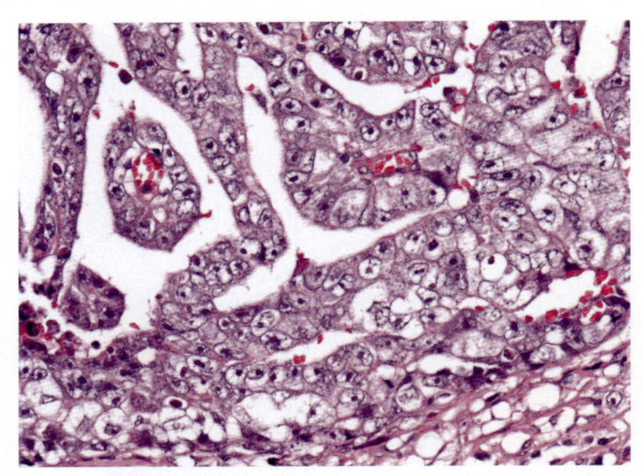

図 25　同前．腫瘍細胞は円柱状で，大型核小体をもち，細胞質は乏しい．強拡大

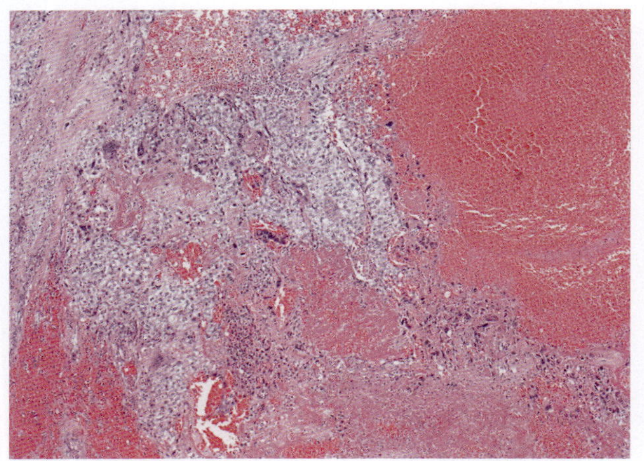

図 26　絨毛癌．高度な出血，壊死を伴う腫瘍である．弱拡大

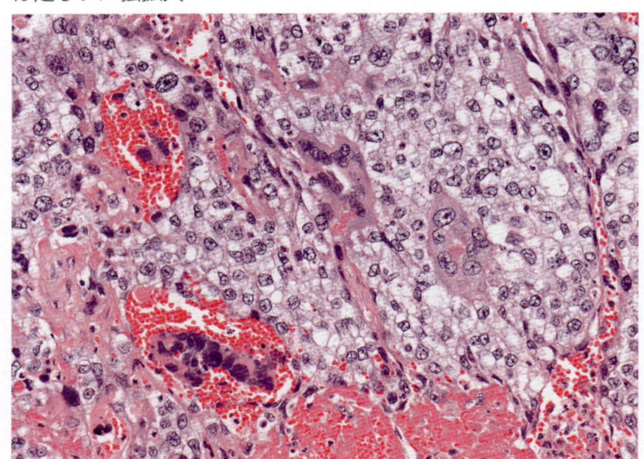

図 27　同前．好酸性細胞質をもつ多核細胞は合胞体栄養膜細胞に，明澄な細胞質をもつ細胞は細胞性栄養膜細胞に相当する．強拡大

胎児性癌　大型立方状あるいは多辺形の上皮形態を示す腫瘍細胞が腺管状，乳頭状，充実性に増殖する腫瘍である（**図 24**）．純粋な胎児性癌はまれで，ほかの型の胚細胞腫瘍と混在することが多く，腫瘍細胞の細胞質は多くの場合好塩基性あるいは両染性で，大型の核の中には明瞭な核小体がみられる（**図 25**）．免疫染色ではサイトケラチン，Oct4，SALL4，CD30 が陽性となる．

【鑑別診断】　セミノーマは胎児性癌と同様の高度な異型を示す細胞が増殖するが，上皮を思わせる細胞の配列がみられないことが鑑別上重要で，CD30 が陰性であることも参考になる．卵黄嚢腫瘍と胎児性癌は組織像が似ることがあるが，卵黄嚢腫瘍の細胞は胎児性癌よりも小型であること，腫瘍細胞が CD30 陰性であることを参考にする．

絨毛癌　胎盤の栄養膜細胞の性格を示す腫瘍細胞が増殖する腫瘍であり，広範囲に出血・壊死を伴うことが特徴的である（**図 26**）．好酸性細胞質をもつ大型，多核の合胞体栄養膜細胞，単核で明澄な細胞質をもつ細胞性栄養膜細胞および中間型栄養膜細胞が混在して増殖する（**図 27**）．標本を作製する際には出血の目立つ部分からもサンプリングするべきである．合胞体栄養膜細胞は絨毛性ゴナドトロピン（hCG）を産生し，血液中の hCG 値はきわめて高値となるとともに，免疫染色でもおもに合胞体栄養膜細胞が hCG 陽性である．絨毛癌成分を含む胚細胞腫瘍の予後は不良である．

【鑑別診断】　セミノーマや胎児性癌などでも合胞体栄養膜細胞が散見されることがあるが，それだけでは絨毛癌とは診断せず，細胞性栄養膜細胞の増殖を伴うものを絨毛癌と診断する．

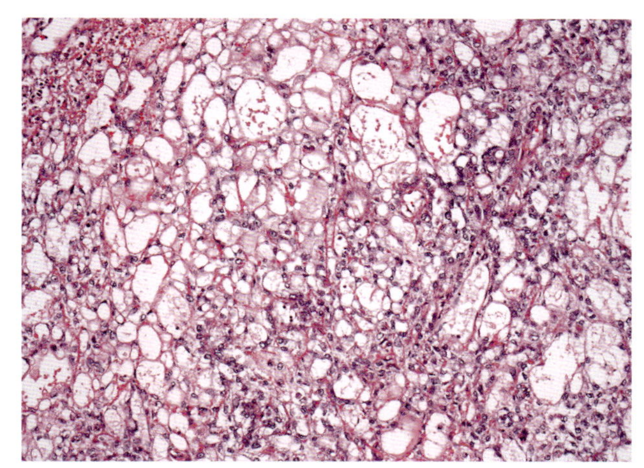

図 28　卵黄嚢腫瘍．腫瘍細胞が微小嚢胞を形成しつつ増殖する．弱拡大

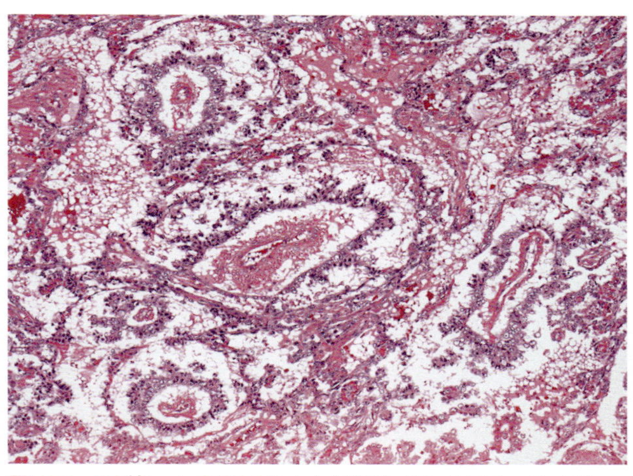

図 29　同前．血管周囲を立方状細胞が取り囲み，Schiller-Duval body を形成する．中拡大

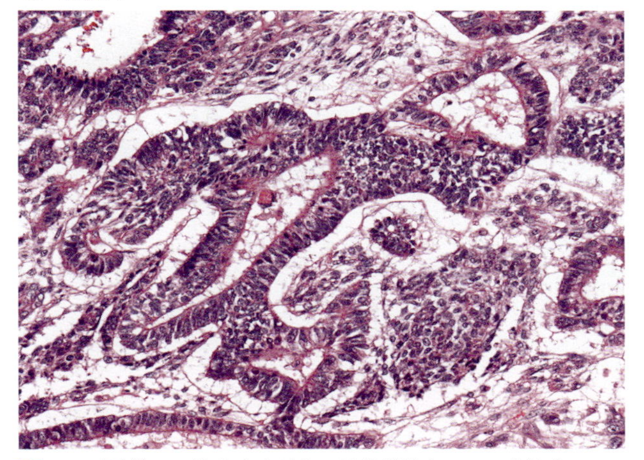

図 30　同前．円柱上皮よりなる腺管構造をみる．中拡大

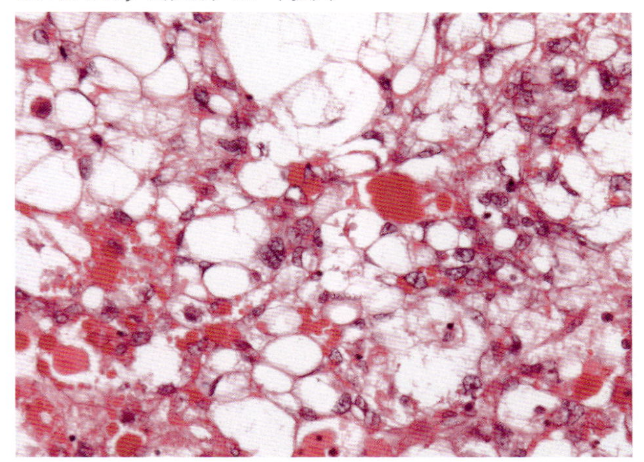

図 31　同前．腫瘍内に好酸性球状物質がみられる．強拡大

卵黄嚢腫瘍はその名称が示す以上に多彩な組織の構造を模倣する腫瘍で，卵黄嚢や尿膜の構造以外にも内胚葉に由来する消化管の腺管，肝臓への分化をうかがわせる組織像をみることもある．精巣においては，思春期前型では純粋な卵黄嚢腫瘍として発生することが多いが，思春期後型では多くの場合 GCNIS やほかの組織型の胚細胞腫瘍成分と合併してみられる．

最も頻繁にみられる組織像は扁平あるいは立方状の細胞が網目状あるいは小嚢胞状に増殖するもの（reticular あるいは microcystic pattern）であり（**図 28**），血管を含む繊細な間質を軸として腫瘍細胞が増殖する内胚葉洞パターン endodermal sinus pattern も特徴的な所見である．このうち，血管を含む間質を芯として腫瘍細胞が乳頭状に配列する構造を，空隙をはさんで扁平な細胞が取り囲む，あたかも腎臓の糸球体のようにみえるものを Schiller-Duval body とよぶ（**図 29**）．このような構造はラットの卵黄嚢に観察されるが，ヒトの卵黄嚢にはみられない．円柱上皮が腺管状に配列する構造（glandular pattern）は消化管の組織に類似し（**図 30**），好酸性顆粒状細胞質をもつ細胞が索状に配列する構造は肝臓への類似性を示す（hepatoid pattern）．

腫瘍の中には硝子球とよばれる好酸性の球状物質がみられる（**図 31**）．腫瘍細胞は免疫染色で AFP，SALL4，glypican 3，CDX2 が陽性となる．

［参考事項］　血清 AFP の上昇が特徴的な検査所見である．

【鑑別診断】　胎児性癌は卵黄嚢腫瘍よりも細胞異型が高度であり，Oct4，CD30 陽性となる点が鑑別のポイントとなる．

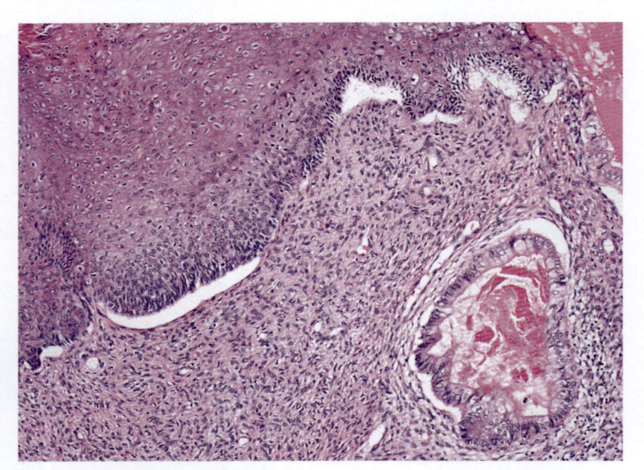

図32　奇形腫．重層扁平上皮，円柱上皮よりなる腺管をみる．中拡大

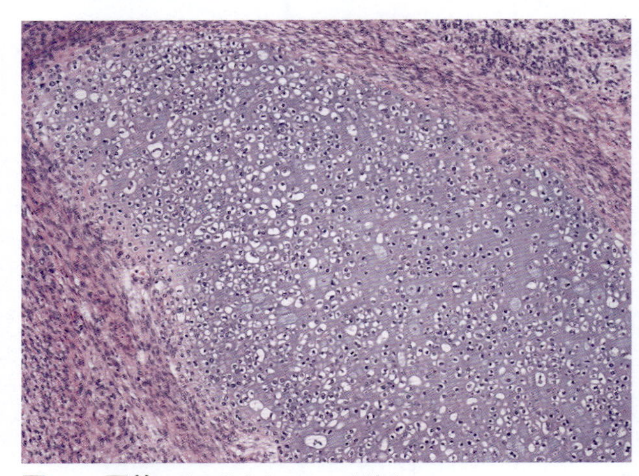

図33　同前．硝子軟骨をみる．中拡大

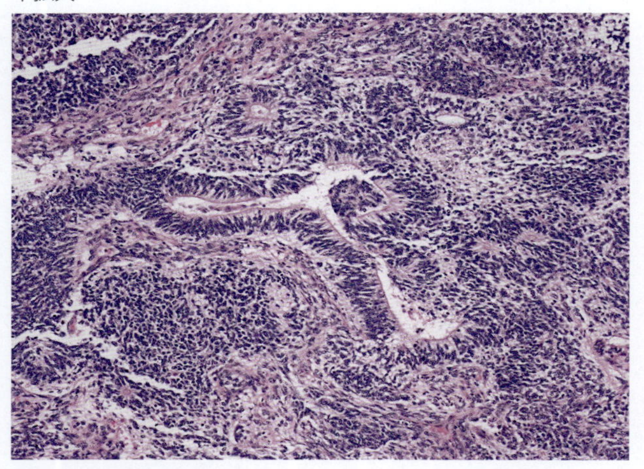

図34　同前．胎児期の神経管構造を模倣する未熟神経組織．中拡大

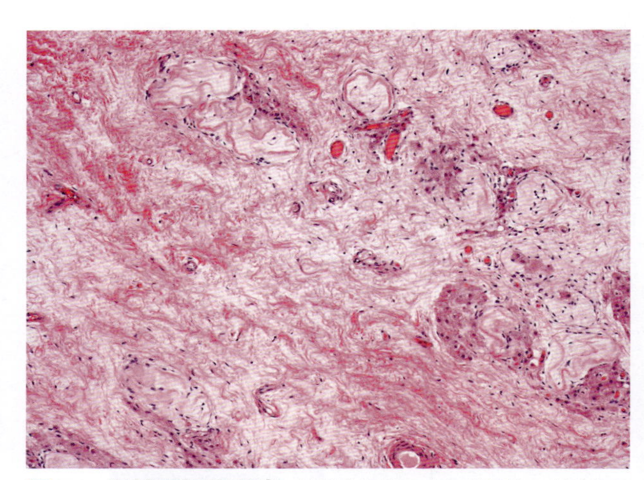

図35　退縮胚細胞腫瘍．線維化組織の中に精細管の痕跡やライディッヒ細胞をみる．弱拡大

奇形腫　三胚葉に由来するさまざまな組織の構造を模して増殖する腫瘍をいう．精巣に発生する奇形腫のうち，小児期に好発する思春期前型奇形腫 prepubertal-type teratoma は純粋な奇形腫として発生し良好な予後を示す．その一方，思春期後型奇形腫 postpubertal-type teratoma はほかの組織型の胚細胞腫瘍と混在することが多く，成熟組織のみよりなる腫瘍（成熟奇形腫）であっても転移をきたすこともあるため，未熟組織を含む腫瘍（未熟奇形腫）と同様に悪性腫瘍として扱う．

肉眼的には大小の嚢胞と充実性成分が混在する．組織学的には重層扁平上皮，気道上皮に類似する線毛円柱上皮，消化管に類似する粘液を含む円柱上皮よりなる腺管構造(**図32**)，骨，軟骨（**図33**)，神経組織をみることが多い．未熟奇形腫の未熟成分は胎生初期の神経管のように小型細胞が重層化して腔を形成する神経組織（**図34**）や，間質組織であることが多い．奇形腫の中に体細胞性悪性腫瘍を伴うことがある．

思春期前型奇形腫には皮膚組織や消化管，膵臓などの臓器様構造が明瞭にみられ，細胞異型はみられない．

退縮胚細胞腫瘍（**図35**）　精巣の胚細胞腫瘍は自然に消退していくことがあり，その場合，組織学的な検索では境界明瞭な瘢痕のみがみられる．このような状態を退縮胚細胞腫瘍（燃え尽き腫瘍 burned-out tumor）とよぶ．後腹膜リンパ節などの転移巣が先に発見された胚細胞腫瘍患者の精巣を検索したときに，退縮像のみをみることもある．瘢痕部分では膠原線維が増生しており，ときに炎症細胞浸潤，周囲の精細管の中の石灰化をみることがある．鑑別診断には各種炎症などによる瘢痕があげられる．

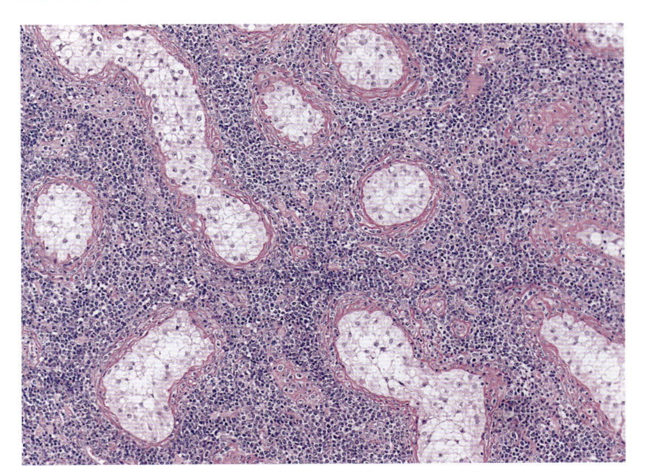

図 36　びまん性大細胞性 B 細胞リンパ腫．精細管の間に密に腫瘍細胞が増殖している．弱拡大

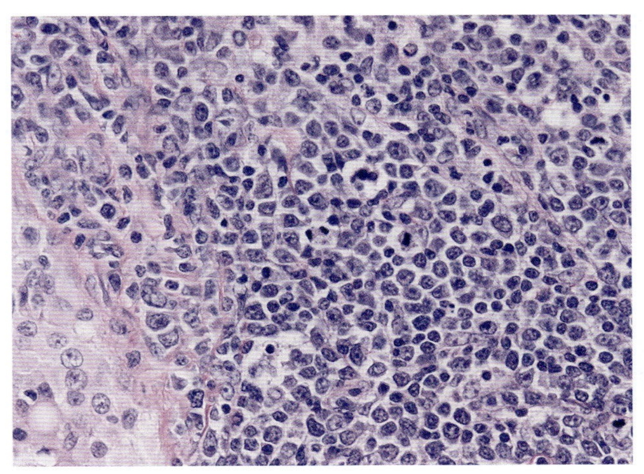

図 37　同前．腫瘍細胞は大型核と明瞭な核小体をもち，細胞質に乏しい．核分裂像を散見する．強拡大

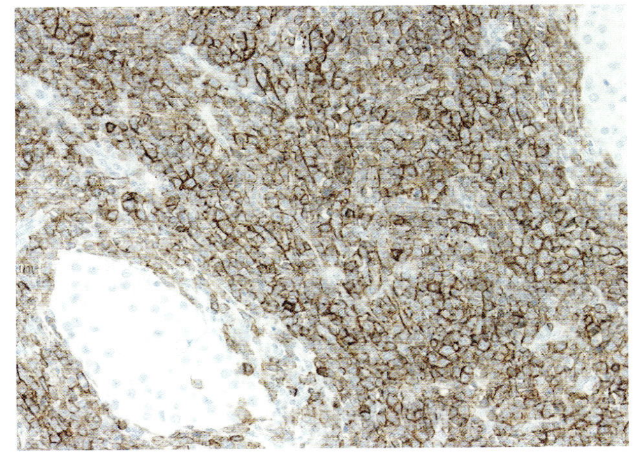

図 38　同前．腫瘍細胞は免疫染色で CD20 陽性である．強拡大

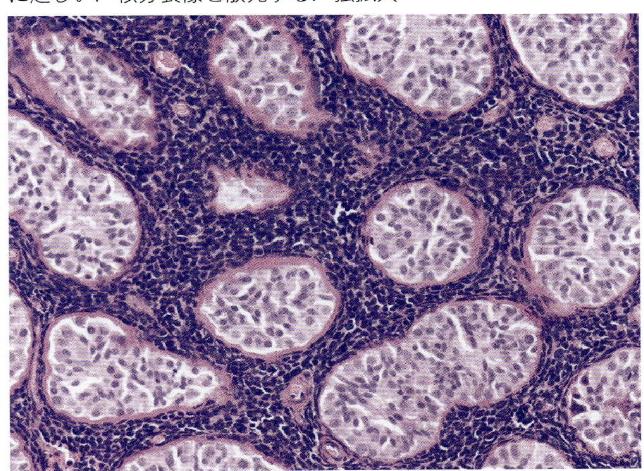

図 39　急性リンパ球性白血病．精細管の間に白血病細胞がみられる．中拡大

精巣リンパ腫　精巣のリンパ腫は精巣腫瘍全体の 5% とまれであるが，高齢者の精巣腫瘍のなかでは最も頻度の高い腫瘍である．精巣リンパ腫の 2/3 程度が精巣原発であるとされている．精巣リンパ腫の大部分はびまん性大細胞性 B 細胞リンパ腫 diffuse large B-cell lymphoma（DLBCL）である．DLBCL は精細管の間に大型異型リンパ球のびまん性増殖を示すが（**図 36**），ときに精細管の中にリンパ腫細胞が浸潤することがある．腫瘍細胞は細胞質に乏しく，大型核をもち，多数の核分裂像がみられる（**図 37**）．腫瘍細胞は B 細胞マーカーである CD20（**図 38**）や CD79a が陽性であり，増殖能を表す Ki-67 の陽性率が高い．ほかに濾胞性リンパ腫や Burkitt リンパ腫，リンパ芽球性リンパ腫，末梢性 T 細胞リンパ腫，NK/T 細胞性リンパ腫が発生するが，いずれもまれである．

【鑑別診断】　鑑別すべき疾患としてはセミノーマ，精母細胞性腫瘍があげられるが，セミノーマの細胞が明澄な細胞質をもち，細胞境界が明瞭であるのに対し，リンパ腫の細胞は細胞質に乏しく，細胞境界は不明瞭である．また，リンパ腫は免疫染色でセミノーマのマーカーである胎盤様アルカリホスファターゼ，c-kit，Oct 3/4，SALL4 が陰性である一方，白血球共通抗原（LCA）やリンパ腫の型によって B 細胞性あるいは T 細胞性マーカーが陽性である．

白血病浸潤　精巣にはときにさまざまな型の白血病細胞が浸潤する．これはリンパ腫と対照的に，小児においてもみられる．白血病細胞はおもに精細管の間に浸潤する（**図 39**）．

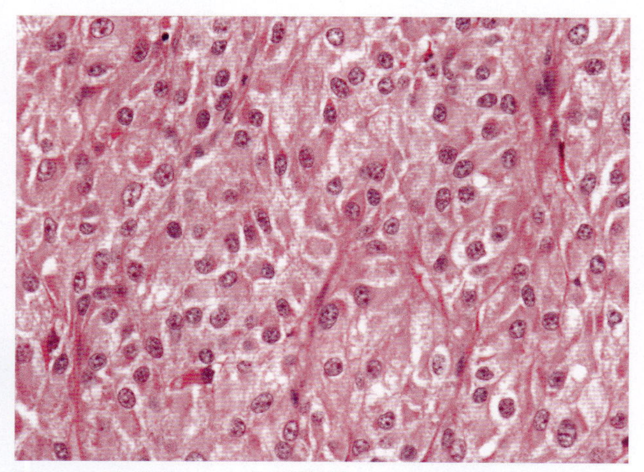

図 40　ライディッヒ細胞腫瘍．好酸性細胞質に富む腫瘍細胞が増殖する．強拡大

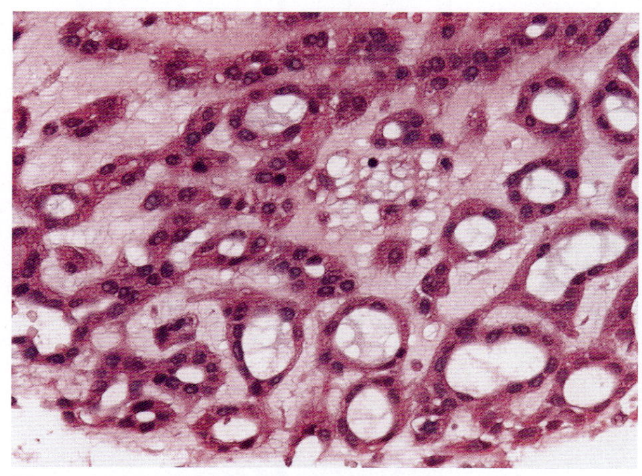

図 41　セルトリ細胞腫瘍．両染性細胞質をもつ腫瘍細胞が明瞭な腺腔を形成しつつ増殖する．中拡大

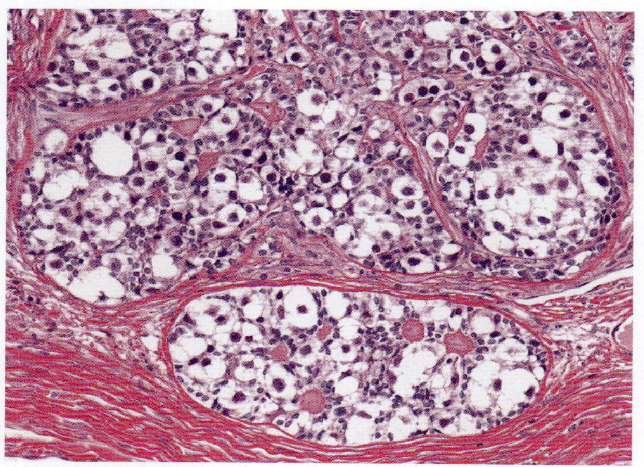

図 42　性腺芽腫．好酸性物質を取り囲む性索細胞と大型で明澄な細胞質をもつ胚細胞よりなる腫瘍である．中拡大

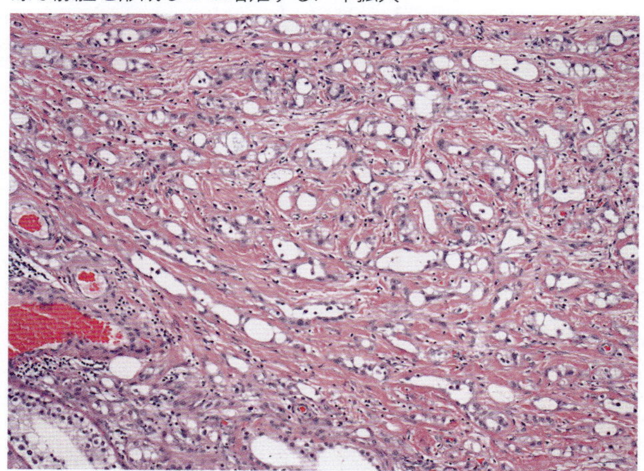

図 43　アデノマトイド腫瘍．扁平な細胞よりなる腺管様構造を呈する腫瘍である．弱拡大

ライディッヒ細胞腫 Leydig cell tumor（**図 40**）　ライディッヒ細胞に似た細胞が増殖する腫瘍である．20〜50 代あるいは小児に好発する．腫瘍細胞は好酸性顆粒状細胞質に富み，小型円形核をもつ．正常ライディッヒ細胞にみられるラインケの結晶は 3 割程度の症例で観察される．多くは良性だが，腫瘍が大きな症例や核分裂像が多くみられる症例では転移をきたすことがある．

セルトリ細胞腫瘍 Sertoli cell tumor（**図 41**）　セルトリ細胞の性格を示す細胞が増殖する腫瘍で，成人に好発する．多くの腫瘍では部分的に管腔が開いた明瞭な腺管構造を呈するが，索状配列や網状，充実性増殖を伴うこともある．壊死，核分裂像の増加，脈管侵襲を伴う場合は悪性の経過をたどることがある．

性腺芽腫 gonadoblastoma（**図 42**）　未熟な性索構造と胚細胞よりなる腫瘍で，ほとんどは性腺の発達異常を示す性腺に発生する．染色体分析で 46XY あるいは 46XY/45X を示すことが多い．顆粒膜あるいはセルトリ細胞様の性索細胞とセミノーマの細胞に似る未分化な胚細胞が胞巣を形成して増殖する．性索細胞はときに好酸性基底膜物質を取り囲み，基底膜物質に石灰がみられることがある．純粋な性腺芽腫は良性であるが，セミノーマなどのほかの悪性胚細胞腫瘍成分を伴う場合には予後は胚細胞腫瘍と同様である．

アデノマトイド腫瘍 adenomatoid tumor（**図 43**）　精巣上体および精巣の外側に発生する良性腫瘍で，増殖している細胞は中皮細胞の性格をもつ．若年成人から高齢者までの幅広い年齢層に生じる．扁平あるいは立方状の細胞が腺腔を形成しつつ増殖する．

【鑑別診断】　血管腫，リンパ管腫との鑑別は中皮細胞の性格を免疫染色で確認する．

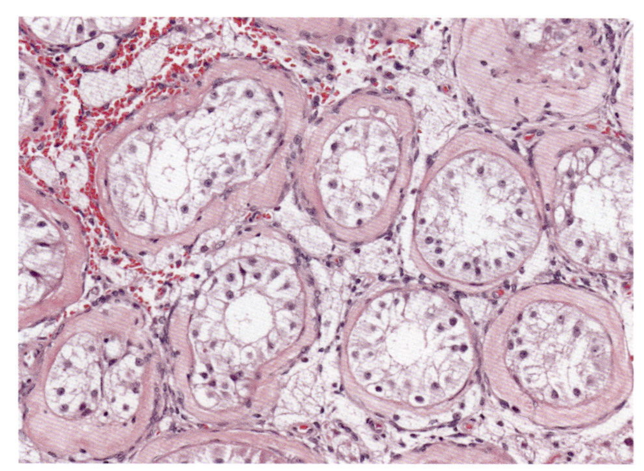

図 44　停留精巣．厚い結合組織が取り囲む精細管内の内部の細胞はほとんどセルトリ細胞である．中拡大

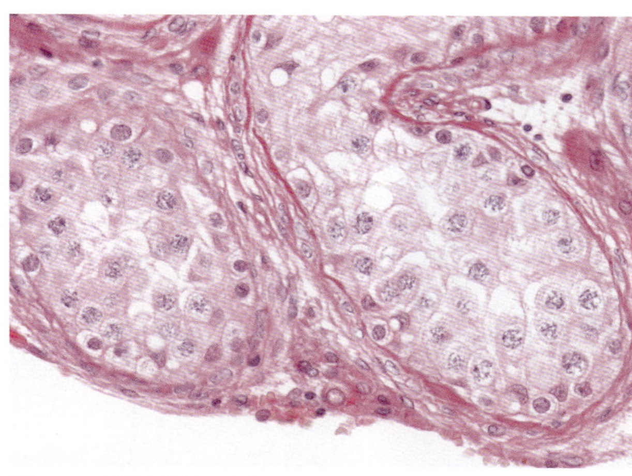

図 45　成熟障害．造精系細胞のほとんどが精母細胞で，精子細胞や精子はほとんどみられない．強拡大

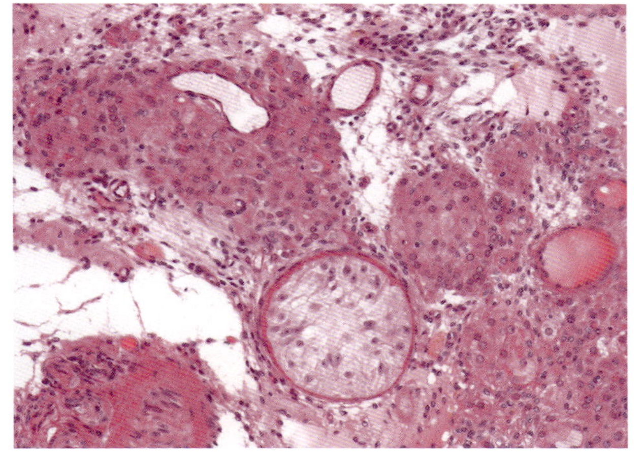

図 46　クラインフェルター症候群．ライディッヒ細胞が結節性に増生している．中拡大

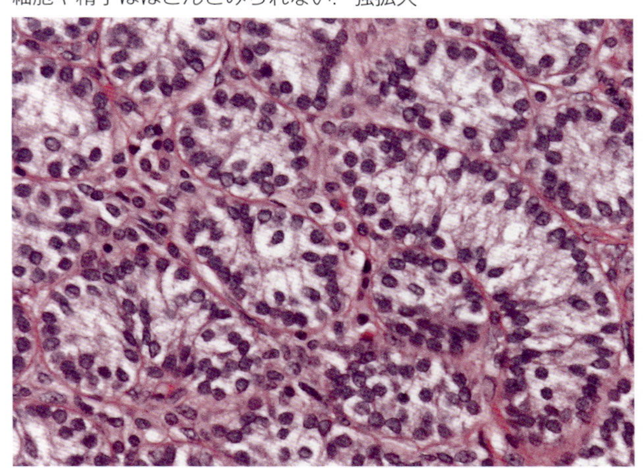

図 47　アンドロゲン不応症候群．セルトリ細胞のみよりなる未熟な精細管のみがみられる．中拡大

停留精巣 cryptorchidism（**図 44**）　発生過程で精巣は後腹膜から鼠径管を経て陰嚢内に下降するが，それが途中で止まってしまった状態を停留精巣という．停留した精巣では精細管内の造精系細胞が減少してセルトリ細胞のみがみられることがある．ときに精細管周囲の結合組織が肥厚する．停留精巣は男性不妊の原因となりうる．また，胚細胞腫瘍発生のリスクが正常精巣に比べて5〜10倍高くなる．

不妊男性の精巣（**図 45**）　男性不妊の場合，精巣における造精能を評価するために精巣生検が行われることがある．造精系細胞の成熟が障害され，精子細胞や精子がほとんどみられない場合やセルトリ細胞のみが残存している場合（セリトリ細胞単独症 Sertoli cell-only syndrome），造精系細胞とセルトリ細胞ともに消失している場合などがある．

クラインフェルター症候群 Klinefelter syndrome（**図 46**）男性の性染色体のうち，X染色体が1つ以上多くみられることで生じる疾患であり，核型は47XXYとなっていることが多い．四肢が細長く，精巣萎縮，無精子症などを呈する．精巣においては精細管内の増精系細胞の現象やライディッヒ細胞の過形成がみられる．

アンドロゲン不応症候群 androgen insensitivity syndrome（**図 47**）　アンドロゲン受容体遺伝子変異のため標的臓器に対してアンドロゲンが作用しないことにより生じる疾患である．精巣性女性化症候群 testicular feminization syndrome ともよばれ，表現形は女性であるが，染色体は通常46XYである．腹腔内に精巣組織がみられる．精細管のほとんどがセルトリ細胞のみから構成される．セルトリ細胞よりなる腺管が密集する結節を形成することがある．

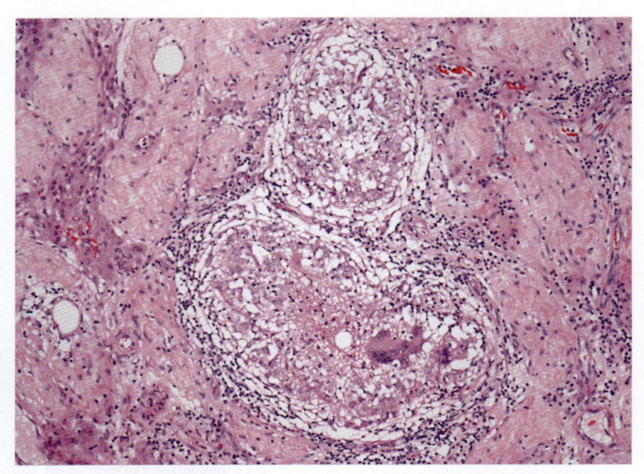

図 48 肉芽腫性精巣炎. 多核巨細胞を含む類上皮肉芽腫をみる．中拡大

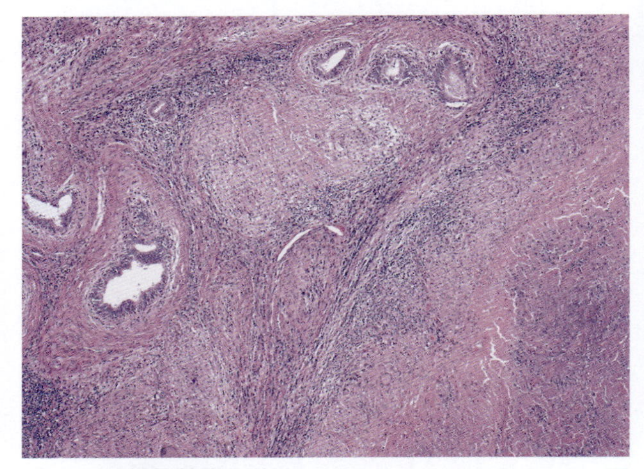

図 49 結核性精巣上体炎. 精巣上体の中に乾酪壊死を取り囲む肉芽腫がみられる．弱拡大

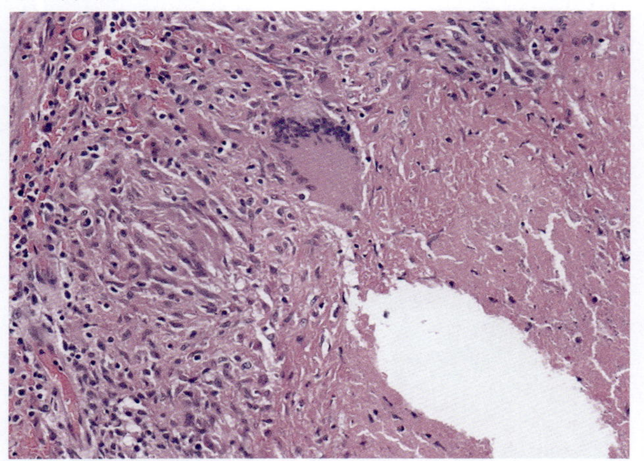

図 50 同前. 乾酪壊死の周囲に類上皮細胞とラングハンス型多核巨細胞がみられる．強拡大

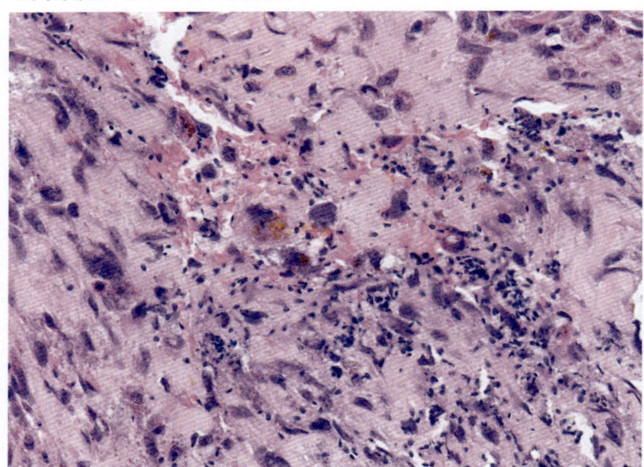

図 51 精子肉芽腫. 線維化した病変の中に多数の精子がみられる．強拡大

肉芽腫性精巣炎 granulomatous orchitis（**図 48**） 患者は中年男性であることが多く，痛みを伴わない硬結を触れ，精巣腫瘍を疑われる．組織学的に精細管を中心として多核巨細胞の出現を伴う類上皮細胞が集簇して肉芽腫を形成し，その周囲にリンパ球，形質細胞などが浸潤する．原因は明らかではなく，感染，外傷，自己免疫による炎症とする説がある．

【鑑別診断】 結核による肉芽腫は精巣上体に多く発生し，中心に乾酪壊死を伴う．セミノーマではときに腫瘍内に肉芽腫がみられるが，これは肉芽腫性精巣炎には含めない．

結核性精巣上体炎 tuberculous epididymitis（**図 49, 50**） 男性生殖器の結核病変のなかでは精巣上体が最も高頻度にみられる．膀胱癌の治療のために行われる BCG 膀胱内注入治療に伴って同様の肉芽腫性炎が起こることもある．組織学的にはほかの臓器にみられる結核病変と同様に，類上皮細胞とラングハンス型多核巨細胞が乾酪壊死巣を取り囲む類上皮肉芽腫が形成される．結核菌は抗酸菌染色（Ziehl-Neelsen 染色）で赤く染まる桿菌として確認される．

精子肉芽腫 sperm granuloma（**図 51**） 避妊のための精管結紮や外傷，炎症などのため精管や精巣上体の間質に漏出した精子に対する異物反応として，炎症細胞浸潤，肉芽腫形成がみられる病変である．患者の多くは 40 歳以下である．1 cm 程度の結節を形成し，病変部では好中球，リンパ球，組織球が集簇する肉芽腫が形成され，古い病変では線維化が目立つようになる．病変内にヘマトキシリンに濃染する精子頭部が多数みられることで診断が確定する．

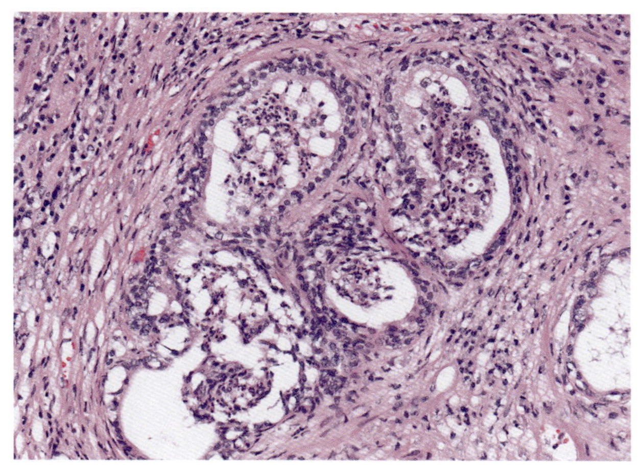

図 52　急性前立腺炎．腺腔内に好中球が多数みられる．中拡大

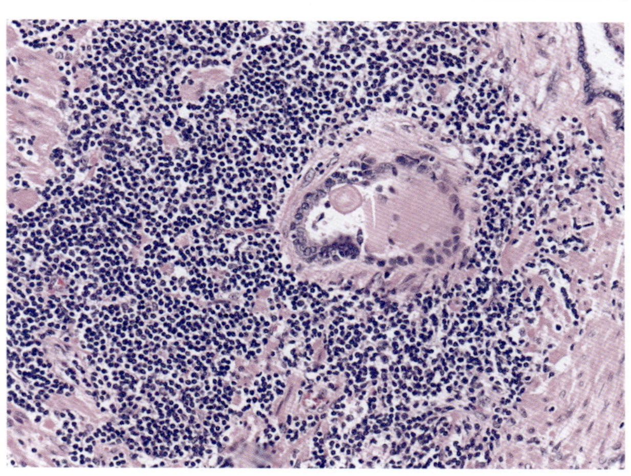

図 53　慢性前立腺炎．腺管周囲に多数のリンパ球が浸潤している．中拡大

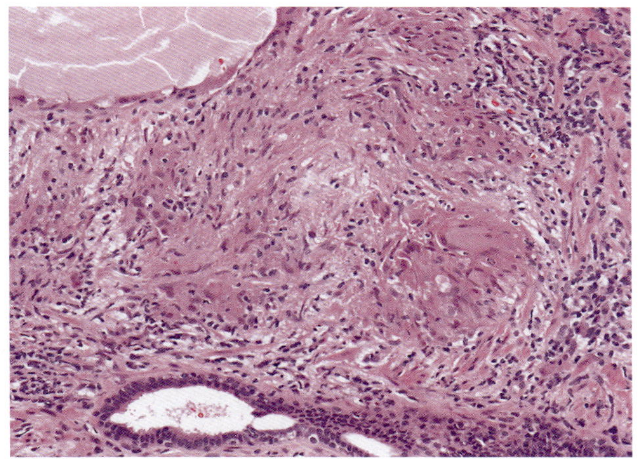

図 54　肉芽腫性前立腺炎（BCG 関連）．間質に類上皮肉芽腫が多発している．中拡大

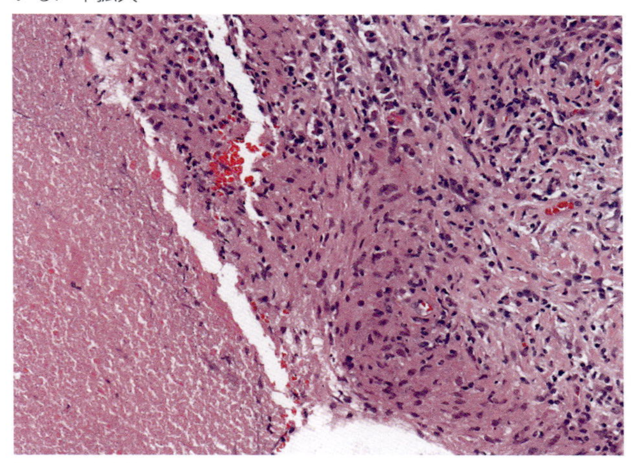

図 55　同前．乾酪壊死の周囲に類上皮細胞がみられる．強拡大

急性前立腺炎 acute prostatitis（**図 52**）　急性前立腺炎の多くは細菌感染により発症する．発熱，排尿障害，疼痛などの症状と，尿培養の結果から診断されることがほとんどであり，組織診断に供されることは少ない．原因菌としては大腸菌の頻度が最も高い．他臓器の急性炎症と同様に好中球および組織球を主体とする炎症細胞が浸潤する．高度な炎症をきたして膿瘍を形成することもある．

[参考事項]　臨床的に急性前立腺炎と診断されているとき針生検は禁忌であり，生検組織で急性前立腺炎をみることはほぼない．組織学的に前立腺組織で腺腔内に少数の好中球をみることがあるが，その所見だけで急性前立腺炎と診断すべきではない．膿瘍形成をきたしたときには前立腺組織の切除が行われることがある．

慢性前立腺炎 chronic prostatitis（**図 53**）　慢性前立腺炎のなかには，細菌感染による炎症が慢性化して生じるものと，感染によらない炎症細胞浸潤としてみられるものがある．組織学的に両者はほぼ同様の所見を呈し，腺管周囲にリンパ球，形質細胞を主体とする炎症細胞が浸潤する．前立腺肥大症の病変部にリンパ球浸潤がみられたり，血中 PSA の上昇を契機として行われた生検組織の中にリンパ球浸潤がみられたりすることはまれではない．慢性前立腺炎としての症状や細菌検出を伴わない場合には，組織所見のみで慢性前立腺炎と診断しない．

肉芽腫性前立腺炎 granulomatous prostatitis（**図 54，55**）前立腺の中に類上皮肉芽腫の形成を伴う炎症がみられることがある．結核感染による肉芽腫は乾酪壊死巣をラングハンス型多核巨細胞や類上皮細胞が取り囲む．同様の肉芽腫は尿路上皮癌の治療のために BCG 注入を受けた患者にもみられることがある．

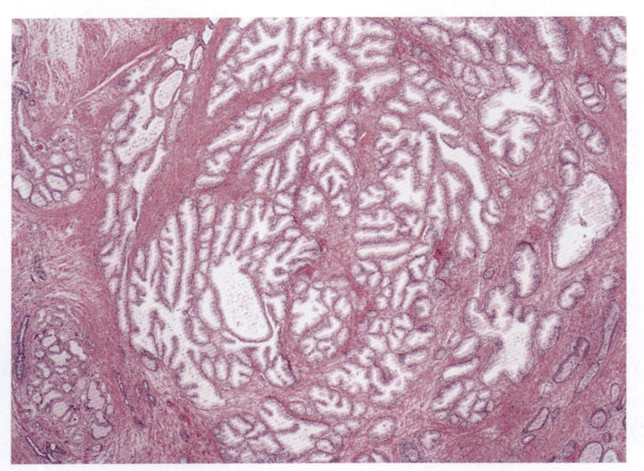

図 56　結節性過形成．内腔がひだ状の腺管が密に増生する結節をみる．弱拡大

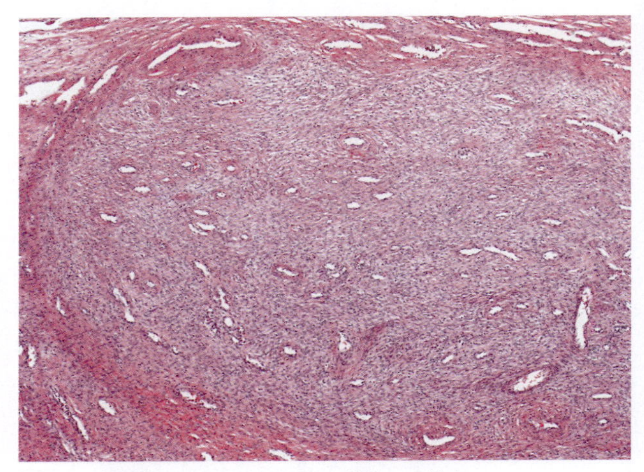

図 57　同前．間質細胞よりなる結節．弱拡大

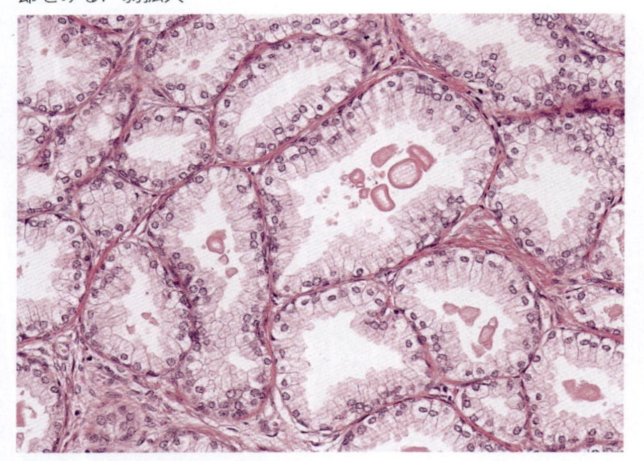

図 58　同前．病変を構成する腺管は２層性を示す．強拡大

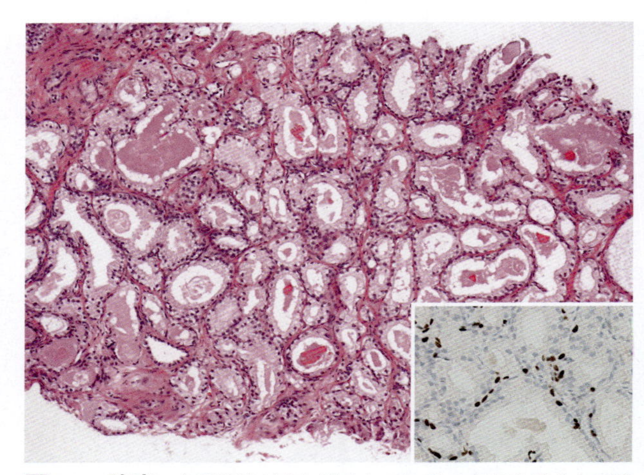

図 59　腺症．小型腺管が密に増生している．病変を構成する腺管は基底細胞をもつ（挿入図：p63 免疫染色）

結節性過形成　臨床的に良性前立腺肥大 benign prostatic hyperplasia（BPH）と診断される症例の多くは，高齢者の前立腺移行帯に発生する腺および間質の結節性過形成である．多発する結節の増生により，正常では前立腺全体の 5% 程度を占めるにすぎない移行帯は容量を増し，前立腺の中を貫通する尿道を周囲から圧迫するために排尿困難，尿閉といった症状を引き起こす．

組織学的に結節は腺成分と平滑筋や線維よりなる間質成分が混在しているが，その比率はさまざまである．腺成分が優勢なものは腺腫性 adenomatous（**図 56**），もっぱら間質成分よりなるものは線維筋性 fibromuscular（**図 57**），両者が混在するものは腺筋線維性 adenomyofibromatous とよばれる．腺，間質ともに異型はなく，腺は分泌上皮と基底細胞の２層性が保たれる（**図 58**）．

腺症 adenosis（**図 59**）　小型腺管が密に増殖する境界明瞭な限局性病変である．それ自体が臨床症状を呈することはなく，組織学的な偶発所見であるが，組織像から前立腺癌が鑑別の対象となる．

【鑑別診断】　結節性過形成，腺症ともに腺癌との鑑別が重要である．病変を構成する腺管に基底細胞が存在している場合には癌の診断は否定的である．基底細胞の確認は HE 染色標本のみではときに困難であり，高分子量ケラチン，p63 といった基底細胞のマーカーの免疫組織化学的検討が有用である．基底細胞は病変を構成する一部の腺管にしかみられないことや，1 つの腺管の中の一部にしかみられないことがある．

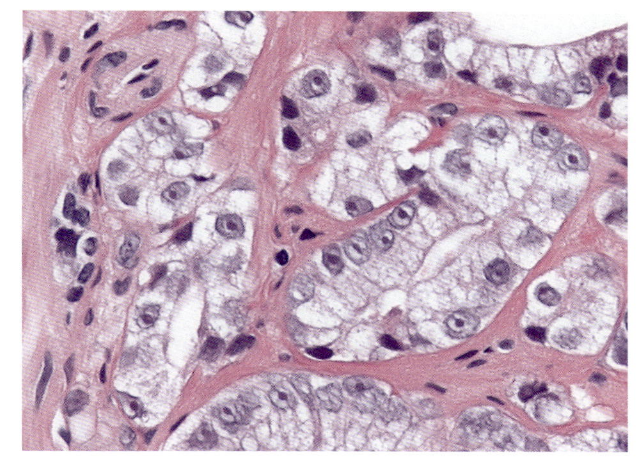

図 60　前立腺癌．大型核小体が明瞭にみられる．強拡大

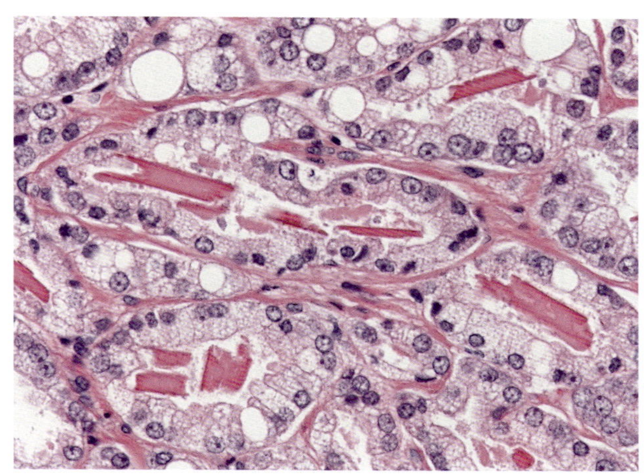

図 61　同前．腺腔内に好酸性で方形のクリスタロイドをみる．強拡大

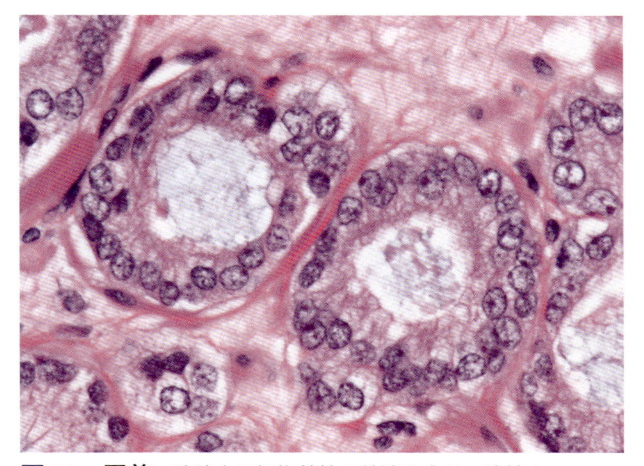

図 62　同前．腺腔内に好塩基性の粘液を含む．強拡大

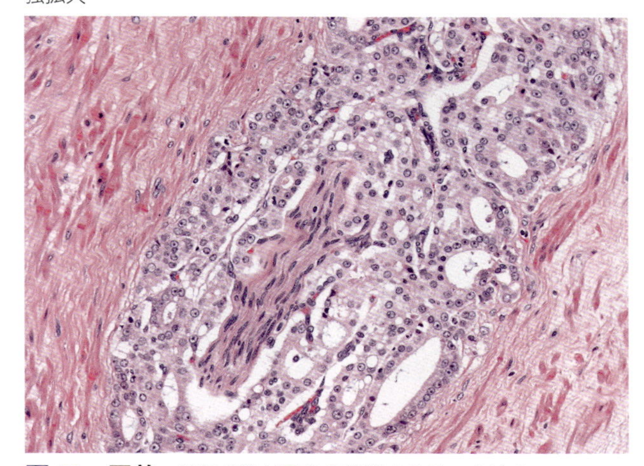

図 63　同前．神経を取り囲む癌組織をみる．中拡大

前立腺に発生する癌の大部分は腺癌である．癌の腺管は分泌上皮細胞のみで構成されており，基底細胞はみられない（概説を参照）．前立腺癌の多くは細胞異型に乏しく，線維芽細胞の増生や浮腫，炎症細胞浸潤といった間質反応を伴わないことが多いため，特に針生検組織の小さな検体では癌と診断することが困難なことがある．いくつかの癌にしかみられない所見，癌にみられる頻度が高い所見を組み合わせて判断することが求められる．

癌の細胞では核小体が腫大していることが多いが（**図 60**），ときに良性疾患でも核小体が腫大するため注意を要する．

前立腺の腺腔に好酸性で方形の結晶構造をみることがある．これはクリスタロイドとよばれ（**図 61**），癌の際にみられやすいが，その存在が必ずしも癌を意味するものではないことに注意しなければならない．腺腔内の好塩基性粘液（**図 62**）もまた癌にみられることが多いが，良性病変においても出現することがあるので，やはり注意を要する．

前立腺癌はしばしば神経周囲腔に浸潤する（**図 63**）．この所見は良性疾患ではみられないものであり，癌に特異的な所見である．前立腺癌の前立腺外への進展は神経周囲腔に沿って広がることが多い．

その他に癌に特異的な所見として膠原性微小結節，腺管の中に篩状に増殖する上皮が突出してみられる糸球体様構造（後述）があげられる．

また，癌を疑うべき所見として両染性細胞質，直線的な腺腔面，核密度の上昇，腺腔内の好酸性無構造物質などがあげられる．

【鑑別診断】　萎縮腺管では基底細胞がまばらになり，標本上では確認されないこともある．基底細胞の欠如だけを根拠に癌と診断してはならず，上記の所見とあわせて総合的に判断する．正常構造ではカウパー腺が癌との鑑別を要することがある．

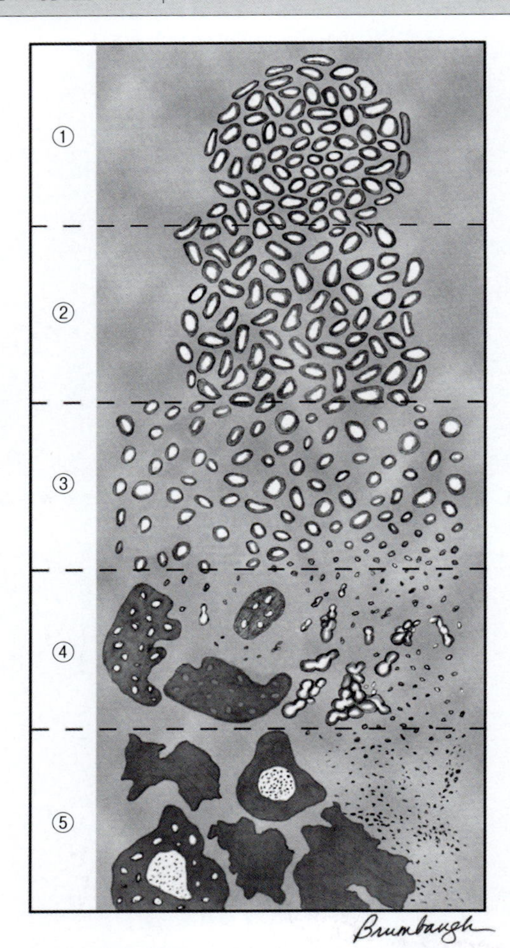

図 64　前立腺癌 Gleason パターンの模式図（Epstein JI. An update of the Gleason grading system. J Urol 2010；183：433 より許可を得て転載）

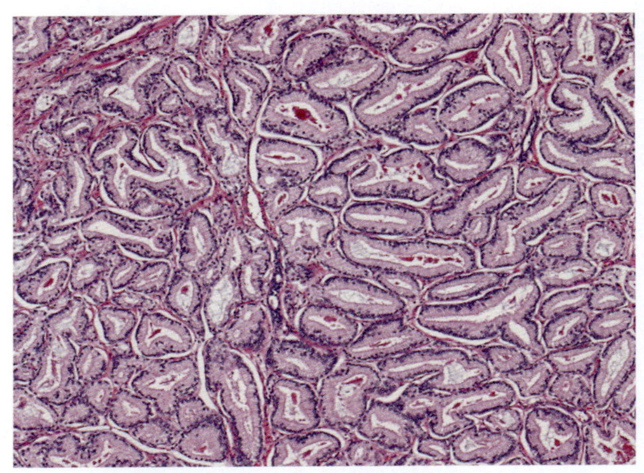

図 65　前立腺癌（Gleason pattern 3）．独立した腺管が密に増殖する．中拡大

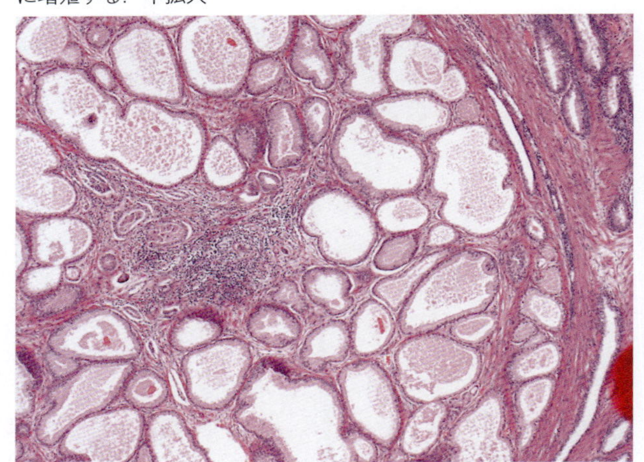

図 66　同前．大型腺管が増殖して境界明瞭な病変を形成する．弱拡大

前立腺癌の異型度分類は Gleason が提唱した，腺管の構造を規準にした分類が用いられ，現在までにオリジナルの分類から若干の改変が加えられている（**図 64**）．この分類では腺管の構造は 5 つのパターンに分けられ，細胞異型は考慮しない．原則として，腫瘍の中で最も広い面積を占めるパターンを第一パターン，次に広い面積を示すパターンを第二パターンとし，その 2 つのパターンの数字を足したものを Gleason score（GS）とする（例：第一パターン 3，第二パターン 4 のときは GS 3＋4）．腫瘍全体が単一のパターンから構成される場合は同じパターンの数字を 2 回足した数字がその腫瘍の Gleason score とする（例：全体がパターン 3 のときは GS 3＋3）．パターンの評価は低倍率（対物レンズ 10 倍程度まで）で行う．腫瘍の構造はホルモン療法などにより変化するため，治療後の前立腺癌に対しては Gleason score をつけない．

Gleason pattern 1，2　このパターンの癌は移行帯にときにみられるが，辺縁帯の組織がおもに採取される針生検組織でみる機会は，ほぼない．

Gleason pattern 3（**図 65，66**）　明瞭な管腔をもつ，それぞれが独立した腺管の密な増殖を特徴とする．腺管の大きさはさまざまである．腺管同士の癒合や篩状構造，充実性増殖はみられない．ときに結節性過形成様の異型に乏しい大型腺管の増殖を示す症例がある．

【鑑別診断】　腺症や萎縮腺管の集簇が Gleason pattern 3 の癌との鑑別を要することがある．前項の前立腺癌に特徴的な所見の有無や免疫組織化学による基底細胞の確認が有効である．

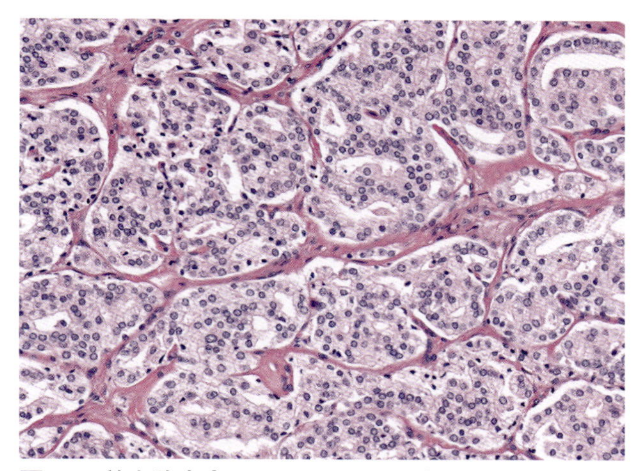

図 67　前立腺癌（Gleason pattern 4）．腺管同士が癒合しつつ増殖する．中拡大

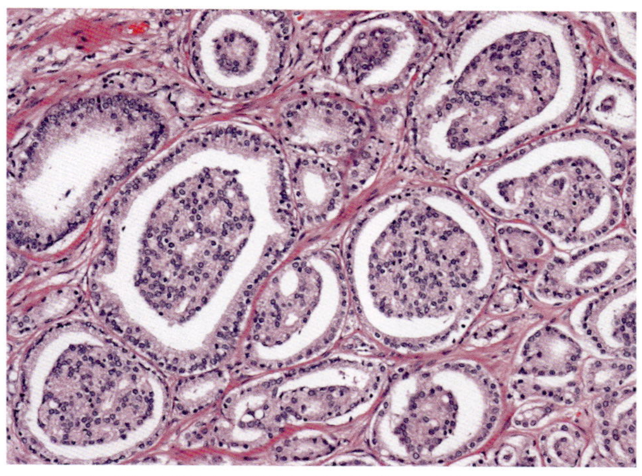

図 68　同前．腺腔内で腫瘍細胞が篩状に増殖して糸球体様構造を呈する．中拡大

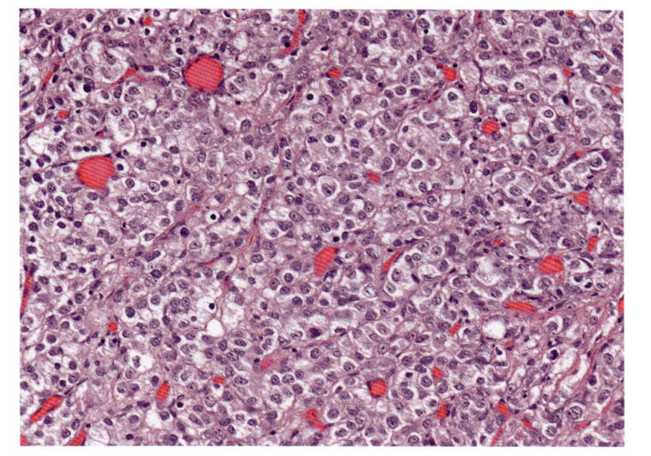

図 69　前立腺癌（Gleason pattern 5）．腺管構造を示さずに腫瘍細胞が増殖している．中拡大

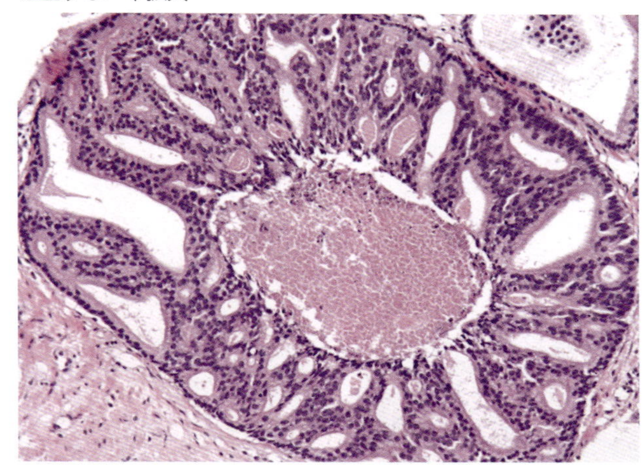

図 70　同前．篩状構造を示す病変の中に面疱壊死をみる．中拡大

Gleason pattern 4（図 67，68）管腔の不明瞭な腺管，腺管どうしの癒合，腺腔内に上皮細胞が増殖して複数の管腔をもつ篩状構造，篩状に増殖する上皮が拡張した腺腔内に突出して増殖する糸球体様構造，明るい細胞質をもつ細胞が充実性に増殖する hypernephroma パターンとよばれる構造が含まれる．

【鑑別診断】 前立腺では中心帯の腺管はときに内部に複数の腺腔を有して篩状構造を呈するが，これは正常所見であり，癌と診断してはならない．また，基底細胞過形成でも篩状構造がみられることがある．癌との鑑別には癌の組織学的特徴（前立腺癌（1）の項参照）の確認および免疫組織化学的に基底細胞の有無を確認することが有効である．

Gleason pattern 5（図 69，70）腫瘍細胞が孤在性または索状に増殖するもの，あるいは充実性に増殖するものが含まれる．また，腺腔内に面疱壊死がみられるものも pattern 5 とする．

［参考事項］ 針生検組織で診断された前立腺癌の Gleason score や血中 PSA の値，臨床病期などから腫瘍が前立腺内に限局している確率，精嚢浸潤やリンパ節転移をきたしている確率を算出するノモグラムが開発されており，治療方針の決定の参考にしている．このなかでは，Gleason score 7 であっても Gleason score 3+4 の症例と Gleason score 4+3 の症例ではリスク評価が異なる．

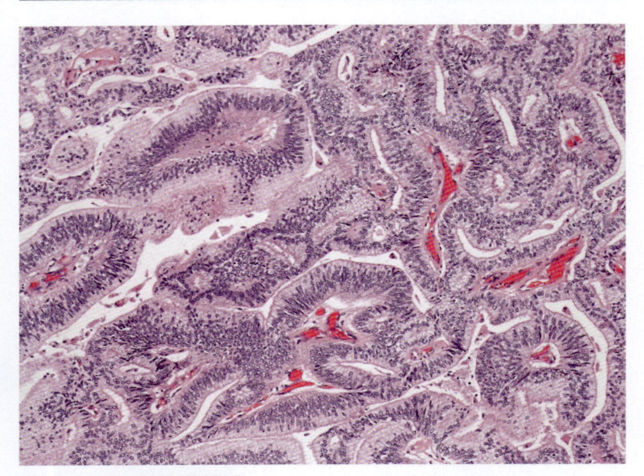

図 71　前立腺導管癌．円柱上皮が乳頭状に増殖している．中拡大

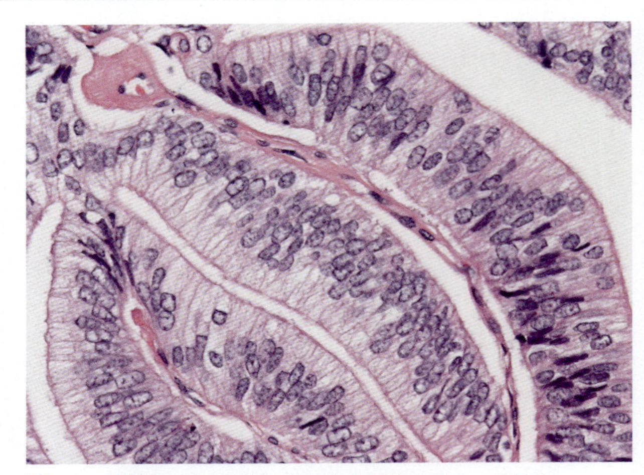

図 72　同前．腫瘍細胞は核の偽重層性を示す．強拡大

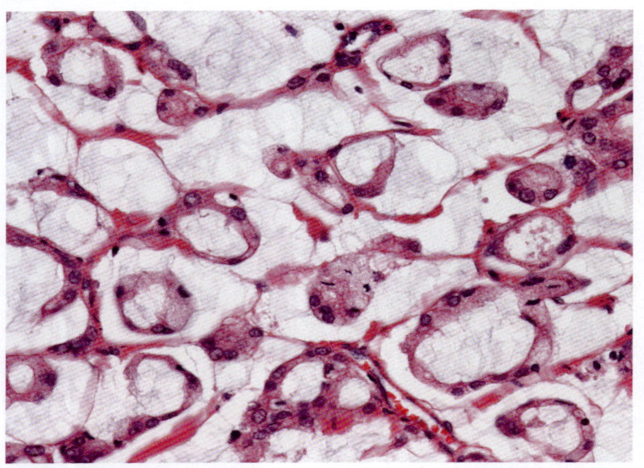

図 73　粘液癌．粘液の中に腫瘍細胞よりなる腺管が浮遊している．中拡大

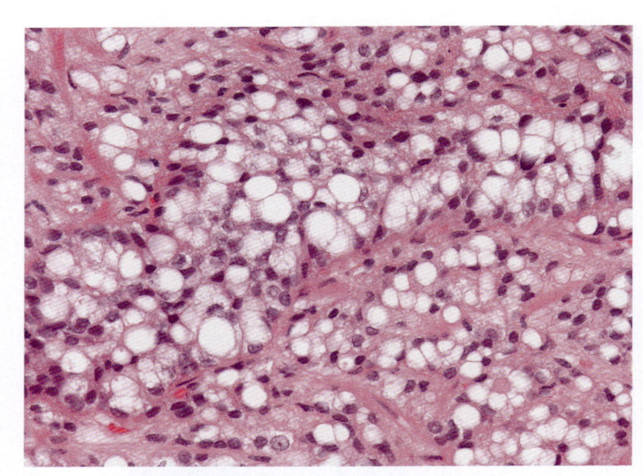

図 74　印環細胞様形態を示す腺癌．腫瘍細胞は細胞質内に空胞をもち，核は偏在する．中拡大

前立腺導管癌 ductal carcinoma（**図 71，72**）　前立腺癌のうち，偽重層性円柱上皮が腺管状，篩状，乳頭状，充実性に増殖するものを前立腺導管癌という．前立腺の辺縁帯に発生することもあり，前立腺特異抗原を発現することから，特殊な形態を示す前立腺癌と考えられている．前立癌のなかで1%程度のまれな腫瘍であり，通常型の腺癌と混在することが多いが，本型の癌が存在する場合は前立腺外に進展する頻度が高い．Gleason pattern 4 と評価するが，充実性増殖や面皰壊死を伴う場合は pattern 5 とする．

粘液癌 mucinous carcinoma（**図 73**）　間質の中に貯留した粘液の中に腫瘍細胞が浮遊するように増殖する癌である．腫瘍細胞は腺管状あるいは篩状にみられることもあるし，腺管を形成せずに小集塊状にみられることもある．Gleason score は腫瘍細胞の配列によって決められる．

印環細胞様形態を示す腺癌 signet ring cell-like carcinoma（**図 74**）　細胞質内に空胞をもち，偏在する核をもつ腫瘍細胞が増殖する腺癌である．胃癌などで細胞質内に粘液を含んで同様の形態を示す細胞が増殖する癌があるが，この型の前立腺癌では空胞内に粘液が証明される症例は少ない．多くの場合，腺管構造が不明瞭なため Gleason pattern は 4 または 5 となるが，ときに腺管を形成する細胞が印環細胞様であることがある．

【鑑別診断】　これらの特殊型の前立腺癌は他臓器原発の腫瘍の転移との鑑別を必要とする．上記の前立腺癌はいずれも PSA 陽性であることが重要な所見である．

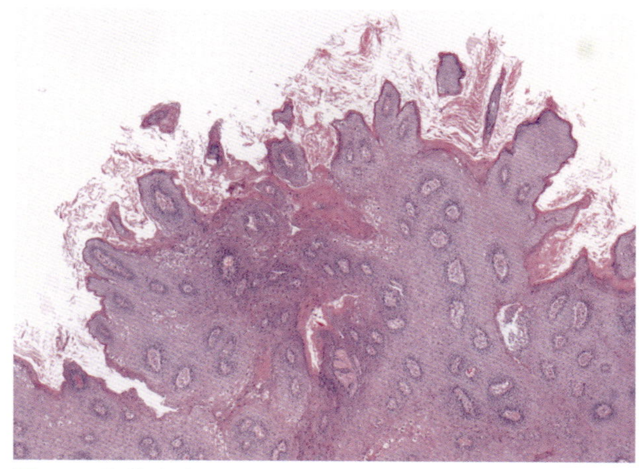

図 75　陰茎尖圭コンジローマ．表皮は乳頭状に増生する．弱拡大

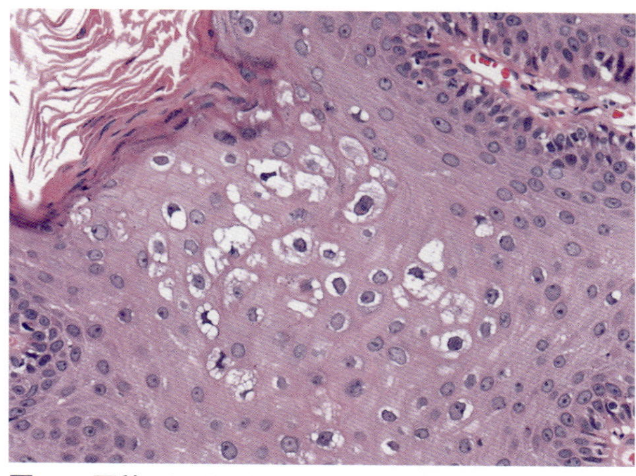

図 76　同前．病変部の細胞の中には核周囲に空胞をもつものがある．強拡大

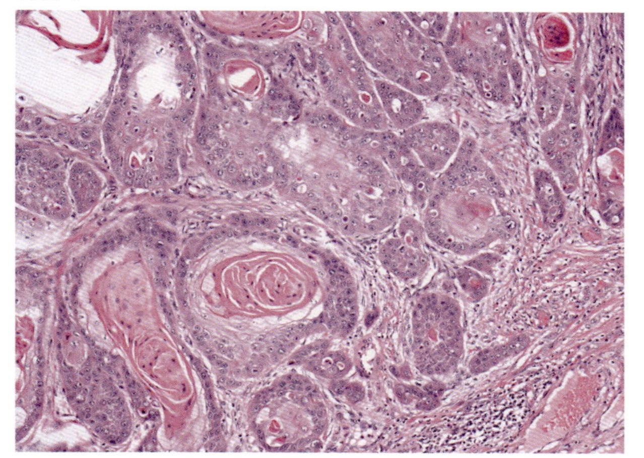

図 77　陰茎扁平上皮癌．角化の目立つ異型重層扁平上皮が浸潤性に増殖する．中拡大

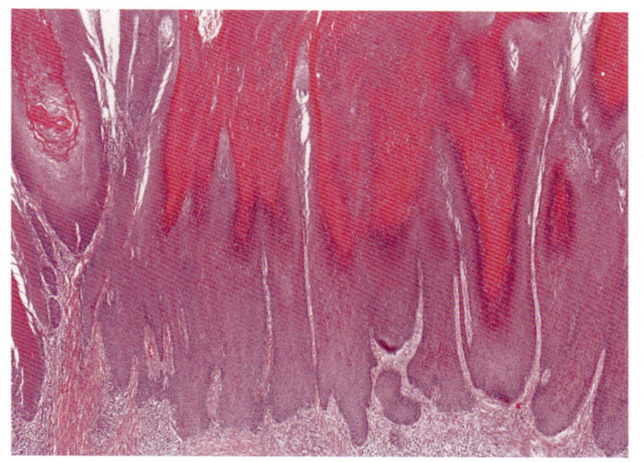

図 78　陰茎疣状癌．異型に乏しい重層扁平上皮が増殖して疣状病変を形成する．深部では圧排性に増殖する．弱拡大

陰茎に発生する腫瘍の多くは上皮性腫瘍で，陰茎の亀頭部あるいは包皮に発生するものが多い．包茎あるいはその他の原因で陰茎の衛生状態が不良であることは陰茎上皮性腫瘍発生の危険因子である．

尖圭コンジローマ condyloma acuminatum（**図 75, 76**）　異型に乏しい重層扁平上皮が細い線維血管性間質を軸として乳頭状に増殖する病変である．過角化を伴い，病変部表皮の浅層では上皮細胞の核周囲の細胞質に空胞が形成される．この所見はコイロサイトーシス koilocytosis とよばれ，本疾患に特徴的な所見である．

陰茎癌 penile cancer（**図 77, 78**）　陰茎に生じる癌のほとんどが扁平上皮癌である．異型重層扁平上皮が乳頭状，浸潤性に増殖し，高分化型の腫瘍では腫瘍細胞の角化が顕著にみられる．腫瘍辺縁部では上皮内に限局して腫瘍細胞が増殖する像がみられる．ときに細胞異型のほとんどみられない重層扁平上皮が巨大な隆起性病変を形成して増殖し，深部で圧排性に浸潤する腫瘍がある．このような腫瘍はかつて巨大コンジローマ giant condyloma とよばれたが，そのような腫瘍の多くは本質的には癌であり，疣状癌 verrucous carcinoma とよぶ．

【鑑別診断】　疣状癌は細胞異型が弱いために，肉眼的に明らかな巨大腫瘍であっても，表面から小さな組織のみが採取された場合には癌の診断にいたらないことがある．

［参考事項］　陰茎癌の約半数が高リスク型のヒト乳頭腫ウイルス human papillomavirus 感染によるものである．

第7章

生殖器系

（2）女性生殖器

概　説

女性生殖器系に起こる多種多様な腫瘍性・非腫瘍性疾患の病理組織像の理解には，特有の解剖学・組織学的環境，および発生に関わる種々の背景に着目することが第一歩となる．

次に，子宮ならば生理的・内分泌学的環境（性ホルモンにコントロールされた周期変動）とヒトパピローマウイルス human papillomavirus（HPV）感染に代表される外的因子の曝露，といった要因がどのように疾患の発生や機序にかかわっているのかを知ることが不可欠である．

一方で，卵巣に目を向けると，新たな腫瘍組織発生論によって，これまでの定義「卵巣表層上皮性腫瘍は閉鎖囊胞を含む卵巣表層上皮に由来する」が大きく揺らぎ始めたことが昨今の話題に取り上げられる．この展開によって，卵巣腫瘍の根本＝真の卵巣腫瘍とは何かを再考する課題が与えられた．すなわち，卵巣近傍にあって生殖のための特殊な機能を持ち合わせていると理解されてきた卵管采に，漿液性腫瘍の発生の key として注目が集まった．しかしながらすべての事例を説明することにはいたらないとの異論もあって，卵巣の組織発生論には未だ課題が残されており，今後の展開に興味が持たれる．

女性生殖器系疾患は「閉経期前後で大きく変動する内分泌環境の影響によってそれらの種類，頻度，質に大きな違いをみる」ことが特徴でもある．いずれの疾患においても，病態と病理組織所見を検討する際は，年齢または閉経に関する情報は不可欠な因子となる．また，女性生殖器系疾患は周囲の後腹膜や大網といった，生殖器外の領域にも発生することが少なくない．それらは secondary müllerian system（近隣の中皮は müllerian epithelium としての潜在性をもつ）を基軸に説明されてきた．さらに，子宮内膜症（以下，内膜症）も種々の婦人科系腫瘍性・非腫瘍性疾患を生む土壌となることは，生殖器系疾患の発生部位が骨盤内にとどまらないことの要因にあげられる．

本項では，外陰・腟，子宮頸部，子宮体部，卵巣，卵管そして胎盤の順に，これらに発生するさまざまな疾患の病理組織所見を解説していく．WHO 分類第 4 版（2014 年）では多くの疾患が名称の変更を受け，新たに加わった疾患がみられる一方で削除となったものもある．定義，概念も修正，見直しが施され，かなりの部分で大きな変化が生まれている．よって，これらの要点を織り交ぜ，新たな話題にも言及していく．なお，WHO 2020 年分類が間もなく発刊される予定であるが，本項で用いる名称は，WHO 2014 年分類に準拠している．

1．外陰 vulva・**腟** vagina

体表と同様に外陰部・腟は重層扁平上皮（以下，扁平上皮）によって覆われており，通常の皮膚にみられるような皮膚疾患も発生する．HPV 感染との関連性からみると外陰・腟扁平上皮系の疾患は，子宮頸部に HPV 感染によって起こる疾患の質や頻度とは大きな違いがある．外陰・腟の上皮ならびに皮下の線維芽細胞を含む間質細胞はエストロゲン受容体 estrogen receptor をもつため，エストロゲン，プロゲステロン progesterone といった性ホルモンの影響を他部位の皮膚と異なって受けやすい．腟では腺癌の発生も認められ，間質からは通常の非上皮性腫瘍に加えて，ミュラー管 müllerian duct からの分化・発生と密接な関係を示す腫瘍も発生する（ゲルトネル管囊腫）．

2．子宮頸部 uterine cervix

外陰・腟に連続して，外子宮口までは同様の扁平上皮で覆

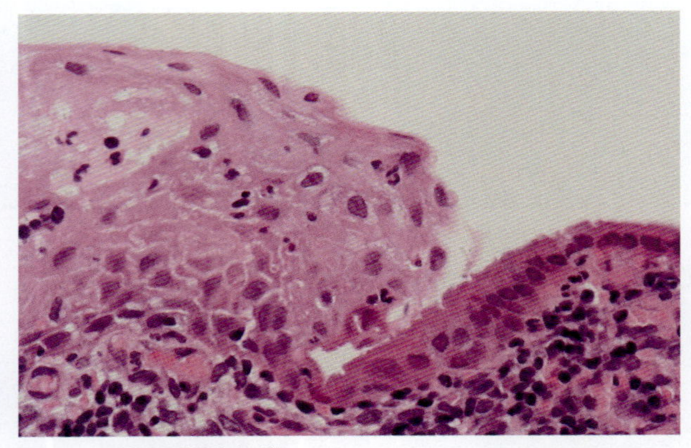

図1 子宮頸部移行帯．化生性変化を示す扁平上皮が円柱上皮と入れ替わる．間質には炎症細胞浸潤がみられる．強拡大

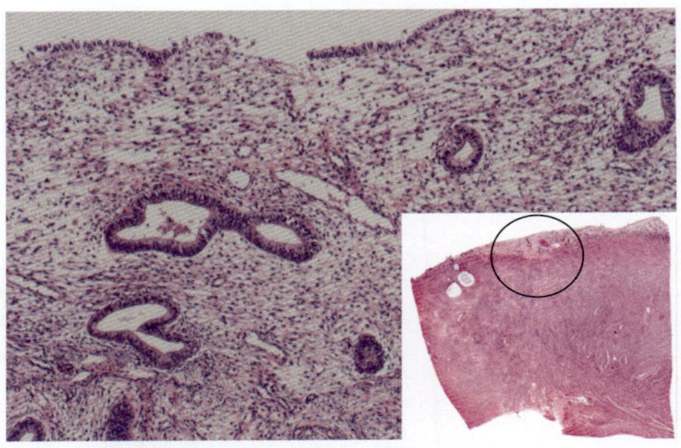

図2 頸管腺と体部内膜の移行帯．腺管は疎に分布し頸管腺あるいは内膜腺のどちらにも属さない形態を示す，一方で，双方の性格をうかがわせる．中拡大．挿入図：ルーペの○で囲んだ部分

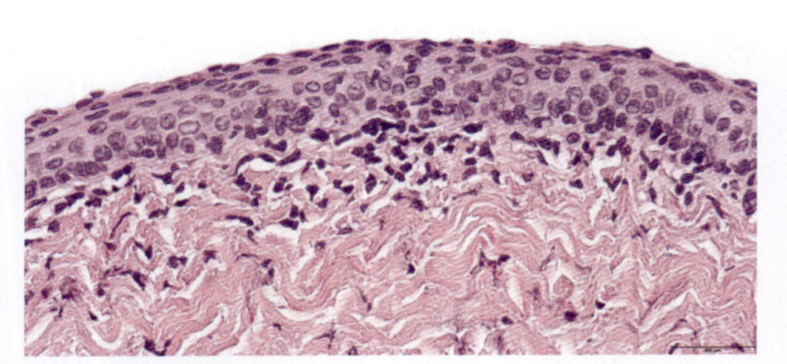

図3 閉経後萎縮．ほぼ均一な細胞からなり，層はそれほど厚くないが，N/C がやや高く核が密に観察される．中拡大

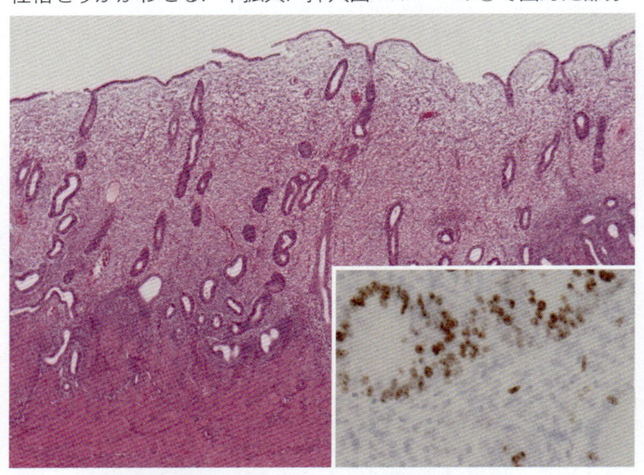

図4 内膜基底層・機能層．小型腺管が直線的に伸びている（基底層と機能層の境で Ki-67 の染色性が変わり，核に陽性を示す細胞が機能層に多数観察される）．弱拡大．挿入図：Ki-67 免疫組織化学

われているが，扁平-円柱上皮移行帯/接合部 squamo-columnartransitional zone/junction（**図1**）を境に円柱上皮と入れ替わり，腺管腺窩が形成されるため表面は凹凸・陥凹をなす．扁平-円柱上皮移行帯は，HPV 感染の critical point/target spot であり，良性・悪性のさまざまな腫瘍ならびに腫瘍類似病変が好発する．加えて，移行帯よりも内方の子宮頸部では頻度はそれほど高くないながら，HPV 感染とは関連のない疾患が起こる．なお，子宮頸管部と子宮体部内膜との間にも両者の折衷的な性格の内膜（広義の移行帯）がみられる（**図2**）．

閉経を境とした卵巣機能の低下は，子宮体部ほどではないが子宮頸部にも疾患の質的・量的変化をもたらす．概して萎縮が目立つが，扁平上皮では細胞質が狭く核/細胞質比（N/C 比）が高くなるために，一見して異形成などの上皮内病変に類似性を示すため鑑別が日常的に問題となる（**図3**）．

3．子宮体部 uterine body

子宮体部内膜 endometrium（以下，内膜）は，腺管上皮細胞と固有の間質細胞からなり，粘膜下組織を欠いて直接子宮筋層に接している．内膜の筋層側は基底層 zonabasalis とよばれ，月経周期による変化はほとんど認められず，基底層の上側にある機能層 zonafunctionalis が性成熟期・生殖年齢に増殖と剥離を繰り返す（**図4**）．内膜表面は，単層の上皮細胞で覆われ，これに連続する腺管部では月経周期の段階ごとに特徴的な形態を示し，間質の変化もこれに連動している．

月経周期の終了とともに増殖期 proliferative phase・卵胞期 follicular phase が開始され，月経時に機能層内膜が脱落した後に表層上皮細胞が間質とともに再生してくる．すなわち，腺管上皮細胞ならびに間質細胞はエストロゲン作用 estrogenism によって細胞分裂増殖を繰り返し，内膜が厚みを増してくる．増殖期の細胞分裂動態はきわめて活発で，Ki-67 の発現率において子宮内膜増殖症（以下，増殖症）や子宮内

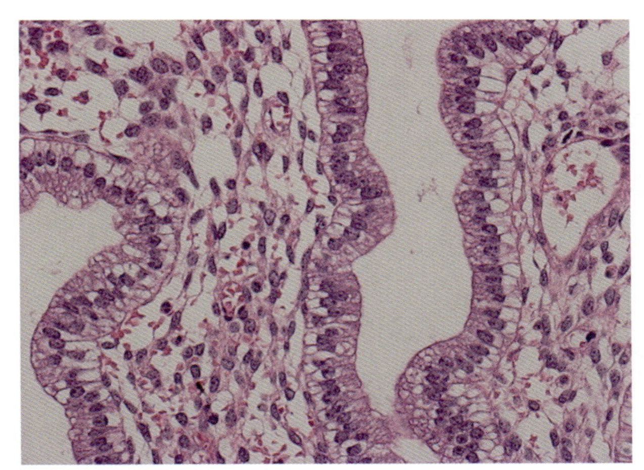

図5　排卵後3日．腺管上皮細胞で核下空胞が整然と均一に観察される．強拡大

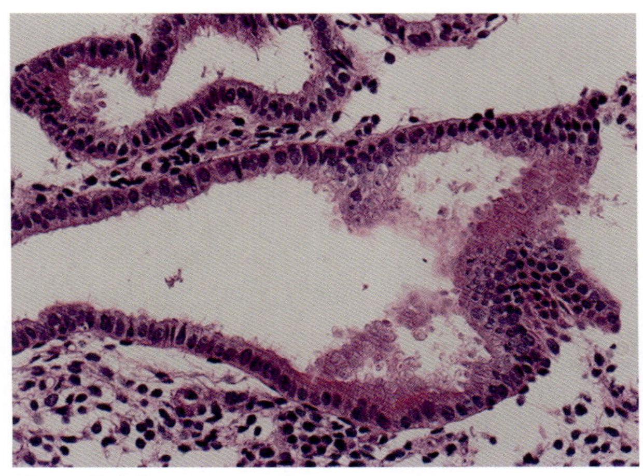

図6　排卵後6日．腺管腔内に分泌物がみられる（断頭分泌）．強拡大

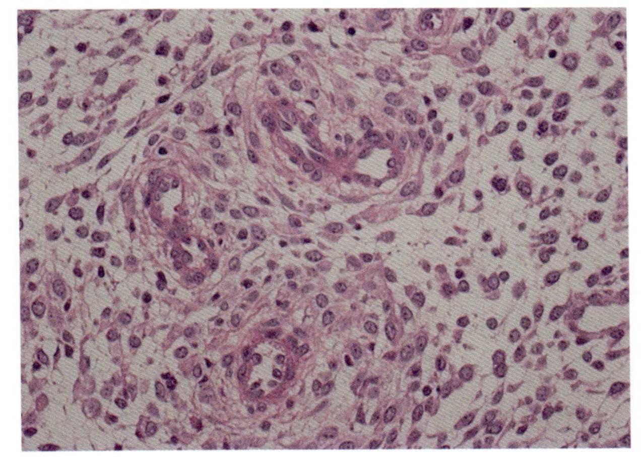

図7　排卵後9日．間質では螺旋動脈が目立ってきており，間質細胞がそれらを取り巻くように配列している．強拡大

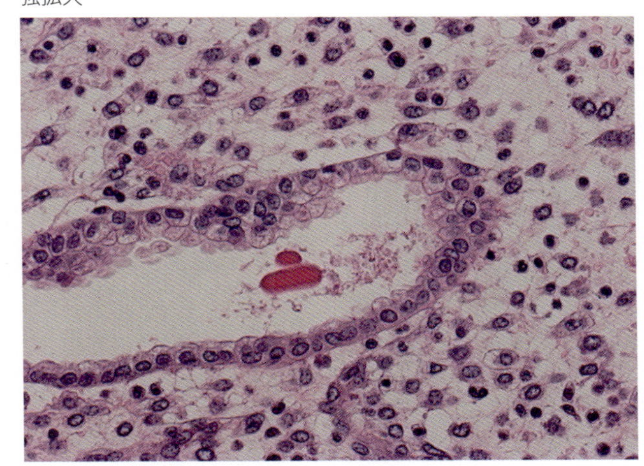

図8　排卵後12日．腺管細胞はほぼ1列に並び，間質は浮腫性で前脱落膜反応を示す．強拡大

膜癌（以下，内膜癌）をも上回ることがある．　下垂体前葉からの黄体刺激ホルモンluteinizing hormoneが分泌されることで卵胞から排卵が誘発され，増殖期から分泌期secretory phase，黄体期luteal phaseへと移行する．分泌期では，黄体で産生されるプロゲステロンprogesteroneの作用が優意となって内膜は多彩な形態変化を示す．排卵後3日で内膜腺管上皮細胞にはグリコーゲンの蓄積による明瞭な核下空胞が出現してくる（**図5**）．その後，空胞は内腔側へと移動するため，核の位置が不規則に観察される．

次に内膜腺管は蛇行を始めて，腺管上皮細胞はより丈が高くなり，内腔には分泌物も多く認められるようになる．間質の浮腫も顕著となる（**図6**）．この時期には内膜腺管ではほとんど細胞増殖は認められない．排卵後8〜9日になると，小血管が螺旋構造を呈して複雑に配列し，腺管上皮細胞は鋸歯状になってくる（**図7**）．排卵後9〜10日を過ぎる頃から内膜腺管を中心に血管周囲から間質細胞が腫大化し，妊娠のときにみられるように脱落膜に類似の変化（前脱落膜反応）を示す（**図8**）．やがて内膜は月経の発来とともに機能層全体が脱落していく．

増殖期の期間は個人差があるとされるが，分泌期はほぼ一定の14日で規則的な形態変化・特徴を示すため，いわゆる日付診はこの時期が適切とされる．エストロゲン作用によって腺管の増殖が持続性に生じ，血管を含む間質増生が追いつかず，estrogen breakthrough bleeding（破綻出血）とよばれる無排卵性出血を呈してくる．また，増殖期に卵巣から分泌されるエストロゲンestrogenの量が不足してくると腺管の発達が十分に行われず，estrogen withdrawal bleeding（消退出血）を起こしてくる（**図9**）．分泌期に卵巣の黄体からのプロゲステロンの分泌が十分ではない場合は黄体機能不全として不正性器出血が現れる．内膜に起こる疾患はエストロゲン作用を機序とするものが多い．

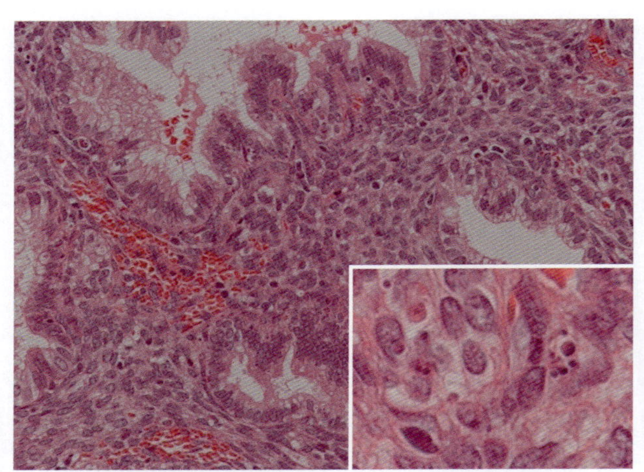

図9　機能性出血．卵胞期から黄体期への移行が途絶され内膜にはアポトーシスの亢進がみられる．中拡大．挿入図：一部拡大

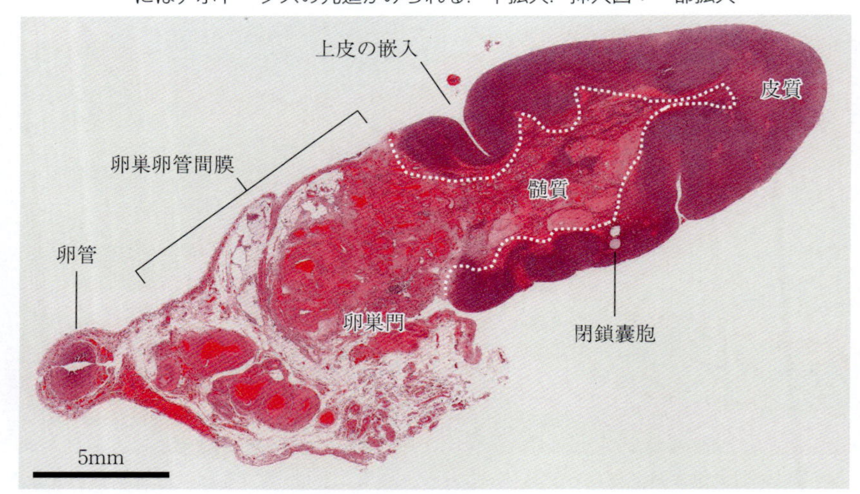

図10　卵巣ルーペ．卵管と卵巣の間には間膜とよばれる支持組織/結合組織があり血管が走行している．卵巣では皮質は密に観察され，その内側に髄質がある．表層上皮が陥入/湾入しており，排卵の跡がうかがわれる．一部では小さな閉鎖嚢胞/管腔が形成されている

4．卵　巣 ovary

内分泌臓器である卵巣も月経周期，および年齢によって形態的な変化を示す．卵巣表面は単層の体腔上皮 surface epithelium である漿液性細胞，中皮細胞で覆われている．上皮下は精巣の白膜に相当する非常に薄い線維層に連続して卵巣皮質 cortex が認められる（**図10**）．

卵巣皮質は短紡錘形細胞の密な増生からなり，その中には発育，退縮の種々の段階にある多くの卵胞 ovarian follicle がみられる．原始卵胞 primary follicle から，二次卵胞 secondary follicle，主席卵胞 dominant follicle，閉鎖卵胞 atretic follicle，白体 corpus albicans などが観察される．卵巣皮質は高年齢になってくると好酸性もしくは淡明な細胞質を有する黄体化間質細胞 luteinized stromal cell が出現し，男性ホルモンであるアンドロゲン androgen を産生分泌することがある．

卵胞は外莢膜細胞 theca externa cell，内莢膜細胞 theca interna cells，顆粒膜細胞 granulosa cell で構成される．これらは性索間質細胞 sex cord-stromal cell とよばれ，卵胞を保護して成熟させる役割を演じている．卵胞の中心にある卵細胞（人体の細胞のなかで最大）の周囲には，内側に顆粒膜細胞が外側に莢膜細胞がある．内莢膜細胞でコレステロールから合成されたアンドロゲンは顆粒膜細胞に移行し，そこでアロマターゼ aromatase によってエストロゲンに転換される（**図11**）．

卵胞期に発達・成熟して排卵するものは1つの卵胞であり

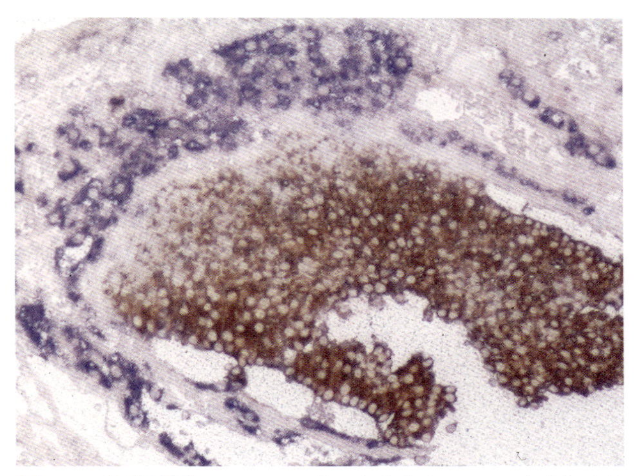

図 11　主席卵胞．アンドロゲンを産生する17α水酸化酵素（青色）とアンドロゲンをエストロゲンに転換するアロマターゼ（茶色）の２重免疫組織化学．強拡大
（笹野公伸．女性生殖器．赤木忠厚監修．カラーアトラス病理組織の見方と鑑別診断，第５版．医歯薬出版，2017，p. 290 より転載）

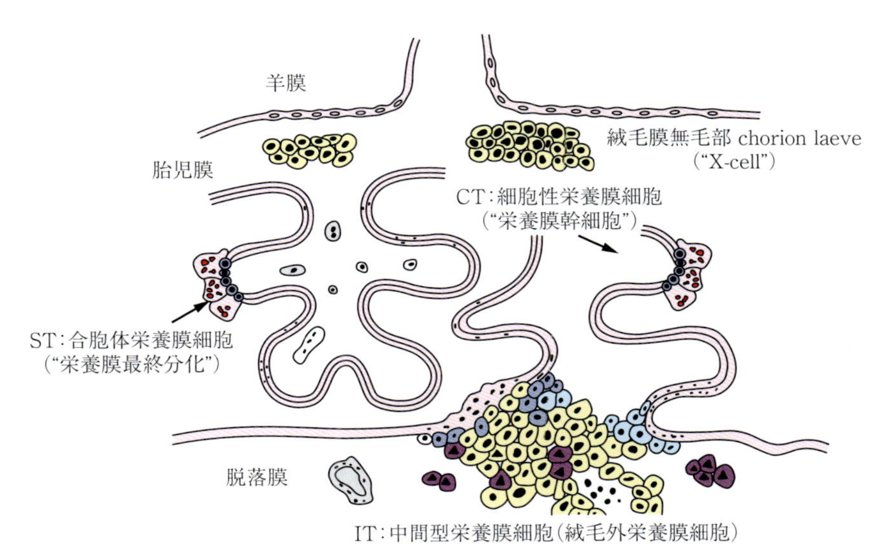

図 12　栄養膜細胞の分化．幹細胞に相当する「細胞性」，内分泌機能をもつ「合胞体」，および絨毛外にあって子宮内膜にアンカーを形成する「中間型」がある

主席卵胞とよばれ，やがて黄体へと変化する．エストロゲン合成に必要なアロマターゼと，受容体は排卵する卵胞のみで発現してくる．卵巣皮質の内部には境界が不明瞭であるが卵巣髄質 medulla が存在し，比較的疎な結合組織とともに多くの血管が認められる．この血管の間，特に卵巣門部には好酸性の細胞質をもつステロイド産生細胞が認められ，おもにアンドロゲンがつくられ，門細胞 hilar cell とよばれている．

排卵によって卵巣表面に切れ込みが生じるため深い入り江のような構造が形成され，その一部は閉鎖嚢胞といわれる表面との交通を失った空間となる．かつてはこれらの表層細胞が卵巣腫瘍の大半を占める表層上皮性腫瘍の由来（発生母地）と考えられてきた．

卵巣腫瘍は上皮性腫瘍 epithelial tumor，性索間質腫瘍 sex cord-stromal tumor，胚細胞腫 germ cell tumor などに分類されるが，多種多様な卵巣腫瘍の根本は，生殖器としての解剖学的・生理学的固有性に依存している．また，卵巣・精巣が一つの原器から発生・分化することにさかのぼれば，両者に起こる腫瘍の共通性を理解することは難しくない．たとえばセルトリ細胞 Sertoli cell やライディッヒ細胞 Leydig cell は生殖器が成熟した段階では精巣にしか存在しないにもかかわらず，セルトリ-ライディッヒ細胞腫瘍 Sertoli-Leydig cell tumor は精巣よりもむしろ卵巣で経験される．

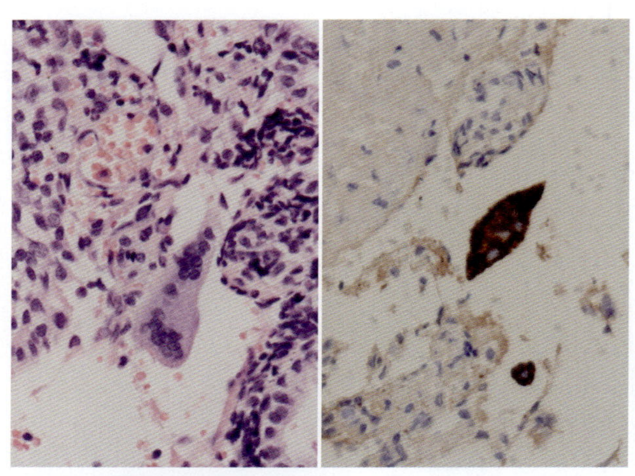

図13　合胞体栄養膜細胞．断片状にみえる合胞体栄養膜細胞は多数の小型核をもつ（右：hCGを産生していることがわかる）．強拡大．右：hCG免疫組織化学

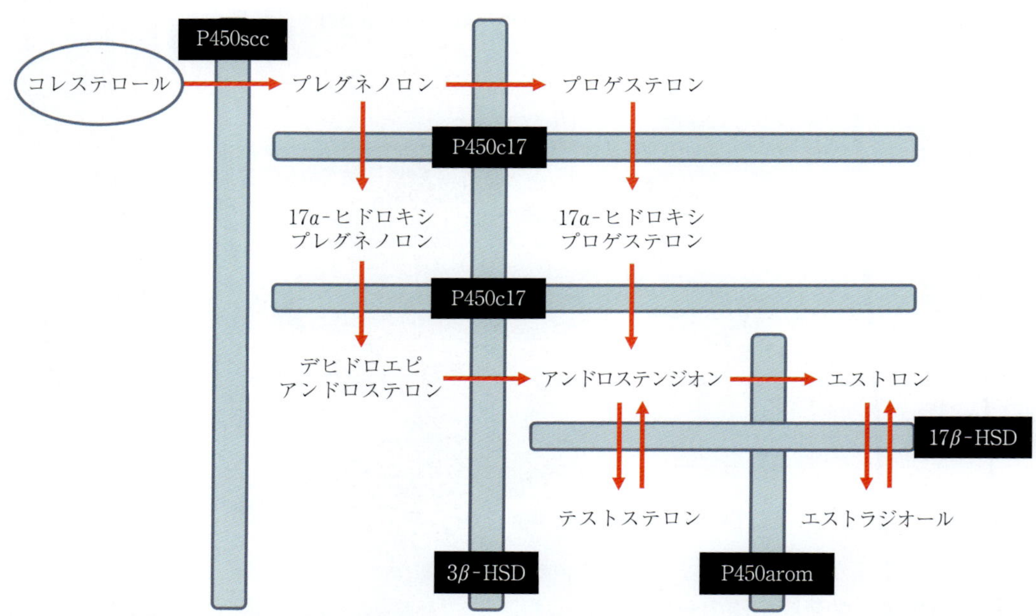

図14　ステロイドホルモン合成系．コレステロールを原料にプロゲステロンからテストステロン，エストロゲン（エストラジオール）へと合成が進む

5. 胎盤 placenta，妊娠関連病変 pregnancy-associated lesion

受精直後から胎児が成長を遂げて分娩を終えるまで，胎盤は胎児・母体間に介在してさまざまな機能を発揮するが，その1つに内分泌器官としての役割がある．

胎盤絨毛 chorionic villi の主たる構成成分である栄養膜 trophoblast は，細胞表面に多くの微絨毛を有する多核の合胞性栄養膜細胞 syncytiotrophoblast（ST）と，その内側にあって単核で敷石状を呈する細胞性栄養膜細胞 cytotrophoblast（CT）からなる（**図12**）．ST ではヒト絨毛性ゴナドトロピン human chorionic gonadotropin（hCG）（**図13**）や，ヒト胎盤性ラクトーゲン human placental lactogen（hPL）がつくられているが，CT には内分泌細胞としての性格はない．一方で増殖能は CT にのみ備わっている．

生物学的活性の高いエストラジオール estradiol はこの絨毛の合胞性栄養膜細胞でおもにアロマターゼⅠ型と 17β-hydroxysteroid dehydrogenase により産生されている（**図14**）．このエストラジオールは絨毛内の毛細血管の内皮細胞で生物学的活性の低いエストロン estrone 2型へと分解され，胎児に悪影響が出ないように制御されている．絨毛外に存在

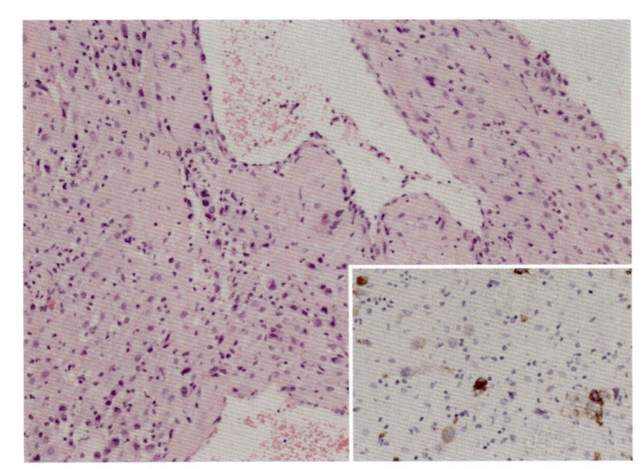

図 15　脱落膜内に入り込んだ中間型栄養膜細胞．中間型栄養膜細胞は散在性に脱落膜内に侵入している（栄養膜細胞が hPL で標識される）．中拡大．挿入図：hPL 免疫組織化学

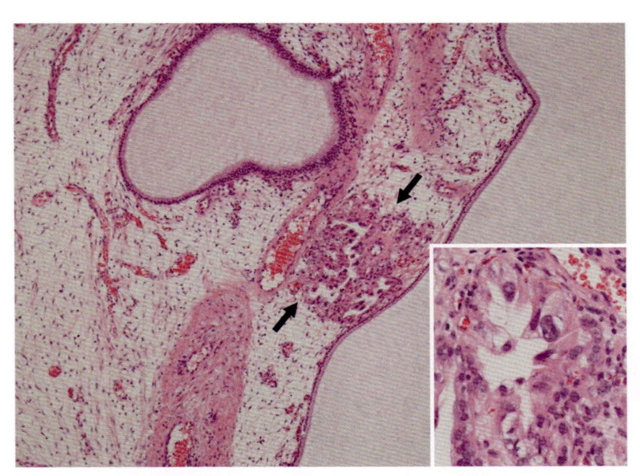

図 16　子宮頸管ポリープのアリアス・ステラ反応．複雑な腺管構造（⬆）が形成されている（大型の異型核と広い好酸性細胞質をもつ細胞は，一見，悪性腫瘍を思わせる）．中拡大．挿入図：一部の拡大

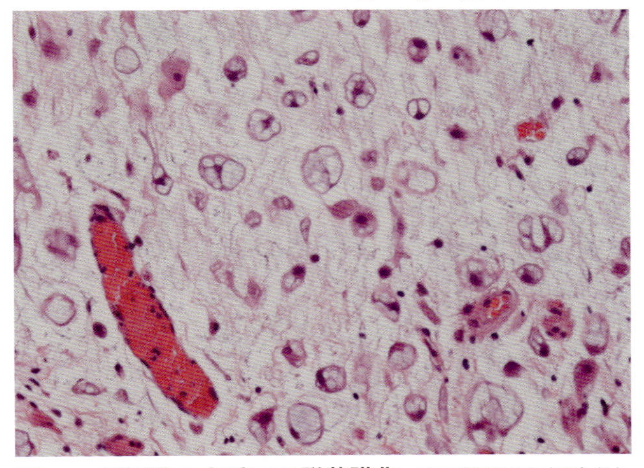

図 17　妊娠時の虫垂での脱落膜化．帝王切開時に切除された虫垂の漿膜下に，大型の多辺形核と淡明で広い細胞質をもつ脱落膜細胞がみられる．強拡大

する栄養膜細胞はおもに中間型栄養膜細胞 intermediate trophoblast（IT）で構成され，脱落膜や子宮筋層にも入り込んでいく．CT は通常 ST へと分化するが，IT がその中間段階とは考えられていない．hPL は IT のマーカーでもある（**図 15**）．胎盤絨毛あるいは栄養膜細胞から腫瘍性・非腫瘍性病変も起こるがかなりまれで，日常的には胞状奇胎が経験されることが最も多い．

妊娠の成立とともに内膜腺は増殖・迂曲し，核が腫大化して癌を思わせる細胞異型を呈してくる．この形態像は最初に記載した病理学者 Arias-Stella に因んで，アリアス・ステラ反応 Arias-Stella reaction とよばれている（**図 16**）．子宮内膜掻爬検体で胎盤絨毛が確認されず，アリアス・ステラ反応あるいは脱落膜のみが認められる場合は，卵管などでの異所性妊娠を考慮する必要がある．

脱落膜化は女性生殖臓器以外でも起こるが，子宮でみられる形態とは異なることがあるため，腫瘍との鑑別に留意する必要がある（**図 17**）．

尖圭コンジローマ，腟上皮内腫瘍，パジェット病および平滑筋腫 | Condyloma acuminatum, Vaginal intraepithelial neoplasia, Paget disease and Leiomyoma

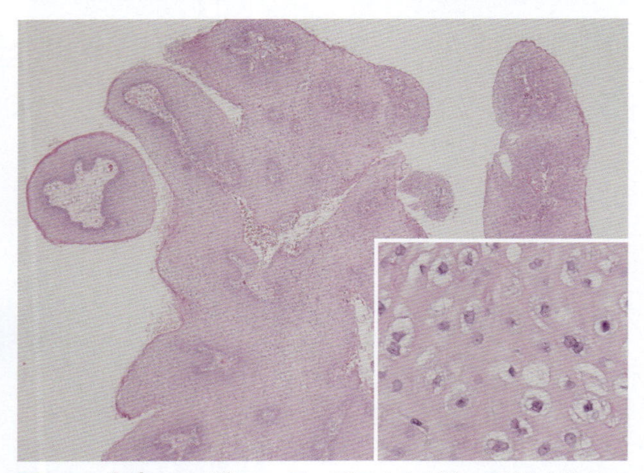

図 18　尖圭コンジローマ．扁平上皮が狭い間質/血管軸を伴って乳頭状に増生している（上皮はコイロサイトーシスを特徴としている）．弱拡大．挿入図：一部の拡大

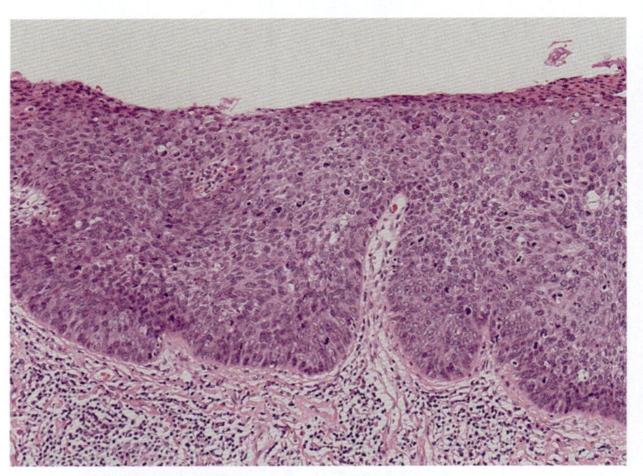

図 19　腟上皮内腫瘍 VaIN3（vaginal intraepithelial neoplasia 3）．異型細胞が密に上皮全層を置き換えて増殖している．基底膜は滑らかで間質浸潤は認めない．中拡大

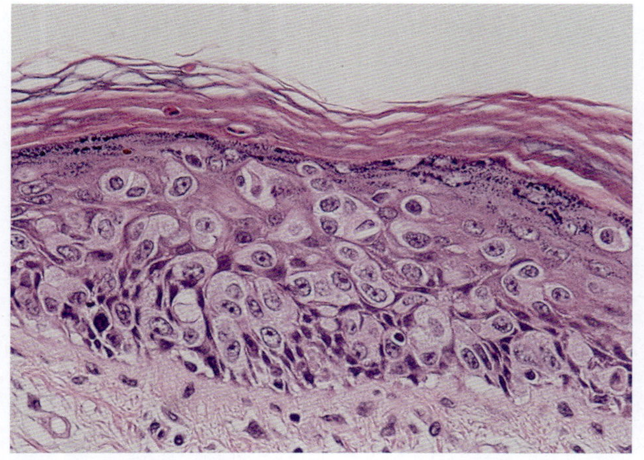

図 20　パジェット病．大型核と淡明で広い細胞質をもつ腫瘍細胞が，扁平上皮内で緩く結合し，あるいは孤在性に増殖している．真皮への浸潤は認めない．強拡大

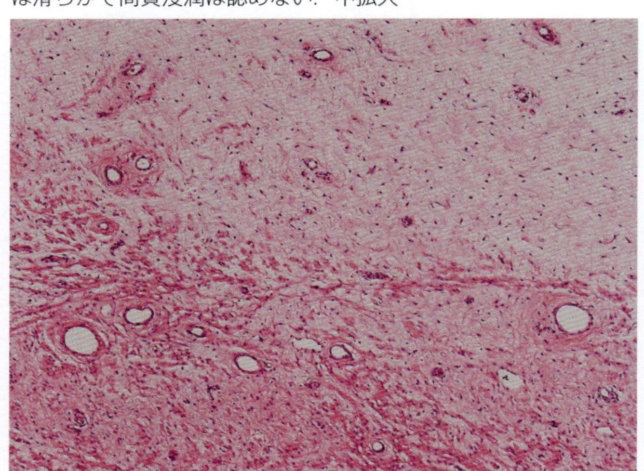

図 21　水腫状変性を伴う平滑筋腫．異型の弱い平滑筋細胞が増生しているが，水腫性/浮腫性あるいは粘液腫様を呈する領域では細胞密度は低い．中拡大

尖圭コンジローマは外向性の乳頭状増殖によって特徴づけられ，外陰部に好発する（**図 18**）．子宮頸部ではまれな病変である．尖圭コンジローマは HPV 6型や11型などの low-risk 型によって生じ，扁平上皮癌に進展することは基本的にはない．

腟上皮内腫瘍（VaIN）は後述の子宮頸部の扁平上皮内病変と同質の疾患概念であり，組織発生には HPV 感染が深くかかわっている．VaIN1 は頸部上皮内腫瘍の軽度異形成（CIN1），VaIN2 は中等度異形成（CIN2），VaIN3 は高度異形成/上皮内癌（CIN3）にそれぞれ相当し，診断基準も共通している（**図 19**）．ただし，コイロサイトーシスは子宮頸部ほどに起こらないため，CIN1（LSIL，後述）のようには VaIN1 の診断基準には含まれない．

パジェット病は大陰唇を中心に会陰部にかけて，多くは高齢者に発生し，乳房外パジェット病 extramammary Paget disease のなかで最も頻度が高い．パジェット細胞は腺上皮細胞の性格を有し，表皮内で個在性に，または集簇をなして表皮基底層や傍基底層付近で増殖するが（**図 20**），病変の進行に伴って表皮上層へと，また付属器に沿っても進展する．さらに進行すれば真皮以下への浸潤を示すことがある．PAS-Alcian blue 染色に陽性を示す明るく広い細胞質と著明な核小体をもつ円形核を特徴とする．通常，核分裂はあまり目立たない．外陰原発の腺癌が，パジェット病のように表皮内を進展する，いわゆる Pagetoid extension を示すことがある．また皮膚付属器から発生する腺癌が上皮内で増殖する場合もパジェット病とよぶこともある．パジェット病はアポクリン腺が多い腋窩，乳腺，外陰などに比較的多く認められる．鑑別疾患には扁平上皮内腫瘍や悪性黒色腫があがる．

平滑筋腫は比較的若い年齢層に経験され，種々の程度に水腫状変性を伴う（**図 21**），あるいは粘液腫様を呈するものがあり，特に妊娠時にみつかった平滑筋腫で経験される．

扁平上皮化生，微小腺管過形成および子宮頸部ポリープ｜Squamous metaplasia，Microglandular hyperplasia and Cervical polyp

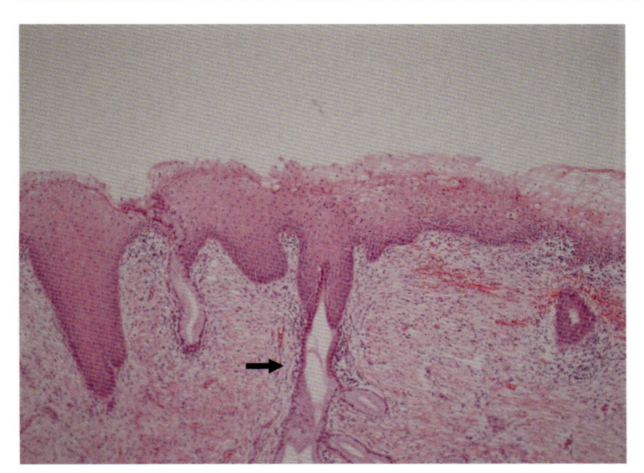

図 22　子宮頸部における扁平上皮化生．本来は円柱上皮で覆われている領域が異型の弱い化生性扁平上皮で置換され，腺管/腺窩の一部（⬆）にも及んでいる．中拡大

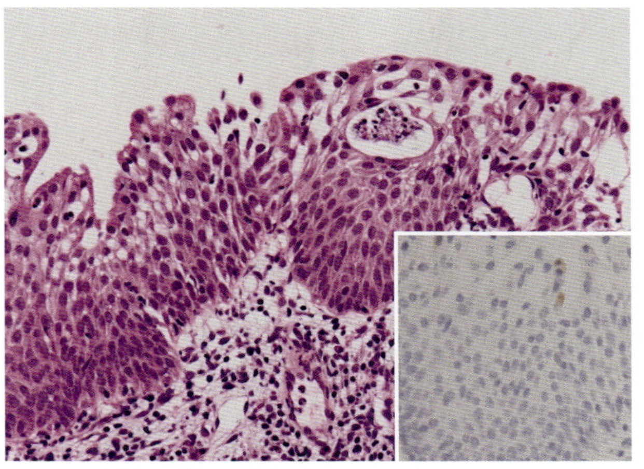

図 23　未熟な扁平上皮化生．成熟した扁平上皮に比べてN/C比が高いが，極性の乱れはほとんどみられない（p16の陽性像は認めずHPVの感染は明らかでない）．強拡大．挿入図：p16免疫組織化学

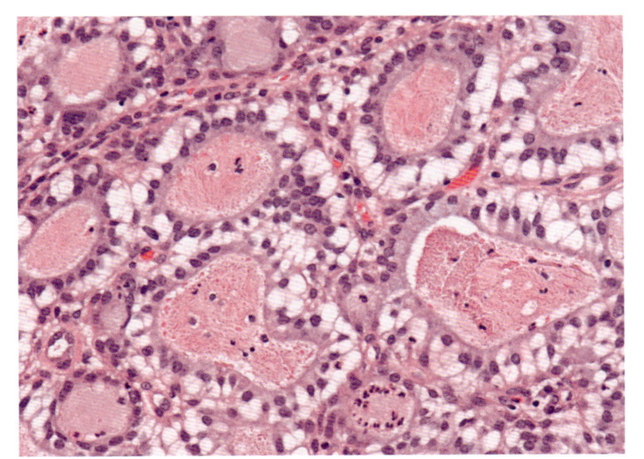

図 24　微小腺管過形成．予備細胞の増生を伴って，癒合状に腺管が密に形成されているが，腺管上皮の二相性は保たれている．中拡大

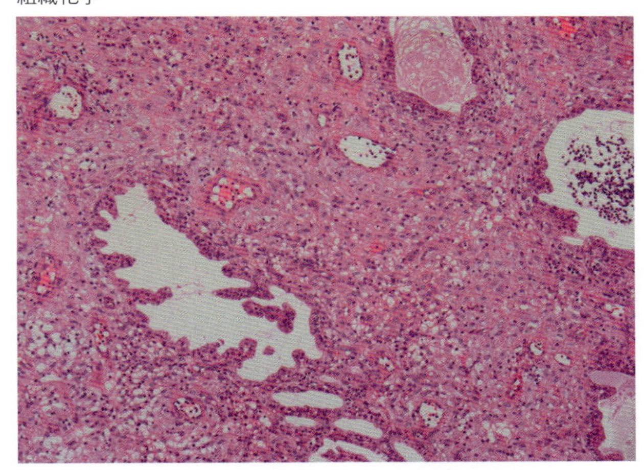

図 25　妊娠時の子宮頸管ポリープの脱落膜化．腺管上皮細胞は鋸歯状/乳頭状に増生し，背景の間質では脱落膜反応がみられる．中拡大

扁平上皮化生は子宮頸部の扁平−円柱上皮移行帯/接合部付近に好発する．外的刺激によって惹起される生理的変化で，炎症細胞浸潤を伴う．化生性変化は円柱上皮を置き換えて，表層および腺窩へと広がる（**図 22**）．扁平上皮化生において，分化/成熟度の高いものは細胞質が広く好酸性で配列に乱れはないが，未熟な段階では，後述の扁平上皮内病変（SIL）/頸部上皮内腫瘍（CIN）との鑑別に留意する必要がある．通常，未熟化生では細胞異型がみられるが，極性の乱れはあっても弱い．最表層に粘液産生細胞が残存していることが多い．ただし，SIL/CINでも粘液産生細胞が部分的に被覆していることがあるため，粘液産生細胞の存在がSIL/CINを除外することにはならない．未熟な化生細胞は増殖能が高くないことや，HPV感染との関連が低いためにp16がSIL/CINのような陽性態度を示さない（**図 23**）．

微小腺管過形成は腺系/円柱上皮細胞の腫瘍様病変として日常的に経験される．腺上皮細胞が予備細胞増生を伴って小さな腺管が密に癒合状にみられる．背景に炎症細胞浸潤を伴う（**図 24**）．腺癌などの腫瘍性病変との鑑別は免疫組織化学的にCK7やp63などを用いて二相性（予備細胞/基底細胞の存在）を証明することが有効である．

子宮頸部ポリープは妊娠時に脱落膜化が部分的に，あるいは全体に観察される（**図 25**）．この際，上皮細胞は多くが分泌期様を呈し，アリアス・ステラ反応は内膜ほどには顕著には起こらない．判断に迷う場合は妊娠歴や月経歴の確認が必須であるが，妊娠歴がないとすれば外因性ホルモンの影響も考慮する．

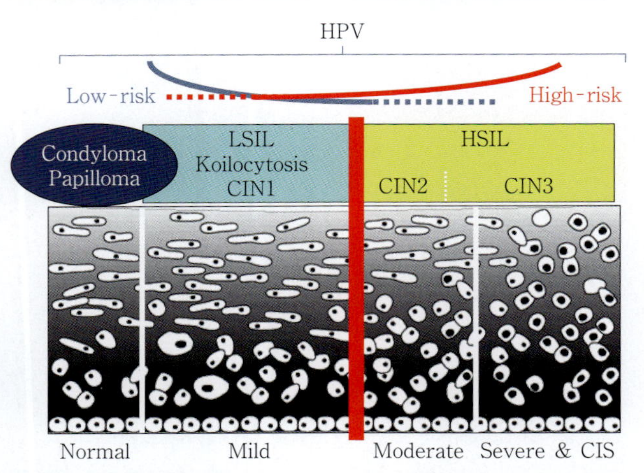

図 26　SIL/CIN/dysplasia と HPV 感染．HPV の持続感染（特に high-risk 型）は LSIL から HSIL への進展にかかわっている．low-risk HPV が感染しているコンジローマが悪性化することはない

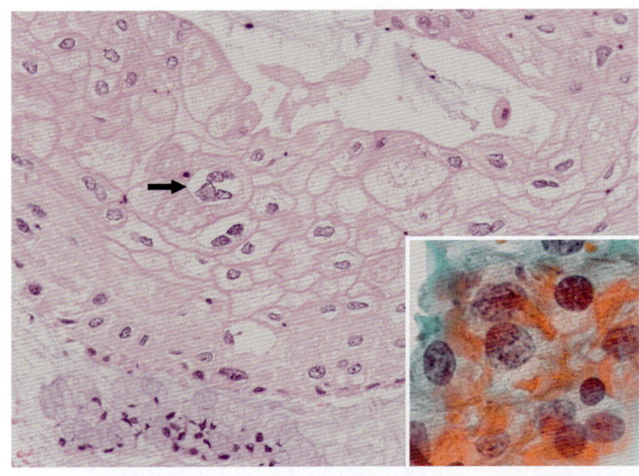

図 27　LSIL/CIN1（コイロサイトーシス・軽度異形成）．核は腫大し，多核化（⬆）もみられる（HPV の感染によって細胞質は明るく抜けてみえる）．強拡大．挿入図：細胞像，パパニコロウ染色

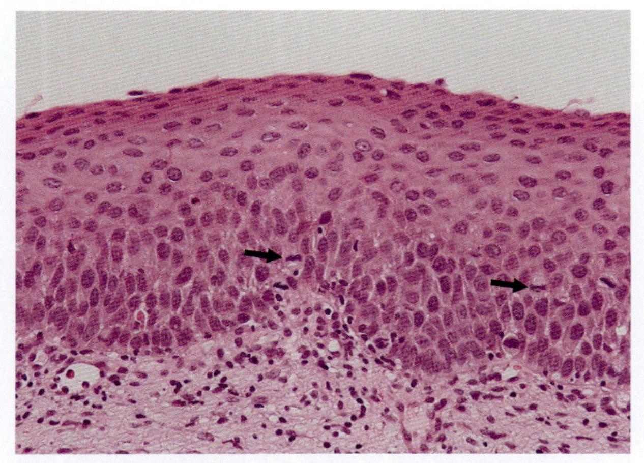

図 28　HSIL/CIN2（中等度異形成）．異型細胞は下層 1/3 から中層付近まで密に増殖し，核分裂（⬆）が散見される．上層付近は核の異型が弱く，細胞密度は低い．強拡大

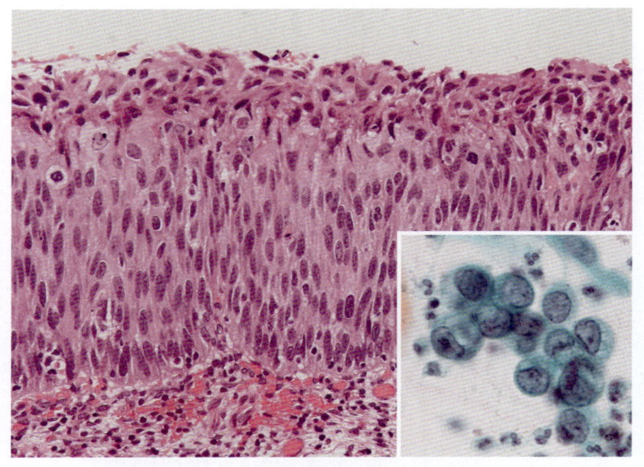

図 29　HSIL/CIN3（高度異形成）．異型細胞が上層 1/3 まで及んでいる．強拡大．挿入図：細胞像，パパニコロウ染色（基底細胞または傍基底細胞に類似した腫瘍細胞は N/C 比が高い）

扁平上皮内病変（SIL）/頸部上皮内腫瘍（CIN）は子宮頸部で起こる最も頻度の高い前駆病変である．細胞診ベセスダ分類 Bethesda classification の普及によって，当初，細胞診用語であった SIL（low-grade SIL：LSIL と high-grade SIL：HSIL に分けられる）が組織診断用語としても確立されつつある（**図 26**）．この分類によっても，SIL の本質や概念には大きな変化は生まれていないが，臨床現場での管理・治療方針が変わりつつある．HPV 感染によってもたらされる形態異常として，扁平上皮細胞は核周囲の淡明化 perinuclear halo と，核の濃縮・腫大・異型を示すコイロサイトーシス koilocytosis が特異的にみられる（**図 27**）．WHO 2014 年分類では，LSIL の定義を“clinical and morphological manifestation of a productive HPV infection”とし，同義語には flat condyloma，koilocytotic atypia，koilocytosis といった用語が並ぶ．LSIL が HPV 感染を反映したものであることが強調されている．

SIL/CIN は HPV 感染がトリガーとなり，HPV の持続感染が起こると真の腫瘍性病変へと発展していくリスクが高い．

軽度異形成 mild dysplasia/**LSIL/CIN1** では，扁平上皮内の基底層から 1/3 までの細胞に核の腫大，クロマチン密度の増大，軽度の大小不同，核分裂などが観察される（**図 27**）．多くが high-risk HPV に感染しており，型別では HPV 16 型が最も多い．ほとんどの例で中層以上でコイロサイトーシスがみられ，コイロサイトーシスのみでも軽度異形成（いわゆる平坦型コンジローマ flat condyloma に相当する）と診断される．ただし，核異型などが高度で，核分裂の頻度が高い場合は HSIL として扱う必要がある．すなわち，“一見 LSIL にみえる HSIL”は，異常増殖が下層 1/3 にとどまっていながら，かなり急速に病巣が進展していくことがある．DNA instabil-

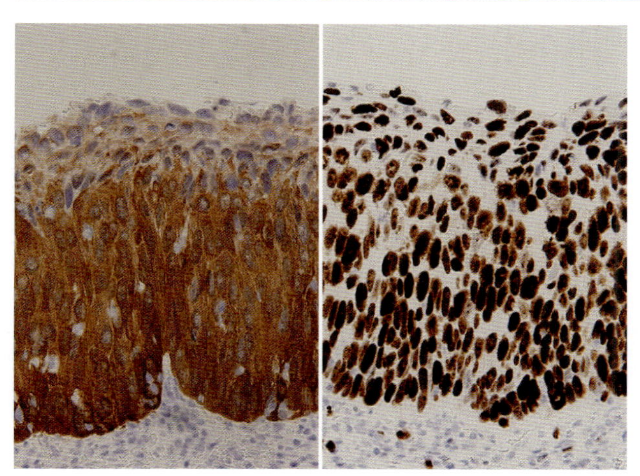

図 30　HSIL/CIN3（高度異形成）．p16 は核・細胞質に上層付近まで，Ki-67 は核にほぼ全層の細胞に，それぞれ強い陽性反応を示す．左：p16，右：Ki-67 免疫組織化学，図 29 と同一症例

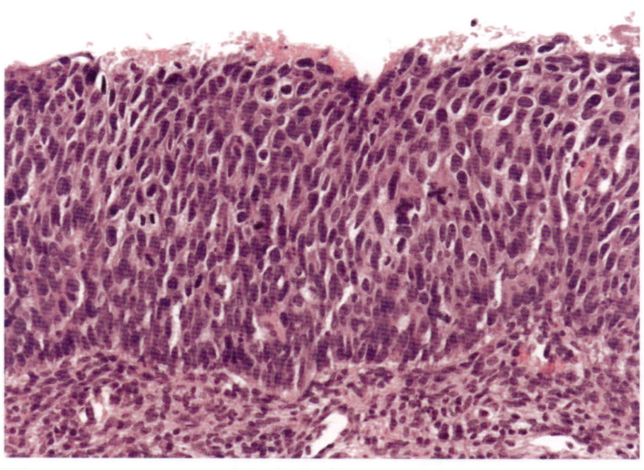

図 31　HSIL/CIN3（上皮内癌）．異型細胞の核は小型で密に増殖し上皮全層を置換している．間質浸潤は認めない．高度異形成と一括して CIN3 とされる．強拡大

ity や aneuploidy pattern を示すことなども HSIL を示唆すると考えられる．

このような例が LSIL と過小診断されないよう留意する必要があり，WHO 2014 年分類と同様に，ベセスダシステムおよび WHO 2003 年分類でも，CIN2・3/HSIL と同等の扱いをすべきであると言及としている．ちなみに，軽度異形成の約 60％は消退，30％は遷延し，10％が HSIL に進展する．HPV 感染とは関連性の低い“偽コイロサイトーシス”を安易に軽度異形成としないよう努める必要がある．

中等度異形成 moderate dysplasia/**HSIL/CIN2** は扁平上皮の基底層から 2/3 までの領域に核の大小不同，クロマチン密度の増加，多核などの所見が認められ，上層にコイロサイトーシスを伴うことが少なくない（**図 28**）．

高度異形成 severe dysplasia/**上皮内癌** carcinoma *in situ* では，表層付近/直下まで，あるいは全層に異型細胞が増殖している（**図 29〜31**）．ほぼ全例で high-risk HPV が感染している．これらは N/C 比が高く，基底細胞ないしは傍基底細胞に類似した比較的未分化な細胞からなり，極性の乱れや核分裂は表層まで出現している．これらの 2 つの病変は連続性で互いに明確な区分が困難，または診断者間・内での再現性が低いとの指摘から，両者を積極的に分け隔てることの必要性が薄らいだ．

これらの異形成の診断に迷った際には，p16 の応用は，HSIL と萎縮性変化や未熟化生との鑑別，CIN2 か CIN3 かの確定，熟練者間での診断不一致の統一，コルポスコピー所見と組織診断の乖離の確認，などに効力を発揮する．また，p16 に Ki-67 を併用することで，病態の理解がより深まり診断の精度が高まることが期待できる（**図 30**）．

HSIL の好発年齢は浸潤癌に比べて 20 歳ほど若く，LSIL に比べると高い．HSIL は 30〜50％ほどが退行するといわれている．

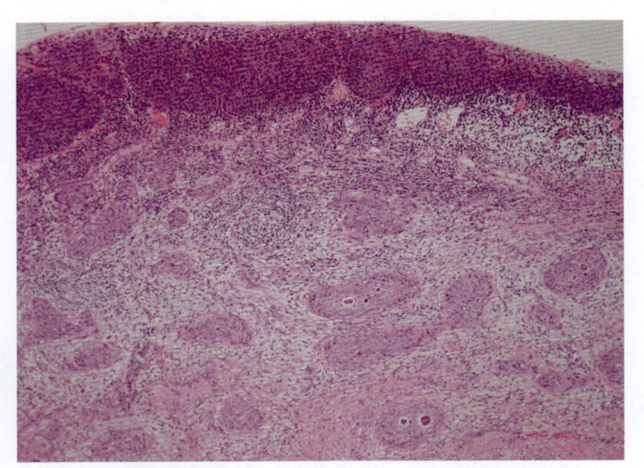

図 32　扁平上皮癌：微小浸潤癌．浸潤の深さは 5 mm を超えない早期の癌で，これまでは独立した疾患単位／診断項目として扱われてきた．中拡大

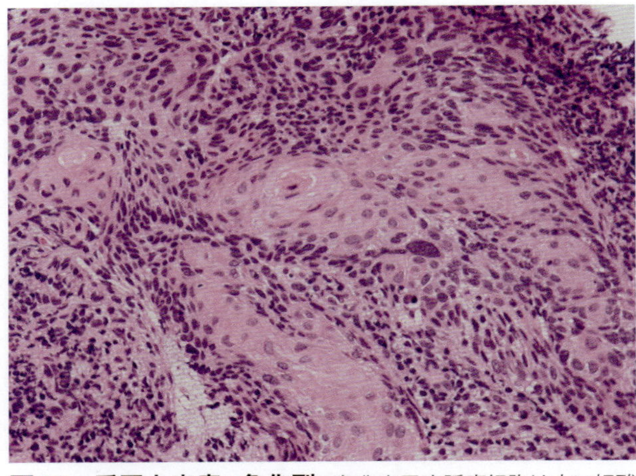

図 33　扁平上皮癌：角化型．角化を示す腫瘍細胞は広い好酸性の細胞質をもち，一部では核が消失している．強拡大

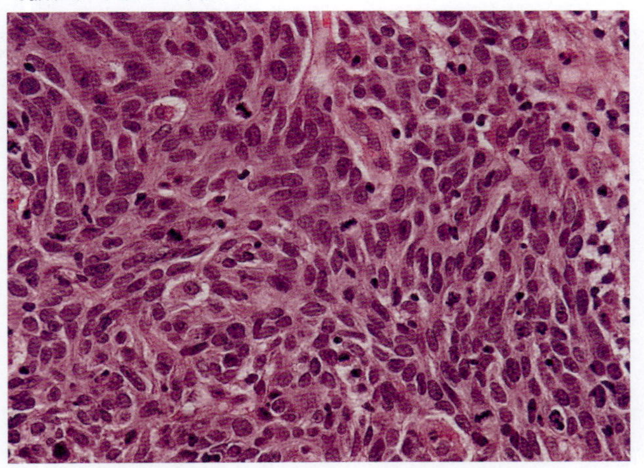

図 34　扁平上皮癌：非角化型．細胞質は狭く，N/C 比が高い腫瘍細胞が密に増殖している（図 33 と比較）．強拡大

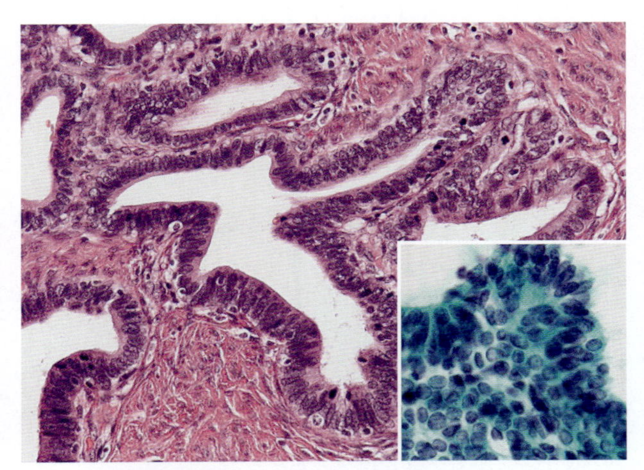

図 35　上皮内腺癌．固有の頸管腺を異型細胞が置き換えて増殖している．間質反応はみられない．細胞密度が高く辺縁では核が重なるようにみえる．強拡大．挿入図：細胞像，パパニコロウ染色

扁平上皮癌は初期または早期の段階を微小浸潤癌 microinvasive carcinoma として，これまでは 1 つの疾患単位（浸潤の深さは 5 mm まで，広がりは 7 mm を超えない―FIGO IA 期）に位置づけられてきたが，WHO 2014 年分類では項目からは削除された．かねてから，細胞診でも上皮内癌と明らかな浸潤癌との間にある微小浸潤の段階を推定してきた．微小浸潤癌では辺縁不整，滴状の突出，島状の胞巣，基底膜の断裂・消失，周囲の浮腫，炎症細胞浸潤などが診断の拠り所となる（**図 32**）．なお，国際婦人科連合 FIGO 病期分類（2018 年）の改訂により，初病期 Ia，Ib の定義も変更となった．

扁平上皮癌は角化型と非角化型に分けられるが，多くは明瞭な角化を伴わないか，角化がみられても目立たない（**図 33，34**）．ただし，角化型とする量的・質的な定義は明確ではない．

扁平上皮癌の亜型には疣状癌 verrucous carcinoma，コンジローマ様癌 condylomatous carcinoma，乳頭状扁平上皮癌 papillary squamous cell carcinoma，リンパ上皮腫様癌 lymphoepithelioma-like carcinoma などがある．なお，リンパ上皮腫様癌に関しては上咽頭癌とは異なってエプスタイン・バーウイルス Epstein-Barr virus 感染との関連は明らかにはされていない．

頸部腺癌は扁平上皮癌に比べると頻度は高くないが，昨今は増加傾向にあり，WHO 分類の改訂によって定義や名称が大きく見直された．扁平上皮癌と同様に HPV 感染（特に 18 型）が組織発生の基盤にある．上皮内腺癌 adenocarcinoma *in situ*（**図 35**）と腺異形成 glandular dysplasia は，これまでは互いに識別が求められる疾患単位とされてきたが，WHO 2014 年分類では腺異形成が診断項目から除外された．その背

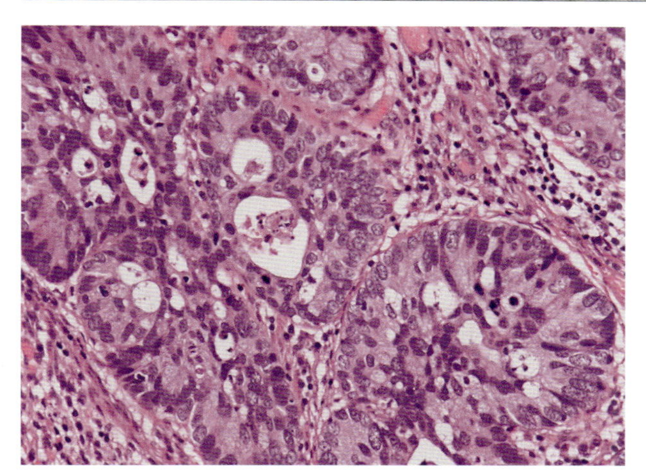

図 36　重層型粘液産生上皮内腫瘍．扁平上皮様に異型細胞が重層化し，多くの細胞が粘液を含む．非浸潤性で初期の腺癌（上皮内癌）に位置づけられる．強拡大

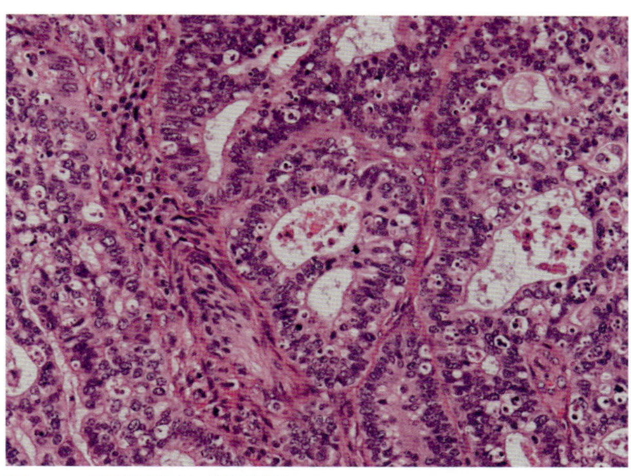

図 37　頸部腺癌：通常型．粘液産生は目立たない腫瘍細胞が複雑な腺管構造をなして浸潤性に増殖している．強拡大

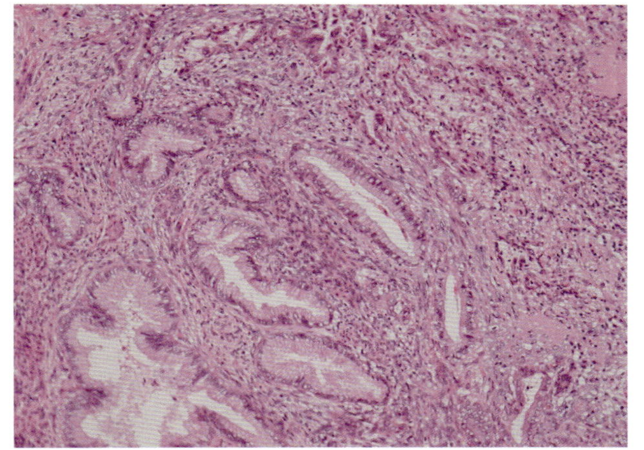

図 38　胃型腺癌（高分化）．一部の腺管は細胞異型が弱く固有の腺管に類似しているが，構築は乱れており浸潤性と判断される．中拡大

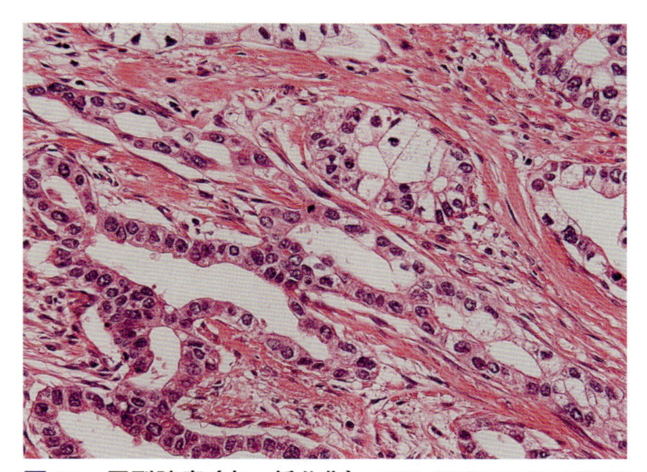

図 39　胃型腺癌（中〜低分化）．異型が顕著で不整な腺管構造をとって浸潤性に増殖している（図 38 と比較）．強拡大

景には，腺異形成の診断の再現性が低いこと，HPV 感染との関連性が明確でないこと，病変の転帰が不明確なことなどが指摘されてきた．この改訂によって，これまでの腺異形成は部分的に上皮内腺癌に含めて対応される．なお，上皮内病変を cervical glandular intraepithelial neoplasia（CGIN）とし，これを low grade と high grade に分けるといった考え方がある．上皮内腺癌には，通常型のほかに重層型粘液産生上皮内腫瘍 stratified mucin-producing intraepithelial lesion（SMILE）とよばれるバリエーションが存在する（**図 36**）．従来，頸部腺癌のほとんどを占めてきた“粘液性腺癌 mucinous adenocarcinoma・内頸部型 endocervical type”は，粘液産生の曖昧なものまでを含んでいた．現在は，これらの多くが頸部腺癌・通常型 usual type として扱われることになった（**図 37**）．

粘液性癌 mucous carcinoma は豊富な細胞質内粘液を含有する腫瘍細胞で構成されると，WHO 2014 年分類で明記された．亜型には胃型 gastric type，腸型 intestinal type，印環細胞型 signet ring cell type などがある．いずれの亜型にも合致しないものが非特殊型 not otherwise specified（NOS）とされる．胃型は本邦に多い．豊富で淡明ないし好酸性の細胞質をもつ円柱細胞で構成され，細胞境界が明瞭である（**図 38, 39**）．分化度はさまざまで，最小偏倚（へんい）腺癌 minimal deviation adenocarcinoma（いわゆる悪性腺腫 adenoma malignum）は胃型粘液性癌の高分化型に位置づけられるが（**図 38**），治療抵抗性のため頸部腺癌・通常型 usual type よりも予後不良である．胃型腺癌は胃幽門腺の形質を特徴とし，通常，HPV 感染は認めない．組織発生において，分葉状頸管腺過形成 lobular endocervical glandular hyperplasia（LEGH）あるいは幽門腺化生との関連が示唆されている．WHO 2020 年分類では，

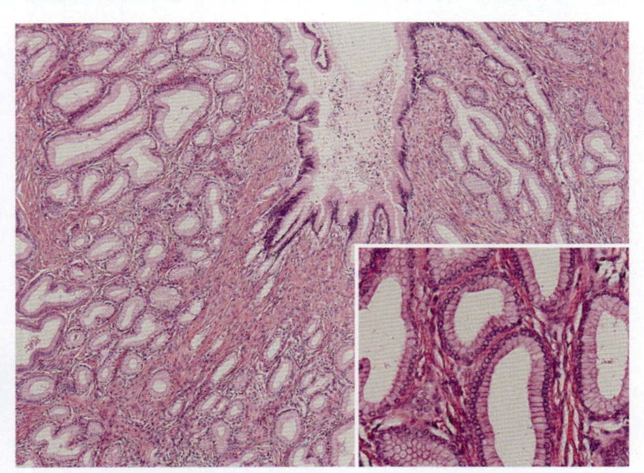

図 40　分葉状頸管腺過形成．大型腺管を取り巻くように腺管が密に増生している．中拡大．挿入図：一部の拡大（核は小さく基底膜に沿って整然と並んでいる）

HPV 関連癌と非関連癌に大別されることになる．

［参考事項］ LEGH は拡張した嚢胞状腺管を取り囲む小型腺管の分葉状増殖を特徴とする頸管の腺過形成で，幽門腺化生 pyloric gland metaplasia（PGM）を基調とする（**図 40**）．ポイツ・ジェガース Peutz-Jeghers 症候群との関連が知られており，*STK11* 遺伝子変異がみられることがある．LEGH は頸管内方・深部に発生し，細胞異型が弱いこともあって頸部細胞診では検出されないことがある．水様ないし粘稠な帯下を契機として見つかるものが多い．また CT，MRI では，同心円状に配列する小嚢胞の集簇像（コスモスサイン）が知られている．上皮内腺癌や胃型腺癌が併存していることがある．胃幽門腺粘液を認識する抗体である HIK1083，MUC6，claudin 18 などの免疫組織化学が診断に有用である．high-risk HPV はほぼ検出されない．異型を伴った場合には異型 LEGH ともよばれる．

類内膜癌 endometrioid carcinoma は子宮内膜由来の類内膜癌と同様の組織所見を呈する．通常の内頸部型頸部腺癌と比較して粘液が少ないことが特徴である．頻度はまれで high-risk HPV は陰性とされる．陽性例には頸部腺癌・通常型が含まれている可能性がある．子宮内膜原発の類内膜癌の頸部進展の可能性や，体部下部内子宮口付近に発生した類内膜癌と鑑別する必要がある．

明細胞癌 clear cell carcinoma は卵巣の明細胞癌と同様に，淡明な細胞質，鋲釘（びょうくぎ）hobnail 様の形態を特徴とし，充実性，管状・嚢胞状，乳頭状構築を示す（**図 41**）．グリコーゲンの貯留によって淡明な細胞質を有することが多いが，好酸性の細胞質や，球状の硝子滴を含有することもある．間質や基質は好酸性無構造の基底膜物質からなる．合成エストロゲン製剤・ジエチルスチルベストロール diethylstilbestrol（DES）に子宮内曝露することで明細胞癌が若年に発生することが知られてきたが，本邦では中高年の孤発例が一般的である．HPV は陰性例と陽性例が経験される．ときに卵巣からの転移例を鑑別する必要がある．

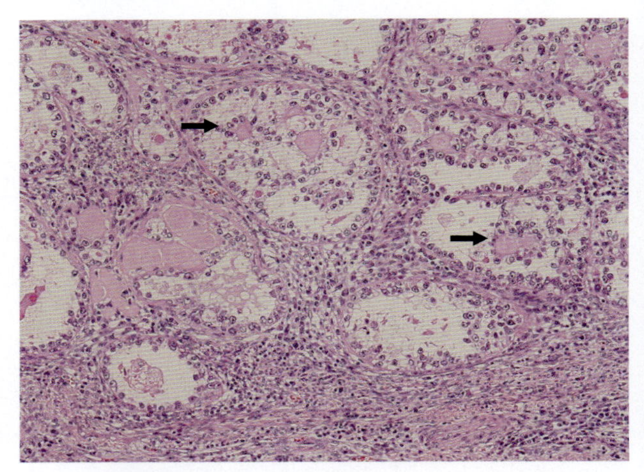

図 41　明細胞癌．明るい細胞質を特徴とする腫瘍細胞が腺管構造をなし，ところどころで無構造な硝子様の間質/基質（⬆）を取り囲むように増殖している．中拡大

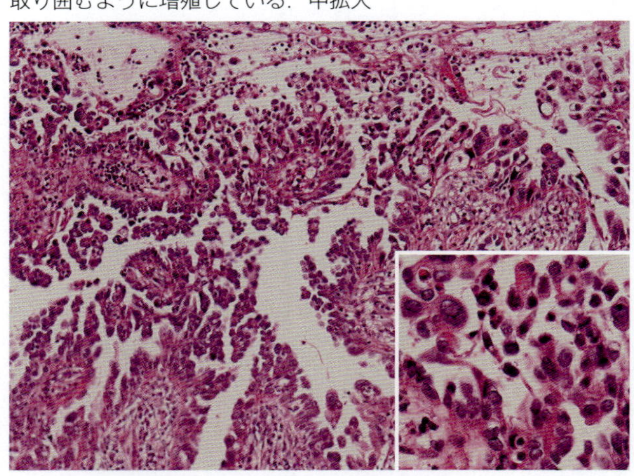

図 42　漿液性癌．腫瘍細胞は先端部では密で細かな乳頭状構築を示している．中拡大．挿入図：一部の拡大（N/C 比が高く細胞異型が強い）

漿液性癌 serous carcinoma は卵巣や子宮体部に発生する高異型度の漿液性癌と同様に乳頭状増殖を基調とするが，充実性胞巣に裂隙状空隙を形成することが多く，砂粒体 psammoma body がみられることもある（**図 42**）．通常，HPV 感染を認めないが，免疫組織化学的には p16 陽性となる．予後は不良である．診断を確定する前に，卵管・卵巣・腹膜，子宮体部原発の漿液性癌の進展や転移を十分に考慮する必要がある．WHO 2020 年分類では診断項目から除外され，扱いが変更となる．

腺扁平上皮癌および神経内分泌癌 | Adenosquamous carcinoma and Neuroendocrine carcinoma

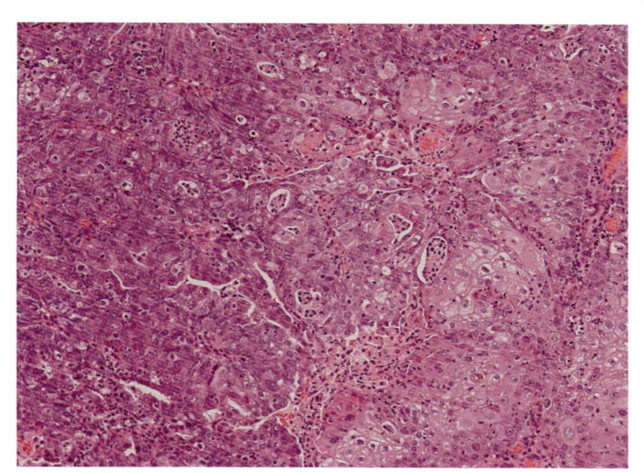

図 43 腺扁平上皮癌．腫瘍細胞は複雑で密な管状構造をなし（左側），これらと連続して扁平上皮の性格（右側）を示している．中拡大

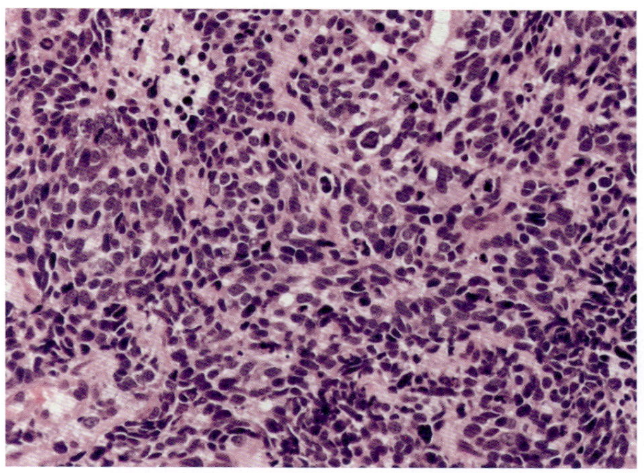

図 44 小細胞神経内分泌癌．核は小型で細胞境界の不明瞭な腫瘍細胞からなる．強拡大

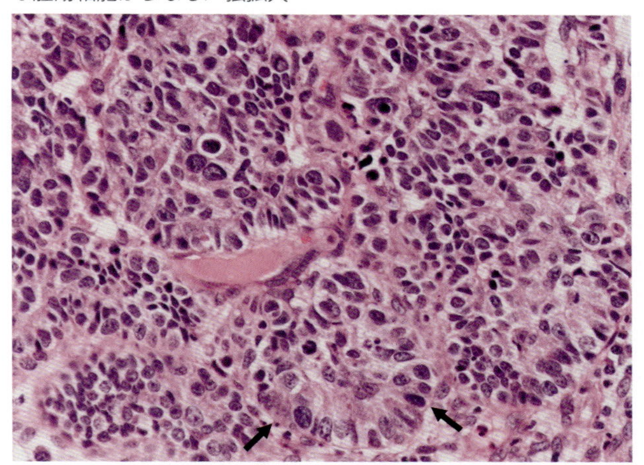

図 45 大細胞神経内分泌癌．核は大型で一部ではロゼット様（⬆）に配列している（図 44 と比較）．強拡大

腺扁平上皮癌は腺癌と扁平上皮癌で構成される癌で，細胞間橋，角化を示す扁平上皮癌の成分と明らかな管腔形成を示す腺癌成分からなる（**図 43**）．粘表皮癌とすりガラス細胞癌は腺扁平上皮癌の亜型とされる．扁平上皮癌において少量の粘液産生細胞が散見されることがあるが，腺扁平上皮癌とは診断されない．また，桑実胚様細胞巣 morule や扁平上皮分化を伴う類内膜癌も腺扁平上皮癌には該当しない．グリコーゲンが蓄積して細胞質が淡明を呈する扁平上皮癌成分は明細胞型腺扁平上皮癌とされる．腺癌および扁平上皮癌の成分がそれぞれ互いに移行・混在しない場合は独立した 2 つの組織型として扱う．

すりガラス細胞癌 glassy cell carcinoma はまれで，低分化型の腺扁平上皮癌に位置づけられる．腫瘍細胞は細胞境界が明瞭で，細胞質は淡好酸性ですりガラス様を呈し，核小体が明瞭な円形ないし卵円形の大型核がみられる．腫瘍胞巣周囲には好酸球浸潤が目立つ．HPV 18型が検出される．診断時には遠隔転移を伴っていることが少なくない．WHO 2020 年分類ではこの名称は推奨しないとの立場をとっている．

神経内分泌癌は小細胞神経内分泌癌 small cell neuroendocrine carcinoma（SCNEC）と大細胞神経内分泌癌 large cell neuroendocrine carcinoma（LCNEC）に二分され，肺や消化管，膵の神経内分泌腫瘍で経験されるものと同様の形態を示す．

小細胞型は，細胞質が乏しいために N/C 比が高く，核は小型卵円形でクロマチンが増量し，相互圧排像 nuclear moulding がみられる（**図 44**）．核分裂が多く，広範な壊死，脈管侵襲，神経周囲浸潤を伴う．high-risk HPV が検出され，特に HPV18 型が多い．肺の小細胞癌と同様，予後不良である．

大細胞型は，豊富な細胞質と，核小体が明瞭な空胞状の大型核をもつ細胞からなり，索状配列やロゼット形成を示す（**図 45**）．

ともに，扁平上皮癌や腺癌，およびそれらの上皮内病変との併存・連続性を示すことがある．

神経内分泌腫瘍の診断には，他臓器と同様に超微形態学的な神経内分泌顆粒の証明や，免疫組織学的に chromogranin-A，synaptophysin，CD56（NCAM），PGP9.5 といったマーカーの発現の確認が必須となる．なお，TTF-1 は肺小細胞癌のみでなく子宮頸部の小細胞癌でも陽性となることがあるため，転移か原発かを確定することにはならない．

表 1　子宮内膜増殖症の分類

前駆病変 Precursors
1．子宮内膜増殖症 Endometrial hyperplasia without atypia
2．子宮内膜異型増殖症/類内膜上皮内腫瘍 Atypical endometrial hyperplasia/Endometrioid intraepithelial neoplasia（EIN）

増殖症は細胞異型のあるもの（腫瘍性）とないもの（非腫瘍性）に分けられる．

子宮内膜増殖症（以下，増殖症）は，細胞異型を伴わない増殖症と，細胞異型を伴う子宮内膜異型増殖症 atypical endometrial hyperplasia（以下，異型増殖症）に分類される（**表 1**）．これまでは，さらにそれぞれが腺管密度/構造異常によって単純型 simple と複雑型 complex に分類されてきたが，昨今では細胞異型に腫瘍性としての重みがあるとする考え方が受け入れられている．実際には，細胞異型があればほぼ構造異型が備わっているため，両者を切り離した病態の存在はかなりまれで，単純型異型増殖症は実践的にやや馴染みの薄い考え方でもあった．また，複雑型異型増殖症の一部をみれば単純型異型増殖症に相当する所見が存在することが決して少なくないため，後者は疾患としての独立性にも疑問がもたれてきた．後述の漿液性子宮内膜上皮内癌 serous endometrial intraepithelial carcinoma（SEIC）は，単純型異型増殖症とは明確に区別される疾患単位である．WHO 2014 年分類では，子宮内膜上皮内腫瘍 endometrioid intraepithelial neoplasia（EIN）を異型増殖症と同義に扱うことが明記された．EIN は，これまでの異型増殖症とは定義において，細胞異型を背景腺管との違いとし，大きさ（1 mm を超える）を明示している点に特徴がみられる．

従来の単純型増殖症では，しばしば腺管の嚢胞性拡張がみられる（**図 46**）．複雑型増殖症になると間質の成分は少なくなり腺管密度が高くなる（**図 47**）．これに対し異型増殖症では，腺管上皮細胞の N/C 比は高く，核クロマチン濃度の増加，核小体の明瞭化，核重積などの異型が認められる．異型増殖症の鑑別疾患に，まず異型のない増殖症が，次に類内膜癌 endometrioid carcinoma G1 があがる（**図 48** 参照）．また異型ポリープ状腺筋腫/症 atypical polypoid adenomyoma/adenomyosis（APAM）と子宮内膜ポリープ endometrial polyp，相対的なエストロゲン過剰（遷延）と低下（消退）による無排卵性出血 anovulatory bleeding（臨床的にはいわゆる機能性出血を指し，組織像は glandular and stromal breakdown とよばれることが多い）などとも鑑別を要する．子宮内膜では，上皮内腺癌と異型増殖症の明確な鑑別の困難さゆえに，上皮内腺癌の分類は設定されておらず，異型増殖症に包括される．異型増殖症に対して類内膜癌を決定づける根拠は線維間質反応 desmoplasia を伴う浸潤である．実際，異型増殖症と類内膜癌（おもに G1）の併存や，両者の混在・移行は閉経期前後の比較的若い年齢層でかなり頻度が高く，組織発生の点からも 2 つの疾患が連続線上にあって，明確には境界を設けることは困難な場合が少なくない．子宮内膜ポリープは内膜に突出する限局性の良性病変で，腺管と間質からなり，比較的太い筋性血管が中心にみられる．組織像も多彩である．

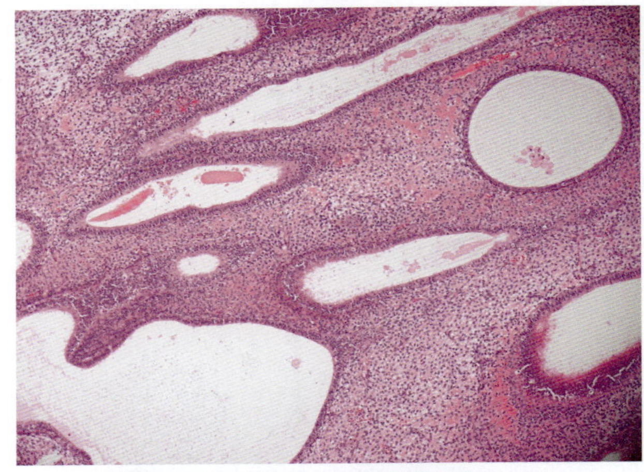

図 46　異型のない増殖症（単純型増殖症）．腺管は疎らであるが，嚢胞性に拡張している．腺管上皮細胞は異型を欠く．中拡大

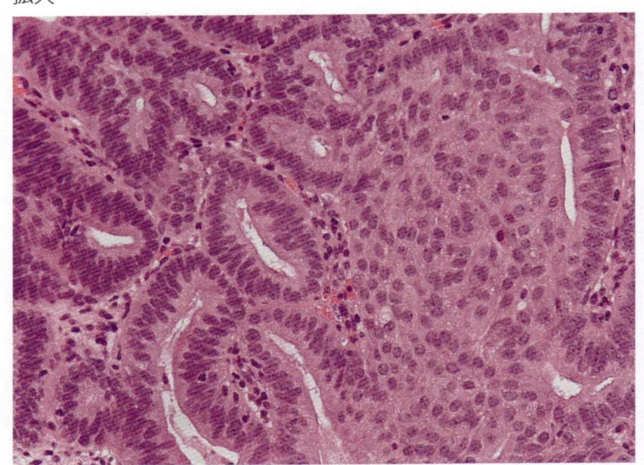

図 47　異型増殖症（複雑型異型増殖症）．異型細胞からなる腺管が密に増殖し，morule の形成を伴う．間質がかなり狭くなっている．強拡大

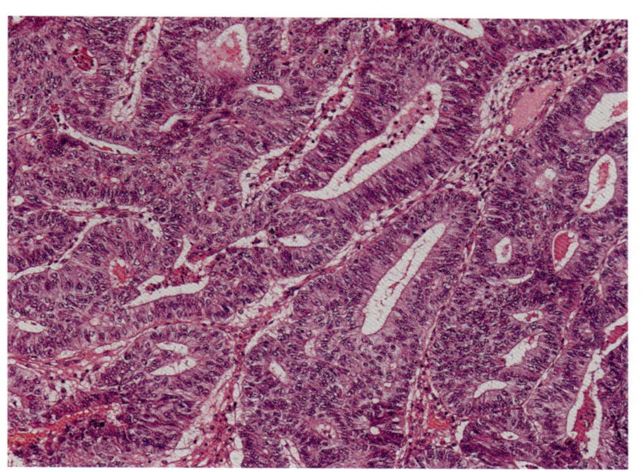

図 48　類内膜癌 G1．腫瘍細胞は円柱状で本来の内膜腺管上皮（増殖期）に類似性を示し，複雑で密な腺管構造をなしている．強拡大

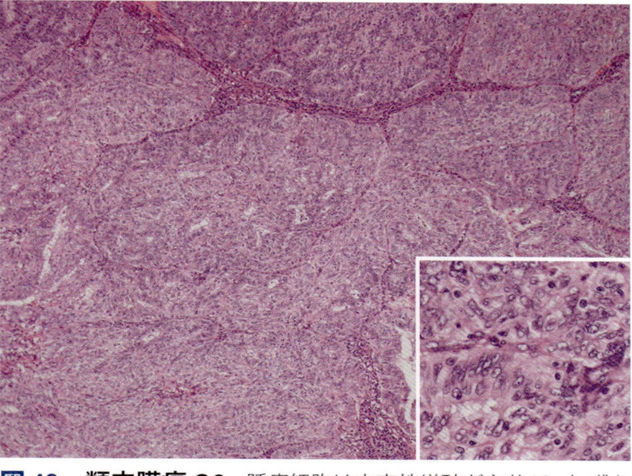

図 49　類内膜癌 G3．腫瘍細胞は充実性増殖が主体で，わずかに腺管構造がうかがわれる．中拡大．挿入図：一部の拡大（腫瘍細胞は異型が強く不規則に配列している）

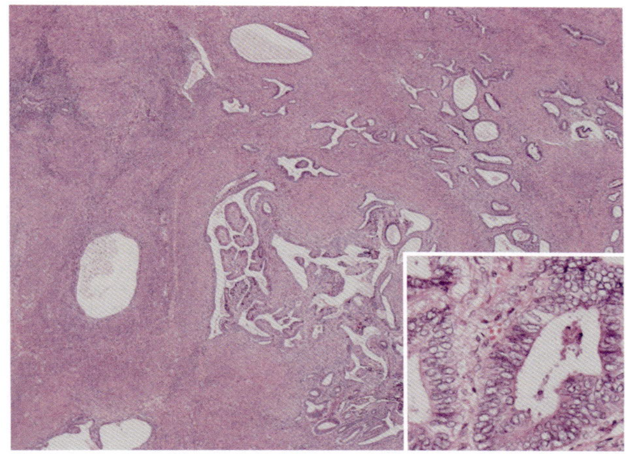

図 50　腺筋症に沿った筋層浸潤．腺筋症を置き換えて腫瘍細胞が増殖し，筋層に浸潤している．弱拡大．挿入図：一部の拡大（G1 類内膜癌の所見を示す）

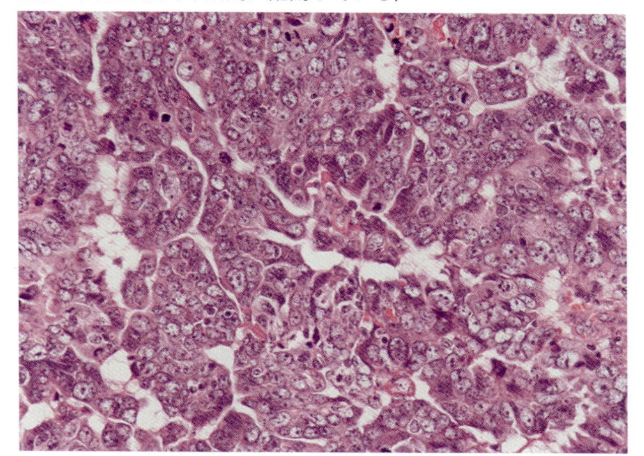

図 51　漿液性癌．間質を伴わず腫瘍細胞が重なるように密で乳頭状構造をなしている．強拡大

子宮内膜癌は大半（80〜90%）が類内膜癌で占められ，このほかには特殊型/変異型に含まれる分泌期型 secretory type，粘液性癌 mucinous carcinoma，漿液性癌 serous carcinoma，明細胞癌 clear cell carcinoma などがある．分化型の類内膜癌（G1/2 に相当する）は通常 I 型内膜癌に属し，漿液性癌や明細胞癌などはII型内膜癌とよばれる．I 型とII型からなるものが混合癌 mixed carcinoma と定義される（II型成分が 5%以上存在する）．類内膜癌の分化度/異型度 grade は，充実部の割合と細胞異型の程度に基づく（**図 48，49**）．婦人科領域腫瘍における grade の訳語は，「卵巣腫瘍取扱い規約」の改訂時に他の領域と同様に「異型度」と定められた．類内膜癌 G1 は構造的分化が明瞭で比較的間質が保持されている際には前述の異型増殖症との鑑別・異同がしばしば問題となる．一方で，構造的分化が認められても細胞異型が強い場合には grade-up を考慮する必要がある．ただし，桑実胚様細胞巣や扁平上皮への分化を示す成分は増殖活性が低いゆえに充実性増殖とはみなされない．扁平上皮への分化は免疫組織化学的に p63 や p40，CK5/6 などの陽性反応で証明される．分化した扁平上皮の形態をとる腫瘍細胞は Ki-67 に陽性を示すものが多くない．従来は，扁平上皮への分化が異型を伴うものには腺扁平上皮癌 adenosquamous carcinoma，異型が認められないものには腺棘細胞癌 adenoacanthoma の呼称がそれぞれ与えられてきた．分化型の類内膜癌では，腺筋症を前景に広がる例が少なくない．すなわち，腺筋症は癌の広がりを助長する因子でもあり，腺筋症に沿った進展部では筋層浸潤をきたしやすい（**図 50**）．腺筋症をなす間質成分は，正常の内膜間質と同様に免疫組織化学的に CD10 に陽性を示すことから，CD10 が陰性となる場合は癌が腺筋症の領域を越え

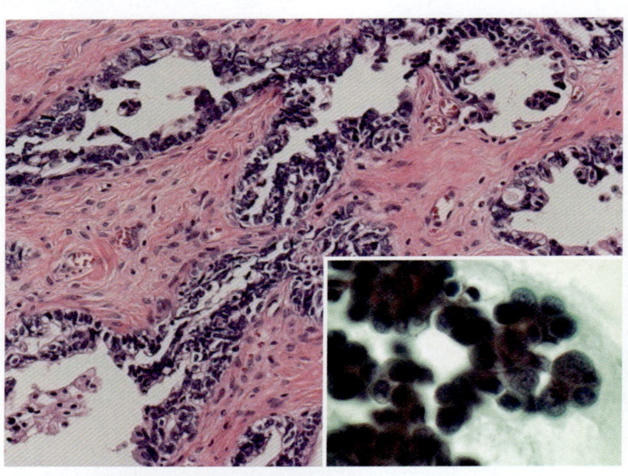

図 52　漿液性子宮内膜上皮内癌．内膜ポリープ内で異型腺管が増殖している．間質浸潤は認めない．強拡大．挿入図：細胞像，パパニコロウ染色（N/C 比の高い腫瘍細胞が乳頭状集塊をなしている）

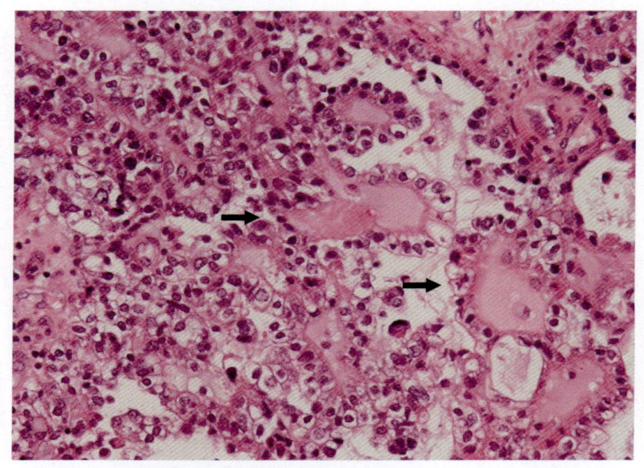

図 53　明細胞癌．細胞質の明るい腫瘍細胞が，無構造で好酸性を示す間質/基質（⬆）を取り囲んでいる．強拡大

て筋層に浸潤していることを示唆している．一方で，癌の筋層内進展部を取り囲むように CD10 が過剰に発現することがあるため，浸潤の有無の判定には慎重を要する．

漿液性癌は類内膜癌よりも予後不良で罹患年齢が高く，背景内膜は萎縮を呈していることが多い．強い異型を示す腫瘍細胞は乳頭状増殖を特徴とする（**図 51**）．SEIC は漿液性癌との合併率が高いため，その前駆病変に位置づけられ，高齢者の内膜ポリープ内に発生するものが多い（**図 52**）．WHO 2014 年分類では，SEIC は疾患項目の 1 つに明記された．SEIC は発見時にすでに子宮外に（おそらくは経卵管的播種による）病変が広がって，進行癌（Ⅲ期またはⅣ期）を呈している例にも遭遇する．漿液性癌および SEIC は通常，免疫組織化学的に p53 陽性・ER 陰性といった反応を示し，分化型の類内膜癌とは反対のパターンをとる．

体部における**明細胞癌**は基本的には卵巣に起こる明細胞癌と同様の組織像を示すが，類内膜癌との移行や混在がみられることがある（**図 53**）．ときに漿液性癌との鑑別を要する．明細胞癌の生物学的振る舞いは，類内膜癌 G3 と漿液性癌の中間にあって漿液性癌よりは予後が良い．

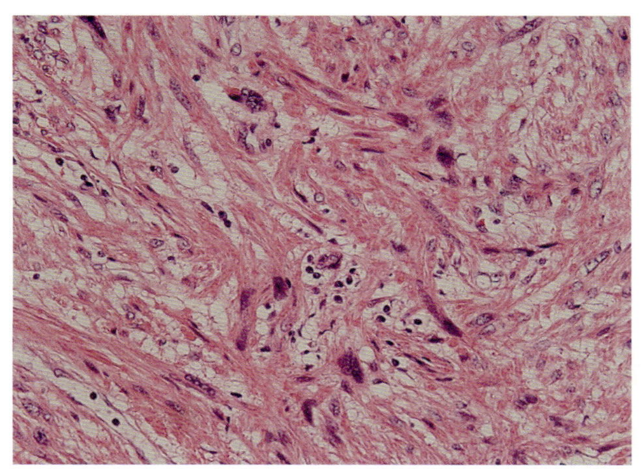

図 54　奇怪核を伴う平滑筋腫．核は大型でクロマチンが濃染し，一見して強い異型を示すが悪性の性格はもたない．強拡大

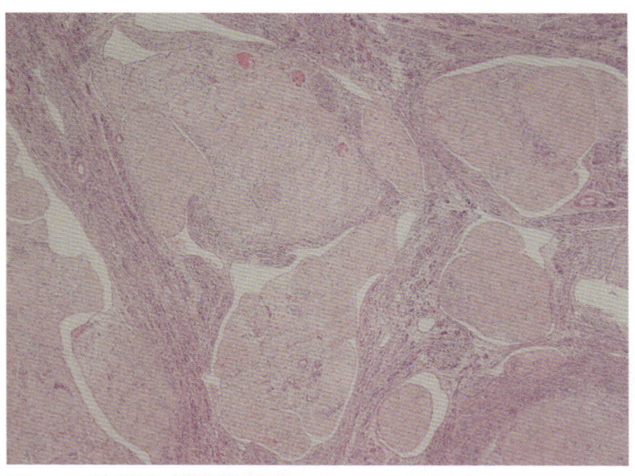

図 55　静脈内平滑筋腫症．筋層内の静脈を充填するように平滑筋細胞が結節様に増生している．弱拡大

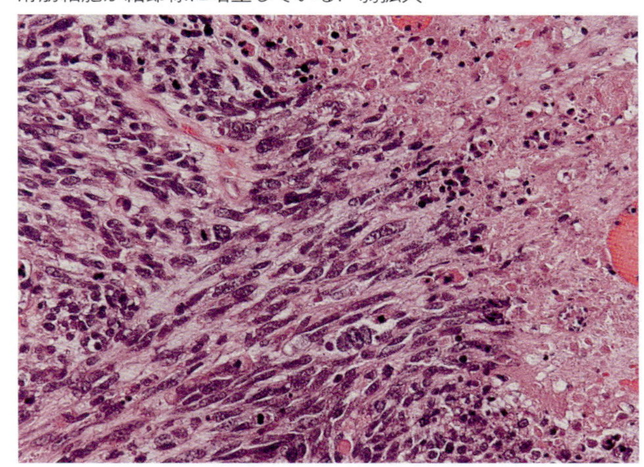

図 56　平滑筋肉腫．異型の強い腫瘍細胞は平滑筋への分化をうかがわせ，凝固壊死を伴っている．強拡大

子宮平滑筋系腫瘍の大部分は良性で，体部の筋層内や漿膜下，あるいは粘膜下に発生する平滑筋腫 leiomyoma がほとんどであるが，閉経に伴って，あるいは治療の影響なども加わって種々の程度に変性を伴うことが多い．最もよく認められるものは**硝子化変性** hyalinous degeneration で，平滑筋細胞が好酸性の無構造な線維に取って代わられる．広範に水腫状あるいは液状化を呈することもある．

子宮の平滑筋腫には以下のような亜型が多くみられる．

- 細胞密度が高い「富細胞性平滑筋腫 cellular leiomyoma」
- 大型不整な合胞状/多核の細胞が多数を占める「奇怪核を伴う平滑筋腫 leiomyoma with bizarre nuclei」（**図 54**）
- 核分裂像が目立つ「核分裂活性を伴う平滑筋腫 mitotically active leiomyoma」
- 成熟脂肪成分が混在する「脂肪平滑筋腫 lipoleiomyoma」
- 細胞形態や胞巣形成が上皮に似る「類上皮平滑筋腫 epithelioid leiomyoma」
- 粘液腫様の間質を特徴とする「類粘液平滑筋種 myxoid leiomyoma」
- 筋層間や広間膜に分け入るように数珠状に進展する「解離性（胎盤分葉状）平滑筋腫 dissecting（cotyledonoid）leiomyoma」
- 無数の小さな平滑筋腫が癒合し子宮筋層の大部分を置換する「びまん性平滑筋腫症 diffuse leiomyomatosis」
- 芋虫状を呈し静脈内増殖を特徴とする「静脈内平滑筋腫症 intravenous leiomyomatosis」（**図 55**）
- 子宮平滑筋腫の手術歴後に多年を経て肺などに転移が見つかる「転移性平滑筋腫 metastasizing leiomyoma」

加えて，子宮には後述の平滑筋肉腫の診断基準を満たさず，悪性度を決定しえない「悪性度不明な平滑筋腫瘍 smooth muscle tumor of uncertain malignant potential」が経験される．

子宮平滑筋腫は原則的には悪性化することはなく，平滑筋肉腫は独立した組織発生をとると考えられている．肉腫細胞は紡錘形あるいは著しい多形性を示し，多核細胞もみられる．核分裂は高倍率 10 視野で 10〜20 個を超え，凝固壊死や腫瘍境界部の浸潤性所見により，平滑筋腫とは識別される（**図 56**）．診断に有用な desmin，h-caldesmon，ER，PgR といったマーカーの発現の程度は異型度や亜型によって異なる．亜型には類上皮平滑筋肉腫 epithelioid leiomyosarcoma や類粘液平滑筋肉腫 myxoid leiomyosarcoma などがある．

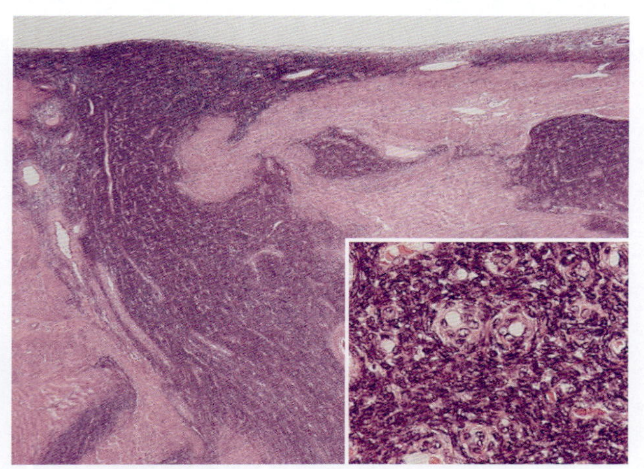

図 57　低異型度子宮内膜間質肉腫. 腫瘍細胞が筋層内に帯状/圧排性に浸潤増殖している．弱拡大．挿入図：一部の拡大（内膜間質細胞に類似の腫瘍細胞が小血管を伴っている）

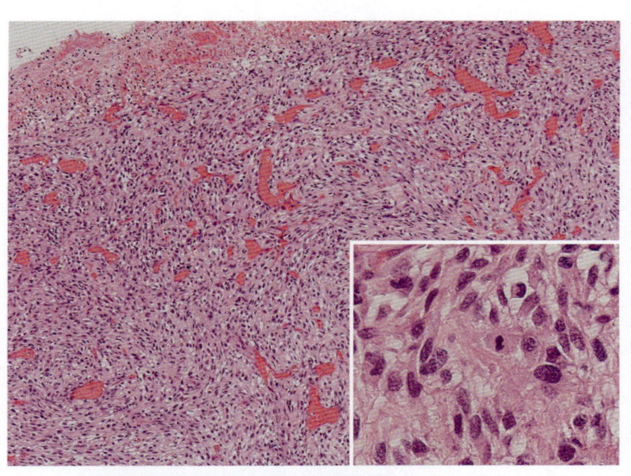

図 58　高異型度子宮内膜間質肉腫. 腫瘍細胞がびまん性に浸潤増殖している（図 57 と比較）．中拡大．挿入図：一部の拡大（核は大小不同で細胞質は比較的広い．核分裂がみられる）

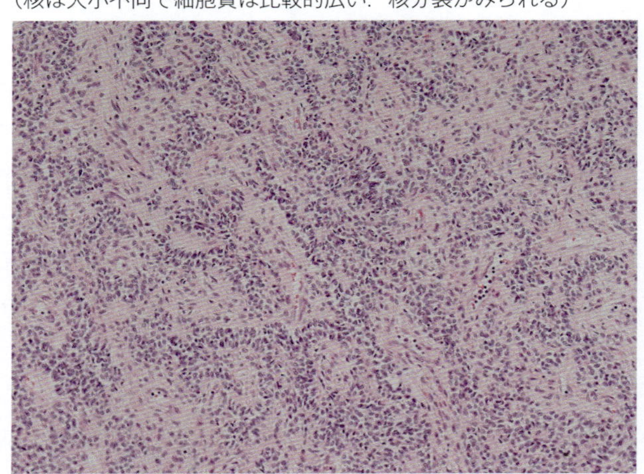

図 59　卵巣性索腫瘍に類似した子宮腫瘍. 索状あるいは偽腺管状に増殖する腫瘍細胞と，細胞質が広く好酸性を呈する細胞からなる．中拡大

子宮内膜間質細胞に由来する腫瘍は，子宮内膜間質結節 endometrial stromal nodule，低異型度子宮内膜間質肉腫 low grade endometrial stromal sarcoma（LGESS），高異型度子宮内膜間質肉腫 high grade endometrial stromal sarcoma（HGESS）に分類される（**図 57，58**）．Grade の訳語は異型度と定められたことで，このように子宮内膜間質肉腫に用いられてきた「悪性度」も「異型度」に変更された．

子宮内膜間質結節 endometrial stromal nodule は増殖期の子宮内膜に類似し，境界が明瞭な腫瘤をなす．細胞異型に乏しく，核分裂はほとんどみられない．**LGESS** もポリープ状に，あるいは筋層内に膨張性・圧排性に浸潤増殖する（**図 57**）．ほぼ一様に黄色から黄褐色を呈するが，出血や壊死を伴うことがある．また境界も不鮮明になる場合が半数以上の症例で認められる．しかし LGESS は子宮内膜間質結節同様に細胞異型が弱く，核分裂も多くない．

WHO 2003 年分類では HGESS は項目から削除されたが，WHO 2014 年分類で再び疾患単位として扱われるにいたった．**HGESS** は LGESS との混合・移行によって両者に関連が示されることがある．周囲への破壊性浸潤増殖を示し，しばしば子宮外への浸潤を示す．核分裂は通常，高倍率 10 視野で 10 個を超える．壊死もみられ，脈管侵襲を高頻度に伴う（**図 58**）．免疫組織化学的に LGESS とは異なった態度を示す．Cyclin D1 が陽性となるが，内膜間質細胞マーカーでもある CD10，ER，PgR などは減弱・陰性化することがある．きわめて分化度が低い際には未分化子宮肉腫 undifferentiated uterine sarcoma との鑑別が難しい．また，平滑筋肉腫や，肉腫成分の優位な癌肉腫，腺肉腫などが鑑別疾患にあがる．子宮内膜間質肉腫の病期は，FIGO 2008 分類によって，それまでの子宮体癌に一括されていた分類から独立し，平滑筋肉腫と同一の分類が用いられるようになった．

卵巣性索腫瘍に類似した子宮腫瘍 uterine tumor resembling ovarian sex cord tumor（UTROSCT）は，境界が明瞭で，周囲平滑筋へは圧排性に増殖する．多くが良性の経過をとる．セルトリ細胞腫や顆粒膜細胞腫といった卵巣に起こる性索腫瘍に類似性を示す．細胞質はわずかで，核は類円形あるいはやや短紡錘形を示す．一方で，細胞質が広く好酸性に富むこともある（**図 59**）．免疫組織化学的には上皮系，間葉の種々のマーカーの双方が陽性となる．

上皮性・間葉性混合腫瘍およびアデノマトイド腫瘍（1） Mixed epithelial and mesenchymal tumor and Adenomatoid tumor（1）

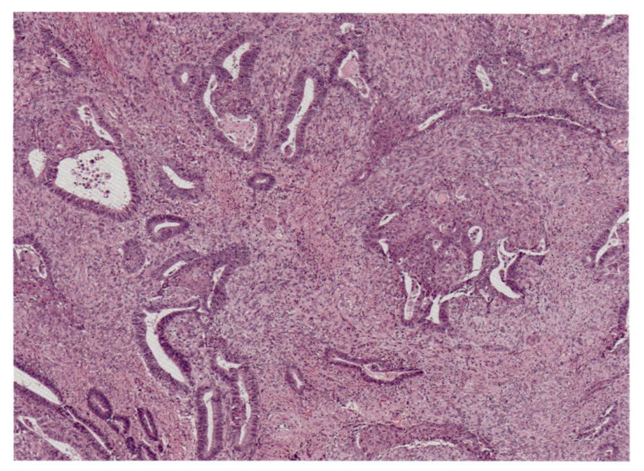

図 60　異型ポリープ状腺筋腫．不整な腺管と，やや密で豊富な筋線維性間質からなる．中拡大

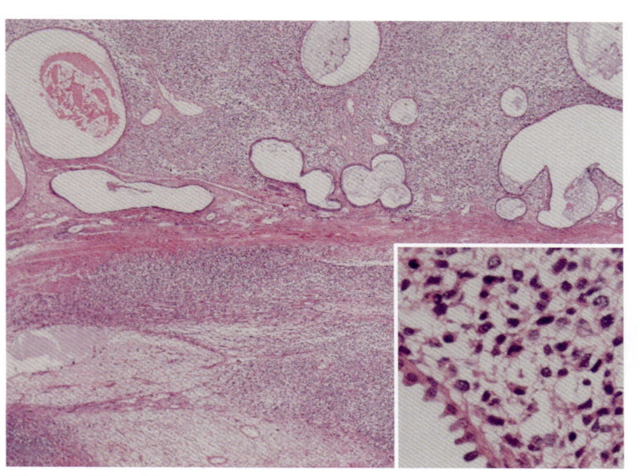

図 61　腺肉腫．拡張した腫瘍腺管と悪性間葉系細胞からなる．中拡大．挿入図：一部の拡大（腺管上皮は鋲釘/ホブネイル状で肉腫成分に比べて異型は弱い）

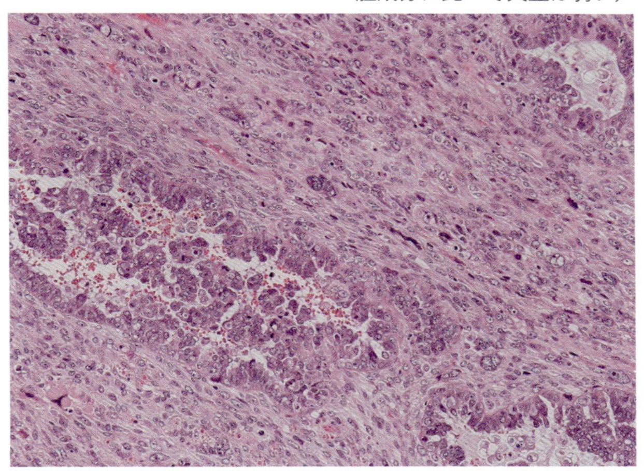

図 62　癌肉腫：同所性．漿液性癌と，非特異的な間葉系悪性腫瘍（子宮内で通常みられる肉腫）からなる．強拡大

上皮性・間葉性混合腫瘍の代表として，良性では腺筋腫 adenomyoma と異型ポリープ状腺筋腫 atypical polypoid adenomyoma（APAM）が，悪性には，腺肉腫 adenosarcoma（同義語として müllerian adenosarcoma とよばれる）と癌肉腫 carcinosarcoma がある．

腺筋腫は子宮内膜腺管と主として平滑筋性の間質からなり，ポリープ状をなす，または筋層内で明瞭な腫瘤を形成する．

APAM は，子宮内膜型腺上皮に異型があり構造的にも腺管に複雑さがみられる．間質は線維筋性でポリープ状の腫瘤をなす（**図 60**）．子宮頸部に近い体部に発生する頻度が高い．APAM の一部には異型増殖症や類内膜癌を併存，あるいはこれらに移行することがある．しばしば中心性に壊死を伴う桑実胚様細胞巣 morule の形成がみられる（**図 61〜63**）．

腺肉腫 adenosarcoma は良性または異型のある上皮性成分とさまざまな異型度を示す肉腫成分からなり，通常，ポリープ状を呈する．腺上皮の周囲には細胞密度の高い異型間質成分 periglandular cuffing/condensation が取り囲む（**図 61**）．核分裂は，わずか（高倍 10 視野で 2 個程度）しかみられないものからかなり頻度の高いものまで幅広い．乳腺葉状腫瘍 phyllodes tumor のようなパターンを呈することがある．肉腫成分は，低異型度子宮内膜間質肉腫（LGESS）といった同所性 homologous の場合と，横紋筋や軟骨への分化を示す異所性 heterologous の特徴を示す場合がある．多形性が顕著で核分裂が多数みられる高異型度の肉腫成分が腫瘍全体の 25% を超える例は，肉腫成分過剰増殖を伴う腺肉腫 adenosarcoma with sarcomatous overgrowth とよばれ，予後が不良である．

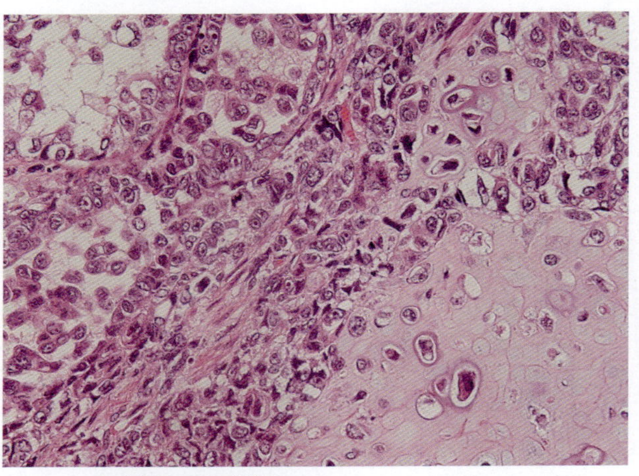

図 63　癌肉腫：異所性. 腺癌（左方）に隣接して，軟骨への分化を示す肉腫成分（右方）からなる．強拡大

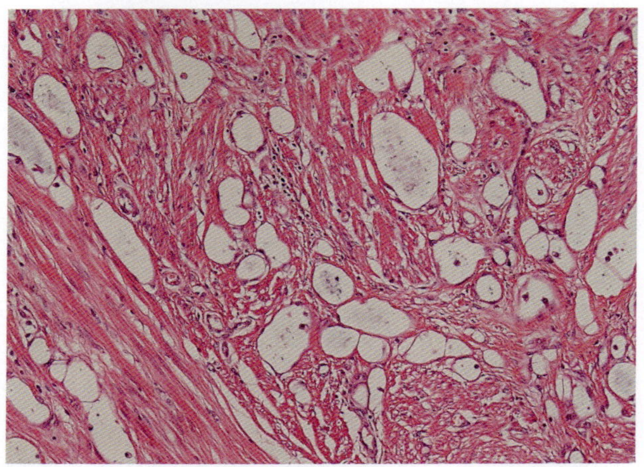

図 64　アデノマトイド腫瘍. 筋層内で，リンパ管を模倣するような管状構造がみられる．扁平な細胞で裏打ちされている．中拡大

癌肉腫 carcinosarcoma は，高異型度の癌腫と肉腫成分からなる．大きなポリープ状を呈するものが少なくない．かつては悪性混合ミュラー管腫瘍 malignant mixed müllerian/mesodermal tumor（MMMT）とよばれた．平滑筋肉腫，子宮内膜間質肉腫，腺肉腫とは異なり，FIGO 病期は内膜癌に準じて決定される．骨盤内腫瘍への放射線照射によって晩期に発生することも知られている．癌成分における漿液性癌や明細胞癌の存在は予後不良因子でもある．I 期においては，肉腫の異所性成分の存在（とりわけ横紋筋肉腫）は予後不良を示唆する．肉腫成分には，非特異的な同所性（**図 62**）と横紋筋肉腫や軟骨肉腫，骨肉腫といった異所性がみられる（**図 63**）．組織発生においては，両成分が同一起源/単クローン性と考えられている．

アデノマトイド腫瘍 adenomatoid tumor は中皮細胞由来で，体部子宮漿膜直下や筋層内に発生する良性腫瘍である．免疫不全患者では多発性またはびまん性の広がりを示すことがある．顕微鏡レベルの小さなものから肉眼的に境界明瞭，ないしは不明瞭な腫瘤をなすものまで幅が広い．異型の目立たない，扁平または立方状細胞が大小の腺管様構造の内腔を裏装する（**図 64**）．免疫組織化学的に中皮マーカーが診断確定に有用である．

漿液性腫瘍（1）｜Serous tumor（1）

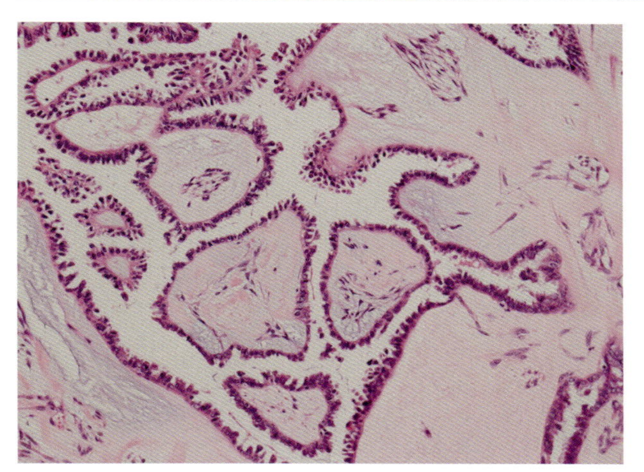

図 65　漿液性腺腫．細胞成分に乏しい広い間質を伴って，異型の弱い腫瘍細胞が乳頭状に増生している．中拡大

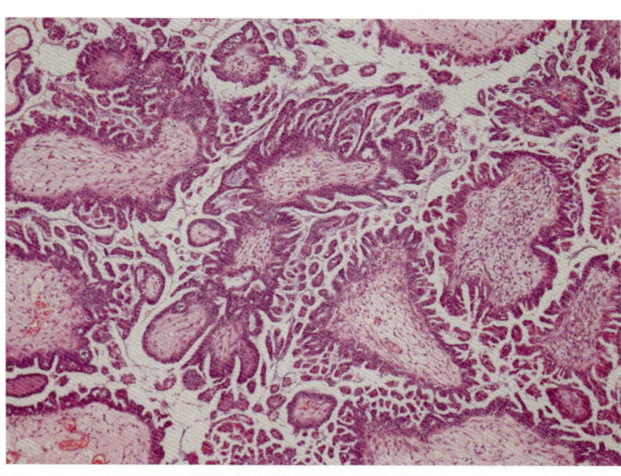

図 66　漿液性境界悪性腫瘍：微小乳頭状パターンを伴う．腫瘍細胞は，棘のような細い乳頭状構築をなす．中拡大

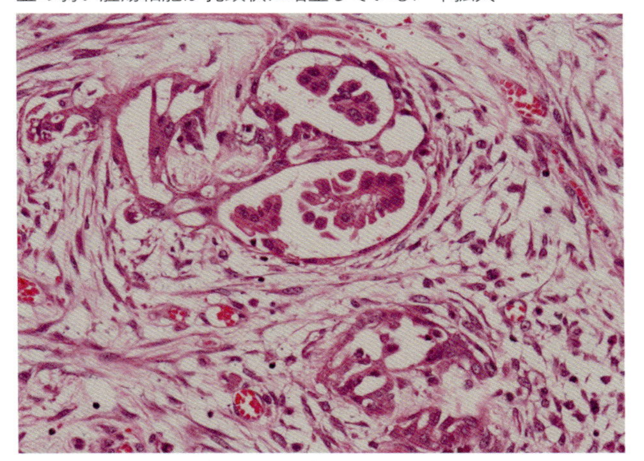

図 67　漿液性境界悪性腫瘍における非浸潤性インプラント．浮腫性の結合組織（腹膜）のなかで浮かぶように腫瘍細胞が観察される．強拡大

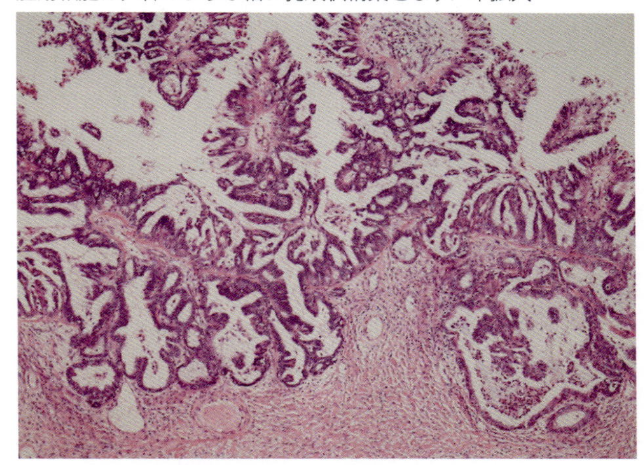

図 68　低異型度漿液性癌．漿液性境界悪性腫瘍に類似した腫瘍細胞が，表層に向かっては乳頭状に，間質へは浸潤性に増殖している（図 69 と比較）．中拡大

WHO 2014 年分類では，おもに上皮性腫瘍のカテゴリーに大きな変遷が生じている．「表層上皮性・間質性」が「上皮性」に，「adenocarcinoma」も単に「carcinoma」と表記されることになった．卵巣境界悪性腫瘍は，かつては「浸潤像を欠く」と定義されていた．後に，漿液性境界悪性腫瘍では「微小浸潤」が許容され，その基準として 3 mm 未満や 10 mm^{2}未満が用いられてきたが，これらは 5 mm 未満に変更された．加えて，WHO 2014 年分類では，「微小浸潤」の適用が漿液性以外の組織型にも広がった．また，混合型上皮性腫瘍 mixed epithelial tumor（2 つ以上の成分で構成される腫瘍；第 2 番目の成分が 10％以上），および分類不能腺癌 unclassified adenocarcinoma（分化の方向や特徴を明確にしえない腫瘍）は削除されたが，実際にはこれらの概念，定義に沿う腫瘍は存在しうる．

漿液性腫瘍は卵管上皮に類似の形態を示す．線毛は良性の上皮ではしばしば認められる．境界悪性腫瘍や悪性腫瘍では囊胞内腔に乳頭状隆起を形成し，悪性は囊胞部より充実性部分が優勢となる．砂粒小体 psammoma body の形成は悪性を支持する根拠とはならない．また，漿液性腫瘍に特徴的な所見ではない．腫瘍が囊胞の表面に隆起性病変をなす表在型/外向性発育は漿液性腫瘍に固有で，良・悪性を問わずみられる．

漿液性腺腫 serous adenoma（囊胞腺腫，腺線維腫，表在性乳頭腫）は，立方状ないし円柱上皮あるいは線毛をもった細胞が，おおむね 1 層に囊胞内腔を覆う．広い間質を伴った乳頭状の増生を示すことがある（**図 65**）．一部（10％以下）に境界悪性腫瘍相当の増殖がみられても腺腫として扱う．

漿液性境界悪性腫瘍 serous borderline tumor は囊胞部が優

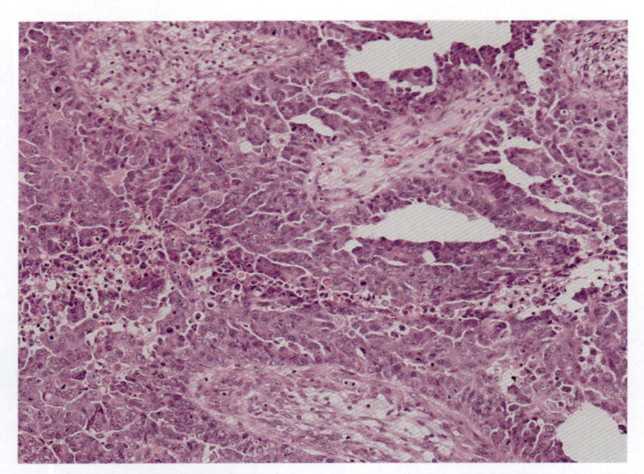

図69　高異型度漿液性癌．細胞異型の強い腫瘍細胞が密に乳頭状に増殖しており，乳頭状構造をうかがわせる狭い間隙がみられる．中拡大

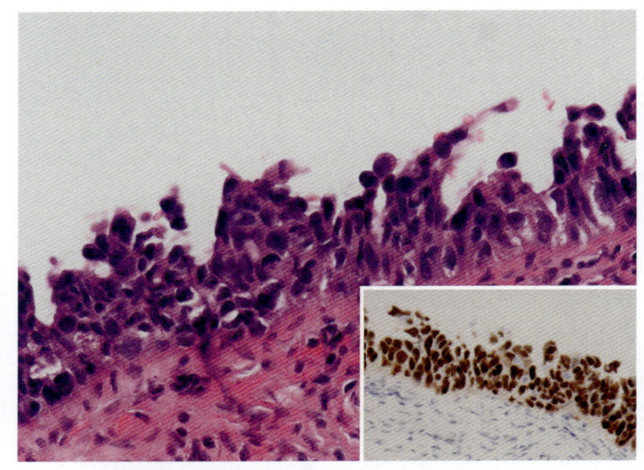

図70　漿液性卵管上皮内癌．N/C比の高い腫瘍細胞が重なるように，あるいは微小な乳頭状をなしている．間質浸潤は認めない．強拡大．挿入図：p53免疫組織化学（腫瘍細胞に強い陽性反応をみる）

勢であるが，10〜20%が表在乳頭状型 surface papillary type をとる．良性に比べて腫瘍細胞が多層化し，乳頭状・樹枝状増殖によって嚢胞内腔に細胞集塊が分離，浮遊するように観察される．核分裂はほとんどみられない．悪性に比べて年齢層は低く40代に多い．米国などでは境界悪性腫瘍のなかでは漿液性が最も多いが，本邦では粘液性の方が頻度は高い．腹水貯留が発見の契機となる例もある．リンパ節に転移様の病変がみられても転帰・予後に影響を与える因子とは考えられていない．微小乳頭状パターンを伴う漿液性境界悪性腫瘍 serous borderline tumor, micropapillary variant は微小乳頭状または篩状増殖を特徴とする（**図66**）．また，浸潤性インプラントを伴う頻度が高いため，転帰・予後の観点から非浸潤性低異型度漿液性癌 non-invasive low-grade serous carcinoma と同等に扱われる．

腹膜インプラント peritoneal implant は非浸潤性と浸潤性に分けられる．非浸潤性インプラントでは，腫瘍細胞が乳頭状または管状構造をとり線維脂肪組織に接着または脂肪組織小葉間に沿って分け入るような像が観察され，ときに淡い間質反応 desmoplastic reaction を伴う（**図67**）．

漿液性癌 serous carcinoma はⅢ〜Ⅳ期で発見されるものが圧倒的に多い．細胞異型，構造異型，および前駆病変の有無（境界悪性腫瘍との連続性）などを基に低異型度漿液性癌 low-grade serous carcinoma（LGSC）と，高異型度漿液性癌 high-grade serous carcinoma（HGSC）に分けられる（**図68, 69**）．両者は組織発生上，連続性を欠く別個の腫瘍と考えられている．遺伝子異常の違いもそれらの個別性を裏づけている．

LGSCは従来の異型度分類Grade 1に相当し，全漿液性癌の数%で，HGSCよりも罹患年齢が若い．従来，浸潤性インプラントを伴う漿液性境界悪性腫瘍として取り扱ってきたものの多くがLGSCに相当すると考えられる．化学療法への反応性は不良であるが，進行が緩徐であるため予後は比較的良好である．

一方，HGSCは漿液性癌の大半を占め好発年齢は60代前半にある．充実性腫瘤が優勢で嚢胞部分を伴う．正常大卵巣の外観に近いながら，骨盤内に多数の播種病巣を伴う場合がある．生殖細胞系列の *BRCA1* ならびに *BRCA2* 変異がある場合，高率に遺伝性乳癌卵巣癌を発症する．細胞異型の高度な腫瘍細胞が乳頭状に増殖する傾向が強く，繊細な樹枝状やスリット状間隙をなし，あるいは充実性に増殖する（**図69**）．砂粒小体がしばしば観察されるが，他の組織型との鑑別の指標にはならない．

昨今，多くのHGSCにおいて**漿液性卵管上皮内癌** serous tubal intraepithelial carcinoma（STIC）（**図70**）がみつかったことで，HGSCの由来をSTICに求める説が生まれた．さらには，その前駆状態として卵管上皮に形態的な異常な明らかでないうちから *TP53* の異常がある（p53 signature とよばれる）と報告されている．このように卵管病変の意義に注目が集まったため，肉眼的な異常がみられない場合でも卵管采を含む卵管を可及的に検索することが望ましいとされている．この結果，STICがみつかれば卵管癌とし，方や卵巣癌ではSTICやHGSCが存在しないことを前提とする指針も示されている．

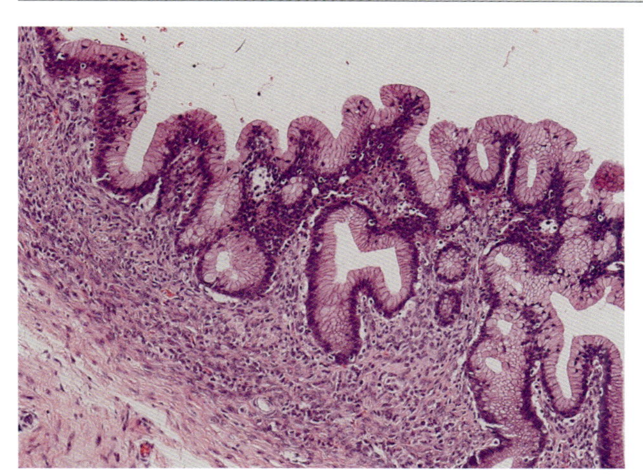

図 71　粘液性腺腫. 胃腺窩上皮に類似した異型の弱い腫瘍細胞が管状に増生している. 中拡大

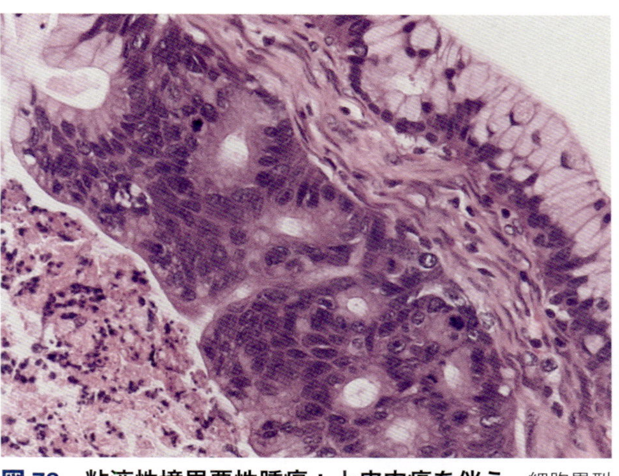

図 72　粘液性境界悪性腫瘍：上皮内癌を伴う. 細胞異型は悪性（粘液癌）に相当するが, 間質浸潤は認めない. 強拡大

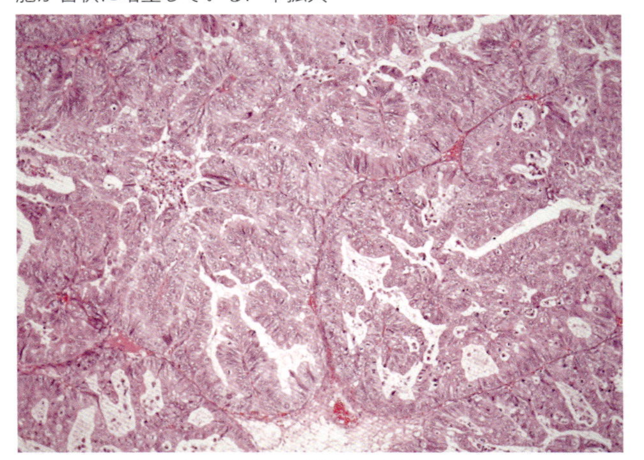

図 73　粘液性癌：癒合/圧排性浸潤を示す. 大型の腫瘍胞巣が, ほとんど間質の介在を伴わずに増殖している（back-to-back pattern を呈して）. 中拡大

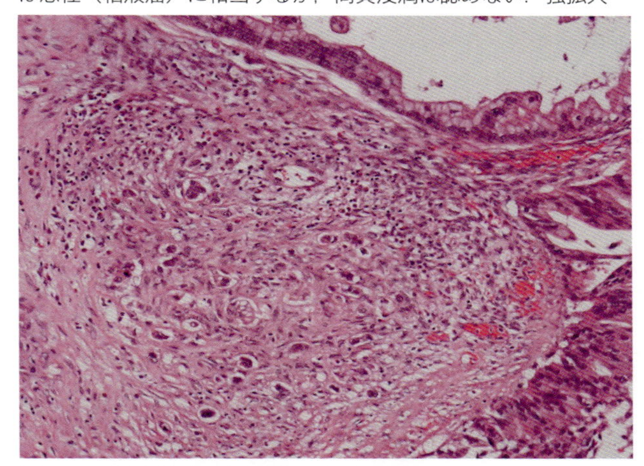

図 74　粘液性癌：侵入性浸潤を示す. 小型の癌胞巣が間質反応・炎症反応を伴って侵入性/破壊性に増殖している. 中拡大

粘液性腫瘍は種々の程度に粘液産生を示す胃腸管型の上皮細胞で構成されるが, 悪性では粘液産生は目立たない. 大半を占めるのは粘液性腺腫 mucinous adenoma で巨大化するものが少なくない. 粘液性上皮細胞は管腔を形成し, または大小の嚢胞腔の内面を覆っている. 胃腺窩上皮や杯細胞, 吸収上皮細胞, パネート細胞, 神経内分泌細胞などを含む腸管上皮に類似する（**図 71**）. 成熟奇形腫の一部として, あるいはブレンナー腫瘍に合併してみられることがある. 間質細胞の黄体化によってエストロゲンないしアンドロゲン産生を示す, いわゆる機能性間質を伴った場合は内分泌学的徴候が閉経後で顕在化する.

粘液性境界悪性腫瘍 mucinous borderline tumor は本邦では境界悪性腫瘍のなかで最も多い. 多房性で嚢胞壁の肥厚, 結節形成がみられる. 上皮は腺腫に比べて旺盛な増殖を示し, 大きくなるほど微小浸潤（5 mm 未満）をきたす頻度が高くなる. 多くは従来の腸型 intestinal type に相当する. 通常, 核異型は軽度から中等度で, 核分裂も散見される程度であるが, 悪性に匹敵する強い核異型や構造異型が認められても, 間質浸潤がないときは「上皮内癌 intraepithelial carcinoma を伴う粘液性境界悪性腫瘍」とする（**図 72**）. 予後が良好である点から粘液性癌とは鑑別される.

粘液性癌 mucinous carcinoma は高度の細胞異型を示す, 間質浸潤が明らかな粘液性腫瘍である. 良性, 境界悪性腫瘍成分との連続性や併存は, 段階的な悪性化をうかがわせる. 通常, 腫瘍細胞は多層化して, 管状, 乳頭状, 篩状などの, さまざまな大きさの胞巣をなす. 核分裂の頻度は高い. 癒合/圧排性浸潤 confluent/expansile invasive pattern と侵入性浸潤 infiltrative invasive pattern があり, 両者の識別は予後の観点から意義がある（**図 73, 74**）. 癒合/圧排性浸潤では腫瘍腺管が密でほとんど間質は介在しない（**図 73**）. 侵入性浸潤では

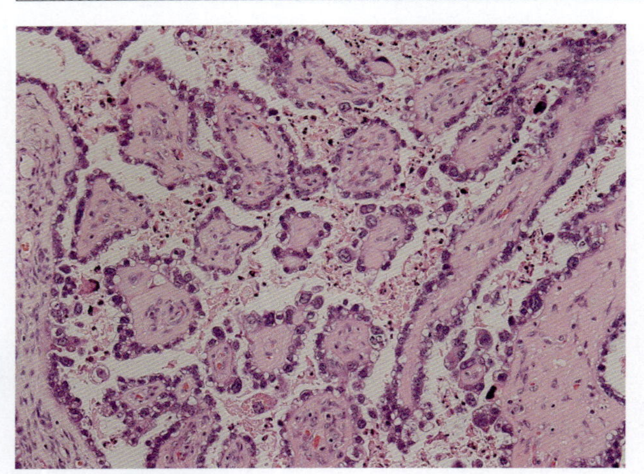

図 75　明細胞癌．腫瘍胞巣は乳頭状をなし，内腔に浮かぶように（分離しているように）観察される．中拡大

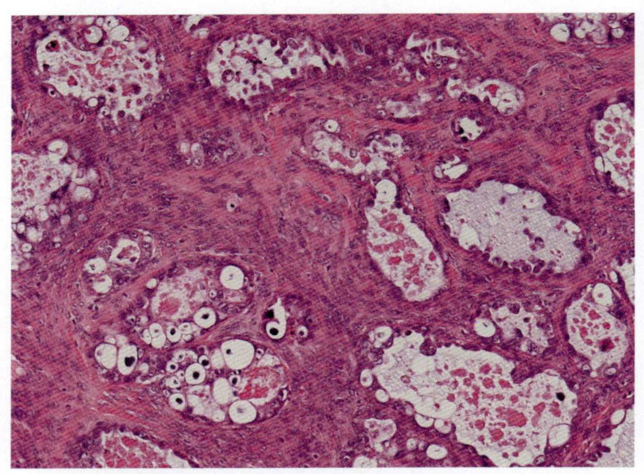

図 76　明細胞癌：腺癌線維腫型．腺管状の腫瘍胞巣は豊富な線維性間質で取り囲まれている．中拡大

細胞異型の強い腫瘍細胞が，大小の胞巣をなして破壊性あるいは線維形成性 desmoplastic に浸潤する（**図 74**）．

粘液性腫瘍の特徴として，良性，境界悪性，悪性を問わず，嚢胞壁の一部に単発性または多発性に結節性病変を伴う（with mural nodule）ことがある．結節は，非腫瘍性あるいは悪性腫瘍（多くは肉腫）などによって構成されるため，肉眼標本での観察，サンプリングには留意する必要がある．腹膜偽粘液腫とよばれる病態では，卵巣が腫瘤状で原発部と考えられることがあるが，虫垂などの消化管由来かを十分に鑑別する必要がある．この際，原発でも虫垂が腫大しているとは限らない．組織学的に腺腫様を示しても，悪性（low grade mucinous neoplasm）に扱われる．原発性か転移性かの判断には免疫組織化学が有用である．鑑別に有用なマーカーとして，CK7，CK20，CDX2，CA125，ER，Pax-8 などがあり，これらの組み合わせによる染色パターンは，虫垂または消化管原発腫瘍か，卵巣原発の粘液性腫瘍かの決定に寄与する．ただし，粘液性の腫瘍は両者間で共通した反応を示すことがある．

明細胞腫瘍はグリコーゲン貯留を特徴とする明るく広い細胞質，またはわずかな細胞質と鋲釘 hobnail 状大型核をもつ腫瘍細胞からなる．好酸性の細胞質を有する腫瘍細胞もしばしばみられる．明細胞腫瘍はほとんどが悪性で，組織発生上，子宮内膜症との関連を示すものが多い．

明細胞腺腫 clear cell adenoma は多くが腺線維腫型 adenofibroma をとり，境界悪性腫瘍成分を合併することがある．境界悪性腫瘍 clear cell borderline tumor もほとんどが腺線維腫の像を呈する．中等度の異型を有する淡明細胞または hobnail 状細胞が，豊富な間質を伴ってほぼ形状の整った独立腺管をなす．核分裂はまれである．微小浸潤を示すこともあるとされる．

明細胞癌 clear cell carcinoma は，本邦では卵巣上皮性悪性腫瘍のなかで漿液性癌に次いで多い．異型の強い淡明細胞や hobnail 状細胞，あるいは好酸性細胞からなる（**図 75, 76**）．背景に子宮内膜症を合併している例が多く，子宮内膜症性嚢胞内に結節を形成するもの，充実性腫瘤が主体をなすものなどさまざまである．腫瘍細胞は，管状，嚢胞状，乳頭状，充実性などの構造が移行し，あるいは種々の程度に混合を示す．乳頭状増殖では，しばしば無構造な硝子様基質を腫瘍細胞が取り囲む像をとる（**図 75**）．細胞質内に好酸性硝子滴を容れることがある．腺癌線維腫型は組織発生の点で良性・境界悪性成分との連続性がうかがわれる（**図 76**）．明細胞癌は漿液性癌のような細かい樹枝状分岐を形成しない．なお，明細胞癌にも種々の程度に異型がみられるが，異型度分類は確立されていない．

卵巣癌における，漿液性，明細胞，類内膜，粘液性といった組織型は，組織発生/前駆病変の有無，遺伝子背景，化学療法の奏効性，および転帰/予後といったそれぞれの特性に強くかかわっている．前駆病変の有無，遺伝子異常，遺伝子安定性/不安定性の観点から卵巣癌はⅠ型とⅡ型に分けられる．明細胞癌は *ARID1A* および *PTEN* といった遺伝子の異常をもつ頻度が高くⅠ型に入れられている．漿液性癌がⅢ期でみつかるものが最も多いのに対して，明細胞癌はⅠ期（特にⅠC）が半分以上を占め，予後は概して標準的な化学療法に感受性が高い漿液性癌よりも不良である．明細胞癌の診断，他の組織型との鑑別は，いくつかの免疫組織化学マーカーの陽性/陰性反応の組み合わせにより，漿液性癌や卵黄嚢腫瘍などとの鑑別が可能である．明細胞癌は以下のような態度をとる：HNF-1β（陽性），ER（陰性），p53（陰性），ARID1A（陰性），Pax-8（陽性），AFP（陰性）．

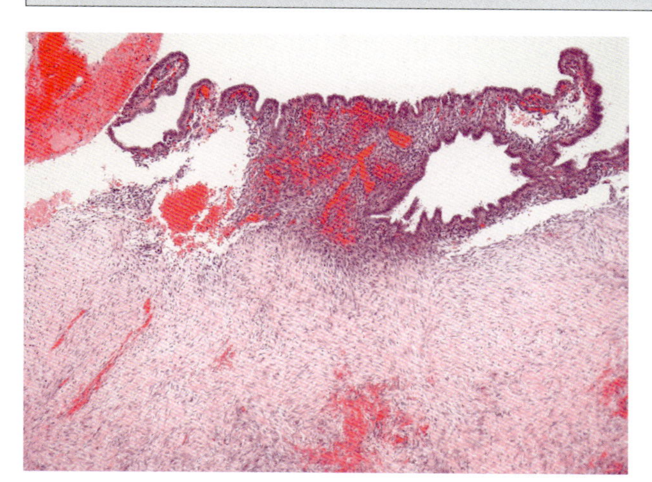

図77　子宮内膜症性嚢胞．内腔面の一部に子宮内膜を模倣する腺管と間質がみられ，出血を伴っている．中拡大

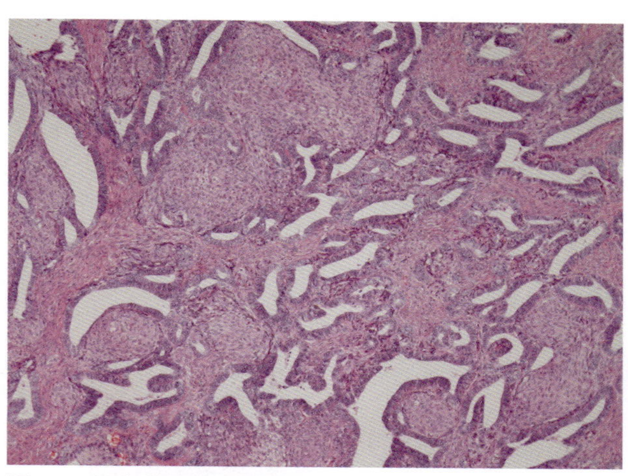

図78　類内膜境界悪性腫瘍．腺管がmoruleを形成して繋がるように増生している．子宮内膜異型増殖症と見まごう像を示す．中拡大

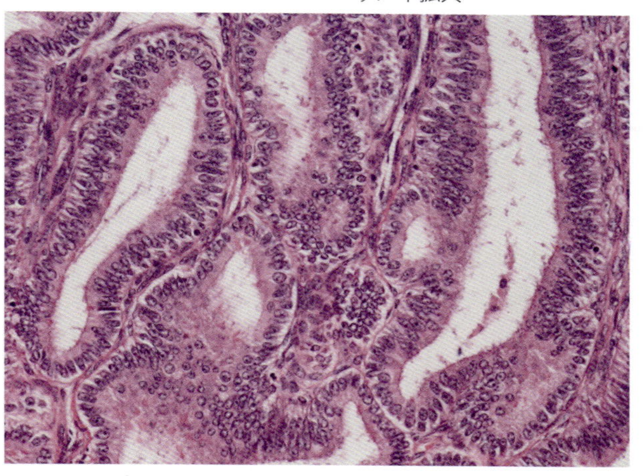

図79　類内膜癌 G1．子宮内膜類内膜癌G1の像と同様で，密な管状構造をなしている．強拡大

類内膜腫瘍では，WHO 2014年分類の改訂で，これまで非腫瘍/腫瘍様病変として扱われてきた子宮内膜症性嚢胞endometriotic cystが良性腫瘍に分類されることになった．一方では，癌肉腫や腺肉腫，類内膜間質肉腫はこの群からは独立した．子宮内膜症性嚢胞は子宮内膜腺上皮に似た異型のない細胞と子宮内膜間質細胞からなる（**図77**）．腺腫としては，類内膜腺線維腫endometrioid adenofibromaがある．子宮内膜症性嚢胞で，上皮に異型が目立つ場合は異型子宮内膜症 atypical endometriosis とよばれる．上皮や上皮直下の子宮内膜間質細胞がほとんど確認されないときは，ヘモジデリンを貪食する組織球の出現が診断の手がかりとなる．

類内膜境界悪性腫瘍 endometrioid borderline tumor はまれな腫瘍で，良性に比べて異型のある子宮内膜腺上皮類似の細胞からなる．子宮内膜増殖症や子宮体部類内膜癌と合併することがしばしばある．嚢胞内にポリープ状隆起をなすものと，充実性が優勢で腺線維腫の形態をとるものがある．morule型の化生を伴うことが多く，子宮内膜の異型増殖症に類似の像がみられる（**図78**）．微小浸潤をきたすことがあるとされる．

類内膜癌 endometrioid carcinoma は子宮体部類内膜癌に類似する（**図79，80**）．子宮体部類内膜癌と併存する場合は，互いに独立して発生したものか，あるいは一方が原発で片方が転移かはしばしば判断に悩む．「体部類内膜癌が内膜増殖症と合併し浅い筋層浸潤を示す」，「卵巣類内膜癌が片側性で良性/境界悪性腫瘍と連続する」などは，2つの腫瘍が独立したものとする拠り所となりうる．多くが子宮内膜症との関連があり，年齢層が若い傾向にある．血性内容を伴ったポリープ状の隆起が嚢胞内にみられる際は子宮内膜症性が考えやすい．異型度分類は子宮体部類内膜癌に準拠して行われるが，異型度の高い類内膜癌は高異型度漿液性癌との鑑別が困難な

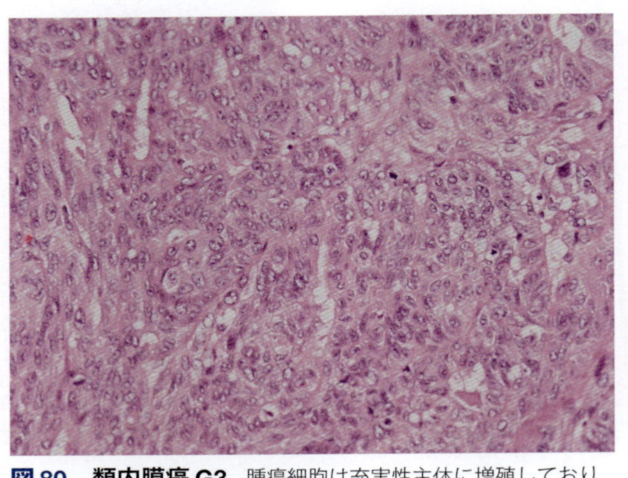

図 80　類内膜癌 G3. 腫瘍細胞は充実性主体に増殖しており，内腔の狭い管腔構造がうかがわれる．強拡大

ことが多い．異型度の低い類内膜癌では，円柱状の腫瘍細胞が明瞭な管状ないし乳頭状/絨毛状構造を形成する（**図 79**）．異型度が高くなるにしたがい充実性の部分が優勢となる．細胞異型が増し構造は不明瞭となるが，破壊性の浸潤増殖はまれである（**図 80**）．腫瘍細胞がセルトリ細胞腫，セルトリ・ライディッヒ細胞腫，成人型顆粒膜細胞腫などの形態を模倣することがあり，「endometrioid carcinoma resembling sex cord-stromal tumor」または「sertoli-form endometrioid carcinoma」ともよばれる．性索間質腫瘍との鑑別には免疫組織化学が有用である．

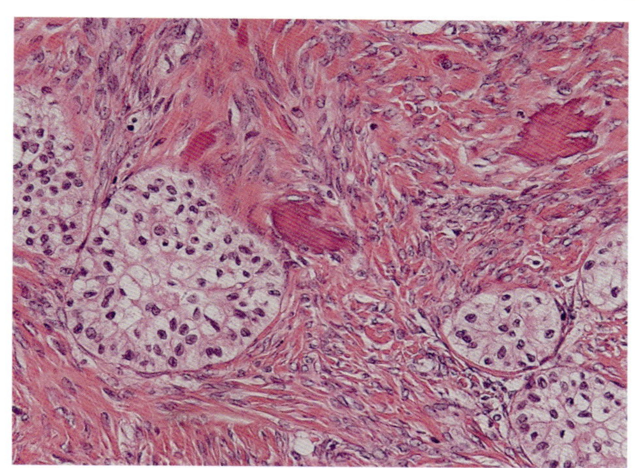

図 81　良性ブレンナー腫瘍．充実性胞巣と線維腫様間質からなり，一部で石灰化がみられる．強拡大

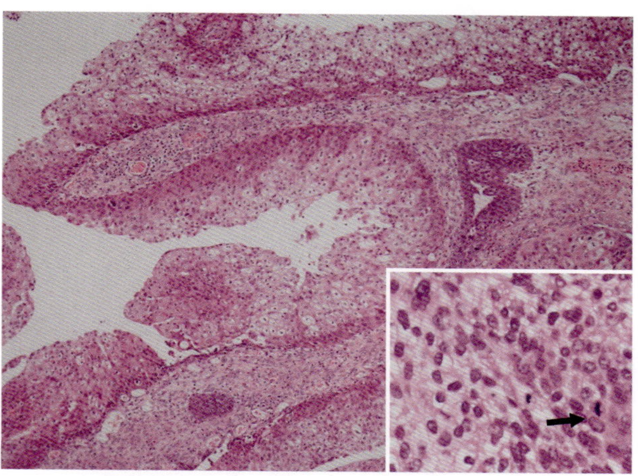

図 82　境界悪性ブレンナー腫瘍．尿路上皮癌（移行上皮癌）に類似した乳頭状増殖を示す．間質浸潤を欠く．中拡大．挿入図：一部の拡大（核は類円形で細胞質は明るい．核分裂（⬆）がみられる）

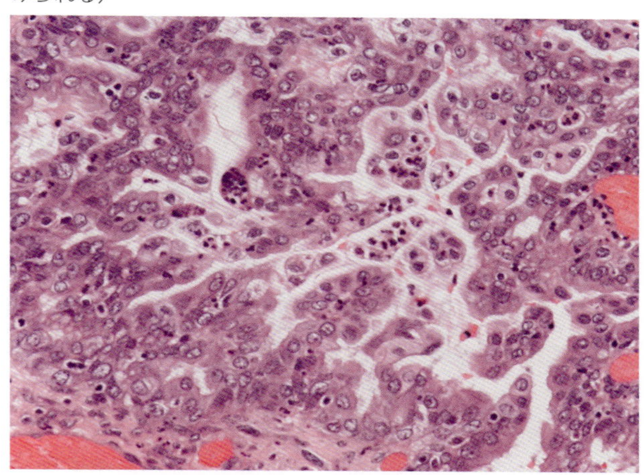

図 83　漿液粘液性境界悪性腫瘍．腫瘍細胞は漿液性と粘液性の性格を示し，互いに混在・移行し乳頭状に増殖している．強拡大

良性ブレンナー腫瘍 benign Brenner tumor は異型に乏しい尿路（移行）上皮に類似した腫瘍細胞が大小の充実性胞巣をなし，豊富な線維腫様間質を伴う（**図 81**）．ブレンナー腫瘍全体の大半を占める．組織発生上，Walthard cell rest 由来説がある．大きなものはまれで，2 cm 以下または顕微鏡的に発見されるものが少なくない．胞巣の中心部が化生性の粘液産生円柱上皮で裏打ちされ，腺管ないし嚢胞構造をとることがある．コーヒー豆様の核縦溝がよく知られているが特異的な像ではない．閉経後は機能性間質を伴うものが多く，主としてエストロゲン産生能をもつ．

境界悪性ブレンナー腫瘍 borderline Brenner tumor は間質浸潤を示さない異型尿路（移行）上皮からなり，増殖性ブレンナー腫瘍 proliferating Brenner tumor ともよばれてきた（**図 82**）．膀胱の低異型度非浸潤性乳頭状尿路上皮癌に類似し，良性ブレンナー腫瘍との連続性をみるものが多い．嚢胞内に充実部が形成され，異型尿路上皮が乳頭状に，または圧排性に増殖する．核分裂の程度は様々で，壊死を認めることがある．

悪性ブレンナー腫瘍 malignant Brenner tumor は尿路上皮癌に類似性がみられ，良性または境界悪性ブレンナー腫瘍を伴うことが診断の決め手となる．背景や前駆病変が明らかでない場合は移行上皮癌とされてきたが，昨今は高異型度漿液性癌または異型度の高い類内膜癌と考えられるようになった．

漿液粘液性腫瘍は複数のミュラー管型上皮を模倣する腫瘍であるが，いわゆる混合型腫瘍と同義ではない．新興の概念ではなく，従来の内頸部様 endocervical-like 腫瘍に相当し，WHO 2014 年分類で独立した腫瘍群として明記されるにいたった．組織発生上，子宮内膜症との関連が示唆される．

漿液粘液性嚢胞腺腫 seromucinous adenoma はかなりまれで，これまで müllerian cystadenoma of mixed cell type とよばれてきた．漿液性上皮と，子宮内頸部細胞に類似の粘液性上皮が種々の程度に混合あるいは移行する．類内膜上皮，尿路（移行）上皮，扁平上皮などへの分化も起こる．

漿液粘液性境界悪性腫瘍 seromucinous borderline tumor は，従来，粘液性境界悪性腫瘍内頸部様 endocervical-like mucinous borderline tumor/müllerian mucinous borderline tumor（MMBT）として扱われてきた．mixed epithelial tumor of borderline malignancy との呼称もある．罹患年齢は比較的若い．両側性で子宮内膜症を合併することがある．漿液性境界悪性腫瘍に似た樹枝状・乳頭状構築を示し，線毛のある異型上皮や粘液性上皮が混合し，類内膜上皮，明細胞などもみられる．しばしば好中球の浸潤が目立つ（**図 83**）．

漿液粘液性癌 seromucinous carcinoma/endocervical-type mucinous and mixed epithelial carcinomas of müllerian type は，実体が不明で，診断上も疑問がなげかけられてきた．WHO 2020 年分類の改訂では分類から削除されることになる．

性索間質性腫瘍，胚細胞腫瘍，卵黄嚢腫瘍および胎芽性癌（1） | Sex cord-stromal tumor，Germ cell tumor，Yolk sac tumor and Embryonal carcinoma（1）

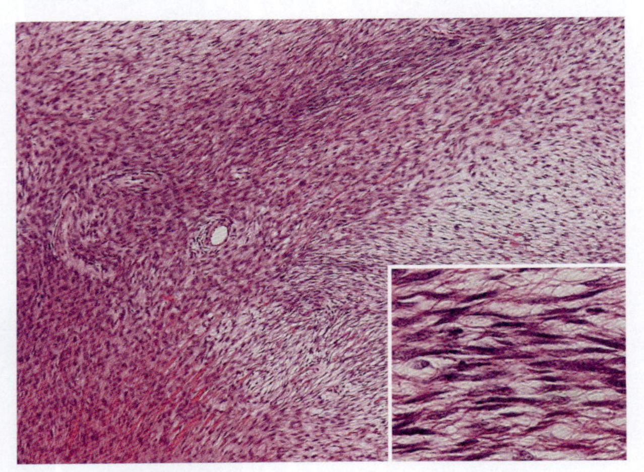

図 84　莢膜細胞腫．細胞質が好酸性を呈する領域と，明るい領域が混じり合う．中拡大．挿入図：一部の拡大（核は紡錘形で異型に乏しい）

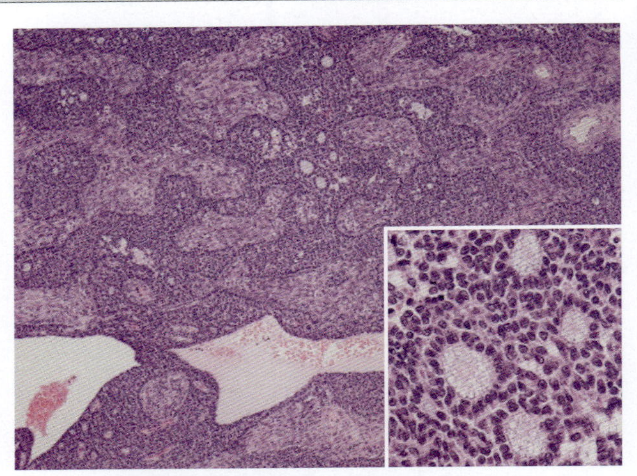

図 85　成人型顆粒膜細胞腫．細胞質が暗調な領域と明るい領域からなり，一部で濾胞/嚢胞が形成されている．中拡大．挿入図：一部の拡大（微小濾胞構造 Call-Exner body がみられる）

性索間質性腫瘍 sex cord-stromal tumor は WHO 2014 年分類では純粋型間質性腫瘍 pure stromal tumor と純粋型性索腫瘍 pure sex cord tumor，および混合型性索間質性腫瘍 mixed sex cord-stromal tumor に整理された．性索細胞とは卵巣の顆粒膜細胞と精巣のセルトリ細胞を指し，間質細胞は卵巣の莢膜細胞や線維芽細胞，精巣のライディッヒ細胞からなる．

純粋型間質性腫瘍 pure stromal tumor には，線維腫 fibroma，莢膜細胞腫 thecoma，硬化性間質性腫瘍 sclerosing stromal tumor，微小嚢胞間質性腫瘍 microcystic stromal tumor，ライディッヒ細胞腫 Leydig cell tumor，ステロイド細胞腫瘍 steroid cell tumor などがあるがいずれもまれで，莢膜細胞類似の腫瘍細胞を主体とする良性腫瘍である．莢膜細胞腫が比較的日常性が高い．莢膜細胞腫はほとんどが閉経後にみられ，エストロゲン，アンドロゲン産生による内分泌学的徴候を呈することがある．割面はほぼ均一な黄色充実を呈するが，嚢胞を伴うこともある．腫瘍細胞は類円形で，豊富な好酸性ないし泡沫様細胞質をもつ(**図 84**)．線維芽細胞や膠原線維の混在が目立つ例では，莢膜線維腫 thecofibroma のよび名が使われてきた．

成人型顆粒膜細胞腫 adult granulosa cell tumor は純粋型性索腫瘍の代表で，腫瘍性の顆粒膜細胞成分が 10%以上を占めることが必須とされる．かつての「卵巣腫瘍取扱い規約」では境界悪性腫瘍に位置づけられていたが，晩期再発例が少なくないことからも，現在は「悪性度不明から悪性のカテゴリーに含む」とされている．90%に *FOXL2* の変異を認める．閉経後は多くがエストロゲン産生による不正出血を呈することがあり，術前には内膜肥厚も指摘される．充実性ないし嚢胞を伴う充実部を形成し，嚢胞内に血液を容れることが多い．腫瘍は好酸性無構造物を容れた大濾胞 macrofollicle，好酸性無構造物を取り囲みロゼット状に配列する微小濾胞構造 microfollicle（Call-Exner body）を特徴とする（**図 85**）．腫瘍細胞は細胞質が好酸性で狭く，コーヒー豆様の核縦溝がみられる．

若年型顆粒膜細胞腫 juvenile granulosa cell tumor では *FOXL2* の変異は認められない．小児ないし若年者だけでなく，高齢者にも発生しうる．成人型に比較して予後は良好である．大きさや形がさまざまな濾胞構造をとる．

セルトリ細胞腫 Sertoli cell tumor はセルトリ細胞類似の高円柱状細胞が管状構造を形成して増殖するまれな良性腫瘍で，エストロゲン産生に伴う内分泌学的徴候を認めることが少なくない．管状構造は中空管 hollow tubule または中実管 solid tubule をなす．細胞質は好酸性ないし空胞状で核は卵円形を呈する．

混合型性索間質性腫瘍は，性索および間質の両者への分化を示す腫瘍細胞で構成される．代表的なものに**セルトリ・ライディッヒ細胞腫** Sertoli-Leydig cell tumor がある．アンドロゲン産生の腫瘍では，男性化徴候をきたす．高・中・低分化型の予後はそれぞれ良性，境界悪性，悪性に相当する．*DICER-1* の変異を伴う．高分化型は管状構造を形成し，ラインケ結晶を認めることがある．中分化型は未熟なセルトリ細胞様細胞，ライディッヒ細胞に類似した細胞で構成されるが，ラインケ結晶を認めることはまれである（**図 86**）．核分裂は高倍率 10 視野に 5 個を超えない．低分化型は原始性腺間質に類似する肉腫を思わせる紡錘形細胞の増殖が主体であ

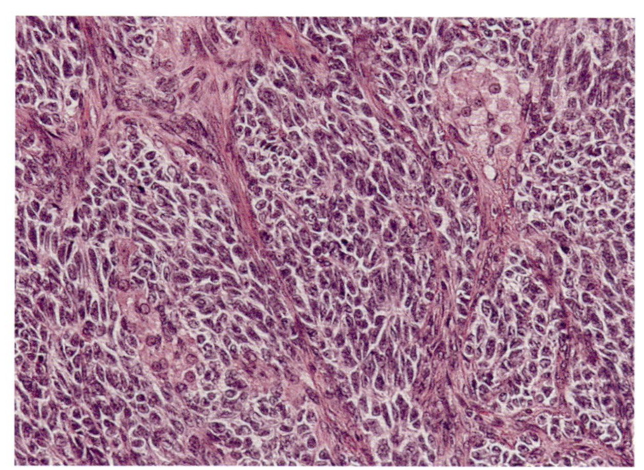

図 86　セルトリ・ライディッヒ細胞腫：中分化型．異型のある紡錘形細胞と，好酸性ないし淡好酸性細胞質をもつ腫瘍細胞からなる．強拡大

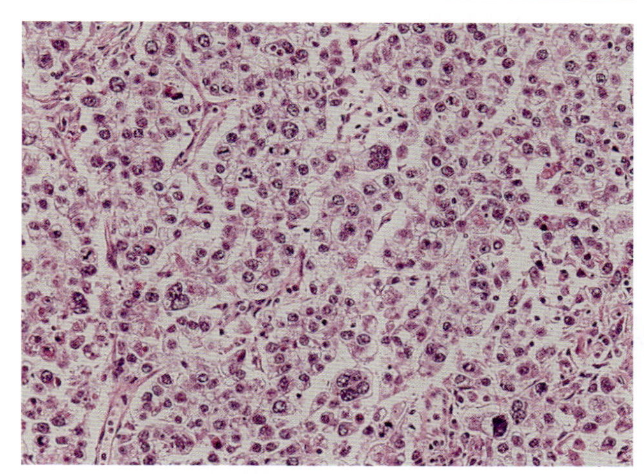

図 87　未分化胚細胞腫/ディスジャーミノーマ．腫瘍細胞は多形性のある大型核と淡明な細胞質をもつ．多核巨細胞が散見される．強拡大

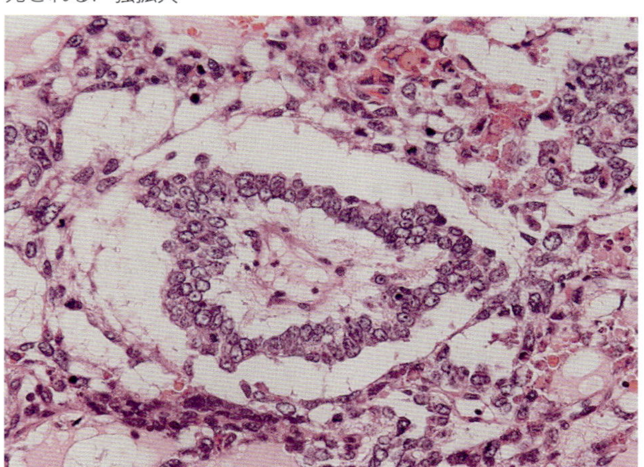

図 88　卵黄囊腫瘍．Schiller–Duval body では血管軸の周りを腫瘍細胞が取り囲んでいる．強拡大

る．核分裂は高倍率 10 視野で 20 個を超える．このほかには網状型 retiform が知られている．

胚細胞腫瘍 germ cell tumor は胚細胞（生殖細胞）を発生の起源とする腫瘍で，若年者に多い．未分化胚細胞腫/ディスジャーミノーマ dysgerminoma は原始生殖細胞に類似した大型の腫瘍細胞で構成され，精巣セミノーマと同様の組織像を呈する（**図 87**）．血清 hCG 値の上昇がみられる場合は，合胞体栄養膜細胞様巨細胞 syncytiotrophoblastic giant cell（STGC）の混在，および絨毛癌などの合併に留意する必要がある．化学療法や放射線治療の感受性が高く予後は良好である．腫瘍細胞は大型類円形で，細胞境界明瞭，細胞質はグリコーゲンを豊富に含み淡明である．しばしば小型リンパ球の浸潤を伴い，いわゆる two cell pattern を呈する．

卵黄囊腫瘍 yolk sac tumor は内胚葉由来の種々の胎芽外成分（卵黄囊，尿膜）および胎芽組織（腸管，肺，肝）への分化を示す．αフェトプロテイン α-fetoprotein（AFP）産生を特徴とする．従来は，別称として内胚葉洞腫瘍 endodermal sinus tumor が使われていたが，昨今は原始内胚葉腫瘍 primitive endodermal tumor のほうが腫瘍の本質をとらえているとして推奨されている．化学療法感受性は高く予後は良い．以下のような複数のパターンがある：網状 reticular，乳頭状・花鎖様 papillary and festoon，充実性 solid，多小胞状卵黄囊 polyvesicular vitelline，篩状・管状 cribriform–tubular，腺管 glandular，壁側板型 parietal，肝様 hepatoid．網状が最も頻度が高く，細胞密度の低い粘液腫様間質内に，淡明な細胞質を有する立方形ないし扁平な腫瘍細胞が迷路様構造や微小囊胞を形成して増殖する．腫瘍細胞はグリコーゲンや脂肪に富み，細胞内外に好酸性硝子小体 eosinophilic hyaline globule がみられる．Schiller–Duval body とよばれるパターンでは，淡い血管周囲間質の外側に高円柱状腫瘍細胞が配列し，その外側の空隙を介してさらに扁平な腫瘍細胞が取り囲む（**図 88**）．免疫組織化学的に，AFP，SALL4 や glypican 3 が陽性となる．

胎芽性癌 embryonal carcinoma は充実性，乳頭状あるいは腺管状増殖を示す腫瘍で，ほかの胚細胞腫瘍と混在することが多い．腫瘍細胞は大型高円柱状，核は長円形で核分裂が目立ち，核小体が明瞭にみられる．非妊娠性絨毛癌 non-gestational choriocarcinoma は胎生期の胎盤絨毛組織に類似する腫瘍で，多くは混合型胚細胞腫瘍内に混在してみられる．化学療法の有効性は妊娠性絨毛癌に比して低い．

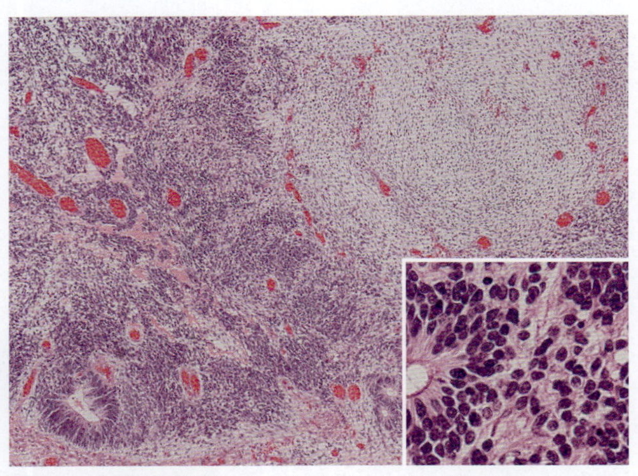

図 89　未熟奇形腫．未熟な神経細胞（左側）が密に増殖している．中拡大．挿入図：一部の拡大（神経管への分化がみられる）

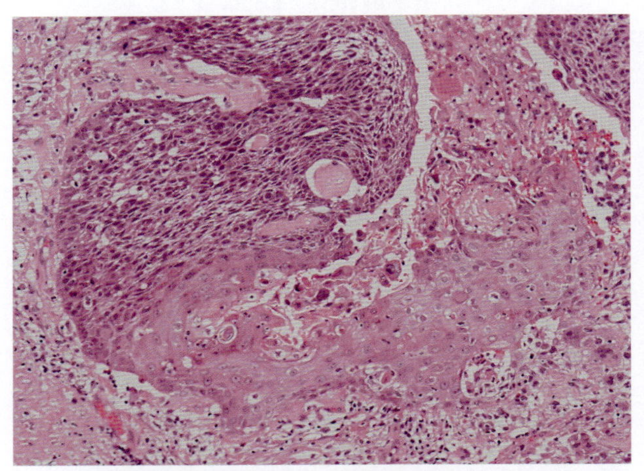

図 90　成熟奇形腫悪性転化：扁平上皮癌．成熟奇形腫の長期経過の後に，扁平上皮癌に代表される悪性腫瘍が発生することがある．中拡大

未熟奇形腫 immature teratoma は胎芽期の組織に類似した未熟組織（多くは神経外胚葉成分）からなる．かつて多胎芽腫 polyembryoma とよばれていた，個体発生初期の胎芽に類似した類胎芽体 embryoid body がその原型といえる．未熟組織は神経管様のロゼットを形成する神経上皮，神経膠細胞，骨・軟骨，骨格筋，腸管などで構成される（**図 89**）．前規約では未熟奇形腫は Grade 1，2 が境界悪性あるいは悪性度不明，Grade 3 が悪性と臨床病理的に理解されてきたが，現在は Grade 1 が低異型度，Grade 2，Grade 3 が高異型度に扱われることになった．成熟した神経膠組織のみからなる腹膜播種巣はいわゆる Grade 0 に相当し，腹膜神経膠腫症 peritoneal gliomatosis とよばれる．

成熟奇形腫 mature teratoma は，成熟した 2 胚葉あるいは 3 胚葉由来の体細胞組織で構成され，皮様嚢腫 dermoid cyst の別称がある．表皮，毛嚢，毛髪，皮脂腺，汗腺，呼吸上皮，軟骨，平滑筋，脂肪組織，神経膠組織，脈絡叢，神経節，網膜，小脳，メラノサイト，消化管上皮，骨，甲状腺などの組織が種々の程度に認められる．成熟奇形腫における悪性転化は扁平上皮癌が圧倒的に多く（**図 90**），これに比べると頻度は低いが腺癌が 2 番目に経験される．成熟奇形腫の発症年齢よりも 20 歳程度高い．

単胚葉性奇形腫，および**皮様嚢腫に伴う体細胞型腫瘍** monodermal teratoma and somatic-type tumors arising from dermoid cyst は，卵巣甲状腺腫 struma ovarii が代表格で，通常の甲状腺組織に類似のもの，腺腫様甲状腺腫や濾胞腺腫様の像を示すものなどがある．悪性卵巣甲状腺腫 struma ovarii, malignant としては甲状腺乳頭癌がある．

カルチノイド，胚細胞・性索間質性腫瘍および二次性腫瘍 | Carcinoid tumor，Germ cell–sex cord–stromal tumor and Secondary tumor

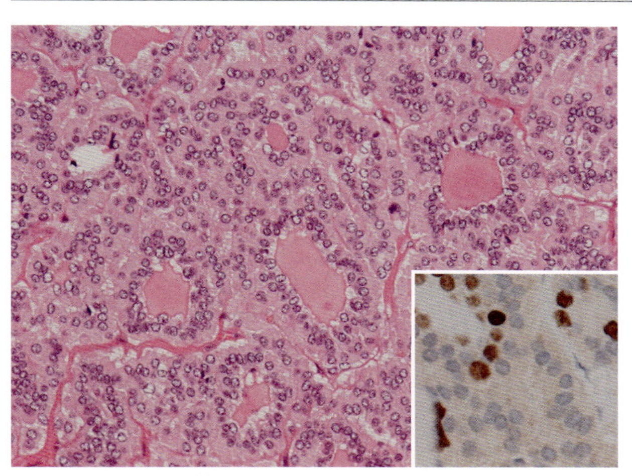

図 91　甲状腺腫性カルチノイド．甲状腺の濾胞構築を模倣するように腫瘍細胞が増殖している．強拡大．挿入図：TTF–1 免疫組織化学（陽性を示す核がみられる）

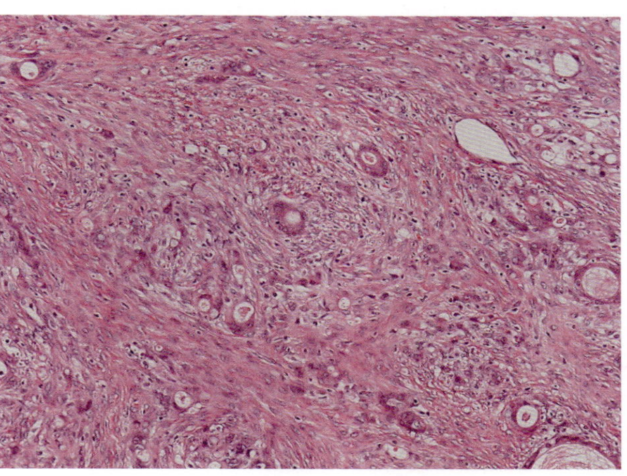

図 92　クルケンベルグ腫瘍：胃癌の転移．胃原発の腺癌で腺管形成の明瞭なものと不明瞭なものからなる．間質細胞は好酸性を呈している．中拡大

カルチノイドは消化管の高分化神経内分泌腫瘍 neuroendocrine tumor（NET）Grade 1 に類似した腫瘍で，成熟奇形腫や卵巣甲状腺腫，あるいは粘液性嚢胞腺腫の中に発生することがある．島状や索状パターンをとるものが多い．悪性の経過を示すのは，ほとんどが粘液性カルチノイド mucinous carcinoid（杯細胞性カルチノイド goblet cell carcinoid ともよばれる）ないし島状カルチノイド insular carcinoid である．甲状腺腫性カルチノイド strumal carcinoid は，甲状腺腺腫とカルチノイドの部分が移行，混在する（**図 91**）．

胚細胞・性索間質性腫瘍は胚細胞，性索細胞，間質細胞の混合性増殖からなるまれな腫瘍で，性腺芽腫（悪性胚細胞腫瘍を伴う性腺芽腫を含む）gonadoblastoma, including gonadoblastoma with malignant germ cell tumor は胚細胞と性索間質細胞の混合性増殖からなり，発生途中の卵巣ないし精巣を模倣する．

二次性腫瘍，すなわち転移性腫瘍は両側性が多いとされるが，片側性のことも少なくない．日常的な切除例としては大腸癌からの転移が最も多く経験され（dirty necrosis がみられる），乳癌，胃癌などの転移も少なくない．腹膜偽粘液腫 pseudomyxoma peritonei を呈する卵巣粘液性腫瘍の多くが，虫垂の低悪性度粘液性腫瘍 low grade mucinous neoplasma を原発としている（p.409 参照）．組織学的には卵巣原発粘液性腫瘍に類似しているため，注意深い観察が必要である．クルケンベルグ腫瘍 Krukenberg tumor は，印環細胞様の腫瘍細胞の増殖が間質反応/線維増生によって特徴づけられる腫瘍で，消化管，特に胃癌に由来するものが多い（**図 92**）．ただし，まれには卵巣原発の腺癌がクルケンベルグ腫瘍に模倣する．原発巣を推定するためには免疫組織化学が有用であるが，組織型による各種マーカーの感度，特異度を十分考慮したうえでの判断が求められる．

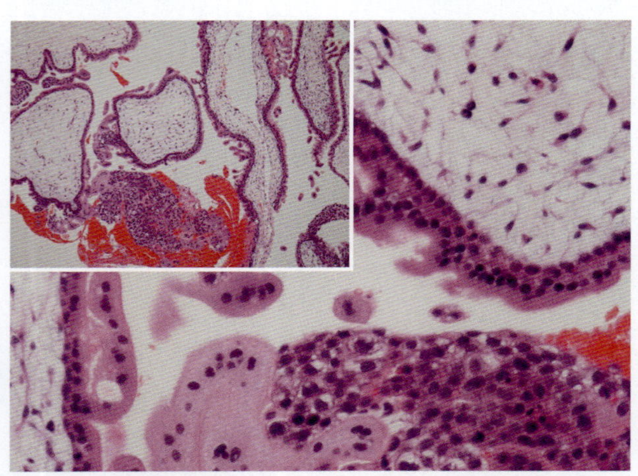

図 93　全胞状奇胎．細胞性栄養膜細胞と合胞体栄養膜細胞，および中間型栄養膜細胞の３種類からなる．間質はよく保たれている．強拡大．挿入図：弱拡大（妊娠初期では奇胎化/囊胞化は目立たない）

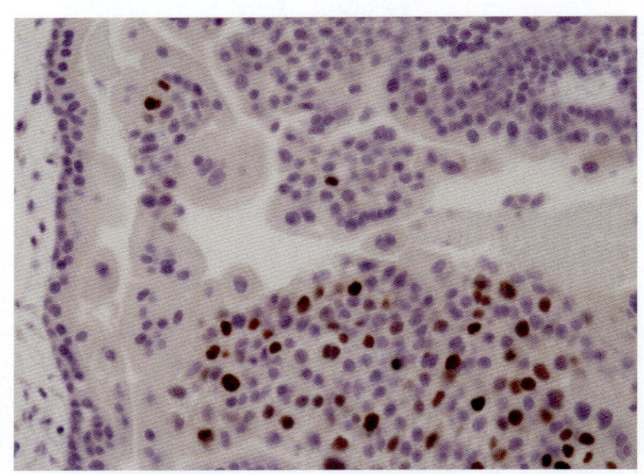

図 94　全胞状奇胎．p57Kip2 免疫組織化学．中間型栄養膜細胞（核）にのみ陽性反応を認めることから全胞状奇胎と診断される．強拡大

全胞状奇胎 complete hydatidiform mole（CHM）（**図 93**）が雄核発生（46XX，46XY がほとんどを占める）によることが証明されてからすでに 30 年以上になるが，絨毛性疾患 trophoblastic disease は本邦では年々減少の一途をたどっている．画像解析能の進歩や hCG の微量測定が可能となったことなどで，胞状奇胎における早期発見の診断精度がいっそう向上した．

胞状奇胎は，古典的に「肉眼的に絨毛が囊胞化して認められるものをいう」と定義され，囊胞化の指標は，短径が 2 mm を超えるものとされてきた．早期妊娠週齢のものでは，週齢の進んだものに比べて囊胞径の小さいものが多いため，肉眼的所見のみの診断では胞状奇胎を見逃すことがある．よって，奇胎囊胞を誤って水腫様流産と診断されてしまう危険性もあるため，昨今では，診断は組織所見に基づき，p57Kip2 または TSSC3 抗体を用いた免疫組織化学的検査，あるいは遺伝子検査を行うことが望ましいとされる．

p57Kip2 は，11 番染色体（11p 15.5）のインプリント遺伝子クラスター上に存在する遺伝子「*CDKN1C*：cyclin-dependent kinase inhibitor 1C，*PHLDA2*：plecksrin homology-like domain, family A, member」の産物である．雌雄（男女）の配偶子形成過程で，DNA のメチル化パターンが異なることで性による転写調節が行われ，単為生殖（＝処女生殖：卵子が受精することなく単独で新個体を生じる生殖）を防ぐ役目を果たしていると考えられている．

p57Kip2 抗体を用いた免疫組織化学は，雄核発生の全胞状奇胎においては，細胞性栄養膜細胞 cytotrophoblast（CT）と絨毛の間質細胞では p57Kip2 は陰性となるが，中間型栄養膜細胞

表 2　p57Kip2 の染色態度

	CT（細胞性）	ST（合胞性）	IT（中間型）	脱落膜
abortion（流産）	＋	－	＋	＋
PHM（部分奇胎）	＋	－	＋	＋
CHM（全奇胎）	－	－	＋	＋

decidua：＋
全胞状奇胎では細胞性栄養細胞は陰性で中間型栄養膜細胞（核）に陽性反応がみられる．脱落膜細胞は常に陽性となる．

intermediate trophoblast（IT）の核は種々の程度に陽性の態度をとる（**図 94**，**表 2**）．父方・母方双方のアレルを有する部分胞状奇胎や水腫様流産では，CT，IT ともに陽性となる．ただし，CHM，部分奇胎 partial hydatidiform mole（PHM），水腫様流産いずれの場合も，合胞体栄養膜細胞 syncytiotrophoblast（ST）は陰性である．脱落膜細胞は常に陽性となることに留意する必要がある．絨毛癌において gestational or non-gestational かの判定にも有益なことがある．

3 種類の絨毛栄養膜細胞は幾種類かの抗体パネルを用いることで確実に識別がなされる（**表 3**）．低分子 cytokeratin であれば，CT，ST，IT はほぼ同程度の陽性所見を示すが，高分子 cytokeratin 単独の抗体は陰性になる．いずれの栄養膜細胞も vimentin に陰性で，脱落膜細胞は陽性を示す．CD10，inhibin-α，3β-HSD などでも 3 種の栄養膜細胞を個別に認識できる．hCG，hPL の産生は ST および IT に認められ，CT

表 3　栄養膜細胞の免疫組織化学

	cyto-keratin	3β-HSD	p63	PLAP	β-catenin	hCG	hPL
CT	＋	－	＋	－	＋	－	－
ST	＋	＋	－	＋	－	＋	＋
IT	＋	＋	－	＋	－	＋	＋

3種類の栄養膜細胞は異なった免疫形質をもっており，これらの態度から総合的に識別が可能である．

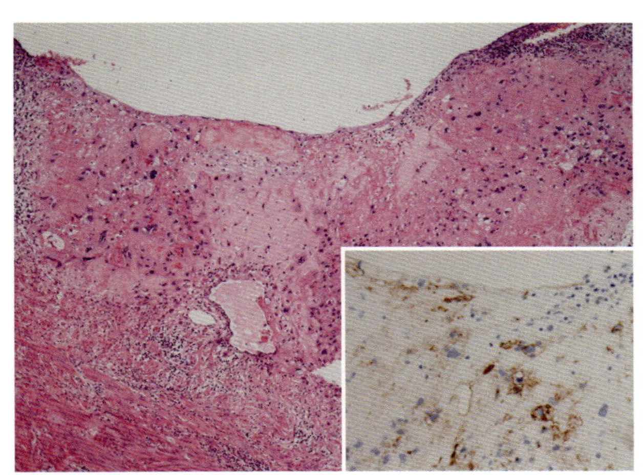

図 95　着床部結節/斑．子宮体部では胎盤成分の遺残がみられる．中拡大．挿入図：PLAP 免疫組織化学（栄養膜細胞が PLAP に陽性反応を示す）

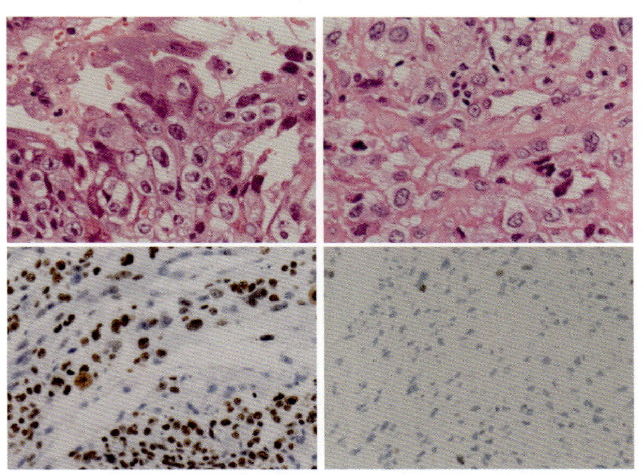

図 96　絨毛癌（左）・胎盤部トロホブラスト腫瘍（右）．2つの腫瘍細胞はともに大型で異型が目立つが悪性度/予後が異なる．強拡大．下段：Ki-67 免疫染色（染色態度/陽性率の違いが顕著にみられる）

は陰性である．脱落膜内に侵襲した栄養膜細胞のほとんどはITで，脱落膜細胞との鑑別に hPL が有用とされるが，必ずしも明瞭な陽性反応を示さない．実際，着床部結節/斑 placental site nodule/plaque では，hPL が陰性のことがある．このような場合は，p63，PLAP，hCG などの抗体を複合的に用いればITであることが確定される（**図 95**）．

絨毛癌 choriocarcinoma と胎盤部トロホブラスト腫瘍 placental site trophoblastic tumor（PSTT）の鑑別には，Ki-67 の陽性率が有効な指標となる（**図 96**）．一般に，PSTT の陽性率に比べて，絨毛癌の陽性率は明らかに高い．転帰において，絨毛癌は悪性の，PSTT は良性の経過をたどるため，適確な診断が必須である．

第7章

生殖器系

(3) 乳腺

概　説

わが国では，欧米諸国に比べきわめて低かった乳癌の罹患率が上昇し続けており，年間罹患数は約8〜9万人（40年前の約7倍）に達している．女性の生涯罹患率は約11人に1人であり（欧米では約8人に1人），女性の癌罹患率の第1位である．

危険因子としては，高い女性ホルモン環境（早い初経年齢，遅い閉経年齢）が最もよく知られており，初潮前に両側卵巣を摘除された女性は乳癌になるリスクが1/100とほぼ男性と同じになる．他に，①妊娠・授乳歴なし（特に30歳以上での初産），②閉経後の肥満，③乳癌の既往（対側乳癌のリスクが3〜5倍），④家族歴（母親，姉妹，娘），⑤ホルモン補充療法（5年以上），⑥良性乳腺疾患の既往などがある．日本においては食生活の欧米化による肥満，出産しない女性の増加や晩婚化などが増加の原因として疑われている．遺伝性乳癌は全体の約5〜10%を占める．放射線との関連も原爆被爆者の追跡調査から研究されており，10歳未満で被爆した女児が最も乳癌発症のリスクが高い．

近年，画像診断の発達およびマンモグラフィ検診の普及などによって，微小なあるいは腫瘤の触知されない乳癌が病理検体として提出される機会が増え，良・悪性の鑑別に苦慮する病変に遭遇する頻度が高くなったと言われている．

乳腺病理診断の特徴として，“本来は悪性だが異型度が低いため良性と診断されやすい病変”，“本来は良性であるが悪性と診断されやすい病変”，境界病変（良・悪性の中間的な生物学的態度を示す）がある．また悪性の判定基準が他臓器と異なる場合があり，過剰ないし過小診断の可能性が他臓器よりも高いとされている．さらに乳腺腫瘍の組織型は多岐にわたっており，日本乳癌学会の分類とWHO分類は異なる点が少なからずある（**表1**）．

生検による良・悪性の診断に加え，手術中の迅速病理診断（切除断端，センチネルリンパ節転移）や治療方針決定に重要な評価項目〔ホルモン受容体（estrogen receptor：ER，progesterone receptor：PgR），HER2，異型度，浸潤径，リンパ管侵襲，癌細胞の増殖率〕など乳腺領域における的確な病理診断の重要性はますます増加してきている．日常臨床において，浸潤癌はER，PgRの発現，HER2蛋白の過剰発現または*HER2*遺伝子の増幅，癌細胞の増殖率（Ki-67標識率）の状況によって一般に5つのサブタイプに分類され，それぞれに推奨される治療法がある．特にER，PgR，HER2すべて陰性の乳癌は全乳癌の約8〜15%を占め，悪性度が高く，術後1〜3年での再発が多い．また，その70〜80%が基底細胞様（基底細胞マーカーの発現を示す）であり*BRCA1*変異が多い．

乳腺は15〜20個の乳腺葉から構成されており，それぞれ独立して乳頭に開口する．各乳腺葉では乳管が樹枝状に分岐し，終末乳管から小葉（盲管状の細乳管）へと分かれる（**図1，2**）．乳管を構成する上皮は管腔側の乳管上皮と外側の筋上皮との2層構造をとり，小葉内で腺房を形成する小葉内細乳管も小葉上皮と筋上皮の2層構造をとる（**図2**）．乳管上皮系細胞と筋上皮系細胞という意味の「二相性」という表現を用いることも多い．小葉内に弾力線維は存在しない．間質を伴わず脂肪組織内に小葉が散在することがある．太い乳管に発生する乳管内乳頭腫と乳管内乳頭癌を除くと，乳癌を含む増殖性病変の大部分は終末乳管小葉単位terminal duct-lobular unit（TDLU）の上皮細胞に発生する．まれに上皮細胞の細胞質の淡明化（**図3左**）や筋上皮細胞の筋様形態（**図3右**）がみられるが，意義は不明である．

表1 日本乳癌学会による「乳癌取扱い規約」とWHO分類の抜粋および比較

「乳癌取扱い規約第18版」（2018年）	WHO分類第5版（2019年）
Ⅰ．上皮性腫瘍	Ⅰ．上皮性腫瘍
A．良性腫瘍	A．良性上皮増殖及び前駆病変
1. 乳管内乳頭腫*	1. 通常型乳管過形成*
2. 乳管腺腫*	2. 円柱上皮病変（平坦上皮異型含む）*
3. 乳頭部腺腫*	3. 異型乳管過形成*
4. 腺腫 a. 管状腺腫 b. 授乳性腺腫	B．腺症及び良性硬化性病変
5. 腺筋上皮腫*	1. 硬化性腺症*
B．悪性腫瘍（癌腫）	2. アポクリン腺症/腺腫
1. 非浸潤癌	3. 微小腺管腺症
a. 非浸潤性乳管癌*	4. 放射状瘢痕/複雑型硬化性病変
b. 非浸潤性小葉癌*	C．腺腫
2. 微小浸潤癌*	1. 管状腺腫 2. 授乳性腺腫 3. 乳管腺腫*
3. 浸潤癌	D．上皮-筋上皮性腫瘍
a. 浸潤性乳管癌*	1. 多形腺腫 2. 腺筋上皮腫* 3. 悪性腺筋上皮腫
(1) 腺管形成型 (2) 充実型	E．乳頭状病変
(3) 硬性型 (4) その他	1. 乳管内乳頭腫* 2. 乳管内乳頭癌* 3. 被包性乳頭癌
b. 特殊型	4. 充実乳頭癌* 5. 浸潤性乳頭癌
(1) 浸潤性小葉癌*	F．非浸潤性小葉腫瘍
(2) 管状癌*	1. 異型小葉過形成 2. 非浸潤性小葉癌*
(3) 篩状癌	G．非浸潤性乳管癌
(4) 粘液癌*	1. 非浸潤性乳管癌*
(5) 髄様癌*	H．浸潤性乳癌
(6) アポクリン癌*	1. 非特殊型浸潤性乳癌* 2. 微小浸潤癌* 3. 浸潤性小葉癌*
(7) 化生癌*	4. 管状癌* 5. 篩状癌 6. 粘液癌* 7. 浸潤性微小乳頭癌*
(i) 扁平上皮癌*	8. アポクリン分化を伴う癌* 9. 化生癌*
(ii) 間葉系分化を伴う癌	10. 稀な癌及び唾液腺型腫瘍
①紡錘細胞癌*	a. 腺房細胞癌 b. 腺様嚢胞癌* c. 分泌癌* d. 粘液表皮癌
②基質産生癌*	11. 神経内分泌腫瘍
③骨・軟骨化生を伴う癌*	a. 神経内分泌腫瘍，Grade 1
(8) 浸潤性微小乳頭癌*	b. 神経内分泌腫瘍，Grade 2
(9) 分泌癌*	c. 神経内分泌癌
(10) 腺様嚢胞癌*	Ⅱ．線維上皮性腫瘍及び過誤腫
4. Paget病*	1. 過誤腫* 2. 線維腺腫* 3. 葉状腫瘍*
Ⅱ．結合織性及び上皮性混合腫瘍	Ⅲ．乳頭の腫瘍
A．線維腺腫＊	1. 汗管腫様腫瘍 2. 乳頭部腺腫* 3. Paget病*
B．葉状腫瘍＊	Ⅳ．間葉系腫瘍
Ⅲ．非上皮性腫瘍	Ⅴ．血液造血器系腫瘍
A．間質肉腫	Ⅵ．男性の乳腺腫瘍
B．軟部腫瘍	1. 女性化乳房症* 2. 非浸潤癌 3. 浸潤癌
C．リンパ腫及び造血器腫瘍	Ⅶ．遺伝性腫瘍症候群
Ⅳ．その他	1. BRCA1/2関連遺伝性乳がん卵巣がん症候群
A．いわゆる乳腺症*	2. Cowden症候群
B．過誤腫*	3. 毛細血管拡張性運動失調症
C．炎症性病変	4. Li-Fraumeni症候群（TP-53関連）
D．乳腺線維症*	5. Li-Fraumeni症候群（CHEK-2関連）
E．女性化乳房症*	6. Peutz-Jeghers症候群
F．副乳	7. 神経線維腫症Ⅰ型
G．転移性腫瘍	

*本文中で取り扱った病変

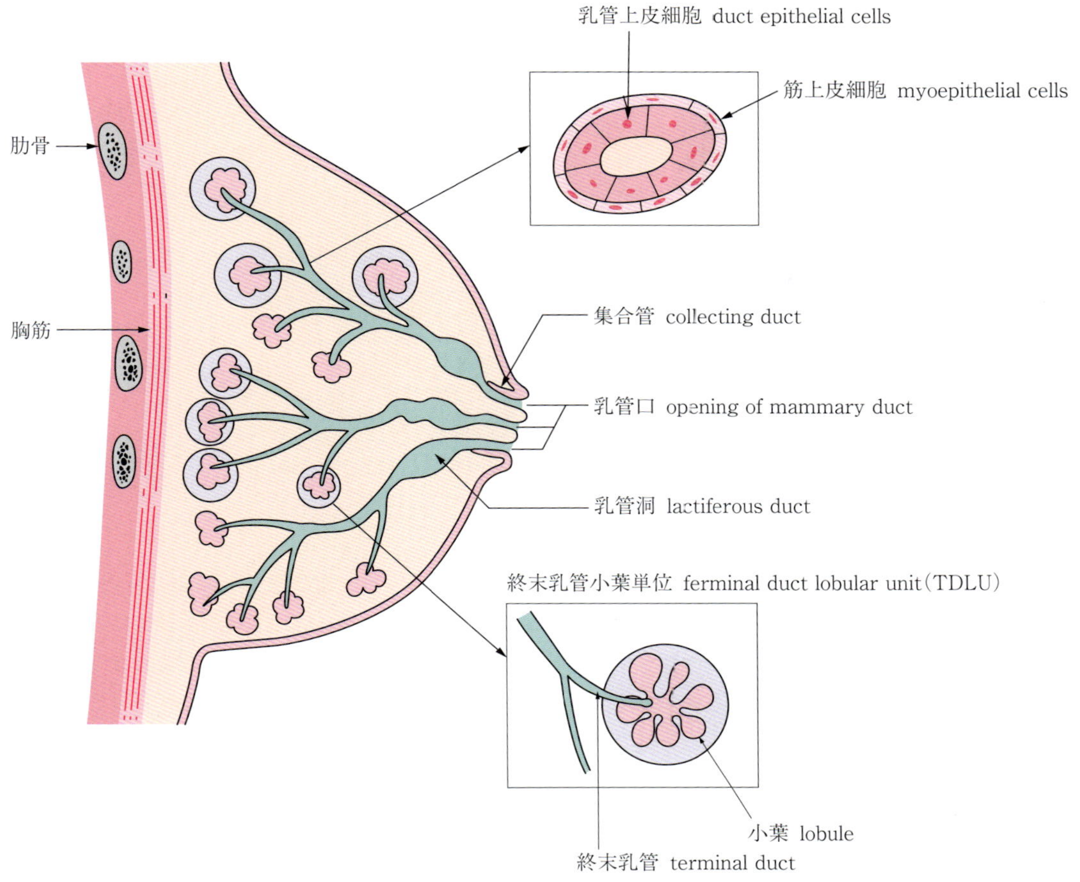

図1 乳腺構造の模式図

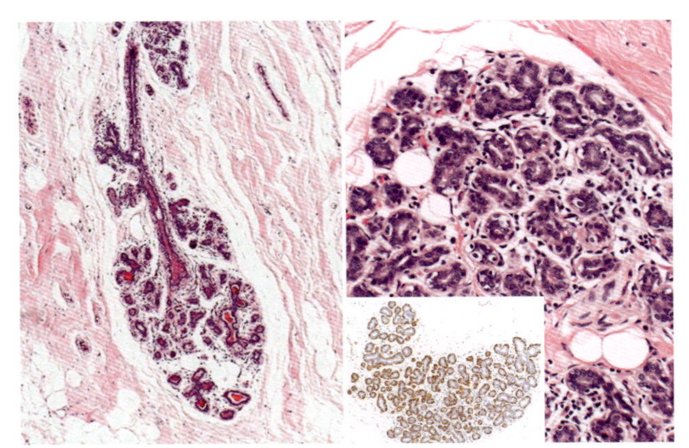

図2 終末乳管小葉単位．左：1本の小葉外乳管が終末乳管に枝分かれしており，盲管状の細乳管によって小葉は構成されている．右：小葉の強拡大．α-SMA（smooth muscle actin）免疫染色（挿入図）では筋上皮細胞が明瞭．弱拡大

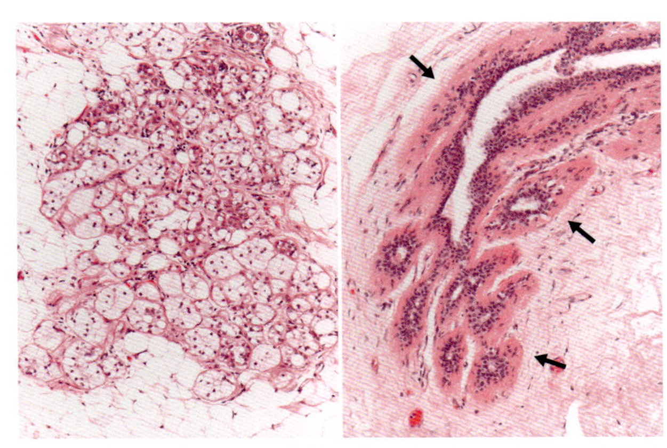

図3 淡明細胞化生，筋様形態．左：上皮細胞の細胞質の淡明化．右：筋上皮細胞の筋様形態（⬆）がみられることがある．強拡大

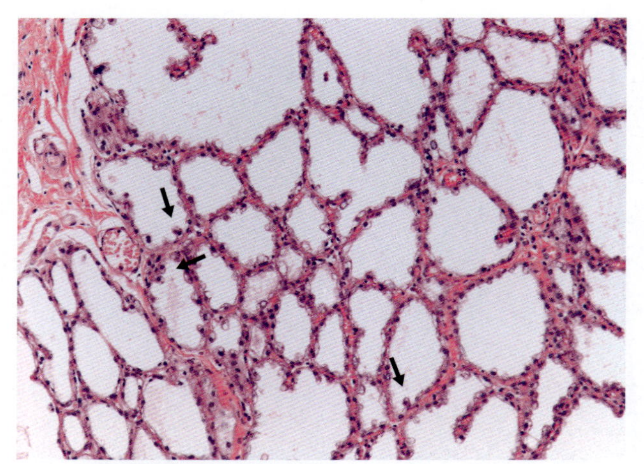

図4　授乳期乳腺．肺胞組織様の構造を示し，断頭分泌像を伴う（⬆）．中拡大

性成熟期になると，性周期に伴い乳房の容積が変化する．妊娠中期以降，小葉内の上皮細胞は著しく増生し，腺房の数と容積が増加し，腺上皮細胞の細胞質内には好酸性分泌物の貯留がみられるようになる．妊娠後期になると腺房の増生がさらに進み，間質結合組織は次第に減少してくる．授乳期では小葉内間質はほとんどみられないほど腺房は増生し，肺胞組織様の構造を示す（**図4**）．腺上皮細胞は空胞状の細胞質を有し，腺腔面に細胞質突起を有する．なお，妊娠・授乳に関係なくこのような組織像が局所的にみられることもある．離乳後は退縮が急速に進行するが，部位によって必ずしも一様ではなく，一部に分泌期像が残存するような不均一な退縮を起こした場合，腫瘍様病変と診断されることがある．

加齢とともに小葉腺上皮細胞の萎縮，弾性線維の増生，間質の硝子化や脂肪組織化が認められるようになり，閉経後はより明瞭化する．小葉に比し乳管は残存することが多い．

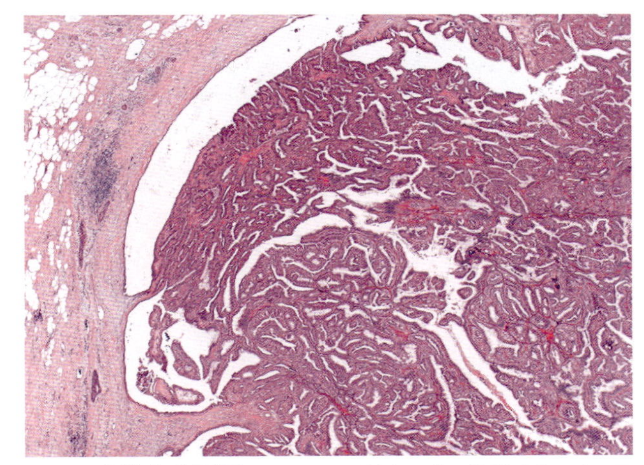

図5　乳管内乳頭腫．拡張した乳管内に乳頭状増殖を示す．弱拡大

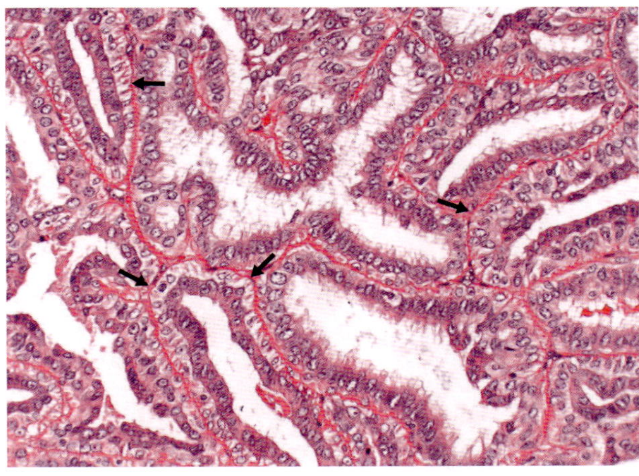

図6　同前．腺腔側の腺上皮細胞と外側の明るい細胞質を有する筋上皮細胞（⬆）の２層構造からなる．強拡大

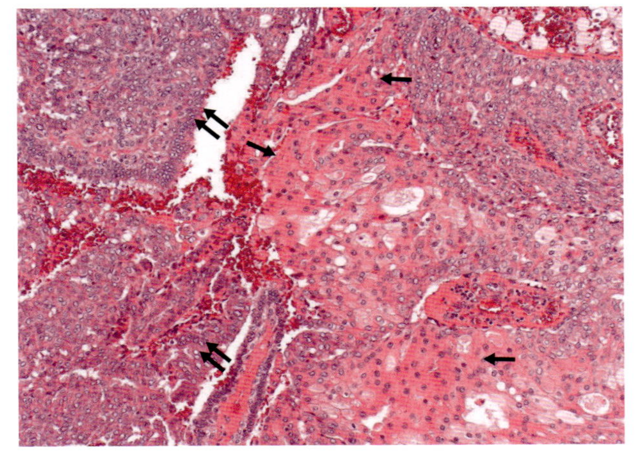

図7　同前．異型の乏しい細胞が充実性増殖を示し（⬆⬆），一部ではアポクリン化生を伴う（⬆）．中拡大

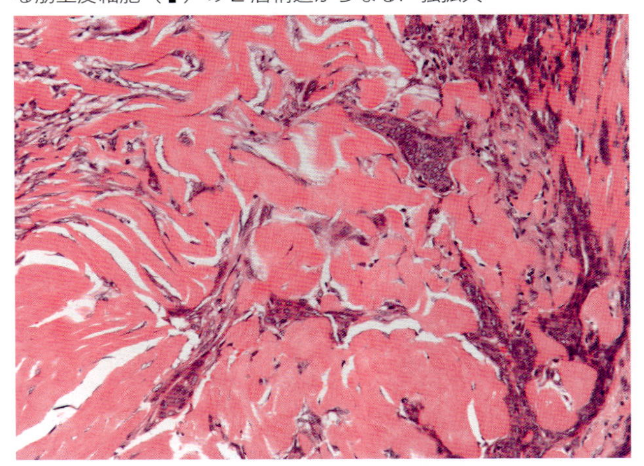

図8　同前．硬化した間質の増生を伴い浸潤癌様にみえる（偽浸潤）．強拡大

乳輪下の太い乳管に発生する中心性乳頭腫は大部分が孤立性で，片側性の血性乳頭分泌を主訴とすることが多い．末梢性乳頭腫はしばしば多発する．乳管上皮細胞と筋上皮細胞両者が樹枝状の線維血管性間質を伴って，乳頭状ないし管状増生を示す像（**図5，6**）が典型的であるが，通常型乳管過形成（**図7，17**），アポクリン化生（**図7**），硝子化，扁平上皮化生など二次的変化を伴いやすく，まれに梗塞を生じることがある．中心性乳頭腫よりも末梢性乳頭腫のほうが上皮増殖性変化を伴うことが多い．間質の硝子様硬化が高度な場合，巻き込まれた上皮胞巣が浸潤癌様の所見を示すことがあり，過剰診断しないよう注意が必要である（**図8**）．乳管が嚢胞状に拡張したものは嚢胞内乳頭腫とよばれる．きわめてまれに低異型度の上皮増殖巣を乳頭腫内部に伴うことがあり，広がりが3 mm 未満なら“atypical ductal hyperplasia（ADH）を伴う乳頭腫”，3 mm 以上なら“ductal carcinoma *in situ*（DCIS）を伴う乳頭腫”と分類される．

【鑑別診断】　乳管内乳頭癌（DCIS，乳頭型）：核が間質に直行し，基底膜に対し高さが不ぞろいに配列する像（打ち釘状）や，細く繊細な間質を有することが多い．筋上皮マーカー（Calponin，p63，CD10 など）を用いた免疫染色では筋上皮細胞が欠如する．

充実乳頭癌（☞p.429）：繊細な血管結合組織芯を有し，弱拡大では充実性にみえる．しばしば神経内分泌分化や細胞外粘液を示す．高分子サイトケラチン（CK5/6，CK14 など）陰性．

乳管腺腫（☞p.426）：線維化（硬化）が目立ち，乳頭状増殖より管状増殖が高度．

乳頭部腺腫（☞p.426）：乳頭部および乳輪下に発生し，腺症や乳管上皮過形成など多彩な増殖性変化を伴う．

腺筋上皮腫（☞p.426）：乳管内乳頭腫と類縁疾患であり，筋上皮細胞の増殖が腺上皮細胞の増殖を凌駕する．

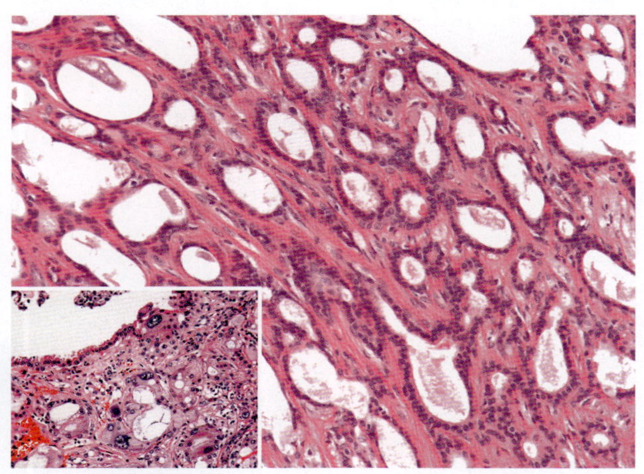

図 9　乳管腺腫．管状腺管が増生し，線維増生を伴う．大型核をもつアポクリン化生細胞が出現している（挿入図）．中・強拡大

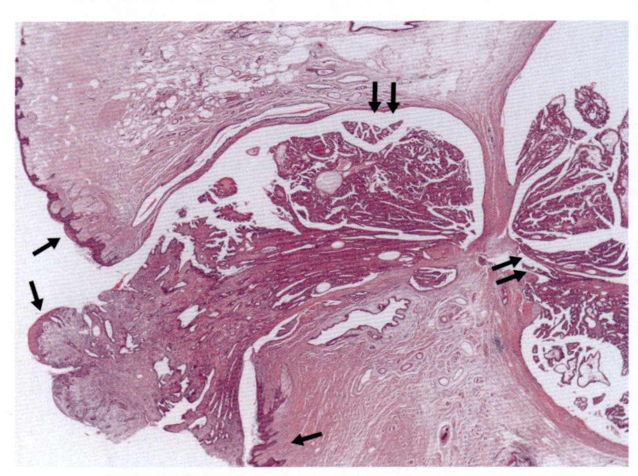

図 10　乳頭部腺腫．さまざまな大きさの管状～乳頭状腺管の増殖（⬆⬆）により表皮（⬆）が破壊されている．弱拡大

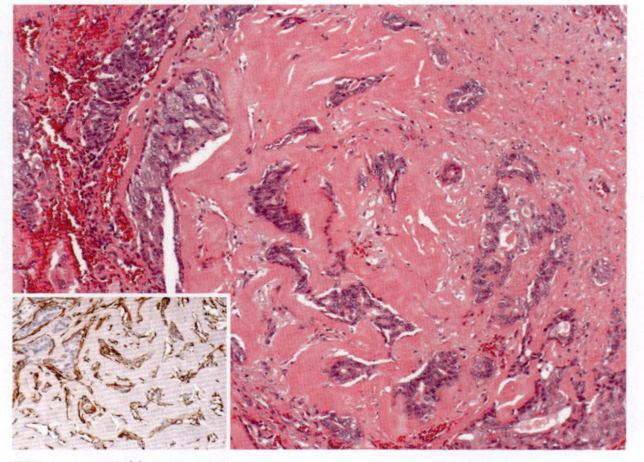

図 11　同前．偽浸潤像を伴うが，筋上皮細胞は保たれている（挿入図：α-SMA 免疫染色）．中拡大

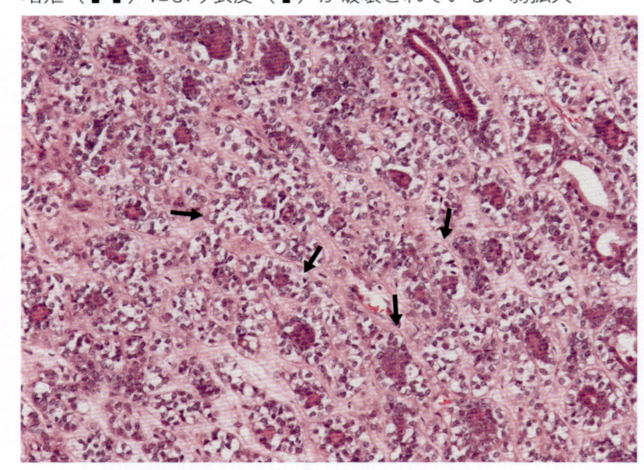

図 12　腺筋上皮腫．細胞質の淡明な筋上皮細胞（⬆）が腺上皮の周囲を取り囲むように増殖する．中拡大

乳管腺腫　硬化性乳頭腫ともよばれ，乳管内乳頭腫の一型である．40 歳以降に好発する境界明瞭な腺増殖性病変で，比較的中枢側の乳管に生じる．病変中心部に瘢痕状の線維化がみられることが多い．厚い線維性結合組織に囲まれた分葉状の腫瘍で，内部に二相性を有する管状腺管が増生する（**図 9**）．異型の強くみえるアポクリン化生（核や核小体の肥大）や偽浸潤像（線維性結合組織の増生が強い場合に管状腺管が圧排され，浸潤様にみえる）がしばしばみられる．画像，細胞診および組織所見いずれも癌と誤診されやすい．

乳頭部腺腫　乳頭分泌と乳頭部のびらん，発赤，湿疹様変化をしばしば伴う．乳頭内あるいは乳輪直下乳管内に生じ，乳輪下乳管乳頭腫症ともよばれる．境界は明瞭であるが被膜は有しない．通常型乳管上皮過形成と腺症～硬化性腺症が主体であるが，組織像は多彩である（**図 10**）．上皮細胞の増殖が高度で細胞異型も強くみえる場合や壊死を伴う場合には，癌と誤診されることがある．また，乳管周囲に硝子化した間質が増生し浸潤癌と類似する場合（偽浸潤像）もあるが，上皮細胞の配列は二相性が保たれている（**図 11**）．

【鑑別診断】　パジェット Paget 病（☞p.433）：表皮内に異型の強い Paget 細胞が存在する．癌との鑑別には部位の確認と筋上皮マーカーの検索が有用である．

腺筋上皮腫　非常にまれな病変である．境界明瞭な腫瘤で，乳管上皮と筋上皮の増生からなるが，筋上皮の増生が乳管上皮を上回る過剰増殖を示す．WHO 分類では「上皮-筋上皮性腫瘍」に分類されている．小型の腺管とその周囲を取り囲むように筋上皮細胞が比較的均一に増殖する管状型（**図 12**）が古典型であるが，組織像は多彩である．局所切除によって治癒するが，局所再発（切除後 8 カ月～5 年）が起こりうる．まれに癌を伴うことがある．

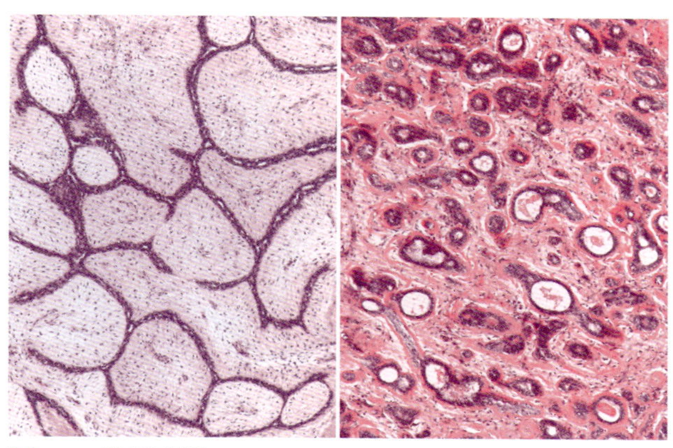

図 13　線維腺腫．左：粘液腫状の間質と裂隙状の腺管が増生する．右：管状の腺管を取り巻くように間質細胞の増生がみられる．弱拡大

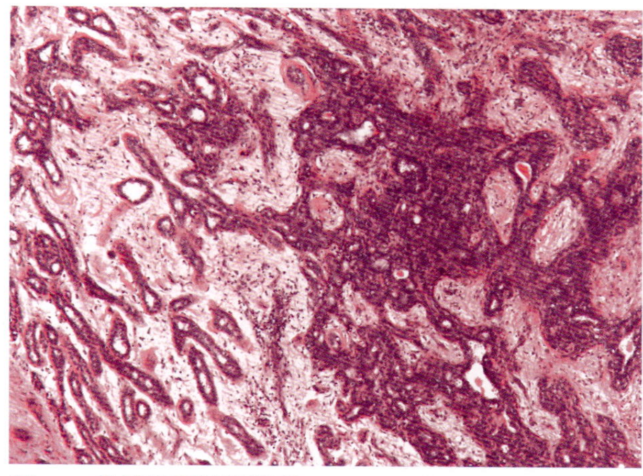

図 14　乳腺症型線維腺腫．上皮成分の増生が高度であり，癒合腺管を形成している．中拡大

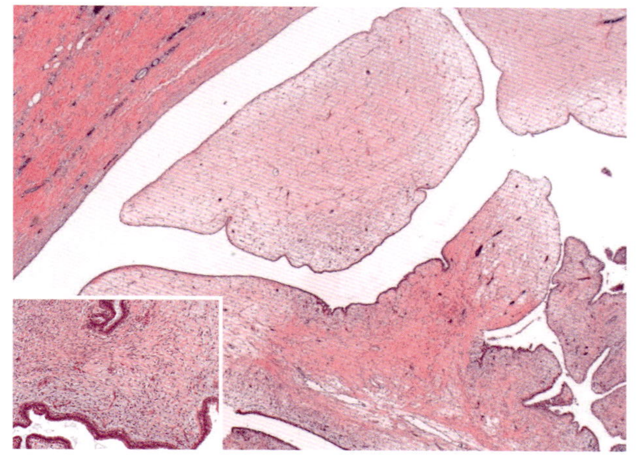

図 15　良性葉状腫瘍．葉状構造を示す上皮成分と粘液腫状間質の増生からなり，間質の細胞密度は低い（挿入図）．弱・中拡大

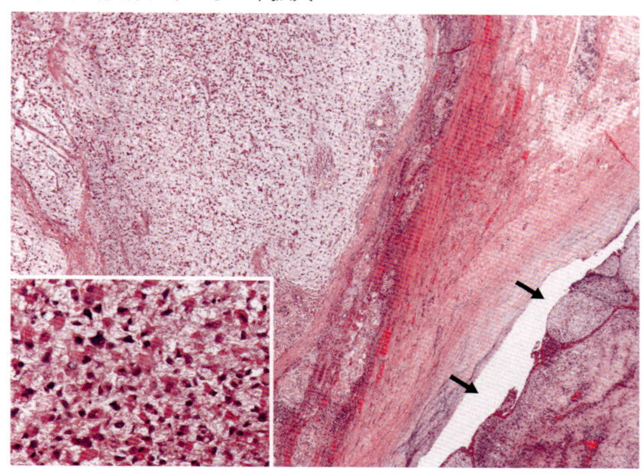

図 16　悪性葉状腫瘍．間質の増生が著しい．良性葉状腫瘍の像が一部に混在している（⬆）．横紋筋肉腫への分化がみられる（挿入図）．弱・強拡大

線維腺腫　乳腺組織の間質線維性結合組織と上皮の両成分で構成される境界明瞭な良性腫瘍であり，両成分の構成比率はさまざまである．20〜40 歳代に好発するが，全年齢にみられる．管内型（**図 13 左**），管周囲型（**図 13 右**），類臓器型（上皮成分が小葉構造への分化を示す），乳腺症型（乳腺症様構造を示す）（**図 14**）の 4 型に分類されるが，混在することが多い．若年性線維腺腫は間質の細胞密度の増加と上皮成分の過形成を特徴とする．きわめてまれに線維腺腫の中に癌が発生することがあるが，その多くは小葉癌である．

葉状腫瘍　線維上皮性腫瘍の 1 つで，一般に境界明瞭である．組織像は管内型線維腺腫と類似するが，線維性間質が細胞成分に富み，上皮成分は拡張し葉状を呈す．40〜50 歳代に好発し，急速な増大傾向や 3 cm 以上の大きさは診断の参考となる．間質の細胞密度，異型，核分裂数，周囲への浸潤形態，間質の一方的増殖（弱拡大 1 視野中に上皮成分を認めない）の有無から良性（**図 15**），境界悪性，悪性（**図 16**）の 3 型に分類するが，必ずしも容易ではなく，組織分類と生物学的動態（再発，転移）とは必ずしも一致しない．上皮成分の悪性化はまれであるが，悪性の場合，間質はしばしば線維肉腫や特定の肉腫への分化を示す．転移は悪性像をもつ間葉成分のみからなり，肺に多い．再発を繰り返すごとに悪性度が増す傾向にある．線維腺腫から発生する場合と *de novo* 発生があると考えられている．

【鑑別診断】　線維腺腫との鑑別は間質の拡大と細胞密度の増加が基本であるが，良性葉状腫瘍との鑑別は困難な場合がある．間質の細胞密度が通常の線維腺腫より高くても葉状構造が明瞭でない場合，細胞性線維腺腫と診断される．悪性葉状腫瘍の診断にはわずかでも上皮成分が必要であり，なければ間質肉腫と診断する．

［参考事項］　線維腺腫，葉状腫瘍（良性〜悪性）ともに間質細胞に mediator complex subunit 12（MED12）変異が多いことが近年報告され，腫瘍発生の共通性に関し新たな展開がみられている．

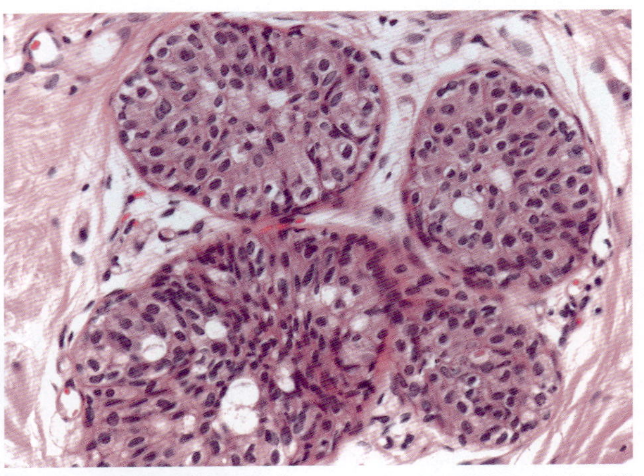

図 17　通常型乳管過形成．不均一な細胞が乳管内充実性増殖あるいは不整な腺腔形成を示す．中拡大

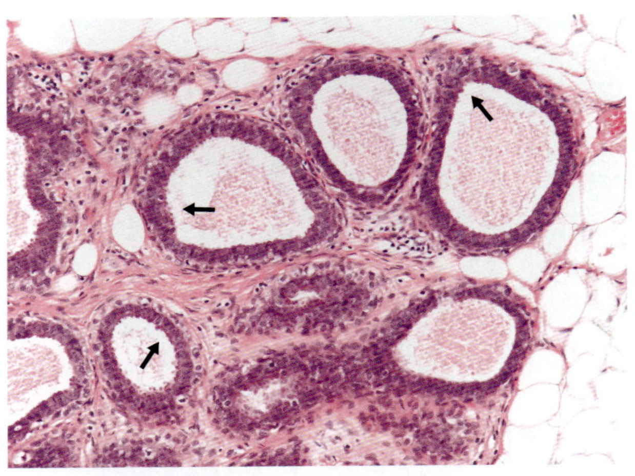

図 18　円柱上皮過形成．卵円形からやや細長い核が重積しており，断頭分泌像（⬆）がみられる．中拡大

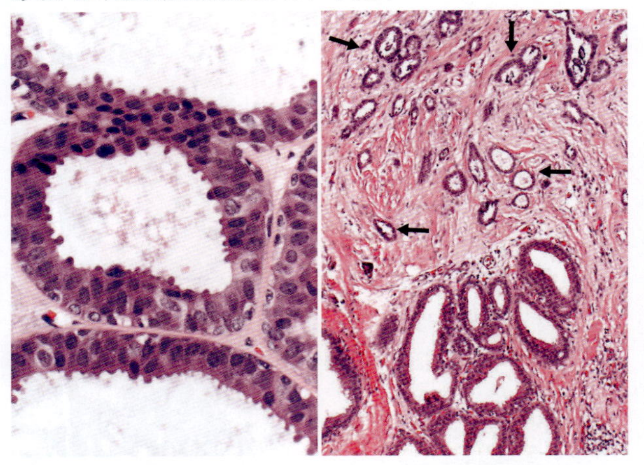

図 19　平坦型上皮異型．左：腺上皮は単調な類円形〜円形の細胞によって置換されており，断頭分泌像を示す．右：管状癌（⬆）と隣接している．中・強拡大

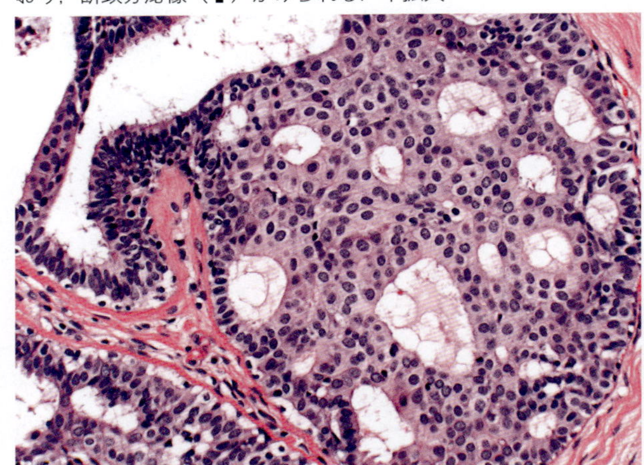

図 20　異型乳管過形成．篩状構造を示す非浸潤性乳管癌に類似しているが，構造異型がやや不十分であり，また大きさが 2 mm 未満である．強拡大

通常型乳管過形成 usual ductal hyperplasia（UDH）　基底膜で囲まれた空間内に生じる乳管上皮細胞の増殖．類円形または紡錘形細胞の核は大きさ，形，位置が不均一で，腺腔は不整形を示し，核はしばしば重なり合う（**図 17**）．低異型度 DCIS では単調，規則的であるのと対照的である．

【鑑別診断】　充実乳頭癌（☞p.429）では紡錘形細胞の増生が目立つことがあり鑑別を要する．

円柱上皮過形成 columnar cell hyperplasia　さまざまな大きさに拡張した TDLU からなる．均一な卵円形から細長い核を有する細胞が 2 層以上の重積を示し，しばしば著明な断頭分泌像や管腔内分泌物を伴う（**図 18**）．砂粒体様の石灰化を伴うことが多い．複雑な構造はみられない．

平坦型上皮異型 flat epithelial atypia　さまざまな大きさに拡張した TDLU からなり，1〜数層の単調な立方形〜円柱状異型細胞によって置換されている．核は円形〜類円形で細胞異型は軽度である．断頭分泌像や微細石灰化を伴うことが多い（**図 19 左，右下**）．細胞異型と構造異型が ADH や DCIS を完全には満たしておらず，管状癌（**図 19 右上**）や ADH, DCIS, 小葉性腫瘍に伴うことが多い．低異型度 DCIS の辺縁に約 30% 存在し，ADH の前駆病変と考えられている．

【鑑別診断】　閉塞性腺症，平坦型 DCIS.

異型乳管過形成 atypical ductal hyperplasia（ADH）　低異型度 DCIS と同様の単調な細胞の増殖からなるが，DCIS の診断基準を質的または量的に完全には満たしてはいないもの（**図 20**）．質的不足による ADH は良性とも悪性とも診断できない真の境界病変である可能性がある一方，量的不足とは質的には癌と相同であるが，完全な低異型度 DCIS の特徴を示す均質な細胞増殖を示す病変が認められても 2 個未満の乳管，あるいは 2 mm 未満の場合である．浸潤癌を発症する危険率は 4〜5 倍である．針生検で発見された場合，DCIS の部分像である可能性を考慮すべきである．実際の病理診断では質的・量的診断基準による評価を要する場合も多い．

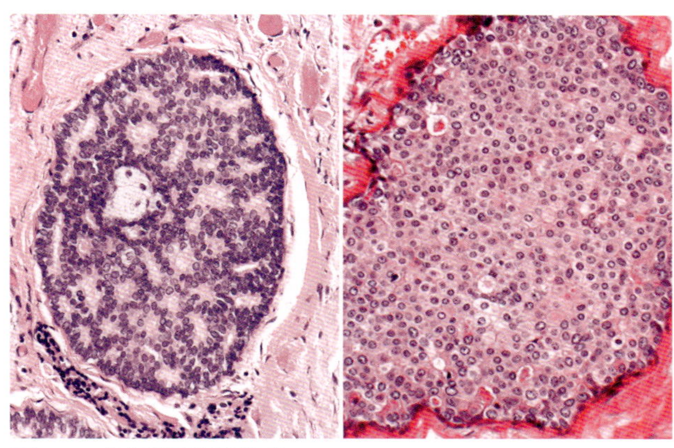

図 21　非浸潤性乳管癌．左：均質な核をもつ腫瘍細胞が乳管内で規則正しい腺腔形成を示す．右：細胞境界明瞭な腫瘍細胞が充実性増殖を示す．強拡大

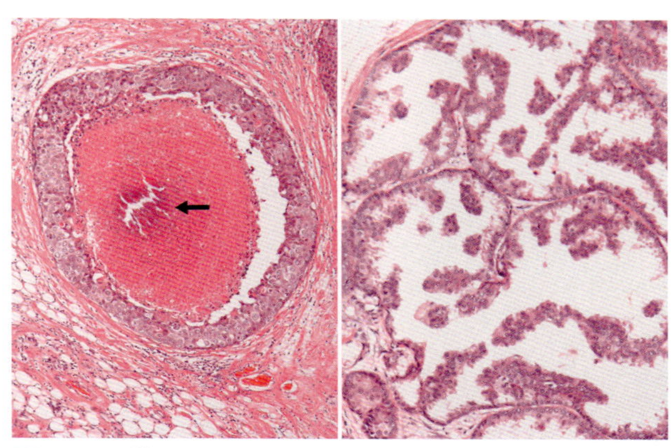

図 22　同前．左：腫瘍の中心に大型の壊死と石灰化（⬆）を伴う．右：乳管内に向かって低乳頭状増殖を示す．中拡大

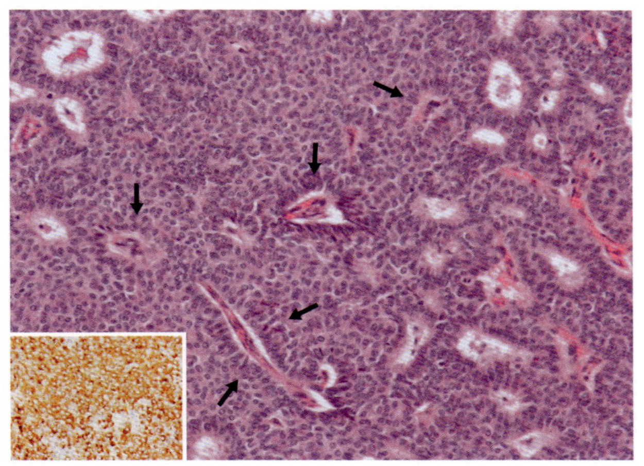

図 23　充実乳頭癌．ほぼ均一な腫瘍細胞が乳管内で増殖しており，繊細な血管結合組織を取り囲む偽ロゼット（⬆）がみられる（挿入図：synaptophysin 免疫染色）．中拡大

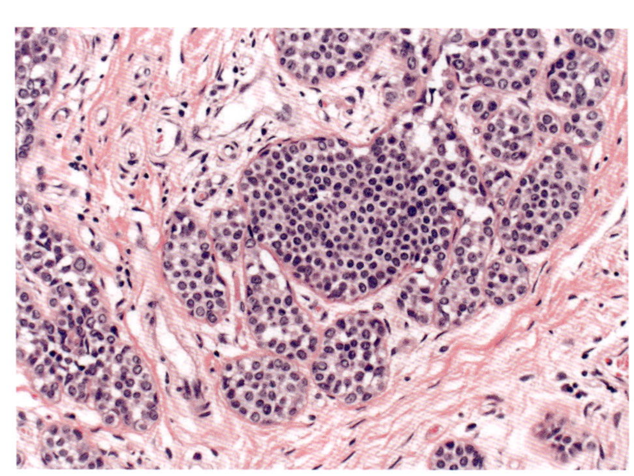

図 24　非浸潤性小葉癌．細胞間接合性のやや低下した小型，円形の細胞が小葉内で密に増生し，腺腔形成はみられない．中拡大

非浸潤性乳管癌 ductal carcinoma *in situ*（DCIS）　癌細胞が乳管，小葉内にのみ存在し間質浸潤がみられず，非浸潤性小葉癌に合致しない増殖パターンを示す．全乳癌の少なくとも10％以上を占める．一般に標本を多く作製するほど微小な浸潤巣を発見する頻度が高まる．篩状型（**図 21 左**），充実型（**図 21 右**），面皰（めんぽう）型（コメド型）（**図 22 左**），低乳頭型（**図 22 右**），乳頭型，微小乳頭型，平坦型の形態が単一あるいは2つ以上の組み合わせでみられる．WHO 分類では核のサイズ，構築における細胞極性，壊死，石灰化により低，中，高異型度に分類されるが，面皰型と非面皰型に分類されることも多い．面皰型は非面皰型に比べ，増殖活性や核異型度が高く，腫瘤形成および小葉内進展の頻度が高い．また，微小浸潤癌を合併しやすく ER/PgR 陽性率が低い．

【鑑別診断】　乳管内増殖病変　一般に癌では核の緊満感があり，核の大きさや形，染色性が均一で N/C 比が低くなる．

充実乳頭癌 solid papillary carcinoma　細胞成分が豊富で膨張性増殖を示す乳頭癌の亜型で，血管結合組織性芯が繊細なため弱拡大では充実性にみえる（**図 23**）．閉経後に好発する．しばしば神経内分泌分化（synaptophysin，chromogranin A 陽性）や血管周囲性偽ロゼットおよび粘液産生を示す．胞巣辺縁に筋上皮細胞が証明できないことが多いが，通常型の浸潤癌を合併しない限り非浸潤癌と見なされる．

【鑑別診断】　紡錘形細胞の増生が目立つ場合，通常型乳管過形成を伴う乳頭腫（☞p.425）との鑑別が必要となる．

非浸潤性小葉癌 lobular carcinoma *in situ*（**図 24**）　TDLU に発生する上皮内腫瘍で，結合性の低下した単調な腫瘍細胞の増殖からなる．単独では肉眼的，画像的に異常をきたさない．良・悪性さまざまな病変の内部や近傍に偶発的にみられることが多い．それ自体が前癌病変というよりも，両側乳房に浸潤癌を発症するリスクが上昇する（8～10 倍）ととらえられている．WHO 分類では異型小葉過形成とともに小葉新生物の中に包含される．

［参考事項］　小葉性腫瘍は平坦型上皮異型や管状癌との合併がしばしばみられ，Rosen triad とよばれる．

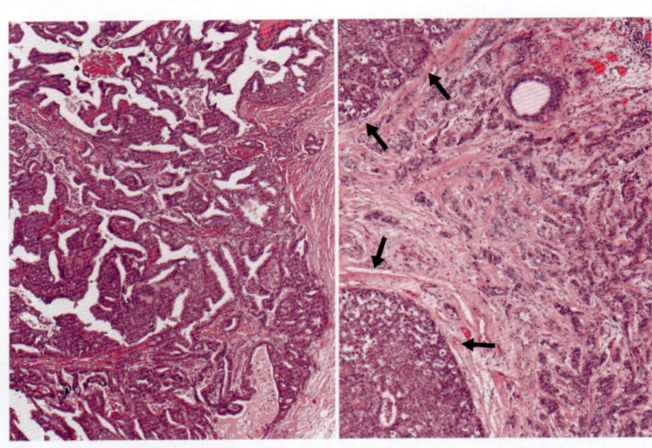

図 25　浸潤性乳管癌（腺管形成癌）．左：乳頭管状～癒合腺管構造を示しながら浸潤する．右：非浸潤部（⬆）の周囲に小胞巣状ないし索状パターンの浸潤巣を伴う．中拡大

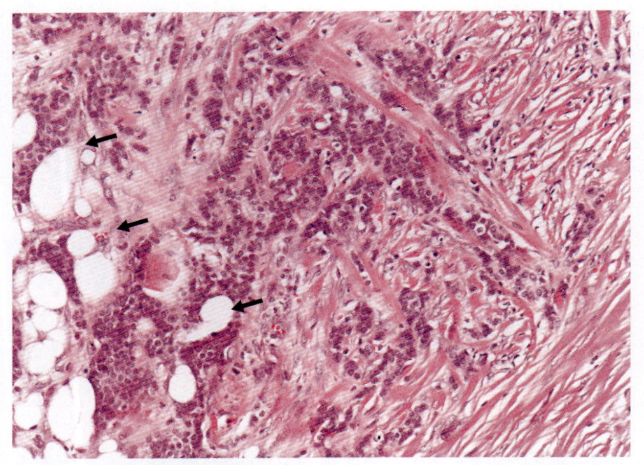

図 27　浸潤性乳管癌（硬性型）．塊状～小胞巣状増殖を示し線維増生を伴う．脂肪組織中へ浸潤する（⬆）．中拡大

浸潤性乳管癌（IDC）は癌細胞が一部にでも間質に浸潤しているもので，面積的に優位な特殊型癌の像がないもの．“乳管癌”という用語は発生起源や発生部位を必ずしも表すのではなく，増殖パターンと細胞形態を示す．乳管癌は乳管から，小葉癌は小葉から発生するという誤解を招きやすいため，WHO 分類では“非特殊型浸潤性乳癌”という名称になり，“乳管”が削除された．乳管癌も小葉癌も圧倒的多数が TDLU 起源である．全乳癌の約 70％を占める．日本では腺管形成癌（**図 25**），充実型（**図 26**），硬性型（**図 27**）に亜分類され，画像診断との一致率が高い．悪性度の指標の 1 つとして腺管形成の程度，核異型度，核分裂像の程度をそれぞれ点数化し合計した点数で分類する組織学的グレード分類が世界的に広く用いられている．ほかに ER，PgR，HER2，組織学的浸潤径，リンパ管侵襲，癌細胞の増殖率（Ki-67 標識率）などが指標となるが，多重遺伝子診断（Oncotype Dx® など）による予後予測や化学療法の効果予測も用いられている．

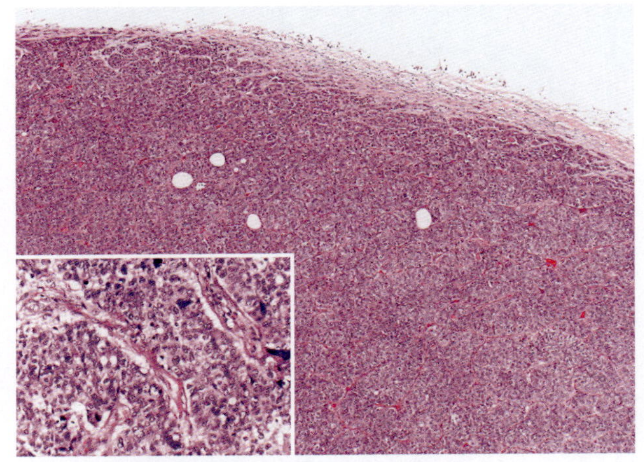

図 26　浸潤性乳管癌（充実型）．異型の高度な細胞が充実性に増殖し，周囲との境界は明瞭である．核異型が高度である（挿入図）．弱・強拡大．

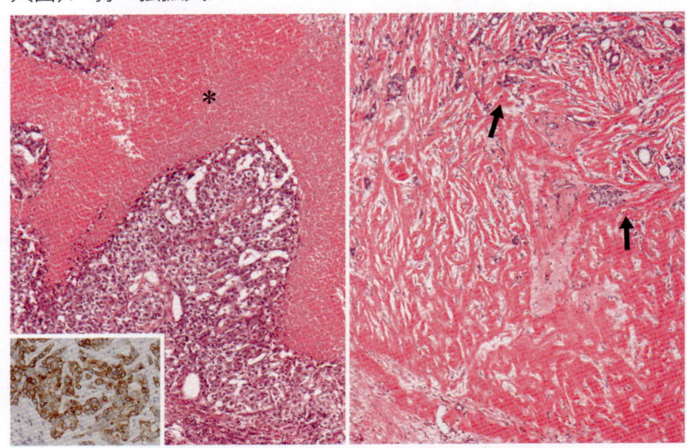

図 28　基底細胞様乳癌（左），中心に無細胞領域を伴う癌（右）．左：充実性に増殖し地図状壊死（✱）を伴う．CK5/6 免疫染色陽性（挿入図）．右：幅の広い硝子化巣の周囲に癌細胞が小胞巣状～索状に浸潤する（⬆）．中拡大

基底細胞様乳癌（**図 28 左**）は組織学的異型度が高く，充実性胞巣を形成する．核分裂像が多く，地図状の壊死や中心線維化巣を伴う．*BRCA1* 変異が多い．ER/PgR/HER2 陰性，かつ basal cytokeratin（CK5/6，CK14 など）や epidermal growth factor receptor（EGFR）の発現をみることが多い．

中心に無細胞領域を伴う癌（**図 28 右**）は中心に広範な梗塞変性を伴い，腫瘍細胞が辺縁に位置する癌で，筋上皮への分化を示し，脳や肺への転移の頻度が高く予後不良．

【鑑別診断】　DCIS（☞p.425）：間質の硬化性線維増生を伴って浸潤様にみえる場合，筋上皮マーカーによる検索が有用である．浸潤の有無は検索切片数によっても影響される．浸潤径が 1 mm 以下の場合，**微小浸潤癌**とよぶ．

特殊型：硬性型と浸潤性小葉癌（☞p.431）は組織像が類似することが少なからずあり，また両組織型が混在する場合もあるが，鑑別には免疫染色（E-cadherin）が有用．

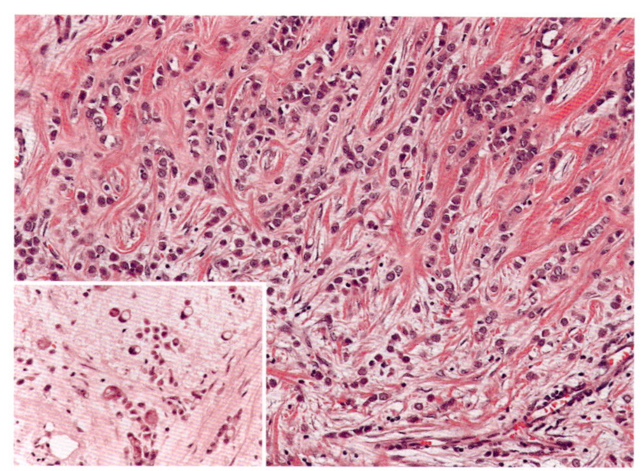

図 29　浸潤性小葉癌．小型均一な細胞が線状，孤在性に増殖する．偏在核と細胞質内小腺腔を有する印環細胞癌（挿入図）が混在する．中・強拡大

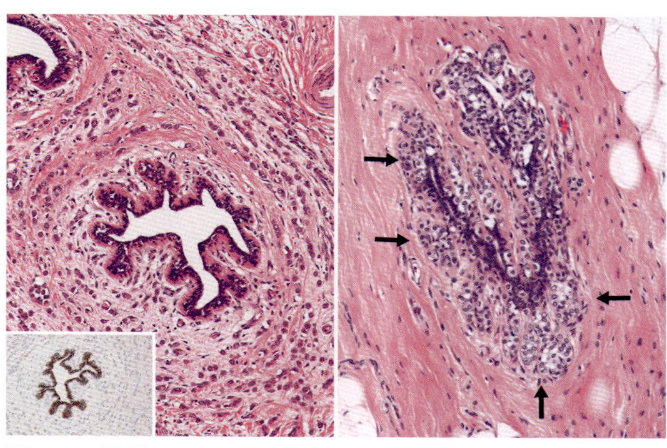

図 30　同前．左：腫瘍細胞が乳管周囲を同心円状に取り囲むように配列している（挿入図：E-cadherin 免疫染色にて腫瘍細胞は陰性）．右：乳管上皮と筋上皮または基底膜の間を分け入るように増殖し clover leaf 様形態を示す（⬆）．中・強拡大

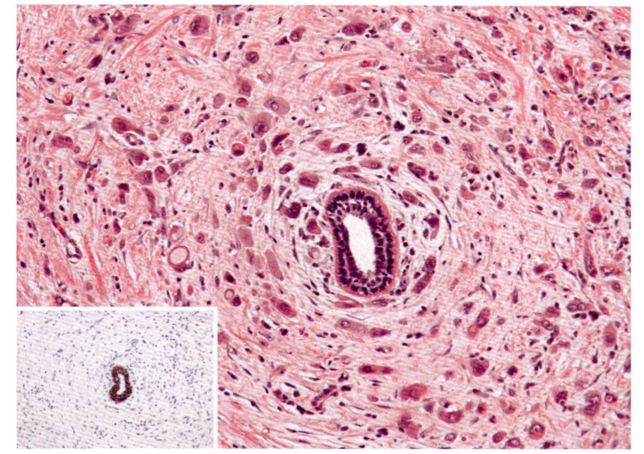

図 31　多形型浸潤性小葉癌．好酸性細胞質をもつ大型の異型細胞が標的様配列を示す（挿入図：E-cadherin 免疫染色にて腫瘍細胞は陰性）．中拡大

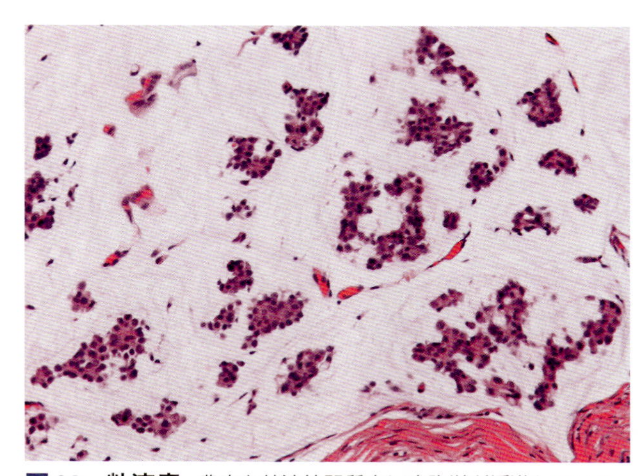

図 32　粘液癌．豊富な粘液性間質中に癌胞巣が浮遊している．中拡大

浸潤性小葉癌　全乳癌の約 5%（欧米では約 10～15%）を占める．古典型では接着性を失った小型均一な細胞が腺腔形成を伴わず線状ないし孤在性増殖を示す（**図 29**）．細胞質内小腺腔がしばしばみられ，印環細胞の形態を示すこともある（**図 29 挿入図**）．乳管周囲を取り囲むような配列（標的様配列）（**図 30 左**）や小葉外乳管に進展する場合，既存の薄くなった乳管上皮と筋上皮または基底膜の間を分け入るように入り込む像（パジェット様進展）（**図 30 右**）を示すことが多い．胞巣型，充実型，多形型（**図 31**）もあるが，古典型と混在することが多い．多中心性発生や両側発生が多い．IDC との鑑別に苦慮する例や混合型もあるが，E-cadherin 陰性，p120 catenin 陽性（細胞質）が有用である．腹腔，消化管，女性生殖器，髄膜へ転移する頻度や ER/PgR 陽性率が IDC より高い．

【鑑別診断】　多形型では IDC（☞p.430）との鑑別が困難な場合があるが，古典型の合併や免疫染色が有用．

粘液癌　全乳癌の約 2～3% を占め，やや高齢者に多い．細胞外粘液産生を特徴とする浸潤癌で，癌胞巣の形態（管状，索状，微小乳頭状，篩状など）や密度は症例・腫瘍内の部位によって異なることが多い（**図 32**）．腫瘍全体の 90% 以上が粘液を伴った癌巣で占められるものを純型，50% 以上 90% 未満を混合型とよぶ．癌巣が少なく粘液が多いものを A 型，粘液が少なく癌巣が多いものを B 型と亜分類されることもあり，B 型では神経内分泌マーカー（シナプトフィシン，クロモグラニン A）が陽性となる．IDC の 50% 未満に粘液癌と同じ組織像を認める例もみられるが，粘液癌とはしない．純型の予後は非常に良好で，癌巣の割合が低い例は高い例に比しさらに予後が良い．

【鑑別診断】　線維腺腫（☞p.427）で間質の粘液状変化が高度なもの（粘液性線維腺腫）は，画像所見が粘液癌と酷似するため注意が必要である．

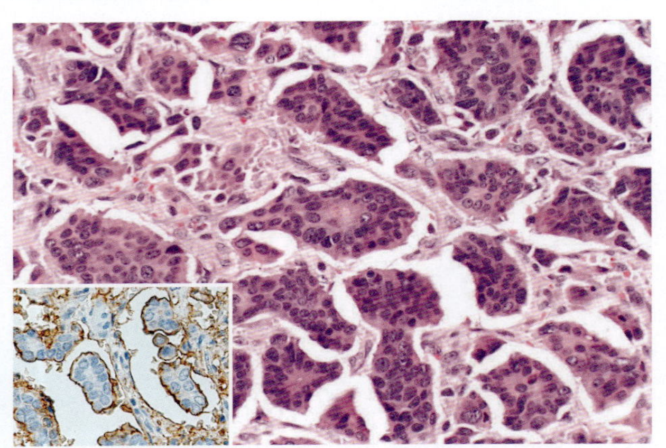

図 33　浸潤性微小乳頭癌．網目状の間質によって隔てられた間隙に血管茎を伴わない微小乳頭状癌胞巣が浮遊している．EMAは胞巣の外側が陽性になり，通常とは逆である（inside-out pattern）（挿入図）．強拡大

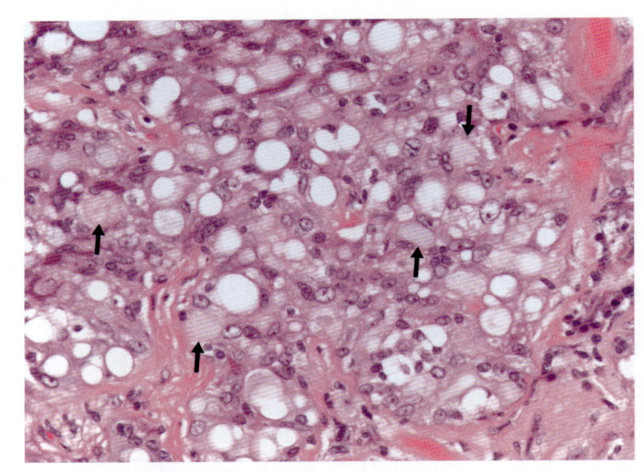

図 34　分泌癌．多数の腺房様構造を示し，腔内には分泌物（⬆）がみられる．中拡大

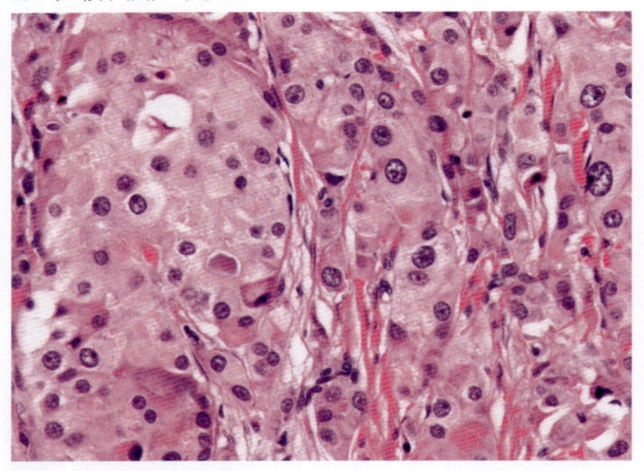

図 35　アポクリン癌．好酸性顆粒状胞体と核小体の明瞭な大型の核を有する細胞が増殖する．強拡大

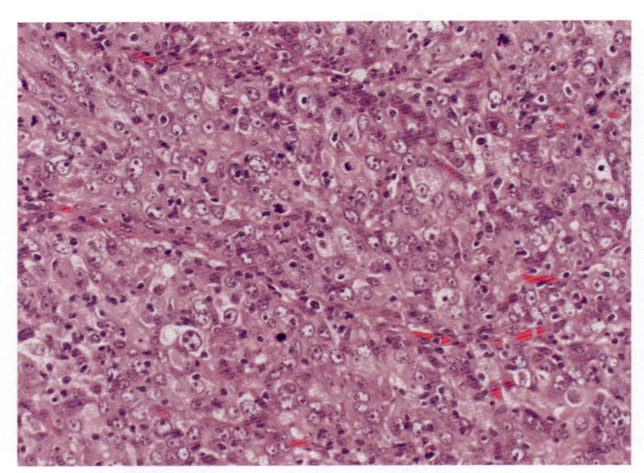

図 36　髄様癌．核小体の明瞭な大型細胞が充実性増殖を示し，細胞境界は不明瞭である（合胞体様）．中拡大

浸潤性微小乳頭癌　微小乳頭状（線維血管性間質のない小細胞集塊）の癌胞巣が間質に囲まれた空間に浮遊するように存在する組織像が優勢なもの（**図 33**）．腫瘍細胞は極性が逆転し管腔面が外側（間質側）を向くパターンをとり，外側の分泌縁に沿って epithelial membrane antigen（EMA）が陽性となる（**図 33 挿入図**）．リンパ節転移やリンパ管侵襲陽性率が高い．IDC や粘液癌の一部に種々の割合でこのような組織像が並存することがあるが，割合が少数でもリンパ管侵襲やリンパ節転移率が高いため，見落とさないことが重要である．

【鑑別診断】　癌巣と間質との間に裂隙形成を伴う IDC との鑑別には微小乳頭状構造の有無や EMA 免疫染色が有用である．粘液癌の一部に微小乳頭状構造がみられる場合，粘液癌の微小乳頭状亜型と分類され，リンパ管侵襲やリンパ節転移率が高い．

分泌癌　きわめてまれ．妊娠・授乳期の乳腺と類似した著明な分泌像を示す細胞からなる．癌細胞は淡明で，PAS 陽性ジアスターゼ抵抗性物質が細胞内と腺房様腔内とに存在する（**図 34**）．甲状腺濾胞類似の形態を示すものもある．*ETV6-NTRK3* 癒合遺伝子を伴う．ER/PgR/HER2 すべて陰性．

［参考事項］　*ETV6-NTRK3* 癒合遺伝子は唾液腺の分泌癌などでも同定されている．

アポクリン癌　90％以上がアポクリン化生細胞の特徴を示す浸潤癌．大型核と明瞭な核小体を有し，細胞質は好酸性顆粒状あるいは豊富な泡沫状を示す（**図 35**）．アポクリン分化はさまざまな乳癌組織型にみられる．ER/PgR 陰性，Androgen receptor（AR）陽性．

【鑑別診断】　アポクリン硬化性腺症，良性増殖性病変のアポクリン化生像（☞p.425）．

髄様癌　広く明るい胞体と明瞭な核小体を有する大型細胞がシート状に増殖する境界明瞭な腫瘍．細胞境界は不明瞭で（**図 36**），間質は乏しく癌巣周囲には高度のリンパ球・形質細胞浸潤を伴うことが多いが診断に必須ではない．腺管形成や非浸潤癌はみられない．核異型が高度で核分裂像が多いが，予後良好．

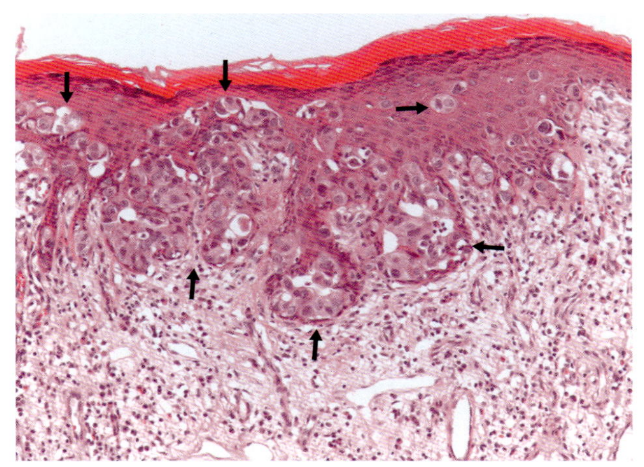

図 37　パジェット病．淡明で豊かな胞体を有する大型のパジェット細胞（⬆）が，表皮内で孤立性あるいは数個集簇して増殖する．中拡大

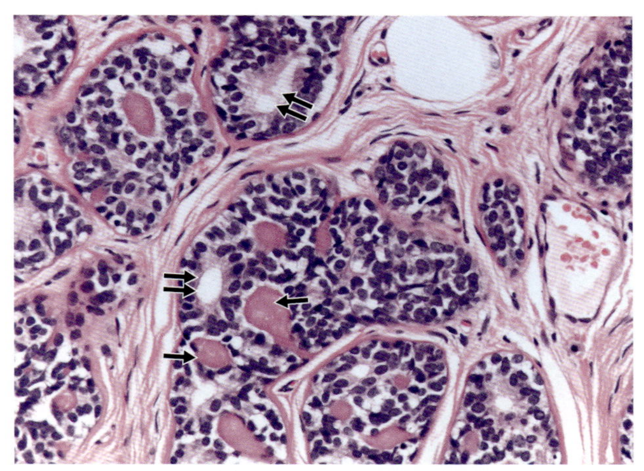

図 38　腺様嚢胞癌．篩状構造には間質の介在による偽腺腔（⬆）と真の腺腔（⬆⬆）がある．弱拡大

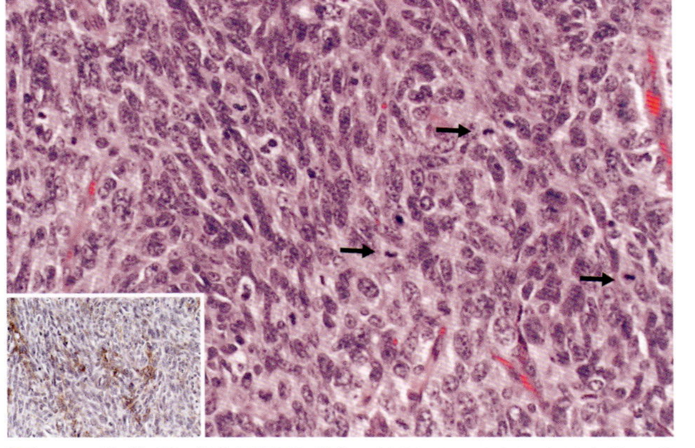

図 39　化生癌（紡錘細胞癌）．紡錘形の腫瘍細胞が束状に増殖しており，核分裂像がみられる（⬆）．一部では上皮マーカー（サイトケラチン）陽性である（挿入図）．中拡大

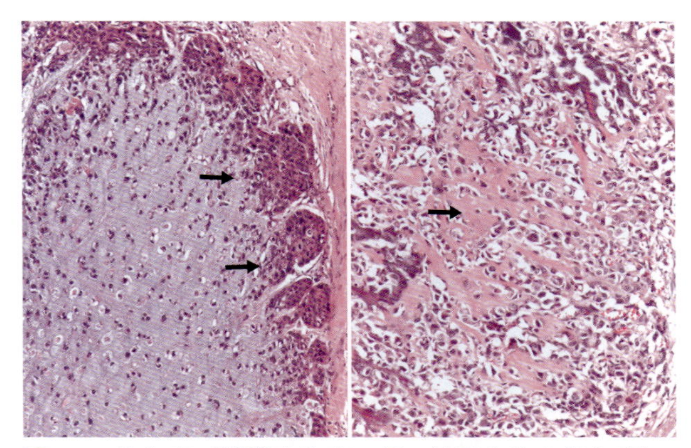

図 40　化生癌（基質産生癌，骨・軟骨化生を伴う癌）．左：軟骨基質中へ癌胞巣が直接移行している（⬆）．右：骨肉腫様の形態を示す（⬆）．中拡大

パジェット病　乳頭・乳輪の表皮内に淡明な胞体をもつ大型のパジェット細胞が認められる病態．多くの場合，同側に乳癌が存在し癌細胞が経乳管的に表皮内へ進展したものである（**図 37**）．側方伸展（3.6 mm/年）するが真皮への浸潤はまれ．乳頭・乳輪に，びらんや発赤をきたす．全乳癌の約 0.5％で，閉経後に多い．乳腺内病巣の多くは DCIS（面皰・充実型）であり，たとえ浸潤があっても軽度なものに限る（WHO 分類では浸潤の程度は問わない）．一般に CK7 陽性，CK20 陰性，ER 陰性，PgR 陰性，HER2 陽性．

【鑑別診断】　悪性黒色腫（HMB-45 陽性，S-100 陽性，Melan-A 陽性），Bowen 病（HER2 陰性），Toker 細胞（CK7 陽性，CK20 陰性，HER2 陰性）．

腺様嚢胞癌　きわめてまれ．好発年齢は 60 歳前後．唾液腺などにみられる同名の癌と同様の組織像を示す．しばしば痛みを伴う．さまざまな大きさの胞巣を形成し，篩状，腺管～嚢胞状，充実性構造をとる（**図 38**）．個々の細胞は腺上皮細胞と筋上皮細胞が混在した二相性をとる．筋上皮細胞は偽嚢胞壁や胞巣周囲に配列している．偽嚢胞内には細線維～粘液様物質や毛細血管がしばしばみられる．高率に c-kit 陽性，ER/PgR/HER2 すべて陰性だが，予後はきわめて良好．

化生癌　①扁平上皮癌，②紡錘細胞癌（**図 39**），③基質産生癌（**図 40 左**），④骨・軟骨化生を伴う癌（**図 40 右**）に分類され，いずれもまれ．一般に化生成分が 50％以上の場合をいう．ER/PgR/HER2 すべて陰性．①は腺癌が扁平上皮化生を起こしたものと考えられており乳管内要素は面皰型が多い．②は紡錘形細胞からなり，肉腫様にみえるが，一部に上皮性性格の明らかな癌細胞巣や扁平上皮化生を示す部分がみられることが多い．肉腫様部分と癌腫との間には移行がみられることが特徴．乳管内要素は面皰型であることが多い．③は上皮巣から軟骨基質へ直接移行を示し，紡錘形細胞の介在を伴わない．MRI 検査でリング状に増強される特徴的な画像を示す．④は癌巣中に骨肉腫あるいは軟骨肉腫様の像がみられるもので，両者は連続性に漸次移行する．

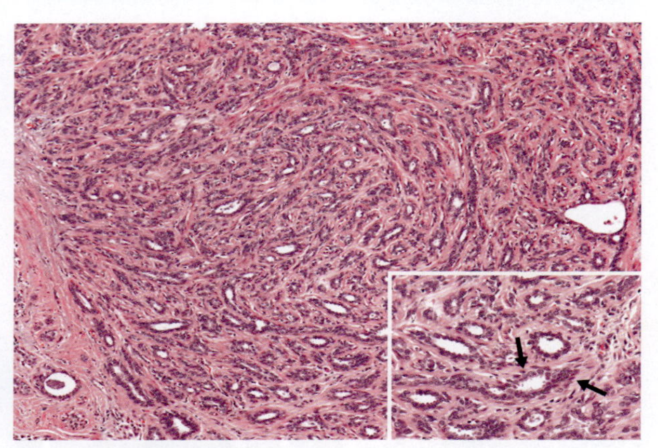

図 41　乳腺症（硬化性腺症）．一見，浸潤癌様にみえるが，配列に規則性がみられ，また上皮の二相性は保たれている（挿入図）．弱・強拡大

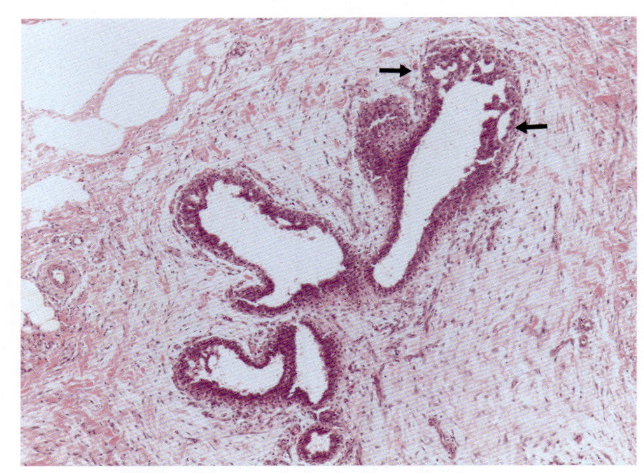

図 42　女性化乳房症．乳管周囲間質の浮腫と上皮の低乳頭状過形成（⬆）がみられる．中拡大

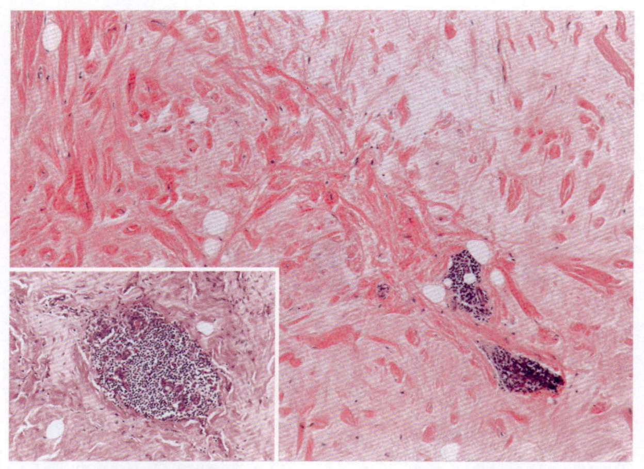

図 43　乳腺線維症．ケロイド様の膠原線維性間質中に萎縮した乳管・小葉がみられ，周囲にリンパ球浸潤を伴っている．弱・中拡大

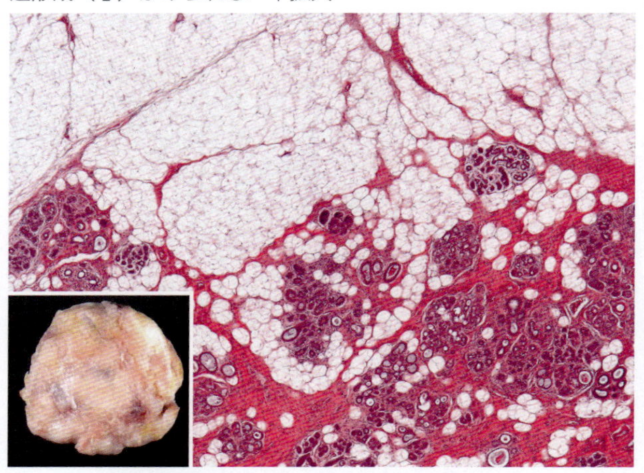

図 44　過誤腫．線維脂肪組織と乳管および小葉がみられる．弱拡大．被膜を有する境界明瞭な黄白色調腫瘤（挿入図）

乳腺症　臨床的に硬結腫瘤として触れる．組織学的には乳腺の増殖性変化と退行性変化とが共存する病変であり，変化は乳腺の上皮，間質両成分に起こる．乳管過形成，腺症，線維症，大小の囊胞，アポクリン化生，線維腺腫様過形成などがさまざまな割合で混在する．**腺症**は乳腺内のある領域に乳管の増殖が顕著に起こり，比較的境界明瞭な腺腫様病巣をつくるものをいう．盲管に終わる小乳管の増生で，拡張乳管が蜂窩状小結節をつくる場合，**閉塞性腺症**とよばれる．間質の線維化が進んで上皮成分の萎縮消失がうかがえるものは**硬化性腺症**（**図 41**）という．

【鑑別診断】　硬化性腺症は管状癌（☞p.428）との鑑別を要する．管状癌は上皮の二相性はみられない．

女性化乳房症　男性乳房の肥大であり，可逆的かつ非腫瘍性である．男性乳腺疾患のなかで最も頻度が高く，思春期と60〜70 歳代に発症のピークがある．ホルモン不均衡（特に高エストロゲン環境）が発症要因とされており，肝硬変，慢性腎不全，ホルモン産生腫瘍，薬剤，肥満などが原因となる．特にクラインフェルター Kleinfelter 症候群では合併しやすい．浮腫状の間質が乳管を取り巻くように増生し，小葉はみられない．乳管上皮は低乳頭状または平坦状に増殖する（**図 42**）．

乳腺線維症　触診可能で境界不明瞭な腫瘤性病変であり，約半数は両側に発生する．良性病変であるが，触診および画像所見が浸潤癌に類似するため臨床的に浸潤癌が疑われることがある．豊富な膠原線維性間質中に萎縮した乳管・小葉が散在し，小葉内および小葉〜乳管周囲にリンパ球浸潤を伴うことが多い（**図 43**）．間質増生に比べ小葉・乳管密度が非常に低いことが特徴．糖尿病性乳腺症を含む概念である．

過誤腫　正常乳腺の構成成分を通常とは異なる比率で含む境界明瞭な腫瘤を形成する．4 型に分類されるが腺脂肪腫が最も多い（**図 44**）．

第8章

内分泌系

概　説

内分泌系臓器は，ホルモンを産生・分泌する細胞から構成される臓器である．産生されるホルモンの種類によって内分泌臓器は3種類に大別され，ペプチドホルモンを産生する神経内分泌細胞，ステロイドホルモンを産生する細胞，および甲状腺ホルモンを産生分泌する細胞がある．各細胞には特有のホルモン合成機序があり，細胞構造に違いがみられる．ホルモン産生臓器として，以下のように整理することができる．

神経内分泌細胞：下垂体，甲状腺C細胞，副甲状腺，膵ランゲルハンス島，副腎髄質，消化管，肺など

ステロイドホルモン産生細胞：副腎皮質，卵巣間質

甲状腺ホルモン：甲状腺濾胞細胞

神経内分泌細胞から分泌されるホルモンを**表1**にまとめた．

古典的には産生細胞から分泌されたホルモンが血流に入ってそれぞれの標的臓器に影響を及ぼす「内分泌」から，現在では標的細胞が隣接している場合「パラクリン」あるいは自分自身が標的細胞である場合「オートクリン」なども内分泌の概念に含まれている．ペプチドホルモンを産生する臓器として下垂体，膵臓，副腎髄質，甲状腺カルシトニン（C）細胞などがあり，ステロイド産生臓器としては副腎皮質，卵巣など，甲状腺ホルモンは甲状腺濾胞細胞から分泌される．血管内皮細胞からはエンドセリン，心房筋細胞からはhANPなど，従来内分泌組織と思われていなかった組織から多種類のホルモンあるいはホルモン様物質が産生分泌されていることが知られている．ここでは，代表的な内分泌細胞について概説する．

表1　神経内分泌細胞に存在するホルモン/アミンの種類（文献[3]佐野より）

下垂体前葉	ACTH, GH, PRL, TSH, FSH, LH, CT, β-endorphin
甲状腺（C細胞）	CT, SRIF, CGRP, ACTH, catecholamines
副甲状腺	parathyroid hormone, catecholamines
肺	serotonin, GRP/bombesin, CT, CGRP, leuenkephalin, ACTH, PP, β-endorphin, substance P, CRH, ADH
胸腺	ACTH
消化管	serotonin (in EC cell), histamine (in ECL cell), CCK, gastrin (in G cell), enteroglucagon (in L cell), motilin, neurotensin, PP (in L cell), PYY (in L cell), secretin family, SRIF (in D cell), enkephalins, GRP/bombesin, substance P (in EC cell), VIP, ghrelin
膵島	insulin, glucagon, SRIF, PP
肝外胆道系	serotonin, gastrin, SRIF, PP, motilin, substance P
副腎髄質	catecholamines, enkephalins, VIP, SRIF
前立腺	ACTH, serotonin, SRIF, CT, GRP, CGRP, PTHrP, TSH-like peptide
皮膚（Merkel cell）	ACTH, CT, PP, catecholamines, SRIF, VIP

ACTH：adrenocorticotrophic hormone, ADH：antidiuretic hormone, CRH：corticotropin-releasing hormone, CT：calcitonin, CGRP：calcitonin gene-related peptide, CCK：cholecytokinin, FSH：follicle-stimulating hormone, GRP：gastrin-releasing peptide, LH：luteinizing hormone, PP：pancreatic polypeptide, PYY：peptide YY, SRIF：somatostatin, TSH：thyroid-stimulating hormone, VIP：vasoactive intestinal polypeptide.

1．ホルモン合成機序，細胞形態，作用機序

ペプチドホルモン産生細胞では，DNAに書き込まれたホルモンの鋳型により，mRNAを経て，小胞体でホルモンの前駆体（プロホルモン）が合成され，酵素によるプロセッシングを受けて最終的なペプチドホルモンがつくられ，分泌される．合成の最終段階ではゴルジ装置のなかで内分泌顆粒として生成され，修飾を受ける．多くの場合，ホルモンは内分泌顆粒として細胞膜から血中へ放出される（**図1**）．

ステロイドホルモン産生細胞では，合成基質のコレステロールからさまざまなステロイド合成酵素の作用によりいく

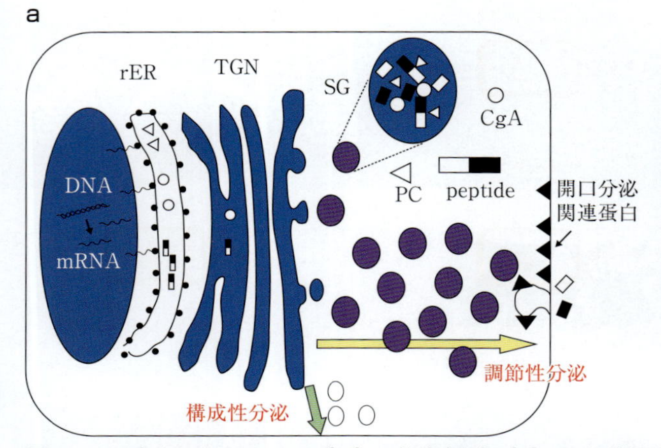

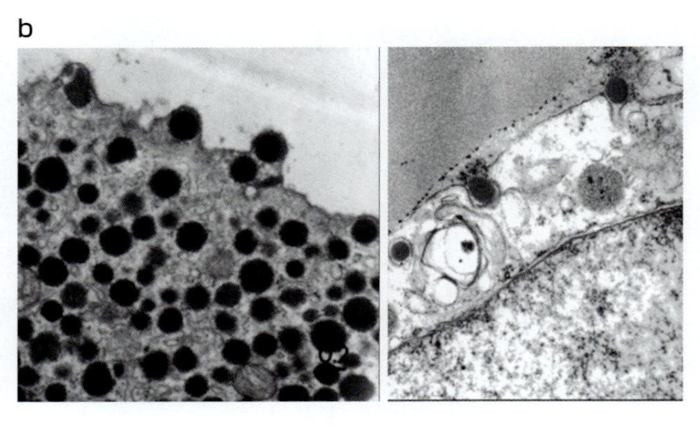

図1　ペプチドホルモンの産生・分泌経路（a）と分泌顆粒（b）．a　rER：粗面小胞体　TGN：Trans-Golgi Network，SG：分泌顆粒．b ペプチドホルモンは分泌顆粒に輸送され細胞外へ分泌される．電子顕微鏡像

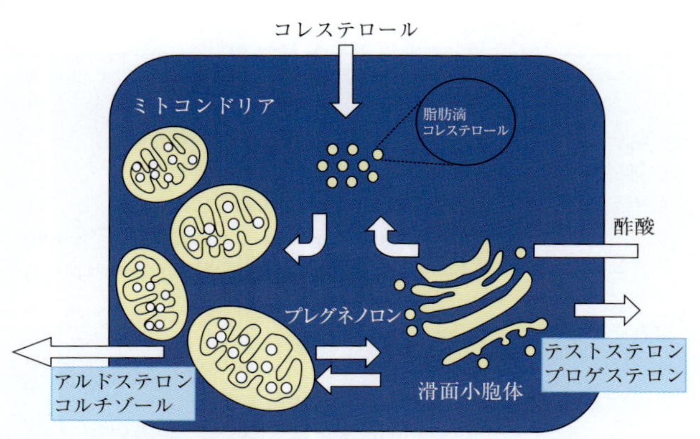

図2　ステロイドホルモン合成メカニズム．コレステロールが，割面小胞体，ミトコンドリアの種々酵素の働きにより，ステロイドホルモンが合成される

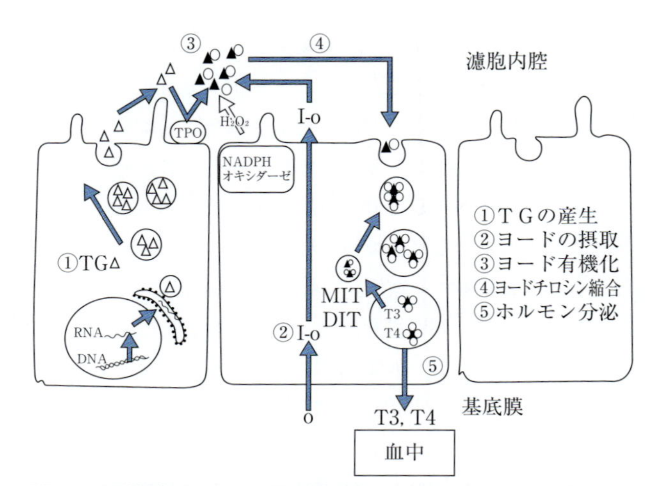

図3　甲状腺ホルモン合成経路．ヨードを吸収し，合成されたT3，T4はサイログロブリン（TG）と結合しコロイドに蓄えられる．TSHの刺激により，上皮細胞を経由し遊離T3，T4として血中に分泌される

つかの前駆物質を経て各種ステロイドホルモンが合成される．産生細胞には内分泌顆粒はなく，特徴的にミトコンドリアの発達がよい（**図2**）．

甲状腺ホルモンは特殊な産生，貯蔵，分泌機序をもち，濾胞上皮細胞に取り込まれたヨードを基質とした物質が甲状腺濾胞腔へ出て，この濾胞腔のなかで合成され貯蔵される．甲状腺ホルモンが放出される場合は濾胞上皮にいったん吸収された後，血中へ放出される（**図3**）．

ホルモンの作用機序としては，エンドクリン（血中へ放出されて標的臓器に作用する機序），パラクリン（近傍の細胞に直接ないし組織間隙を介して作用する機序），オートクリン（自らの細胞に直接ないし組織間隙を介して作用する機序），などの種々の機序がある（**図4**）．

2．内分泌疾患の特徴

機能の面で内分泌臓器には上位と下位があり，たとえば，副腎皮質は下垂体前葉の副腎皮質刺激ホルモン（ACTH）の標的臓器であり，下垂体が上位，副腎皮質が下位の臓器ということになる．下位の臓器から過剰なホルモンが分泌されるとフィードバック機構によって上位のホルモンの産生・分泌が抑制される．内分泌臓器相互の関係の解析から疾患の一次的な原因がどこにあるかを知ることができる．**図5**のようにホルモン産生細胞から分泌されたホルモンは標的臓器に達受容体レセプターに結合しその作用を発現する．標的臓器から分泌されたホルモンはフィードバックにより上記の上位の臓器から分泌される刺激ホルモンの分泌を抑制しホルモン環境のバランスを保っている．

内分泌疾患の原因として，ホルモン分泌不全，分泌亢進に大別することができる．ホルモン分泌不全は，先天的に細胞が欠損，炎症などにより内分泌細胞が欠損してしまう場合が

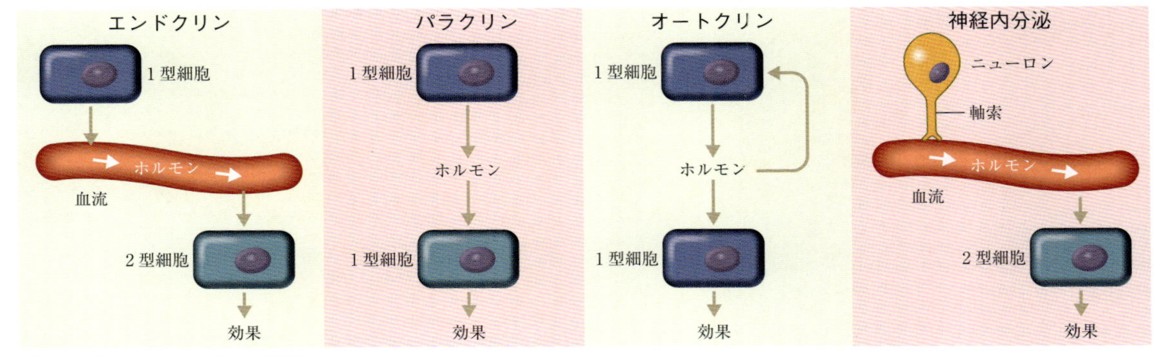

図 4　ホルモンの作用機序

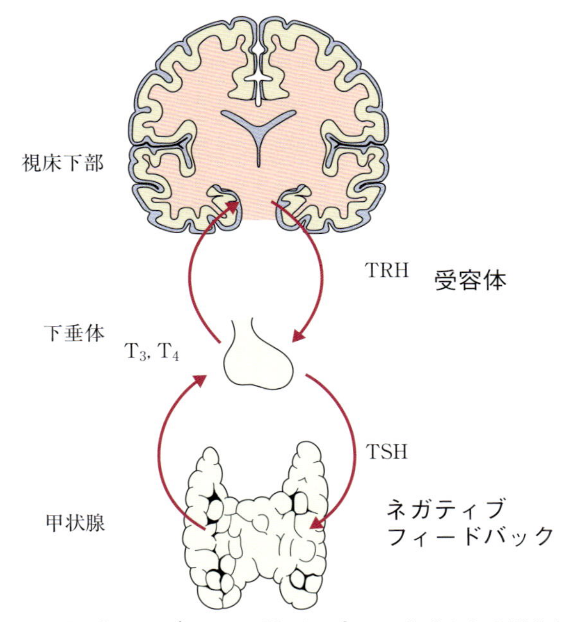

図 5　ネガティブフィードバック．甲状腺から分泌されるホルモン T3，T4 はネガティブフィードバックにより，下垂体 TSH 細胞および視床下部 TRH の産生を抑制する．ホルモンの均衡を保つ仕組みである

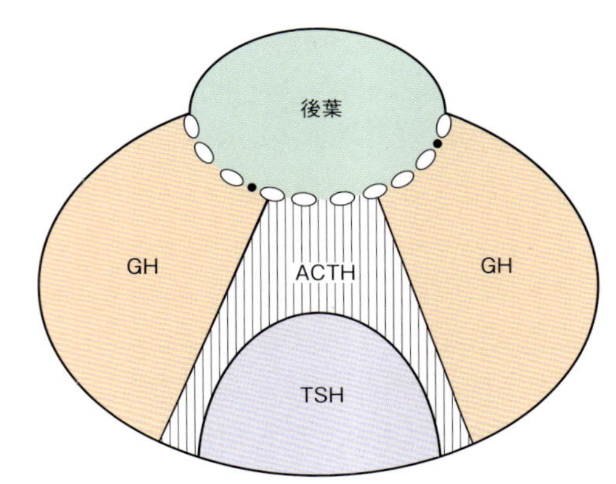

図 6　下垂体前葉細胞分布．（文献[4] Kovacs らより）

考えられる．分泌亢進に関しては，腫瘍によりホルモン産生細胞が異常に増加する場合が多い．ホルモンの機能不全にはホルモン受容体の異常も考えられる．

内分泌臓器の疾患で機能が亢進する場合，病変は過形成ないしは腫瘍（腺腫，癌）の像を呈している．内分泌臓器の病変では過形成か腫瘍か，腫瘍ならば腺腫か癌か，の鑑別は常に問題であり，時に鑑別が困難である症例も経験される．

3．内分泌系組織の解析

内分泌系の細胞を認識するには，ホルモン，合成酵素，神経内分泌顆粒などに対する抗体などを用いた免疫組織化学が汎用されている．また Grading など予後因子として増殖抗原 Ki-67 なども頻繁に解析されている．

遺伝子の解析も重要になっている．MEN 1，MEN 2（後述）などの場合 *MEN1*，*RET* の突然変異の検出も重要である．

4．内分泌臓器の組織学

1）下垂体

下垂体はトルコ鞍のなかにおさまっている重量 550～850 mg のごく小さな組織であるが，視床下部とともに内分泌諸臓器の中枢器官としての役割を担う．発生学的に，下垂体前葉は Rathke 嚢に由来し，その前壁を構成する細胞が増殖して前葉が形成される．視床下部とは下垂体茎で連続し，下垂体門脈系を介して各種の視床下部ホルモンが前葉に流れ込む．下垂体前葉のホルモン産生細胞は，成長ホルモン（GH）細胞・ソマトトローフ，プロラクチン（PRL）細胞・ラクトトローフ，甲状腺刺激ホルモン（TSH）細胞・サイロトローフ，副腎皮質刺激ホルモン（ACTH）細胞・コルチコトローフ，濾胞刺激ホルモン（FSH）ないし黄体化ホルモン（LH）を産生するゴナドトロピン細胞・ゴナドトローフの 5 種類が区別される．これらの細胞の分布は前葉に均一ではなく，局在には偏りがみられる（**図 6**）．

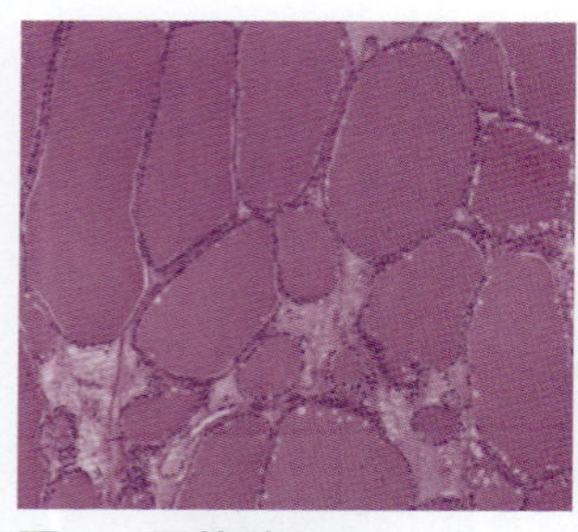
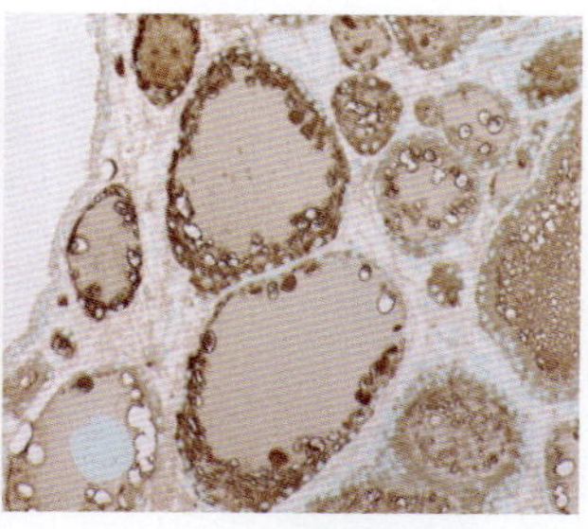

図 7　甲状腺．左：HE 染色，右：サイログロブリン（TG）染色

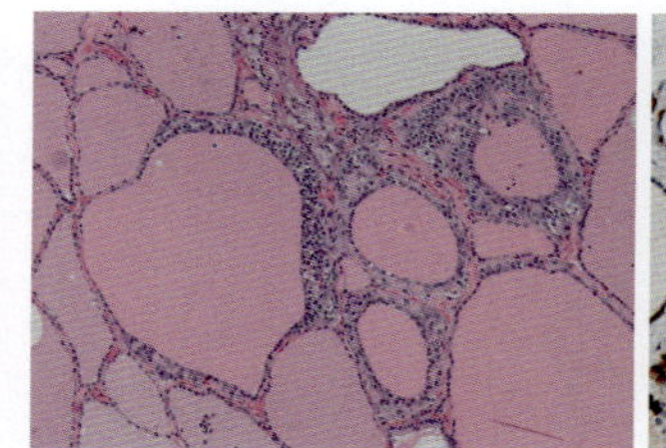
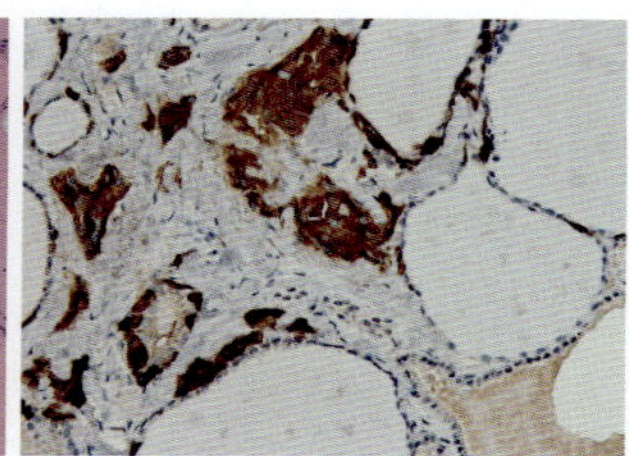

図 8　甲状腺 C 細胞．左：HE 染色　右：カルシトニン　（MEN 2 症例　髄様癌前駆病変）

前葉にはこのほか多数の濾胞星状細胞 folliculostellate cell が認められるが，その機能はまだ十分解明されていない．下垂体後葉は神経葉ともよばれ，発生学的には間脳底部の下方への突出により形成され，無脳児においては後葉は認められない（前葉は存在する）．後葉組織からは抗利尿ホルモン（ADH），オキシトシンが血中に放出される．

最近，種々の転写因子の解析により，ホルモン産生細胞の分化成熟機序が明らかになり．GH-PRL-TSH 系，ACTH 系，ゴナドトロピン系の 3 系譜に分化過程が整理されている．現在，下垂体前葉細胞に由来する下垂体腺腫の全体的枠組みは，正常下垂体前葉ホルモン細胞の細胞分化機序を基盤としている．ちなみに GH 産生下垂体腺腫は，Somatotroph adenoma と称される（後述）．

2）甲状腺

甲状腺は胎生期，咽頭底から発生し，頸部を下垂して分化成熟する．このため，甲状腺原基の遺残と関連する疾患（甲状舌管嚢胞，迷入甲状腺組織など）が頸部に発生する．甲状腺の基本構造は濾胞で，その主体を占める濾胞上皮細胞は甲状腺ホルモンを産生し，下垂体の TSH のコントロール下にある（**図 7**）．また，濾胞上皮細胞に介在するように少数の傍濾胞細胞（C 細胞）がみられ，主にカルシトニンを産生し．Ca 代謝に関与する（**図 8**）．濾胞上皮細胞の疾患では種々の自己抗体が関与することが多く，代表的な自己免疫疾患が多く含まれる．

3）副甲状腺

副甲状腺は通常，左右上下に 4 腺（まれに 5〜7 腺）あり，その重量合計はおよそ 130 mg である．発生学的に上の 2 個は第 4 咽頭嚢に由来し，下の 2 個は胸腺と同じく第 3 咽頭嚢に由来している．第 3・4 咽頭嚢発生異常による Di George 症候群では副甲状腺と胸腺の低形成ないし欠損が生じる．副甲状腺はときに甲状腺近傍ではなく，縦隔内などにも位置することがある．

副甲状腺組織は，主細胞，好酸性細胞，淡明細胞の細胞が区別されるが，いずれでも副甲状腺ホルモン parathyroid hormone（PTH）が産生されており，これらの形態の違いは機能状態の差とみられる．正常副甲状腺ではこうした PTH 産生細胞が濾胞構造をとっており，濾胞の間質には脂肪組織が比較的よく発達している（**図 9**）．脂肪の有無は病変の鑑別診断上の手がかりとなる．

4）内分泌膵

膵の発生は 2 つの原基，すなわち背側膵原基，腹側膵原基からなる．胆嚢に近い腹側膵原基が十二指腸を軸に回転し，その後背側膵と癒合する．鉤状突起と膵頭下部は腹側原基から，残る大半の頭部，体尾部は背側原基から形成される．これら 2 つの領域では Langerhans 島（膵島）（神経内分泌細胞）の形態，ホルモン構成細胞の比率が異なり，膵の大半を占める頭部，体尾部では膵島は輪郭の整った球状であるのに対して，鉤状突起の膵島は不規則な輪郭を示す．膵島構成細胞は，インスリン産生細胞（B 細胞），グルカゴン産生細胞（A 細胞），ソマトスタチン産生細胞（D 細胞），膵ペプチド産生細胞の 4 種類が区別され，体尾部の膵島の B 細胞，A 細胞，D 細胞のおおまかな比率は，60〜80%，25〜40%，2〜5% である（**図 10**）．一方，鉤状突起では，膵ペプチド産生細胞の比率が高く，B 細胞は少ない．

膵の神経内分泌細胞は膵島のほかに，腺房細胞間や膵管上皮細胞間に散在性に分布する．発生学的に，膵島は膵管上皮の内分泌細胞の芽出の形で生じてくるとされ，新生児に高インスリン血症と低血糖をきたす膵島増生症 nesidioblastosis では，両者の連続像が認められる．また，膵内分泌細胞は腺房中心細胞からも分化するとされる．膵に発生する腫瘍の一部で神経内分泌細胞，腺房細胞，粘液産生上皮細胞がみられること（現在 Mixed Neuroendocrine Non-neuroendocrine Neoplasm：MiNEN と称される）があるのは，こうした分化機序が背景にあるからと考えられる．

5）副腎

副腎は最初，皮質が形成され，この原基に後に髄質に分化

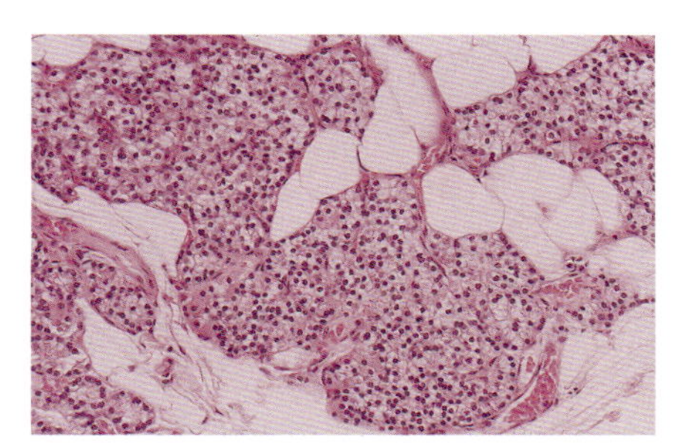

図 9　正常副甲状腺．濾胞構造の間には脂肪組織が発達している

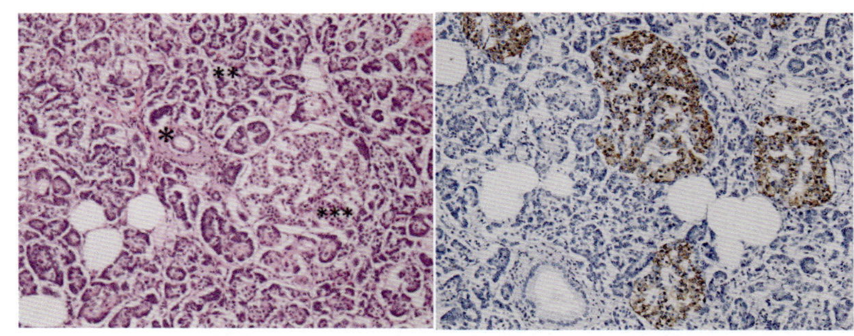

図 10　ヒト成人膵臓．*：腺管 Duct，**：腺房 Acini，***：ランゲルハンス氏島（神経内分泌細胞）．左　H&E 染色，右インシュリン免疫組織化学染色

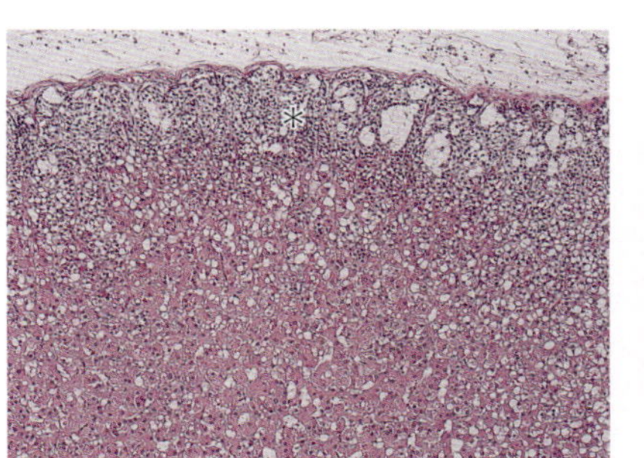

図 11　新生児の副腎皮質．好酸性に濃染する胎児層の細胞と外側に位置する成人（永久）層の細胞（*）をみる

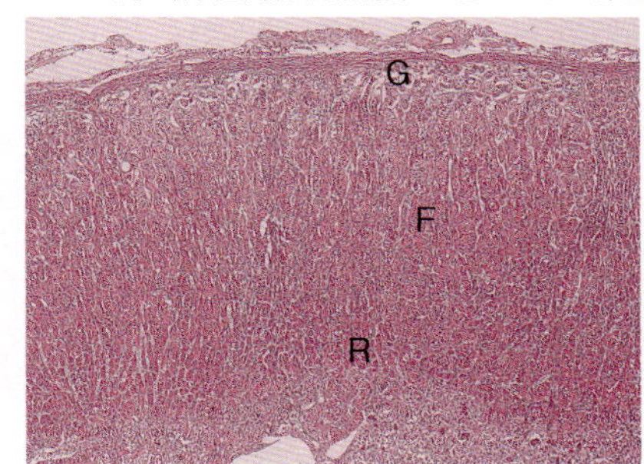

図 12　成人の副腎皮質．被膜に近い方から球状帯（G），束状帯（F），網状帯（R）が区別される

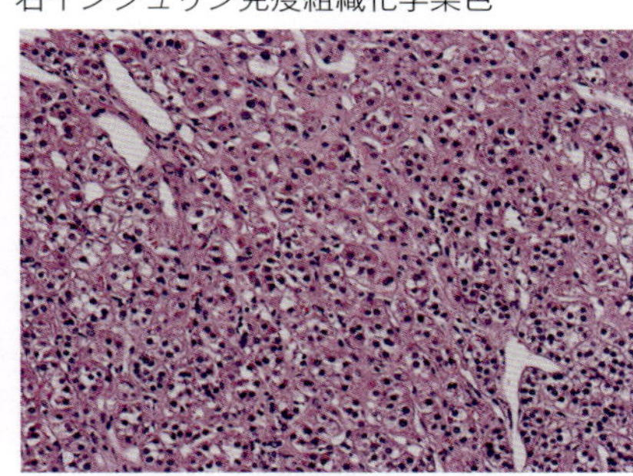

図 13　副腎髄質細胞．HE 染色

成熟する交感神経細胞が侵入する形で発生する．初期の皮質には中心側に位置する胎児層と外側に位置する永久層とがあり，胎児層は胎生期に次第に増大し，出生後しばらく存続するが，永久層は出生時までほとんど変化しない．したがって，出生まもない新生児の副腎皮質は髄質に近いほうにある胎児層の細胞で大部分が占められている（**図 11**）．この胎児層の細胞は約 6 カ月の間に出血性崩壊を伴って退縮し，永久層の皮質が成人型の皮質へと分化していく．

成人の副腎皮質では被膜に近いほうから球状帯（G），束状帯（F），網状帯（R）が区別される（**図 12**）．これらの形態的区別は細胞個々よりも細胞の配列構築によってなされる．副腎皮質から産生分泌されるステロイドホルモンは，このような 3 層構造にほぼ一致した機能的局在をしていることが知られている．すなわち，鉱質コルチコイドのアルドステロンは球状帯と束状帯の外側部で，糖質コルチコイドのコルチゾールは束状帯と網状帯で産生される．性ステロイドであるアンドロゲンの産生は副腎皮質では微弱である．球状帯はレニンの支配を受け，束状帯と網状帯は ACTH の支配を受ける．皮質細胞は，脂肪が乏しくミトコンドリアと滑面小胞体が豊富で暗調な細胞（充実細胞）と脂肪に富む明調な細胞（明細胞，淡明細胞）の 2 種類が区別される．ACTH 過剰状態では肥大した充実細胞（充実性肥大細胞）が多数認められる．

ステロイドホルモンはコレステロールを共通の基質として合成される．副腎皮質の疾患を理解するうえで，病変部のステロイド合成状態を把握することは重要である．しかし，ステロイド自体の免疫染色は困難であることからステロイド合成酵素（チトクローム P-450 など）に対する抗体を用いて間接的にステロイド合成の有無を知る方法がとられる．

副腎の血行動態をみると，生体にとってきわめて重要なホルモンであるコルチゾールの主な産生部位である束状帯の外層が最も動脈血供給を豊富に受けている．一方，束状帯内層は動脈支配の最も遠位に位置しており，ここは虚血性の変性，壊死の好発部位である．

副腎髄質細胞（**図 13**）は交感神経節細胞と同類の神経堤に由来するパラガングリオン系の細胞で，ノルアドレナリンとアドレナリンの産生分泌をする．電顕では多数の内分泌顆粒が認められ，神経内分泌細胞マーカーであるクロモグラニンが強陽性を示す．この細胞が褐色細胞とよばれるのはオルト固定液や重クロム酸カリ液で細胞が褐色に変色することに由来する（クロム親和細胞）．アドレナリンは副腎外の交感神経節などでは産生されず，副腎髄質でのみ産生されるが，これはノルアドレナリンからアドレナリンへ変換する酵素 phenylethanolamine-*N*-methyl-transferase（PNMT）の活性がコルチゾールによって高められることによる．副腎髄質に

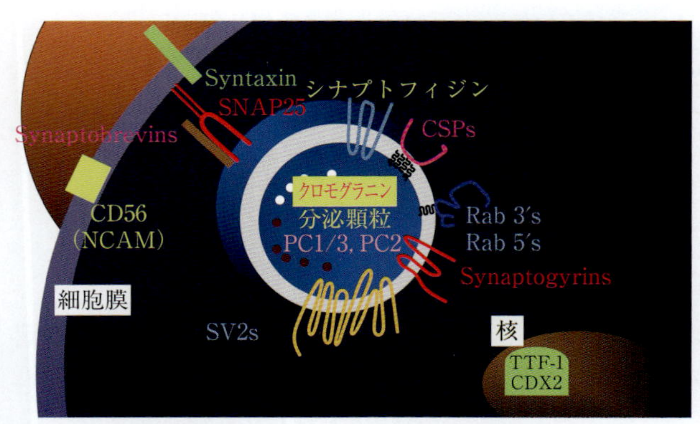

図 14　神経内分泌マーカーの細胞内分布． クロモグラニンAは分泌顆粒のコア，シナプトフィジンは分泌顆粒の限界膜，CD56（NCAM）は細胞膜に局在する．臓器特異マーカー TTF-1，CDX2 は核に認められる

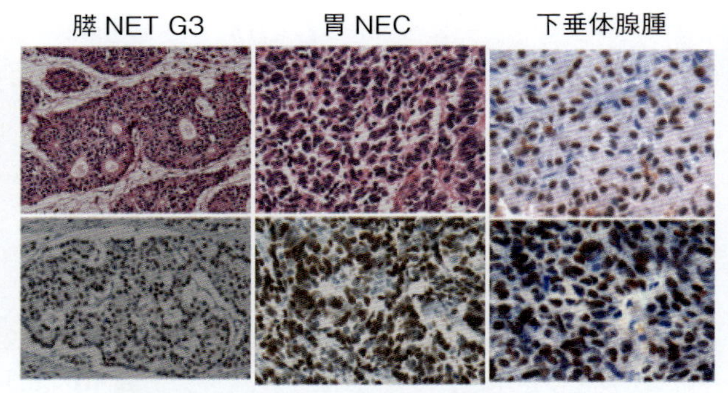

図 15　神経内分泌腫瘍における INSM1 の局在． 核に陽性

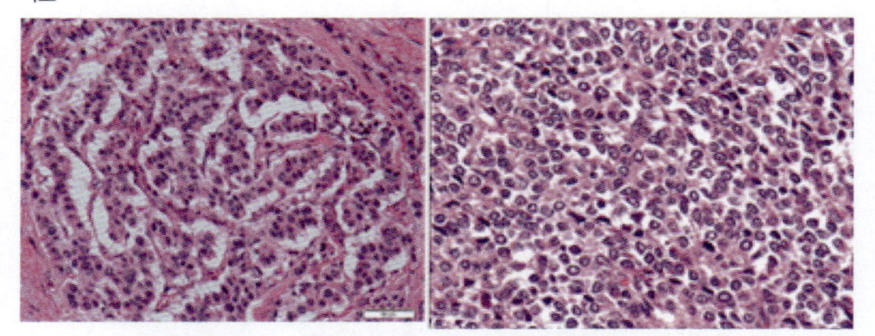

図 16　膵高分化 NET G3（左）と膵低分化 NEC（右）． HE 染色

は，皮質を経てきたコルチゾール濃度の高い皮質静脈血が流入している

6）神経内分泌細胞　Dispersed neuroendocrine cells

上記の臓器のなかで下垂体細胞，甲状腺 C 細胞，膵臓ランゲルハンス島，副腎髄質などはペプチドホルモンを産生し細胞学的に分泌顆粒を有するなど共通の構造を有しており，神経内分泌細胞と総称されている．その他気道や消化管の粘膜上皮細胞間に孤立性にみられ，膵島や下垂体前葉の内分泌細胞あるいは神経細胞と同様の形態的・機能的特徴（神経内分泌顆粒をもち，ペプチドホルモン/アミンを産生）を有する細胞も神経内分泌細胞とよばれ，ステロイドホルモン産生細胞や甲状腺濾胞上皮細胞とは区別されている．このように，神経内分泌細胞の分布は，①集団で器官を形成する場合：下垂体，副甲状腺，副腎髄質，交感神経節など，②顕微鏡レベルでの小集団を形成する場合：膵島，③散在性に他の上皮細胞に介在して分布する場合：気道粘膜，消化管粘膜，膵管胆道粘膜，甲状腺（C 細胞），前立腺，子宮頸部，皮膚など，に区分される．③のような神経内分泌細胞はパラクリン的な内分泌作用機序を担っていると考えられる．

■神経内分泌マーカー　Neuroendocrine markers

神経内分泌細胞およびその腫瘍の全般的なマーカーとして，免疫組織化学的マーカーが神経内分泌分化の認識法として定着している．代表的なマーカーにはクロモグラニン A，シナプトフィジン，CD56（NCAM）などがある．これらは**図 14** のように，細胞内での局在様式が異なり，神経内分泌顆粒，シナプス小胞，細胞質，細胞膜に分布している．現在，最も頻用されているのはクロモグラニン A とシナプトフィジンである．また，ACTH の前駆体である Proopiomelanocortin（POMC）などを割断酵素 prohormone convertase（PC1/PC3，PC2）も分泌顆粒内に存在し，神経内分泌マーカーとみなされることもある．

近年，新たに報告されている Insulioma-associated protein1（INSM1）は転写因子の一種であり，SNP，CGA，CD56 とともに診断価値の高いバイオマーカーとされている（**図 15**）．免疫染色では，神経内分泌細胞およびその腫瘍の核に陽性となることが知られている．膵神経内分泌腫瘍 PanNET では，腫瘍細胞の核に陽性となるが，膵管状腺癌（PDAC），腺房細胞癌（ACC），and Solid Pseudopapillary neoplasm（SPN）など NEN と鑑別を必要とする腫瘍では陰性と報告されている．このように，神経内分泌腫瘍と他の腫瘍との鑑別診断のために，有用なマーカーと考えられる[2]．

5．膵・消化管の神経内分泌腫瘍（NENs）：NET と NEC

2017 年，2019 年の WHO Tumor Classification にて膵，消化管の神経内分泌腫瘍（Neuroendocrine neoplasms：NENs）は，組織分化度および細胞増殖能によって，高分化神経内分泌腫瘍 Neuroendocrine tumor（NET）および低分化神経内分泌癌 Neuroendocrine carcinoma（NEC）に大別されている（**図 16**）．前者 NET は増殖能により，NET G1 G2 G3 に細分化される（**表 2**）．NET にはソマトスタチンレセプター SSTR の発現も高頻度で，NET と NEC は遺伝子背景（前者は MEN1，DAXX/ATRX の変異，後者は Rb，p53 の変異）も異

表 2　NET と NEC の分類（WHO2017，2019）

Classification/grade	Ki-67 proliferation index[a]	Mitotic index[a]
Well-differentiated PanNENs：pancreatic neuroendocrine tumours（PanNETs）		
PanNET G1 PanNET G2 PanNET G3	＜3% 3-20% ＞20%	＜2 2-20 ＞20
Poorly differentiated PanNENs：pancreatic neuroendocrine carcinomas（PanNECs）		
PanNEC（G3） Small cell type Large cell type	＞20%	＞20
Mixed neuroendocrine-non-neuroendocrine neoplasm		

なっており，NET と NEC は遺伝子的に異なる系列の腫瘍と考えられている（**図 17**）．

膵消化管に発生する神経内分泌腫瘍 NEN は，高分化型 NET と低分化型 NEC に分けられ，NET は増殖の度合い（核分裂および Ki-67 指標）により Grade（G）1，2，3 に分けられる（**表 2**；WHO 2017，2019）．

図 17 は，NET（MEN1，ATRX/ADXX の変異）と NEC（p53，Rb1 の変異）が異なる遺伝子変化を有する腫瘍であることを示している．

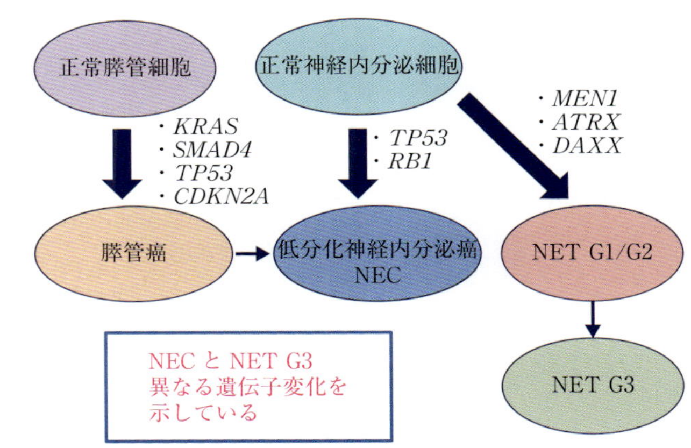

図 17　膵臓における腺癌．NET および NEC 発生経路における遺伝子変化．NEC と NET G3 は異なる遺伝子変化を示している．（文献[5] Ohmoto A et al. より）

6．遺伝性内分泌疾患

遺伝性内分泌疾患の多くは腫瘍性病変である．MEN1，MEN2，VHL，NF-1，TS をはじめ，**表 3** のように数多くの遺伝性疾患に内分泌腫瘍が発生することが知られている．このなかで，頻度の高い MEN type 1，MEN type 2 について述べる．

■多発性内分泌腫瘍症 multiple endocrine neoplasia（MEN）

下垂体，甲状腺，副甲状，膵，副腎など複数の内分泌臓器にまたがって腫瘍が発生する病態で（**図 18**），図右下のように MEN 1 型，MEN 2A 型，MEN 2B 型に区分され，構成する腫瘍のタイプが異なる．原因遺伝子が明らかにされており．MEN 1 型の原因遺伝子 *MEN 1* 遺伝子は llq13 領域に存在する．癌抑制遺伝子として腫瘍形成に関与し，家族性の場合，胚細胞レベルで遺伝子異常（点突然変異など）が起きているので，体細胞のすべてに対立遺伝子の一方の *MEN 1* 遺伝子異常がある．これに新たな *MEN 1* 遺伝子異常〔染色体欠失など：*MEN 1* 遺伝子が位置する llq13 領域のヘテロ接合性の喪失（LOH）として検出される〕が加わると，両方の *MEN 1* 遺伝子が失われることになり，腫瘍発生の引き金になると考えられる．一方，MEN 2A 型，MEN 2B 型はともに *RET* 遺伝子とよばれる 10ql1.2 に存在する遺伝子が原因遺伝子で，その遺伝子産物の RET 蛋白（膜貫通型の受容体）のリガンドはグリア細胞由来の神経栄養因子 glial cell line-derived neurotrophic factor（GDNF）であることが判明している．*RET* 遺伝子の変異によって受容体は構造変化を生じて，常時活性化された状態となり，機能亢進型の癌遺伝子変異として，腫瘍発生の引き金になる．MEN 2A 型と MEN 2B 型の表現型の違いは *RET* 遺伝子における変異部位の違いに起因している．

MEN における一連の病変は次のような特徴がある（**表 4，5**）．

1）下垂体病変：MEN 1 型の約 70％の症例にみられる．過形成と診断された症例には他の内分泌腫瘍が産生する視床下部ホルモンによる二次的過形成が含まれている可能性がある．

2）甲状腺髄様癌：MEN 2A 型，MEN 2B 型ともに 90％以上の症例にみられる基本病変である．家族性甲状腺髄様癌も *RET* 遺伝子変異があり，亜型とみなされる．MEN 2 型では髄様癌は褐色細胞腫より若い年齢で手術される．MEN の甲状腺髄様癌の特徴は，散発性の髄様癌が一般に単発性である

表3　各臓器に発生する遺伝性腫瘍疾患（WHO 2017）

Organ	Neoplastic lesion(s)	Syndromes	Genes
Pituitary gland	Adenoma, pituitary blastoma in DICER1 syndrome	Multiple endocrine neoplasia type 1	*MEN1*
		Multiple endocrine neoplasia type 4	*CDKN1B*
		Carney complex	*PRKAR1A*
		McCune-Albright syndrome	*GNAS*
		DICER1 syndrome	*DICER1*
Thyroid gland	Papillary carcinoma (rarely, follicular carcinoma)	Familial non-medullary thyroid cancer, including Cowden syndrome, familial adenomatous polyposis, non-syndromic familial thyroid cancer, Werner syndrome, Carney complex, DICER1 syndrome	Varinous, *DICER1*
	Medullary carcinoma	Multiple endocrine neoplasia type 2	*RET*
Parathyroid glands	Microadenomatosis	Multiple endocrine neoplasia type 1	*MEN1*
		Multiple endocrine neoplasia type 2A	*RET*
		Multiple endocrine neoplasia type 4	*CDKN1B*
		Hyperparathyroidism-jaw tumour syndrome	*CDC73* (also called *HRPT2*)
Paraganglia	Paraganglioma	Paraganglioma-phaeochromocytoma syndromes, Carney-Stratakis syndrome (paraganglioma and gastrointestinal stromal tumour)	*SDHA, SDHB, SDHC, SDHD, TMEM127, MAX, FH, MDH2*
		von Hippel-Lindau syndrome	*VHL*
		Multiple endocrine neoplasia type 2A	*RET*
		Neurofibromatosis type 1	*NF1*
		Paraganglioma-polycythaemia syndrome	*EGLN2, EGLN1*
		Pacak-Zhuang syndrome	*EPAS1*
Adrenal glands	Adrenal cortical neoplasm	Multiple endocrine neoplasia type 1	*MEN1*
		Carney complex	*PRKAR1A*
	Phaeochromocytoma	Multiple endocrine neoplasia type 2	*RET*
		von Hippel-Lindau syndrome	*VHL*
		Paraganglioma-phaeochromocytoma syndrome	*SDHA, SDHB, SDHC, SDHD, TMEM127, MAX, FH, MDH2*
		Neurofibromatosis type 1	*NF1*
		Paraganglioma-polycythaemia syndrome	*EGLN2, EGLN1*
		Pacak-Zhuang syndrome	*EPAS1*
Pancreas	Microadenomatosis and neuroendocrine tumour	Multiple endocrine neoplasia type 1	*MEN1*
		von Hippel-Lindau syndrome	*VHL*
		Neurofibromatosis type 1	*NF1*
		Multiple endocrine neoplasia type 4	*CDKN1B*
		Glucagon cell hyperplasia and neoplasia	*GCGR*
		Tuberous sclerosis	*TSC1, TSC2*
Duodenum	Neuroendocrine tumour	Neurofibromatosis type 1	*NF1*
		Multiple endocrine neoplasia type 1	*MEN1*
Ovary	Sertoli tumour	Pacak-Zhuang syndrome	*EPAS1*
		DICER1 syndrome	*DICER1*

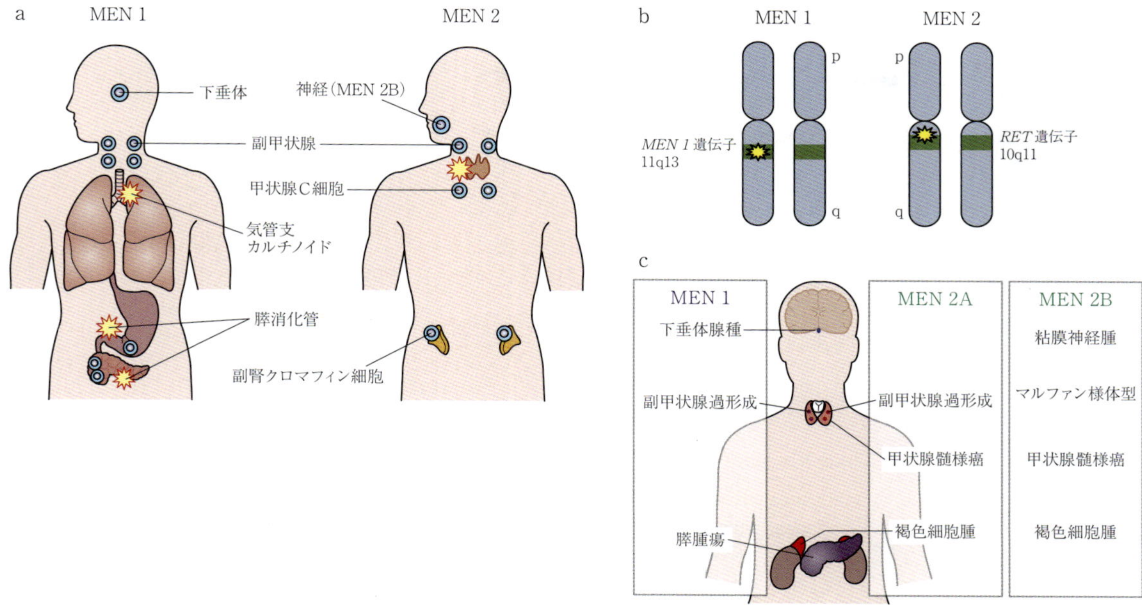

図 18　多発性内分泌腫瘍症（MEN）．（文献[5] Ohmoto A et al. より）

表 4　MEN 1 の腫瘍と頻度（WHO 2017）

Organ changes	Frequency	Clinical features
Parthyroid gland	≧90%	Primary hyperparathyroidism
Microadenomatosis		
Endocrine pancreas	30-75%	
Multiple non-functioning microadenomas		
Non-functioning macrotumours		
Functioning macrotumours		
Insulinoma	10-30%	Hypoglycaemia syndrome
Others	Rare	
Duodenum		
Multiple gastrinomas	50-80%	Zollinger-Ellison syndrome
Pituitary gland	30-40%	
Adenoma	70%	Clinically silent, local symptoms, pituitary insufficiency
Lactotroph adenoma	Frequent	Amenorrhoea, galactorrhoea
Somatotroph adenoma	9%	Acromegaly
Corticotroph adenoma	4%	Cushing syndrome
Others	Rare	
Other lesions		
Neuroendocrine tumours（thymus, stomach, lung, intestinal）	5-10%	
Skin（facial angiofibromas, collagenoma, pigment lesions）	40-80%	
Adrenal cortical hyperplasia/tumour	20-45%	
Lipoma	10%	
Spinal ependymoma	Rare	
Soft tissue tumours	Rare	

表 5　MEN 2 の頻度と腫瘍（WHO 2017）

	MEN2A	MEN2B	Familial medullary thyroid carcinoma
MIM number（www.omim.org）	171400	162300	155240
Relative frequency	35-40%	5-10%	50-60%
Mean patient age at clinical presentation	25-35 years	10-20 years	45-55 years
Commonly involved *RET* codons	{634, 609, 611, 618, 620, 630, 631}	{918, 883}	{768, 790, 791, 804, 649, 891, 609, 611, 618, 620, 630, 631}
Medullary thyroid carcinoma	＞90%	＞90%	＞90%
Phaeochromocytoma	30-50%	50%	—
Hyperparathyroidism	15-30%	—	—
Interscapular cutaneous lichen amyloidosis	10-15%	—	—
Neuromas of lips, tongue, conjunctiva；medullated corneal nerves；intestinal ganglioneuromatosis	—	98-100%	—
Marfanoid habitus	—	98-100%	—
Musculoskeletal abnormalities（pes cavus, pectus excavatum, scoliosis, etc.）；urinary tract ganglioneuromatosis and malformations	—	Variable	—

のに対し，両側性，多発性である点，および，C 細胞の小さな，形態的に髄様癌とは断定できない増殖巣（いわゆる原発性 C 細胞過形成）が髄様癌周辺に多発する点である．

3）副甲状腺病変：MEN 1 型と MEN 2A 型の基本的構成要素である．MEN 1 型では 90%以上に，MEN 2A 型では 15〜30%に認められ，MEN 1 型では臨床的に副甲状腺機能亢進症状，高 PTH 血症，高 Ca 血症で発見されることが多く，スクリーニングの対象として重要である．MEN 2B 型での副甲状腺病変はまれである．複数の腺が巻き込まれることが特徴で，病変の種類については過形成（原発性過形成），腺腫，癌がある．

4）膵内分泌腫瘍：MEN 1 型症例の 30〜75%にみられ，多発することが特徴である．基本的な病変は 5 mm 以下の微小腺腫で，背景の膵にはその前駆病変と考えられる腫瘍性格をもった増殖病変がみられる．神経内分泌癌の発生は非常にまれである．一般に，MEN 1 型における Zollinger-Ellison 症候群では膵ガストリノーマはまれで，ガストリノーマは大部分，十二指腸壁に 5 mm 以下の小さな腫瘍として多発性に発見される．

5）副腎病変：褐色細胞腫は MEN 2A 型のおよそ 30〜50%に認められる．褐色細胞腫の存在を MEN 2A 型診断の必須条件とすれば当然 100%となる．MEN 2B 型における褐色細胞腫は 50%である．しばしば両側性で多中心性である点，副腎髄質過形成を伴うことの多い点が MEN の副腎病変の特徴である．

6）その他：粘膜神経腫，消化管神経節神経腫症は MEN 2B 型を MEN 2A 型から区別し，特徴づける病変で，MEN 2B 型の 98〜100%の症例にみる．腸管の巨大結腸症と憩室症は MEN 2B 型の 95%にみられる．これらの変化は生下時から存在することが多く，甲状腺髄様癌や褐色細胞腫の発生よりかなり以前から臨床的に認められるため診断上重要である．

＊本稿は，故佐野壽昭博士による本書第 5 版 8 章内分泌臓器系概説を基本に，著者が新知見を加えた．

第8章

内分泌系

（1）下垂体

概　説

1．正常下垂体の構造

下垂体は，頭蓋底のトルコ鞍に埋め込まれたように存在する1gm程度の小臓器である（**図1a**）．上部には視神経交差および視床下部があり，周囲には上顎洞，蝶形骨洞があり，頸動脈も近い（**図1b**）．下垂体は**図2**のように，前葉と後葉に区別され，後葉は視床下部と連続した神経組織である．前葉は，視床下部から血行性に刺激因子の影響を受ける．

前葉は，成長ホルモン（GH）細胞・ソマトトローフ，プロラクチン（PRL）細胞・ラクトトローフ，甲状腺刺激ホルモン（TSH）細胞・サイロトローフ，副腎皮質刺激ホルモン（ACTH）細胞・コルチコトローフ，濾胞刺激ホルモン（FSH）ないし黄体化ホルモン（LH）を産生するゴナドトロピン細胞・ゴナドトローフの5種類から構成されている．**図3**に下垂体前葉細胞のHE染色，ソマトトローフなどを示す．

a

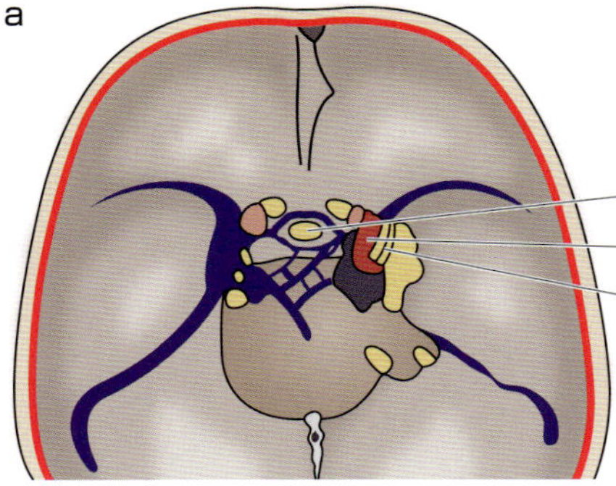

下垂体
内頸動脈
眼神経

b

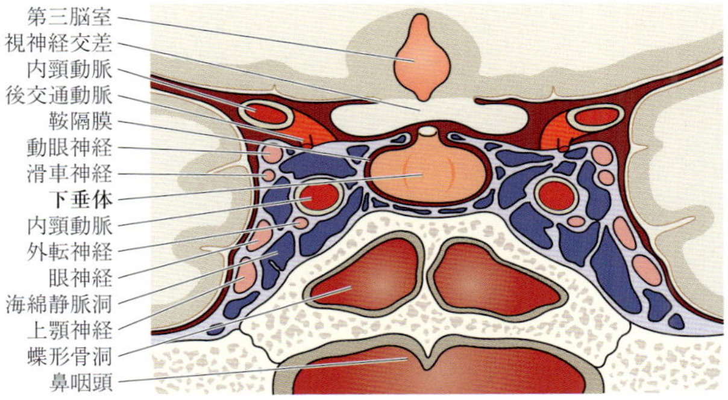

第三脳室
視神経交差
内頸動脈
後交通動脈
鞍隔膜
動眼神経
滑車神経
下垂体
内頸動脈
外転神経
眼神経
海綿静脈洞
上顎神経
蝶形骨洞
鼻咽頭

図1　下垂体の解剖

第三脳室
視神経交差
乳頭体
視床下部
硬膜
後葉ホルモン
前葉ホルモン
蝶形骨
トルコ鞍

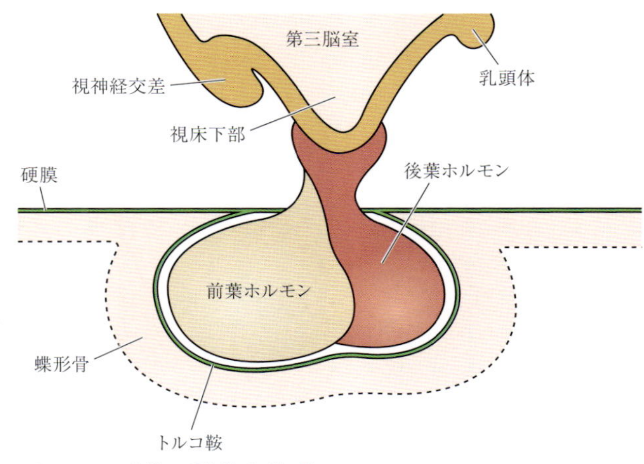

図2　下垂体の前葉と後葉

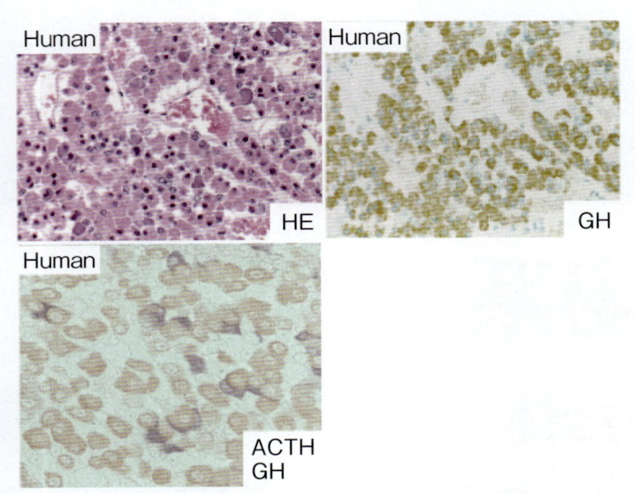

図3　ヒト下垂体前葉細胞（上）と ACTH 細胞および GH 細胞（下）．左上：HE 染色，右上：左上と同一部位の GH 染色．好酸性（赤い）細胞が GH 陽性である．左下：ACTH と GH は両者密接しており，ACTH 陽性細胞コルチコトローフは突起を有している

2．下垂体前葉細胞の機能分化と転写因子

最近，種々の転写因子の解析により，ホルモン産生細胞の分化成熟機序が明らかになり．GH–PRL–TSH 系，ACTH 系，ゴナドトロピン系の 3 系譜に分化過程が整理されている．現在，下垂体前葉細胞に由来する下垂体腺腫の全体的枠組みは，正常下垂体前葉ホルモン細胞の細胞分化機序を基盤としている（**図 4**）．ちなみに GH 産生下垂体腺腫は，Somatotroph adenoma ソマトトローフアデノーマと称される（下垂体腺腫の項で詳述）．ソマトトローフ，ラクトトローフ，サイロトローフ，ゴナドトローフ，コルチコトローフは，それぞれ，Pit–1，SF–1，Tpit の制御を受けている（**図 5**）．

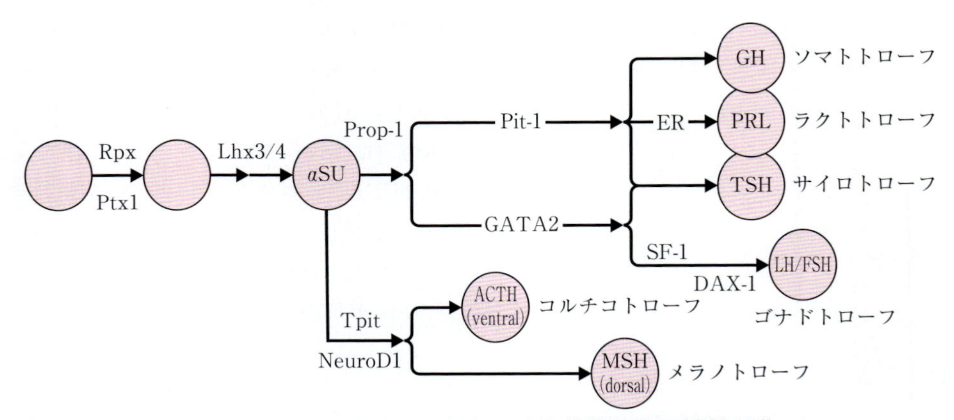

図 4　転写因子 Tpit，Pit–1，SF–1 による下垂体前葉細胞の機能分化

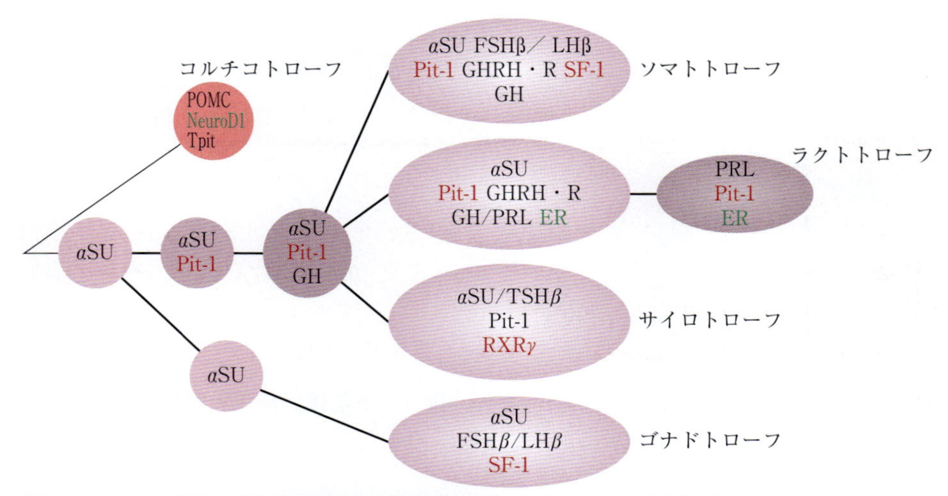

図 5　ヒト下垂体の転写因子による機能分化とホルモン産生細胞

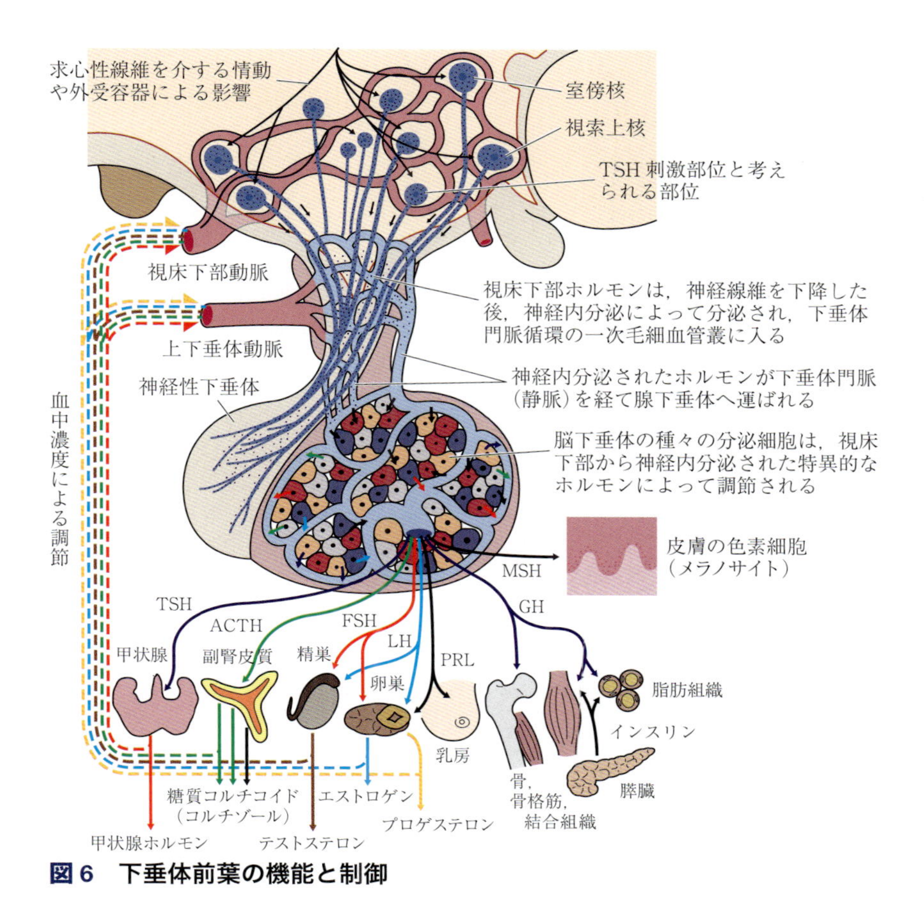

図 6　下垂体前葉の機能と制御

GHRH	ドパミン	GnRH	TRH	CRH	
↓	↓	↓	↓	↓	
ソマトトローフ	ラクトトローフ	ゴナドトローフ	サイロトローフ	コルチコトローフ	
GH	Prl	FSHb α / LHb α	TSHb α	POMC	
成長ホルモン	プロラクチン	FSH	TSH	ACTH	
↓	↓	↓	↓	↓	
肝その他	乳腺	性腺	甲状腺	副腎皮質	**標的臓器**

図 7　下垂体の機能制御と標的臓器．それぞれのホルモン産生細胞は，視床下部からの刺激・抑制因子の制御を受けながら，標的臓器の機能を制御している．

3．下垂体前葉の機能と制御

下垂体前葉細胞は，視床下部からの刺激・抑制因子が前葉内の門脈に流入し，前葉細胞の機能を制御する（**図 6**）．下垂体細胞（ホルモン分泌）は上位の視床下部（促進，抑制因子）の影響をうけ，分泌ホルモンにより特異的な標的臓器（甲状腺など）の機能を制御している（**図 7**）．

下垂体前葉壊死，下垂体卒中，Crooke 変性 | Pituitary necrosis，Pituitary apoplexy and Crooke hyalinization

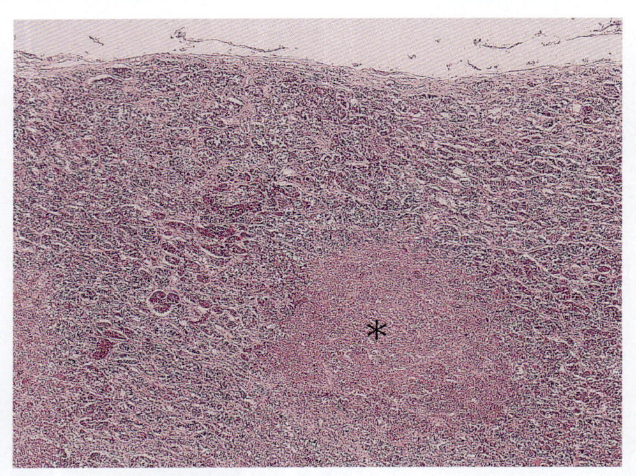

図 8　下垂体前葉壊死．凝固壊死巣をみる（＊）．弱拡大

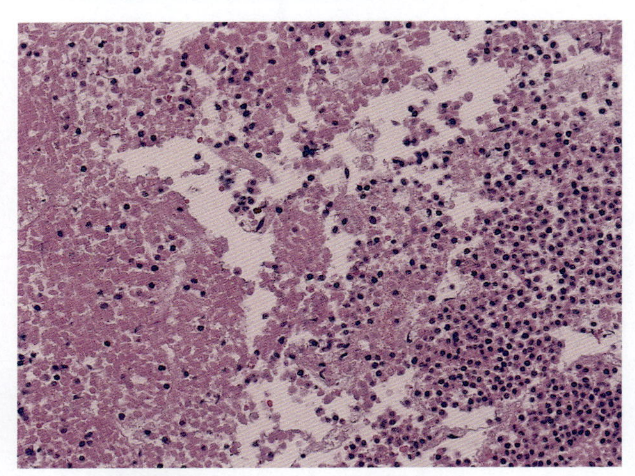

図 9　下垂体卒中．写真左方に凝固壊死に陥った下垂体腺腫の輪郭が認められる．中拡大

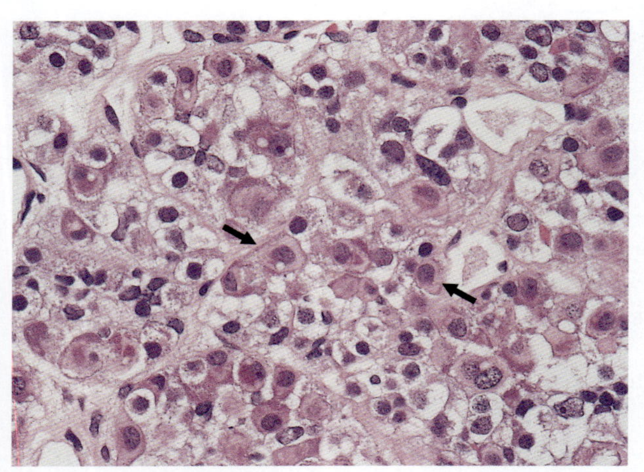

図 10　Crooke 変性．細胞質に核を囲む淡明な帯状の領域がみられる（↑）．HE 染色．強拡大

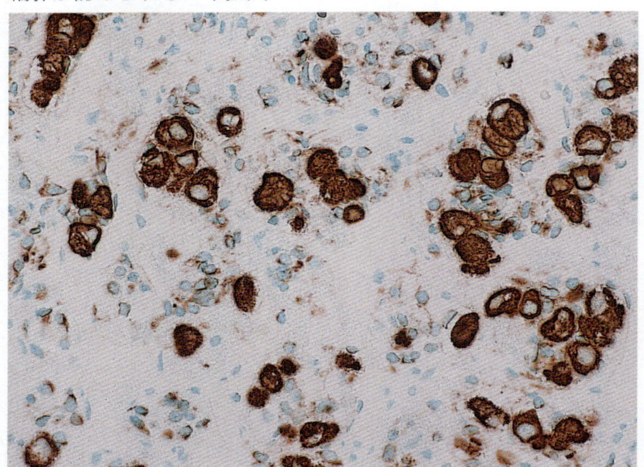

図 11　同前．サイトケラチン免疫染色．強拡大

下垂体前葉壊死は，脳圧亢進状態，人工呼吸器長期装着状態，糖尿病などで死亡した症例の剖検下垂体にときに認められる（**図 8**）．壊死巣の多くは前方の元来血流の乏しい領域に虚血性梗塞による凝固壊死の形で発生し，陳旧化すると壊死巣は線維化に陥る．

下垂体卒中は，下垂体腺腫内に突然生じる大出血によって脳圧亢進など急激な症状を呈する病態をさす．手術的に摘出された組織には，腺腫内の出血と新鮮な壊死とが認められる（**図 9**）．壊死部分でも腺腫の産生するホルモンは免疫染色で識別できることが多い．

図 10 は **Crooke 変性**をきたした下垂体の細胞で，細胞質内に核を囲む淡明な領域がみられる．この変化は ACTH 細胞に限ってみられる変化で，高コルチゾール血症に対する negative feedback による ACTH 細胞機能の抑制に関連したものと考えられる．したがって，Crooke 変性はコルチコトローフアデノーマの非腫瘍部や副腎皮質ホルモン大量投与の際にもみられ，解剖例にこれが観察されれば，コルチゾール過剰が推測できる．ときに，コルチコトローフアデノーマの腫瘍細胞自体にもみられる．この淡明な領域は，サイトケラチン細線維の束が核を取り囲むように集積したもので（**図 11**），ACTH 細胞の細胞質は PAS 陽性であるが，この領域は PAS に染まらない．

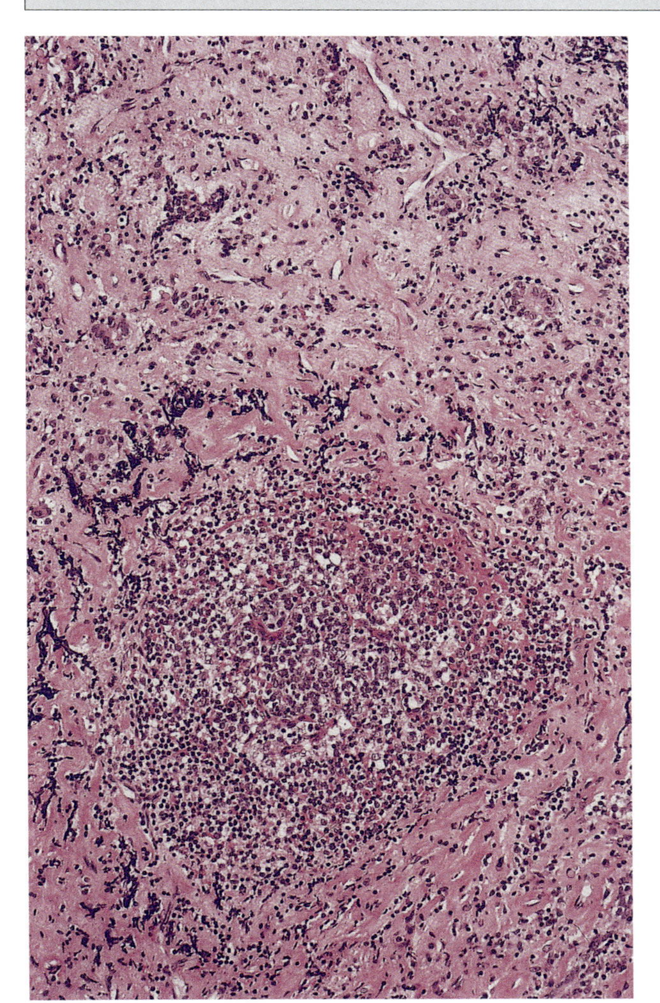

図 12　リンパ球性下垂体前葉炎．リンパ球浸潤，線維増生，前葉細胞の高度の脱落がみられる．中拡大

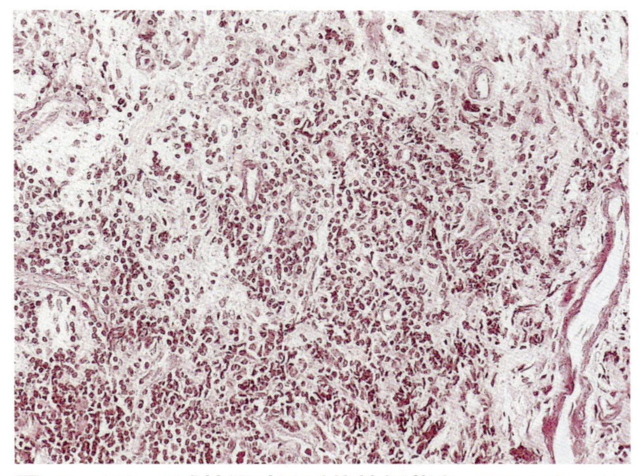

図 13　リンパ球性漏斗下垂体神経葉炎．下垂体茎へのリンパ球浸潤が強い．中拡大

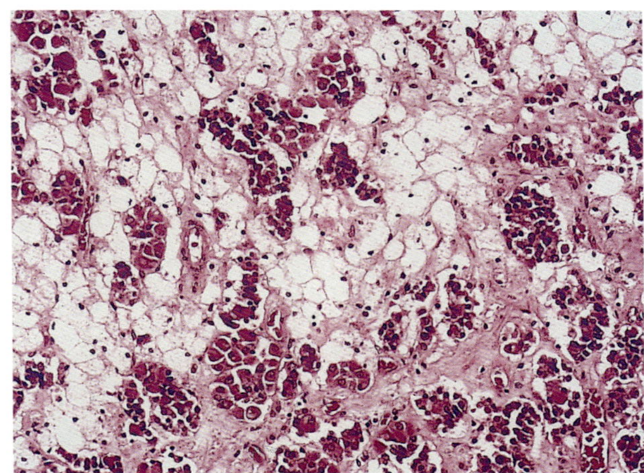

図 14　xanthomatous hypophysitis．黄色腫細胞の増生が著しく，前葉組織を破壊している．中拡大

下垂体の炎症性疾患は腺腫との鑑別の必要上，生検組織が提出されることがある．このなかには結核などの感染性炎症も含まれるが，最も重要な病態はリンパ球性下垂体炎で，**リンパ球性下垂体前葉炎** lymphocytic adenohypophysitis と**リンパ球性漏斗下垂体神経葉炎** lymphocytic infundibuloneurohypophysitis とが区別され，前者では下垂体の腫大，視力障害，前葉機能低下症，後者では中枢性尿崩症などを臨床症状とする．また，前者では妊娠との関連や橋本病，副腎炎などの合併がみられることなどから自己免疫的な機序が強く想定されている．後者は性差がなく，病因は不明である．ともに小型リンパ球，形質細胞などの慢性炎症細砲の高度な浸潤と線維増生を伴う（**図 12**）．前者では前葉機能低下症をきたすに足る広範な前葉細胞の破壊，脱落がみられる．また，ときに ACTH 細胞や PRL 細胞が選択的に脱落している例もある．一方，リンパ球性漏斗下垂体神経葉炎は下垂体茎とその上下の組織に炎症の主座があり（**図 13**），ここの障害が尿崩症の原因になる．炎症が下垂体茎や後葉に生じていることを知るには S-100 蛋白が有用である．

【鑑別診断】 リンパ球性下垂体炎との鑑別を要する炎症性疾患は感染性疾患，サルコイドーシスなどの全身性肉芽腫性疾患，Langerhans 細胞組織球症，周囲組織の病変に随伴した二次性炎症など多彩である．最近，黄色腫細胞 xanthoma cell の高度の浸潤からなる下垂体炎 xanthomatous hypophysitis も報告されている（**図 14**）．

［参考事項］ 下垂体前葉へのリンパ球浸潤は，女性の下垂体に，とくに妊娠に伴って軽度に観察されることがある．中枢性尿崩症は視床下部・下垂体茎の中枢側の障害と下垂体茎の末梢側・後葉の障害とではやや病態が異なり，前者では遷延性の，後者では一過性の症状をきたすことが多い．

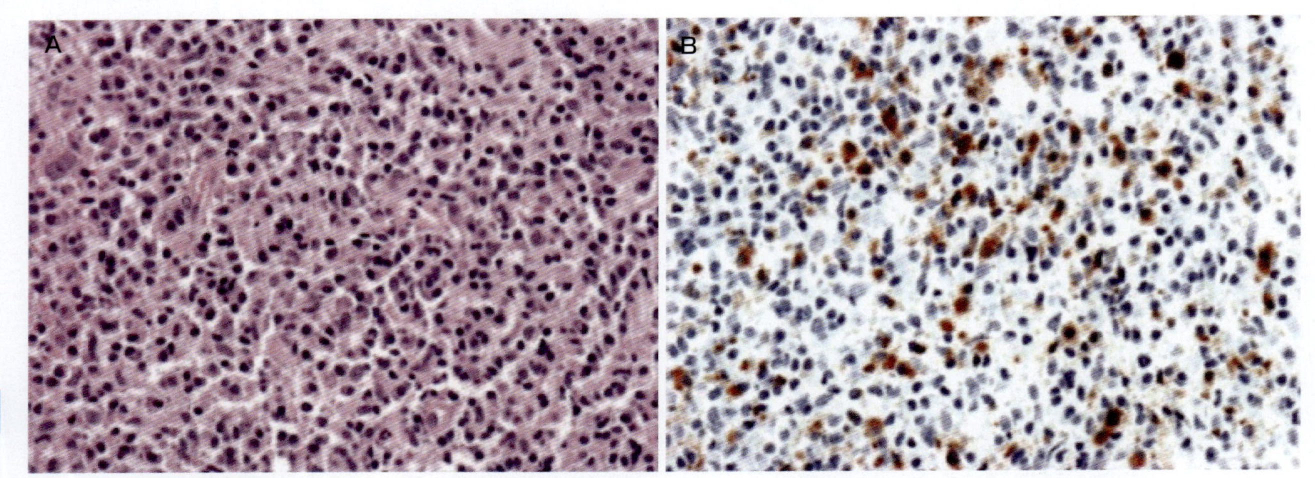

図 15　IgG4 関連下垂体炎．左：HE 染色　右：IgG4 陽性形質細胞（文献[2] Shimatsu らより許諾を得て転載）

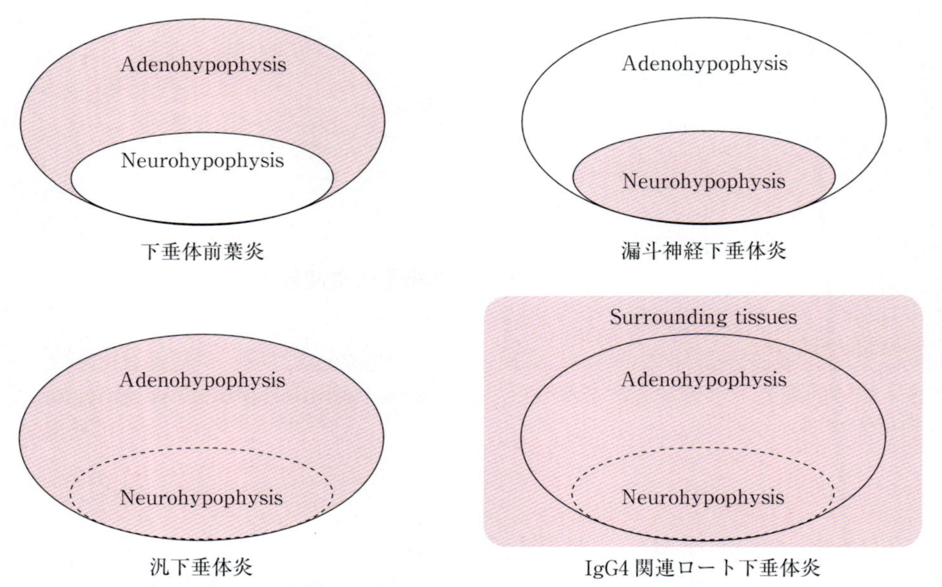

図 16　疾患別の炎症の部位．IgG 関連ロート下垂体炎は，全身性の炎症性疾患と関連し，下垂体では下垂体のみならず周囲組織にも同様な IgG4 陽性形質細胞の浸潤を認める

IgG4 関連下垂体炎 IgG4-related infundibulo-hypophysitis

2009 年に島津らが IgG4 関連疾患として下垂体炎を報告した[2]．特徴は，①高齢の男性に多い，②種々の程度の下垂体機能低下，尿崩症を認める，③MRI で下垂体柄の肥厚，下垂体の腫大，およびグルココルチコイド治療により縮小，④グルココルチコイド療法により下垂体機能不全の改善，⑤IgG4 関連の全身性疾患，⑥グルココルチコイド療法前の血清 IgG4 値の上昇，⑦トルコ鞍および周囲の慢性炎症　などがあげられる．病理組織学的には，下垂体内に IgG4 陽性形質細胞を多数認める（**図 15，16**）．

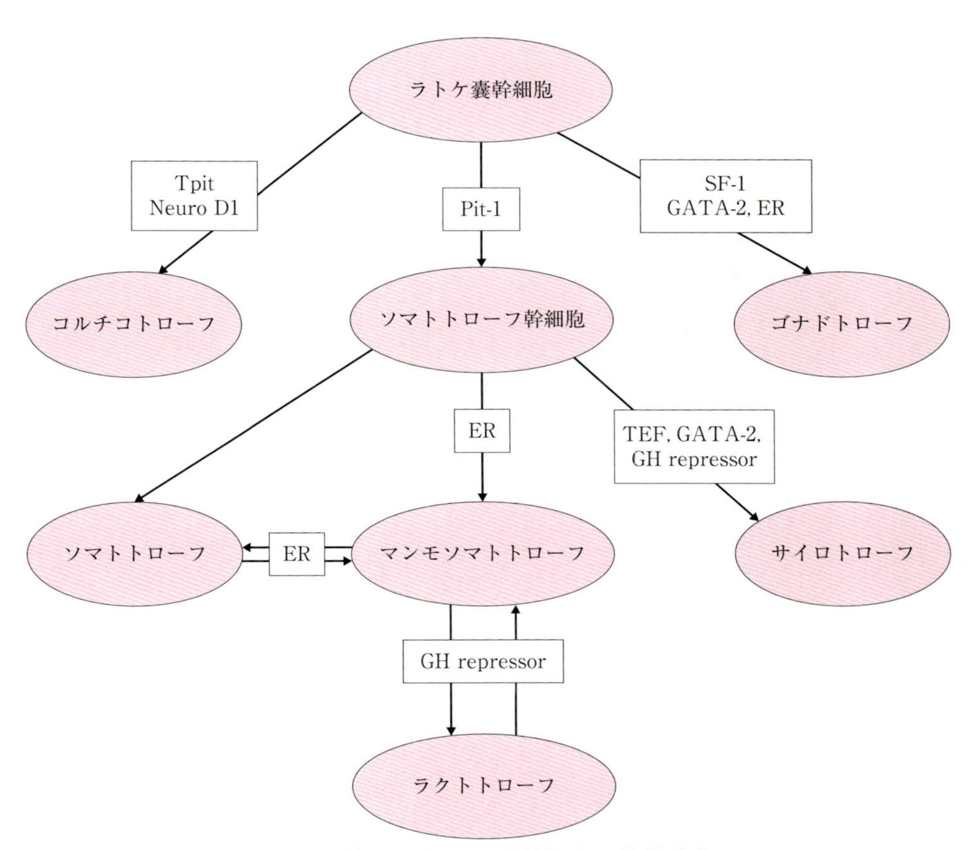

図 17　転写因子と下垂体細胞の機能分化

表 1　下垂体腺腫の分類（WHO2017）

ソマトトローフアデノーマ（GH）
ラクトトローフアデノーマ（PRL）
サイロトローフアデノーマ（TSH）
コルチコトローフアデノーマ（ACTH）
ゴナドトローフアデノーマ（FSH/LH）
ナルセルアデノーマ（Null cell）
多ホルモン＆ダブルアデノーマ

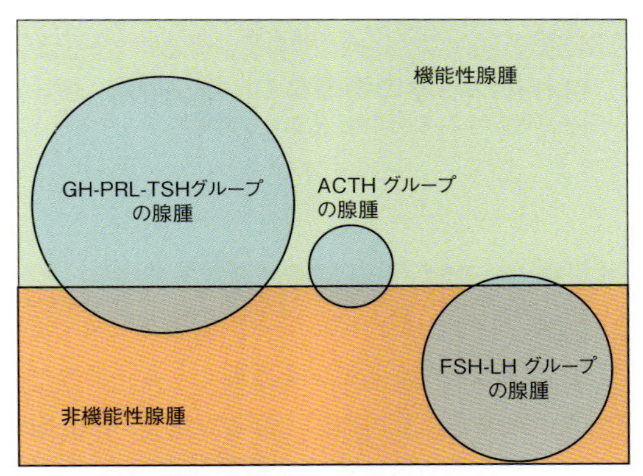

図 18　下垂体腺腫の枠組み．下垂体腺腫は GH-PRL-TSH のグループ，ACTH のグループ，FSH-LH のグループに分けられ，各グループに機能性と非機能性の腺腫が含まれる．円の大きさは下垂体腺腫全体に占める割合，水平線の上下は機能性と非機能性腺腫の比率を大まかに示す

下垂体に発生する腫瘍性増殖には種々の種類があるが，頻度の高い病変として下垂体腺腫について述べる．下垂体腺腫は，下垂体前葉に発生する良性腫瘍で，大きく 3 つのグループに区分することができる．

Pit-1 系譜：GH，PRL，TSH

SF-1 系譜：FSH，LH

Tpit 系譜：ACTH

現在（WHO 2017），下垂体腺腫は，産生分泌するホルモン，転写因子などの検出を基盤に分類されている．WHO 2017 に掲載された下垂体腺腫の分類を**表 1** に示す．

下垂体腺腫は，分化したホルモン産生細胞ソマトトローフラクトトローフ，サイロトローフ，ゴナドトローフ，コルチコトローフより発生すると考えられている．**図 17** に，それぞれの下垂体細胞の発生の系譜を示す．**図 18** は，転写因子によって分類された 3 つグループである Pit-1 系譜（GH, PRL, TSH），Tpit 系譜（ACTH），SF-1 系譜（FSH, LH）の，下垂体腺腫における機能性，非機能性の比率を示す．

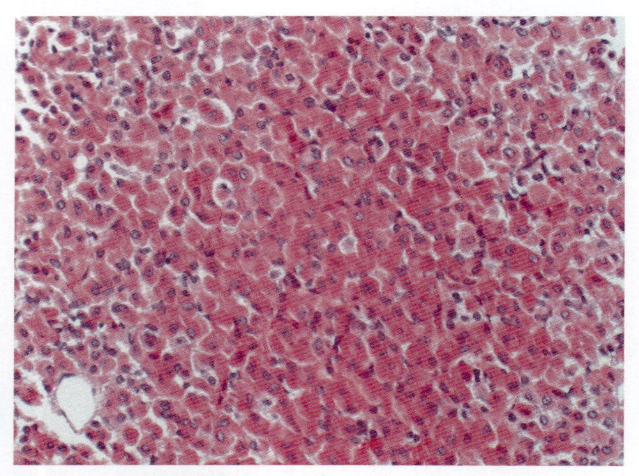

図 19　GH 細胞腺腫．好酸性の細胞がシート状に増殖する．中拡大

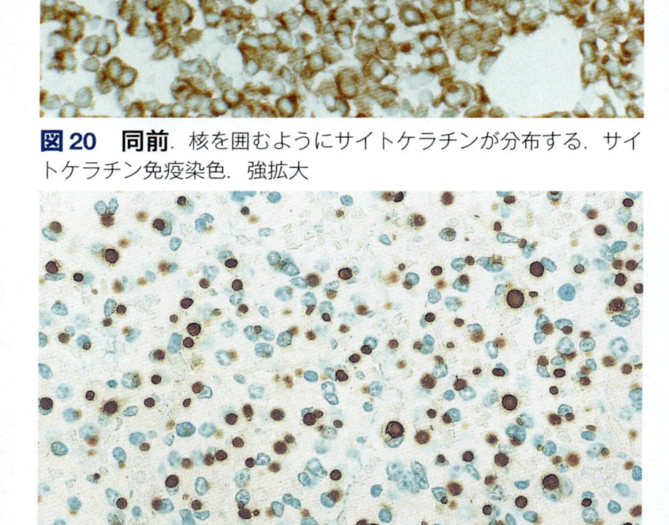

図 20　同前．核を囲むようにサイトケラチンが分布する．サイトケラチン免疫染色．強拡大

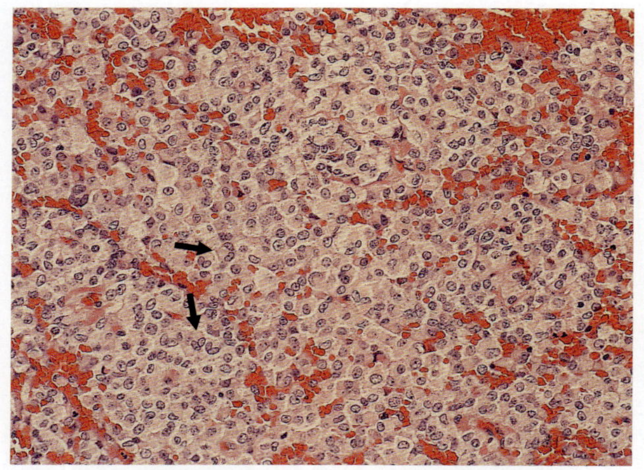

図 21　fibrous body の明瞭な GH 細胞腺腫．嫌色素性の細胞に円形淡明域が認められる（⬆）．中拡大

図 22　同前．円形淡明域に一致して dot 状のサイトケラチン分布が顕著．サイトケラチン免疫染色．強拡大

Pit-1 系譜 GH-PRL-TSH 細胞からなる腺腫群　転写因子のひとつである Pit-1 蛋白がその分化に関与している GH, PRL, TSH の 3 種類のホルモンを発現しうる腺腫群である．この先端肥大症や巨人症の原因となる腺腫は，PRL 同時産生腺腫を含めて切除例全体の約 25％を占める．細胞質の内分泌顆粒の量や PRL 産生の有無などによりさらにいくつかに区分される．

1）GH 細胞腺腫 Somatotroph adenoma（SA）Densely Granulated type　従来，好酸性腺腫とよばれた最も一般的な GH 産生腺腫で，腫瘍細胞は正常の GH 細胞と同様に好酸性，顆粒状の細胞質をもち，充実性，シート状に増殖する（**図 19**）．Densely granulated（SA）といわれる．大多数の細胞にびまん性の GH 陽性反応がみられ，サイトケラチン免疫染色では核を取り囲むような分布を示す（**図 20**）．PRL 陽性細胞もしばしば混在し，PRL 陽性細胞の比率が大きい場合には GH-PRL 細胞腫と診断される．また α-サブユニット，少数の TSH 陽性の場合もある．

2）明瞭な fibrous body を伴う GH 細胞腺腫 Somatotroph adenoma Sparsely granulated type

嫌色素性の腺腫で，多核や変形核をもつ細胞がしばしば認められる（**図 21**）．細胞質には円形透明域がみられ，サイトケラチン免疫染色で明瞭な dot 状の陽性像として観察される（**図 22**）．これは電顕所見のサイトケラチン細線維の球状凝集塊である fibrous body に相当する．内分泌顆粒の少ないことを反映して GH 陽性細胞は概して少ない．PRL，TSH などの他のホルモンが陽性になることはほとんどない．先端肥大症を伴わない不顕性の GH 細胞腫の多くは本タイプの組織像を示し，極端に GH 産生能が低下していることが非機能性の原因と考えられる．

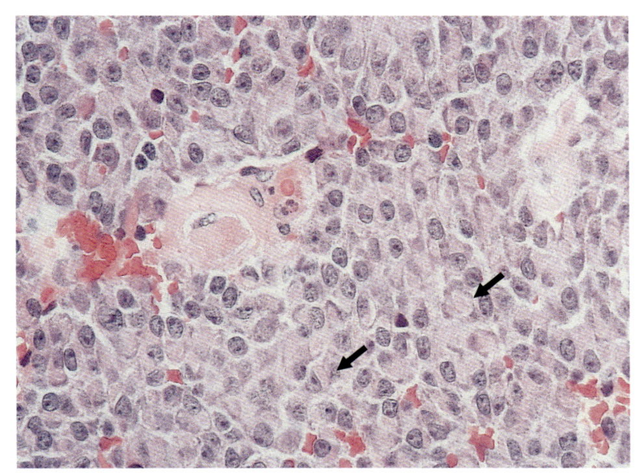

図 23　PRL 細胞腺腫．細胞質にゴルジ野に相当する淡明域を観察できる（⬆）．強拡大

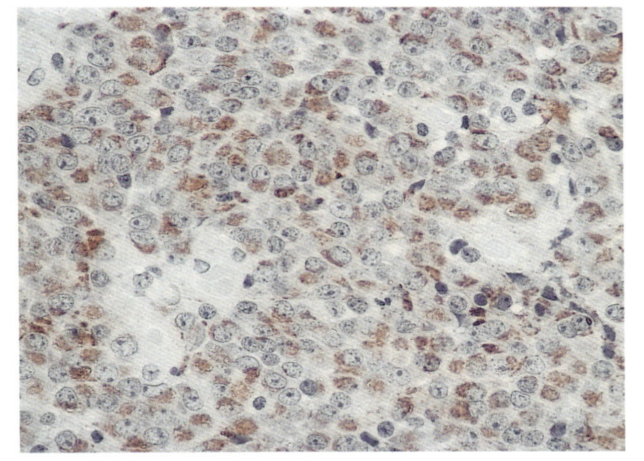

図 24　同前．PRL はゴルジ野に一致した強い陽性反応を呈する．PRL 免疫染色．強拡大

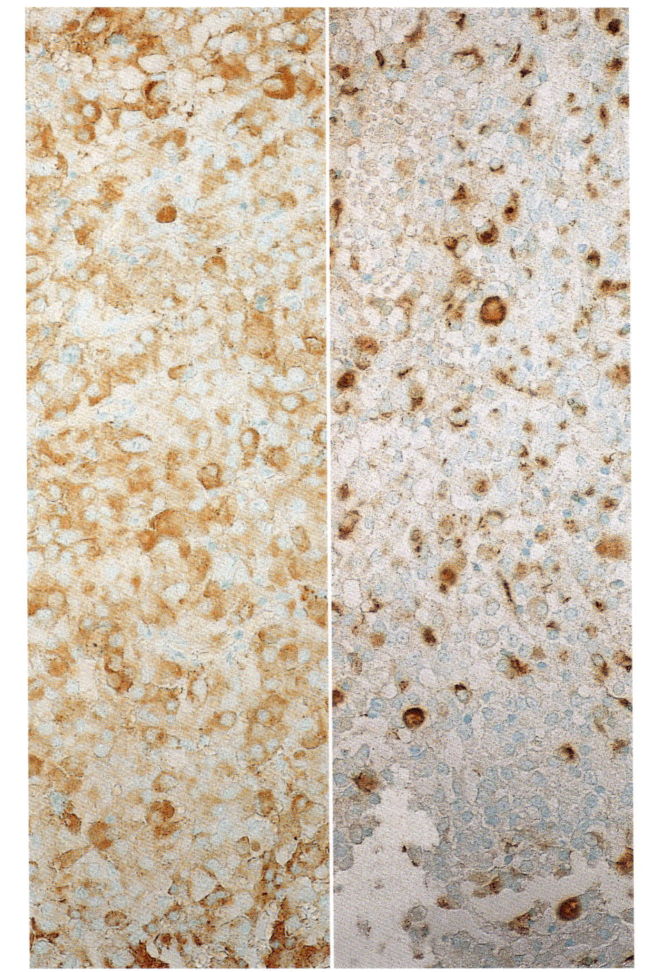

図 25　GH–PRL 細胞腺腫．GH（左）と PRL（右）がともに多数陽性．GH 免疫染色（左）．PRL 免疫染色（右）．中拡大

3）PRL 細胞腺腫　ラクトトローフアデノーマ Lactotroph adenoma　単独組織型としては下垂体腺腫のなかで最も頻度が高いが，薬物療法が治療の第一選択になっていることから手術例に占める割合は大幅に減少している．嫌色素性腺腫で，均一な細胞が密にびまん性に配列し，血管壁周囲の線維化，砂粒体，アミロイド沈着などがときに認められる．細胞質には発達したゴルジ野に相当する淡明域が観察できる（**図 23**）．免疫染色ではゴルジ野に一致した強い PRL 陽性像をみる（**図 24**）．PRL 細胞腺腫は通常 PRL 細胞のみからなり，GH 陽性細胞は混在してもごく少数である．

4）GH–PRL 細胞腺腫 GH and PRL cell adenoma　GH 細胞と PRL 細胞がともに主要な構成細胞の腺腫で（**図 25**），GH–PRL–TSH 群の腺腫のなかではラクトトローフアデノーマに次いで多い．臨床的に，先端肥大症に加えて無月経，乳汁分泌などの症状を伴う場合がある．巨人症を呈するような若年の腺腫にはこのタイプが比較的多い．GH–PRL 細胞腫はさらに，GH と PRL が異なる細胞で産生される腺腫，GH と PRL が同じ細胞で産生される腺腫などに区分することもある．

5）TSH 細胞腺腫 Thyrotroph adenoma　TSH 腺腫は下垂体腺腫のなかで最も少なく（1〜2%），甲状腺機能亢進症により発見される腫瘍もある．下垂体腺腫細胞は，サブユニットおよび TSHβ 陽性で，しばしば線維化を伴っている．

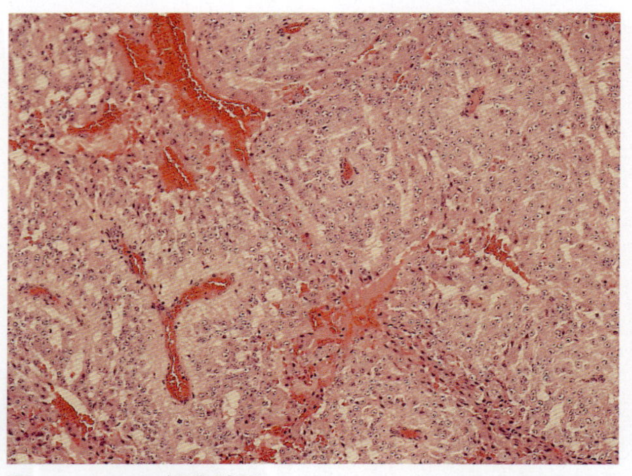

図 26　ACTH 細胞腺腫．好塩基性の細胞が一部血管周囲性の配列をとって増殖する．中拡大

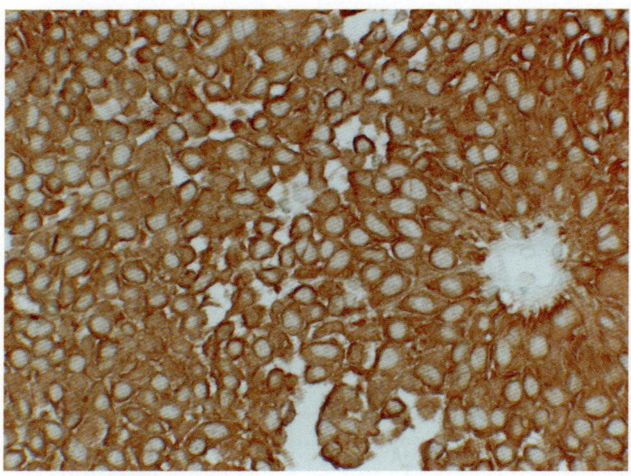

図 27　同前．細胞質全体にサイトケラチンの強い陽性反応がみられる．サイトケラチン免疫染色．強拡大

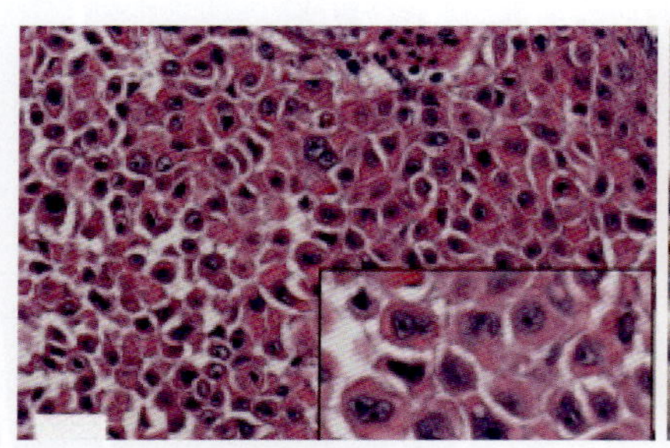
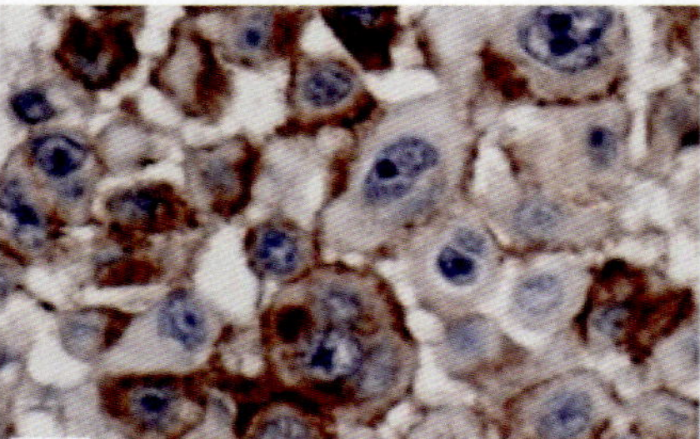
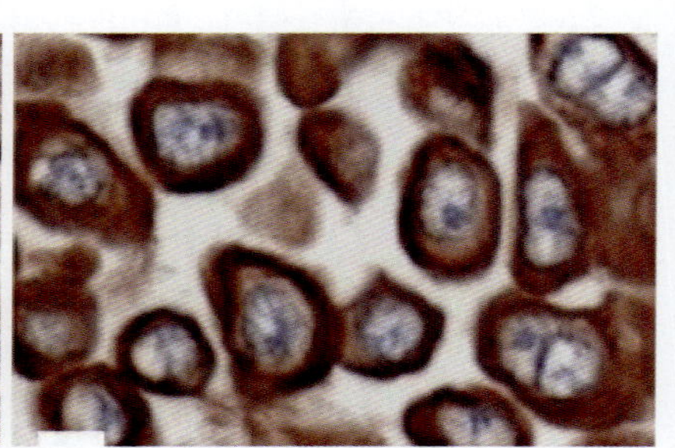

図 28　Crooke cell adenoma

Tpit 系譜 ACTH 細胞腺腫　コルチコトローフアデノーマ Corticotroph adenoma　ACTH 細胞から構成される腺腫で，下垂体腺腫全体の 10〜14%を占める．このうち Cushing 症候群の原因となるのが 60〜70%で，臨床症状を伴わない不顕性のコルチコトローフアデノーマが 30〜40%と不顕性腺腫の占める割合の高い腫瘍である．腫瘍は好塩基性の豊かな細胞質をもつ細胞が血管周囲性あるいはびまん性の配列をとって増殖する（**図 26**）．細胞質は種々の程度に PAS 陽性である．ACTH 免疫染色で陽性の程度は症例間で差があり，機能性腺腫で陽性細胞が少数の例もあれば，非機能性腺腫で多数強陽性となる例もある．サイトケラチン免疫染色では強い陽性反応がみられ，鑑別診断に有用である（**図 27**）．腫瘍細胞が Crooke 変性を呈することもまれではなく，高度な場合は Crooke cell adenoma とよばれる（**図 28**）．腫瘍細胞におけるリング状のケラチンの収束，ACTH の細胞辺縁の局在などが Crooke 変性の特徴である．本腫瘍は，周囲への浸潤および再発など繰り返し，アグレッシブな下垂体腺腫とみなされている．

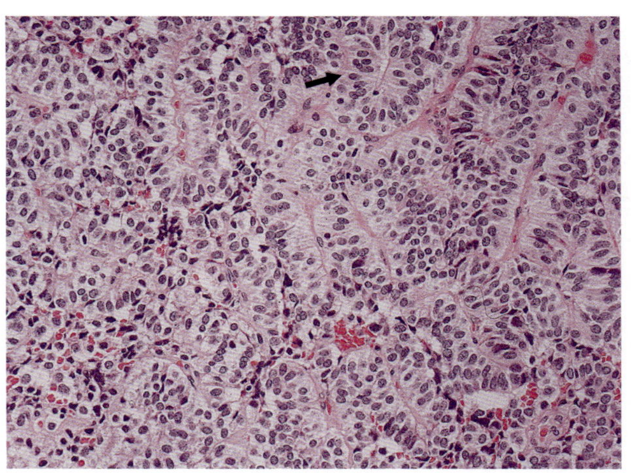

図 29　ゴナドトロピン細胞腺腫．嫌色素性の細胞が血管周囲性に配列し，偽ロゼット（⬆）を形成する．中拡大

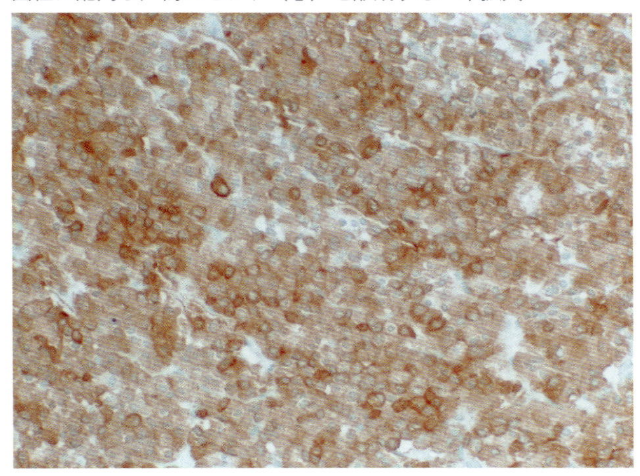

図 30　同前．多くの細胞が β-FSH 陽性．β-FSH 免疫染色．強拡大

SF-1 系譜　ゴナドトロピン細胞腺腫 ゴナドトローフアデノーマ Gonadotropin cell adenoma　臨床的に非機能性腺腫として切除される腺腫の大部分はこのゴナドトロピン細胞腫と考えられる．下垂体腺腫全体のおよそ 30％を占め，従来考えられていた以上に頻度の高い腺腫である．組織学的には嫌色素性の腺腫で，形の揃った細胞がびまん性あるいは血管に沿って乳頭状に配列し，血管を中心とした偽ロゼットがみられる（**図 29**）．血管周囲性の配列像はゴナドトローフアデノーマに特徴的で，ほとんどのゴナドトローフアデノーマに認められる．免疫組織化学では β-FSH，β-LH，α-SU が種々の程度に陽性である（**図 30**）．オンコサイトーマ oncocytoma は細胞質にミトコンドリアが充満している腺腫で，その多くはゴナドトロピン陽性を示す．

転写因子のみ発現される腺腫　ホルモン陰性腺腫も，免疫染色により，多くの腫瘍が転写因子 SF-1 陽性で，Gonadotroph 系譜にコミットした腫瘍と考えられる．そのほか，数は少ないものの，Pit-1，Tpit など陽性の腫瘍もみられる．

ナルセル腫瘍　Null cell adenoma　当初，ホルモン，サブユニット陰性の下垂体腺腫をナルセル腫瘍と称したが，現在では，それに加え転写因子陰性であることも定義に加えられている（WHO2017）．下垂体腫瘍のなかで，真のナルセル腫瘍の頻度は低いことが判明している[3]．

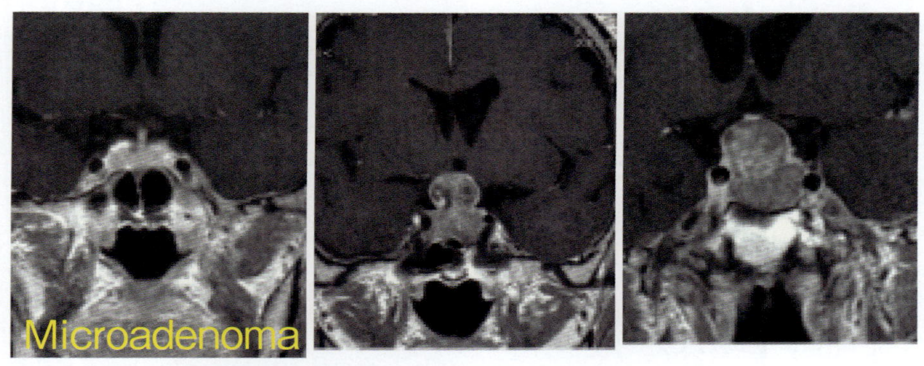

図 31　Aggressive pituitary adenomas（文献[4]Di leva らより）

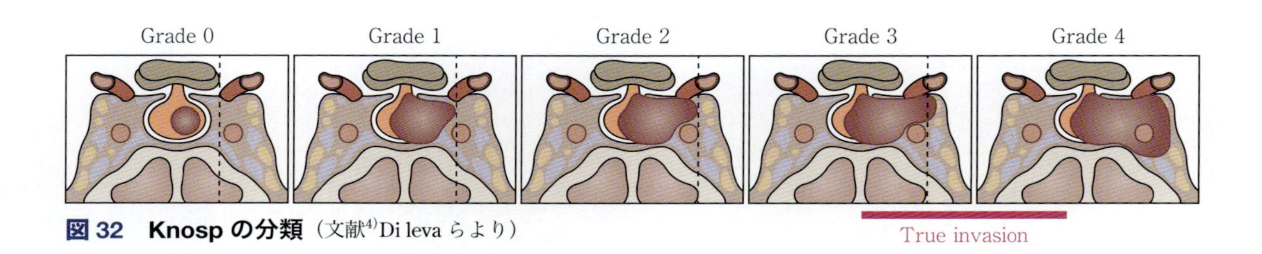

図 32　Knosp の分類（文献[4]Di leva らより）

表 2　Aggressive（浸潤性）の下垂体腺腫を示唆する形態学的特徴（文献[4]Di leva らより）

Crooke cell adenomas
Gonadotroph adenomas
Sparsely granulated somatotroph adenomas（Fibrous body）
Densely granulated lactotroph adenomas
Acidophil Stem cell adenomas
Thyrotroph adenomas
Pleurihormonal adenomas
Silent adenomas
Null cell adenomas

Aggressive pituitary adenomas　**図 31** の中央および右のように，下垂体腫瘍は周囲の組織に浸潤することもまれではない．**図 32** は，臨床的によく用いられる下垂体腫瘍の浸潤様式であり，Knosp の分類として知られている．このなかで，内頸動脈の近傍への浸潤（Grade 3），および内頸動脈を巻き込む浸潤（Grade 4）を“真の浸潤”と位置づけている．浸潤性の下垂体腺腫を Aggressive pituitary adenomas とよんでいるが，**表 2** に示すように，さまざまな形態学的特徴が関連している．下垂体腺腫のユニークな特徴といえる．

下垂体癌　Pituitary carcinoma　非常にまれであるが，下垂体腫瘍は肝臓など実質臓器あるいは髄膜に転移をすることが知られる．腫瘍細胞からは，ACTH あるいは PRL が分泌されることが多い．形態学的に特徴的な所見はみられず，転移することにより下垂体癌と診断されることが多い．

表3　家族性下垂体腺腫の遺伝子突然変異

1. MEN1　Mutiple Endocrine Neoplasia 1　*MEN1*（germline mutation）
2. Carney's Complex　*PRKAR1A*（germline mutation）
3. Familial Isolated Pituitary adenoma（FIPA）*AIP**（germline mutation）
4. McCune-Albright syndrome（MAS）*GNAS***（Mosaicism for a mutation）

*AIP：Aryl hydrocarbon receptor interacting protein
**GNAS：Guanine-nucleotide activating α subunit

表4　MEN1が発生する臓器（文献[5]Agarwalらより）

Hormone-secreting tumours	
Parathyroid adenoma（90%）	
Pancreaticoduodenal tumour	Anterior pituitary tumour*
Gastrinoma（40%）	Prolactinoma（20%）
Insulinoma（10%）	Other growth hormone＋prolactin（5%）
NF, also **pancreatic polypeptide**（20%）	Growth hormone（5%），NF（5%）
Glucagon, vasoactive intestinal polypeptide,	ACTH（2%）or TSH（rare）
somatostatin, etc.（2%）	Adrenal
Foregut carcinoid	Cortex NF（25%）
Thymic carcinoid NF（4%）	Medulla（1%）
Bronchial carcinoid NF（2%）	
Gastric enterochromaffin-like NF（10%）	

NF：Non-functioning. TSH：thyroid-stimulating hormone. Percentages in parcentheses/brackets indicate penetrance at age 40 years, Terms in bold font indicate tumour type with malignant potential for 25% or more of cases, Modified from Gagel and Marx

［参考事項］

下垂体腺腫の遺伝子変化

下垂体腺腫は家族性に発生することもよく知られており，変異を起こす遺伝子がすでに判明している（**表3**）．下垂体では，しばしばGH，PRLなどPit-1系列のホルモンを産生・分泌することが多い．

ここでは家族性下垂体腺腫のひとつであるMEN1について述べる．MEN1は副甲状腺腺腫瘍，膵十二指腸神経内分泌腫瘍，および下垂体前葉腫瘍が主体となるが，そのほか前腸由来神経内分泌腫瘍（気管支・肺，胸腺など）にも発生する（**表4**）．

下垂体腺腫のゲノム変化として，下記の遺伝子のGermline突然変異が知られている．AIP，GPR101，MEN1，CDKN1B，PRKAR1A，PRKAR2A，DICER1，NF1，SDHx，CAGLES1

また，下垂体腺腫における体細胞突然変異も知られている．GH細胞腺腫の40%にGs蛋白のα subunitの突然変異を認める．変異型のGNASは転写因子Pit-1を促進する．USP8（Ubiquitin specific peptidase 8）の突然変異は，ACTH細胞腺腫の62%にみられる．p53の突然変異は，少数の下垂体癌に認められる[6]．

【鑑別診断】 下垂体腺腫の組織分類はホルモン産生能を基準に行われており，組織所見とともに下垂体ホルモンの免疫染色は欠かすことができない．臨床的に非機能性の下垂体腺腫の場合，ゴナドトロピン細胞腫，臨床症状を欠く不顕性ACTH細胞腫およびナルセル腺腫の3者の鑑別が必要である．ナルセル腺腫は2017年WHO分類で，下垂体ホルモンがすべて陰性なおかつ転写因子も陰性の腺腫と定義されている．これら3者では血管周囲性配列がみられることから，鑑別にはβ-FSH，β-LH，ACTH，サイトケラチンなどの免疫染色が必須である．

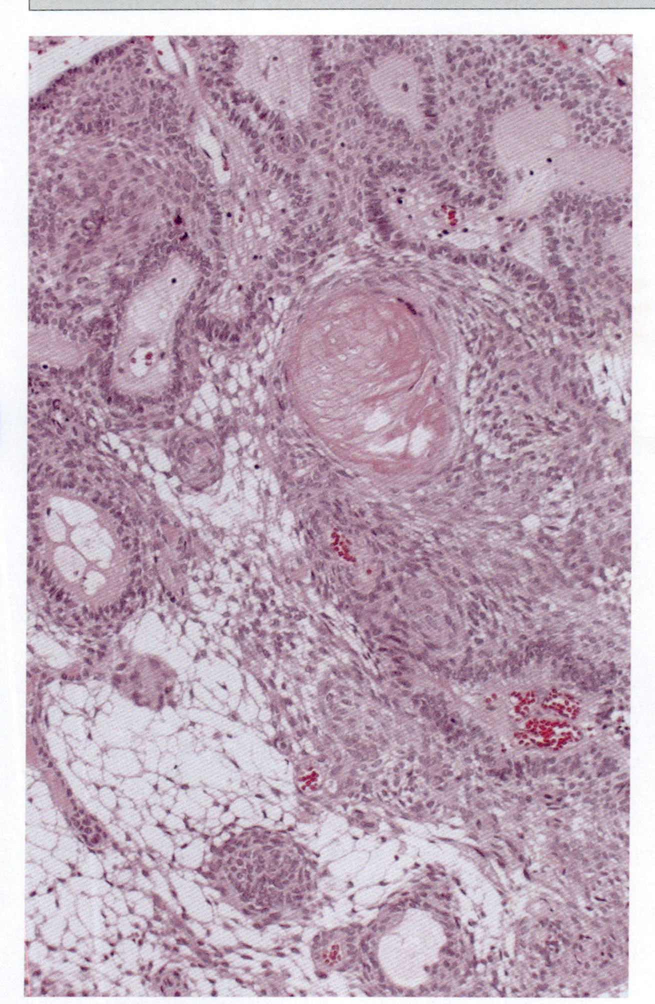

図 33　頭蓋咽頭腫（エナメル上皮腫型）．口腔のエナメル上皮腫に類似した像を呈し，角化（wet keratin）もみられる．中拡大

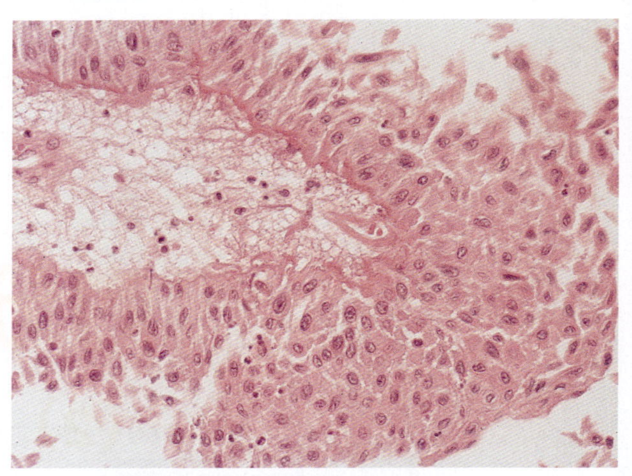

図 34　同前（扁平上皮乳頭型）．重層扁平上皮の乳頭状増殖がみられる．強拡大

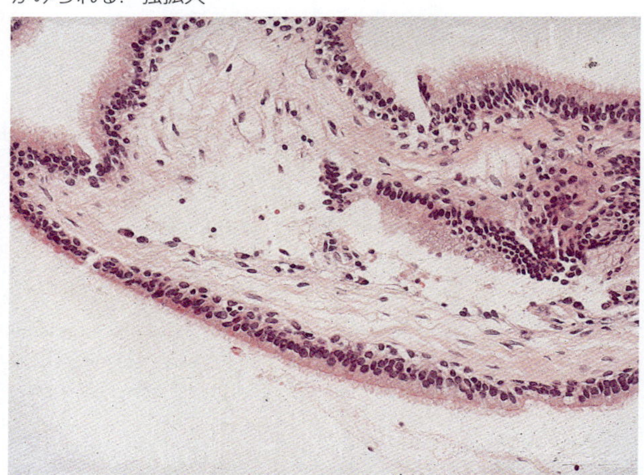

図 35　ラトケ囊胞．囊胞内面は線毛細胞で覆われる．中拡大

頭蓋咽頭腫　小児の中枢神経系腫瘍の約10％を占め，5〜10歳に好発するが成人にも発生する．エナメル上皮腫型と扁平上皮乳頭型の2つのタイプが区別されるが，エナメル上皮腫型の頻度が高い．画像上しばしばトルコ鞍上の石灰化像を伴う腫瘤形成病変として診断される．囊胞状あるいは囊胞と充実部の混在する境界明瞭な腫瘍で，囊胞内には機械油様の液体が認められる．エナメル上皮腫型は組織学的に口腔のエナメル上皮腫に類似した組織像を呈し上皮細胞部分と間質部分とが迷路状に入り交じった特徴的な組織構築がみられる（**図 33**）．角化，石灰化，囊胞化などの二次的変性がしばしばみられる．まれに歯牙形成をみることがある．扁平上皮乳頭型は分化した重層扁平上皮の乳頭状増殖からなり（**図 34**），上皮細胞に線毛細胞や杯細胞のみられる場合がある．

ラトケ囊胞　下垂体前葉の発生の際，憩室状のラトケ囊は狭小化し痕跡的な中間部を形成するが，囊胞状に拡張したものがラトケ囊胞である．無症候性の小型のラトケ囊胞は解剖例の13〜33％にみられ，囊胞内面は1層の高円柱状ないし立方状の線毛細胞と杯細胞で覆われ，内腔にはコロイドが充満する（**図 35**）．一方，頭痛，視力障害，尿崩症などをきたし，手術対象となる大型の症候性ラトケ囊胞では重層扁平上皮からなる部分も認められる．囊胞内には，通常，粘液状の液体を入れる．症候性ラトケ囊胞は小型のラトケ囊胞が単に大型化したのではなく小型のラトケ囊胞と頭蓋咽頭腫との中間的病変とする見方もある．

【鑑別診断】　トルコ鞍近傍の囊胞状腫瘍様病変にはここに述べた頭蓋咽頭腫，ラトケ囊胞のほかに，下垂体腺腫の囊胞化したもの，くも膜囊胞，皮様囊胞，類表皮囊胞などがある．

＊本稿は，故佐野壽昭博士の執筆された本書第5版8章内分泌臓器系下垂体の項目を基本に，著者が新知見を加えた．

第8章

内分泌系

(2) 甲状腺

概　説

甲状腺は胎生期に舌盲孔部の内胚葉成分が，頸の前面でほぼ正中を下降し，甲状軟骨のやや下あたりで形成される．形成された甲状腺は蝶のような形態を示し，左右の側葉とそれをつなぐ峡部からなる（**図1**）．また，約半数の人では，峡部から連続して細長い甲状腺組織が上方に伸びる錐体葉が観察される．

日本人の甲状腺の重さは，生下時1.5g程度であるが，年齢とともに増加し，20歳以上の成人では，男性が17〜19g，女性は15〜17gである．通常，右葉が左葉に比較して若干長いことが多い．

甲状腺は，直径200〜400μmの濾胞という球状構造体の集合で，その内面は1層の濾胞上皮細胞が被覆している（**図2**）．また，濾胞の内腔にはHE染色でピンク色に染まるコロイド物質が貯留している．濾胞上皮細胞から産生される甲状腺ホルモンは，サイロキシン（thyroxine：T_4）とトリヨードサイロニン（triiodothyronine：T_3）で，これらのホルモンは，発育分化を促進し，熱産生を高め，核酸，蛋白，脂質，糖質，ビタミンなどの代謝に深く関係している．甲状腺におけるホルモン産生分泌は，下垂体からの甲状腺刺激ホルモン（TSH）によって支配されている（ネガティブフィードバック機構）．

甲状腺濾胞には，濾胞上皮細胞のほかにC細胞（傍濾胞細胞）とよばれる神経内分泌細胞が存在する．C細胞はカルシトニンとよばれるペプチドホルモンを分泌し，細胞質内には神経内分泌顆粒を有している．カルシトニンはカルシウム代謝に関与し，副甲状腺ホルモン（パラソルモン）と拮抗して，血中カルシウム濃度を下げる働きがある．C細胞は通常の

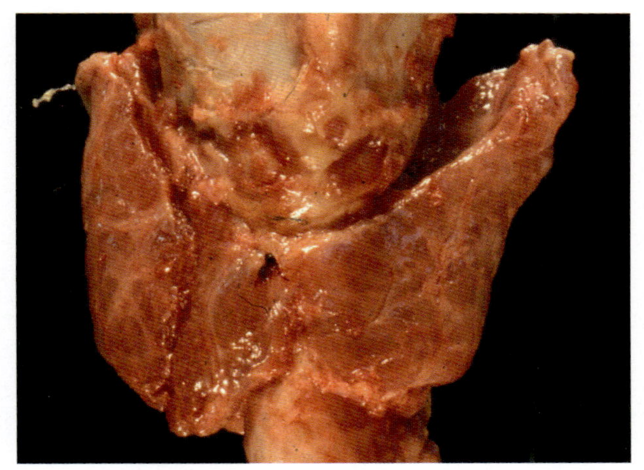

図1　正常甲状腺．甲状腺は左右側葉と峡部からなり，肉眼的に蝶の形に似ている．肉眼像

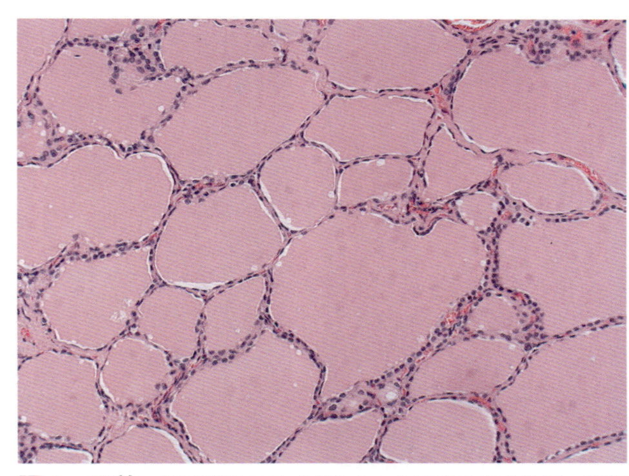

図2　同前．甲状腺はコロイドを入れた濾胞の集合体で，濾胞内面には濾胞上皮細胞が覆っている．弱拡大

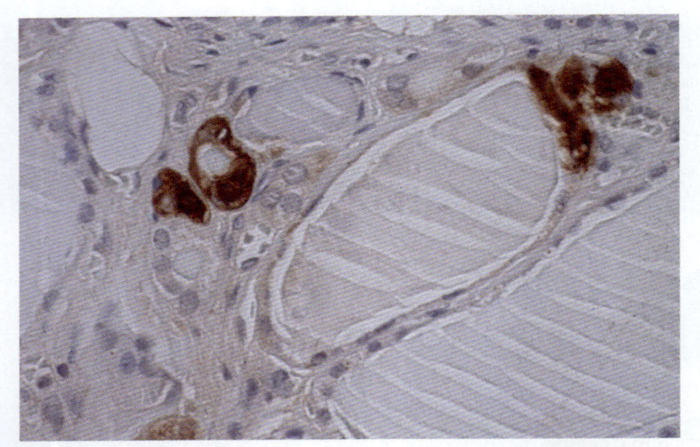

図3　C 細胞．カルシトニンに対する抗体で C 細胞（茶色）を検出．免疫染色．強拡大

表1　過形成・炎症性甲状腺疾患

過形成	腺腫様甲状腺腫 バセドウ病 地方病性甲状腺腫 先天性ホルモン合成障害性甲状腺腫
炎症	急性甲状腺炎 亜急性甲状腺炎 慢性甲状腺炎（橋本病） 放射線性甲状腺炎

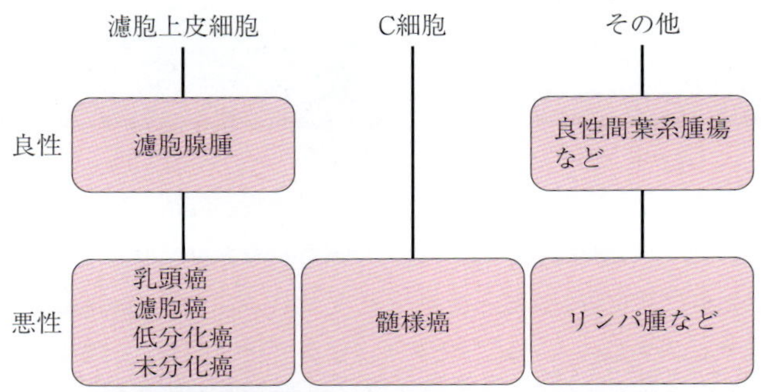

図4　甲状腺腫瘍の分類．甲状腺腫瘍は，濾胞上皮由来，C 細胞由来，その他に大別できる

HE 染色標本では観察することが困難で，免疫組織化学的にカルシトニンを染色してはじめて認識可能となる（**図3**）．ヒト甲状腺では C 細胞の数は少なく，側葉の上 1/3 に多く分布する．

甲状腺の疾患は，先天（発生）異常，炎症，過形成，腫瘍に大別される（**表1**）．炎症性疾患として重要なものは，急性甲状腺炎，亜急性（ケルバン）甲状腺炎，慢性甲状腺炎（橋本病）で，過形成疾患には，腺腫様甲状腺腫とバセドウ病などがある．腫瘍性疾患は，濾胞上皮細胞由来，C 細胞由来，その他の 3 つに分類される（**図4**）．濾胞上皮由来の腫瘍は，良性の濾胞腺腫と悪性の乳頭癌，濾胞癌，低分化癌，未分化癌がある．C 細胞由来の腫瘍には，良性腫瘍の概念はなく，すべて髄様癌に分類される．その他の腫瘍としては，リンパ腫などがみられる．

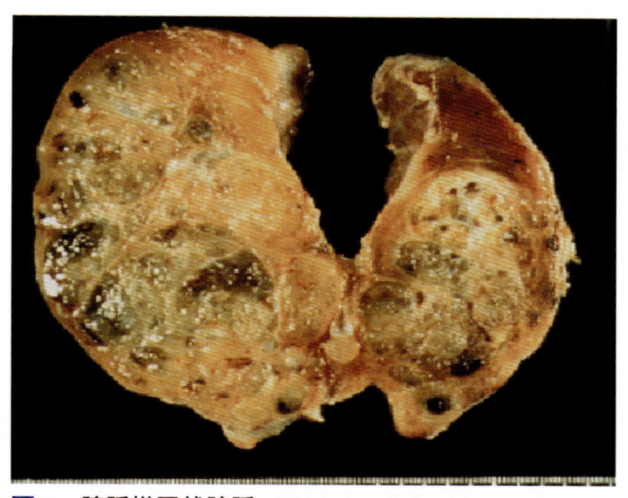

図 5　腺腫様甲状腺腫．腫大した甲状腺の割面には多数の結節が認められる．肉眼像

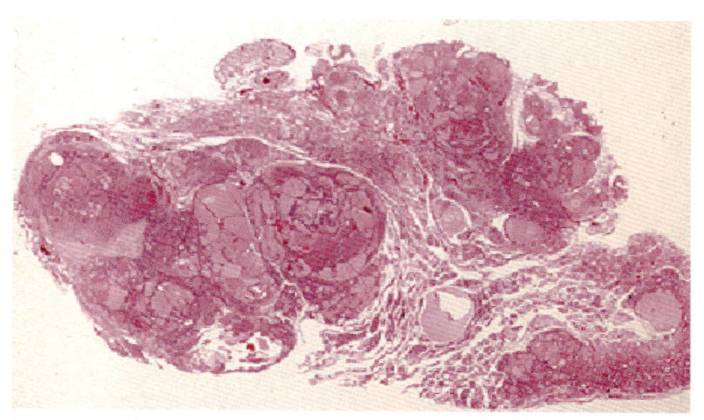

図 6　同前．結節を構成する濾胞は大型で，コロイド物質を多量に入れている．ルーペ

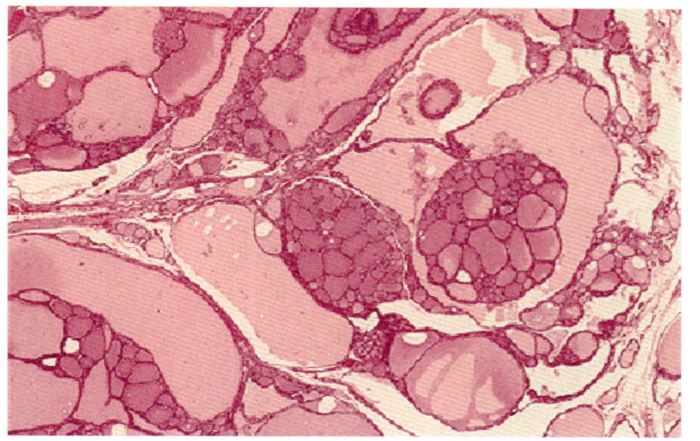

図 7　同前．大型の濾胞の中に小型の濾胞が増殖する所見（Sanderson polster）を認める．弱拡大

本疾患の同義語として，結節性過形成，多結節性甲状腺腫，腺腫様過形成などがある．最も頻度の高い過形成性の甲状腺疾患とみなされている．本疾患では甲状腺全体に結節が多発するのが特徴であるが，単発のものもあり，この場合は**腺腫様結節**という名称を用いる．本病変は各年代でみられるが，年齢とともに頻度を増し，また男性よりも女性に頻度が高い．血中の甲状腺ホルモン値は正常域で，多くは臨床的に無症状であるが，ときに気管を圧迫して呼吸障害を示すことがある．本疾患の原因として自己免疫や未知の甲状腺刺激因子などが報告されているが，現在でも不明である．

甲状腺の片側性ないし両側性に腫大し，表面は不規則な凹凸を認める．割面では多数の結節形成を認めるが，結節の境界は通常被膜を欠き，周囲との境界は不明瞭である（**図 5**）．また，結節内部はゼラチン様の黄褐色コロイドが充満している．個々の結節は多様で，部分的に被膜を有するものや腺腫のように完全に被膜に被包される結節まで認められ，細胞成分が密な結節では割面が充実性灰白色を呈する．しばしば結節内に出血や瘢痕様の結合組織増生を伴う．嚢胞化を示すこともまれでない．組織学的に，結節を構成する濾胞は大型で，内部には多量のコロイド物質が充満し，上皮細胞は扁平から立方状，ときに円柱状を示す（**図 6**）．また，拡張した大型濾胞の中に小型の濾胞の集塊が突出する所見が認められることがある．この所見は“Sanderson polster”とよばれ，腺腫様甲状腺腫の特徴的組織所見とみなされている（**図 7**）．

【鑑別診断】　**濾胞腺腫**との鑑別が問題となるが，本疾患では結節が多発性であること，被膜を欠くこと，Sanderson polster の出現などで区別される．しかしながら，小型濾胞が増殖する腺腫様結節では，濾胞腺腫との鑑別は困難である．

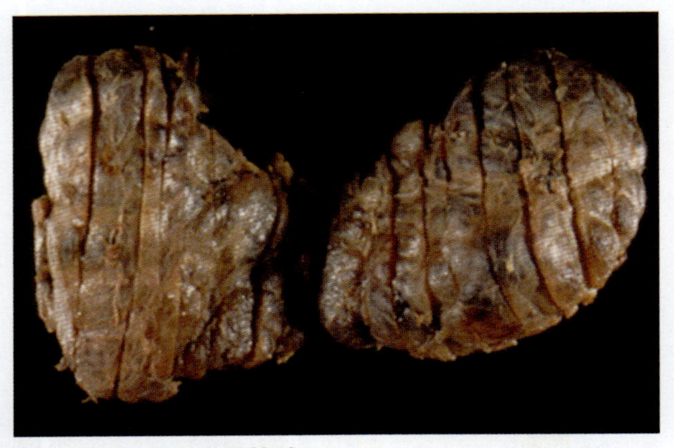

図8　バセドウ病甲状腺. 全体的に腫大し，血流の増加によりやや暗色に見える．肉眼像

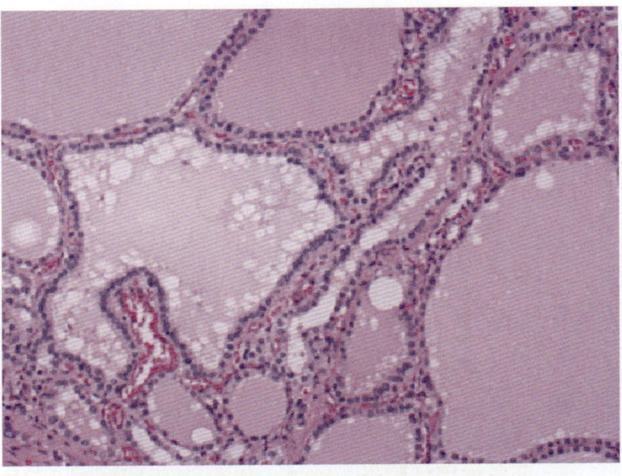

図9　同前. 甲状腺濾胞はやや大型で，濾胞上皮細胞の丈は一様に高く，しばしば鋸歯状ないしは乳頭状に突出する．中拡大

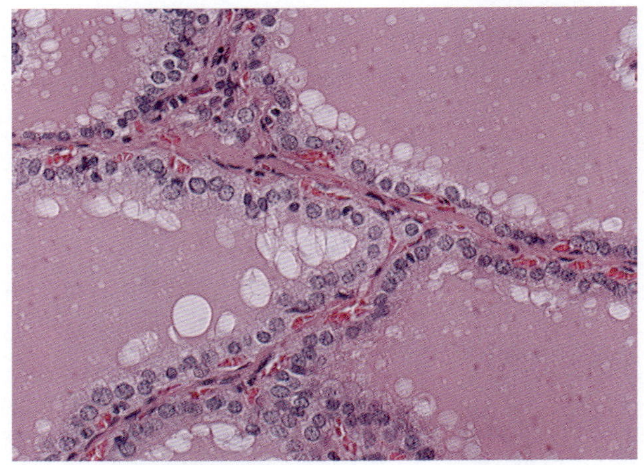

図10　同前. 濾胞のコロイド腔辺縁部には空胞が目立つ（吸収空胞）．強拡大

欧米では**グレーブス病** Graves disease という名称がより一般的である．本疾患は原発性甲状腺機能亢進症のなかで最も頻度が高く，好発年齢は20～40歳で，女性に多く出現する．代表的な自己免疫疾患の1つで，刺激型の抗TSH受容体抗体による濾胞上皮細胞への持続的刺激によるとされている．臨床症状としては筋力低下，体重減少，眼球突出，頻脈，甲状腺腫があり，さらには限局性粘液水腫や心肥大，心房細動などをきたすこともある．

甲状腺はびまん性腫大を示すのが特徴で（**図8**），大きいものでは200 g（日本人の甲状腺の重さは20 g以下）を超えるものまである．割面肉眼所見では，甲状腺全体にコロイド光沢は乏しく，小葉状構造が明瞭で，また血液量増加により色調は赤みを帯びる．組織学的には“びまん性過形成”の所見である．甲状腺濾胞はやや大型で，濾胞上皮細胞の丈は一様に高く，しばしば鋸歯状ないしは乳頭状に突出する（**図9**）．上皮の増殖が強い症例では，上皮が濾胞腔を埋め尽くすため濾胞腔が不明瞭となり，充実性にみえる．濾胞腔内のコロイドは減少し，濾胞のコロイド腔辺縁部には空胞が目立つ（吸収空胞）（**図10**）．一方，上皮の変化が軽度なものでは，正常甲状腺との区別が困難なこともある．なお，甲状腺濾胞間にはリンパ球の集簇を伴うことがある．

【鑑別診断】 ほかの疾患との鑑別が問題となることは少ないが，長期にわたり抗甲状腺剤の内服，放射性ヨードの内照射を受けたものでは，濾胞上皮細胞の核に異型性が目立つ．また乳頭状増殖が結節状にみられる場合には，乳頭癌との鑑別が問題となる．上皮細胞以外の変化としては，リンパ球の浸潤，リンパ濾胞の形成が目立つものでは，組織所見が橋本病に類似することから**ハシトキシコーシス** hashitoxicosis とよばれる．

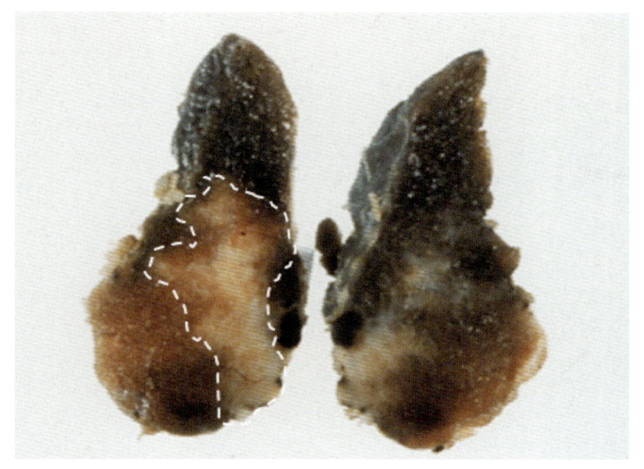

図 11　亜急性甲状腺炎．肉眼的に境界不明瞭な灰白色の結節として出現（破線内）．肉眼像

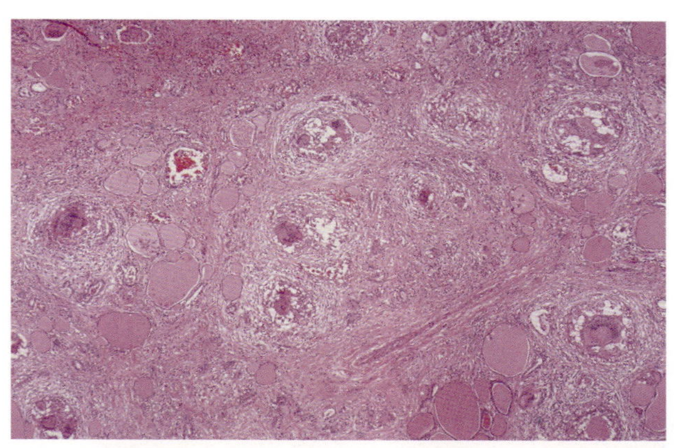

図 12　同前．多数の好中球やリンパ球などの炎症性細胞の浸潤と結合組織増生からなる肉芽組織．弱拡大

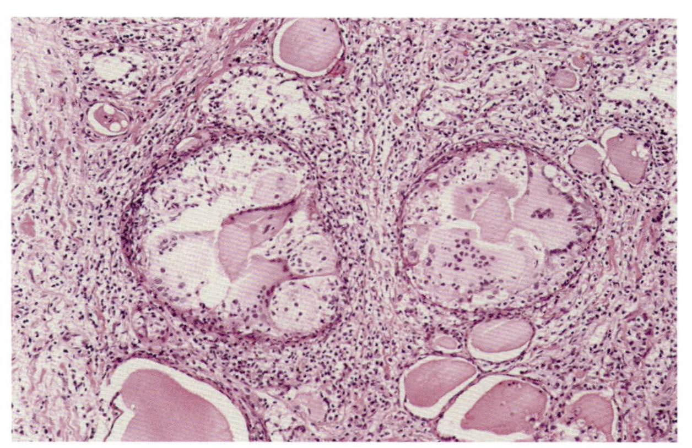

図 13　同前．濾胞内に大きな多核巨細胞が出現．強拡大

亜急性甲状腺炎は1904年にケルバンによって記載された疾患で，**ケルバン甲状腺炎**ともよばれている．また，その特徴的な組織像から**肉芽腫性甲状腺炎** granulomatous thyroiditis あるいは**巨細胞性甲状腺炎** giant cell thyroiditis と診断されることもある．比較的まれな疾患である．臨床的には女性に多く発症し，感冒様症状，局所の緊張と圧痛などが特徴的である．また血中の甲状腺ホルモンの上昇があるが，^{131}I uptake は抑制される．本疾患は数週間から1カ月程度で自然治癒する．本疾患の病因は不明であるが，コクサッキーウイルスをはじめとするウイルス感染が考えられている．

甲状腺組織内に，周囲との境界不明瞭な灰白色の結節として出現する（**図 11**）．組織学的には，多数の好中球やリンパ球などの炎症性細胞の浸潤と結合組織増生からなる肉芽組織である（**図 12**）．病変内では種々の程度に甲状腺濾胞の崩壊や消失を伴っている．特徴的なのは，濾胞内に大きな多核巨細胞が出現することである（**図 13**）．この多核巨細胞は，濾胞腔内のコロイド物質を貪食するために出現したマクロファージが融合したものとみなされる．この肉芽組織は線維によって修復され，その後に小型の再生濾胞が出現してくる．

【鑑別診断】　本疾患は不規則な形の結節を形成するので，超音波検査では乳頭癌との鑑別が問題となるが，臨床所見(痛みなど)や検査所見などから鑑別できる．本疾患は自然治癒するので，手術の適用にならない．甲状腺の手術材料で，正常組織内にしばしば見かける**触診甲状腺炎** palpation thyroiditis は，多核巨細胞や炎症細胞の出現を伴い，組織学的に本疾患に類似している．しかしながら，触診甲状腺炎は濾胞炎といえるほどの微小な変化で，臨床的に症状が出ることはない．

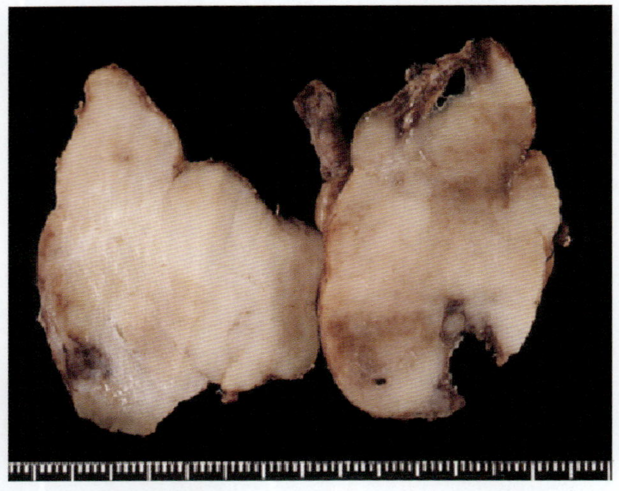

図 14　橋本病甲状腺. 甲状腺は硬く腫大し，割面は灰白色．肉眼像

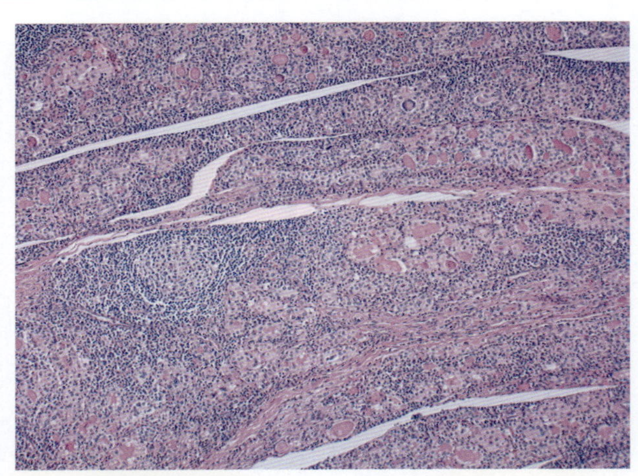

図 15　同前. 甲状腺濾胞は萎縮・消失し，多数のリンパ球の浸潤を認める．弱拡大

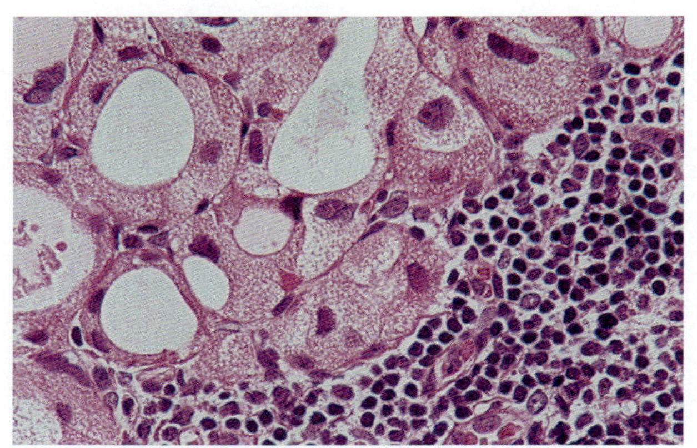

図 16　同前. 好酸性，顆粒状の細胞質をもつヒュルトレ細胞 Hürthle cell が出現．強拡大

1912 年に病理学者の橋本策（はしもとはかる）が，リンパ球性甲状腺腫 struma lymphomatosa という名称で記載した疾患である．現在では代表的な臓器特異的自己免疫疾患として広く知られている．橋本病の同義語として，**橋本甲状腺炎，リンパ球性甲状腺炎，自己免疫性甲状腺炎**などがある．臨床的には，中年の女性に多く発症し，甲状腺は硬く，びまん性に腫大し，触診でも容易に触れる．甲状腺機能検査は正常ないしは機能低下の所見を示す．また血清学的検査では，抗ミクロソーム抗体や抗サイログロブリン抗体などの自己抗体が陽性となる．

橋本病の甲状腺肉眼所見は，びまん性に腫大し，周囲の組織との癒着は認められない．甲状腺の割面は灰白色一様で，ときに結節形成を伴うことがある．コロイド光沢はほぼ消失する（**図 14**）．

組織学的には，3 つの診断的特徴をあげることができる．①間質のリンパ球形質細胞の浸潤，②甲状腺濾胞の萎縮・崩壊と線維化（**図 15**），③濾胞上皮細胞の好酸性変化である．形質細胞やリンパ球浸潤の程度は，症例により異なり，しばしば大型のリンパ濾胞の形成を伴う．甲状腺濾胞は小型化，崩壊することが特徴であるが，濾胞を構成する上皮細胞の胞体はむしろ腫大する．さらに，細胞質が好酸性，顆粒状になる好酸性細胞（ヒュルトレ細胞 Hürthle cell）が出現する（**図 16**）．この好酸性細胞の顆粒状細胞質はミトコンドリアが増加していることが知られている．橋本病の甲状腺における線維化の程度は種々で，高度なものは線維亜型 fibrous variant とよばれる．

【鑑別診断】　橋本病の甲状腺は，周囲組織との癒着はないが，**リーデル甲状腺炎** Riedel thyroiditis では，線維化や炎症性変化が甲状腺周囲の軟部組織に及ぶ．また，IgG4 related disease と関連が指摘されている．橋本病と低悪性度のリンパ腫の鑑別も問題となることがあるが，**リンパ腫**の多くは片葉性に出現し，細胞構成はモノクローナル（単一）である．

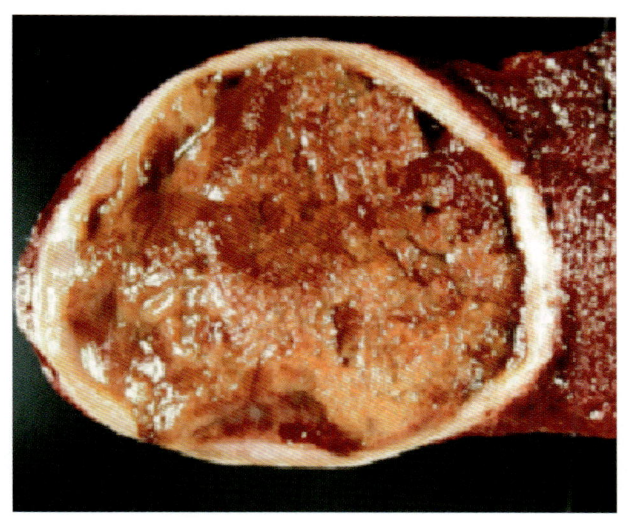

図 17　濾胞腺腫．結節周囲は線維性被膜に囲まれている．肉眼像

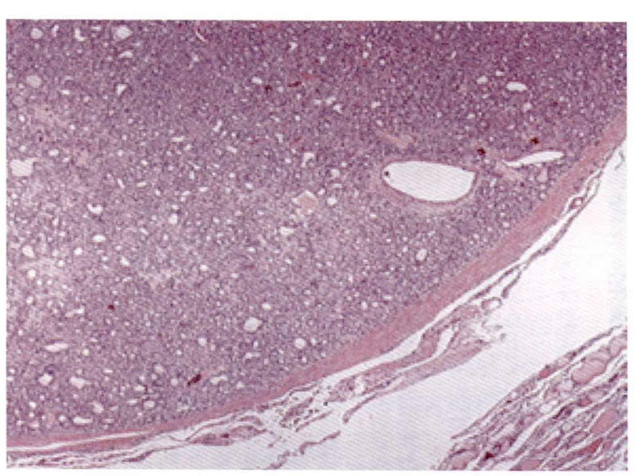

図 18　同前．被膜の厚さはほぼ均一で，周囲の甲状腺組織を圧排．弱拡大

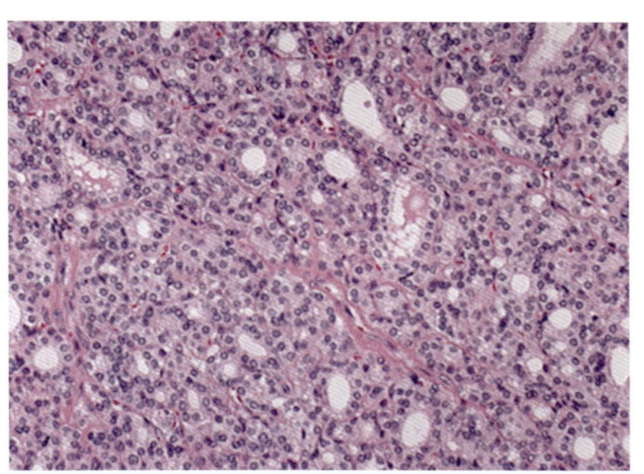

図 19　同前．腫瘍組織は小型濾胞の増殖からなる．中拡大

濾胞上皮細胞に由来する良性腫瘍である．中年の女性に好発し，無痛性の頸部腫瘤で来院する．通常はホルモン異常症状を認めず，シンチグラムで“cold”を示すが，ときに過機能性結節を示唆する“hot”を呈するものもあり，これは**プランマー病**とよばれる．腫瘍の大きさは，直径1〜3 cmくらいのものが多いが，なかには10 cmを超える巨大な腫瘤も認められる．

肉眼的に，単発性の結節で周囲は被膜に囲まれているのが特徴である（**図 17**）．腫瘍を取り囲む被膜の厚さはほぼ均一で，周囲の甲状腺組織を圧排していることが多い（**図 18**）．結節を構成する濾胞は小型から中型のものが多く（**図 19**），肉眼的に灰白色充実性に見える．腫瘍細胞の核はやや大型で多形性は乏しく，核分裂像もみられない．核の溝，核内細胞質封入体，すりガラス状核など乳頭癌細胞の特徴的核所見はなく，被膜浸潤所見や血管浸潤所見もない．なお，ほぼ全体が好酸性細胞からなるものを好酸性細胞腺腫とよぶが，このような腫瘍は肉眼的に茶褐色を呈する．なお，腫瘍細胞に異型性が目立つ濾胞腺腫は，異型腺腫とよばれている．

【鑑別診断】　重要な鑑別診断は，乳頭癌と濾胞癌である．**乳頭癌**との鑑別では，核の溝，核内細胞質封入体，すりガラス状核など乳頭癌細胞の特徴的核所見がないことが重要で，また被膜浸潤所見や血管浸潤所見がないことで**濾胞癌**と区別する．

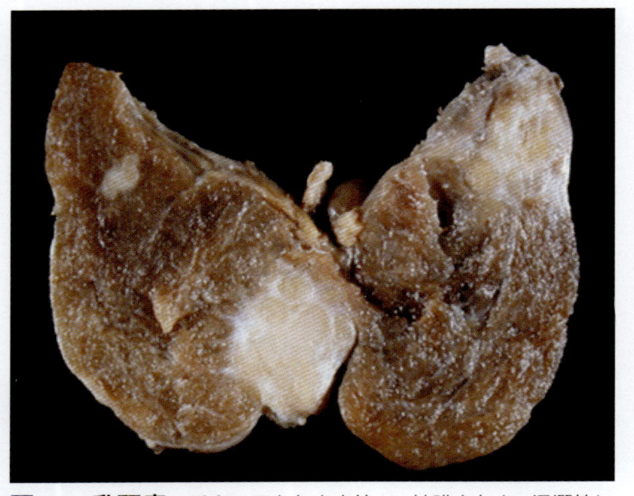

図 20　乳頭癌．腫瘍は灰白色充実性で，被膜を欠き，浸潤性に増殖する．肉眼像

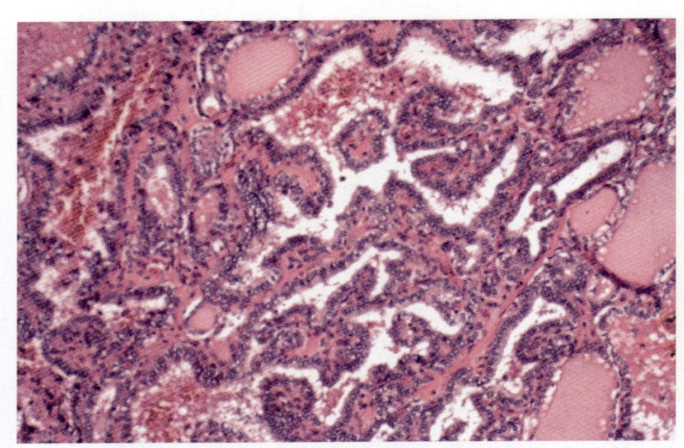

図 21　同前．腫瘍組織は乳頭状構造と濾胞状構造からなる．中拡大

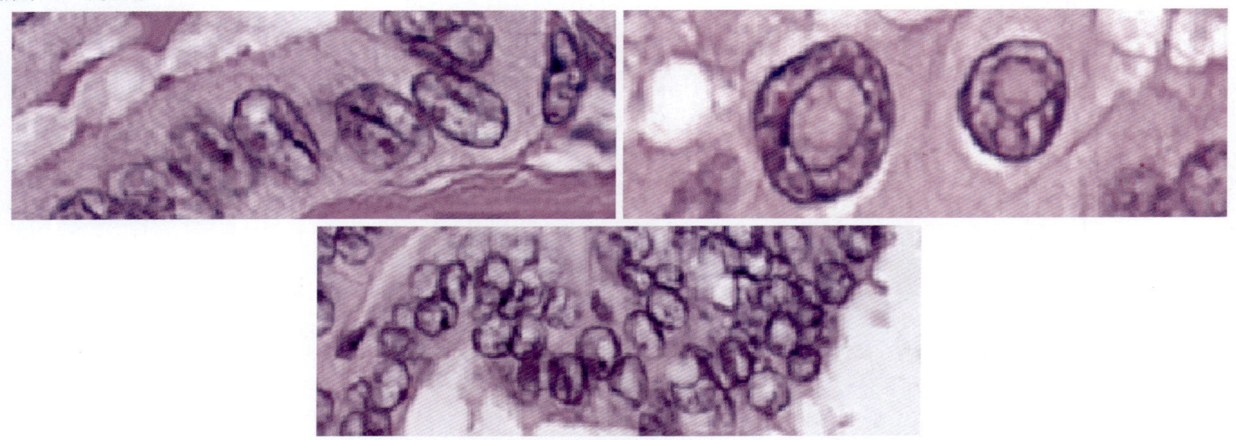

図 22　同前．腫瘍細胞の核形態は，核の溝（上左），核内細胞質封入体（上右），すりガラス状核（下）を示す．強拡大

濾胞上皮細胞に由来する悪性腫瘍で，組織・細胞診断は，腫瘍細胞の特徴的な核所見に規定されている．甲状腺原発の悪性腫瘍のなかで最も頻度の高い腫瘍で，90%以上を占めている．男性よりも女性に多く発生し，男女比は1：5〜6，発生年齢のピークは50歳代にある．比較的高率にリンパ節転移を示すが，肺や骨への血行性転移は少ない．予後はきわめて良好である．*BRAF* 遺伝子点突然変異や *RET* 遺伝子再構成が本腫瘍の発生に重要である．

肉眼的に腫瘍は灰白色充実性で，被膜を欠き，周囲の甲状腺組織内に浸潤性に増殖する（**図 20**）．少数ではあるが，被膜に被包された腫瘍や囊胞を形成するものもみられる．組織学的に腫瘍は，乳頭状構造と濾胞状構造が種々の程度に混在する（**図 21**）．乳頭癌細胞は比較的広い細胞質を有し，核は重畳し，特徴的な核形態すなわち①核の溝（核の長軸方向の溝で，コーヒー豆に似る），②核内細胞質封入体（空胞様の偽封入体），③すりガラス状核（微細顆粒状のクロマチンパターン）を認める（**図 22**）．腫瘍細胞には扁平上皮化生がしばしば認められる．約半数で，砂粒体とよばれる円形の石灰化小体をみる．

【鑑別診断】　乳頭癌の診断は核所見によるが，濾胞状構造だけからなる腫瘍は濾胞腺腫や濾胞癌との鑑別が問題となり，**濾胞型乳頭癌**とよばれている．また，乳頭癌核が少ない場合や不十分な場合には，しばしば診断に苦慮することが多い．そのため，2017 年に出版された甲状腺腫瘍の WHO 分類では，NIFTP（non-invasive follicular neoplasm with papillary-like nuclear features）や WDT-UMP（well differentiated tumor with uncertain malignant potential）という中間的概念が導入された．

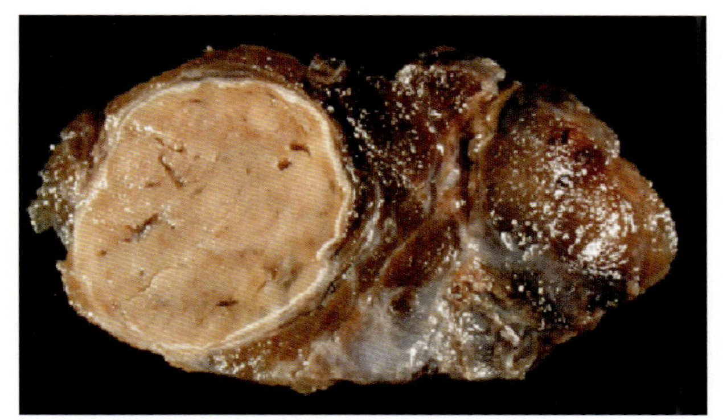

図 23　濾胞癌．腫瘍組織は充実性で，線維性被膜に囲まれている．肉眼像

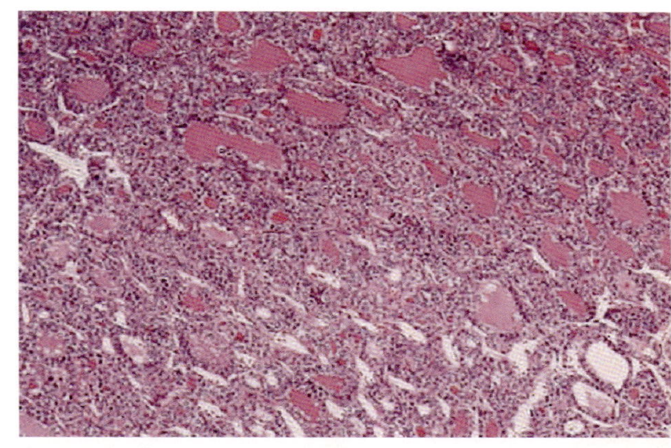

図 24　同前．小型の濾胞の増殖からなる．中拡大

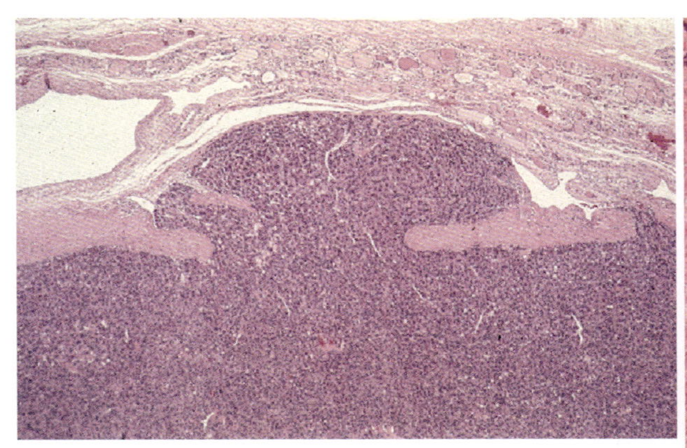

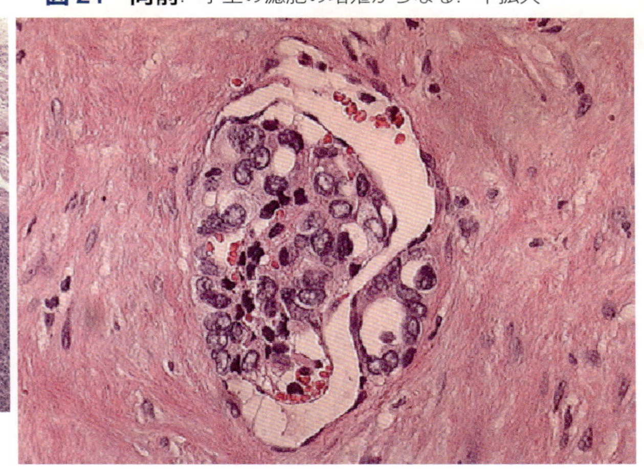

図 25　同前．被膜部分では，被膜浸潤像（左：弱拡大）ないし血管浸潤像（右：強拡大）を認める

濾胞上皮細胞に由来する悪性腫瘍で，乳頭癌細胞の核所見をもたず，被膜ないし血管への浸潤所見が診断に重要である．頻度は全甲状腺癌の 5〜10% である．濾胞癌の割合はヨード欠乏地域で高く，高ヨード摂取の日本人では低い．発生年齢は40〜50歳代にピークがあるが，若年から高齢までの各年代に発生する．乳頭癌と同様に女性に多い．リンパ節転移巣を形成することは少なく，血行性に骨や肺に転移を示す．予後は良好である．本腫瘍の発生には，*RAS* 遺伝子突然変異や PPARγ/PAX8 再構成が重要である．

通常被膜に囲まれ，周囲甲状腺組織との境界は明瞭である（**図 23**）．腫瘍の割面は灰白色充実性，境界明瞭で，コロイド光沢は乏しい．なお，好酸性細胞亜型では，割面は茶褐色を呈する．組織学的には，結節内部は小型から中型の濾胞の密な増殖からなり，腫瘍細胞の核は円形で，クロマチンに富むが比較的よくそろっている（**図 24**）．濾胞癌の組織診断は，①被膜浸潤像か，②血管浸潤像のいずれか，あるいは両方が証明されることによる（**図 25**）．被膜浸潤像とは，腫瘍組織が被膜を貫通して周囲に飛び出すことで，被膜内にとどまるときは被膜浸潤像とはよばない．血管浸潤像は，腫瘍組織が被膜内あるいは被膜外の血管内に侵入する所見である．浸潤の量的違いで，微少浸潤型と広範浸潤型に分けるが，2017 年の甲状腺 WHO 分類では，被膜浸潤のみで診断された濾胞癌は微少浸潤，血管浸潤像がみられたものは被包性血管浸潤型，広範浸潤型の 3 型に分類されている．

【鑑別診断】 濾胞癌の診断は，被膜・血管浸潤像の証明によってなされるので，術前の穿刺吸引細胞診による細胞診断は困難であるといってよい．濾胞癌と良性濾胞結節（濾胞腺腫や腺腫様結節）との鑑別では，前述の被膜・血管浸潤像の有無を正当に評価しなければならない．

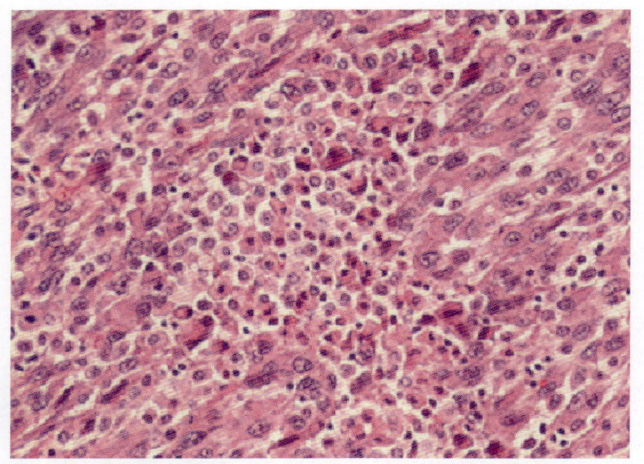

図 26　未分化癌．濾胞形成などの分化構造を示さない多形な癌細胞の増殖からなる．強拡大

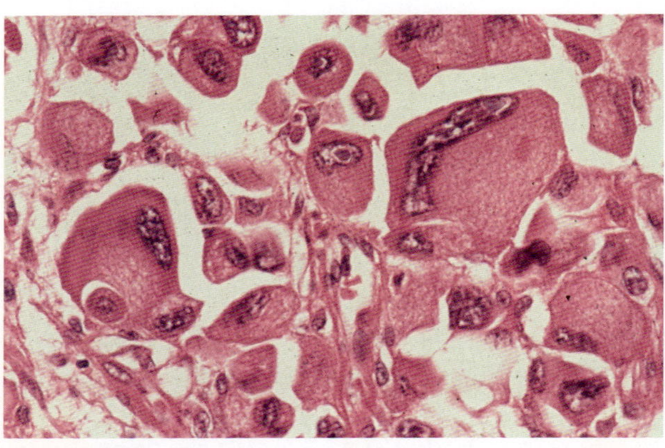

図 27　同前．腫瘍細胞は著しく多形で，大型の核小体を有している．強拡大

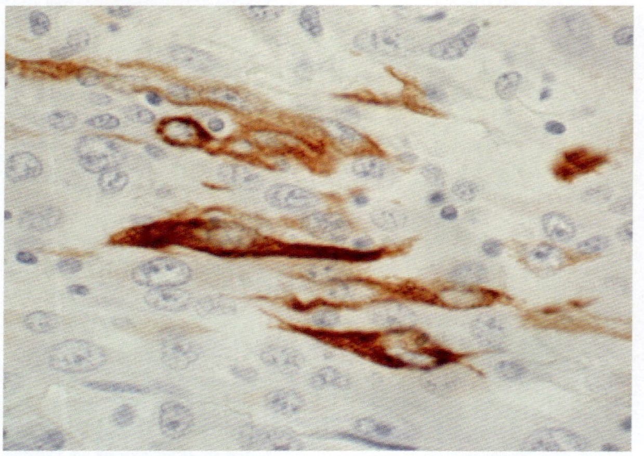

図 28　同前．腫瘍細胞はサイトケラチンが陽性で，上皮性性格を認める．免疫染色．強拡大

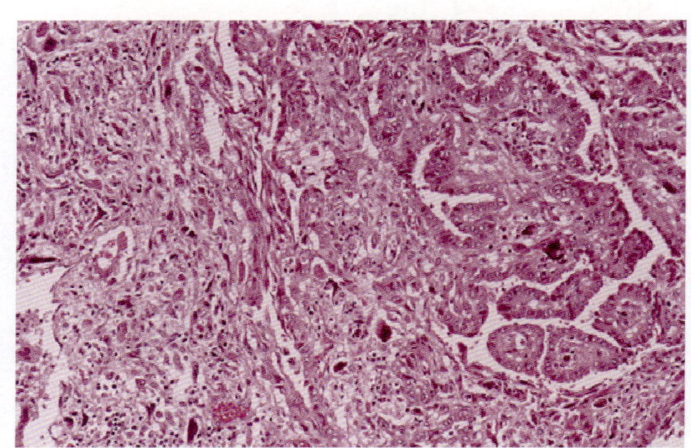

図 29　同前．未分化癌組織内の分化癌（乳頭癌）の併存．未分化癌は乳頭癌などの分化癌の脱分化で発生すると考えられている．中拡大

未分化な細胞の増殖からなるきわめて悪性度の高い甲状腺腫瘍である．臨床的には通常，60歳以上の高齢者に出現し女性に多いが，分化癌に比較して男性の割合が高い．本腫瘍は頻度は低く，甲状腺癌の1〜2%である．治療にきわめて抵抗性で，急速に増大し，ほぼ6カ月以内に死亡することが多い．未分化癌は先在する分化癌（乳頭癌，濾胞癌）ないしは低分化癌から転化したものと考えられている．この未分化転化には，*TERT* プロモーター遺伝子や *p53* 遺伝子の突然変異が重要であることが示唆されている．

腫瘍は急速に大きくなり，腫瘍組織内には，しばしば壊死や出血を伴う．組織学的には，濾胞形成などの分化構造を示さない癌細胞の増殖からなり，一見，肉腫様にみえるが，部分的に上皮細胞として結合性がみられることが多い(**図 26**)．腫瘍細胞の形態はさまざまで，巨細胞，紡錘形細胞，小細胞，多形細胞などのいずれかが主体となるか，あるいはそれらの細胞が混在して出現する（**図 27**）．核分裂像も多数認められる．腫瘍組織内には多数の炎症性細胞がみられることが多い．上皮細胞への分化は，免疫組織化学的にサイトケラチンなどの上皮細胞マーカーで証明できる(**図 28**)．未分化癌は，乳頭癌や濾胞癌などの分化癌から未分化転化 anaplastic transformation して発生すると考えられており，腫瘍組織の一部に先在する分化癌成分を見いだすことが多い（**図 29**）．

【鑑別診断】 甲状腺未分化癌はその細胞形態ゆえに，**肉腫**との鑑別がしばしば問題となる．甲状腺腫瘍の分類には癌肉腫の概念はなく，たとえば平滑筋肉腫や横紋筋肉腫の成分が存在しても，一部に上皮性性格がうかがえれば未分化癌と診断される．純粋な甲状腺原発の肉腫はきわめてまれである．なお，未分化癌細胞の一部あるいは全体に扁平上皮への分化を認めることがしばしばある．

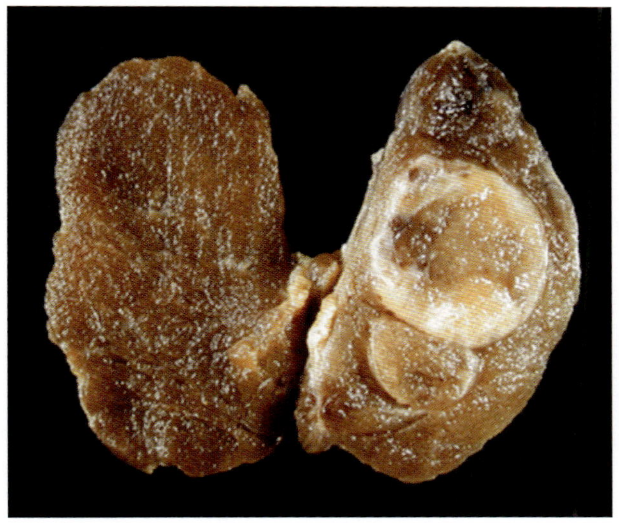

図 30　髄様癌．側葉の上 1/3 に局在している．肉眼像

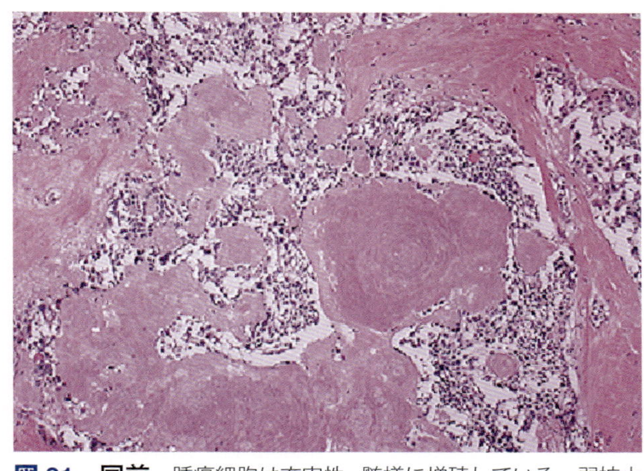

図 31　同前．腫瘍細胞は充実性，髄様に増殖している．弱拡大

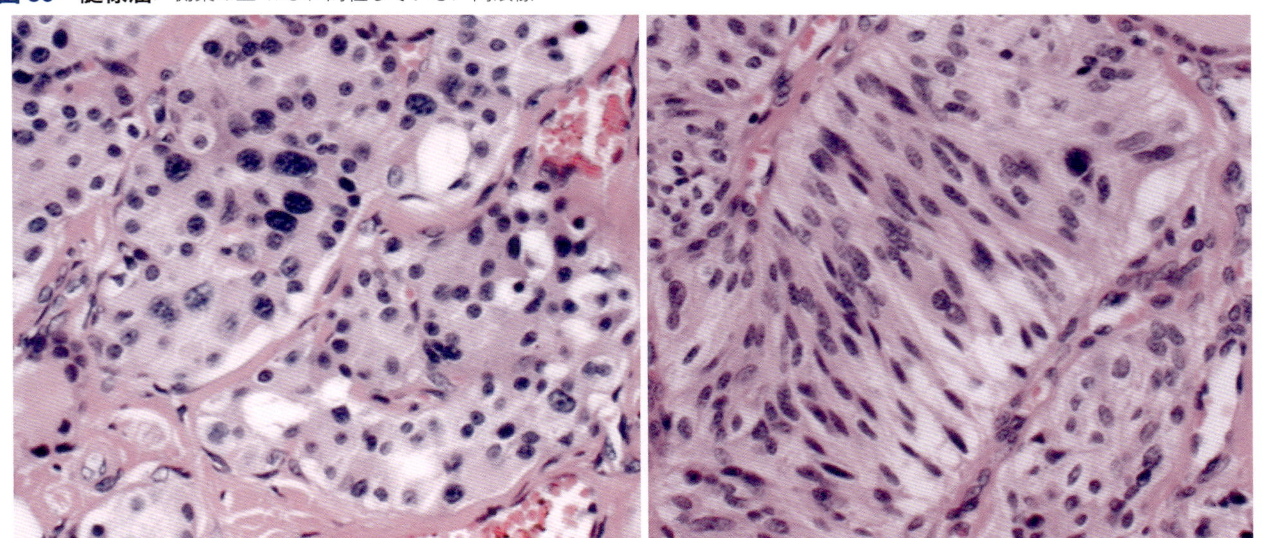

図 32　同前．腫瘍細胞は多角形ないし紡錘形で，やや大型の核を有している．左：強拡大，右：強拡大

C 細胞に由来する悪性腫瘍で，血中カルシトニン calcitonin や癌胎児性抗原（CEA）の上昇が認められる．散発性（非遺伝性）とともに家族性（常染色体優性遺伝）腫瘍があり，また多発性内分泌腫瘍症 multiple endocrine neoplasia（MEN）II 型の一部分症として発生するものもある．腫瘍の発生に，*RET* 遺伝子の突然変異が知られている．

まれな腫瘍で，甲状腺癌の 1～2％程度に認められ，女性に多い．散発性腫瘍は中年（平均 50 歳）に発生し，MEN IIA 型にみられるものでは 10 歳代後半から 20 歳代，MEN IIB では小児や学童にも発生する．しばしばリンパ節や肺，骨などに転移するが，予後は比較的良好である．

肉眼的に腫瘍は灰白色ないし黄褐色で，弾性硬の結節として認められる．C 細胞の分布域である甲状腺側葉の上 1/3 に発生することが多い（**図 30**）．非家族性腫瘍は単発だが，家族性ないし MEN に伴うものでは，しばしば両側性および多発性に発生する．腫瘍細胞はシート状ないしは髄様に増殖し（**図 31**），核は円形から短紡錘形で，核分裂像はまれである（**図 32**）．特徴的なのは，HE 染色で多角形ないし紡錘形で，色に染まるアミロイド物質の沈着を間質に認める．アミロイド物質は，コンゴーレッド染色で赤染し，偏光によって確認する（**図 33**）．免疫組織化学的には，腫瘍細胞にはカルシトニンや CEA を証明できる（**図 34**）．なお，家族性腫瘍では C 細胞過形成を伴う．

【鑑別診断】　髄様癌の組織所見は多様なので，多くの組織

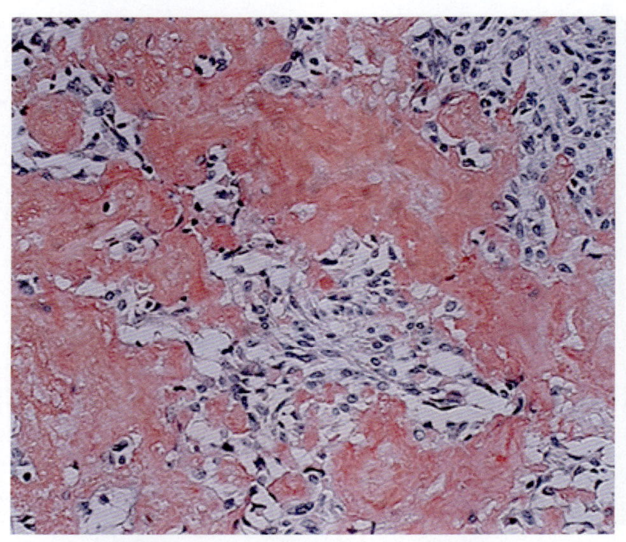

図 33　髄様癌．アミロイドの塊状沈着が特徴的で，コンゴーレッド染色で赤染する．中拡大

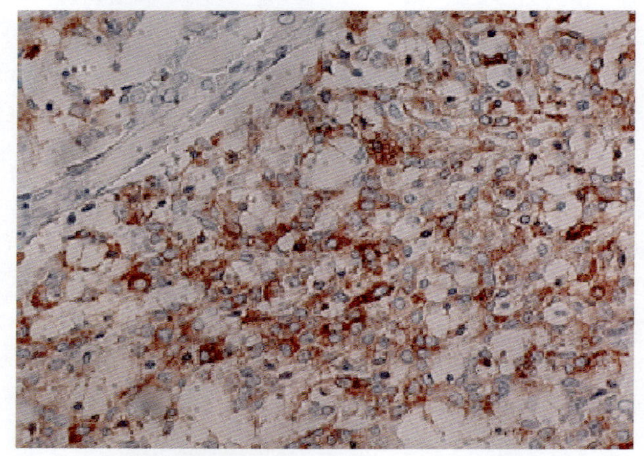

図 34　同前．腫瘍細胞はカルシトニンを産生するので，カルシトニン免疫染色で陽性となる．強拡大

型の腫瘍が鑑別にあがる．特に，充実性構造を示すものでは低分化癌，乳頭状構造や濾胞状構造を示すものでは濾胞癌や乳頭癌との鑑別が問題となる．粘液を有し胃の印環細胞癌に類似する腫瘍もあり，まれにメラニン色素を産生する髄様癌も報告されている．

第8章

内分泌系

(3) 副腎ほか

概　説

1. 生理学的な副腎の変化

副腎，特に副腎皮質は生体の種々の変化を受け生理学的にも多くの変化を示すことが多い．ストレスがあまり加わらない通常の状態では，副腎皮質は**図1**に示すように，外側から球状層 zona glomerulosa (ZG)，脂質を有する淡明な細胞質を有する束状層 zona fasciculate (ZF)，好酸性の細胞質を有する網状層 zona reticularis (ZR) と3層に形態学的にも識別できる．しかし比較的長期にわたる慢性のストレスなどを受けると，身体の HPA axis (hypothalamic-pituitary-adrenal axis) が活性化され副腎皮質刺激ホルモン adrenocorticotrophic hormone (ACTH) が束状層を中心に作用し，細胞内に蓄積された脂肪滴内のコレステロールがコルチゾール合成にほとんど費やされる．このことから，この状態では副腎皮質の束状層の細胞内脂肪滴がほとんど消失してしまい，形態学的にはいわゆる“lipid depletion”として認められる（**図2**）．この lipid depletion は安全性あるいは毒性試験などでは有意の病的所見とも解釈されるが，ヒトにおいては身体にかかる全身的なストレスの期間とその程度を示している所見である．

ヒト正常副腎皮質でコルチゾールは束状層でほぼびまん性に合成，分泌が行われている．一方，アルドステロンは球状層で合成，分泌が行われているが，**図3，4**に示すようにすべての球状層細胞でアルドステロン合成が行われているのではなく，APN (aldosterone producing nodule) あるいは APCC (aldosterone producing cell clusters) とよばれる CYP11B2 陽性の皮質球状層細胞でのみ合成されることが近年明らかになってきた．

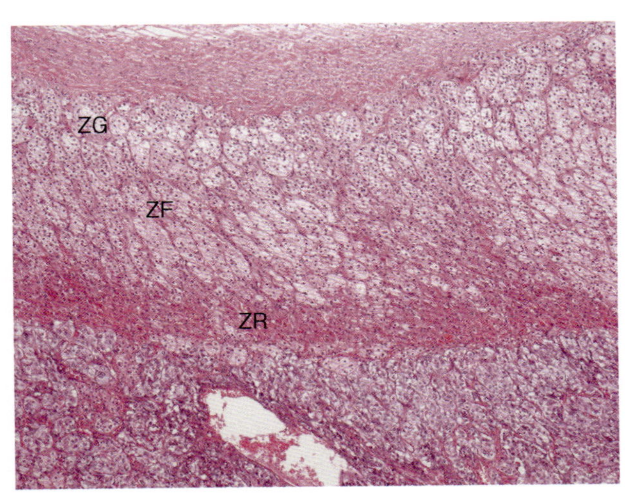

図1　正常の副腎皮質．ZG（球状層），ZF（束状層），ZR（網状層）の3層がみられる．中拡大

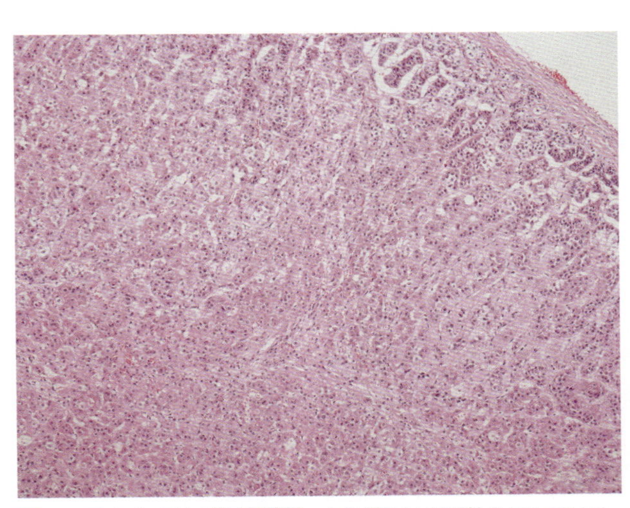

図2　ストレスに伴う副腎．皮質細胞は好酸性を示している．中拡大

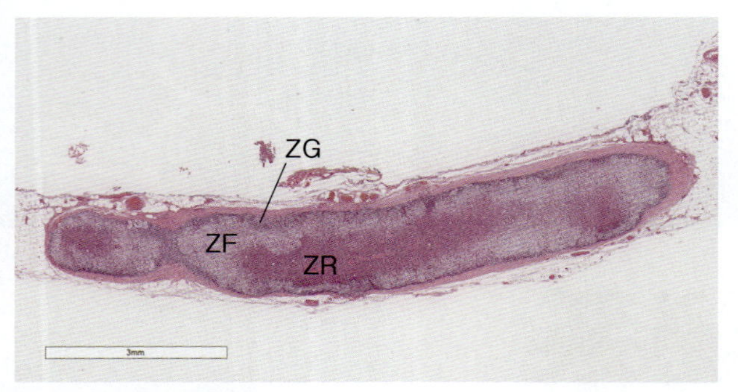

図 3　正常の副腎皮質．ZG，ZF，ZR の 3 層がみられる．弱拡大

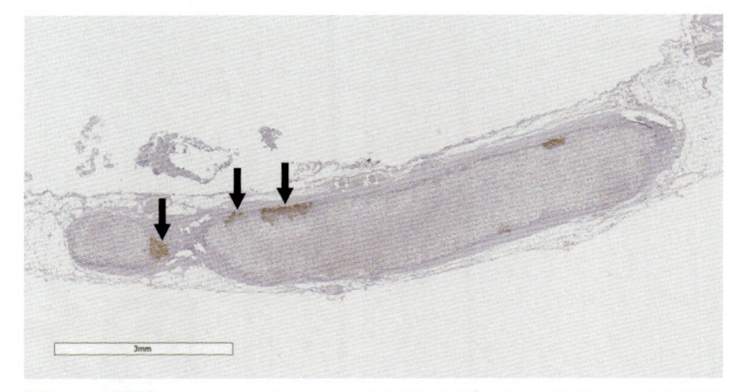

図 4　同前．CYP11B2 の免疫組織化学では，CYP11B2 陽性の APN/APCC が認められる（⬆）．弱拡大

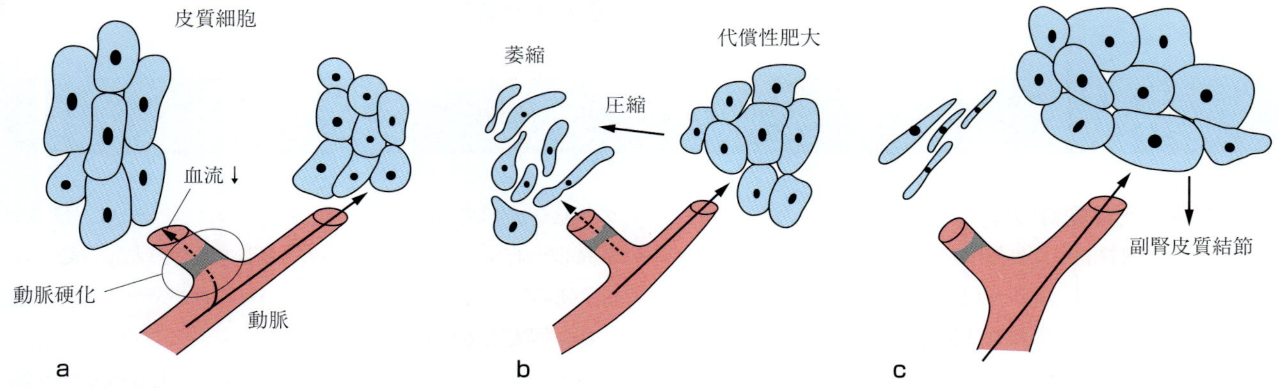

図 5　副腎皮質結節の形成．動脈硬化症などにより副腎内の血管が硬化すると（a），その支配下にある副腎皮質細胞が萎縮し（b），代償的に他の部位が肥大し副腎皮質結節となる（c）

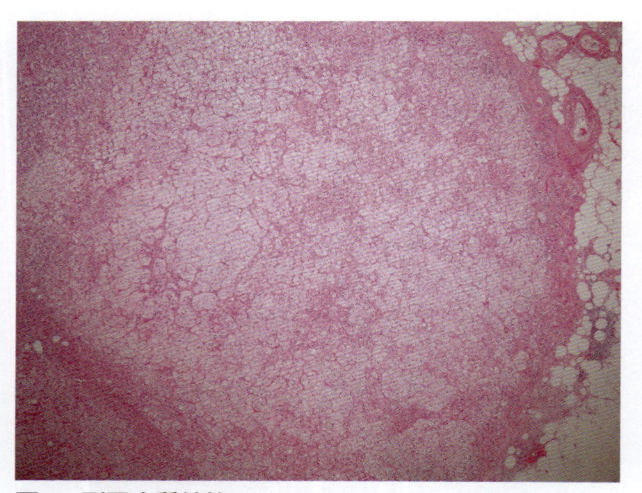

図 6　副腎皮質結節．比較的境界が明瞭な皮質細胞を主体とした副腎皮質結節が認められる．中拡大

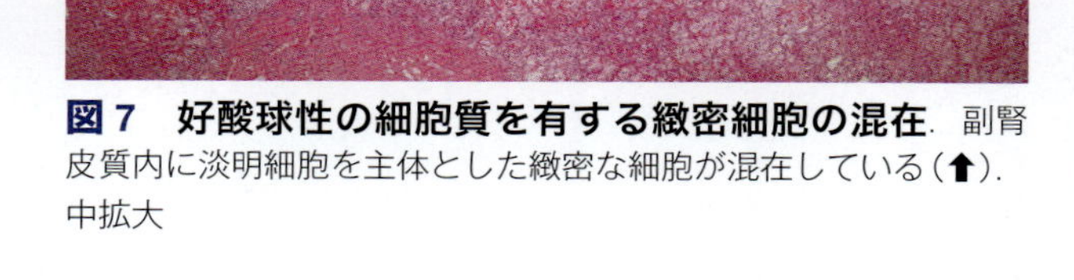

図 7　好酸球性の細胞質を有する緻密細胞の混在．副腎皮質内に淡明細胞を主体とした緻密な細胞が混在している（⬆）．中拡大

鑑別診断：非腫瘍性の原発性アルドステロン症の 1 つである UMN（unilateral multinodular hyperplasia）と APN/APCC が多発した副腎皮質とは事実上，その病理組織学的鑑別は困難であり，臨床内分泌学的所見を参照する必要がある．

2．加齢，治療による副腎の変化

副腎皮質は細胞回転が消化管などと同様にきわめて早く，ACTH の作用などによりその再生能も高い臓器である．副腎皮質は通常外側束状層から増殖して，外側と内側に向かって分化し，球状層と網状層でアポトーシスにより除去される．また ACTH の作用を受けることから全身の種々の状況を反映しやすい臓器の 1 つであるとも位置づけられている．

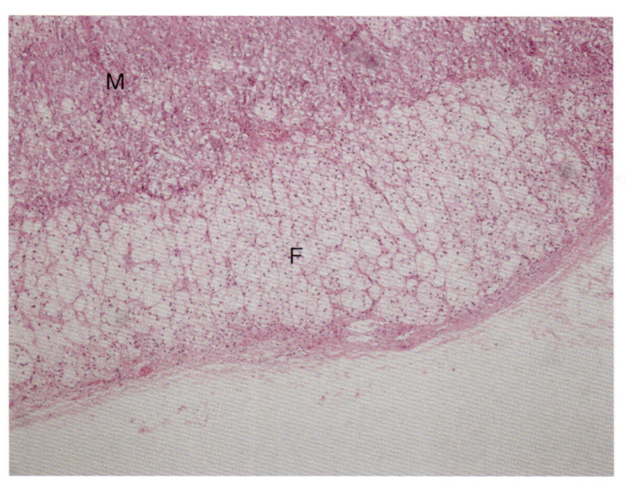

図 8　束状層細胞の萎縮．束状層細胞は組織学的にもその厚さが薄くなり，細胞学的にも脂質が多くなり萎縮を示している．F：束状層，M：副腎髄質．中拡大

1）副腎皮質結節の形成

図 5 に示すように，副腎内血管が高血圧性あるいは動脈硬化などにより閉塞し，副腎内の血流の変化が生じると，血液が行かない部位の副腎皮質では虚血と萎縮が生じ，これに対しての代償性機序として周囲の副腎皮質細胞が増殖し，いわゆる副腎皮質結節として認められてくる．この副腎皮質結節は一般に加齢とともにその頻度，大きさは増加するが，成因から類推されるように，高血圧や糖尿病などの罹患によってもその頻度は増加する．病理組織学的には **図 6** に示すように，淡明細胞から構成される副腎皮質結節が多いが，なかには **図 7** に示すように好酸性の細胞質を有する緻密細胞を混在する場合も少なくない．これらの副腎皮質結節の境界は鮮明であるが，被膜を有することは原則的にはない．

鑑別診断：副腎皮質結節はその組織所見が多彩なので，画像診断を含む臨床的側面ばかりではなく，病理組織学的にも非機能性副腎皮質腺腫との鑑別は困難である．ただ，この鑑別診断の臨床的意義はほとんどない．

2）束状層細胞の萎縮

副腎皮質はHPA axisの影響を強く受ける．たとえば治療などの目的で種々の糖質コルチコイドを服用するとHPA axis，特にACTHの合成，分泌が抑制され，**図 8** に示すように副腎皮質，特に束状層細胞が萎縮する．この萎縮は単に皮質の厚さが薄くなるばかりではなく（組織学的萎縮），ACTHレベルが低下することにより束状層細胞内の脂肪滴内のコレステロールがステロイドホルモン合成に用いられないことから，束状層細胞では淡明な細胞質が顕著に認められる（細胞学的萎縮）．

鑑別診断：下垂体機能低下によりACTH分泌が低下している副腎皮質の萎縮と，外部から糖質コルチコイド投与により生じる病変では，副腎皮質の組織所見はほぼ同様である．

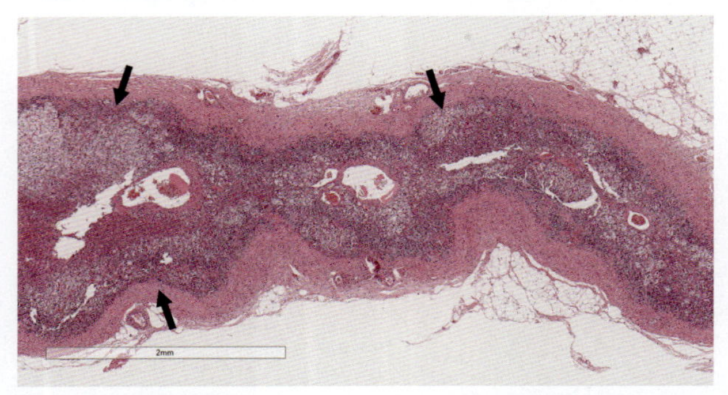

図 9　原発性アルドステロン症：UMN．細胞は一部結節状に過形成（⬆）を示している．周囲の球状層も過形成を呈し paradoxical hyperplasia of the zona glomerulosa とも呼ばれている．中拡大

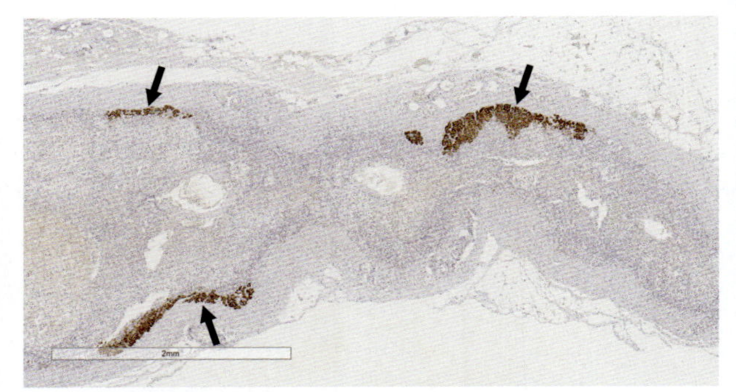

図 10　同前．図 9 の CYP11B2 の免疫組織化学では，CYP11B2 陽性が複数結節状に認められている（⬆）．中拡大

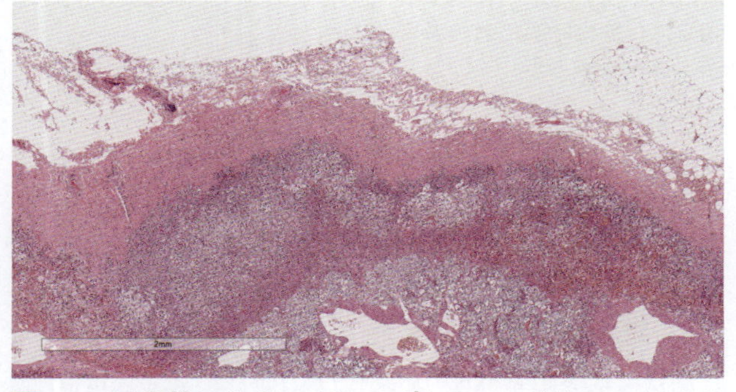

図 11　原発性アルドステロン症：DH．球状層はびまん性に過形成を示している．中拡大

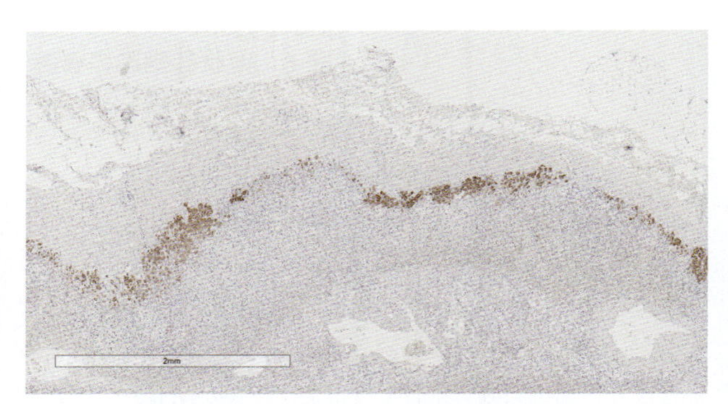

図 12　同前．図 11 の CYP11B2 の免疫組織化学では，CYP11B2 陽性の球状層細胞は代償的びまん性に過形成を呈している．中拡大

原発性アルドステロン症 primary aldosteronism（PA）**を伴う副腎皮質過形成**　PAは全高血圧患者の5～10%を占める比較的頻度の高い副腎皮質疾患である．従来，手術適応になる症例の多くは副腎皮質腺腫によるとも考えられてきたが，近年臨床的にPAの早期発見が可能となりCTなどで病変が認められない症例の多くが非腫瘍性皮質疾患によるPAであることが判明してきた．

図 9 に，PAを示した非腫瘍性副腎疾患の一例の病理組織所見を示す．球状層が肥厚し複数の皮質結節が認められるが，腫瘍性病変は明瞭ではなく，この副腎のどの細胞からアルドステロンが自律性に過剰合成，分泌されていたのかは，この病理組織所見を検討しただけでは不明である．しかしアルドステロン合成の最終段階であると同時に律速段階でもあるCYP11B2の免疫組織化学で精査すると，**図 10** に示すように複数の皮質結節でCYP11B2の過剰発現が認められており，これらの結節性病変がアルドステロン過剰合成の責任病変であることがわかる．この病態は，片側性の場合にはUMN（unilateral multinodular hyperplasia）とよばれる．なお，球状層は形態学的には過形成を呈しているが，アルドステロンの過剰合成，分泌は行われておらず，APA（aldosterone producince adenoma）の付随副腎皮質の球状層細胞同様に“paradoxical hyperplasia of the zona glomerulosa”の一環である．

一方，**図 11** に示す症例は，上記の症例と同様に明瞭な腫瘍性病変を伴わず球状層の過形成が認められているが，この症例では **図 12** に示すようにCYP11B2は少なくとも50%以上の球状層細胞で過剰発現している．すなわち，自律性のアルドステロン過剰合成の主体は，結節に加えて形態学的に過形成を呈している球状層細胞であることがわかり，これはDH（diffuse hyperplasia）ともよばれ，両側性の場合が多く（bilateral diffuse hyperplasia：BDH），従来IHA（idiopathic hyperaldosteronism）とよばれていた病態に相当する．

【鑑別診断】　DHとMN（micronodular hyperplasia）の鑑別は，DHでは両側性病変が多く治療方針が異なることからきわめて重要である．また，結節部以外の過形成を呈している球状層でアルドステロン過剰合成が行われているかどうかが，鑑別診断に際してきわめて重要となる．一方，結節性病変と微小腺腫を含む腫瘍性病変との鑑別診断に際しても，CYP11B2の免疫組織化学が重要となる．結節では正常の球状層細胞の特徴を残しており，外側から内側にかけてその発現は漸減しているが，微小腺腫ではCYP11B2の発現動態は不

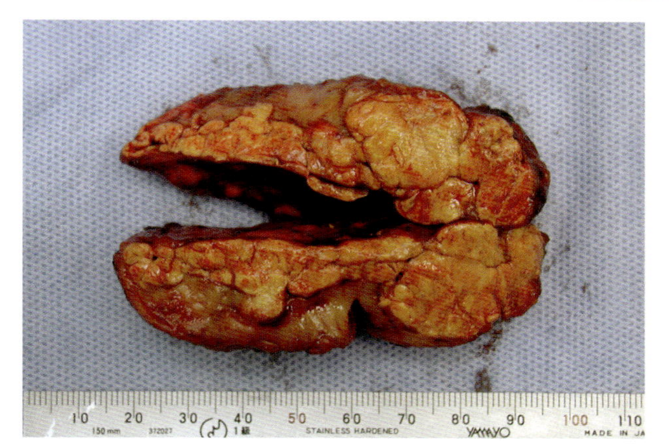

図 13　AIMAH/PMBAH．多くの黄色の皮質結節が認められる．肉眼像

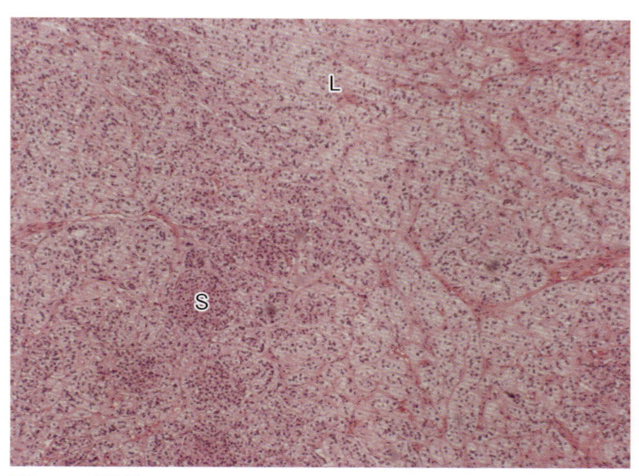

図 14　同前．図 13 の病理組織所見では，小型の皮質細胞（S）と大型の皮質細胞（L）が混在している．中拡大

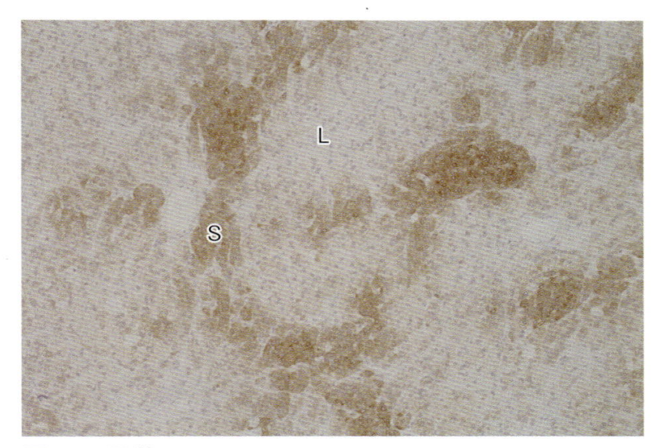

図 15　同前．C17 の免疫組織化学では，小型皮質細胞（S）で発現がみられ，大型皮質細胞（L）ではみられない．中拡大

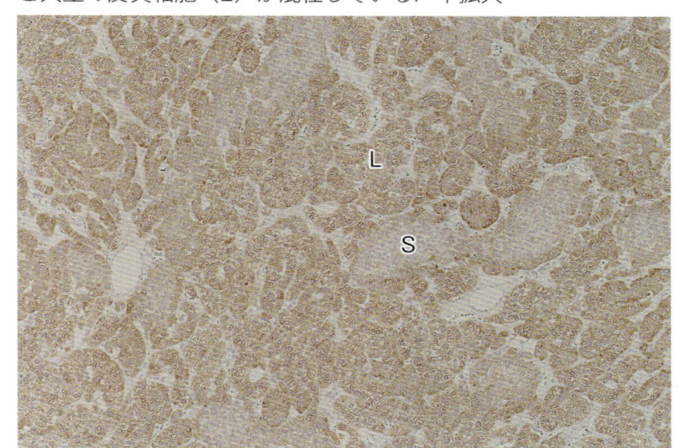

図 16　同前．HSD3B の病理組織化学では，図 15 とは逆で，大型の皮質細胞（L）でみられ，小型の皮質細胞（S）ではみられない．中拡大

規則で，結節に認められるような規則性はみられない．

クッシング症候群 Cushing syndrome **を呈する副腎皮質過形成**は原則的に両側性であり，代表例として AIMAH と PPNAD があげられる．

AIMAH（ACTH independent macronodular adrenocortical hyperplasia） PMBAH（primary macronodular bilateral adrenal hyperplasia）ともよばれ，原則的に両側の副腎が**図 13** に示すように顕著に腫脹しており，なかには数百グラムの重量を示す症例もある．黄色の割面を呈する大小不同の皮質結節から構成され，非結節部の副腎は肉眼的には明瞭ではないことが多い．病理組織学的にはきわめて特徴的な所見を呈する．**図 14** に示すように，小型の細胞内脂質があまり認められない皮質細胞の集塊が，大型の比較的多くの脂肪滴を細胞内に有する淡明細胞の内部に認められる．

この AIMAH/PMBAH の内分泌学的な特徴の 1 つとして，病変自体は非常に大きいものの，自律性のコルチゾール過剰合成，分泌，すなわちクッシング症候群の程度はそれほど顕著であることは少ない．この原因として病変内のステロイド合成動態があげられる．クッシング腺腫などでは，一群の腫瘍細胞でコルチゾール合成のほとんどすべての過程が行われていることが多いが，AIMAH/PMBAH の場合には**図 15，16** に示すような特有のステロイド合成動態を示す．すなわち，上述の小型の皮質細胞では C17（17α-hydroxylase）の発現がみられるが，大型の淡明細胞ではみられない．逆に，HSD3B（3β-hydroxysteroid dehydrogenase；水酸化ステロイド脱水素酵素）は大型の淡明細胞では発現がみられるが，小型の細胞ではみられない．このような病変内のステロイド合成動態から，効率的なホルモン合成が行われておらず，このことが，病変が大きいにもかかわらずコルチゾール合成能は低いことの理由の 1 つになっている．

【鑑別診断】 PPNAD（primary pigmented nodular adrenocortical disease）との鑑別は，病理組織学的にきわめて容易

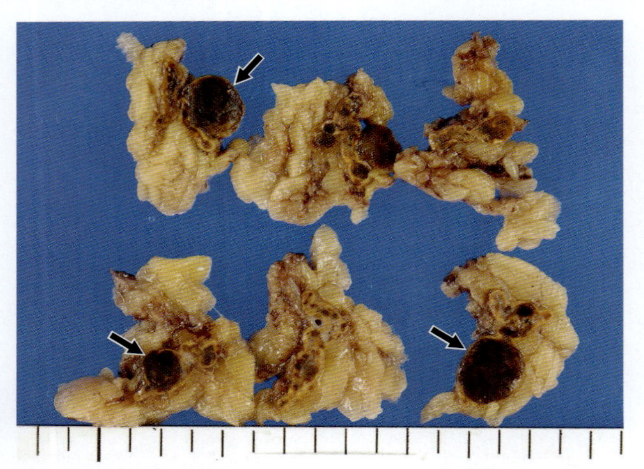

図 17　PPNAD．割面で黒褐色を呈する結節（⬆）がみられる．肉眼像

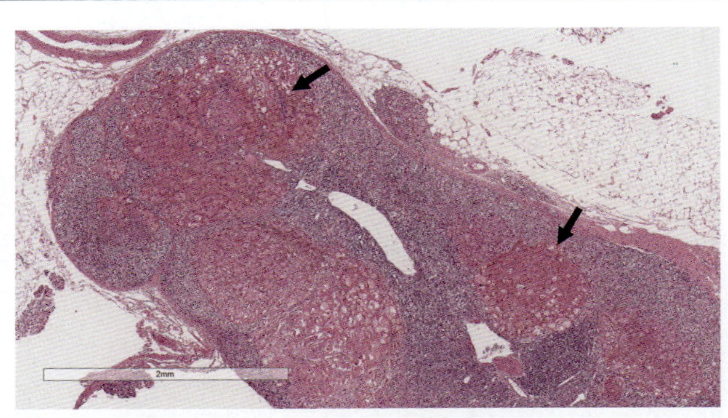

図 18　同前．萎縮した副腎皮質内部に好酸性の皮質細胞などから構成される結節がみられる（⬆）．この皮質結節は図 17 の黒褐色の結節に相当する．中拡大

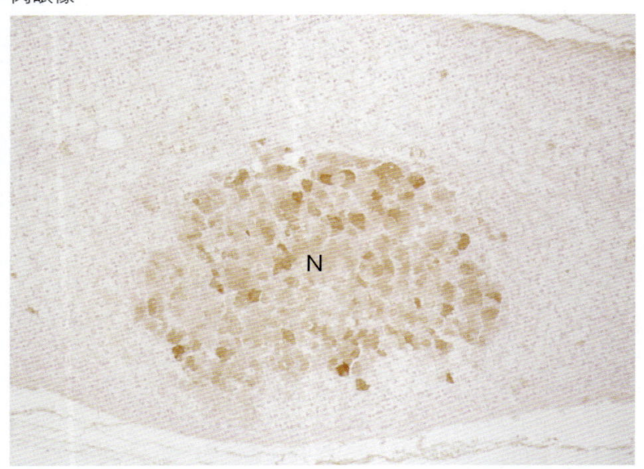

図 19　同前．C17 の免疫組織化学では，C17 の発現は副腎皮質結節に限局しており，この結節でコルチゾール合成が行われていたことを示唆する．強拡大

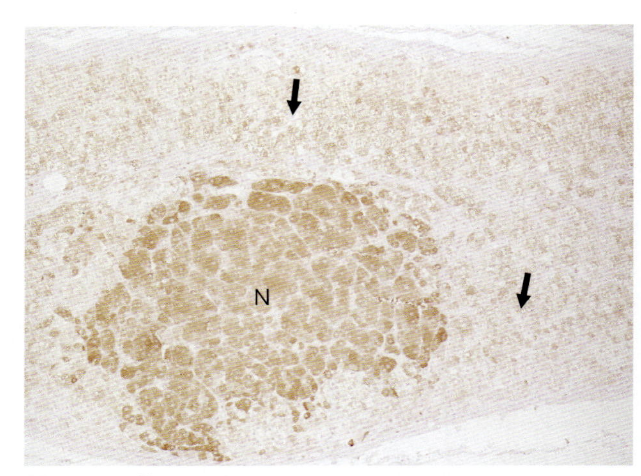

図 20　同前．HSD3B の免疫組織化学では，HSD3B は図 19 の C17 同様に皮質結節（N）を中心にみられるが，周囲の皮質細胞（⬆）でも発現がみられる．強拡大

である．クッシング症候群を呈する副腎皮質腺腫との鑑別は一部の症例では問題になる．しかし多発性のクッシング症候群を呈する副腎皮質腺腫は両側性も含めてきわめて少なく，AIMAH/PMBAH のような特異的な組織所見を呈する腺腫も少なからず報告はされているが，臨床情報などを考慮すると，その鑑別はそれほど困難ではない．

PPNAD（primary pigmented nodular adrenocortical disease）　AIMAH/PMBAH 同様に両側性のクッシング症候群を呈する疾患群である．家族性に発症することもあり，心房粘液腫や皮膚の点状色素沈着などを伴う Carnery complex の一環として発症してくる症例もあり，このような場合心房粘液腫による突然死の可能性にも配慮する必要がある．

PPNAD は，AIMAH/PMBAH とは異なり副腎は**図 17** に示すように腫脹することはあまりなく，褐色から黄褐色の大小不同の皮質結節から構成される．ただし AIMAH/PMBAH とは異なり，いわゆる full blown Cushing syndrome として顕著な自律性コルチゾール過剰合成と分泌を伴う症例が多い．**図 18** に示すように，肉眼的に褐色あるいは黄褐色に認められた皮質結節はリポフスチン顆粒に富む好酸性の緻密細胞から構成されていることが多い．

図 19，20 に，PPNAD の C17，HSD3B の免疫組織化学を示すが，皮質結節ではコルチゾール合成に必要なほぼすべてのステロイド合成酵素の発現が顕著にみられており，この病変内のステロイド合成動態により AIMAH/PMBAH などと比較すると病変が小さいにもかかわらずきわめて顕著なコルチゾールの過剰合成，分泌を伴うものと考えられる．

【鑑別診断】　PPNAD の組織・臨床所見を知っていれば鑑別診断は容易である．

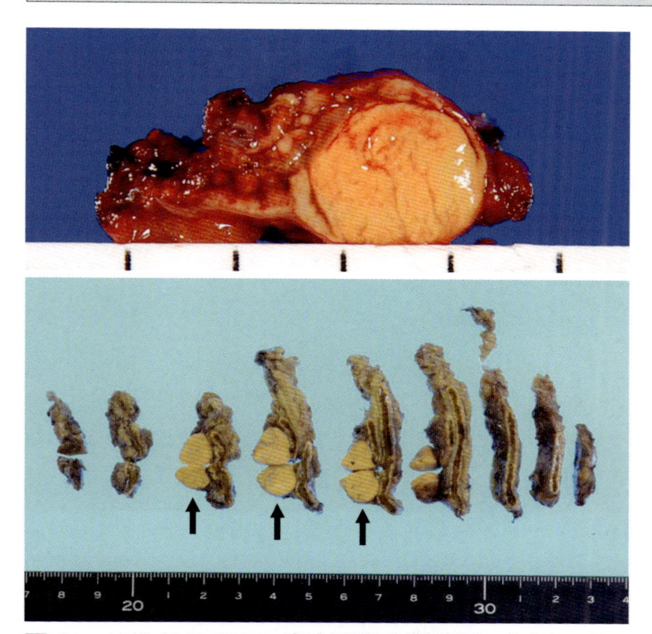

図 21　アルドステロン産生副腎皮質腺腫．黄金色の割面を示す境界明瞭な腫瘍が認められる（⬆）．肉眼像

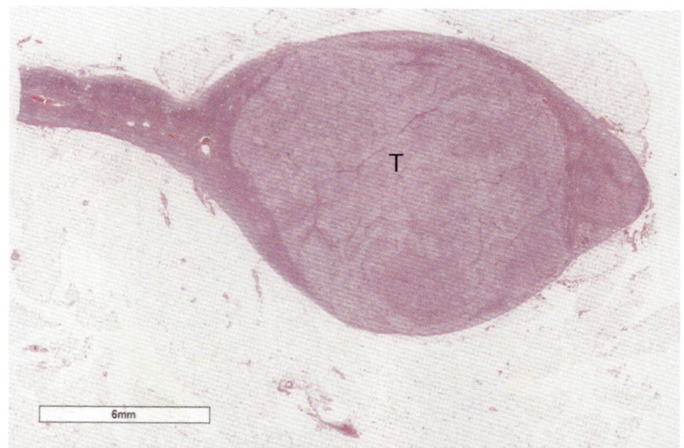

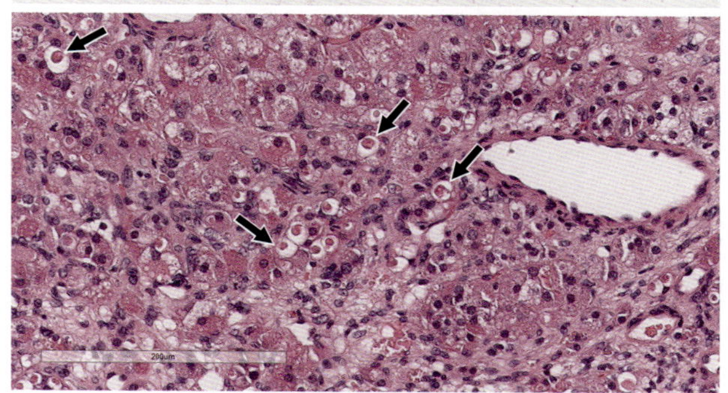

図 22　アルドステロン産生細胞（T）．皮質細胞を主体としており，本症例では術前にスピロノラクトンを服用していたことから目玉焼きのようにみえるスピロノラクトン小体（⬆）が数多くみられる．強拡大

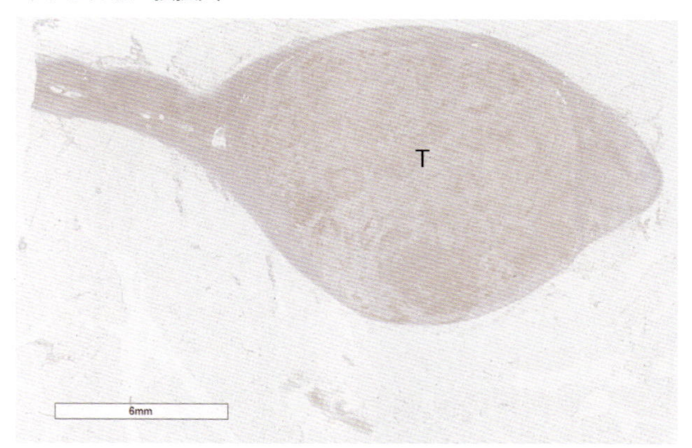

図 23　同前．CYP11B2 の免疫組織化学では，CYP11B2 は腫瘍細胞（T）で比較的顕著に発生している．強拡大

アルドステロン産生副腎皮質腺腫 aldosterone producing adrenocortical adenoma（APA）　原発性アルドステロン症（PA）の大部分を占めるのが APA であり，糖質コルチコイドなどほかの副腎皮質ホルモンの過剰合成を伴わない場合は副腎皮質癌に起因する PA はほとんどない．

肉眼的には，**図 21** に示すように黄金色ともよばれる特有の色調を呈し，この色調は**図 22 上**に示すように，細胞内に脂質を多く含有する淡明細胞が多いことに由来する．

また術前に抗アルドステロン受容体の拮抗薬であるスピロノラクトンを投与されていた症例では，**図 22 下**に認められるように，アルドステロン合成細胞に一致して好酸性の特有の構造を有するスピロノラクトン小体が観察される．

アルドステロン合成に必要な HSD3B，その最終段階を担い律速段階でもある CYP11B2 は比較的多くの腫瘍細胞で発現している場合が多い（**図 23**）．一部の症例，特に腫瘍径が大きな腺腫ではアルドステロン合成には関与しないがコルチゾール合成に重要な c17，CYP11B1 などが腫瘍細胞で過剰発現することがあり，さらにごく一部では患者の視床下部-下垂体-副腎皮質系を抑制することもある．

APA で特徴的なのは，**図 24** に示すように，付随副腎皮質にアルドステロン合成を伴わない球状層の過形成が認められる症例が多く，本来腫瘍からのアルドステロン過剰合成，分泌により患者のレニン-アンジオテンシン系 renin-angiotensin system（RAS）は抑制されており球状層は萎縮がみられるはずなのに過形成を呈することから，“paradoxical hyperplasia of the zona glomerulosa” ともよばれていることである．この所見は，治療法がまったく異なる前述の DH（diffuse hyperplasia）との鑑別できわめて重要となる．

【鑑別診断】　微小腺腫と UMN の鑑別が問題になる．併せて，過形成を呈する球状層でアルドステロン合成に関与しているのかどうかが，治療方針の点からも非常に重要になる．腫瘍の良・悪性の鑑別は Weiss の指標（**図 44** 参照）を用いることで問題なくできるが，原発性アルドステロン症を呈す

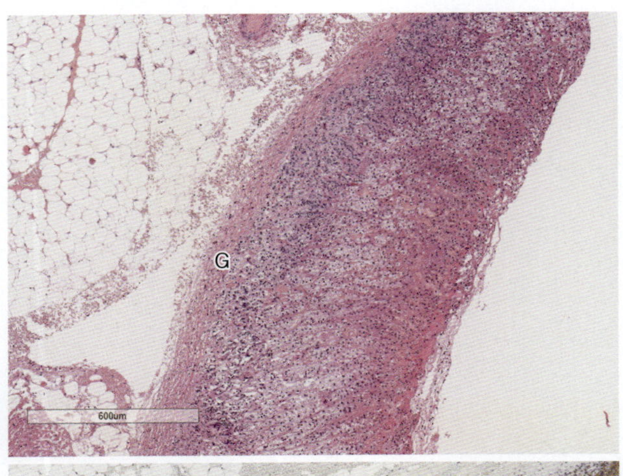

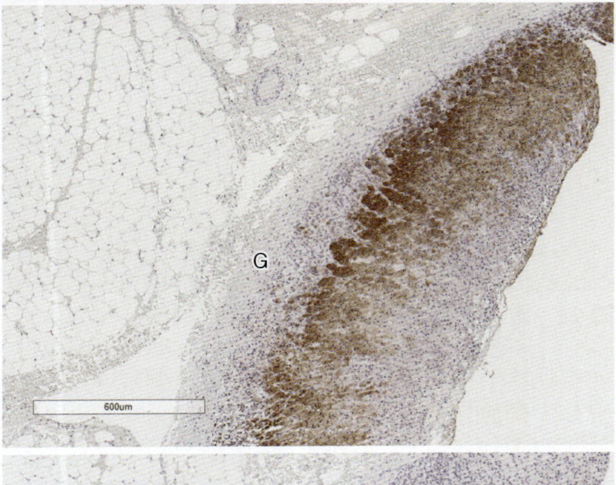

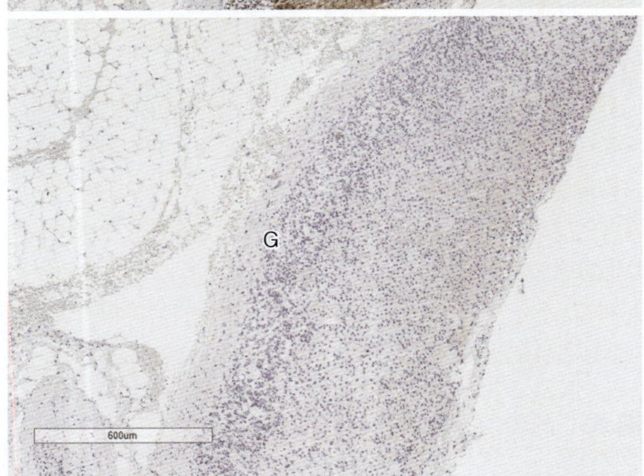

図 24　アルドステロン産生副腎皮質腺腫の付随腎皮質．HSD3B（中）とCYP11B2（下）の病理組織化学では，形態学的に過形成を示す球状層（G）ではあるがアルドステロン合成は行われておらず，paradoxical hyperplasia of the zone glomeralosa ともよばれる．上～下：中拡大

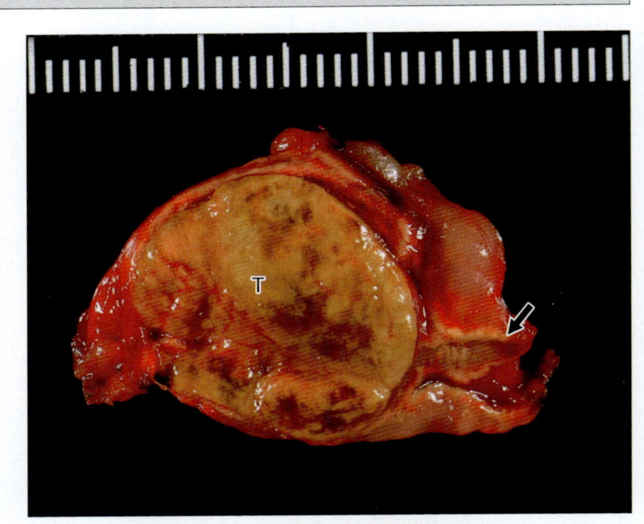

図 25　コルチゾール産生副腎皮質腫瘍．腫瘍（T）は境界鮮明で被膜を有しており，HPA axis が抑制されているため付随副腎皮質（⬆）は萎縮している．肉眼像

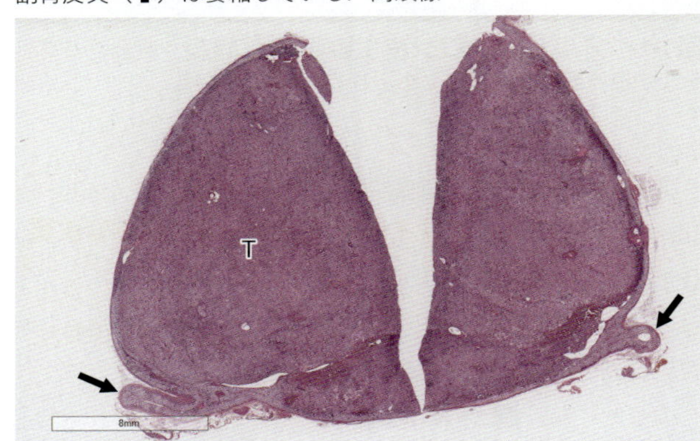

図 26　同前．緻密細胞と淡明細胞が混在した腫瘍（T）がみられ，付随細胞（⬆）は萎縮している．ルーペ像

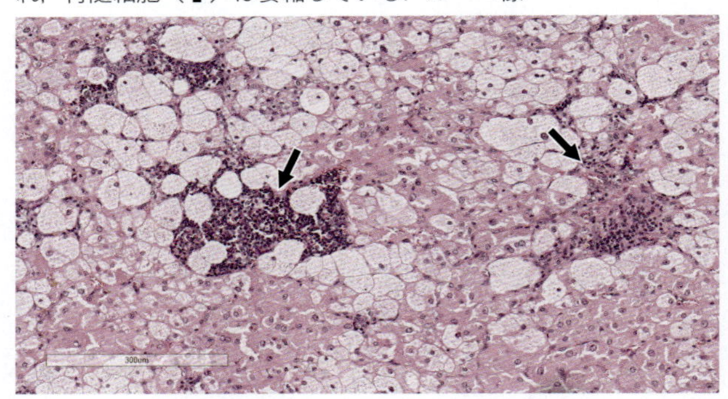

図 27　同前．腫瘍組織の病理組織所見では，脂肪変性を呈する腫瘍細胞間にリンパ球の集簇が認められる（⬆）．この形態所見はある程度コルチゾール過剰産生の腫瘍に特異的である．強拡大

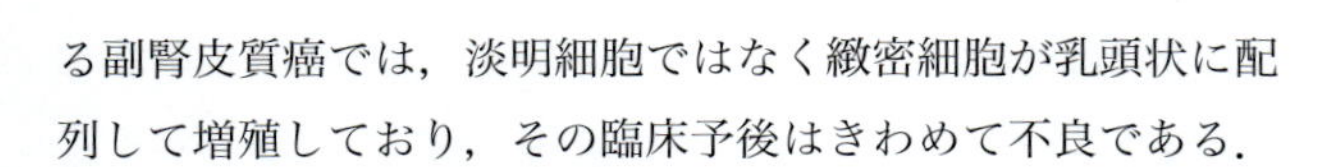

る副腎皮質癌では，淡明細胞ではなく緻密細胞が乳頭状に配列して増殖しており，その臨床予後はきわめて不良である．

コルチゾール産生副腎皮質腺腫 cortisol producing adrenocortical adenoma（CPA）　クッシング症候群を呈する副腎皮質腺腫である．CPA は APA とは異なり，より大きな腫瘍径を有する場合が多く，割面も**図 25** に示すように黄色から黄褐色の色調を呈することが多い．病理組織学的には，腫瘍は好酸性の細胞質を有する緻密細胞と淡明細胞双方から構成さ

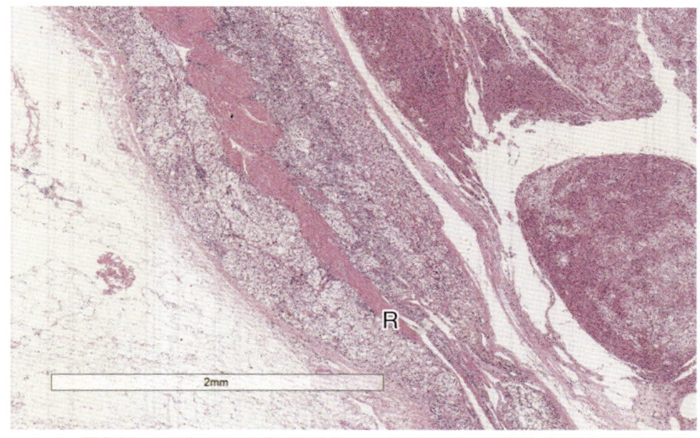

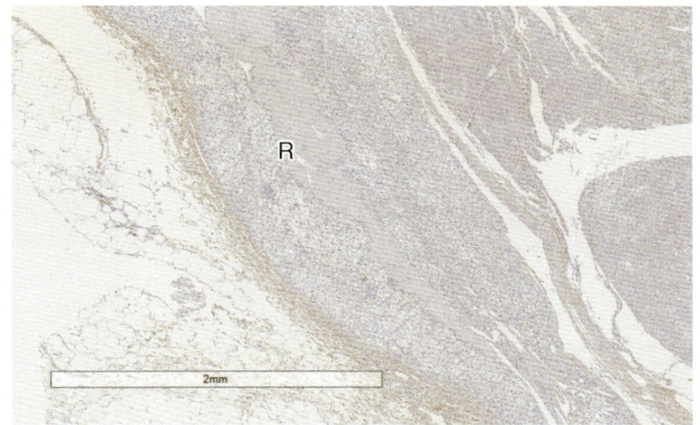

図 28　コルチゾール産生副腎皮質腫瘍の付随副腎皮質. DHEAST の免疫組織化学（下）では，束状層と網状層（R）は萎縮し，DHEAST は HPA axis の抑制を最もよく反映している．R の DHEAST の発現はほとんどみられない．上，下：中拡大

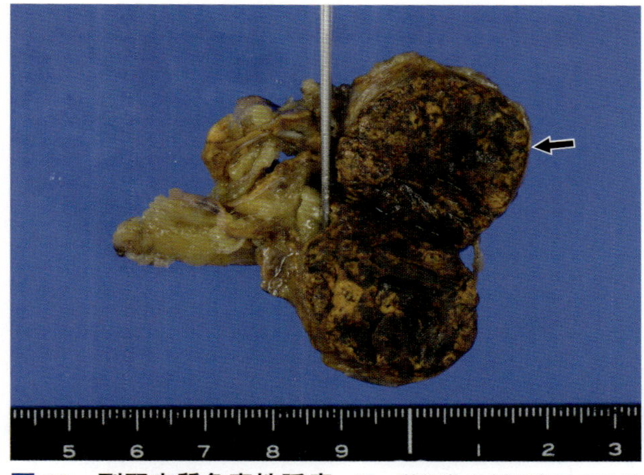

図 29　副腎皮質色素性腫瘍. 黒～茶褐色の割面を呈する境界鮮明な腫瘍（⬆）が認められる．肉眼像（割面）

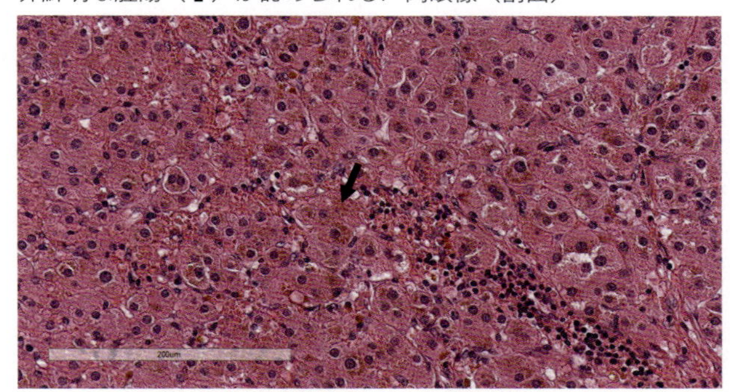

図 30　同前. 好酸性の細胞質を有する腫瘍細胞内にリポフスチン顆粒（⬆）がみられる．強拡大

れている（**図 26**）．CPA で比較的特徴的なのは**図 27** に認められるような，腫瘍内リンパ球浸潤を伴う脂肪変性 lipomatous degeneration であり，この所見はいわゆる subclinical Cushing syndrome を呈する副腎皮質腺腫でも認められることはあるが，APA ではみられない．この所見は近年局所での cortisol 過剰により皮質細胞が細胞老化を呈したことに対してのリンパ球の浸潤と考えられている．一部の症例では，後述の，多くの骨髄の blasts 様の細胞が認められる myelolipoma（骨髄脂肪腫）様の組織所見を呈することもある．

また CPA のもう 1 つの特徴としては，**図 28** に示すようなきわめて顕著な付随副腎皮質の萎縮が認められることである．この副腎皮質萎縮は健側の副腎でもみられており，術後にコルチゾール補充が必要な病理学的な裏づけともなっている．

【鑑別診断】 良・悪性の鑑別診断は Weiss の指標（**図 44** 参照）が有効である．

副腎皮質色素性腺腫 adrenocortical pigmented adenoma　副腎皮質腺腫のなかでも特異的な病理所見を呈する病変としてあげられる．**図 29** に示すように，黒色，黒褐色，茶褐色の割面を呈し，組織学的には好酸性の細胞質に茶褐色のリポフスチン顆粒が認められるのがわかり（**図 30**），このリポフスチン顆粒が特有の腫瘍の色調を形成している．

なお，このような副腎皮質腫瘍は副腎皮質癌では認められず，大部分がクッシング症候群か性ステロイドホルモン過剰を呈し，アルドステロン過剰を呈することは原則的にはない．この特異的な病理所見を熟知していれば，その鑑別診断は困難ではない．

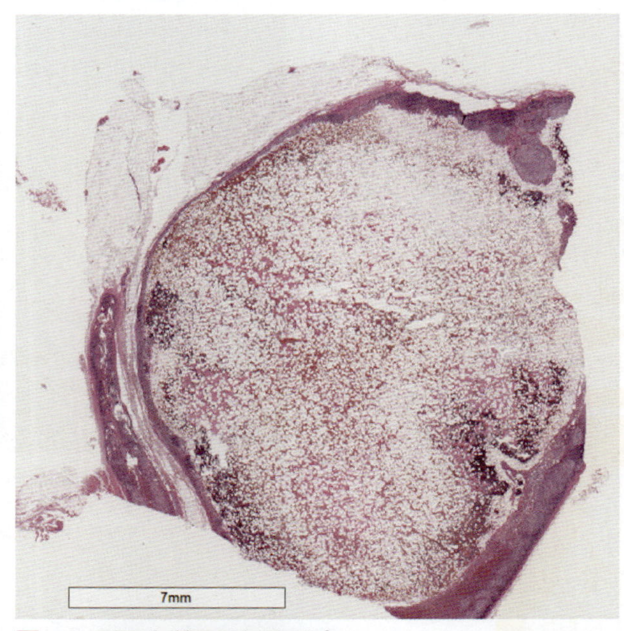

図31　副腎皮質骨髄細胞腫瘍．腫瘍内には多くの脂肪細胞がみられ，皮質細胞が脂肪変性した結果と考えられている．弱拡大

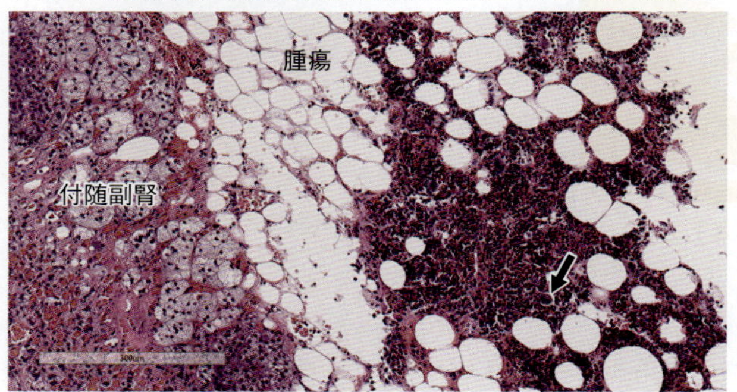

図32　同前．図31の拡大組織所見では，megakaryocytes（⬆）を含む骨髄細胞成分が認められる．中拡大

副腎皮質骨髄脂肪腫は検診などで偶然に認められる副腎偶発腫 adrenal incidentaloma の代表例である．**図31，32**に示すように，腫瘍は豊富な脂肪細胞とともに megakaryocytes blasts を含む骨髄組織の構成細胞がリンパ球とともに認められている．

現在，この副腎皮質骨髄脂肪腫はコルチゾール産生副腎皮質腺腫（CPA）で認められる脂肪変性が進行した病変とも考えられており，Ki-67 などで検討した増殖細胞はほとんど認められず良性腫瘍である．

この病変の特異的な病理所見を熟知していればその鑑別診断は困難ではない．

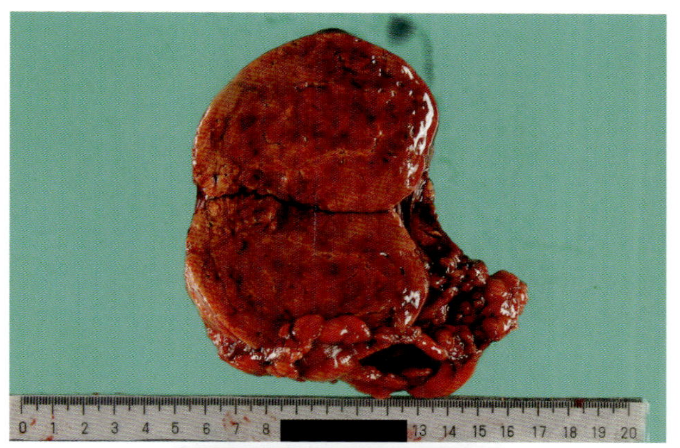

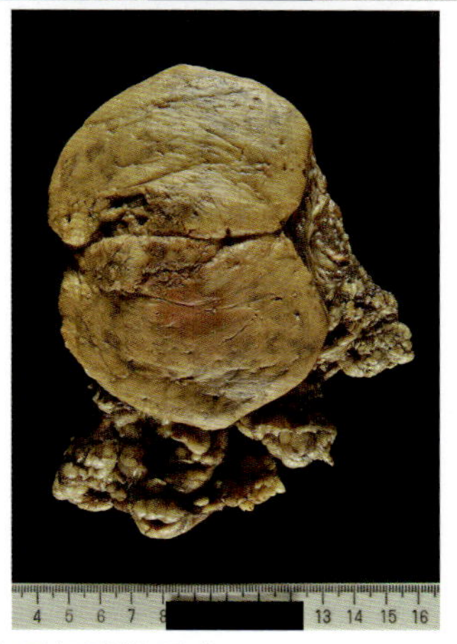

図 33　副腎皮質好酸性腫瘍．固定前（上）で割面は赤褐色，固定後（下）は黒褐色を呈する．腫瘍割面で出血壊死はみられない．肉眼像

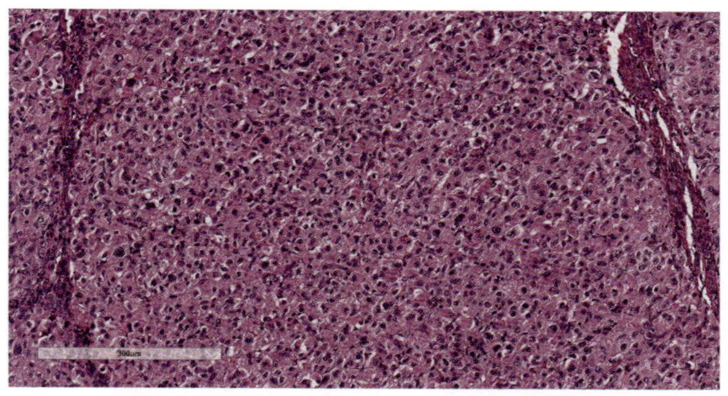

図 34　同前．図 33 の病理組織所見では，好酸性の細胞質を有する緻密細胞の増殖が認められる．中拡大

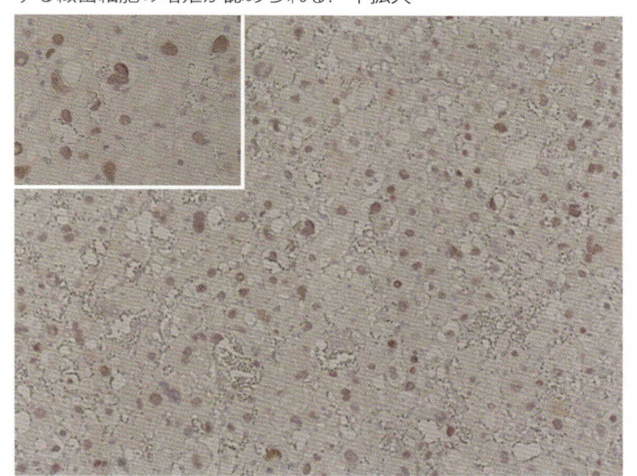

図 35　同前．図 33 の SF-1 の免疫組織化学では，ほとんどの腫瘍細胞の核に SF-1 がみられており，本腫瘍が副腎皮質由来であることを示唆している．強拡大

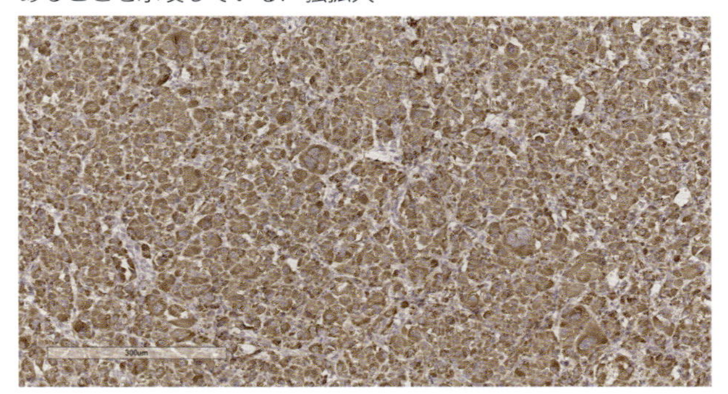

図 36　同前．図 33 のミトコンドリアの免疫組織化学では，本症例の腫瘍細胞内には豊富なミトコンドリアが含まれていることがわかる．中拡大

副腎皮質好酸性腫瘍は，副腎皮質骨髄脂肪腫と同様に，かなり大きな病変として認められる．肉眼的には**図 33** に示すように，比較的均一な赤～黒褐色の割面を呈し，原則的に出血，壊死が認められることは極めて少ない．

組織学的には好酸性の細胞質と異型核を有する腫瘍細胞がびまん性に特有の構造を呈さないで増殖している（**図 34**）．副腎皮質由来の病変の鑑別診断にきわめて有効な SF-1（steroid factor-1）の免疫組織化学ではその発現は低下していることが多いが，**図 35** にみられるように，腫瘍細胞の核に陽性所見を呈する．このことは，本症例が副腎皮質由来であることを示している．しかしステロイド合成酵素はほとんどの症例で発現は認められず，いわゆる非機能性副腎皮質腫瘍に相当する．加えて，ほかの臓器に発生する oncocytoma 同様に，電子顕微鏡あるいは免疫組織化学で腫瘍細胞内に多くのミトコンドリアが認められる（**図 36**）．

【鑑別診断】　本症例の病理組織診断に際し一番の問題点は良・悪性の鑑別である．Weiss の指標（**図 44** 参照）を用いると核異型，細胞質，構築異常の 3 項目が必ず陽性となり副腎皮質癌と診断されてしまう．しかし多くの症例は良性の経過をたどる．このため Lin-Weiss-Bisceglia の指標などが提唱されているが，その長期的予後を確定する診断基準は確立されていないのが現況である．

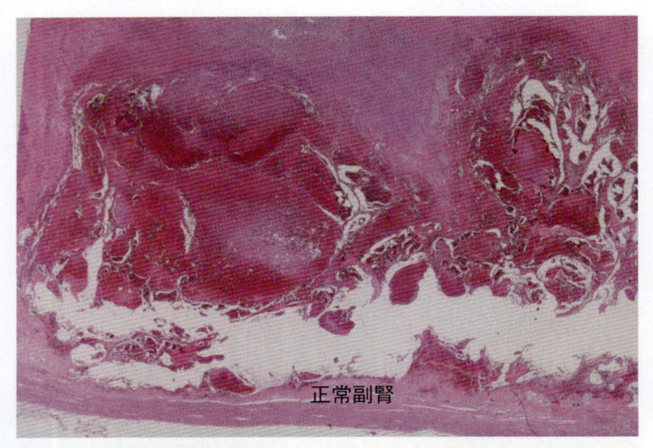

図 37　副腎血管性嚢胞．正常副腎が圧縮されている内側に血栓を伴う嚢胞がみられる．弱拡大

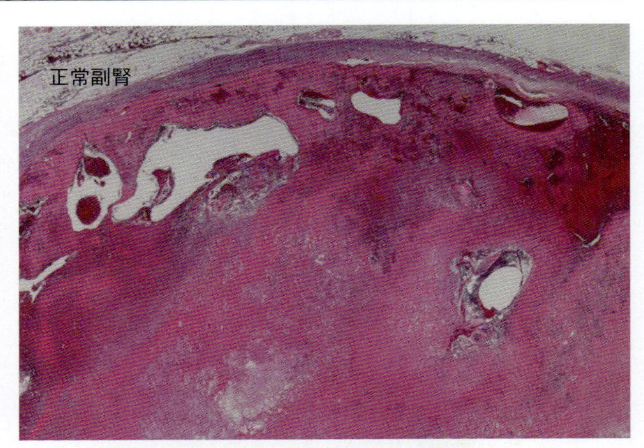

図 38　同前．図 37 の組織所見では，血栓構造の recanalyzation がみられる．中拡大

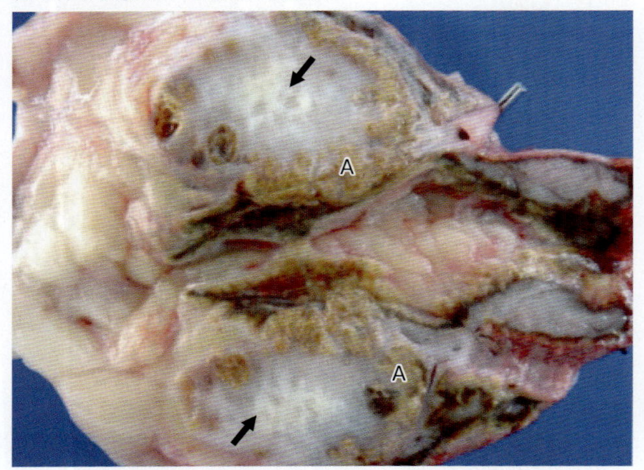

図 39　アデノマトイド腫瘍．白色の割面を呈する腫瘍（⬆）がみられる．茶褐色の部分（A）もみられる．肉眼像

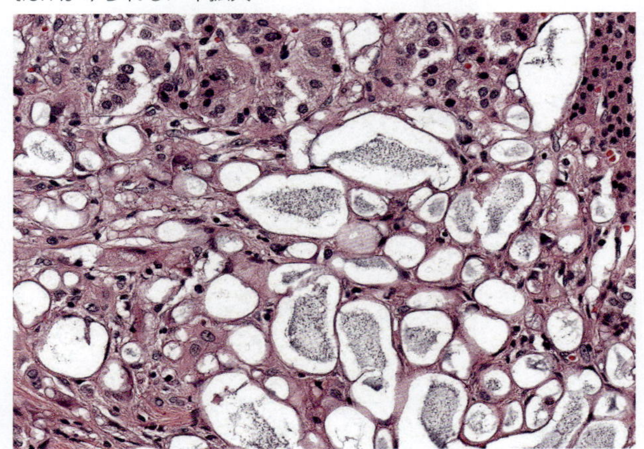

図 40　同前．図 39 の病理組織所見では，不規則な管腔構造がみられる．強拡大

副腎血管性嚢胞　人間ドックなどの検診で認められる副腎偶発腫のなかでも，比較的高頻度に認められる．病理組織学的には，副腎内部に CD31 あるいは D2-40 陽性の表皮を，ときに有する嚢胞がみられる．これらの嚢胞の周囲には，**図 37** に示すような内皮細胞の増殖と血栓形成を伴う拡張した血管が認められる症例が少なくない．なかには**図 38** に示すように，副腎中心静脈に血栓が形成され，再疎通が嚢胞状にみられる症例も認められる．すなわち副腎の嚢胞性病変の多くは，副腎中心静脈に血栓が形成され血管が拡張し，それが吸収されて嚢胞状に認められた病変である．いわゆる偽性嚢胞は，副腎皮質癌や転移性腫瘍などを除くと，副腎ではほとんど認められない．この病変の特異的な病理組織学的所見を熟知していれば，その鑑別診断は困難ではない．

副腎アデノマトイド腫瘍　副腎はいわゆる腹膜に代表されるように中皮が認められないので，異所性にあるいは中皮の遺残物から発生してくるとも考えられ，それが副腎アデノマトイド腫瘍 adrenal adenomatoid tumor である．**図 39，40** にその肉眼像および病理組織所見を示す．他臓器に発生する腫瘍と同様に，裏打ちされる表皮細胞を伴い管腔構造を呈することが多いため，過去には転移性腫瘍などと誤診されることが多く，本腫瘍が副腎にも発生しうることを念頭におく必要がある．

【鑑別診断】　この病変の特異的な病理所見を熟知していれば，その鑑別診断は困難ではない．鑑別診断として転移性腺癌などがあげられる．

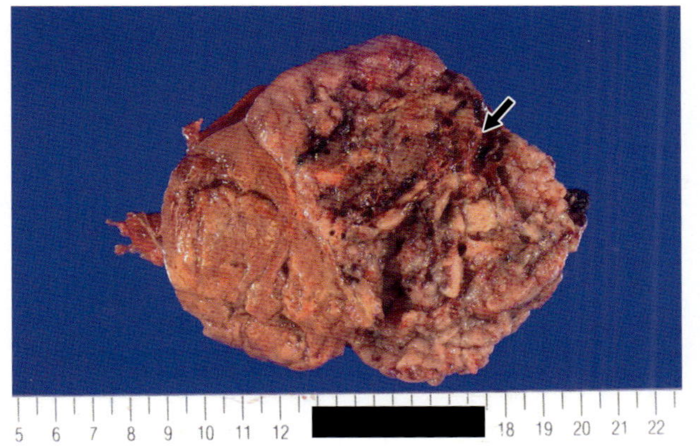

図 41　副腎皮質癌．割面には壊死，出血（⬆）が認められる．肉眼像

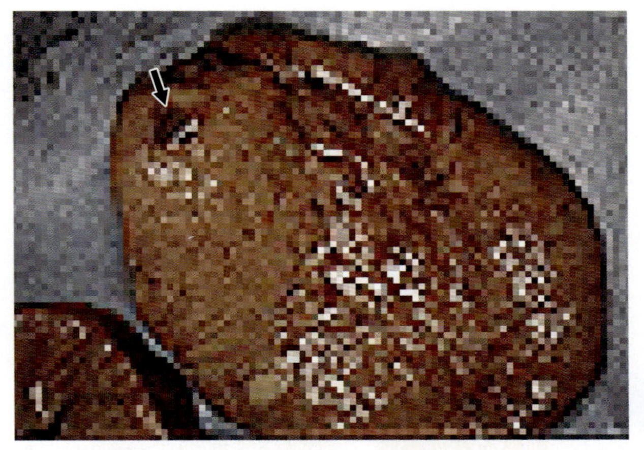

図 42　同前．茶褐色の割面に出血，壊死巣（⬆）がみられる．肉眼像（割面）

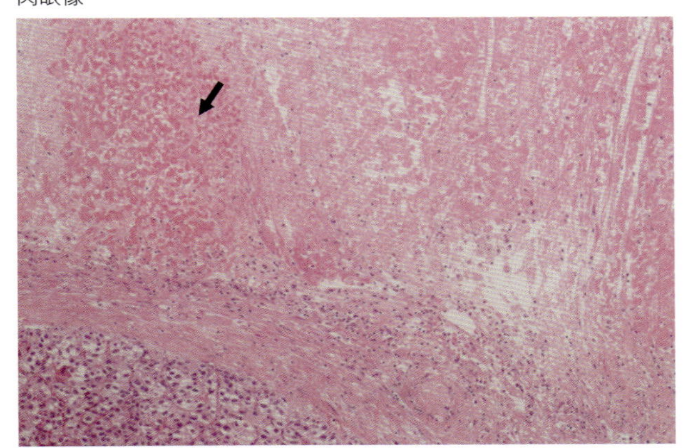

図 43　同前．図 42 の病理組織所見では，いわゆるゴースト細胞から構成される凝固壊死の所見がみられる．中拡大

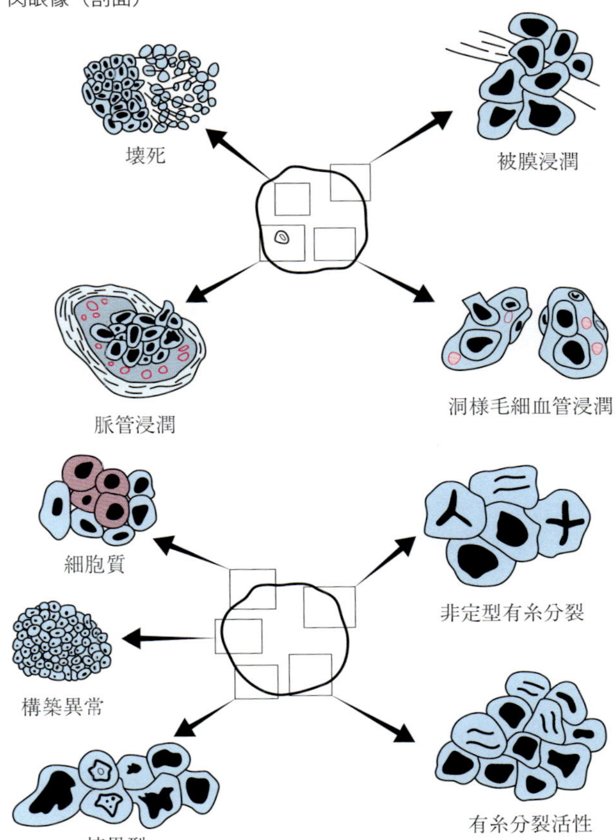

図 44　Weiss が提唱した scoring system

副腎皮質癌は決して頻度が高い悪性腫瘍ではないが，若い世代にも 1 つの発生ピークがあること，その臨床予後が決して良好ではないこと，副腎皮質腺腫ばかりでなく，血流が豊富なことから転移性腫瘍の頻度が高い副腎の二次性悪性腫瘍との鑑別が困難な症例も少なくないこと，などから多くの注目を集めている．

従来，副腎皮質癌は**図 41** に示すように，かなり大きな出血・壊死を伴う後腹膜腫瘍として認められる症例が多く，このような症例の場合，副腎皮質機能異常症を伴っていれば術前の画像診断で副腎皮質癌の診断は困難ではない．しかし近年，偶発腫として副腎皮質癌が認められる症例が多い．

図 42 に示すように，摘出標本ならびに術前の画像診断で出血・壊死の有無を慎重に検討することが診断の第一歩としてきわめて重要になる．そこで，副腎皮質腺腫の場合には腫瘍内出血・壊死は原則的には認められないため，摘出標本を切り出す際には，腫瘍細胞の増殖が活発で腫瘍血管の増生が追いつかないこの出血・壊死の領域（**図 43**）から病理組織標本の切り出しを行うことが何よりも望まれる．なお，病理組織学的にはこの壊死の所見を硝子化の所見と混同しないことが肝要である．

摘出された副腎皮質腫瘍の良・悪性の鑑別については，現在でも複数の因子を総合的に検討する scoring system による診断が最も的確な指標として用いられている．なかでも，Weiss が提唱した scoring system（**図 44**）は最もよく用いられている診断システムであり，そこで示されている 3 項目以上が陽性の場合に副腎皮質癌と診断される．

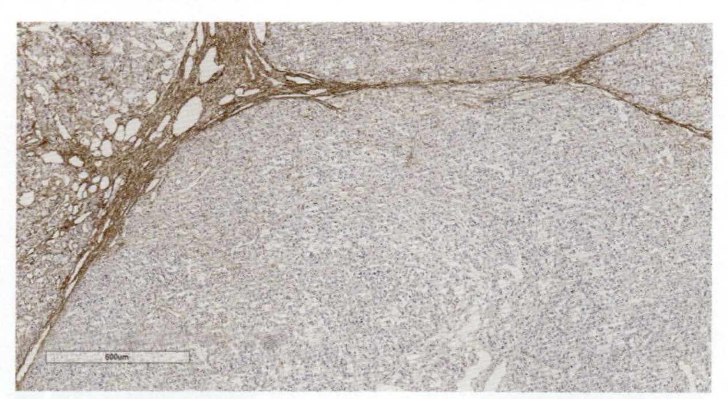

図 45　副腎皮質癌．Ⅳ型コラーゲンの免疫組織化学では，癌内部にⅣ型コラーゲンで検出されるsinusoid構造はみられない．弱拡大

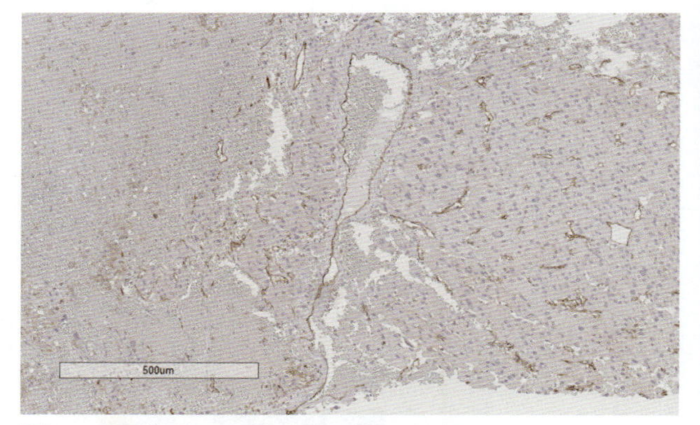

図 46　同前．図 45 の CD31 の免疫組織化学．弱拡大

図 47　同前．外科手術断端の組織所見では出血凝固巣がみられ，この症例は断端陽性と考えられる．弱拡大

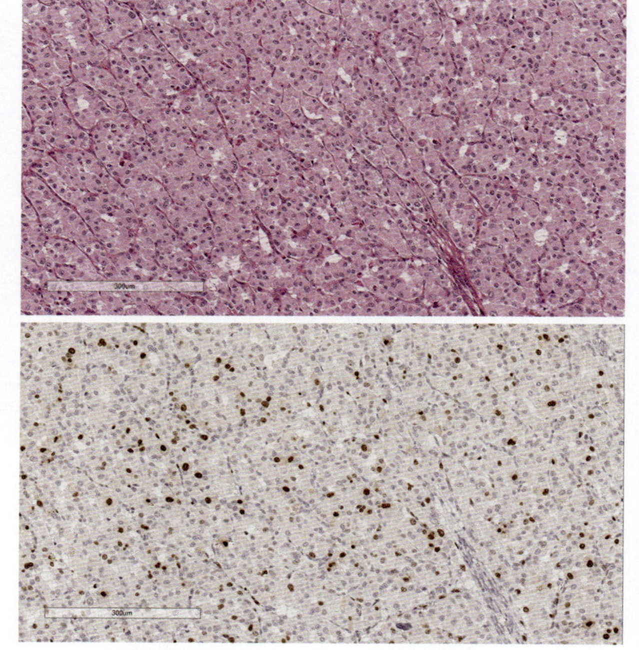

図 48　同前．病理組織所見（上）と Ki-67 の免疫組織化学（下）．Ki-67 標識率は 16%である．中拡大

ところで，Weiss の指標のなかでも構築異常 architecture，脈管浸潤，被膜浸潤などは病理医間の判断が分かれる項目である．構築異常に対しては，**図 45** に示すように銀染色あるいはⅣ型コラーゲンの免疫組織化学を行うと，副腎皮質癌ではⅣ型コラーゲン陽性の副腎皮質に特異的な構築が欠損しているかどうかの判断が困難ではなくなる．また，ほかの臓器のように脈管浸潤の定義は副腎皮質癌の場合も困難であるが，CD31 あるいは D2-40 の免疫組織化学を行うと有効である（**図 46**）．

副腎皮質癌の予後因子としては，特に腹腔鏡的に副腎皮質癌の摘出術を行う場合には，術中の被膜損傷の有無はきわめて重要となる．**図 47** に示すように，術中操作による被膜損傷の場合には術後早期に腹膜播種を生じやすく，術後の臨床予後はきわめて悪い．このようなことから，摘出した標本の被膜の状態を病理学的に詳細に検討することも肝要である．

副腎皮質癌の病理診断に現在欠かすことができない免疫組織化学マーカーとして，Ki-67 と SF-1 があげられる．

図 48 に示すように，Ki-67 ではその標識率によって副腎皮質腫瘍の鑑別が可能であり，標識率 5%が良・悪性の鑑別として提唱されている．また，高悪性度群の患者では，術後ミトタンと白金系の化学療法薬を組み合わせた薬物療法が行われるが，この高・低リスク群の層別化に際しては Ki-67 の標識率 10%が，現在では最も有効と考えられている．しかしこの Ki-67 標識率の算出に関しては，ほかの悪性腫瘍同様に均てん化が大きな問題になっている．現時点では標本のなかで最も陽性率が高い “hot spots” の領域を同定し，その部位の画像を取り込み印刷して計測する方法がある程度信頼性があると考えられているが，確立はされてはいない．

SF-1 は，副腎皮質ホルモン合成酵素の転写制御因子として認められた核内蛋白質であり，副腎皮質細胞以外では下垂体のゴナドトロピン産生細胞，精巣や卵巣の性ステロイド産

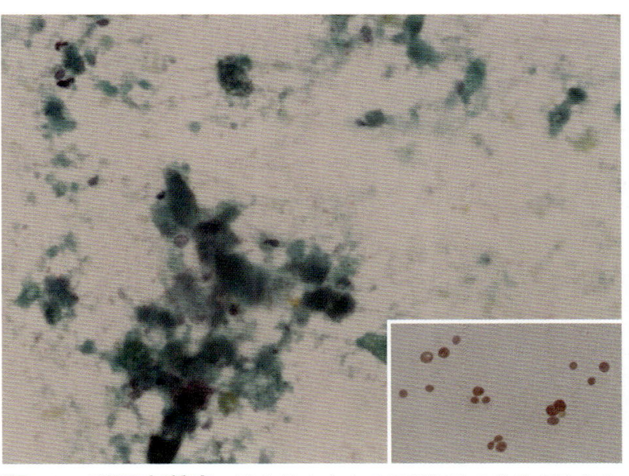

図 49　副腎皮質癌．結合性を有する異型細胞の集簇がみられる．パパニコロウ染色．強拡大．**挿入図**：転写法を行った標本での SF-1 の免疫組織化学．SF-1 が核で陽性を示し，この腫瘍は副腎皮質由来であることがわかる．強拡大

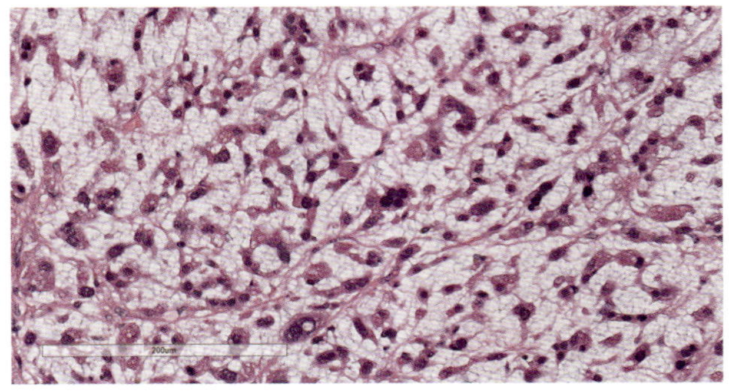

図 50　副腎皮質癌：myxoid type．MC 比大の腫瘍細胞が疎な結合を示し，細胞間にムチンが認められる．強拡大

生細胞でのみ発現がみられ，事実上副腎皮質由来の細胞の同定に有効なマーカーである．**図 49** に示すように，最近増加してきている副腎病変が，副腎皮質癌なのか転移性腫瘍なのかの鑑別診断を目的とした穿刺吸引細胞診検体にも用いることができ有用である．しかし，SF-1 の免疫染色の特異性は高いが，固定条件などにより大きく左右され，その感度は必ずしも高くはないので，インヒビン α などを組み合わせて，その病変が副腎皮質由来かどうかを総合的に検討していく必要もある．

Weiss の指標は副腎皮質腫瘍の良・悪性の鑑別に有効ではあるが，次の 3 つの例外がある—①oncocytic tumor，②小児に発生する副腎皮質腫瘍，③近年注目されている myxoid type ともよばれる亜型（**図 50**）．この亜型は決してその頻度は高くないが，細胞内外にムチンが豊富に認められ，いわゆる偽管腔構造 pseudoglandular formation を呈したり，副腎皮質癌では通常陰性であるサイトケラチンなどの上皮性マーカーが陽性となったりして，転移性腫瘍との鑑別が何よりも重要になってくる．一般的にこの myxoid type の副腎皮質症の臨床予後は極めて不良であり，術後治療の適応を決めるに際してもこの亜型を認識しておくことが極めて重要である．

【鑑別診断】　最初にその病変が副腎皮質細胞由来かどうかを評価し，その後，副腎皮質由来であれば良・悪性の鑑別診断を進めることになる．

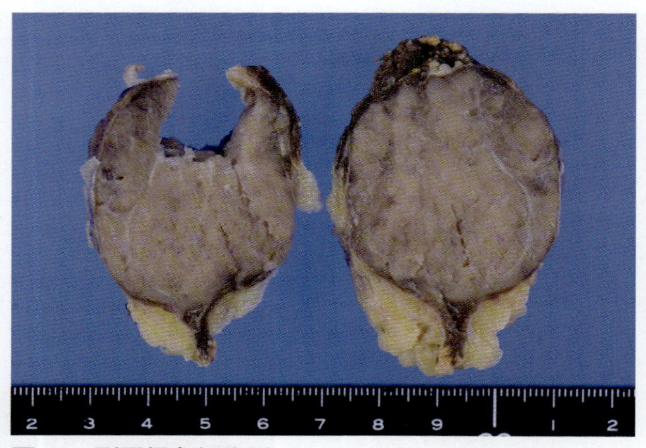

図 51　副腎褐色細胞腫．境界明瞭で被膜を有する灰白色～褐色の割面を示す腫瘍が認められる．肉眼像

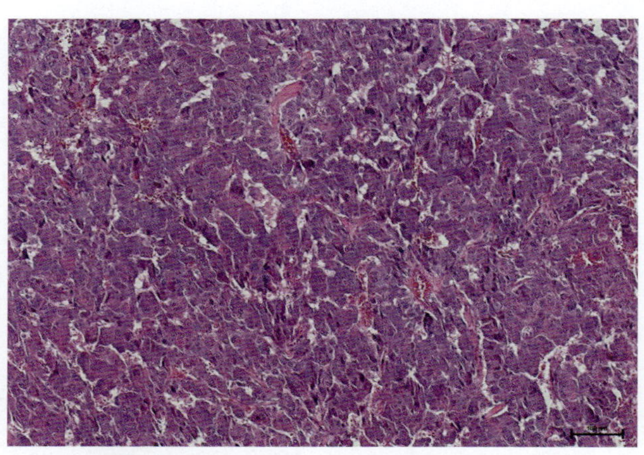

図 52　同前．図 51 の組織所見では，細胞は比較的多く結合性もみられる．中拡大

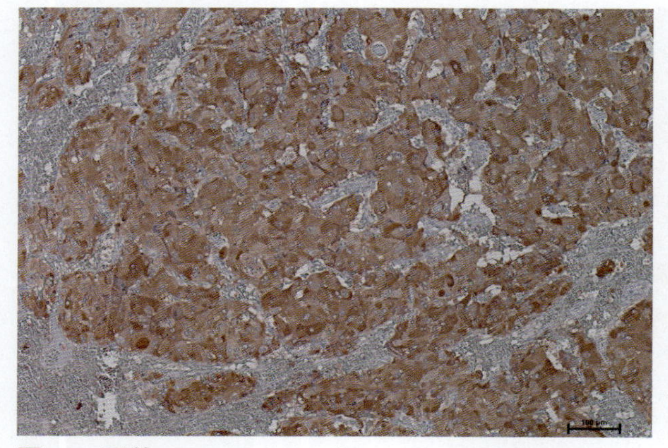

図 53　同前．図 51 のクロモグラニン A の免疫組織化学では，ほとんどの腫瘍細胞で陽性を示す．中拡大

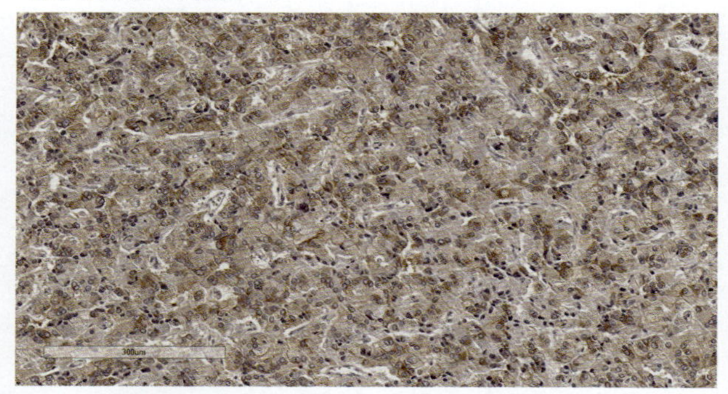

図 54　同前．図 51 の tyrosine hydroxylase の免疫組織化学では，ほとんどの腫瘍細胞で陽性所見を呈する．中拡大

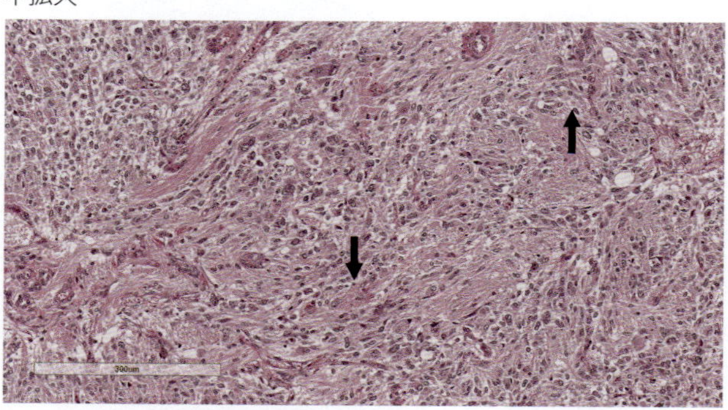

図 55　同前．腫瘍細胞の紡錘化（⬆）がみられる．中拡大

カテコールアミンを合成しうる腫瘍である．本腫瘍は，遺伝性背景を有して発生してくる症例，両側性の症例，副腎外に発生する extraadrenal paraganglioma の症例の割合が高いことが判明し，大きな注目を集めてきた．肉眼的には暗赤色を呈するが，ホルマリン固定により，**図 51** に示すように褐色調に変色するので“褐色細胞腫”の名称由来になっている．

病理組織学的には正常の髄質に類似して毛細血管を含む比較的狭い隔壁により区分されることもあり，Zellballen とよばれるが，その意義は不明である．腫瘍細胞は，**図 52** に示すように比較的豊富な細胞質と大小不同の核小体が目立つ核を有して増殖している．免疫組織化学的にはクロモグラニン A（**図 53**）やシナプトフィジンが強陽性になる．なお，シナプトフィジンはリポフスチンが多い副腎皮質由来の腫瘍でも強陽性になることから，その解釈には注意が必要である．加えて，神経内分泌腫瘍との鑑別では，褐色細胞腫は原則的にサイトケラチンが陰性の所見も重要となる．カテコールア

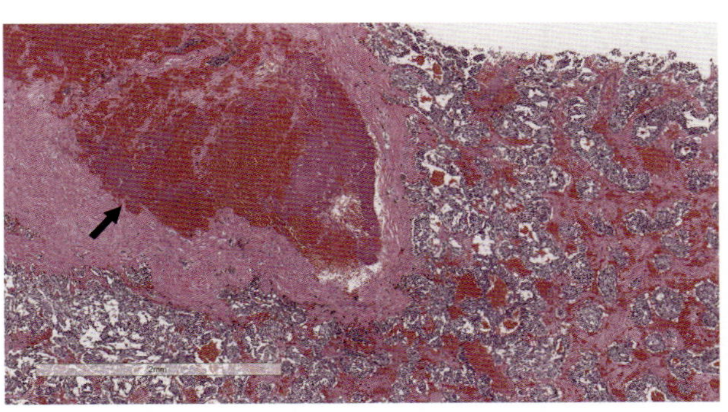

図 56　副腎褐色細胞腫．出血壊死巣（⬆）が認められる．中拡大

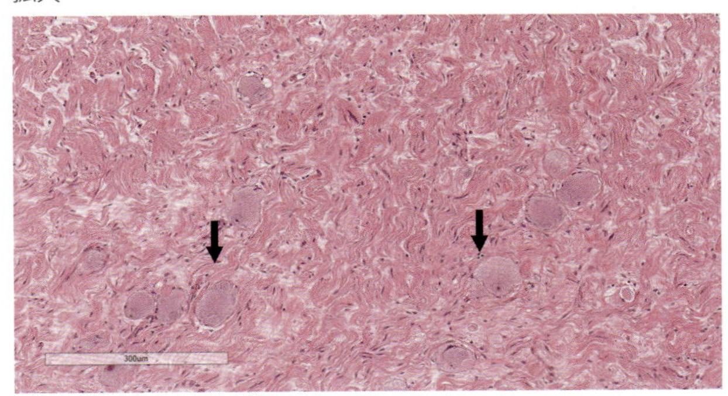

図 57　副腎神経節腫．大きな神経節様の細胞（⬆）がシュワン細胞，膠原線維とともにみられる．中拡大

ミン過剰合成，分泌の有無にかかわらず，腫瘍細胞では tyrosine hydroxylase などのカテコールアミン合成酵素の発現がきわめて顕著に認められる（**図 54**）．

【鑑別診断】　副腎褐色細胞腫の良・悪性の鑑別診断はきわめて困難であり，確実な診断基準は現時点では報告されていない．むしろ WHO 2017 ではすべての褐色細胞腫を potential malignant すなわち悪性の臨床経過をたどる可能性がありうる腫瘍として位置づけることとなった．周囲組織への浸潤，脈管浸潤，被膜浸潤などの所見以外に，**図 55** に示すような腫瘍細胞の紡錘化 spindling，**図 56** に示すような出血・壊死の有無が鑑別上重要になる．ほかに，副腎褐色細胞腫は非機能性の腫瘍の場合などで副腎皮質癌との鑑別が困難な症例もあるが，シナプトフィジンではなくクロモグラニン A の免疫組織化学がその鑑別に有効である．

神経芽腫群との鑑別は臨床的，病理学的に容易である．ほかに，副腎髄質由来のまれな腫瘍として神経節腫があげられるが，**図 57** のように分化した大きな神経節様の細胞とこれを埋めるように神経線維，シュワン Schwann 細胞，膠原線維が配列している組織所見が認められれば，その鑑別は困難ではない．

第9章

神経系

(1) 腫瘍

概説

神経系は中枢神経系と末梢神経系からなり，ここに発生する腫瘍は，脳腫瘍，脊髄腫瘍，（末梢）神経腫瘍と総称される．脳腫瘍は頭蓋内腫瘍の意味でも用いられる．頭蓋腔内に存在する細胞はすべて腫瘍になる潜在能力を秘めているので，脳の実質を構成する神経細胞とグリア細胞，間質の血管結合組織の細胞，脳を覆う髄膜細胞，脳から伸びる末梢神経を構成する細胞，脳に付随する下垂体や松果体を構成する細胞や，これらの前駆細胞も含めて，いずれも脳腫瘍の母細胞となる．脳腫瘍の悪性度も多様であり，良性のものからきわめて悪性とされるものまで幅広く存在する．

現行の脳腫瘍分類の源流は1世紀近く前までさかのぼることができる．Bailey and Cushing（1926年）は脳腫瘍の組織像から発生母細胞を推定し，それにちなんだ腫瘍名をつける組織発生学的分類を行い，16種類の腫瘍型を定義した．また，Kernohan and Sayre（1952年）は腫瘍細胞の異型の程度によって脳腫瘍を4段階に分類した．この発生母地と異型度分類を組み合わせた方式は1世紀もの間，脳腫瘍分類の基本原則とされ，WHOで制定されている脳腫瘍の国際分類にも取り入れられてきた．

昨今では脳腫瘍の発生を規定するさまざまな遺伝子異常が明らかになりつつあり，なかでもグリオーマにおけるイソクエン酸脱水素酵素（IDH）変異の同定（2008年）は大きなインパクトをもたらした．IDH変異はびまん性星細胞腫と乏突起膠腫に高率に存在することが明らかとなり，従来は別の系譜の腫瘍と考えられてきた両者が，実は同一起源であり，二次的に生じた遺伝子変異によって組織像（分化方向）が規定されるという考え方が急速に受け入れられるようになった．IDH変異はパラフィン切片を用いた免疫染色で容易に検出でき，予後因子としての重要性も明らかにされた．

そのような知見を脳腫瘍分類にどのように取り入れるかが課題として浮上し，2014年の専門家会合（Haarlemコンセンサスガイドライン）において，診断の階層性という考え方に基づいて分子遺伝学的情報を取り込む脳腫瘍の診断様式が提唱された．従来はもっぱら組織像で腫瘍型が定義されてきたが，新しい考え方はこれとは一線を画するものであり，組織像は組織学的パターンという階層の情報とし，それとは別に腫瘍の遺伝子型が別の階層の情報を構成し，それらを組み合わせて規定されるものを統合診断とする考え方である．2016年に刊行された脳腫瘍WHO分類改訂第4版では，グリオーマと胎児性腫瘍においてこの考え方が部分的に導入され，腫瘍分類名に遺伝子型を併記するものが定義された（**表1**）．

しかしながら，発生部位，年齢，組織像，悪性度，性差といった基本情報に基づいて脳腫瘍の臨床病理学的特徴をつかむことの重要性はいささかも減じていない．脳腫瘍の年間発生率は人口10万人あたり10人程度である．脳腫瘍は腫瘍型ごとに平均発生年齢と好発部位のあることが知られている（**表2**）．成人に多い腫瘍としては膠芽腫，びまん性星細胞腫，乏突起膠腫，髄膜腫，シュワン細胞腫，下垂体腺腫，血管芽腫などがあり，若年者に多い腫瘍としては，髄芽腫，毛様細胞性星細胞腫，上衣腫，胚腫，頭蓋咽頭腫，脈絡叢乳頭腫などがある．一部の腫瘍型では性差があることも知られており（**表3**），胚腫は男性に多く，髄膜腫は女性に多い．また，地域差のある腫瘍型もあり，頭蓋咽頭腫や胚腫は欧米に比べてわが国で頻度が高い．

脳腫瘍の病理診断には，光学顕微鏡による組織学的検索が最も基本的な手段である．HE染色した標本から，腫瘍細胞

表1　中枢神経系腫瘍の WHO 分類（改訂第4版，2016年）

Diffuse astrocytic and oligodendroglial tumours
- Diffuse astrocytoma, IDH mutant
  - Gemistocytic astrocytoma, IDH mutant
- *Diffuse astrocytoma IDH wild-type*
- Diffuse astrocytoma, NOS
- Anaplastic astrocytoma, IDH mutant
- *Anaplastic astrocytoma, IDH wild-type*
- Anaplastic astrocytoma, NOS
- Glioblastoma, IDH wild-type
  - Giant cell glioblastoma
  - Gliosarcoma
  - *Epithelioid/rhabdoid glioblastoma*
- Glioblastoma, IDH mutant
- Glioblastoma, NOS
- Diffuse midline glioma, H3-K27M mutant
- Oligodendroglioma, IDH mutant and 1p/19q codeleted
- Oligodendroglioma, NOS
- Anaplastic oligodendroglioma, IDH mutant and 1p/19q codeleted
- Anaplastic oligodendroglioma, NOS
- *Oligoastrocytoma, NOS*
- *Anaplastic oligoastrocytoma, NOS*

Other astrocytic tumours
- Pilocytic astrocytoma
  - *Pilomyxoid astrocytoma*
- Subependymal giant cell astrocytoma
- Pleomorphic xanthoastrocytoma
- Anaplastic pleomorphic xanthoastrocytoma

Ependymal tumours
- Subependymoma
- Myxopapillary ependymoma
- Ependymoma
  - Papillary ependymoma
  - Clear cell ependymoma
  - Tanycytic ependymoma
- Ependymoma, *RELA* fusion-positive
- Anaplastic ependymoma

Other gliomas
- Chordoid glioma of third ventricle
- Angiocentric glioma
- Astroblastoma

Choroid plexus tumours
- Choroid plexus papilloma
- Atypical choroid plexus papilloma
- Choroid plexus carcinoma

Neuronal and mixed neuronal-glial tumours
- Dysembryoplastic neuroepithelial tumour
- Gangliocytoma
- Ganglioglioma
- Anaplastic ganglioglioma
- Dysplastic gangliocytoma of cerebellum (Lhermitte-Duclos)
- Desmoplastic infantile astrocytoma and ganglioglioma
- Papillary glioneuronal tumour
- Rosette-forming glioneuronal tumour
- *Diffuse leptomeningeal glioneuronal tumour*
- Central neurocytoma
- Extraventricular neurocytoma
- Cerebellar liponeurocytoma
- Paraganglioma

Tumours of the pineal region
- Pineocytoma
- Pineal parenchymal tumour of intermediate differentiation
- Pineoblastoma
- Papillary tumour of the pineal region

Embryonal tumours
- Medulloblastoma, genetically defined
  - Medulloblastoma, WNT activated
  - Medulloblastoma, SHH activated, *TP53* mutated
  - Medulloblastoma, SHH activated, *TP53* wild-type
  - Medulloblastoma, non-WNT/non-SHH
    - *Medulloblastoma, group 3*
    - *Medulloblastoma, group 4*
- Medulloblastoma, histologically defined
  - Medulloblastoma, classic
  - Medulloblastoma, desmoplastic/nodular
  - Medulloblastoma with extensive nodularity
  - Medulloblastoma, large cell/anaplastic
- Medulloblastoma, NOS
- Embryonal tumour with multilayered rosettes, C19MC altered
- *Embryonal tumour with multilayered rosettes, NOS*
- Medulloepithelioma
- CNS neuroblastoma
- CNS ganglioneuroblastoma
- CNS embryonal tumour, NOS
- Atypical teratoid/rhabdoid tumour
- *CNS embryonal tumour with rhabdoid features*

Tumours of the cranial and paraspinal nerves
- Schwannoma
  - Cellular schwannoma
  - Plexiform schwannoma
  - Melanotic schwannoma
- Neurofibroma
  - Plexiform neurofibroma
- Perineurioma
- Malignant peripheral nerve sheath tumour (MPNST)
  - Epithelioid MPNST
  - Melanotic MPNST
  - MPNST with mesenchymal differentiation
  - MPNST with glandular differentiation
  - MPNST with perineurial differentiation

Meningiomas
- Meningioma
  - Meningothelial meningioma
  - Fibrous meningioma
  - Transitional meningioma
  - Psammomatous meningioma
  - Angiomatous meningioma
  - Microcystic meningioma
  - Secretory meningioma
  - Lymphoplasmacyte-rich meningioma
  - Metaplastic meningioma
  - Chordoid meningioma
  - Clear cell meningioma
  - Atypical meningioma
  - Papillary meningioma
  - Rhabdoid meningioma
  - Anaplastic (malignant) meningioma

Mesenchymal, non-meningothelial tumours
- Solitary fibrous tumour/haemangiopericytoma
- Haemangioblastoma
- Haemangioma
- Epithelioid haemangioendothelioma
- Angiosarcoma
- Kaposi sarcoma
- Ewing sarcoma/peripheral primitive neuroectodermal tumour
- Lipoma
- Angiolipoma
- Liposarcoma
- Desmoid-type fibromatosis
- Myofibroblastoma
- Inflammatory myofibroblastic tumour
- Benign fibrous histiocytoma
- Fibrosarcoma
- Undifferentiated pleomorphic sarcoma (UPS)/malignant fibrous histiocytoma (MFH)
- Leiomyoma
- Leiomyosarcoma
- Rhabdomyoma
- Rhabdomyosarcoma
- Chondroma
- Chondrosarcoma
- Osteoma
- Osteochondroma
- Osteosarcoma

Melanocytic lesions
- Diffuse melanocytosis
- Melanocytoma
- Malignant melanoma
- Meningeal melanomatosis

Lymphomas
- Diffuse large B cell lymphoma (DLBCL) of the CNS
- Immunodeficiency-associated lymphoproliferative disorders of the CNS
- Low grade B cell lymphomas of the CNS
- T-cell and NK/T-cell lymphomas of the CNS
  - Anaplastic large cell lymphoma, *ALK*-positive
  - Anaplastic large cell lymphoma, *ALK*-negative
- Lymphomatoid granulomatosis
- Intravascular large B-cell lymphoma
- MALT lymphoma of the dura

Histiocytic tumours
- Langerhans cell histiocytosis
- Erdheim-Chester disease
- Rosai-Dorfman disease
- Juvenile xanthogranuloma
- Histiocytic sarcoma

Germ cell tumours
- Germinoma
- Embryonal carcinoma
- Yolk sac tumour
- Choriocarcinoma
- Teratoma
  - Mature teratoma
  - Immature teratoma
  - Teratoma with malignant transformation
- Mixed germ cell tumour

Tumours of the sellar region
- Craniopharyngioma
  - Adamantinomatous craniopharyngioma
  - Papillary craniopharyngioma
- Granular cell tumour
- Pituicytoma
- Spindle cell oncocytoma

Metastatic tumours
- Metastatic tumours of the CNS

表 2　代表的な脳腫瘍の平均発生年齢と好発部位

腫瘍型（集計数）	年齢（歳）	部位（頻度）
毛様細胞性星細胞腫（n=193）	21.7	小脳（36%），視床・視床下部（12%），視神経（10%）
びまん性星細胞腫（n=382）	37.8	前頭葉（41%），側頭葉（17%），頭頂葉（7%）
退形成性星細胞腫（n=513）	49.3	前頭葉（38%），側頭葉（21%），頭頂葉（10%）
膠芽腫（n=1,489）	58.8	前頭葉（36%），側頭葉（29%），頭頂葉（17%）
乏突起膠腫（n=211）	42.2	前頭葉（68%），側頭葉（14%），頭頂葉（10%）
退形成乏突起膠腫（n=232）	48.3	前頭葉（63%），側頭葉（18%），頭頂葉（13%）
上衣腫（n=78）	30.7	第四脳室（51%），側脳室（10%），小脳（8%）
退形成性上衣腫（n=55）	25.7	第四脳室（22%），頭頂葉（16%），小脳（13%），前頭葉（13%）
神経節膠腫（n=60）	29.3	側頭葉（33%），前頭葉（18%），頭頂葉（15%）
中枢性神経細胞腫（n=65）	32.0	側脳室（89%），側頭葉（6%）
髄芽腫（n=111）	10.9	小脳（51%），第四脳室（41%）
シュワン細胞腫（n=1,352）	51.9	小脳橋角部（77%），脳神経（14%）
髄膜腫（grade Ⅰ）（n=3,065）	58.4	大脳髄膜（50%），頭蓋底（18%），小脳橋角部（10%）
胚腫（n=235）	19.2	松果体部（57%），視床・視床下部（18%），下垂体（18%）
悪性リンパ腫（n=475）	64.4	前頭葉（40%），側頭葉（19%），頭頂葉（14%）

（脳腫瘍全国統計（2001-2004 年）より抜粋）

表 3　脳腫瘍発生頻度の性差

腫瘍型	男性：女性
胚腫	4.4：1
髄芽腫	1.9：1
膠芽腫	1.4：1
髄膜腫	1：2.6
シュワン細胞腫	1：1.7

（脳腫瘍全国統計（2001-2004 年）より抜粋）

の形態，配列の特徴，分化の程度，異型の程度などの情報を読み取り，発生母細胞と悪性度を判定する．異型をみる指標としては細胞密度，核/細胞質（N/C）比，多形性，核分裂像の数などがある．また組織壊死と微小血管増殖は悪性腫瘍の重要な目安である．

免疫組織化学的検索は脳腫瘍の病理診断に重要な情報をもたらす．免疫組織化学では，腫瘍細胞における抗原発現パターンと程度から，発生母細胞，分化度，増殖能，遺伝子変異の有無などを判定することが可能である．遺伝子解析により腫瘍に特異的な異常を検出することは，脳腫瘍の診断，病態理解，病因解明のためにきわめて有用であり，パラフィン切片を用いたDNAシークエンスや fluorescence *in situ* hybridization（FISH）などが実施可能である．電子顕微鏡は従来ほど用いられなくなったが，微細な細胞形態を観察することが可能で，診断に有益な情報を得ることができる．

脳腫瘍の悪性度はWHO分類によって4段階（WHO grade Ⅰ, Ⅱ, Ⅲ, Ⅳ）に区分されており，数値が大きくなるほど悪性度が高いことを意味する．Grade Ⅰは増殖能が低く境界明瞭で手術摘出のみで根治または長期生存が期待できる腫瘍に付与され，毛様細胞性星細胞腫，髄膜腫，シュワン細胞腫などが該当する．Grade Ⅱは緩徐増大性だが浸潤性格のあるもので，びまん性星細胞腫，乏突起膠腫，異型髄膜腫などがこれに当たる．Grade Ⅲは核異型，増殖能，浸潤性格が明らかな悪性の組織像を呈する腫瘍を指し，退形成性星細胞腫，退形成性髄膜腫などがある．Grade Ⅳは治療を行わないと1年以内に死にいたるような高悪性度の腫瘍を指し，膠芽腫，髄芽腫などの胎児性腫瘍，松果体芽腫がこれに相当する．最近では治療法の進歩により grade Ⅳの腫瘍であっても長期生存が得られる例も増えている．原則として組織型ごとに特定の grade が決められているが，中間型松果体実質腫瘍のように grade Ⅱまたは Ⅲとされるものや，予後予測が困難なため特定の grade の付与が見送られている上衣系腫瘍や胚細胞腫瘍，あるいは孤立性線維性腫瘍/血管周皮腫のように既存の WHO grade とは異なる悪性度分類が規定されているものもある．最近では分子遺伝学的知見の集積が進み，同様な組織像を呈して同じ grade が付与される症例であっても，遺伝子変異の様式により予後に差のあることが判明している．代表例としてはイソクエン酸脱水素酵素（IDH）遺伝子に変異のあるびまん性グリオーマはそれがないものに比べて有意に予後が良い．

脳腫瘍は多様性に富み，生物学的態度もさまざまであるため，他臓器の TNM 分類のような統一的な病期分類は定められていない．それに代わるものとして腫瘍細胞の増殖能を反映する Ki-67（MIB-1）標識率がよく用いられている．診断に際して定量的なカットオフ値は特に定められていないが，病理診断に客観性をもたせる指標として広く受け入れられている．

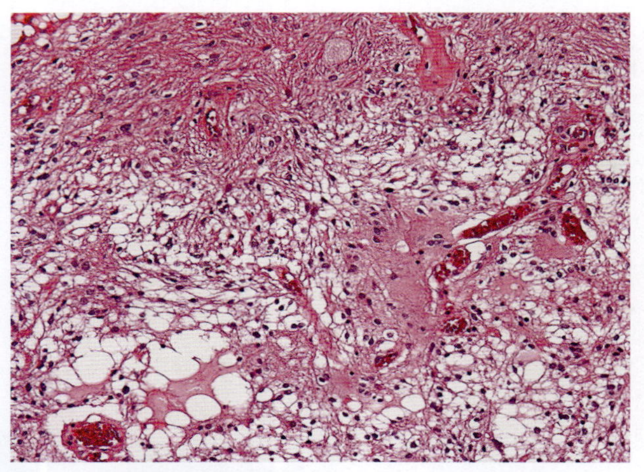

図 1　毛様細胞性星細胞腫. 細長い突起を伸ばす細胞が密に（上）または疎に（下）配列．弱拡大

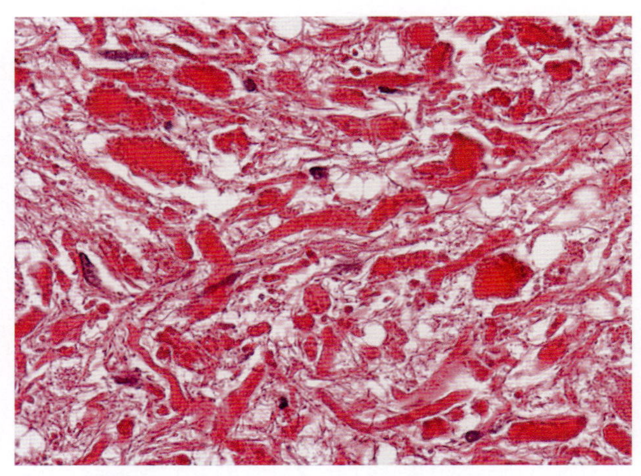

図 2　同前. 密に細胞が配列するところに好酸性均質な構造物Rosenthal線維がみられる．強拡大

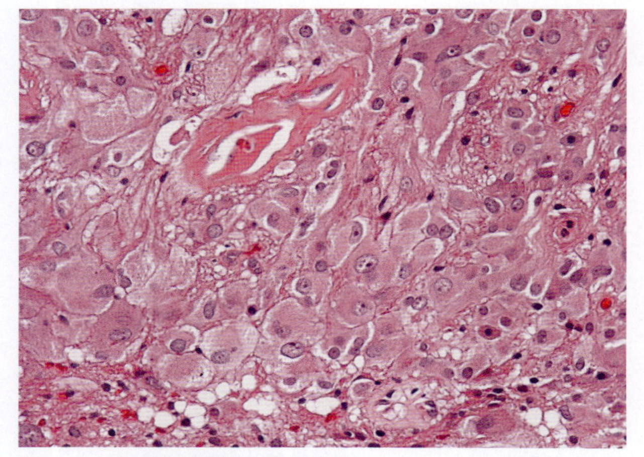

図 3　上衣下巨細胞性星細胞腫. 偏在核と広い好酸性細胞質をもつ大型細胞が特徴である．中拡大

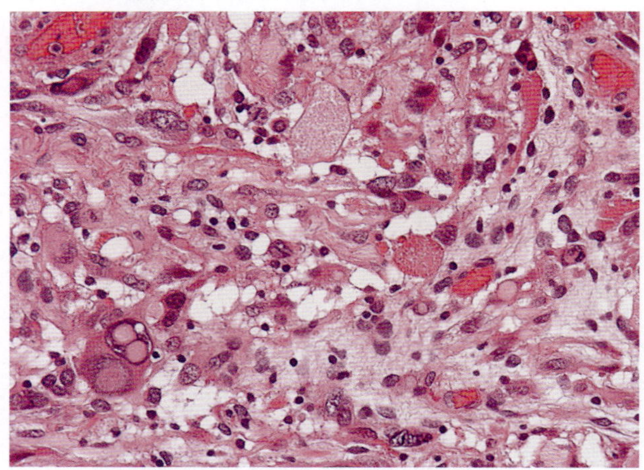

図 4　多形黄色星細胞腫. 多形性に富む腫瘍細胞と変性構造物が多く出現している．中拡大

毛様細胞性星細胞腫 pilocytic astrocytoma は，毛髪様の細長い突起をもつ細胞からなる腫瘍で（**図 1**），小児の小脳半球，視床下部や視神経に好発する．典型的には細胞が密に配列するところと，水腫性間質を伴って疎らになったところからなる二相性構造 biphasic pattern がみられる．細胞間にはしばしば Rosenthal 線維とよばれる好酸性均質に染まる構造物（**図 2**）や，好酸性顆粒小体 eosinophilic granular body が出現する．これらは腫瘍細胞突起の変性構造物である．成人の大脳に発生する場合は腫瘍細胞の多形性が顕著で，好酸性顆粒小体が目立つ．細胞の多形性にもかかわらずこの型の星細胞腫の予後はよい．粘液性基質の豊富な亜型もあり，毛様粘液性星細胞腫とよばれる．

上衣下巨細胞性星細胞腫 subependymal giant cell astrocytoma（**図 3**）は，結節性硬化症 tuberous sclerosis に合併することが多く，側脳室から内腔に突出する腫瘤を形成する．側脳室と第三脳室に好発し，腫瘤が Monro 孔を閉塞することもある．星細胞あるいは神経細胞に類似した大型細胞と，小型の紡錘形細胞が増殖している．大型細胞の核は空胞状で，細胞質は好酸性硝子様である．間質には血管がよく発達し，しばしば石灰沈着を伴う．増殖速度は遅く，摘出後の予後はよい．

多形黄色星細胞腫 pleomorphic xanthoastrocytoma は，若年者の大脳半球（特に側頭葉）の脳表に発生する．嚢胞を合併する頻度が高い．組織学的には腫瘍細胞は多彩な形態を示し，星細胞の特徴を示す紡錘形・星形細胞のほか多核細胞や巨細胞がしばしば出現する（**図 4**）．細胞質に脂肪滴を含む細胞や，神経細胞へ分化する細胞がみられることもある．細胞の多形性にもかかわらず，核分裂像はほとんど認められない．間質には好銀線維網の豊富な形成がみられる．術後の予後は良好である．

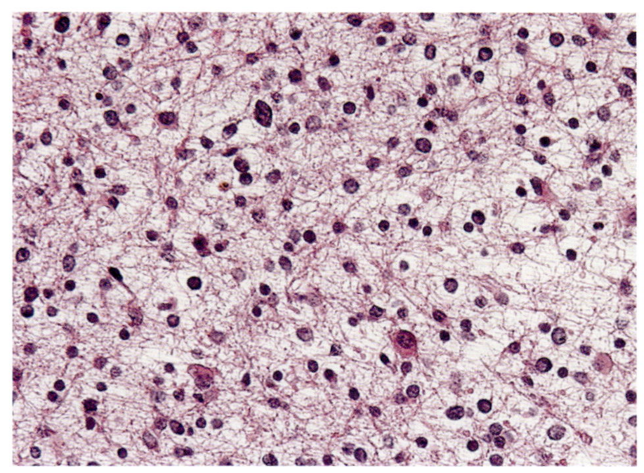

図5　びまん性星細胞腫．細長い繊細な突起を伸ばす星形の細胞からなる．弱拡大

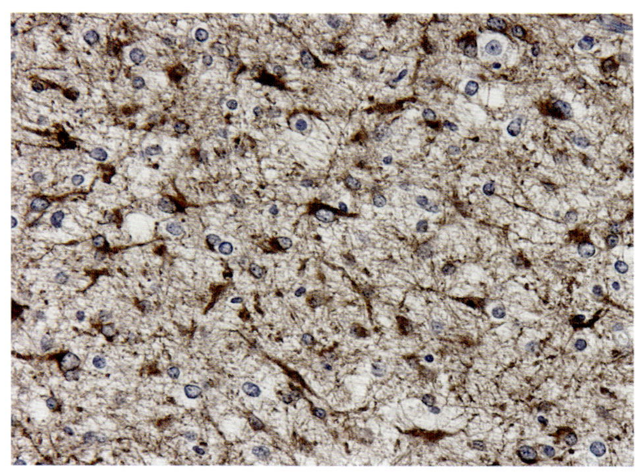

図6　同前．腫瘍細胞の細胞質と突起がGFAP免疫染色で陽性である．弱拡大

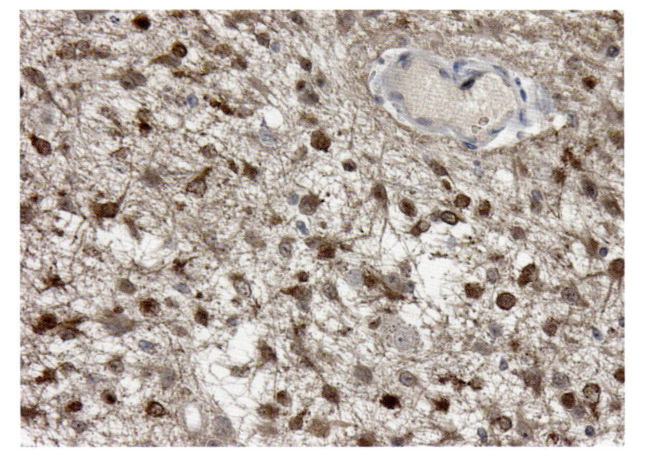

図7　同前．変異型IDH1（R132H）免疫染色で腫瘍細胞が陽性に染まっている．弱拡大

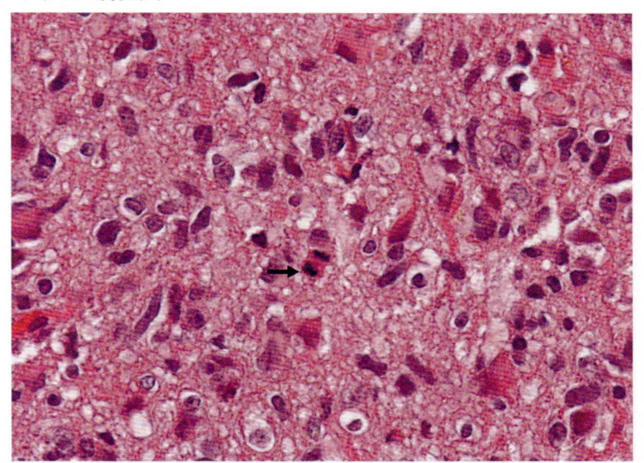

図8　退形成性星細胞腫．核異型を呈する腫瘍細胞のびまん性浸潤と核分裂像（⬆）を認める．強拡大

びまん性星細胞腫 diffuse astrocytoma は緩徐増殖性でびまん性に浸潤する星細胞腫である（**図5**）．青壮年期成人の大脳半球に好発し，周囲の脳実質に浸潤性に発育する．びまん性星細胞腫の腫瘍細胞は好酸性の細胞質をもち，核はほぼ均一で異型性は乏しく，核分裂像はほとんど認められない．細胞体から細長い星芒状の突起を伸ばすことが特徴であり，突起はときに血管壁に向かって伸びている．血管を取り囲んで腫瘍細胞が放射状に配列する所見は，星細胞腫にしばしばみられ，血管周囲性偽ロゼット perivascular pseudorosette とよばれる．壊死巣や微小血管増殖はみられない．免疫組織化学的にグリア細線維性酸性蛋白 glial fibrillary acidic protein（GFAP）が細胞質と突起に証明される（**図6**）．GFAP染色は正常の星細胞のみならずグリオーマ全般も染めることができ，グリオーマの診断とほかの腫瘍との鑑別に有用である．

近年の分子遺伝学的知見により，びまん性星細胞腫の多くは1型イソクエン酸脱水素酵素 isocitrate dehydrogenase 1（IDH1）変異を有することが判明し，重要な診断指標であるとともに強力な予後因子であることもわかってきた．IDH1変異は132番アミノ酸に集中しており，アルギニン（R）がヒスチジン（H）に置き換わったR132H変異が90%以上を占める．このアミノ酸置換を認識する免疫染色用抗体が市販されており，パラフィン切片で使用可能である（**図7**）．少数例ではIDH2に変異を有するものがあり，172番アミノ酸のアルギニンがIDH2変異のホットスポットである．2016年のWHO分類から，IDH変異の有無を診断名に列挙することが定められ，「びまん性星細胞腫，IDH変異」のように記載する（**表1**参照）．

退形成性星細胞腫 anaplastic astrocytoma は，びまん性に浸潤する星細胞腫のうち，細胞密度の増加，核の形の不整や大小不同，核分裂像の出現，血管の増加などが認められるものをいう（**図8**）．本腫瘍型もIDH変異の有無を診断名に併記することが定義された．

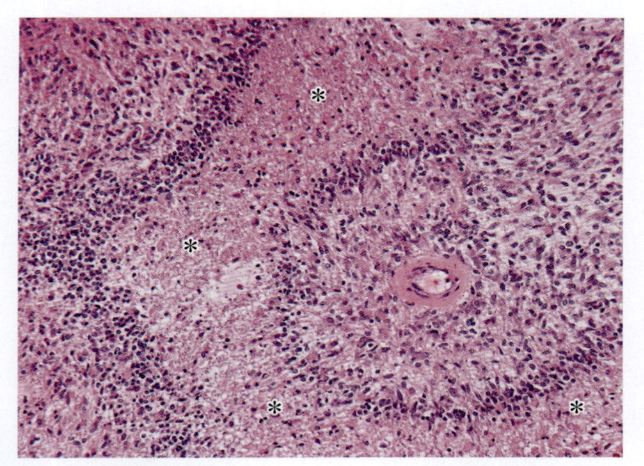

図 9　膠芽腫．壊死巣（*）のまわりに腫瘍細胞の核が並び，柵状配列を形成している．弱拡大

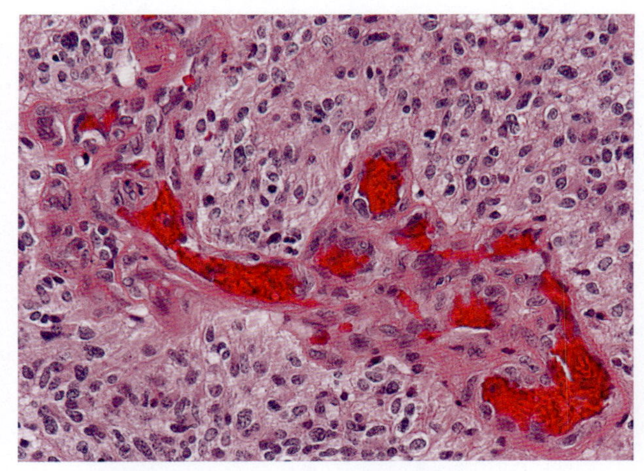

図 10　同前．異型グリア細胞の増殖と微小血管増殖を認める．中拡大

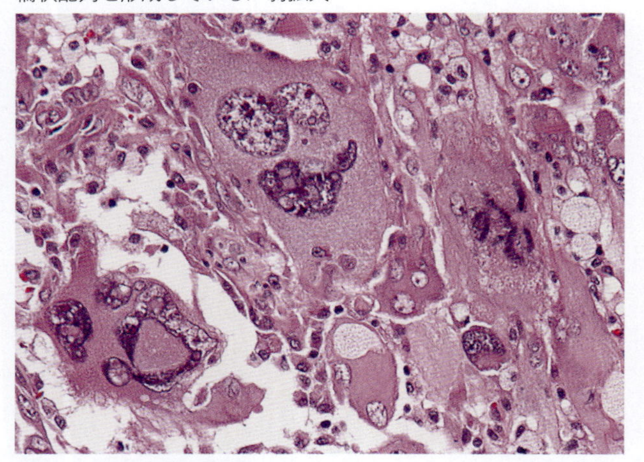

図 11　巨細胞膠芽腫．奇怪な形態の多核ないし巨核の大型細胞が増殖している．中拡大．

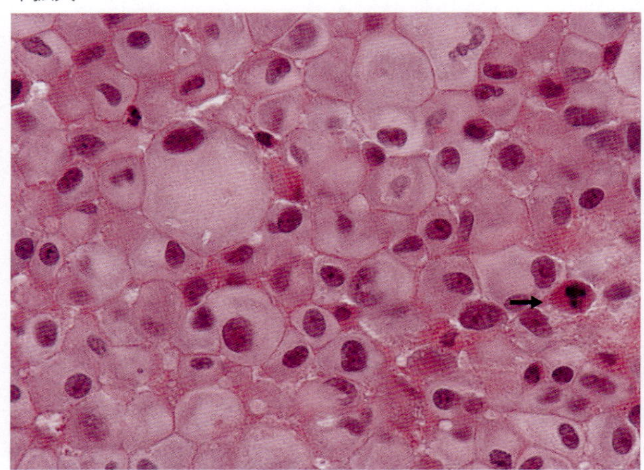

図 12　類上皮膠芽腫．核偏在性で好酸性細胞質を有する類円形の腫瘍細胞が密に増殖している．⬆：核分裂像．強拡大

膠芽腫は星細胞系腫瘍のなかで最も悪性度が高く，中高年の大脳半球に好発する．肉眼的には浸潤性の発育が顕著で，周囲の脳実質にびまん性に浸潤するとともに，脳梁を介して反対側の大脳半球に広がるため，脳の前額断割面でみると腫瘍が蝶の形に似ることがある（butterfly pattern）．また，内部に出血や壊死などを伴うため，色調が多彩である．組織学的には異型性と多形性の強い腫瘍細胞が増殖する．しばしば多核，巨核の巨細胞が出現し，細胞密度は高く，多数の核分裂像が観察される．この多彩な形態像のため，かつては多形膠芽腫 glioblastoma multiforme の名称も用いられた．壊死巣の形成は重要な診断指標であり，壊死巣に沿って腫瘍細胞が柵状に配列する所見（核の柵状配列 nuclear palisading）は，膠芽腫に特徴的な構造である（**図 9**）．間質の血管には微小血管増殖とよばれる血管壁細胞の増殖や血栓形成がみられる．細胞増殖の強い血管では複数の血管腔が形成され，腎糸球体に類似の構造ができることもある（**図 10**）．免疫組織化学的には，一部の細胞が GFAP 染色に陽性を呈し，星細胞の腫瘍であることが証明される．膠芽腫も IDH 変異の有無で亜分類されるが，多くの例は IDH 野生型である．

膠芽腫のうち，奇怪な形態の多核・巨核の大型細胞が主に増殖する亜型を**巨細胞膠芽腫** giant cell glioblastoma（**図 11**）という．また，核偏在性で好酸性の広い細胞質を有し，突起形成の乏しい類円形の腫瘍細胞が密に配列し，低分化な上皮性腫瘍のようにみえる亜型として**類上皮膠芽腫** epithelioid glioblastoma が 2016 年の WHO 分類から定義された（**図 12**）．類上皮膠芽腫は若年成人の大脳半球に好発し，BRAF V600E 変異が約半数の症例に検出される．髄液播種をきたしやすく，予後は一般の膠芽腫よりも不良である．

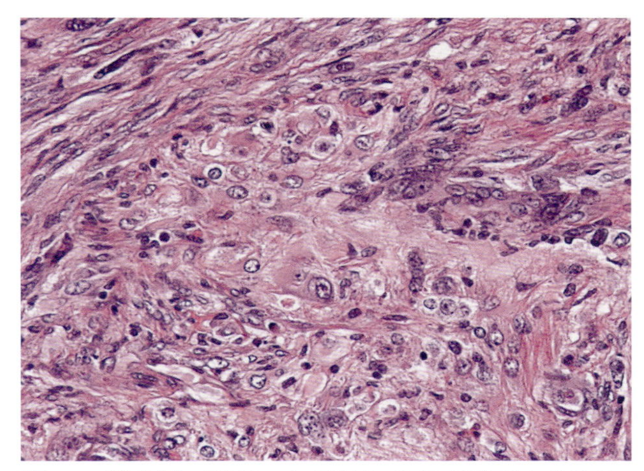

図 13　膠肉腫．円形ないし星芒状の膠芽腫様細胞と紡錘形の肉腫様細胞が棲み分けて存在している．中拡大

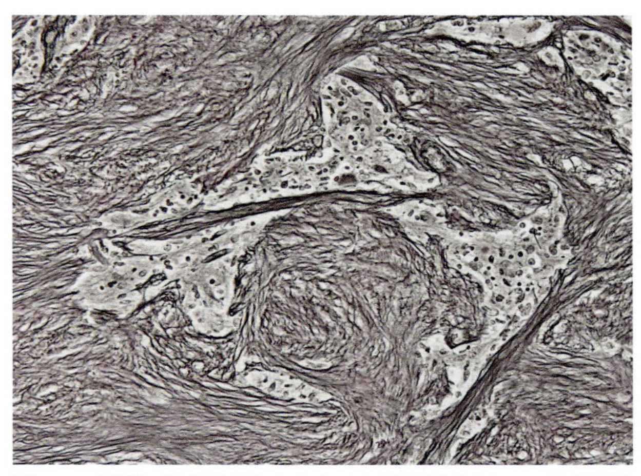

図 14　同前．紡錘形細胞からなる肉腫様領域において好銀線維が高度に発達している．鍍銀染色，弱拡大

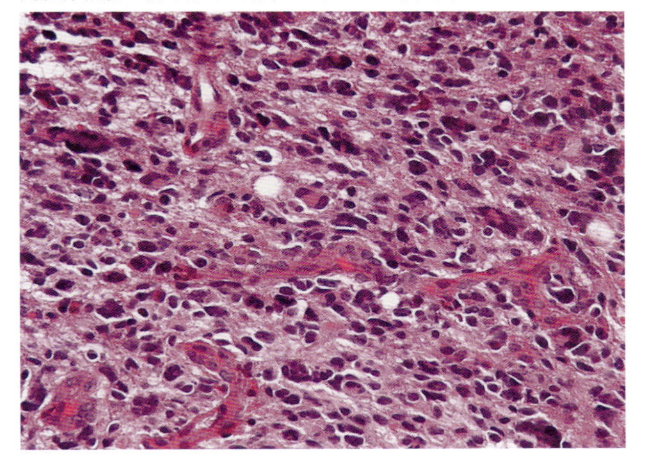

図 15　びまん性正中膠腫．組織像はびまん性悪性グリオーマと同様である．中拡大

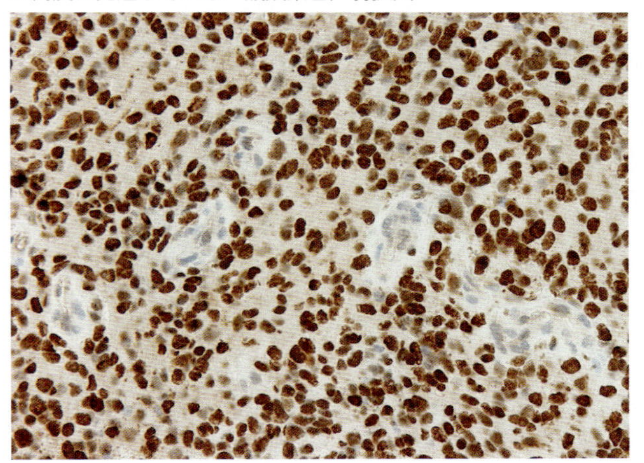

図 16　同前．ヒストン３蛋白のK27M変異を検出する抗体で，核が陽性に染まっている．中拡大

膠肉腫 gliosarcoma は膠芽腫の成分と肉腫様の成分がモザイク状に混在する腫瘍である（**図 13**）．発生頻度は膠芽腫の約 2％で，年齢や好発部位は通常の膠芽腫と同様で，成人の大脳半球にみられることが多い．かつては肉腫様成分の起源についてさまざまに議論されたが，現在では膠芽腫成分の一部が肉腫様に分化したものと理解されている．肉腫様領域では好銀線維が著しく発達し，モザイク状の組織構築が鮮明に描出される（**図 14**）．GFAP は膠芽腫成分に選択的に発現する一方，肉腫様成分には上皮間葉移行 epithelial mesenchymal transition に関連する分子の発現がみられる．膠芽腫を含め，脳腫瘍の多くは頭蓋外転移をほとんどきたさないが，膠肉腫は頭蓋外転移の報告例が散見される．

従来は膠芽腫としてまとめられていたが，分子遺伝学的基盤が通常の膠芽腫とは異なることが判明したため，2016 年の WHO 分類から独立した腫瘍型として扱われるようになったものが，びまん性正中膠腫 H3 K27M 変異 diffuse midline glioma，H3 K27M mutant である．本腫瘍は小児から若年成人に好発し，発生部位は中枢神経系の正中線近く（視床，脳幹，脊髄など）に集中している．特徴的な発生部位から，従来，脳幹グリオーマといった呼称も存在していた．ヒストン３蛋白（H3F3A または HIST1H3B/C）の 27 番アミノ酸がリジン（K）からメチオニン（M）に置換された K27M 変異が特徴であり，その変異を証明することが診断上必須である．組織学的には通常の膠芽腫に類似するが，異型のやや弱い例もある（**図 15**）．K27M のアミノ酸置換部位を認識する抗体が市販されており，免疫染色で変異蛋白が検出可能である（**図 16**）．予後は通常の膠芽腫と同様に不良である．

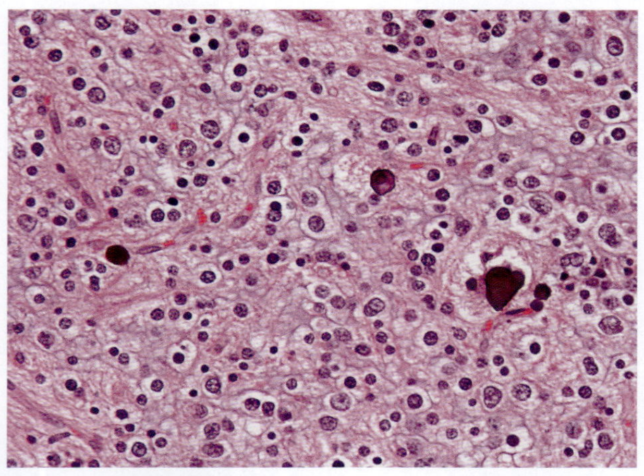

図 17　乏突起膠腫．核周囲明暈をもつ小型細胞がびまん性に浸潤し，背景に毛細血管網と砂粒体を伴う．中拡大

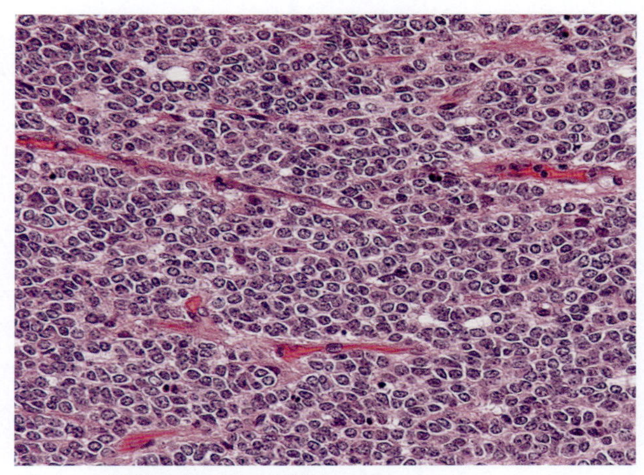

図 18　退形成性乏突起膠腫．核異型の強い細胞が密に増殖し，血管網の発達を伴う．中拡大

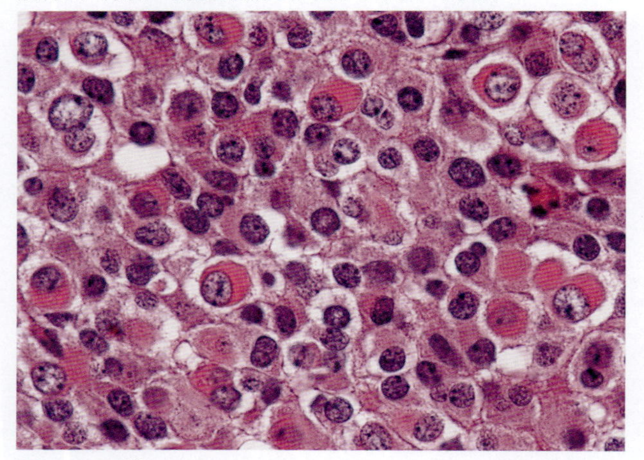

図 19　同前．好酸性細胞質と偏在性の核を有する微小肥胖細胞がみられる．強拡大

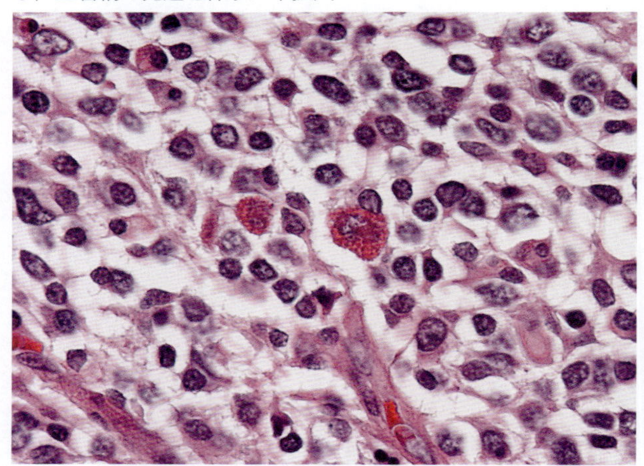

図 20　同前．中央に好酸性顆粒細胞がみられる．強拡大

従来の乏突起膠腫の分類は組織発生学的な考え方に基づき，乏突起膠細胞に類似した腫瘍細胞からなる浸潤性グリオーマとされていたが，2016 年の WHO 分類ではこの考え方が刷新され，IDH 変異と染色体 1 番短腕（1p）および 19 番長腕（19q）の共欠失を伴うびまん性グリオーマを乏突起膠腫と定義するようになった．このように分子遺伝学的指標を重視した診断基準となっているが，この定義を満たす腫瘍は乏突起膠腫の古典的な組織像，すなわち腫瘍細胞の均一性，類円形の核と明瞭な細胞膜，核周囲明暈，蜂の巣構造（目玉焼き像），微小肥胖細胞，腫瘍細胞間の粘液様変性，網目状血管の発達（鶏小屋の金網像），砂粒体（石灰化）などを呈することが多い（**図 17**）．核周囲明暈はホルマリン固定パラフィン包埋標本において出現する人工変化である．IDH 変異の有無は多くの場合，免疫染色で判定可能である．染色体 1p/19q 共欠失の判定には FISH などの遺伝子解析が必要である．

退形成性乏突起膠腫 anaplastic oligodendroglioma は異型の強い腫瘍細胞からなる組織型である（**図 18**）．乏突起膠腫と同様に，IDH 変異と 1p/19q 共欠失の有無で亜分類される．細胞密度は高く，腫瘍細胞の核は類円形であり，核クロマチンの増加，核の大小不同，核形の不整などが現れており，多数の核分裂像が認められる．核周囲明暈は乏突起膠腫と比べると目立たない．壊死巣や微小血管増殖もしばしば出現する．微小肥胖細胞（**図 19**）は退形成が強い症例において遭遇しやすく，GFAP 免疫染色で細胞質が陽性に染まる．好酸性顆粒細胞は出現頻度こそ高くないが，乏突起膠腫に比較的特異性の高い構造物で，退形成が強い症例に出現しやすい傾向がある（**図 20**）．

乏突起星細胞腫 oligoastrocytoma は乏突起膠腫の成分と星細胞腫の成分が混在した腫瘍である．詳細な分子遺伝学的検索を加えると，星細胞腫か乏突起膠腫のいずれかに分類されることがほとんどであるため，2016 年の WHO 分類では使用が推奨されない組織型となった．

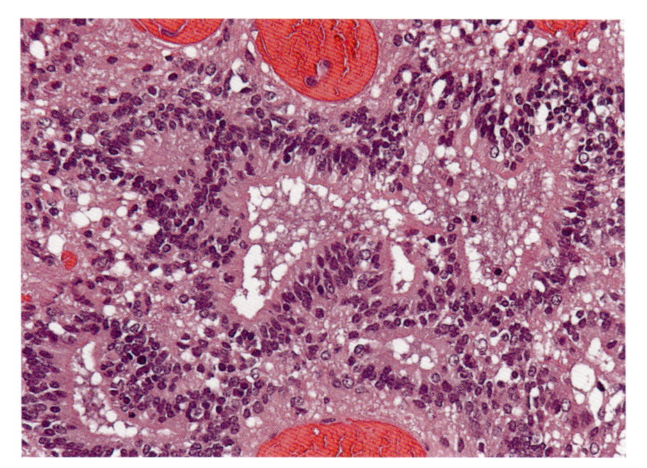

図 21　上衣腫．上衣ロゼットの形成が明瞭である．中拡大

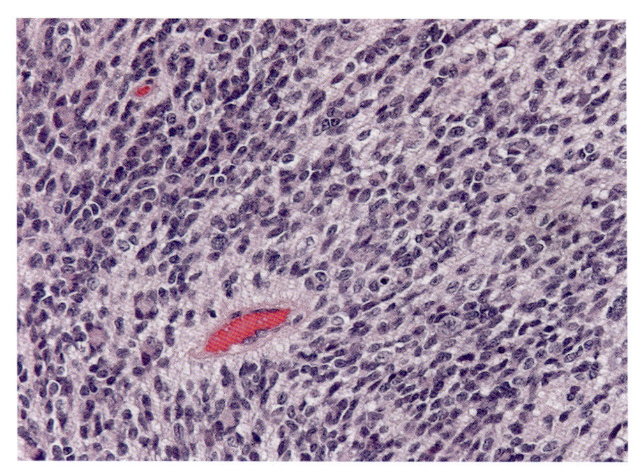

図 22　細胞性上衣腫．細胞密度の高い腫瘍で，血管周囲偽ロゼットがみられる．中拡大

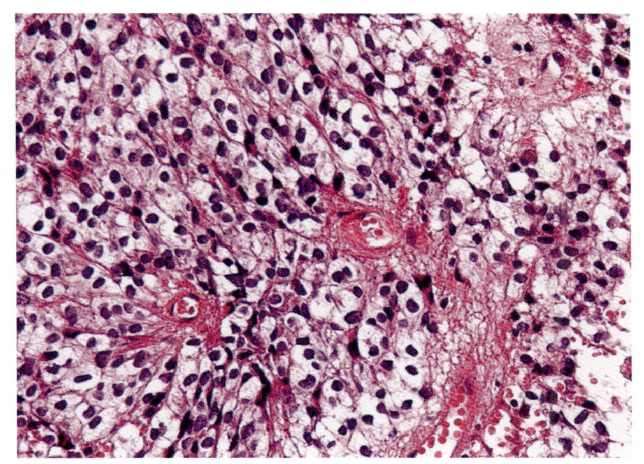

図 23　明細胞上衣腫．明るい細胞質をもつ腫瘍細胞が敷石状に配列している．中拡大

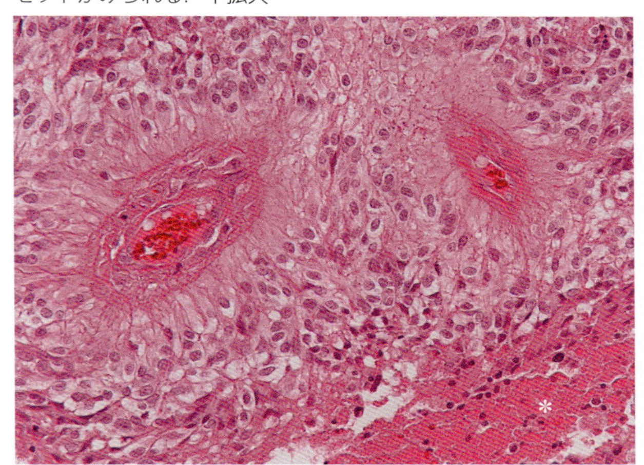

図 24　退形成性上衣腫．核異型の強い細胞が血管周囲性偽ロゼットを形成しつつ増殖している．＊は壊死巣．中拡大

上衣腫 ependymoma は脳室壁を被覆する上衣細胞の特徴を備えた腫瘍である．小児に多い腫瘍であり，脳室壁または脳室近傍から発生し，第四脳室，脊髄，側脳室が好発部位である．腫瘍細胞は比較的均一な類円形の核と繊細な細長い突起を有し，腫瘍細胞の突起は血管周囲に集まる性格が強い．上衣細胞への分化を見いだすことで診断が確定し，最も特徴的な構造物である上衣ロゼット ependymal rosette（**図 21**）は，上皮様の形態を示す腫瘍細胞が小管腔を囲んで配列するものである．血管周囲性偽ロゼット perivascular pseudorosette は腫瘍細胞の突起が血管周囲に集まって放射状に配列する無核の領域のことで（**図 22**），腫瘍細胞が管腔をつくっているわけではないので偽ロゼットとよばれる．細胞性上衣腫 cellular ependymoma（**図 22**）は細胞密度が高く，血管周囲性偽ロゼットはみられるが，上皮様細胞配列を欠くものである．免疫組織化学的には GFAP と epithelial membrane antigen（EMA）が陽性であり，特に EMA がドット状，リング状に染まる所見が特徴といわれている．一方，星細胞腫や乏突起膠腫で陽性となることの多い Olig2 がほとんどの上衣腫で陰性ないし弱陽性であることも鑑別診断の一助になる．電顕では管腔を囲む微小ロゼット構造，細胞間のよく発達した接着構造，内腔面の微絨毛と線毛などが認められる．

亜型の**明細胞上衣腫** clear cell ependymoma（**図 23**）は明るい細胞質をもった腫瘍細胞の敷石状配列を示す腫瘍で，乏突起膠腫や中枢性神経細胞腫や血管芽腫と形態が似ている．

退形成性上衣腫 anaplastic ependymoma（**図 24**）は，細胞密度の増加，核異型，核分裂像の増加，血管の増殖，広範な壊死巣などが出現した上衣腫である．

上衣腫の遺伝子異常は発生部位による違いがある．テント上の上衣腫では *C11orf95-RELA* 融合遺伝子が特徴で，分子遺伝学的検索によりそれが証明された場合は，遺伝子型を腫瘍型に付記する．

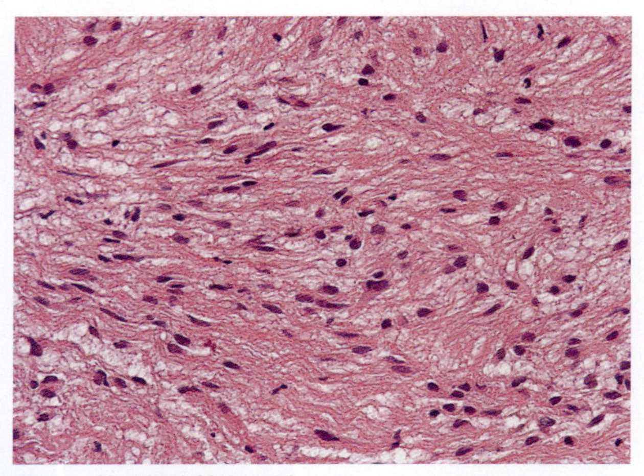

図 25　伸長細胞性上衣腫．繊細な長い突起をもつ細胞が線維束をつくって増殖している．中拡大

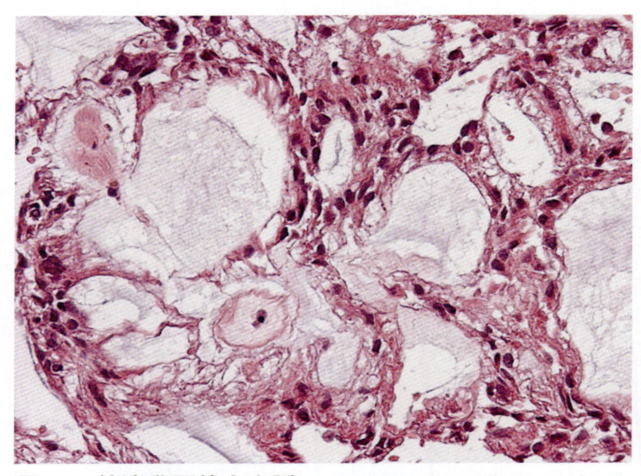

図 26　粘液乳頭状上衣腫．血管周囲の乳頭状増殖と粘液の産生が目立つ．中拡大

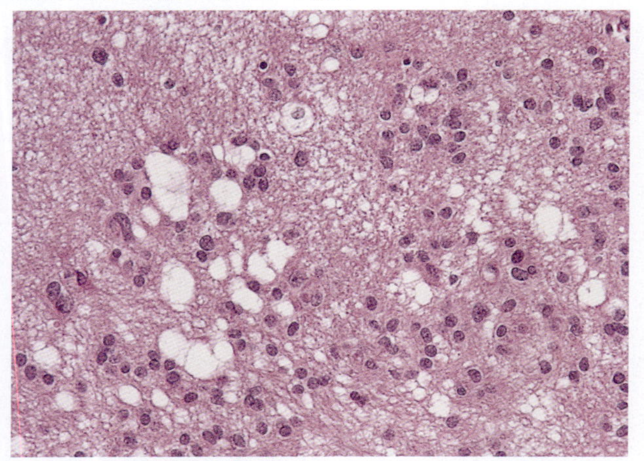

図 27　上衣下腫．細線維性・微小嚢胞性基質の中に小型の腫瘍細胞が小集塊をつくっている．中拡大

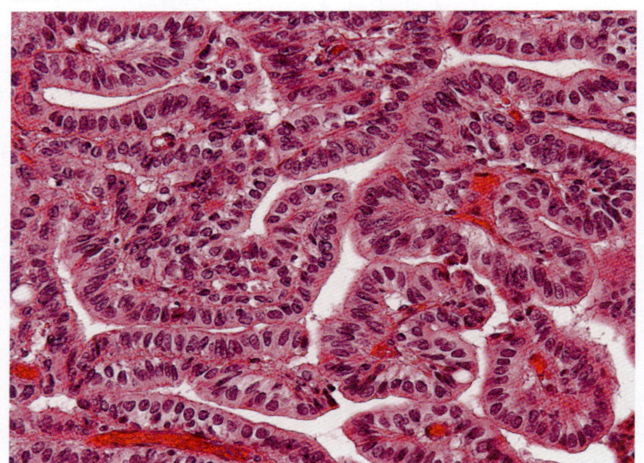

図 28　脈絡叢乳頭腫．単層円柱上皮が血管結合組織を軸として乳頭状に増殖している．中拡大

伸長細胞性上衣腫 tanycytic ependymoma は，特殊な上衣細胞である tanycyte に類似の形態を示す細胞からなる腫瘍である．この腫瘍細胞の特徴はきわめて長い繊細な突起を伸ばすことであり，細胞はゆるい線維束をつくって流れるように配列する（**図 25**）．核の異型は乏しく，核分裂像もみられない．脊髄に好発し，シュワン細胞腫，毛様細胞性星細胞腫などとの鑑別が問題となる．

粘液乳頭状上衣腫 myxopapillary ependymoma は成人の脊髄下端部に発生する独特な上衣腫である．脊髄円錐や終糸の領域の上衣細胞から発生すると考えられている．腫瘍細胞は血管結合組織に沿って乳頭状に配列し，間質に粘液様基質が豊富に沈着している（**図 26**）．細胞の増殖能は低く，核分裂像はほとんどみられない．

上衣下腫 subependymoma は，脳室上衣層の下に存在するグリア細胞が起源と考えられる腫瘍である．成人の第四脳室，側脳室，透明中隔などに発生するまれな腫瘍である．豊富なグリア線維網の中に小型の核をもつ腫瘍細胞が小集塊をつくって認められ，基質には微小嚢胞が多数みられる（**図 27**）．増殖は緩徐で，核分裂像はみられない．生前は無症状で剖検時に偶然発見されることもある．

脈絡叢乳頭腫 choroid plexus papilloma は，脈絡叢の構造を模倣する腫瘍である．成人の第四脳室と小児の側脳室が好発部位である．肉眼像では表面が顆粒状の赤い腫瘤を呈することからカリフラワー状，サンゴ状，イクラ状などと形容されている．組織学的には単層円柱上皮が血管結合組織性基質を伴って乳頭状に増殖している（**図 28**）．一見すると上衣ロゼットに類似するが，上衣ロゼットの非管腔側は突起が長く伸びており，基底膜構造をもたない点で区別される．

脈絡叢癌 choroid plexus carcinoma は上記乳頭腫の悪性型であり，小児にごくまれにみられる．成人発生例ほとんどないため，成人で類似の腫瘍を脳室内に認めた場合は転移性癌を念頭に鑑別を進める．

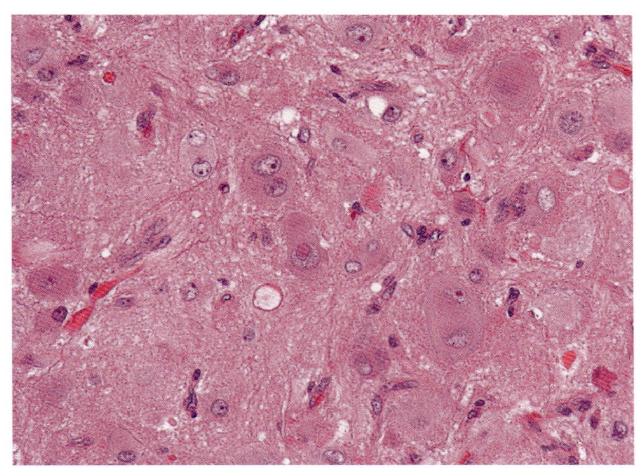

図 29　神経節細胞腫．大型の異常神経細胞が不規則に集簇している．2 核ニューロンが散見される．中拡大

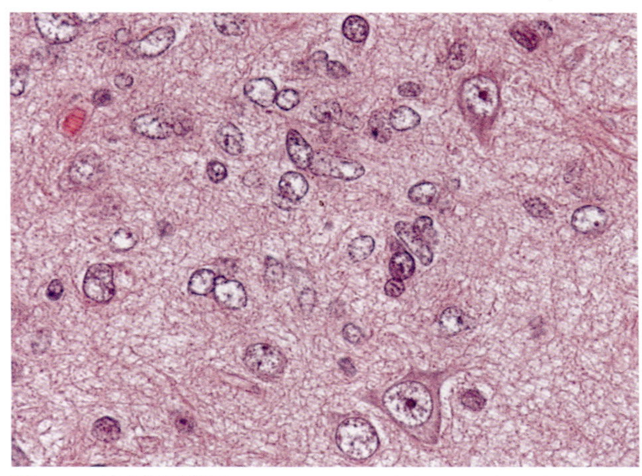

図 30　神経節膠腫．神経細胞と異型グリア細胞の集簇を認める．強拡大

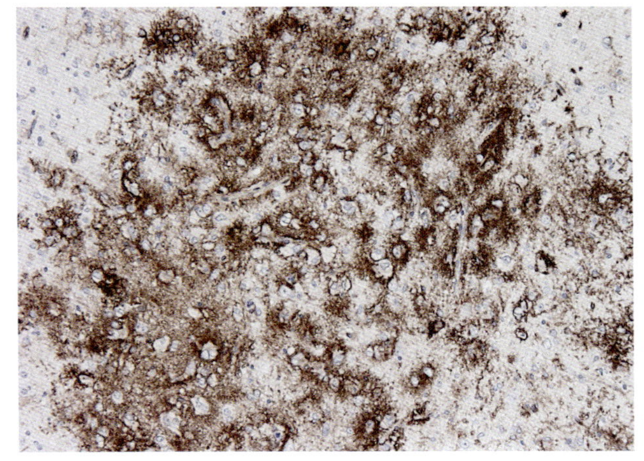

図 31　同前．CD34 免疫染色で病変領域に一致して結節状の陽性像を認める．弱拡大

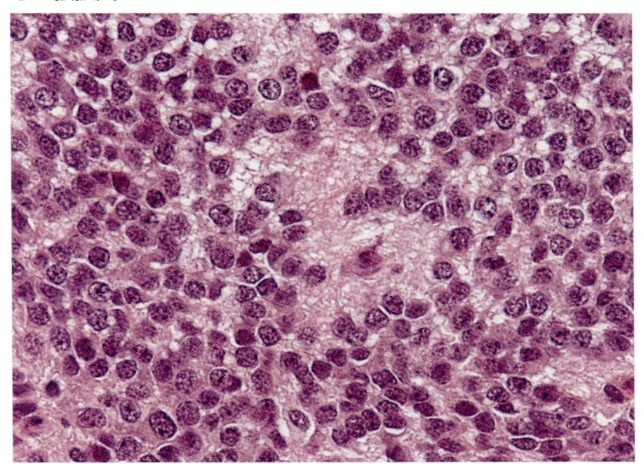

図 32　中枢性神経細胞腫．線維性基質を伴って小型の細胞が増殖している．強拡大

神経節細胞腫 gangliocytoma は，よく成熟分化した神経細胞からなる腫瘍である．小児や若年者の側頭葉が好発部位で，痙攣発作で発見される例が多い．組織学的には不規則に集簇する神経細胞からなり，間質に異型の乏しいグリア細胞が認められる（**図 29**）．2 核ないし多核の神経細胞もあり，過誤腫的性格の強い腫瘍である．

神経節膠腫 ganglioglioma は，神経細胞とともに腫瘍性格をもつ星細胞が結節状に増殖したものである（**図 30**）．グリア成分に Rosenthal 線維や好酸性顆粒小体などの変性構造物を認めることがある．大脳皮質に浸潤したグリオーマとの鑑別が必要であるが，CD34 免疫染色で陽性細胞がしばしば認められ（**図 31**），鑑別に有用である．退形成性神経節膠腫 anaplastic ganglioglioma はもっぱらグリア成分が悪性化するため，ときに悪性グリオーマとの鑑別が困難であるが，BRAF V600E 変異の頻度が高く，診断の一助となる．

中枢性神経細胞腫 central neurocytoma は，若年成人の側脳室前半部のモンロー孔近傍に好発する腫瘍で，術後の予後はよい．組織学的には類円形の核をもつ小型細胞が敷石状に配列し，細胞間にはニューロピル様の線維性基質が認められる（**図 32**）．腫瘍細胞の核周囲に明暈を伴う場合，蜂巣様構造を示すために乏突起膠腫や明細胞上衣腫との鑑別が必要となる．免疫組織化学的にはシナプトフィジンと NeuN が陽性で，GFAP は陰性である．同様な組織像の腫瘍が脳実質に形成されることがあり，脳室外神経細胞腫 extraventricular neurocytoma とよばれる．

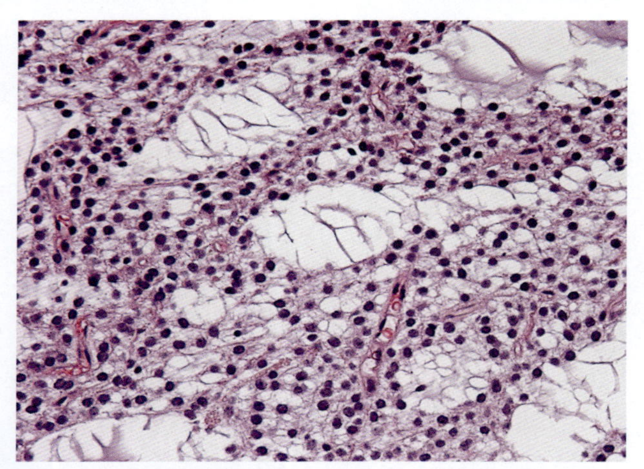

図 33　胚芽異形成性神経上皮腫瘍．粘液様基質を背景に小型細胞が集簇している．中拡大

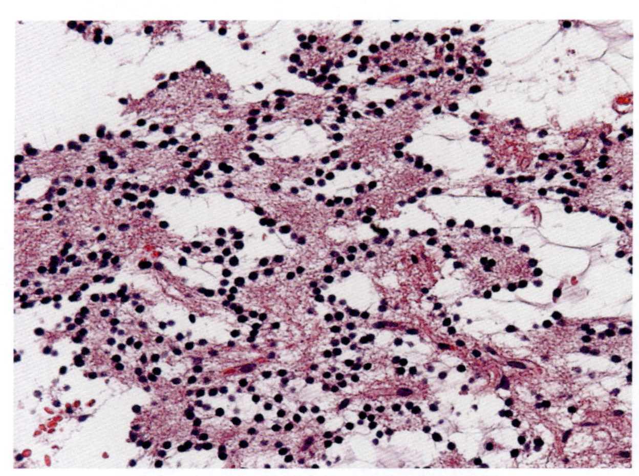

図 34　ロゼット形成性グリア神経細胞腫瘍．連続するロゼットが形成されている．中拡大

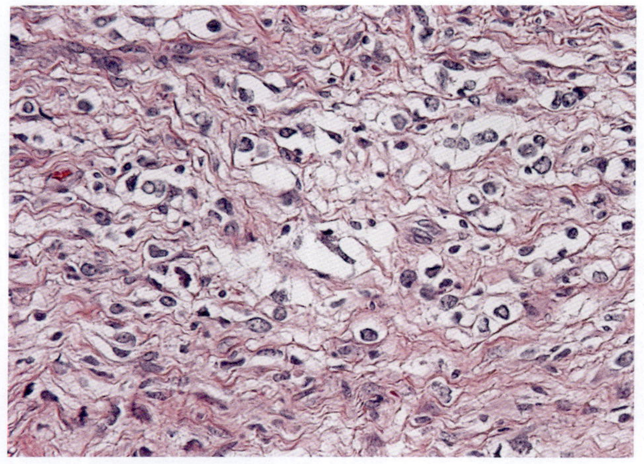

図 35　線維形成性乳児神経節膠腫．グリア系細胞，間葉系細胞，神経細胞などが混在．中拡大

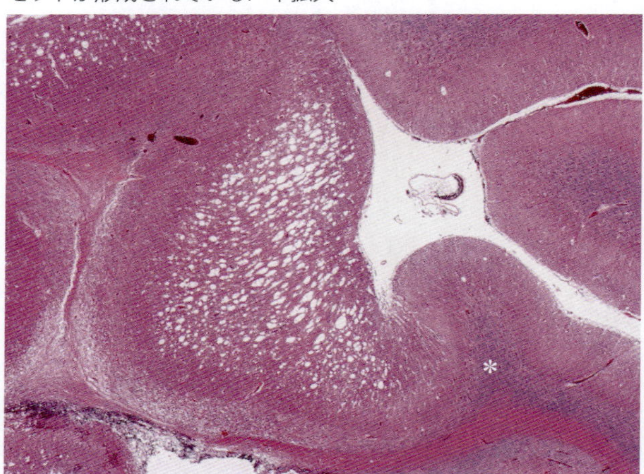

図 36　小脳の異形成性神経節細胞腫．正常の小脳構造（＊）と異常小脳回の移行部位．弱拡大

胚芽異形成性神経上皮腫瘍 dysembryoplastic neuroepithelial tumor（DNT）は，小児および若年者の側頭葉や前頭葉の脳表に形成される病変であり，臨床的には難治性部分てんかんが主症状である．腫瘍結節の組織像が特徴的で，血管を軸として乏突起膠細胞類似の小型の腫瘍細胞が増生し，その間に多量の粘液様基質が貯留する（**図 33**）．粘液内には成熟した神経細胞が認められることがあり，この構造は特殊グリア神経細胞成分 specific glioneuronal element とよばれている．このほか，病巣内に複数の腫瘍結節が存在すること，大脳皮質の構築異常を伴うこと，などが特徴とされる．増殖はきわめて緩徐で，一般に部分切除でも再増殖や再発はみられず，予後良好である．

ロゼット形成性グリア神経細胞腫瘍 rosette-forming glioneuronal tumor は若年者の第四脳室近傍に好発し，神経細胞へ分化する小型細胞がロゼットを形成しながら緩徐に増殖する腫瘍である（**図 34**）．毛様細胞性星細胞腫様の成分を伴うことも特徴である．

線維形成性乳児神経節膠腫 desmoplastic infantile ganglioglioma（DIG）は 2 歳以下の小児の大脳半球に嚢胞を伴った巨大な腫瘤を形成するもので，神経細胞および星細胞の両方への分化を示す腫瘍細胞から構成されている（**図 35**）．間質に著明な線維形成を伴う点が特徴であり，術後の予後は良好である．類似の臨床病理像を示すが，構成細胞が神経細胞を欠き星細胞のみからなる腫瘍もあり，**線維形成性乳児星細胞腫** desmoplastic infantile astrocytoma（DIA）とよばれている．最近では両者を区別せずに線維形成性乳児星細胞腫・神経節膠腫（DIA/DIG）として 1 つの腫瘍型としている．

小脳の**異形成性神経節細胞腫** dysplastic gangliocytoma of cerebellum（Lhermitte-Duclos 病）は，小脳に発生する腫瘍様病変で，大型の神経細胞と有髄線維が病変内で異常な層構造をつくり，異常小脳回として増生するものである（**図 36**）．この層構造は小脳回に類似しているが，外側に有髄線維の層，内側に大型神経細胞の層が存在する．臨床的に腫瘍様症状を呈することもあるが，過誤腫としての性格が強い．

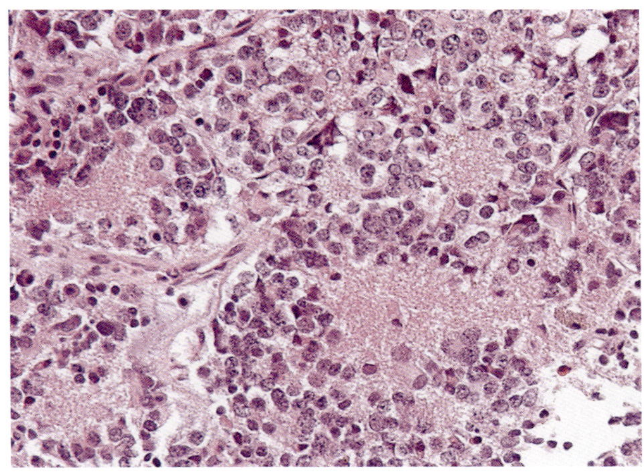

図 37　松果体細胞腫．腫瘍細胞が大きな無核野を囲んで配列し，ロゼットを形成している．中拡大

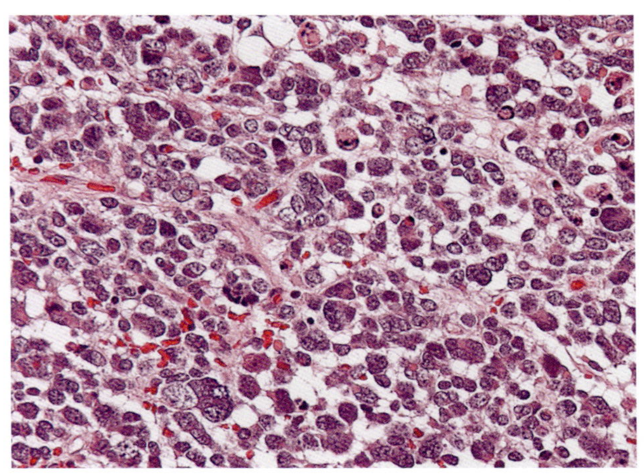

図 38　松果体芽腫．小型のN/C比の高い腫瘍細胞が充実性髄様に増殖している．中拡大

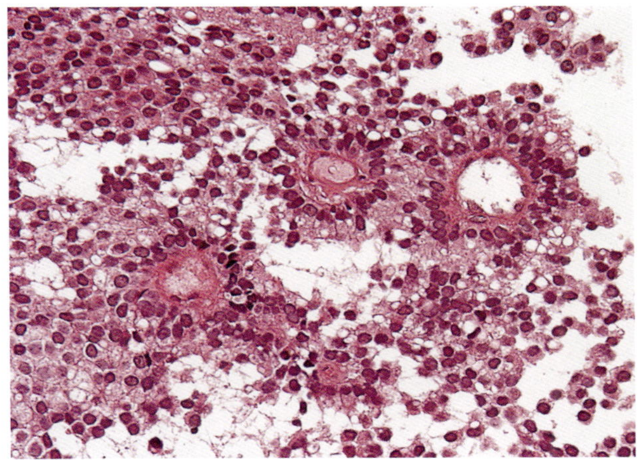

図 39　松果体部乳頭状腫瘍．血管周囲性の乳頭状構造と，それに連続する充実性胞巣がみられる．中拡大．

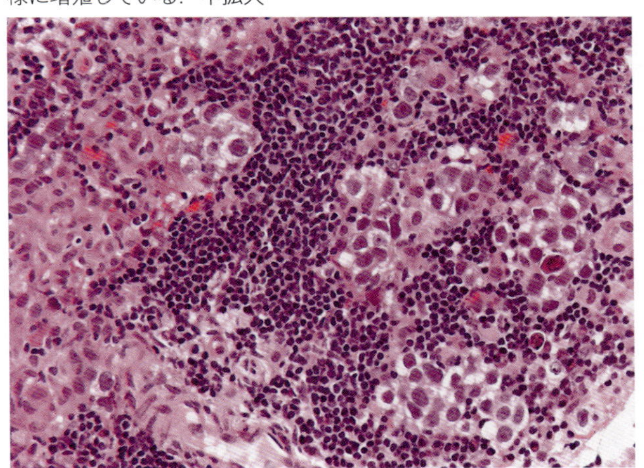

図 40　胚腫．やや広い細胞質を有する腫瘍細胞が敷石状に配列し，豊富なリンパ球浸潤を伴っている．中拡大

松果体細胞腫 pineocytoma は，小児および成人の松果体部に境界の明瞭な腫瘤を形成する腫瘍で，松果体実質細胞に類似のよく分化した細胞から構成される．腫瘍組織は結合組織によって区画され，小葉内に均一な腫瘍細胞がシート状に増殖している．無核の線維野を囲む大型のロゼット pineocytomatous rosette をつくることもある（**図 37**）．腫瘍細胞には免疫組織化学的にシナプトフィジン，クロモグラニン，neurofilament protein などの局在が証明される．

松果体芽腫 pineoblastoma は小児から若年者に好発し，異型の強い小型細胞が充実性に増殖する腫瘍で（**図 38**），小脳の髄芽腫と類似した組織像を示す．周囲へ浸潤性に増殖するとともに，脳室系，くも膜下腔への播種を起こしやすい．松果体実質細胞に由来する腫瘍としてほかに，中等度の分化を示す中間型松果体実質腫瘍 pineal parenchymal tumor of intermediate differentiation がある．

松果体部乳頭状腫瘍 papillary tumor of the pineal region は松果体部に発生するまれな腫瘍で，上皮様の腫瘍細胞が血管周囲性の乳頭状構造やロゼット，あるいは充実性胞巣を形成して増殖する腫瘍である（**図 39**）．サイトケラチンの発現が特徴的で，種々の程度にグリア細胞マーカーも発現する．

胚腫 germinoma は思春期から若年の成人男性に好発し，欧米に比べてわが国における頻度が高い．純粋型のほかに混合性胚細胞腫瘍の部分像としてみることもある．松果体部のほか，鞍上部にも発生する．組織像は精巣の精上皮腫と類似しており，核小体の明瞭な明るい類円形核をもつ大型多角形の細胞が充実性に増殖し，間質にリンパ球浸潤を伴っている（**図 40**）．免疫組織化学的には胎盤性アルカリホスファターゼや KIT 蛋白，Oct4，D2-40 などが検出される．リンパ球の多寡は症例により大きく異なり，肉芽組織を豊富に伴うこともある．

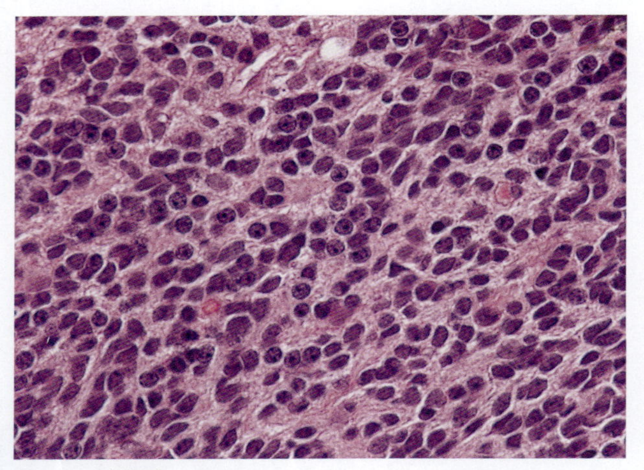

図 41　髄芽腫．小型の腫瘍細胞が密に増殖し，無核野のまわりを腫瘍細胞が取り巻いて，Homer Wright 型ロゼットを形成している．強拡大

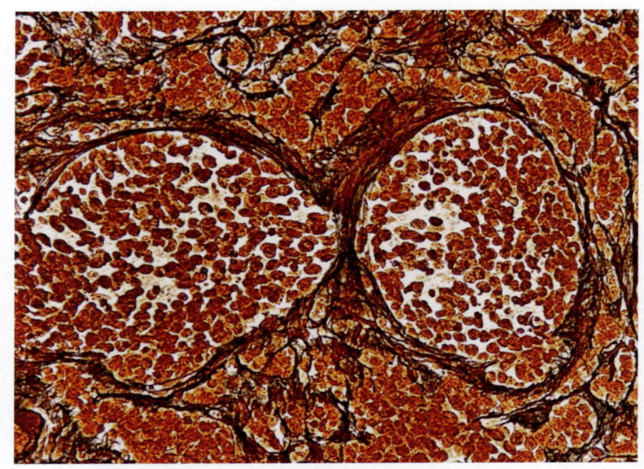

図 42　線維形成結節性髄芽腫．明るい円形の領域（pale island）を好銀線維が取り囲んでいる．鍍銀染色，中拡大

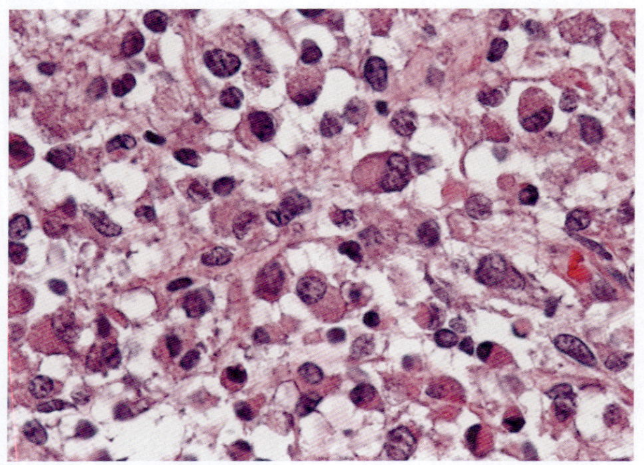

図 43　異型奇形腫様ラブドイド腫瘍．核が偏在し好酸性の細胞質を有するラブドイド細胞を認める．強拡大

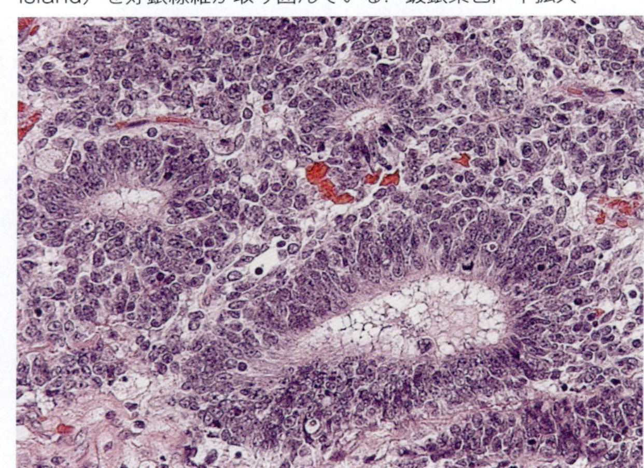

図 44　多層ロゼット性胎児性腫瘍．多層ロゼットと多数の核分裂像を認める．中拡大

髄芽腫 medulloblastoma は小児の小脳に好発する腫瘍であり，神経外胚葉性の未分化な小型細胞が腫瘍を構成する（**図 41**）．小脳虫部に好発し，第四脳室内に発育して水頭症を起こし，あるいは脳脊髄液を介して脳室系やくも膜下腔に播種をきたす．組織学的には細胞密度の高い腫瘍であり，円形の濃染する核と狭い細胞質をもつ小型細胞が充実性髄様に増殖する．核分裂像とアポトーシス像が多数みられる．特徴的な細胞配列として，核が花冠状に並ぶ Homer Wright 型ロゼットがときにみられる（**図 41**）．免疫組織化学的には，シナプトフィジンの発現が証明される．Ki-67 陽性率は高い．

線維形成結節性髄芽腫 desmoplastic/nodular medulloblastoma は髄芽腫の亜型で，腫瘍内に線維形成反応がみられ，線維の豊富な暗い領域と，線維の乏しい島状の明るい領域 pale island がみられる（**図 42**）．pale island は増殖能力の低い細胞からなり，この部分の Ki-67 標識率は低値を示す．髄芽腫に比べて小脳半球に好発し，平均年齢はより高く，予後は比較的よい．

異型奇形腫様ラブドイド腫瘍 atypical teratoid/rhabdoid tumor（AT/RT）は，胎児性脳腫瘍では髄芽腫に次ぐ頻度である．乳幼児の後頭蓋窩に多いが大脳にも発生する．髄芽腫に似た細胞密度の高い腫瘍で，特徴的な組織所見はラブドイド細胞 rhabdoid cell の出現である（**図 43**）．この細胞は異型的な偏在核と好酸性封入体を入れた細胞質からなり，この封入体は中間径細線維が密に集積した構造を示す．免疫組織化学的に INI1 の陰性所見は診断上重要であり，EMA，αSMA，サイトケラチン，GFAP などが陽性である．臨床的に悪性度の高い腫瘍である．

多層ロゼット性胎児性腫瘍 embryonal tumor with multilayered rosettes（ETMR）（**図 44**）は，髄上皮腫，上衣芽腫，ニューロピルと真性ロゼットに富む胎児性腫瘍（ETANTR）のいずれもが共通して染色体 19q13.42 領域の異常を有することで統合された腫瘍型であり，予後不良である．

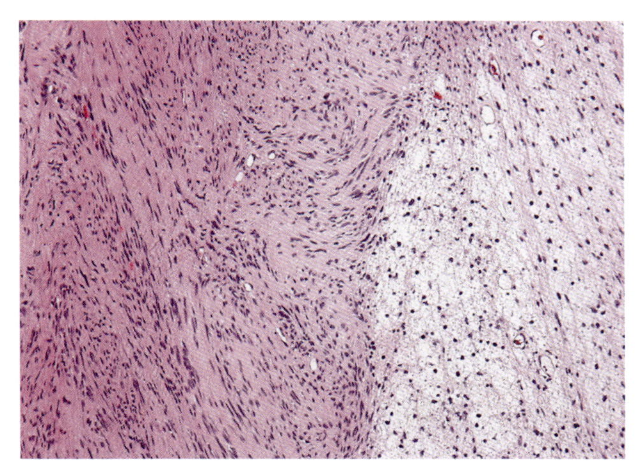

図 45　シュワン細胞腫．Antoni A 型（左部分）と Antoni B 型（右部分）の組織像が混在．弱拡大

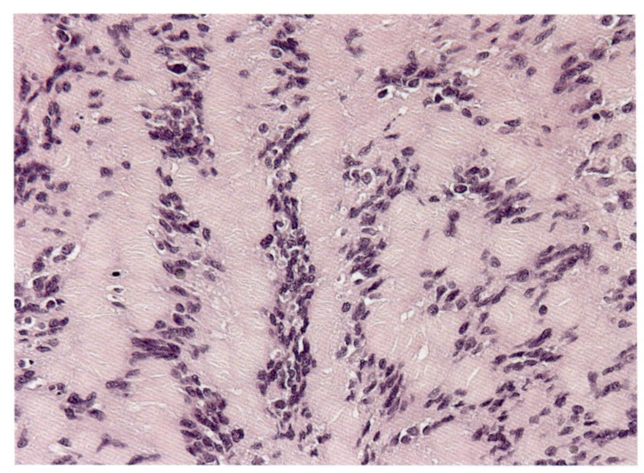

図 46　同前．Antoni A 型の部分の拡大像であり，核の柵状配列がみられる．中拡大

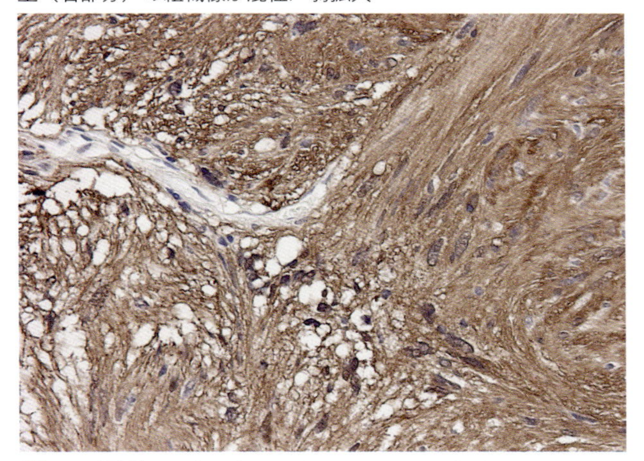

図 47　同前．腫瘍細胞に一致して S-100 蛋白が発現している．中拡大

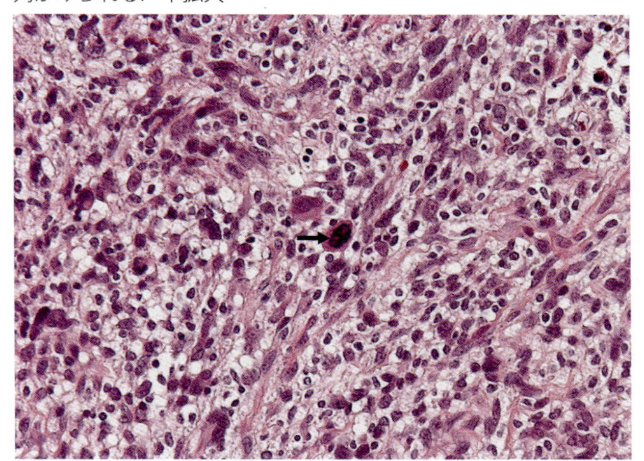

図 48　悪性末梢神経鞘腫瘍．異型を示す紡錘形細胞の密な増殖からなる．⬆：核分裂像．中拡大

シュワン細胞から発生する良性腫瘍である．脳腫瘍の中ではグリオーマと髄膜腫に次いで発生頻度が高い．中高年の成人に好発し，女性にやや多い．脳神経では第 8 神経（内耳神経）に発生するものが大部分で，少数は第 5，第 10 神経にも発生する．内耳神経のシュワン細胞腫は内耳孔付近に発生する．脊髄神経も好発部位で，もっぱら後根神経に形成される．この場合には髄外硬膜内腫瘍を形成する．組織学的には，桿状または葉巻状の核と細長い繊細な細胞質突起をもつ細胞が束をつくって錯綜する部分（線維束型 fascicular type，Antoni A 型）と，水腫性基質が豊富で細胞は疎な網目構造をつくる部分（網状型 reticular type，Antoni B 型）が混在してみられる（**図 45**）．Antoni A 型の部分では，細胞の核が横に並列する特徴的配列，核の柵状配列 nuclear palisading がしばしば認められる（**図 46**）．核の柵状配列は脊髄神経発生例でみる機会が多い．硝子化血管，出血，ヘモジデリン沈着などの変性所見は時間の経過した病変にしばしば出現する．鍍銀染色では腫瘍細胞間に毛髪状の好銀線維がみられる．免疫組織化学的には S-100 蛋白（**図 47**）と Schwann/2E が陽性である．Ki-67 標識率は一般に低値であるが，局所的に高いことがある．

悪性末梢神経鞘腫瘍 malignant peripheral nerve sheath tumor（MPNST）は，細胞密度の高い腫瘍で，異型的な紡錘形細胞が錯綜配列を示しながら増殖している（**図 48**）．核分裂像や壊死巣がみられる．MPNST もまた S-100 蛋白陽性である．

内耳神経のシュワン細胞腫が発生する部位は臨床的に小脳橋角部 cerebellopontine angle とよばれており，小脳橋角部にはシュワン細胞腫に加えて髄膜腫と孤立性線維性腫瘍も発生する．いずれも紡錘形細胞の増殖からなり，光顕的には鑑別が困難なことがある．免疫組織化学的には，シュワン細胞腫は S-100 蛋白，髄膜腫は EMA，孤立性線維性腫瘍は CD34 と STAT6 がそれぞれ陽性になり，鑑別診断に有用である．

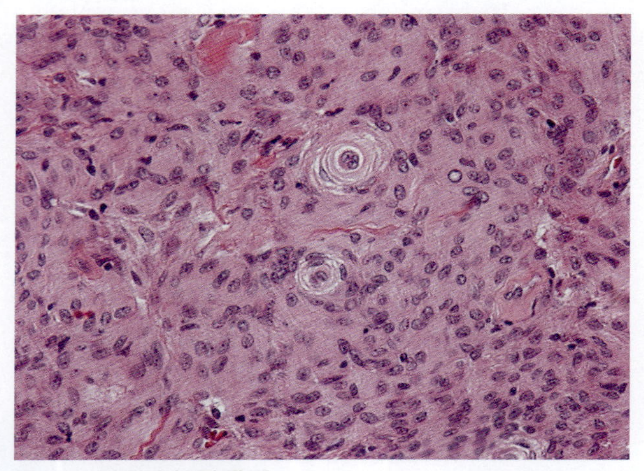

図 49　髄膜皮性髄膜腫．充実性の胞巣内に渦紋状細胞配列がみられる．中拡大

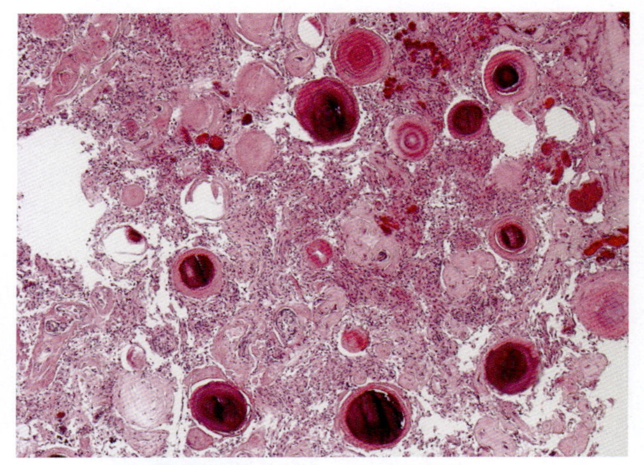

図 50　砂粒腫性髄膜腫．同心円状の石灰化小体である砂粒体が多発している．弱拡大

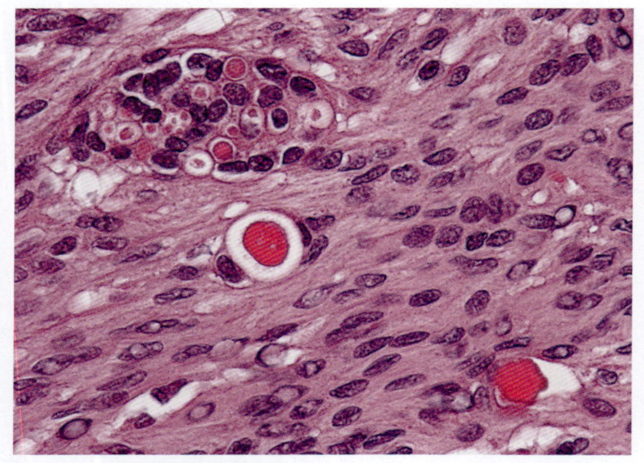

図 51　分泌性髄膜腫．胞巣内に好酸性の分泌物（偽砂粒体）が貯留している．強拡大

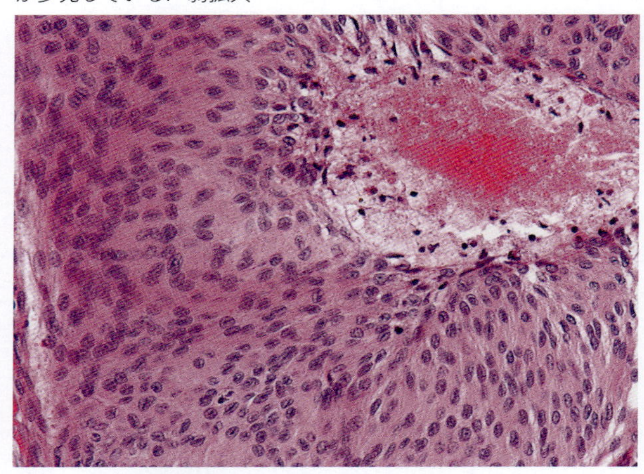

図 52　異型髄膜腫．細胞密度が上昇してシート状配列を形成している．右上に壊死巣がみられる．中拡大

髄膜腫はくも膜細胞 arachnoid cell を母細胞とする髄膜の腫瘍である．脳腫瘍ではグリオーマと並んで発生頻度が高く，中高年の女性に好発する．大脳鎌，傍矢状部，大脳円蓋部，嗅窩，蝶形骨縁，後頭蓋窩などが好発部位である．側脳室内にもまれに発生する．硬膜内面に付着する白色の硬い結節として脳を圧迫して発育するが，脳との境界は鮮明であり，摘出後の予後は概して良好である．

髄膜皮性髄膜腫 meningothelial meningioma は髄膜腫の基本型であり，類円形の核と弱好酸性の広い細胞質を有する多角形，紡錘形の細胞からなり，合胞状，充実性に増殖する（**図 49**）．腫瘍細胞は渦紋状配列とよばれる特徴的な細胞配列を示す．免疫組織化学的に腫瘍細胞は EMA とビメンチンが陽性である．腫瘍細胞間の線維性結合組織が豊富な場合は線維性髄膜腫 fibrous meningioma，中等度の場合は移行型髄膜腫 transitional meningioma とよばれる．同心円状の石灰化物である砂粒体 psammoma body は種々の髄膜腫の亜型において出現するが，それが特に目立つ場合は**砂粒腫性髄膜腫** psammomatous meningioma と分類する（**図 50**）．

分泌性髄膜腫 secretory meningioma は小型の好酸性分泌物を形成する亜型で，この分泌物は偽砂粒体 pseudopsammoma body ともよばれる（**図 51**）．偽砂粒体周囲の腫瘍細胞には CEA，ケラチン，EMA が高発現する．

異型髄膜腫 atypical meningioma は，細胞密度の増加，核小体の腫大，核分裂像，小壊死巣，N/C 比の高い小型細胞巣，シート状配列などがみられる髄膜腫である（**図 52**）．術後再発を起こしやすいので臨床的に注意を要する．退形成髄膜腫 anaplastic meningioma は，退形成所見が顕著な髄膜腫で，弱拡大の観察では癌や肉腫あるいは悪性黒色腫に類似している．核分裂像は強拡大 10 視野あたり 20 個を超える．

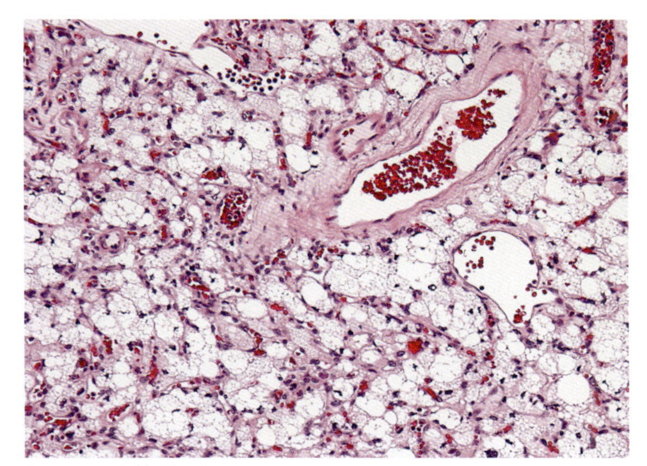

図 53　血管芽腫．小静脈と毛細血管の目立つ腫瘍で，腫瘍細胞は血管の間にみられる．弱拡大

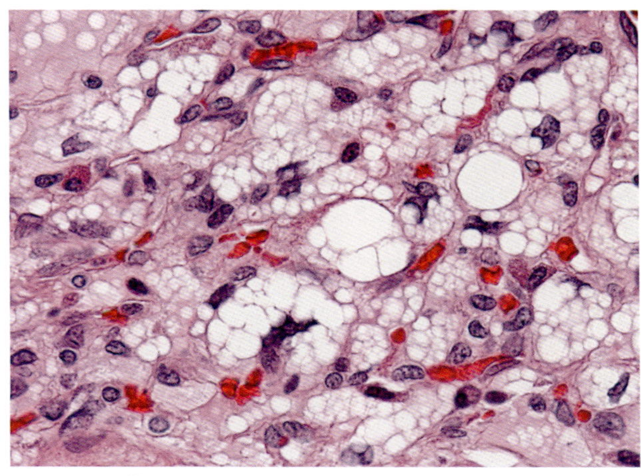

図 54　同前．間質細胞とよばれる腫瘍細胞は泡沫状の細胞質をもっている．強拡大

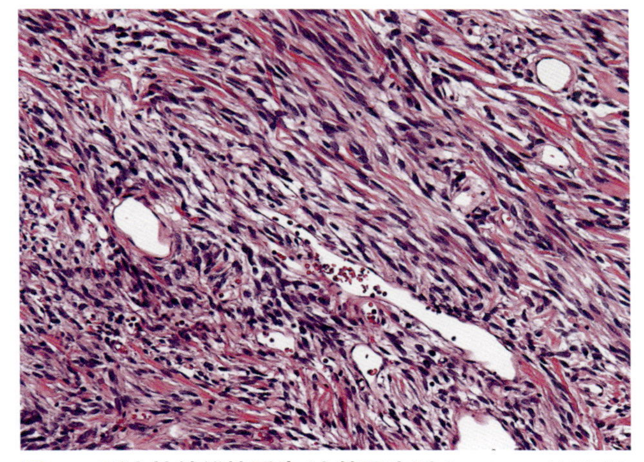

図 55　孤立性線維性腫瘍/血管周皮腫 Grade 1．紡錘形細胞が間質に膠原線維を形成しながら増殖している．弱拡大

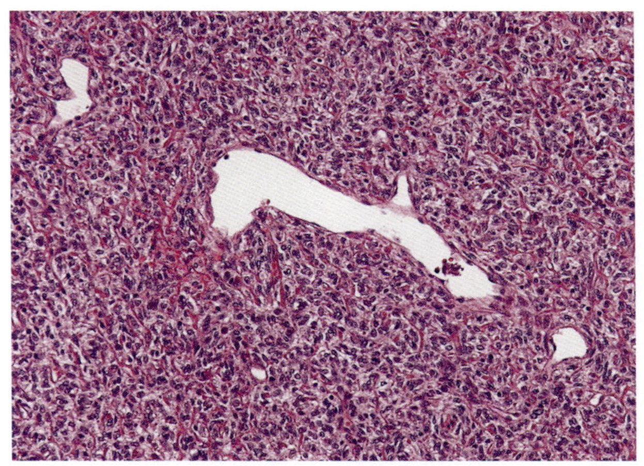

図 56　孤立性線維性腫瘍/血管周皮腫 Grade 2．細胞密度の高い腫瘍であり，血管内腔が蛇行した形状を呈する．弱拡大

血管芽腫 hemangioblastoma　中年成人の小脳に好発する腫瘍で，毛細血管の強い増生と，血管の間に存在する腫瘍細胞（間質細胞 stromal cell）の増殖からなる（**図 53**）．肉眼的には結節状腫瘤をつくり，ときに嚢胞を伴っている．毛細血管は吻合，分岐しながら血管網をつくっており，小脳実質との境界は明瞭である．間質細胞は血管網の間を埋める多角形細胞であり，淡好酸性あるいは泡沫状の細胞質を有する（**図 54**）．この細胞の細胞質には脂質が多量に含まれている．この間質細胞が本腫瘍の腫瘍細胞である．フォンヒッペル・リンダウ病では，小脳と網膜に本腫瘍が発生するほか，腎細胞癌，副腎褐色細胞腫，膵嚢胞なども合併する．

従来，**孤立性線維性腫瘍** solitary fibrous tumor（SFT）と**血管周皮腫** hemangiopericytoma（HPC）は別々の腫瘍と見なされていたが，共通の遺伝子異常（*NAB2-STAT6* 融合遺伝子）が同定され，両者は同一スペクトラムの腫瘍とみなされるにいたった．脳腫瘍においても 2016 年の WHO 分類から両者を統合した孤立性線維性腫瘍/血管周皮腫（SFT/HPC）という腫瘍型にまとめられ，Grade 1〜3 の悪性度分類が設けられた．SFT/HPC は髄膜に発生する腫瘍であり，頭蓋底，眼窩，小脳橋角部などに好発する．Grade 1 は従来の SFT の形態を示し，線維芽細胞様の紡錘形細胞が増殖し，細胞間にさまざまな量の膠原線維が形成される（**図 55**）．術後の予後は比較的良好である．Grade 2 と 3 は従来の HPC ないしは anaplastic HPC の形態を示し，腫瘍細胞は楕円形核と比較的狭い細胞質を有している．核は比較的均一であるがクロマチンに富み，核分裂像が散見され，壊死を伴うこともある．Grade 2 は核分裂像が強拡大 10 視野当たり 5 個未満，grade 3 は 5 個以上と定義される．間質の量は grade 1 と比較して少ないが，鍍銀染色では細網線維が個々の腫瘍細胞を取り囲むようによく発達している．間質には樹枝状に分岐する壁の薄い血管（雄鹿の角様血管 staghorn-like vessel）がみられる（**図 56**）．免疫組織化学的には STAT6，CD34 とビメンチンが陽性を示す．Grade 2 または 3 の場合，再発しやすく，頭蓋外へ転移することもある．

第9章

神経系

（2）変性・炎症

概　説

1．中枢神経系の構成細胞と機能の特徴

中枢神経系は，神経細胞，グリア細胞（アストロサイト，オリゴデンドロサイト，ミクログリア，上衣細胞），および血管などからなる．

1）神経細胞

神経細胞は部位によって形態が異なり，運動神経と感覚神経でもその形態には違いがある．おおむね，豊かな胞体にニッスル小体とよばれる構造物を有し，核小体の明瞭な大型の核を持っている（**図1，2**）．細胞体から樹枝状に伸びる樹状突起には無数の棘があり，ほかの神経から伸びる軸索末端部とシナプスを形成する．軸索は細胞体から通常は1本しか出ず，情報を相手に伝達する構造物である．軸索末端部をシナプス前部，樹状突起や細胞体側をシナプス後部とよぶ．シナプス前部と後部の間には約20 nmの間隙があり，前部から放出された神経伝達物質が後部の受容体に結合することで情報が伝達される．神経伝達物質にはアセチルコリン，ドパミン，ノルアドレナリン，セロトニン，γアミノ酪酸（GABA）などがある．

2）グリア細胞

中枢神経系における代表的なグリア細胞はアストロサイトとオリゴデンドロサイトである（**図3**）．

アストロサイトは全周性に突起を伸ばし，その先端部で神経細胞体や樹状突起，シナプス，血管周囲を覆っている．血管と神経細胞の間には常にアストロサイトが介在し，水分，栄養物質，老廃物などの輸送に重要な役割を担っている．HE染色ではやや楕円形の明るい核のみが観察され，突起をみることはできない（**図3；⬆**）．しかしながら，アストロサイトは動的な細胞であり，神経組織になんらかの障害が生じる

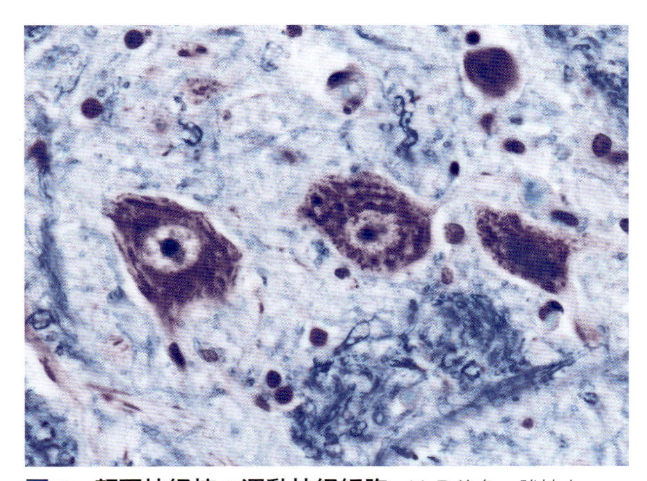

図1　顔面神経核：運動神経細胞．K-B染色．強拡大

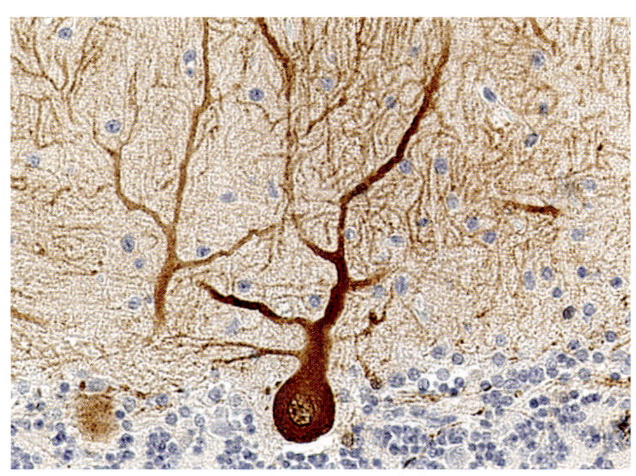

図2　小脳皮質プルキンエ細胞とその樹状突起．Calbindin免疫染色．強拡大

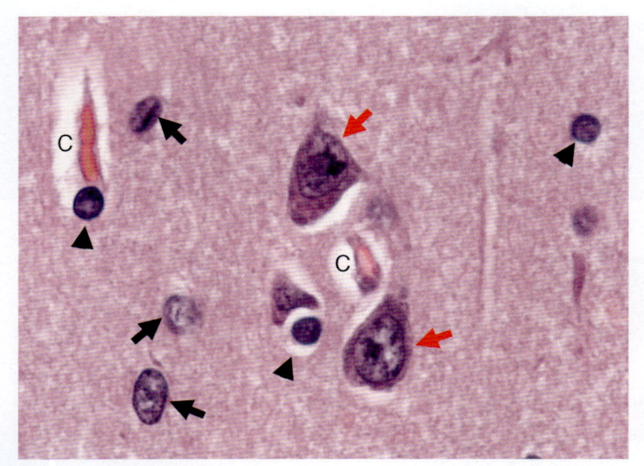

図3　大脳皮質．神経細胞（⬆），アストロサイト（⬆）オリゴデンドロサイト（▲），毛細血管（C）．強拡大

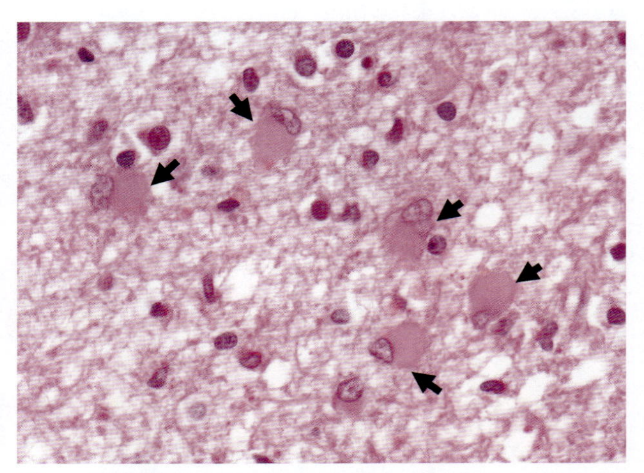

図4　反応性アストロサイト（⬆）．亜急性期の大脳皮質梗塞巣．中拡大

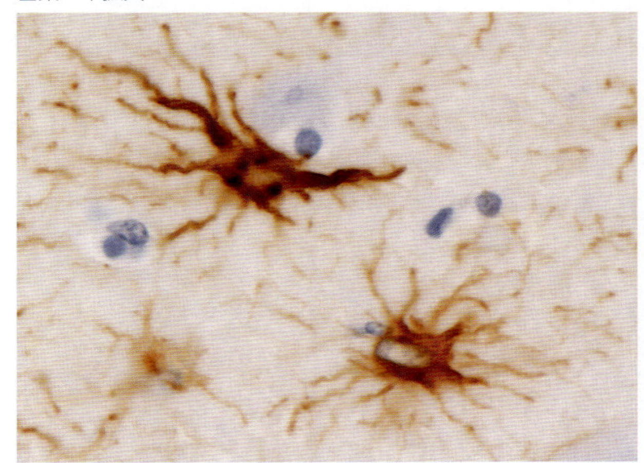

図5　反応性アストロサイト．大脳皮質．GFAP免疫染色．中拡大

と，それに反応して肥大・増殖し，グリオーシスとよばれる状態になる（**図4, 5**）．この場合，HE染色で胞体や突起は好酸性を示し（**図4**），抗glial fibrillary acidic protein（GFAP）抗体による免疫染色で胞体や突起は明瞭に標識される（**図5**）．アストロサイトには部位によって特徴的な形態を示すものがある．有名なものは小脳のプルキンエPurkinje細胞層に胞体があるバーグマングリアで，プルキンエ細胞の脱落に伴って増生する．

オリゴデンドロサイトは中枢神経系の髄鞘を形成し維持する細胞である．核は丸く濃染し，核周囲に空隙haloを認める（**図3；▲**）．上衣細胞は脳室の内面を覆っている．脳脊髄液を産生する脈絡叢の上皮細胞は胎生期に上衣細胞から分化したものである．ミクログリアは，胎生期卵黄嚢で発生する前駆細胞を起源とする免疫担当細胞である．正常時は細長い突起をシナプスや軸索などに接触させ，その機能を監視・調節している．病態時には，細胞体の肥大化や細胞増殖を伴い活性化状態となる．

3）脳の血管

神経細胞の正常の活動には，大量の糖（グルコース）と酸素を必要とする．脳の重量は体重の2%程度にすぎないが，脳を流れる血液量は全身のそれの15%に及ぶ．また，脳が必要とする酸素量は全身の約20%を占める．このため，脳は非常に発達した血管網を有し，血圧の変動に合わせて脳血流量を調節するシステムを持ち合わせている．

血液と脳組織の間には種々の有害物質の脳実質内への侵入を阻止する血液脳関門がある．血液脳関門は血管内皮細胞，アストロサイト，血管周皮細胞，および基底膜からなる．これらに神経を加え，脳組織の最小機能単位として神経血管単位neurovascular unitという概念が認識されている．

2．神経疾患の病理組織学的特徴

神経系はほかの臓器とは構成細胞が異なり，その病理組織学的所見も独特である．神経細胞の変性・脱落によって，神経細胞の胞体がある場所だけではなく，それらの軸索がつくる伝導路にも変性が生じる．以下に，中枢神経の変性疾患において，一般的に観察される所見をあげる．

1）グリオーシス

中枢神経系では，神経細胞や軸索，あるいは髄鞘に変性が起こると，それに反応してアストロサイトが分裂・増殖し，反応性アストロサイトーシスreactive astrocytosisという状態を引き起こす．これをグリオーシスgliosisともいう（**図4, 5**）．アストロサイトは経時的にその形態を変えるため，病変の古さをある程度予測することができる．また，その程度は病変の程度と相関する．そのためグリオーシスは，病変の有無や程度，分布を知る重要な手がかりとなる．

グリオーシスの観察には，HE染色に加え，アストロサイトのマーカー蛋白であるGFAPに対する免疫染色（**図5**）が用いられる．神経変性疾患ではアストロサイトの突起が著しく増加して線維性グリオーシス fibrillary gliosisを生じる．こうした状態は，Holzer染色で明瞭に標識される（**図52，79，83右，112右，118**参照）．

2）異常構造物

神経変性疾患では，障害部位の神経細胞やグリア細胞の胞体や突起内，あるいは核内に，蛋白質が異常蓄積し封入体を形成する疾患がある．なかには疾患特異性を示す封入体もある．たとえば，筋萎縮性側索硬化症（ALS）におけるブニナ小体 Bunina body（**図73**参照）や，多系統萎縮症（MSA）におけるオリゴデンドロサイト胞体内封入体 glial cytoplasmic inclusion（**図69**参照）は，その存在のみで病理組織学的診断が可能である．

一般的に，封入体を構成する分子の特徴として，①正常細胞に機能蛋白質として存在する，②異常なリン酸化を受けている，③界面活性剤に不溶性の凝集体をつくることがあげられる．

現在では，蓄積蛋白の種類の違いから疾患群が分類され，タウオパチー（タウ蛋白）（**図50，54，57，58，61**参照），シヌクレノパチー（α-シヌクレイン）（**図65，69**参照），TDP-43-プロテノパチー（TDP-43）（**図73右**参照）とよばれている．こうした疾患群においても，疾患ごとに封入体は特徴的な形態を示すことから，その診断的価値はきわめて高い．それぞれの蛋白に対する抗体を用いた免疫染色は，封入体を標識する有効な方法である．また，これらの異常蓄積蛋白の多くはユビキチン化されていることから，抗ユビキチン抗体でも標識される．

神経病理学的診断には，解剖学的変性部位とともに，こうした蓄積蛋白の種類や封入体の形態を指標に進めるが，複数の病態が併存する症例や，既知の疾患に合致しない症例も少なくない．

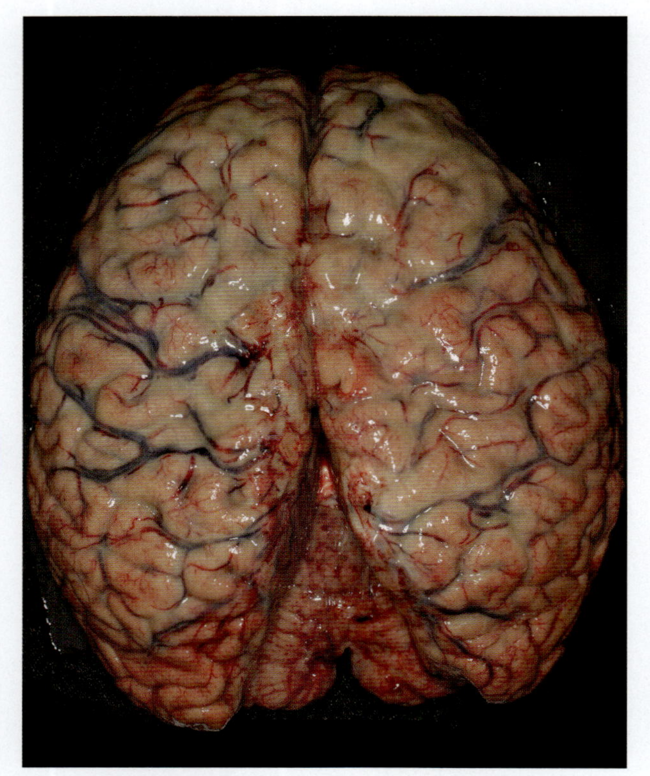

図6 細菌性髄膜炎．膿が大脳円蓋部のくも膜下腔にびまん性に貯留し，静脈は怒張している．肉眼像

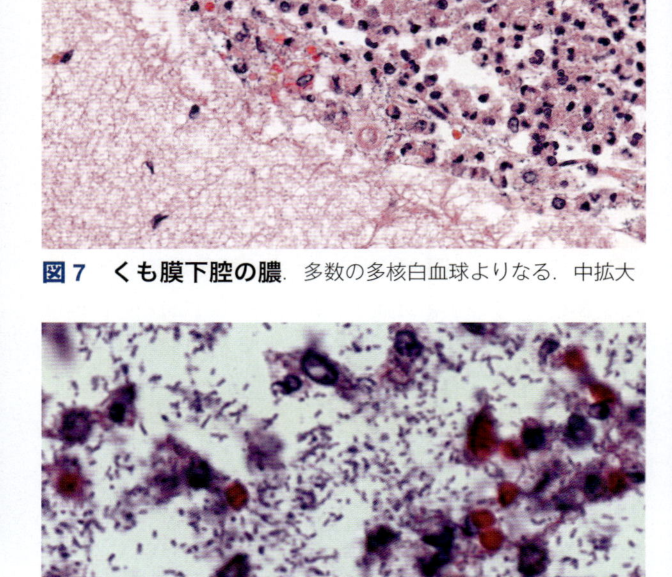

図7 くも膜下腔の膿．多数の多核白血球よりなる．中拡大

図8 白血球に混じたグラム陽性球菌．グラム染色．強拡大

中枢神経系の感染症は病原微生物の種類によって，細菌性，真菌性，原虫（アメーバやトキソプラズマ）性，ウイルス性などに分けられる．中枢神経系は免疫系や組織構造上の特殊性から，ほかの臓器にはみられない独特の組織所見を示す．

細菌性髄膜炎の起炎菌は肺炎球菌，インフルエンザ菌が多い．患者は5歳未満の乳幼児や高齢者が多い．くも膜は混濁し脳表の静脈は怒張する（**図6**）．軽度のくも膜下出血を伴うことがある．脳は腫脹して重量を増し，脳溝の狭小化や脳回の扁平化がみられる．くも膜下腔には無数の多核白血球が充満し，赤血球，単核球，フィブリンが混じる（**図7**）．好中球は髄膜や血管壁にも浸潤する．小血管内腔には血栓ができ，そのため局所的な出血性梗塞巣がしばしばみられる．くも膜下腔に広範な炎症細胞浸潤がみられる場合であっても，脳実質内には炎症細胞は容易には広がらない．起炎菌の同定には，グラム染色で陽性か陰性か，球菌か桿菌かが参考になる（**図8**）．化膿性炎症が慢性化すると，多核白血球は減少し，リンパ球や形質細胞が主体となる．また，線維芽細胞や膠原線維が増加し，くも膜は線維性に肥厚する．そのため，髄液の循環障害による水頭症をきたすことがある．

［参考事項］ 細菌は，頭部外傷からの直達浸潤，副鼻腔炎からの波及，あるいは心内膜炎などの感染巣から血行性に侵入する．臨床的には，発熱などの全身炎症症状，髄膜刺激症状，痙攣，意識障害などを呈し，髄液検査で著明な好中球増多と糖の低下が認められる．脳実質に化膿性炎症が生じると，脳炎や脳膿瘍をきたす．髄膜炎と脳炎とは別の病態である．高度の髄膜炎から脳炎が生じるわけではない．

脳膿瘍は組織学的に4層に分けられる．中心部から，①好中球浸潤を伴う壊死巣，②肉芽組織，③線維性被膜（線維芽細胞と膠原線維からなる），④反応性アストロサイトーシスと浮腫である．

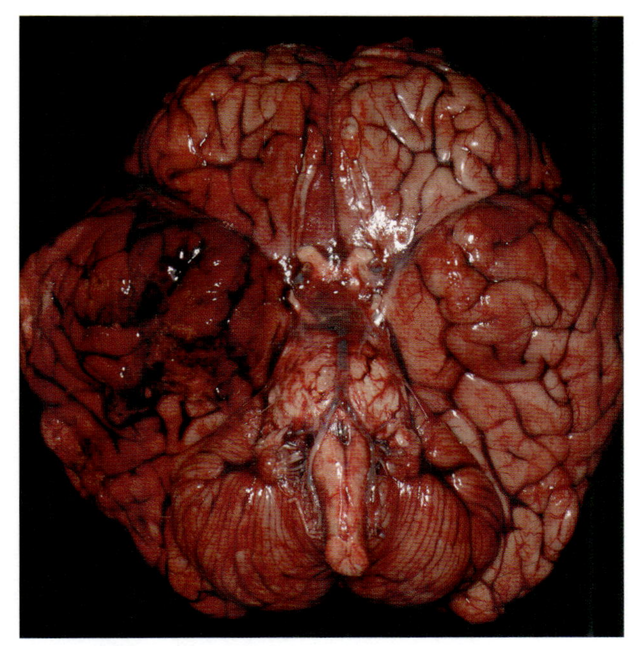

図 9　単純ヘルペス脳炎．急性期症例．剖検脳を底部から観察．右側頭葉に出血を伴う軟化巣がみられる．肉眼像

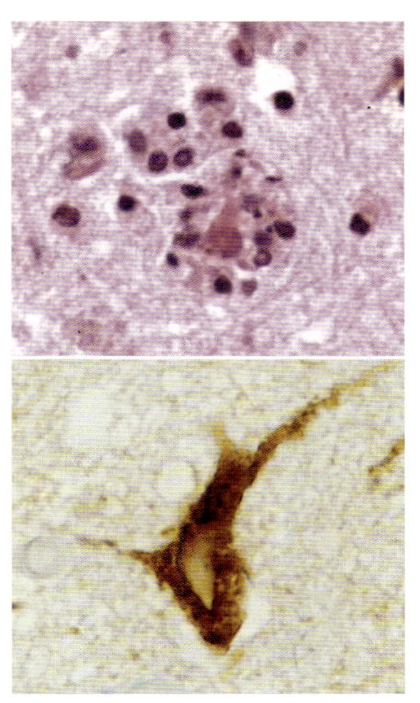

図 10　同前．上：神経細胞貪食 neuronophagia，下：抗 HSV-1 抗体による免疫染色．強拡大

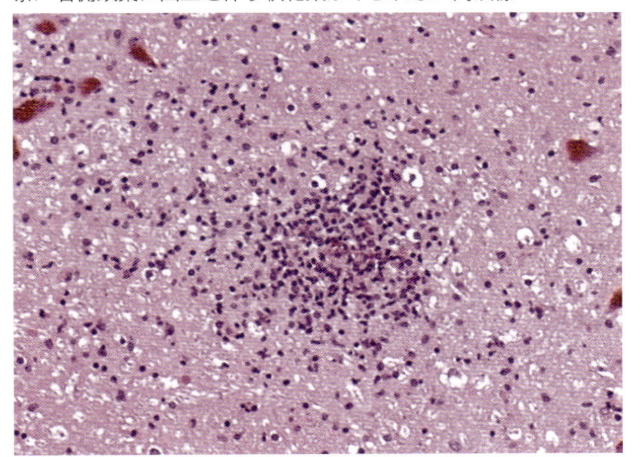

図 11　同前．グリア結節 glial nodule．中拡大

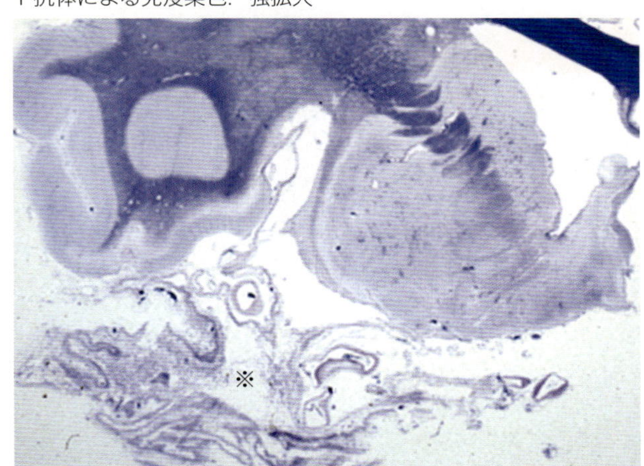

図 12　同前．陳旧性病変．嚢胞化（※）し，グリオーシスをみる．K-B 染色．ルーペ

ウイルス性脳炎のなかでは単純ヘルペスウイルス 1 型によるものが多い．発熱，痙攣，意識障害などで発症し，未治療では症状が急速に悪化し重篤な状態となる．側頭葉内側面から底部に出血性壊死性病巣を形成する（**図 9**）．病変は海馬，海馬傍回，梨状回，下・中側頭回に強い．

組織学的には，急性ウイルス性脳炎に共通する組織像，すなわち大脳皮質における血管周囲性のリンパ球浸潤，神経細胞貪食 neuronophagia（**図 10 左**），グリア結節 glial nodule（**図 11**），ミクログリアの増生が認められる．神経細胞やグリア細胞の核内には好酸性で暈 halo を有する封入体が認められる．この封入体は病巣辺縁の細胞に見つけやすい．抗ヘルペスウイルス抗体を用いた免疫染色では，封入体が陽性となり，さらに核，胞体，突起にも微細顆粒状の陽性像が観察される（**図 10 右**）．電子顕微鏡で観察すると，封入体には無数のヘルペスウイルス粒子が認められる．長期生存例では，病巣組織は吸収されて縮小し，グリオーシスに置き換わる（**図 12**）．古い病巣では核内封入体は観察されない．

［参考事項］ インフルエンザ感染によって急性脳症をきたすことがある．5 歳以下の乳幼児が罹患し，急速進行性の意識障害や痙攣で発病し，高率に死亡もしくは神経学的後遺症を残す．このインフルエンザ脳症ではウイルス感染を示唆する上記の組織所見は認められず，高度の脳浮腫とアストロサイトの反応が認められる．ウイルス感染によって惹起されたサイトカインの過剰産生に伴う血管透過性亢進や組織障害がおもな病態であると考えられている．患者血清および髄液中の IL-6, IL-1β, TNF-α などの炎症性サイトカインが高値であることが報告されている．

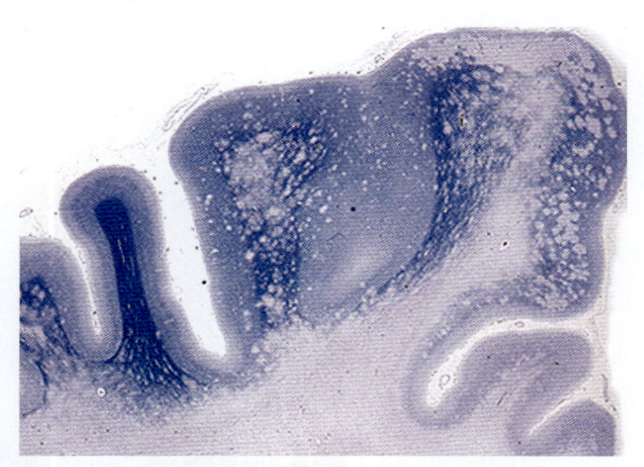

図 13　進行性多巣性白質脳症．大脳白質や皮質に分布する多発性脱髄巣．K-B 染色．ルーペ

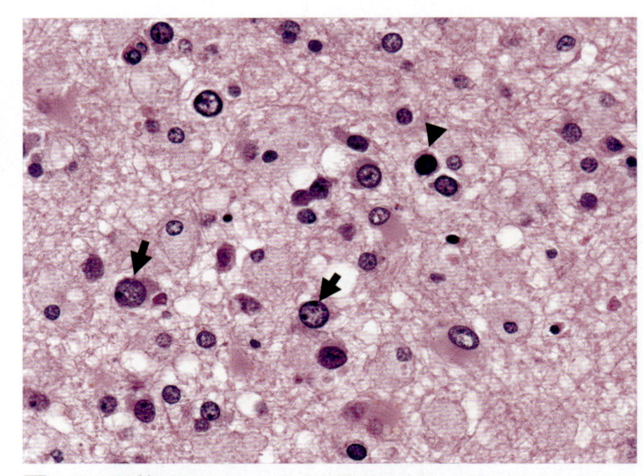

図 14　同前．腫大核（⬆）や濃染核（▲）を有するオリゴデンドロサイト．中拡大

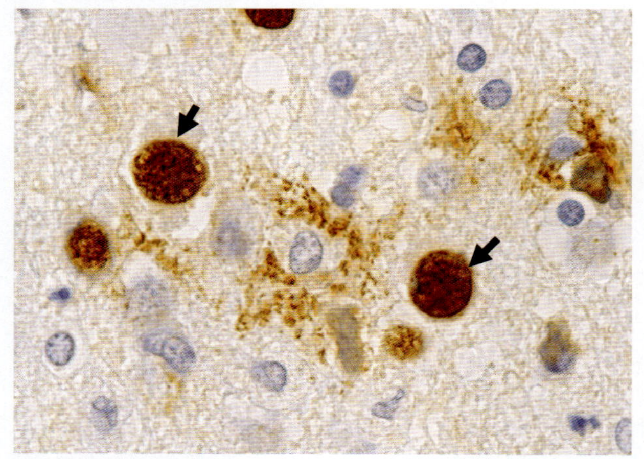

図 15　同前．ウイルス粒子が充満したオリゴデンドロサイトの核（⬆）．抗 JC ウイルス蛋白抗体による免疫染色．強拡大

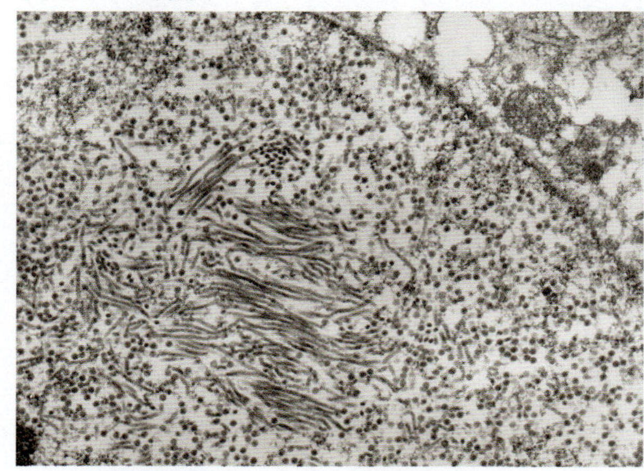

図 16　同前．核内に球状あるいは糸状構造が多数認められる．電顕像

進行性多巣性白質脳症（PML）は，多くの人に潜伏感染しているJCウイルスが，宿主の免疫力が低下した状況で再活性化し，オリゴデンドロサイトに感染することで脳内に多発性の脱髄病巣をきたす疾患である．血液系悪性腫瘍，膠原病，後天性免疫不全症候群（AIDS）などを背景に発症することが多い．片麻痺，四肢麻痺，認知機能障害，失語，視力障害，脳神経麻痺，小脳症状など多彩な症状がみられる．脳MRIでは大小不同の融合性病巣が大脳皮質下白質にみられ，脳浮腫は軽く，造影効果はみられない．

髄鞘染色で大小多数の脱髄巣が散在性にみられ，ところどころ融合して大きな脱髄斑を形成する（**図 13**）．病巣には崩壊した髄鞘を貪食したマクロファージと反応性のアストロサイトの出現をみる．アストロサイトの核はクロマチンに富み奇怪な形態を示す．血管周囲性リンパ球浸潤は目立たず，グリア結節はみられない．封入体を有し腫大した核をもつオリゴデンドロサイトが特徴的である（**図 14**）．抗JCウイルス抗体を用いた免疫染色では腫大核全体に陽性像が認められる（**図 15**）．HE染色では明瞭な封入体が確認されない腫大核内にも，免疫染色や *in situ* hybridization 法によりJCウイルス分子の存在が示された．電顕では核内に類結晶構造または線維状構造が観察され，しばしば核膜直下に集簇する（**図 16**）．

［参考事項］　近年，日本においてもAIDS患者のPMLが増加している．AIDS治療を目的とした多剤併用療法 highly active antiretroviral therapy（HAART）によりPML病態も改善することが知られている．しかし，宿主の細胞性免疫機能の回復によって，PML病巣での炎症反応が強まり神経症状の悪化を認めることがある．この現象を免疫再構築症候群 immune reconstruction inflammatory syndrome（IRIS）とよぶ．

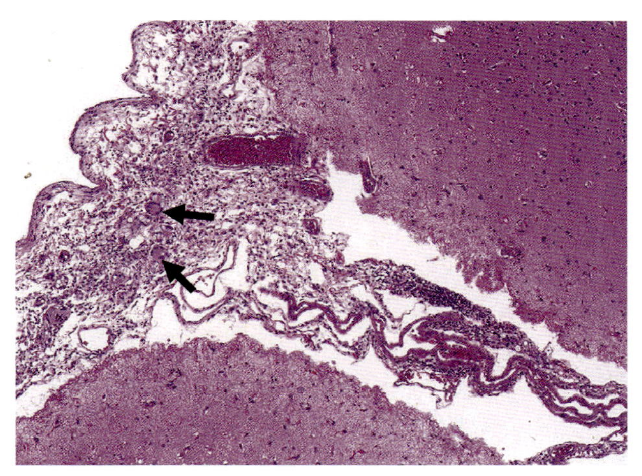

図 17　クリプトコッカス髄膜炎．くも膜下腔の炎症細胞浸潤．多核巨細胞が認められる（⬆）．弱拡大

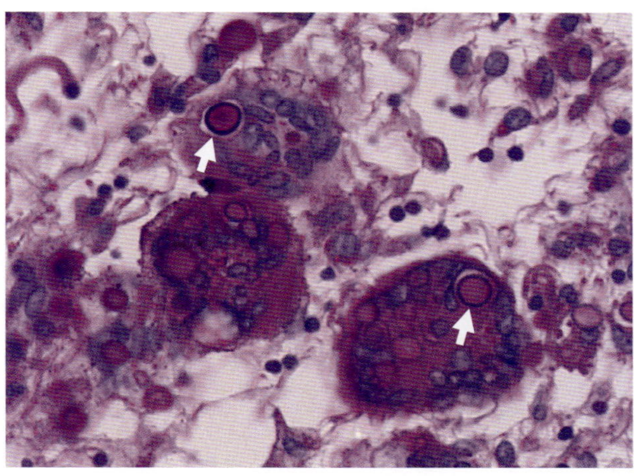

図 18　同前．多核巨細胞内に取り込まれた菌体がみられる（⬆）．PAS 染色．強拡大

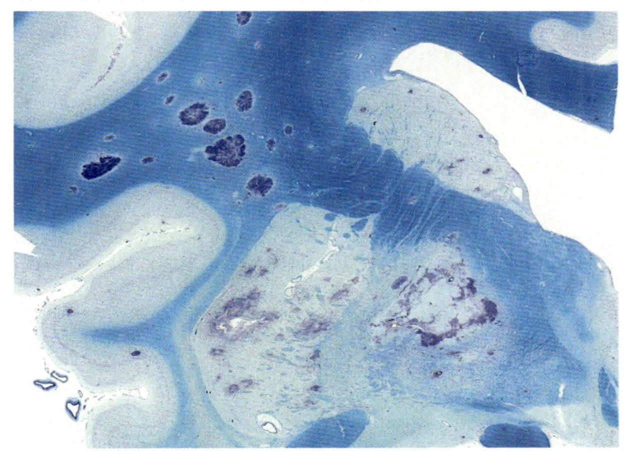

図 19　カンジダ症．多発する微小膿瘍．K-B 染色．ルーペ

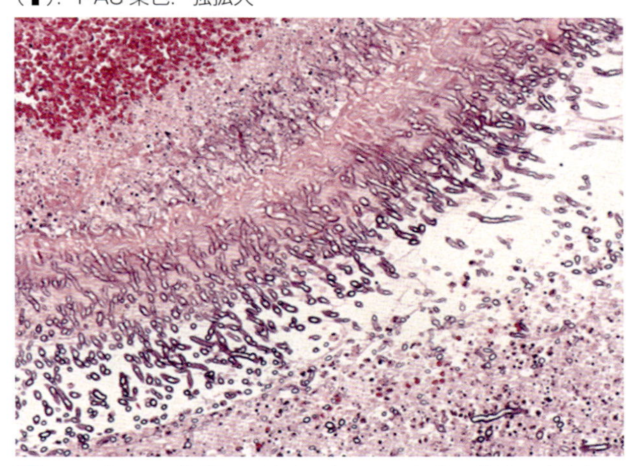

図 20　ムコール症．血管壁に侵入する無数の菌体．強拡大

真菌性髄膜炎の起炎真菌は，クリプトコッカス（*Cryptococcus neoformans*），カンジダ（*Candida albicans*），アスペルギルス（*Aspergillus fumigatus*）が多い．いずれも，免疫機能の低下した状態（担癌状態，自己免疫疾患，ステロイド剤使用，高齢など）に日和見感染として発症することが多い．中枢神経系への真菌感染は，その大部分が体内のほかの部分の感染巣からの血行性感染であり，髄膜炎あるいは脳内の肉芽腫や膿瘍として観察される．

クリプトコッカス髄膜炎は肺感染巣からの血行性感染として発症し，髄膜炎のほかに，まれに膿瘍（cryptococcoma）を形成する．髄膜刺激症状や頭蓋内圧亢進症状を呈する．組織学的には，髄膜への炎症細胞浸潤を認め（**図 17**），その中に円形で periodic acid-Schiff（PAS）染色陽性の莢膜を有する真菌が多数認められる（**図 18**；⬆）．莢膜はムコ多糖類を染めるGrocott染色で陽性となる．肉芽腫の形成はまれである．菌体が血管周囲腔へ侵入し，肉眼的にゼラチン様にみえる嚢胞性病変（soap bubble appearance）が多数認められることがある．カンジダは脳内（特に前・中大脳動脈領域）に多発性の微小膿瘍を形成する（**図 19**）．アスペルギルスは，肺感染巣から脳へ血行性感染を起こし，また副鼻腔や中耳などの感染巣や頭蓋骨外傷部から脳へ直達浸潤する．菌糸は鋭角に分枝し，Grocott 染色で標識される隔壁 septum を有する．この真菌は血管浸潤性があり，しばしば血管壁内に菌糸がみられる．これによる血管内血栓，出血，梗塞を惹起する．ムコールも，血行性感染に加え，鼻粘膜や上咽頭粘膜あるいは蝶形骨洞の感染巣から脳へ直達浸潤する．この真菌も血管侵入をきたしやすい（**図 20**）．血管炎や血栓形成による広範な脳梗塞や脳出血を起こし，致命的になることがある．

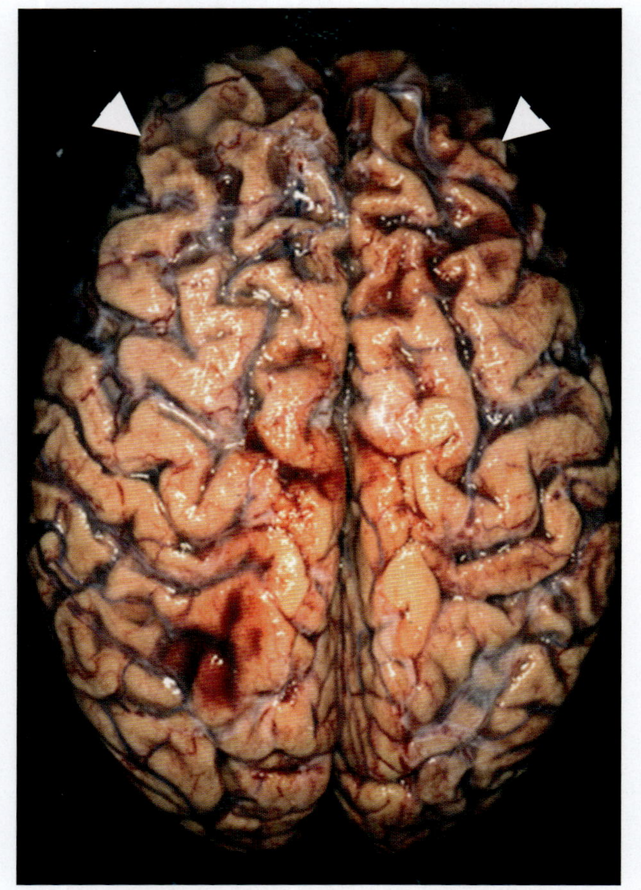

図 21　孤発性クロイツフェルト・ヤコブ病. 大脳外観. 脳回の狭小化（▲）と脳溝の開大がみられる. 肉眼像

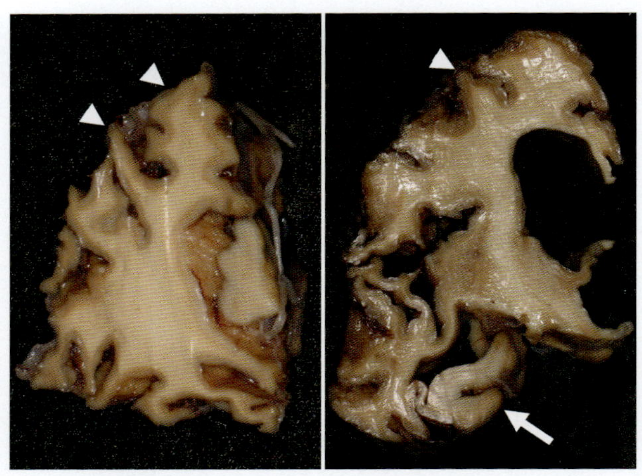

図 22　同前. 左大脳半球冠状断. 皮質の萎縮と脳回の狭小化（▲）. 海馬は保たれる（⬆）. 肉眼像

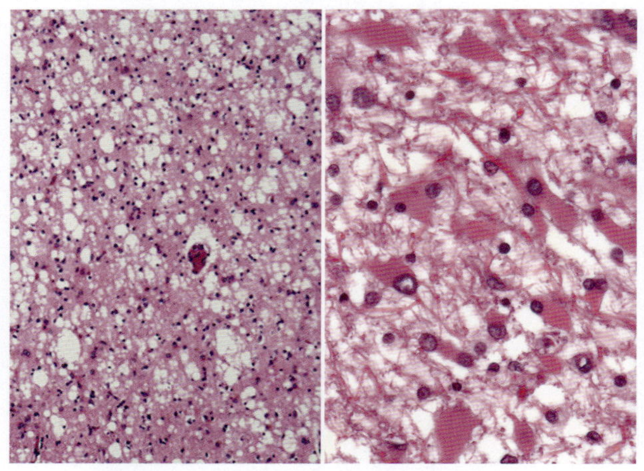

図 23　同前. 左：大脳新皮質の広範な海綿状変化, 弱拡大. 右：奇怪な形態を示すアストロサイト, 中拡大

クロイツフェルト・ヤコブ病（CJD）は, 感染型プリオン蛋白（PrP^{sc}）が中枢神経系に蓄積することによって引き起こされるプリオン病の代表的疾患である. 患者の8割は孤発性であり, 発症すると急速に認知機能や運動機能の障害が進行し, 数カ月のうちに寝たきりとなり死亡する. ミオクローヌスの出現や, 脳波検査での periodic synchronous discharge, 脳MRI拡散強調画像での皮質高信号が診断に有用である. 経過が短いにもかかわらず進行の速さを反映して, 剖検時には脳は高度に萎縮し, 脳表はギザギザとした外観を呈する（**図 21, 22**；▲）. 視床や基底核も萎縮し, 脳室は拡大する. 海馬や海馬傍回が比較的よく保たれることは本疾患の肉眼像の特徴である（**図 22 右**；⬆）.

組織学的に, 大脳新皮質には高度の神経細胞脱落とグリオーシスが認められる. また海綿状変化, すなわちニューロピルに形成された多数の小孔が融合し空胞状となった像が認められる（**図 23 左**）. 変性部位には奇怪な形態を示すアストロサイトが出現する（**図 23 右**）. 抗プリオン蛋白（PrP^{sc}）抗体を用いた免疫染色では, 脳組織に PrP^{sc} の沈着が認められる. 孤発性CJDのほとんどは灰白質のニューロピルに微細顆粒状（シナプス型）の PrP^{sc} 沈着を示す. PrP^{sc} は, 大脳皮質, 線条体, 視床, 小脳皮質, 黒質, 橋核などに広く沈着する. 孤発性CJDでは, プリオン蛋白をコードする遺伝子のコドン129番の対立遺伝子メチオニン（M）とバリン（V）の3種類の組み合わせ（MM, MV, VV）と, プロテアーゼ耐性異常プリオンの型（Ⅰ型あるいはⅡ型）の組み合わせにより6タイプの分子病型に分けられ, それぞれ臨床病理学的特徴によく対応することが知られている. 日本ではMM1が最も多く, 上述の皮質型CJDを呈する. 次に多いMM2は臨床的には皮質型と視床型に分けられる. MM2視床型は視床と下オリーブ核に著明な変性を認め, 大脳皮質病変は軽い.

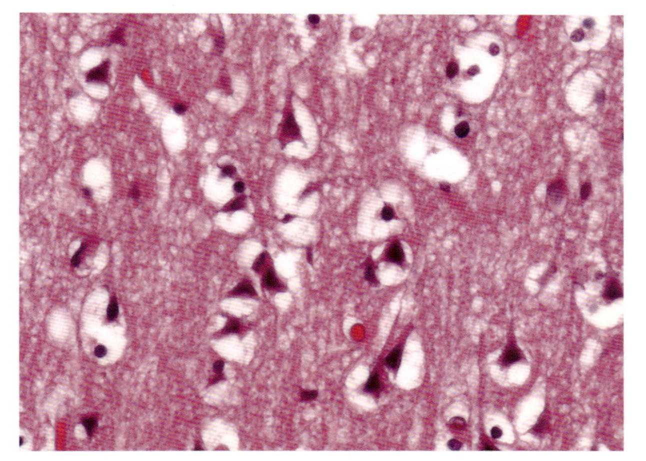

図 24　脳梗塞巣における経時的組織変化．急性期の皮質病巣．神経細胞は萎縮し，周囲に空隙を認める．中拡大

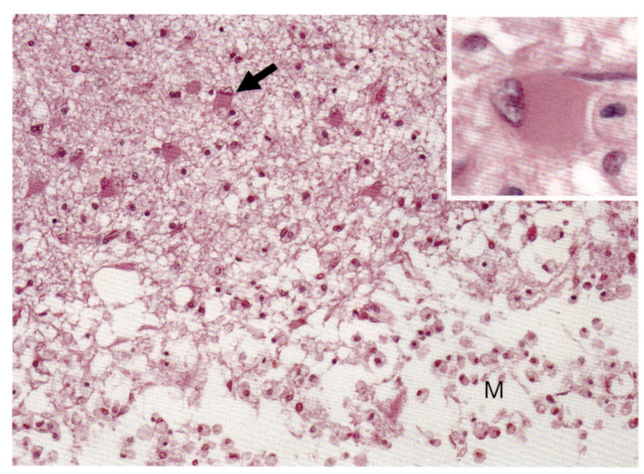

図 25　同前．亜急性期．壊死組織を貪食したマクロファージ（M）と反応性アストロサイト（⬆，挿入図）．中拡大

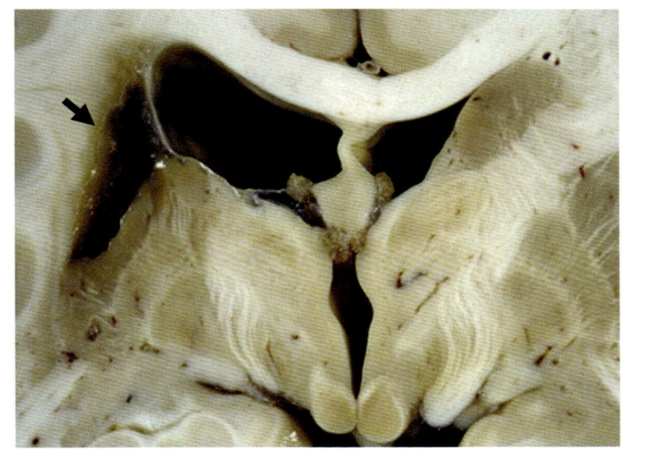

図 26　同前．陳旧性期．嚢胞形成（⬆）がみられる．大脳冠状断面．肉眼像

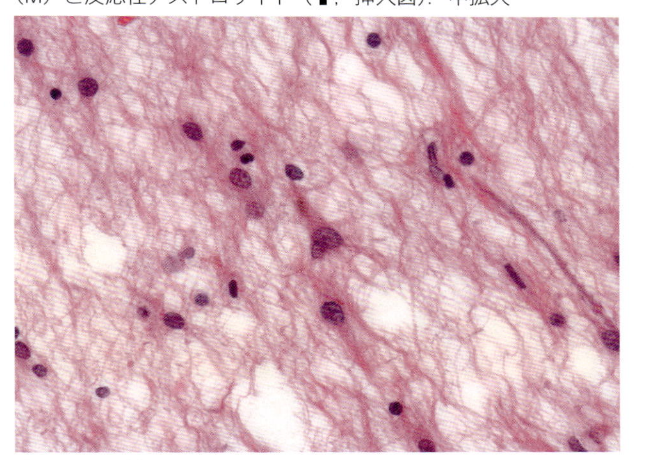

図 27　同前．陳旧性期．線維性グリオーシス．強拡大

脳梗塞は脳の栄養動脈の血行が遮断され，その還流領域に組織障害が起こることで発症する．血栓形成と塞栓がおもな原因である．脳梗塞は，アテローム血栓性脳梗塞，心原性脳塞栓症，ラクナ梗塞，その他に分けられる．心原性脳梗塞は，心臓内に形成された血栓が血行性に脳に達し血管を閉塞することで起こる．塞栓子が複数の血管を閉塞し，梗塞巣が多発することがある．ラクナ梗塞は直径 1.5 cm 以下の小梗塞をいい，基底核などを栄養する穿通枝領域に好発する．

脳梗塞は病巣に出血を伴うか否かにより，出血性梗塞と貧血性梗塞に区別される．出血性梗塞は梗塞に陥った灰白質に点状出血を伴うものであり，その形成機序として閉塞血管の再開通や静脈からの流入が想定されている．

梗塞巣の組織像は発症後の時間経過により変化する．発症後間もない急性期に神経細胞の萎縮が認められる（**図 24**）．その胞体は好酸性を示し，核は濃染し核小体は消失する．ニューロピルには微細空胞が出現し，細胞周囲腔や血管周囲腔は拡大する．この変化はアストロサイトの突起の腫大を反映したものである．また，血液脳関門の破綻により血管性浮腫が発生する．その後，梗塞巣には好中球やマクロファージが浸潤し，マクロファージは壊死に陥った組織を貪食して泡沫状になる．この時期のアストロサイトは，核が大きく好酸性の豊かな胞体をもつ反応性（肥胖性（ひはんせい））アストロサイトに変化する（**図 25**）．発症後数日経った亜急性期では，梗塞巣周囲には反応性アストロサイトの増多と毛細血管の新生がみられる．泡沫状マクロファージは梗塞巣の大きさにより数カ月から数年にわたって観察される．陳旧性期には，小梗塞巣はグリア瘢痕となり，大きな梗塞巣は周囲をグリア線維に囲まれた嚢胞を残す（**図 26，27**）．

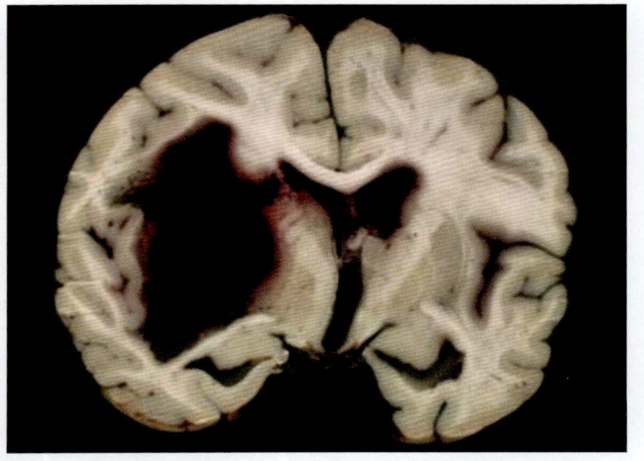

図 28　脳出血．急性期の左外側型脳出血．脳の腫大と血腫の脳室穿破がみられる．固定後大脳冠状断．肉眼像

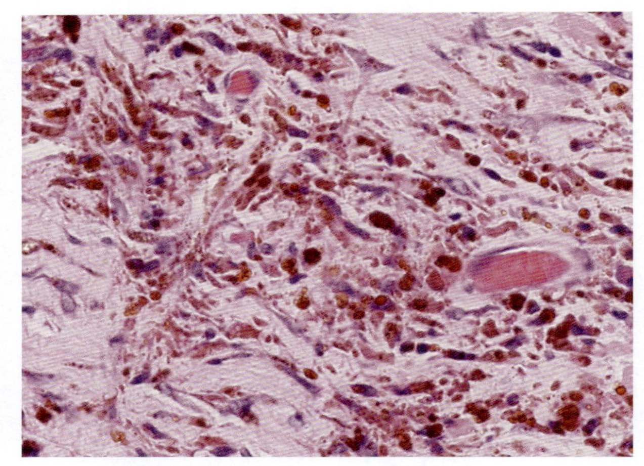

図 29　同前．出血周囲組織．ヘモジデリン貪食マクロファージが多数出現．中拡大

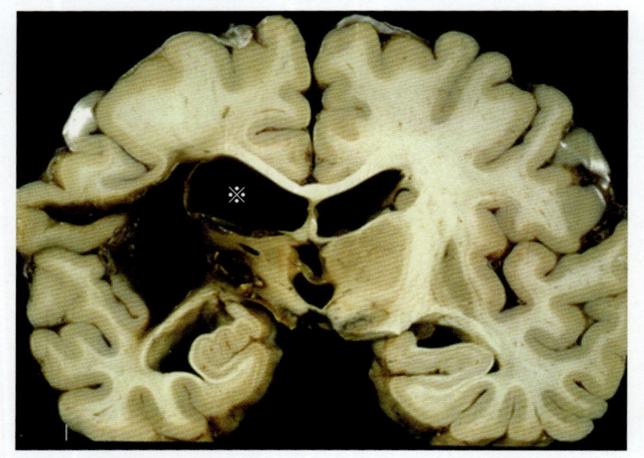

図 30　同前．陳旧性の脳出血．血腫が吸収され嚢胞を形成．脳室は拡大（※）．固定後大脳冠状断．肉眼像

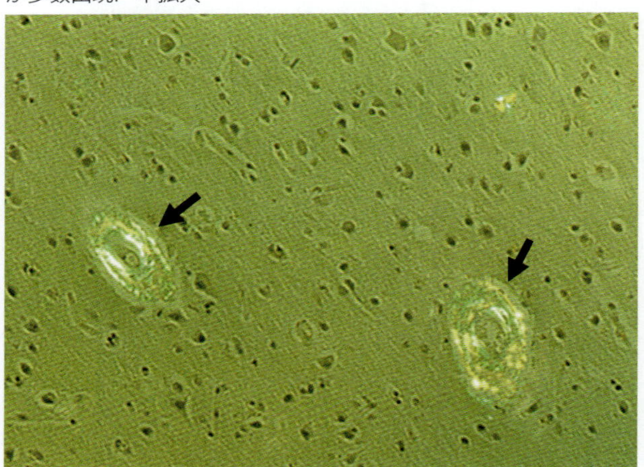

図 31　同前．アミロイドアンギオパチー．コンゴーレッド染色標本を偏光顕微鏡で観察すると血管壁が緑色偏光を呈する（⬆）．中拡大

脳出血（脳の実質内出血）の誘因として最も多いのは高血圧症である．高血圧性脳出血の原因としては，動脈硬化を基盤に生じた脳内の小動脈（直径 150 μm 前後）壁の局所性壊死と同部に形成された小動脈瘤の破綻によると考えられている．この小動脈瘤は外側線条体動脈，視床への穿通動脈に多発する．内包より外側構造物，特に被殻に生じた出血を外側型出血とよぶ．大きな血腫は尾状核頭部の上で側脳室前角に穿破する（**図 28**）．一方，視床出血は内側型出血ともよばれる．しばしば第三脳室に穿破し，予後不良である．血腫はマクロファージに貪食され，吸収されていく．血腫内外にはヘモジデリン顆粒を有するマクロファージが多数みられ（**図 29**），反応性アストロサイトの胞体にもヘモジデリン顆粒が認められる．血腫が吸収された跡は嚢胞となり，嚢胞壁はキサントクロミーを呈する（**図 30**）．高血圧性脳出血のうち，橋出血は 5〜10％とされている．重症例が多く，意識障害，呼吸障害，四肢麻痺を伴う．血腫は上方に進展して中脳に達することがあるが，下方に進展して延髄を破壊することはまれである．脳底動脈から分岐した穿通動脈が出血源とされる．小脳出血は歯状核近傍の白質に起こる．血腫は半球白質に進展し，第四脳室に穿破することがある．

［参考事項］　非高血圧性脳出血の原因として脳アミロイドアンギオパチー cerebral amyloid angiopathy（CAA）が重要である．CAA はくも膜下腔と皮質の小動脈や細動脈に好発し，血管壁にアミロイド β 蛋白が沈着し中膜平滑筋細胞が変性する（**図 31**）．血管が破綻し皮質下に大出血をきたすことがある．多発性あるいは再発をきたすことがある．くも膜下腔に出血を繰り返すことにより，脳表に限局性あるいはびまん性のヘモジデリン沈着をきたすことがある．この変化は画像上とらえられることがある．

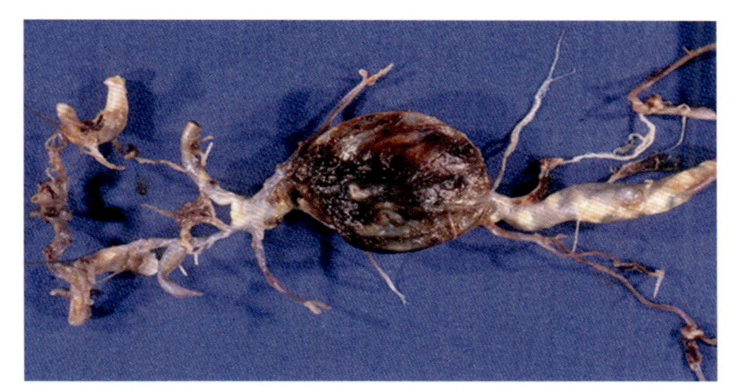

図 32　動脈瘤．脳底動脈にできた巨大動脈瘤．肉眼像

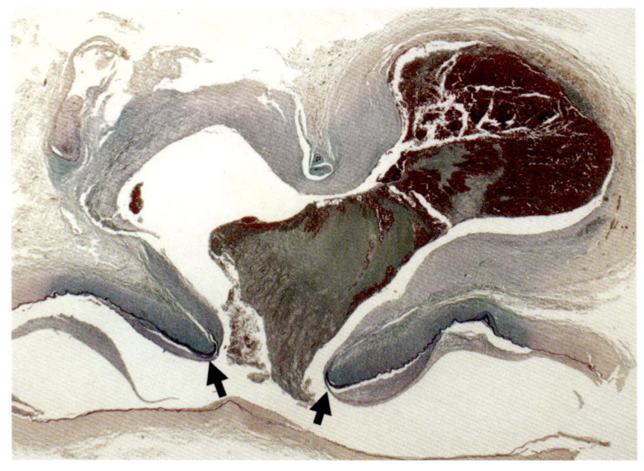

図 33　同前．嚢状動脈瘤の基部で弾性板の断裂が認められる（⬆）．Elastica-Goldner 染色．ルーペ

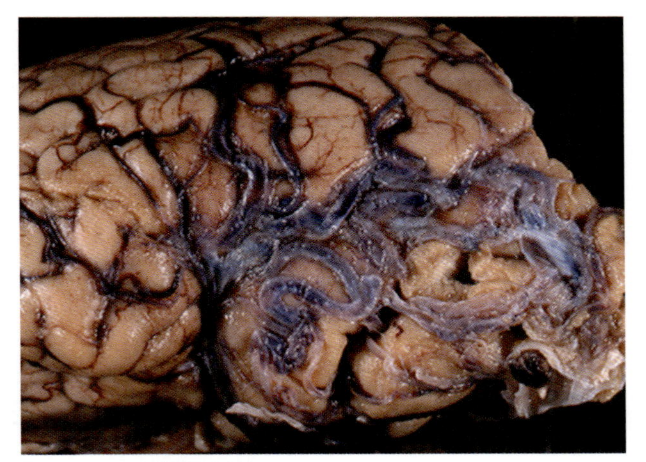

図 34　脳動静脈奇形．脳表に拡張した異常血管が多数みられる．肉眼像

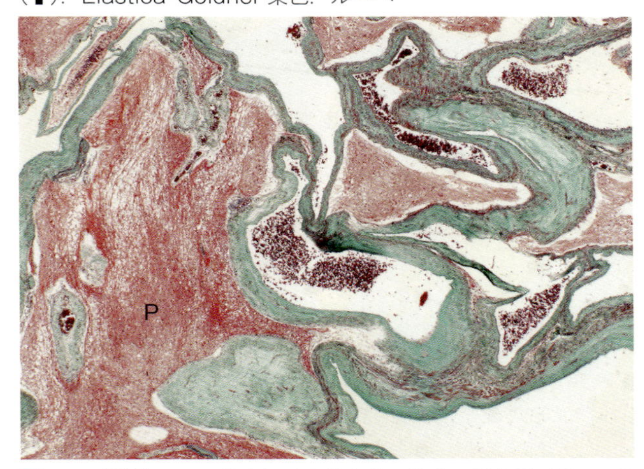

図 35　同前．平滑筋を欠く異常血管の集合．脳実質（P）にはグリオーシスを認める．Elastica-Goldner 染色．弱拡大

くも膜下出血　脳実質外に起こる出血のなかで最も多い病態である．原因としては脳動脈瘤（**図 32**）の破裂が最も多く，80％以上を占める．突然の強い頭痛，嘔吐，意識障害で発症することが多い．破裂脳動脈瘤の好発部位は，前大脳動脈-前交通動脈分岐部，内頸動脈-後交通動脈分岐部，中大脳動脈分岐部，椎骨・脳底動脈系である．動脈瘤は多発する場合がある．嚢状動脈瘤は体部 dome と頸部 neck に区別される．くも膜下腔の血管は，内膜，中膜，外膜の 3 層からなる．外膜は弾力性のない結合組織である．内膜と中膜の間には内弾性板があり，中膜には平滑筋が豊富に存在している．そのため，血管内圧の変動に対して動脈壁は伸び縮みして一定の血圧を保つことができる．一方，嚢状動脈瘤では，頸部で中膜平滑筋と内弾性板が消失しており（**図 33**），体部の壁は膠原線維のみで形成されている．このため，血圧が上昇すると緩衝作用が働かず，動脈瘤は体部の先端で容易に破れる．くも膜下出血の数日後に遅発性脳血管攣縮 delayed cerebral vasospasms が発生し，その還流域に脳梗塞が起こると予後が悪い．動脈瘤が脳実質に埋もれている場合には，動脈瘤の破裂により脳内出血をきたす．

脳動静脈奇形　若年者のくも膜下出血や脳出血の原因として重要である．大脳半球の脳表に，動脈とも静脈ともつかない異常血管が，密にとぐろを巻いたように認められる（**図 34**）．血管は不規則に拡張し，平滑筋や内弾性板をもつ動脈成分や厚い膠原線維からなる静脈成分がみられる（**図 35**）．血液は流入動脈から毛細血管を経ずに奇形血管の塊（nidus）に流入し，導出静脈へ流出する．破裂により，おもに脳内出血や脳室内出血を起こし，くも膜下出血をきたす頻度は 5〜10％といわれている．

［参考事項］　脳動脈の分岐部に起こる動脈瘤のほかに，脳動脈の本幹にできる動脈瘤がある．非外傷性の解離性動脈瘤は椎骨動脈でみられる．真菌や細菌の感染による二次性動脈瘤はまれであるが，致死的なくも膜下出血を起こすことがある．真菌感染による動脈瘤は，形状は嚢状ないし紡錘状で，原因菌は *Aspergillus* や *Phycomycetes* などが多く，感染源は副鼻腔炎や抜歯創，手術創などである．細菌感染による動脈瘤は，一般に連鎖球菌やブドウ球菌による細菌性心内膜炎から波及しやすく，脳動脈の末梢側に形成される．

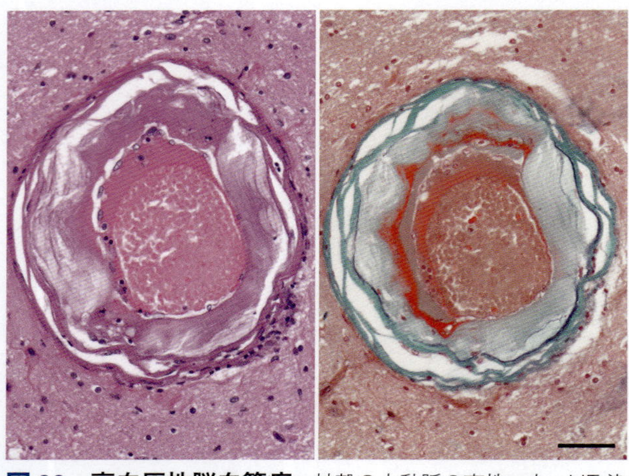

図 36　高血圧性脳血管病．被殻の小動脈の変性．左：HE 染色，右：Elastica-Goldner 染色．強拡大．Bar＝50 μm

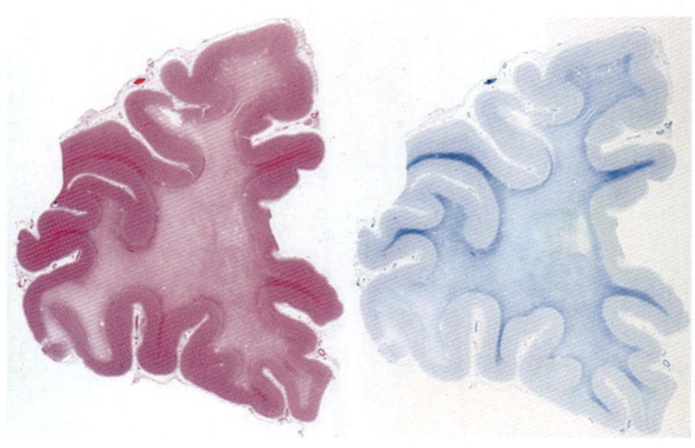

図 37　同前．大脳白質のびまん性淡明化．前頭葉冠状断面．右：K-B 染色．ルーペ

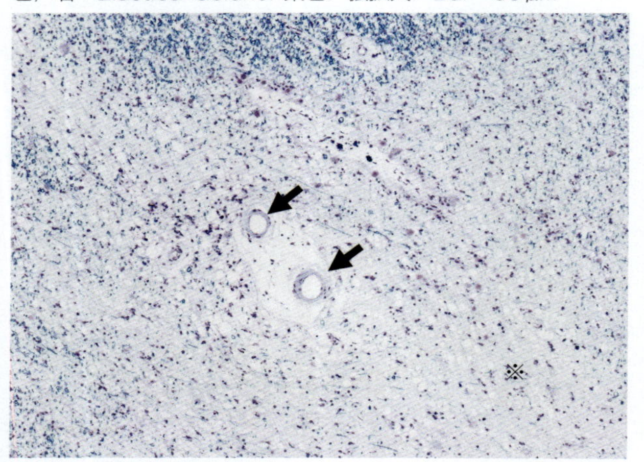

図 38　同前．深部白質の粗鬆化（※）と細動脈壁の変性（⬆）．K-B 染色．中拡大

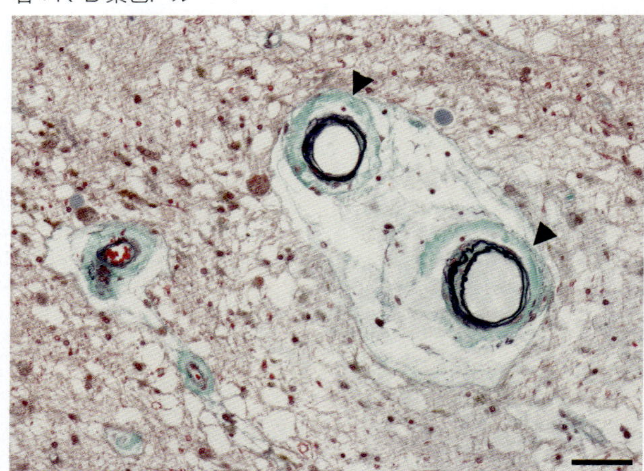

図 39　同前．細動脈の中膜平滑筋の消失と線維化（▲）．Elastica-Goldner 染色．強拡大．Bar＝50 μm

脳小血管とは，軟膜動脈—細動脈—毛細血管を指す．毛細血管は血液脳関門 blood-brain barrier（BBB）の担い手として重要である．孤発性で最も多い脳小血管病は高血圧性脳小血管病である．基底核，視床，橋などの灰白質や白質の径 40〜200 μm の小血管が侵されやすく，ラクナ梗塞，白質病変，脳出血の原因となる．

組織学的には血管の内膜障害，内膜下へのエオジン好性物質の沈着，平滑筋細胞の壊死や脱落がみられる（**図 36**）．こうした変化を示す小血管の閉塞によるラクナ梗塞，あるいは微小動脈瘤 microaneurysm 形成とその破綻による脳出血が生じる．脳出血は通常は穿通枝領域に起こる．しかし，肉眼的血腫は形成せず，赤血球の漏出や貪食細胞の遊走が顕微鏡レベルにとどまる場合もある．白質の小血管には中膜平滑筋細胞の脱落と，中・外膜の膠原線維の増生が認められる．こうした血管は，従来からビンスワンガー病 Binswanger disease で知られてきた収縮能を失った土管化血管に相当する．脳灌流圧の変化に対する血管弾性が失われ，びまん性に脳血流が低下し，大脳白質病変が惹起される（**図 37, 38**）．なお，血管閉塞にいたることはまれである．

ビンスワンガー病は高血圧の既往のある高齢者に多く，緩徐進行性の認知症とともに歩行障害や尿失禁を呈する．肉眼的には大脳白質のびまん性萎縮と側脳室拡大が認められる．組織学的には白質の有髄線維が脱落し，小動脈や細動脈の平滑筋細胞の消失がみられる（**図 39**）．さらに微小な血管や毛細血管の変性も認められる．アストロサイトの反応は軽く，オリゴデンドロサイトは減少する．

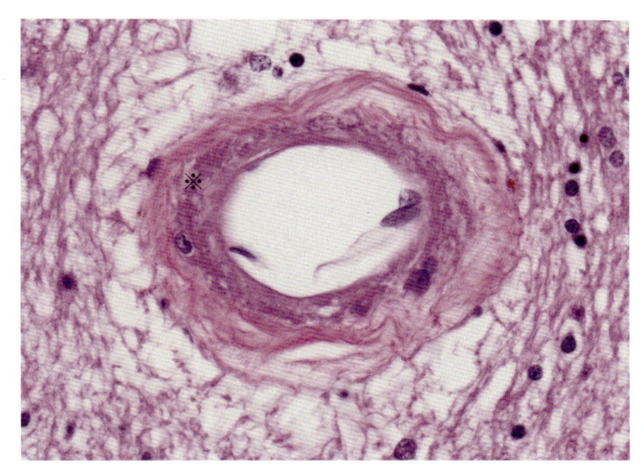

図 40　CADASIL．中膜平滑筋が変性し，好酸性の顆粒状構造物がみられる（※）．強拡大

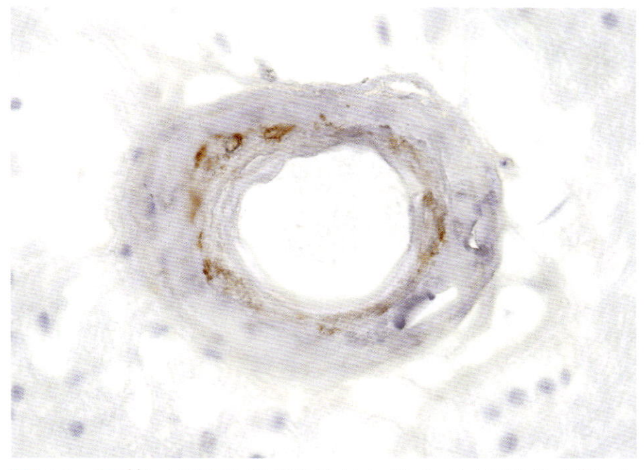

図 41　同前．NOTCH3 細胞外ドメインに対する抗体を用いた免疫染色．強拡大

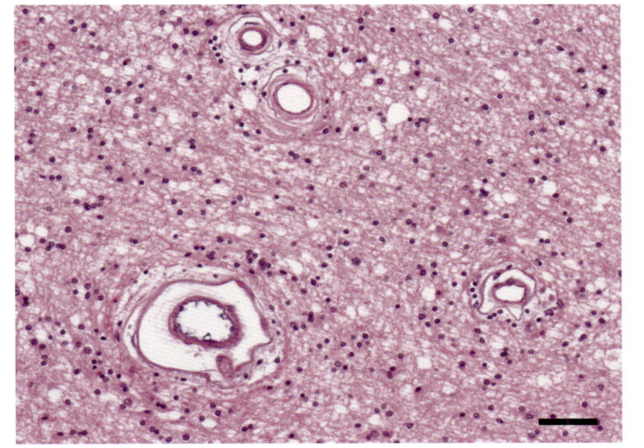

図 42　CARASIL．白質変性と血管壁変性．中拡大．Bar＝50 μm

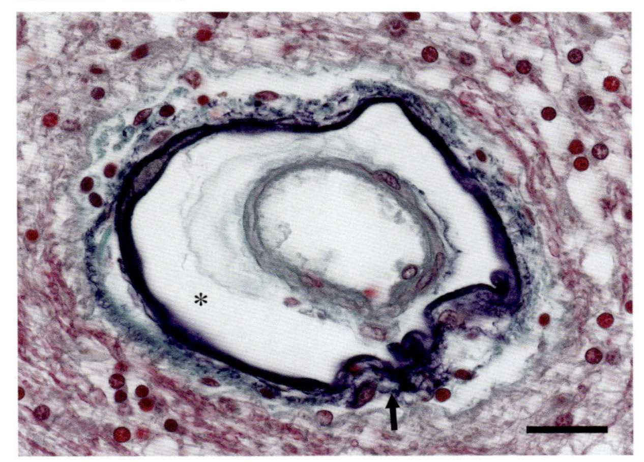

図 43　同前．中膜平滑筋は消失し（＊），弾性板は伸展，一部多層化（⬆）．Elastica-Goldner 染色．強拡大．Bar＝20 μm

遺伝性脳小血管病の代表的疾患は，cerebral autosomal dominant arteriopathy with subcortical infarcts and leukoencephalopathy（CADASIL）と cerebral autosomal recessive arteriopathy with subcortical infarcts and leukoencephalopathy（CARASIL）である．これらの患者は若年で発症し，高血圧の既往をもたないことが多い．CADASIL は *NOTCH3* 遺伝子変異による常染色体優性遺伝性疾患である．前兆を伴う片頭痛は 30 歳頃から，脳梗塞と気分障害やうつ症状は 40 歳代に，認知症は 50 歳代に発症することが多い．

MRI で外包や側頭極を含む白質に広範な信号変化と，多数の微小出血を皮質，基底核，白質に認める．穿通枝，軟膜動脈などの平滑筋細胞は変性脱落し（**図 40**），NOTCH3 細胞外ドメインに対する抗体で免疫染色を行うと，同部に陽性構造物が沈着している（**図 41**）．電子顕微鏡では，平滑筋細胞周囲に granular osmiophilic material（GOM）とよばれる NOTCH3 由来の沈着物がみられる．CARASIL は *HTRA1* 遺伝子変異による常染色体劣性遺伝性疾患であり，患者は禿頭，変形性脊椎症，認知症を示す．MRI では白質に広範な信号変化を認める．病理組織学的には，白質変性，脳小血管の内膜肥厚（**図 42**），平滑筋細胞の消失を認め（**図 43**），内弾性板は多重化 splitting する．しかし，GOM のような疾患特有の蓄積物は認められない．

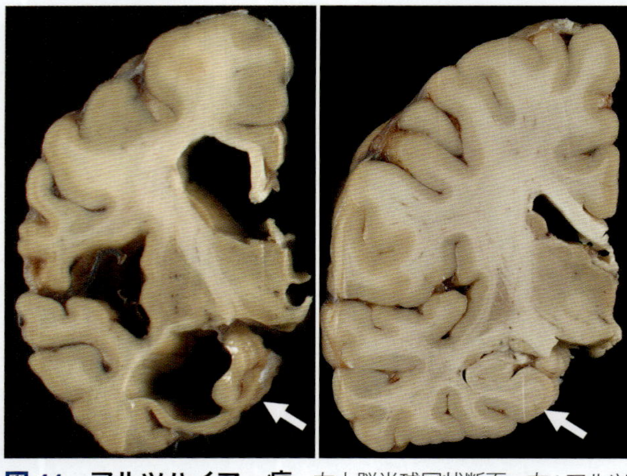

図 44　アルツハイマー病．左大脳半球冠状断面．左：アルツハイマー病．海馬（⬆）は高度に萎縮．右：対照症例．肉眼像

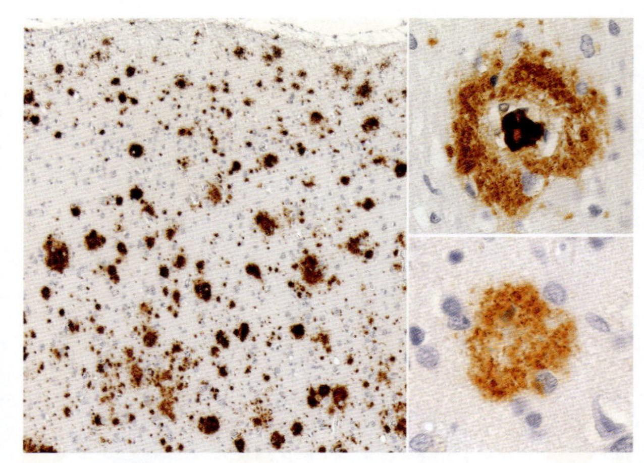

図 45　同前．抗βペプチド抗体による大脳皮質の免疫染色像．右上段：典型斑，右下段：びまん性斑

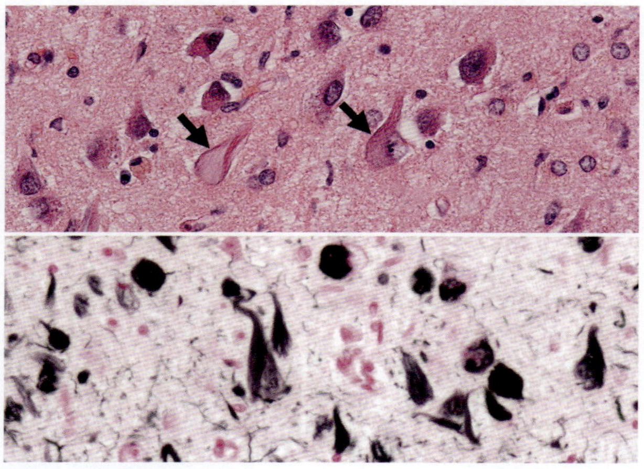

図 46　同前．神経原線維変化（上段⬆）HE 染色．強い嗜銀性を示す（下段）．Gallyas-Braak 染色．中拡大

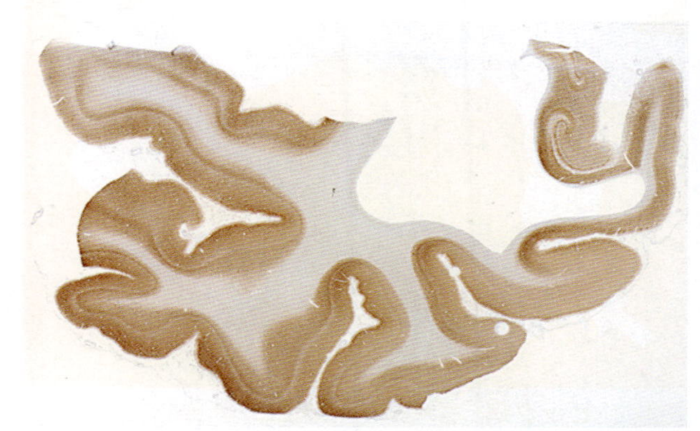

図 47　同前．抗リン酸化タウ抗体による免疫染色．側頭葉皮質全体に多数の陽性構造物．ルーペ

アルツハイマー病は大脳皮質が広く侵される変性疾患であり，認知症の原因として最も頻度が高い．記憶障害に始まり，失行，失認などさまざまな症状を呈し，寝たきりとなり死亡する．肉眼的に大脳は萎縮し，特に海馬を含む側頭葉内側部には強い萎縮が認められる（**図 44 左**；⬆）．運動野は比較的保たれる．

組織学的には，大脳皮質の神経細胞は広範に脱落しグリオーシスが認められる．高度の神経細胞脱落は，海馬や海馬傍回，大脳皮質，マイネルト基底核，青斑核で認められる．大脳皮質などには広範に老人斑 senile plaque や神経原線維変化 neurofibrillary tangle（NFT）が出現する．老人斑はβ-ペプチドからなるアミロイドがニューロピルに沈着したものである．中心部にアミロイドが塊状に沈着し，周囲を変性した神経突起（dystrophic neurites）が取り囲むもの（典型斑 typical plaque）や，アミロイドが斑状に沈着しただけのもの（びまん性斑 diffuse plaque）がある．いずれもβ-ペプチドに対する抗体を用いて免疫染色を行うと明瞭に描出される（**図 45**）．アミロイドは血管壁にも沈着し，しばしば cerebral amyloid angiopathy（CAA）を伴う．NFT は神経細胞の胞体内に認められる糸巻き状，束状の構造物であり，嗜銀性をもつ（**図 46**）．死滅した神経細胞の細胞外に遺残した NFT（ghost tangle）もみられる．NFT は高度にリン酸化したタウ蛋白を含む．リン酸化タウに対する抗体で免疫染色を行うと，無数の NFT とともに突起内構造物が陽性となる．ニューロピル全体にタウが蓄積した腫大細胞突起（neuropil thread）が標識される（**図 47**）．アルツハイマー病の組織学的病期は，老人斑や NFT の広がりによって判定されている．海馬の錐体神経細胞などに，顆粒空胞変性 granulovacuolar degeneration や平野小体 Hirano body をみることがある．これらは加齢によって出現する．アルツハイマー病を特徴づける構造物ではない．

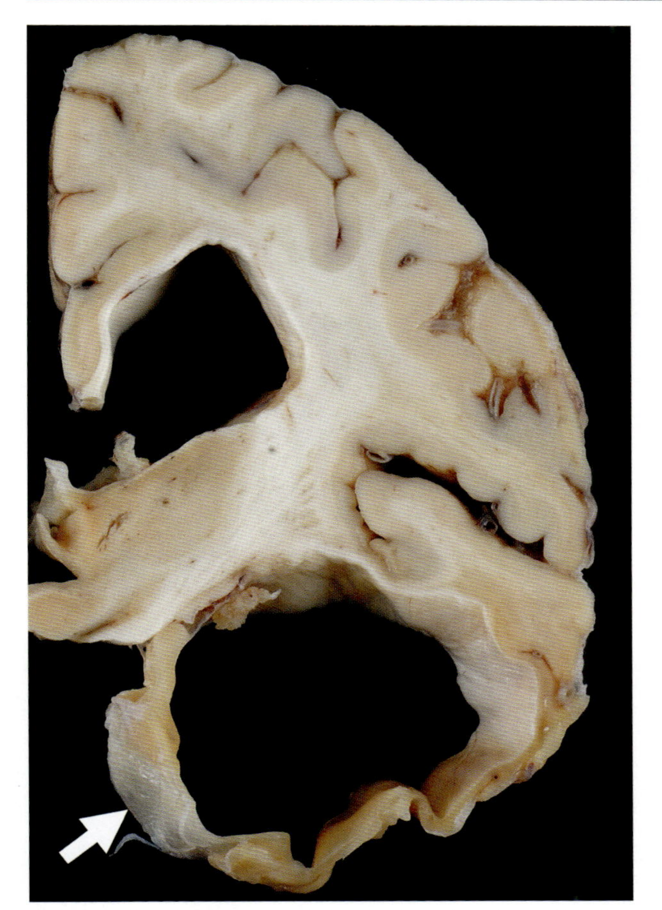

図 48　ピック病．右大脳半球冠状断面．海馬を含む側頭葉の高度萎縮（⬆）．肉眼像

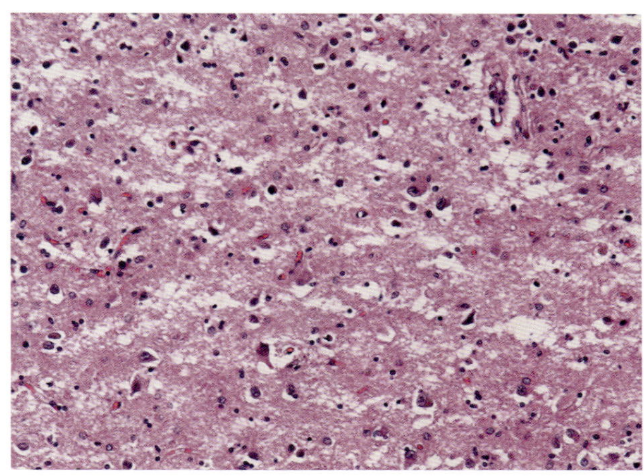

図 49　同前．側頭葉皮質．高度の神経細胞脱落とグリオーシス．中拡大

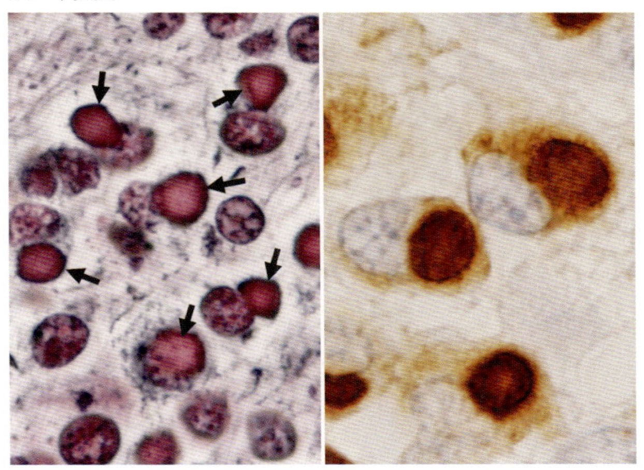

図 50　同前．左：歯状回顆粒細胞内のピック嗜銀球（⬆）．Bodian 染色，強拡大．右：ピック嗜銀球．抗リン酸化タウ抗体による免疫染色，中拡大

前頭-側頭型認知症を呈する代表的な疾患である．40〜50歳代に発症し，記憶や見当識は保たれるものの，自制心の欠如や異常行動などの人格障害が顕著に現れる．認知症が進行し，末期には精神荒廃状態となって10年前後の経過で死亡する．肉眼的に前頭葉や側頭葉の葉性萎縮 lobar atrophy が明らかで，萎縮が高度になると脳回が細くなりナイフの刃状になる（knife-edge atrophy）．萎縮部の大脳皮質の幅は狭く，白質の容量が減少し，側脳室は拡大する（**図 48**）．中心前・後回は比較的保たれ，また上側頭回や頭頂・後頭葉も萎縮は軽度である．尾状核頭部の萎縮が認められる．組織学的には，萎縮した大脳皮質には高度の神経細胞脱落とグリオーシスが認められる（**図 49**）．大脳皮質に比べて皮質下諸核の変性は軽く，尾状核や視床，黒質に神経細胞脱落をみることがある．残存する神経細胞の胞体内には円形〜楕円形の嗜銀性封入体（ピック小体 Pick body；ピック嗜銀球，ピック球）が存在する．ピック小体は歯状回顆粒細胞に好発する．ピック小体は，鍍銀染色である Bodian 染色で明瞭に標識される（**図 50 左**）が，別の鍍銀法である Gallyas-Braak 染色ではごく弱くしか標識されない．進行性核上性麻痺（PSP）や皮質基底核変性症（CBD）がおもに4リピートタウが蓄積する4リピートタウオパチーであるのに対し，ピック病は3リピートタウが蓄積する3リピートタウオパチーである．ピック小体は，抗3リピートタウ抗体や抗リン酸化タウ抗体で標識される（**図 50 右**）．タウ陽性構造物は大脳皮質のアストロサイトや白質のオリゴデンドログリアにも少数ながら認められる．また，リン酸化タウとニューロフィラメントが蓄積し，腫大した神経細胞（ピック細胞）が認められる．

［参考事項］　前頭側頭葉変性症 frontotemporal lobar degeneration（FTLD）はアルツハイマー病に次いで頻度が高い認知症である．かつて“ピック球のないピック病”と称されていた疾患群は，その後の解析で ALS 関連蛋白である，TDP-43 や FUS 陽性の構造物を有するものが多いことが判明した．現在では，蓄積する病的蛋白の違いにより，FTLD-tau〔ピック病，CBD，PSP，globular glial tauopathy（GGT）〕，FTLD-TDP，FTLD-FUS に分類されている．

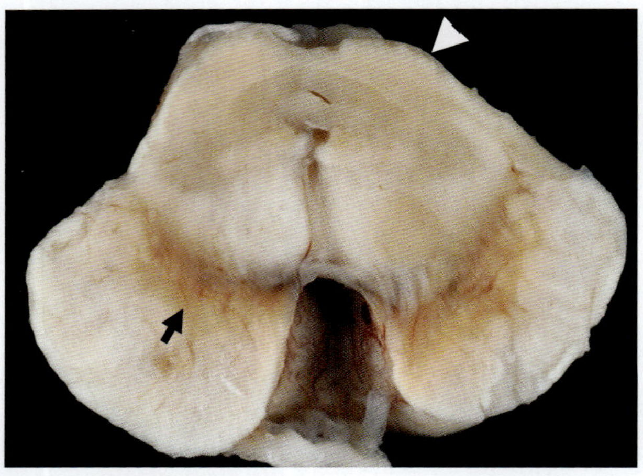

図 51　進行性核上性麻痺．中脳水平断面．黒質の脱色素（⬆）と上丘の萎縮（▲）．肉眼像

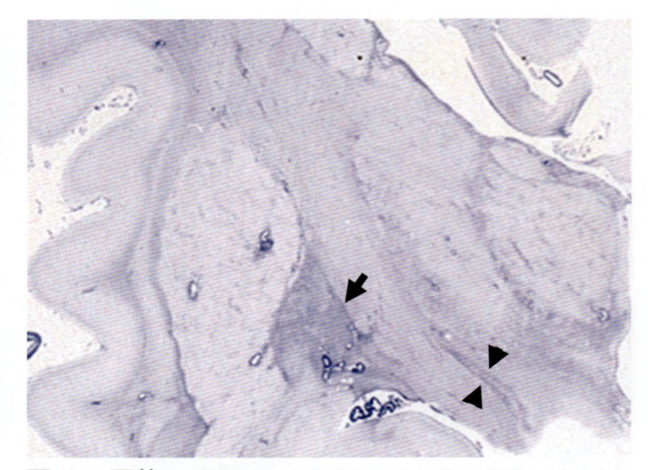

図 52　同前．淡蒼球（⬆）と視床下核（▲）の萎縮とグリオーシス．Holzer 染色．ルーペ

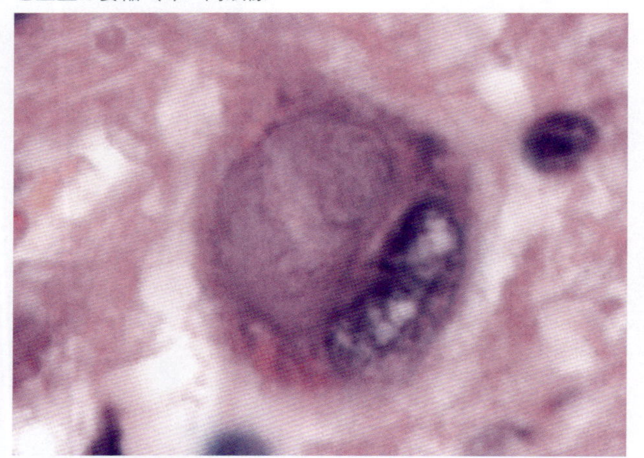

図 53　同前．globose type 神経原線維変化．強拡大

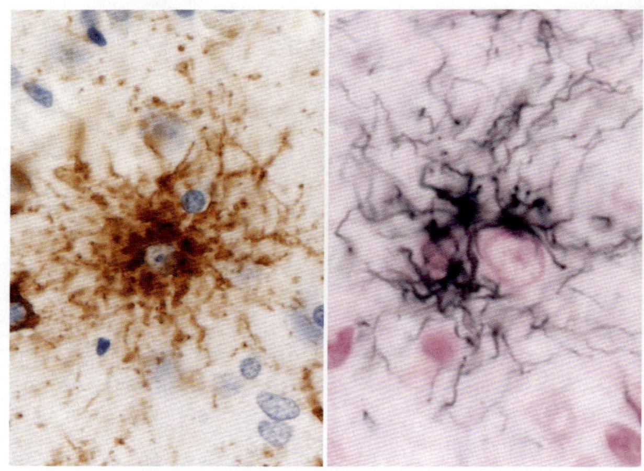

図 54　同前．tufted astrocyte．左：抗リン酸化タウ抗体による免疫染色，右：Gallyas-Braak 染色．強拡大

タウは神経軸索内の分子量約 5 万の微小管結合蛋白であり，微小管の重合を促進し安定化する．エキソン 2, 3, 10 の選択的スプライシングにより 6 個のアイソフォームがある．C 末端側にある微小管結合領域の繰返し数（3 か 4 か）によって順に 3 リピートタウ，4 リピートタウとよぶ．タウオパチーは神経細胞やグリア細胞の胞体や突起に高度にリン酸化されたタウ蛋白が蓄積し細胞の機能障害を呈する神経変性疾患の総称である．4 リピートタウオパチーには，進行性核上性麻痺 progressive supranuclear palsy（PSP），皮質基底核変性症 corticobasal degeneration（CBD），嗜銀顆粒性認知症 argyrophilic grain dementia（AGD），globular glial tauopathy（GGT）がある．3 リピートタウオパチーには，ピック病 Pick disease（PiD）がある．PSP はパーキンソニズムを呈する変性疾患のなかでパーキンソン病に次いで多い．姿勢反射障害，転倒傾向で発症し，垂直性核上性注視麻痺，無動，筋固縮，認知症などの症状を呈する．脳の肉眼的観察では黒質の退色（**図 51**；⬆）と，脳幹背側部の上丘や中脳水道周囲灰白質の萎縮が特徴的である．組織学的には神経細胞脱落とグリオーシスが淡蒼球，視床下核（**図 52**），中脳背側部，黒質，橋被蓋，橋核，小脳歯状核などに認められる．大脳皮質ではしばしば運動野に変性を認める．免疫染色でリン酸化タウ蛋白陽性構造物が，神経細胞やグリア細胞に認められる．残存神経細胞には球状（globose type）の神経原線維変化が出現する（**図 53**）．これは電顕的には 15 nm 径の straight tubule の集合からなる．アストロサイトの胞体から突起近位部にタウが蓄積した構造物は tufted astrocyte（TA）とよばれ，本疾患を特徴づける構造物である（**図 54**）．オリゴデンドロサイトに蓄積した構造物は coiled body と，また皮質や白質に観察される線維状構造物は argyrophilic threads とよばれる．いずれも嗜銀性を示し，Gallyas-Braak 銀染色で明瞭に標識される．

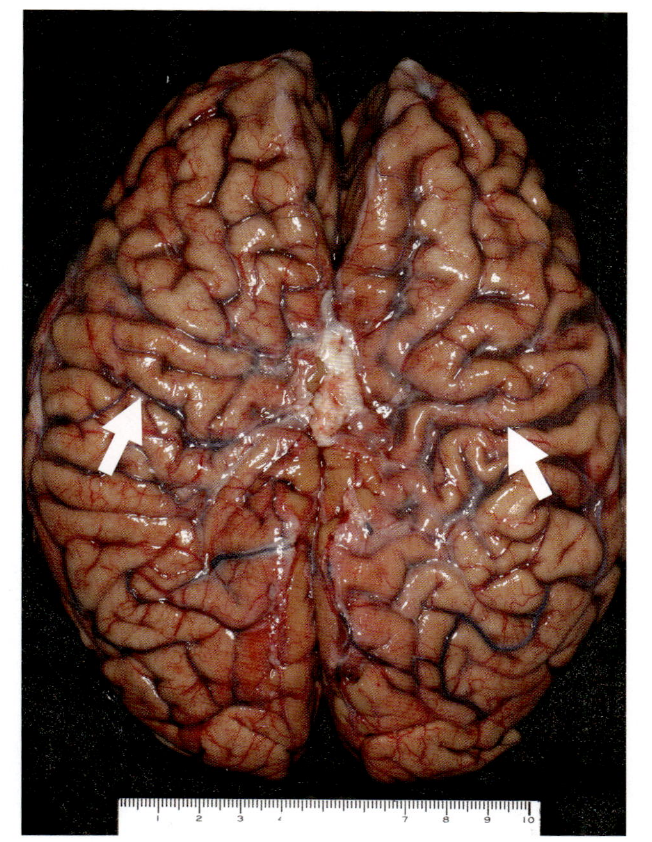

図 55　皮質基底核変性症．大脳皮質の運動野（⬆）にやや右優位の萎縮を認める．肉眼像

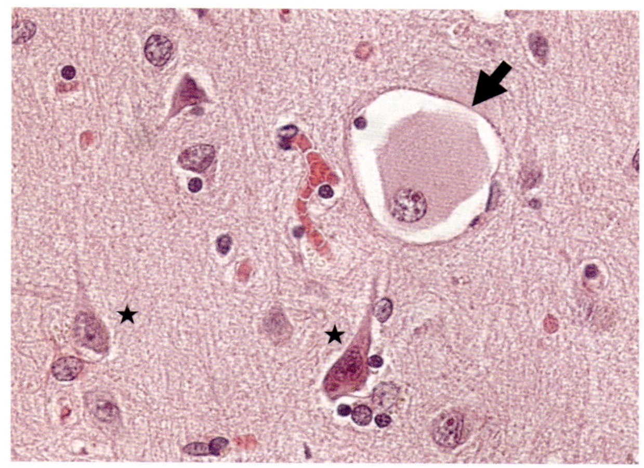

図 56　同前．ballooned neuron（⬆）．通常の錐体神経細胞（★）．前頭葉皮質．中拡大

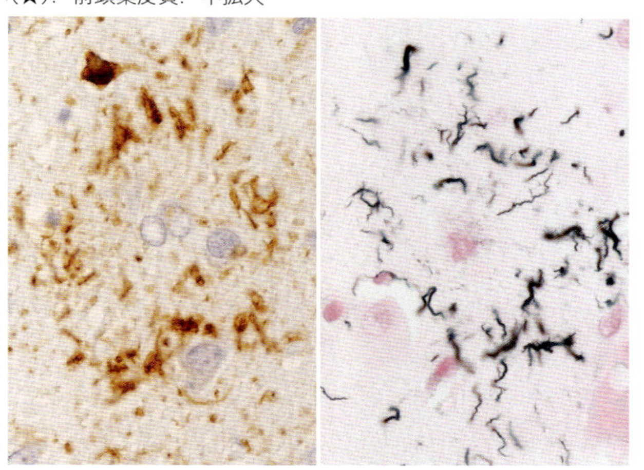

図 57　同前．astrocytic plaque．左：リン酸化タウ免疫染色，右：Gallyas-Braak 染色．強拡大

皮質基底核変性症（CBD）は進行性核上性麻痺（PSP）と並んでよく知られた4リピートタウオパチーである．高齢発症で，左右差のある巧緻動作障害，姿勢反射障害，失行，失語，認知機能低下などを呈する．画像上，大脳萎縮に左右差を認めることがある．肉眼的には，大脳皮質特に中心溝周囲の前頭・頭頂葉が萎縮し（**図 55**），また淡蒼球の萎縮，黒質の退色が認められる．組織学的には，運動野は神経細胞が高度に脱落しグリオーシスを呈する．大脳皮質には腫大した神経細胞 ballooned neuron が散在性に出現する（**図 56**）．その胞体はニッスル顆粒を失い淡い好酸性を示すのみ（achromasia）となる．これは軸索傷害に伴う非特異的変化であるが，CBD でしばしば認められる．皮質下諸核の変性は黒質に最も強く，次いで淡蒼球内節に，さらには淡蒼球外節，線条体，視床下核，中脳水道周囲，小脳歯状核などにも及ぶ．免疫染色でリン酸化タウ蛋白陽性構造物が広く出現する．その分布は萎縮が明らかな脳領域を越え，その出現の程度は PSP よりも高度である．神経細胞には globose type の神経原線維変化が認められる．アストロサイトには，突起遠位部にタウが蓄積した構造物 astrocytic plaque（AP）が認められる（**図 57**）．AP は CBD を特徴づける重要な構造物であり，PSP における TA とは形態が異なる．オリゴデンドロサイトにも coiled body や argyrophilic threads が広範かつ高度に出現する．これらのタウ陽性構造物はいずれも Gallyas-Braak 銀染色で明瞭に標識される．

［参考事項］ CBD では大脳の変性領域にバリエーションがある．前頭-側頭葉萎縮をきたし前頭側頭型認知症を示す例や，シルビウス裂周囲に萎縮をきたし進行性失語を示す例もある．一方，アルツハイマー病や PSP でも，大脳皮質の変性に左右差や局在性をみることがある．そのことから，臨床像からは大脳皮質基底核症候群 corticobasal syndrome（CBS）という診断名が用いられる．

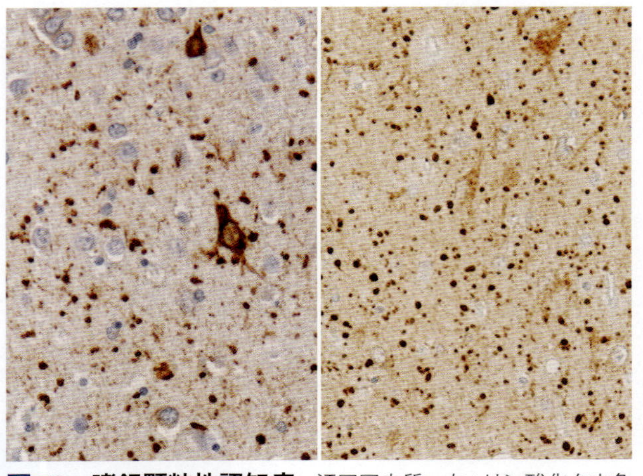

図 58　嗜銀顆粒性認知症．迂回回皮質．左：リン酸化タウ免疫染色，右：4 リピートタウ免疫染色．中拡大

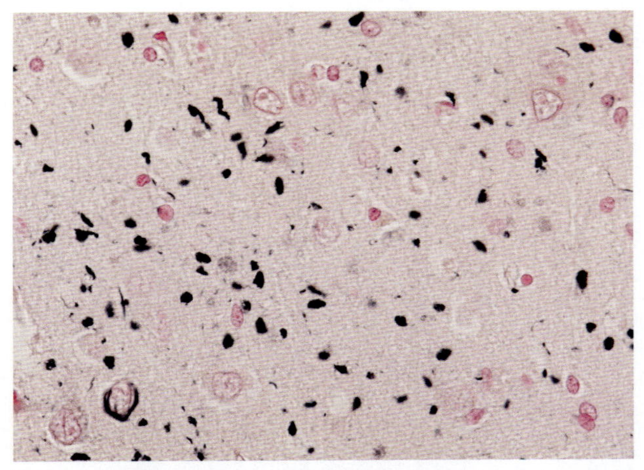

図 59　同前．嗜銀性を示す顆粒状構造物．Gallyas-Braak 染色．中拡大

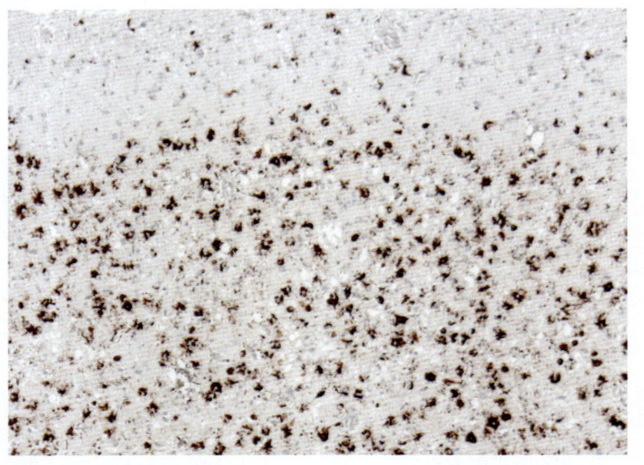

図 60　Globular glial tauopathy．運動野皮質．全層に無数のタウ陽性構造物．リン酸化タウ免疫染色．弱拡大

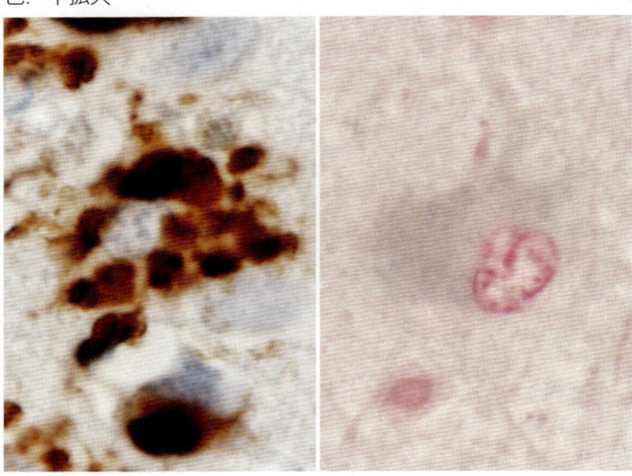

図 61　同前．globular astrocytic inclusion．左：リン酸化タウ免疫染色，右：Gallyas-Braak 染色．強拡大

嗜銀顆粒性認知症（AGD）　発症年齢は 80〜90 歳と高い．記憶障害で発症し，次第に見当識や認知機能も障害される．画像では海馬領域の萎縮と側脳室下角の拡大を認め，大脳皮質のびまん性萎縮は軽度にとどまる．組織学的には，迂回回や扁桃体から側頭葉内側に，リン酸化タウ免疫染色で陽性像を示すこん棒状あるいは紡錘形の微細構造物が認められる（**図 58**）．これらは 4 リピートタウが神経突起に蓄積したものであり，Gallyas-Braak 染色で標識される性質，すなわち嗜銀性を示す（**図 59**）ことから嗜銀顆粒 argyrophilic grain とよばれる．

Globular glial tauopathy（GGT）　近年，疾患概念が提唱されたタウオパチーである．臨床的に前頭側頭葉型認知症，パーキンソニズム，運動ニューロン症状をさまざまな組み合わせで呈する．グリア細胞におけるタウ陽性の“globular”（球状）封入体に特徴づけられる（**図 60**）．オリゴデンドロサイトには胞体が大きく膨らんだ globular oligodendroglial inclusion（GOI）が，アストロサイトには胞体や突起近位部に連なる小球状あるいは花弁状を示す globular astrocytic inclusion（GAI）が認められる（**図 61 左**）．GAI は PSP の TA や CBD の AP とは形態が異なる．これらの封入体はいずれも 4 リピートタウからなる．しかしながら，TA や AP とは異なり，GOI や GAI は嗜銀性が弱く Gallyas-Braak 染色で明瞭な染色性が得られない（**図 61 右**）．

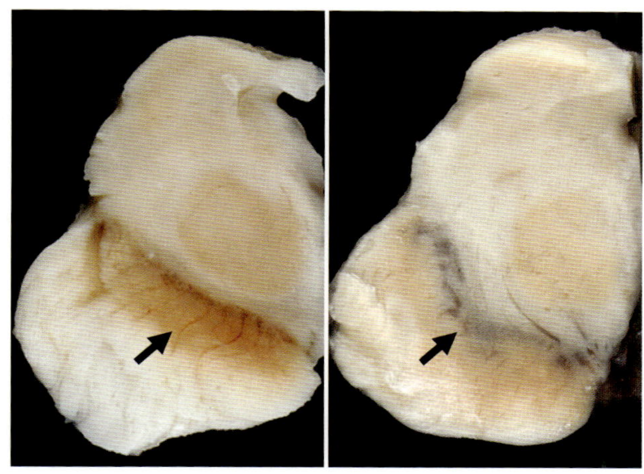

図 62　パーキンソン病．中脳水平断面．左：黒質の脱色素（⬆），右：対照症例．肉眼像

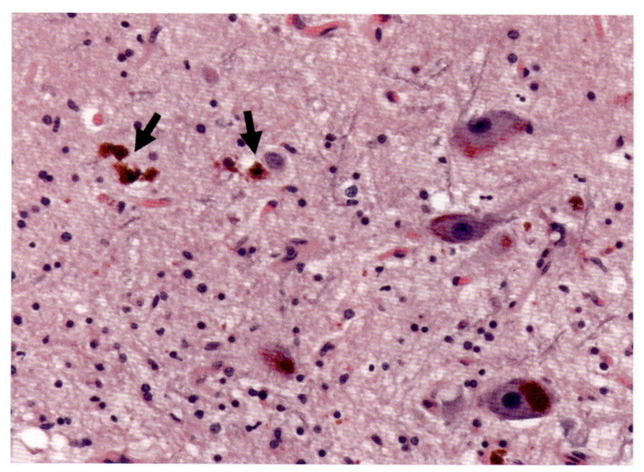

図 63　同前．黒質の色素含有細胞の脱落（⬆）とグリオーシス．中拡大

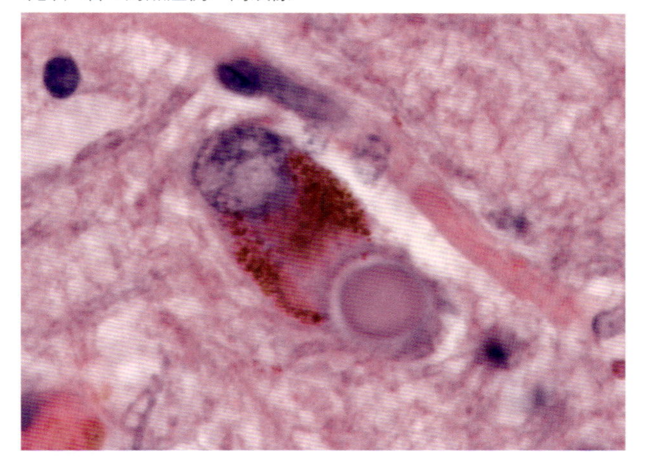

図 64　同前．黒質の色素含有細胞の胞体内に認められたレビー小体．強拡大

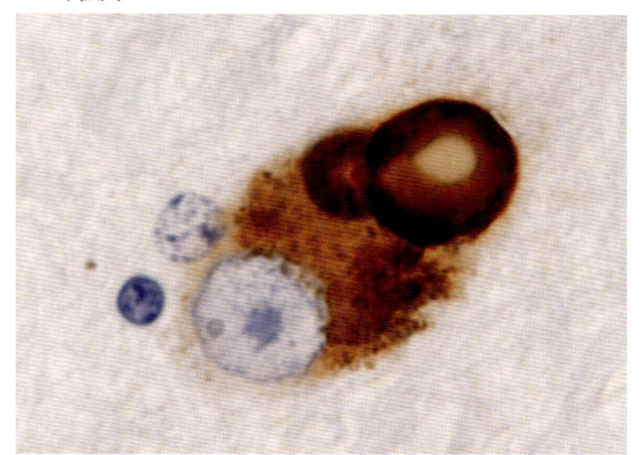

図 65　同前．レビー小体．リン酸化 α-シヌクレイン免疫染色．強拡大

パーキンソン病（PD）は，50 歳代以降の発症が多く，振戦，筋固縮，寡動，小刻み歩行などの運動障害と，起立性低血圧や排尿障害などの自律神経症状を呈する．肉眼的には，黒質（ドパミンニューロン）と青斑核（ノルアドレナリンニューロン）の黒色調が失われる（**図 62**）．組織学的には，黒質，青斑核，迷走神経背側核の神経細胞脱落とグリオーシスが認められ，色素を貪食したマクロファージや細胞外メラニン顆粒が存在する（**図 63**）．残存する神経細胞の胞体内や突起内にはレビー小体 Lewy body が出現する（**図 64**）．レビー小体はさまざまな形態や染色性を示す．脳幹型レビー小体は，中心に好酸性の芯があり周囲に暈 halo がある．迷走神経背側核，脳幹網様体，視床下部，マイネルト基底核，脊髄中間質外側核，末梢交感神経節，消化管神経叢などにも出現する．免疫染色では α-シヌクレイン α-synuclein（**図 65**）やユビキチンに陽性である．PD 患者は経過が長くなるにつれて，認知機能の低下をきたすことがある．また，パーキンソニズムに幻視を伴うような特徴的な認知症がある．こうした患者では，大脳皮質にも広くレビー小体が出現しており，レビー小体型認知症 dementia with Lewy bodies（DLB）とよばれている．皮質型レビー小体は神経細胞の胞体が淡く好酸性に染まり，脳幹型レビー小体のような層構造をもたない．好発部位は海馬傍回の皮質深層と扁桃体である．

［参考事項］　若年性パーキンソニズムは 40 歳以前に発症し，薬剤に対する反応がよく長期に経過する．常染色体劣性遺伝形式をとる *PARK2*（*parkin*）遺伝子変異による病態がよく知られている．寡動を主症状とし，しばしばジストニアを呈する．病理組織学的には黒質や青斑核の神経細胞数が少ない．通常，レビー小体は認めず，α-シヌクレインの蓄積はない．孤発性 PD とは別の病態である．

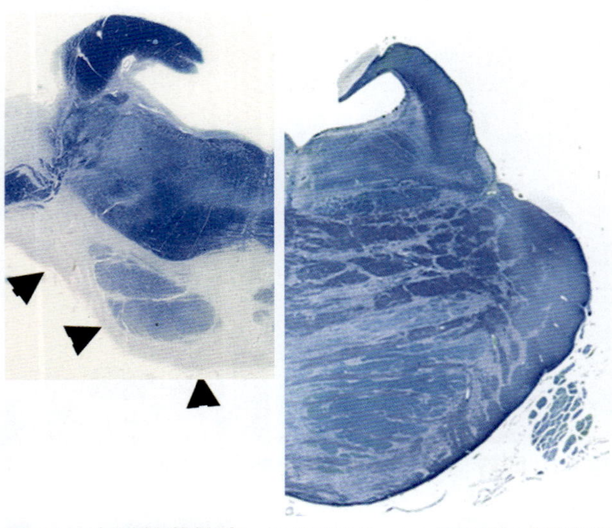

図 66　多系統萎縮症．橋水平断面．左：橋底部の高度萎縮（▲），右：対照症例．K-B 染色．ルーペ

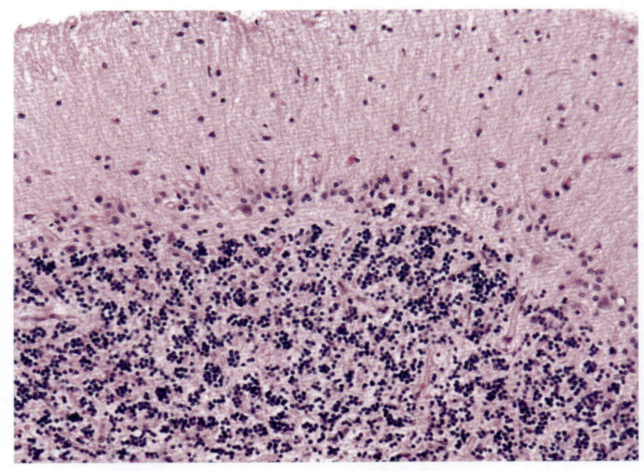

図 67　同前．小脳プルキンエ細胞の高度脱落とバーグマングリアの増生．弱拡大

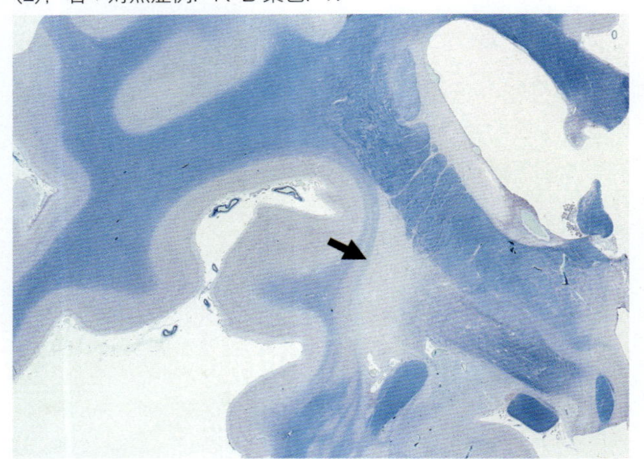

図 68　同前．被殻の萎縮（⬆）と有髄線維の脱落．K-B 染色．ルーペ

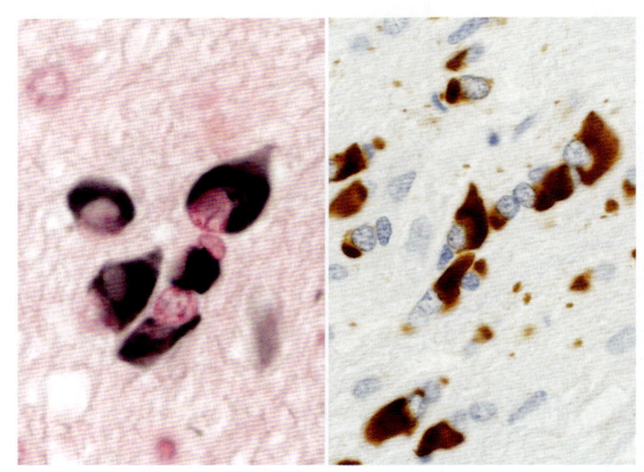

図 69　同前．glial cytoplasmic inclusions．左：Gallyas-Braak 染色，右：リン酸化 α-シヌクレイン免疫染色．強拡大

多系統萎縮症（MSA）はわが国の脊髄小脳変性症のなかで患者数が最も多い．小脳症状，パーキンソニズム，自律神経症状を呈する．臨床病型は，小脳性運動失調が主体（MSA-C）か，パーキンソニズムが主体（MSA-P）かにより分けられる．MSA-C はかつてオリーブ橋小脳萎縮症（OPCA）とよばれていた症例群に相当し，小脳皮質とともに下オリーブ核や橋核の強い変性を伴う．肉眼的には小脳と橋底部が高度に萎縮し（**図 66 左**），黒質の退色も認められる．橋底部の横走線維が変性・消失し，橋-小脳路が通る中小脳脚も高度に萎縮する．小脳皮質ではプルキンエ細胞の脱落とバーグマングリアの増生は顕著であるが，顆粒細胞は比較的保たれる（**図 67**）．小脳白質の萎縮と髄鞘の淡明化がみられる．神経細胞脱落は橋核，下オリーブ核，プルキンエ細胞，被殻（**図 68**；⬆），黒質，青斑核など広範囲に及ぶ．脊髄中間質外側核やオヌフ核など自律神経核もさまざまな程度で脱落する．MSA-P は線条体黒質変性症（SND）とよばれていた症例群に相当し，被殻と黒質に最も強い変性を認め，下オリーブ核や橋核にも変性が及ぶ．被殻の変化は一般に後外背側部に強い．MSA に特異的な所見は，オリゴデンドロサイトの胞体内に出現する嗜銀性封入体 glial cytoplasmic inclusions（GCIs）であり（**図 69 左**），リン酸化 α-シヌクレインを含む．抗リン酸化 α-シヌクレイン抗体で免疫染色を行うと，封入体は烏帽子状や半月型などいろいろな形態を示し（**図 69 右**），中枢神経系に広く認められる．封入体はオリゴデンドロサイトの核内や，神経細胞の胞体や核内にも認められる．

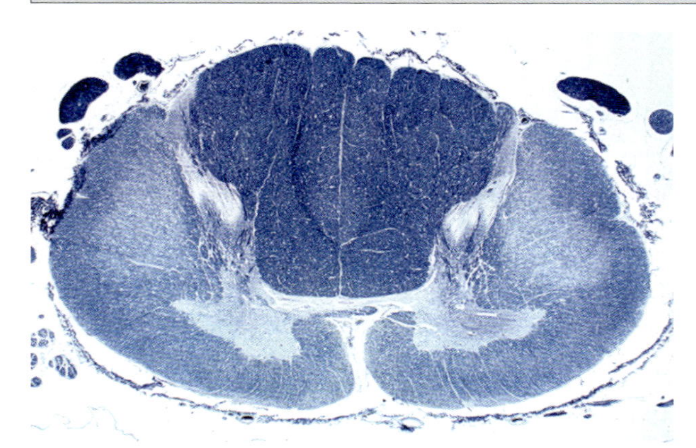

図 70　筋萎縮性側索硬化症．両側の外側皮質脊髄路の変性と前角萎縮．頸髄．K-B 染色．ルーペ

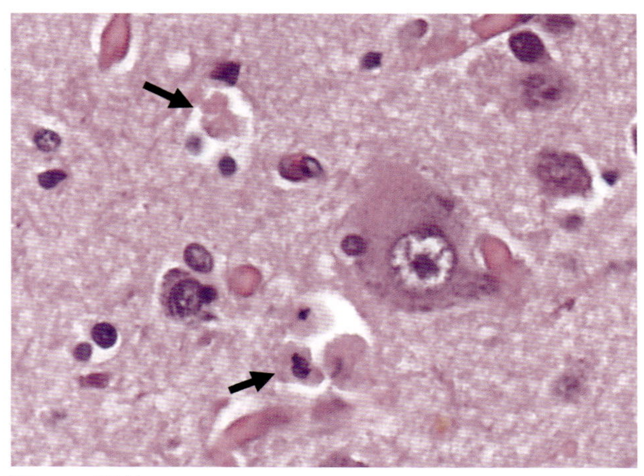

図 71　同前．脱落した錐体神経細胞を取り込むマクロファージ（⬆）．大脳皮質運動野．強拡大

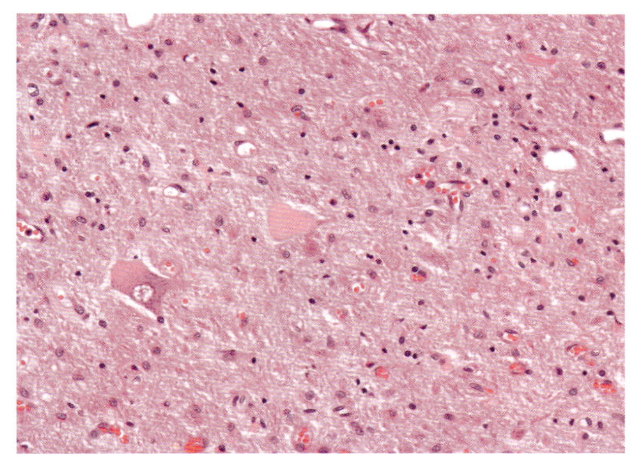

図 72　同前．頸髄前角の運動ニューロンの脱落とグリオーシス．中拡大

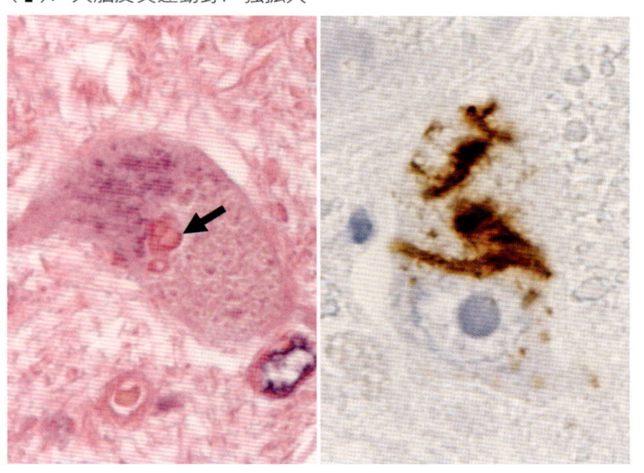

図 73　同前．左：残存運動ニューロン胞体内のブニナ小体（⬆），右：抗リン酸化 TDP-43 抗体で標識された神経細胞封入体．強拡大

筋萎縮性側索硬化症（ALS）は上位・下位運動ニューロンの変性により，徐々に全身の運動機能の低下と呼吸不全をきたす神経変性疾患である．多くは孤発性で壮年期以降に発症し，全経過は3〜5年である．組織学的には上位および下位運動ニューロンの変性が認められる．中心前回（運動野）の上位運動ニューロン，特に皮質第5層の Betz 巨細胞や錐体神経細胞は高度に脱落し（**図 71**），その軸索路である皮質脊髄路（錐体路）に変性（**図 70**）が認められる．脊髄前角（**図 72**）や延髄舌下神経核などの下位運動ニューロンにも高度の神経細胞脱落が認められ，それらが支配する舌や骨格筋は萎縮する．外眼筋を支配する第Ⅲ，Ⅳ，Ⅵ脳神経核の運動ニューロンは通常保たれる．残存する下位運動ニューロンの胞体に好酸性の小さな封入体を認める．数個が数珠状に連なることもある．これはブニナ小体 Bunina body とよばれ，ALS に特異的な封入体である（**図 73 左**）．シスタチン C 免疫染色陽性，ユビキチン免疫染色陰性である．下位運動ニューロンの胞体には，skein-like inclusion も出現する．この封入体はユビキチン化され，TARDNA-binding protein 43（TDP-43）が含まれる．そのため，ユビキチンあるいはリン酸化 TDP-43 免疫染色で標識される（**図 73 右**）．

［参考事項］　前頭側頭葉変性症 frontotemporal lobar degeneration（FTLD）は著明な人格変化や行動障害，言語障害を主徴とし，前頭葉，側頭葉に病変の主座をおく疾患群である．FTLD の病理組織学的所見はさまざまであるが，そのなかに TDP-43 が広く中枢神経系に蓄積する一群（FTLD-TDP）があることがわかった．現在，FTLD-TDP と ALS-TDP とは TDP-43 関連疾患としての連続性をもつ病態と理解されている．

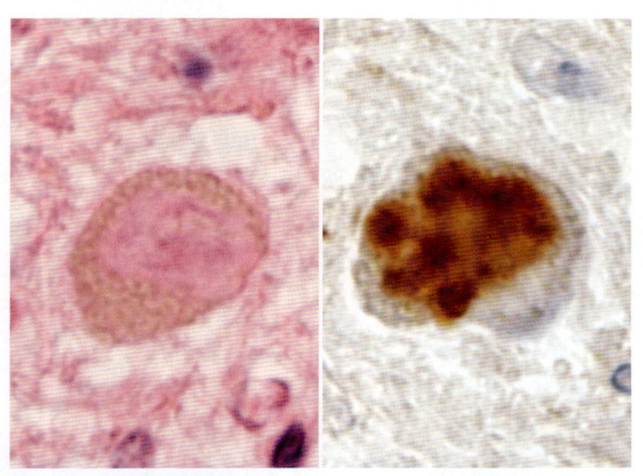

図 74　家族性筋萎縮性側索硬化症（*SOD1* 変異）．脊髄前角神経細胞胞体内の封入体．左：HE 染色，右：SOD1 免疫染色．強拡大

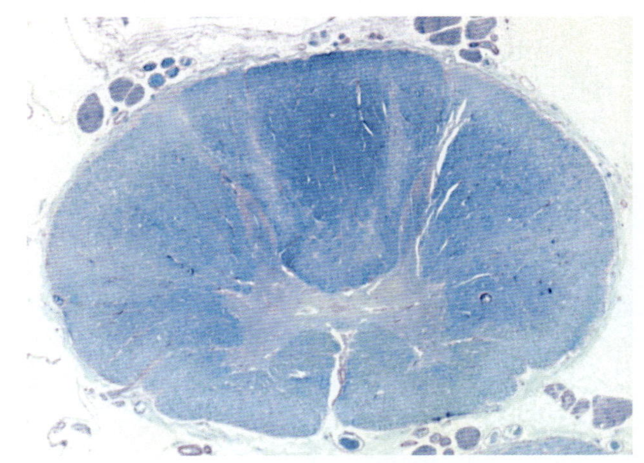

図 75　同前．脊髄後索中間根帯と脊髄小脳路の変性．K-B 染色．ルーペ〔東京女子医大 病理 柴田亮行教授提供（J Neuropathol Exp Neurol 1996；55：481-490)〕

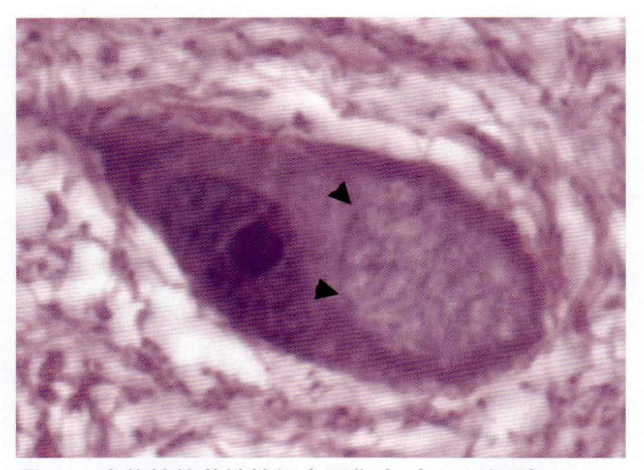

図 76　家族性筋萎縮性側索硬化症（*FUS* 変異）．脊髄前角神経細胞胞体内の封入体（▲）．強拡大

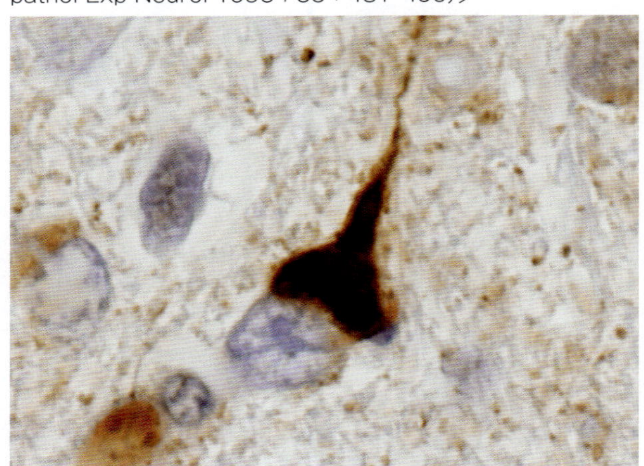

図 77　同前．大脳皮質の錐体神経細胞内封入体．FUS 免疫染色．強拡大

家族性筋萎縮性側索硬化症（FALS）患者数は ALS 患者数の約 5% とされる．若年発症例や認知症を伴う例もあるが，多くの場合，臨床像から孤発性 ALS と区別することはできない．常染色体優性遺伝形式を示すことが多いものの，常染色体劣性あるいは X 連鎖性の遺伝形式を示す家系も知られている．最も頻度の高い原因遺伝子は *Cu/Zn superoxide dismutase*（*SOD1*）である．組織学的には孤発性の ALS と同様に上位・下位運動ニューロンの変性が認められる．残存した下位運動ニューロンの細胞内には，レビー小体様とも称される硝子様封入体を認める（**図 74 左**）．この封入体は SOD1（**図 74 右**）やユビキチン免疫染色で陽性となる．ブニナ小体や TDP-43 に標識される構造物は認められない．前角神経細胞の軸索内には，リン酸化ニューロフィラメントの蓄積によるスフェロイドが認められる．また，後索中間根帯や後脊髄小脳路に変性をみることがある（**図 75**）．FALS 家系で，TDP-43 とよく似た構造や働きをもつ *fused in sarcoma/translated in liposarcoma*（*FUS/TLS*）の遺伝子変異が報告された．わが国では *SOD1* 変異に次いで頻度が高いものと考えられている．RNA 認識モチーフや核局在シグナルを有する C 末端部分に変異が集中している．*FUS/TLS* では変異部位により臨床像に差がみられる．患者の多くは若年成人で発症し，急速に運動機能障害が進行する．組織学的には，孤発性 ALS の変性所見に加え，神経細胞の胞体内に好塩基性封入体 basophilic inclusion（**図 76**）を広範に認める．封入体は，ユビキチン陽性，TDP-43 陰性，FUS/TLS 陽性（**図 77**）である．ブニナ小体は認められない．また，孤発性 ALS と類似した臨床病理像を示し，*TARDBP*（TDP-43 をコードする遺伝子）変異を有する FALS も知られている．

［参考事項］ 現在，30 近い FALS 関連遺伝子が同定されている．そのなかには *C9orf72* 変異のように欧米では多くの患者がいるにもかかわらず，わが国ではまれなものもある．

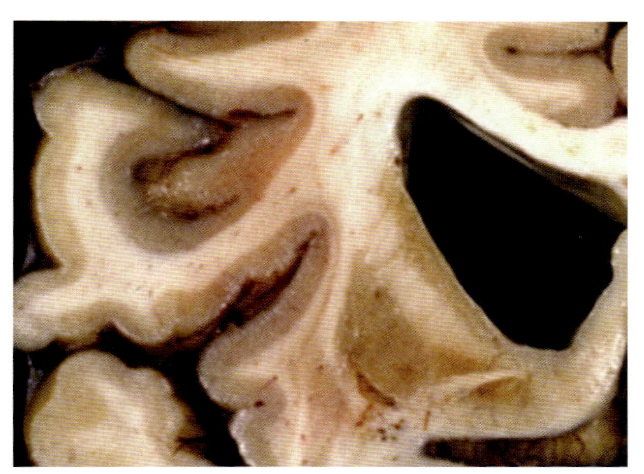

図 78　ハンチントン病．大脳冠状断面．尾状核，被殻の萎縮と側脳室拡大．肉眼像

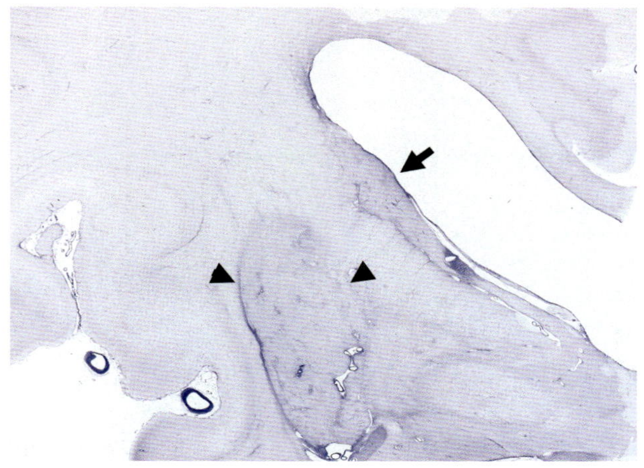

図 79　同前．尾状核（⬆）と被殻（▲）のグリオーシス．Holzer 染色．ルーペ

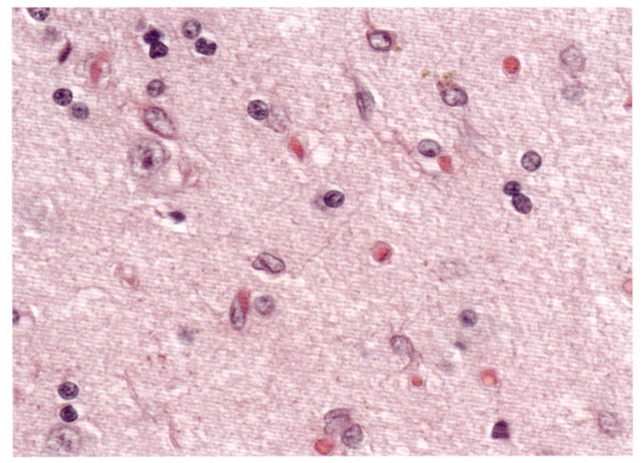

図 80　同前．尾状核の神経細胞脱落とグリオーシス．中拡大

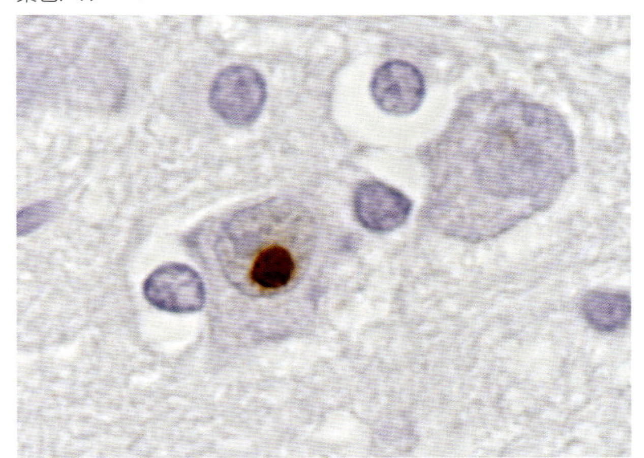

図 81　同前．神経細胞核内封入体．抗ポリグルタミン鎖抗体（1C2）による免疫染色．強拡大

ハンチントン病は常染色体優性遺伝形式をとり，*huntingtin* 遺伝子の CAG リピート伸長によって発症するポリグルタミン病の 1 つである．中年以降に舞踏運動で発症し，性格変化，精神症状，認知症を呈し，慢性進行性に経過する．舞踏運動は早期には四肢遠位部にみられるが，次第に全身性となり，ジストニアなどほかの不随意運動が加わる．進行期には臥床状態となり，てんかん発作を合併することもある．線条体，特に尾状核の萎縮は著しく，側脳室前角が拡大する（**図 78，79**）．末期には，大脳は全体的に萎縮する．大脳皮質や白質の萎縮は高度となり，小脳や脳幹にも萎縮が及ぶ．組織学的に，尾状核や被殻では中型神経細胞の脱落が顕著で，大型神経細胞は比較的保たれる．この変性の程度は被殻より尾状核で強く（**図 80**），また軽度の変性は淡蒼球，黒質，視床下核，視床，下オリーブ核にもみられる．大脳皮質では第Ⅴ・Ⅲ層の錐体神経細胞の脱落が認められる．進行例では小脳のプルキンエ細胞の脱落も認められる．脊髄には著変を認めない．ポリグルタミン鎖に対する抗体 1C2 で免疫染色を行うと，広く神経細胞の核内に封入体を認める（**図 81**）．この封入体はユビキチン陽性である．

［参考事項］ ポリグルタミン病は，原因遺伝子内の CAG リピートの異常伸長によって発症する．伸長する CAG 鎖の長さによって発症年齢や臨床症状に相違が生じ，一般に CAG 鎖が長いほど発症が早く重症である．家族内発症がみられる場合，世代を経るごとに CAG 鎖の長さが伸び，また発症年齢は若年化し症状も重症化する．この現象を表現促進現象 anticipation とよぶ．ハンチントン病では父方から原因遺伝子を受け継ぐ際に，CAG 鎖が伸長することが知られている．

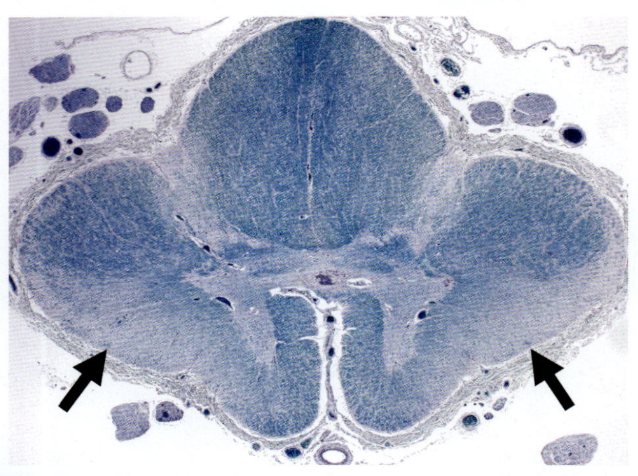

図 82　マシャド・ジョセフ病．脊髄小脳路の変性（⬆）．胸髄．K-B 染色．ルーペ

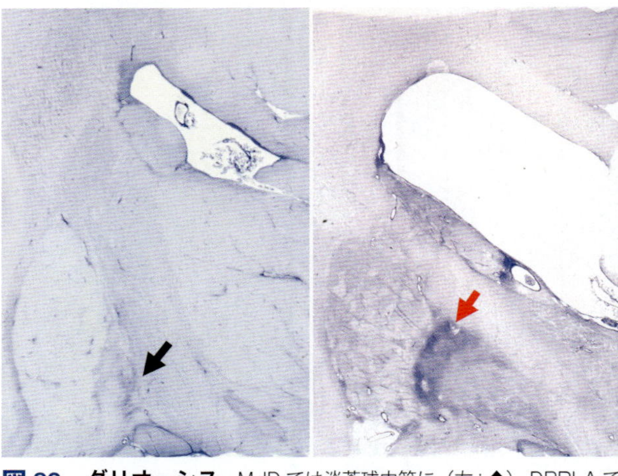

図 83　グリオーシス．MJD では淡蒼球内節に（左；⬆），DRPLA では淡蒼球外節に（右；⬆）グリオーシスを認める．Holzer 染色．ルーペ

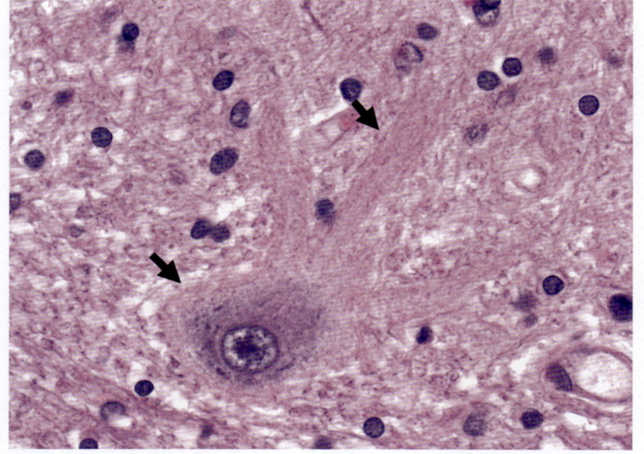

図 84　マシャド・ジョセフ病．小脳歯状核のグルモース変性（⬆）．強拡大

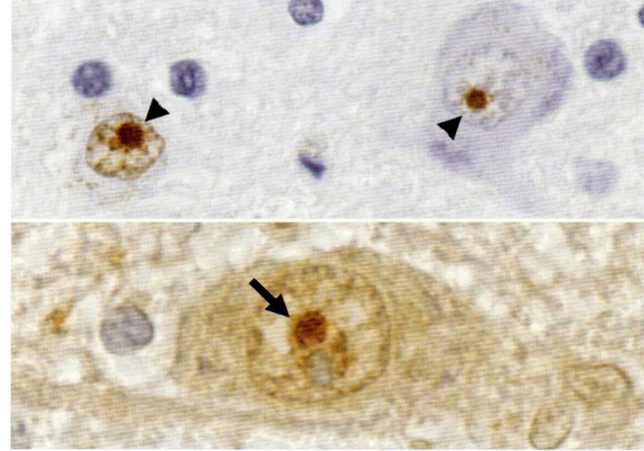

図 85　橋核神経細胞核内封入体（▲⬆）．上：MJD，抗ポリグルタミン鎖抗体（1C2）免疫染色，下：DRPLA，ユビキチン免疫染色．強拡大

常染色体優性遺伝で，原因遺伝子上の 3 塩基配列（CAG；グルタミンをコードする）の繰り返しが異常に伸長することで発症する疾患がポリグルタミン病である．ポリグルタミン病に属する脊髄小脳変性症には，**SCA type 1，2，3，6，7，8，12，15，17，歯状核赤核-淡蒼球ルイ体萎縮症**（DRPLA）がある．

マシャド・ジョセフ病（MJD；SCA3）はわが国の SCA のなかで最も頻度が高い．肉眼では，視床下核，淡蒼球，小脳歯状核，橋の萎縮，黒質と青斑核の脱色素が認められる．DRPLA では淡蒼球，視床下核，小脳歯状核に萎縮が認められる．黒質は保たれる．淡蒼球の変性は，MJD では内節に，DRPLA では外節に強く（**図 83**），また視床下核の変性は両疾患で明らかながら MJD でより強い．両疾患とも小脳歯状核は変性し，残存神経細胞にはグルモース変性をみる（**図 84**）．MJD の脳幹では黒質，青斑核，動眼神経核，迷走神経背側核，橋核の神経細胞は脱落する．脊髄でも前・後脊髄小脳路の変性（**図 82**）と脊髄前角，クラーク柱の神経細胞脱落が明らかである．中間質外側核やオヌフ核にもさまざまな程度で変性が認められる．四肢の末梢神経には有髄線維の減少がみられ，後根神経節にも軽度ながら脱落をみる．一方，DRPLA では脳幹諸核は保たれ，脊髄や末梢神経にも著変を認めない．両疾患とも，中枢神経系に広く核内封入体を認める．この封入体は抗ユビキチン抗体や抗ポリグルタミン鎖抗体（1C2）で免疫染色すると明瞭に描出される（**図 85**）．

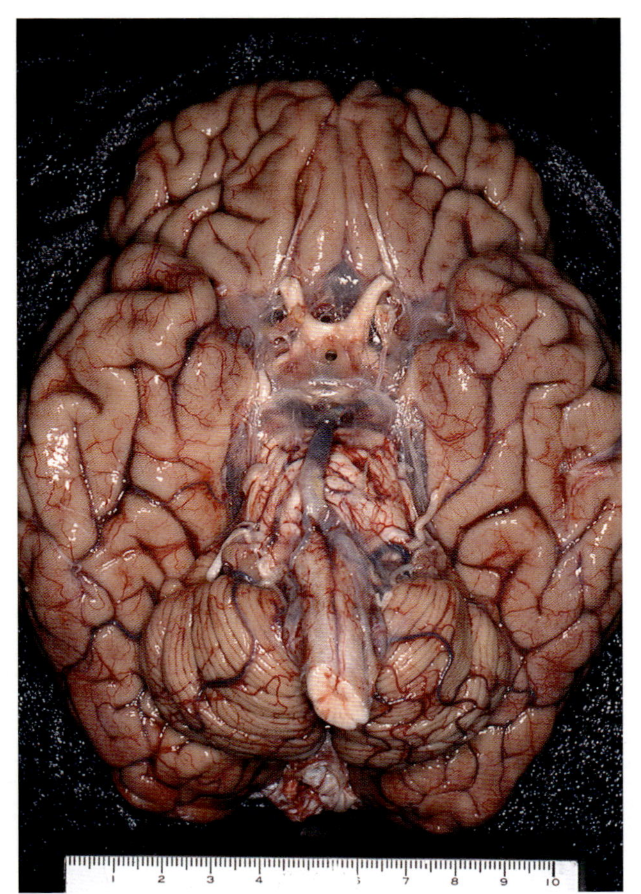

図 86　遺伝性皮質性小脳萎縮症（SCA6）．脳底部外表．小脳に高度の萎縮がみられる．肉眼像

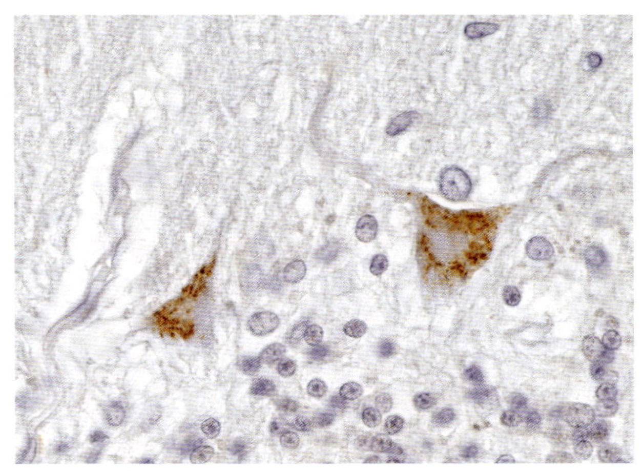

図 87　同前．1C2 免疫染色．プルキンエ細胞の胞体内陽性像．強拡大

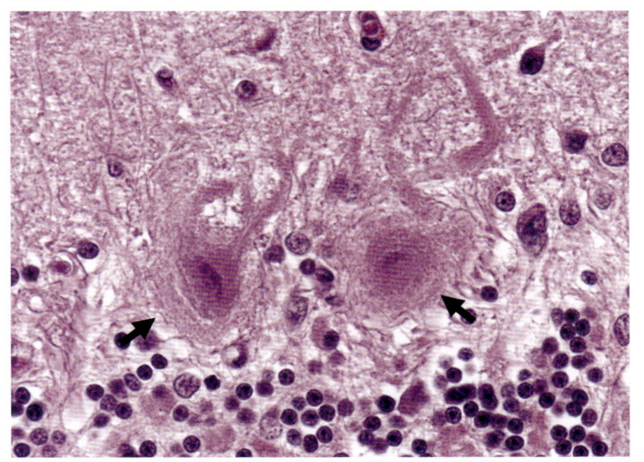

図 88　遺伝性皮質性小脳萎縮症（SCA31）．プルキンエ細胞周囲の好酸性構造物（⬆）．強拡大

遺伝性皮質性小脳萎縮症は，以前は Holmes 型遺伝性運動失調症とよばれていた．これまでにいくつかの原因遺伝子が同定され，疾患単位としての理解が進んだ．わが国では，常染色体優性遺伝形式を示す spinocerebellar ataxia type 6（SCA6）と SCA31 が多い．小脳性運動失調が際立ち，パーキンソニズムや自律神経症状の合併はない．つまり，小脳に限局した高度の変性を呈し（**図 86**），多系統変性をきたさない．小脳ではプルキンエ細胞が高度に脱落し，反応性にバーグマングリアが増生する．プルキンエ細胞樹状突起の消失により，皮質分子層の幅が減少する．こうした変性は小脳虫部，特に上部に強い．歯状核は保たれる．小脳変性による二次性の下オリーブ核変性 cerebello-olivary degeneration がしばしば認められる．SCA6 はポリグルタミン病である．その病態関連蛋白はカルシウムチャネル（CACNA1A）であり，ポリグルタミン病のなかで唯一細胞膜上のチャネル異常による疾患である．ポリグルタミン鎖に対する抗体（1C2）で免疫染色を行うと，プルキンエ細胞の胞体内に顆粒状封入体が認められる（**図 87**）．SCA31 も小脳皮質に選択的に変性が認められる．プルキンエ細胞体の周囲に好酸性の特徴的な構造物をみる（**図 88**）．SCA31 はポリグルタミン病ではない．したがって 1C2 免疫染色では陽性構造物は認められない．SCA6，SCA31 はいずれも高齢発症であり，家族歴不詳で小脳症状のみを呈することから，晩発性皮質性小脳萎縮症（LCCA）と診断されている可能性がある．

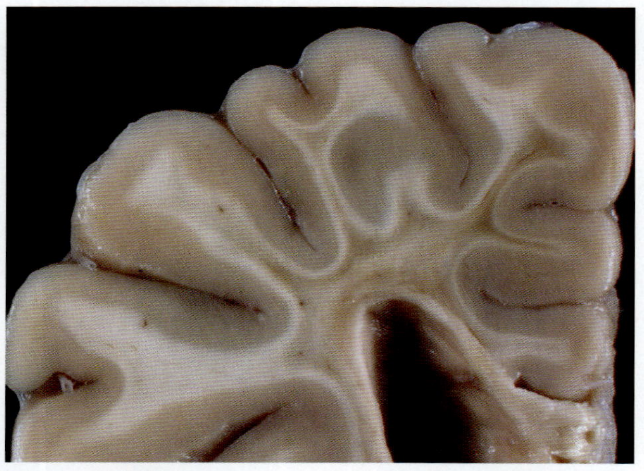

図 89　神経軸索スフェロイド形成を伴う遺伝性びまん性白質脳症．前頭葉白質の変性と残存する U-fiber．肉眼像

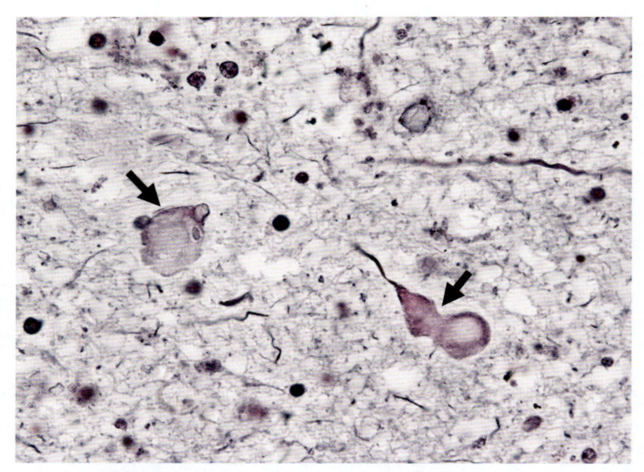

図 90　同前．軸索腫大（スフェロイド）（⬆）．Bodian 染色．強拡大

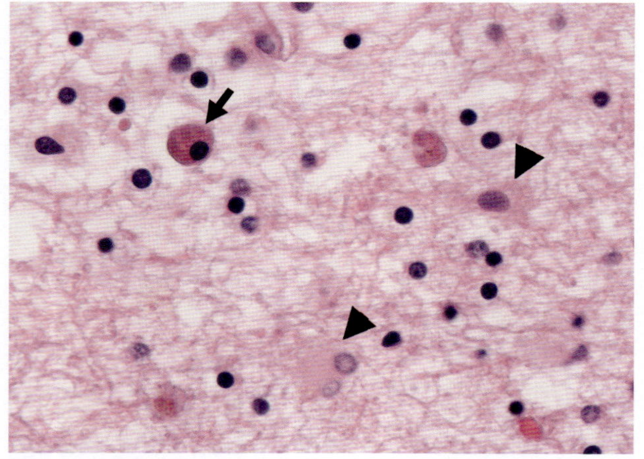

図 91　同前．色素性マクロファージ（⬆）と反応性アストロサイト（▲）．大脳白質．中拡大

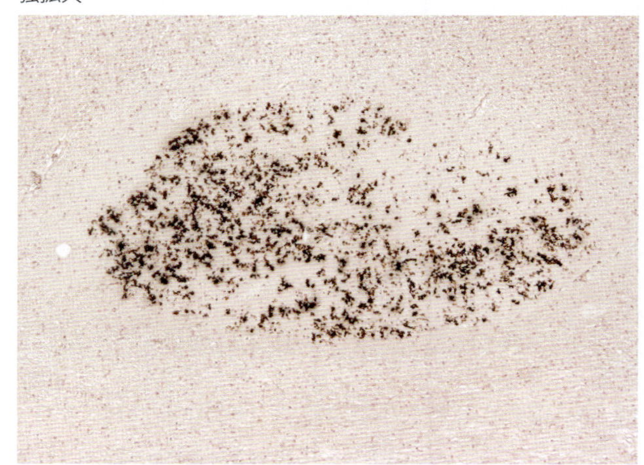

図 92　同前．前頭葉白質の石灰化巣．Kossa カルシウム染色．中拡大

神経軸索スフェロイド形成を伴う遺伝性びまん性白質脳症（HDLS）は認知症を主症状とする遺伝性白質脳症である．神経軸索スフェロイドと色素性グリアを伴う成人発症白質脳症 adult-onset leukoencephalopathy with axonal spheroids and pigmented glia（ALSP）ともよばれる．常染色体優性遺伝で *CSF-1R*（*colony stimulating factor-1 receptor*）遺伝子異常による．成人期に認知機能障害で発症し，運動失調，パーキンソニズムやてんかんを伴うこともある．脳の画像所見で前頭頭頂葉優位の白質病変と側脳室拡大を認め，CT で脳梁の微小石灰化が認められる．肉眼的に脳は萎縮し白質の容量は減少している．皮質直下の有髄線維（U-fiber）は比較的保たれる（**図 89**）．組織学的には，多数の軸索スフェロイド（**図 90**；⬆）と色素性マクロファージの浸潤が認められる（**図 91**；⬆）．脳梁の石灰化巣は Kossa 染色陽性である（**図 92**）．CSF-1R は中枢神経系ではおもにミクログリアに発現する．この蛋白はミクログリアの分化・増殖に関与することから，本疾患の病態にはミクログリアの機能異常が関与しているものと想定されている．白質変性はびまん性であるにもかかわらず，ミクログリアは偏在して集簇し，数は少なく，個々の細胞形態も異常を示す．ミクログリアの異常が，どのような機序で白質変性を惹起するのかは，現在のところ不明である．

［参考事項］　那須-ハコラ病 Nasu-Hakola disease も広範な白質変性をきたし，その原因遺伝子 *DAP12/TREM2* もおもにミクログリアに発現していることから，この疾患もミクログリアの一次性機能異常による疾患と想定されている．那須-ハコラ病では，認知機能障害に先行し，若年から長管骨骨折などの骨症状を呈する．HDLS のようなミクログリアの形態異常は観察されない．

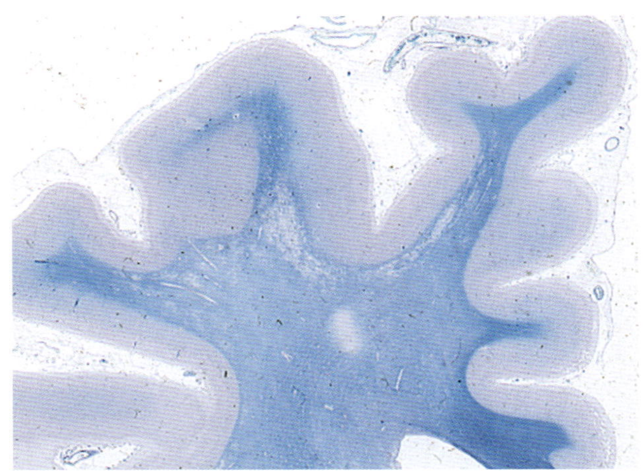

図 93　神経核内封入体病．皮質下に線状に広がる病変．K-B染色．ルーペ（愛知医科大学 吉田眞理教授提供）

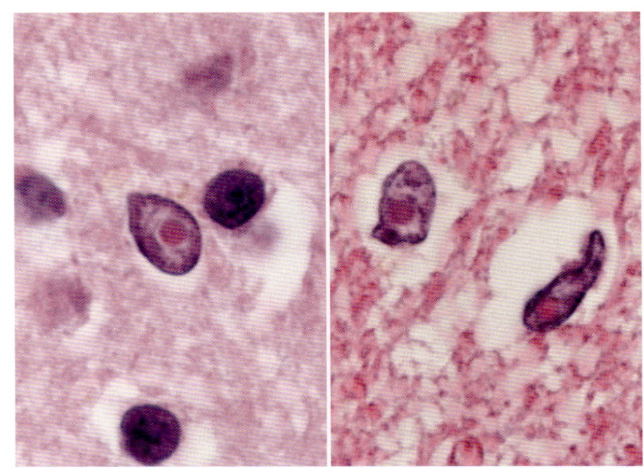

図 94　同前．大脳皮質神経細胞（左），およびアストロサイト（右）の核内封入体．強拡大

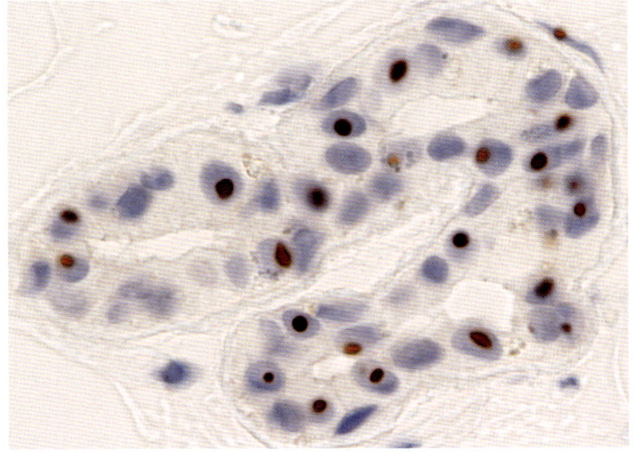

図 95　同前．汗腺細胞の核内封入体．皮膚生検標本．p62 免疫染色．強拡大

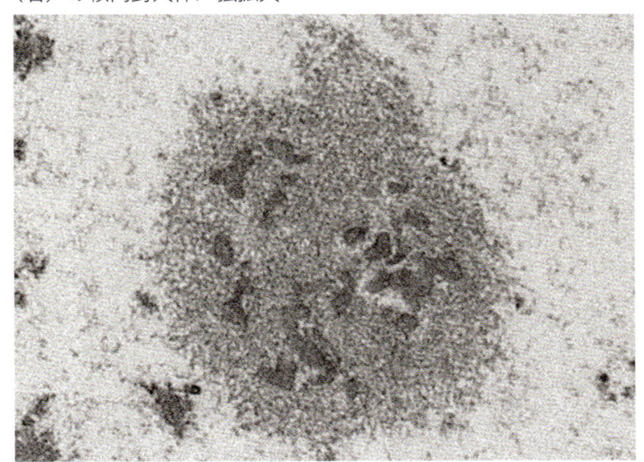

図 96　同前．限界膜をもたない線維性および顆粒状構造物の集簇．電顕像

神経核内封入体病は，さまざまな細胞の核内に好酸性の封入体を形成する疾患群の総称である．中枢神経系（CNS）症状を呈する症例では，頭部 MRI 拡散強調画像（DWI）で，灰白境界に沿った線状の高信号変化が認められる．しばしば白質脳症を呈する．変性は皮質深層あるいは皮質下白質に強く（**図 93**），髄鞘脱落と海綿状変化が認められる．これは画像上の信号変化に対応すると考えられる．神経細胞やグリア細胞における核内封入体は円形でエオジン好性を示し（**図 94**），免疫染色では抗 p62 抗体（**図 95**）や抗ユビキチン抗体で陽性となる．封入体は神経細胞よりもアストロサイトに比較的多くみられる．末梢神経のシュワン細胞にも認められる．超微形態上，封入体は錯綜する線維性および顆粒状構造物の集簇からなり，限界膜をもたない（**図 96**）．核内封入体は神経系にとどまらず全身諸臓器に認められる．診断のための皮膚生検（**図 95**）がしばしば有用である．

［参考事項］　組織学的に共通した所見を呈しながらも，家族性のことも孤発性のこともあり，発症年齢や症状に多様性がみられる．生前には無症候で，剖検によってそれと診断されることもある．封入体の病的意義や疾患単位としての妥当性については，今後の研究が必要である．

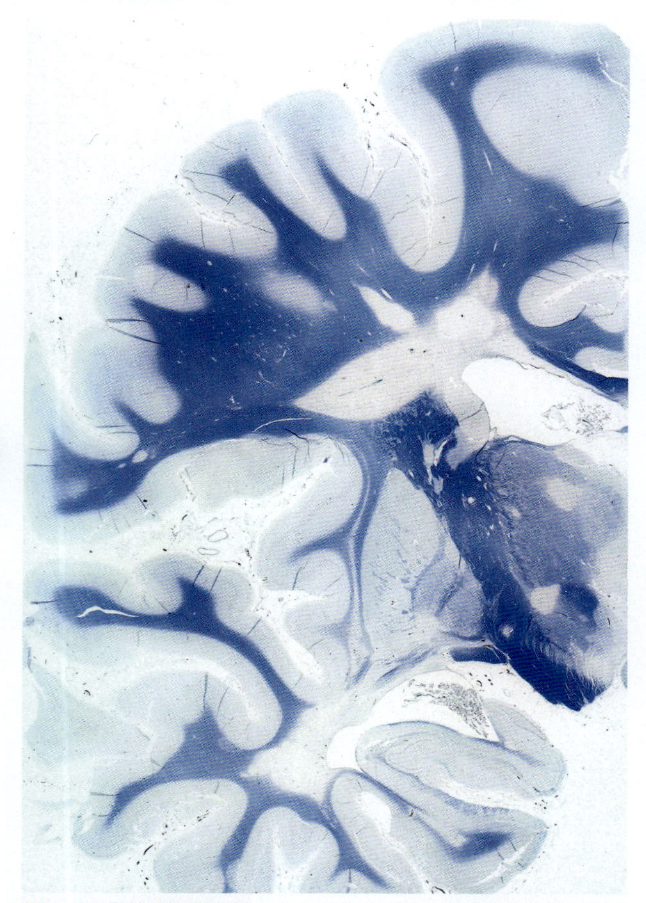

図 97　多発性硬化症．左大脳半球深部白質や視床に脱髄斑が多発．K-B 染色．ルーペ

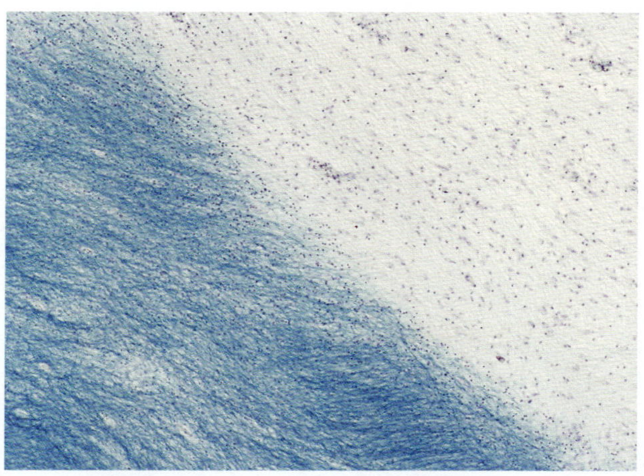

図 98　同前．脱髄（右上半分）は境界明瞭．“カミソリの刃を当てたような”と表現される．K-B 染色．弱拡大

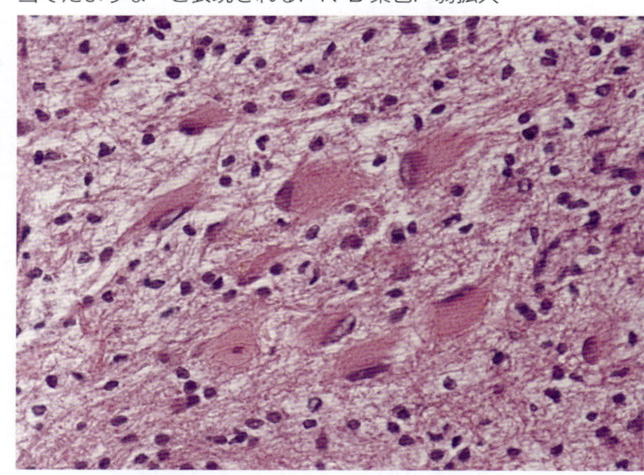

図 99　同前．活動性脱髄斑に認められた胞体の豊かな反応性アストロサイト．中拡大

髄鞘が選択的に脱落し，軸索は障害から免れる病態を脱髄 demyelination という．多発性硬化症（MS）は脱髄斑が中枢神経系（CNS）の白質に多発性に寛解と増悪を繰り返しながら出現する疾患である．若年（30 歳以下）で発症し，次第に運動機能低下をきたす．病理組織学的には，脱髄斑は境界明瞭で，大脳の脳室周囲，脳幹，視神経，脊髄に多発することが特徴である（**図 97，98**）．脱髄斑は白質から皮質に及び，あるいは皮質に形成されることもある．急性期の活動性脱髄斑では，血管周囲性リンパ球浸潤，多数のマクロファージ，豊かな胞体を有する奇怪な形態を示す反応性アストロサイトが出現する（**図 99**）．髄鞘は著明に脱落し，一方，軸索（Bodian 染色や抗リン酸化ニューロフィラメント抗体で標識される）は比較的よく残存している．慢性期の非活動性脱髄斑では，リンパ球は認められず，髄鞘とともに軸索も消失し，線維性グリオーシスを呈する．病巣によっては，髄鞘の再生が起こり，残存した軸索を薄い髄鞘が再被覆し，脱髄斑が不明瞭となる現象が起こる．こうした病巣を shadow plaque とよぶ．脱髄に伴い，神経細胞体が変性脱落することはない．

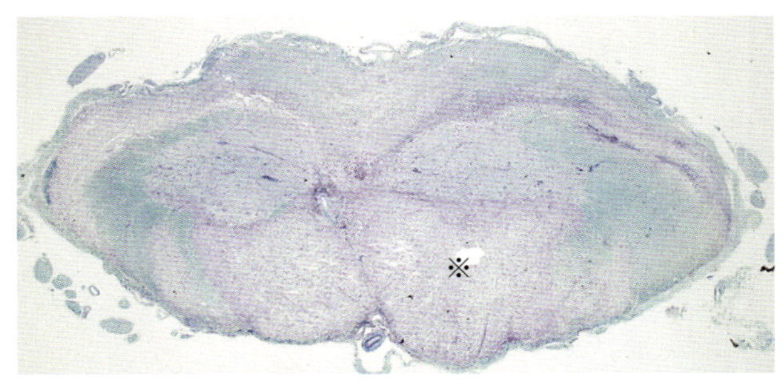

図 100　視神経脊髄炎. 頸髄水平断面. 著明な髄鞘脱落(※). K-B 染色. ルーペ

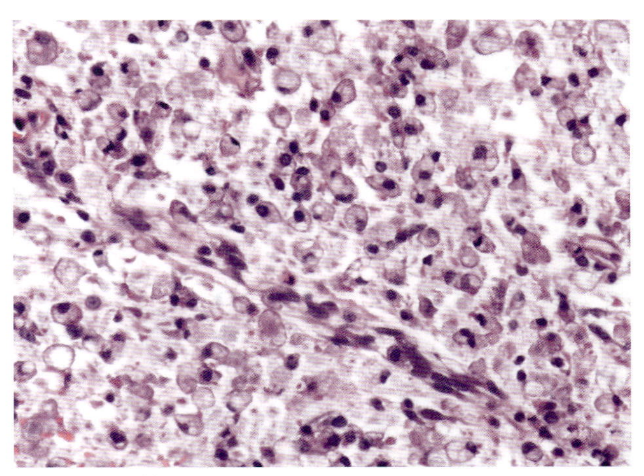

図 101　同前. 図 100 の壊死巣（※). 多数のマクロファージ集簇を認める. 中拡大

図 102　同前. AQP4 の免疫原性は広範に低下. ルーペ

図 103　同前. GFAP の免疫原性は AQP4（図 102）よりも保たれている. ルーペ

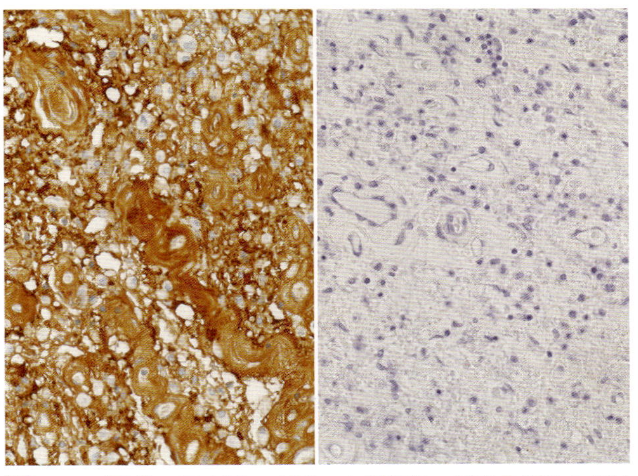

図 104　同前. 図 102, 103 の矢印部位. GFAP 陽性のグリオーシスがみられるが（左), AQP4 は陰性（右). 中拡大

視神経脊髄炎（NMO）は，かつては視神経と脊髄を限局性に侵す多発性硬化症の亜型（Devic 型 MS）と理解されていた．近年，NMO 患者の血清中に特異抗体が検出され，その抗原が aquaporin 4（AQP4）であることが判明した．NMO は MS とは異なる疾患であることが明らかになった．AQP4 は脊髄や視神経を含め中枢神経系のアストロサイトの足突起に広く発現する水チャネルである．そのため，NMO は抗 AQP4 抗体によるアストロサイトの障害による病態と考えられている．脊髄には 3 椎体以上にわたる長い病変が認められる．視神経，視交叉も侵される．脳病変もまれではなく，基底核，大脳白質，視床下部，脳幹などにも多発性病巣が形成される．組織学的に，急性期には壊死（髄鞘や軸索を含む組織破壊性病変）を伴う炎症像が認められる（**図 100**）．血管壁は肥厚し，多核球や単核球，マクロファージの浸潤を伴い（**図 101**），血管周囲には免疫グロブリンや活性化補体が沈着する．AQP4 免疫染色では，病巣周囲に及ぶ広範な免疫原性の低下が認められる（**図 102，104 左**）．その範囲はアストロサイトの指標となる骨格蛋白 glial fibrillary acidic protein（GFAP）の免疫原性消失範囲（**図 103，104 右**）より広い．

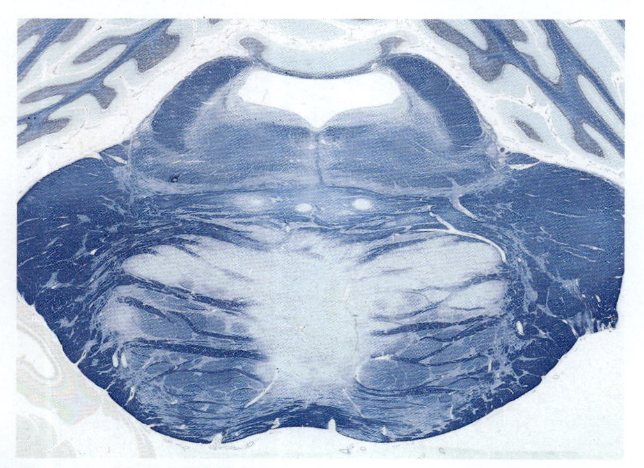

図 105　橋中心髄鞘崩壊．橋底部正中に逆三角形型に髄鞘の淡明化を認める．K-B 染色．ルーペ

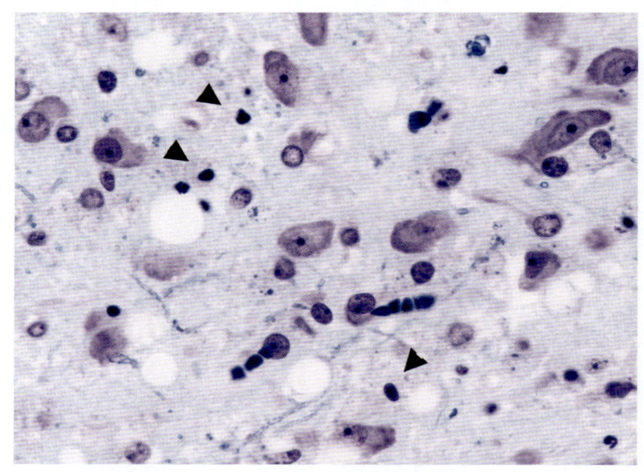

図 106　同前．マクロファージが崩壊した髄鞘を貪食（▲）．神経細胞はよく残存．K-B 染色．中拡大

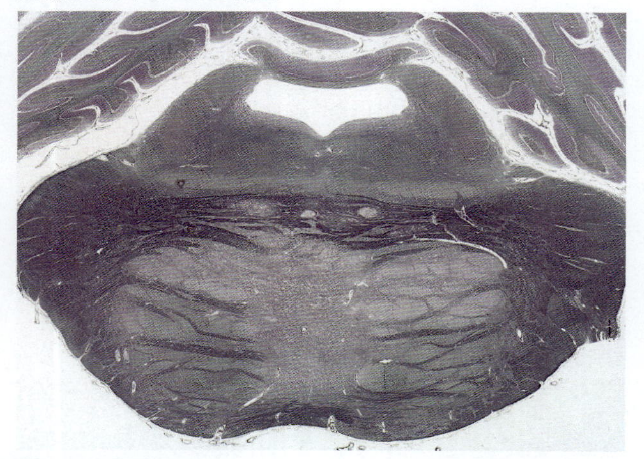

図 107　同前．軸索は比較的よく保存される．Bodian 染色．ルーペ

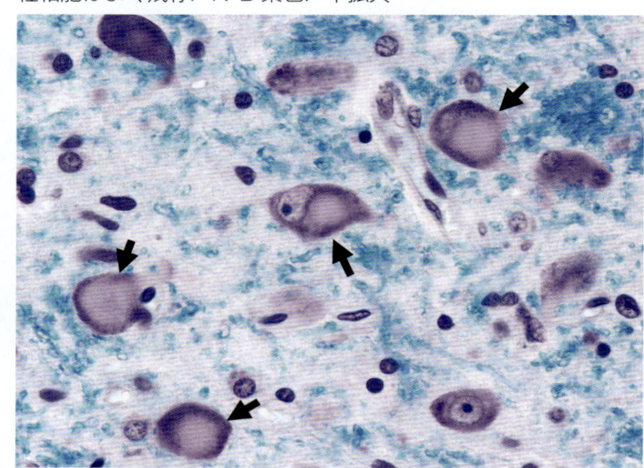

図 108　同前．ペラグラ脳症．橋核神経細胞の central chromatolysis（⬆）．K-B 染色．中拡大

橋中心髄鞘崩壊　橋底部吻側正中部に左右対称性に形成される非炎症性の脱髄病変である．背側を底辺とする逆三角形あるいは蝶型の病巣として認められる（**図 105**）．組織学的には，髄鞘の消失と，オリゴデンドロサイトの減少，マクロファージの浸潤が認められる（**図 106**）．しばしば横橋線維のほうが縦走線維よりも障害の程度が強い．髄鞘の減少と比較し軸索は保たれ（**図 107**），また橋核の神経細胞も保たれる．死亡直前に形成された急性期病変では，髄鞘の消失のみが観察され細胞浸潤を認めない．病変は橋以外にも出現することがあり，橋外髄鞘崩壊 extrapontine myelinolysis という．

ペラグラ　極端な偏食やアルコール多飲などを誘因とする**ニコチン酸欠乏症**によって発症する．皮膚症状，消化器症状，認知症（いわゆる 3D）が有名であるが，すべての症状がそろわない例も多く診断が困難な場合がある．中枢神経が侵されると，てんかん，幻覚，意識障害などをきたすペラグラ脳症を呈する．組織学的に神経細胞脱落は目立たないが，神経細胞は大きく腫大し，ニッスル小体は消失し，胞体の染色性は淡くなる（central chromatolysis）（**図 108**）．このような細胞は広く中枢神経系に認められる．

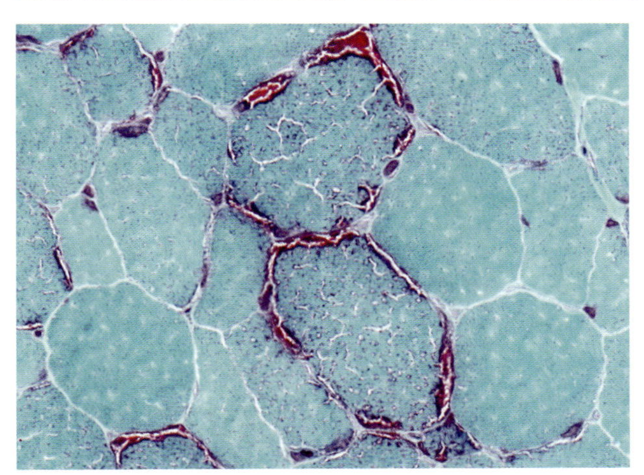

図 109　MELAS．骨格筋の赤色ぼろ線維 ragged-red fiber．Gomori trichrome 変法染色．強拡大

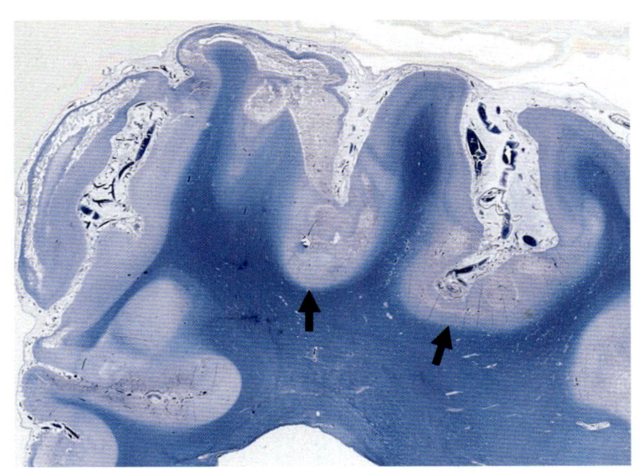

図 110　同前．多発性の皮質軟化巣．脳溝深部（⬆）に好発．K-B 染色．ルーペ

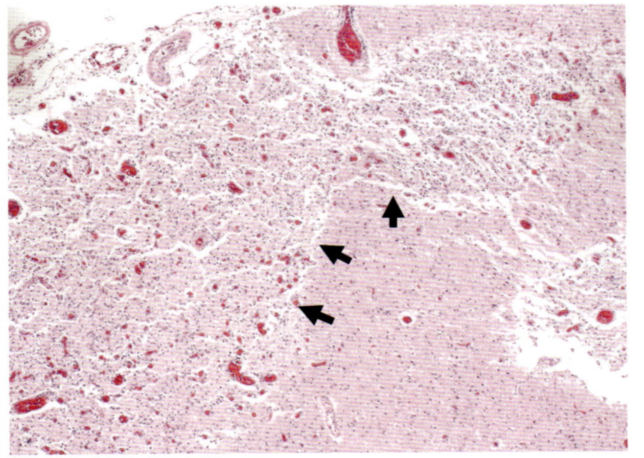

図 111　同前．皮質の壊死巣（⬆）．マクロファージ浸潤と血管新生がみられる．中拡大

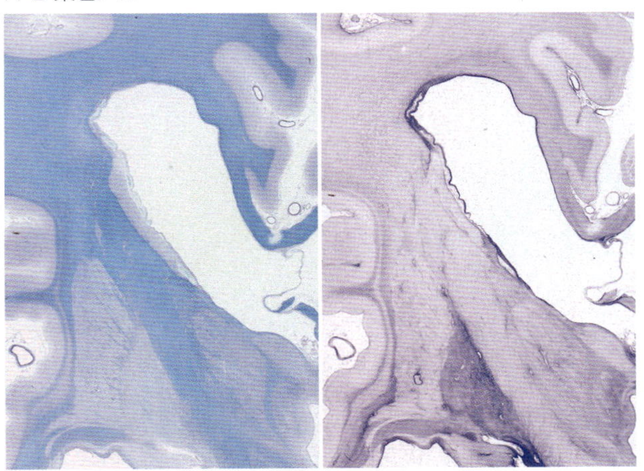

図 112　MERRF．淡蒼球の萎縮と線維性グリオーシス．左：K-B 染色，右：Holzer 染色．ルーペ

ミトコンドリア脳筋症は，ミトコンドリアが担う ATP 産生などの機能障害に起因する神経筋症候群である．ミトコンドリア DNA あるいは核 DNA における多数の遺伝子変異が知られている．代表的疾患は，mitochondrial myopathy，encephalopathy，lactic acidosis，and stroke-like episodes（MELAS），myoclonus epilepsy associated with ragged-red fibers（MERRF），Kearns-Sayre 症候群（KSS），Leigh 脳症である．いずれも中枢神経病変と骨格筋病変（ragged-red fibers）（**図 109**）を認める．

MELAS は，血管の支配領域に一致しない軟化巣が，大脳皮質，白質，基底核，脳幹，小脳に多発する（**図 110，111**）．脳血管，特にくも膜下腔の小動脈や細動脈では，中膜平滑筋細胞や内皮細胞に形態異常を示すミトコンドリアが充満している．**MERRF** は系統変性疾患に類似した組織所見が認められる．すなわち，歯状核-赤核系および淡蒼球-ルイ体系に神経細胞脱落とグリオーシスが認められ（**図 112**），さらに黒質，小脳皮質，橋被蓋，延髄後索核，脊髄後索，錐体路，末梢神経などにも広く変性が認められる．**KSS** は外眼筋麻痺，網膜色素変性，心ブロックを三主徴とする．組織学的には大脳白質のびまん性の淡明化と海綿状変性，黒質，赤核，動眼神経核，プルキンエ細胞，顆粒細胞などの神経細胞脱落，基底核の石灰化が認められる．**Leigh 脳症**では，基底核，視床，黒質，中脳被蓋などの正中構造が左右対称性に侵され，海綿状壊死性病巣が認められる．

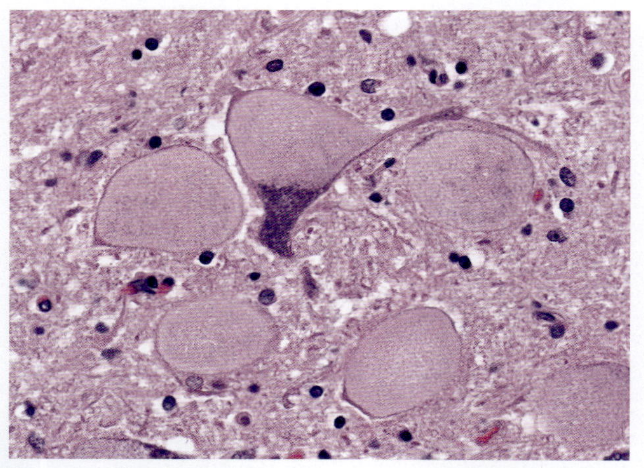

図113　ガラクトシアリドーシス．三叉神経運動核．神経細胞体の腫大．強拡大

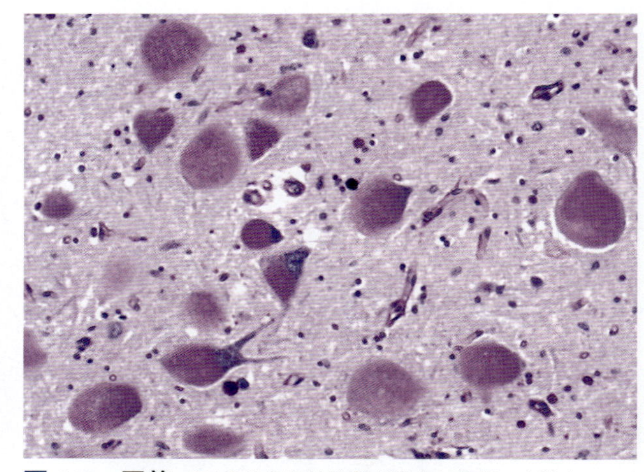

図114　同前．PAS 染色陽性物質が胞体に蓄積．中拡大

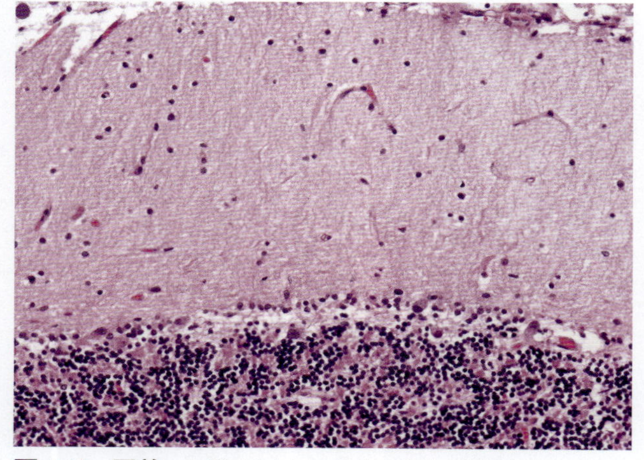

図115　同前．小脳プルキンエ細胞の脱落．低拡大

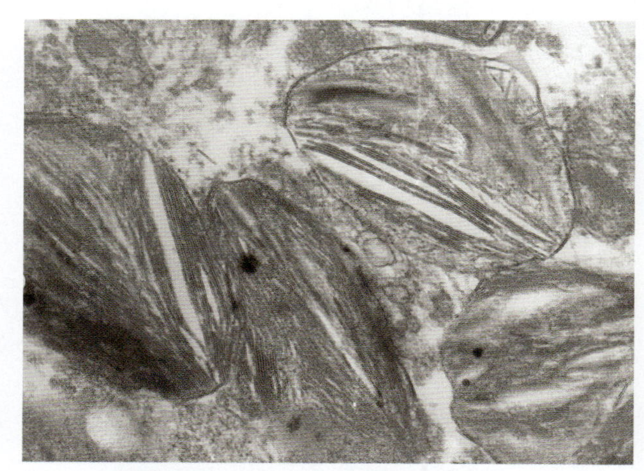

図116　同前．腫大神経細胞に認められたlamellar inclusion．電顕像

本症の原因は，ライソゾーム性保護蛋白質/カテプシンA（PPCA）の活性低下にある．PPCAは，それ自体がカテプシンAとして酵素活性をもつだけでなく，ライソゾーム性シアリダーゼやβ-ガラクトシダーゼとともに高分子複合体を形成して，それぞれの酵素活性を発現する．本症はこのPPCAの遺伝的異常により，カテプシンA活性低下と，ライソゾーム性シアリダーゼ活性低下およびβ-ガラクトシダーゼ活性低下が起こることで発症する．常染色体性劣性遺伝形式を呈し，臨床的にⅠ型（早期乳児型），Ⅱ型（若年・成人型），Ⅲ型（晩期乳児型）に分けられる．神経細胞胞体内の蓄積物質による細胞腫大がみられる．その分布は臨床病型によりバリエーションがあるが，運動野（Betz細胞），脳神経諸核，脊髄前角，マイネルト基底核，後索核，脊髄神経節などでは，胞体が大きく膨らんだ神経細胞が高頻度に出現する（**図113**）．腫大した胞体はperiodic acid Schiff（PAS）染色で陽性となる（**図114**）．一方，神経細胞脱落が著明で線維性グリオーシスをきたしやすい部位としては，プルキンエ細胞（**図115**），視床，淡蒼球，小脳歯状核，顆粒細胞があげられる．つまり，腫大した細胞の分布と細胞変性の脆弱性とは必ずしも一致しない．電子顕微鏡で観察すると，lamellar inclusion（**図116**），pleomorphic body，cytoplasmic vacuoleなど多彩な構造物が観察される．

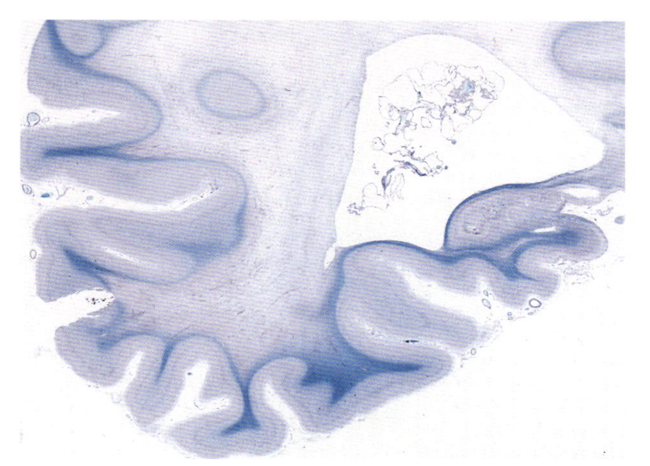

図 117　副腎白質ジストロフィー．後頭葉．白質のびまん性髄鞘脱落．K-B 染色．ルーペ

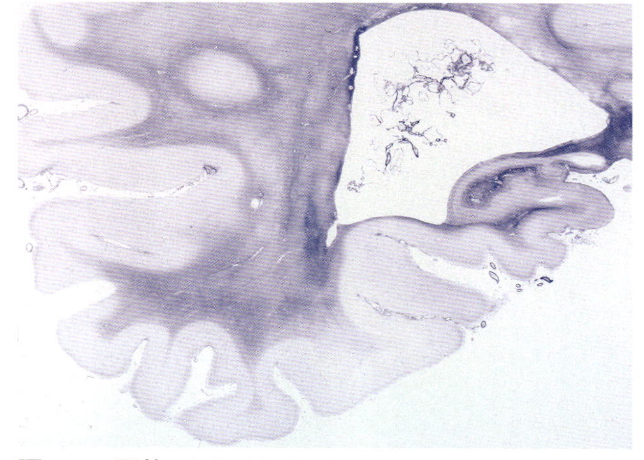

図 118　同前．白質の線維性グリオーシス．Holzer 染色．ルーペ

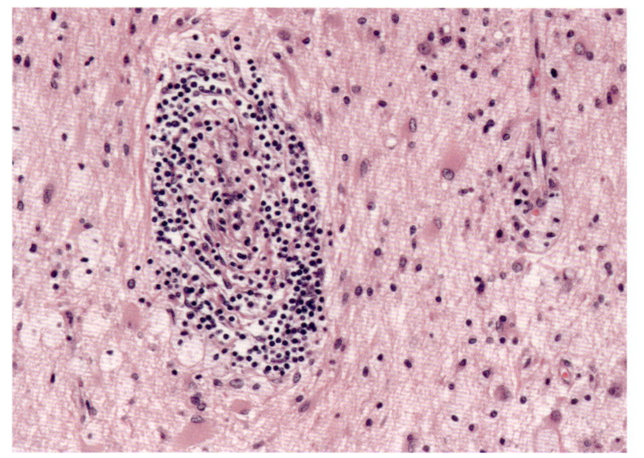

図 119　同前．白質の血管周囲性リンパ球浸潤．中拡大

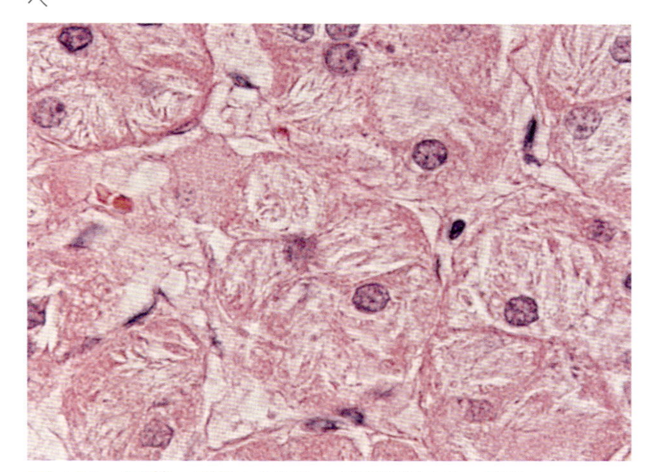

図 120　同前．副腎皮質細胞の松葉状封入体．強拡大

中枢神経系における髄鞘の形成不全や，髄鞘の維持や再生障害による慢性進行性病態を白質ジストロフィーとよぶ．副腎白質ジストロフィー adrenoleukodystrophy（ALD）は副腎不全と中枢神経系の髄鞘変性をきたすX連鎖性劣性遺伝形式の先天性代謝異常症である．原因遺伝子は *ABCD1* であり，その翻訳後蛋白 ABCD1 は ATP-binding cassette transporters の1つである．ABCD1 はペルオキシソーム膜蛋白であり，極長鎖脂肪酸の輸送に関与していると推測されている．本疾患は，正常では存在しない極長鎖脂肪酸を含むコレステロールエステルが，大脳皮質や副腎に蓄積して発症する．肉眼的に，大脳白質は左右対称性に褐色を呈し，脳幹や小脳にも病変が及ぶ．組織学的には同部の髄鞘が広範に脱落している（**図 117**）．古典的若年型であるアジソン病では，大脳病変は後頭葉から前方に進行するとされる．成人例では前頭葉が優位に侵される場合もある．皮質下弓状線維（U-fiber）は保たれる傾向がある．時間を経た病巣では，軸索の減少，線維性グリオーシスを認める（**図 118**）．進行性の病巣では，血管周囲性リンパ球浸潤，マクロファージ浸潤を認める（**図 119**）．副腎は萎縮し，皮質束状帯細胞の胞体に特徴的な松葉状の構造物を認める（**図 120**）．

第10章

骨関節

概　説

1．骨の役割

骨は，①体の支柱，②内臓器の保護，③運動器，④カルシウム，リンの貯蔵庫，⑤骨髄組織の器としての役割を担っている．

2．骨の構造

骨は緻密骨 compact bone からなる皮質骨 cortical bone と海綿骨 spongy bone からなる骨梁 bone trabeculae で構成され，皮質骨の外表面は骨膜 periosteum に被覆され，シャーピー Sharpey 線維が骨膜と皮質骨の結合を強固にしている．皮質骨の内側，すなわち骨梁のある領域は骨髄腔 medullary cavity とよばれ，骨梁間を骨髄組織が占めている．皮質骨は，オステオン osteon とよばれる同心円状の層板構造を示す円柱状の骨単位が集まって形成されている（**図1**）．オステオンの中心には，血管を含むハバース Havers 管があり，皮質骨内を縦走する．フォルクマン Volkmann 管はハバース管と直行，すなわち皮質骨内を横走し，骨内の血管網を形成する．

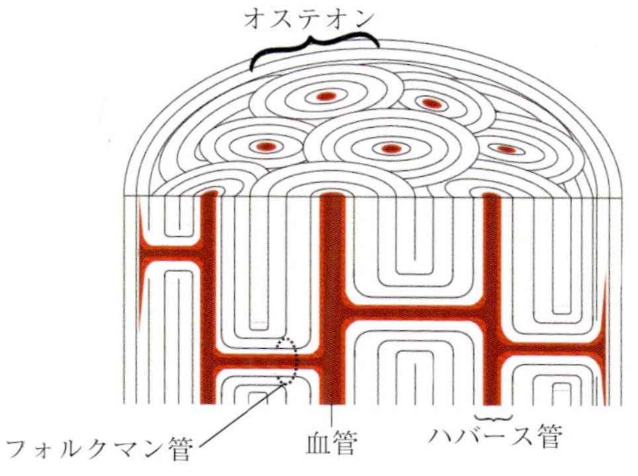

図1　皮質骨の構造の模式図．皮質骨は，同心円状の層板構造を示すオステオンとよばれる骨単位の集合体で，中心部には血管を有するハバース管が通っている．横走する血管を含むフォルクマン管はハバース管をつないでいる．骨はオステオン単位で改築されるため，全周性に層板構造が保たれたオステオンが最も新しく形成されたものである

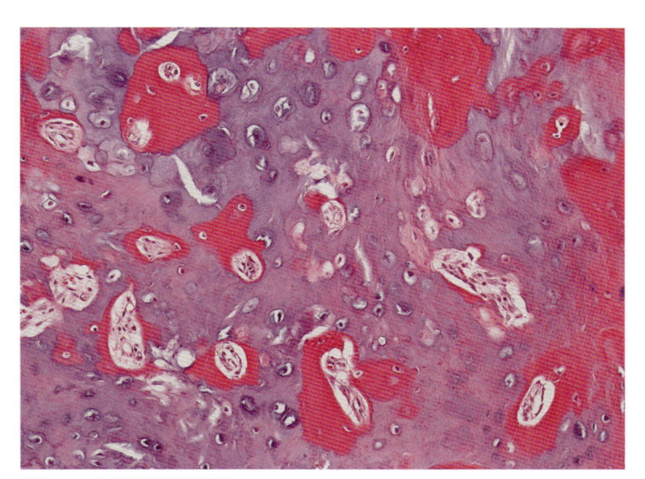

図2　内軟骨性骨化．軟骨組織内に進入した血管周囲性に骨化が生じる．弱拡大

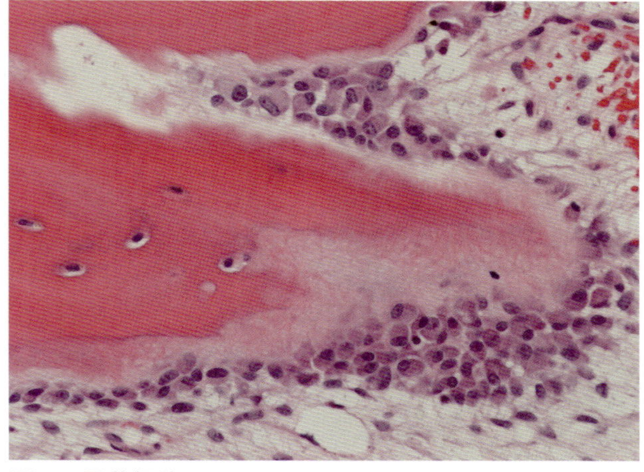

図3　骨芽細胞．骨芽細胞は骨梁表面をシート状に覆い，骨を形成する．骨芽細胞は紡錘形であるが，活動期には腫大して類円形となり，偏在核と核周明庭（ゴルジ野）を含む好塩基性細胞質を有する．強拡大

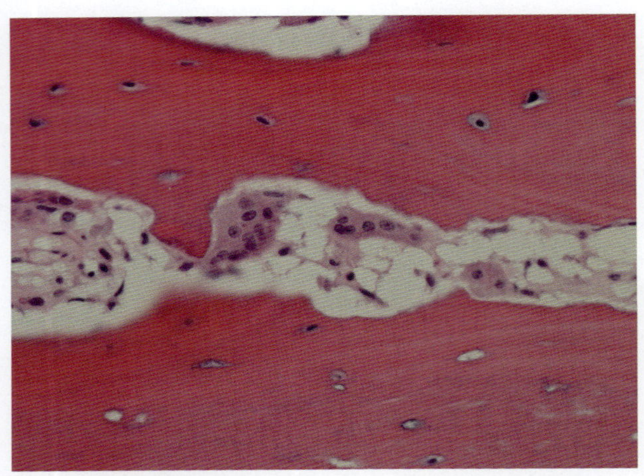

図 4　破骨細胞．破骨細胞は多核巨細胞であり，骨表面のピット状の凹みである骨吸収窩に一致してみられる．核には核小体が目立ち，細胞質は好酸性を示す．強拡大

3. 骨の形成

骨膜による膜性骨化 membranous ossification と成長軟骨板にみられる内軟骨性骨化 endochondral ossification により骨は形成される．膜性骨化は骨芽細胞による骨形成であり，内軟骨性骨化は軟骨基質にミネラルが沈着することによる骨形成である（図 2）．長管骨の長軸方向への成長は成長軟骨板による内軟骨性骨化であり，横径の増大は膜性骨化による．

骨を形成する骨芽細胞 osteoblast は単核の紡錘形細胞で隣接する骨芽細胞と協力して膠原線維を産生する．通常骨梁表面にみられ，非活動期には目立たないが活動期になると核は腫大し細胞質内にはゴルジ野が目立つ（図 3）．一方，骨を吸収する破骨細胞は多核巨細胞で，骨吸収窩内にみられる（図 4）．骨芽細胞は副甲状腺ホルモン（PTH）受容体を有し，破骨細胞はカルシトニン calcitonin 受容体を有する．カップリングファクター coupling factor により互いをコントロールし合い，どちらか一方の過剰な活動が生じないようにしている．すなわち，骨吸収に働く PTH は，受容体を有する骨芽細胞を介して破骨細胞による骨吸収を活性化する．成人では，加齢による生理的な骨量減少を除けば，ほぼ全身の骨量は一定に保たれている．

骨は一見動きの乏しい構造体にみえるが，常に破骨細胞による骨吸収と骨芽細胞による骨新生が行われ，骨は少量ずつ改築 remodeling され，その強度を保っている．骨芽細胞が活発に膠原線維を形成し骨基質に取り囲まれると，骨芽細胞は骨細胞に分化する．

4. 骨の種類

骨は骨基質の性状により，線維骨 woven bone と層板骨 lamellar bone に分類される．骨基質はⅠ型コラーゲンにリン酸カルシウムなどのミネラルが沈着したものである．線維骨

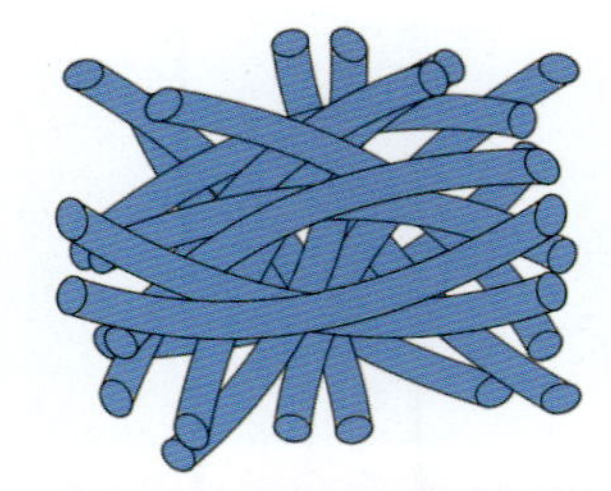

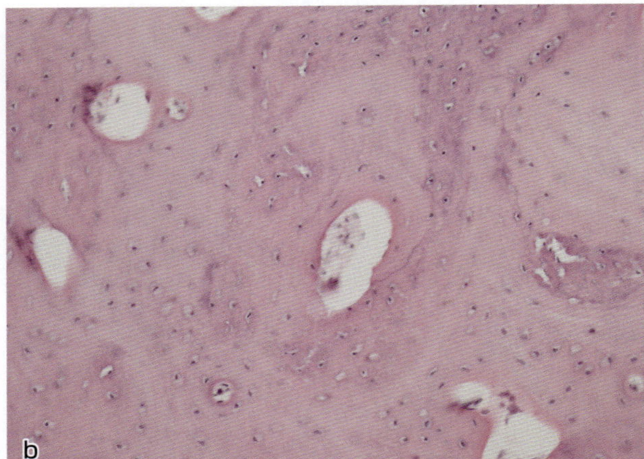

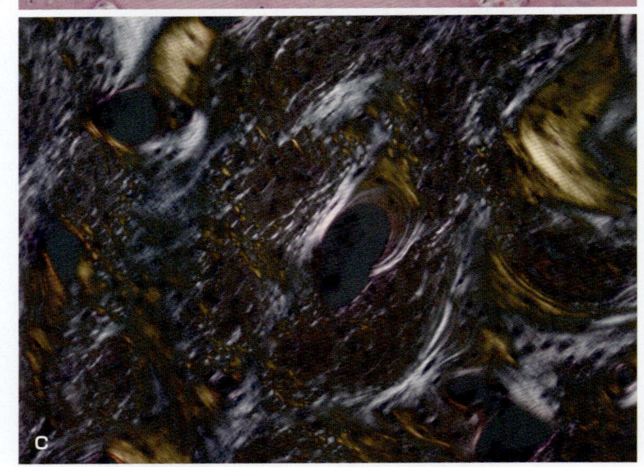

図 5　線維骨．a：模式図．骨基質の基礎となる膠原線維は極性をもたずに形成される．b：骨細胞密度が高く，分布も不均一である．骨基質には層板構造を認めない．弱拡大．c：膠原線維は不規則に配列し，層板状の偏光像を示さない．偏光顕微鏡像．強拡大

は活発に骨が形成される小児や骨折修復時の仮骨などでみられ，一般的に細胞密度が高い．骨形成が必要になると，骨芽細胞は膠原線維の方向性にかまうことなく大量の膠原線維を形成する（図 5）．形成された線維骨は破骨細胞により吸収され，その後骨芽細胞が膠原線維を平行に並ぶように時間をかけて形成し層板骨に改築する．改築された骨は，膠原線維層がそれぞれ直行するように重なるため，層板構造を呈する（図 6）．

5. 長管骨の区分

長管骨は，骨幹 diaphysis，骨幹端 metaphysis，骨端 epiphysis に区分される（図 7）．骨幹は中央部分のほぼ横径が一定の管状部分を指し，成長軟骨板と骨幹の間の漏斗状領域を骨

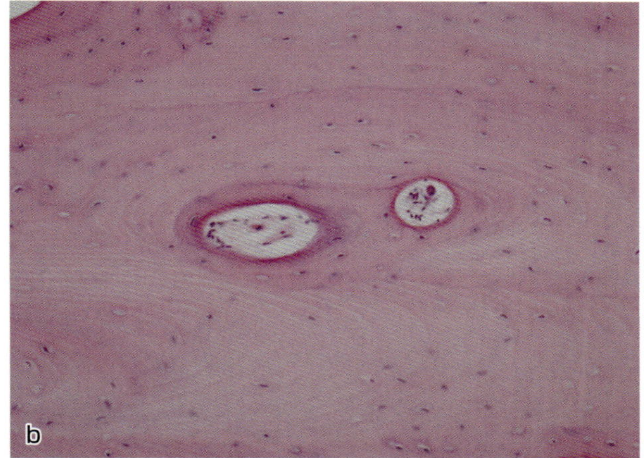

図 6　層板骨．a：模式図．膠原線維が整然と配列し各層が直行するため，層板構造を呈する．b：ハバース管を中心とした層板構造をみる．弱拡大．c：層板構造がより明瞭に確認できる．偏光顕微鏡像．強拡大

幹端，成長軟骨板より末梢を骨端とする．この区分は骨腫瘍の発生と重要な関係がある．

6．軟骨の種類と機能

軟骨には，硝子軟骨 hyaline cartilage，線維軟骨 fibrocartilage，弾性軟骨 elastic cartilage がある．運動器に含まれる軟骨は，硝子軟骨と線維軟骨であり，弾性線維を含む弾性軟骨は耳介や気管に存在し，立体構造の復元性に優れている，硝子軟骨は垂直方向の圧力に対応するクッションの機能を有し，関節軟骨としてみられる．線維軟骨は線維組織と硝子軟骨の中間的な機能を有し，半月板，椎間板，靱帯付着部に存在する．

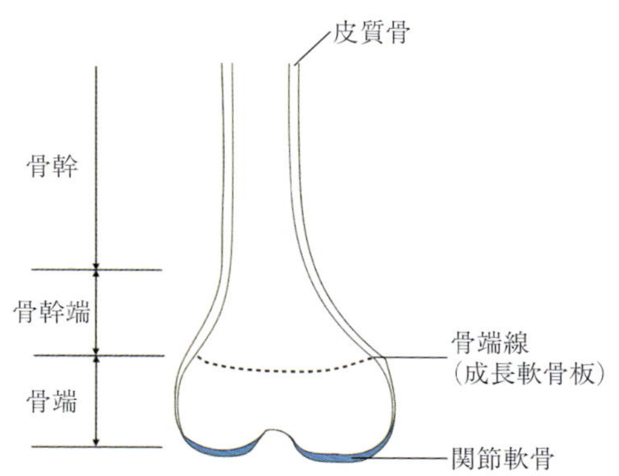

図 7　長管骨の解剖学的区分の模式図．骨幹は中央部分のほぼ横径が一定の管状部分を指し，骨端線（成長軟骨板）と骨幹の間の漏斗状領域を骨幹端，成長軟骨板より末梢を骨端とよぶ

7．関節軟骨の構造

軟骨はおもにⅡ型コラーゲンと多量の水分やプロテオグリカン proteoglycan から構成されている．関節軟骨の表面（関節面）から輝板，浅層，中間層，深層に分類され，深層はタイドマーク tidemark を介して石灰化層に移行する（**図 8a**）．タイドマークは非石灰化軟骨と石灰化軟骨の境界線に相当する（**図 8b**）．石灰化軟骨は軟骨下骨と同化し，性質の異なる関節軟骨と軟骨下骨との結合を強固にしている．

8．関　節

関節は 2 つ以上の骨を結合する構造体で，滑膜を有する可動関節と滑膜を欠く不動関節に分類される．可動関節では，関節を形成する骨の骨端を覆う硝子軟骨（関節軟骨）が関節面を形成する．関節腔は滑膜で覆われ，腔内には滑液が貯留する（**図 9**）．滑膜は，滑膜被覆細胞とその深層の疎な結合組織（滑膜下層）から形成されている（**図 10**）．膝関節では，関節裂隙に一致して，滑膜から三日月状の線維軟骨組織である半月板 meniscus がみられる．脊椎椎体の結合や恥骨結合，仙腸関節は不動関節に相当し，相対する骨は線維軟骨で結合している．

9．脊椎の構造

脊椎は，椎体と椎弓からなる骨組織と椎間板から構成されている（**図 11**）．椎弓には上関節突起と下関節突起があり，上下の椎弓と可動関節である椎間関節を形成している．不動関節である椎体の結合には椎間板が介在し，線維軟骨からなる椎間板は中心部の髄核とその周囲の線維輪で構成されている．椎間板は隣接する硝子軟骨からなる椎体終板に移行し，椎体と連続する．椎体および椎間板の前面には前縦靱帯が，後面には後縦靱帯が縦走し，脊柱管に面する上下の椎弓間には黄色靱帯が張っている．黄色靱帯は，唯一弾性線維を含む靱帯組織である（**図 12**）．

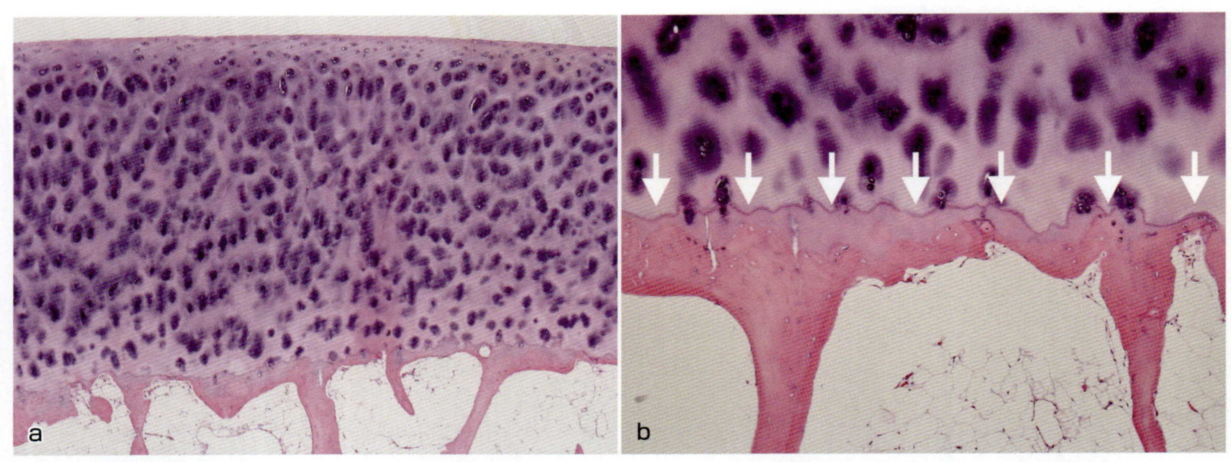

図 8　関節軟骨. a：硝子軟骨からなる関節軟骨は滑らかな軟骨基質を有し，関節にかかる荷重を吸収する．深層ではタイドマークを介して石灰化層に移行し，軟骨下骨と結合する．弱拡大．b：タイドマークは関節軟骨の石灰化軟骨層との境界を示す（⇧）．強拡大

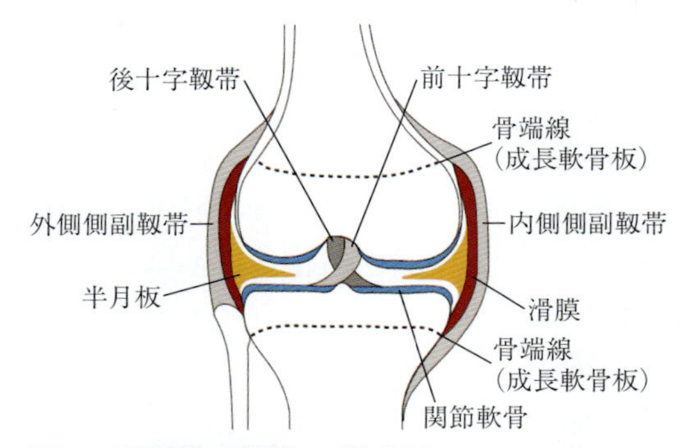

図 9　膝関節の構造の模式図. 膝関節は大腿骨，脛骨，膝蓋骨からなる関節で，滑膜で覆われている．大腿骨と脛骨は 4 本の靱帯で結合し，それぞれの関節軟骨が関節面を形成する．関節裂隙に一致して滑膜から連続性に半月板がみられ，関節腔内の少量の関節液は，潤滑油の働きをする

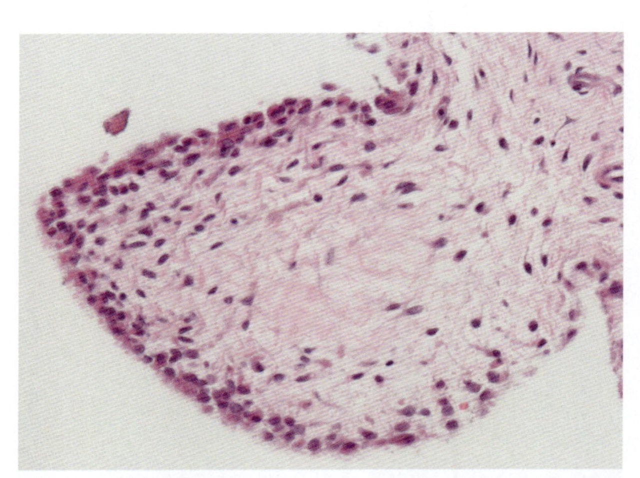

図 10　滑膜. 滑膜表面は平坦あるいは絨毛状で，滑膜被覆細胞とその深層の疎な結合組織（滑膜下層）から形成される．強拡大

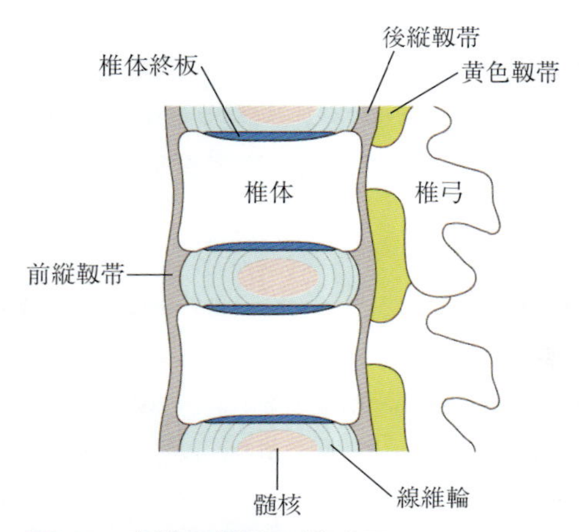

図 11　脊椎の構造の模式図. 脊椎は，椎体と椎弓からなる骨組織と椎間板から構成される．椎間関節は滑膜を有する可動関節であり，椎間板を介する椎体の結合は不動関節に相当する．椎間板は線維軟骨からなり，中心部の髄核とその周囲の線維輪で構成されている

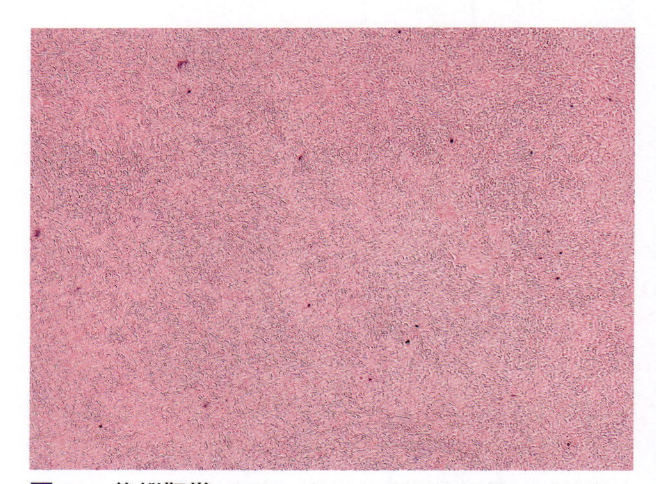

図 12　後縦靱帯. 細胞の乏しい好酸性線維組織で，顕微鏡のコンデンサーを絞ると図のように弾性線維束が明瞭になる．弱拡大

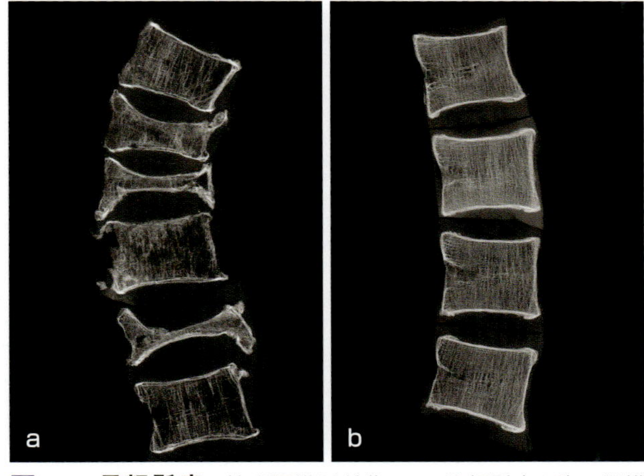

図 13　骨粗鬆症．摘出腰椎 X 線像．a：骨粗鬆症の胸・腰椎（第 11 胸椎～第 4 腰椎）．複数の椎体が圧迫骨折のため丈が短縮し，後弯を生じている．非骨折椎体では骨梁が減少し，相対的に縦走する骨梁や皮質骨が目立つ．b：健常な腰椎（第 1～4 腰椎）．骨梁や生理的な前弯が保たれている

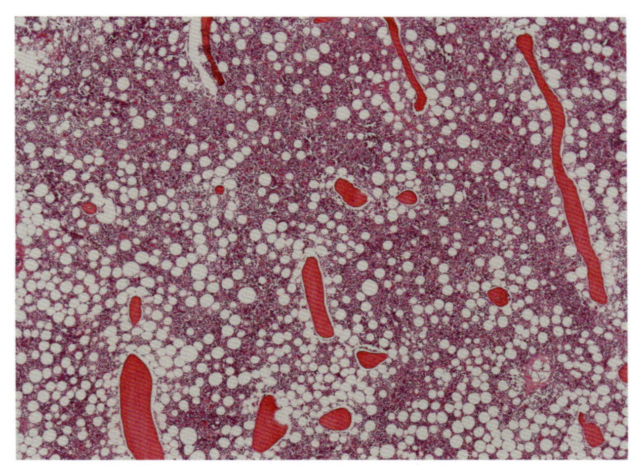

図 14　同前．骨梁は細り，線状あるいは島状となり，特に横方向の連続性は完全に断たれている．正常の椎体では，骨梁は縦・横に伸長し，格子状となる．弱拡大

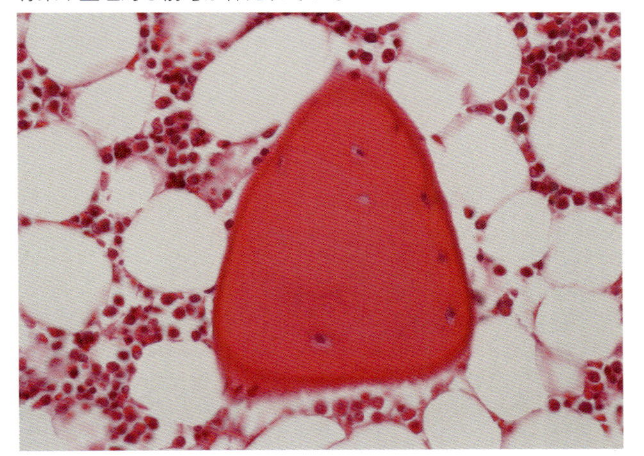

図 15　同前．骨代謝回転低下により連続性が断たれ島状になった萎縮骨梁には，骨芽細胞も破骨細胞も確認できない．強拡大

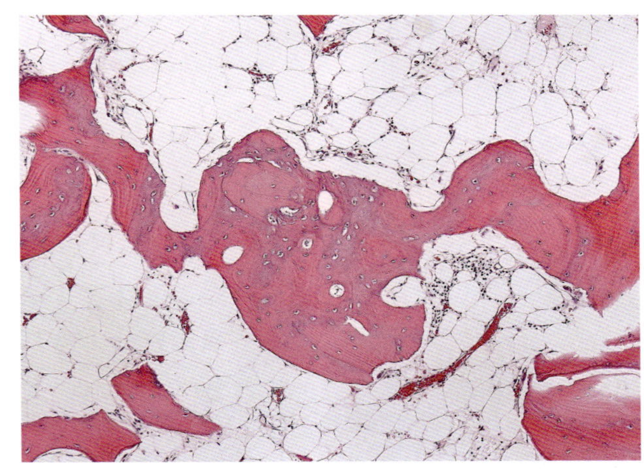

図 16　同前．罹患骨には，しばしば骨梁微小骨折による仮骨形成をみる．弱拡大

代表的な代謝性骨疾患であり，石灰化障害を伴わずに骨塩量が低下する病態である．骨では常に破骨細胞による骨吸収と骨芽細胞による骨形成が同時進行し，恒常性が保たれている．骨粗鬆症は，高代謝回転型では絶対的に，低代謝回転型では相対的に，破骨細胞による骨吸収が骨芽細胞による骨形成を上回ることにより生じる．骨代謝の亢進する一次性と低下する二次性に大別され，一次性には特発性若年性骨粗鬆症，閉経後骨粗鬆症（Ⅰ型），老人性骨粗鬆症（Ⅱ型）がある．骨粗鬆症患者には，脊椎椎体圧迫骨折，大腿骨頸部骨折，橈骨遠位端骨折が好発する（**図 13**）．組織学的に，海面骨では骨梁が細り連続性が絶たれる．特に脊椎椎体では水平方向の骨量減少が目立つ結果，縦方向の骨梁が相対的に目立つようになり，皮質骨は菲薄化する（**図 14，15**）．高代謝回転型骨粗鬆症では破骨細胞や骨芽細胞が目立つが，多数を占める低代謝回転型では通常破骨細胞や骨芽細胞は目立たない．しばしば骨梁微小骨折に対する仮骨 callus 形成を認める（**図 16**）．

【鑑別診断】　全身性に骨が脆弱化する副甲状腺機能亢進症，骨軟化症/くる病，腎性骨異栄養症との鑑別を要する．一般的に臨床検査で鑑別が可能であるが，組織学的に骨粗鬆症は osteitis fibrosa cystica や hyperosteoidosis を欠く．

［参考事項］　近年，骨粗鬆症の治療にビスホスホネート製剤や破骨細胞分化阻害薬が用いられるようになった結果，骨代謝過剰抑制状態が生じ，副作用として顎骨壊死や非定型骨折 atypical fracture とよばれる骨折が生じることが明らかになってきた．非定型骨折は，骨粗鬆症による骨折の好発部位とは異なり，長管骨骨幹部に生じる．

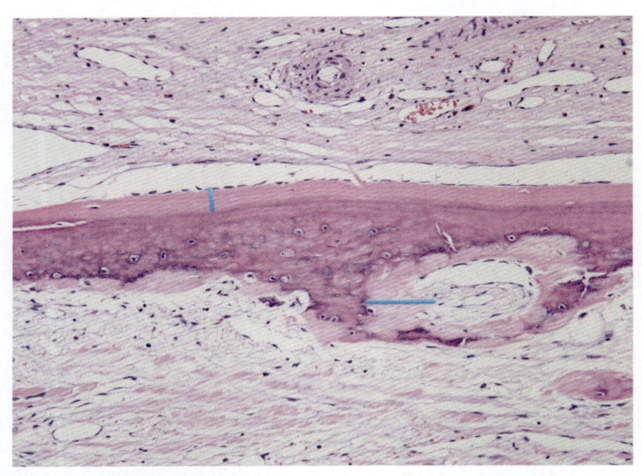

図 17　骨軟化症．骨梁表面の類骨層が肥厚し（|，—），その結果，石灰化骨の量が減少する．弱拡大

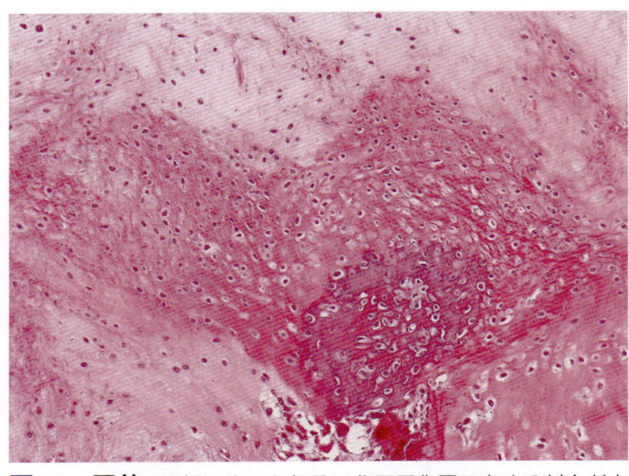

図 18　同前．骨折で生じた仮骨に非石灰化層の占める割合が大きい（淡好酸性基質：類骨，好酸性基質：骨）．強拡大

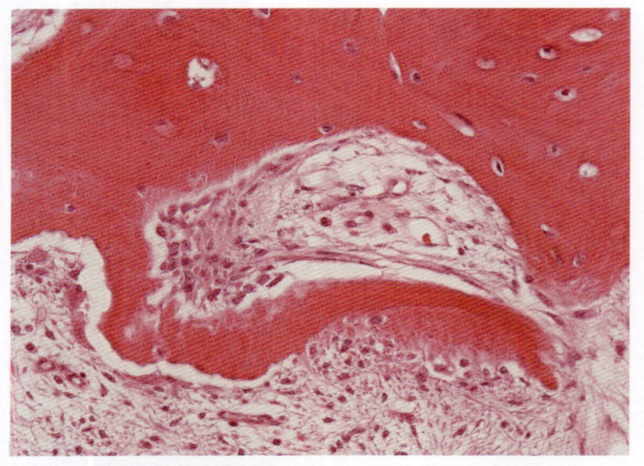

図 19　腎性骨異栄養症．副甲状腺機能亢進症に特徴的なトンネル状骨吸収と骨梁周囲の線維化に加え，骨軟化症を示唆する類骨層（非石灰化骨）の肥厚がみられる．強拡大

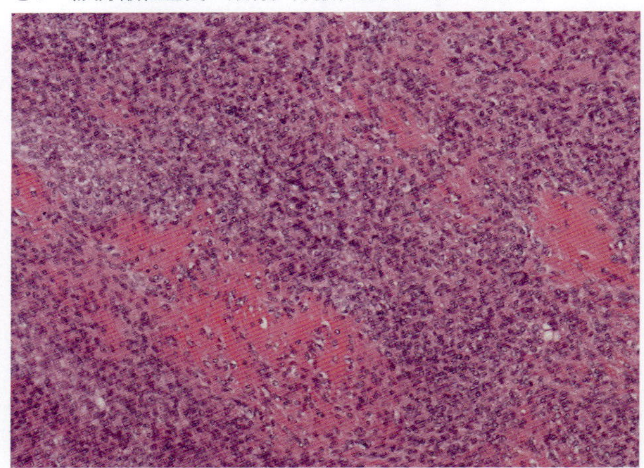

図 20　Phosphaturic mesenchymal tumor．類円形腫瘍細胞が密に増殖し，非石灰化骨（類骨）形成を伴っている．強拡大

骨軟化症は，骨基質への骨塩沈着（石灰化）障害により骨が脆弱化し，その結果，骨変形や易骨折性を生じる病態で，成人に発症するものを指す．遺伝性，非遺伝性などさまざまな病態が知られている．**くる病**は，骨端線閉鎖前の小児に発症したものを意味し，骨変形や骨折に加え骨の発育障害を生じる．

組織学的には，類骨層 osteoid seam とよばれる海綿骨骨梁表面の非石灰化層が増加する hyperosteoidosis を特徴とし，類骨層が骨全体の 10%以上に増加する（**図 17**）．骨折により形成される仮骨の石灰化も乏しい（**図 18**）．

【鑑別診断】　壊血病 scurvy：ビタミン C 欠乏により結合組織の生成障害を生じる．骨芽細胞による膠原線維形成が障害され，骨膜での線維骨形成が乏しくなる．

腎性骨異栄養症 renal osteodystrophy：慢性腎機能障害により生じる骨病変の総称であり，骨軟化症と二次性副甲状腺機能亢進症が混在する病態である．すなわち，hyperosteoidosis とトンネル状骨吸収や骨梁周囲の線維化といった線維性骨炎の所見を示す（**図 19**）．

［参考事項］　腫瘍性くる病/骨軟化症 oncogenic osteomalacia/rickets　腫瘍細胞が産生する fibroblast growth factor-23（FGF23）により発症するくる病/骨軟化症で，腫瘍随伴症候群の 1 つである．発症機序は伴性低リン血症性ビタミン D 抵抗性家族性くる病/骨軟化症と同様と考えられ，FGF23 が血中リンの排泄を促進する結果生じる．この病態を生じる骨軟部腫瘍は，phosphaturic mesenchymal tumor とよばれ，類円形あるいは紡錘形腫瘍細胞の増殖とともに軟骨形成，石灰化，骨化，血管周皮腫様拡張血管，嚢胞形成，破骨型多核巨細胞の出現といった多彩な組織所見を示す（**図 20**）．腫瘍を摘出することにより，症状は劇的に快復する．

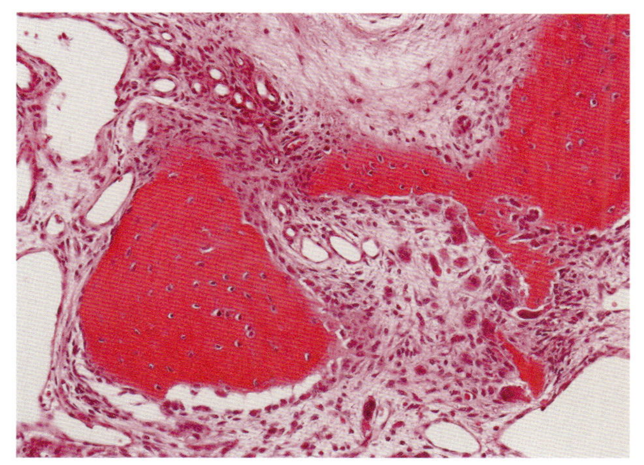

図 21　副甲状腺機能亢進症．多数の破骨細胞による骨吸収と骨芽細胞に縁取りされた新生骨形成がみられ，骨代謝活性が亢進していることがわかる．弱拡大

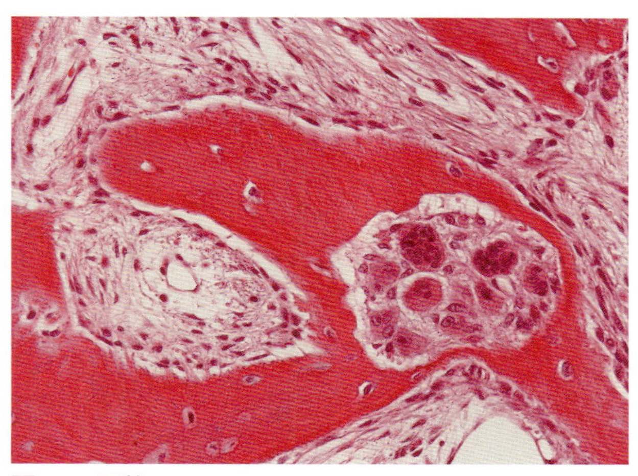

図 22　同前．多数の破骨細胞が集簇し，骨梁中央部にトンネルを掘るような骨吸収を示す．骨梁周囲には線維化がみられる．強拡大

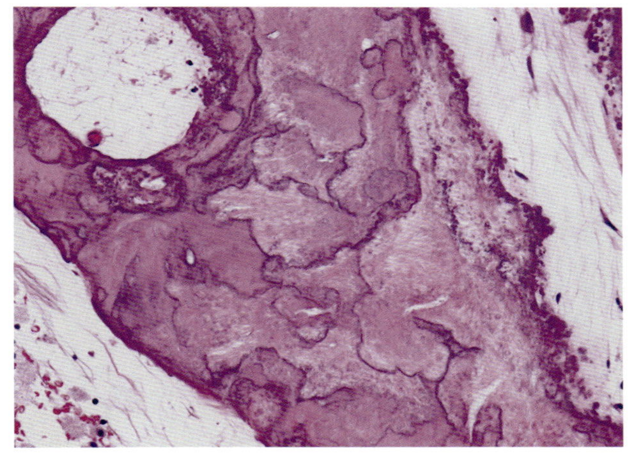

図 23　パジェット病．後期には不規則なセメント線により骨が区画され，モザイク状を呈する．強拡大

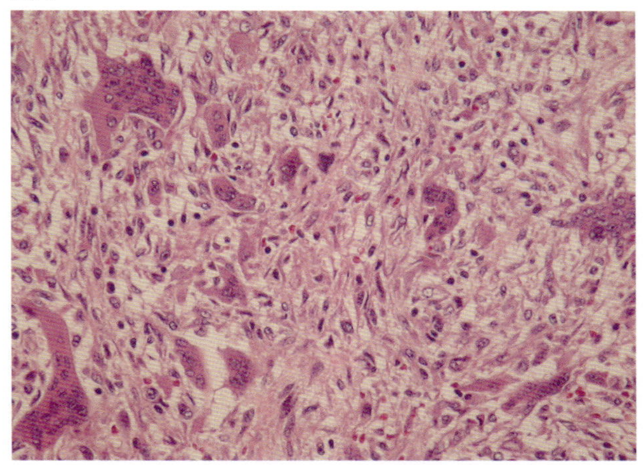

図 24　褐色腫．多核巨細胞と線維芽細胞様紡錘形細胞が混在・増生し，腫瘤を形成する．強拡大

副甲状腺ホルモン（PTH）の過剰分泌により生じ，**von Recklinghausen disease of bone** ともよばれる．副甲状腺腺腫などの原発性副甲状腺疾患により生じるものを**原発性副甲状腺機能亢進症**，慢性腎不全による副甲状腺過形成などによるものを**二次性副甲状腺機能亢進症**，二次性副甲状腺機能亢進症の経過中に副甲状腺に腫瘍が発生した状態を**三次性副甲状腺機能亢進症**という．

PTH は骨からカルシウムを遊離し高カルシウム血症を生じ，腎でのリン再吸収を抑制し低リン血症を生じる．二次性副甲状腺機能亢進症では，慢性腎不全による活性型ビタミンDの欠乏と尿中へのリン排泄低下により生じた低カルシウム血症を補正するため，二次的なPTHの分泌亢進がもたらされる．副甲状腺機能亢進症の組織所見は osteitis fibrosa cystica とよばれる．骨代謝回転が亢進した結果，骨芽細胞による骨形成と破骨細胞による骨吸収が目立ち，骨梁にトンネルを掘り進むような特徴的な骨吸収像 tunneling bone resorption を示し，骨梁周囲に線維化 peritrabecular fibrosis を生じる（**図 21，22**）．

【鑑別診断】 骨粗鬆症，骨軟化症/くる病，腎性骨異栄養症，骨パジェット病が鑑別にあがる．

骨パジェット病 Paget disease of bone：骨代謝回転が局所的に亢進し，骨の肥厚・変形を生じ，osteitis deformans の別名をもつ．初期，中期，後期に病期が分類される．初期には骨吸収が亢進し，中期では骨吸収と骨形成が拮抗し，後期では骨硬化が顕著となり，肥厚した骨梁は不規則なセメント線を示しモザイク状 mosaic pattern となる（**図 23**）．

［参考事項］　褐色腫 brown tumor　破骨細胞が著しく増殖し溶骨性病変を生じたものを褐色腫という．多発することも多く，組織所見は巨細胞修復性肉芽腫 giant cell reparative granuloma に類似する（**図 24**）．

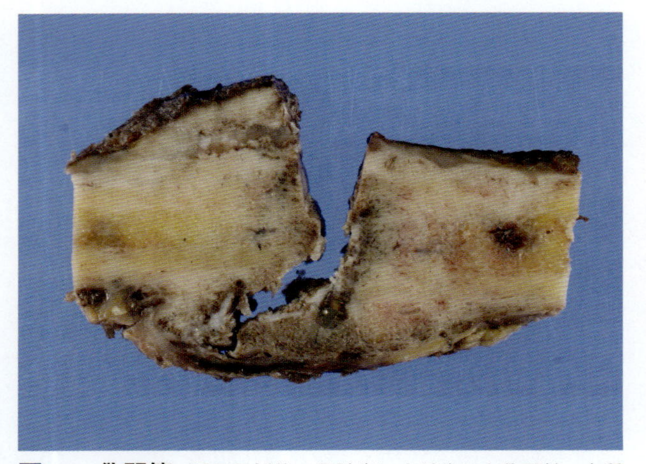

図25　偽関節．脛骨骨折後の骨髄炎により生じた偽関節．皮質骨外に架橋状の骨形成により，かろうじて骨の連続性が得られているが，骨折面の骨形成はほとんどない．割面肉眼像

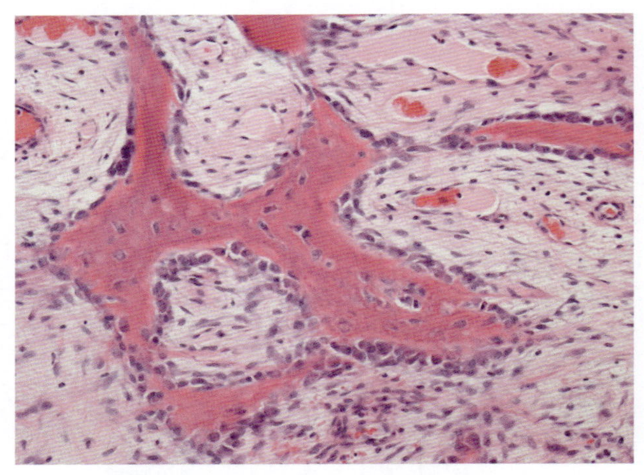

図26　仮骨．肉芽組織を背景に，骨芽細胞に縁取りされた新生骨形成をみる．強拡大

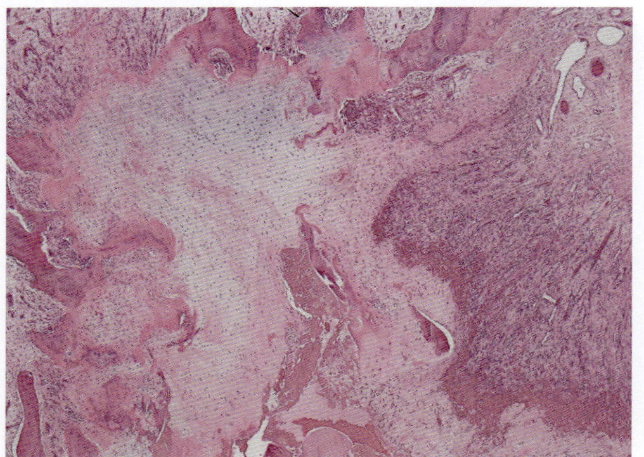

図27　同前．軟骨性仮骨が肉芽組織とともに骨折部位に形成される．弱拡大

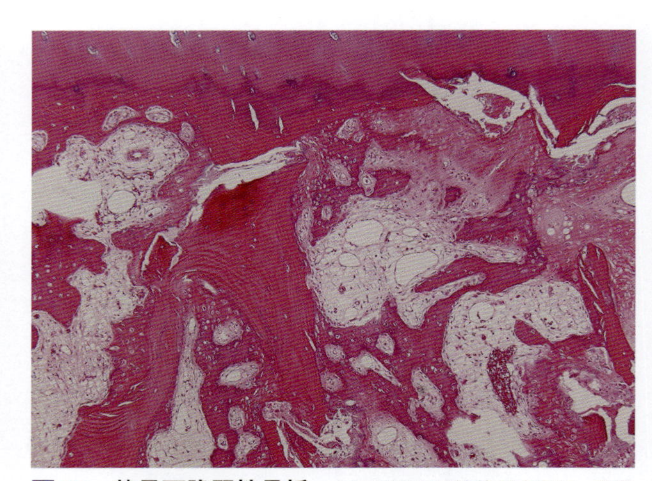

図28　軟骨下脆弱性骨折．大腿骨頭の関節軟骨直下に，骨梁骨折と著しい仮骨形成をみる．弱拡大

骨折は骨の構造が破綻した状態であり，外傷性骨折，疲労骨折，裂離骨折，脆弱性骨折，腫瘍や感染症などの結果生じる病的骨折がある．骨折はその治癒過程により，炎症期，修復期，再造形期に分類される．修復期に骨折部位の固定が不十分だと，骨癒合が得られず**偽関節** pseudoarthrosis となる（**図25**）．炎症期は骨折とそれに伴う周囲の血管損傷や結合組織損傷による出血，血腫形成，急性炎症で始まる．その後数日以内に，組織球による貪食，肉芽組織形成，血腫の器質化が生じる．受傷から2～3週間経つと修復期となり，仮骨形成が始まる．**仮骨** callus は骨芽細胞の縁取りを有する未熟骨（線維骨）や新生軟骨を指す（**図26，27**）．化骨はリモデリングという骨の生理的機能により徐々に吸収されると同時に新たな骨が形成され，最終的に成熟骨となり骨折は治癒する．

【鑑別診断】　病的骨折：既往歴など臨床所見とともに，組織学的に先行する器質的疾患の同定が重要である．

骨肉腫：骨折による化骨は活発な骨芽細胞により顕著な骨形成を示すため，骨肉腫の組織所見に類似することがある．骨肉腫では，多形核を有する異型腫瘍細胞が一様に増殖するのに対し，非腫瘍性の骨折は核の多形性を欠き，通常腫瘤を形成することはない．

［参考事項］　脆弱性骨折 insufficiency fracture は，骨粗鬆症など骨の脆弱性を背景に生じる骨折で，脊椎圧迫骨折，大腿骨頸部骨折，橈骨遠位端骨折が有名である．なかでも，関節軟骨直下に生じる微細骨折は**軟骨下脆弱性骨折** subchondral insufficiency fracture とよばれ，骨髄浮腫症候群，変形性関節症，急速破壊性股関節症との関連が指摘されている（**図28**）．

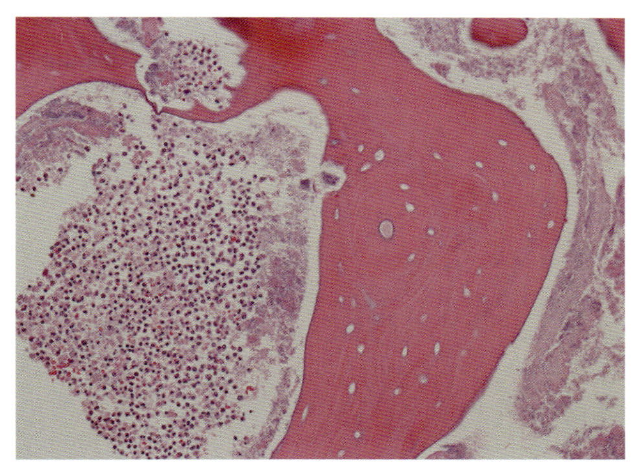

図 29　急性骨髄炎．壊死に陥った骨梁（腐骨：骨細胞がすべて脱落している）周囲には細菌塊がみられ，骨髄腔には好中球が貯留する．強拡大

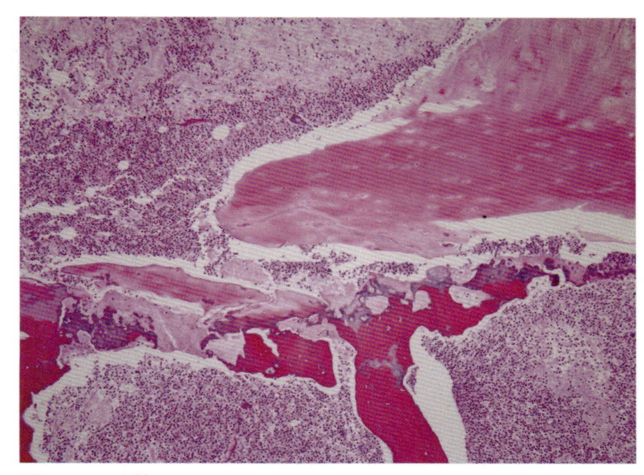

図 30　同前．椎体骨梁間の膿瘍（写真下方）は，椎体終板を破壊し椎間板内（写真上方）にも及んでいる．弱拡大

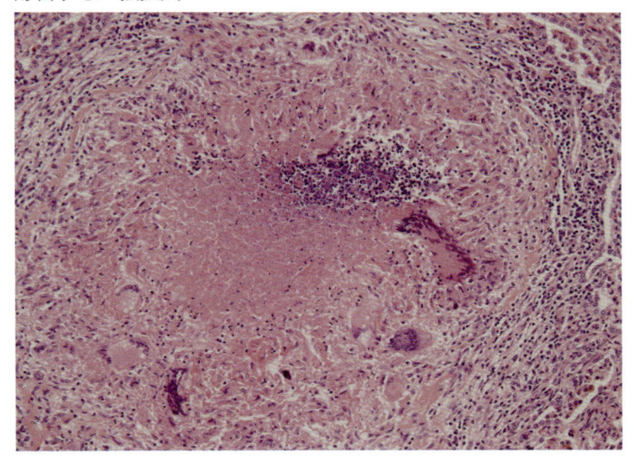

図 31　骨結核．乾酪壊死を中心に類上皮肉芽腫が形成され，ラングハンス型多核巨細胞を伴う．強拡大

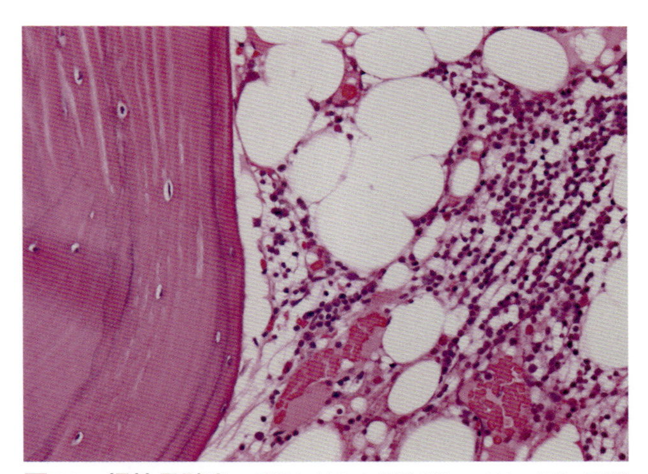

図 32　慢性骨髄炎．骨梁に接した脂肪髄に，リンパ球・形質細胞浸潤を示す．強拡大

急性骨髄炎 acute osteomyelitis　骨あるいは関節に生じる感染症であり，起炎菌も黄色ブドウ球菌，レンサ球菌属，インフルエンザ菌感染によるものが多い．組織学的に，好中球浸潤や膿瘍形成を示し，罹患骨は壊死し腐骨 sequestrum となる（**図 29**）．骨膜下に膿瘍が波及すると，骨柩（こつきゅう） involucrum とよばれる骨膜下骨形成を生じる．感染巣周囲には肉芽組織が形成される．脊椎に発症するものは**化膿性脊椎炎**とよばれ，血流のない椎間板病変はほぼ必発である（**図 30**）．

慢性骨髄炎 chronic osteomyelitis　急性骨髄炎が遷延し生じる．腐骨周囲に感染が持続するので，排膿のため瘻孔が形成される．長管骨骨管端部に生じる類円形の硬化縁を伴う溶骨巣をブロディー Brodie 膿瘍とよぶ．組織学的に，リンパ球・形質細胞を主体とした炎症細胞浸潤や線維化を示す．

骨・関節結核 tuberculosis of bone and joint　結核菌による感染症で，肺などの結核感染巣から血行性に骨や関節に感染を生じる．組織学的に，リンパ球浸潤やラングハンス型多核巨細胞を伴う癒合性の乾酪壊死性類上皮肉芽腫を形成する（**図 31**）．骨・関節周囲に乾酪壊死物の貯留する冷膿瘍 cold abscess を形成する．免疫不全状態では非結核性抗酸菌症も生じる．

【鑑別診断】　骨腫瘍：急性骨髄炎の臨床症状や画像所見は，ユーイング Ewing 肉腫などの小円形細胞腫瘍に類似する．組織学的には，腫瘍細胞の有無の判断が重要である．

［参考事項］　SAPHO 症候群　主症状である滑膜炎 synovitis，痤瘡 acune，膿疱症 pustulosis，骨化症 hyperostosis，骨炎 osteitis の頭文字を組み合わた名称であり，掌蹠膿疱性骨関節症，胸肋鎖骨肥厚症，慢性再発性多巣性骨髄炎を包括する疾患概念である．感染症や細菌アレルギーが原因として考えられているがいまだ明らかではなく，組織所見は慢性骨髄炎に類似する（**図 32**）．

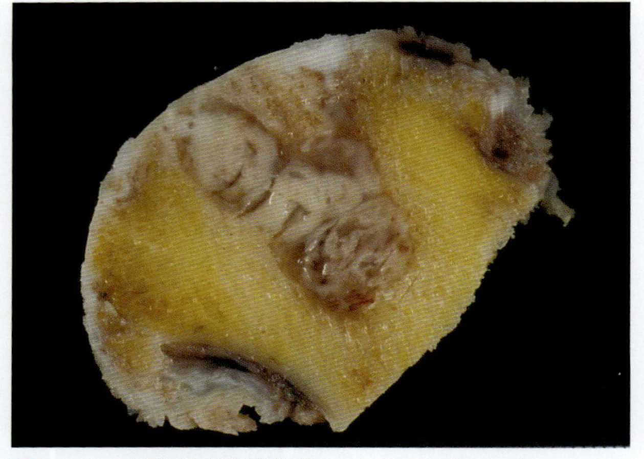

図 33　一次性変形性関節症．関節軟骨は完全に摩耗し，扁平化した関節面には硬化した関節下骨が露出している．関節面辺縁には骨棘が形成され，関節下骨には偽嚢胞が形成される．割面肉眼像

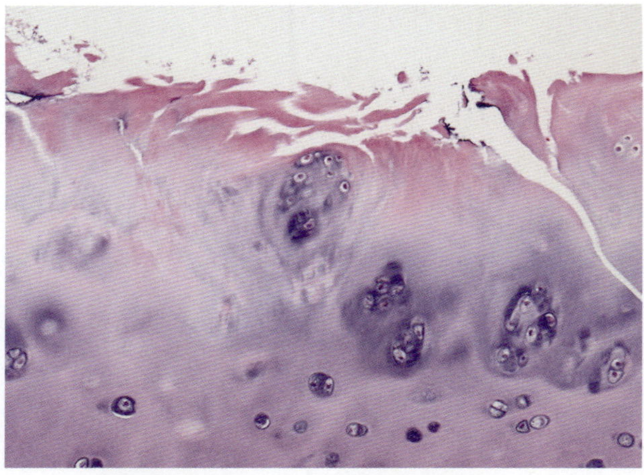

図 34　同前．病初期には関節軟骨面は細線維化し，軟骨深層には再生軟骨細胞の集簇 chondrocytic cloning をみる．強拡大

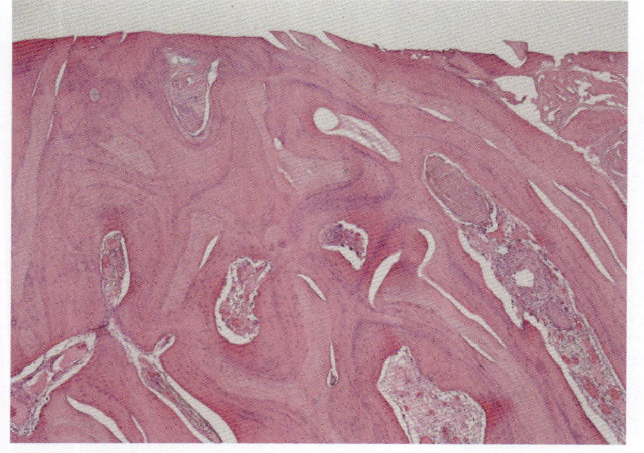

図 35　同前．病変が進行すると，関節軟骨は摩耗消失し，露出した関節下骨は著しい硬化を示す（象牙化）．弱拡大

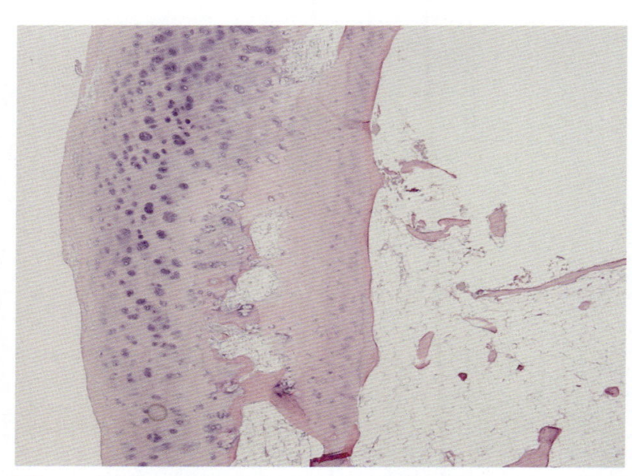

図 36　同前．骨棘は摩耗した関節面の曲率を保つため関節面辺縁に生じ，既存関節軟骨面に形成される．弱拡大

加齢，過剰な加重負荷，外傷などにより関節軟骨が摩耗した結果生じる骨関節の変性疾患で，全身どの関節にも発症しうるが，膝や股関節といった大関節に発症することが多い．関節軟骨が摩耗し関節面の曲率が変わるため，関節面の不適合を生じる．肉眼的に，加重面の関節軟骨は菲薄化あるいは消失し，象牙化 eburnation と形容される著しく硬化した関節下骨が露出し，関節縁に骨棘が形成される（**図 33**）．関節下骨内には，偽嚢胞 pseudocyst とよばれる溶骨巣がみられる．組織学的に，摩耗関節軟骨面は毛羽立ち，細線維状となり，タイドマークが重層化する（**図 34**）．露出した関節下骨の表面はやすりで研磨したように滑らかで，添加骨形成により著しい骨硬化を示す（**図 35**）．骨棘は，線維軟骨に覆われた骨性の突起で，しばしば本来の関節軟骨の表面に形成される（**図 36**）．偽嚢胞壁の骨折などの例外を除いて骨壊死を生じない．

【鑑別診断】 一次性変形性関節症と二次性変形性関節症

先行病変が明らかでない変形性関節症を一次性変形性関節症，先行病変の結果生じたものを二次性変形性関節症とよぶ．二次性には，外傷，感染，先天性股関節脱臼後の臼蓋形成不全，大腿骨頭壊死症など多彩な関節疾患が先行病変となる．一次性は緩徐に進行するため骨棘形成が目立つ．骨棘は相対する関節面の曲率変化による関節面不適合を補正するために生じるので，先行病変が比較的急速に進行する二次性変形性関節症では骨棘形成が目立たないことが多い．

［参考事項］ 変形性脊椎症 spondylosis deformans　脊椎に生じる変形性関節症性変化を変形性脊椎症とよぶ．脊椎には椎間関節があり変形性関節症が生じる．椎体と椎間板間に滑膜を有する関節構造はないが，変形性関節症と類似の変化が生じる．

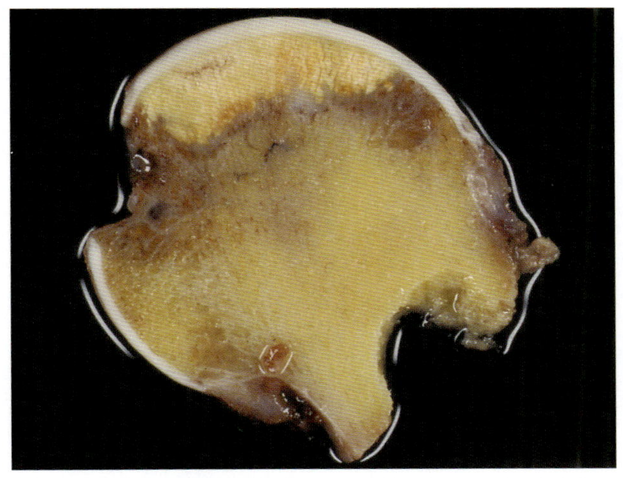

図 37　大腿骨頭壊死症（stage III）．軟骨下骨に黄白色の壊死領域がみられ，正常骨の間に帯状の暗褐色調の修復反応層を形成する．関節軟骨直下には横走する骨折線（crescent sign）をみる．骨頭の輪郭・曲率は保たれている．割面肉眼像

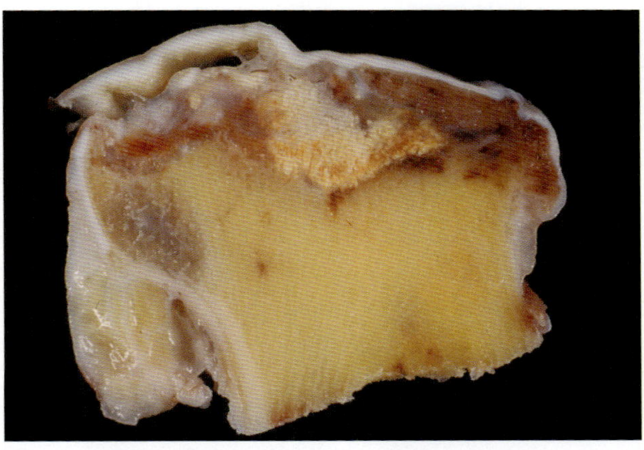

図 38　同前（stage IV）．骨頭は圧壊し，扁平化する．大部分の壊死領域は圧壊により消失し，骨壊死はほぼ中央の黄白色領域に限られる．圧壊後二次性変形性関節症が生じる．割面肉眼像

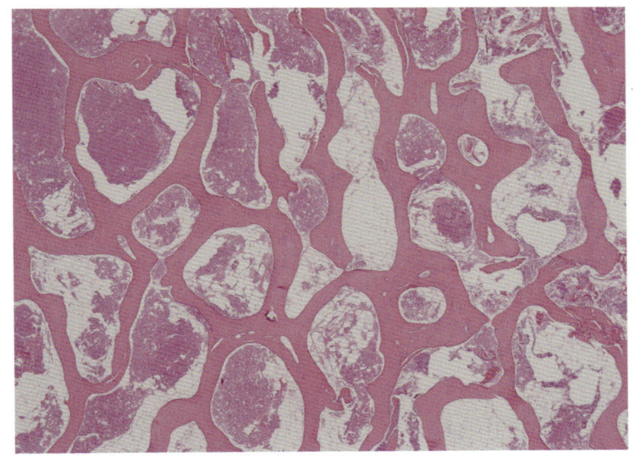

図 39　大腿骨頭壊死症．壊死領域では，骨梁および骨髄組織が壊死を示す．壊死骨梁は既存構造を保ち，骨吸収や骨形成を認めない．弱拡大

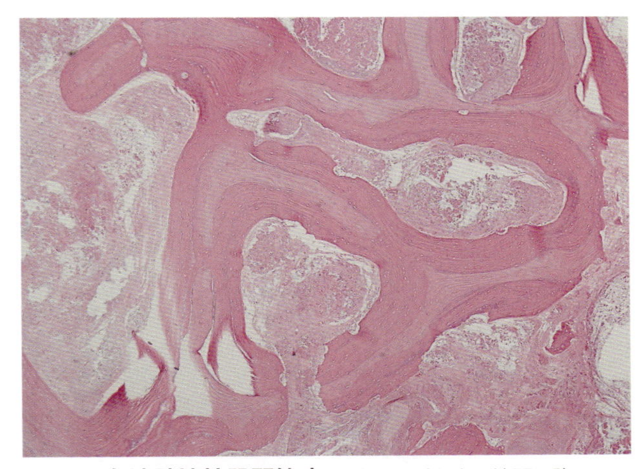

図 40　急速破壊性股関節症．骨梁・骨髄ともに壊死に陥っているが，淡好酸性の既存骨梁の周囲に好酸性の添加骨形成がみられ，骨梁は著しく肥厚している．壊死に先行した骨折を意味する．弱拡大

全身性エリテマトーデス（SLE）などの膠原病に対する大量のステロイド投与歴や長期のアルコール過剰摂取歴を有する患者に発症リスクがある．ステロイド性は20～40歳代の女性に，アルコール性は40歳以降の男性に好発する．骨壊死発症時は無症状であり，その経過中に生じる骨折や骨頭圧壊により股関節痛をきたす．4期に分類され，病期により肉眼・組織所見が異なる（**図 37，38**）．

肉眼的に黄白色調を呈する関節面を底辺とする楔形の領域性をもった骨壊死が生じると，壊死骨と非壊死骨との境界部に修復反応層とよばれる肉芽組織が骨髄腔に形成される（stage I）．壊死領域では，骨梁だけでなく骨髄組織も壊死に陥り，壊死骨には骨吸収や骨形成は生じない（**図 39**）．同部の骨梁は添加骨形成により肥厚する（stage II）．継続的な起立・歩行による荷重負荷のため，関節軟骨直下の壊死骨領域に水平骨折が生じる（crescent sign，stage III）（**図 37**），次第に壊死骨と修復反応層との境界部の骨折を契機として，壊死骨が圧壊し骨頭の著しい変形をきたす（stage IV）（**図 38**）．滑膜には無数の骨軟骨片が沈着し，**破砕骨軟骨片沈着性滑膜炎** detritic synovitis を生じる．

【鑑別診断】　外傷性骨壊死は，骨折や脱臼を契機に骨壊死が生じる病態で，大腿骨頸部内側骨折後の骨頭壊死や月状骨軟化症（キーンベック Kienböck 病）などが知られている．鑑別には，組織所見だけでなく臨床歴が重要である．

［参考事項］　急速破壊性股関節症 rapidly destructive coxarthrosis は，1年以内の経過で急速に大腿骨頭が圧壊し，高齢女性に好発する．特発性大腿骨頭壊死症との関連が指摘されていたが，近年は大腿骨頭軟骨下脆弱性骨折を契機とする骨頭破壊が本態ではないかと考えられている．組織学的に，圧壊した骨片には先行する骨折により生じた硬化した骨梁が壊死を示す（**図 40**）．

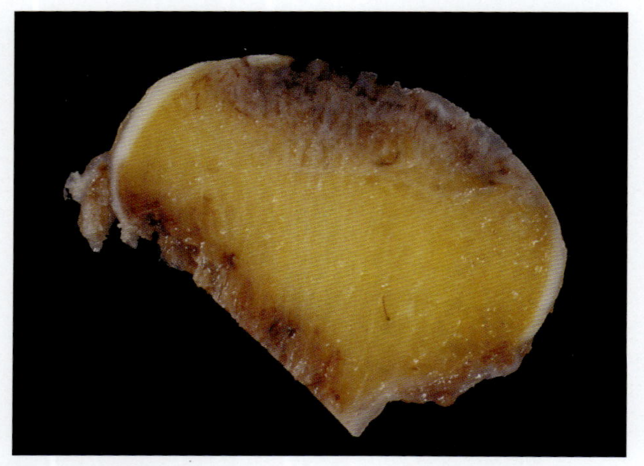

図 41　関節リウマチ．二次性変形性関節症を生じているため，関節軟骨が摩耗し，骨頭が扁平化している．一次性と異なり，骨棘形成や象牙化が目立たない．割面肉眼像

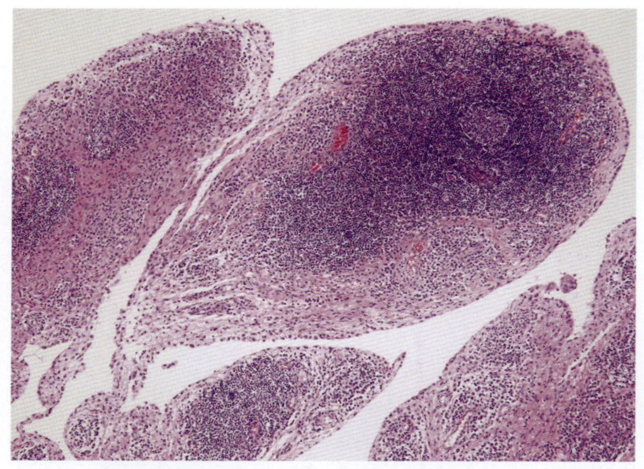

図 42　同前．滑膜は絨毛状を呈し，びまん性のリンパ球・形質細胞浸潤やリンパ濾胞形成を示す．弱拡大

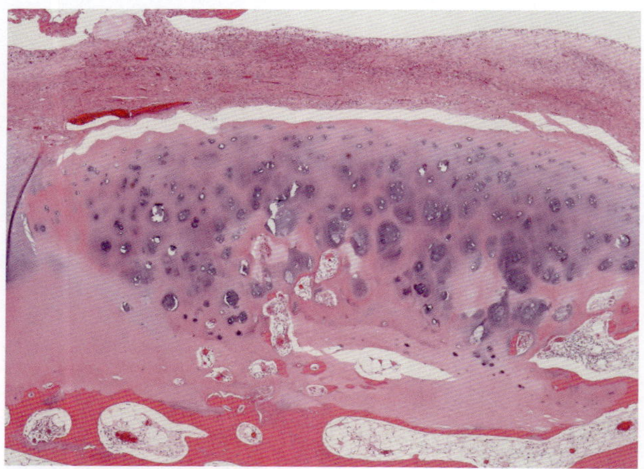

図 43　同前．関節軟骨面には，パンヌスとよばれる肉芽組織の膜が覆い，関節軟骨を吸収する．弱拡大

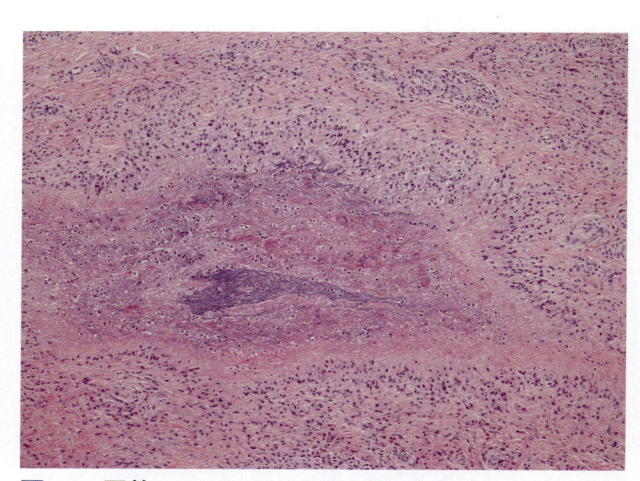

図 44　同前．リウマチ結節の組織像では，中心部の変性・壊死組織を取り囲むように組織球が柵状に取り囲む．弱拡大

関節リウマチ rheumatoid arthritis（RA）は膠原病の代表的疾患であり，滑膜に対する自己抗体反応の結果，滑膜の炎症をきたす．緩徐進行性に多関節性の破壊性障害を生じる自己免疫疾患であり，30〜50 歳の女性に好発する．病勢の進行により二次性変形性関節症を生じる（**図 41**）．組織学的に，活動期の滑膜は絨毛状を呈し，高度のリンパ球・形質細胞浸潤と多数のリンパ濾胞形成を示す（**図 42**）．関節腔内にフィブリンが析出し，関節面で器質化を生じたり，関節内に遊離する米粒体 rice body を形成する．関節軟骨や関節下骨は，パンヌス pannus とよばれる膜状の肉芽組織の被覆により，びらん状の骨，軟骨吸収，破壊を生じる（**図 43**）．関節破壊が進行すると，破砕された骨軟骨片が滑膜に沈着し**破砕骨軟骨片沈着性滑膜炎** detritic synovitis を生じる．RA の滑膜所見は病勢に左右され，非活動期にはほとんど炎症所見が目立たない．リウマチ結節 rheumatoid nodule は，関節伸側の皮下に好発する長円形の肉芽腫で，フィブリノイド壊死を組織球が柵状に取り囲む（**図 44**）．

【鑑別診断】　一次性変形性関節症　RA に二次性変形性関節症を生じると，一次性と鑑別を要する．RA に続発する変形性関節症では，骨軟骨の増殖性変化が乏しく，骨棘形成も目立たないことが多い．一次性変形性関節症でも，滑膜に著しいリンパ球・形質細胞浸潤やリンパ濾胞形成を示すことがあるため，滑膜所見での鑑別は難しい．

【参考事項】　血清 RA 因子が陰性の RA と類似した臨床症状を，RA 因子陰性の脊椎関節疾患とよび，強直性脊椎炎，乾癬性関節炎，ライター Reiter 症候群，炎症性腸疾患に伴う関節症などが含まれる．

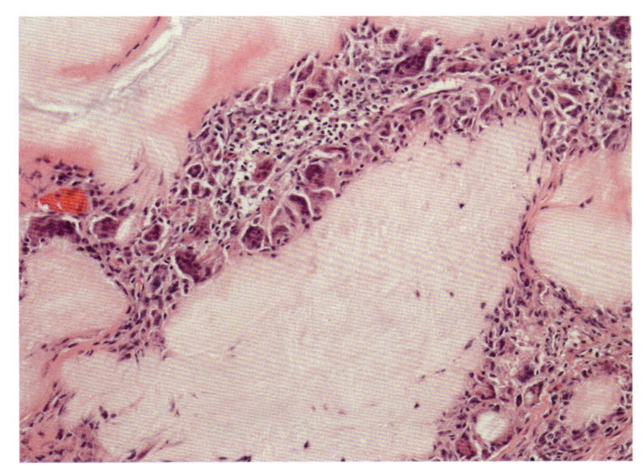

図 45　痛風．白色に抜けた尿酸ナトリウム結晶の沈着痕とその周囲に多核巨細胞を混じた異物反応をみる．ホルマリン固定検体では，このように結晶が溶出してしまう．強拡大

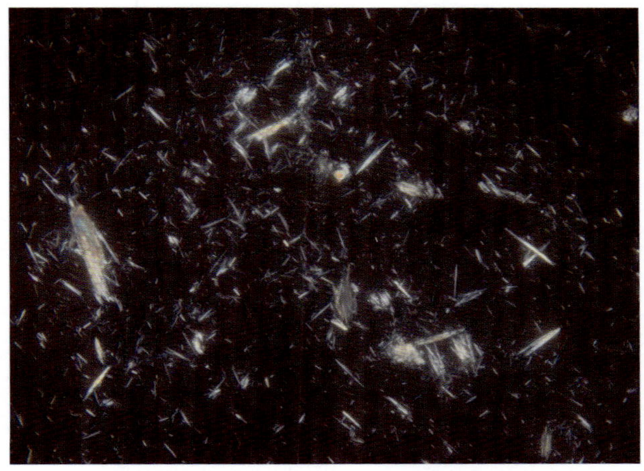

図 46　同前．アルコール固定検体では，偏光顕微鏡下で複屈折性を有する針状結晶を示す．偏光顕微鏡像．強拡大

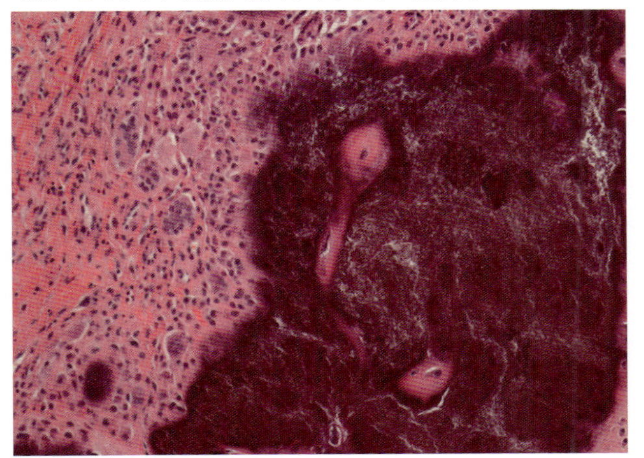

図 47　偽痛風．濃紫色のヒドロキシアパタイト結晶沈着とその周囲の異物反応をみる．強拡大

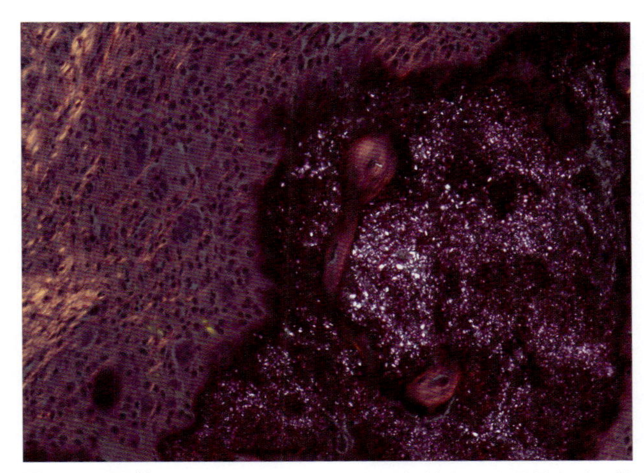

図 48　同前．偏光顕微鏡下では，複屈折性を示す長斜方形の結晶をみる．強拡大

痛風　高尿酸血症により，尿酸ナトリウム結晶が関節軟骨や関節周囲に沈着する急性関節炎で，第 1 中足趾節関節（MP 関節）に生じることが多い．慢性期に形成される痛風結節 gouty tophus には白チョーク様の沈着物がみられ，組織学的に濃紫色の結晶沈着と異物反応をみる．偏光顕微鏡下では，複屈折性を示す針状の結晶を示す（**図 45**）．針状結晶はホルマリン固定時に溶出してしまうため，アルコール固定が推奨される（**図 46**）．

偽痛風　高齢者の関節軟骨や半月板あるいは関節近傍軟部組織にピロリン酸カルシウム結晶 calcium pyrophosphate dihydrate（CPPD）が沈着する疾患である．臨床所見は痛風に類似するが，高尿酸血症歴はなく変形性関節症に合併することが多い．HE 染色切片では好塩基性を示す石灰化物質が沈着し，周囲に異物反応を伴っている．偏光顕微鏡下では長斜方形の結晶体が白色に輝いてみえる（**図 47，48**）．脱灰により結晶は溶出してしまう．

【鑑別診断】　ヒドロキシアパタイト結晶沈着症 hydroxyapatite crystal deposition disease：ヒドロキシアパタイト結晶が腱や滑液胞内に沈着し発症する．HE 染色切片では好塩基性で粗造な石灰沈着がみられ，偏光顕微鏡下で複屈折性を示さない．

腫瘤性石灰化症 tumoral calcinosis：炭酸カルシウムなどの無機石灰が関節近傍に腫瘤状に沈着する．HE 染色切片にて，小塊状あるいは顆粒状の好塩基性石灰化沈着物を認める．偏光顕微鏡下で複屈折性を示さない．

［参考事項］　結晶沈着性疾患の沈着物周囲には，異物巨細胞を伴う異物肉芽腫反応や軟骨化生がさまざまな程度にみられる．痛風様結節様の腫瘤を形成する偽痛風は，**トーフス様偽痛風** tophaceous pseudogout とよばれる．

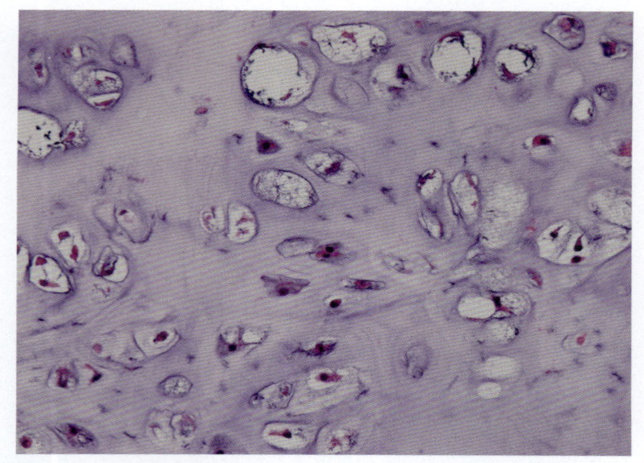

図 49　内軟骨腫．硝子様軟骨基質を背景に，軟骨小窩内に濃縮した円形核を有する軟骨細胞が疎に増生している．少数の 2 核細胞がみられるものの，核多形は乏しい．強拡大

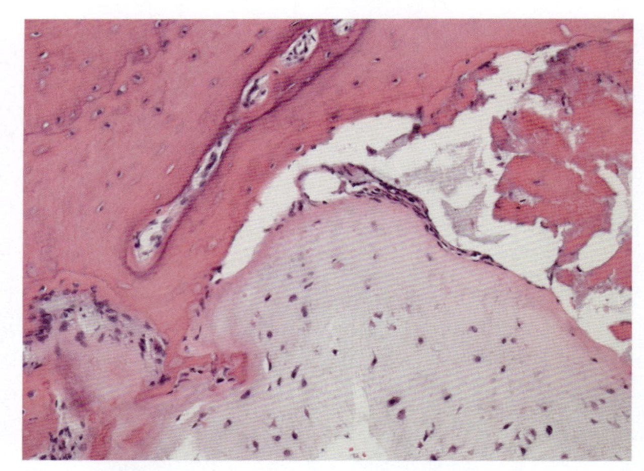

図 50　同前．隣接する骨梁と接する軟骨基質辺縁は帯状に好酸性を示している（encasement pattern）．強拡大

図 51　骨軟骨腫．表面は骨膜に覆われ，透明感を持った青白色の軟骨帽と連続した骨性の茎部を有している．基部は罹患骨梁の骨髄と連続している．割面肉眼像

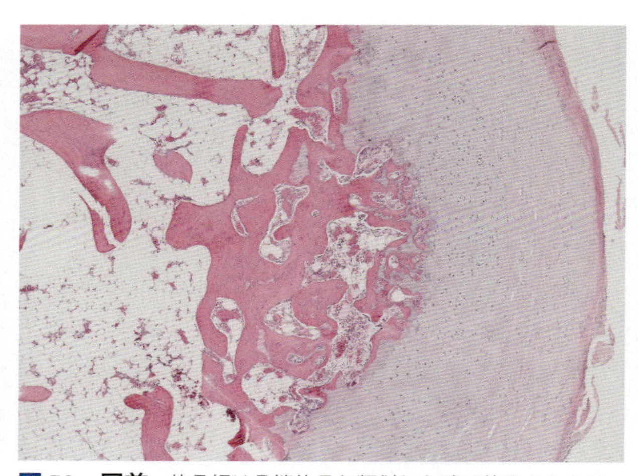

図 52　同前．軟骨帽は骨端軟骨と類似した硝子軟骨からなり，内軟骨骨化像を経て成熟骨梁と脂肪髄からなる茎部に移行している．弱拡大

内軟骨腫 enchondroma　骨内に発生する良性の軟骨病変で，小児や若年者の手足の短管骨に好発する．*IDH1*，*IDH2* 遺伝子変異を有する．組織学的に，硝子様軟骨組織が分葉状に増生する（**図 49**）．核は小型で濃縮し，核分裂像をほとんど認めない．隣接する骨梁あるいは骨髄との境界部の軟骨基質辺縁部に帯状の好酸性変化をみる（encasement pattern，**図 50**）．加齢により，変性・壊死・石灰化・骨化が目立つようになる．

【鑑別診断】　異型軟骨性腫瘍/軟骨肉腫 grade 1：組織学的に鑑別が困難な時は，積極的に画像所見や臨床所見を参考にする．皮質骨を破壊し骨外浸潤があれば境界悪性以上の軟骨性腫瘍と診断できる．

［参考事項］　内軟骨腫症 enchondromatosis　内軟骨腫が多発する骨系統疾患であり，Ollier 病や Maffucci 症候群が含まれる．*IDH1*，*IDH2* 遺伝子変異を有することが多い．Ollier 病の約 25％が軟骨肉腫に悪性転化するといわれ，Maffucci 症候群では悪性化の頻度がより高い．

骨軟骨腫 osteochondroma　長管骨骨幹端部の骨表面にポリープ状に隆起する骨軟骨病変（**図 51**）．骨表面に生じた軟骨帽が，骨の成長とともに骨性の茎部を形成しポリープ状となる．*EXT1*，*EXT2* 遺伝子変異を有する．軟骨帽は成長軟骨板類似の硝子軟骨からなり，軟骨内骨化を経て骨性の茎部は罹患骨と連続する（**図 52**）．病変は骨膜に覆われ，茎部内の骨髄は罹患骨の骨髄と連続する．まれに軟骨肉腫へ悪性転化する（☞ p.556）．

【鑑別診断】　爪下外骨腫 subungual exostosis：若年者の第 1 趾の爪下に好発する末節骨の骨軟骨性隆起性腫瘤．

骨膜性軟骨腫 periosteal chondroma：小児や若年成人の長管骨表面に発生する良性軟骨性腫瘍．

［参考事項］　骨軟骨腫症 osteochondromatosis　多発性軟骨性外骨腫症 multiple cartilaginous exostoses ともよばれる骨軟骨腫が多発する骨系統疾患．*EXT1*，*EXT2* 遺伝子変異を有する．約 10％の頻度で悪性化するとされ，多くは軟骨肉腫を生じる．

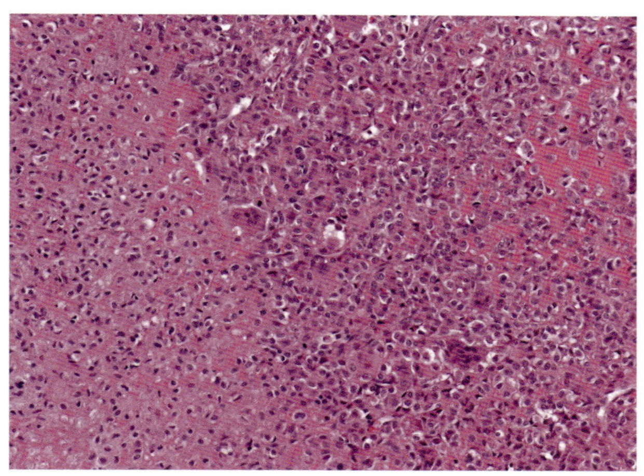

図 53　軟骨芽細胞腫．細胞密度の高い腫瘍組織には破骨細胞型多核巨細胞が散在し，腫瘍細胞間には類骨に類似した好酸性の軟骨基質形成をみる．弱拡大

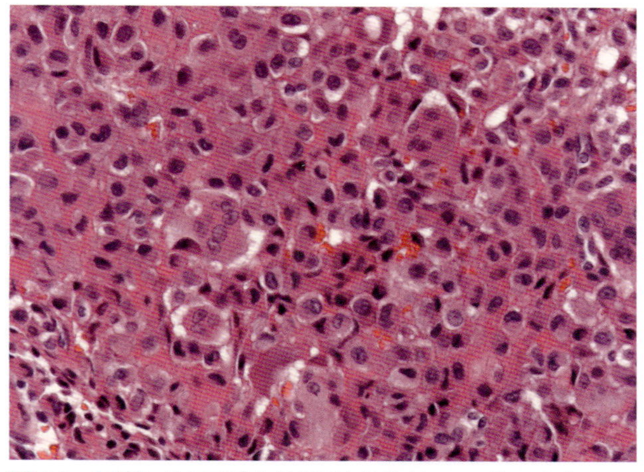

図 54　同前．境界明瞭な単核腫瘍細胞がシート状に増殖する．核は類円形で，核溝や陥凹を示す．強拡大

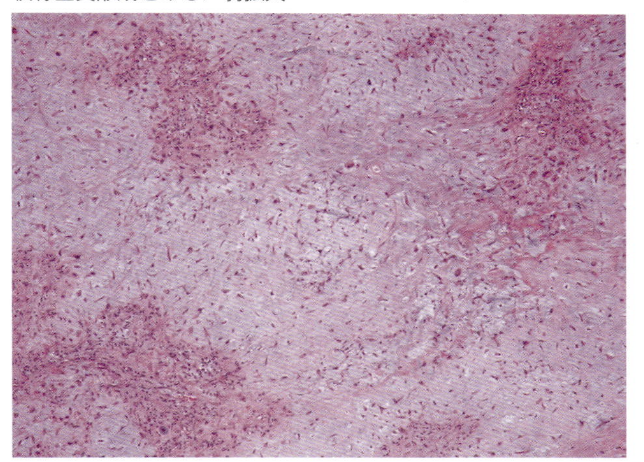

図 55　軟骨粘液様線維腫．豊富な粘液基質を背景に，腫瘍細胞が領域性を持って疎あるいは比較的密に増生している．弱拡大

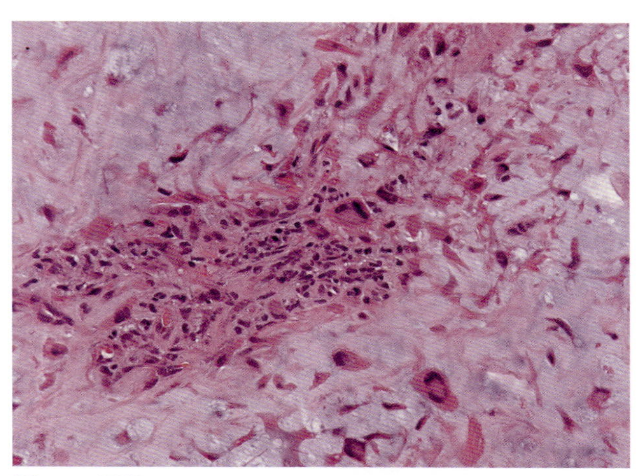

図 56　同前．腫瘍血管の周囲では細胞密度が高く，星芒状の腫瘍細胞は濃縮した核と好酸性細胞質を有し，軟骨小窩をもたない．強拡大

WHO 分類（2013 年版）で中間悪性とされていた，軟骨芽細胞腫 chondroblastoma，軟骨粘液様線維腫 chondromyxoid fibroma は 2020 年版では良性に再分類された．

軟骨芽細胞腫　若年者の長管骨骨端部に好発し，扁平骨にも発生する軟骨形成性腫瘍で，きわめてまれに肺転移を生じる．17 番染色体上の *H3-3B*（*H3F3B*）に変異（p.Lys36Met）を有する．類円形核を有する単核細胞が，多数の破骨型多核巨細胞を混じシート状に増殖する（**図 53**）．単核細胞の細胞質は境界明瞭で好酸性を示し，核は核溝を有したり陥凹を示す（**図 54**）．類骨に類似した淡好酸性軟骨様基質を形成し，腫瘍細胞を区画するような chiken-wire 状の石灰化を示す．変性・壊死を伴い，しばしば出血性嚢胞形成を伴う（二次性動脈瘤様骨嚢腫形成）．免役染色にて，H3.3B（H3F3B）p.Lys36Met（K36M），SOX9，S100 タンパク，DOG1 に陽性を示す．

【鑑別診断】　骨巨細胞腫：破骨細胞型多核巨細胞が出現することから，骨巨細胞腫との鑑別を要する．単核細胞の性状が異なり，骨巨細胞腫では軟骨様基質を形成しない．免疫染色にて H3.3 p.Gly34Trp（G34W）に陽性を示す．

軟骨粘液様線維腫　10〜20 歳代の長管骨骨幹端部に好発するまれな軟骨形成性腫瘍で，切除後しばしば再発する．*GRM1* 遺伝子組み換えが発症要因と考えられている．組織学的に，腫瘍は分葉状を呈し，豊富な粘液基質を背景に星芒状紡錘形細胞が増生する（**図 55**）．腫瘍細胞は分葉中心部では疎にみられ，辺縁部では細胞密度が高くなり，少数の破骨細胞型多核巨細胞が混在する．腫瘍細胞核の大小不同がめだち，悪性腫瘍と鑑別を要することがある（**図 56**）．定型的な軟骨基質形成や石灰化を示すことはまれである．

【鑑別診断】　軟骨肉腫：基質が粘液様を示す grade 2 の軟骨肉腫と類似し鑑別を要する．軟骨肉腫の細胞は類円形で軟骨小窩内にあることが多く，軟骨粘液様線維腫の細胞は星芒状で軟骨小窩を欠く．

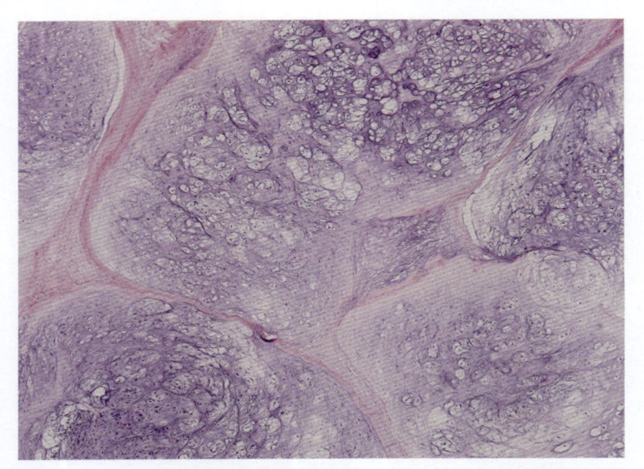

図 57　中心性異型軟骨性腫瘍 central ACT/軟骨肉腫 grade 1．軟骨組織の分葉状増殖をみる．弱拡大

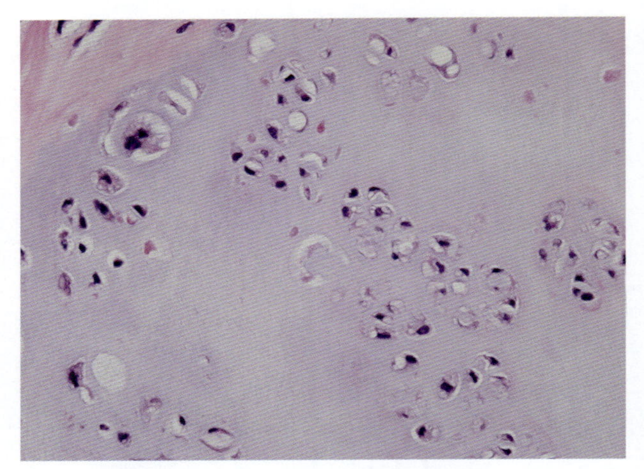

図 58　同前．よく分化した硝子軟骨基質を背景に，異型の乏しい軟骨細胞が疎に増生している．腫瘍細胞は軟骨小窩内にみられ，核は小型で濃縮している．弱拡大

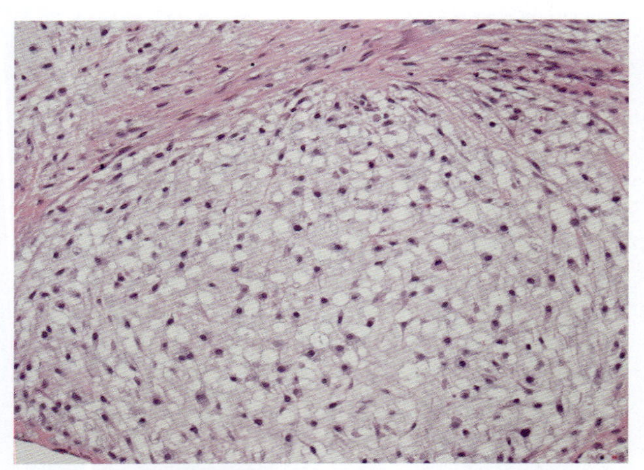

図 59　中心性軟骨肉腫 grade 2．粘液性軟骨基質を背景に，異型軟骨細胞が grade 1 に比し高密度に増殖している．少数の核分裂像をみる．強拡大

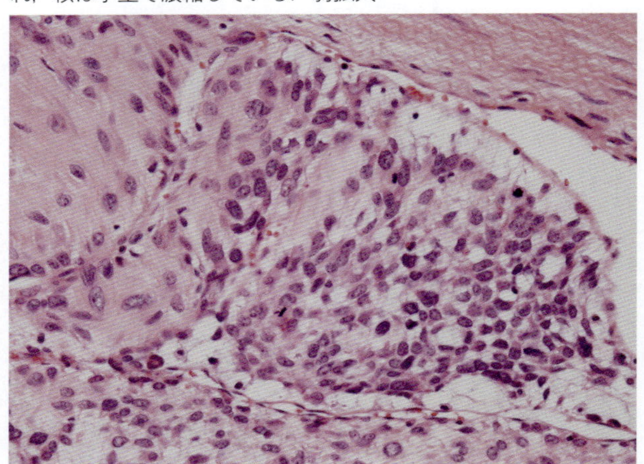

図 60　中心性軟骨肉腫 grade 3．細胞密度がより高く，腫瘍細胞核は大型で，異型が目立つ．核分裂像も容易に認める．強拡大

軟骨肉腫は軟骨分化を示す悪性骨腫瘍で，軟骨を形成する骨肉腫を除く．WHO 分類（2020 年）は，いままで通常型軟骨肉腫とされていた腫瘍を，異型軟骨性腫瘍（中間悪性）と軟骨肉腫 grade 2/3（悪性）および中心性（原発性）と二次性末梢性に整理し，骨膜性軟骨肉腫が亜型に加わった．

中心性異型軟骨性腫瘍 central ACT/軟骨肉腫 grade 1
二次性末梢性異型軟骨性腫瘍 secondary peripheral ACT/軟骨肉腫 grade 1
中心性軟骨肉腫 grade 2，3
二次性末梢性軟骨肉腫 grade 2，3

中高年者の長管骨や扁平骨に好発する．中心性は *IDH1*，*IDH2* 変異を有する．二次性は骨軟骨腫の軟骨帽に生じるため骨外に腫瘤を形成し，*EXT1*，*EXT2* 変異を有する．

組織学的に，一様に形成される軟骨基質を特徴とし，分葉状に発育し，境界明瞭に膨張性に増殖する（**図 57**）．さまざまな程度に石灰化・骨化を伴う．腫瘍細胞は類円形で，通常軟骨小窩とよばれる空隙内にみられる．軟骨肉腫の悪性度は 3 段階に分類される．異型軟骨性腫瘍と称される Grade 1 は，核異型に乏しく内軟骨腫と鑑別を要する．細胞密度は低く，基質は硝子軟骨に類似し，多くの腫瘍細胞核は小型で濃縮しているが，軽度の大小不同をみる（**図 58**）．核分裂像をみることはまれである．Grade 2 では，基質が粘液腫状となることが多く，細胞密度がやや増加し，核の大小不同やクロマチン増加が目立つようになる．核分裂像を少数認める（**図 59**）．Grade 3 は細胞密度が高く，核の異型・多形や核分裂像が目立つ（**図 60**）．二次性末梢性軟骨肉腫は，骨軟骨腫の有茎性骨腫瘤の周囲に分葉状軟骨性腫瘍が増殖する（**図 61**）．組織所見は中心性に準じる．

骨膜性軟骨肉腫 periosteal chondrosarcoma　傍骨性に発生する軟骨肉腫で，*IDH1*，*IDH2* 変異を有し，組織所見も通常型軟骨肉腫に準じる．

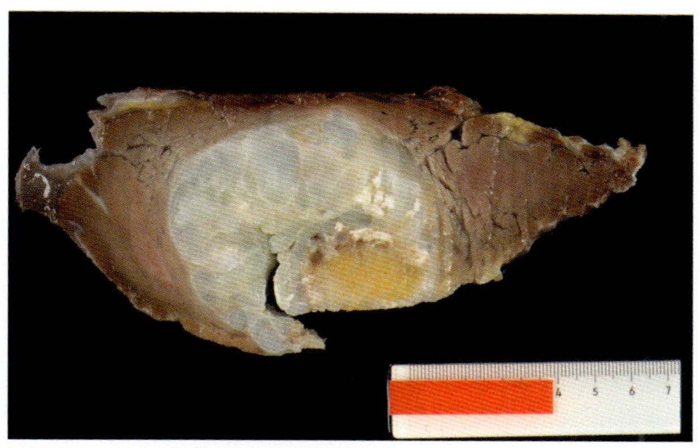

図 61　二次性末梢性軟骨肉腫 grade 2，3．骨軟骨腫の軟骨帽から連続性に，分葉状の軟骨組織の圧迫性増殖をみる．中央の黄色組織は骨軟骨腫の茎部骨組織に相当する．肉眼所見

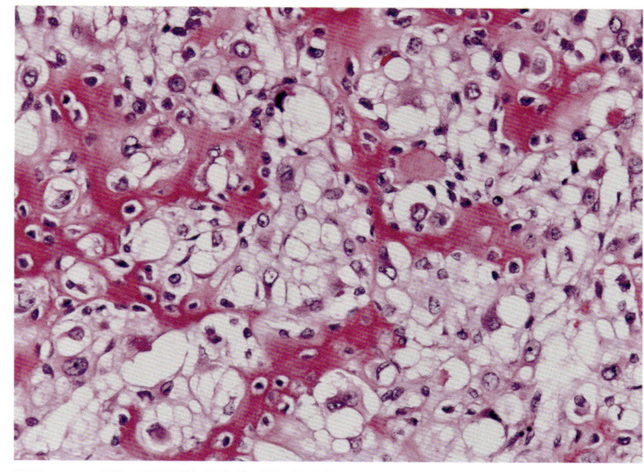

図 62　淡明細胞型軟骨肉腫．淡明な細胞質と大型核を示す腫瘍細胞がシート状に増殖する．新生骨梁様構造物が形成されている．強拡大

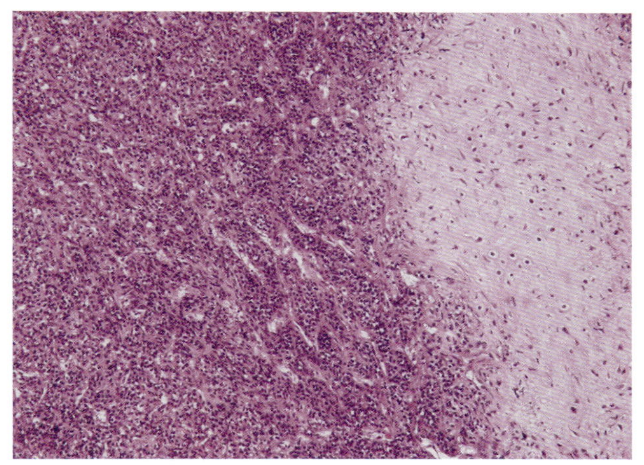

図 63　間葉型軟骨肉腫．軟骨島を取り囲むように，分化の乏しい円形腫瘍細胞が密に増殖する．弱拡大

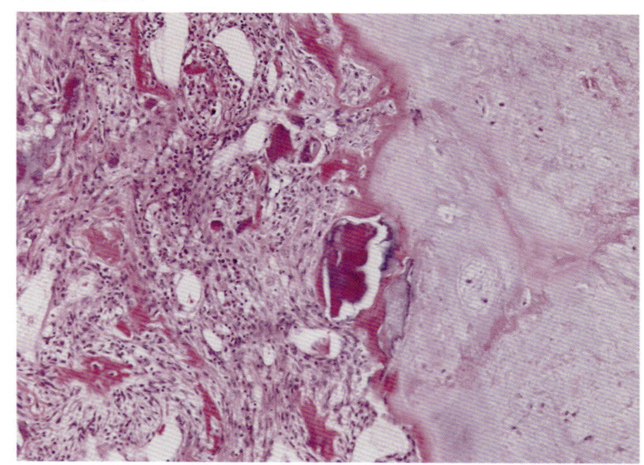

図 64　脱分化軟骨肉腫．Grade 1 の軟骨肉腫と境界明瞭に，類骨形成を示す紡錘形細胞腫瘍が増殖する．強拡大

淡明細胞軟骨肉腫　成人の長管骨の骨端部に好発し，通常型軟骨肉腫の組織像に加え，淡明な細胞質を有する腫瘍細胞がシート状に増殖する（**図 62**）．淡明な腫瘍細胞の核は大型類円形で，2 核細胞をしばしば認める．核分裂像は乏しく，破骨細胞型多核巨細胞が混在する．骨芽細胞に縁どりされた骨梁形成を伴う．

間葉型軟骨肉腫　若年者の骨・軟部組織に発生するまれな軟骨形成性悪性腫瘍で，顎骨・脊椎・腸骨・肋骨・大腿骨に好発する．*HEY1-NCOA2* 融合遺伝子を有する．組織学的に，分化の乏しい小円形細胞あるいは短紡錘形細胞の密な増殖と軟骨島形成を特徴とする（**図 63**）．非軟骨性腫瘍領域では，血管周皮腫様と形容される拡張血管が目立つ．

脱分化軟骨肉腫

Grade 1～2 の軟骨肉腫を先行病変とし，軟骨分化形質を失った高悪性腫瘍が生じる病態であり，予後は不良である．脱分化腫瘍にも *IDH* 変異を認める．低悪性軟骨肉腫と境界明瞭に接して脱分化腫瘍が形成される（**図 64**）．脱分化腫瘍は通常型骨肉腫や未分化多形肉腫の形態を示すことが多いが，平滑筋・横紋筋・血管など複数の間葉組織分化を示すこともある．

【鑑別診断】　**内軟骨腫**：内軟骨腫の項を参照（☞ p.554）

軟骨粘液様線維腫：軟骨粘液様線維腫の項を参照（☞ p.555）

骨肉腫：年齢や発生部位などの臨床所見や画像所見が鑑別に重要である．組織学的には，紡錘形腫瘍細胞による腫瘍性類骨/骨形成所見があれば骨肉腫と診断できる．類骨/骨形成が明らかでなくても，骨肉腫では腫瘍細胞の異型・多形が通常型軟骨肉腫に比し著しい．

［参考事項］　脱分化とは，低悪性腫瘍に先行腫瘍の分化形質を示さないより悪性度の高い腫瘍が生じる現象で，先行腫瘍と脱分化腫瘍は境界明瞭に接していることが多い．異型脂肪腫様腫瘍（脱分化脂肪肉腫），軟骨肉腫にみられるほか，脊索腫，平滑筋肉腫，アダマンチノーマ，孤立性線維性腫瘍，骨巨細胞腫での報告がある．

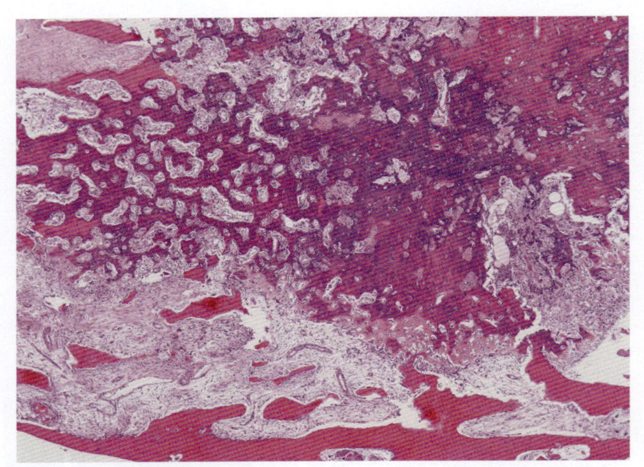

図 65　類骨骨腫．皮質骨内に，骨形成の目立つ腫瘍増殖をみる．弱拡大

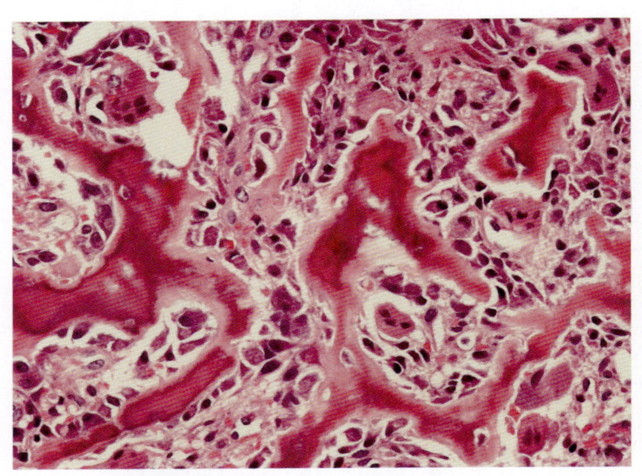

図 66　骨芽細胞腫．幼弱な骨梁が形成され，骨梁間には核偏在性の骨芽細胞が増生し，破骨細胞型多核巨細胞が散在する．強拡大

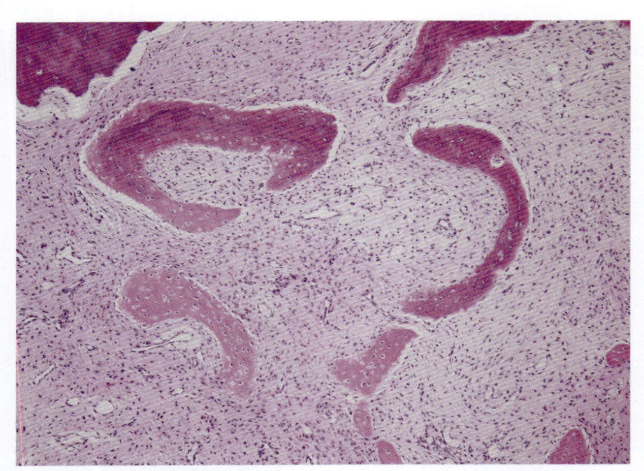

図 67　線維性異形成．細胞密度の低い線維組織を背景に，C型など不整で幼弱な骨梁が形成される．弱拡大

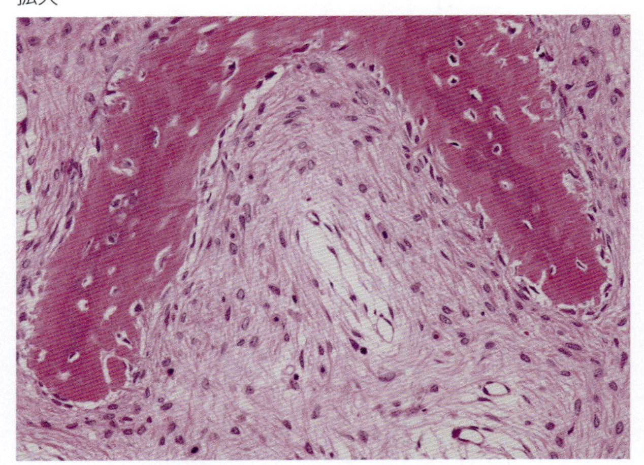

図 68　同前．骨梁表面に骨芽細胞の縁どりを欠き，紡錘形細胞に核異型を認めない．強拡大

類骨骨腫/骨芽細胞腫 osteoid osteoma/osteoblastoma　小児や若年成人に好発し，類骨骨腫は皮質骨内に，骨芽細胞腫は骨髄腔内に生じる．類骨骨腫は，ナイダス nidus とよばれる透亮像を硬化した皮質骨内に形成する．組織所見がほぼ同じため，直径 2 cm 以下の病変を類骨骨腫，2 cm を超えるものを骨芽細胞腫とすることが多い．WHO 分類（2013 年）以降，類骨骨腫は良性，骨芽細胞腫は中間悪性に分類されている．どちらの腫瘍も *FOS* 遺伝子の再構成を有する．組織学的に，異型の乏しい骨芽細胞が幼弱な類骨/骨を形成しながら増生し，さまざまな程度に破骨細胞型多核巨細胞が出現する（**図 65, 66**）．骨芽細胞腫は，しばしば二次性動脈瘤様骨嚢腫変化を伴う．

【鑑別診断】　通常型骨肉腫：腫瘍細胞核に異型・多形が目立つ．

線維性異形成 fibrous dysplasia　小児に好発する線維性骨病変で，単発あるいは多発する．WHO 分類（2020 年）では，その他の間葉型腫瘍に分類されている．20 番染色体長腕上の *GNAS* 遺伝子変異を有する．組織学的に，比較的疎な線維組織を背景に，アルファベット様と形容される不整形で骨芽細胞による縁どりを欠く未熟骨梁形成を示す（**図 67,68**）．骨梁間の紡錘形細胞密度が高いこともあるが，核異型を認めない．軟骨を有するものは繊維軟骨異形成 fibrocartilaginous dysplasia とよばれる．二次性動脈瘤様骨嚢腫変化を伴いやすい．多発例では，骨肉腫や未分化多形肉腫に悪性転化することがある．

【鑑別診断】　低悪性中心性骨肉腫：骨肉腫の項参照（☞ p.560）

骨線維性異形成：小児の脛骨あるいは腓骨の骨皮質に発生する．組織学的に，骨梁に骨芽細胞の縁どりがみられ，免疫染色にて上皮マーカー陽性細胞が散在することが多い（アダマンチノーマの項参照；☞ p.564）．

［参考事項］　Mazabraud 症候群　線維性異形成と粘液腫を合併する病態で，骨病変の周囲骨格筋内に粘液腫が生じる．どちらの腫瘍も *GNAS* 遺伝子変異を有している．

マックーン・オルブライト McCune-Albright 症候群　多発性線維性異形成症に性的早熟を来す内分泌症状を伴う病態で *GNAS* 遺伝子変異を有する．

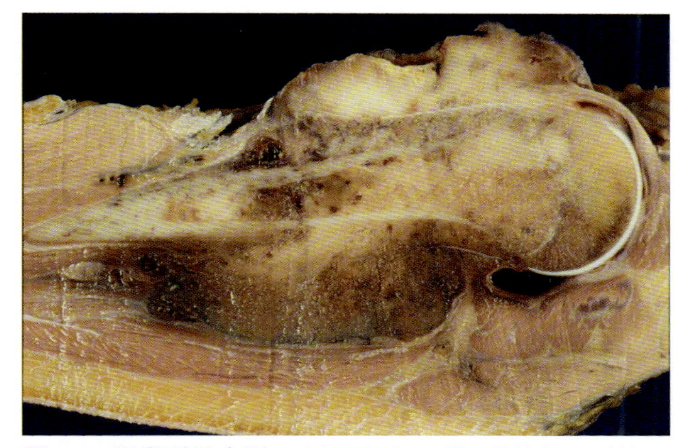

図 69　通常型骨肉腫．腫瘍は上腕骨近位骨幹端部～骨幹部に拡がり，骨外に大きな腫瘤を形成し，割面には出血が目立つ．割面肉眼像

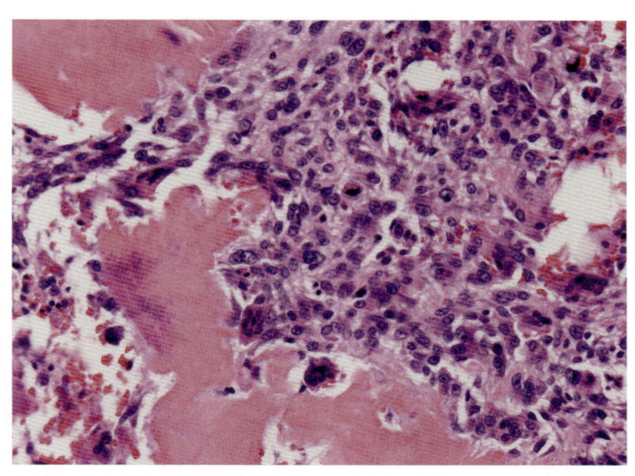

図 70　同前（骨形成型）．核の異型・多形の目立つ紡錘形腫瘍細胞が密に増殖し，骨を形成している．強拡大

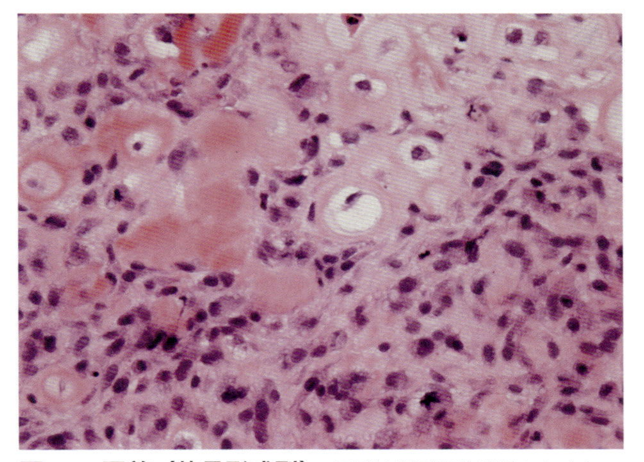

図 71　同前（軟骨形成型）．異型紡錘形細胞増殖とともに，軟骨基質形成をみる．強拡大

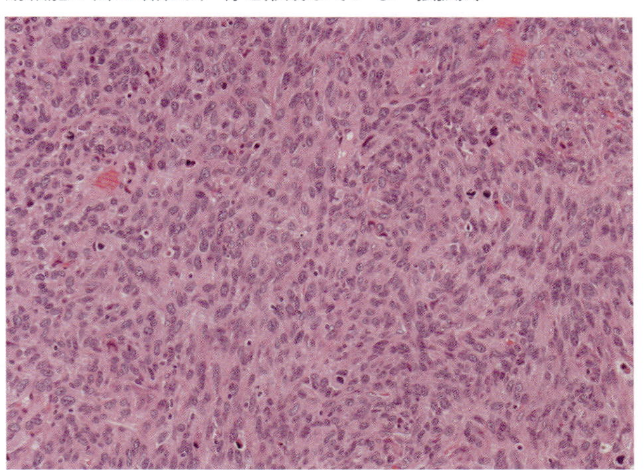

図 72　同前（線維形成型）．異型紡錘形細胞が不規則錯綜状に増殖し，骨軟骨基質形成を認めない．強拡大

腫瘍性類骨・骨を形成する間葉系悪性腫瘍の総称であり，さまざまな亜型を含んでいる．WHO 分類（2020 年）では，通常型 conventional・低悪性中心性 low-grade central・傍骨性 parosteal・骨膜性 periosteal・高悪性表在性 high-grade surface・二次性 secondary に分類されている．大多数を占める通常型骨肉腫は骨内に発生し，悪性度が高い．低悪性中心性骨肉腫と傍骨性骨肉腫は低悪性度の骨肉腫であり，環状染色体を有している．どちらも，長期の経過を経て通常型骨肉腫へ転化することが知られている．傍骨性・骨膜性・高悪性表在性は骨表面に発生する．なお，WHO 分類（2013 年）で亜型とされていた血管拡張型 telangiectatic・小細胞型 small cell は，通常型の亜種という位置づけになっている．

（通常型）骨肉腫　小児～若年成人の長管骨骨幹端部に好発する．複雑で高度の染色体異数性を示し，特異的な遺伝子変異は知られていない．骨内から骨外に腫瘤を形成し，さまざまな程度に出血・壊死・嚢胞形成を認める（**図 69**）．腫瘍が骨外に進展する際，骨膜下に達した腫瘍組織が骨膜を挙上すると，挙上された骨膜に沿って骨が新生され，骨膜反応とよばれる．組織学的に，多形性の目立つ異型核を有する腫瘍細胞が密に増殖し，すくなくとも一部に腫瘍細胞間にレース状あるいは塊状の多彩な類骨・骨形成を示す．骨・軟骨・膠原線維基質の多寡により，骨形成型（**図 70**）・軟骨形成型（**図 71**）・線維形成型（**図 72**）に大別される．加えて，大部分が動脈瘤様骨嚢腫に類似した血液を貯留する嚢胞からなり充実性腫瘍組織が乏しい腫瘍を血管拡張型骨肉腫（**図 73**），Ewing 肉腫に類似した円形腫瘍細胞の充実性増殖と腫瘍細胞間の類骨・骨形成を特徴とするものを小細胞型骨肉腫（**図 74**）とよぶ．血管拡張型骨肉腫は病的骨折を生じやすい．小細胞型骨肉腫は *EWSR1* などに関わる特異的遺伝子変異を有していない．

【鑑別診断】　未分化多形肉腫：組織学的に，類骨/骨形成を確認しえない骨発生多形肉腫を指す．発生部位は通常型骨

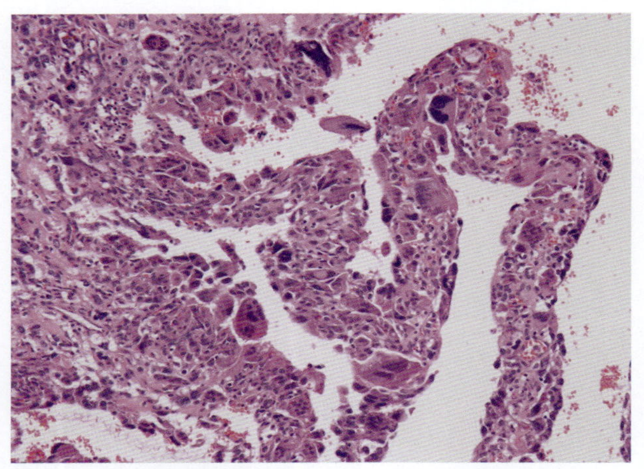

図 73　血管拡張型骨肉腫．動脈瘤様骨嚢腫様の嚢胞がみられ，壁内に多形核を有する異型細胞増殖をみる．強拡大

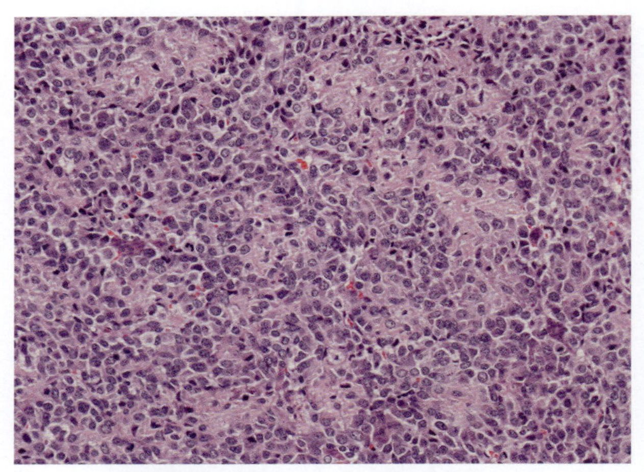

図 74　小細胞型骨肉腫．ユーイング肉腫を思わせる円形細胞が密に増殖し，腫瘍細胞間に類骨形成をみる．強拡大

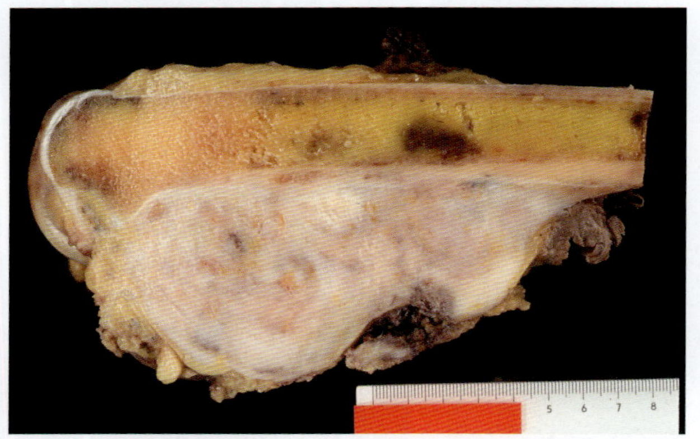

図 75　傍骨性骨肉腫．大腿骨遠位骨幹端部～骨幹部の背側骨皮質の表面に，白色の隆基性腫瘍を認める．割面肉眼像

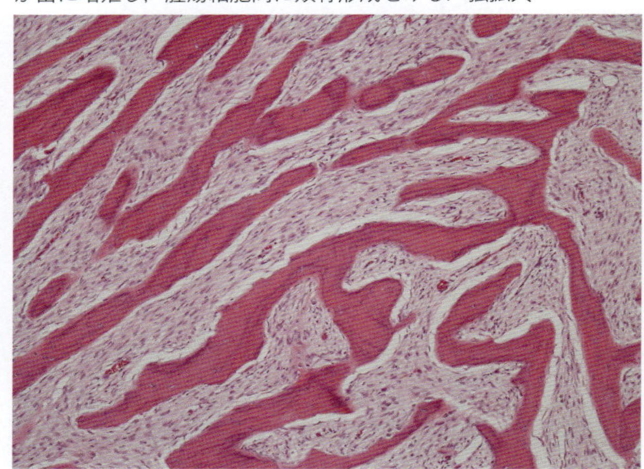

図 76　同前．平行に走行する骨梁が形成され，骨梁間に紡錘形細胞の一様な増殖をみる．細胞密度は高くないが，腫瘍細胞核は軽度ながらクロマチンに富んでいる．弱拡大

肉腫と重なるが，40 歳以降に好発する．

低悪性中心性骨肉腫　通常型より発症年齢が高く，大腿骨や脛骨など長管骨骨幹端部に好発する．第 12 番染色体上の *MDM2* や *CDK4* 遺伝子が増幅している．組織学的に，細胞密度が低く，線維性異形成に類似した骨梁形成と骨梁間に異型の弱い紡錘形細胞の比較的疎な増殖を示す．新生骨梁は，しばしば隣接する骨梁と平行に発達する．

【鑑別診断】　線維性異形成：低悪性中心性骨肉腫では，紡錘形腫瘍細胞がより一様に増殖し，軽度の核異型を示す．線維性異形成では *GNAS* 遺伝子変異がみられるのに対し，低悪性中心性骨肉腫では *MDM2* 遺伝子増幅を認める．

傍骨性骨肉腫　骨表面に発生する低悪性骨肉腫で，発達した骨梁が平行あるいは放射状に形成され，骨梁間に異型の弱い紡錘形細胞が増殖する（**図 75，76**）．骨軟骨腫様の軟骨帽を有することがある．低悪性中心性骨肉腫と同じ遺伝子異常を有している．

骨膜性骨肉腫　骨表面に発生する軟骨形成を主体とする骨肉腫で，悪性度は通常型に比し低いとされる．*MDM2* 増幅や *IDH* 変異を認めない．

高悪性表在性骨肉腫　骨表面に発生する通常型骨肉腫と考えられている．組織所見は通常型に準じる．傍骨性骨肉腫を先行病変とする例では，*MDM2* 増幅がみられる．

二次性骨肉腫　骨パジェット病 Paget disease of bone，放射線照射，慢性骨髄炎，骨梗塞，人工関節置換，線維性異形成などを前駆病態として骨肉腫が生じる．組織所見は通常型骨肉腫と同様である．

［参考事項］　脱分化軟骨肉腫や脱分化脂肪肉腫の脱分化腫瘍が骨肉腫の形態を示すことがある．組織所見は通常型骨肉腫に準じる．

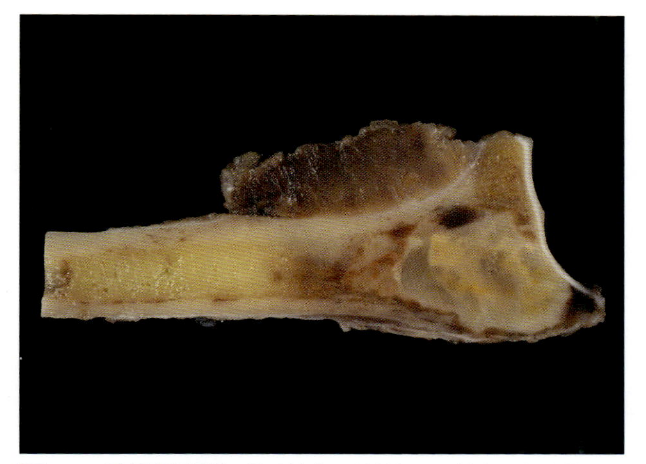

図 77　骨巨細胞腫．橈骨遠位骨幹端部～骨端部に偏在性の溶骨性病変をみる．割面肉眼像

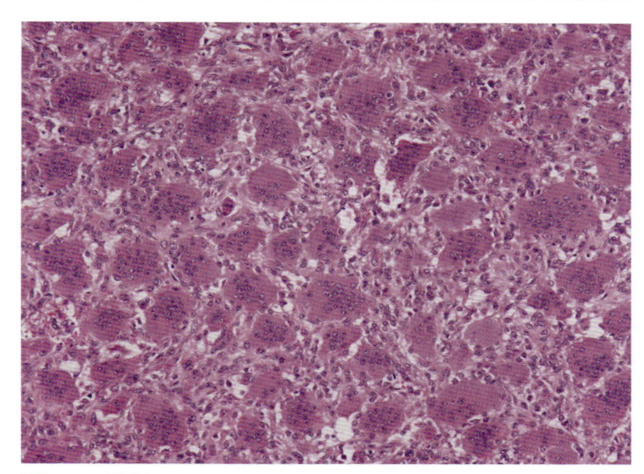

図 78　同前．無数の多核巨細胞が一様にばらまかれたように分布する．弱拡大

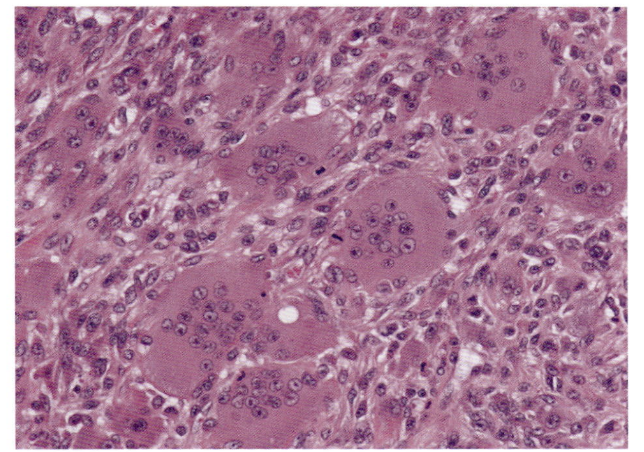

図 79　同前．短紡錘形単核細胞は，多核巨細胞と類似した核を有する．強拡大

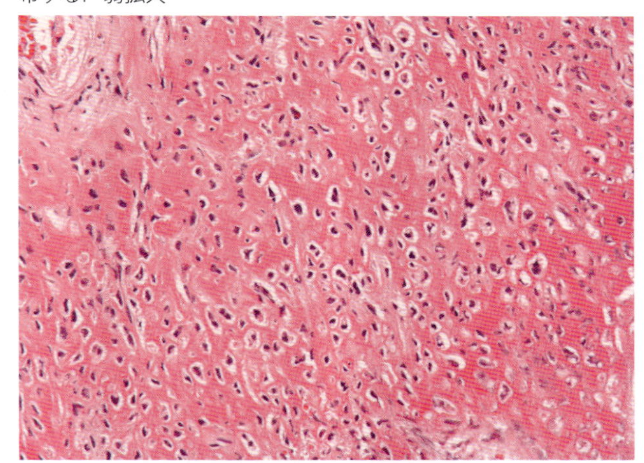

図 80　デノスマブ投与後の骨巨細胞腫．破骨型多核巨細胞は完全に消失し，幼弱な骨基質を背景に，不整で濃縮した核を有する単核あるいは２核細胞がやや細胞密度が高く増生する．強拡大

骨端線閉鎖後の長管骨骨幹端部から骨端部にかけて偏心性に生じ，中間悪性群に分類される（図 77）．若年例は骨幹端部に生じる．膝関節周囲に好発し，橈骨遠位，上腕骨近位，脊椎では仙骨や椎体にみられる．腫瘍掻爬術が行われることが多いが，再発率が高くまれに肺転移を生じる．ほとんどの症例が *H3-3A*（*H3F3A*）遺伝子変異（p.Gly34Trp）を有する．

組織学的に，単核細胞と無数の破骨型多核巨細胞が密に増殖する．多核巨細胞が，病変内に一様にばらまかれたように分布するのが特徴である（図 78）．腫瘍の本体とされる短紡錘形単核細胞は，多核巨細胞の核と類似した腫大した類円形核を有し，しばしば多数の核分裂像を示す（図 79）．多核巨細胞は大型で，多数の核を有している．腫瘍性骨・軟骨基質形成を認めないが，辺縁部にしばしば反応性骨形成をみる．出血・壊死・泡沫細胞の出現・花むしろ様を呈する線維組織球様変化・二次性動脈瘤様骨囊腫変化を伴いやすく，症例によっては病変全体が変性していることもある．免疫染色にて，H3.3 p.Gly34Trp（G34W）に陽性を示す．まれに悪性化し骨肉腫や未分化多形肉腫の所見を示すようになる．悪性骨巨細胞腫は骨巨細胞腫の約 5％に発生するとされ，原発性と治療後経過中に悪性像が顕在化する例がある．

【鑑別診断】 骨肉腫，軟骨芽細胞腫，動脈瘤様骨囊腫，褐色腫など多数の多核巨細胞が出現する病変と鑑別を要する．

富巨細胞性骨肉腫：治療や予後が異なるため鑑別には注意を要する．骨肉腫では，単核細胞に明らかな異型を示す．免疫染色にて H3.3 p.Gly34Trp 陽性を示す肉腫は，悪性骨巨細胞腫の可能性がある．

軟骨芽細胞腫：若年者の骨端部に好発する．単核細胞の核は核溝や陥凹を示し，細胞質は好酸性で豊富なことが多く，類骨に類似した好酸性の基質形成を示す．免役染色にて，H3.3B p. Lys36Met に陽性を示す．

［参考事項］ デノスマブによる治療修飾　術前に RANK リガンド阻害薬であるデノスマブが数カ月間投与される症例が増加している．デノスマブ投与後には，多核巨細胞が消失し紡錘形細胞増殖と著しい骨形成を示す（図 80）．免疫染色では，紡錘形細胞や骨形性細胞に，H3.3 p.Gly34Trp に陽性を示す．

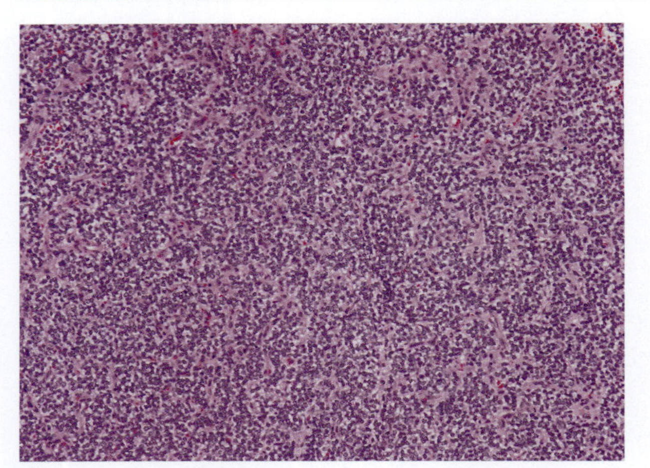

図 81　ユーイング肉腫．小円形細胞がびまん性に増殖し，腫瘍血管が介在している．弱拡大

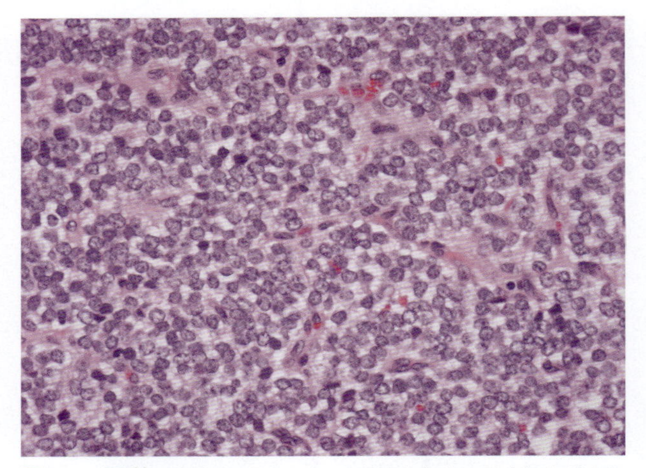

図 82　同前．細胞質が乏しく，円形核を有する腫瘍細胞が密に増殖する．核クロマチンは繊細で，核小体はめだたない．強拡大

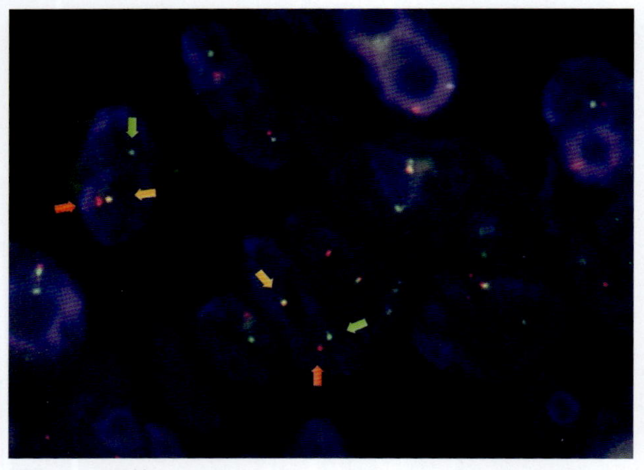

図 83　同前．分離プローブを用いた FISH．↑：転座した *EWSR1* 遺伝子，↑：セントロメア，↑：隣接した正常の *EWSR1* 遺伝子とセントロメア

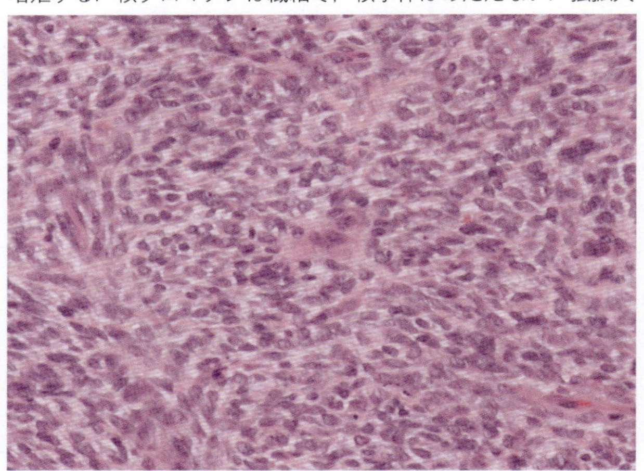

図 84　*BCOR* 遺伝子変異を有する肉腫．類円形というより楕円から紡錘形を示す腫瘍細胞が密に増殖する．この症例は，免疫染色にて抗 CCNB3 抗体に陽性を示した．

WHO 分類（2020）では，骨腫瘍分類から独立した骨軟部組織発生未分化小円形細胞肉腫という分類が新設され，①ユーイング肉腫，②*EWSR1*-non-ETS 癒合遺伝子を有する円形細胞肉腫，③*CIC* 再構成肉腫，④*BCOR* 遺伝子変異を有する肉腫が含まれる．

ユーイング肉腫 Ewing sarcoma　小円形細胞が密な増殖を示す腫瘍で，*EWSR1* 遺伝子やその相同遺伝子である *FUS* 遺伝子と ETS 遺伝子ファミリーの癒合遺伝子形成を特徴とする．ETS 遺伝子ファミリーには *FLI-1*，*EGR*，*ETV-1*，*ETV-4* などが含まれる．幼児・小児の長管骨骨幹部や腸骨などの扁平骨に好発し，しばしば骨髄炎を思わせる炎症反応を伴う．

組織学的に，小型円形細胞がびまん性に増殖し，骨・軟骨などの基質形成を示さない（**図 81**）．腫瘍細胞は繊細なクロマチンを示す円形あるいは類円形の核を有し，細胞質は乏しい（**図 82**）．腫瘍血管が介在するほか，Homer Wright ロゼット形成を示すことがある．PAS 染色に陽性を示す糖原を細胞質内に有している．免疫染色にて，NKX2-2 に陽性を示し，CD99 に対しては細胞膜に一致した強陽性を示す．*EWSR1* 遺伝子を標識とする FISH では，分離シグナルを示す（**図 83**）．

***EWSR1*-non-ETS 癒合遺伝子を有する円形細胞肉腫** round cell sarcoma with *EWSR1*-non-ETS fusions　*EWSR1* 遺伝子や *FUS* 遺伝子と non-ETS 遺伝子ファミリーの癒合遺伝子形成を有する円形あるいは紡錘形腫瘍細胞増殖を示す腫瘍．ユーイング肉腫に比し，核が多形性を示し硝子粘液基質や線維性基質を有するなど，多彩な印象がある．免疫染色にて，CD99，PAX7，NKX2-2 に陽性を示す．

***CIC* 再構成肉腫** *CIC*-rearranged sarcoma　*CIC* 遺伝子の再構成を特徴とする高悪性度の円形細胞肉腫．対立遺伝子の多くは *DUX4* であり，軟部に好発する．円形腫瘍細胞が分葉状構築を示し増殖する．紡錘形腫瘍細胞や類上皮腫様細胞増殖巣を有することが多い．高率に肺転移を生じ，ユーイング肉腫に比し予後は悪い．免疫染色にて，WT1，ETV4 に陽性を示し，CD99 はさまざまな程度に陽性，NKX2-2 は陰性．

***BCOR* 遺伝子変異を有する肉腫** sarcoma with *BCOR* genetic alterrations　*BCOR* 遺伝子変異を有する円形細胞肉腫．*CCNB3* 遺伝子と癒合遺伝子を形成することが最も多い．骨に好発する．円形腫瘍細胞の密な増殖に加え，毛細血管網が発達し，紡錘形細胞増殖や粘液基質を有することがある（**図 84**）．予後はユーイング肉腫と同様で，治療もユーイング肉腫に準じる．免疫染色にて，STAB2，TLE1，cyclin D1 が陽性，CD99 は約半数の症例で陽性を示す．

［参考事項］　ユーイング肉腫が遺伝子変異により定義されるようになったため，以前の同名腫瘍とはその概念が異なっている．

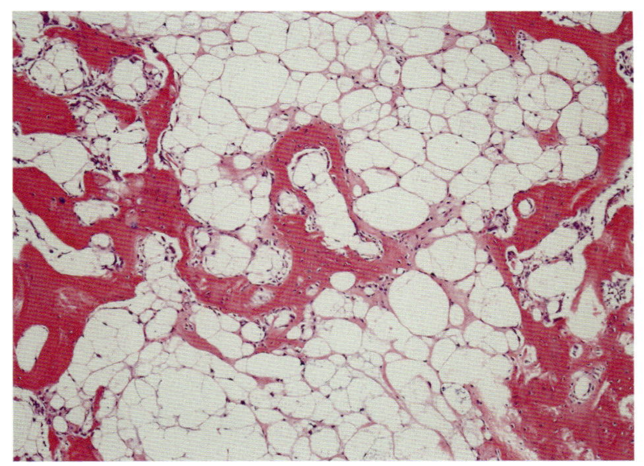

図 85　良性脊索細胞腫．成熟脂肪細胞に類似した空胞状腫瘍細胞が，新生骨梁を伴いシート状に増生する．核は小型で異型に乏しく，腫瘍細胞間に粘液基質を持たない．強拡大

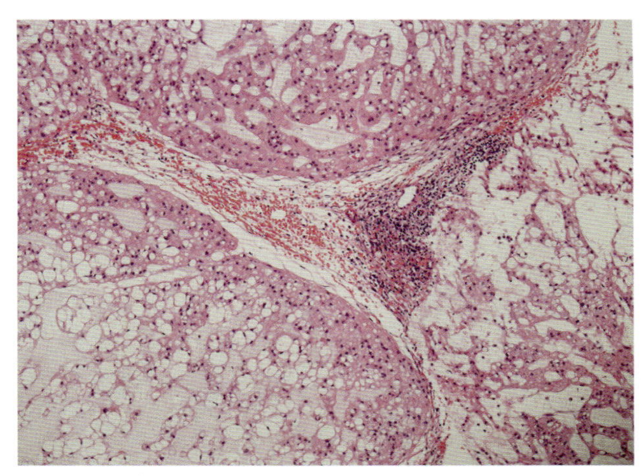

図 86　脊索腫．腫瘍は分葉状の発育を示す．弱拡大

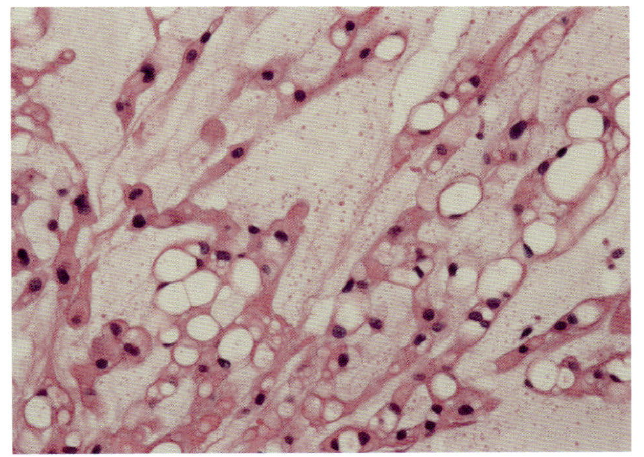

図 87　同前．淡好酸性腫瘍細胞は細胞質内に空胞を有し，physalipherous cell とよばれる．豊富な粘液基質を背景に，腫瘍細胞は索状に配列している．強拡大

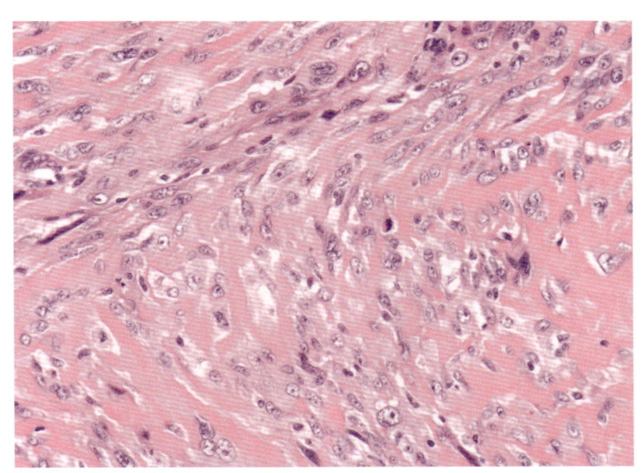

図 88　脱分化脊索腫．脊索分化を欠き多形核を有する腫瘍細胞が，膠原線維基質を伴い増殖している．強拡大

脊索細胞は上皮様性格を有することから，脊索性腫瘍は良悪性にかかわらず免疫染色にて上皮様マーカー（cytokeratin や EMA）に対し陽性を示す．また，脊索分化をつかさどる胎児期の *TBXT* 遺伝子にコードされた brachyury が発現する．

良性脊索細胞腫 benign notochordal cell tumor　脊索細胞増殖を示す良性骨腫瘍であり，臨床例は頸椎・腰椎に多い．腫瘍は皮膜を欠き，骨内に限局し，骨破壊を生じることなくむしろ罹患骨梁は肥厚する．成熟脂肪細胞に類似した腫瘍細胞は，単空胞状の細胞質と小型核を有し，シート状増殖を示す（**図 85**）．脊索腫と異なり，腫瘍細胞間に粘液基質を有することはない．

脊索腫 chordoma　脊索分化を示す悪性骨腫瘍で，中高年者の中心骨，とくに仙尾椎と斜台に好発する．脊索腫の少なくとも一部は良性脊索細胞腫から発生すると考えられる．特異的な遺伝子異常は知られていない．腫瘍は薄い線維性皮膜に覆われ，骨破壊性に増殖し，骨外に大きな軟部腫瘤を形成することが多い．割面はゼリー状で，分葉状を呈する．組織学的に，腫瘍細胞は担空胞細胞 physaliphorous cell とよばれ，好酸性〜淡明の細胞質内に多数の空胞を有する（**図 86**）．上皮様性格が強く，粘液基質を背景にコード状・索状・あるいは充実性増殖を示す（**図 87**）．核異型の程度はさまざまで，良性脊索細胞腫に類似した小型円形核を示すものから著しい多形を示すものもある．軟骨様を呈するものは，軟骨様脊索腫 chondroid chordoma とよばれる．

【鑑別診断】 筋上皮腫/悪性筋上皮腫，軟骨肉腫，脊索様髄膜腫，癌骨転移が鑑別にあがるが，いずれも brachyury 抗体に陰性である．

［参考事項］ 脊索腫には，脊索分化を欠く高悪性腫瘍成分を伴う**脱分化型脊索腫** dedifferentiated chordoma（**図 88**）と，小児や若年者に好発し SMARCB1（INI1）発現を欠く**低分化脊索腫** poorly differentiated chordoma という亜型がある．

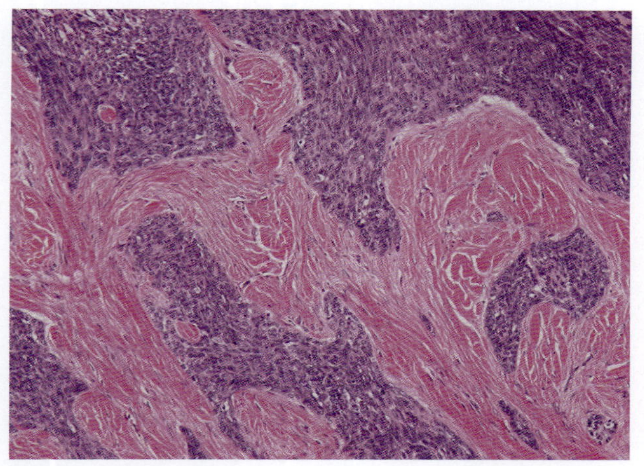

図89　アダマンチノーマ．膠原線維に富む粗な線維組織を背景に，上皮様腫瘍細胞の充実性胞巣形成をみる．充実性胞巣には，紡錘形細胞癌に類似した紡錘形腫瘍細胞が束状に増殖する．弱拡大

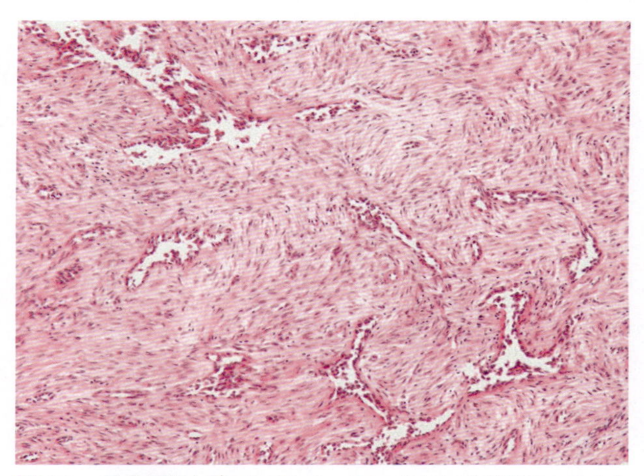

図90　分化型アダマンチノーマ．花むしろ状配列する疎な線維組織を背景に，スリット状管腔を形成する上皮様細胞が増殖している．核異型は目立たない．強拡大

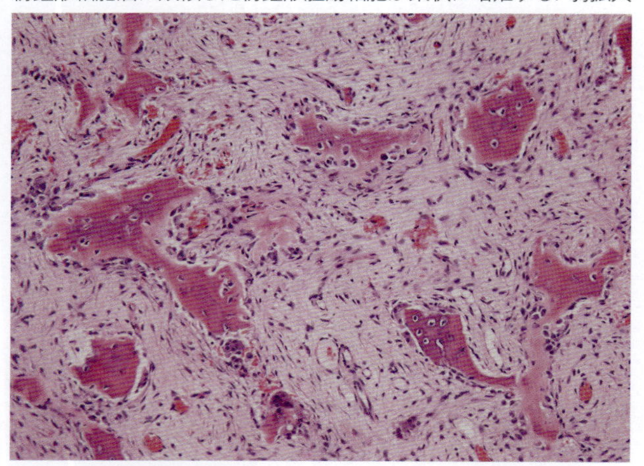

図91　骨線維性異形成．細胞密度の低い線維組織を背景に，骨芽細胞が縁取りする骨梁形成をみる．形態学的に上皮様細胞は明らかでない．弱拡大

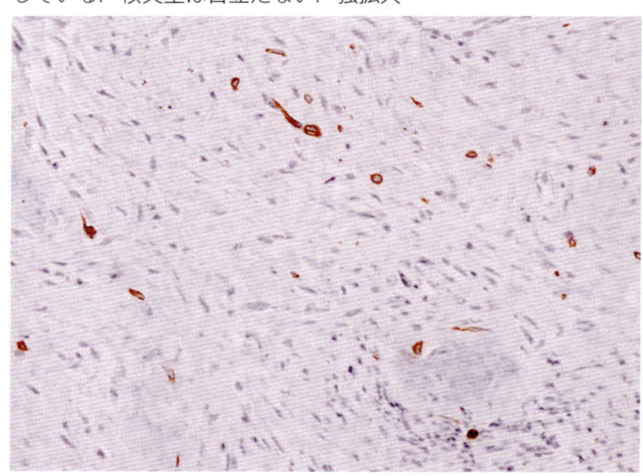

図92　同前．サイトケラチン(AE1/AE3)に対する免疫染色．上皮性格を有する陽性腫瘍細胞が散在する．強拡大

アダマンチノーマは，二相性を示すきわめてまれな骨腫瘍で，ほぼ脛骨と腓骨に限って発生する．古典的アダマンチノーマと分化型アダマンチノーマ（骨線維性異形成（OFD）様アダマンチノーマ）に大別され，古典的は20歳以降，分化型は20歳以下に多い．アダマンチノーマを背景に多形肉腫が生じる脱分化アダマンチノーマ dedifferentiated adamantinoma も知られている．脱分化腫瘍は，他の脱分化肉腫同様多形肉腫像を呈することが多い．悪性度に関しては，分化型アダマンチノーマは中間悪性，古典的アダマンチノーマは悪性，脱分化アダマンチノーマは高悪性に分類される．

古典的アダマンチノーマは，膠原線維に富む粗な線維組織を背景に上皮様分化を示す腫瘍胞巣が増殖する．腫瘍胞巣は扁平上皮癌様，基底細胞癌様，あるいは紡錘形細胞癌様を呈し，管腔形成を示すこともある（**図89**）．しばしば，分化型アダマンチノーマの所見を伴う．

分化型アダマンチノーマは，骨線維性異形成に類似した骨芽細胞の縁どりを有する新生骨梁形成を示し，骨梁間にははなむしろ状に配列する線維組織内が増生し，少数の上皮細胞様小型集塊を認める（**図90**）．免疫染色にて，線維組織は vimentin に陽性を示し，上皮様細胞は vimentin に加え上皮系マーカーに陽性を示す．

【鑑別診断】　癌骨転移：年齢や発生部，悪性腫瘍の既往歴，画像所見が参考になる．組織学的には，アダマンチノーマには骨線維性異形成に類似した所見がみられることが多く，進行は一般的に緩徐である．

［参考事項］　骨線維性異形成 osteofibrous dysplasia　小児や青年期の脛骨骨皮質内に好発する良性骨病変であり，線維性異形成に類似し，花むしろ状の線維組織を背景に，骨芽細胞の縁どりを有する新生骨梁形成を示す（**図91**）．分化型アダマンチノーマと異なり，HE染色にて上皮細胞胞巣を認めないが，免疫染色にて上皮マーカー陽性細胞を散見することが多い（**図92**）．上皮様分化を示し共通の遺伝子異常を有することから，アダマンチノーマとの関連が指摘されている．

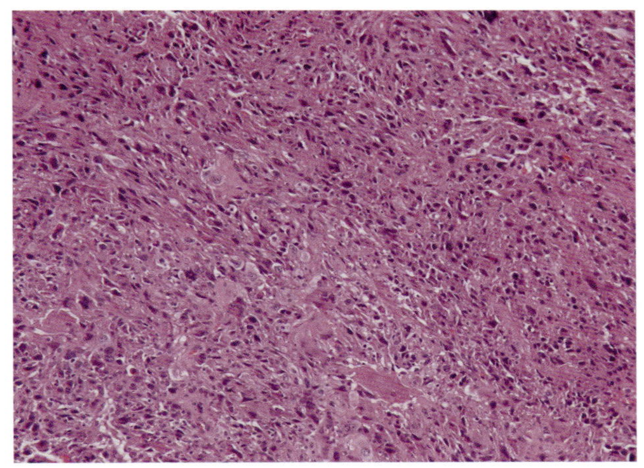

図 93　未分化多形肉腫．核の異型・多形の目立つ紡錘形腫瘍細胞が不規則錯綜状に増殖し，腫瘍性巨細胞が混在する．弱拡大

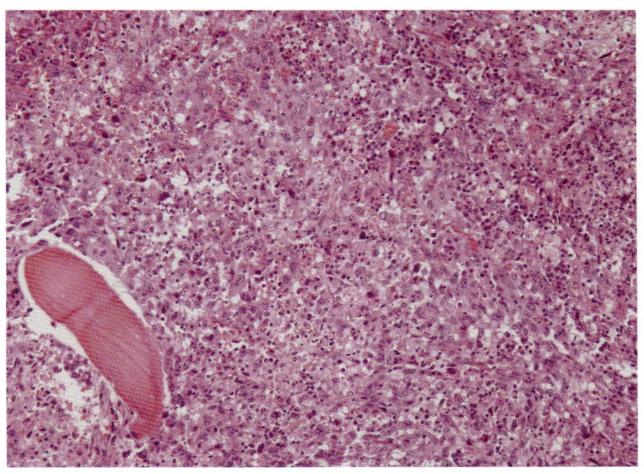

図 94　同前．異型・多形の目立つ類上皮様腫瘍細胞が密に増殖し，泡沫細胞様異型細胞が混在する．弱拡大

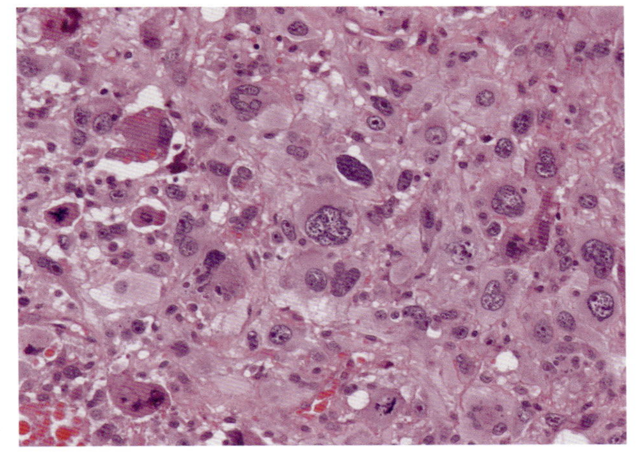

図 95　同前．奇怪な核を有する細胞質の豊富な腫瘍細胞がシート状に増殖する．核分裂像が容易にみられる．強拡大

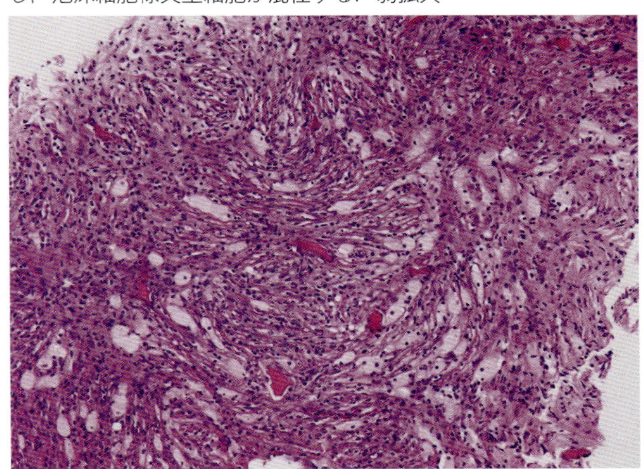

図 96　非骨化性線維腫．泡沫細胞を混在し，核異型の乏しい紡錘形細胞が錯綜状・花むしろ状に増生する．弱拡大

組織分化を示さない多形性悪性骨腫瘍であり，診断は除外診断により行われる．長管骨の骨幹端部，とくに膝関節近傍に好発し，50 歳以降に頻度が高くなる．原発性と続発性があり，続発性は放射線照射・骨梗塞・線維性異形成など良性病変を先行病変とする例と低悪性腫瘍の脱分化腫瘍として生じる例がある．高度の染色体異数性を示し，特異的な遺伝子変異は知られていない．

組織学的に，核の異型・多形が著しい紡錘形腫瘍細胞が花むしろ状や錯綜状配列を示し増殖する（**図 93**）．泡沫状の異型細胞や細胞質の豊富な類上皮様腫瘍細胞，あるいは腫瘍性多核巨細胞も混在する（**図 94，95**）．核分裂が高頻度にみられ，異型分裂像が目立つ．腫瘍細胞間に膠原線維形成がみられるが，腫瘍性骨・軟骨基質形成を示さない．破骨細胞型多核巨細胞や炎症細胞浸潤が目立つこともある．続発性では，先行病変を示唆する所見を認める．免疫染色は組織分化を否定する除外診断を目的になされる．

【鑑別診断】　骨肉腫：未分化多形肉腫にはきわめて分化の悪い骨肉腫が含まれているのではないかとの意見があるほど，組織像は類似している．骨肉腫には腫瘍性類骨・骨形成を認める．

転移性肉腫様癌：肺癌，腎癌，膀胱癌，頭頸部癌などが骨転移巣で上皮様分化を失い肉腫様を示すことがある．形態学的な鑑別は困難であり，癌の既往などの臨床情報や免疫染色によりその可能性を判断する．

非骨化性線維腫 non-ossifying fibroma：線維性骨皮質欠損 fibrous cortical defect ともよばれ，若年者の長管骨骨幹端部の皮質骨に生じる良性病変．WHO 分類（2020）では，富破骨型巨細胞性腫瘍に分類されている．線維芽細胞様紡錘形細胞が不規則あるいは花むしろ状に増生し，泡沫細胞・破骨細胞様多核巨細胞が混在し，ヘモシデリン沈着を示す（**図 96**）．基質形成を欠き，細胞異型は明らかでない．

［参考事項］　未分化多形肉腫は，かつて悪性線維性組織球腫 malignant fibrous histiocytoma（MFH）とよばれていた腫瘍の多くに相当する．2013 年以降の WHO 分類では，MFH の名称は使われなくなった．

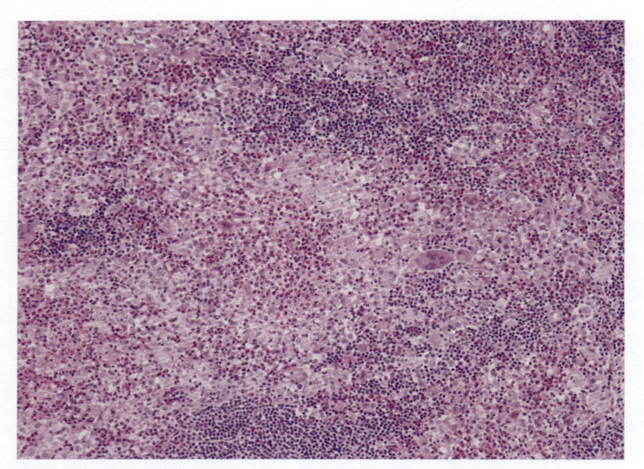

図 97　ランゲルハンス細胞組織球症．豊富な細胞質を有するランゲルハンス細胞とともに著しい好酸球・リンパ球浸潤を伴う．多核巨細胞も散見する．弱拡大

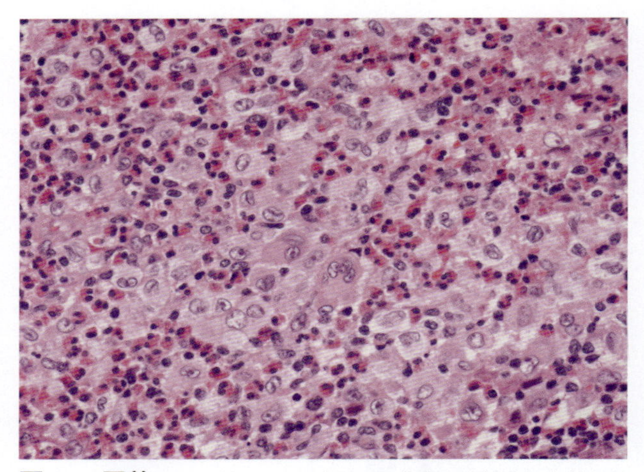

図 98　同前．ランゲルハンス細胞は，豊富な淡好酸細胞質とともに類円形あるいは腎型の核を有し，コーヒー豆様の核溝を示す．強拡大

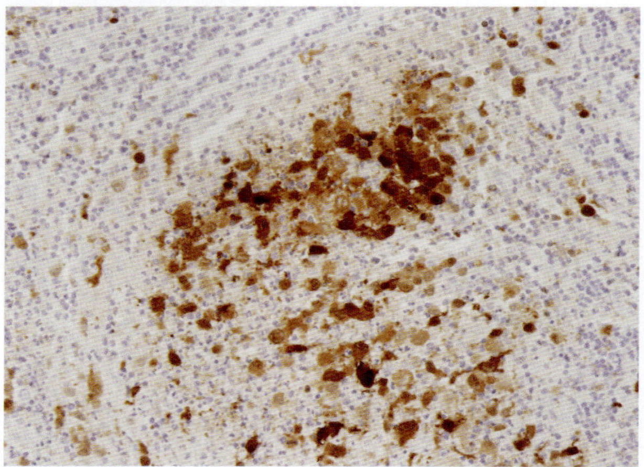

図 99　同前．CD1aに対する免疫染色．ランゲルハンス細胞に一致した陽性を示す．強拡大

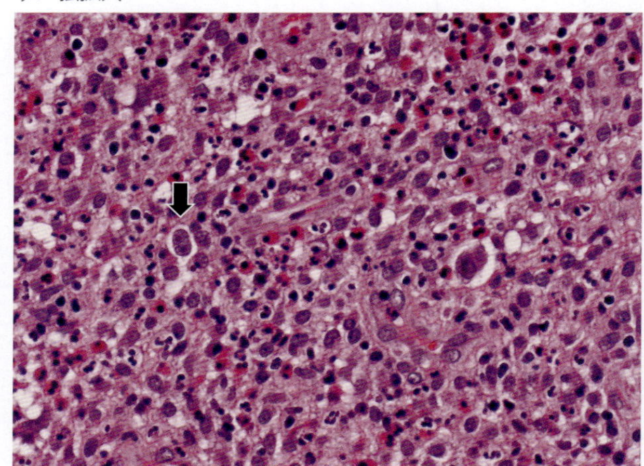

図 100　ホジキンリンパ腫．多数の好酸球・好中球・リンパ球に混じって，2 核の Reed-Sternberg 細胞（⬆）をみる．強拡大

組織球に含まれる樹状細胞の一種であるランゲルハンス細胞の増殖性疾患で，WHO 分類（2020）では血液性腫瘍に分類されている．小児に好発し，骨病変は単発性あるいは多発性で，かつて好酸球肉芽腫 eosinophilic granuloma，Hand-Schüller-Christian 病，Letterer-Siwe 病とよばれた疾患が含まれる．骨病変は良性であるが，内臓病変の有無や程度が予後を左右する．85%以上の例に，MAPK 経路関連遺伝子変異がみられる．

組織学的に，腎型のくびれた核やコーヒー豆様の核溝を示し，豊富な淡好酸性細胞質を有するランゲルハンス細胞が増殖する（**図 97，98**）．しばしば多数の好酸球・リンパ球・形質細胞といった多彩な炎症細胞浸潤を伴う．これらの炎症細胞に混じり，腫瘍の本体であるランゲルハンス細胞の増殖が見逃されやすい．破骨細胞型多核巨細胞が混在することもある．免疫染色にて，ランゲルハンス細胞は S-100 タンパク，CD1a や langerin に対し陽性を示す（**図 99**）．また，電子顕微鏡にてテニスのラケット状の Birbeck 顆粒がみられる．

【鑑別診断】　化膿性骨髄炎 pyogenic osteomyelitis：多彩な炎症細胞が浸潤する所見が類似するが，免疫染色にて CD1a 抗体に陽性を示すランゲルハンス細胞を認めない．

ホジキンリンパ腫 Hodgkin lymphoma：まれに骨にも生じる．多彩な炎症細胞浸潤を伴うことからランゲルハンス細胞組織球症に類似するが，免疫染色で CD30，CD15 に陽性を示す Reed-Sternberg 細胞を認める（**図 100**）（☞ p.110）．

非ホジキンリンパ腫 non-Hodgkin lymphoma：骨悪性リンパ腫の大部分は B 細胞リンパ腫で，その多くはびまん性大細胞型 B 細胞リンパ腫である．免疫染色にて CD20 や CD79a 抗体に対し陽性を示す（☞ p.111）．

形質細胞腫 plasmacytomas：形質細胞分化を示す血液性腫瘍で，形質細胞に類似する異型細胞が一様に増殖する（☞ p.84）．

［参考事項］　エルドハイム・チェスター Erdeheim-Chester 病：成人の四肢長管骨に左右対称性に生じる骨硬化性の組織球増殖性疾患で，骨梁間に泡沫細胞が集簇し，Touton 型巨細胞やさまざまな炎症細胞浸潤を伴う．免疫染色にて CD68，CD163 が陽性を示し，通常 CD1a は陰性．

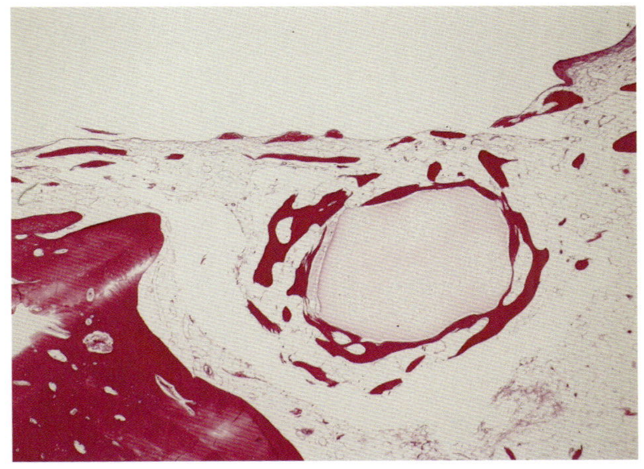

図 101　骨嚢腫．嚢胞壁は薄い線維性組織に覆われ，壁は既存の骨梁と脂肪髄からなり，新生骨梁形成をみる．弱拡大

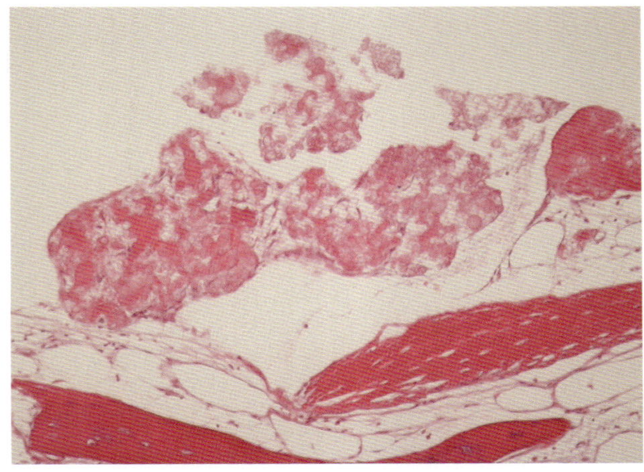

図 102　同前．嚢胞壁面にフィブリン性沈着物をみる．強拡大

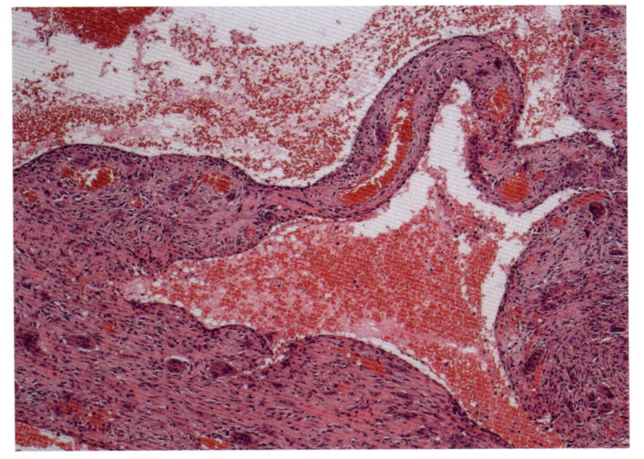

図 103　動脈瘤様骨嚢腫．内腔に血液を貯留する多房性線維性嚢胞壁に多核巨細胞が散在する．強拡大

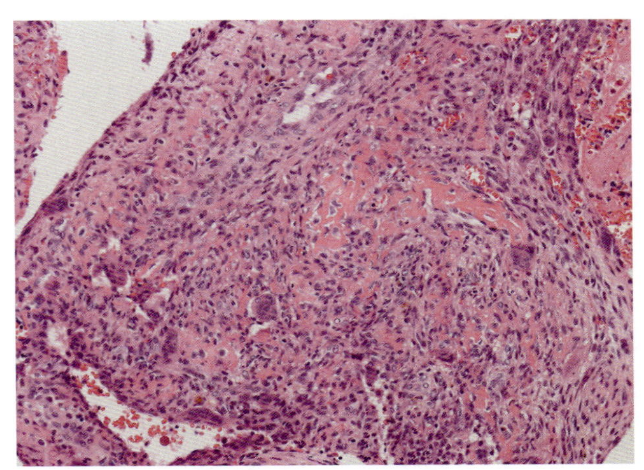

図 104　同前．嚢胞壁は線維性で，多核巨細胞やリンパ球が散在し，反応性骨梁形成を示す．強拡大

骨嚢腫 simple bone cyst　漿液性内溶液を有する単房性嚢胞性骨病変で，WHO 分類（2020）では「その他の間葉性腫瘍」に分類されている．小児の長管骨に好発し，骨幹端部に発生した病変が，患児の成長とともに骨幹部に異動する現象が知られている．また，骨折後自然消退することもある．嚢胞壁を開窓すると，内腔には淡黄色透明な液体が貯留している．組織学的に嚢胞壁は薄い線維組織に覆われ，壁面のフィブリン沈着や壁内の石灰化や反応性骨形成を示す（**図 101，102**）．

［参考事項］　骨嚢腫に病的骨折を伴うと，嚢胞内の出血によりヘモシデリン沈着や動脈瘤様骨嚢腫様の所見を示すことがある．

動脈瘤様骨嚢腫 aneurysmal bone cyst　血液を貯留する多房性嚢胞性骨病変で，原発性と先行病変に続発する二次性が知られている．WHO 分類（2020）では富破骨細胞型巨細胞性腫瘍の良性群に分類されている．若年者の大腿骨遠位や脛骨近位，脊椎椎弓に好発するが，二次性では先行病変の好発部位に生じる．CT や MRI で嚢胞内に鏡面像（fluid fluid level）を認める．原発性は 17 番染色体上にある *USP6* 遺伝子の再構成を有する．組織学的に，血液を貯める嚢胞壁には，多数の破骨細胞型多核巨細胞，ヘモシデリン沈着，反応性骨新生を認める（**図 103，104**）．二次性では，線維性異形成・軟骨芽細胞腫などの先行病変の所見を認める．

【鑑別診断】　**血管拡張型骨肉腫**：血液を貯留する嚢胞を形成し充実性腫瘍成分の乏しい骨肉腫で，動脈瘤様骨嚢腫に類似する．画像所見が破壊性であること，組織学的に異型腫瘍細胞を認めることが鑑別ポイントとなる．

［参考事項］　手足の小骨に好発する巨細胞修復性肉芽腫 giant cell reparative granuloma も *USP6* 遺伝子再構成を有することから，WHO 分類（2020）では充実性動脈瘤様骨嚢腫の名称で動脈瘤様骨嚢腫に分類されている．

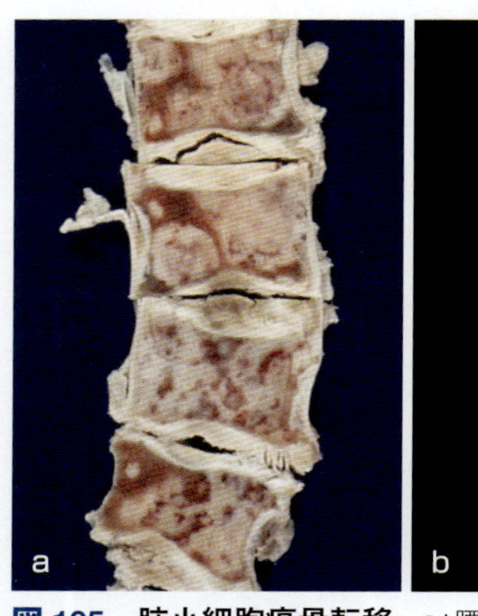

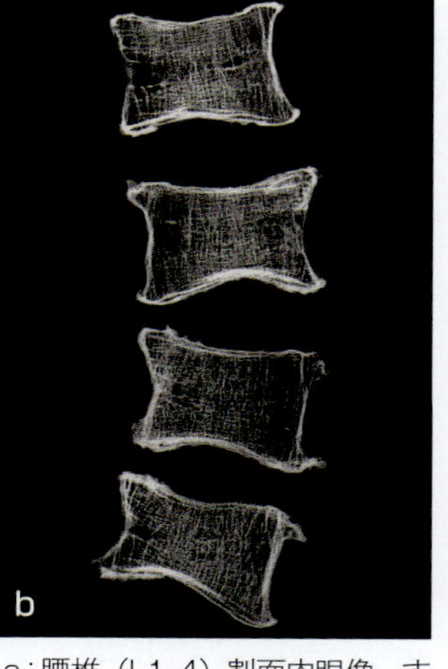

図 105　肺小細胞癌骨転移．a：腰椎（L1-4）割面肉眼像．すべての椎体に，灰白色の地図状腫瘍増殖を認める．わずかに残る褐色領域は骨髄組織に相当する．b：腰椎（L1-4）X 線像．癌細胞の広範な増殖にもかかわらず，既存骨梁は保たれている（骨梁間型転移）

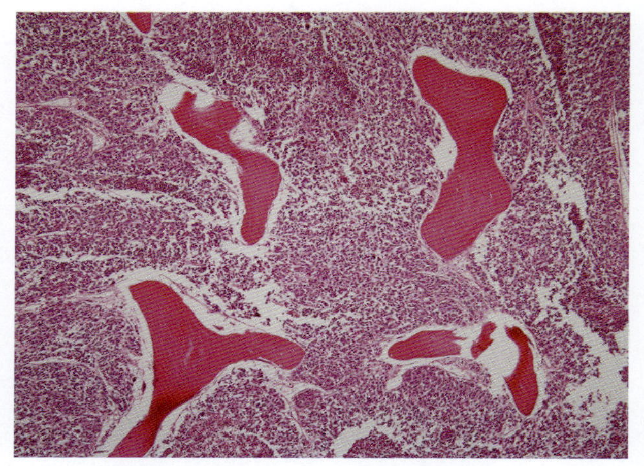

図 106　同前．骨梁間を埋めるように癌細胞が増殖し，既存骨梁は保たれている（骨梁間型転移）．弱拡大

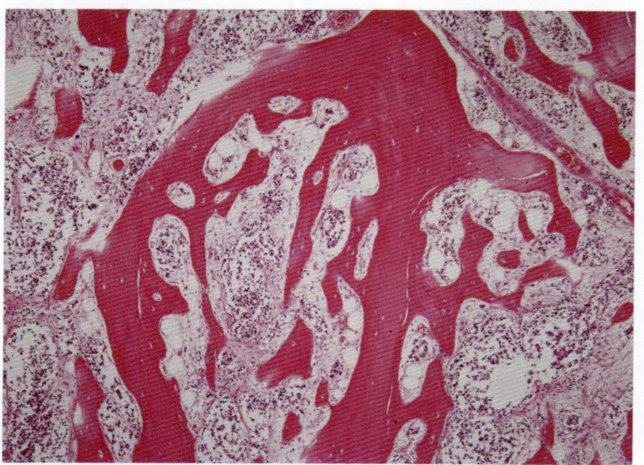

図 107　肝内胆管癌骨転移．骨梁間に癌細胞が増殖し，既存骨梁から連続性に新生骨形成をみる（造骨型転移）．弱拡大

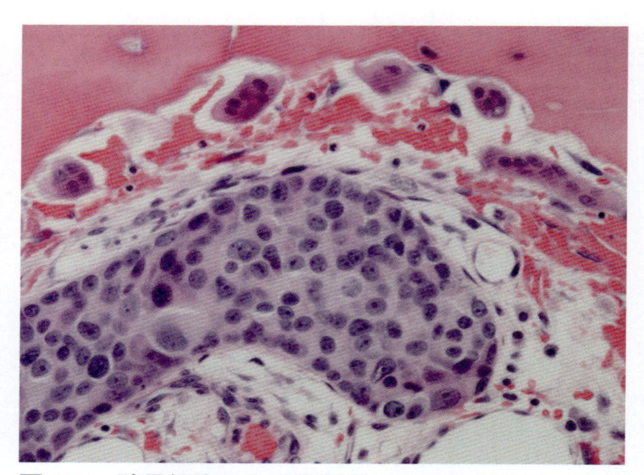

図 108　破骨細胞による骨吸収．転移癌胞巣は骨梁から離れ，骨梁表面には破骨細胞による活発な骨吸収をみる．骨破壊は癌細胞そのものではなく，動員された破骨細胞が行う．強拡大

癌・肉腫・血液腫瘍を問わず，骨は転移の主な標的臓器のひとつであり，原発性骨腫瘍の鑑別診断ではかならず骨転移の可能性を考慮すべきである．骨転移は中年期以降に多く，癌の好発年齢に一致する．全身すべての骨に転移の可能性はあるが，脊椎・骨盤・大腿骨近位・上腕骨近位・肋骨など，造血髄が多い骨に好発する．転移性骨腫瘍の多くは多発性であり，初診時に単発であっても経時的に多発性となることが多い（**図 105**）．肺癌・乳癌・前立腺癌は骨転移を生じる頻度が高い．骨梁間に腫瘍細胞が増殖すると，経時的に隣接する骨梁にさまざまな変化を生じる．骨梁が保たれるものを骨梁間型 intertrabecular type，骨梁が顕著に破壊されるものを溶骨型 osteolytic type，新生骨梁形成が目立つものを造骨型 osteoplastic type，溶骨と造骨が混在するものを混合型 mixed type と分類することが多い（**図 106，107**）．骨破壊は腫瘍細胞によるものではなく，動員された破骨細胞による骨吸収の結果生じる（**図 108**）．転移巣で上皮性分化形質を失い，あたかも肉腫のような組織所見を示すことがある（肉腫様癌，sarcomatoid carcinoma）．腎細胞癌は溶骨性転移を，前立腺癌は造骨性転移を，乳癌や肺癌は溶骨と造骨の混在する混合型が生じる傾向がある．多くの例が原発腫瘍と同様の免役染色態度を示す．

【鑑別診断】　肉腫様癌の骨転移は，骨肉腫，脱分化軟骨肉腫，未分化多形肉腫，平滑筋肉腫など多くの原発性骨腫瘍と鑑別を要する．既往歴を含めた臨床情報が参考になるが，鑑別が困難なこともある．

［参考事項］　近年，癌骨転移に対しビスホスフォネート製剤やデノスマブといった破骨細胞阻害薬による治療により，骨粗鬆症とは異なる骨折（異型骨折）や顎骨壊死といった骨に対する副作用が生じることがわかってきた．

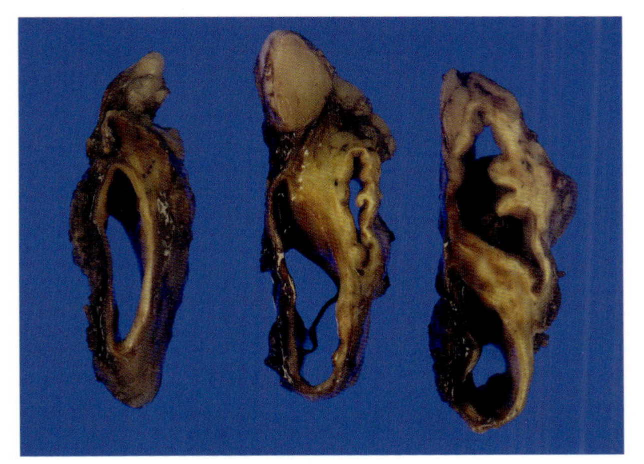

図 109　びまん型腱鞘巨細胞腫．滑膜はびまん性に肥厚し，ヘモシデリン沈着や泡沫細胞集簇を反映し，褐色あるいは黄色調を呈する．割面肉眼像

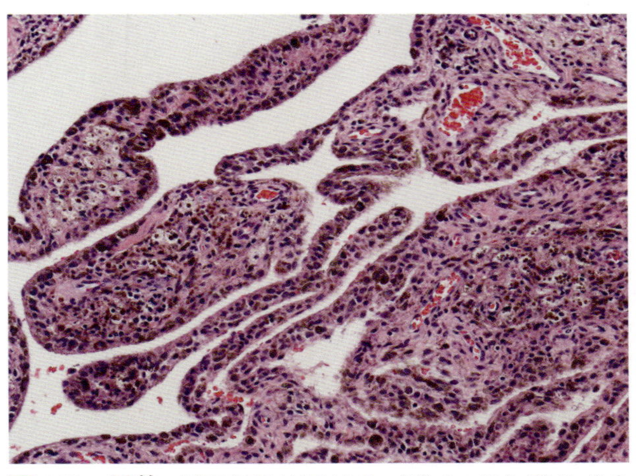

図 110　同前．腫瘍表面は絨毛状で，多数のヘモシデリン貪食細胞やヘモシデリン沈着をみる．弱拡大

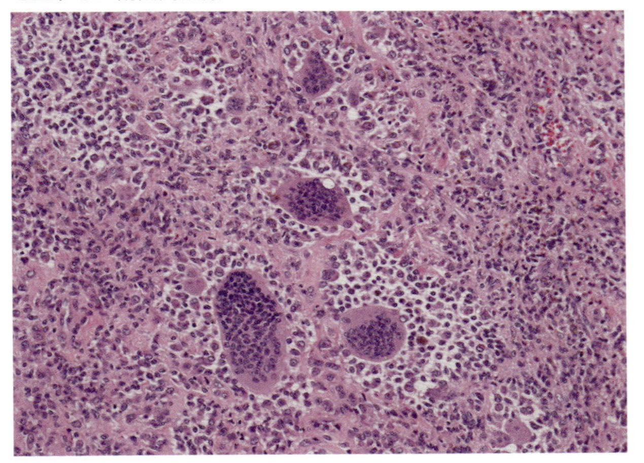

図 111　同前．線維芽細胞様あるいは組織球様の腫瘍細胞が増殖し，無数の核を有する多核巨細胞が散在する．弱拡大

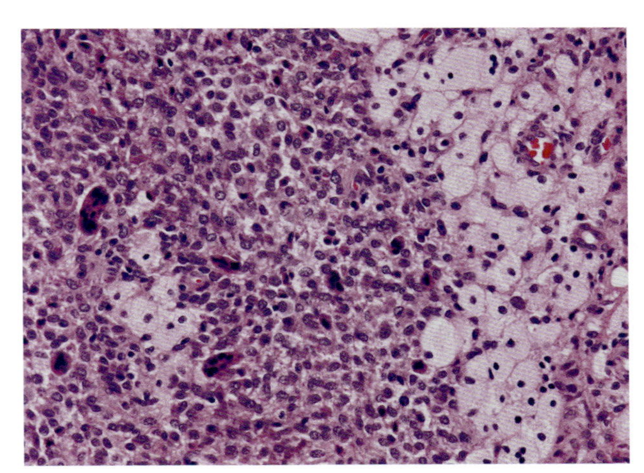

図 112　同前．多核巨細胞の混在する線維組織球様腫瘍細胞の増殖とともに，泡沫細胞の集簇をみる．強拡大

手足の腱鞘に小結節を形成する局所型と四肢大関節の滑膜にびまん性に増殖するびまん型がある．局所型は腱鞘巨細胞腫 giant cell tumor of tendon sheath，びまん型は色素性絨毛結節性滑膜炎 pigmented villonodular synovitis とよばれ，しばしば周囲軟部組織や骨に浸潤する．*CSF1* 遺伝子を含む染色体転座が知られている．腫瘤割面はさまざまな程度に褐色あるいは黄色を示す（**図 109**）．組織所見は局所型もびまん型もほぼ同様であるが，局所型が小結節を形成するのに対し，びまん型は大きな腫瘤を形成し，表面が絨毛状を呈し周囲組織に対し浸潤性に増殖する．腫瘍は，線維芽細胞様細胞，組織球様細胞，多核巨細胞がさまざまな程度に混じり，泡沫細胞やヘモシデリン貪食細胞が混在する（**図 110〜112**）．多核巨細胞が目立たない例もある．免疫染色にて，単核細胞は CD68，CD163 に陽性を示す．デスミン陽性細胞が混在することもある．

【鑑別診断】　腱鞘線維腫 fibroma of tendon sheath：手足の腱鞘に生じるまれな腫瘤で，細胞密度の低い膠原線維性の腫瘤を形成する．通常多核巨細胞の出現を認めない．

蔓状線維性組織球腫 plexiform fibrohistiocytic tumor：小児や若年成人の手に好発するまれな腫瘍で，転移を生じることがある．真皮や皮下に蔓状に増殖する多結節状の小腫瘤を形成する．組織学的に組織球様あるいは類上皮様の腫瘍細胞が多核巨細胞を混じ結節を形成する．

軟骨芽細胞腫：顎関節発生腱鞘巨細胞腫と側頭骨発生軟骨芽細胞腫の組織像が類似し，とくに生検検体では鑑別が難しい．軟骨芽細胞腫は，免疫染色で SOX9 や H3.3Bp.Lys36Met に対し陽性を示す．

ヘモシデリン沈着性滑膜炎 hemosiderotic synovitis：関節血症により生じる色素沈着性滑膜炎で，びまん型腱鞘滑膜巨細胞腫に肉眼・組織所見が類似する．しかし，病変は滑膜に限られ腫瘤を形成することはない．

［参考事項］　悪性腱鞘巨細胞腫：まれに悪性例が報告されており，腱鞘巨細胞腫内に明らかな悪性所見を有するものや，腱鞘巨細胞腫の再発時に肉腫像を示すものがある．

図 113　滑膜軟骨腫症. 関節腔内から摘出された無数の軟骨結節．肉眼像．

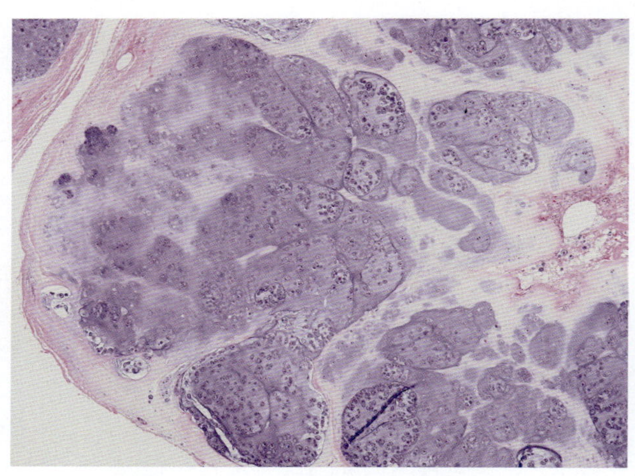

図 114　同前. 一次性の軟骨結節は，分葉状を呈する化生性硝子軟骨からなる．弱拡大

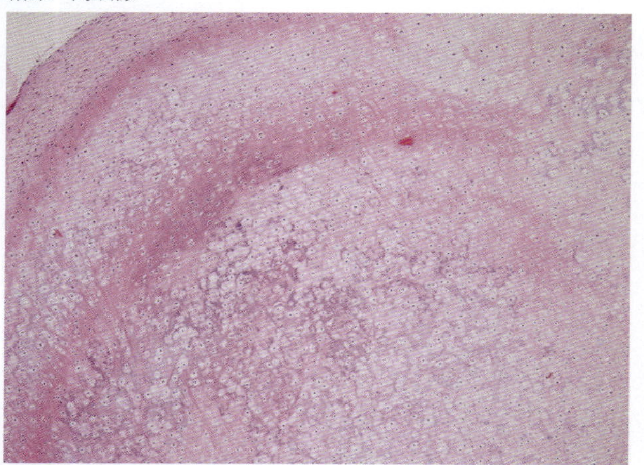

図 115　同前. 二次性の軟骨結節は，年輪を思わせる同心円状の石灰化を示す．弱拡大

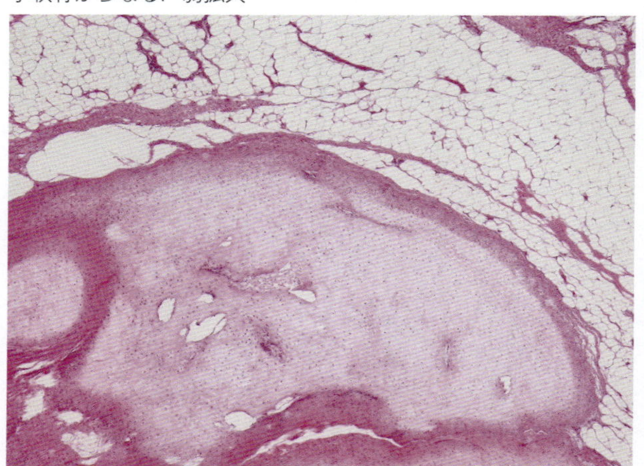

図 116　傍関節骨軟骨腫. 一次性滑膜軟骨腫症に類似した化生性軟骨結節を滑膜内に生じる．弱拡大

滑膜軟骨腫症は，滑膜や関節腔内に軟骨あるいは骨軟骨結節が多発する疾患で，軟骨化生により生じる一次性と，先行する関節疾患に続発する二次性がある．一次性では滑膜内に化生により軟骨結節が形成され，しばしば経時的に内軟骨骨化を生じる．関節腔内に結節が遊離することもある（**図 113**）．組織学的に結節は化生性軟骨組織から成り，中心部には内軟骨骨化により生じた骨組織がみられ，通常脂肪髄を有している（**図 114**）．二次性では，罹患関節の関節面から剝脱したと考えられる骨・軟骨片を芯として，その周囲に関節液により培養されたかのように軟骨が形成される．組織学的に，年輪を思わせる同心円状の石灰化を示す軟骨結節を特徴とし，しばしば結節中心部に関節面から剝脱したと考えられる壊死性の骨・軟骨片を認める（**図 115**）．まれに，繰り返す再発の経過中に軟骨肉腫が生じることがある（synovial chondrosarcoma）．なお，WHO 分類（2020）では中間悪性に分類され，一次性・二次性に関する記載はない．

【鑑別診断】　傍関節骨軟骨腫 para-articular osteochondroma：膝などの大関節周囲に発生する単発性，大型の骨軟骨性腫瘤．発症機序は一次性滑膜軟骨腫症と同様と考えられ，組織所見も類似する（**図 116**）．

破砕骨軟骨片沈着性滑膜炎 detritic synovitis：関節リウマチ，急速破壊性股関節症，シャルコー関節などの破壊性関節症により，関節腔内に脱落した骨・軟骨片が滑膜に沈着する病態．組織学的には，無数の破砕骨・軟骨片が滑膜に沈着する．滑膜軟骨腫症と異なり，軟骨の増殖性変化を認めない．

［参考事項］　人工物に対する反応 tissue reaction for artificial joints：人工関節置換術後，金属摩耗粉やポリエステル片が滑膜に沈着した滑膜炎や，反応性の偽腫瘍を生じることがある．

関節内遊離体 free body　関節腔内に遊離した骨・軟骨組織の総称で，滑膜軟骨腫症を含むさまざまな病態により生じる．

第11章

軟部組織

概　説

軟部組織で病理組織学的に問題となるのは，おもに腫瘍である．本項では軟部腫瘍の病理組織像をおもに解説し，最後に炎症，変性疾患などの非腫瘍性病変の代表的なものについて解説する．

軟部腫瘍はまれな腫瘍であり，悪性軟部腫瘍（軟部肉腫）は全悪性腫瘍の1%程度である．しかしながらその種類は非常に多く，2020年のWHO分類に従えば，まれなものも加えると約130種類の腫瘍が存在する．軟部腫瘍の発生する軟部組織とは，上皮組織，骨組織，細網内皮系組織を除いた間葉系組織全般と，中枢神経を除いた神経組織を指す．したがって，四肢以外にも後腹膜，腹腔内，骨盤内，頭頸部，胸腔内，縦隔など全身のきわめて広範囲に発生する．WHO分類に記載されている代表的な腫瘍を**表1**にまとめた．

1．臨床的事項

一般的に悪性軟部腫瘍は中高年に多く発生するが，横紋筋肉腫，ユーイング（Ewing）肉腫は小児に多く認められる．特に横紋筋肉腫は小児悪性固形腫瘍のなかでは最も頻度が高い．悪性腫瘍は四肢では筋膜より深い深部軟部組織に多く発生し，腫瘍径も5 cmを超える大きなものが多い．脱分化型脂肪肉腫は腹腔内や後腹膜に多く認められ，四肢発生例は少なく，反対に粘液/円形細胞型脂肪肉腫は四肢に多く，腹腔内や後腹膜に発生することはきわめてまれであるなど，腫瘍によって好発部位に特徴があるものもある．ユーイング肉腫のように軟部組織および骨の両者に発生する腫瘍もある．

2．頻　度

良性腫瘍は，全例が手術されて病理診断がなされるわけではないため正確な発生頻度は不明であるが，一般的には脂肪腫，神経鞘腫，血管腫，腱滑膜巨細胞腫の頻度が高い．悪性腫瘍では日本整形外科学会の2017年の統計によると，脂肪肉腫，未分化多形肉腫，平滑筋肉腫，粘液線維肉腫，滑膜肉腫，悪性末梢神経鞘腫瘍，横紋筋肉腫の順に多く，これらの腫瘍で全悪性腫瘍の83%を占める．

3．軟部腫瘍の分類

軟部腫瘍の分類に最も広く用いられているのは2020年軟部腫瘍WHO分類であるが，WHO分類に限らず，分類は腫瘍細胞の起源ではなく細胞の分化に基づいている．たとえば，横紋筋肉腫は腫瘍細胞の最も分化した細胞が正常組織の横紋筋に相当する横紋筋芽細胞であるため横紋筋肉腫と診断されるが，この腫瘍は横紋筋から発生した腫瘍という意味ではなく，実際に横紋筋肉腫は横紋筋が存在しないような部位にも発生する．この考え方は，癌腫で胃の腺癌が背景の胃粘膜の上皮から，乳癌が乳管上皮から発生するというような考え方とは異なる．分化という観点からみると，軟部腫瘍のなかには正常組織に置き換えるのが困難な分化を示す腫瘍も数多くあり，滑膜肉腫や胞巣状軟部肉腫などはWHO分類では分化不明腫瘍に分類されている．

悪性度に関しては，良性と悪性の中間（中間群腫瘍）の振る舞いをするものがある．さらに中間群腫瘍は転移をきたさないものの局所浸潤性，破壊性に再発を繰り返すもの（局所破壊性増殖 locally aggressive）と，数%の頻度でごくまれに転移をきたすもの（まれに遠隔転移 rarely metastasizing）の2種類がある．

4．組織形態像

細胞の形態によって，平滑筋肉腫や線維肉腫に代表される細長い形態を呈する紡錘形細胞腫瘍，ユーイング肉腫や横紋筋肉腫などの細胞質が乏しく小型円形のリンパ腫の細胞に類似した小円形細胞腫瘍，類上皮肉腫などの豊富な細胞質を有し癌細胞に類似した形態を呈する上皮様腫瘍，未分化多形肉腫や多形型脂肪肉腫などの細胞の大小不同が著しく形態も多彩な多形性腫瘍に分けられる．細胞の形態はさまざまである

表1 2020年WHO分類 軟部腫瘍（一部改変，きわめてまれな腫瘍は割愛）

●脂肪性腫瘍 ADIPOCYTIC TUMORS

良性 Benign

脂肪腫 Lipoma
脂肪腫症 Lipomatosis
神経脂肪腫症 Lipomatosis of nerve
脂肪芽腫/脂肪芽腫症 Lipoblastoma/Lipoblastomatosis
血管脂肪腫 Angiolipoma
紡錘形細胞脂肪腫/多形性脂肪腫 Spindle cell/Pleomorphic lipoma
異型紡錘形細胞/多形脂肪腫様腫瘍 Atypical spindle cell/pleomorphic lipomatous tumour
褐色脂肪腫 Hibernoma

良悪性中間（局所破壊性増殖）Intermediate（locally aggressive）

異型脂肪腫様腫瘍 Atypical lipomatous tumor

悪性 Malignant

高分化型脂肪肉腫 Well differentiated liposarcoma
脱分化型脂肪肉腫 Dedifferentiated liposarcoma
粘液/円形細胞型脂肪肉腫 Myxoid/round cell liposarcoma
多形型脂肪肉腫 Pleomorphic liposarcoma

●線維性/筋線維芽細胞性腫瘍 FIBROBLASTIC/MYOFIBROBLASTIC TUMORS

良性 Benign

結節性筋膜炎 Nodular fasciitis*
増殖性筋膜炎 Proliferative fasciitis
増殖性筋炎 Proliferative myositis
骨化性筋炎 Myositis ossificans
虚血性筋膜炎 Ischemic fasciitis
弾性線維腫 Elastofibroma
乳幼児線維性過誤腫 Fibrous hamartoma of infancy
頸部線維腫症 Fibromatosis colli
若年性硝子化線維腫症 Juvenile hyaline fibromatosis
封入体線維腫症 Inclusion body fibromatosis
腱鞘線維腫 Fibroma of tendon sheath
線維形成性線維芽腫 Desmoplastic fibroblastoma
筋線維芽腫 Myofibroblastoma
石灰化腱膜線維腫 Calcifying aponeurotic fibroma
EWSR1-SMAD 陽性線維芽細胞性腫瘍 *EWSR1-SMAD3* positive fibroblastic tumor
血管筋線維芽腫 Angiomyofibroblastoma
富細胞性血管線維腫 Cellular angiofibroma
血管線維腫 Angiofibroma
項部線維腫 Nuchal fibroma
肢端線維粘液腫 Acral fibromyxoma
ガードナー線維腫 Gardner fibroma

良悪性中間（局所破壊性増殖）Intermediate（locally aggressive）

手掌/足底線維腫症 Palmar/Plantar fibromatosis
デスモイド型線維腫症 Desmoid-type fibromatosis
脂肪線維腫症 Lipofibromatosis
巨細胞性線維芽腫 Giant cell fibroblastoma

良悪性中間（まれに遠隔転移）Intermediate（rarely metastasizing）

隆起性皮膚線維肉腫 Dermatofibrosarcoma protuberans
　線維肉腫様隆起性皮膚線維肉腫 Fibrosarcomatous dermatofibrosarcoma protuberans
　色素性隆起性皮膚線維肉腫 Pigmented dermatofibrosarcoma protuberans（ベドナー腫瘍 Bednar tumor）
孤立性線維性腫瘍 Solitary fibrous tumor
炎症性筋線維芽細胞性腫瘍 Inflammatory myofibroblastic tumor
筋線維芽細胞性肉腫 Myofibroblastic sarcoma
表在性CD34陽性線維芽細胞腫瘍 Superficial CD34-positive fibroblastic tumour
粘液炎症性線維芽細胞肉腫 Myxoinflammatory fibroblastic sarcoma
乳児型線維肉腫 Infantile fibrosarcoma

悪性 Malignant

悪性孤立性線維性腫 Malignant solitary fibrous tumour
線維肉腫 Fibrosarcoma
粘液線維肉腫 Myxofibrosarcoma
低悪性線維粘液性肉腫 Low-grade fibromyxoid sarcoma
硬化性類上皮線維肉腫 Sclerosing epithelioid fibrosarcoma

●いわゆる線維組織球性腫瘍 SO-CALLED FIBROHISTIOCYTIC TUMORS

良性 Benign

腱鞘滑膜巨細胞腫 Tenosynovial giant cell tumor
　びまん型腱鞘滑膜巨細胞腫 Tenosynovial giant cell tumor, diffuse type
深在性良性線維性組織球腫 Deep benign fibrous histiocytoma

良悪性中間（まれに遠隔転移）Intermediate（rarely metastasizing）

蔓状線維性組織球腫 Plexiform fibrohistiocytic tumor
軟部巨細胞腫 Giant cell tumor of soft tissues

●脈管性腫瘍 VASCULAR TUMORS

良性 Benign

血管腫 Hemangioma
筋肉内血管腫 Intramuscular hemangioma
動静脈血管腫 Arteriovenous hemangioma
静脈血管腫 Venoushemangioma
類上皮血管腫 Epithelioid hemangioma
リンパ管腫 Lymphangioma
嚢腫状リンパ管腫 Cystic lymphangioma
後天性房状血管腫/Acquired tufted hamangioma

良悪性中間（局所破壊性増殖）Intermediate（locally aggressive）

Kaposi肉腫様血管内皮腫 Kaposiform hemangioendothelioma

良悪性中間（まれに遠隔転移）Intermediate（rarely metastasizing）

網様血管内皮腫 Retiform hemangioendothelioma
乳頭状リンパ管内皮腫 Papillary intralymphatic angioendothelioma
混合型血管内皮腫 Composite hemangioendothelioma
Kaposi肉腫 Kaposi sarcoma
偽性筋原性（類上皮肉腫様）血管内皮腫 Pseudomyogenic（epithelioid sarcoma-like） haemangioendothelioma

悪性 Malignant

類上皮血管内皮腫 Epithelioid hemangioendothelioma
血管肉腫 Angiosarcoma

●血管周皮細胞性腫瘍 PERICYTIC（PERIVASCULAR）TUMORS

良性及び良悪性中間 Benign and Intermediate

グロムス腫瘍 Glomus tumor
筋周皮腫 Myopericytoma
　筋線維腫 Myofibroma
　筋線維腫症 Myofibromatosis（中間）
血管平滑筋腫 Angioleiomyoma

悪性 Malignant

悪性グロムス腫瘍 Malignant Glomus tumour

表1 2020年WHO分類 軟部腫瘍（一部改変，きわめてまれな腫瘍は割愛）**（つづき）**

●平滑筋性腫瘍 SMOOTH MUSCLE TUMOUS

良性 Benign
- 深在性平滑筋腫 Deep leiomyoma

良悪性中間 Intermediate
- EBV関連平滑筋腫瘍 EBV-associated smooth muscle tumor

悪性 Malignant
- 平滑筋肉腫 Leiomyosarcoma
- 炎症性平滑筋肉腫 Inflammatory leiomyosarcoma

●骨格筋性腫瘍 SKELETAL MUSCLE TUMORS

良性 Benign
- 横紋筋腫 Rhabdomyoma

悪性 Malignant
- 胎児型横紋筋肉腫 Embryonal rhabdomyosarcoma
- 胞巣型横紋筋肉腫 Alveolar rhabdomyosarcoma
- 多形型横紋筋肉腫 Pleomorphic rhabdomyosarcoma
- 紡錘形細胞型横紋筋肉腫/硬化性横紋筋肉腫 Spindle cell/Sclerosing rhabdomyosarcoma

●軟骨および骨形成性腫瘍 CHONDRO-OSSEOUS TUMORS

良性 Benign
- 軟骨腫 Chondroma

悪性 Malignant
- 骨外性間葉性軟骨肉腫 Extraskeletal mesenchymal chondrosarcoma
- 骨外性骨肉腫 Extraskeletal osteosarcoma

●末梢神経鞘腫瘍 PERIPHERAL NERVE SHEATH TUMORS

良性 Benign
- 神経鞘腫 Schwannoma
- 神経線維腫 Neurofibroma
- 神経周膜腫 Perineurioma
- 顆粒細胞腫 Granular cell tumor
- 孤在性限局神経腫 Solitary circumscribed neuroma
- 髄膜腫 Meningioma
- 良性Triton腫瘍/神経筋分離腫 Benign Triton tumor/Neuromuscular Choristoma
- 混成性神経鞘腫瘍 Hybrid nerve sheath tumors

悪性 Malignant
- 悪性末梢神経鞘腫瘍 Malignant peripheral nerve sheath tumor
- 類上皮型悪性末梢神経鞘腫瘍 Epithelioid malignant peripheral nerve sheath tumour
- 悪性黒色性神経鞘腫瘍 Melanotic malignant nerve sheath tumor
- 悪性顆粒細胞腫 Malignant granular cell tumor
- 悪性神経周膜腫 Malignant perineurioma

●分化不明の腫瘍 TUMORS OF UNCERTAIN DIFFERENTIATION

良性 Benign
- 粘液腫（富細胞型を含む）Intramuscular myxoma
- 侵襲性血管粘液腫 Aggressive angiomyxoma
- 多形性硝子化血管拡張性腫瘍 Pleomorphic hyalinizing angiectatic tumour
- 高リン尿性間葉系腫瘍 Phosphaturic mesenchymal tumor
- 良性血管周囲類上皮細胞腫瘍 Perivascular epithelioid tumor, benign
- 血管筋脂肪腫 Angiomyolipoma

良悪性中間（局所侵襲性）Intermediate（locally aggressive）
- ヘモジデリン沈着性線維脂肪腫様腫瘍 Hemosiderotic fibrolipomatous tumor
- 類上皮血管筋脂肪腫 Epithelioid angiomyolipoma

良悪性中間（まれに遠隔転移）Intermediate（rarely metastasizing）
- 異型線維黄色腫 Atypical fibroxanthoma
- 類血管腫線維組織球腫 Angiomatoid fibrous histiocytoma
- 骨化性線維粘液性腫瘍 Ossifying fibromyxoid tumor
- 混合腫瘍 Mixed tumor
- 悪性混合腫瘍 Malignant mixed tumor
- 筋上皮腫 Myoepithelioma

悪性 Mlignant
- 悪性高リン尿性間葉系腫瘍 Malignant phosphaturic mesenchymal tumour
- *NTRK* 遺伝子再構成紡錘形細胞腫瘍 *NTRK* rearranged spindle cell neoplasm
- 滑膜肉腫 Synovial sarcoma
- 類上皮肉腫 Epithelioid sarcoma
- 胞巣状軟部肉腫 Alveolar soft-part sarcoma
- 明細胞肉腫 Clear cell sarcoma
- 骨外性粘液型軟骨肉腫 Extraskeletal myxoid chondrosarcoma
- 線維形成性小円形細胞腫瘍 Desmoplastic small round cell tumor
- ラブドイド腫瘍 Rhabdoid tumor
- 悪性血管周囲類上皮細胞腫瘍 Malignant perivascular epithelioid cell differentiation
- 動脈内膜肉腫 Intimal sarcoma
- 悪性骨化性線維粘液性腫瘍 Malignant ossifying fibromyxoid tumor
- 筋上皮癌 Myoepithelial carcinoma
- 未分化肉腫 Undifferentiated sarcoma
- 未分化紡錘形細胞肉腫 Spindle cell sarcoma, undifferentiated
- 未分化多形肉腫 Pleomorphic sarcoma, undifferentiated
- 未分化円形細胞肉腫 Round cell sarcoma, undifferentiated

●骨軟部発生未分化小円形細胞肉腫 Undifferentiated Small Round Cell Sarcomas of Bone and Soft Tissue

悪性 Malignant
- ユーイング肉腫 Ewing sarcoma
- *EWSR1-nonETS* 融合遺伝子陽性肉腫 Round cell sarcoma with *EWSR1-non ETS* fusions
- *CIC* 遺伝子再構成肉腫 *CIC*-rearranged sarcoma
- *BCOR* 遺伝子異常肉腫 Sarcomas with *BCOR* genetic alterations

が，背景に豊富な粘液腫様基質を有する粘液状腫瘍という腫瘍群もある．

特徴的な腫瘍細胞の配列パターンとしては，平滑筋肉腫などの多くの紡錘形細胞腫瘍で腫瘍細胞が流れるように一定方向に配列する束状配列パターン fascicular pattern，神経鞘腫瘍などの神経原性腫瘍に多く認められる柵状配列パターン palisading，線維肉腫に代表される杉綾模様あるいはニシンの骨様配列パターン herringbone pattern，隆起性皮膚線維肉腫に代表される花むしろ模様 storiform pattern，孤立性線維腫に認められる鹿の角様に分岐拡張した血管を伴う血管周皮

表2 軟部腫瘍における特徴的な組織像と免疫組織化学染色マーカー

組織型	特徴的な組織像	マーカー
1. 紡錘形細胞腫瘍 Spindle cell tumor		
結節性筋膜炎	組織培養状形態，粘液状基質，出血	SMA
良性線維性組織球腫	花むしろ状配列，皮下	Factor XIIIa
デスモイド腫瘍	周囲に浸潤，境界不明瞭，豊富な膠原線維	β-catenin 核内発現
孤在性線維性腫瘍	血管周皮腫様パターン，膠原線維	CD34，STAT6（核）
炎症性筋線維芽細胞性腫瘍	慢性炎症細胞浸潤	SMA，ALK
隆起性皮膚線維肉腫	花むしろ状配列，真皮・皮下，脂肪織に浸潤	CD34
乳児型線維肉腫	血管周皮腫様パターン，炎症細胞浸潤	特異的マーカーなし
成人型線維肉腫	束状配列，杉綾模様（herringbone pattern）	特異的マーカーなし
平滑筋肉腫	束状配列，両切りタバコ状核，好酸性細胞質	Desmin，MSA，SMA，h-caldesmon
単相性線維型滑膜肉腫	束状配列，血管周皮腫様パターン	EMA，Cytokeratin
悪性末梢神経鞘腫瘍	束状配列，NF1，神経との連続，粗密配列	S-100 蛋白，SOX10，H3K27me3 発現欠失
2. 小円形細胞腫瘍 Small round cell tumor		
骨外性間葉性軟骨肉腫	軟骨分化巣	S-100 蛋白（軟骨分化巣），CD99（小円形細胞）
胞巣型横紋筋肉腫	胞巣状配列，横紋筋芽細胞	Desmin，MSA，MyoD1，Myogenin
胎児型横紋筋肉腫	粘液状基質，横紋筋芽細胞	Desmin，MSA，MyoD1，Myogenin
線維形成性小円形細胞腫瘍	厚い線維性隔壁，胞巣状構造	Cytokeratin，Desmin，CD99，NSE
ラブドイド腫瘍	充実性・シート状増殖，ラブドイド細胞	Vimentin，Cytokeratin，EMA，SALL4，Glypican3，SMARCB1/INI1 欠失
Ewing 肉腫	充実性，シート状増殖，ロゼット±	CD99，NKX2.2
CIC 遺伝子再構成肉腫	分葉状増殖，上皮様成分±	CD99，WT1，ETV4
BCOR 遺伝子異常肉腫	卵円形/紡錘形細胞成分±，粘液基質±	BCOR，SATB2，Cyclin D1
3. 多形性腫瘍 Pleomorophic tumor		
脱分化型脂肪肉腫	高分化脂肪肉腫成分	MDM2，CDK4
未分化多形肉腫	高度多形性，異型巨細胞，花むしろ状配列	特異的マーカーなし
多形型平滑筋肉腫	好酸性細胞質，一部に通常の平滑筋肉腫の像	Desmin，MSA，SMA，h-caldesmon
多形型横紋筋肉腫	好酸性細胞質，横紋筋芽細胞	Desmin，MSA，MyoD1，Myogenin
多形型脂肪肉腫	大型脂肪芽細胞	S-100 蛋白
4. 粘液状腫瘍 Myxoid tumor		
低悪性度線維粘液肉腫	線維性・粘液性基質の混在，彎曲小血管	MUC4
粘液線維肉腫	多形性腫瘍細胞，毛細血管網，偽脂肪芽細胞	特異的マーカーなし
粘液/円形細胞型脂肪肉腫	脂肪芽細胞，繊細な毛細血管網	S-100 蛋白
骨外性粘液型軟骨肉腫	索状・レース状配列，卵円形・紡錘形細胞	Synaptophysin，Chromogranin A，NSE，S-100 蛋白
5. 上皮様腫瘍 Epithelioid tumor		
類上皮血管内皮腫	血管様管腔，細胞質空胞，粘液硝子様間質	CD31，CD34，Cytokeratin，ERG，FLI1
類上皮血管肉腫	血管様管腔，乳頭状増殖，高度細胞異型	CD31，CD34，Cytokeratin，ERG，FLI1
二相型滑膜肉腫	腺管構造	Cytokeratin，EMA
類上皮肉腫	真皮・皮下，多結節性，中心部壊死・肉芽腫様	Cytokeratin, EMA, CD34, SMARCB1/INI1 欠失, ERG
混合腫瘍	胞巣・腺腔形成，硝子化・軟骨粘液状基質	Cytokeratin，EMA，S-100 蛋白，SMA
明細胞肉腫	胞巣状配列，淡明細胞質，メラニン顆粒	S-100 蛋白，HMB45，Melan-A
胞巣状軟部肉腫	胞巣状配列，細胞質内 PAS 染色陽性針状結晶	Desmin，MyoD1，TFE3
PEComa	淡明細胞質，血管周囲配列	HMB45，Melan-A，SMA

表3 軟部腫瘍の診断に有用な免疫染色の抗体と対応する正常組織および腫瘍

免疫染色の抗体	正常組織および腫瘍
Vimentin	間葉系組織全般，癌腫の一部（肉腫様癌），悪性黒色腫，肉腫全般
Cytokeratin	上皮性組織，癌腫，滑膜肉腫，類上皮肉腫，中皮腫，類上皮血管肉腫，ラブドイド腫瘍，混合腫瘍
Epithelial Membrane antigen（EMA）	上皮性組織，癌腫，滑膜肉腫，類上皮肉腫
S-100 protein	神経組織，軟骨組織，脂肪組織，ランゲルハンス細胞，悪性黒色腫，良悪性末梢神経鞘腫瘍，良悪性軟骨性腫瘍，良悪性脂肪性腫瘍，顆粒細胞腫，明細胞肉腫
HMB45, Melan A	悪性黒色腫，明細胞肉腫，PEComa
Desmin	平滑筋，骨格筋，平滑筋腫，平滑筋肉腫，横紋筋腫，横紋筋肉腫，線維形成性小円形細胞腫瘍
Muscle specific actin	平滑筋，骨格筋，平滑筋腫，平滑筋肉腫，横紋筋腫，横紋筋肉腫
Smooth muscle actin（SMA）	平滑筋，筋線維芽細胞，平滑筋腫，グロムス腫瘍，平滑筋肉腫，筋線維芽細胞性腫瘍
WT1	中皮，線維形成性小円形細胞腫瘍，*CIC* 遺伝子再構成肉腫
Myogenin	横紋筋肉腫
CD31	血管内皮，血管腫，血管内皮腫，血管肉腫
CD34	血管内皮，血管腫，血管内皮腫，血管肉腫，孤在性線維性腫瘍，隆起性皮膚線維肉腫，類上皮肉腫
Factor VIII-related antigen	血管内皮，血管腫，血管内皮腫，血管肉腫
ERG	血管内皮，血管腫，血管内皮腫，血管肉腫，類上皮肉腫
D2-40	リンパ管内皮，リンパ管腫，中皮腫
CD99	Ewing 肉腫，低分化滑膜肉腫，横紋筋肉腫の一部，間葉性軟骨肉腫，線維形成性小円形細胞腫瘍
CD68	組織球，腱滑膜巨細胞腫（びまん型を含む）
MDM2, CDK4	分化型脂肪肉腫/異型脂肪腫様腫瘍，脱分化型脂肪肉腫
SMARCB1/INI1	ラブドイド腫瘍および類上皮肉腫で発現欠失
H3K27me3	悪性末梢神経鞘腫瘍で発現欠失
β-catenin	デスモイド腫瘍で核に発現
FGF23	高リン尿性間葉系腫瘍
BCOR，CCNB3（Cyclin D1）	*BCOR* 遺伝子異常肉腫

腫様パターン hemangiopericytomatous pattern，ユーイング肉腫に認められるロゼット形成 rosette formation などがある．

腫瘍細胞の形態，細胞の特徴的な配列パターンを組み合わせることによって，代表的な軟部腫瘍の鑑別診断はある程度可能である．さらに，後述する免疫染色を組み合わせることによって腫瘍の種類を絞り込むこができ，これを**表2**にまとめた．

5. 免疫組織化学染色

横紋筋肉腫の横紋筋芽細胞や脂肪肉腫の脂肪芽細胞や脂肪細胞などは，典型例であれば HE 染色標本で細胞の分化が観察でき，ある程度の分類が可能である．分化の見極めが HE 染色標本の観察で困難な例では，免疫組織化学染色によって腫瘍細胞の分化を同定可能である．横紋筋肉腫であれば腫瘍細胞に骨格筋のマーカーである desmin や actin が陽性となり，骨格筋分化の転写因子である myogenin も陽性となるなどが，その例である．

診断に有用な免疫染色の抗体と対応する正常組織および腫瘍を**表3**にまとめた．特定の遺伝子異常を反映する抗体もあり，高分化型脂肪肉腫および脱分化型脂肪肉腫における *MDM2*/*CDK4* 遺伝子増幅を反映した MDM2 や CDK4 蛋白の発現などである．免疫染色は診断の病理診断の補助に有用であるが，特定の抗体がある種の腫瘍に特異的に陽性になるわけではない．

6. キメラ遺伝子

軟部腫瘍には，分子遺伝学的には特異的な染色体転座とそれに対応するキメラ遺伝子（融合遺伝子）を有する転座関連腫瘍が多く存在する．キメラ遺伝子は腫瘍特異的なものが多く，臨床的に非定型的な部位に発生した例や小円形細胞腫瘍など組織形態学的に鑑別が困難な例では，その検出が診断にきわめて有用である．FISH 法によって遺伝子の転座を証明する方法と RT-PCR に sequencing 法を組み合わせて直接キメラ遺伝子の塩基配列を同定する方法とがよく用いられている．近年では，*NTRK* 遺伝子再構成紡錘形細胞腫瘍や *CIC* 遺伝子再構成肉腫など，キメラ遺伝子の名称そのものを冠する腫瘍も新規に疾患概念が確立されている．その一方で，まったく異なる軟部腫瘍の間で同じキメラ遺伝子を有するものや，癌腫やリンパ腫と同じキメラ遺伝子を有する軟部腫瘍も存在するので注意が必要である．

表4に，代表的なキメラ遺伝子を有する腫瘍をまとめた．

表4　骨軟部腫瘍における代表的なキメラ遺伝子

組織型	キメラ遺伝子
滑膜肉腫	*SS18-SSX1*，*SSX2*
Ewing 肉腫	*EWSR1-FLI1*，*EWSR1-ERG*，*EWSR1-ETV1*，*EWSR1-E1AF*
胞巣型横紋筋肉腫	*PAX3-FOXO1*，*PAX7-FOXO1*
粘液型脂肪肉腫	*TLS/FUS-DDIT3*，*EWSR1-DDIT3*
明細胞肉腫	*EWSR1-ATF1*
骨外性粘液型軟骨肉腫	*EWSR1-NR4A3*，*TAF15-NR4A3*
線維形成性小円形細胞腫瘍	*EWSR1-WT1*
隆起性皮膚線維肉腫	*COL1A1-PFGFB*
乳幼児型線維肉腫	*ETV6-NTRK3*
胞巣状軟部肉腫	*ASPSCR1-TFE3*
炎症性筋線維芽細胞性腫瘍	*TPM3/4-ALK*，*CLTC-ALK*
低悪性度線維粘液肉腫	*FUS-CREB3L2*，*FUS-CREB3L1*
孤立性線維性腫瘍	*NAB2-STAT6*
混合腫瘍	*EWSR1-PBX1*
高リン尿性間葉系腫瘍	*FN1-FGFR1*
腱鞘滑膜巨細胞腫（びまん型を含む）	*COL6A3-CSF1*
結節性筋膜炎	*MYH9-USP6*
間葉性軟骨肉腫	*HEY1-NCOA2*
類上皮血管内皮腫	*WWTR1-CAMTA1*，*YAP1-TFE3*
CIC 遺伝子再構成肉腫	*CIC-DUX4*
BCOR 遺伝子異常肉腫	*BCOR-CCNB3*

脂肪腫および血管脂肪腫 | Lipoma and Angiolipoma

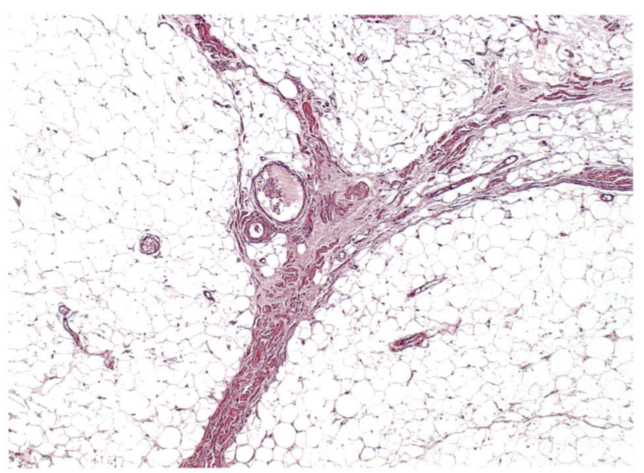

図 1　脂肪腫．成熟脂肪細胞が線維性隔壁で区切られた分葉状増殖を示す．弱拡大

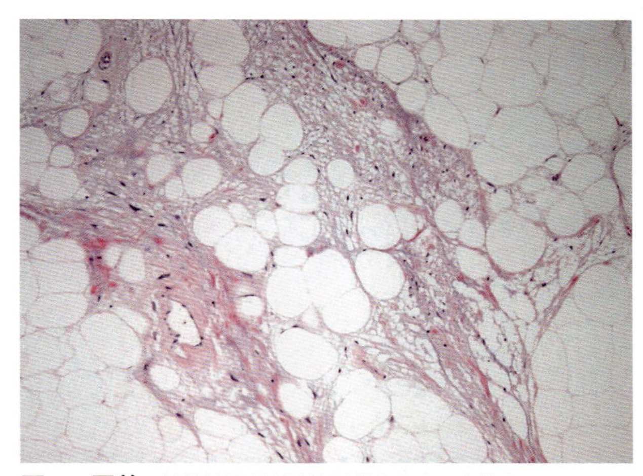

図 2　同前．線維性間質が粘液腫状を示す．中拡大

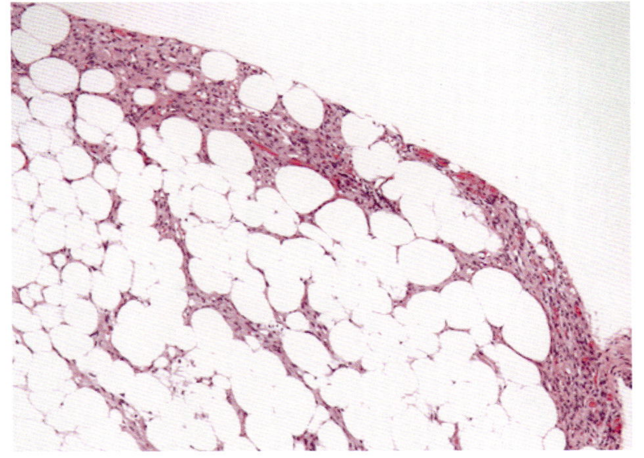

図 3　血管脂肪腫．辺縁に多数の小血管と紡錘形細胞の増殖を認める．弱拡大

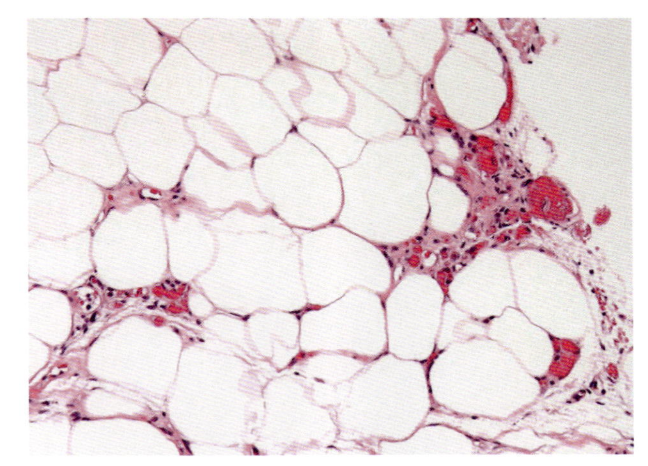

図 4　同前．血管腔内のフィブリン血栓．強拡大

脂肪腫

皮下組織や深部軟部組織に好発し，深部発生のものは高分化型脂肪肉腫との鑑別が臨床上問題となる．組織学的には成熟した脂肪細胞の分葉状増殖よりなり（**図 1**），脂肪空胞の大小不同は認めない．変性した脂肪腫では間質が粘液腫状になることがある（**図 2**）．筋肉内に発生したもは筋肉内脂肪腫 intramuscular lipoma とよばれる．

血管脂肪腫

若年女性の四肢の皮下に好発し，しばしば多発する．自発痛や圧痛を伴うことも多い．脂肪腫同様に成熟した脂肪細胞よりなり，壁の薄い毛細血管に相当する小血管および紡錘形細胞を伴っており，血管は腫瘍辺縁でより多く認められる（**図 3**）．血管腔内にはしばしばフィブリン血栓を認める（**図 4**）．

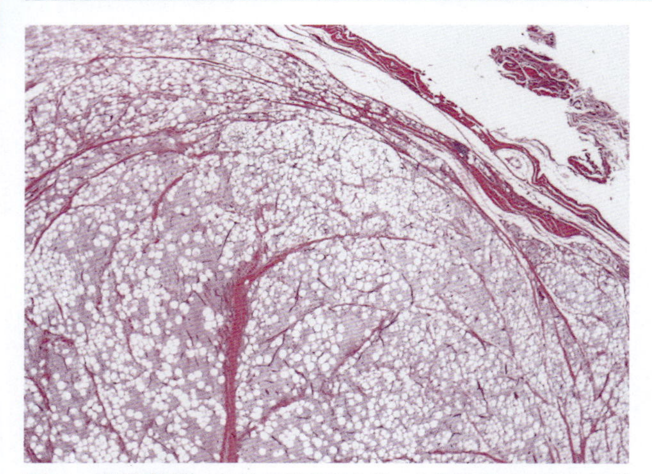

図 5　脂肪芽腫．粘液腫状間質を伴った脂肪細胞の分葉状増殖．弱拡大

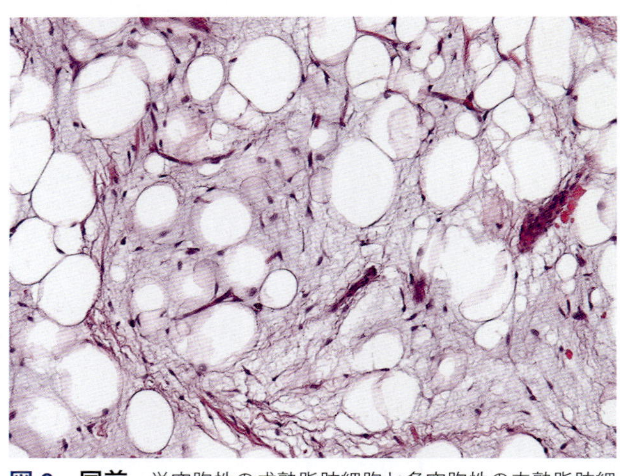

図 6　同前．単空胞性の成熟脂肪細胞と多空胞性の未熟脂肪細胞．中拡大

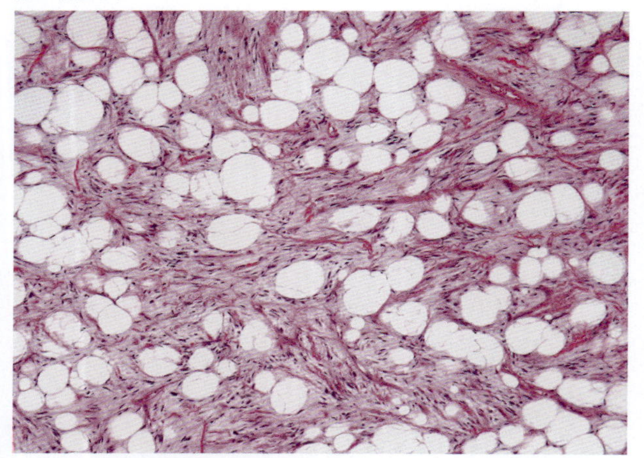

図 7　紡錘形細胞/多形性脂肪腫．異型のない脂肪細胞と紡錘形細胞および厚い膠原繊維の束を認める．中拡大

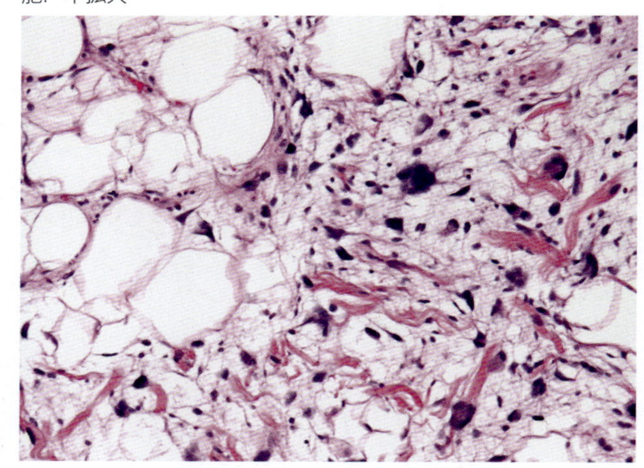

図 8　同前．多形性を示す細胞および花冠状の核を有する多核巨細胞を認める．中拡大

脂肪芽細胞腫

3 歳以下の乳幼児の体幹や四肢に好発する．表在性に発生したものは周囲組織との境界が明瞭で脂肪腫に類似する．深部軟部組織に発生するものは周囲組織に浸潤する傾向が強い．比較的高頻度に局所再発を認めるが，遠隔転移することはない．線維結合組織で分画された成熟脂肪細胞の分葉状増殖よりなり粘液腫状成分を伴う（**図 5**）．粘液腫状の部分は繊細なスリット状の小血管と未分化な星芒状細胞もしくは紡錘形細胞よりなり，さまざまな段階に分化した脂肪芽細胞もしくは成熟脂肪細胞を交える（**図 6**）．粘液腫状の部分は後述する粘液/円形細胞型脂肪肉腫との鑑別が問題となることがある．

紡錘形細胞/多形性脂肪腫

中高年男性の後頸部や肩甲部の皮下に好発する．成熟した脂肪細胞とともに異型のない紡錘形細胞の増殖を認め，背景にロープ状 rope-like と表現される厚い膠原線維の束を伴う（**図 7**）．間質は粘液腫状であることもある．肥満細胞の出現を伴っていることが多い．脂肪細胞と紡錘形細胞の割合はさまざまで，脂肪細胞がほとんど認められないような例もある．核が腫大した円形細胞や花冠状 floret-like の核を有する多核巨細胞を伴うこともある（**図 8**）．以前，多核巨細胞が目立つ腫瘍は多形性脂肪腫，紡錘形細胞が目立つ例は紡錘形細胞脂肪腫と区別されていたが，実際は両者には重複する像が認められるため，両者を合わせて紡錘形細胞/多形性脂肪腫とよばれる．免疫染色で紡錘形細胞および多核巨細胞は CD34 に陽性となる．

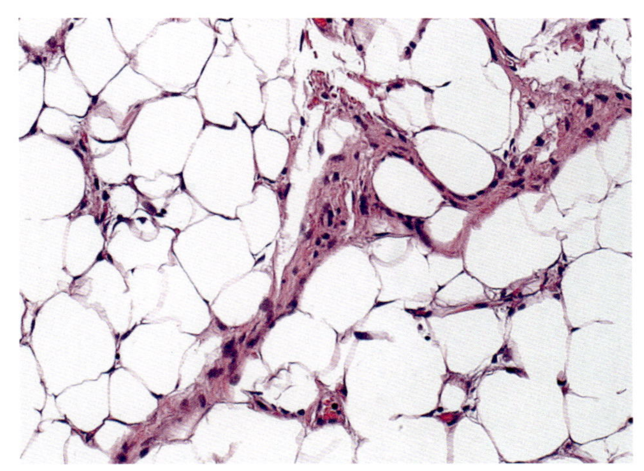

図 9　高分化型脂肪肉腫．線維性隔壁内のクロマチン濃染性の腫大した核を有する異型細胞．中拡大

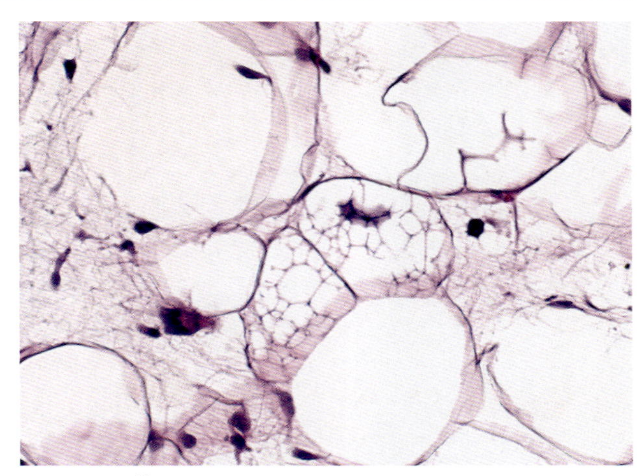

図 10　同前．多空胞性の異型脂肪芽細胞．強拡大

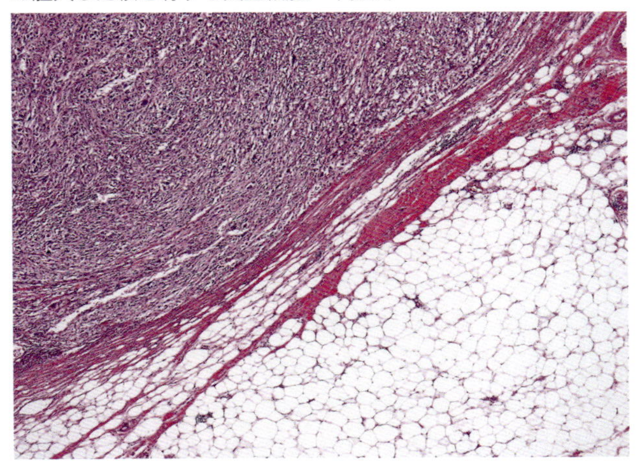

図 11　脱分化型脂肪肉腫．高分化型脂肪肉腫成分（右下）と未分化多形肉腫成分（左上）が明瞭な境界を有する．弱拡大

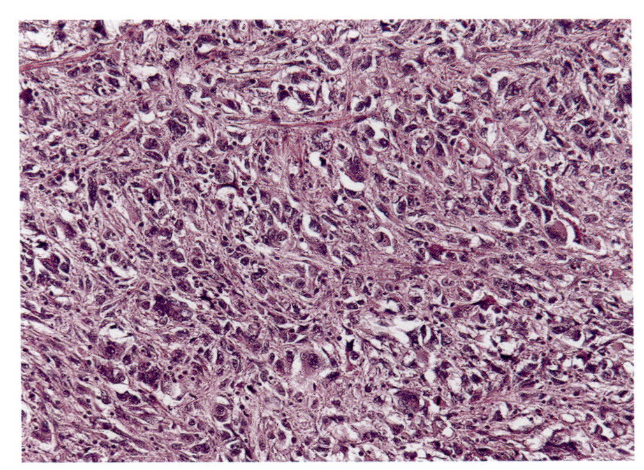

図 12　同前．多形性に富んだ高悪性度の未分化多形肉腫成分．中拡大

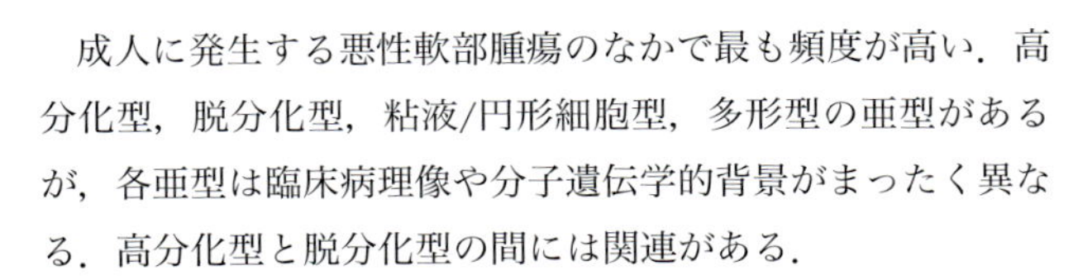

成人に発生する悪性軟部腫瘍のなかで最も頻度が高い．高分化型，脱分化型，粘液/円形細胞型，多形型の亜型があるが，各亜型は臨床病理像や分子遺伝学的背景がまったく異なる．高分化型と脱分化型の間には関連がある．

異型脂肪腫様腫瘍/高分化型脂肪肉腫 atypical lipomatous tumor/well differentiated liposarcoma

中高年の四肢深部軟部組織，後腹膜，腹腔内に好発する．脂肪腫とは異なり四肢の皮下に発生することはまれである．四肢発生例では局所再発の可能性はあるものの生命予後は良好であるので異型脂肪腫様腫瘍と呼ばれ良悪性中間（局所破壊性増殖）に分類されている．一方で後腹膜や腹腔内発生例では局所再発により重要臓器の障害により腫瘍死することがあり悪性に分類されており高分化型脂肪肉腫とよばれる．腫瘍は主に大小不同の単空胞脂肪細胞よりなり，脂肪細胞は異型核を有する．線維性隔壁内に核の腫大した異型細胞を散在性に認める（**図 9**）．多空胞性の異型核を有する脂肪細胞を認めることもある（**図 10**）．単なる多空胞性の脂肪細胞は炎症などでも出現し，診断根拠とならない．

脱分化型脂肪肉腫 dedifferentiated liposarcoma

中高年の後腹膜や精索に好発し，四肢発生は少ない．90%は de novo に発生するが，10%は高分化型脂肪肉腫の再発時に発生する．腫瘍は高分化型脂肪肉腫成分および非脂肪性肉腫成分よりなる．典型例では高分化型脂肪肉腫成分に接して境界明瞭に，後述する高悪性度の未分化多形肉腫成分を認める（**図 11，12**）．非脂肪性肉腫成分が高分化型脂肪肉腫成分と複雑に入り混じることもある．非脂肪肉腫成分が平滑筋肉腫や横紋筋肉腫などの特定の分化を示すこともあり，低悪性度の未分化肉腫成分であることもある．高分化型脂肪肉腫および脱分化型脂肪肉腫の両者ともに，免疫染色では腫瘍細胞の核内に MDM2 と CDK4 の発現を認め，分子遺伝学的には *MDM2*，*CDK4* 遺伝子増幅も観察される．

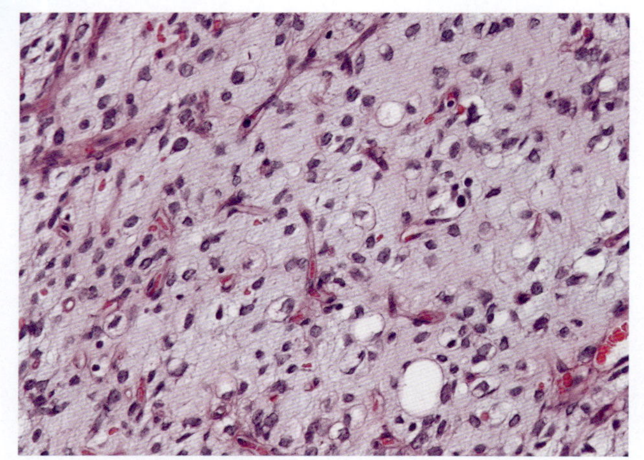

図 13　粘液/円形細胞型脂肪肉腫．豊富な粘液基質の中に卵円形もしくは短紡錘形腫瘍細胞を認め，脂肪芽細胞とスリット状血管を伴う．中拡大

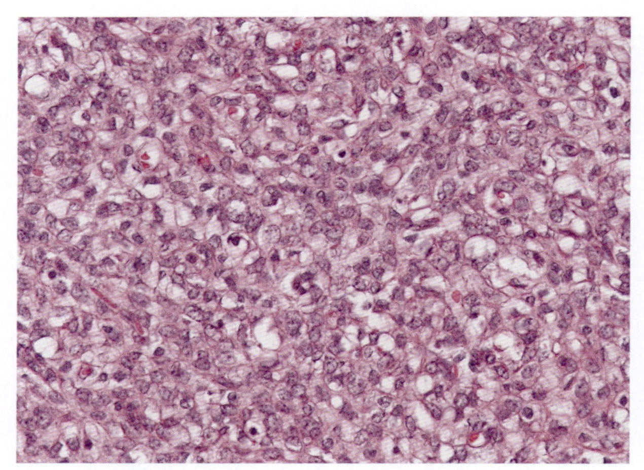

図 14　同前．未分化円形細胞が密にシート状に増殖し少数の脂肪芽細胞を交える円形細胞成分．中拡大

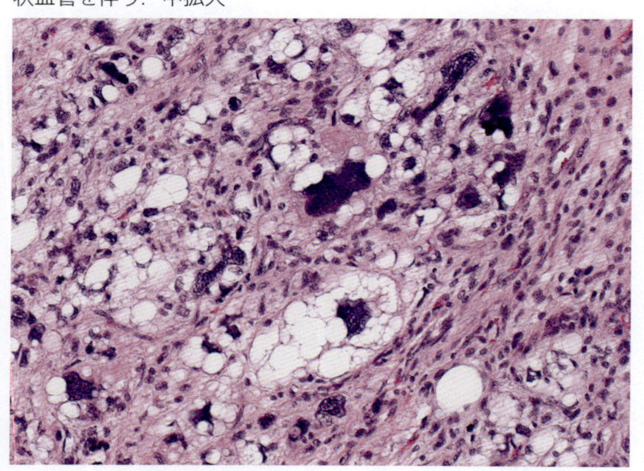

図 15　多形型脂肪肉腫．多形性腫瘍細胞と巨大な多空胞性脂肪芽細胞を認める．中拡大

粘液/円形細胞型脂肪肉腫 myxoid/round cell liposarcoma

以前は粘液型脂肪肉腫と円形細胞型脂肪肉腫は別の腫瘍として分類されていたが，両者は組織像が重複し，共通のキメラ遺伝子を有することから同一の腫瘍として取り扱われる．若年成人四肢の深部軟部組織に好発し，腹腔内や後腹膜に発生するのはきわめてまれである．豊富な粘液腫状の基質を背景に非脂肪性の軽度異型を有する円形から卵円形細胞の増殖を認め，単空胞性もしくは多空胞性の脂肪芽細胞を散在性に伴う（**図 13**）．背景に特徴的な壁の薄い繊細なスリット状の血管も伴う．核異型の強い円形細胞が密にシート状に増殖する像を伴うこともあり，円形細胞成分とよばれる（**図 14**）．円形細胞成分の占める割合が高い腫瘍は予後不良である．分子遺伝学的に *TLS/FUS-DDIT3*，*EWSR1-DDIT3* キメラ遺伝子を有する．

多形型脂肪肉腫 pleomorphic liposarcoma

脂肪肉腫のなかではまれな亜型であり，高齢者の四肢に好発する．高悪性度の未分化な大小不同が著しい多形性腫瘍細胞の増殖を背景に多空胞性の細胞質と奇怪な核を有する巨大な脂肪芽細胞（クモの巣細胞ともよばれる）を散在性に，もしくは集簇して認める（**図 15**）．

【鑑別診断】 異型脂肪腫様腫瘍/高分化型脂肪肉腫では脂肪壊死，後述のシリコン肉芽腫があげられるが，両者ともに異型脂肪芽細胞や線維性組織内の異型細胞は認められない．脱分化型脂肪肉腫では，未分化多形肉腫をはじめとした多形性腫瘍細胞が出現する肉腫の正常脂肪組織への浸潤があげられるが，これらの腫瘍細胞にはMDM2の発現はみられない．粘液/円形細胞型脂肪肉腫では粘液線維肉腫と骨外性粘液型軟骨肉腫があげられる．粘液線維肉腫は腫瘍細胞に多形性が認められ，血管網は繊細でなく，脂肪芽細胞より大型の空胞を有する偽脂肪芽細胞が観察される．骨外性粘液型軟骨肉腫では好酸性細胞質を有する小型卵円形細胞が小胞巣状あるいは索状に配列し，粘液基質は粘液/円形細胞型脂肪肉腫のそれに比較して HE 染色でより濃染性である．

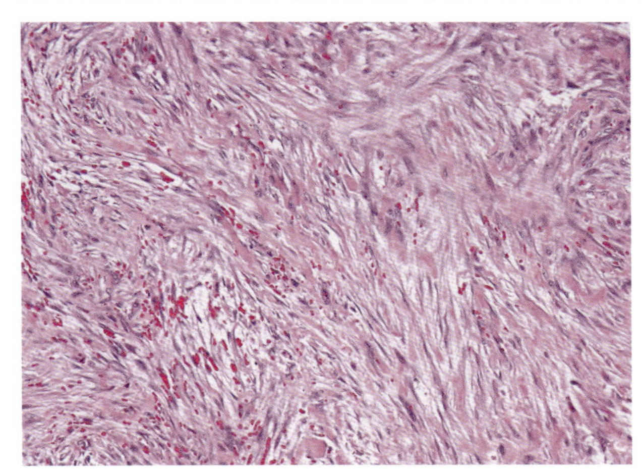

図 16　結節性筋膜炎．紡錘形細胞の束状増殖と間質の出血．中拡大

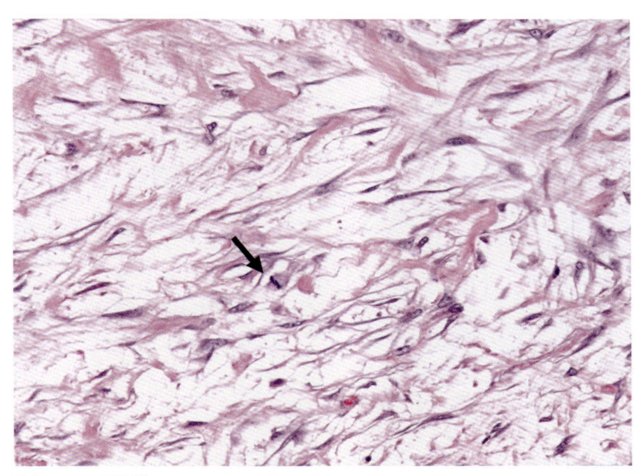

図 17　同前．粘液の中に細長い羽毛状筋線維芽細胞を認める feathery pattern．中央に核分裂像を認める（矢印）．強拡大

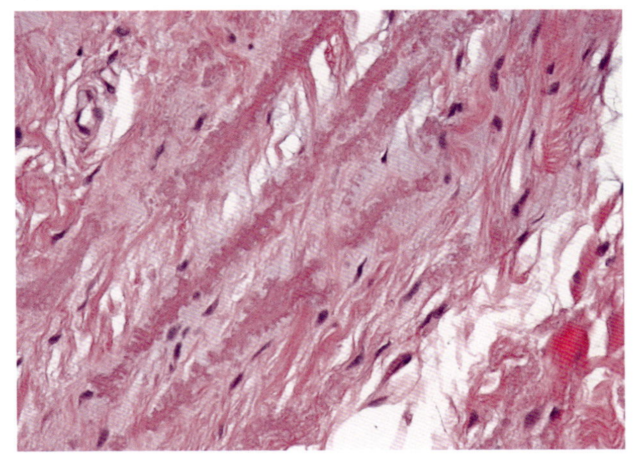

図 18　弾性線維腫．糸に通したビーズが連なったような変性した膠原線維の束．中拡大

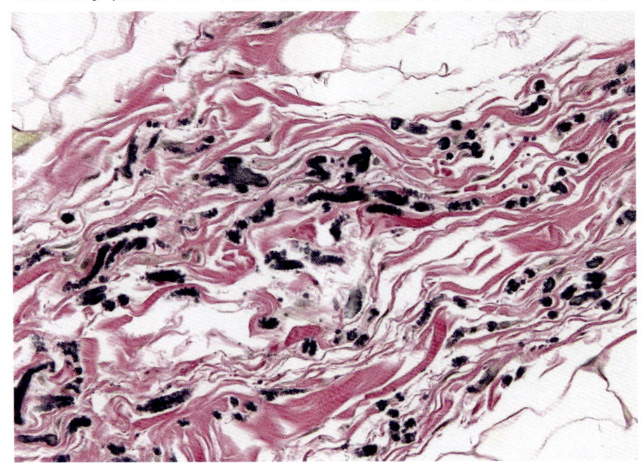

図 19　同前．EVG 染色により変性した膠原線維束が明瞭になる．中拡大

結節性筋膜炎

若年者の四肢，頭頸部，体幹部の皮下から表在性筋膜に好発する．急速に増大する腫瘤を形成し，その後自然消退することもある．均一な大きさの紡錘形細胞が束状に増殖し，細胞密度はさまざまである（**図 16**）．出血や慢性炎症細胞浸潤を伴い，出血部に破骨型多核巨細胞が出現することもある．背景の基質は粘液腫状であることが多く，粘液の中に細長い羽毛状の細胞が疎に増殖する像は feathery pattern とよばれる（**図 17**）．経過が長いものでは膠原線維の増生を伴い，ケロイド状を示すこともある．核分裂像はしばしば多数認められ，悪性腫瘍と誤診されることもあるが，異常核分裂像はみられない．分子遺伝学的に *MYH9-USP6* キメラ遺伝子が検出される．

弾性線維腫

高齢者の肩甲骨と胸郭の間の軟部組織に好発する．腫瘤は膠原線維を豊富に含んだ線維性組織よりなり，成熟脂肪組織を種々の程度に交える．間質の粘液腫変性もしばしば認める．特徴的なのは変性した膠原線維の束であり，断片化した球状の膠原線維の塊が直線的に連なり，糸に通したビーズが連なったような形態を呈する（**図 18，19**）．

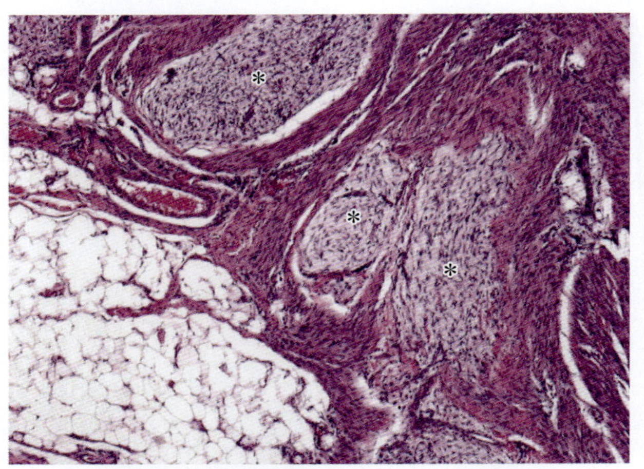

図 20　乳幼児線維性過誤腫．線維性組織，脂肪組織，未熟な間葉系組織（＊）より構成される．中拡大

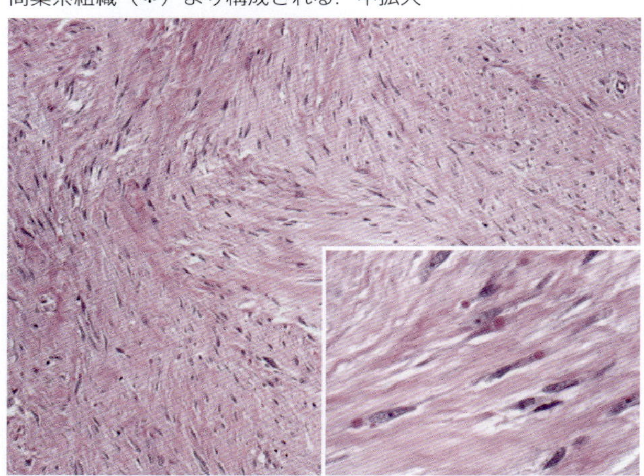

図 21　封入体線維腫症．豊富な膠原線維を伴った纖維芽細胞様細胞の錯綜性配列．中拡大．挿入図は特徴的な細胞質内好酸性封入体

乳幼児線維性過誤腫

乳幼児の腋窩，鼠径部，上腕，体幹などの真皮から皮下にかけて無痛性の腫瘤を形成する．線維性組織，脂肪組織，未熟な間葉系組織の 3 成分から構成されるのが基本的な組織像であり，類臓器構造 organoid pattern ともよばれる（**図 20**）．線維性組織は膠原線維を伴った紡錘形細胞が束状配列を示し，脂肪組織は成熟した脂肪細胞よりなる．未熟間葉系組織は好塩基性粘液基質を背景に未熟な紡錘形，卵円形あるいは星芒状の細胞がシート状あるいは束状に配列する．核分裂像や細胞異型は認められない．脂肪線維腫症や乳幼児線維肉腫が鑑別診断にあげられるが，本疾患に特徴的な類臓器構造は認められない．

封入体性線維腫症

乳幼児の指趾背側にドーム状の隆起性腫瘤として認められ，乳幼児指趾線維腫症 infantile digital fibromatosis ともよばれる．しばしば多発するが，指と趾に同時に発生することはない．自然消退することもある．豊富な膠原線維を伴った線維芽細胞様細胞が錯綜しながら増殖する（**図 21**）．線維芽細胞様細胞の細胞質内に好酸性封入体を認めるのが本疾患の特徴である（**図 21 挿入図**）．封入体は Masson-Trichrome 染色で赤色に，PTAH 染色では紫色に染色される．免疫染色では封入体はアクチンに陽性となり，電子顕微鏡による観察ではアクチンフィラメントの集合体として観察される．鑑別診断としては皮膚線維性組織球腫（皮膚線維腫）や瘢痕などがあげられるが，本疾患は指趾に発生し特徴的な好酸性封入体を細胞質内に認める．

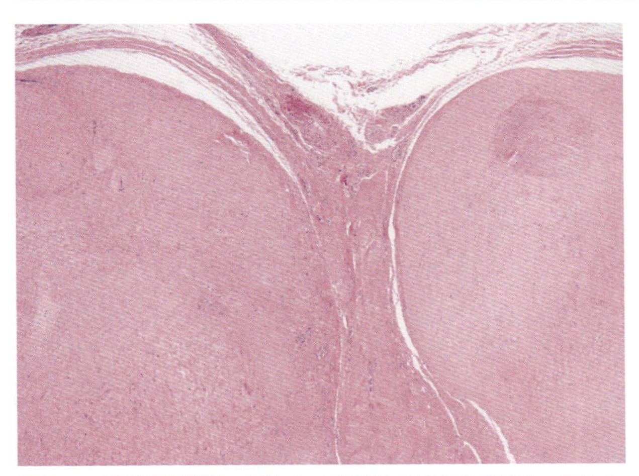

図 22　腱鞘線維腫. 弱拡大で分葉状の腫瘤を認める．弱拡大

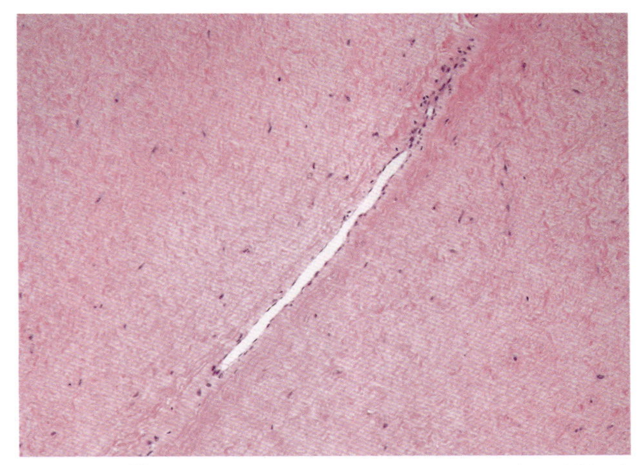

図 23　同前. スリット状の壁の薄い血管と周囲の疎な腫瘍細胞と豊富な膠原線維．中拡大

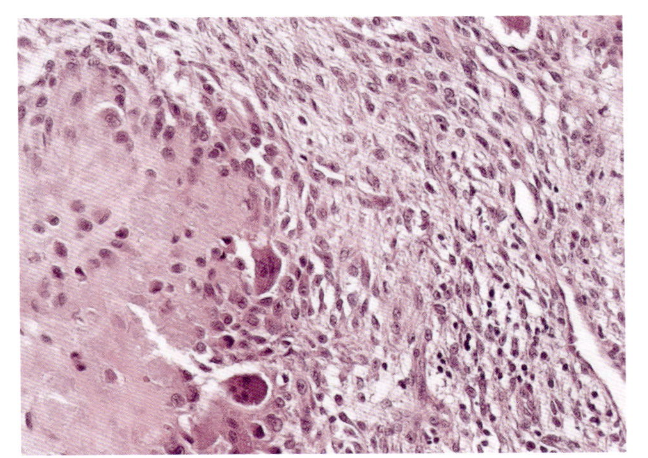

図 24　石灰化腱膜線維腫. 紡錘形線維芽細胞様細胞の増殖（右）と類円形細胞の増殖よりなる石灰化成分（左）．破骨型多核巨細胞も認める．中拡大

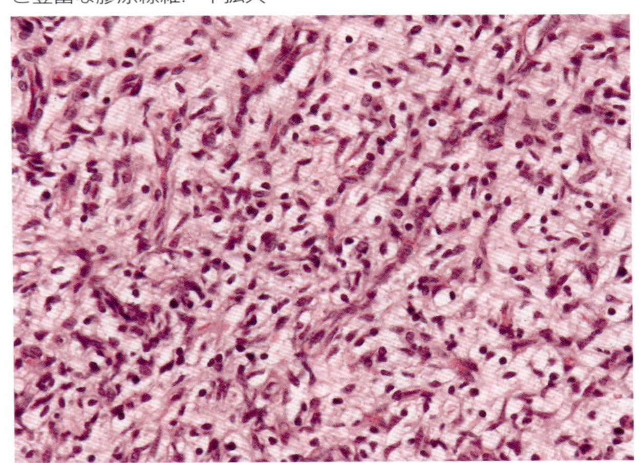

図 25　（軟部）血管線維腫. 豊富なスリット状小血管を伴った均一な卵円形細胞の無秩序な配列．中拡大

腱鞘線維腫

成人手指の腱鞘に好発し，しばしば膝，肘などの大きな関節にも発生する．境界明瞭な固い小腫瘤を形成する．細胞成分が疎で豊富な膠原線維を伴った分葉状の腫瘤よりなり（**図 22**），スリット状の壁の薄い血管や組織間隙を伴う（**図 23**）.

石灰化腱膜線維腫

小児から思春期にかけての手掌，足底の腱や腱膜に接した軟部組織に好発する．細胞密度がやや高い線維芽細胞様紡錘形細胞が周囲組織に浸潤性に増殖し，通常は石灰化を伴う（**図 24**）．石灰化を伴った部分の細胞は類円形や上皮様で，軟骨化生をこの部分に認めることも多い．破骨型多核巨細胞を伴うことも多い．組織学的に浸潤性発育パターンを示し，切除後の局所再発率も高いが，良性腫瘍である．手掌/足底線維腫症（次頁参照）が鑑別にあげられるが，石灰化と破骨型多核巨細胞が本腫瘍の特徴である．

血管線維腫

近年提唱された疾患概念で，中高年女性の下肢を中心とする四肢に好発する良性腫瘍である．組織学的に周囲組織との境界明瞭で，異型に乏しい紡錘形細胞が粘液状から膠原線維性の間質を伴いながら増殖し，壁の薄い分岐したスリット状の血管ネットワークが顕著に認められる（**図 25**）．腫瘍細胞は免疫染色で EMA および CD34 が陽性で，高率に *AHRR-NCOA2* キメラ遺伝子が検出される．

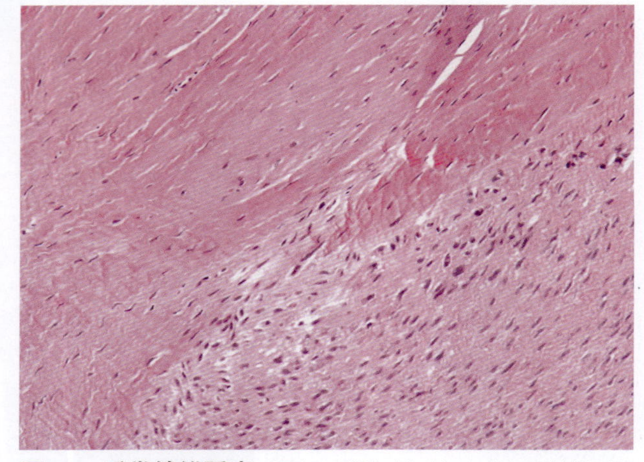

図 26　手掌線維腫症．既存の腱膜（左上）に接して紡錘形細胞の増殖を認める（右下）．中拡大

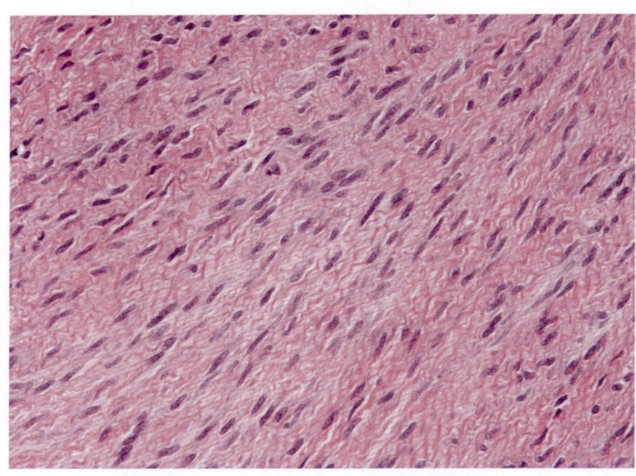

図 27　同前．紡錘形細胞の束状配列と細胞間の豊富な膠原線維．強拡大

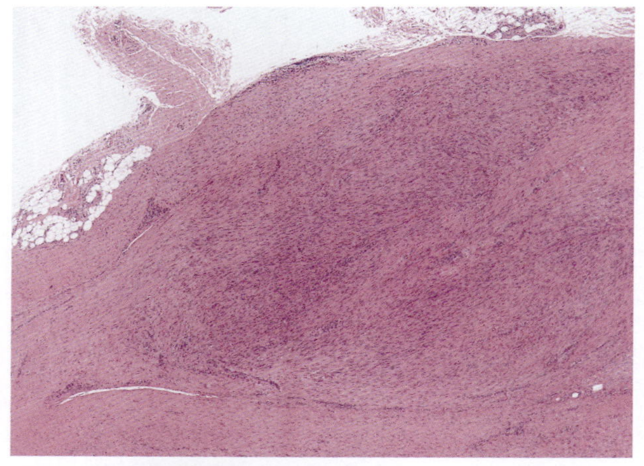

図 28　足底線維腫症．既存の腱膜（下方）に接して結節性腫瘤を形成する．弱拡大

手掌線維腫症は中高年の手の掌側，尺側に多く，第 4，5 指の屈曲拘縮をきたすこともあり，デュピュイトラン Dupuytern 拘縮ともよばれる．糖尿病患者やアルコール多飲者に多い．足底線維腫症は足底腱膜に発生し中高年に最も多いが，小児や若年者にも認める．切除後に高頻度に再発をきたす．腫瘤が急速に増大する増殖期には異型のない紡錘形細胞が膠原線維を交えながら束状に配列し，既存の腱膜に浸潤性に発育する（**図 26，27**）．時間の経った病変では細胞密度は疎になり，膠原線維が硝子化する．足底線維腫症は同様の組織像を呈するが，手掌線維腫症に比較して多結節性に発育することが多く（**図 28**），破骨型多核巨細胞を交えることがある．

デスモイド型線維腫症 | Desmoid-type fibromatosis

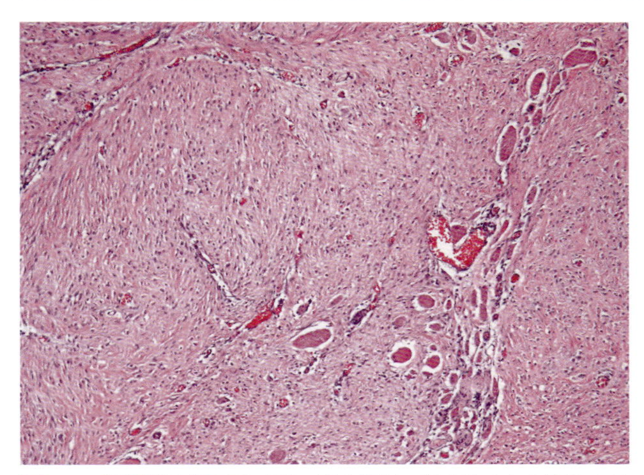

図29　腹壁外デスモイド．腫瘤辺縁の巻き込まれた既存の骨格筋．弱拡大

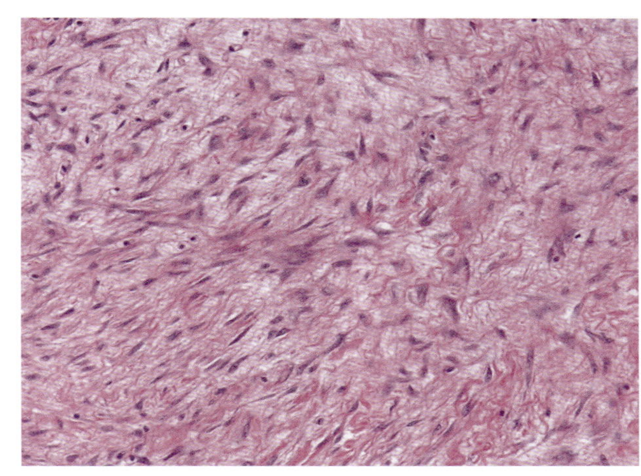

図30　同前．異型のない紡錘型あるいは星芒状細胞の増殖と介在する豊富な膠原線維．中拡大

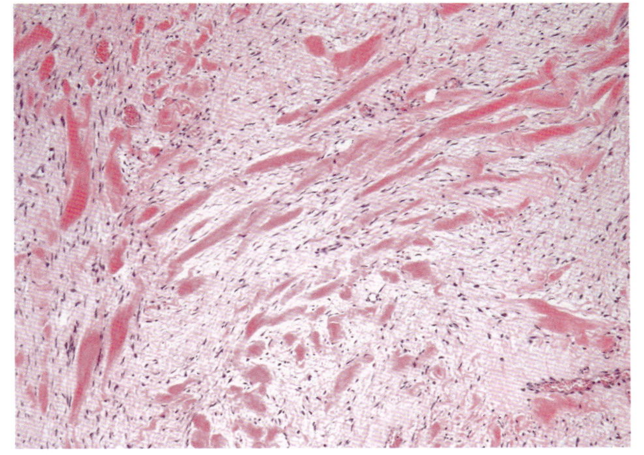

図31　腹腔内デスモイド．ケロイド状の膠原線維の硝子化．弱拡大

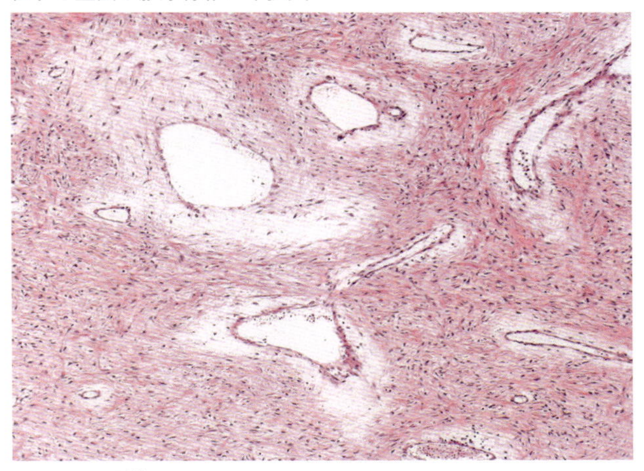

図32　同前．拡張した血管と血管周囲の硝子化．弱拡大

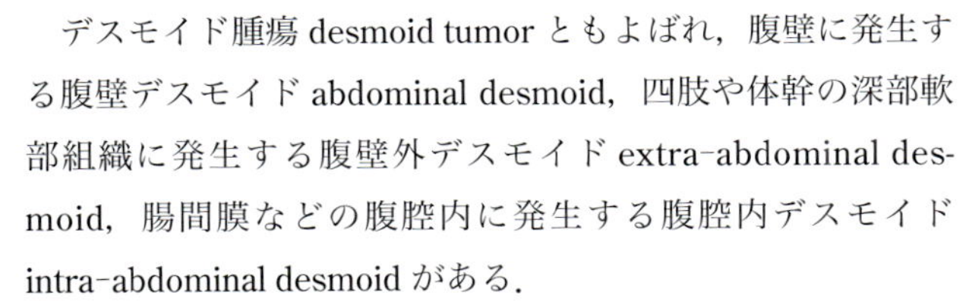

デスモイド腫瘍 desmoid tumor ともよばれ，腹壁に発生する腹壁デスモイド abdominal desmoid，四肢や体幹の深部軟部組織に発生する腹壁外デスモイド extra-abdominal desmoid，腸間膜などの腹腔内に発生する腹腔内デスモイド intra-abdominal desmoid がある．

腹壁外デスモイドや腹壁デスモイドは若年女性に好発し，妊娠によって腫瘤が増大し，腹腔内デスモイドはガードナー Gardner 症候群に合併するなど，臨床的に特徴がある．外科的切除を行っても高頻度に局所再発を繰り返すが，転移をきたすことはない．浸潤性発育を示し，四肢や腹壁に発生したものでは辺縁に巻き込まれた骨格筋線維を認める（**図29**）．腫瘍は異型のない紡錘形あるいは星芒状細胞の増殖よりなり，豊富な膠原線維および湾曲したスリット状の血管を伴う（**図30**）．間質が粘液腫状になることもあり，膠原線維が硝子化を示すこともある．腹腔内デスモイドではしばしばケロイド状の膠原線維の硝子化を認め（**図31**），血管の拡張や血管周囲の硝子化を伴うこともある（**図32**）．免疫染色で腫瘍細胞は β-catenin が核内に陽性となる．腹腔内病変では分子遺伝学的に β-*catenin* exon 3 の遺伝子変異が高頻度に検出される．

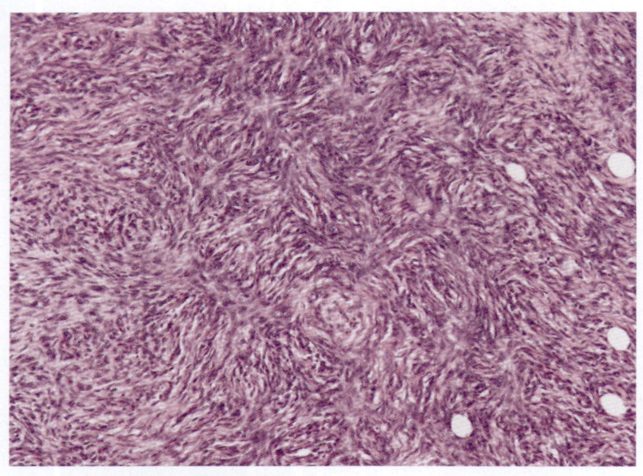

図 33　隆起性皮膚線維肉腫．紡錘形細胞の密な花むしろ状配列．中拡大

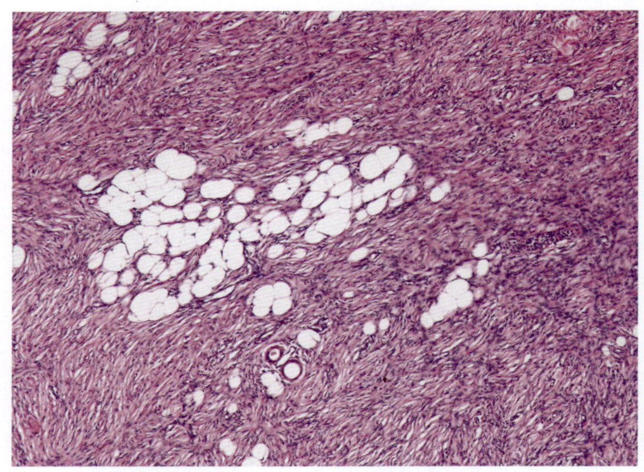

図 34　同前．腫瘍細胞による皮下脂肪と汗腺の取り込み．弱拡大

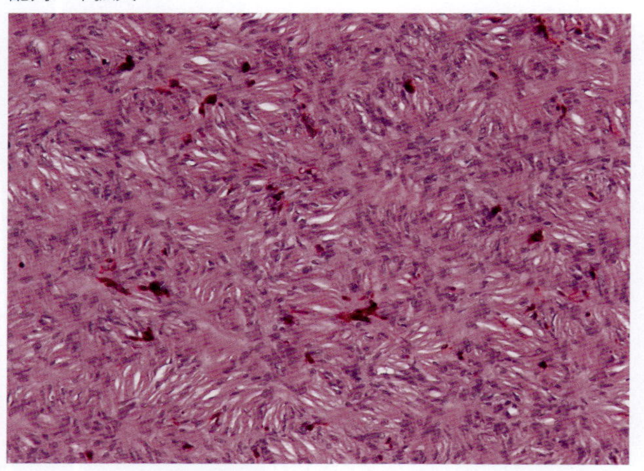

図 35　ベドナー腫瘍．メラニン顆粒を有する樹状細胞の混在．中拡大

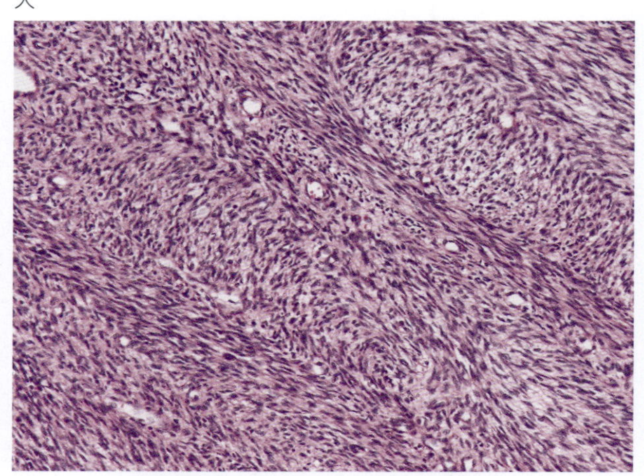

図 36　隆起性皮膚線維肉腫に合併した線維肉腫．紡錘形細胞の密な長い束状配列．中拡大

10〜40 歳代の体幹の真皮から皮下に好発し，隆起性の皮膚腫瘤を形成する．局所再発は高頻度に認めるが転移はまれである．紡錘形腫瘍細胞が真皮から皮下にかけて密に花むしろ状 storiform pattern に配列し，脂腺や汗腺といった皮膚付属器を巻き込みながら増殖し，周囲皮下脂肪組織にも浸潤する（**図 33, 34**）．取り込まれた脂肪組織がハチの巣様に見えることがある．腫瘍細胞にメラニン顆粒を有する樹状細胞が混在するものは色素性隆起性皮膚線維肉腫 pigmented DFSP あるいはベドナー Bednar 腫瘍とよばれる（**図 35**）．10〜20％の DFSP には高悪性度の線維肉腫成分を伴うことがあり，そのような症例では遠隔転移をきたしやすくなる．線維肉腫成分では紡錘形細胞が長く伸びた束状配列を示し，さらにニシンの骨模様 herringbone pattern を伴うこともある（**図 36**）．細胞異型や核分裂像が DFSP 成分に比較して増加する．免疫染色では DFSP の腫瘍細胞は CD34 に陽性となり，分子遺伝学的に *COL1A1-PDGFB* キメラ遺伝子を有する．

【鑑別診断】 良性線維性組織球腫，腫瘍細胞の花むしろ状配列が顕著な未分化多形肉腫が鑑別診断にあげられる．良性線維性組織球腫は細胞密度がより低く，周囲に浸潤性発育を示すことは少ない．腫瘍細胞は CD34 に陰性であり Factor XIIIa 陽性細胞を多数認める．未分化多形肉腫では腫瘍細胞に大小不同を認め（多形性），隆起性皮膚線維肉腫では腫瘍細胞は均一である．

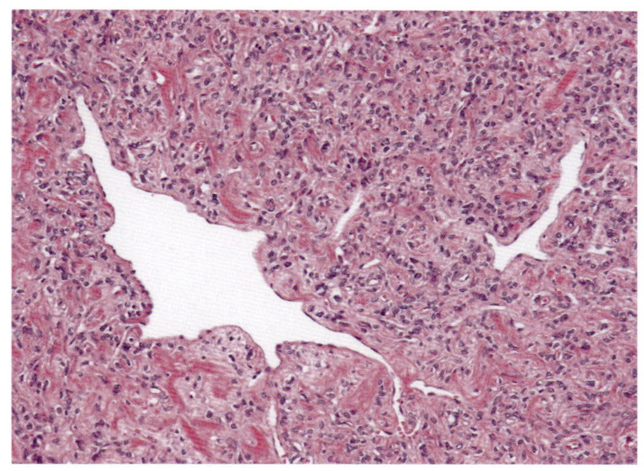

図37　孤立性線維性腫瘍. 鹿の角様に分岐拡張した血管と卵円形細胞の無秩序な配列と介在する膠原線維．中拡大

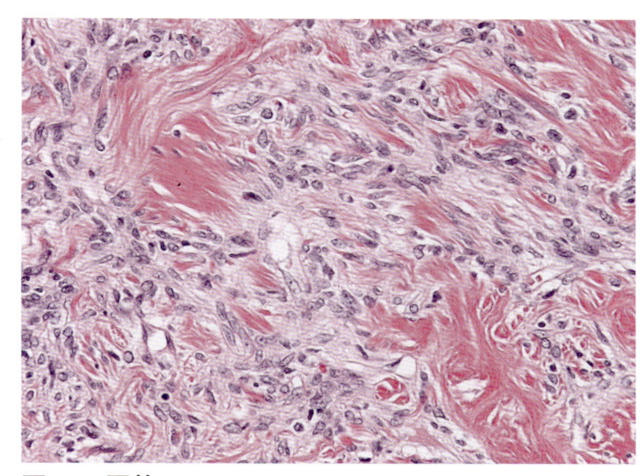

図38　同前. 膠原線維による amianthoid fiber. 中拡大

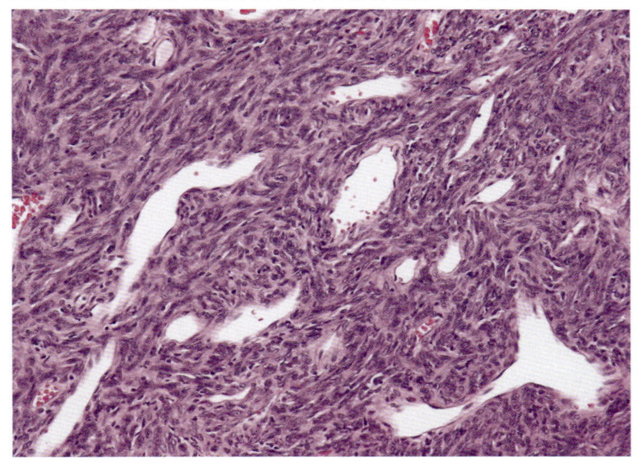

図39　同前. 血管周皮腫とよばれていた細胞密度の高い富細胞型．中拡大

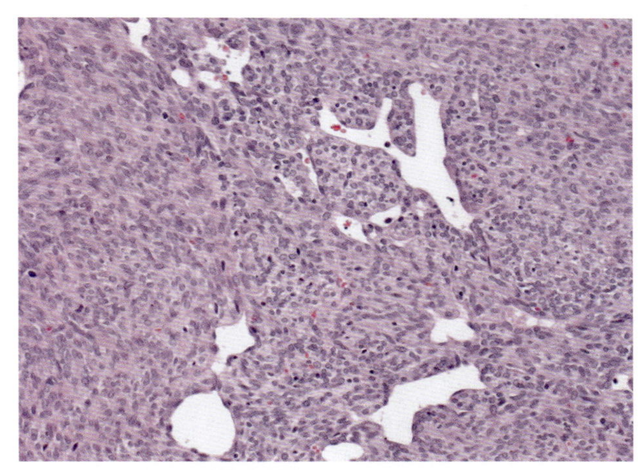

図40　単相型線維性滑膜肉腫. 血管周皮様血管が目立つ例．紡錘形腫瘍細胞は孤立性線維性腫瘍に比較してより丸みを帯びている．中拡大

成人の胸膜に好発し，腹腔内，骨盤腔にも認められ，四肢や眼窩部にも発生する．四肢では皮下に発生することが多い．鹿の角様に分岐拡張した血管周皮腫様血管が目立ち，卵円形腫瘍細胞が膠原線維を交えながら一定の配列傾向をとらないため patternless pattern とよばれる（**図37**）．膠原線維が明るい好酸性の星芒状構造を呈する amianthoid fiber も認める（**図38**）．豊富な硝子化した膠原線維が目立つことや，背景の基質が粘液腫状を呈することもある．細胞成分が密なものは過去に血管周皮腫 hemangiopericytoma（**図39**），脂肪組織が混在するものは脂肪腫様血管周皮腫 lipomatous hemangiopericytoma，巨細胞が出現するものは巨細胞性血管線維芽細胞腫 giant cell angiofibroblastoma とよばれていたが，すべて孤立性線維性腫瘍のバリアントとされている．免疫染色では腫瘍細胞は CD34 に陽性，STAT6 の核内発現を認め，分子遺伝学的にキメラ遺伝子 *NAB2-STAT6* を有する．

【鑑別診断】 血管周皮腫様血管の目立つ軟部腫瘍全般，なかでも滑膜肉腫と骨外性間葉性軟骨肉腫があげられる．滑膜肉腫の 10〜20％には血管周皮腫様血管を認めるが（**図40**），紡錘形腫瘍細胞はより丸みを帯びており，免疫染色で CD34 および STAT6 が陰性である．骨外性間葉性軟骨肉腫にも豊富な血管周皮腫様血管が観察されるが腫瘍細胞は小円形であり，軟骨成分を腫瘍組織内に認める（後述）．

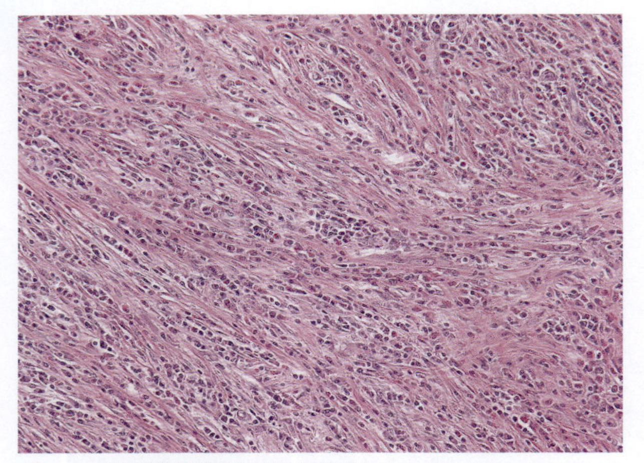

図 41　炎症性筋線維芽細胞性腫瘍．紡錘形細胞の配列と炎症細胞浸潤．弱拡大

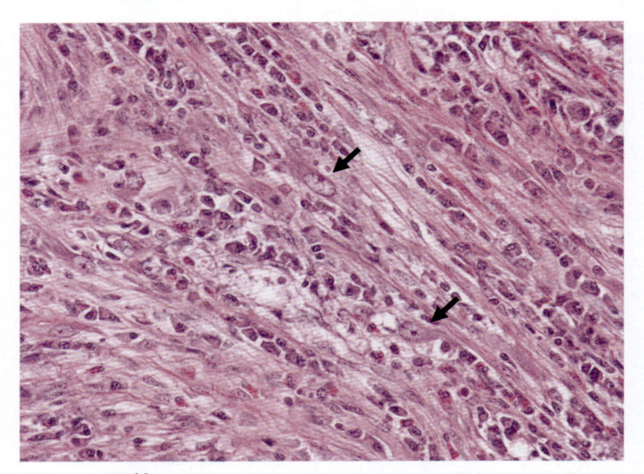

図 42　同前．大型で明瞭な核小体を有する神経節細胞様細胞（矢印）．中拡大

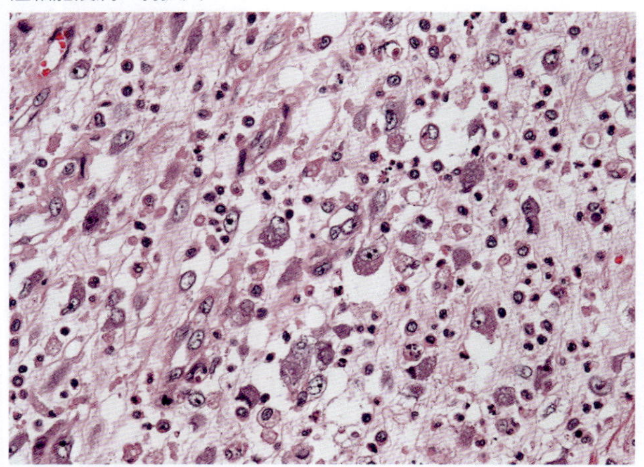

図 43　同前．上皮様細胞と好中球浸潤とからなる類上皮型．中拡大

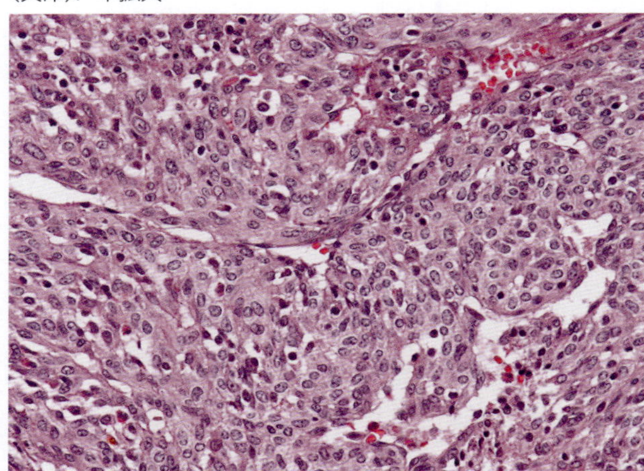

図 44　乳児型線維肉腫．卵円形細胞のシート状増殖と血管周皮腫様血管．中拡大

炎症性筋線維芽細胞性腫瘍

若年成人の腹腔内，腸間膜，後腹膜に好発し，小児の肺にも発生頻度が高い．まれに転移をきたす中間群腫瘍である．紡錘形の線維芽細胞あるいは筋線維芽細胞の束状配列あるいは花むしろ状配列と炎症細胞浸潤よりなる（**図 41**）．明瞭な核小体を有する神経節細胞類似の細胞を認めることもある（**図 42**）．種々の程度に膠原線維を伴い，硝子化した間質や粘液腫状の間質を伴うことがある．炎症細胞はリンパ球，形質細胞および好酸球よりなり，炎症細胞浸潤の程度もさまざまである．類円形の豊富な細胞質を有する上皮様細胞と好中球を交えた炎症細胞浸潤よりなる類上皮型とよばれるバリアントもある（**図 43**）．紡錘形腫瘍細胞の細胞密度が高く異型を有し核分裂像が目立つものは，炎症性線維肉腫 inflammatory fibrosarcoma とよばれることもある．分子遺伝学的に肺腺癌やリンパ腫の一部と同様に *ALK* 遺伝子再構成を有し，半数が免疫染色で ALK 陽性となる．

乳児線維肉腫

乳幼児の四肢，体幹や頭頸部に好発し，まれに転移をきたす中間群腫瘍である．未熟な円形あるいは卵円形細胞がシート状あるいは緩やかな束状に増殖する．血管周皮腫様の拡張した血管および慢性炎症細胞浸潤を伴うことが多い（**図 44**）．しばしば髄外造血巣を認める．分子遺伝学的に *ETV6-NTRK3* キメラ遺伝子が検出される．

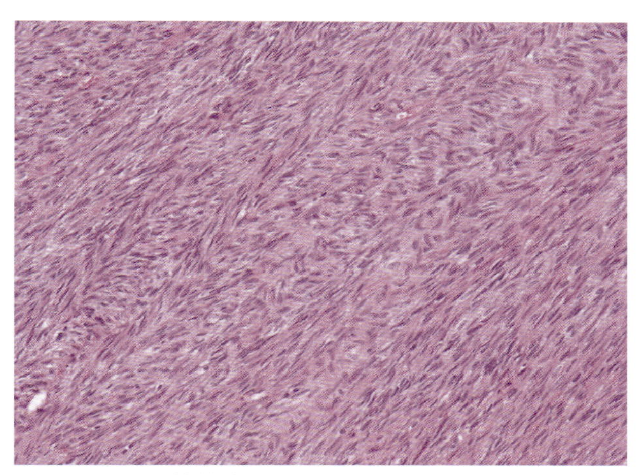

図 45　成人型線維肉腫．紡錘形細胞の密で長い束状配列．弱拡大

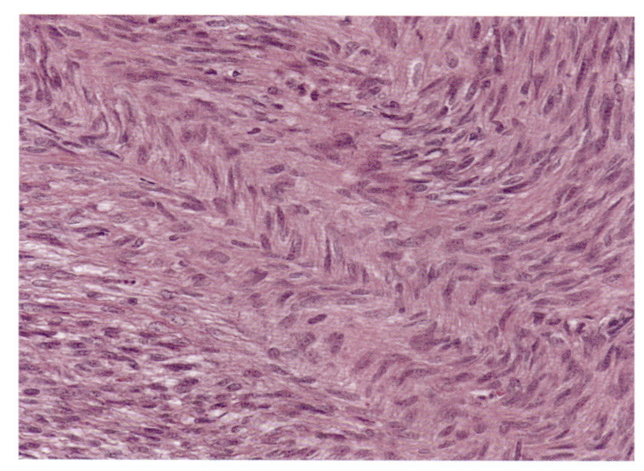

図 46　同前．紡錘形細胞による杉彩模様（herringbone pattern）．強拡大

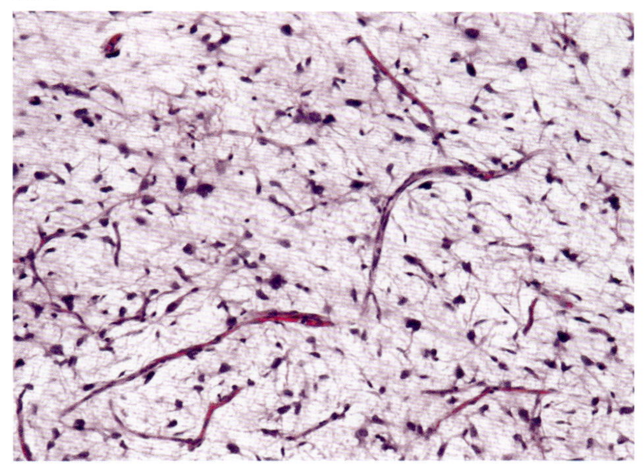

図 47　粘液線維肉腫．豊富な粘液腫状基質を背景に軽度異型短紡錘形あるいは星芒状細胞の増殖と，繊細なスリット状血管網．弱拡大

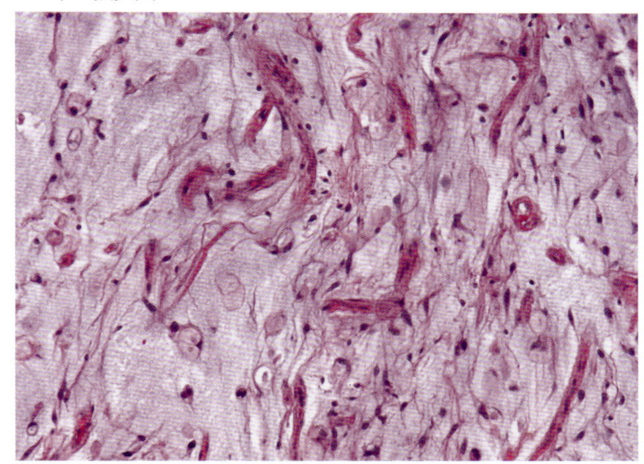

図 48　同前．細胞質内に空胞を有する pseudolipoblast．中拡大

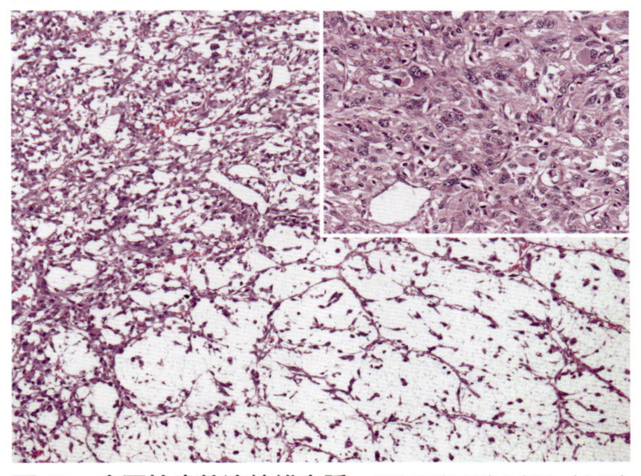

図 49　高悪性度粘液線維肉腫．細胞密度の疎な部分（右下）に接して細胞密度の高い充実性成分（左上）を認め細胞異型が高度である．中拡大．右上挿入図：強拡大

(成人型) 線維肉腫

かつては悪性軟部腫瘍の中で頻度の高い腫瘍とされていたが，悪性末梢神経鞘腫瘍などの他の紡錘形細胞肉腫を除外診断した後にのみ診断されるべき腫瘍である．表在性に発生する腫瘍は既述の隆起性皮膚線維肉腫から発生した線維肉腫であり，純粋な成人型線維肉腫はきわめてまれである．両端の尖った細長い核を有する紡錘形細胞が密に長い束状に配列し（**図 45**），典型例では杉綾模様（ニシンの骨模様）herringbone pattern を呈する（**図 46**）．膠原線維を種々の程度に伴い，間質が硝子化を呈することもある．

粘液線維肉腫

中高年の四肢の真皮や皮下といった表在性に好発する．豊富な粘液基質を背景に軽度の異型および多形性を有する短紡錘形や星芒状細胞が疎に増殖し，壁の薄い繊細な湾曲したスリット状血管網が目立つ（**図 47**）．粘液を貯留した多空胞性細胞質を有する偽脂肪芽細胞 pseudolipoblast もしばしば認められる（**図 48**）．粘液成分の目立つものは低悪性度であることが多く，再発率は高いものの転移は少ない．細胞異型や多形性が高度な腫瘍細胞が充実性増殖を示す高悪性度成分を伴うこともあり（**図 49**），そのような例では転移をきたす頻度が高くなる．

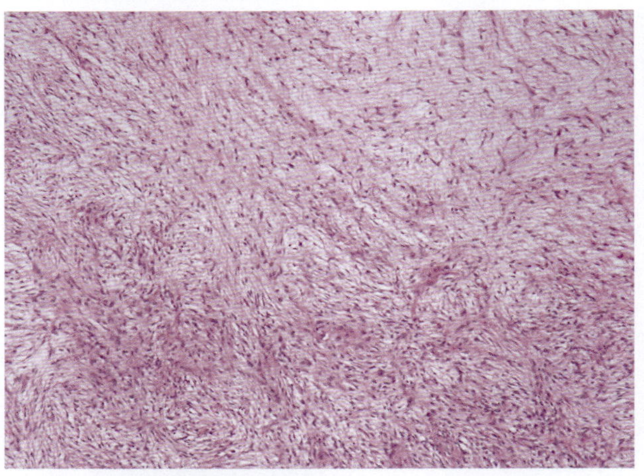

図 50　低悪性線維粘液肉腫．異型の軽度な紡錘形細胞の疎な部位と密な渦巻き状配列．弱拡大

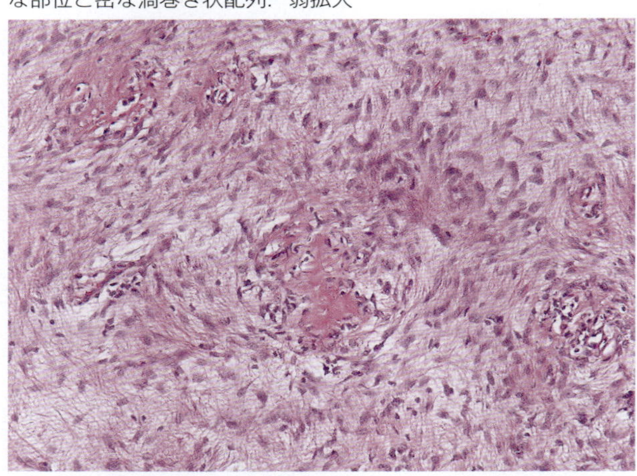

図 51　同前．硝子化した膠原線維の結節を類円形の線維芽細胞が取り囲む giant collagen rosette．中拡大

発見者の名前から Evans tumor ともよばれる．組織学的に一見低悪性度腫瘍のように見えるが，高頻度に転移をきたす奇異な腫瘍である．若年成人の四肢近位部や体幹部の筋膜下深部軟部組織に好発する．細胞成分が疎で膠原線維の豊富な部位と細胞成分に富む粘液腫状の部分が混在し，腫瘍細胞は異型の目立たない紡錘形細胞である．紡錘形腫瘍細胞は束状あるいは渦巻き状に配列する（**図 50**）．間質にはアーケード状の湾曲した小血管を伴う．約 30％の症例で硝子化した膠原線維の結節を類円形の線維芽細胞が取り囲む giant collagen rosette とよばれる構造物を伴う（**図 51**）．硬化性上皮様線維肉腫 sclerosing epithelioid fibrosarcoma とよばれる線維肉腫の一亜型と組織学的移行像を示す例がある．本腫瘍と硬化性上皮様線維肉腫はともに免疫染色で MUC4 が陽性となり，分子遺伝学的に *FUS-CREB3L2/CREB3L1* を有することから同一スペクトラムの腫瘍と考えられている．

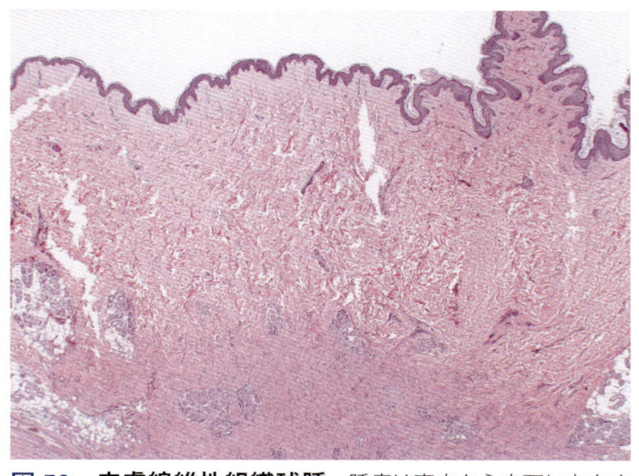

図 52 皮膚線維性組織球腫. 腫瘍は真皮から皮下に存在する．ルーペ

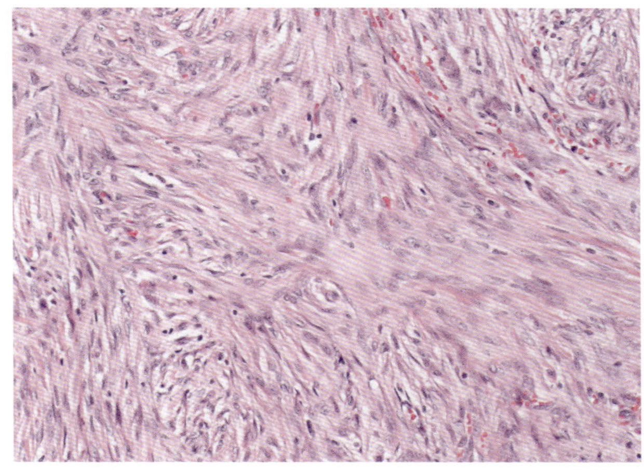

図 53 同前. 異型のない紡錘形細胞の花むしろ状配列．中拡大

真皮から皮下にかけて発生する皮膚線維性組織球腫 cutaneous fibrous histiocytoma もしくは皮膚線維腫 dermatofibroma とよばれるものの頻度が高く，まれに深部軟部組織にも発生する．異形のない紡錘形細胞が膠原繊維を交えながら束状あるいは花むしろ状に配列しながら増殖する（**図 52, 53**）．核分裂像を伴うことはまれである．免疫染色で factor XIIIa 陽性の樹状細胞を多数交える．真皮から皮下にかけて発生したものは隆起性皮膚線維肉腫が鑑別診断となるが，細胞密度が低く皮膚附属器を巻き込みながら増殖するのはまれである．また腫瘍細胞は CD34 に陰性である．深部軟部組織発生例はきわめてまれで，周囲との境界明瞭が明瞭で細胞密度が高く，血管周皮腫様血管を伴うことが多く腫瘍細胞の CD34 陽性率が高い．

血管腫，リンパ管腫およびカポジ肉腫 | Hemangioma, Lymphangioma and Kaposi sarcoma

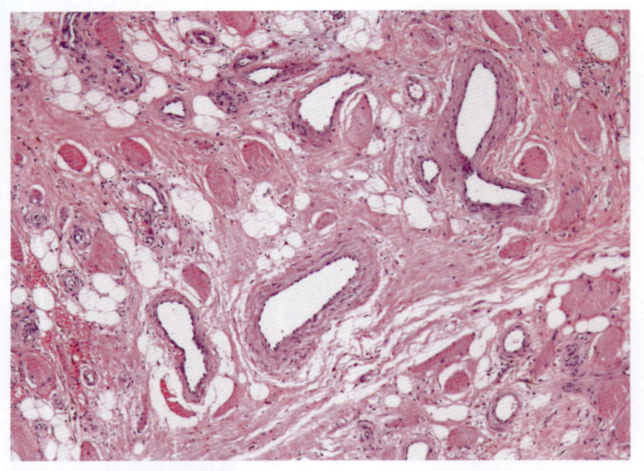

図 54　筋肉内血管腫．さまざまな大きさの血管が筋肉内，線維脂肪組織内に増生する．弱拡大

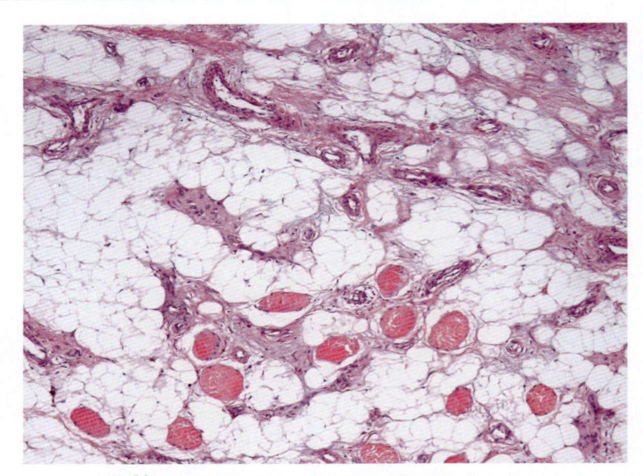

図 55　同前．脂肪組織の増生を認め脂肪腫の像に類似する．弱拡大

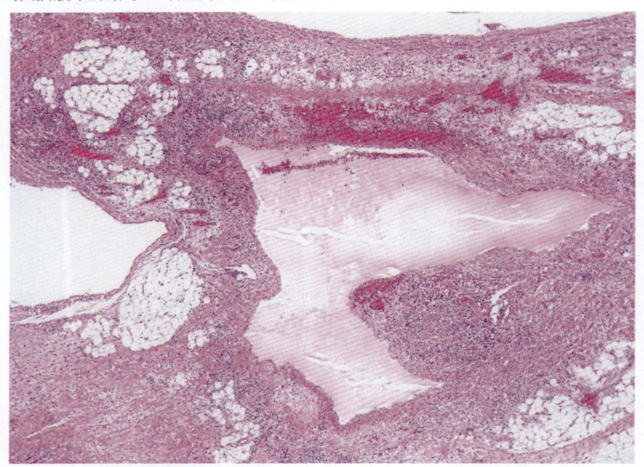

図 56　リンパ管腫．リンパ液を貯留した拡張したリンパ管と周囲のリンパ球浸潤．弱拡大

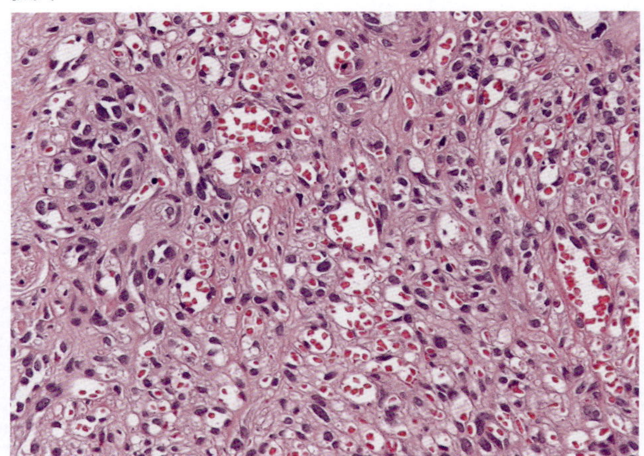

図 57　カポジ肉腫．短紡錘形腫瘍細胞と小血管あるいはスリット状血管．中拡大

血管腫

概説の**表 1** に示したようにその種類が多く，皮膚や皮下に好発するものが多い．

筋肉内血管腫

思春期から若年成人の下肢深部軟部組織に好発する．境界不明瞭で毛細血管のような小型から大型の拡張したさまざまな大きさの血管が筋肉内に線維組織と脂肪組織を伴いながら増生し，腫瘍内には取り込まれた骨格筋が認められる（**図 54**）．しばしば脂肪組織の増生が目立ち（**図 55**），脂肪腫との鑑別が問題となることがある．

リンパ管腫

亜型に嚢胞型 cystic lymphangioma があり，生下時から乳幼児期にかけて認められ，嚢胞型は頸部，腋窩，鼠径部に，通常型は口腔内，上体幹部や腹腔内に好発する．嚢胞型は壁の薄い嚢胞壁を，通常型は嚢胞壁が厚く平滑筋を伴う．両者とも嚢胞壁に扁平化した内皮細胞を認め周囲にリンパ球の集簇を伴う（**図 56**）．嚢胞内腔にはリンパ液，リンパ球，赤血球などが認められる．免疫染色で内皮細胞はリンパ内皮のマーカーである D2-40 に陽性となる．

カポジ肉腫

臨床的には高齢者に特発性に発生するもの，アフリカに発生するもの，医原性に免疫抑制状態の患者に発生するもの，AIDS 患者に発生するものなどがある．皮膚に初発することが多く，進行するとリンパ節や内臓も侵される．病変は基本的に紡錘形腫瘍細胞の密な束状配列とスリット状の血管腔からなり（**図 57**），リンパ管腫様に拡張した血管腔や，慢性炎症細胞浸潤を伴うこともある．免疫染色で血管腔を覆う細胞と紡錘形細胞は内皮のマーカーである CD31，CD34，ERG とともにリンパ内皮のマーカーである D2-40 に陽性となる．紡錘形腫瘍細胞の核に HHV8 が陽性となるのも診断的価値が高い．

偽筋原性（類上皮肉腫様）血管内皮腫および類上皮血管内皮腫 | Pseudomyogenic（epithelioid sarcoma-like） hemangioendothelioma and Epithelioid hemangioendothelioma

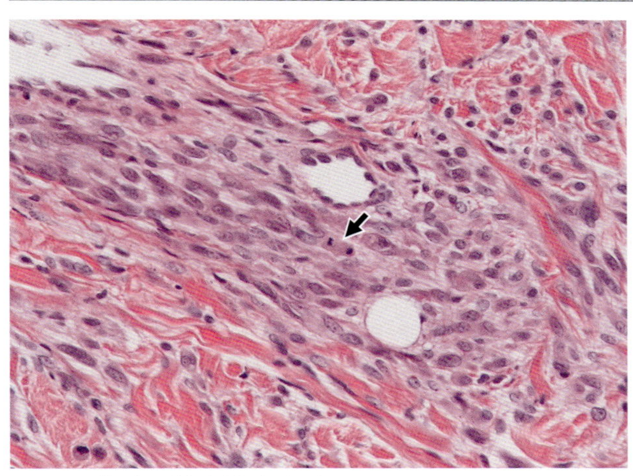

図 58　偽筋原性血管内皮腫．好酸性細胞質を有する紡錘形腫瘍細胞の束状配列と核分裂像（矢印）．強拡大

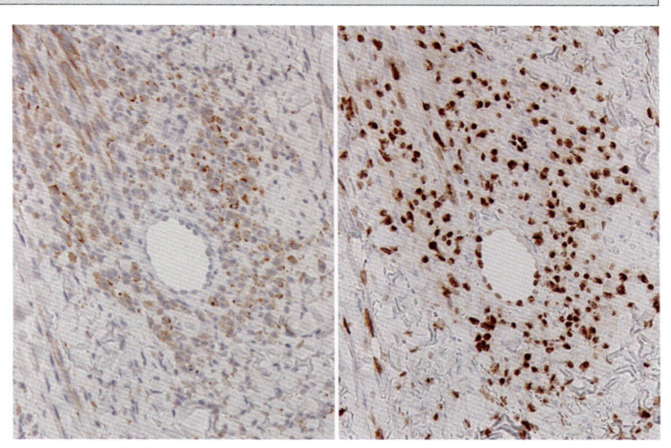

図 59　同前．免疫染色で AE1/AE3（左）と ERG（右）が陽性となる．中央は既存の血管腔．中拡大

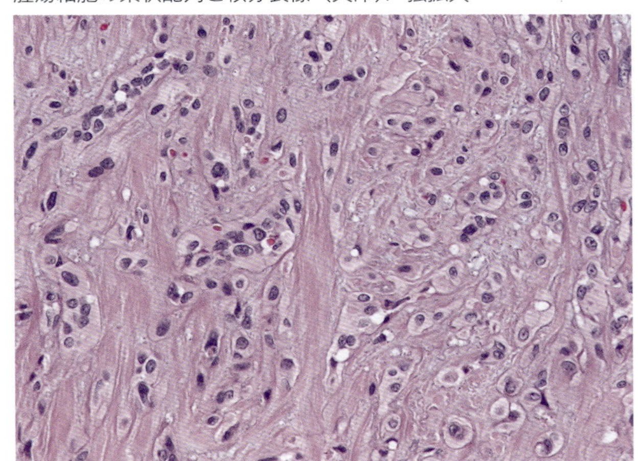

図 60　類上皮血管内皮腫．上皮様の豊富な細胞質を有する内皮細胞が粘液硝子性間質を伴いながら索状に連なる．中拡大

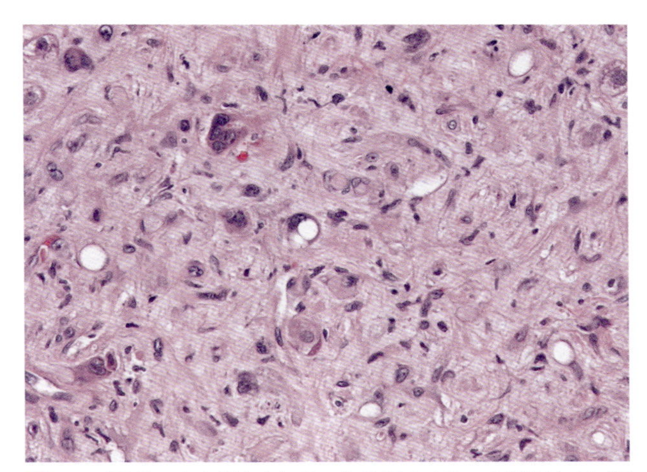

図 61　同前．上皮様内皮細胞の細胞質内空胞．印鑑細胞癌に類似する．強拡大

偽筋原性（類上皮肉腫様）血管内皮腫

若年成人男性の下肢および上肢の真皮や皮下に好発し 2/3 が多発病変を形成する．組織学的には豊富な好酸性細胞質を有する異型の軽度な紡錘形細胞がシート状あるいは束状配列を呈する（**図 58**）．半数の症例で間質の好中球浸潤を伴う．腫瘍細胞は周囲への浸潤性発育を示す．血管内皮腫の名前がついているが，血管腔形成は認めない．免疫染色でサイトケラチン AE1/AE3 が陽性となり，血管内皮マーカーである FLI1 および ERG も陽性となる（**図 59**）．CD31 は 50% しか陽性とならず，CD34 は陰性である．FOSB は核に陽性となり，キメラ遺伝子 *SEPPINE-FOSB* が検出される．局所再発を高頻度に認めるが，遠隔転移はきわめてまれである．

類上皮血管内皮腫

若年成人に多く，四肢の軟部組織以外にも骨，肺や肝臓などの臓器にも発生する．上皮様の豊富な好酸性細胞質を有する内皮細胞が粘液硝子性間質 myxohyaline stroma を伴いながら索状に連なった像を呈する（**図 60**）．細胞質にはしばしば空胞が認められ，その中に赤血球を入れることがあり，印環細胞癌の浸潤像に類似する（**図 61**）．免疫染色で腫瘍細胞は血管内皮マーカーである CD34，CD31，FLI1，ERG が陽性になり，上皮のマーカーである cytokeratin や EMA も陽性となることがある．分子遺伝学的には，*WWTR1-CAMTA1* キメラ遺伝子を有する．*YAP1-TFE3* キメラ遺伝子を有する一群も存在し，これらは充実性増殖パターンを示し，血管腔形成が目立つなど，通常のものとは異なる組織像を呈する．

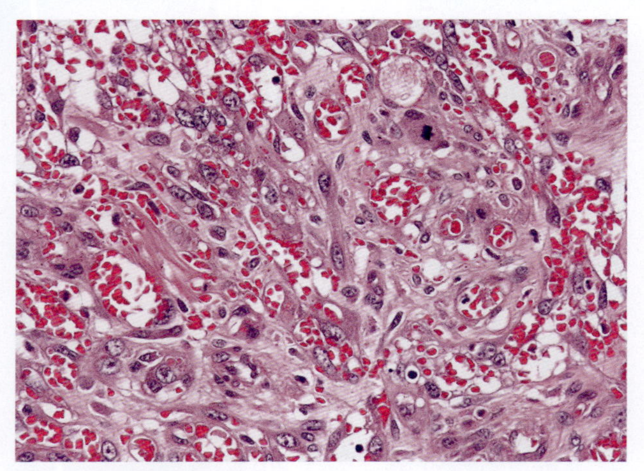

図 62　血管肉腫. 異型内皮細胞が複雑に吻合した血管腔を形成する．中拡大

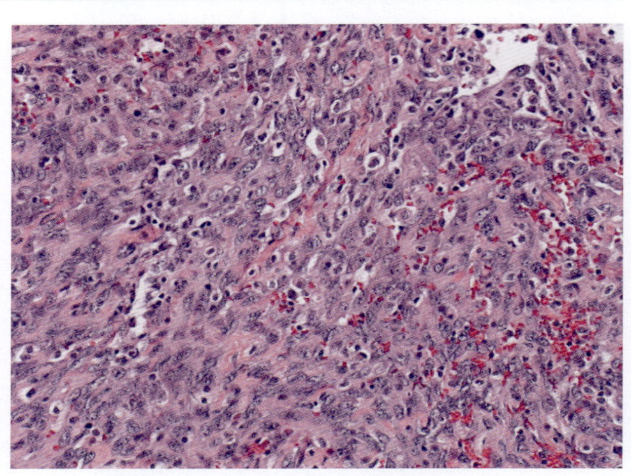

図 63　同前. 短紡錘形腫瘍細胞の充実性増殖．中拡大

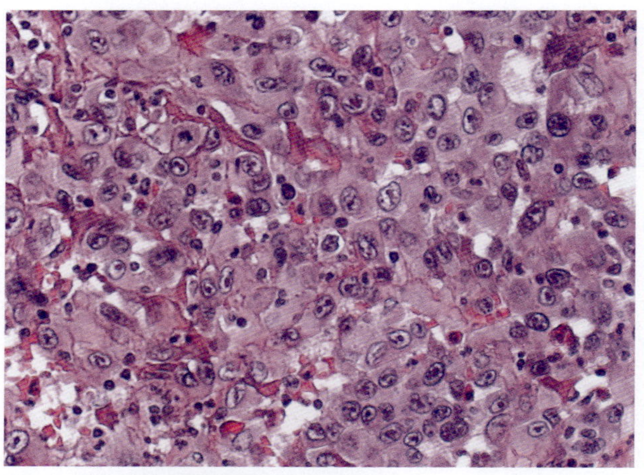

図 64　類上皮血管肉腫. 上皮様細胞が目立ち低分化腺癌に類似する．強拡大

どの年齢層にも発生し，小児発生例はまれである．下肢の深部軟部組織や後腹膜などが好発部位である．腫瘍細胞である異型内皮細胞に裏打ちされたさまざまな径の血管腔を形成し，複雑に血管腔が吻合した像を呈する（**図 62**）．血管腔が目立たずに高悪性度の紡錘形細胞や上皮様細胞が充実性に増殖することもあり（**図 63**），上皮様細胞が目立つものは類上皮血管肉腫 epithelioid angiosarcoma ともよばれ，癌腫との鑑別が問題となる（**図 64**）．免疫染色で腫瘍細胞は CD31, CD34, ERG, FLI1 に陽性となり，類上皮型は上皮のマーカーが陽性となることもある．

グロムス腫瘍 | Glomus tumor

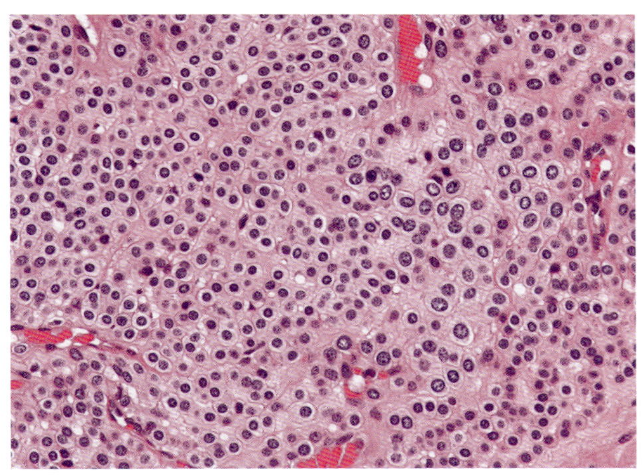

図 65　グロムス腫瘍．明瞭な細胞境界と淡い好酸性細胞質を有する腫瘍細胞のシート状増殖．中拡大

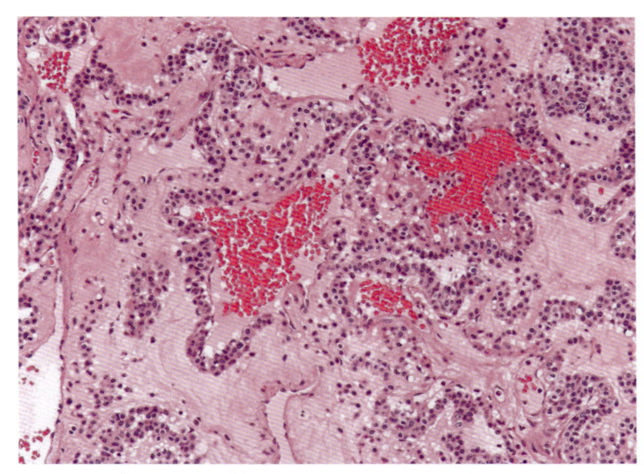

図 66　グロムス血管腫．拡張した血管周囲を腫瘍細胞が取り囲む．弱拡大

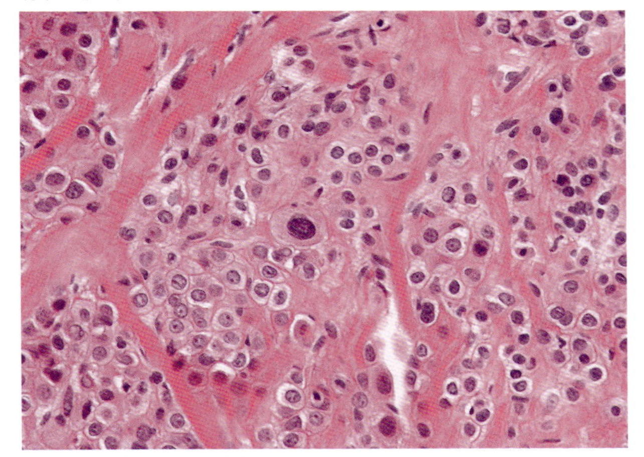

図 67　グロムス腫瘍．核異型を有する symplastic glomus tumor とよばれる例．中央に大型核を有する腫瘍細胞を認める．強拡大

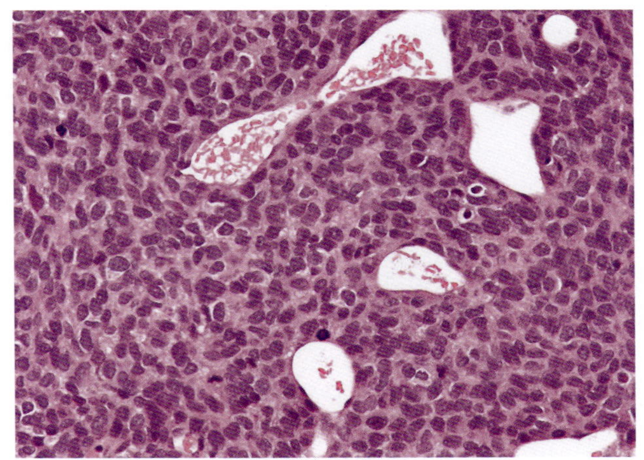

図 68　悪性グロムス腫瘍．細胞密度が高く，腫瘍細胞には核異型が顕著であり核分裂像も目立つ．強拡大

若年成人女性の手指爪下部に好発する．手足などの四肢遠位部にも多く認められ，多発例もある．爪下に発生した例では寒冷時の痛みが特徴である．小型で均一な大きさの円形で淡い好酸性細胞質を有する腫瘍細胞のシート状増殖よりなり，細胞周囲の基底膜によって明瞭な細胞境界を有する（**図 65**）．通常，腫瘍細胞は小血管の周囲で充実性増殖を示す．間質が硝子化を呈するものや粘液腫様のものもある．海綿状血管腫瘍に拡張した血管周囲に少数の腫瘍細胞が取り囲む像を呈するものはグロムス血管腫 glomangioma とよばれる（**図 66**）．核異型のみが認められる腫瘍は symplastic glomus tumor とよばれ，変性による変化と考えられている（**図 67**）．核異型，多数の核分裂像や腫瘍壊死を伴う悪性例もまれに存在する（**図 68**）．免疫染色で腫瘍細胞は smooth muscle actin に陽性となり，Ⅳ型コラーゲンが細胞周囲に膜様に陽性となる．

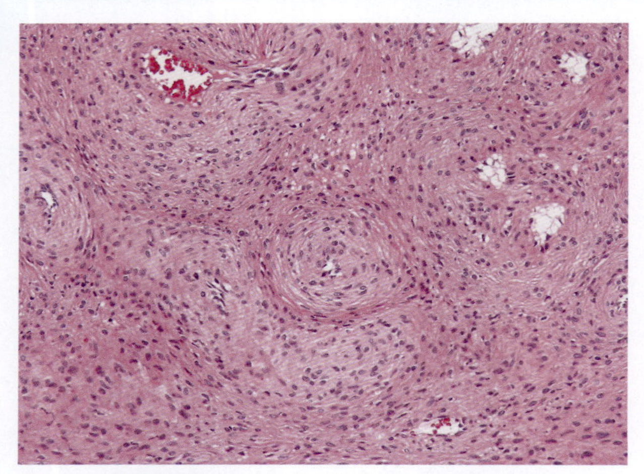

図 69　筋周皮腫．血管周囲の紡錘形細胞の同心円状配列．中拡大

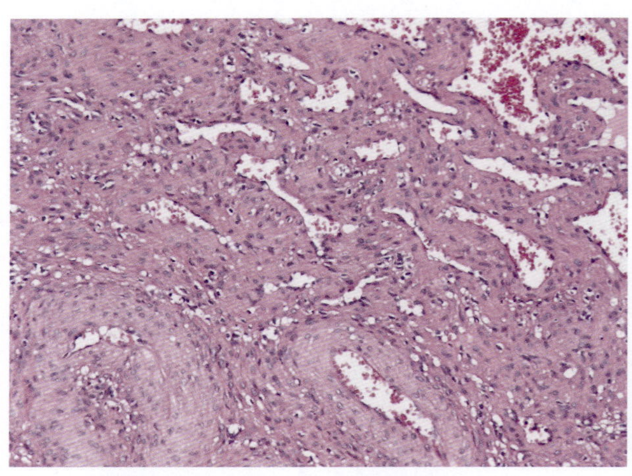

図 70　同前．腫瘍細胞間の血管周皮腫様血管．中拡大

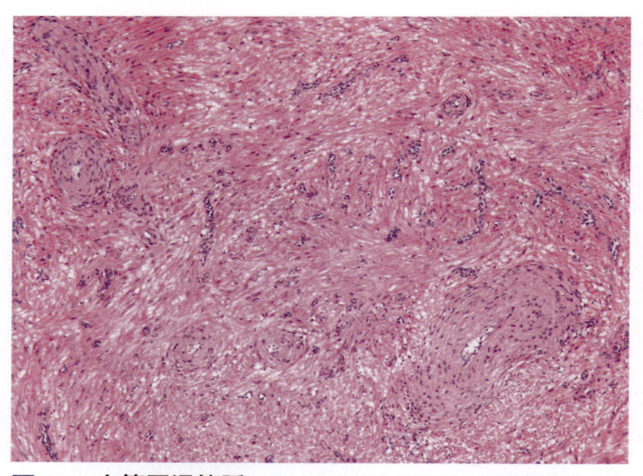

図 71　血管平滑筋腫．スリット様血管周囲の平滑筋細胞の束状増殖．中拡大

筋周皮腫

成人四肢遠位部の真皮や皮下に好発し，多発することもある．周囲との境界明瞭な結節性あるいは分葉状の腫瘤を形成し，異型のない卵円形から紡錘形の好酸性細胞質を有する腫瘍細胞の増殖よりなり，血管周囲に腫瘍細胞が同心円状に渦巻き様に配列するのが特徴である（**図 69**）．腫瘍細胞間に血管周皮腫様の血管も目立つ（**図 70**）．免疫染色で腫瘍細胞はsmooth muscel actinやh-caldesmonが陽性となる．組織学的に多結節性発育パターンを呈し，腫瘍の中心部が未分化な小型紡錘形細胞の密な増殖よりなり，辺縁では血管周皮腫瘍の血管が目立ち，平滑筋や筋線維芽細胞への分化を示すものは筋線維腫 myopericytomaとよばれ，別の腫瘍として取り扱われることもある．小児では全身の内臓や骨に多発することもあり，自然消退例も報告されている．

血管平滑筋腫

中高年女性の下肢，特に下腿の真皮深層から皮下に好発する．寒冷時や圧迫によって痛みが誘発されることが多い．境界明瞭な結節性腫瘤を形成し，スリット様の血管周囲に分化した平滑筋細胞が束状に配列し交錯する像が典型像であり（**図 71**），充実型 solid typeとよばれる．厚い血管壁を有し，その周囲に平滑筋細胞の増殖を伴う静脈型 venous typeや拡張し血液で満たされた血管腔を平滑筋細胞が取り囲む海綿状型 cavernous typeといった亜型もある．

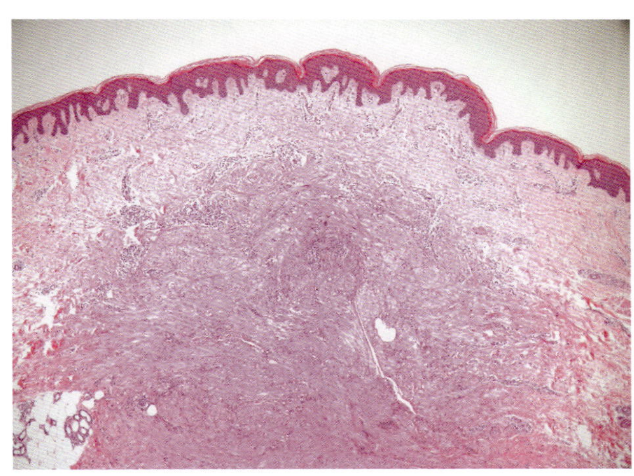

図 72　皮膚平滑筋腫．腫瘍は立毛筋の存在する真皮から皮下にかけて存在する．弱拡大

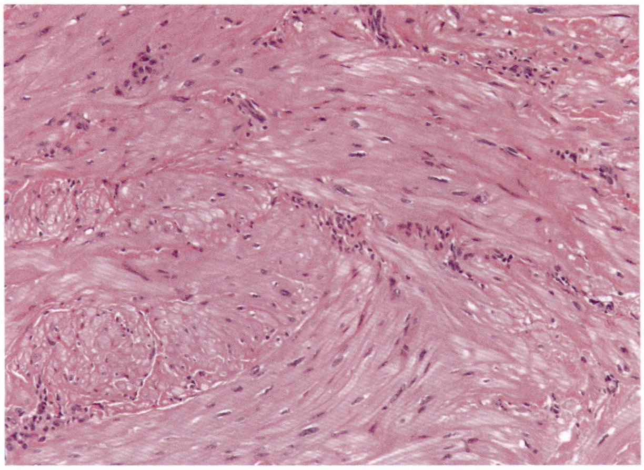

図 73　同前．好酸性の強い細胞質を有する紡錘形細胞が束状に交錯する．中拡大

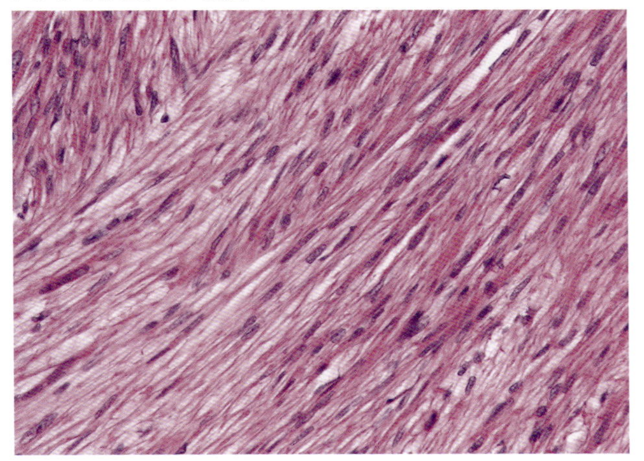

図 74　平滑筋肉腫．両切りタバコ状核，および好酸性細線維状細胞質を有する紡錘形腫瘍細胞の束状配列．中拡大

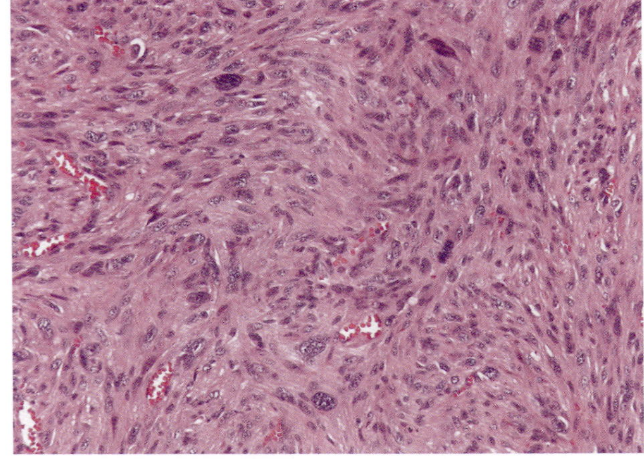

図 75　多形型平滑筋肉腫．通常の平滑筋肉腫の像に加えて多形性腫瘍細胞の出現を伴う．中拡大

平滑筋腫

皮膚真皮の立毛筋由来の腫瘍の頻度が高く（**図 72**），四肢深部軟部組織や後腹膜に発生するものはきわめてまれである．強い好酸性細胞質を有する紡錘形細胞が疎に束状に配列し，交錯する（**図 73**）．核分裂や細胞異型はみられない．

平滑筋肉腫

成人から中高年の四肢深部軟部組織，後腹膜，大血管に好発する．両端が鈍となった核（両切りタバコ状核）を有する異型紡錘形細胞が密に束状に配列し，細胞質は好酸性細線維状である（**図 74**）．核分裂像や腫瘍壊死を伴う．大小不同の顕著な細胞や奇怪な核を有する腫瘍巨細胞が出現し，後述する未分化多形肉腫の像に類似した成分を伴う例は多形型平滑筋肉腫 pleomorphic leiomyosarcoma ともよばれる（**図 75**）．間質が粘液腫状を呈することもある．破骨型多核巨細胞の出現や顕著な炎症細胞浸潤を伴う亜型も存在する．良性の平滑筋とは細胞異型，細胞密度，核分裂と壊死の有無で鑑別する．免疫染色で desmin，smooth muscle actin，muscle specific actin，h-caldesmon，calponin などの筋原性マーカーのうち少なくとも複数が陽性となる．

まれな組織型として免疫不全状態での EBV 感染に伴って発生する EBV 関連平滑筋腫瘍 EBV-associated smooth muscle cell tumor とよばれる低悪性度の腫瘍や，炎症細胞浸潤の顕著な炎症性平滑筋肉腫 inflammatory leiomyosarcoma とよばれる腫瘍も存在する．

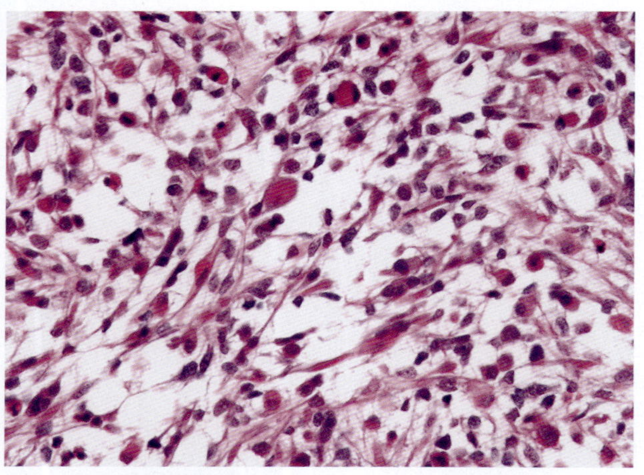

図76　胎児型横紋筋肉腫．豊富な好酸性細胞質を有する横紋筋芽細胞と未分化小円形細胞の増殖．強拡大

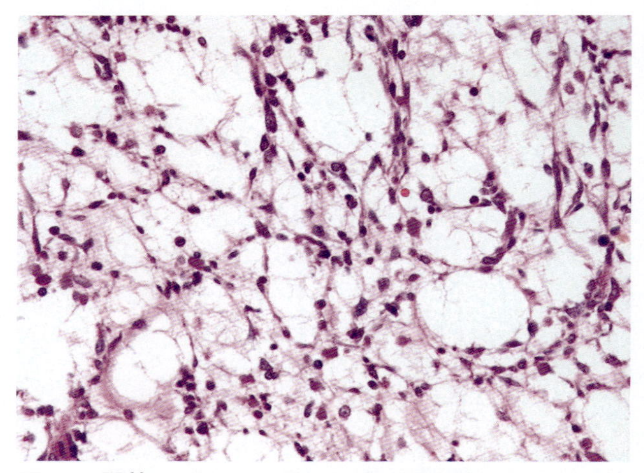

図77　同前．未分化小円形腫瘍細胞，小型横紋筋芽細胞と豊富な粘液腫状間質．強拡大

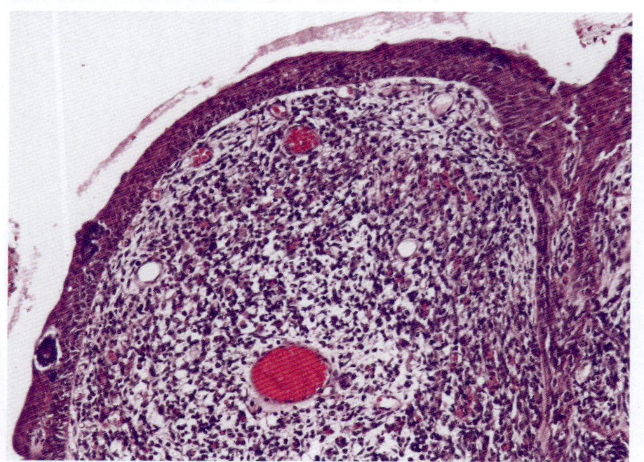

図78　ブドウ状肉腫．粘膜上皮に覆われたポリープ状腫瘤．弱拡大

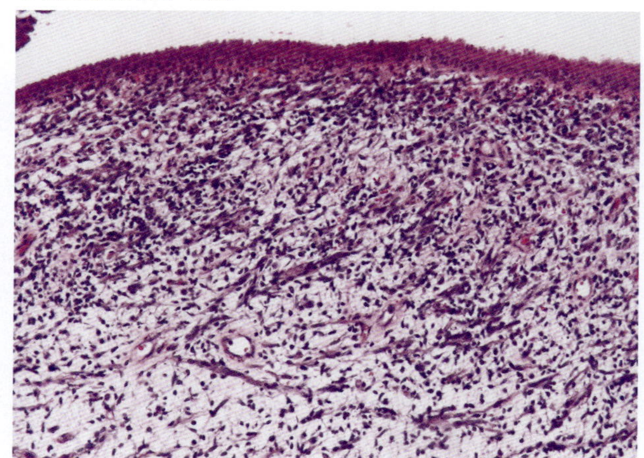

図79　同前．粘膜上皮直下に腫瘍細胞が密となるcambium layer．弱拡大

小児悪性軟部腫瘍のなかで最も頻度が高い．胎児型，胞巣型，多形型，紡錘形細胞/硬化型の4つの亜型があり，胎児型と胞巣型の頻度が高い．胞巣型は胎児型に比較して予後不良で治療法も異なることから，両者を鑑別して正しく診断することは臨床上も重要である．

胎児型横紋筋肉腫 embryonal rhabdomyosarcoma

横紋筋肉腫のなかで最も頻度が高い亜型で，10歳未満の小児頭頸部，泌尿生殖器に好発し，四肢発生例は10%以下である．ブドウ状肉腫botryoid rhabdomyosarcomaとよばれるバリアントは膀胱や胆道，咽頭などの粘膜面が上皮で覆われた内臓に発生する．腫瘍は細胞質に乏しい未分化な小円形から卵円形の細胞のシート状増殖よりなり，豊富な好酸性細胞質を有しオタマジャクシ形やラケット形をした横紋筋芽細胞を種々の程度に交える（**図76**）．横紋筋芽細胞の細網質には横紋を認めることもある．粘液腫様の間質を伴い（**図77**），細胞成分が密な部位と疎な部位が交互に認められる．全体が粘液腫状を呈することもある．ブドウ状肉腫では肉眼的に粘膜面にポリープ上に突出する腫瘤を形成し（**図78**），組織学的に粘膜上皮直下に腫瘍細胞成分が密な層を形成し，cambium layerとよばれる（**図79**）．免疫染色でdesmin，muscle specific actin，MyoD1がびまん性に，myogeninが一部の細胞で陽性となる．特異的なキメラ遺伝子は検出されない．

胞巣型横紋筋肉腫 alveolar rhabdomyosarcoma

胎児型より好発年齢が高く思春期や若年成人に多い．胎児型よりも発生頻度は低く，四肢が好発部位で，傍脊椎部，会陰部，副鼻腔などにも発生する．線維性隔壁に沿って吊し柿状に未分化小円形腫瘍細胞が連なる特徴的な胞巣状構造を呈し（**図80**），この中に横紋筋芽細胞が散見される．しばしば多核腫瘍巨細胞を伴う（**図81**）．胞巣状構造が目立たず未分化小円形腫瘍細胞がシート状に配列し，わずかに線維性間質を伴う充実性亜型solid variantとよばれるものがあり，ユーイング肉腫や胎児型横紋筋肉腫との鑑別が問題となる．免疫

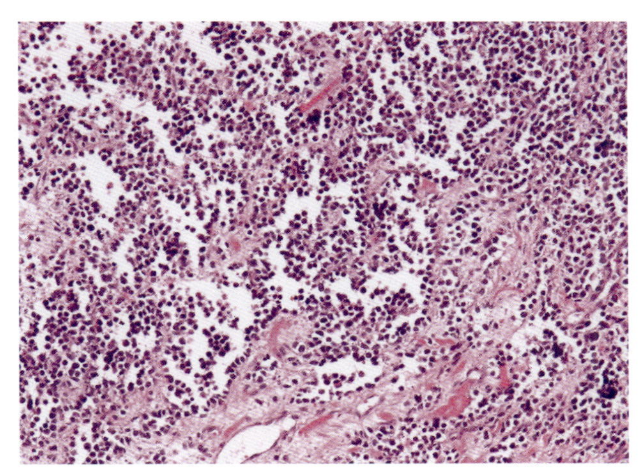

図80　胞巣型横紋筋肉腫．線維性隔壁に未分化小円形細胞が吊るし柿状に連なる．弱拡大

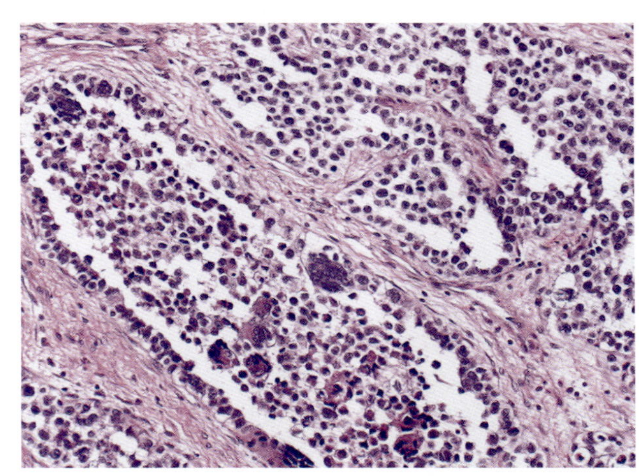

図81　同前．好酸性細胞質を有する横紋筋芽細胞と多核腫瘍巨細胞．中拡大

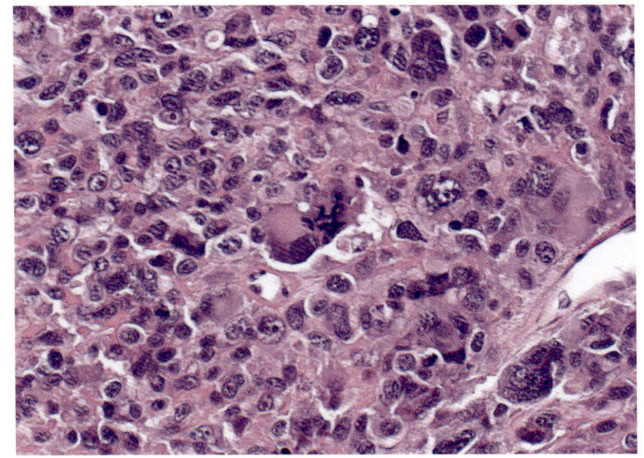

図82　多形型横紋筋肉腫．好酸性細胞質を有する多角形腫瘍細胞に奇怪な核を有する腫瘍巨細胞をまじえる．強拡大

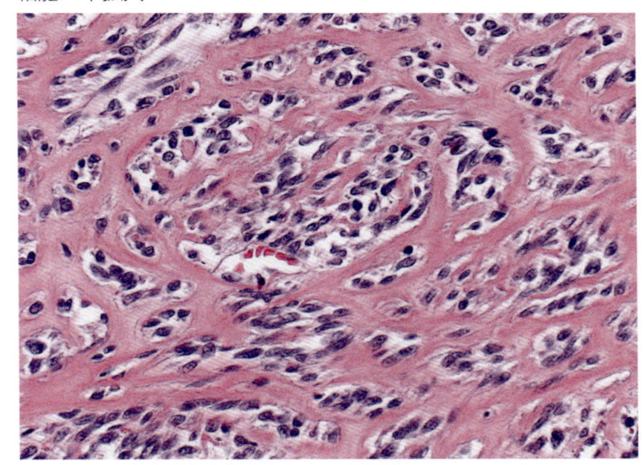

図83　紡錘形/硬化性横紋筋肉腫．短紡錘形腫瘍細胞の束状増殖に間質の硝子化を伴う．強拡大

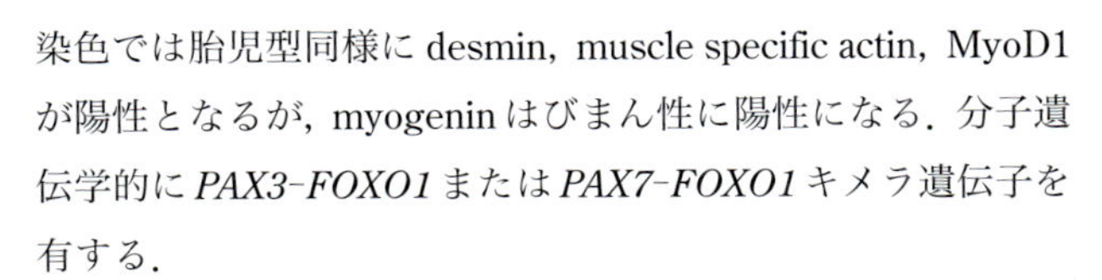

染色では胎児型同様に desmin，muscle specific actin，MyoD1 が陽性となるが，myogenin はびまん性に陽性になる．分子遺伝学的に *PAX3-FOXO1* または *PAX7-FOXO1* キメラ遺伝子を有する．

多形型横紋筋肉腫 pleomorphic rhabdomyosarcoma

成人，なかでも高齢者の四肢深部軟部組織，腹壁や後腹膜，頭頸部に好発し，小児発生例はまれである．悪性度が高く，予後不良である．好酸性細胞質を有する大型の紡錘形，多角形腫瘍細胞のシート状増殖よりなり，単核や多核の腫瘍巨細胞を散在性に認める（**図82**）．腫瘍細胞に横紋を認めるのはまれである．未分化多形肉腫や脱分化型脂肪肉腫が鑑別診断となるが，腫瘍細胞は desmin，MyoD1，myogenin などの横紋筋マーカーに陽性となる．

紡錘形細胞型/硬化性横紋筋肉腫 spindle cell/sclerosing rhabdomyosarcoma

横紋筋肉腫のまれな亜型で，小児から若年成人の傍精巣部に好発する．成人例では頭頸部の深部軟部組織に発生することも多い．従来紡錘形細胞型横紋筋肉腫とよばれていた腫瘍は好酸性の細胞質を有する紡錘形腫瘍細胞が束状あるいは花むしろ状に配列し，一見平滑筋肉腫の像に類似するが，核は両端が先細りである．横紋筋芽細胞を認めることは少ない．一方で短紡錘形腫瘍細胞の増殖に加えて間質に硝子化を伴ったもの（**図83**）は従来，硬化性横紋筋肉腫とよばれていたが，両者の間に移行像が認められるため現在では紡錘形細胞型/硬化性横紋筋肉腫とよばれる．紡錘形腫瘍細胞は平滑筋 actin に陽性となるので平滑筋肉腫との鑑別が問題となるが，MyoD1，myogenin にも陽性となる．Myogenin 陽性細胞は他の横紋筋肉腫の亜型に比較すると少ない．*VGLL2/ NCOA2/ CITED2* 遺伝子再構成や *MyoD1* 遺伝子異常が検出される例がある．

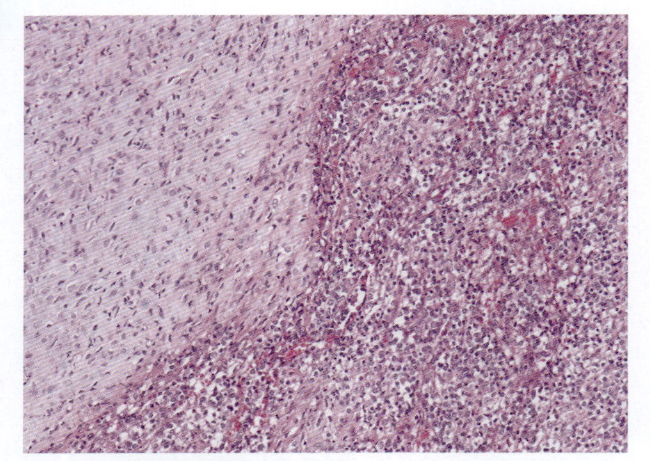

図 84　骨外性間葉性軟骨肉腫．硝子軟骨成分と未分化小円形細胞成分が明瞭な境界で接する．弱拡大

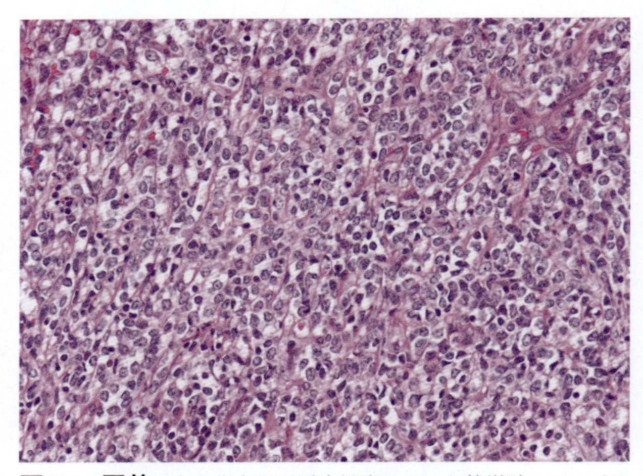

図 85　同前．未分化小円形腫瘍細胞のシート状増殖．ユーイング肉腫の像に類似．中拡大

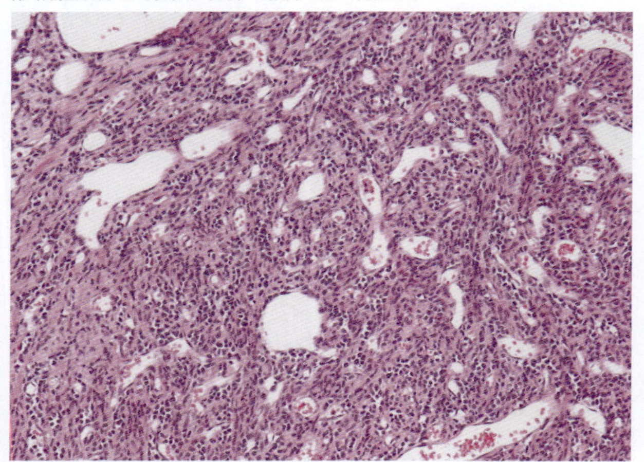

図 86　同前．未分化小円形細胞成分における血管周皮腫様血管．弱拡大

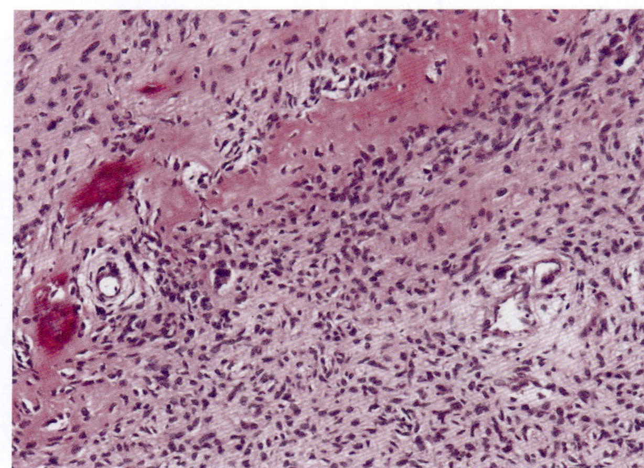

図 87　骨外性骨肉腫．多形性を有する異型細胞の増殖と腫瘍性類骨および骨形成．中拡大

骨外性間葉性軟骨肉腫

骨および軟部組織に発生するが，純粋内軟部組織に発生するのはまれである．若年成人の眼窩などの頭頸部が好発部位である．腫瘍は軽度の異型を有する硝子軟骨組織と細胞質に乏しい未分化小円形細胞のシート状増殖を示す成分よりなる（**図 84, 85**）．未分化小円形細胞成分には血管周皮腫様の血管が目立つ（**図 86**）．硝子軟骨成分が少ない例もあり，そのような例はユーイング肉腫や低分化型滑膜肉腫などのその他の小円形細胞肉腫との鑑別が問題となることがある．軟骨成分が目立たない場合 S-100 蛋白の免疫染色によって軟骨細胞成分を同定できる．分子遺伝学的に *HEY1-NCOA2* キメラ遺伝子を有する．

骨外性骨肉腫

中高年の皮下や深部軟部組織に好発し，悪性度が高く転移をきたしやすい．小児から若年成人の大長管骨に好発する骨肉腫と同じ組織像を呈する．多形性を有する紡錘形や多角形の異型腫瘍細胞が腫瘍性類骨や骨形成を伴いながら増殖する（**図 87**）．多数の核分裂像や異常核分裂像を認めることが多い．腫瘍性類骨形成や骨形成が目立つ骨芽細胞型 osteoblastic type や異型を有する軟骨細胞を伴う軟骨芽細胞型 chondroblastic type などがあるが，骨芽細胞型の頻度が高い．

【鑑別診断】 脱分化型脂肪肉腫の脱分化成分，悪性末梢神経鞘腫瘍でも，類骨や骨産生を伴うことがある．脱分化型脂肪肉腫では高分化型脂肪肉腫成分を認めるとともに，腫瘍細胞に MDM2 の発現が認められる．悪性類骨産生を伴う悪性末梢神経鞘腫瘍と骨外性骨肉腫の鑑別は，組織像のみではしばしば困難なこともあるが，神経の連続性や神経線維腫症の合併の有無などの臨床所見が重要となる．

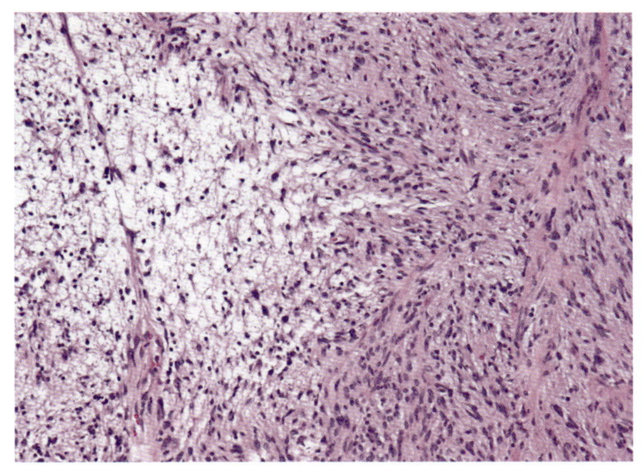

図 88　神経鞘腫．細胞成分の密な Antoni A の成分（右）と疎な Antoni B の成分（左）．中拡大

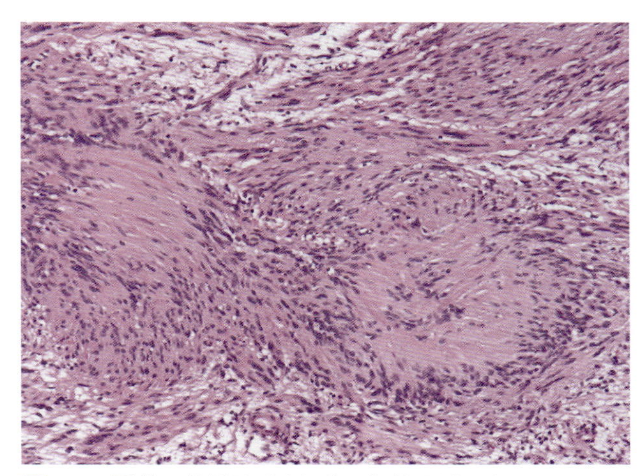

図 89　同前．紡錘形腫瘍細胞の柵状配列による Verocay body の形成．中拡大

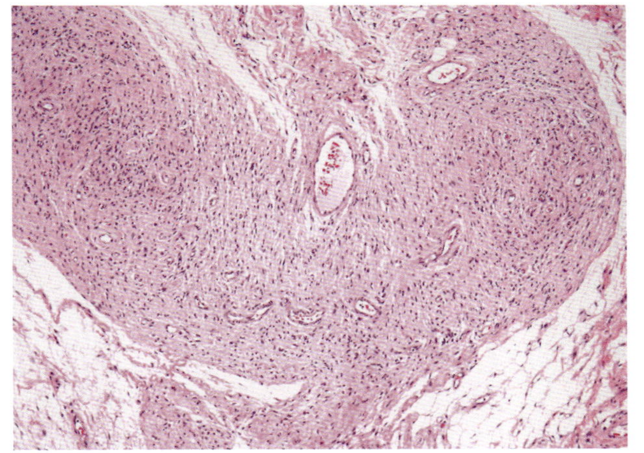

図 90　神経線維腫．腫瘍細胞の蔓状増殖パターン．弱拡大

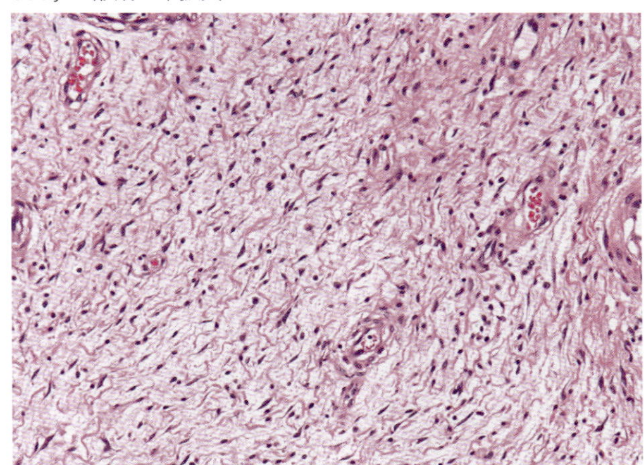

図 91　同前．核が波打った紡錘形細胞の疎な増殖と，介在する膠原線維．中拡大

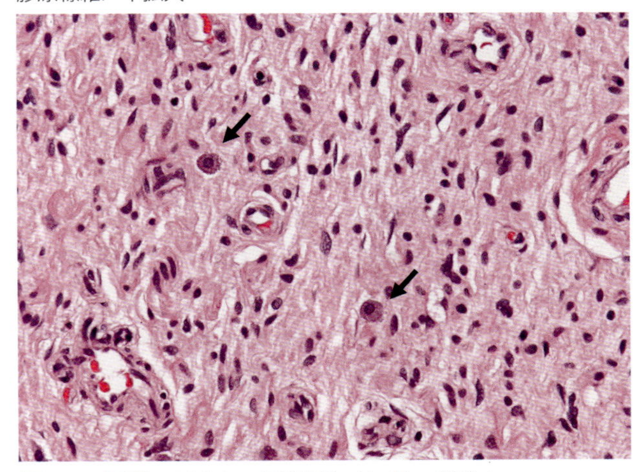

図 92　同前．腫瘍内の肥満細胞（矢印）．強拡大

神経鞘腫　90％は特発性で単発性であり，年齢による頻度の差はない．頭頸部や四肢の皮膚，皮下や脊柱管内，頭蓋内の小脳橋角部にも好発する．神経線維腫症 2 型 neurofibromatosis type 2（NF2）の症例では多発する．境界明瞭な腫瘤を形成し，異型のない紡錘形細胞が膠原線維を交えながら束状に配列し，典型例では細胞成分の密な Antoni A の成分と疎な Antoni B の成分を有する（**図 88**）．核の柵状配列 nuclear palisading も特徴の 1 つであり，規則正しい配列により Verocay body を形成する（**図 89**）．腫瘍が大きく変性を伴った例では腫瘍細胞が変性して多形性を示し，血管壁の硝子化，出血や嚢胞形成を伴う．免疫染色で腫瘍細胞は S-100 蛋白にびまん性に陽性となる．

神経線維腫　常染色体優性遺伝の神経線維腫症 1 型 neurofibromatosis type 1（NF1）に合併するものと，特発性のものがある．NF1 に合併する例では多発する．肉眼的に皮膚に限局性腫瘤を形成するもの，皮膚にびまん性に広がるもの，神経内に限局するもの，神経内に蔓状に増殖するもの，軟部組織に広範に蔓状に増殖するものがある（**図 90**）．腫瘍は小型の核が波打った紡錘形細胞の疎な増殖と介在する膠原線維よりなる（**図 91**）．肥満細胞も散在性に認められる（**図 92**）．間質が粘液基質に富む例もある．皮膚や軟部組織にびまん性に広がるものでは線維脂肪組織や骨格筋を巻き込みながら発育する．免疫染色で腫瘍細胞は S-100 蛋白に陽性となる．

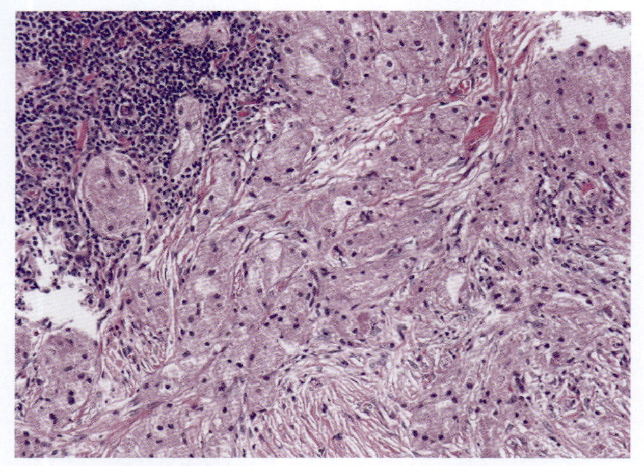

図 93　顆粒細胞腫．好酸性顆粒状細胞質と小型の核を有する円形細胞よりなる．中拡大

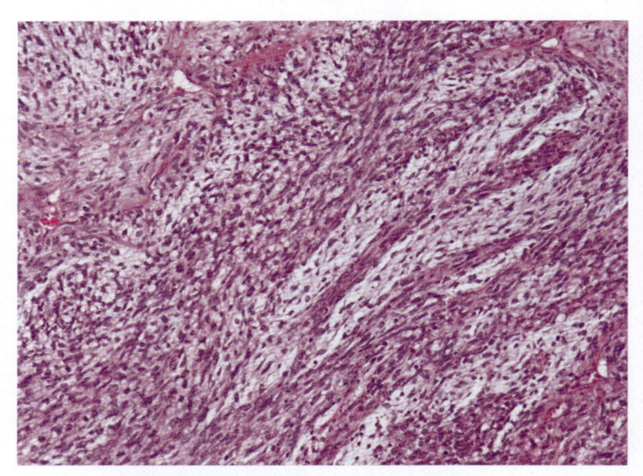

図 94　悪性末梢神経鞘腫瘍．異型紡錘形細胞が束状に配列し密に増殖する部分と疎な部分が交互に出現する疎密構造．中拡大

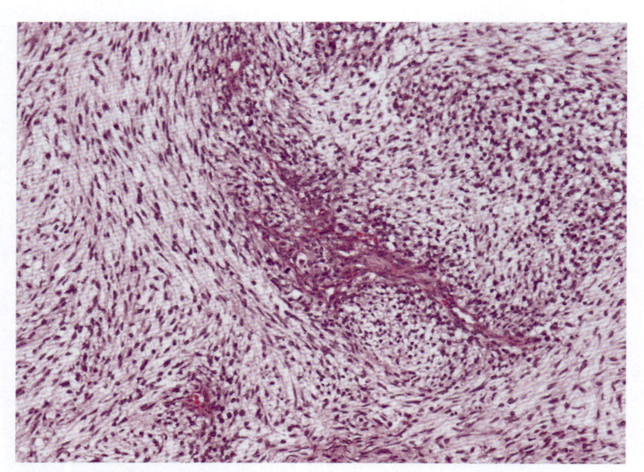

図 95　同前．血管周囲への腫瘍細胞の集簇．中拡大

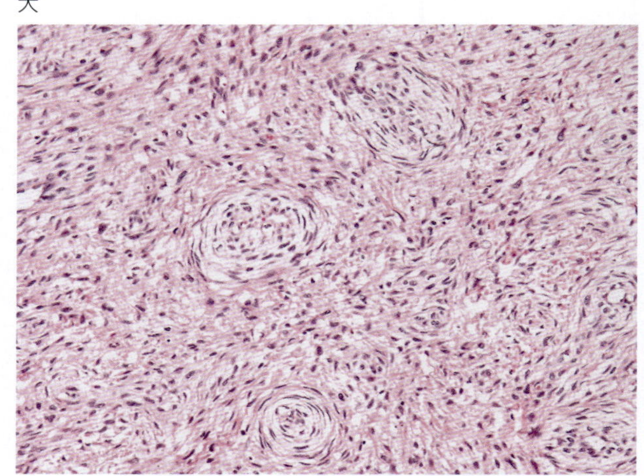

図 96　同前．紡錘形腫瘍細胞の渦巻き状配列．中拡大

顆粒細胞腫

中高年の頭頸部および四肢近位の皮下に好発する．舌や消化管，特に食道粘膜下にも発生する．大型の円形から卵円形の好酸性顆粒状細胞質を有する腫瘍細胞がシート状あるいは索状に配列し，周囲組織に浸潤性に発育し境界は不明瞭である（**図 93**）．舌や食道に発生するものでは，表面を覆う扁平上皮が扁平上皮癌に類似した過形成 pseudoepitheliomatous hyperplasia を示す．免疫染色で腫瘍細胞は S-100 蛋白に陽性となり，シュワン細胞由来の腫瘍と考えられている．

悪性末梢神経鞘腫瘍（MPNST）

成人の四肢，体幹，頭頸部の軟部組織に好発し，そのなかでも坐骨神経に最も多く発生する．半数以上の症例で NF1 を合併しており，大部分は良性の神経線維腫が悪性転化を起こして発生する．典型例では異型紡錘形細胞が束状に配列し密に増殖する部分と疎な部分が交互に出現する特徴的な疎密構造を呈し，marble-like pattern ともよばれる（**図 94**）．腫瘍細胞が血管周囲に集簇する像（**図 95**）や血管周皮腫様血管も伴う．紡錘形腫瘍細胞が渦巻き状に配列する像（**図 96**）や多形性が顕著で後述する未分化多形肉腫に類似する例もある．MPNST では骨格筋，骨，軟骨などのほかの間葉系成分や上皮成分を伴うものもある．骨格筋に相当する横紋筋芽細胞を伴うものは悪性 Triton（トライトン）腫瘍とよばれ悪性度が高い（**図 97**）．紡錘形腫瘍細胞成分とともに上皮様細胞による腺腔成分を伴うものは腺性 MPNST/glandular MPNST とよばれ，後述する二相型滑膜肉腫の像に類似する（**図 98**）．

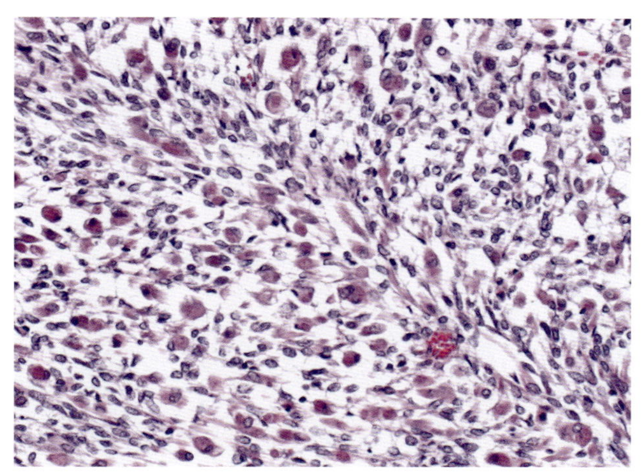

図 97　悪性トライトン腫瘍．異型紡錘形細胞とともに横紋筋芽細胞を認める．強拡大

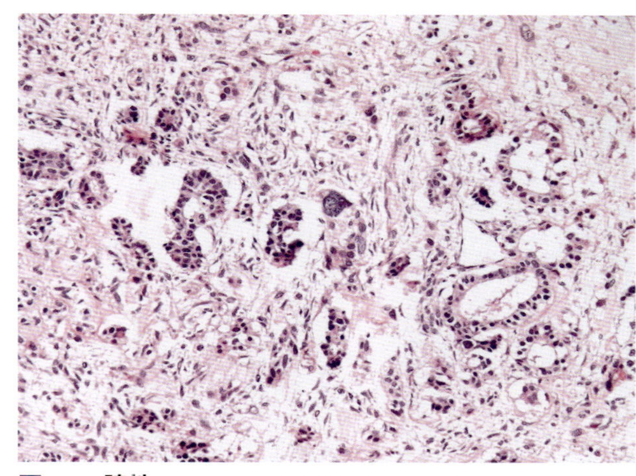

図 98　腺性 MPNST．上皮様細胞による腺腔と周囲の紡錘形腫瘍細胞．二相型滑膜肉腫の像に類似．中拡大

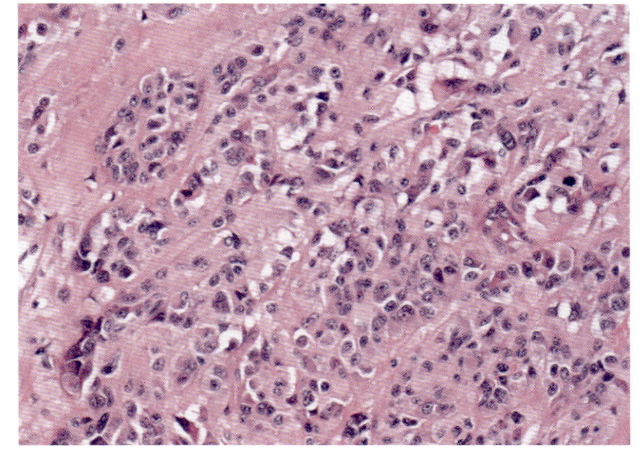

図 99　上皮様 MPNST．豊富な細胞質を有する上皮様細胞の胞巣状増殖．中拡大

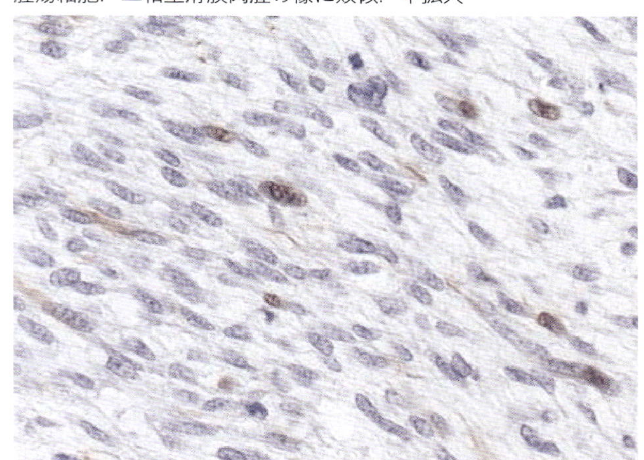

図 100　悪性末梢神経鞘腫瘍における S-100 蛋白の免疫染色．散在性に陽性細胞を認める．強拡大

まれに腫瘍の大部分が豊富な好酸性細胞質を有する上皮様腫瘍細胞からなる亜型があり，上皮様 MPNST/epithelioid MPNST とよばれ（**図 99**），良性の神経鞘腫が悪性転化して発生することがある．

線維肉腫や単相型線維性滑膜肉腫などの紡錘形細胞肉腫が鑑別診断となるが，NF1 非合併例では末梢神経との連続性など神経からの発生を示唆する所見がない場合は確定診断が困難であり，除外診断となってしまう．

免疫染色では神経線維腫から発生した高分化のものでは S-100 蛋白に多数の細胞が陽性となるが，通常は散在性に陽性細胞を認めるのみであり（**図 100**），半数以上の高悪性度の例は陰性である．上皮様 MPNST は例外的にびまん性に S-100 蛋白が陽性となる．H3K27me3 蛋白発現欠失も本腫瘍に高率に認められるとされているが，必ずしも特異的ではない．

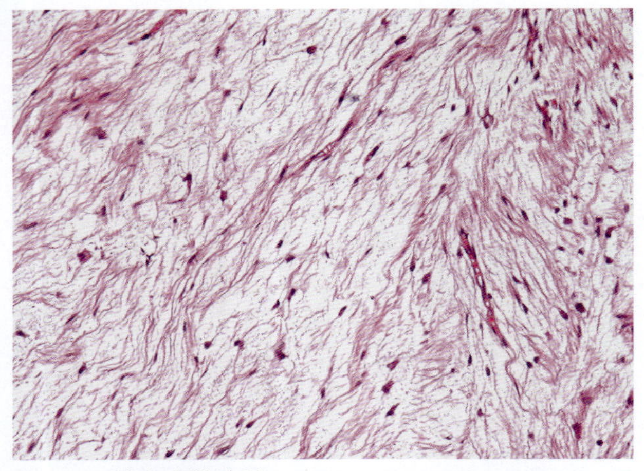

図 101　筋肉内粘液腫．豊富な粘液状基質の中の異型のない紡錘形細胞およびスリット状血管．中拡大

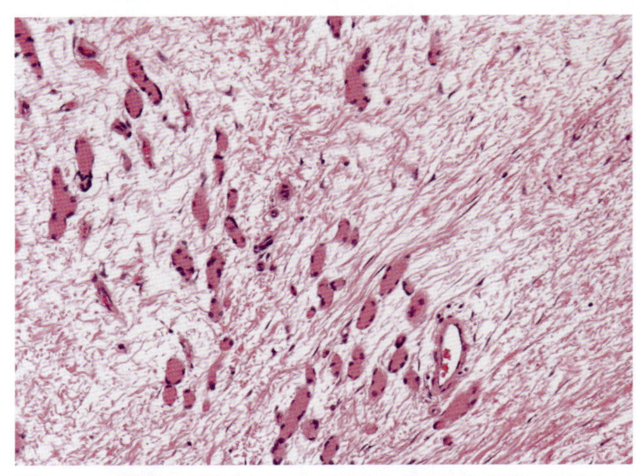

図 102　同前．腫瘍辺縁の巻き込まれた骨格筋線維．弱拡大

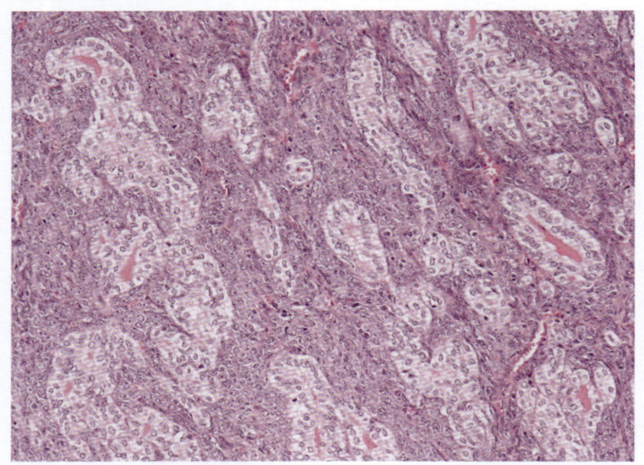

図 103　二相型滑膜肉腫．上皮様細胞による腺腔形成と周囲の紡錘形細胞の増殖．中拡大

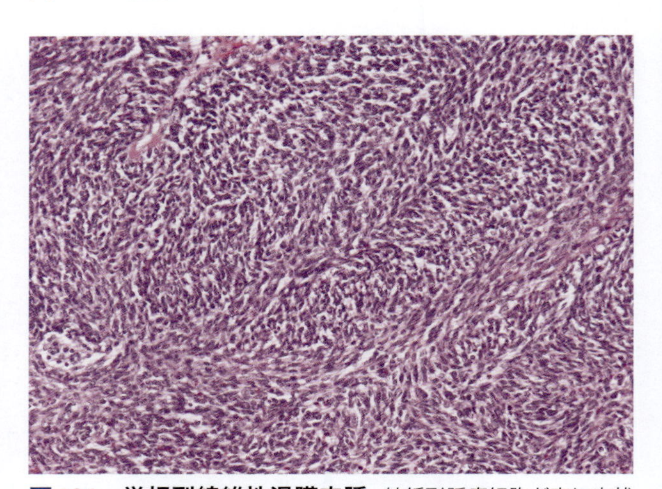

図 104　単相型線維性滑膜肉腫．紡錘形腫瘍細胞が密に束状に配列し交錯する．中拡大

■筋肉内粘液腫

中高年の大腿，殿部，肩や上腕の筋肉内に好発する．豊富な粘液基質の中に異型のない紡錘形や星芒状細胞を疎に認める．スリット状の湾曲した血管を伴うが，その数は非常に少ない（**図 101**）．腫瘍辺縁では巻き込まれて萎縮した骨格筋線維を認める（**図 102**）．細胞成分が多く認められるものもあり，富細胞型筋肉内粘液腫 cellular intramuscular myxoma とよばれる．粘液線維肉腫や低悪性線維粘液肉腫が鑑別診断になるが，細胞異型はまったく認められず，線維性間質を伴うこともない．

■滑膜肉腫

成人四肢の関節近傍の軟部組織に好発し，大腿に発生することが多い．滑膜という名称がついているが滑膜組織とはまったく関係なく関節内に発生することもない．組織亜型として次のものがある．

二相型 biphasic type：豊富な細胞質を有する上皮様細胞による腺腔形成と紡錘形の腫瘍細胞の束状配列よりなる（**図 103**）．腺腔内には粘液を貯留する．二相型滑膜肉腫では腺管成分の出現する肉腫，すなわち癌肉腫，腺性悪性末梢神経鞘腫瘍（MPNST）が鑑別診断としてあげられる．癌肉腫では通常腺管成分および紡錘形細胞成分ともに核異型が高度である．腺性 MPNST では腺管成分は腸型上皮よりなり，通常 1 型神経線維腫症に合併する．胸腔内に発生した場合は二相型中皮腫との鑑別が問題となるが，中皮腫は通常胸膜にびまん性に進展し，滑膜肉腫のように限局性の腫瘤を形成することは少ない．

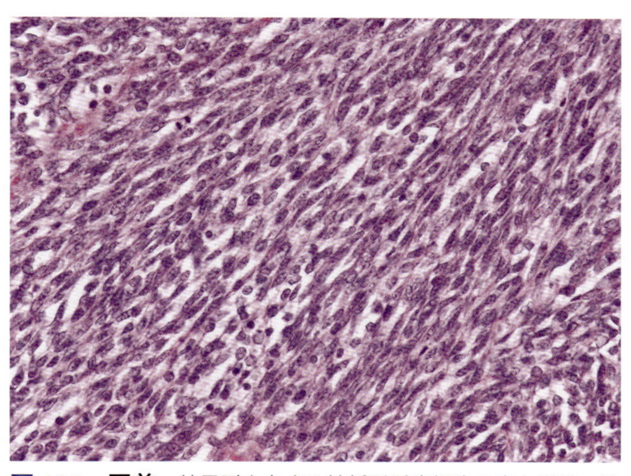

図 105　同前．核異型を有する紡錘形腫瘍細胞の密な増殖．強拡大

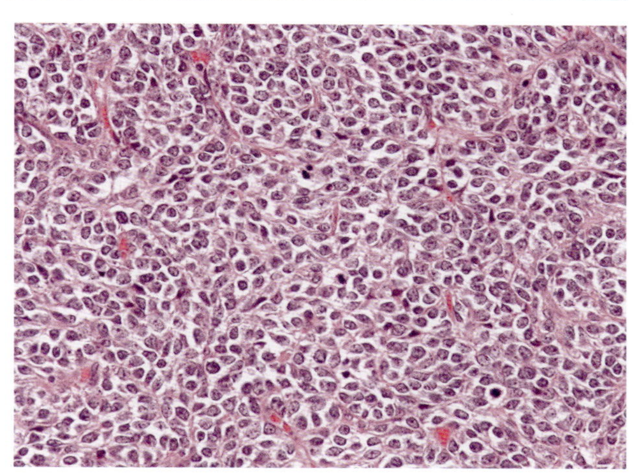

図 106　低分化型滑膜肉腫．未分化な円形腫瘍細胞がシート状に増殖．中拡大

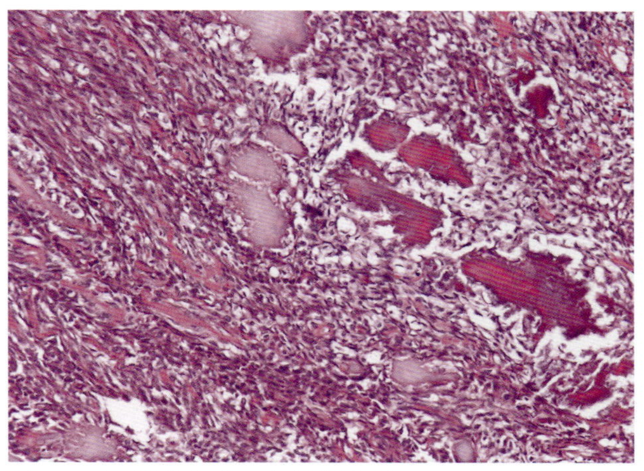

図 107　石灰化を伴った滑膜肉腫．異型紡錘形腫瘍細胞の増殖とともに石灰化や骨化が顕著．弱拡大

単相型線維性 monophasic fibrous type：紡錘形腫瘍細胞が密に束状に配列し交錯する像を呈し，平滑筋肉腫，成人型線維肉腫や MPNST などのほかの紡錘形細胞肉腫との鑑別が問題となることがある（**図 104，105**）．平滑筋肉腫は細胞質が好酸性，細線維状であり核は先端が鈍の両切りタバコ状を呈する．成人型線維肉腫は，腫瘍細胞が細長く，長い索状配列を示し，しばしば herring bone pattern を呈する．MPNST との鑑別では，1 型神経線維腫症の合併や神経との連続性などの臨床所見が重要である．

低分化型 poorly differentiated type：短紡錘形細胞や円形細胞がシート状に増殖しユーイング肉腫，横紋筋肉腫，神経芽細胞腫などの小円形細胞肉腫との鑑別が問題となる（**図 106**）．ユーイング肉腫では *EWSR1-Fli1* などの *EWSR1* 関連キメラ遺伝子が検出される．横紋筋肉腫では MyoD1 や myogenin などの骨格筋マーカーが陽性となる．

石灰化を伴うことが多く，石灰化が高度で骨化も伴う例では骨外性骨肉腫が鑑別となる（**図 107**）．免疫染色では上皮のマーカーである cytokeratin や EMA が二相型の上皮様細胞や単相性線維型の紡錘形細胞の一部に陽性となる．低分化型では上皮マーカーは陰性であることが多い．分子遺伝学的に *SS18-SSX1* もしくは *SSX2* キメラ遺伝子がほぼ全例で検出され，この遺伝子の検出は他の腫瘍との鑑別困難な場合有用である．

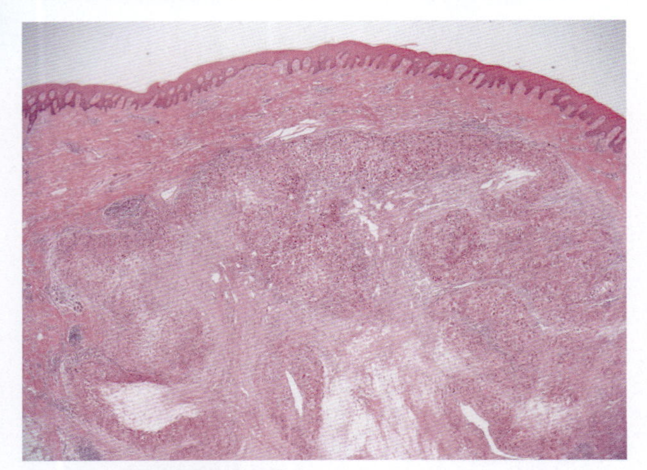

図 108　遠位型類上皮肉腫．真皮から皮下にかけての中心部壊死を伴う肉芽腫様多結節性病変．弱拡大

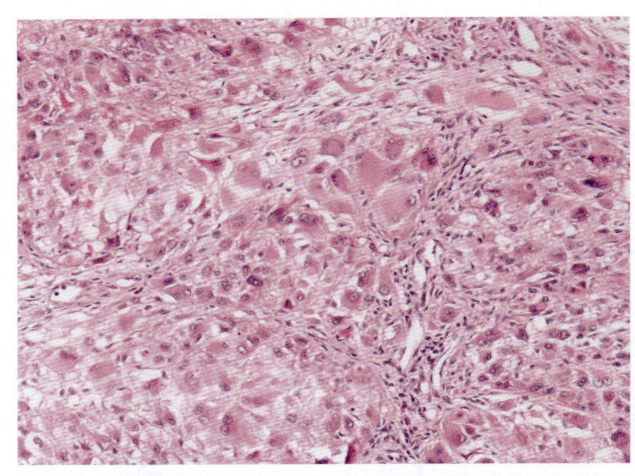

図 109　同前．扁平上皮癌の細胞に類似した好酸性細胞質を有する上皮様腫瘍細胞．中拡大

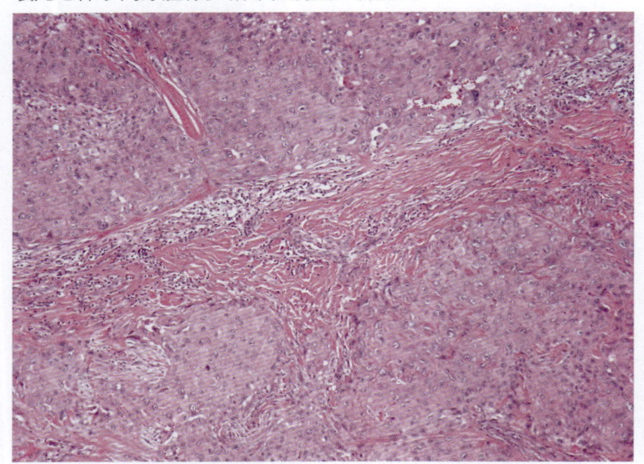

図 110　近位型類上皮肉腫．多結節性腫瘤を形成．弱拡大

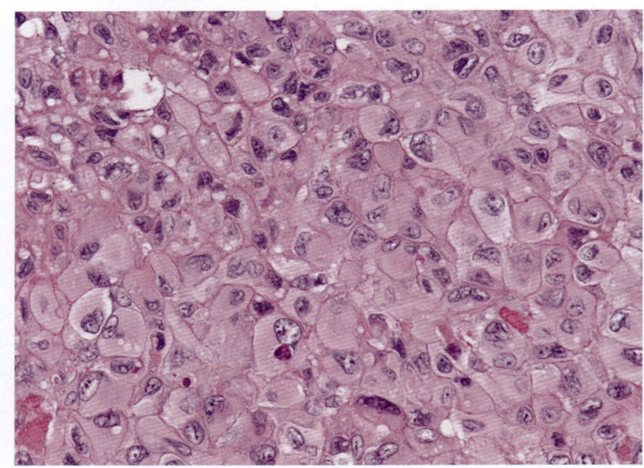

図 111　同前．豊富な細胞質と明瞭な核小体を有する癌細胞に類似した腫瘍細胞．強拡大

遠位型と近位型とがある．

遠位型 distal type：若年成人の四肢遠位の真皮から皮下の表在性に好発し，皮膚潰瘍を伴うことが多い．肺やリンパ節転移をきたすことが多く予後不良である．真皮から皮下にかけて多結節状の肉芽腫様の結節は中心部壊死を伴う（**図 108**）．このことから皮膚結核と誤診されることがある．腫瘍細胞は癌細胞に類似した細胞質の豊富な上皮様細胞でありシート状に増殖し，扁平上皮癌の浸潤と間違われることがある（**図 109**）．細胞質の豊富な紡錘形細胞がシート状に配列する像も認められる．

近位型 proximal type：遠位型に比較してより年齢が高く，鼠径部や会陰部などの体幹部や四肢近位部の深部軟部組織に好発し，予後は遠位型に比較してより不良である．腫瘍は核小体が明瞭で，好酸性の豊富な細胞質を有する異型の強い大型上皮様細胞のシート状増殖よりなる（**図 110，111**）．腫瘍壊死も伴うことがあるが，遠位型のような肉芽腫様パターンは呈さない．後述するラブドイド腫瘍にみられるラブドイド細胞の出現を伴うことも多い．免疫染色で腫瘍細胞は cytokeratin や EMA といった上皮のマーカーに陽性となり，正常細胞では発現が保たれる SMARCB1/INI-1 発現が完全に欠失する．

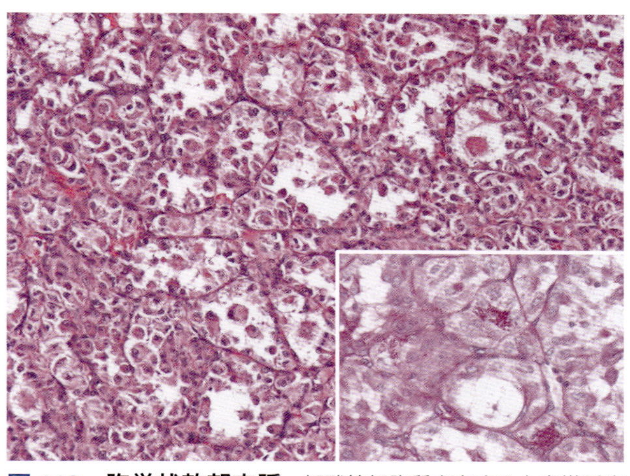

図 112　胞巣状軟部肉腫. 好酸性細胞質を有する上皮様腫瘍細胞の胞巣状増殖. 中拡大. 挿入図はPAS染色陽性の細胞質内針状結晶. 強拡大

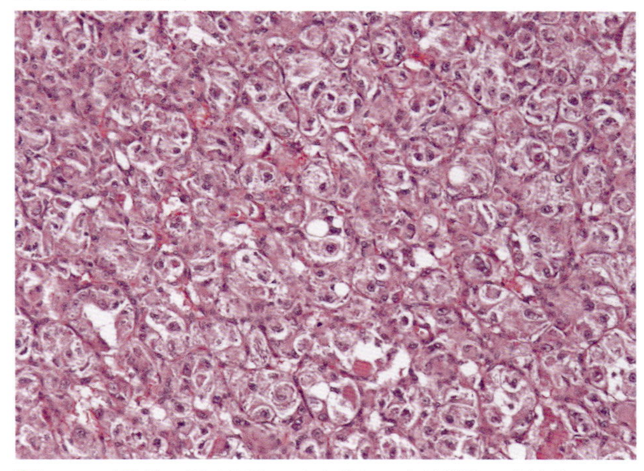

図 113　同前. 腫瘍細胞の充実性シート状増殖. 中拡大

若年女性の大腿部が好発部位である．小児や幼児の舌などの頭頸部にも好発する．淡明細胞型腎細胞癌と類似した組織像を呈する．好酸性もしくは顆粒状の豊富な細胞質を有する円形から多角形の細胞が，類洞様の血管腔で取り囲まれた特徴的な胞巣状配列を示す（**図 112**）．小児発生例では，胞巣状構造が目立たず，充実性シート状発育パターンをとることが多い（**図 113**）．また細胞質内にPAS染色陽性の針状結晶構造物が認められるのも特徴である（**図 112**）．分子遺伝学的に*ASPSCR1-TFE3*キメラ遺伝子を有する．

【鑑別診断】 腎細胞癌，神経節細胞腫，顆粒細胞腫があげられる．腎細胞癌は年齢が高くEMAが陽性になることが多いが，本腫瘍では陰性である．顆粒細胞腫は細胞質が好酸性顆粒状でありS-100蛋白がびまん性に陽性となる．神経節細胞腫は転移を除けば本腫瘍のように四肢に発生することはない．

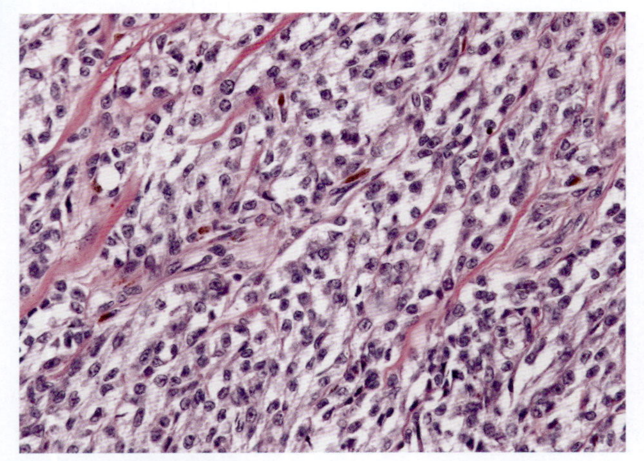
図 114　明細胞肉腫. 淡明な細胞質と明瞭な核小体を有する円形細胞の胞巣状増殖. 中拡大

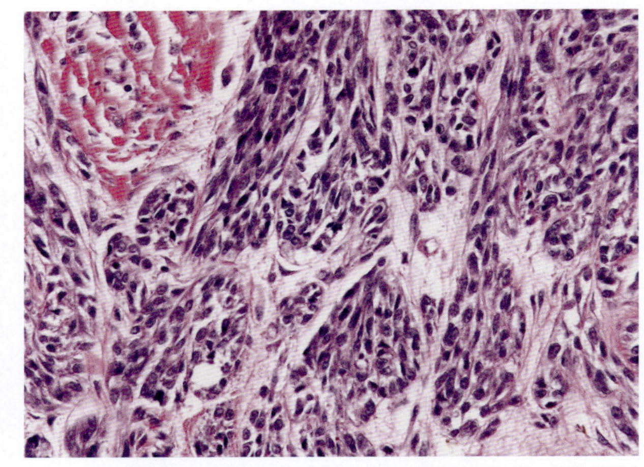
図 115　同前. 好酸性細胞質を有する短紡錘形細胞の胞巣状増殖. 中拡大

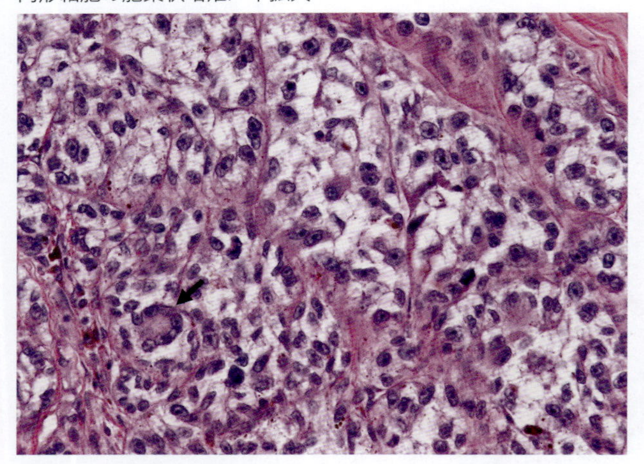
図 116　同前. 腫瘍内の多核巨細胞（矢印）. 強拡大

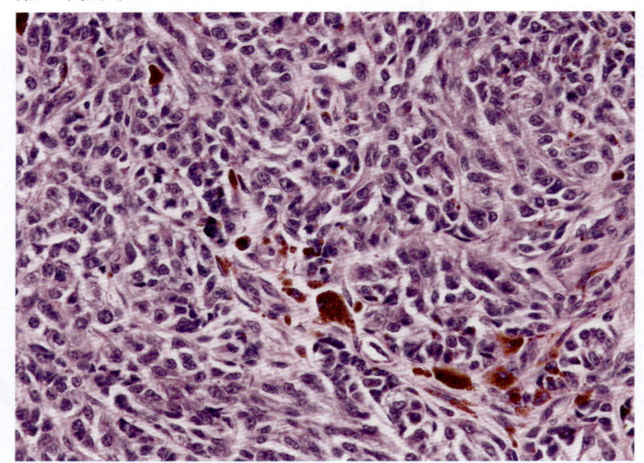
図 117　同前. 腫瘍内の茶褐色メラニン色素. 強拡大

若年成人の四肢，特に足部や足関節部に好発する．腫瘍細胞は円形で淡明もしくは好酸性の豊富な細胞質と大型の明瞭な核小体を有し，紡錘形を呈することもある（**図 114，115**）．円形の上皮様細胞が膠原線維の隔壁によって区切られた胞巣状増殖パターンを呈し，紡錘形腫瘍細胞が束状配列を示すこともある．しばしば多核腫瘍巨細胞も散在性に認める（**図 116**）．茶褐色のメラニン色素もしばしば伴っており（**図 117**），腫瘍細胞の形態が皮膚悪性黒色腫に類似することから軟部悪性黒色腫 malignant melanoma of soft parts ともよばれる．免疫染色では S-100 蛋白および HMB45 が陽性となり，分子遺伝学的に *EWSR1-ATF1* キメラ遺伝子を有する．

【鑑別診断】 悪性黒色腫や富細胞性青色母斑が鑑別診断にあげられる．これらの皮膚腫瘍は真皮表皮から真皮に主座があり，腫瘍細胞の多形性が顕著なことが多い．明細胞肉腫はより深部に発生し腫瘍細胞はより均一である．悪性黒色腫との鑑別が組織学的に困難なことがあるが，軟部明細胞肉腫は *EWSR1-ATF* キメラ遺伝子が検出されるのに対して，悪性黒色腫ではキメラ遺伝子は検出されず，*BRAF* 遺伝子異常が高率に検出される．

骨外性粘液型軟骨肉腫，ラブドイド腫瘍，PEComa，未分化肉腫（1） Extraskeletal myxoid chondrosarcoma, Rhabdoid tumor, Neoplasms with perivascular epithelioid cell differentiation and Undifferentiated sarcoma（1）

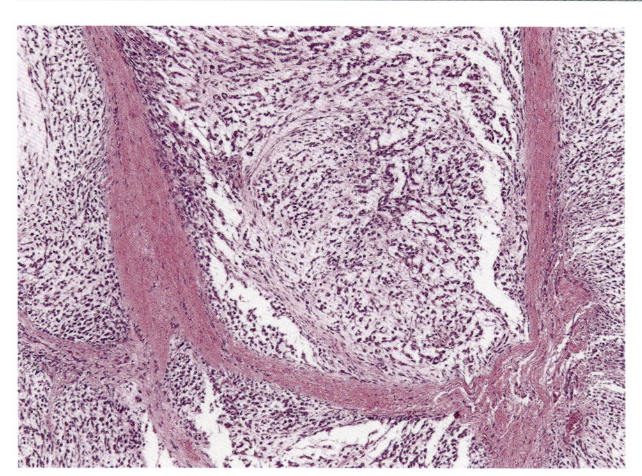

図 118 骨外性粘液型軟骨肉腫．線維性隔壁を有する多結節性腫瘤．弱拡大

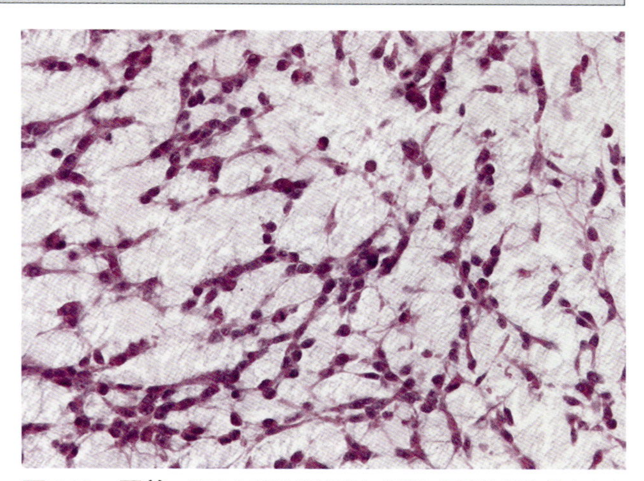

図 119 同前．豊富な粘液状基質を背景に好酸性細胞質を有する卵円形細胞が索状や網目状に配列．強拡大

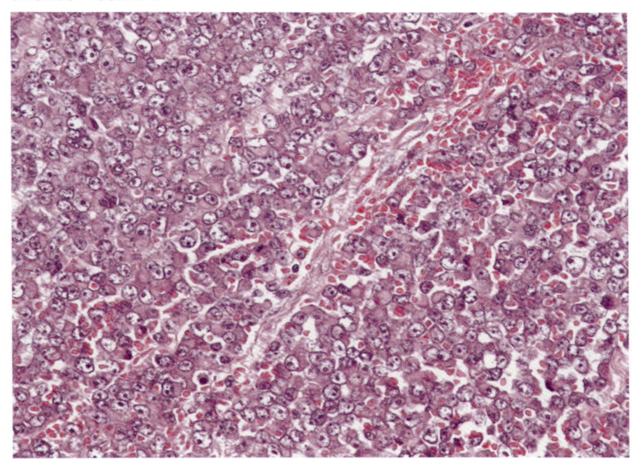

図 120 ラブドイド腫瘍．好酸性細胞質内封入体，偏在性の核，明瞭な核小体を有するラブドイド細胞のシート状増殖．強拡大

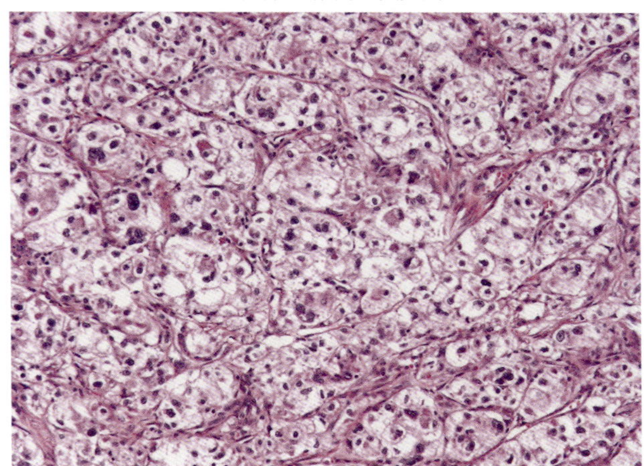

図 121 PEComa．豊富な淡明細胞質を有する円形細胞の胞巣状増殖．中拡大

骨外性粘液型軟骨肉腫

中高年の四肢近位の深部軟部組織に好発し，大腿部に最も多く認められる．多結節状の腫瘤を形成し（**図 118**），豊富な粘液腫状基質を背景に好酸性細胞質を有する卵円形あるいは短紡錘形細胞が索状あるいは網状に連なる像を呈する（**図 119**）．粘液基質が目立たず腫瘍細胞が充実性増殖を示すこともあり，そのような例は悪性度が高い．軟骨という名称がついているが軟骨基質を認めることはなく，免疫染色で腫瘍細胞は chromogranin A，synaptophysi，NSE といった神経内分泌のマーカーが陽性となることから，分化不明腫瘍に分類されている．分子遺伝学的に *EWSR1-NR4A3*，*TAF15-NR4A3* キメラ遺伝子を有する．

ラブドイド腫瘍

乳幼児，ときに先天性に頸部や傍脊柱部に好発するまれな腫瘍で，短い経過で死にいたることが多く，きわめて悪性度が高い．軟部組織以外に腎臓や肝臓にも発生する．腫瘍細胞は偏在性の核，明瞭な核小体および好酸性のすりガラス様細胞質内封入体を有する特徴的なラブドイド細胞とよばれる細胞であり，これらがシート状に増殖する（**図 120**）．ラブドイド細胞が目立たずおもに小円形腫瘍細胞の増殖からなる例もあり，そのような例ではユーイング肉腫，低分化型滑膜肉腫，横紋筋肉腫などの小円形細胞肉腫が鑑別診断となる．免疫染色で腫瘍細胞は上皮のマーカーである cytokeratin，EMA とともに間葉系マーカーである vimentin にも陽性となる．類上皮肉腫同様に，SMARCB1/INI1 の発現欠失も認める．

PEComa

若年から中年の女性に多く発生し，後腹膜，腹腔内，骨盤腔内，子宮，消化管などが好発部位である．豊富な好酸性顆

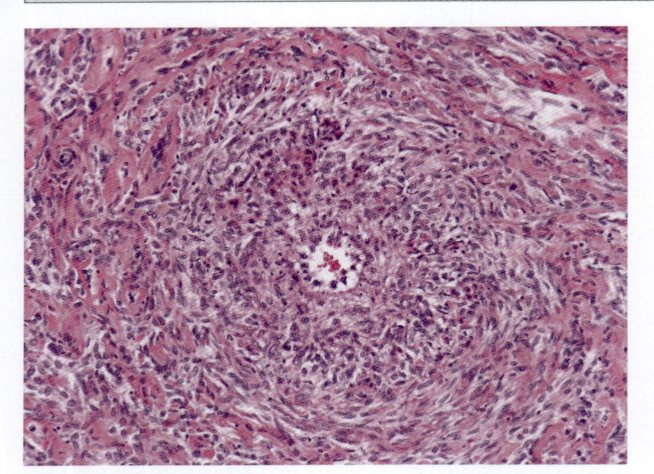

図 122　同前．腫瘍細胞の血管周囲への放射状配列．弱拡大

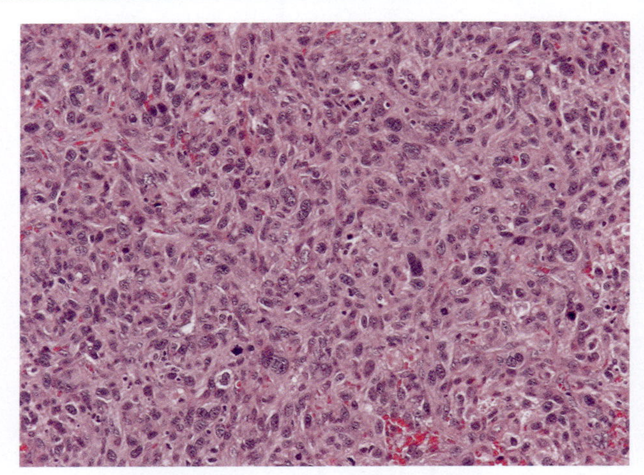

図 123　未分化肉腫．多形性腫瘍細胞の無秩序なシート状増殖．中拡大

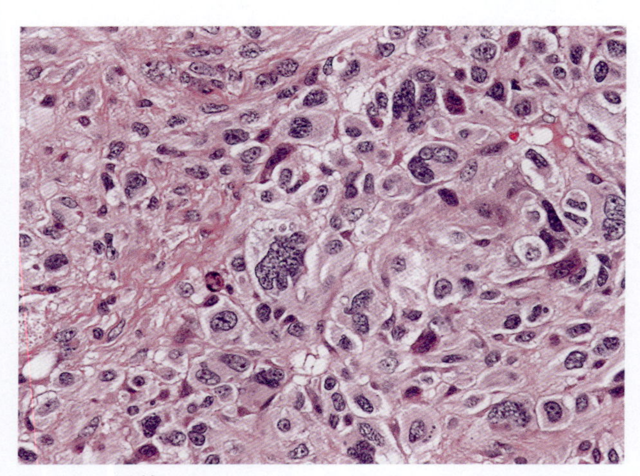

図 124　同前．奇怪な核を有する腫瘍巨細胞も散在性に認める．強拡大

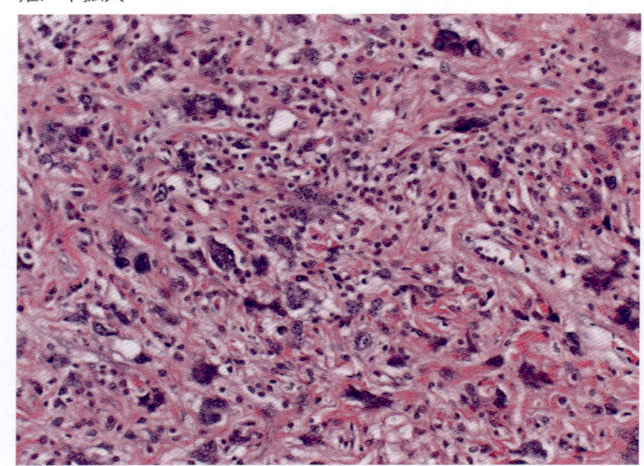

図 125　同前．腫瘍組織中に慢性炎症細胞浸潤を認める．強拡大

粒状あるいは淡明な細胞質，小型の核小体と円形の核を有する上皮様細胞が線維性隔壁で区切られ胞巣状に増殖する（**図 121**）．一部で血管周囲に線維化を伴いながら腫瘍細胞が放射状に配列する像も認められる（**図 122**）．間質に豊富な膠原線維をびまん性に伴う例は硬化型 PEComa とよばれる．核分裂像を多く認め，腫瘍壊死や核異型，多形性の顕著な例は悪性 PEComa とよばれる．免疫染色で腫瘍細胞は HMB45, Melan-A, MITF などメラノサイトのマーカーに陽性となる．

未分化肉腫

かつて軟部肉腫のなかで最も頻度が高いとされていた悪性線維性組織球腫 malignant fibrous histiocytoma（MFH）の疾患概念が変遷を繰り返し，いわゆる MFH や未分化多形肉腫とよばれてきた腫瘍細胞の分化が特定できず大小不同の多形性の顕著な腫瘍がこの未分化肉腫に含まれる．中高年の四肢深部軟部組織に好発する．腫瘍は異型の強い紡錘形，あるいは多角形細胞の無秩序な配列よりなり（**図 123**），奇怪な核を有する腫瘍巨細胞を散在性に認める（**図 124**）．腫瘍細胞が束状や花むしろ状に配列することもある．しばしば腫瘍組織中にリンパ球などの慢性炎症細胞浸潤を伴う（**図 125**）．当然ながら免疫染色や分子遺伝学的に特異的なものはみられない．腫瘍細胞が多形性を示すさまざまな肉腫，特に脱分化型脂肪肉腫と多形型平滑筋肉腫などが鑑別診断としてあげられる．脱分化型脂肪肉腫は高分化脂肪肉腫成分を伴い腫瘍細胞は MDM2 が陽性となる．平滑筋肉腫では平滑筋アクチンなどの平滑筋マーカーが陽性となり，一部に典型的な平滑筋肉腫の像を伴う．多形性を示す肉腫様癌の転移も鑑別にあげられ，腫瘍細胞の一部が cytokeratin や EMA などの上皮のマーカーに陽性となる．

ユーイング肉腫，*CIC* 遺伝子再構成肉腫および *BCOR* 遺伝子異常肉腫（1） Ewing sarcoma, *CIC*-rearranged sarcoma and Sarcomas with *BCOR* genetic alterations（1）

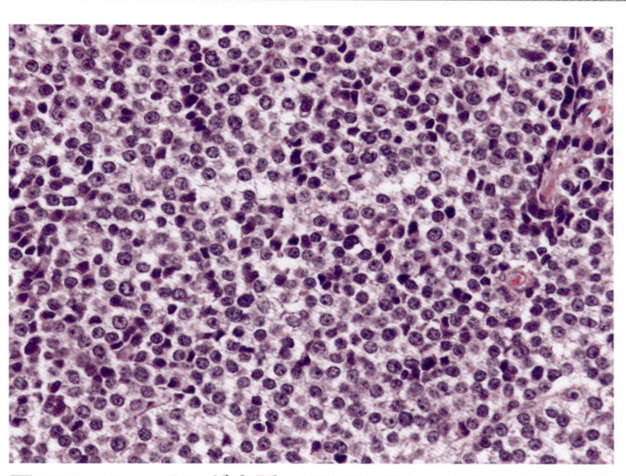

図 126　ユーイング肉腫．細胞質に乏しい未分化小円形細胞のシート状増殖．強拡大

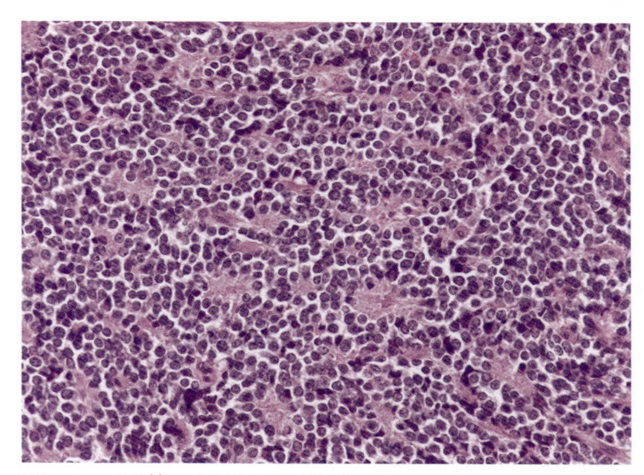

図 127　同前．未分化小円形細胞によるロゼット形成．強拡大

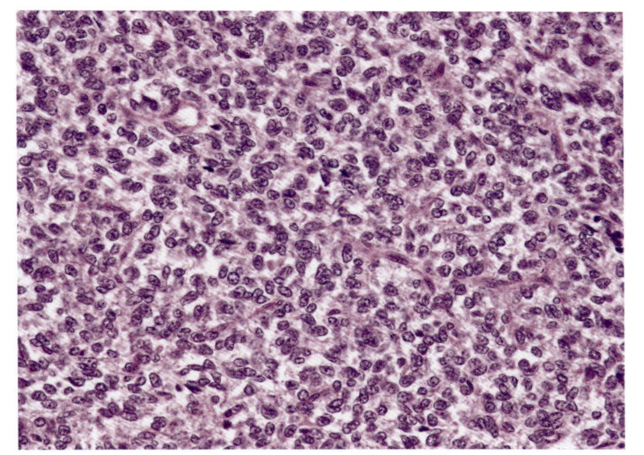

図 128　同前．短紡錘形細胞のシート状増殖．強拡大

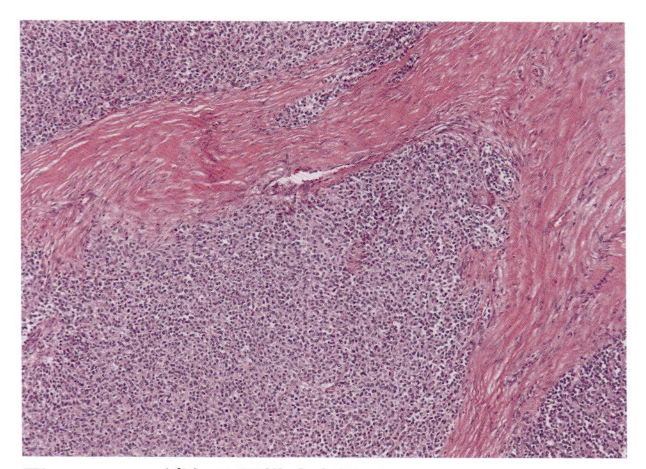

図 129　*CIC* 遺伝子再構成肉腫．線維性隔壁を伴った未分化円形細胞の分葉状増殖．弱拡大

ユーイング肉腫

骨および軟部組織の両者に発生するが，軟部組織では小児から若年成人の大腿近位など四肢軟部組織に好発する．胸腔内，腹腔内や傍脊柱部にも発生する．骨原発ユーイング肉腫と同じ組織像を呈し，細胞質に乏しい大きさのそろった未分化小円形細胞が密にシート状に増殖する（**図 126**）．腫瘍組織中にロゼット Homer Wright rosettes を形成し，神経への分化をうかがわせるものや（**図 127**），短紡錘形細胞成分を伴うものもある（**図 128**）．細胞質には PAS 染色で細胞質内に豊富なグリコーゲンが証明される．免疫染色で NKX2.2 が核内に陽性となり，分子遺伝学的には *EWSR1-FLI1* あるいは *EWSR1-ERG* が検出され，診断的価値が高い．低分化型滑膜肉腫やロゼットを形成することから，神経芽細胞腫が鑑別診断となる．

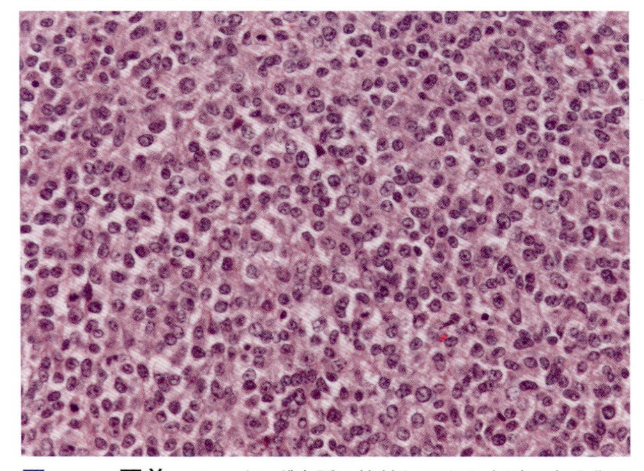

図 130　同前．ユーイング肉腫に比較してやや大型の未分化円形細胞のシート状増殖．強拡大

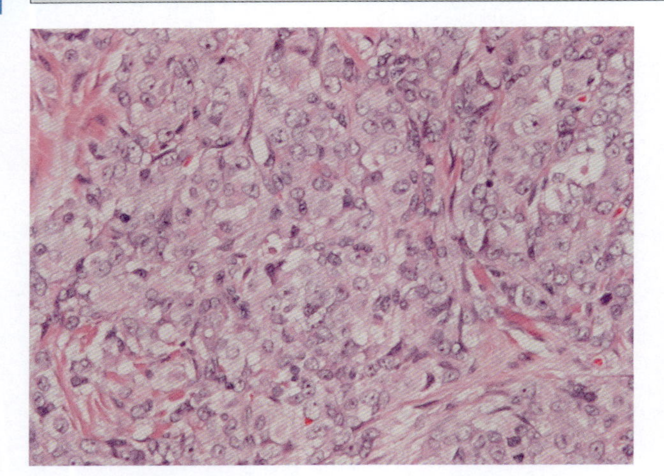

図 131　同前．豊富な細胞質を有する上皮様成分．強拡大

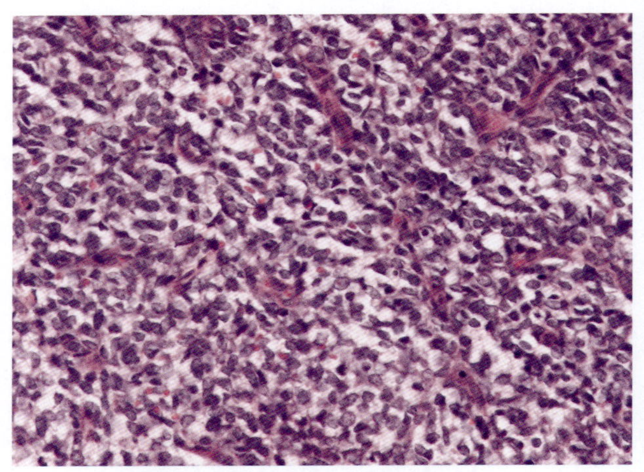

図 132　*BCOR-CCNB3* 肉腫．血管網を伴った未分化な卵円形細胞のシート状増殖．強拡大

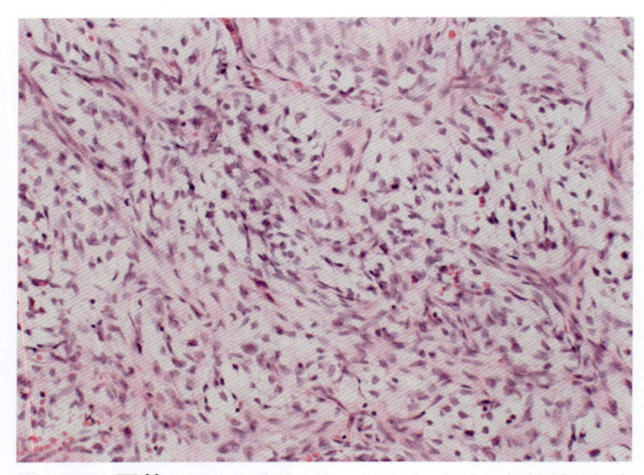

図 133　同前．粘液状間質を伴った異型の軽度な短紡錘形細胞の増殖．中拡大

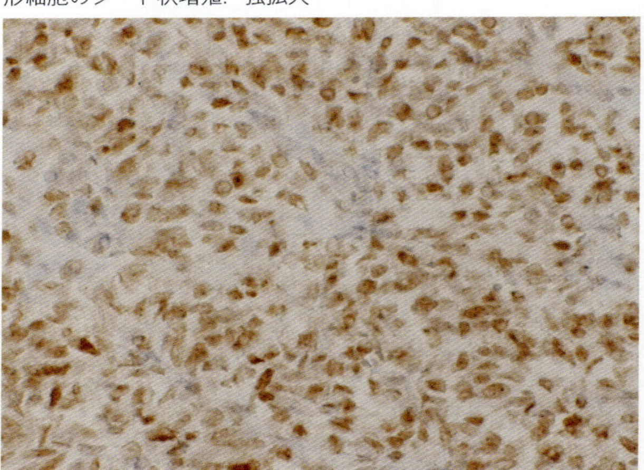

図 134　同前．CCNB3 の免疫染色で核に陽性像を呈する．強拡大

CIC 遺伝子再構成肉腫

近年，新たに疾患概念が確立された肉腫で，以前は非定形ユーイング肉腫などとよばれていた腫瘍である．若年成人の四肢や体幹の深部軟部組織に好発する．きわめてまれに骨発生例の報告もある．組織学的に細胞質に乏しい未分化円形細胞が線維性隔壁を有し，典型的なユーイング肉腫に比較して分葉状増殖パターンが目立つ（**図 129，130**）．上皮様細胞（**図 131**）や短紡錘形細胞成分がしばしば認められ，粘液状間質もしばしば伴う．免疫染色で腫瘍細胞は WT1，ETV4 が核に陽性となる．大部分の症例でキメラ遺伝 *CIC-DUX4* が検出される．ユーイング肉腫に比較して予後不良であり，ユーイング肉腫とは区別して正しく診断すべき腫瘍である．

BCOR 遺伝子異常肉腫

こちらも *CIC* 遺伝子再構成腫瘍と同様に新たに疾患が確立された肉腫である．分子遺伝学的に大きく *BCOR-CCNB3* キメラ遺伝子を有するもの（*BCOR-CCNB3* 肉腫）と *BCOR* internal tandem duplication（ITD）を有するもの（*BCOR-ITD* 肉腫）とがある．*BCOR-CCNB3* 肉腫は軟部組織にも発生するが，骨発生例も多い．小児から若年者の骨盤，下肢，傍脊椎部に好発する．組織学的に小円形から卵円形細胞が豊富な毛細血管網を伴いながらシート状に増殖する（**図 132**）．再発をきたすと未分化肉腫のような多形性腫瘍細胞の出現，粘液状間質（**図 133**）あるいは類骨形成など多彩な像を認めることがある．免疫染色で CCNB3（cyclin D1）が核内に陽性となる（**図 134**）．*BCOR-ITD* 肉腫はその報告数は少ないものの乳幼児の体幹，後腹膜，頭頸部の軟部組織に好発する．組織像は *BCOR-CCNB3* 肉腫に比較してより多彩な像を呈し，小児腎明細胞肉腫に類似した像を示す症例も報告されている．*BCOR-CCNB3* 肉腫の予後はユーイング肉腫とほぼ同等である．

壊死性筋膜炎，木村病およびシリコン肉芽腫 Necrotizing fasciitis，Kimura disease and Silicone granuloma

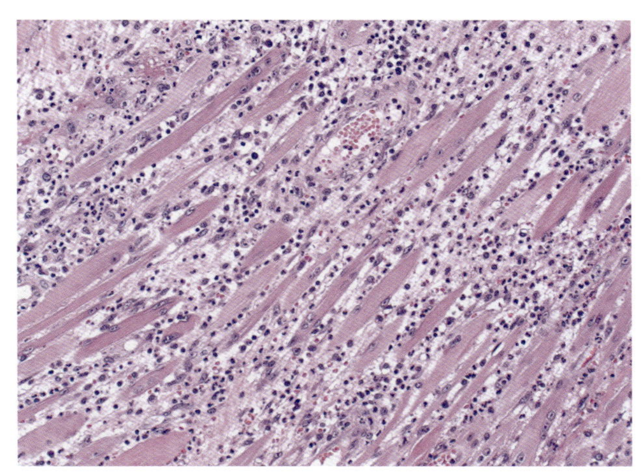

図 135　壊死性筋膜炎．壊死していない骨格筋線維間の好中球浸潤．中拡大

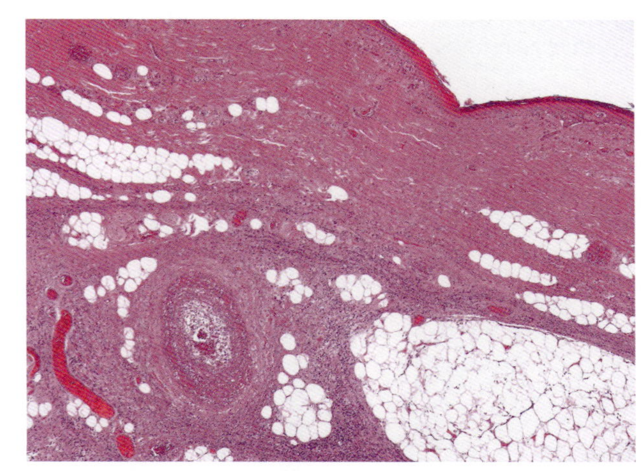

図 136　同前．皮下脂肪組織中の動脈壁における類線維素性壊死．弱拡大

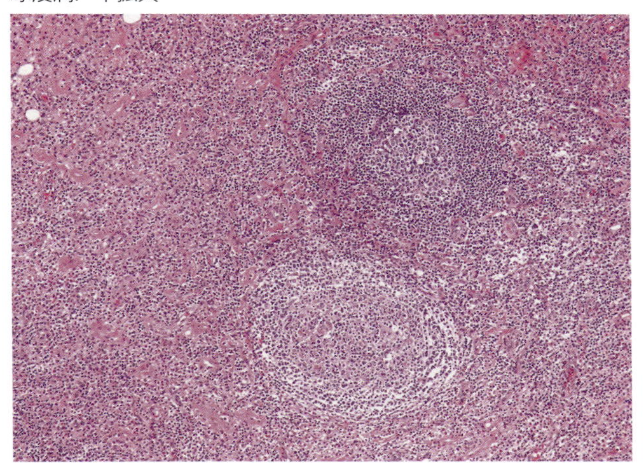

図 137　木村病．リンパ濾胞の形成と周囲の血管増生．弱拡大

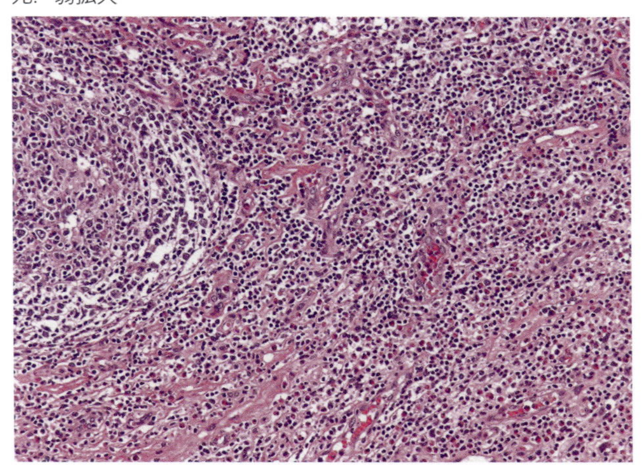

図 138　同前．増生する血管の壁は薄く，周囲に好酸球浸潤を伴う．中拡大

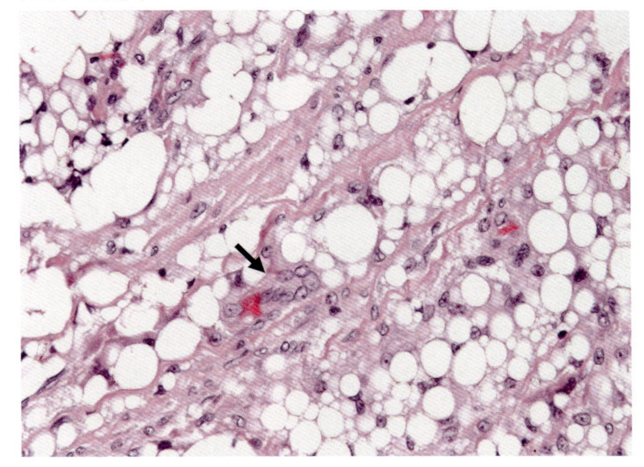

図 139　シリコン肉芽腫．多数の空胞を有する組織球と異物型多核巨細胞（矢印）．中拡大

壊死性筋膜炎

全年齢層の四肢，背部，頭頸部，腹部，外陰部などに発生し，浅在性筋膜および周囲軟部組織に急速に壊死が進行する．溶血性連鎖球菌 hemolytic streptococcus をはじめとした細菌感染による予後不良の壊疽性感染症である．筋膜，周囲軟部組織に融解壊死を認め，筋肉自体は保たれる（**図 135**）．好中球などの多核白血球浸潤，動静脈内の線維素性血栓，動静脈壁の類線維素性壊死も伴う（**図 136**）．

木村病

アジア人に多く男性の頭頸部皮下に好発するが，まれに鼠径部や下肢にも発生する．病変はリンパ濾胞を伴うリンパ球の集簇およびリンパ濾胞周囲の壁の薄い血管の増生よりなる（**図 137**）．リンパ球集簇部の辺縁には好酸球浸潤が顕著である（**図 138**）．血管リンパ過形成 angiolymphoid hyperplasia（類上皮血管腫 epithelioid hemangioma）と混同されやすいが，木村病では増生する血管は目立たず内皮細胞は上皮様を呈さない．

シリコン肉芽腫

医学的もしくは豊胸術などの美容目的でシリコンを注入した部位にみられる．細胞質内に多数の空胞を有する組織球がびまん性に認められ，慢性炎症細胞浸潤や異物型多核巨細胞の出現を伴う（**図 139**）．多空胞性の組織球が脂肪芽細胞に類似するため，高分化型脂肪肉腫が鑑別診断となる．

痛風，ピロリン酸カルシウム結晶沈着症/偽痛風，リウマトイド結節およびアミロイド沈着による手根管症候群 | Gout, Calcium pyrophosphate dehydrate crystal deposition disease/Pseudogout, Rheumatoid nodule and Carpal tunnel syndrome caused by amyloid deposits

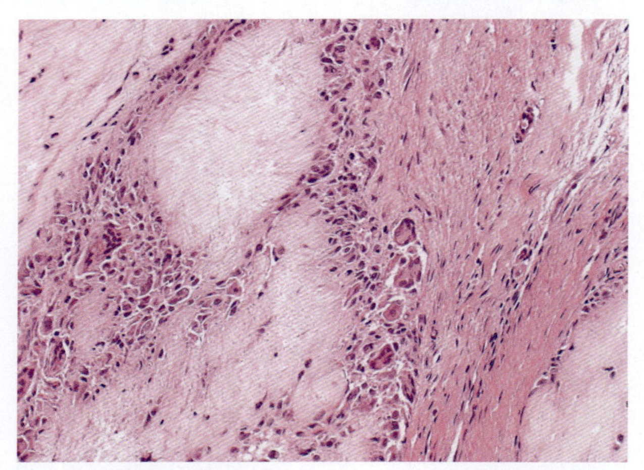

図 140　痛風. 結晶沈着物周囲を取り囲む組織球と異物型多核巨細胞．弱拡大

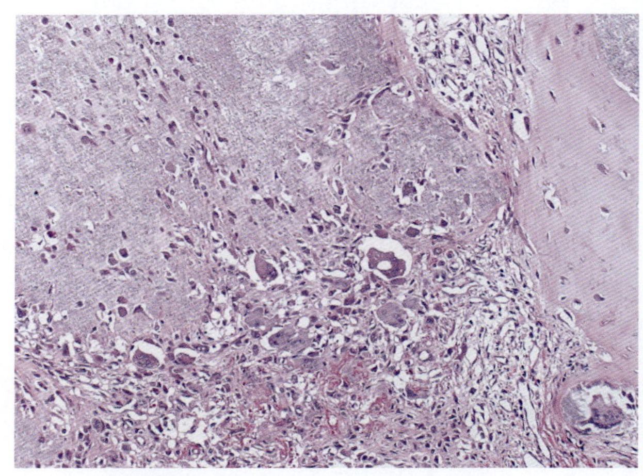

図 141　偽痛風. 結晶物の島状沈着とその周囲の軟骨化性および異物反応．中拡大

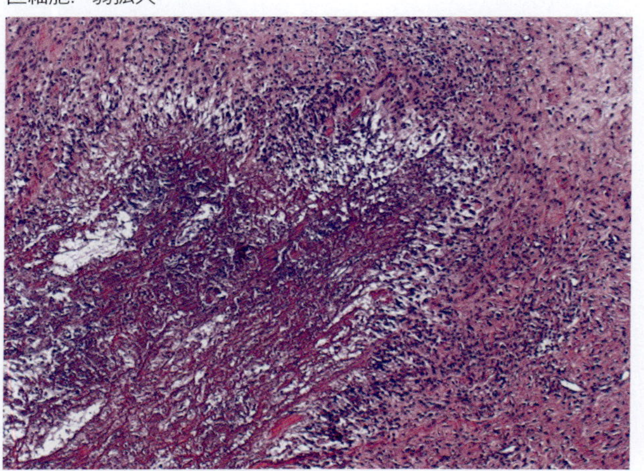

図 142　リウマトイド結節. 中心部のフィブリノイド壊死巣とその周囲の組織球による柵状配列．弱拡大

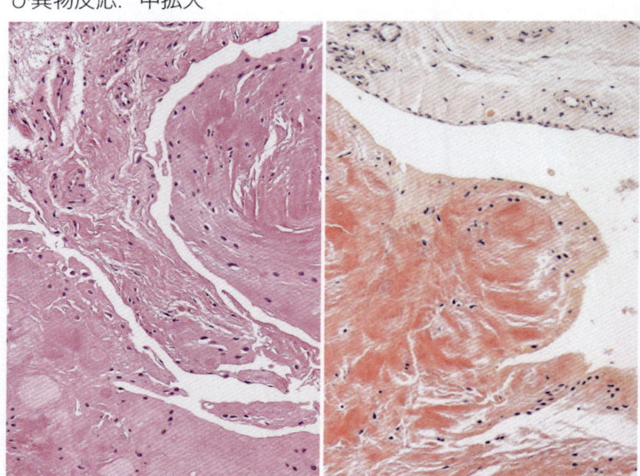

図 143　アミロイド沈着による手根管症候群. 滑膜内の好酸性均一なアミロイド沈着（左：HE 染色，右：Congo-red 染色）．中拡大

痛風

高尿酸血症により尿酸ナトリウム結晶が組織に沈着し，疼痛発作を引き起こし母趾の MP 関節に好発する．尿酸塩結晶の組織沈着による痛風結節 gouty tophus を形成することもあり，滑膜，関節下骨領域，耳介，肘頭部などに発生する．病変は尿酸ナトリウム結晶沈着とその周囲を取り囲む組織球，異物型多核巨細胞，リンパ球および線維芽細胞からなる（**図 140**）．通常のホルマリン固定された標本では尿酸塩結晶が流出してしまい観察できないが，エタノールなどで固定すると針状の結晶物が確認できる．

ピロリン酸カルシウム結晶沈着症/偽痛風

ピロリン酸カルシウム結晶が関節に沈着するさまざまな病態であり，高齢者の膝の半月板や椎間板，手の線維軟骨に好発する．痛風のように急性の疼痛発作を引き起こすこともあるが，無症状のこともある．腫瘤を形成するものは結節性偽痛風 tophaceous pseudogout とよばれる．病変は CPPD 結晶の島状沈着と軟骨化生や痛風結節のような異物反応を伴う（**図 141**）．CPPD 結晶は長斜方形の形状を呈し，針状結晶物として観察されることもある．

リウマトイド結節

関節リウマチに伴って肘などの皮下に結節を形成する．結節は，中心部のフィブリノイド壊死巣，その周囲の組織球による柵状配列と，さらに外側のリンパ球や形質細胞よりなる肉芽腫の形成よりなる（**図 142**）．

アミロイド沈着による手根管症候群

長期人工透析により軟部組織，特に手根管部の腱鞘滑膜にアミロイドの一種である $\beta 2$ ミクログロブリンが沈着する（**図 143**）結果，手根管内の正中神経を圧迫し神経障害を引き起こす．

第12章

皮膚および皮膚付属器

概説

はじめに（皮膚病理診断のつけ方）

病理診断をつけるにはまず，炎症性疾患か腫瘍性疾患かを判断する必要がある．「炎症性疾患」では浮腫，フィブリンの析出，出血，多彩な炎症細胞浸潤，肉芽組織の形成，肉芽腫の形成，瘢痕形成などが変遷するため，組織像は必ず多彩な細胞から構成される（polymorphous）．これに対して「腫瘍性疾患」は，1個の細胞が遺伝子変異により2個，4個，8個…と過剰に分裂・増殖するため，必ず同じ細胞から構成され（monomorphous）腫瘤（塊）を形成する．炎症性疾患とわかれば，浸潤細胞の種類，病変部位および組織反応パターンからアルゴリズムに沿い最終診断に到達する．腫瘍性疾患は，良性か悪性か，上皮性か非上皮性疾患か，分化の方向などを決定することにより最終診断を下す．

腫瘍性疾患における良・悪性の判断には，弱拡大による周囲との境界の明瞭さが最も重要である．腫瘍細胞の異型性がたとえ高度であっても，全体像が境界明瞭であれば浸潤性はないため，治療は良性腫瘍と同等に取り扱うことができる．

上皮は細胞同士の接着性が強いため，上皮性腫瘍は必ず接着して胞巣を形成（nest/organoid pattern）する．非上皮性腫瘍は接着性が弱く，胞巣を形成しないため，鍍銀染色をすると腫瘍細胞1個1個を細網線維が分け入る．

「分化の方向」は，以前は腫瘍細胞の「起源/由来 origin」と表されていたが，それらは所詮過去の事象の推測にすぎないため，現在では「分化 differentiation」と表す．分化度は，胎児期や正常細胞との形態学的な類似性により決定され，たとえばX細胞との類似性があればその細胞へ分化があると判断され，X腫，X癌，X肉腫などと診断され，きわめてよく類似していれば高分化型，類似性が乏しければ低分化型X癌と診断される．

扁平上皮（扁平上皮癌）への分化があるというためには，「角化」と「細胞間橋」の存在が必須で，腺上皮（腺癌）への分化は，「腺管の形成」や「分泌」により判断される．皮脂腺（脂腺癌）は，細胞質が泡沫状で核が脂質に押されて金平糖状を呈する細胞の出現が必要である．アポクリン腺への分化は，腫瘍細胞がアポクリン分泌様式を示す大型好酸性細胞であることや毛包や皮脂腺との連続性によって判断される．毛包系腫瘍は，胎児期の毛芽と正常の毛包との形態学的類似性により，分化の方向を対応することができる（**図1**）．汗腺への分化を示す疾患には，「hydro-」という疾患名が冠せられ，汗管は孔細胞 poroid cells と小皮縁細胞 cuticular cells から構成されると「poro-」と診断される．

1．皮膚の発生

胎児の体表は，羊膜の延長である単相の立方上皮によって覆われている．胎生5週頃までに，深層の胚細胞層と表層の胎児表皮に分かれ，胚細胞層は基底細胞層，有棘細胞層，顆粒細胞層および角質層を形成する．

胎生12週頃から，表皮の基底細胞が真皮側に半球状に突出し，核が基底膜からややせり上がって柵状に配列する．この細胞が「毛芽 hair germ」であり，文字通り毛包に分化していく（**図2a，b**）．毛芽は，未熟な線維芽細胞に取り巻かれ，あたかも線維芽細胞に導かれるように，斜め深部に伸長する．

胎生16週には毛包はほぼ完成し，側方に3カ所の突起を出す（**図2c**）．上からアポクリン管，皮脂腺および立毛筋の付着部に分化する．アポクリン管は真皮深層～皮下脂肪組織に深く伸長し，尖端でアポクリン腺に分化し小葉を形成する．皮脂腺は，細胞質内に脂質を蓄え複数の小葉を形成し，毛包を360°取り囲む．一方，エクリン腺は，表皮突起の下端から汗管が垂直に下行し，真皮内でエクリン腺に分化し小葉を形成する（**図2d**）．

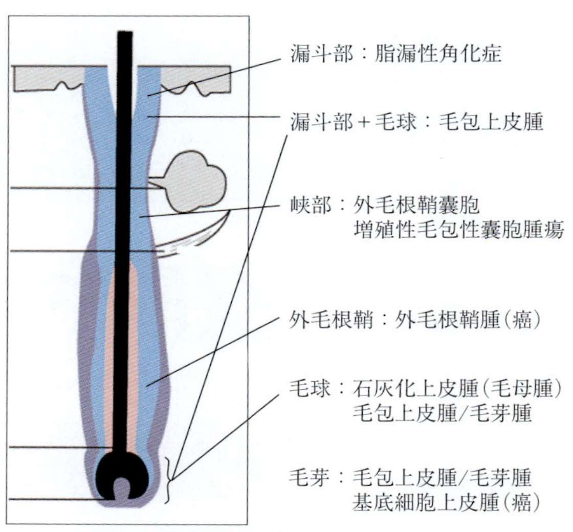

図1　毛包と対応する病変．胎生期の毛芽と正常細胞は，毛包系腫瘍とよく対応している

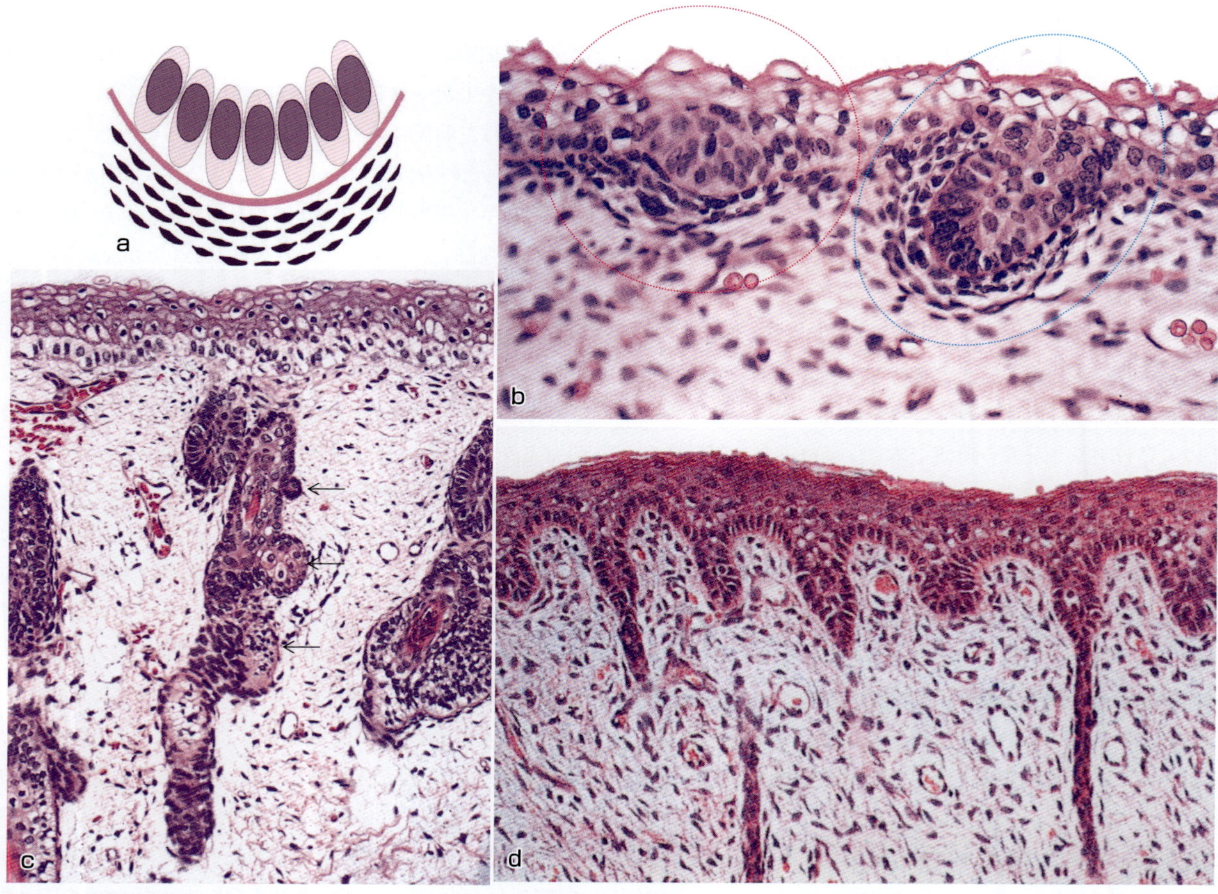

図2　皮膚の発生．a：毛芽の模式図．高円柱状の細胞で核はややせり上がって柵状に配列する．b（胎生12週）：半球状（赤点線），やがて円柱状（青点線）となり，結合組織に導かれるように下行する．強拡大．c（胎生16週）：毛包から，アポクリン管（上←），皮脂腺（中←），立毛筋が付着する部位（下←）が突出する．中拡大．d（胎生）：エクリン管は表皮突起から直接下行する．中拡大（京都大学名誉教授 真鍋俊明先生のご厚意による）

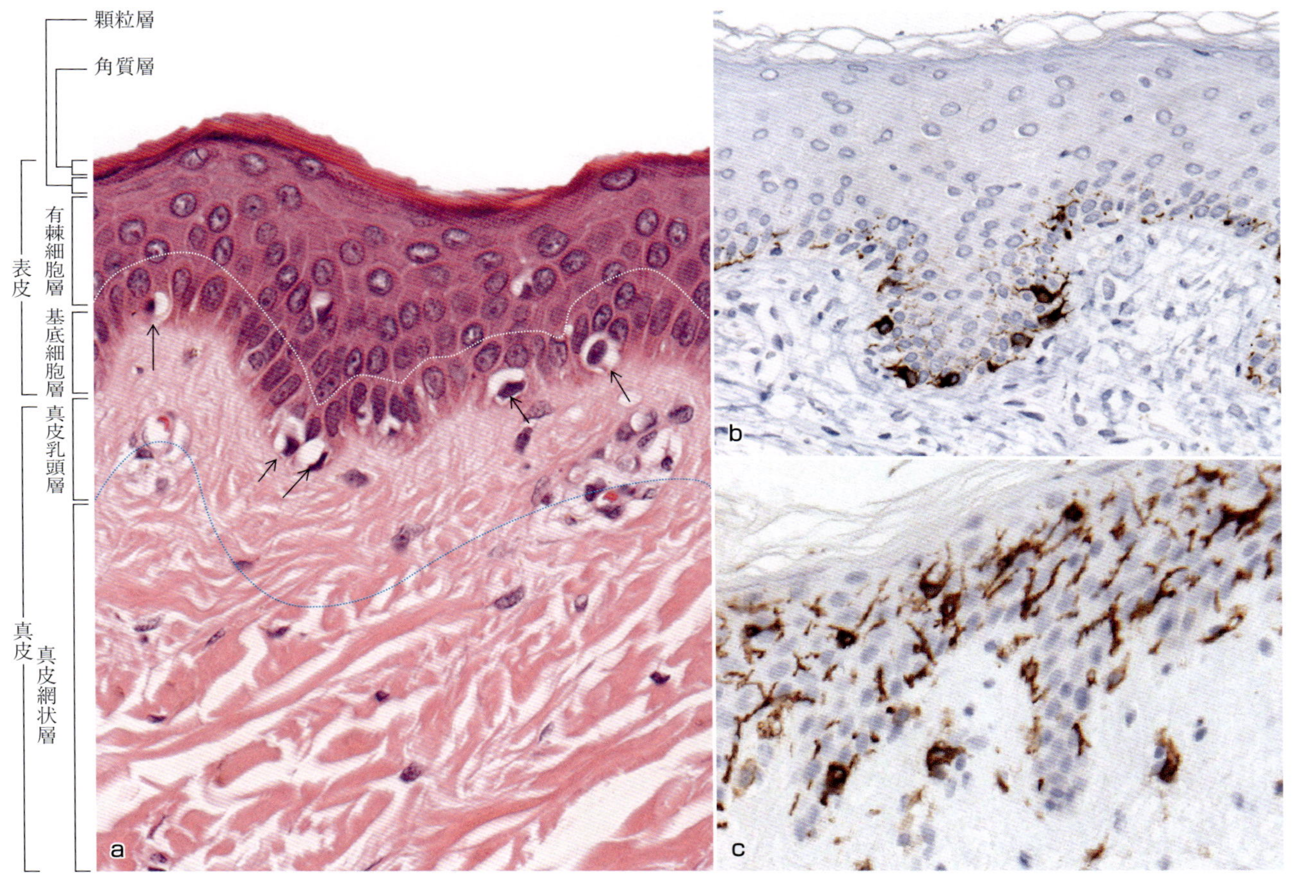

図3　正常の表皮． a：表皮は基底細胞（白点線より下の部分），有棘細胞，顆粒細胞，角質細胞からなり，メラノサイト（↑）は基底層に点在する淡明な細胞である（↑）．真皮の浅層血管叢より表層（青点線より表層）は真皮乳頭層，深層（青点線より深層）は真皮網状層である．強拡大．b：メラノサイトは樹状突起を伸ばしている．Melan-A/MART-1染色．弱拡大．c：ランゲルハンス細胞は樹状突起を皮膚表層に伸ばしている．CD1a．中拡大

2．皮膚の正常構造

表皮を構成する（重層）扁平上皮は，「角化細胞 keratinocytes」とよばれ，基底細胞層で分裂した後は，表層に向かい徐々に細胞を扁平化させながら角化（成熟）し，やがて剝離する．メラノサイトは表皮基底細胞層に，角化細胞10個に対し1〜4個の割合で存在する（**図3**）．メラノサイトは，メラニンを産生するものの樹状突起を介してすぐに周囲の角化細胞に移送するため細胞質は淡明で，“epidermal clear cells”とよばれる（**図3a**）．ランゲルハンス細胞 Langerhans cells は，骨髄の単球に由来し有棘細胞層に存在する樹状細胞で，細胞質内にバーベック Birbeck 顆粒というテニスラケット状の微細構造を有している．外界から皮膚への抗原提示細胞として働く．HE染色でランゲルハンス細胞を識別することはできない．

エクリン腺は，小葉全体も1つの腺管もアポクリン腺に比較し小型で，内腔側に好塩基性の細胞質を呈する逆三角形の「暗調細胞 dark cells」を，外側にやや大型で好酸性の「明調細胞 clear cells」を有し，最外層に少数ながら「筋上皮細胞 myoepithelial cells」を配する（**図4a**）．

一方，アポクリン腺は，真皮深層〜皮下脂肪組織に位置する大型の腺管で大きい小葉を形成する．上皮細胞は大型で顆粒状を呈する立方形細胞で，分泌物をギロチン台上の頭のように内腔に突出（アポクリンスナウト）させて分泌する「アポクリン分泌 apocrine secresion」をする（**図4b**）．

汗管はエクリン腺系もアポクリン腺系も相同の形態を示す．好酸性で大型の「小皮縁細胞 cuticular cells」が汗管の内腔を裏打ちし，外側をN/C比が高く小型の「孔細胞 poroid cells」が2，3層取り巻く（**図4c**）．汗管は，真皮内を直線的に上行し，表皮内に入る直前からラセン状となり，被覆表皮とは独立して成熟し，顆粒層の形成や角化をきたす（**図4d**）．

毛髪 hair shaft を包む上皮を，毛包（毛囊）hair follicle とよぶ（**図5a**）．皮表から脂腺管やアポクリン腺の開口部までを「漏斗部 infundibulum」，内毛根鞘が消失するまでを「峡部 isthmus」，その深部を「下部 inferior segment」，そのうち最

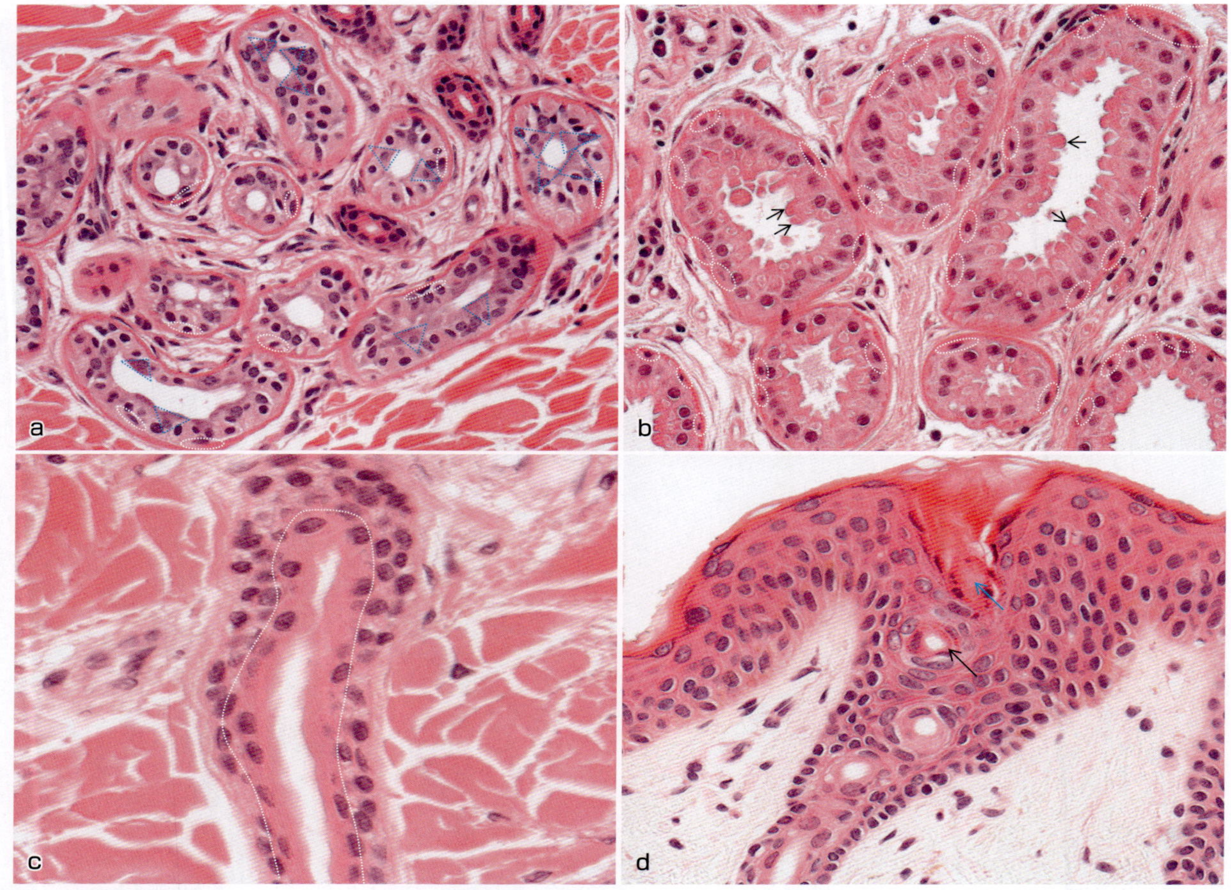

図 4 汗腺，汗管． a：エクリン腺．内腔側を逆三角形で好塩基性を示す暗調細胞（青点線）が，外側を大きく好酸性の明調細胞が取り囲む．強拡大．b：アポクリン腺．好酸性の円柱状細胞で，アポクリン分泌像を示す（↑）．筋上皮細胞が多数取り囲む（白点線）．中拡大．c：真皮内汗管．内腔を大型で好酸性の小皮縁細胞で裏打ちされ（白色線），外側を N/C 比が高く小型の孔細胞が数層取り囲む．強拡大．d：表皮内汗管．表皮内でらせんを描き，被覆表皮より早くケラトヒアリン顆粒（↑）や角化が出現する（↑）．強拡大

深部で球根のように膨らんだ部位を「毛球 hair bulb」という．毛球の先端から血管に富むスペード状の結合織性毛根鞘が入り込み（毛乳頭），そこに接する「毛母細胞 matrical cells」が毛髪と毛包（上皮性毛根鞘）に成熟していく（**図 5c**）．

毛母細胞は，N/C 比が高く核小体が目立ちクロマチンに富む細胞で核分裂像が多数あるため，毛母細胞を模倣する毛母腫（石灰化上皮腫）pilomatricoma は，しばしば悪性と誤認される．外毛根鞘のうち毛包下部を構成するグリコーゲンに富み淡明な高円柱状細胞は「トリキレンマ trichilemma」とよばれ，核が基底膜から等長にせり上がって柵状に配列 nuclear palisading する．内毛根鞘は，トリコヒアリン顆粒を有するハックスレー層 Huxley layer とヘンレ層 Henle layer で構成される．表層に向かうとトリコヒアリン顆粒はなくなり，やがて内毛根鞘自体が峡部で消失する．峡部 isthmus は，内毛根鞘は外毛根鞘のみから構成され，最内層は波状の角化を示す．漏斗部を構成する細胞は被覆表皮と似るものの，より薄く，表皮突起の形成は乏しく，角質層は斜子（ななこ）織りを呈する（**図 5b**）．

脂腺系の疾患は，6 種に分けることができ，**表 1** にそのうち 5 疾患の鑑別を示した．粘膜や手掌に異所性に発生する成熟皮脂腺である「Fordyce 状態 Fordyce condition, F. spots, F. granules」，過形成性病変である「脂腺増殖症 sebaceous hyperplasia」，良性腫瘍である「脂腺腺腫 sebaceous adenoma」と「脂腺腫 sebaceoma」そして「脂腺癌 sebaceous carcinoma」である（**表 1**）．嚢胞性疾患として，多発性脂腺嚢腫 steatocystoma multiplex（孤立性であれば，steatocystoma simplex）がある．

3. 炎症性疾患を診断するためのアルゴリズム

Ackerman が，約 40 年前に皮膚の炎症性疾患を定型的な 9 つの組織反応パターンに分類し，アルゴリズムに沿って診断するという画期的な手法を提示した．ここでは，より簡便な 9 つの組織反応パターンに分ける診断法を紹介する．

1）表皮の病変 ①乾癬型（B），
2）表皮の病変 ②海綿状態（C），
3）表皮の病変 ③表皮真皮境界型（D～G），

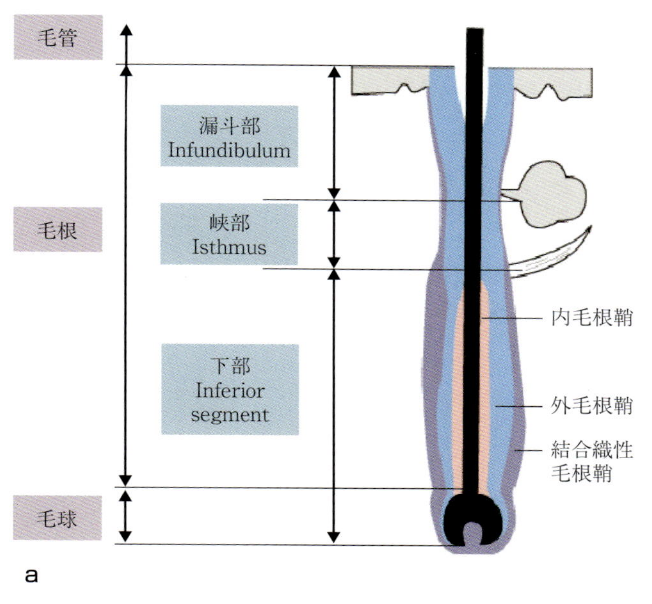

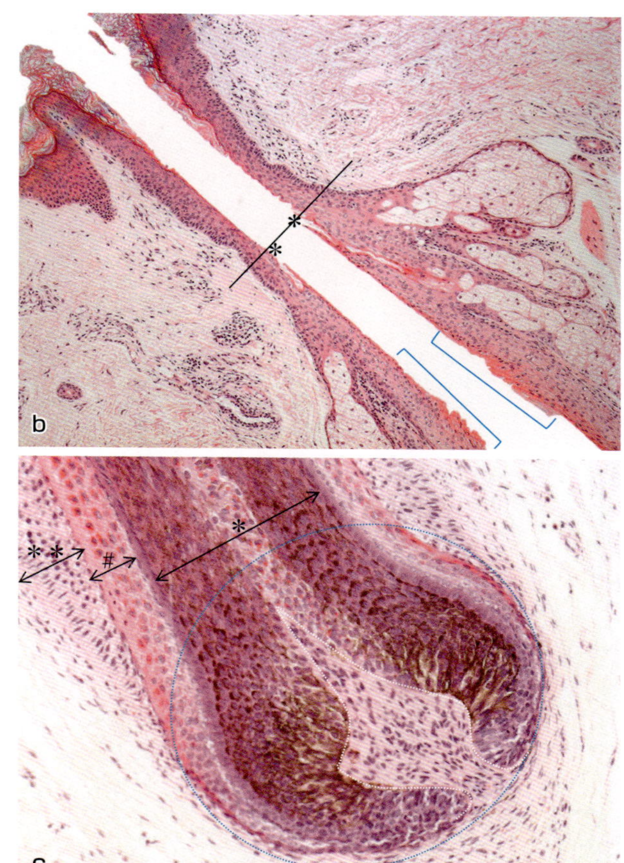

図5 毛包. a：毛包各部位の名称．b：漏斗状を呈する「漏斗部」，脂腺管の開口部（＊）から内毛根鞘の消失部位までを「峡部」といい，峡部は角化を示す（］［）．中拡大．c：毛球（青点線）．毛乳頭がスペード状に入り込み（白点線），接する毛母細胞から毛髪（＊）や毛包（#：内毛根鞘，＊＊：外毛根鞘）が成熟する．中拡大

4）水疱・膿疱形成性病変（H），5）血管の病変(I，J)，6）肉芽腫性病変(K)，7）毛包・脂腺系病変 8）真皮の病変，9）皮下脂肪組織の病変(L)．

このアルゴリズムにより，70以上の炎症性皮膚疾患を診断することが可能である．なお，7）毛包の腫瘍性疾患は**図1**に示すとおりで，代表的な炎症性疾患には，好酸球性膿疱性毛包炎 eosinophilic pustular folliculitis（太藤病）がある．8）真皮の病変には，じんま疹 urticaria，好中球性皮膚症 neutrophilic dermatosis（Sweet病），アミロイドーシス amyloidosis，強皮症 scleroderma，穿孔性皮膚症 perforating dermatosis など雑多な疾患が含まれ，アルゴリズムだけで診断にたどり着くことは難しいため，個々の疾患を成書で学んでほしい．

（**“炎症性疾患を診断するためのアルゴリズム” A〜Lは**，https://www.ishiyaku.co.jp/search/details.aspx?bookcode=731970 に掲載しています）

表1 皮脂腺系疾患の鑑別

疾患概念	異所性	過形成	良性腫瘍		悪性腫瘍
疾患名	Fordyce 状態	脂腺増殖症 S. hyperplasia	脂腺腺腫 S. adenoma	脂腺腫 Sebaceoma	脂腺癌 S. carcinoma
成熟脂腺と胚細胞の比	成熟脂腺 胚細胞は基底層の1層のみ		成熟>胚細胞	成熟<胚細胞	>>胚細胞
胞巣中心への成熟	あり			なし	
表皮や毛包との連続	表皮に開口	毛包と連続	表皮に開口	なし	
病変の主座	表皮〜真皮浅層			真皮浅層〜深層	
核異型	−		++	+	+++
核分裂像	−		++	+	+++

Fordyce 状態と脂腺増殖症は，皮脂腺の形態は正常である．脂腺上皮腫と脂腺腫との鑑別は成熟脂腺と胚細胞との比率に大きく依存する．脂腺癌の診断には，弱拡大による境界不明瞭な浸潤性の増殖が，核異型や核分裂像の多寡よりも重要である．

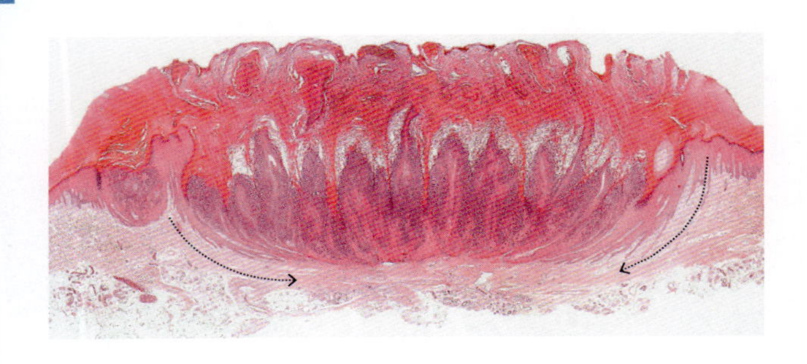

図 6　HPV 感染症（ミルメシア疣贅）．過角化を伴う乳頭状病変で，表皮突起が中央に向かい伸びる（点線矢印）．HPV 感染症に共通するシルエットである．ルーペ

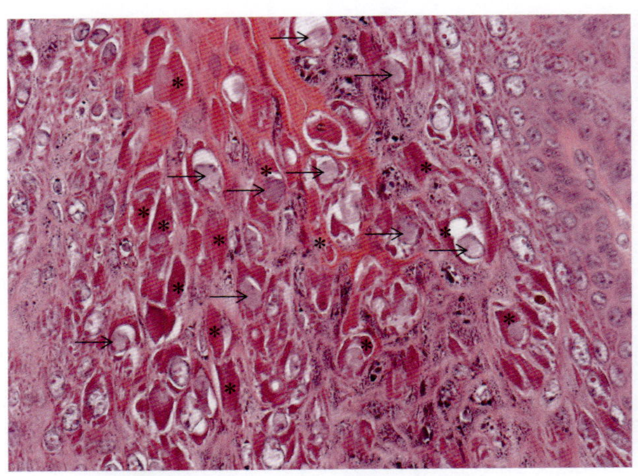

図 7　HPV 感染症（ミルメシア疣贅）．角化細胞は核内に均一な淡紫色の封入体（↑）が，細胞質内に深紅で大型の封入体（*）がみられる．強拡大

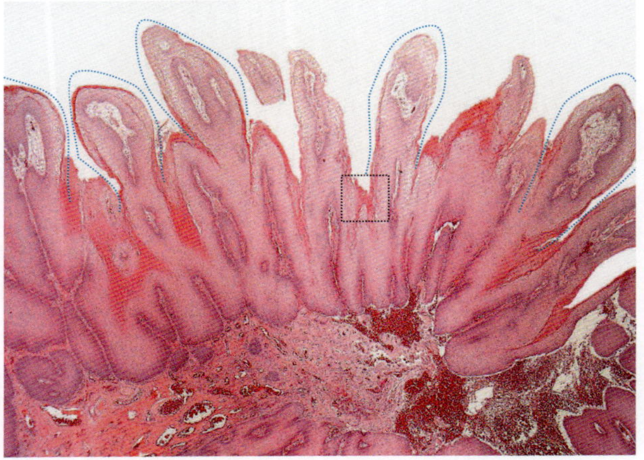

図 8　尖圭コンジローマ．乳頭状の増殖巣だが，特異的に先端がいったん太まり最先端が尖る（点線）．弱拡大

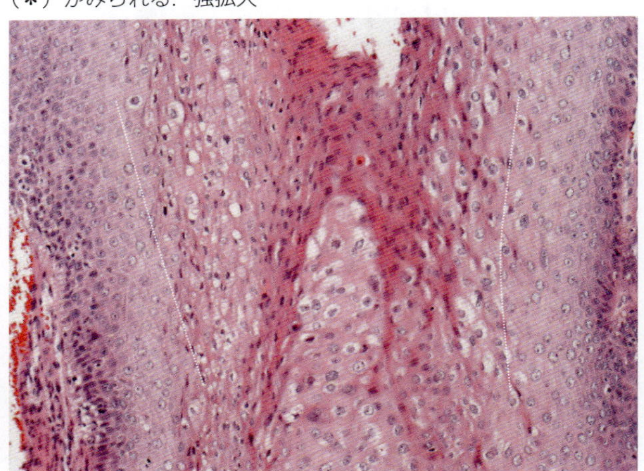

図 9　尖圭コンジローマ．乳頭の谷（点線間）は核が濃縮し，核周囲に halo が形成される（koilocytosis）．図 8 の四角．強拡大

ヒトパピローマウイルス（HPV）感染症は，皮膚では**尋常性疣贅** verruca vulgaris や**扁平疣贅** verruca plana，外陰部粘膜では**尖圭コンジローマ** condyloma acuminatum が多い．HPV の型は 150 種類以上が知られており，尋常性疣贅は HPV2/4/7 型が，扁平疣贅は HPV3/10/28 型が，尖圭コンジローマは HPV6/11 型などが原因ウイルスとなる．皮膚の高リスク型は，扁平上皮癌 squamous cell carcinoma やボーエン病 Bowen disease の HPV5/8 型が，ボーエン様丘疹症 bowenoid papulosis の HPV16 型などがある．HPV 感染症は，発癌性（高リスク/低リスク）のみでなく臨床像や病理像も HPV の型により特異的に決定されており，HPV 型特異的細胞変性/細胞原性効果 cytopathic/cytopathogenic effect とよばれる．HPV 感染症に共通する組織所見として，①乳頭状の増殖，②表皮突起の下内方への伸長，③過角化，④乳頭頂部の錯角化柱，⑤細胞質内のウイルス封入体（トリコヒアリン顆粒），⑥核内の淡紫色のウイルス封入体，⑦核周囲 halo の形成（koilocytosis），⑧ケラトヒアリン顆粒の増加（多顆粒細胞症 hypergranulosis）などがある．感染からの経過により所見が移り変わり，①〜④は全時期を通じてみられる所見であるが，時期が経つに従い次第に弱くなる．所見⑤〜⑦は急性期のみに，⑧は逆に陳旧化に伴い明瞭となる．

足底疣贅 verruca plantavis（**ミルメシア** myrmecia）　掌蹠に発生する HPV1 型による感染症で，myrmec- は蟻を意味し，蟻が巣を掘るときにできる土の塚を模倣することからこの名称がある（**図 6**）．多くの角化細胞の細胞質内に深紅で大型の封入体を入れる（**図 7**）．この封入体を形成する HPV 感染症は「封入体疣贅 inclusion wart」とよばれる．HPV60 型に起因する足底の表皮様嚢腫は細胞質内に 1 つの封入体を有する．

尖圭コンジローマ　外陰部や肛門周囲の皮膚や粘膜に発症する性行為感染症である．組織学的には，乳頭状増殖が葉っぱのように先端付近でいったん広がりをみせ，最先端は尖る（**図 8**）．定型的な HPV 感染症に比し，ケラトヒアリン顆粒や細胞質内および核内封入体は目立たない（**図 9**）．

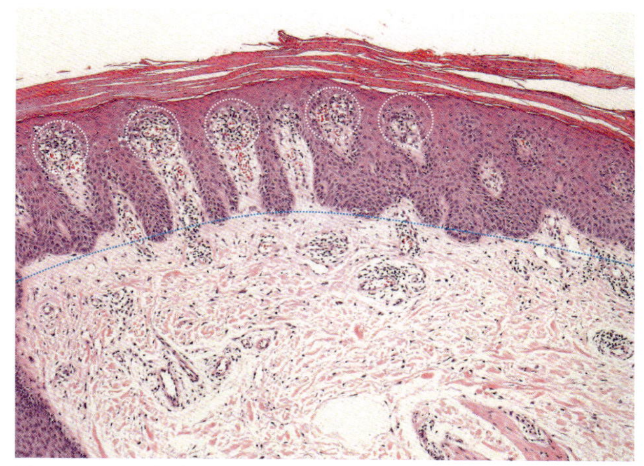

図 10　尋常性乾癬．表皮突起は長さも幅も等長に延長している（青点線）．毛細血管が表皮直下で拡張している（白点線）．中拡大

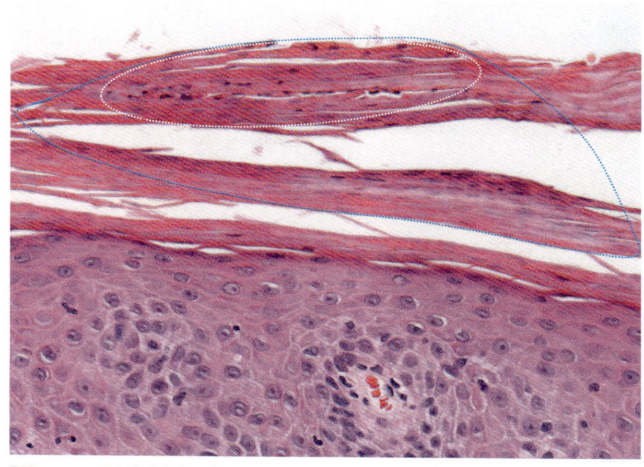

図 11　尋常性乾癬．隆起部において顆粒層が消失し，"parakeratotic mound"（青点線）やムンロー微小膿瘍（白点線）を形成する．強拡大

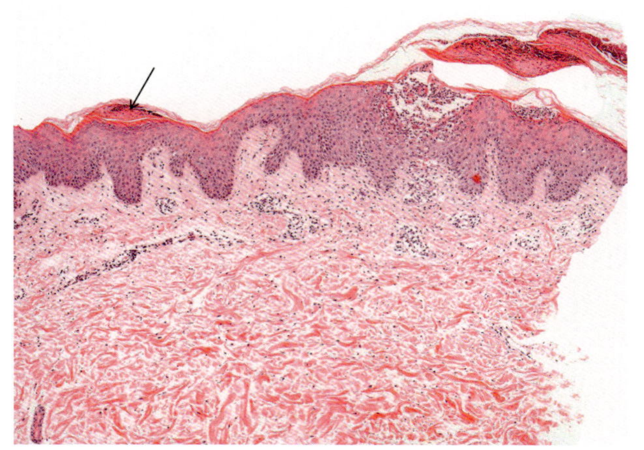

図 12　膿疱性乾癬．表皮突起の等長な延長やムンロー微小膿瘍（↓）から，背景に乾癬を有する汎発型であることがわかる．ルーペ

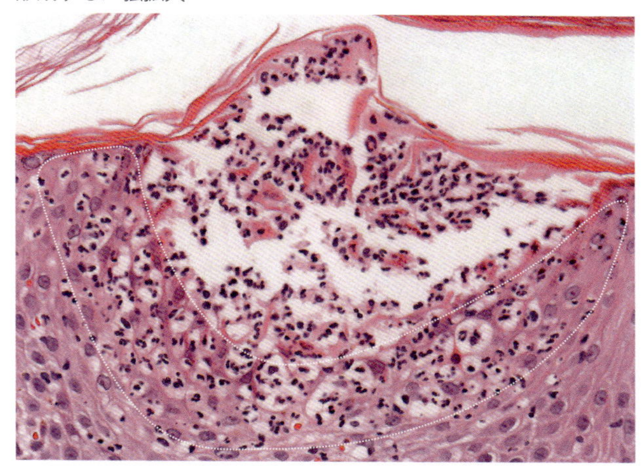

図 13　膿疱性乾癬．角層下に大型の水疱が形成され，好中球が内部と周囲の有棘細胞内（点線）に浸潤する（Kogoj 海綿状膿疱）．強拡大

尋常性乾癬　表皮のターンオーバーの亢進と増殖をきたす炎症性角化症の代表的疾患である．表皮の増殖は，病変部すべての表皮突起の先端を面としていっせいに引き下げることにより角化細胞の体積を最大にしようと図る．それにより，相対的に狭小化した真皮乳頭層は表層に押し上げられ，表皮突起間の表皮は隆起するとともに菲薄化する．この著しい表皮の増殖を栄養するために，真皮乳頭層の毛細血管は著しく拡張するので，表皮直下は明瞭に血管の存在を確認できる．うっ血や周囲の浮腫を伴うことも多い．表皮の隆起と菲薄化および毛細血管の拡張などにより，臨床的に病変部位の鱗屑を剝がすと容易に点状出血をきたす"アウスピッツ Auspitz 現象"を引き起こす．以上の病態を組織所見として表すと，ターンオーバーの亢進により①表皮突起が等長に延長し，表皮突起の幅も等しい（**図 10**）．②顆粒細胞層の消失，③マウンド状ないし幅の広い錯角化（parakeratotic mound），および過角化，④角質層内の好中球浸潤（ムンロー微小膿瘍 Munro microabscess）（**図 11**）（ただし好中球は，角質層内では核濃縮や核破砕をきたし正常の形態をとどめない），⑤真皮乳頭層直上の表皮の隆起と菲薄化，⑥表皮直下での毛細血管の拡張である．

膿疱性乾癬　汎発型と限局型があり，尋常性乾癬の経過中に生じる場合と突然の発症がある．欧米では掌蹠膿疱症 palmoplantar pustulosis を限局性の膿疱性乾癬に位置づけている．組織学的に，①膿疱は角層直下に位置し（**図 12**），②海綿状態（浮腫）や水疱を伴う．つまり"コゴイ海綿状膿疱"spongiform pustule of Kogoj（**図 13**）を形成することが診断として重要である．そのため膿疱と周囲の角化細胞との境界は不明瞭である．

【鑑別診断】　角質層下膿疱を形成する感染症を否定するために，カンジダ症 candidiasis や皮膚糸状菌症 dermatophytosis などの真菌は PAS 染色を，黄色ブドウ球菌（グラム陽性球菌）による膿痂疹 impetigo はグラム染色をするとよい．

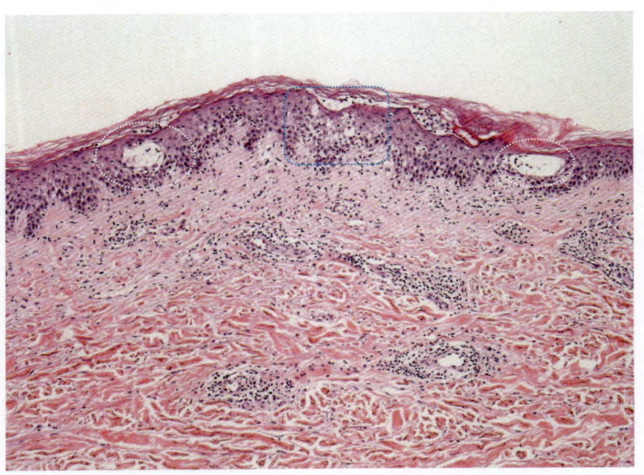

図 14　接触皮膚炎（湿疹）．海綿化（青点線）が目立ち，数カ所で水疱の形成（白点線）にいたる．弱拡大

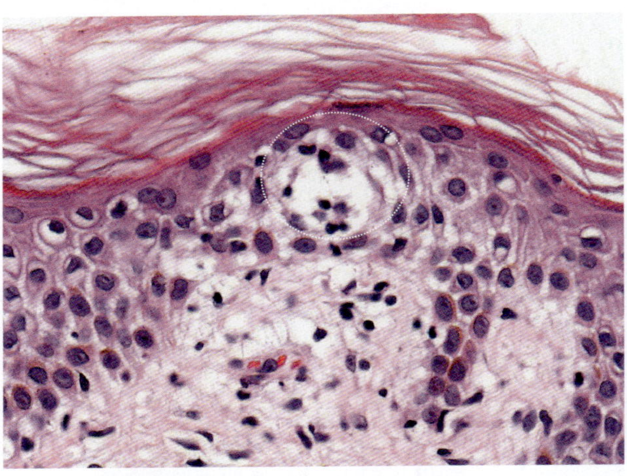

図 15　接触皮膚炎（湿疹）．浮腫（海綿状態）により細胞間橋が明瞭となり，高度になると水疱（点線）を形成する．表皮突起の延長はない．強拡大

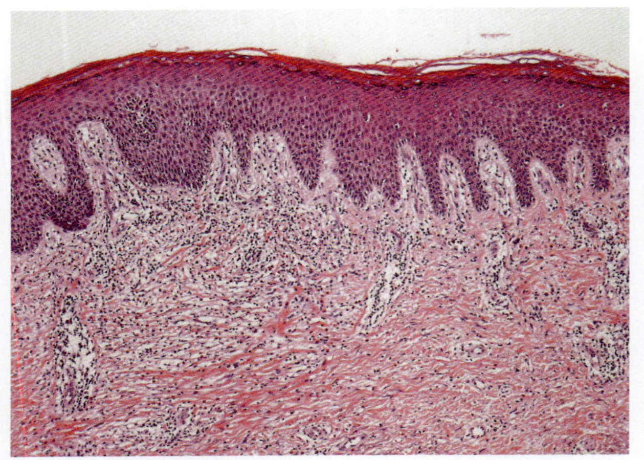

図 16　貨幣状湿疹．表皮突起がほぼ等長に延長する乾癬型の表皮肥厚がみられるが，背景に浮腫を伴うことが細胞間橋の明瞭さでわかる．中拡大

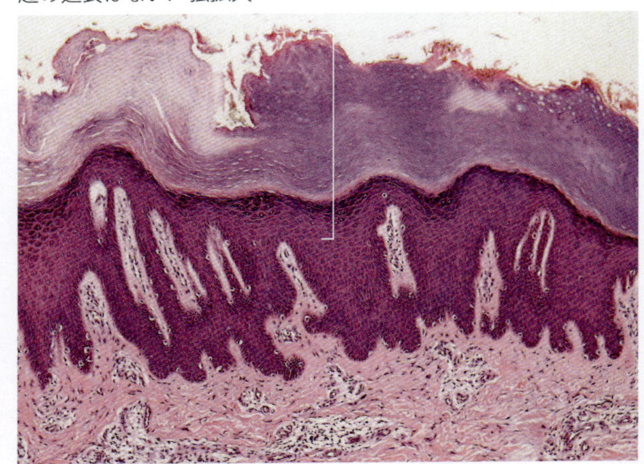

図 17　慢性単純性苔癬（ビダール苔癬）．正角化，透明層の出現および顆粒層の肥厚など，あたかも手掌の皮膚を示す hairy palm sign（ ］），表皮突起の延長もみられる．中拡大

いわゆる**“湿疹”**とは，組織学的には表皮に海綿状態 spongiosis をきたす疾患の総称である．病理診断は，“spongiotic dermatitis”と記されるにとどまり，最終診断は臨床像を加味して決定される．組織学的に海綿状態が目立ち，しばしば水疱を形成する病態は，“急性湿疹”（必ずしも時期が早いという意味ではなく，発疹の特徴により決定される）に属し，アレルギー性接触皮膚炎 allergic contact dermatitis（**図 14, 15**），自家感作性皮膚炎 autosensitization dermatitis および汗疱 pompholyx などが含まれる．組織学的に急性湿疹の様相を残しつつも，過角化，顆粒層の肥厚，乾癬型の表皮過形成（比較的等長な表皮突起の延長）などが加わる病態には，貨幣状湿疹 nummular dermatitis（**図 16**）や脂漏性湿疹 seborrheic dermatitis がある．過角化，顆粒層の肥厚，乾癬型の表皮過形成などが組織所見の主体をなす病態の臨床像は，“苔癬化 lichenification”（皮膚が肥厚して硬くなることにより，皮溝と皮丘がはっきりしてくる）とよばれる．なお，組織学的な“苔癬型組織反応 lichenoid tissue reaction”は，真皮乳頭層を埋める帯状の炎症細胞浸潤を指し，両者の意味はまったく異なる．

慢性単純性苔癬（**ビダール苔癬** lichen simplex chronicus Vidal）は苔癬化を示す代表的疾患である．組織学的には，乾癬とは異なり，表皮突起の長さや太さはやや不均一で，顆粒細胞層は正常ないし肥厚する（**図 17**）．掌蹠でないにもかかわらず，正角化，顆粒層の肥厚，角層と顆粒層の間に透明層 lucid layer をみる（hairy palm sign）こともある．真皮内に多かれ少なかれ炎症細胞が浸潤するが，瘢痕の形成はない．アトピー性皮膚炎 atopic dermatitis は，臨床的に急性湿疹から慢性湿疹まで多彩な臨床像をとりうるが，掻破を繰り返す経過のうちに結節性痒疹 prurigo nodularis を形成することがある．組織学的には比較的境界が明瞭なマウンド状ないしドーム状の隆起性病変で，乾癬型ないし，より高度で不規則な表皮の肥厚や過角化をきたし，真皮内に炎症細胞浸潤や瘢痕を伴う．

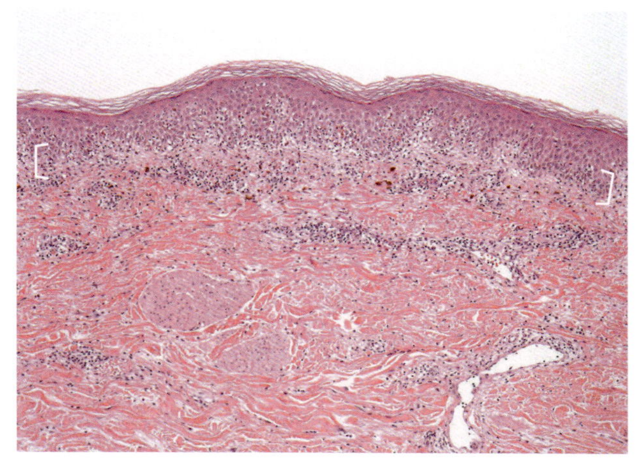

図 18　多形滲出性紅斑．病変の主座は基底細胞や基底膜に存在し（［ ］），空胞変性と浮腫により淡明にみえる．真皮中層より深部は保たれている．弱拡大

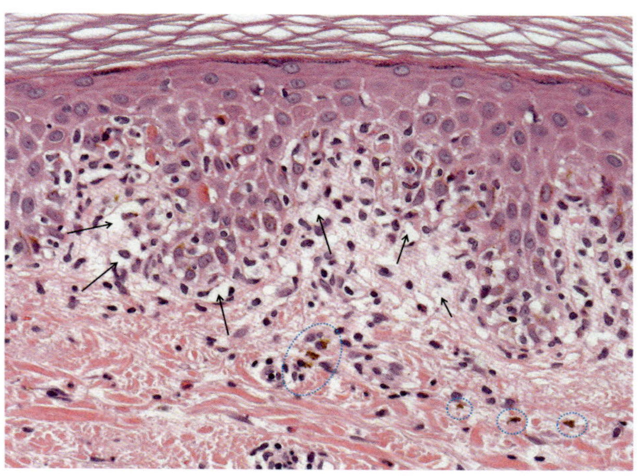

図 19　多形滲出性紅斑．リンパ球が基底膜の上下や角化細胞の細胞質内に浸潤する．空胞変性（↑）も目立つ．滴落したメラニンをマクロファージが貪食している（点線）．強拡大

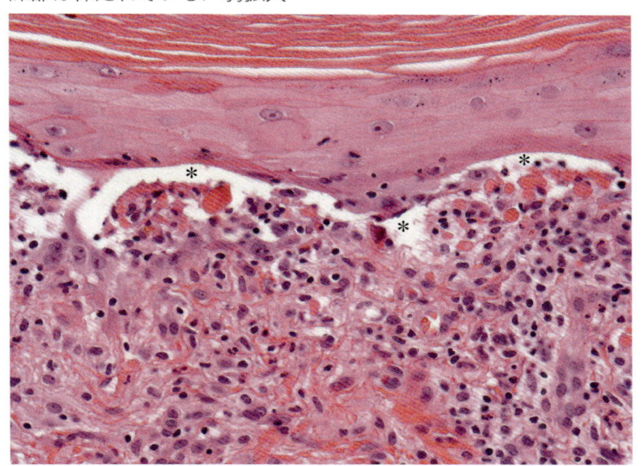

図 20　多形滲出性紅斑．基底細胞が壊死し，基底膜も破壊され，表皮直下に Max-Joseph space とよばれる裂隙（＊）が形成されている．強拡大

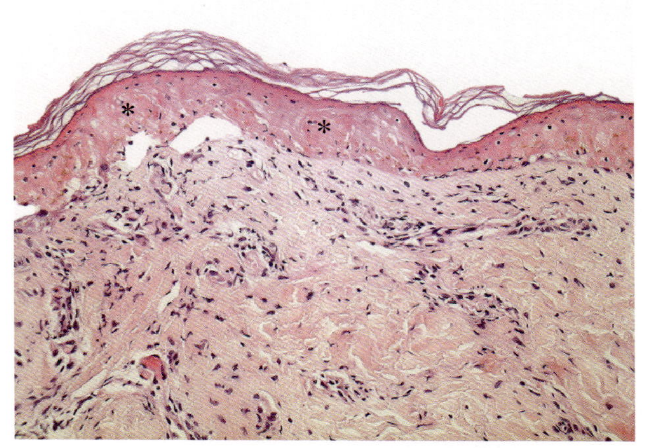

図 21　スティーブンス・ジョンソン症候群．表皮は完全に壊死に陥り（＊），剝離しかかっている．中拡大

多形滲出性紅斑（EM，EEM）は臨床的に，薬剤や感染症（ウイルス，細菌）など多彩な要因で，基底細胞や基底膜がターゲットとして障害されるアレルギー反応である．数日のうちに四肢の伸側や関節部位に左右対称性に次々に新生するため新旧の病変が混在する“多形性”を示すが，数週間で自然に治癒する．皮疹は円形で鮮紅色を呈し，中央部がやや陥凹した特徴的な“標的状/虹彩状”target lesion/iris lesion を呈する．組織学的に EEM は，表皮真皮境界部皮膚炎 interface dermatitis（ID）の代表的疾患であり，ID に共通する組織像①〜④をすべて満たす（**図 18〜20**）．①傷害のターゲットである基底細胞は個細胞壊死をきたし，好酸性で無構造となる（apoptotic body，Civatte body，colloid body，hyaline body，satellite cell necrosis）．②基底膜は障害されて引き裂かれて穴があく，“空胞変性”vacuolar degeneration を生じ，③表皮内のメラニンは真皮に滴落する．④病期が長期に及ぶと，基底膜は抗体，補体および壊死した角化細胞などが沈着し“液状変性”liquefaction degeneration をきたして厚く肥厚する．

【鑑別疾患】 ID を呈する疾患には，角化細胞の個細胞壊死が目立つ疾患グループ：①多形紅斑，②移植片対宿主反応 graft-versus-host disease（GVHD），③急性苔癬状痘瘡状粃糠疹 pityriasis lichenoides et varioliformis acuta（PLEVA）（Mucha-Habermann disease），④固定薬疹 fixed drug eruption と，個細胞壊死の少ないグループ：①膠原病（特に全身性エリテマトーデスや皮膚筋炎），②薬疹，③ウイルス性発疹症がある．それぞれのグループ内の疾患を組織学的に鑑別することは困難であり，最終診断には臨床像を加味する必要がある．

［参考事項］ 多形紅斑に粘膜・眼病変，発熱，関節痛などの全身症状を伴う病態を，スティーブンス・ジョンソン症候群 Stevens-Johnson syndrome（SJS）といい（**図 21**），びらんや水疱が体表面の 10% 未満を SJS，10〜30%を overlap SJS/TEN，30%以上を中毒性表皮壊死症 toxic epidermal necrosis（TEN）という．

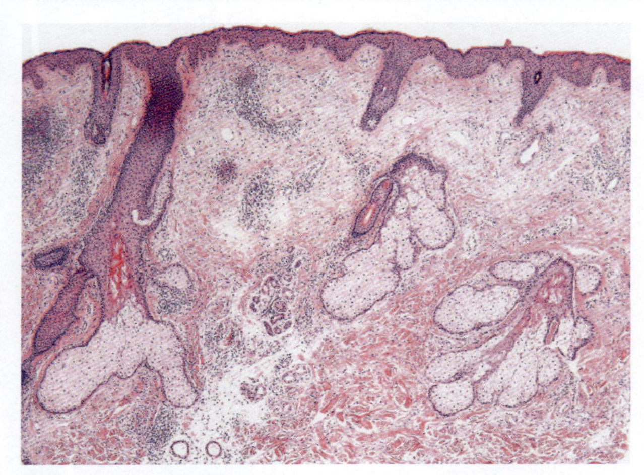

図 22　エリテマトーデス．真皮浅層は膠原線維が消失し，高度の浮腫や粘液の沈着をきたす．ルーペ

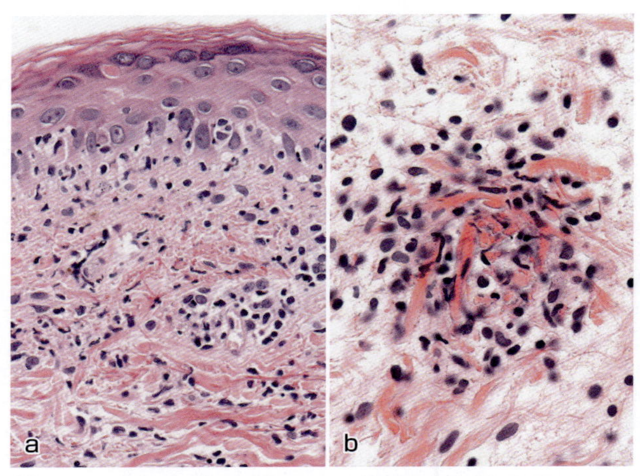

図 23　エリテマトーデス．a：基底膜や基底細胞層にリンパ球が浸潤している．中拡大．b：膠原線維が好酸性に変性し，炎症細胞が浸潤している．強拡大

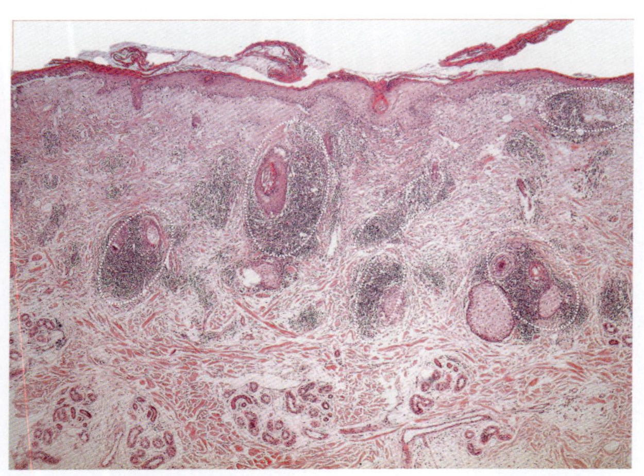

図 24　円板状エリテマトーデス．毛包や皮脂腺の周囲に，リンパ球が結節状に浸潤する（点線）．ルーペ

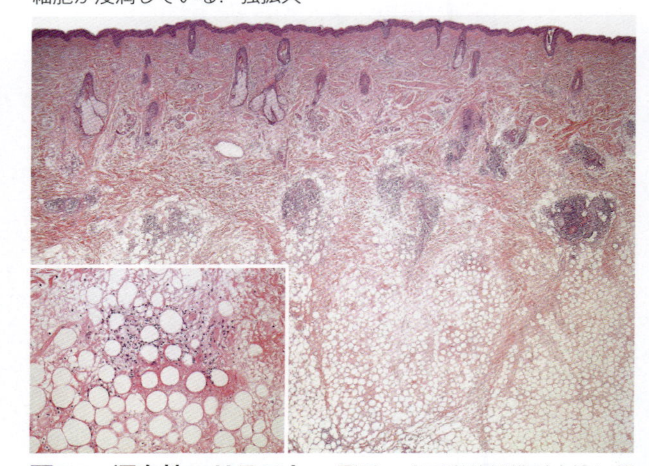

図 25　深在性エリテマトーデス．皮下脂肪組織が広範に凝固壊死に陥る．フィブリノイド物質が沈着し，核破砕が目立つ好中球が浸潤する（挿入図）．ルーペ

エリテマトーデス（SE/SLE）の組織学的特徴（**図 22, 23**）は，①表皮が萎縮し，②表皮真皮境界部に空胞変性をきたす．③空胞変性は，しばしば毛包や皮脂腺の上皮にも及ぶ．④基底細胞は個細胞壊死をきたす．⑤真皮は粘液が沈着し浮腫をきたしてリンパ管は拡張する．⑥基底膜，膠原線維および血管壁などにフィブリノイド変性が生じ，⑦白血球破砕性血管炎をみる．このうち，空胞変性，フィブリノイド変性を伴う血管炎および好中球浸潤の 3 所見は疾患特異性が高い．

円板状エリテマトーデス（DLE）　SLE の所見①～⑦がいずれもみられるが，それらに加え毛包の周囲にリンパ球が結節状に浸潤する（**図 24**）．

深在性エリテマトーデス　病変の主座が真皮深層～皮下脂肪組織にある．しばしば皮下脂肪組織は凝固壊死に陥り，フィブリンの析出や核破砕の目立つ好中球が浸潤する（**図25**）．

【鑑別疾患】　皮膚筋炎 dermatomyositis：真皮に浮腫が高度である割に，炎症細胞浸潤は乏しい．

［参考事項］　DLE は臨床的にも組織学的にも 1 つの独立した疾患であるが，SLE の皮膚病変ともなりうる．DLE 型の皮疹は，男性の SLE 患者では約半数でみられる．

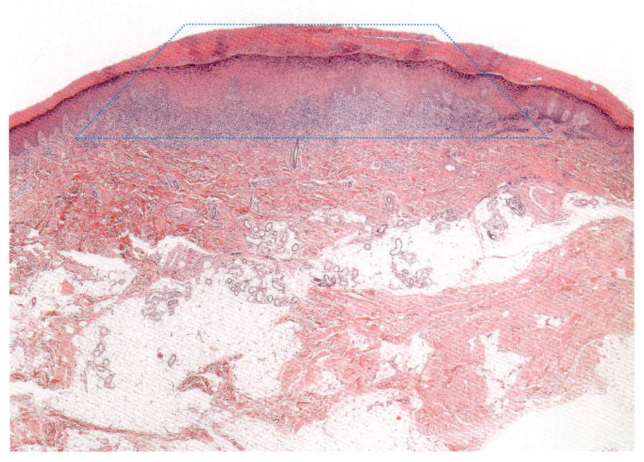

図 26 扁平苔癬．台状の隆起性病変で（点線），頂部は“扁平”である．角質，顆粒層を含む表皮全体が肥厚する．真皮乳頭層は帯状（“苔癬型” lichenoid）にリンパ球が浸潤する．弱拡大

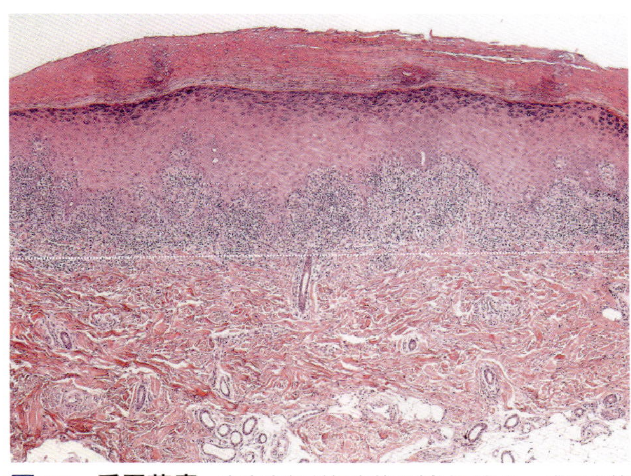

図 27 扁平苔癬．表皮突起が鋸歯状に削り取られ，浅層血管叢の位置（点線）から真皮乳頭層を埋めるようにリンパ球が浸潤する．中拡大

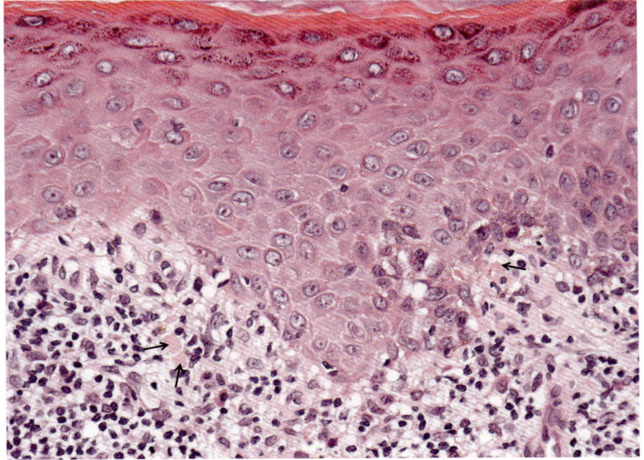

図 28 扁平苔癬．障害された基底層は消失し，基底細胞は個細胞壊死に陥っている（↑）．強拡大

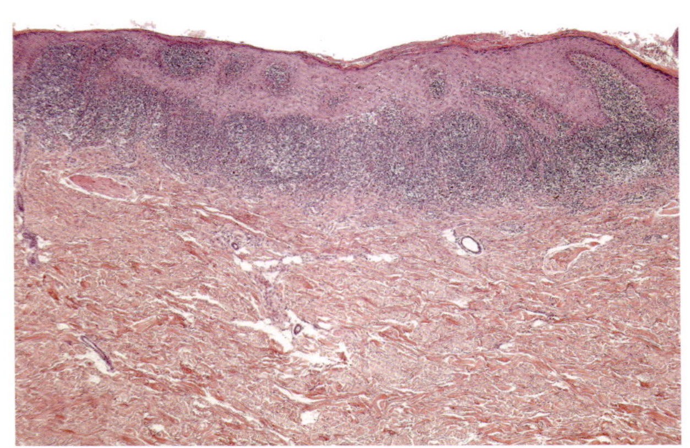

図 29 扁平苔癬様角化症（LPLK）．表皮突起が延長しリンパ球が帯状に浸潤するが，過角化や顆粒層の肥厚はない．中拡大

扁平苔癬は，皮膚および粘膜に生じる炎症性角化症（炎症性疾患に属し，角化異常を伴う病態）の1つで，皮膚では手背，前腕および下腿に，粘膜では口唇・口腔および陰茎などに好発する．扁平に隆起し中央部がわずかに陥凹する，多角形でエンドウ豆大の紫紅色丘疹が集簇する．組織学的には傷害のターゲットが基底細胞であるため，①基底細胞層は壊死（個細胞壊死）により削り取られ，表皮突起が鋸歯状を呈する．②成熟が遅い表皮は肥厚し，顆粒層は厚くなり，正角化をきたす．③リンパ球が浅層血管叢から基底細胞層を目がけて特異的に非常に高度に浸潤するため，下床がまっすぐにそろい真皮乳頭層を埋める“帯状”の細胞浸潤を示す（**図 26〜28**）．基底細胞はすみやかに再生され，核小体が目立つもののクロマチンが微細な再生性上皮が並ぶ．やがてリンパ球浸潤は減少し，線維化や滴落したメラニンを貪食したメラノファージが浸潤する．粘膜では，錯角化がみられたり，リンパ球浸潤がきれいな帯状を示さず，形質細胞を混じることも多い．

【鑑別診断】 扁平苔癬様角化症 lichen planus-like keratosis（LPLK）の本質は，脂漏性角化症ないしその前駆性病変である老人性色素斑の消退像と考えられている．孤立性であること，背景に原疾患が指摘できること，扁平苔癬とは異なりリンパ球は血管周囲性に浸潤し，綺麗な帯状を呈さないことなどが鑑別点となる（**図 29**）．

［参考事項］ 発疹に関する「苔癬 lichen」とは，ほぼ同じ大きさの小丘疹が集簇し，他の皮疹に変化しないもの，と表される．「苔癬化 lichenification」とは，慢性的な掻破により皮膚が硬くなり，皮溝と皮丘がはっきり認められるようになった発疹を指す．これに対して組織学的な「苔癬型組織反応 lichenoid tissue reaction」は，リンパ球が表皮直下で帯状に浸潤する病理像をいう．

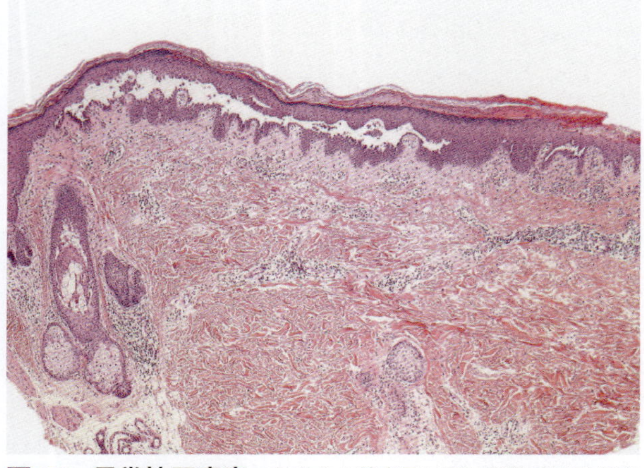

図 30 尋常性天疱瘡．表皮内の基底層に近い部位で棘融解をきたし，大小の水疱を形成する．弱拡大

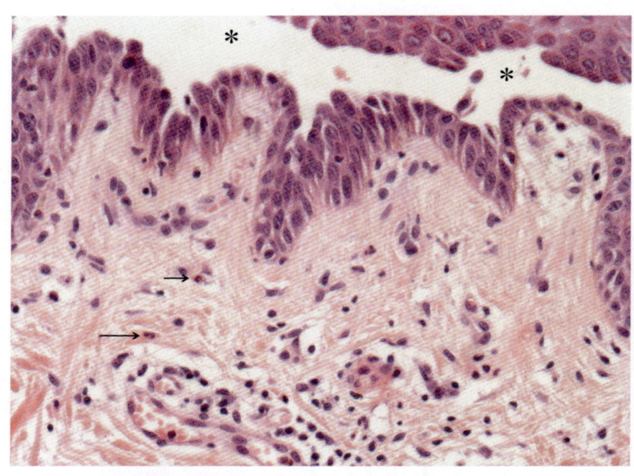

図 31 尋常性天疱瘡．棘融解が 1 層残った基底細胞（墓石の列）の直上に生じ（＊），好酸球が浸潤する（→）．強拡大

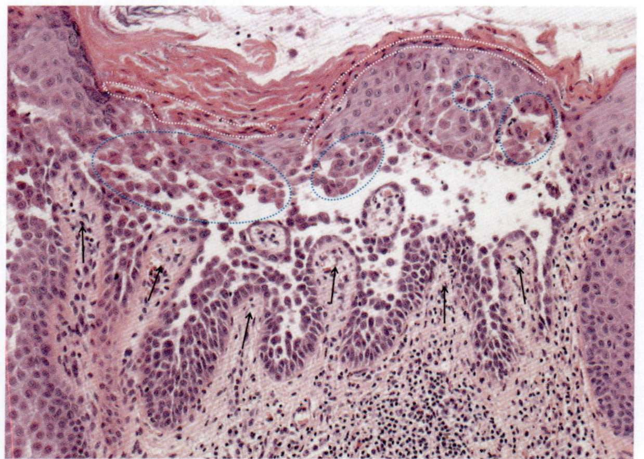

図 32 ヘイリー・ヘイリー病．棘融解は被蓋角化細胞にも及び，“壊れたレンガの壁状” と表される．真皮は絨毛状に突出する（↑）．corps ronds（青点線）や grains（白点線）がみられる．中拡大

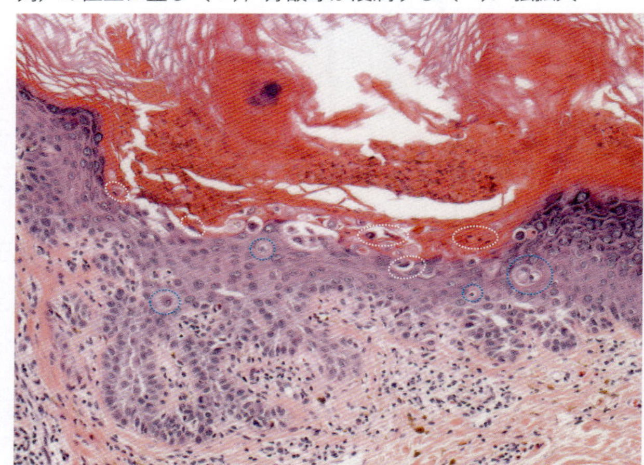

図 33 ダリエー病．本質は角化異常症であり，棘融解は水疱を形成するほどではない．表皮が陥凹し，corps ronds（青点線）や grains（白点線）が目立つ．強拡大

尋常性天疱瘡は，角化細胞の細胞間を接着するデスモグレイン（dsg）に対する自己抗体により角化細胞が攻撃されるため，dsg が豊富な口腔粘膜（dsg 1）や少量ながら存在する皮膚（dsg 3）の上皮/表皮内に水疱を形成する．組織学的には，正常で dsg 3 が分布する基底層直上で棘融解 acantholysis が生じ，水疱を形成する（**図 30**）．残された 1 層の基底細胞は，（西洋の）“墓石様外観”/“墓石の列” tombstone appearance/row of tombstones 状を呈する．棘融解は毛包や汗管上皮にも生じる．水疱内や真皮浅層には好酸球が浸潤する（**図 31**）．被蓋上皮/表皮の角化細胞には著変を認めない．口腔内病変は常に生じ，皮膚病変に先行することが多い．基底細胞層直上よりもやや表層まで棘融解が及び，細胞浸潤は形質細胞が目立つ．

【鑑別疾患】 ヘイリー・ヘイリー病 Hailey-Hailey disease（**家族性良性慢性天疱瘡** familial benign chronic pemphigus）：腋窩や鼠径部などの間擦部位に，膿瘍を伴う小水疱が集簇する常染色体優性遺伝のデスモソームの形成不全である．棘融解は基底層直上で目立ち水疱を形成するが全層に及び，細胞間に細隙 lacuna を形成したり，“壊れたレンガの壁” crumbling/dilapidated brick wall 状とよばれる緩やかな接着を示したりする．尋常性疣贅とは異なり角化異常の側面もあるため，有棘細胞が核周囲 halo と好酸性を呈する “円形体” corps ronds（コー・ロン）や，顆粒細胞の核が濃縮し穀物の粒状を呈する “顆粒体” grains とよばれる変性をきたす（**図 32**）．

ダリエー病 Darier disease（**毛包性角化症** keratosis follicularis）：ヘイリー・ヘイリー病とは病因や臨床症状が類似する近縁疾患であるが，水疱症というよりも角化異常症に分類される．病変は必ずしも毛包に一致しない．錯角化を伴う角化が角栓となり棘融解や円形体・顆粒体が存在する（**図 33**）．毛包一致性で孤立性に発生した病態は，**疣贅状異角化腫 warty dyskeratoma/isolated dyskeratosis follicularis** とよばれる．

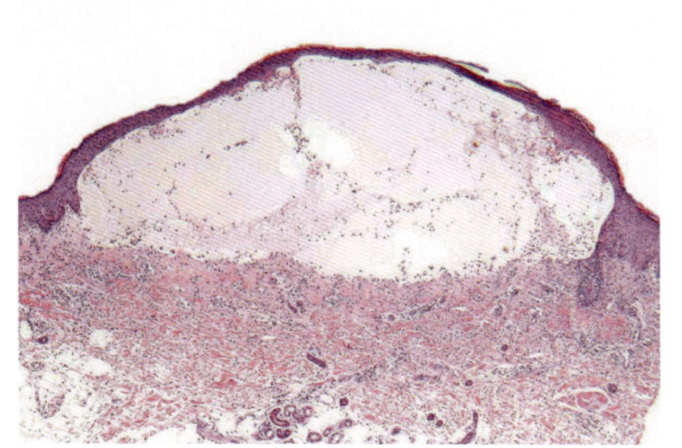

図 34 水疱性類天疱瘡．表皮下水疱は鏡餅の形態を呈する．ルーペ

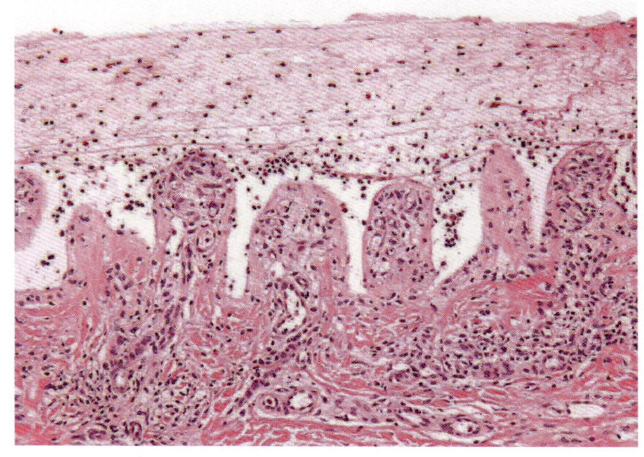

図 35 水疱性類天疱瘡．表皮が真皮から剥離し，真皮乳頭の乳頭状形態（villi）が残る．水疱内は，フィブリンの析出物と好酸球が浸潤する．中拡大

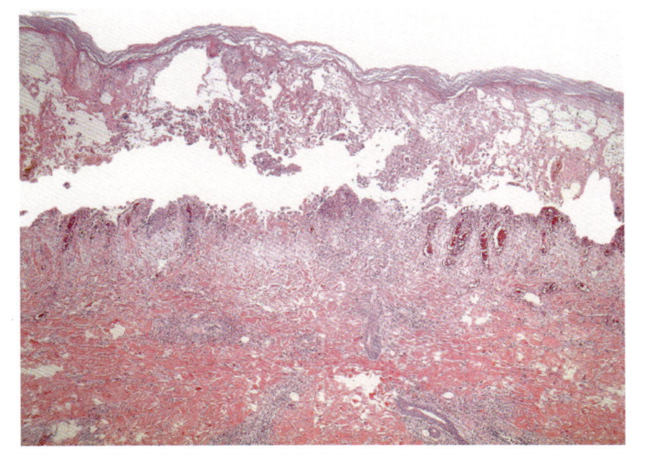

図 36 単純疱疹/水痘・帯状疱疹．水疱蓋はほぼ完全に壊死に陥り，網目状を呈する（網状変性 reticular degeneration）．弱拡大

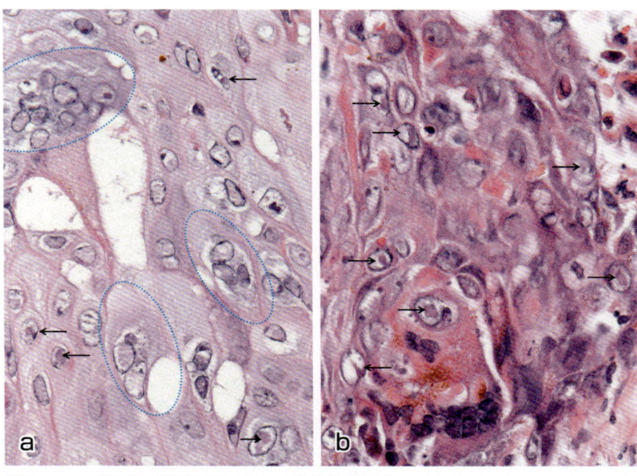

図 37 単純疱疹/水痘・帯状痘疹．a：核内がすりガラス状を示す Full 型の核内封入体はしばしば多核となる（青点線）．強拡大．b：Cowdry A 型封入体は核小体様が好酸性を示し，周囲に halo を伴う（↑）．強拡大

水疱性類天疱瘡　基底膜のヘミデスモソームを構成する蛋白（BP230，BP180）に対する自己免疫疾患で，基底膜が破壊され表皮直下に水疱を形成する．高齢者の全身に発症する大小の緊満性水疱で，粘膜侵襲はまれで軽度である．組織学的に，①水疱は表皮下に形成され，②両側は鏡餅のように鈍角を示す（**図 34**）．③水疱の中はフィブリン網と好酸球を入れる．④水疱を被蓋する角化細胞はよく保たれる．残存する真皮は乳頭状の形態 villi が明瞭で，⑤水疱内には好酸球，好中球，リンパ球などが浸潤する（**図 35**）．⑥水疱形成の初期は，空胞変性に類似する細隙が生じ，リンパ球と好酸球が基底膜の直下に集簇する．⑦再生上皮が，残存する毛包や汗管上皮から水疱底を這うように覆う．⑧蛍光抗体法で，IgG と C3 が基底膜に沈着する．

単純疱疹/水痘（みずぼうそう）・帯状疱疹　単純疱疹はヒトヘルペスウイルス human herpes virus（HHV）のうち，HHV 1 型（口腔・口唇）と HHV 2 型（性器）に分類される単純ヘルペスウイルス herpes simplex virus（HSV1，HSV2）により，水痘・帯状疱疹は HHV 3 型の水痘・帯状疱疹ウイルス varicella-zoster virus（VZV）による感染症である．HSV1，2 による初感染は不顕性のことも多いがウイルスは神経節に潜伏し，免疫力が低下した際に再活性化する．VZV 初感染は顕症化して水痘を発症し，HSV 感染と同様に再発（帯状疱疹）する．単純疱疹と水痘・帯状疱疹は，発疹や組織像がいずれも相同で，小円形の紅暈を伴う小水疱を形成する．組織学的には，①表皮内水疱で，②角化細胞は変性・壊死や好中球の浸潤が目立つ（**図 36**）．③感染した角化細胞は変性や浮腫により著しく腫大し，④細胞質は浮腫や変性（網状変性 reticular degeneration）をきたしたり，⑤核内封入体がみられる．核が好塩基性で，すりガラス状に均質化する Full 型の封入体はしばしば多核となる（**図 37**）．やがて，核内に濃い好酸性の封入体（**Cowdry A 型封入体**）を入れる．ウイルスは表皮のみでなく，線維芽細胞や血管内皮細胞，神経線維束（神経周膜）に侵入する．

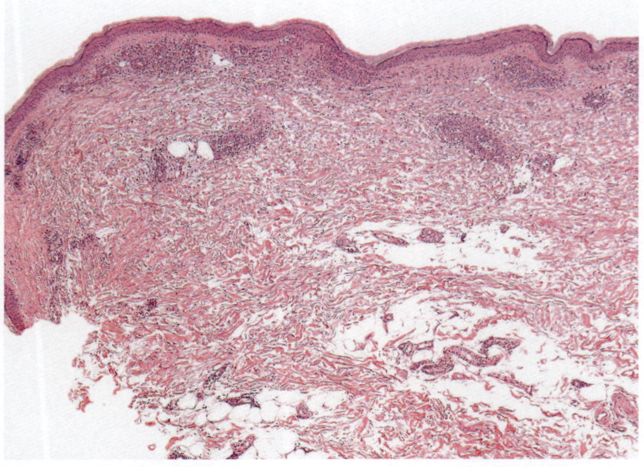

図 38 IgA 血管炎．病変は，細血管の中でも真皮浅層の細い静脈を中心とした血管炎である．弱拡大

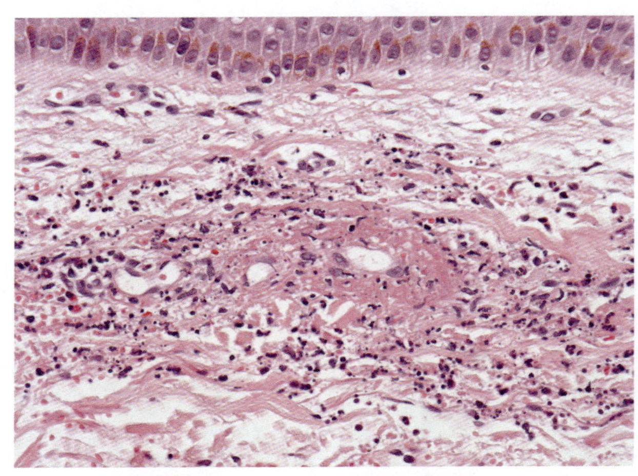

図 39 IgA 血管炎．血管壁や周囲の膠原線維がフィブリノイド変性により好酸性を示し，核破砕の目立つ炎症細胞浸潤と出血を伴う．強拡大

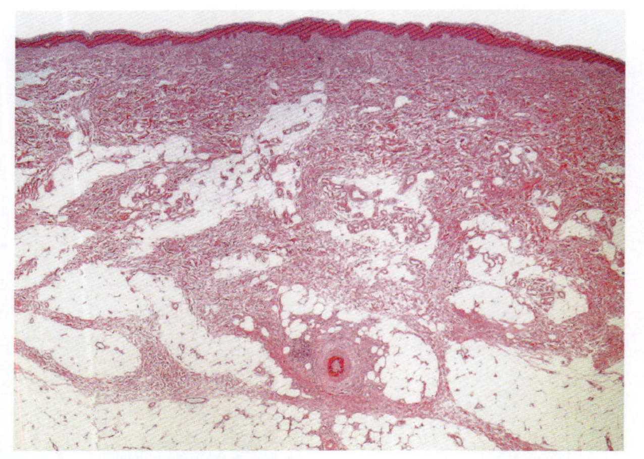

図 40 結節性多発動脈炎．皮下脂肪組織内の動脈に病変の主座をおく小血管血管炎の定型像である．弱拡大

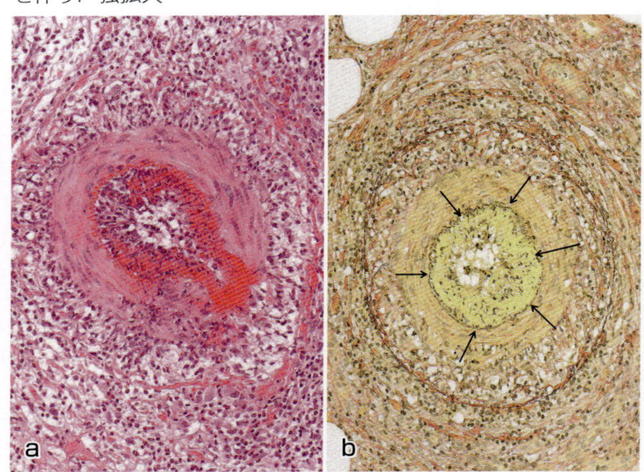

図 41 結節性多発動脈炎．a：内膜にフィブリノイド物質が沈着し，内・外膜に炎症細胞が浸潤する．強拡大．b：EVG．内弾性板（↑）は最後まで保たれる．中拡大

IgA 血管炎　チャペルヒル新分類（2012 年）が発表されるまでは，ヘノッホ・シェーンライン紫斑病 Henoch-Schönlein purpura とよばれていた小児の免疫複合体血管炎の 1 つで，溶連菌（上気道炎）などを抗原として抗 IgA 抗体が産生され，腎臓，関節，消化管などの細血管に免疫複合体が沈着する．皮膚では浸潤を触れる点状出血が両下腿に発症し，大腿，上肢に上行する．組織学的に IgA 血管炎は，①浅層血管叢を中心とする小型の細静脈（後毛細管細静脈 post capillary venule, PCV）が侵され，②血管壁内外にフィブリンの析出，浮腫および出血を伴う（**図 38，39**）．③白血球破砕性血管炎（参考事項の①〜⑤）を生じ，④血管炎が高度になり深部まで及ぶと虚血が進み，⑤表皮真皮境界部に空胞状変性，表皮内に海綿状態，さらには表皮内や表皮下に水疱や膿疱を形成する．

結節性多発動脈炎（PN）　真皮深層から皮下脂肪組織に存在する筋性動脈である小動脈の核破砕性血管炎である（**図 40，41**）．

【鑑別診断】　皮膚の血管炎の過半数は，“白血球破砕性血管炎”であり，病理診断名となる．最終診断は，障害される血管の大きさと臨床所見を加味して下される．

［参考事項］「小動・静脈」は，血管の口径が 100 μm 以上の血管で，皮膚では皮下脂肪組織内の大きい血管が相当する．真皮内の深層血管叢，交通枝，浅叢血管叢を形成するのは，口径が 100 μm 未満の「細動・静脈」であるため，皮膚の血管の大部分は細動・静脈が主体である．

白血球破砕性血管炎 leukocytoclastic vasculitis は，壊死性血管炎 necrotizing vasculitis ともよばれ，皮膚の血管炎の大半を占める．共通する所見として，①血管内皮細胞の腫大，②血管壁と周囲の膠原線維のフィブリノイド変性，③血管壁の炎症細胞浸潤，④核破砕（核塵），⑤出血などを示す．

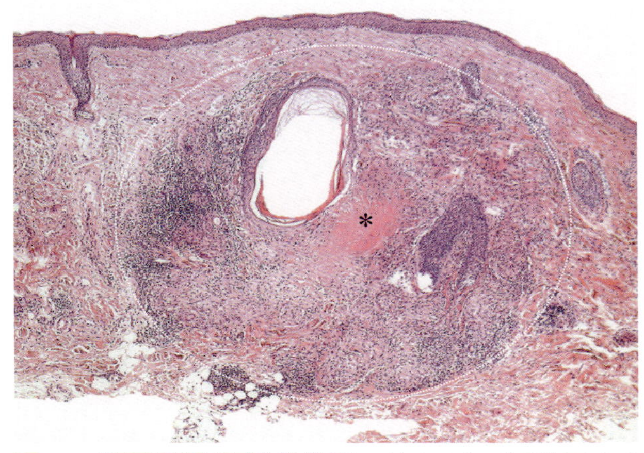

図 42 顔面播種状粟粒性狼瘡．毛包に接し，乾酪壊死（*）を有する大型の肉芽腫を形成する（点線）．弱拡大

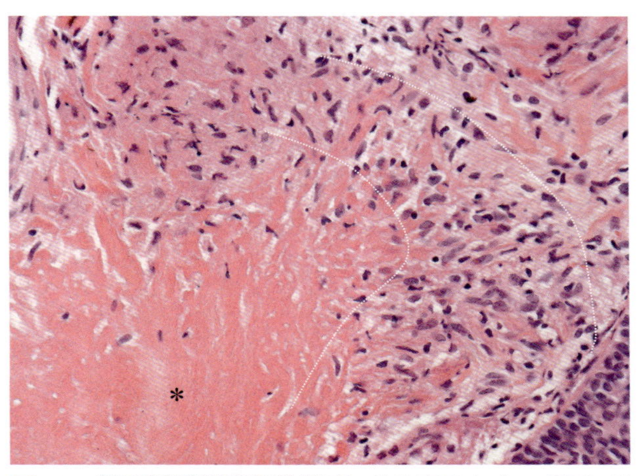

図 43 顔面播種状粟粒性狼瘡．乾酪壊死（*）の周囲に組織球が集簇している（点線間）．強拡大

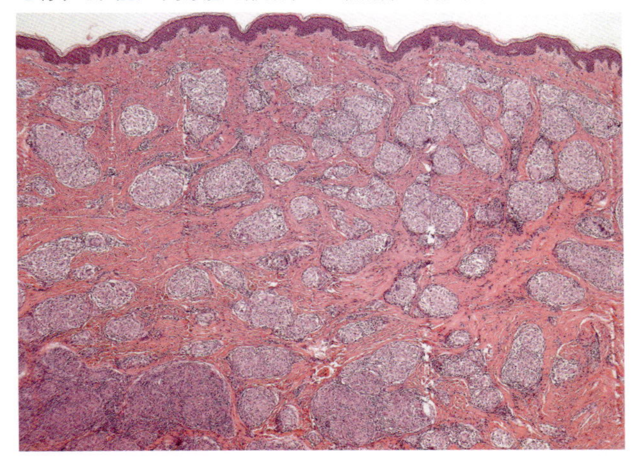

図 44 サルコイドーシス．境界明瞭な小型の肉芽腫が集簇する．弱拡大

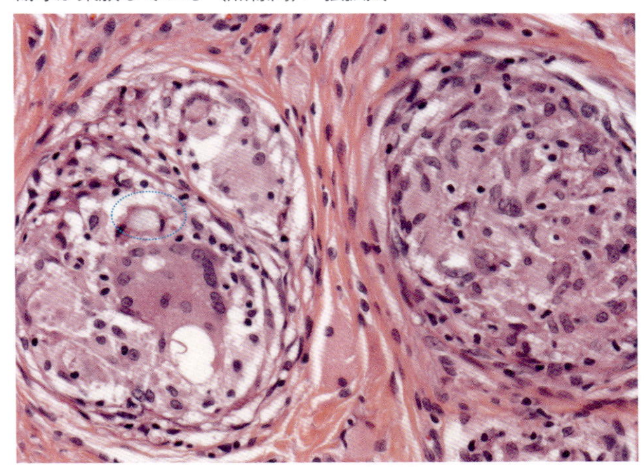

図 45 サルコイドーシス．境界が明瞭な肉芽腫が２個あり，一部で異物を貪食している（点線）．間質は線維化が強い．強拡大

顔面播種状粟粒性狼瘡（LMDF） 20〜30歳台に発生し，前額部や下眼瞼に好発し，左右対称性に暗紅色丘疹が多発する．以前は結核菌の感染症とみなされていたが否定され，毛包や皮脂腺に対する肉芽腫反応と考えられている．酒皶性痤瘡（しゅさせいざそう） acne rosacea（第２度酒皶）の一種とみなす学派もある．組織学的には，①毛包に近接し，②大型の類結核（乾酪）肉芽腫 tuberculoid（caseating）granuloma（中央部に乾酪壊死）を形成する（**図 42，43**）．

【鑑別診断】 酒皶様皮膚炎 rosacea-like dermatitis や口囲皮膚炎 perioral dermatitis は，ステロイドの長期外用により発生する．乾酪壊死を欠く．酒皶は中年以降に生じ，顔面の毛細血管が拡張する．臨床的に鑑別される．

サルコイドーシス 肺，リンパ節，皮膚など多臓器にサルコイド肉芽腫を形成する原因不明の全身性疾患である．皮膚では，結節型，局面型，びまん浸潤型，皮下型のほか，血管壁に肉芽腫を形成し虚血をきたすタイプがある．サルコイド肉芽腫は，①壊死を伴わない，②小型で，③境界明瞭な結節の集簇巣で，④リンパ球浸潤は比較的軽度で，⑤間質は線維化をきたす．⑤異物を組織球が貪食するため，外傷による異物反応が病態の本質とも推測されている（**図 44，45**）．

［参考事項］ 肉芽腫 granuloma とは，“組織球の集簇巣”である．組織球はあたかも上皮のように配列することから“epithelioid cell”の別名があるため，類上皮肉芽腫 epithelioid granuloma ともいう．肉芽腫には，類結核型（中央に乾酪壊死を有する），サルコイド型，化膿性肉芽腫 suppurative granuloma（中央部に好中球が浸潤），柵状肉芽腫 palisaded granuloma（中央部に粘液，フィブリン，変性膠原線維，脂質，異物などを入れる），異物肉芽腫 foreign body granuloma，黄色肉芽腫 xanthogranuloma（泡沫状組織球，Touton 型巨細胞が出現）がある．

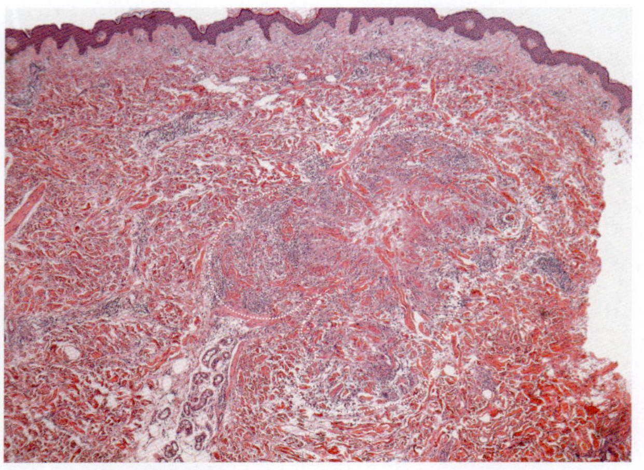

図 46　環状肉芽腫．真皮浅層に，中央部が灰青色を示す不規則形な肉芽腫が形成される（点線）．弱拡大

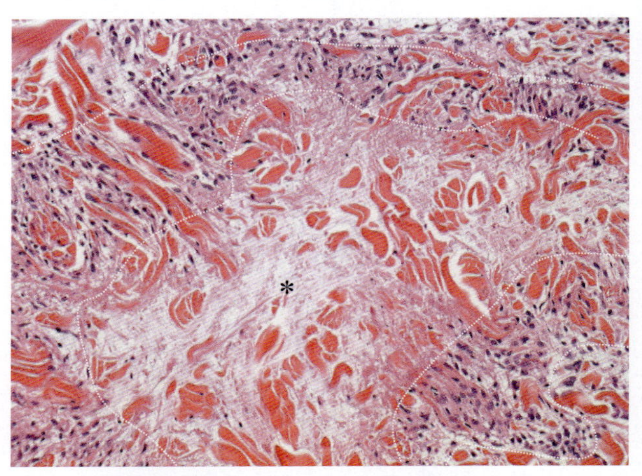

図 47　環状肉芽腫．肉芽腫の中央部は膠原線維が消失し，灰青色の粘液変性をきたす（＊）．変性部に垂直に長紡錘形の組織球が配列する（点線間）．強拡大

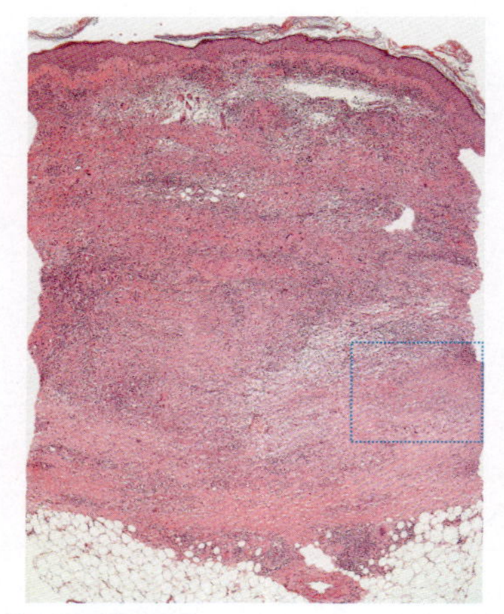

図 48　リポイド類壊死．真皮全層性の病変で，好酸性の壊死巣と好塩基性の細胞浸潤巣が特徴的な層をなす．ルーペ

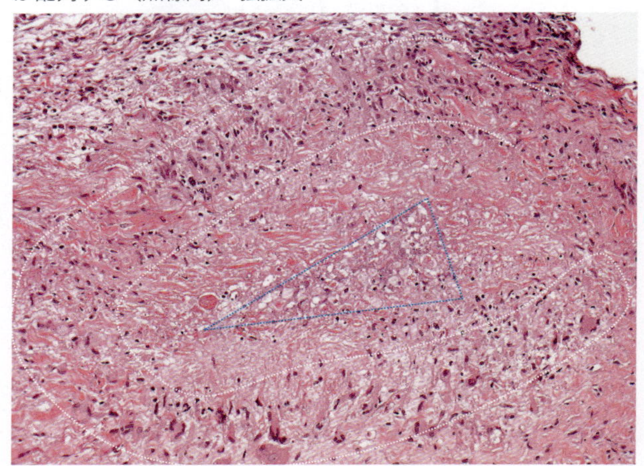

図 49　リポイド類壊死．膠原線維の壊死巣に泡沫状組織球が浸潤する（青点線部）．類上皮細胞は壊死巣に垂直に柵状に浸潤する（白点線間）．左上には形質細胞が浸潤する．図 48 の ⬚ 部の中拡大

環状肉芽腫　幼小児あるいは中高年の手背に好発する紅褐色局面で，環状に隆起する丘疹が多発する．組織学的には，①真皮浅層に，②柵状肉芽腫が多発し，③肉芽腫中央部は膠原線維が変性し好酸性ないし，④粘液が沈着してやや青色を示し，⑤変性巣に垂直に長紡錘形の組織球が核の柵状配列を呈して浸潤する（**図 46，47**）．亜型の interstitial type では肉芽腫の境界が不明瞭で，組織球が真皮の変性した膠原線維束の間を分け入るように浸潤する．

【鑑別診断】　環状弾性線維融解性巨細胞肉芽腫 annular elastolytic giant cell granuloma（日光性肉芽腫 actinic granuloma，エラストファジック巨細胞性肉芽腫 elastophagic giant cell granuloma, Miescher's granuloma of the face）は，日光変性をきたした弾力線維束を，多数の多核巨細胞が貪食する．

リポイド類壊死症　両側の下腿前面に境界明瞭な黄褐色斑を形成する．約 75%が糖尿病を合併している．微小循環障害や下肢静脈のうっ滞および，脂質異常が関与する．組織学的には，①必ず真皮全層を侵し，②膠原線維は類壊死（死にかけ）をきたし，あたかもアリの巣のような不規則に壊死巣が広がり，③組織球が類壊死巣に垂直に核の柵状配列を呈して浸潤する．④組織球はしばしば多核化する．⑤陳旧化に伴い壊死巣は線維化し，⑥リンパ球が浸潤する．⑦血管が豊富な部位は類壊死から免れ，肉芽組織が島状に形成される．⑧好酸球や形質細胞がしばしば混在する（**図 48，49**）．

【鑑別診断】　**リウマトイド結節** rheumatoid nodule：①真皮内にヒトデ状の大きな肉芽腫を形成し，②壊死巣は既存の組織が完全に溶解され，核破砕の目立つ好塩基性で汚穢な壊死を示す．③壊死巣内にはフィブリノイド物質が析出する．④血管炎やリンパ管炎をみることがある．

環状肉芽腫（皮下型） subcutaneous granuloma annulare：より小型の肉芽腫で，皮下脂肪織に主座をおく大型の病変を生じる．

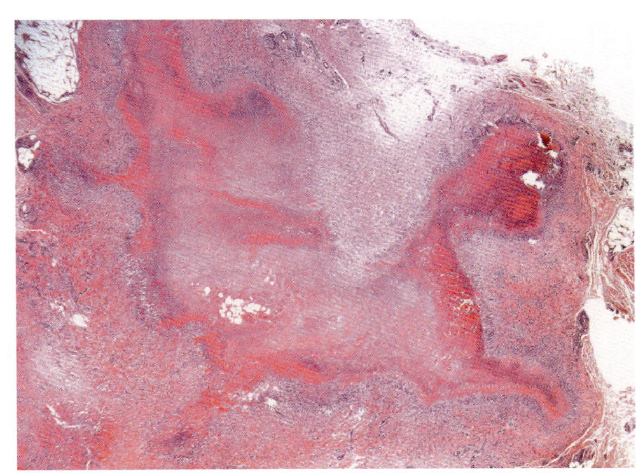

図 50 リウマトイド結節．皮下脂肪組織に，ヒトデ状の不規則な壊死巣を形成する．弱拡大

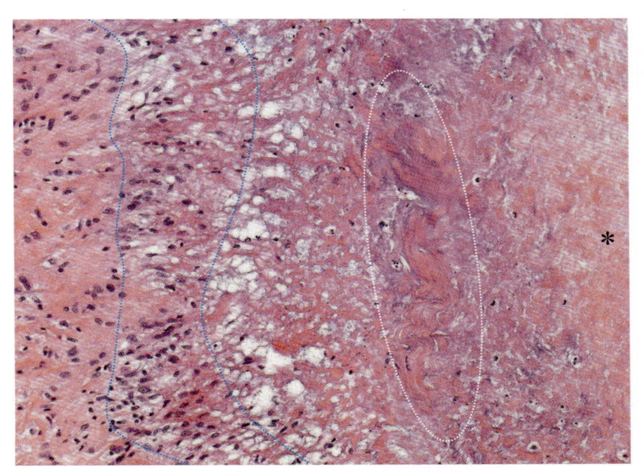

図 51 リウマトイド結節．膠原線維が好酸性に変性・壊死をきたした巣（＊），好塩基性の壊死巣（白点線）は本疾患に特徴的である．強拡大

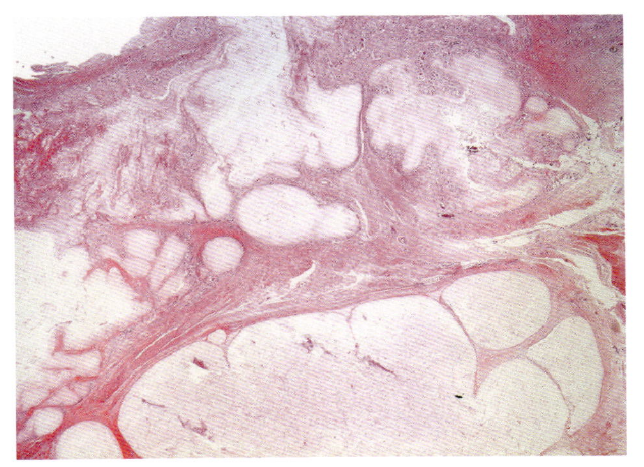

図 52 痛風結節．大小の淡好酸性～好塩基性の沈着物を組織球が取り囲む肉芽腫が集簇する．弱拡大

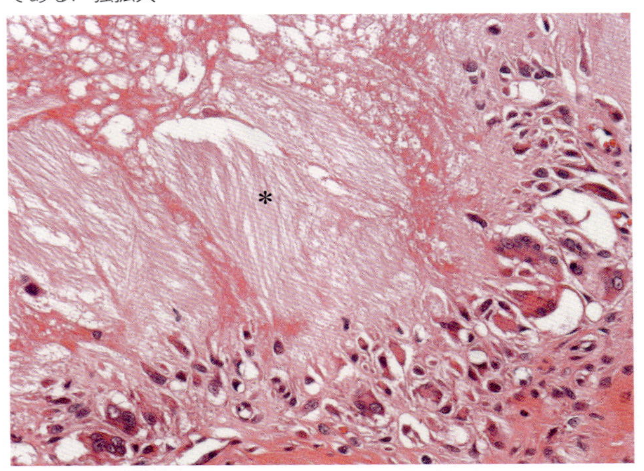

図 53 痛風結節．"刷毛で掃いたような" 繊細な尿酸結晶（＊）を，多核巨細胞の目立つ組織球が貪食する．強拡大

リウマトイド結節　リウマチ病の患者の20％にみられる．ドーム状に隆起する皮下腫瘤を形成する．圧迫される前腕伸側，後頭部，殿部，膝などに好発する．組織学的には，①皮下脂肪組織を病変の主座とし，②大型で不規則な肉芽腫を形成する．③肉芽腫の中央部は壊死をきたし，④膠原線維が変性・壊死により好酸性を示したり，⑤核が破砕した炎症細胞を伴う好塩基性の壊死や（**図 50，51**），⑥もやもやした好酸性のフィブリノイド変性がみられる．⑥壊死巣を取り囲むように壊死に垂直に，短紡錘形で小型の組織球が核の柵状配列を呈して（palisaded granuloma）取り囲む．⑥白血球破砕性血管炎をみることがある（悪性リウマチ malignant RA）．

【鑑別診断】 **結節性多発動脈炎**：皮下脂肪組織の中の血管炎で，不規則な肉芽腫の形成はない．

環状肉芽腫：リウマトイド結節が真皮浅層に発生（皮膚型）すると鑑別が難しい．フィブリンの析出や好塩基性の壊死はない．

痛風結節　高尿酸血症のある中高年男性の関節に好発し，尿酸塩結晶 monosodium urate crystal が皮下結節 "gouty tophus" を形成する．組織学的には，①真皮，皮下脂肪組織および関節周囲組織に（**図 52**），②尿酸血症が大小の結節を形成して沈着し，"刷毛（はけ）で掃いたような" あるいは "羽毛状" と比喩される繊細な模様を示す．③尿酸血症を，多核巨細胞の目立つ無数の組織球が取り囲む（**図 53**）．肉芽腫は palisaded granuloma の範疇に分類されるが，核は柵状配列というよりも異物肉芽腫に近い．④陳旧性病変では，コレステリンクレフト状に抜け，泡沫状組織球が浸潤する．さらに年数が経つと結節状の線維化巣に置き換わる．

【鑑別診断】　ホスホグリセリド結晶沈着症や腫瘍状石灰沈着症との鑑別が必要である．

［参考事項］　組織をホルマリン固定すると尿酸結晶は溶出するが，アルコールで固定すれば "針状結晶" を確認することができる．

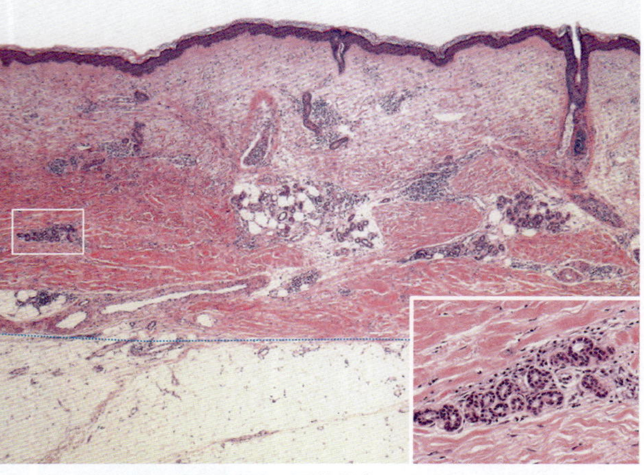

図 54　強皮症（浮腫期〜硬化期）．真皮上層は浮腫が，下層は膠原線維束が肥厚・融合し脂肪組織との境界が直線的である（点線）．汗腺小葉内の脂肪組織が消失する，"bound down appearance" を示す．弱拡大．挿入図：強拡大

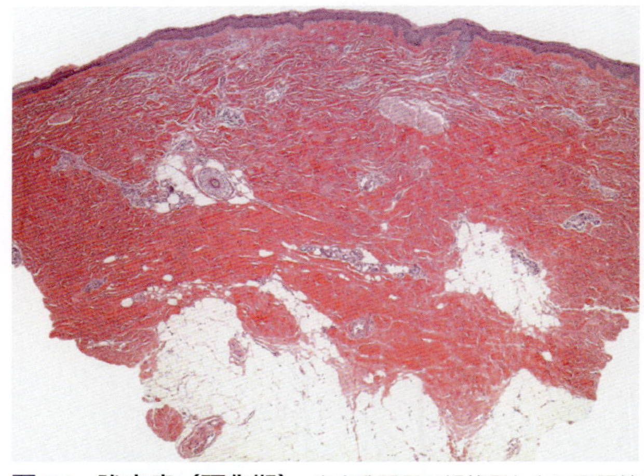

図 55　強皮症（硬化期）．真皮乳頭層，網状層ともに膠原線維がすきまなく増生し，皮膚付属器は消失している．弱拡大

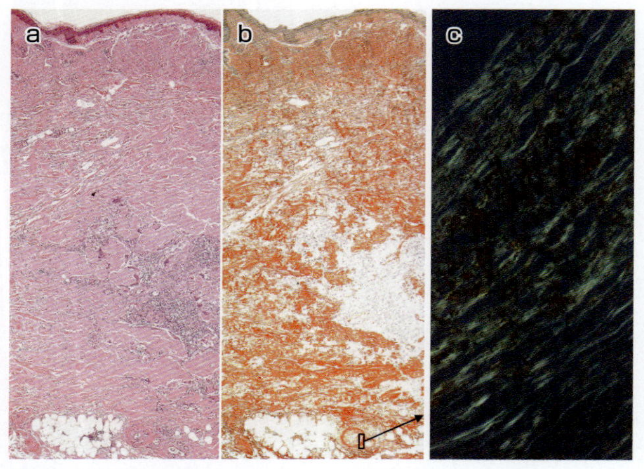

図 56　アミロイドーシス．a：結節性アミロイドーシス．全層性にアミロイドが沈着し，異物反応を生じている．弱拡大．b：ダイロン染色で橙色．弱拡大．c：偏光で apple green 色を示す．強拡大

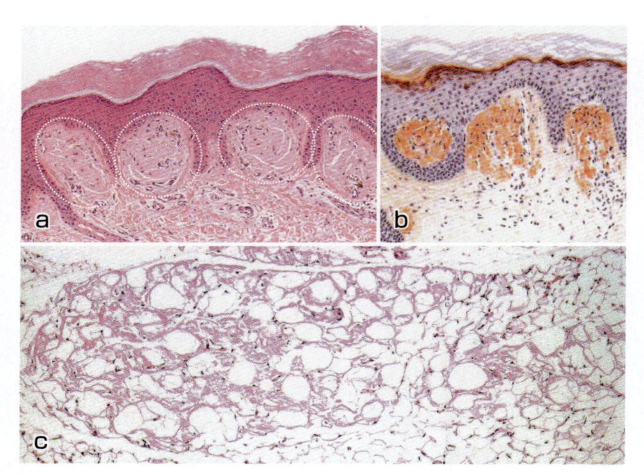

図 57　アミロイドーシス．a：アミロイド苔癬．表皮突起に取り囲まれたアミロイドが小球状に沈着する（点線）（b：ダイロン染色）．中拡大．c：多発性骨髄腫．脂肪細胞を取り巻くように（amyloid rings）沈着する．弱拡大

強皮症　臨床的に，内臓病変を伴う（進行性）全身性強皮症（progressive）systemic sclerosis〔(P)SS〕と，皮膚病変だけの限局性強皮症 localized scleroderma に大別される．皮膚病変の組織像はいずれも同様で，①浮腫期には，真皮〜皮下脂肪組織に浮腫や粘液が沈着する．②真皮深層の膠原線維束が腫大し，好酸性が増す（**図 54**）．③汗腺小葉内の脂肪細胞が膠原線維に置換される（"bound-down appearance"）．④血管周囲性にリンパ球や形質細胞が浸潤する．⑤硬化期には，真皮乳頭層も膠原線維に置換され，網状層と皮下脂肪組織の境界が直線状となる．⑥膠原線維は癒合し均質化する（**図 55**）．⑦萎縮期には，表皮は萎縮し真皮は皮膚付属器が消失する．⑧皮下脂肪組織も膠原線維に置換され，⑨血管は硬化により閉塞し，皮膚が虚血性壊死に陥る．

アミロイドーシス　A）全身性と B）限局性に大別され，前者は多発性骨髄腫などによる免疫細胞性（AL，L 鎖）や透析性（β2-MG）がある．後者は，角化細胞由来のアミロイド苔癬 lichen amyloidosis と，脂漏性角化症，基底細胞上皮腫（癌），ボーエン病などの病巣内に沈着する続発性皮膚アミロイドーシス secondary localized amyloidosis および，限局性結節性アミロイドーシス localized nodular amyloidosis がある．組織学的に，アミロイドは両染性〜淡好酸性を示す均質な沈着物で，コンゴーレッド染色やダイロン dylon（direct fast scarlet：DFS）染色で橙色に染色され，偏光をかけると緑色（apple green）を発する（**図 56**）．全身性の免疫細胞性アミロイドーシスは，血管や付属器周囲および脂肪細胞を取り巻くように沈着（amyloid rings）する（**図 57c**）．アミロイド苔癬は延長した表皮突起に取り囲まれた真皮乳頭層の小球として沈着する（**図 57a，b**）．強い瘙痒のために被覆表皮は過角化や錯角化を伴う．限局性結節性アミロイドーシスは，真皮全層性〜皮下脂肪組織にかけてびまん性にアミロイドが沈着する（**図 56**）．

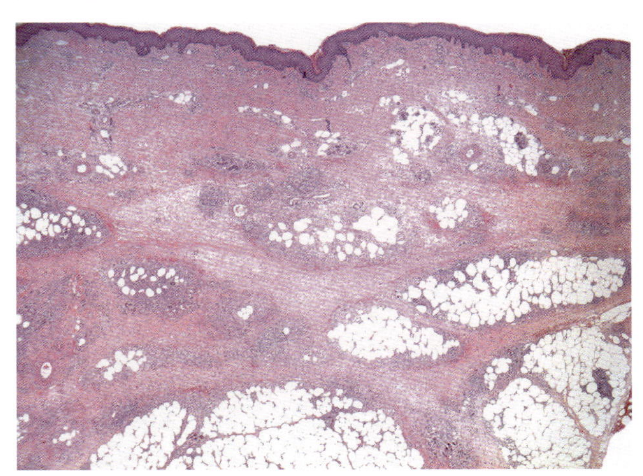

図 58 結節性紅斑．皮下脂肪組織の小葉隔壁が，膠原線維の変性や線維化により肥厚する．真皮や小葉の中心部は比較的保たれている．ルーペ

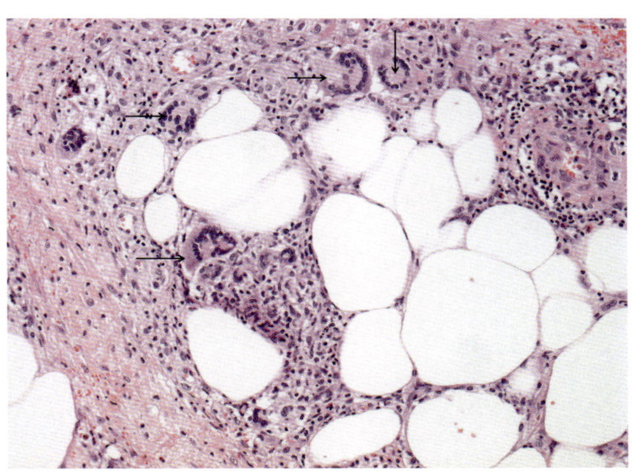

図 59 結節性紅斑．線維性隔壁から脂肪小葉内に向かい，馬蹄形に核が配列する多核巨細胞（組織球，↑）や多彩な炎症細胞が浸潤する．強拡大

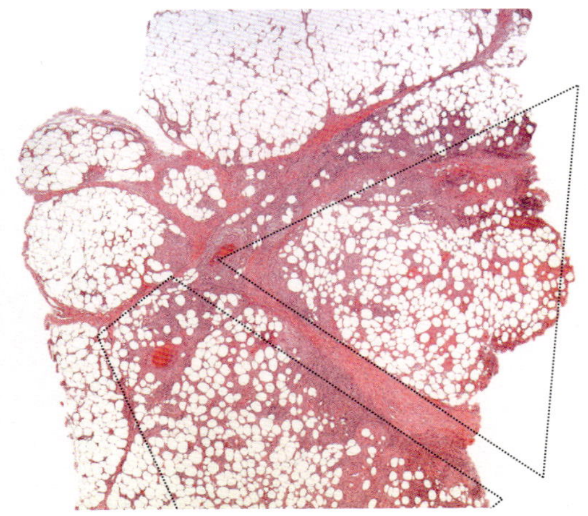

図 60 結節性血管炎．脂肪組織隔壁の小静脈に血管炎がみられ，小葉全体が凝固壊死に陥る（点線）．弱拡大

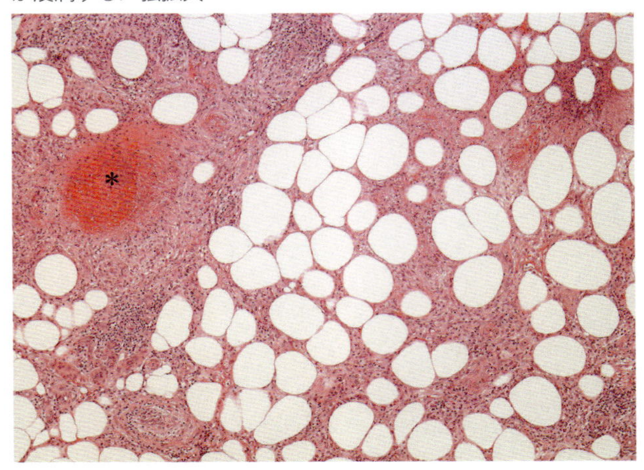

図 61 結節性血管炎．高度の血管炎（静脈炎，＊）により，周囲の皮下脂肪組織は完全に凝固壊死に陥る．中拡大

結節性紅斑は，独立した疾患というよりも，多彩な原因疾患を背景に発症するひとつの臨床・病理学的なパターンととらえたほうがよい．溶連菌感染症などの感染が先行し，発熱や関節痛などの全身症状を伴う．基礎疾患には，ベーチェット病，炎症性腸疾患，サルコイドーシスなどがある．紅斑を伴う有痛性の皮下結節が両側下腿に生じ，急性に経過し，多くは数週間で消退する．組織学的には隔壁性脂肪織炎 septal panniculitis の代表的疾患で，①小葉隔壁が浮腫によって肥厚し，好中球やリンパ球が浸潤する（**図 58**）．膿瘍を形成することもまれではない．②最盛期には静脈壁が変性し，出血やフィブリンが析出する．小葉隔壁には巨細胞の目立つ組織球が浸潤する（**図 59**）．③陳旧性病変では，小葉隔壁は線維化に陥り，やがては隔壁も細くなる．④真皮浅層の血管は常に拡張し，結節性紅斑の“紅斑”病変をつくる．“結節”は脂肪組織の炎症性病変を触れることによる．

硬結性紅斑/バザン硬結性紅斑 乾酪壊死をきたし類上皮細胞が浸潤するものの，結核の関与は不明瞭で，本質は小静脈の血管炎であることが多い．小太りの女性の下腿後面に好発する，慢性，再発性の硬結で潰瘍を形成することが多い．血管炎が明瞭な症例は，**結節性血管炎**とよばれる．組織学的に，①病変の主座は脂肪組織の小葉であるが，炎症や線維化は，多かれ少なかれ小葉隔壁にも及ぶため，小葉性脂肪織炎 lobular panniculitis とみなすには，少なくとも1つ以上の小葉がびまん性に変性・壊死ないし細胞浸潤に陥っていることが重要である．②隔壁内の小静脈は血管炎をきたし，壁内および周囲の間質にフィブリンの析出や炎症細胞が高度に浸潤する．③脂肪小葉や隔壁は凝固壊死に陥る（**図 60，61**）．④小葉内は好中球やリンパ球が浸潤し，⑤出血やフィブリンが析出する．⑥乾酪（結核）肉芽腫を諸処で形成する．⑦時期が経つと病変全体が線維化にいたる．

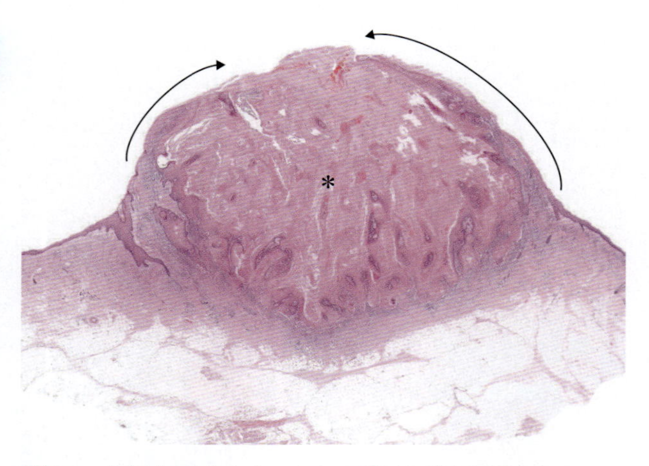

図62 ケラトアカントーマ．両側を正常な被覆表皮（overhanging epidermal lip）が覆う（↑）．左右対称の病変で，中央には角化物を入れる（*）．ルーペ

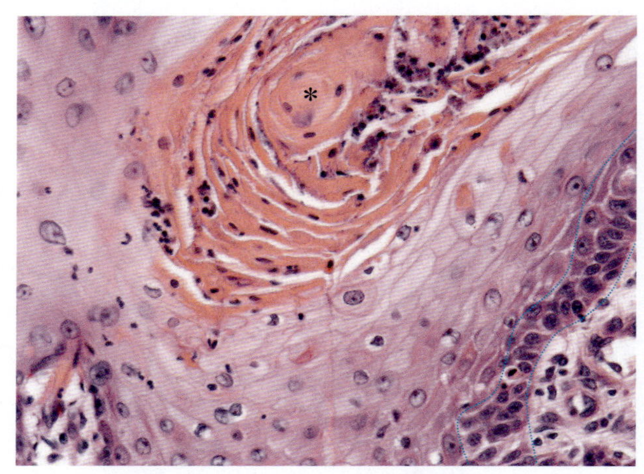

図63 ケラトアカントーマ．大型で好酸性の細胞質（ground glass cytoplasm）を有する特徴的な角化細胞が増殖し，中央は角化する（*）．胞巣の辺縁の細胞（点線間）は，異型性がしばしば高度となる．強拡大

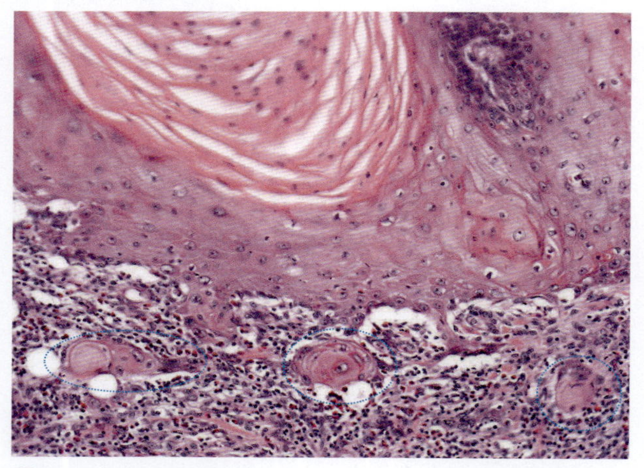

図64 ケラトアカントーマ．リンパ球が高度に浸潤し表皮が不規則に削り取られると，浸潤と誤認される（点線）．中拡大

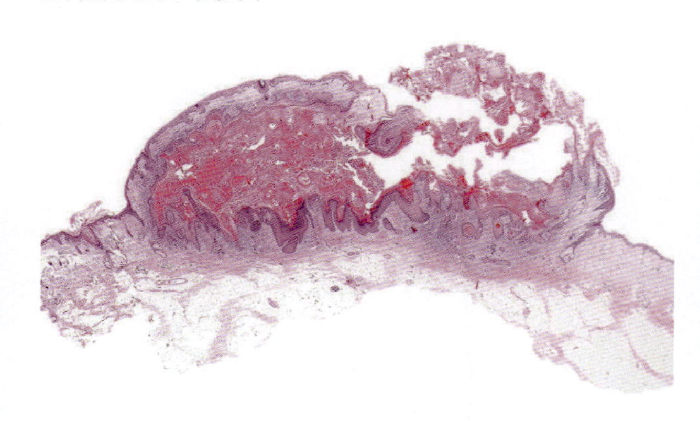

図65 消退期のケラトアカントーマ．右側のoverhanging epidermal lipが崩壊し，角化物が排出されている．ルーペ

ケラトアカントーマは，良性病変であるのか，自然消退をきたす扁平上皮癌（SCC）の亜型なのか，いまだに決着がついていない．そこで今のところ，以下の①から⑦の特徴的な臨床・病理所見のすべてを満たす病態を，扁平上皮癌とは区別して，伝統的に“ケラトアカントーマ”とよんでいる．臨床的に，①急速（1，2カ月で）に大きくなり，②3～6カ月で自然に消退する．組織学的に，③弱拡大でカップ状の左右対称性を示し，中央に角化物を入れる（**図62**），④両側を正常皮膚が覆う（overhanging epidermal lip），⑤ground glass cytoplasmとよばれるすりガラス状で好酸性の豊かな細胞質を有し（**図63**），⑥胞巣内の角化物には好中球が，⑦胞巣辺縁はリンパ球が著しく浸潤する（**図64**）．核異型の程度，核分裂像の数，深達度，脈管侵襲像の有無などは問わない．

消退期になると，増殖していた細胞は壊死に陥り次第に吸収され，角化物は排出されてoverhanging epidermal lipも外方に開きつつ徐々に平坦化する（**図65**）．真皮は線維化をきたす．消退の程度は1つの病変内でも部位により差があり左右非対称になるため悪性と間違えてはならない．病変のどこかに，ground glass cytoplasmを有する大型角化細胞の残存を見つけることにより，ケラトアカントーマの消退しつつある時期と認識できる．

【鑑別診断】 浸潤性の**扁平上皮癌（SCC）**の8割以上は，日光角化症とボーエン病を背景に発生する．それに加え火傷，色素性乾皮症，放射線照射の既往なども含めると，SCCが背景に先行病変なく生じることはきわめてまれと考えてよい．組織学的にSCCは内向性（のみ）に浸潤し左右非対称性で，正常の被覆表皮が覆い被さる構造はない．

［参考事項］ ケラトアカントーマは，表皮からというより毛包の角化細胞から発生する病態といえる．したがって，病変の主座は真皮内にあり，被覆表皮を押し上げるように増殖するためoverhanging epidermal lipが形成される．

新WHO分類ではケラトアカントーマは，組織学的に扁平上皮癌と鑑別ができないという理由で，扁平上皮癌の一亜型に分類された（2018年WHO分類参照）．

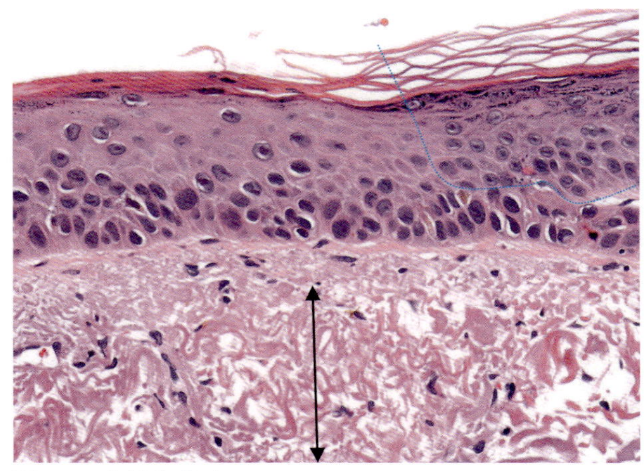

図 66　光線角化症．表皮角化細胞は，基底層を主体に大型で異型性を示す．右側（点線より右上）は，ほぼ正常な形態と成熟を示す．真皮は日光弾力線維症が高度である（←→）．強拡大

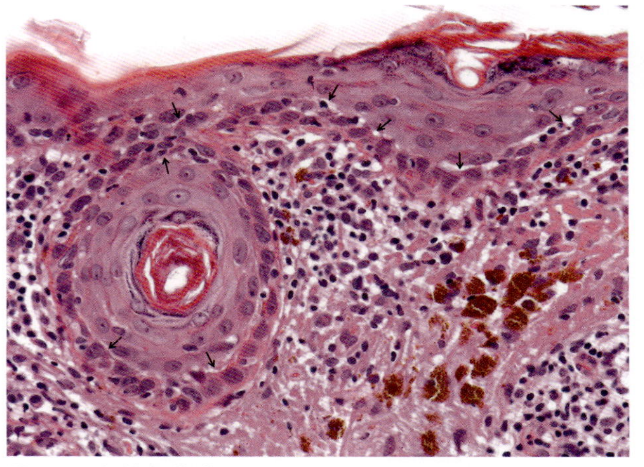

図 67　光線角化症．被覆表皮と毛包の基底層に限局し，角化細胞が大型で密に配列し，その直上で特徴的な裂隙を生じる（↓）．強拡大

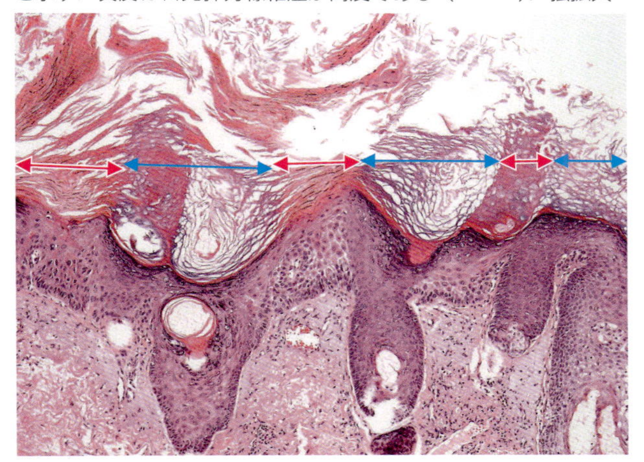

図 68　光線角化症．異常角化がピンク色で，毛包や汗腺は腫瘍細胞の進展を免れるため，青色の角化を呈する（ピンク＆ブルーサイン，←→）．弱拡大

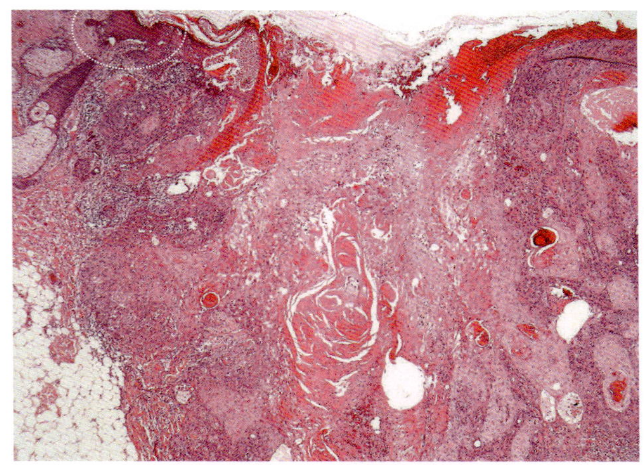

図 69　光線角化症を背景とした扁平上皮癌．日光角化症が浸潤すると，毛包一致性に真皮深層に浸潤することが多い．病変の左端に日光角化症がある（点線）．弱拡大

光線角化症（**日光角化症** solar keratosis，**老人性角化腫** keratoma senile，**老人性角化症** senile keratosis）は，“日光”角化症や“老人性”角化症という名称のとおり，長期に及ぶ紫外線による角化細胞の障害であるため，高齢者の日光に当たる顔面や手背に好発する．

組織学的に，①背景の表皮は菲薄化し，真皮には必ず高度の日光弾力線維症 solar elastosis が確認される（**図 66**）．正常の表皮基底細胞は小型で 1 層だが本症では，②主として基底層を主体に角化細胞の核が腫大し異型性やクロマチンの濃縮を示し，数層に重積する（**図 67**）．③顆粒層の消失や錯角化などの角化異常が必発する．④異型細胞は毛包や表皮内汗管は破壊せず付属器の辺縁（基底層）を迂回するように進展する．このため病変部位は異常角化をきたし緻密で好酸性に角化し，病変を免れた（正常の）毛包や汗管のバスケット織り状で青色の角化とツートンカラーを示す（ピンク＆ブルーサイン，**図 68**）．⑤しばしば，1～数層の異型細胞の直上には，アーチファクトながら本例に特徴的な裂隙が形成され，診断の助けになる（**図 69**）．著しい角化をきたし，皮角を形成することもある．

【鑑別診断】 日光黒子 actinic lentigo（老人性黒子 senile lentigo，老人性色素斑 senile pigment freckle，いわゆるシミ）とよばれる脂漏性角化症の前駆病変では，表皮突起は幅が狭くしばしば逆 Y 字形に延長する．核は小さく異型性が乏しく，細胞質内にメラニン色素が基底層に沿い均一に増加する．

［参考事項］ 新 WHO 分類では光線角化症は，扁平上皮癌の前癌病変 premalignant keratoses のひとつとして，砒素角化症 arsenical keratosis や PUVA keratosis とともに分類された（2018 年 WHO 分類参照）．本質は上皮内癌 squamous cell carcinoma *in situ* であろう．ただし，表皮内に数年～数十年もの長期にわたりとどまり，浸潤することは非常にまれで（5～10％以下），転移をきたすことはまずないことから，「～角化腫」という良性腫瘍，あるいは「～角化症」という，本質より臨床的な病態を重視した病名が伝統的に使用され続けている．

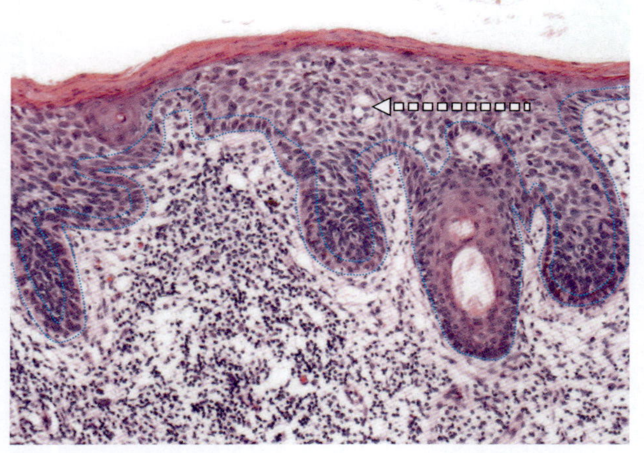

図 70　ボーエン病．健常な基底層を 1 層残し（青点線間），全層性に異型細胞が増殖する．毛包上皮の中を腫瘍細胞が貫いて侵襲する（点線矢印）．中拡大

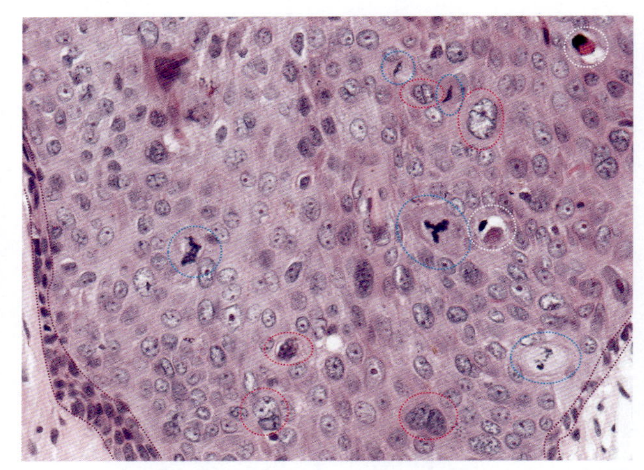

図 71　ボーエン病．基底層を除き（紫点線間），全層性に異型角化細胞が増殖する．特徴的な，clumping cells（赤点線内），核分裂像（青点線内）および個細胞壊死（白点線内）がみられる．強拡大

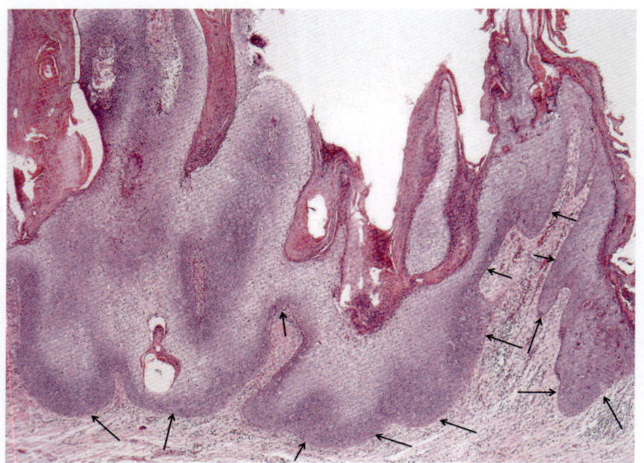

図 72　ボーエン症．増殖が高度になると，しばしば乳頭状に増殖し，異型細胞は表層で淡明となる．この時期でも小型の基底細胞は 1 層正常に保たれており，*in situ* 病変であることがわかる（↑）．弱拡大

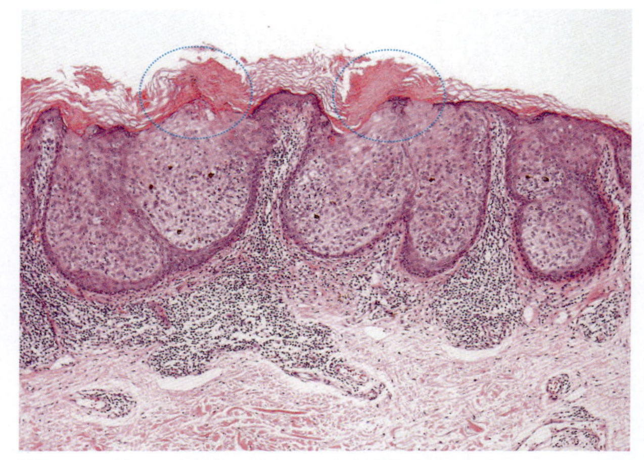

図 73　ボーエン病，クローナル型．周囲に正常の角化細胞に囲まれた，胞巣状の腫瘍細胞巣が形成されている．表層は皮表に露出し，錯角化を伴う（点線）．弱拡大

ボーエン病の本質は，光線角化症と同じ扁平上皮癌の表皮内癌（squamous cell carcinoma *in situ*）であるが，組織学的に①非腫瘍性の基底細胞が 1 層，最後まで保たれ，②基底層を除いた表皮全層に異型細胞が増殖する．これはおそらく，③腫瘍細胞が表皮内をパジェト様 pagetoid に（あたかもパジェット病のように，個々に表皮内を進展する）進展しやがて腫瘤を形成するために，最下層は最後まで保たれると推測される．光線角化症とは異なり，毛包や汗管上皮にも同様の様式で進展する（**図 70**）．④ “clumping（薪の束の意）cells” とよばれる多核細胞，⑤個細胞壊死，⑥多数の核分裂像によって特徴づけられる（**図 71**）．クローナル型は，健常表皮の中に腫瘍胞巣が島状に増殖する．

増殖が高度になると，しばしば乳頭状を示し，時に表層に近い異型細胞の細胞質が淡明になる．増殖が相当進んでも，基底層は 1 層保たれることが多い（**図 72**）．

【鑑別診断】　クローナル型は，しばしば脂漏性角化症のクローナル型との鑑別が困難である．脂漏性角化症は全周を健常細胞が取り囲むが，ボーエン病は腫瘍細胞が表面に穿破し，しばしば汚い錯角化が表層に噴出する（**図 73**）表層の腫瘍細胞は淡明になることが多い．病変はボーエン病と相同でも，真皮内に日光弾力線維症が高度であれば，便宜上，光線角化症のボーエン型に分類される．

［参考事項］　ボーエン病は光線角化症とは異なり，日光に当たる部位か否かを問わず発生し，境界明瞭な黒褐色局面を呈する．臨床・病理学的に特徴的な像を呈することから，独立した疾患概念に位置づけられる．光線角化症と同様に数年〜十数年もの長期にわたり表皮内にとどまることから，「〜癌」とはよばず，最初に報告したジョン・T・ボーエンに敬意を表した診断名が伝統的に使用され続けている．井戸水の飲用などによる慢性砒素中毒ではしばしば多発する．

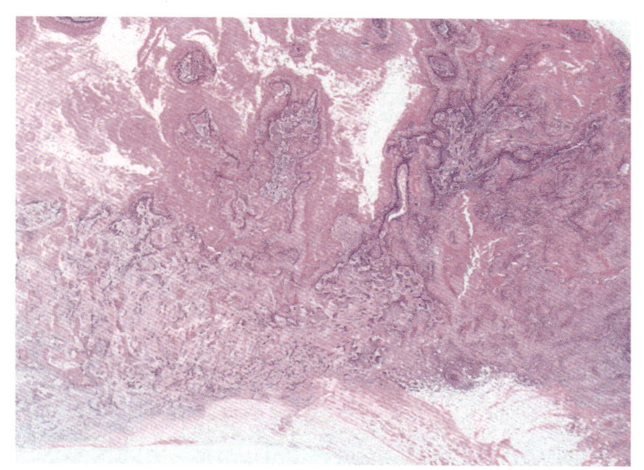

図 74 扁平上皮癌. 異型角化細胞が，表皮から連続性に徐々に胞巣を小型にしながら深部に浸潤する．弱拡大

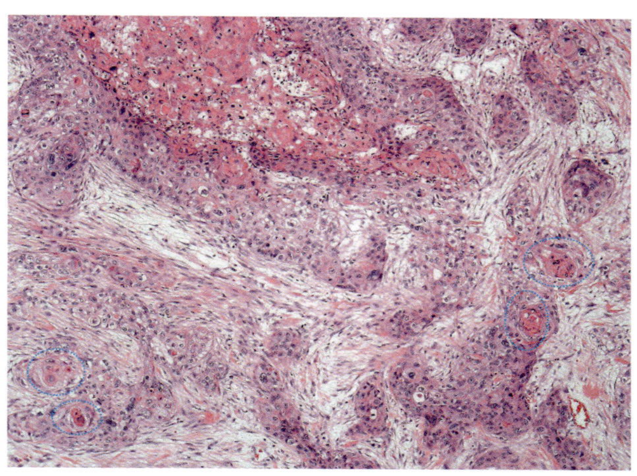

図 75 扁平上皮癌. 扁平上皮癌でみられる，丸い角化胞巣を，特にニックネーム的に「癌真珠 cancer pearl」という（点線）．中拡大

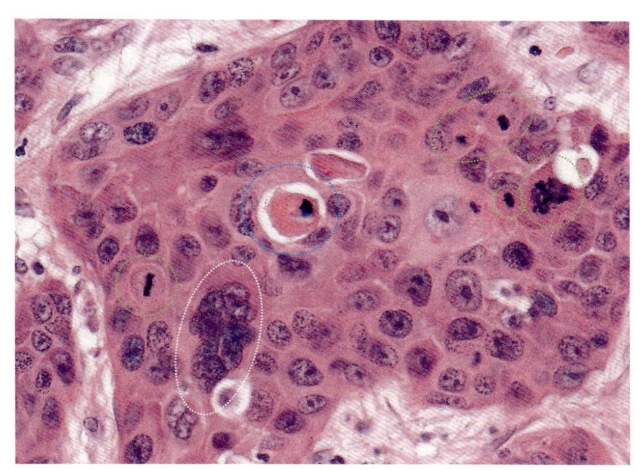

図 76 扁平上皮癌. 癌細胞の核は腫大し，核異型，クロマチンの濃縮，明瞭な核小体などが目立つ．核分裂像（緑点線）が散見される．個細胞壊死（青点線）や多核細胞（白点線）もある．強拡大

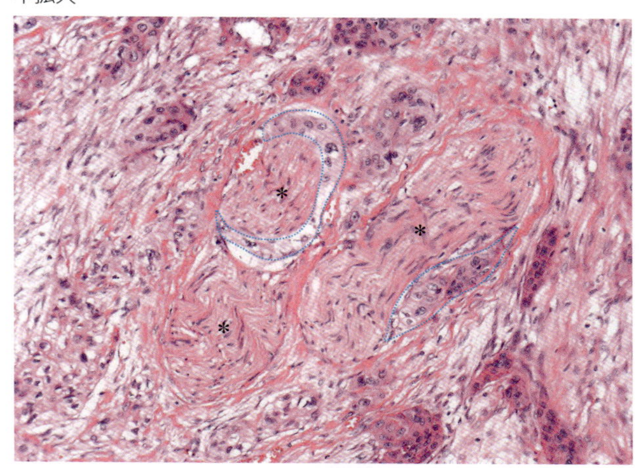

図 77 扁平上皮癌，神経周囲侵襲像. 神経線維束（＊）の周囲に癌細胞が浸潤している（点線）．中拡大

皮膚科領域で「**扁平上皮癌（有棘細胞癌，SCC）**」という場合は通常，真皮内への浸潤癌を指し，表皮内にとどまる癌は表皮内扁平上皮癌（SCC *in situ*）と表す．

SCC は組織学的に，①潰瘍をきたし（**図 74**），②表皮から連続性に，大小不同で左右非対称の不規則な胞巣が集簇する（**図 75**）．③強拡大像では癌細胞の核は腫大し，核異型（核の丸からの隔たり）が高度で，クロマチンは粗く（青色と白色とのコントラストが明瞭），大型の核小体を有する（**図 76**）．しばしば，④異型核分裂像を含む核分裂像が散見される．癌細胞が扁平上皮への分化がある（扁平上皮癌）とみなすには，⑤角化と細胞間橋の有無で判断し，角化が高度で細胞間橋が明瞭であればあるほど分化が高い（高分化型扁平上皮癌）と判断される．逆に角化や細胞間橋がほとんどないと，低分化型扁平上皮癌に分類される．個細胞壊死 individual cell necrosis や，胞巣の中央に向かって細胞が徐々に扁平化するのも扁平上皮への分化の表れである．⑥リンパ管や静脈内に侵襲すれば転移しうる．神経周囲浸潤（**図 77**）は，リンパ管侵襲と同様に扱われる．

特別な扁平上皮癌として，転移はないものの局所を破壊する，疣贅状癌 verrucous squamous cell carcinoma がある．核異型が非常に軽度で外方には乳頭状に，深部には舌状に圧排性に増殖するが，浸潤癌とみなされている．発生部位により伝統的な名称が使用されており，口腔内では oral florid papillomatosis，外陰の巨大尖圭コンジローマ giant condyloma acuminatum（Buschke-Löwenstein tumor），足底の epithelioma cuniculatum，下腿の類癌性皮膚乳頭腫症 papillomatosis cutis carcinoides などがある．

［参考事項］ 皮膚の扁平上皮癌のうち 8 割程度は，光線角化症やボーエン病などの *in situ* 病変からの浸潤である．紫外線以外の病因として，砒素（井戸水の飲用），放射線被曝，熱傷瘢痕，尖圭コンジローマ，扁平苔癬，慢性円板状エリテマトーデス，白板症，色素性乾皮症，汗孔角化症，硬化性萎縮性苔癬などがある．

新 WHO 分類では扁平上皮癌の亜型として，ケラトアカントーマ，acantholytic SCC，spindle cell SCC，verrucous SCC，adenosquamous carcinoma，clear cell SCC，other（uncommon）variants が分類された（2018 年 WHO 分類参照）．

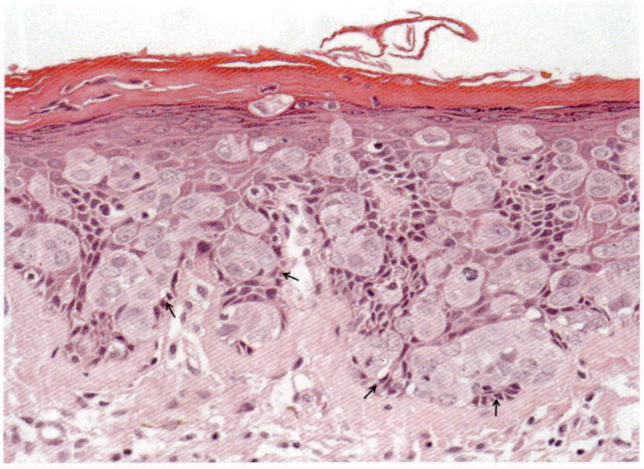

図 78　乳房外パジェット病．個々あるいは小集簇性に，周囲の角化細胞よりやや青い大型異型細胞が表皮内に散在する．このPaget様進展はボーエン病や悪性黒色腫でもみられ，正常の基底細胞（矢印）は最後まで保たれるのが特徴的である．強拡大

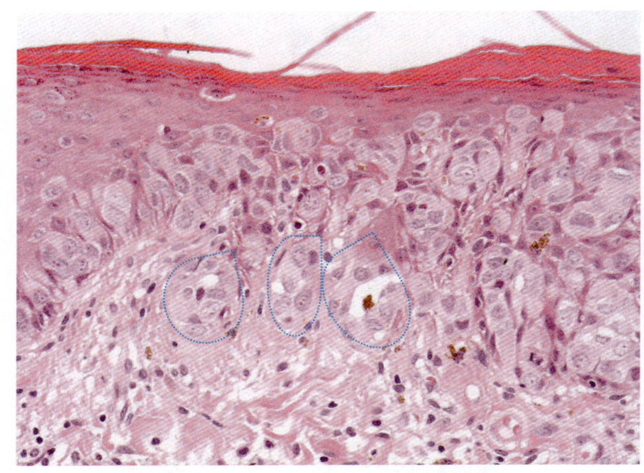

図 79　乳房外パジェット病．点線内の胞巣は，いかにもmicroinvasionのようだが，周囲に好酸性の基底膜が取り巻いており，*in situ* 病変であることがわかる．強拡大

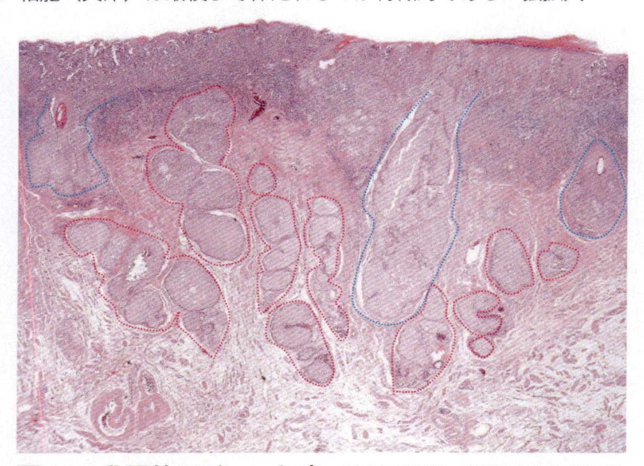

図 80　乳房外パジェット病．腫瘍は汗腺・汗管（赤点線）や毛包（青点線）を拡張させ，おびただしい増殖を示すが，これでも *in situ* 病変であり，取り切れれば予後は良い．弱拡大

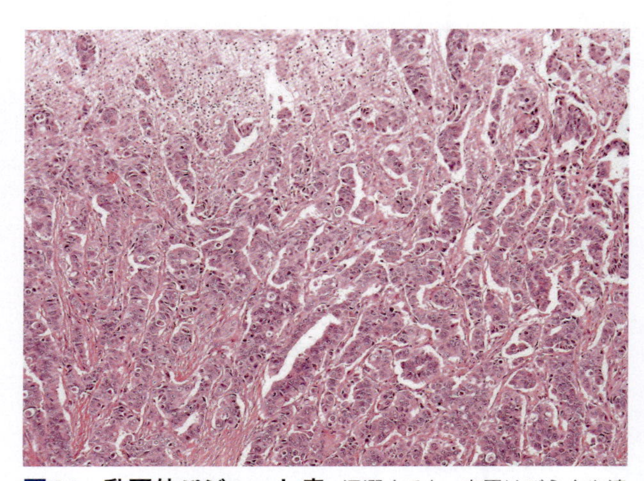

図 81　乳房外パジェット病．浸潤すると，表層はびらんや潰瘍をきたし，浸潤癌は乳癌やアポクリン癌と相同の形態を示す．中拡大

乳房外パジェット病は，表皮（扁平上皮）から発生する癌であるにもかかわらず腺癌である．乳房パジェット病 mammary Paget's disease は乳腺から発生する乳癌そのものであり，癌が乳管内を進展し表皮に達した病態である．両者は，組織学的にも免疫組織化学的表現形も相同であるため，外陰部や腋窩（非常にまれ）など乳腺以外に発生する病態を，"乳房外" パジェット病とよぶ．

組織学的には癌としての悪性所見に加え，腺系細胞の特徴（①～⑤）を有する．①明瞭な核小体，②粗いクロマチン，③細胞質内は粘液のため両染性（紫色）～好塩基性（青色），④核の偏在，⑤管腔の形成．CAM5.2 のような腺系細胞の（低分子）サイトケラチンによるハイライト．"Paget様進展" paqetoid spread とは，癌細胞が表皮内を非連続性に側方や表層に進展する現象である（**図 78**）．最後まで基底細胞が保たれることが多いが，それも消失し，蕾状に突出すると浸潤様に見えるが（**図 79**），標本の切れ方であることが多く，よほど明瞭でない限り真の浸潤ととらえるべきではない．汗管や毛包内の進展も目立つ（**図 80**）．しばしば表皮は肥厚，過角化あるいは，びらんや潰瘍をきたし，真皮にはリンパ球が浸潤する．いったん真皮内に浸潤すると，形態学的には浸潤性の乳癌（導管癌）やアポクリン癌と相同の所見を示し，予後が悪い（**図 81**）．

【鑑別診断】 ボーエン病では，clumping cells，個細胞壊死，核分裂像が目立つ．直腸癌の表皮内進展（CK7－/CK20＋，CDX2＋）との鑑別は，発生部位と免疫染色（CK7＋/CK20－，CDX2－）に負うところが大きい．乳房外パジェット病では癌細胞の細胞質内に，メラニン顆粒を有することがまれではない．悪性黒色腫との鑑別には，S-100 蛋白や MART-1/Melan A などのメラノサイト系マーカーが役立つ．

［参考事項］ 癌であるにもかかわらず，「～病」と冠されているのは，ボーエン病と同様に，表皮内に数年～十数年もの間とどまり，浸潤や転移がきわめてまれであることから，最初の報告者であるジェイムス・パジェット Sir James Paget に敬意を表した診断名が伝統的に使用され続けている．発生母地についてはいまだに不明だが，アポクリン腺と共通点が多いため表皮内汗管という説や，Toker cells 説などが推測されている．

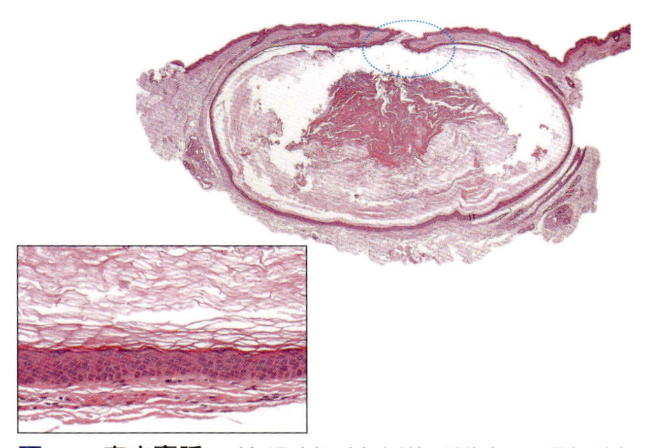

図 82　表皮嚢腫．毛包漏斗部（青点線）が狭窄し，深部が嚢胞性に拡張する．内部には正常の漏斗部で特徴的な basket weave 状の角化物を入れる（挿入図）．ルーペ

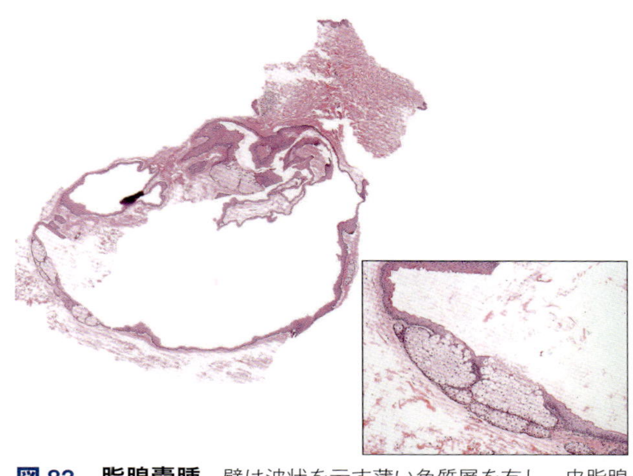

図 83　脂腺嚢腫．壁は波状を示す薄い角質層を有し，皮脂腺の扁平な小葉が付帯する．正常の脂腺管を模倣している（挿入図）．ルーペ

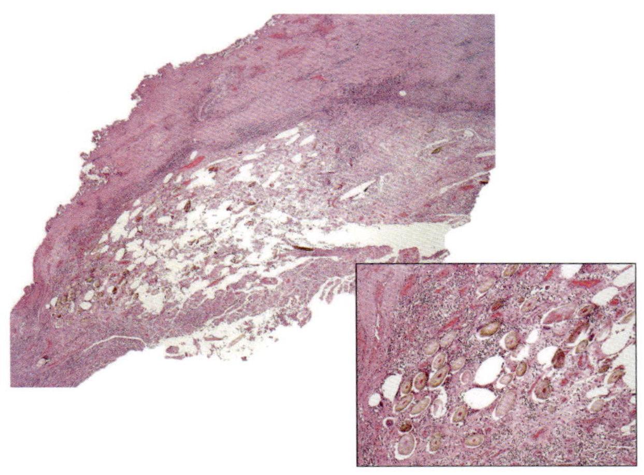

図 84　毛巣洞．毛包が深い瘻孔を形成し，内部に無数の毛を入れる（挿入図）．壁はしばしば破壊され，著しい肉芽組織や線維化をきたす．ルーペ

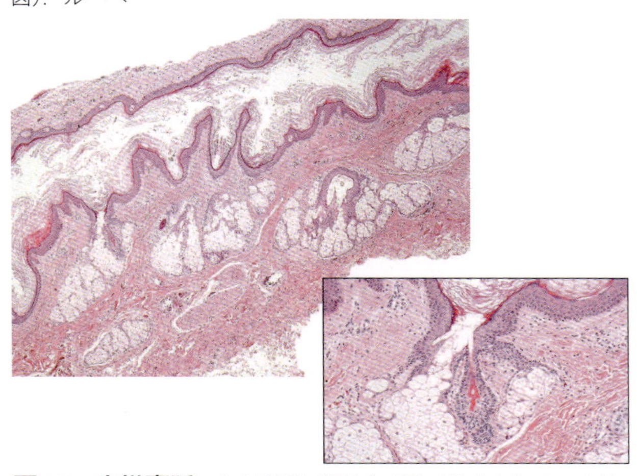

図 85　皮様嚢腫．表皮嚢腫に類似する壁で構成されているが，壁に毛包や皮脂腺などが開口する（挿入図）．ルーペ

表皮嚢胞（**表皮嚢腫，類表皮嚢胞，類表皮嚢腫** epidermoid cyst，**粉瘤** atheroma）　被覆表皮が陥凹して形成されるというよりも，毛包漏斗部が拡張した嚢胞性疾患である．内部には正常な毛包漏斗部でみられる角化様式である，斜子織り(ななこ) basket weave を示す層状の角化物を入れる（**図 82**）．角化物は肉眼で灰色の粘土（粉）状を呈する角質物，つまり垢であり悪臭を放つ．壁の形態の組織学的な類似性から，漏斗部型の毛包嚢胞 follicular cyst の infundibular type ともよばれる．毛包が存在しない掌蹠 volar site に発生する表皮嚢胞は，外傷性嚢胞 traumatic epidermal cyst とよばれていたが，多くは HPV 感染症であることが判明している．稗粒腫 milium（複数形は milia）は“軟毛”版の表皮嚢胞で，眼瞼周囲や前額，頬など軟毛が多い部位に多発する．

脂腺嚢腫　多発性脂腺嚢腫 steatocystoma multiplex といわれるように多発することが多いが，単発例もある．腋窩を主体に胸部や上肢などに好発し，内部にオリーブオイル状の黄色い液体を入れる．組織学的には表皮嚢胞とは異なり，壁は不整に内腔に入り込んだ複雑な形態をとる．最内層に波状で好酸性の角質層を有し，顆粒層，有棘層，基底層がそろう（**図 83**）．

【鑑別診断】　**毛巣洞**は，尾仙骨部に好発し，下掘れ状の瘻孔を形成し，内部に多数の毛髪を入れる（**図 84**）．

“軟毛”嚢腫 vellus hair cyst：小児の胸部や四肢に多発する小嚢胞の集簇巣である．組織学的に嚢胞壁は毛包の漏斗部ないし脂腺管の形態を示し，しばしば扁平な皮脂腺が嚢胞壁に接して出現する．嚢胞内には，特徴的に軟毛の断片が複数入っていることが多い．

皮様嚢腫 dermoid cyst：嚢胞壁に毛包，脂腺，汗腺などがみられる，一種の奇形的な病変である（**図 85**）．

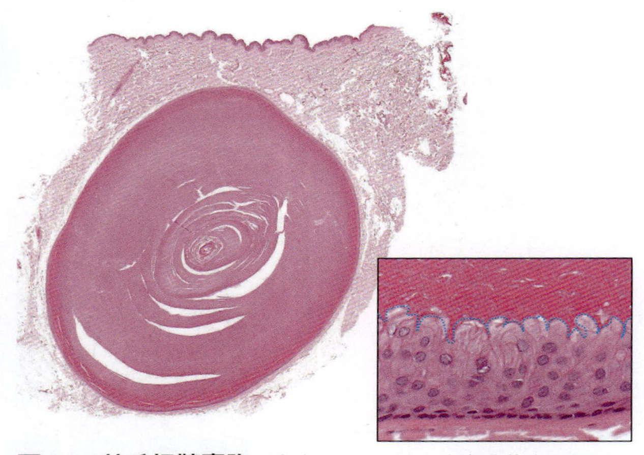

図 86　外毛根鞘嚢胞．嚢胞はコンパクトな角化物を入れる．壁は，小型で 1 層の基底細胞，数層で好酸性の有棘細胞を経て，顆粒層を介することなく角化する．最内層の角化物は波状を示し（青線），毛包狭部に類似する（挿入図）．ルーペ

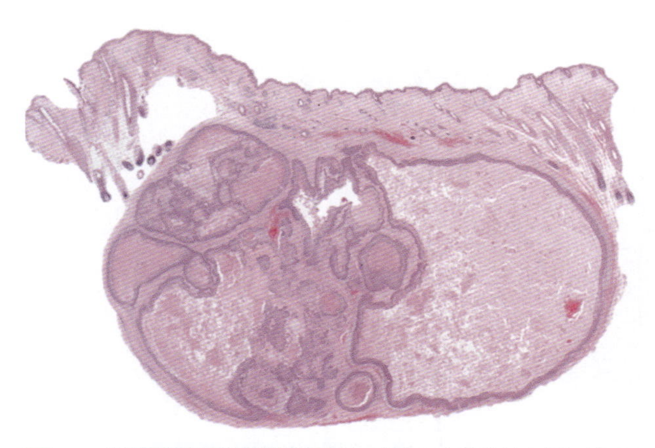

図 87　増殖性外毛根鞘性嚢胞．嚢胞の左半分は右側に比べ，角化細胞が内部に向かい増殖する．ルーペ

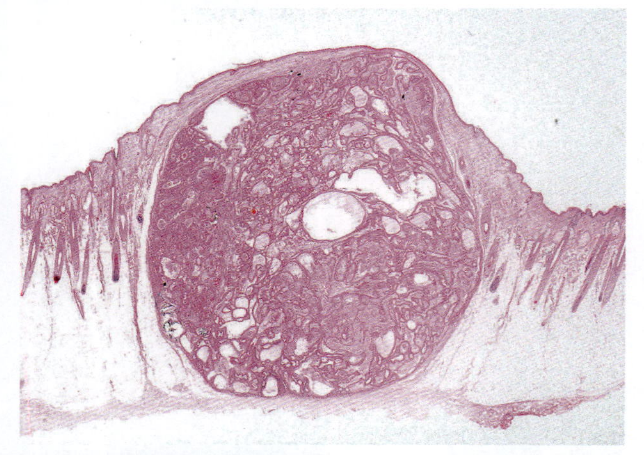

図 88　増殖性外毛根鞘性嚢胞．上皮の増殖は内腔がほとんど消失するほど高度であるが，元々の嚢胞壁の輪郭はスムーズに保たれている．ルーペ

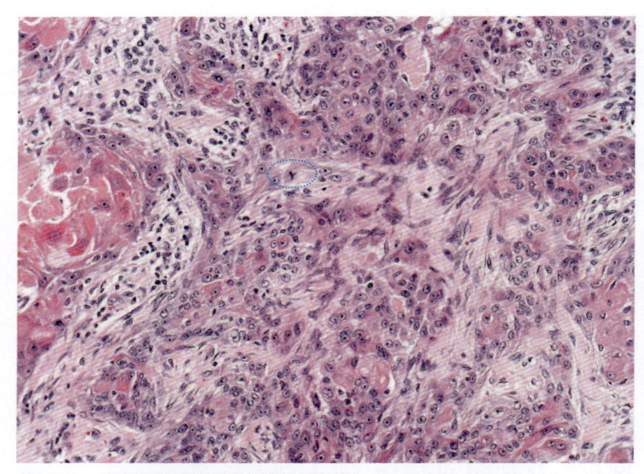

図 89　増殖性外毛根鞘性嚢胞．増殖する角化細胞は，不規則で異型性や多形性が高度で，異型核分裂像もみられる（青線）．間質に炎症細胞浸潤や線維化を伴い，一見，浸潤しているように見える．中拡大

外毛根鞘嚢胞（**毛髪嚢腫** pillar cyst）は，組織学的な類似性から，毛包の“外毛根鞘 trichilemma”というより，“狭部 isthmus”が拡張した嚢胞と推測される．峡部に類似する組織像とはつまり，①柵状に配列する 1 層で小型の基底細胞，数層で好酸性の有棘細胞，②顆粒層を形成することなく角化にいたる角化様式（外毛根鞘性角化 trichilemmal keratinization）（**図 86**）．③最内層の有棘細胞は波状を呈し，④内部の角化物は稠密（ちゅうみつ）に詰まる．嚢胞壁は，角化細胞が内部に向かいしばしば増殖し（**図 87**），内腔を埋め尽くすまで高度になることもある（**図 88**）．内腔に角化細胞が増殖した病態を，増殖性外毛根鞘性嚢胞/嚢腫とよぶ．**増殖性外毛根鞘性嚢胞**は，さまざまな程度の異型性や増殖を示す．高度の核異型，多形性，壊死，異型核分裂像を含む核分裂像を示すこともある（**図 89**）．しばしば異型細胞の浸潤胞巣は不規則となり，間質に炎症細胞浸潤や線維化を伴うことから，浸潤性の扁平上皮癌と誤認されてしまう．通常は浸潤の有無は基底膜の破壊をもって判断されるが，基底膜のない嚢胞性病変では増殖が元々存在した嚢胞壁の内部にとどまる限り，浸潤・転移をきたすことはない．したがって，組織学的に浸潤様に見えても，「〜癌」という言葉を使わずに，増殖性外毛根鞘性嚢胞という診断名が現実的である．

【鑑別診断】　表皮嚢腫は毛包漏斗部を模倣しており，壁には顆粒層が存在し，角化は basket woven を呈する．

［参考事項］　外毛根鞘嚢胞や増殖性外毛根鞘性嚢胞は，圧倒的に女性に発症し，90%が頭部に発生する．臨床的に病変部位は毛包が欠損している．

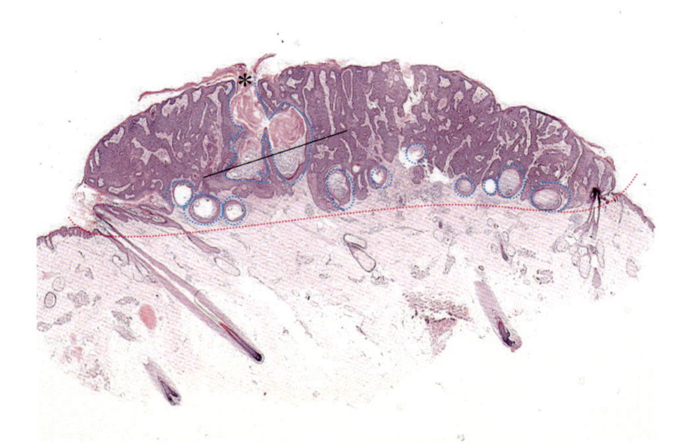

図 90　脂漏性角化症，典型（表皮肥厚型）．病変は，皮表より外方に増殖する（赤点線）．偽角質嚢腫が多数形成されるが（青点線），実は皮表とは交通があり（＊），切れ方（黒実線）により一見，嚢胞状に見えていることがわかる．ルーペ

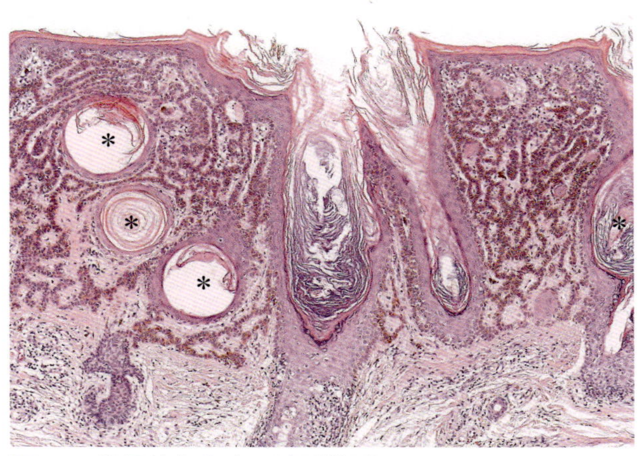

図 91　脂漏性角化症，腺腫様型．メラニンに富む細胞が網目状に増殖し，諸処で偽角質嚢腫（＊）を形成する．弱拡大

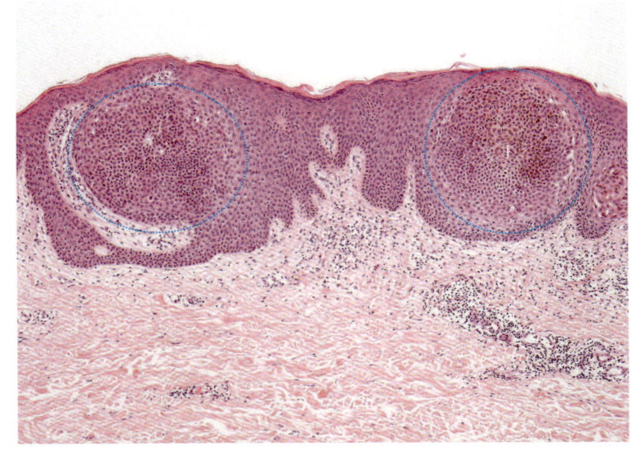

図 92　脂漏性角化症，クローン型．正常な表皮角化細胞に全周を囲まれるように比較的境界明瞭に，メラニンに富む小型で N/C 比の高い細胞が円形に増殖している（点線）．弱拡大

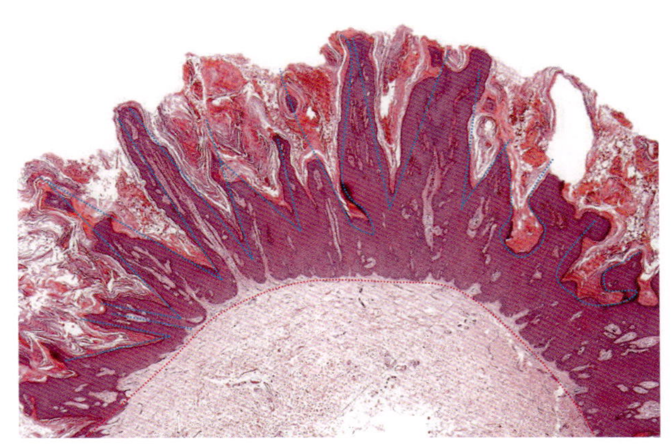

図 93　脂漏性角化症，乳頭状型．病変は皮表（赤点線）より外方に乳頭状に増殖する．真の乳頭状というよりも，むしろ毛包の漏斗部に類似する V 字構造といえる（青点線）．弱拡大

脂漏性角化症（SK；老人性疣贅 verruca senilis）は，「毛包漏斗部への分化を示す良性腫瘍」であり，組織学的定義は，正常では 1 層の“毛包の基底細胞が数層からシート状に増殖する病態”と表すことができる．基底細胞は有棘細胞，顆粒細胞を経て毛包漏斗部を形成しながら角化する．円形で角化物を入れる特徴的な，“偽”角質嚢腫“pseudo” horn cyst は，実際には嚢胞ではなく皮表へ開口しているため“偽”の嚢腫 cyst という意味であり，毛包漏斗部を模倣した形態といえる（**図 90**）．

SK の形態は多彩で，腺腫様型 adenoid（網状型 reticulated）type は，“腺腫に類似する”というからには基底細胞があたかも腺管状に細く伸びる（**図 91**）．クローン型 clonal type（**図 92**）は，基底細胞が表皮内で健常な角化細胞と境界明瞭に胞巣を形成した病態（intraepidermal epithelioma）である．乳頭状型 papillomatous/keratotic SK（**図 93**）は，乳頭というよりも実は V 字状に毛包漏斗部を形成しているといえる．皮角を形成することもある．新 WHO 分類には，メラニンに富む pigmented SK や斑状 macular SK もある．

Irritated SK や inflamed SK は，掻破などの刺激を受け炎症細胞が浸潤し，有棘細胞が特徴的な小渦巻き状（squamous eddies）に増殖したり，棘融解（浮腫）をきたしたりする．HPV による毛包一致性の irritated SK は，内向性に増殖し，反転性毛包角化症 inverted follicular keratosis とよばれる．

【鑑別診断】　正常で孔細胞 poroid cells と毛包の基底細胞は類似していることから，汗孔腫 poroma と SK 特にクローナル型では，両者の鑑別が困難で，汗孔腫における特徴的な小支縁細胞 cuticular cells や小空胞（孔）の有無に依存する．乳頭状型を尋常性疣贅と鑑別するには，後者は縦長の病変で，表皮突起は下内方に向かい，頂部の錯角化柱，楔状部の多顆粒細胞症，ウイルス封入体および koilocytosis などがポイントとなる．

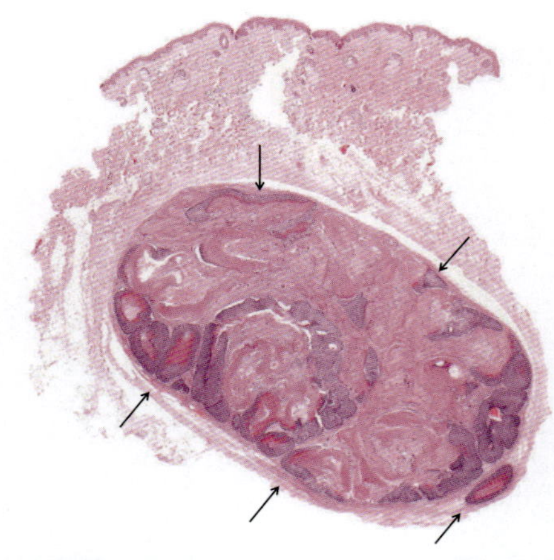

図 94　毛母腫．周囲の真皮と境界が明瞭な腫瘤で，好塩基性の細胞と好酸性の細胞により構成されている．周囲を薄い線維性被膜が取り囲み（↑），その外側にアーチファクトの裂隙が見える．良性腫瘍のシルエットといえる．ルーペ

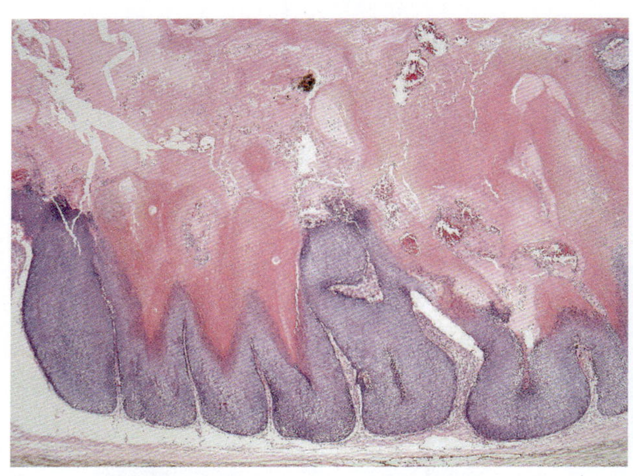

図 95　毛母腫．毛球を模倣するような構造が 6 個密在し，本来であれば毛母細胞からコンパクトな毛幹が 1 本成熟するはずだが，不完全な成熟のため好酸性の陰影細胞を形成する．弱拡大

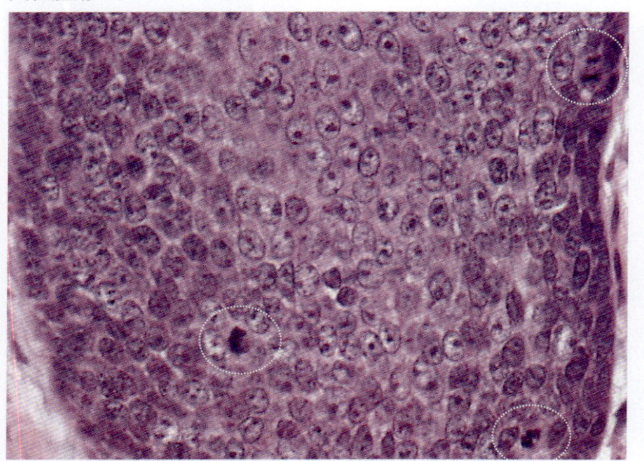

図 96　毛母腫．増殖する好塩基性細胞は，N/C 比の高い細胞で，クロマチンが濃縮し，明瞭な核小体を有し，核分裂像（点線）が多数みられる．強拡大

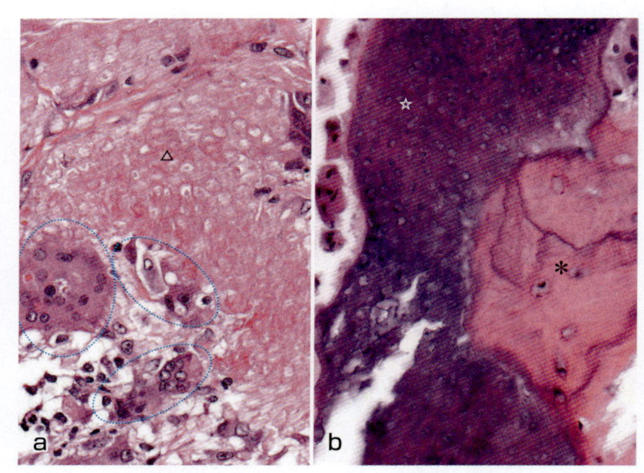

図 97　毛母腫．a：陰影細胞（△）は細胞の輪郭と核が残存している．異物とみなされて多核巨細胞（点線）によって貪食されている．強拡大．b：陰影細胞に石灰化を生じているが，細胞の輪郭は判別できる（☆）．骨化もきたしている（＊）．強拡大

石灰化上皮腫（calcifying epithelioma of Malherbe）は必ずしも石灰化しないことから，毛母細胞を模倣する（分化の方向を示す）良性腫瘍という意味で，欧米では**毛母腫 pilomatricoma** とよばれる．

組織学的には真皮内に境界明瞭な腫瘤を形成し（**図 94**），好塩基性細胞 basophilic cells と陰影細胞 shadow cells から構成される（**図 95**）．好塩基性細胞は，正常の毛包毛球部で毛をつくる毛母細胞 hair matrical cells を模倣する細胞で，毛母腫の診断に必要十分な要素である．毛母細胞は，①小型の，②円形細胞で，③高い N/C 比を示し，④粗いクロマチンと，⑤明瞭な核小体を有し，⑥多数の核分裂像を示す（**図 96**）．③～⑥の特徴が一般的な腫瘍では悪性所見に相当するために，しばしば悪性腫瘍と誤診されてしまう．陰影細胞は，毛母細胞から不完全に成熟した毛である（**図 97a**）．陰影細胞は，毛母腫以外の疾患でもしばしば出現する非特異的な細胞で，診断のための必要条件ではない．陰影細胞は核のない壊死細胞であるので異物反応を惹起し，しばしば無数の多核巨細胞を混じる異物肉芽腫が取り囲む．石灰化は陰影細胞に生じ，パウダリーで少量の石灰沈着がやがて濃く広がり，まれならず骨化もきたす（**図 97b**）．

【鑑別診断】　境界が不明瞭な毛母腫を，invasive pilomatricoma と称するが，良性腫瘍の範疇であり，取り切れれば再発や転移はない．毛母癌 pilomatrix（pilomatrical）carcinoma の報告例はほぼ全例で，上記③～⑥の所見を悪性所見と誤認しており，実務的には overdiagonsis を防ぐ意味で，毛母癌は存在しないとみなすほうがよい．

［参考事項］　毛母腫は，もともと存在した表皮嚢胞（粉瘤）の壁から発生することがある．嚢胞壁の一部で好塩基細胞と陰影細胞が増殖し，やがて内腔を埋めつくす．

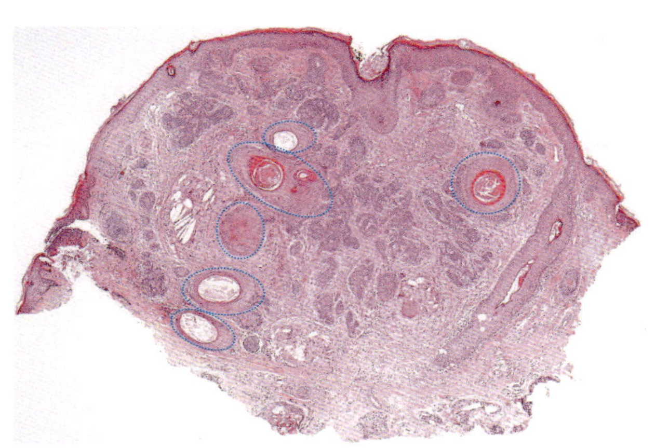

図98　毛包上皮腫．真皮浅層に存在する左右対称性の病変で，表皮嚢腫が散見される（点線）．腫瘍胞巣は小型で，周囲の真皮との間の裂隙は目立たない．ルーペ

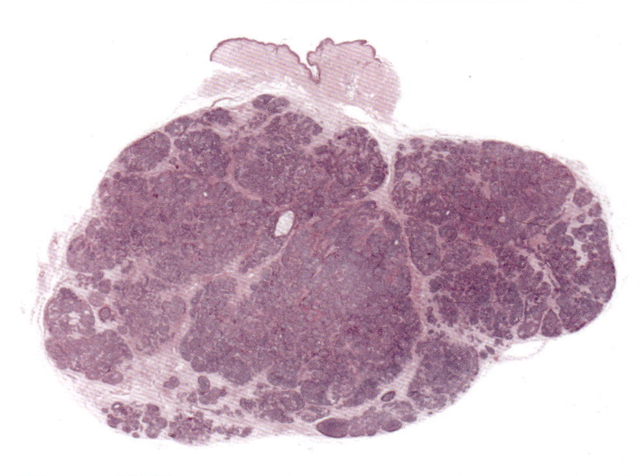

図99　毛芽腫．腫瘤は真皮中層より深部に位置する．左右非対称ではあるが周囲との境界は明瞭である．小胞巣が集簇し小葉状を呈する．ルーペ

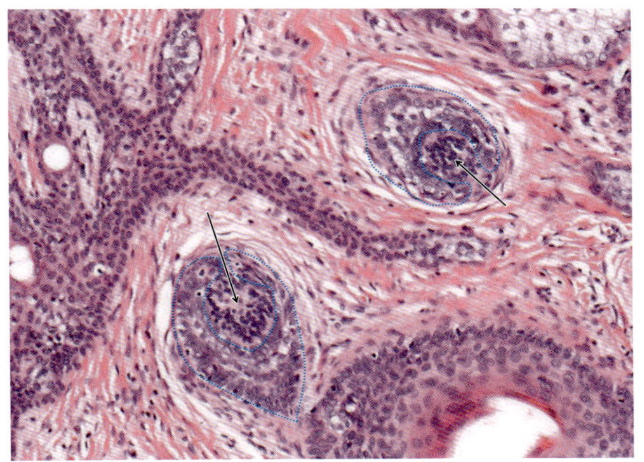

図100　毛芽腫．正常の毛球を模倣するU字状の上皮（点線）の陥凹部に，毛乳頭を模倣する結合組織が入り込む（↑）．強拡大

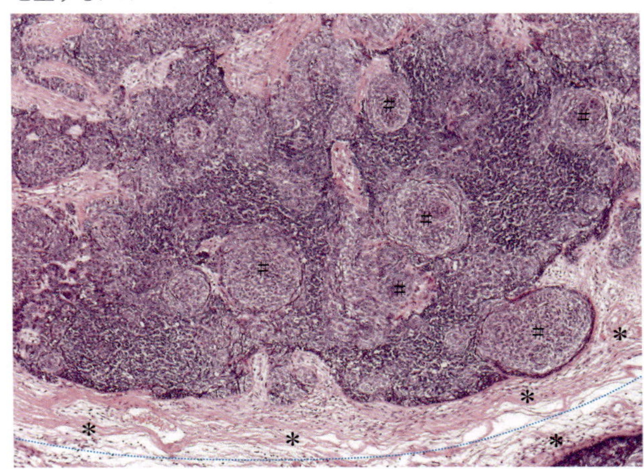

図101　毛芽腫．腫瘍胞巣は毛芽から構成されるが，胞巣の中心はやや好酸性で渦巻きを呈している（♯）．裂隙（点線）は，腫瘍性結合組織（＊）の外側にできる．中拡大

毛包上皮腫と**毛芽腫**は，伝統的には異なる病態として扱われてきたが，近年両者は組織学的に同一疾患上のスペクトラムにあるとし，2018年WHO分類では毛包上皮腫は毛芽腫の亜型として扱われるようになった．両者はともに，①“毛芽 hair germ”（基底細胞上皮腫参照）を模倣する腫瘍細胞から構成され，②左右対称性で境界明瞭な腫瘤を形成する（**図98, 99**）．③毛球と毛乳頭を模倣する構造を有する（**図100**）．④腫瘍胞巣は，大小，総状花序（そうじょうかじょ）（藤の花のように，長い花軸に柄のある花を多数つけた形態），網状，篩状など多彩な形態を示す．⑤結合組織性毛根鞘を模倣する淡い膠原線維が腫瘍胞巣を取り囲み，結合組織同士の間でしばしば裂隙が形成される（**図101**）．

毛包上皮腫は真皮浅層に位置する比較的小さい病変で，周囲の真皮や結合組織間の裂隙は目立たない．毛包漏斗部を模倣する表皮嚢胞様の嚢胞を形成する．毛球と毛乳頭への分化は，しばしば明瞭にみられる．反対に毛芽腫は真皮のやや深部に位置する境界明瞭な腫瘤で，表皮嚢胞の形成はほとんどない．

【鑑別診断】　基底細胞癌（BCC，基底細胞上皮腫）との鑑別が常に問題となる．BCCは，①しばしば潰瘍を形成し，②浸潤性，左右非対称性に増殖し，③毛球や毛乳頭の形成はない．④面皰（めんぽう）壊死をきたすことが多く，⑤核分裂像が多数みられる．⑥裂隙は腫瘍胞巣と健常組織との間に形成される．⑦腫瘍細胞はむしろ均一に増殖し，柵状配列や渦巻き状構造が目立たない．⑧間質は線維化や炎症細胞浸潤が目立ち，⑨腫瘍細胞の個細胞壊死（アミロイド様物質）がみられる．

［参考事項］　両者で増殖するのは，胎生期に毛包・脂腺・アポクリン腺に分化する幹細胞である，“毛芽 hair germ”とよばれる未熟な細胞で，毛芽を模倣する良性腫瘍が毛芽腫（毛包上皮腫瘍）で，悪性のカウンターパートが基底細胞上皮腫（癌）とみなされている．

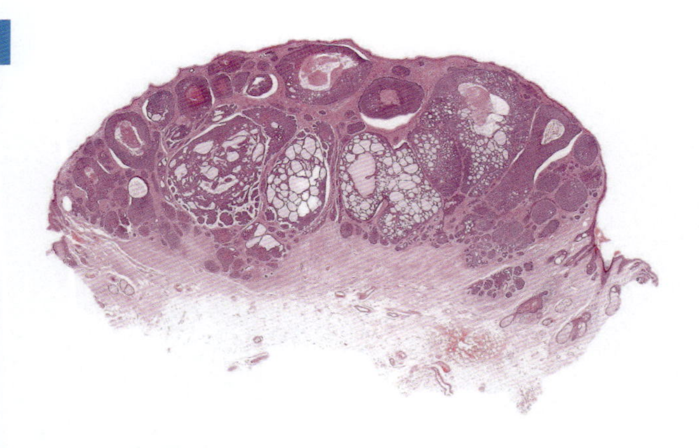

図 102　基底細胞癌．マウンド状の病変で，一部は表皮から連続性に，大小あるいは網目状の胞巣など左右非対称性の形態を示す．ルーペ

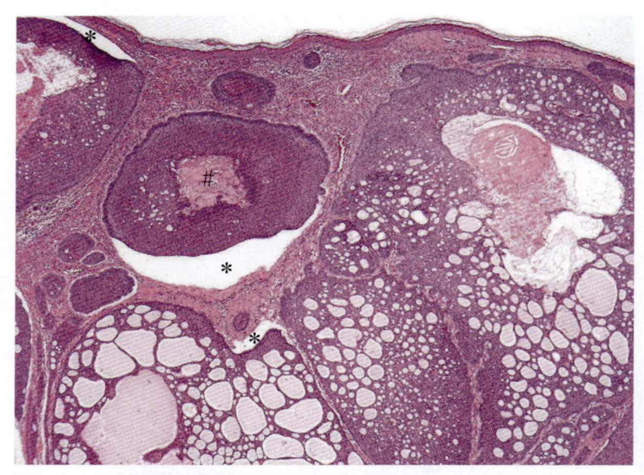

図 103　基底細胞癌．胞巣の外側でしばしば裂隙を形成する（*）．胞巣の中央部で面皰壊死をきたす（#）．篩状の部位では，間質に豊富な粘液を入れる．弱拡大

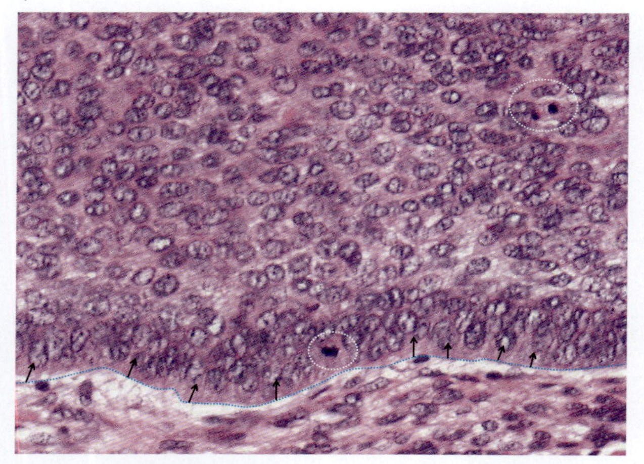

図 104　基底細胞癌．増殖する芽細胞の核は，基底膜（青点線）からわずかにせり上がり（↑），柵状に配列していることから毛芽と判断できる．核分裂像が散見される（白点線）．強拡大

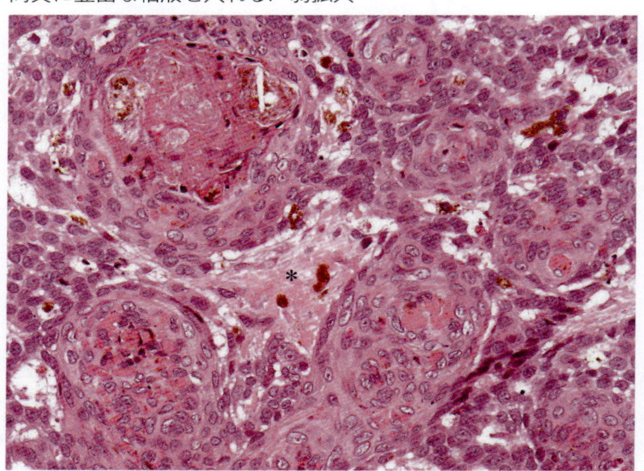

図 105　基底細胞癌．胞巣内は大型あるいは個細胞性の壊死が目立ち，間質（*）にはアミロイドが沈着するが，これは腫瘍細胞の壊死物質である．腫瘍胞巣内にあったメラニンが，腫瘍細胞の壊死により間質に凝集している．強拡大

基底細胞癌〔**BCC，基底細胞上皮腫** basal cell epithelioma〕は，局所を浸潤性に破壊する悪性腫瘍であるが転移はないため，皮膚科の領域では伝統的にあたかも良性腫瘍であるかのような，「〜腫, -oma」という診断名が使用され続けている．

組織学的に BCC は，左右非対称性の病変で，しばしば表層にびらんや潰瘍をきたす（**図 102，103**）．増殖する細胞は，"毛芽 hair germ" に類似する，①円柱状の細胞で，②N/C 比が高く，③核は楕円形で，④クロマチンは繊細で，⑤核小体は目立たない．①〜⑤はすべての芽細胞 germ cells に共通する特徴だが，毛包に分化しうる毛芽の特徴は，⑥核が基底膜より等長にせり上って柵状に配列することにある（**図 104**）．どこかで表皮や毛包と連続性を示すことが多い．腫瘍細胞は容易に壊死に陥り，胞巣内や間質にアミロイドとして沈着する．しばしばメラニンも含む（**図 105**）．

2018 年 WHO 分類で亜型が low risk と high risk に分類された．Low risk には，nodular BCC，superficial BCC，pigmented BCC，infundubulocystic BCC，fibroepithelial BCC が含まれる．High risk に分類された basosquamous carcinoma，sclerosing/morphoeic BCC，infiltrating BCC，BCC with sarcomatoid differentiation，micronodular BCC の 5 型はいずれも，浸潤が真皮深部までおよぶことで特徴付けられる．

【鑑別診断】 増殖する細胞が同じ毛芽である毛芽腫 trichoblastoma（TB）との鑑別は困難である．TB は弱拡大で左右対称性で境界が明瞭であること，裂隙の位置が腫瘍胞巣周辺の結合組織の外側であること，正常の毛包の毛球と毛乳頭を模倣する構造があることなどが手掛かりとなる．胞巣辺縁の核の柵状配列はむしろ TB のほうが目立つ．

［参考事項］ "基底細胞" 癌というものの，組織学的に類似するのは基底細胞というより，胎生期の毛芽であり，良性腫瘍のカウンターパートが毛芽腫（毛包上皮腫）といえる．

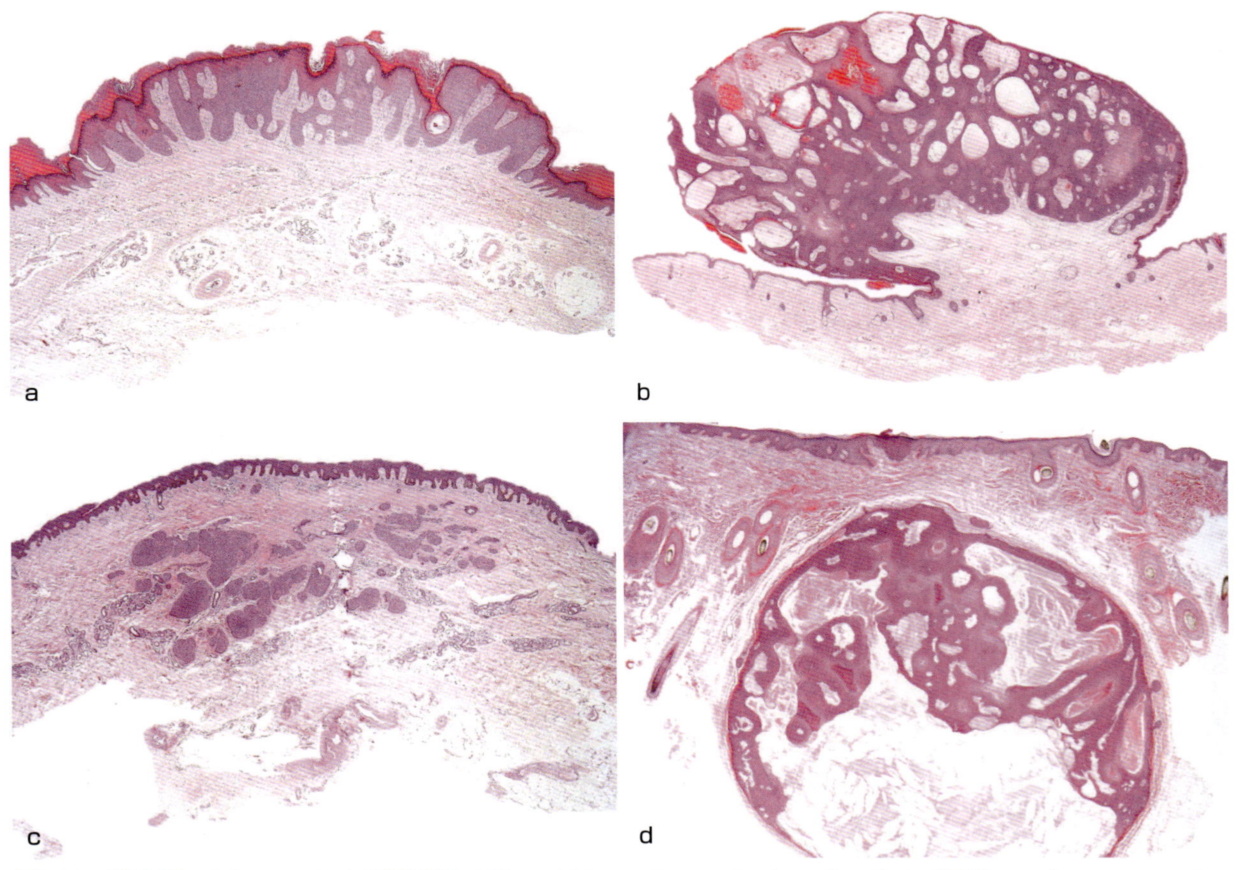

図 106　汗孔腫．Ackerman による汗孔腫の 4 型．a：hidracanthoma simplex，ルーペ．b：狭義の eccrine poroma，ルーペ．c：dermal duct tumor，ルーペ．d：poroid hidradenoma，ルーペ

汗孔腫の定義は，“汗管への分化を示す良性腫瘍”といえる．汗管は，内側の小皮縁細胞 cuticular cells と外側の孔細胞 poroid cells から構成される腺管であるので，汗孔腫の組織学的定義は，①小皮縁細胞と，②孔細胞とで構成されており，③小皮縁細胞が細胞質内に小空胞を有したり，腺管（孔）を形成する，と表すことができる．4 つの亜型として，正常汗管の位置や形態により，表皮内汗管 acrosyringium を模倣すれば “hidracanthoma simplex”，隆起部の真皮を埋めるように増殖すると “（狭義の）eccrine poroma”，真皮内汗管への分化を示し真皮浅層に位置し小胞巣が集簇すれば “dermal duct tumor”，真皮に位置し大型の充実性ないし囊胞状の胞巣を形成すると “孔細胞汗腺腫 poroid hidradenoma” とよび分けることがある（**図 106**）．

小皮縁細胞は，好酸性の細胞質を有する大型細胞で，管腔を裏打ちする．核は大型で，しばしば多核あるいは異型性を示すため，悪性転化と間違えてはいけない．細胞質内に小空胞を有する様式は，胎児期に表皮角化細胞が細胞質内に小空胞を形成し，それらが融合することにより管腔を空ける様子を模倣している（**図 107**）．汗孔腫は汗をかくためかしばしば漿液が貯留したり血管外の間質にたまる血管周囲腔 perivascular space を形成する（**図 108**）．腫瘍胞巣内に，細胞質にメラニンを豊富に含む樹枝状のメラノサイトが混在する（melanocyte colonization）こともまれではない．

汗孔癌は，汗孔腫からの移行と *de novo* 発生とがある．どちらも孔細胞と小皮縁細胞に類似（分化）する異型細胞から構成され，孔を形成し，周囲に線維化を伴いながら真皮内に浸潤する．両細胞ともに核異型や明瞭な核小体を示し，特に小皮縁細胞は，しばしば大型で多核となり多形性が目立つ．腫瘍胞巣は幅が広く融合性で，通常の扁平上皮癌（SCC）のように深部に向かうにつれ胞巣が細かくなる傾向はない．孔細胞も小皮縁細胞も広義の扁平上皮細胞に属するため，汗孔癌ではまれならず角化をきたすが，（狭義の）SCC でみられる層状で明瞭な角化ではなく，よく見ると壊死であることが多い（**図 110**）．汗孔腫からの移行例では，病変のどこかに汗

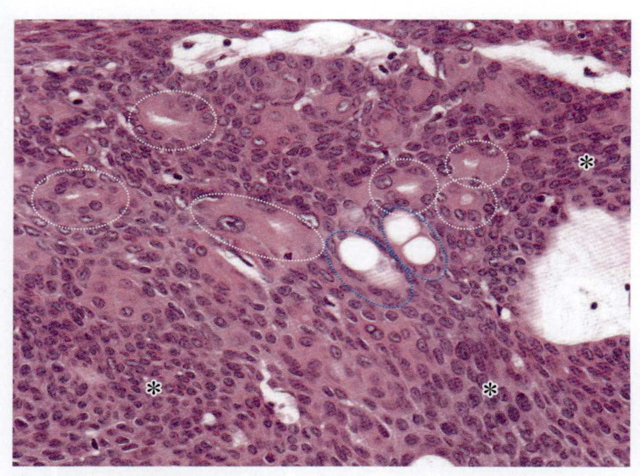

図 107　汗孔腫．小皮縁細胞は細胞質内に小空胞を有したり（青点線），腺管を形成する（白点線）．外側に小型でN/C 比の高い孔細胞がシート状に増殖する（＊）．小皮縁細胞は，しばしば大型となり，多核化や異型性を示す．強拡大

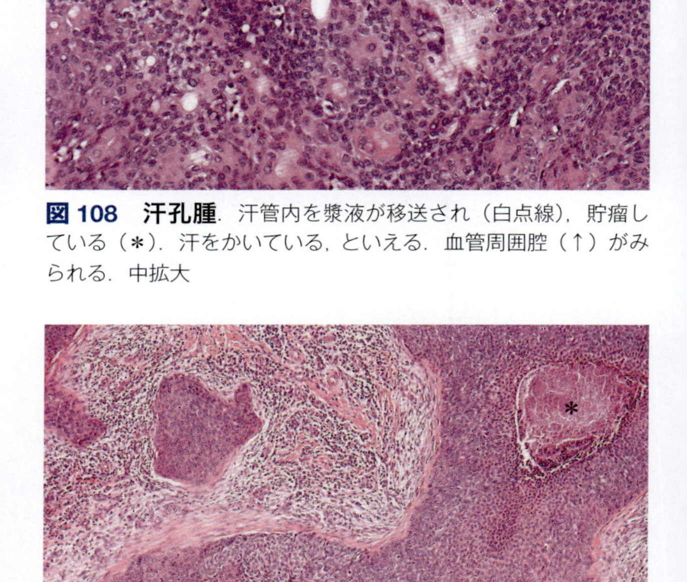

図 108　汗孔腫．汗管内を漿液が移送され（白点線），貯瘤している（＊）．汗をかいている，といえる．血管周囲腔（↑）がみられる．中拡大

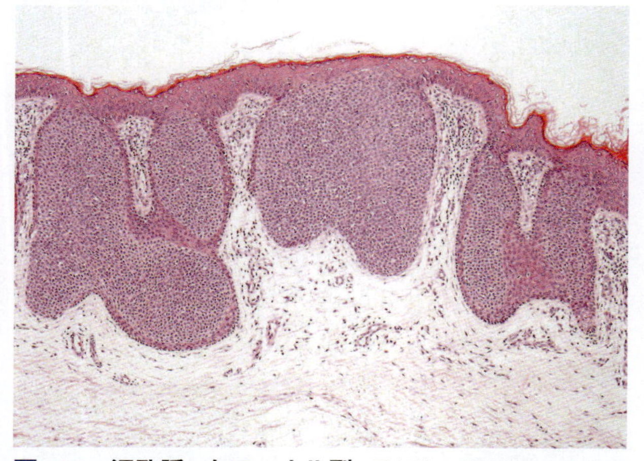

図 109　汗孔腫，クローナル型．孔細胞の増殖巣はやや好酸性を呈し均一に増殖し，全周を周囲の正常な表皮角化細胞に取り囲まれている．中拡大

図 110　汗孔癌．腫瘍胞巣は融合し，孔細胞と腺腔を形成する小皮縁細胞ともに高度の核異型，多核，個細胞壊死を示す．面皰壊死もみられる（＊）．中拡大

孔腫や表皮内癌（porocarcinoma *in situ*）が併存している．背景の汗孔腫は，4 型のなかでは，（狭義の）エクリン汗孔腫や hidracanthoma simplex が多い．

【鑑別診断】 亜型のクローナル型 clonal type は，脂漏性角化症のクローナル型と組織学的に酷似することが多い（**図 109**）．細胞質内の小空胞や腺管の形成があれば汗孔腫と診断できる．汗孔癌では，小皮縁細胞だけでなく，孔細胞にも異型性，クロマチンの濃縮，明瞭な核小体などがみられる．表皮内癌の状態からやがて真皮内に浸潤する．

［参考事項］ 皮膚科の病名に，“hidro-（汗の）”と付くと，本来は（汗管ではなく）汗腺への分化を意味する．汗孔腫は汗管への分化を示す腫瘍であるから上記の 4 亜型のうち，hidracanthoma simplex と poroid hidradenoma は実は命名が正しくない（misnomers）．

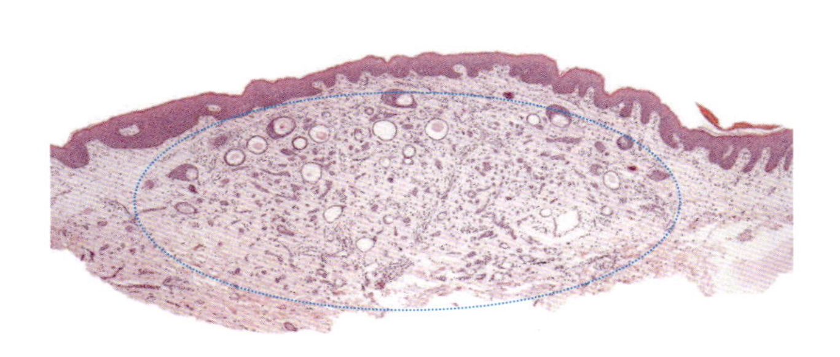

図 111　汗管腫．真皮浅層に，小腺管あるいは細索状構造が集簇し，全体として比較的境界明瞭なレンズ状の腫瘤（点線）を形成している．ルーペ

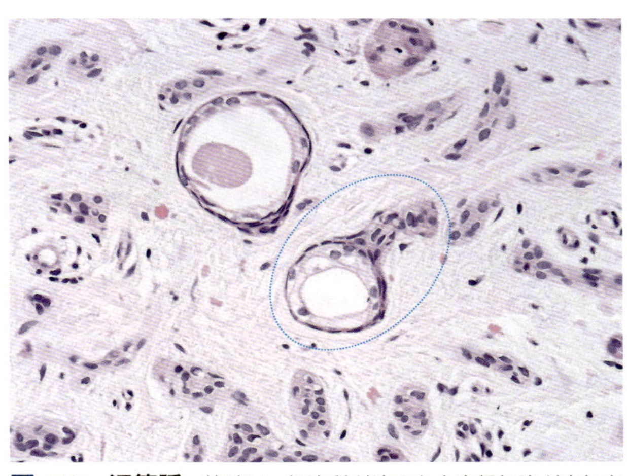

図 112　汗管腫．管腔は，細胞質が淡明な小皮縁細胞が裏打ちし，外側を数層の孔細胞が取り巻く．おたまじゃくし状，コンマ状とよばれる形態がみられる（点線）．強拡大

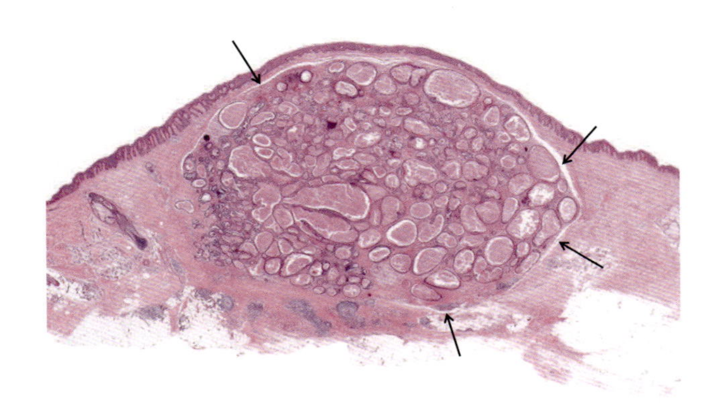

図 113　Tubular adenoma．真皮内に大小の腺管が密に集簇する．周囲との境界は明瞭で，本例のように周囲の真皮との間に裂隙（↑）を形成することもある．ルーペ

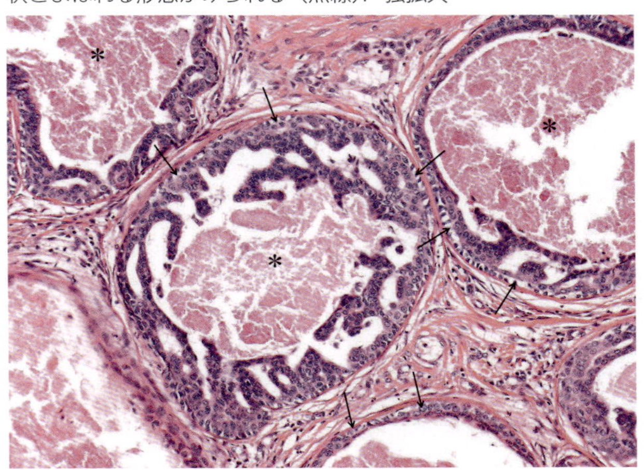

図 114　Tubular adenoma．上皮細胞は内腔に向かい，細索状，篩状，匍匐（ほふく）状に増殖し，内腔に好酸性の分泌物を入れる（*）．外側の筋上皮細胞は扁平だが，諸処で細胞質が淡明となりやや腫大する（↑）．中拡大

汗管腫　真皮浅層～表皮内汗管 acrosyringium を模倣する汗管系の良性腫瘍であるが，正常小皮縁細胞との類似性は乏しい．①組織学的には真皮浅層に大きさが比較的均一な小腺管が集簇し，間質に好酸性を示す膠原線維が増生して，全体として比較的境界明瞭な腫瘤を形成する（**図 111**）．②腺管は，管腔を裏打ちする淡好酸性の円柱上皮と外側の N/C 比の高い孔細胞による二相性を示す．おたまじゃくし状 tadpole/comma-like tails とよばれる形態が特徴的だが必要条件ではない（**図 112**）．糖尿病の患者では，孔細胞の細胞質が淡明化することが多い（clear cell syringoma）．

Tubular adenoma（WHO）/tubulopapillary hidradenoma, Papillary tubular adenoma, apocrine tubular（apocrine）adenoma, papillary eccrine adenoma　真皮を主座とし，アポクリン腺上皮細胞と筋上皮細胞による二相性の細胞により構成される小腺管の集簇巣である（**図 113**）．腫瘤辺縁に炎症細胞が浸潤したり，被覆表皮が HPV 感染症を想起させる錯角化を伴う過角化を伴い乳頭状に増殖することがまれではない．腺管は大小不同，不整形あるいは部分的に嚢胞状を呈する．“乳頭状 papillary” というが，実は，血管を入れた線維性の細い結合組織（茎 stalk）をもたない上皮の重層化/重積 “epitheliosis” である．上皮細胞はさまざまで，明瞭なアポクリンスナウト，扁平上皮化生，細胞質内小空胞の形成などがみられる．外側の筋上皮細胞は扁平で，しばしば淡明となる（**図 114**）．

【鑑別診断】　汗管腫は思春期～若年成人の下眼瞼に好発するが，亜型の generalized eruptive type は，体表前面に広範囲に広がる．生検像のみでは境界が不明瞭であるため，MAC（microcystic adnexal carcinoma）との鑑別が必要となることもあるが，MAC の特徴である真皮浅層では表皮嚢腫様の嚢胞構造を形成し，深部に向かうにつれ腺管が小型になる移行像はみられない．

［参考事項］　Tubular adenoma が指趾に発生すると再発率が高いことから，“aggressive” digital papillary adenoma とよばれていたが，予後を決定する病理所見がいまだに不明で稀ながら転移があるため，2018 WHO 分類では digital papillary adenocarcinoma と称されることになった．

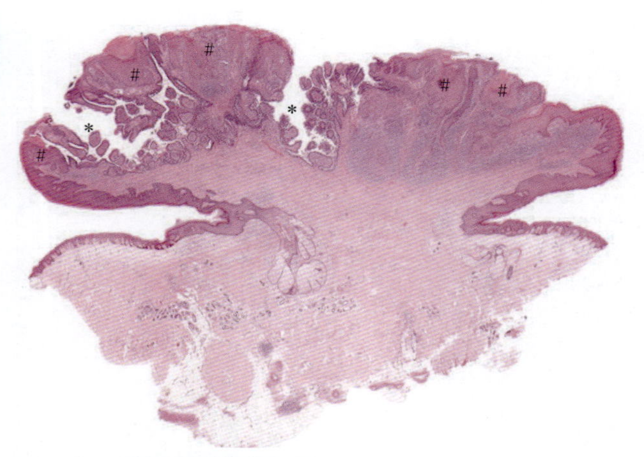

図 115　乳頭状汗管嚢胞腺腫．重層扁平上皮が厚く肥厚し（#），連続性に腺管が下掘れした嚢胞腔（*）を形成している．腺管は嚢胞内に乳頭状に増殖する．ルーペ

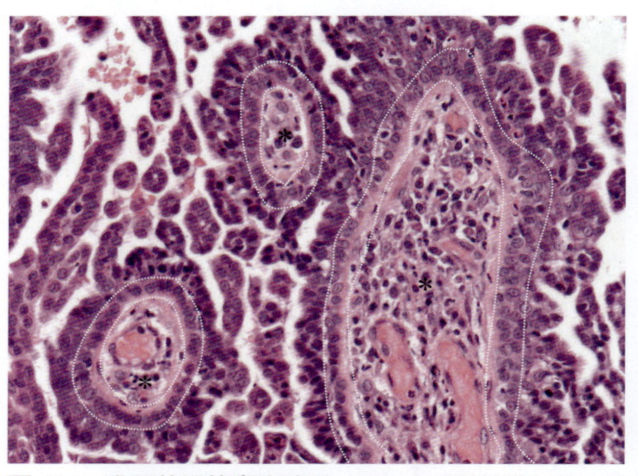

図 116　乳頭状汗管嚢胞腺腫．腺管の乳頭状の増殖巣は，基底膜側に筋上皮細胞が 1 層並び（点線間），内腔側に細索状にアポクリン上皮細胞がひょろひょろと伸びる．間質（茎）には形質細胞が浸潤する（*）．強拡大

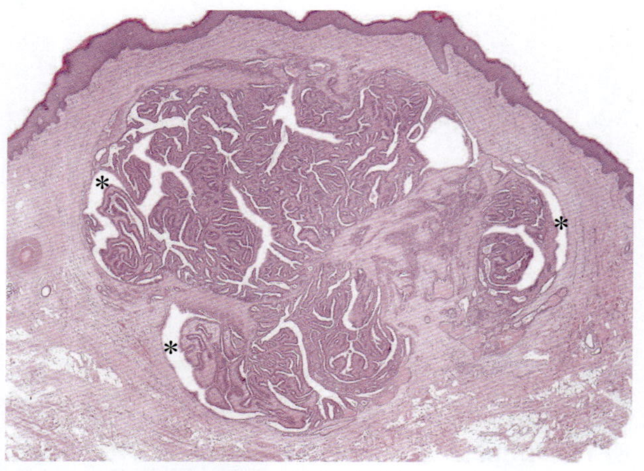

図 117　乳頭状汗腺腫．大型の嚢胞を形成し，内腔（*）を乳頭状の増殖巣が埋めつくす．ルーペ

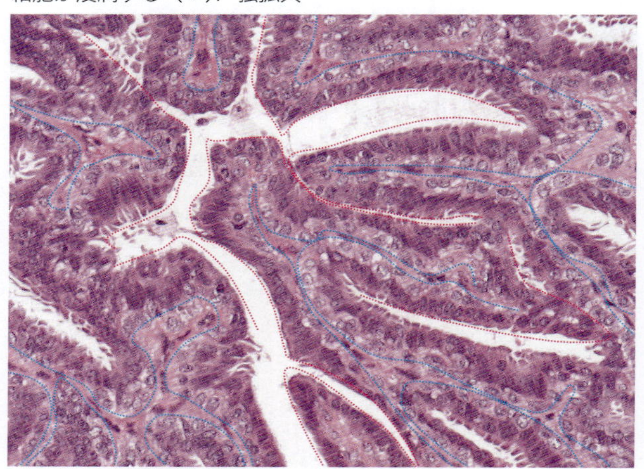

図 118　乳頭状汗腺腫．内腔に乳頭状に増殖し，頂部は尖る（赤点線）．細い茎に沿い，核が淡明で腫大した筋上皮細胞が 1 列配列する（青点線と上皮細胞間）．上皮細胞はアポクリン分泌が目立つ．強拡大

乳頭状汗管嚢胞腺腫　重層扁平上皮と腺上皮の両方が増生し連続性を有する病変である．少なくとも 1/3 以上は脂腺母斑と合併し，逆に脂腺母斑の約 20% で合併し腫瘍性病変のなかでは最多を占める．その意味では，腫瘍性というより奇形的な病態の可能性がある．①被覆する表皮は増殖により肥厚し，しばしば HPV 感染様に層状の錯角化を伴う高度の過角化を示し乳頭状に増殖する（**図 115**）．②腺管は増殖する表皮から連続性を示して深部に向かい下掘れし，しばしば嚢胞状に陥凹する．③嚢胞内に向かい，太い茎を有する乳頭状増殖巣が無数に形成される（**図 116**）．④腺管を構成するのは，外側（内腔側）が好酸性の高円柱上皮細胞で，茎部側が扁平ないし立方形の細胞である．⑤間質には特徴的に形質細胞が浸潤する．

乳頭状汗腺腫　ほぼ全例が中年女性の外陰部に発生する．組織学的には，①乳頭状汗管嚢胞腺腫に類似する大型の嚢胞を形成し（**図 117**），②内腔にアポクリン腺上皮細胞と筋上皮細胞による乳頭状増殖を示す（**図 118**）．しばしば嚢胞の存在が不明瞭になるほど内腔に向かい高度に増殖する．結合組織性の茎は細く，乳頭頂部で上皮は尖塔状を呈する．手術の際，飛び出してきた嚢胞の内部だけが摘出されることがあり，腺癌と間違えないことが肝要である．

【鑑別診断】　Tubular adenoma（TA）も腺管が被覆表皮と連続する場合があり，乳頭状汗管嚢胞腺腫と基本的な構築が類似している．ただし TA では被覆表皮の増生や腺管の下掘れによる嚢胞の形成はなく，小腺管が密に集簇する．

［参考事項］　両者は二相性を示す細胞が乳頭状に増殖するという点で類似している．乳頭状汗管嚢胞腺腫は，重層扁平上皮が肥厚し腺管と連続するという点でより奇形的な病態であろう．

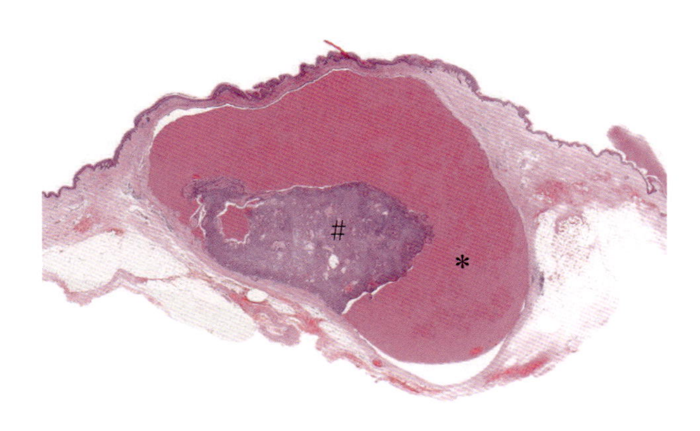

図 119　汗腺腫．真皮内に大型の嚢胞が形成され，漿液を入れる（*）．一部で充実部位を有する（#）．ルーペ

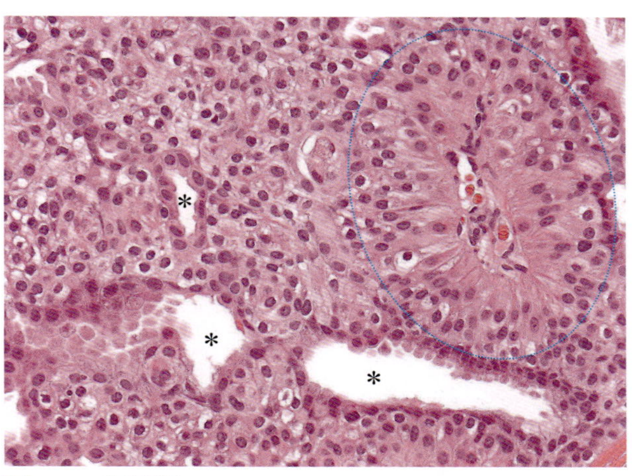

図 120　汗腺腫．アポクリンスナウトが明瞭なアポクリン腺上皮細胞が内腔（*）を裏打ちする．その外側に好酸性の細胞質を有する筋上皮細胞がシート状ないし偽ロゼット状（点線）に増殖する．強拡大

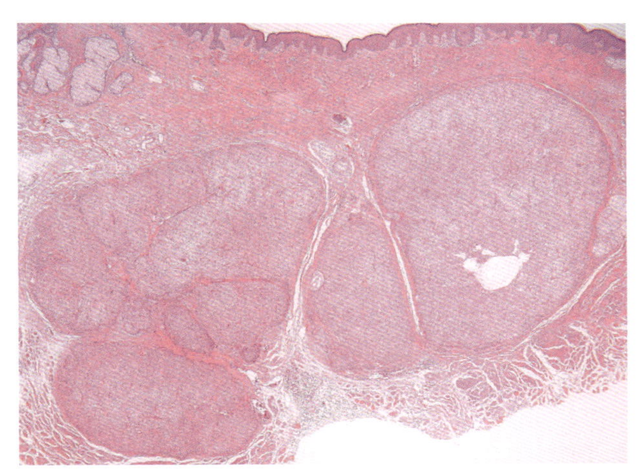

図 121　澄明細胞汗腺腫．淡好酸性の細胞が充実性に増殖し，小葉状を呈して増殖する．ルーペ

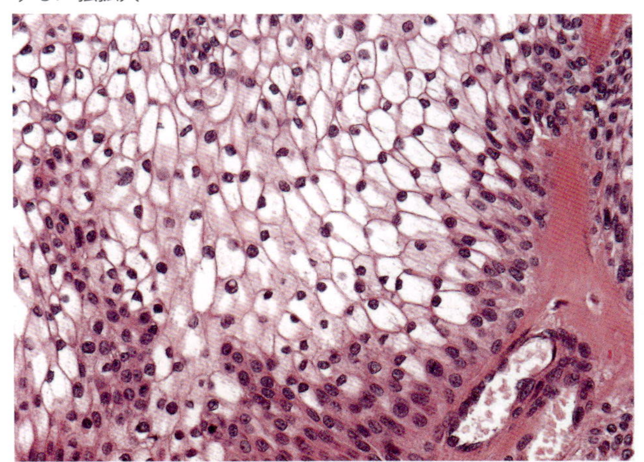

図 122　澄明細胞汗腺腫．基底層から遠ざかると細胞質が淡明となり，核は細胞膜の遠位側に接して偏在する．強拡大

汗腺腫は，アポクリン腺であれエクリン腺であれ，汗腺への分化を示す良性腫瘍で主として筋上皮細胞が増生する．汗腺からの分泌物（汗）の量により，充実状，嚢胞状および一部嚢胞状などさまざまな程度に嚢胞を形成し，それぞれ nodular hidradenoma, cystic hidradenoma および solid-cystic hidradenoma とよばれる．さらに増殖する細胞の細胞質の色合いによる疾患名として**澄明細胞汗腺腫** clear cell hidradenoma があるように，しばしば淡明な細胞から構成される．ただし，病変全体が澄明細胞から構成されることはまれで，さまざまな程度で好酸性細胞が混在する．増殖する細胞の本質は筋上皮細胞であり，多稜形で好酸性を示し，グリコーゲンが豊富であれば澄明になる．組織学的には，①真皮内に孤立性あるいは，小葉性に胞巣が集簇し，さまざまな程度で嚢胞を形成する（**図 119**）．全体が嚢胞性で，充実部位がほとんどない例もある．②細胞質が好酸性で多稜形の筋上皮細胞が，シート状ないし血管周囲性に配列（偽ロゼット）する．③諸処で腺管が形成され，高円柱状でアポクリンスナウトを伴う上皮細胞が裏打ちする（**図 120**）．多稜形細胞や澄明細胞は上皮細胞の外側に増殖していることから，筋上皮細胞であることが理解できる．④澄明細胞は円柱状ないし多稜形で，核は間質から遠い部位で細胞膜に接し偏在する（**図 121, 122**）．多稜形細胞と澄明細胞は，さまざまな程度で互いに移行するが，血管に富む間質に近い側に好酸性の細胞を配し，遠ざかるにつれ（グリコーゲンに富む）澄明細胞に移り変わることが多い．嚢胞内に，太い結合組織性の茎を有し，乳頭状に増殖することもある．まれながら，粘液細胞や squamous eddies の形成および，角化を伴う成熟した扁平上皮が出現することがある．間質にはケロイド様を呈する厚い膠原線維が増殖する．約 1/4 の例で表皮と連続性があり，表皮は細胞質が淡明化し肥厚する．

【鑑別診断】 Clear cell hidradenoma は，clear cell type の腎癌の転移と鑑別が必要となる．腎癌は，血管に富む細い結合組織が小胞巣を取り囲む．嚢胞の形成はまれで，間質に血管周囲腔を形成することはない．出血も目立つ．

［参考事項］ Poroid hidradenoma は，本質が小皮縁細胞と孔細胞から構成される，（汗腺ではなく）汗管の良性腫瘍（汗孔腫）である．汗管の病変に，hidro- という汗腺に関連する疾患名を冠した間違い misnomer であり，本稿では汗孔腫のページに記載している．

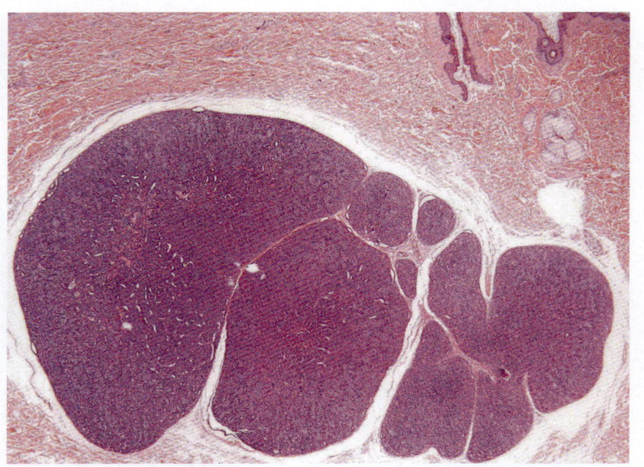

図 123　らせん腺腫．らせん状に太まった大きな汗管の内腔に，小腺管が密に充実性に増殖する．ルーペ

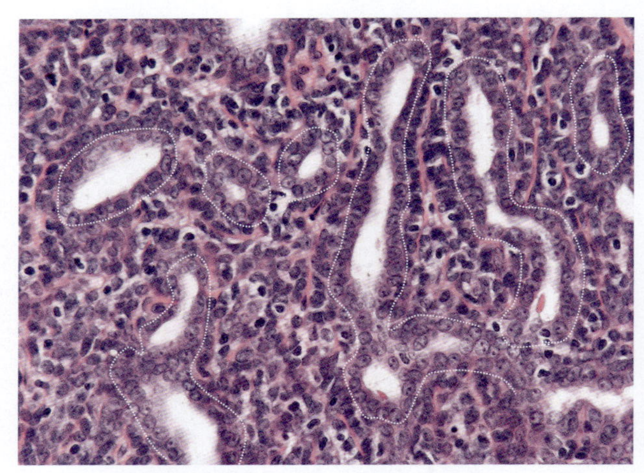

図 124　らせん腺腫．内腔側に淡明で大型の核（点線），外側にクロマチンが濃縮しN/C比が高い細胞が腺管を形成し，リンパ球浸潤を伴う．強拡大

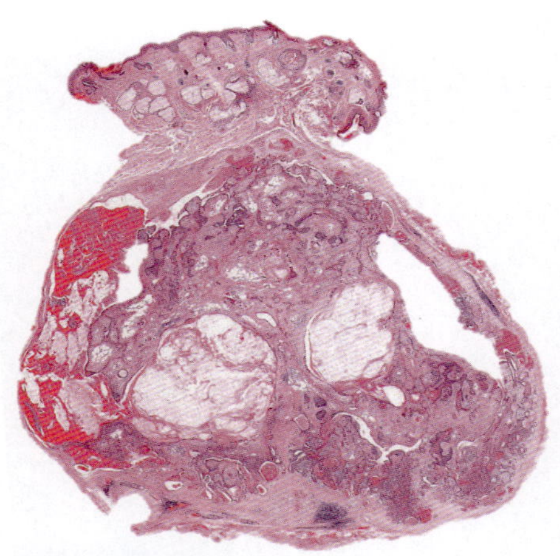

図 125　皮膚混合腫瘍．周囲を線維性の被膜によって被覆され，内部に大小の腺管が増生する．ルーペ

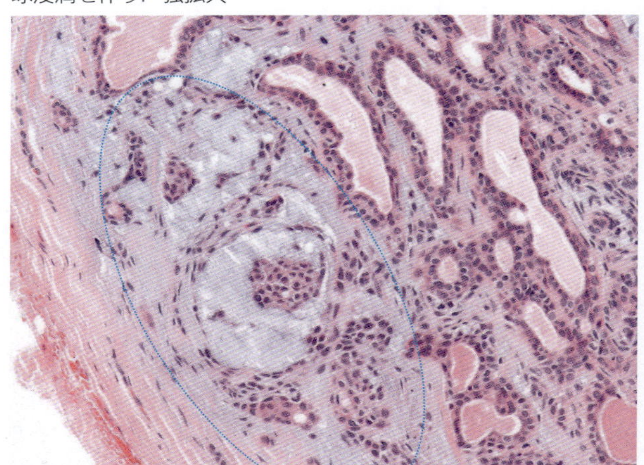

図 126　皮膚混合腫瘍．上皮細胞の外側に位置する筋上皮細胞が小胞巣性ないし孤立性増殖し（点線），背景は粘液が貯留する．中拡大

らせん腺腫（eccrine/apocrine spiradenoma）　汗管系の病変で，正常でらせん状を呈する曲真皮内汗管 coiled intradermal duct へ分化する（模倣する）良性腫瘍と考えられており，①全体として太いらせん形を描く（**図 123**）．正常の汗管同様に，②内側を小皮縁細胞に類似する好酸性で豊富な細胞質を有する上皮細胞と，外側を孔細胞に類似する小型でN/C比の高い細胞が増殖し（**図 124**），核分裂像は通常ない．③胞巣内に特徴的に，Tリンパ球がほぼ等間隔に浸潤する．胞巣を囲む基底膜は好酸性で厚く，胞巣内に棒状に入り込むため，輪切りでは円柱状に見える．間質はしばしば高度の浮腫をきたして血管周囲腔 perivascular space を形成する．“エクリン”らせん腺腫ともいわれるが，正常の汗管はアポクリン腺もエクリン腺も形態が相同であり，より分ける必要はない．

皮膚混合腫瘍　汗腺の増殖と粘液調の間質が“混合”して形成される病変とみなされていたが，この定義では多くの汗腺系病変が含まれてしまう．実際的には汗腺の良性腫瘍のうち，“筋上皮細胞が増生する良性腫瘍”と定義することができる．組織学的には①真皮内に線維性被膜を有する腫瘤を形成する（**図 125**）．②長短の汗腺が増殖し，上皮細胞はしばしばアポクリンスナウトを示す．③上皮の外側に位置する筋上皮細胞は，シート状あるいは孤立性に粘液調の間質を背景に増殖する（**図 126**）．④間質は，粘液腫様となったり，軟骨化生を示すことがある．⑤しばしば，毛包上皮，脂腺，骨，脂肪細胞などへの分化も示す．まれではあるが，表皮と連続性を示すことがある．

【鑑別診断】　皮膚混合腫瘍の間質は，必ずしも典型的な粘液調を呈することはなく，線維性であったり，硝子様の厚い膠原線維であることもある．筋上皮細胞だけが増殖し，汗腺が存在しなければ筋上皮腫 myoepithelioma と診断される．

［参考事項］　らせん腺腫と円柱腫 cylindroma はともに，CYLD 突然変異が関与する同一スペクトラム上の疾患で，組織学的にも一方の病変に他方の病変が混在することがある．Brooke-Spiegler 症候群では，らせん腺腫に，家族性多発性円柱腫と家族性多発性毛包上皮腫 trichoepithelioma が発生する．

混合腫瘍は，組織学的に相同の病変が唾液腺や涙腺にも発生するため，“皮膚”混合腫瘍とよばれる．

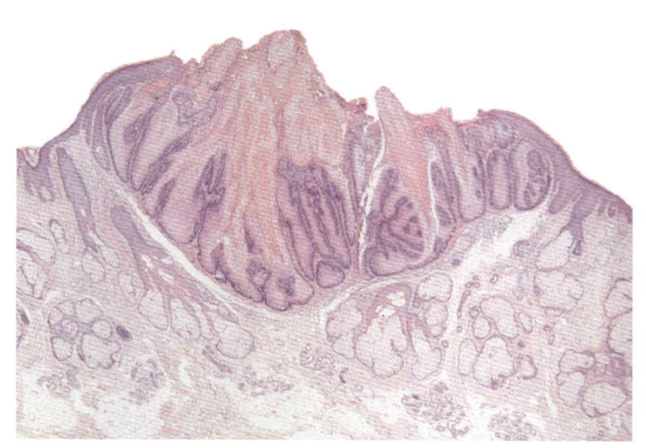

図 127　脂腺腺腫．境界明瞭で真皮浅層に位置する腫瘤で，大部分の皮脂腺は成熟し，毛包を介さず皮表に直接分泌している．ルーペ

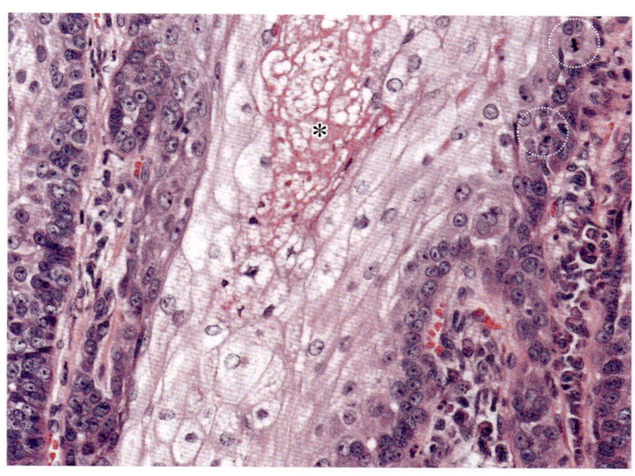

図 128　脂腺腺腫．基底細胞はクロマチンの濃縮や明瞭な核小体を呈し，核分裂像も散見される（点線）．成熟した皮脂腺は，ホロクリン分泌を模倣し，細胞膜と核が陰影細胞のように残存する（＊）．強拡大

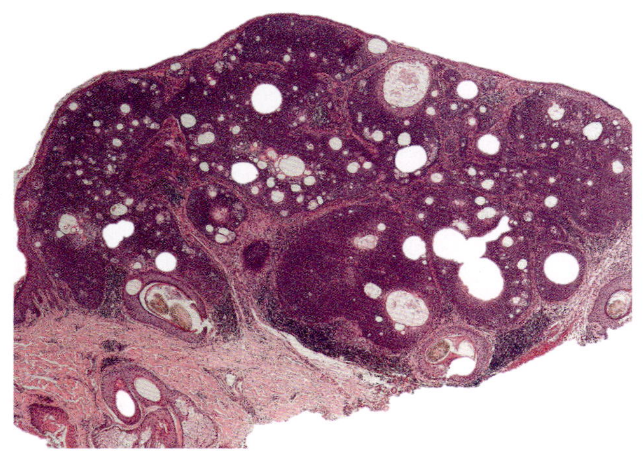

図 129　脂腺腫．隆起性病変の真皮を埋めるように集簇性に増殖している．増殖するのはN/C比の高い細胞で，諸処で脂腺管を形成する．ルーペ

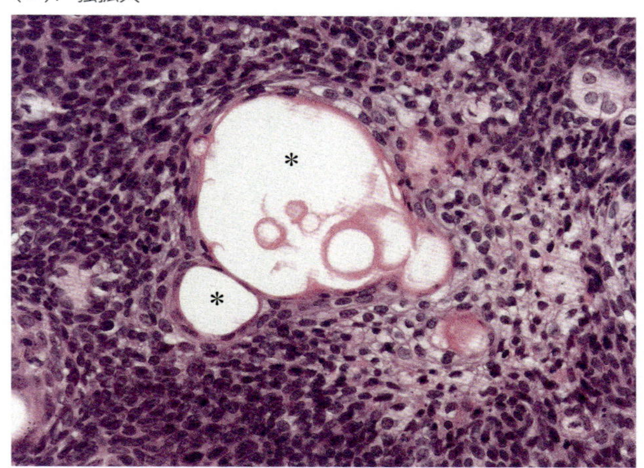

図 130　脂腺腫．N/C比の高い脂腺芽細胞が主として増殖し（♯），諸処で皮脂腺や脂腺管（＊）を形成する．強拡大

脂腺腺腫と脂腺腫はともに脂腺系の良性腫瘍で，病変の主座と成熟した皮脂腺の多寡によりより分けられる．

脂腺腺腫　①表皮に連続する浅い部位に病変の主座があり，②成熟した皮脂腺が病変の主体を占める（**図 127**）．基底層の未熟な皮脂腺は1〜数層重積し，核の腫大，明瞭な核小体，クロマチンの濃縮（**図 128**）および核分裂像を示す．このため，脂腺癌と誤診されることがあるが，この強拡大像は脂腺腺腫の特徴である．脂腺管の形成はまれである．

脂腺腫　①真皮に主座をおき，②未熟な皮脂腺が病変の主体を占める病態を指す（**図 129**）．ただし，表皮と連続性があったり，皮下脂肪組織に及ぶことがある．病変は周囲との境界が明瞭な小葉状胞巣の集簇巣である．皮脂腺の成熟度は，完全に成熟した泡沫状の大型淡明細胞から，N/C比が著しく高く稠密（ちゅうみつ）に配列する脂腺芽細胞（seboblasts）およびその中間の大型だが脂質が乏しい好酸性細胞までさまざまである．脂腺芽細胞が病変全体を占め，分化の方向性が不明瞭であっても rippled pattern とよばれる細かいさざ波状の配列は皮脂腺系病変の特徴であり，近傍に成熟した皮脂腺がみつかることが多い．③脂腺管はほぼ必発で形成される（**図 130**）．

【鑑別診断】　脂腺過形成は，皮脂腺が脂腺管を介して毛包に開口するという基本構造を残す．基底層は1層で，やや扁平な立方形を示し，クロマチンの濃縮や明瞭な核小体はない．2層目からは脂腺細胞が完全に成熟し，細胞質は淡明である．脂腺癌との鑑別には，細胞像ではなく，弱拡大による周囲への浸潤性の有無が最も重要である．脂腺癌では，脂腺管が形成されることは少ない．

［参考事項］　Muir-Torre 症候群（MTS）は，脂腺系腫瘍に，ケラトアカントーマおよび大腸癌などの内臓悪性腫瘍を併発する常染色体優性遺伝性疾患である．MTS の患者の66%に *MSH2* もしくは *MLH1* の変異が認められ，その約90%が *MSH2* の変異，約10%が *MLH1* の変異である．*MSH2*，*MLH1* の抗体を用いた免疫染色により正常組織では発現するが，脂腺系病変部では陰性であることにより MTS と診断することができる．

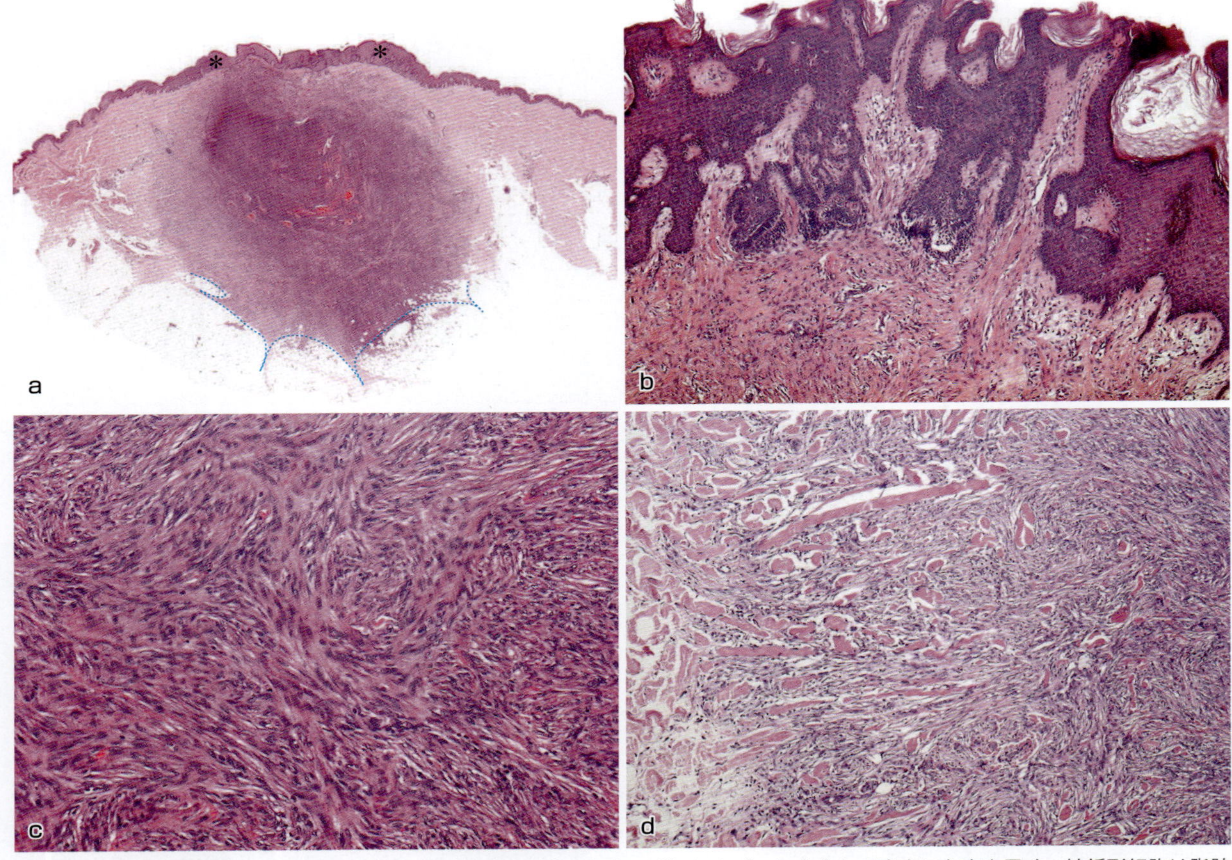

図 131　皮膚線維腫．a：表皮が肥厚し（*），病変が存在しないグレンツゾーンを介して真皮に主座を置く．紡錘形細胞は脂肪隔壁に沿い星状に増殖する（点線）．ルーペ．b：表皮が脂漏性角化症様に肥厚し，奇形的な毛球や毛乳頭が出現している（follicular induction）．中拡大．c：細長い紡錘形細胞が，不明瞭な花むしろ状配列を呈する．中拡大．d：好酸性の膠原線維束が，腫瘤に突き刺さるように侵入する．弱拡大．

皮膚線維腫（DF）　いまだに炎症性(反応性)疾患であるのか良性腫瘍であるのかの結論にいたっていない．しかし組織像は，外傷などによる真皮内の出血に対する炎症反応ととらえておくと理解しやすい．組織学的には，①病変の主座を真皮におく紡錘形細胞の増殖巣である（**図 131a**）．しばしば血腫が存在し〔血腫が大きいと亜型として，（名称の間違い misnomer だが）“aneurythmal DF”〕，ヘモジデリンを貪食するマクロファージが浸潤することも多い．②被覆表皮は特徴的に肥厚し，基底層のメラニンが増加する．しばしば奇形的な毛球・毛乳頭などが表皮から伸長する（follicular induction）（**図 131b**）．表皮の肥厚がない例は，DF よりも fibrous histiocytoma (subepidermal nodular fibroma) の診断名が好まれる．紡錘形細胞が皮下脂肪組織に及ぶと脂肪隔壁に沿うため星状となり浸潤と間違いやすい（**図 131a**）．③紡錘形細胞は細長く，大型の花むしろ状を呈する（**図 131c**）．④異型性や多形性を示し，核分裂像がみられる（≦2/HPF）こともある．⑤腫瘤の辺縁は，炎症細胞が浸潤したり，⑥厚い膠原線維が病巣に突き刺さる（**図 131d**）．⑦Touton 型の多核細胞を含む泡沫状組織球が病巣浅層に浸潤する（**図 132**）．組織球の核はしばしば異型性を示すが悪性の指標ではない（“DF with monster cells”）．

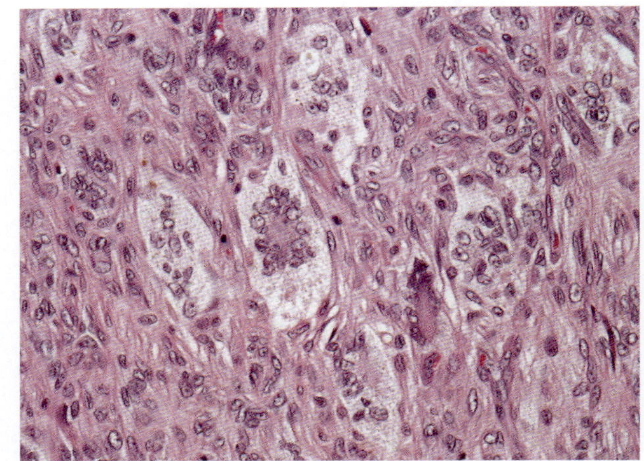

図 132　皮膚線維腫．Touton 型の目立つ多核組織球は，核異型が高度であっても悪性の指標ではない．強拡大

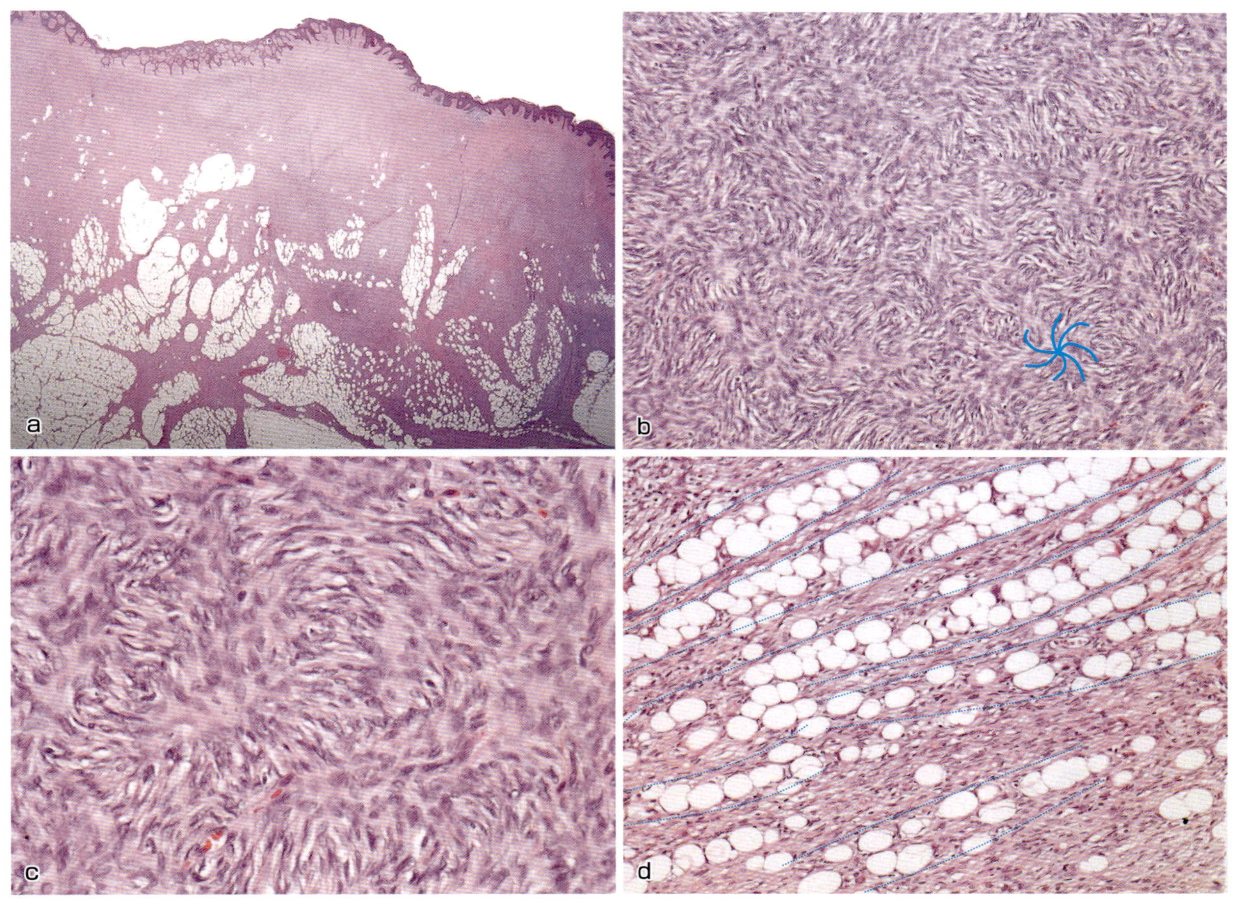

図 133　隆起性皮膚線維肉腫．a：病変の主座が皮下脂肪組織にあること，健常部との境界を示すことができないことなどは特徴的所見である．ルーペ．b：短紡錘形細胞が，小さい花むしろ状（ ）を呈し均一に配列する．中拡大．c：クロマチンが淡い細胞で，異型性や多形性は乏しい．走行が異なる束とはピントが合わないこともある．強拡大．d：残存する正常の脂肪細胞と腫瘍が層状を呈する（点線）．中拡大．

隆起性皮膚線維肉腫（DFSP）　low grade の悪性腫瘍で，DF が悪性転化したものではない．組織学的には①病変の主座は皮下脂肪組織にあり（**図 133a**），②短紡錘形細胞が均一に小型の花むしろ状を呈して増殖する（**図 133b**）．③短紡錘形細胞の核クロマチンは淡く，核小体は目立たない（**図 133c**）．皮下脂肪組織では，脂肪細胞の変性や炎症反応を惹起することなく脂肪細胞間に浸潤する（**図 133d**）．CD34 で病巣がびまん性に陽性となる（**図 134**）．

【鑑別診断】　DF と DFSP とは異なる病態で，移行はないにもかかわらず，組織学的にはしばしば鑑別が困難である．DF は病変が真皮を主座とし，周囲との境界が明瞭だが，DFSP は皮下脂肪組織を主座とし，病変の辺縁をたどることはできない（**図 133a**）．DF の表皮の肥厚，メラニンの沈着，follicular induction および正常部位の残存（Grenz zone）などは DFSP で見られない．紡錘形細胞は DF のほうが長く，むしろ核異型や多形性を示し，花むしろ状配列も DFSP は小型で均一である．DF が皮下脂肪組織へ進展（“deep penetrating type”）しても病変の主座は真皮にあり，脂肪隔壁に沿う．病巣辺縁の炎症細胞浸潤や膠原線維の侵入は DF に特異的である．CD34 は DF では陰性か，病巣の辺縁でのみ陽性となり，びまん性に染まる DFSP とは鑑別される．

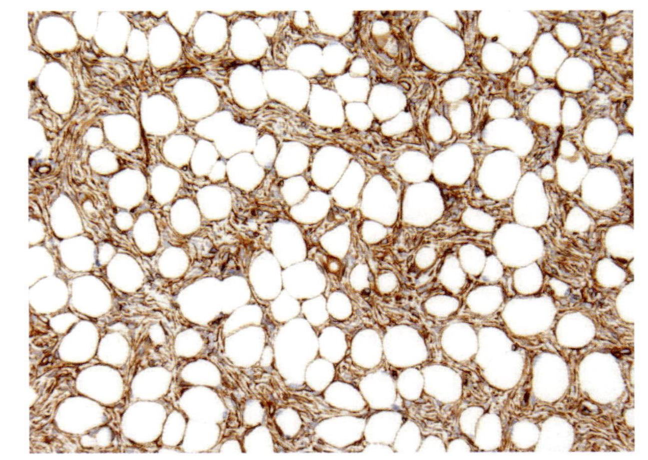

図 134　隆起性皮膚線維肉腫．CD34 で腫瘍細胞は病巣全体に陽性となる．中拡大

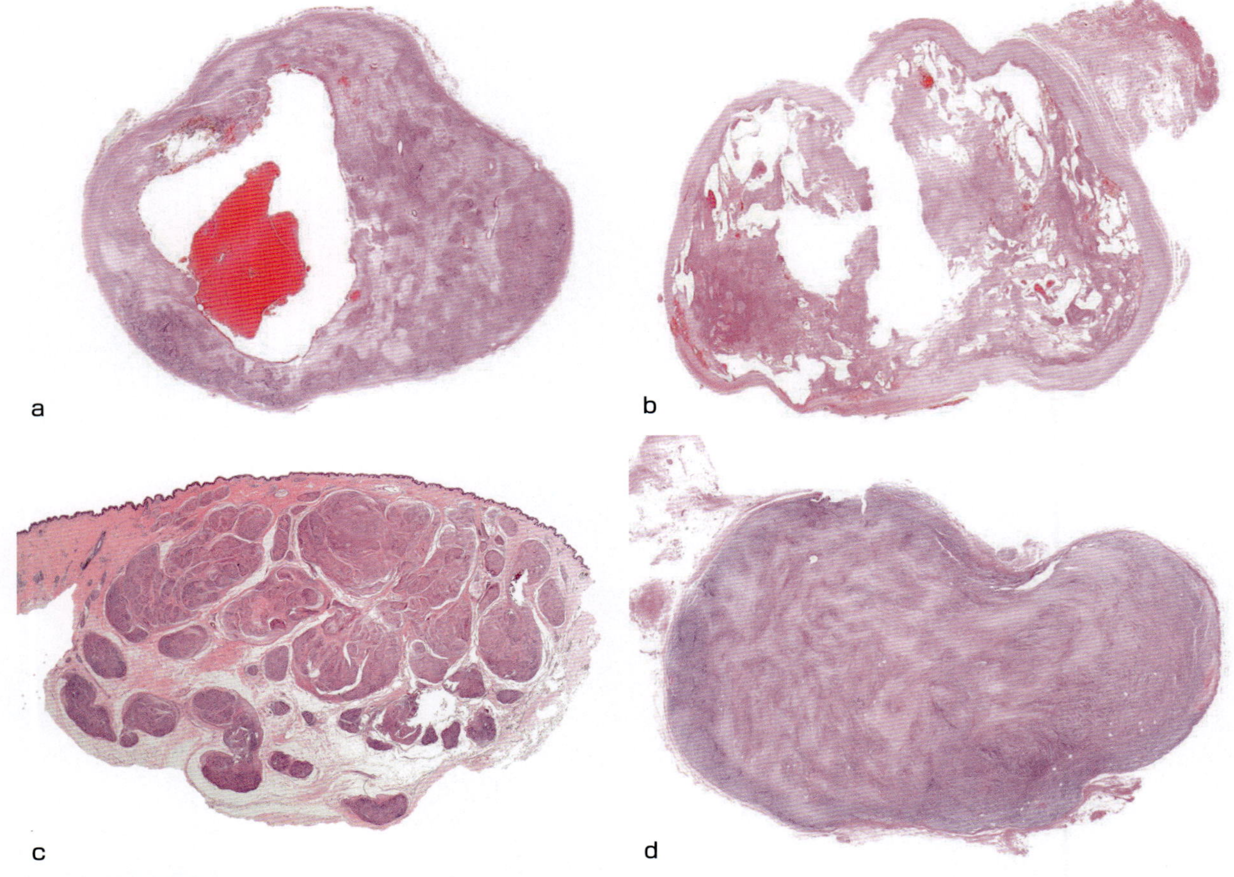

図 135　神経鞘腫．a：線維性被膜を有する腫瘤で，腫瘍細胞がさまざまな密度で増殖する．血管の拡張がある．ルーペ．b：Ancient type．変性により，壊死，フィブリンの析出，出血および嚢胞形成が目立つ．ルーペ．c：Plexiform type．腫瘍細胞からなる結節が，蔦が絡まるように密在する．背景にも紡錘形細胞が疎ながら増殖する．Antoni A が主体で，Verocay body が目立つ．ルーペ．d：Cellular type．細胞密度が全体に高く，Antoni B は指摘できない．ルーペ

神経鞘腫（シュワン鞘腫） neurilemmoma，neurinoma ともいい，神経線維の周りを取り囲むシュワン Schwann 細胞のみが増殖する良性腫瘍である．組織学的には，①皮内から皮下脂肪組織に線維性被膜を有する境界明瞭な腫瘤を形成し（**図 135**），波状の紡錘形細胞が増殖する．1 つの病巣内で細胞密度に差があり，密度が高い部位を Antoni A といい，低い部位は Antoni B とよばれる．Antoni A では核が柵状に配列する Verocay body とよばれる特徴的な構造が，束状あるいは迷路状に形成される（**図 135，136**）．間質は血管に富み，しばしば内腔が拡張したり，血管壁にフィブリンが析出したりする．紡錘形細胞は S-100 蛋白で核と細胞質の両方がびまん性に陽性となる．核の異型や大小不同がさまざまな程度でみられ，浮腫，粘液の貯留，出血，壊死および血管壁の拡張と壁内外のフィブリンの析出などを伴う．これらは変性による退行性の変化であり，悪性所見と誤認してはいけない．変性はしばしば高度になる（ancient type）．蔓状神経鞘腫 plexiform type は，肉眼的に腫大した神経線維束が蔓状に絡み合う集簇巣を形成する．“Cellular type” では，Antoni B はほとんどみられない．

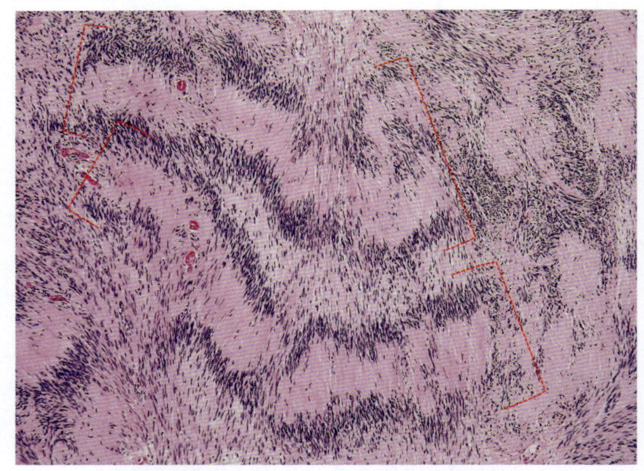

図 136　神経鞘腫．中央部の好酸性の神経線維の両側を核が柵状に配列する Verocay body がきれいに形成されている（点線間）．

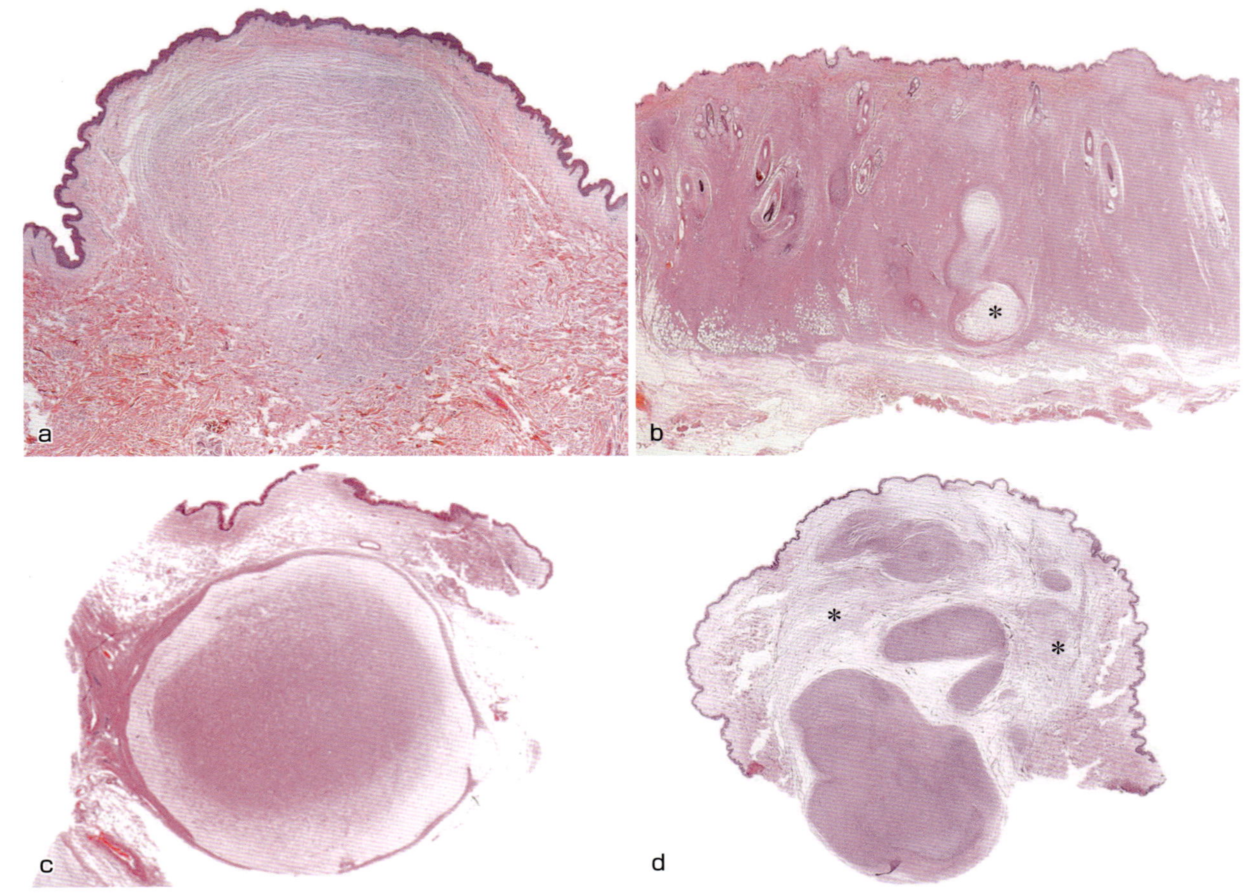

図 137　神経線維腫．a：最多の皮膚限局型 localized cutaneous type は，真皮内に被膜のない境界が比較的明瞭な腫瘤を形成する．ルーペ．b：Diffuse cutaneous type は，毛包や汗腺を破壊せずに進展する．しばしば細胞密度が異なる部位（＊）が混在する．ルーペ．c：Encapsulated type で被膜状に見えるのは，増殖によって膨張した神経周膜で，しばしば中央部は細胞密度が高い．ルーペ．d：Plexiform type は，蔓状に神経周膜の中に増殖する．しばしば背景（＊）に diffuse type を伴う．ルーペ

神経線維腫　シュワン細胞に加え，神経周膜細胞，軸索および線維芽細胞（endoneurial fibroblasts）などがさまざまな割合で増殖する良性腫瘍である．組織学的には神経鞘腫に比較すると，①被膜の形成はない（**図 137**）．②シュワン細胞の核は小型で勾玉状を呈し，S-100 蛋白で核と細胞質が，SOX-10で核が染まる．陽性細胞は腫瘍の構成成分の約50%を占める．③線維芽細胞は“shredded carrot”（千切りのニンジン）と形容される波状を呈し，CD34 で渦巻き状の配列がハイライトされ，“fingerprint-like positivity”とよばれる．④HE 染色では不明瞭な軸索は，neurofilament 染色により少数の細い線としてかろうじて認識できる．⑤毛細血管の増生や，⑥肥満細胞の浸潤はほぼ必発する．“Diffuse cutaneous type”は真皮と皮下脂肪組織にびまん性に浸潤する．“Encapsulated type”や“plexiform type”は，EMA で陽性の神経周膜を保ったまま内部が膨らみ，中央部で神経線維が密在することが多い．健常な神経束と連続することが多い．

［参考事項］　神経鞘腫が多発すると（schwannomatosis），神経鞘腫症Ⅱ型 neurofibromatosis type 2（NF2）と関連し，両側性の聴神経鞘腫（前庭神経鞘腫）ほか，髄膜腫や眼症状を呈する．悪性転移はない．

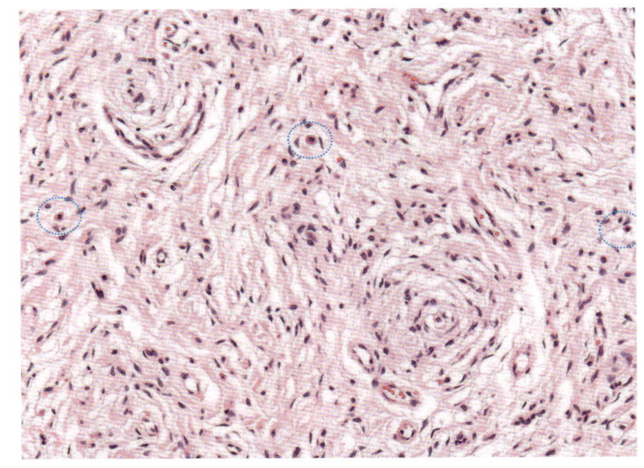

図 138　神経線維腫．勾玉状の小型核を有する紡錘形の Schwann 細胞と，波状の核を有する細長い endoneurial fibroblasts が血管を取り巻くように増殖する．毛細血管が増生し，肥満細胞が浸潤する（点線）．強拡大

神経線維腫は単発性が多いが，diffuse cutaneous type と plexiform type は多発し，高頻度で神経線維腫症Ⅰ型 neurofibromatosis type I（NF1）/レックリングハウゼン病をきたし，カフェオーレ斑と，骨，眼，神経系など多彩な症状を呈する．皮膚病変は悪性転化しうる（2～4%）．

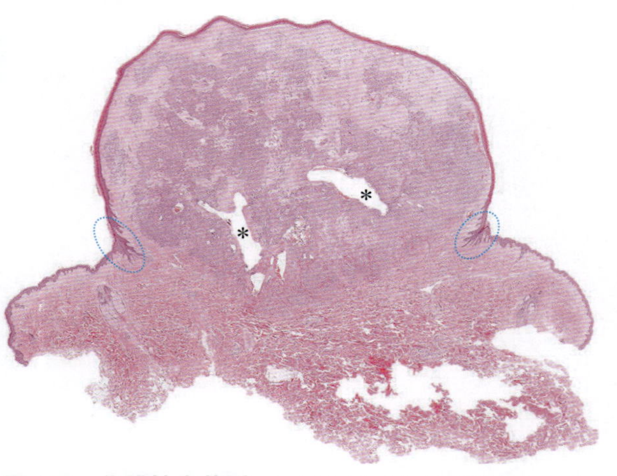

図 139　化膿性肉芽腫．中央部に大きな血管が存在し（＊），周辺に無数の毛細血管が分岐し小葉状に増殖する．Epidermal collarette を形成する（点線）．ルーペ

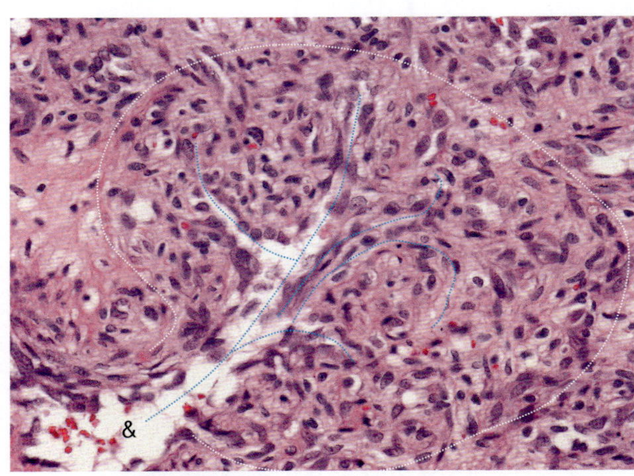

図 140　化膿性肉芽腫．太い血管（&）から分枝し（青点線），毛細血管が小葉状に（白点線）密に増殖する．強拡大

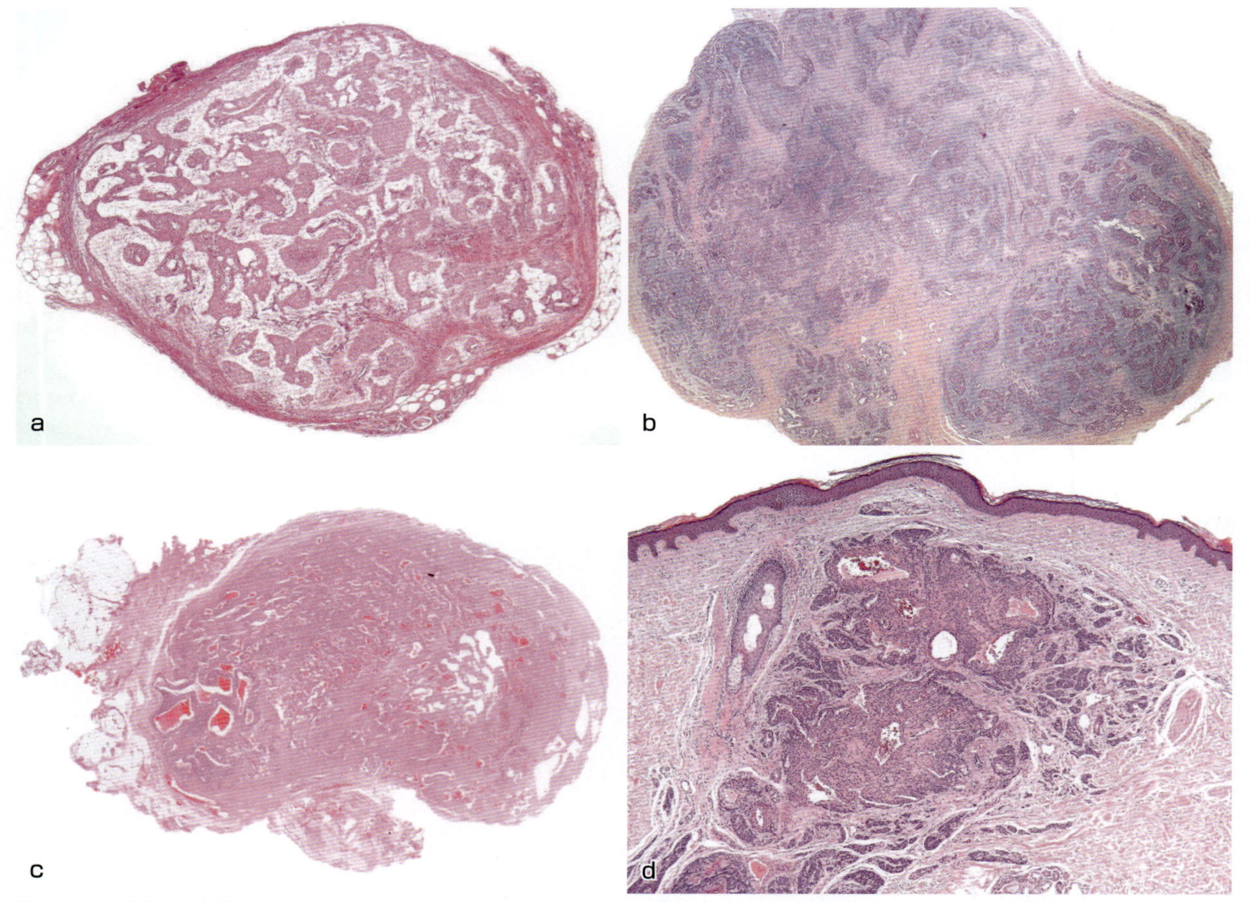

図 141　グロムス腫瘍．a～c は線維性被膜に被覆され，d は多胞巣の集簇巣である．c と d は，血管の増生の目立つグロムス血管腫である．a～c：ルーペ，d：弱拡大

化膿性肉芽腫（PG，小葉状毛細血管腫 lobular capillary hemangioma）　組織学的に，①丘疹ないし有茎性の隆起性病変でしばしば表層に潰瘍をきたし，真皮内に毛細血管が小葉状に増殖する（**図 139**）．②両端の表皮は深部中央に向かい伸長する（epidermal collarette）．潰瘍化すると，壊死やフィブリンの析出物が病巣表面を厚く覆う．③中央部の真皮から大型血管が入り，あたかも木が四方八方に枝を伸ばし，先端で満開の花を無数につけるように毛細血管が小葉状に増殖する

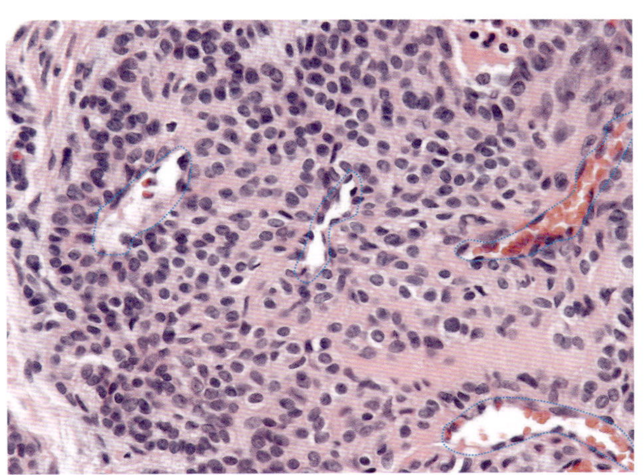

図 142　グロムス腫瘍．血管内皮細胞は保たれ（点線より内腔側），周囲のN/C比が高い小型円形核を有する細胞（グロムス細胞）が増殖する．強拡大

（**図 140**）．④小葉間は，線維性間質により隔壁を形成する．血管の内皮細胞は保たれ，血管周皮細胞が増殖する．（正常）核分裂像はしばしばみられる．亜型に“subcutaneous PG”と，拡張した血管内に毛細血管が増生する“intravascular PG”がある．

グロムス腫瘍は，グロムス装置 glomus apparatus にある血管周皮細胞に相当するグロムス細胞が増殖する良性腫瘍で，臨床的に痛みがある．組織像は多彩で，多くは①線維性被膜を有する（**図 141**）．②グロムス細胞は立方形の淡好酸性細胞で円形の核を有しており，③血管内皮細胞を取り巻いてシート状に増殖する（**図 142**）．α-SMA で陽性となる．核異型や核分裂像はみられない．血管の増生や拡張が目立つと，“グロムス血管腫 glomangioma”とよばれる．

［参考事項］ 化膿性肉芽腫（PG）あるいは毛細血管拡張性肉芽腫 granuloma telangiectaticum というが，好中球や組織球の浸潤巣はなく命名の間違いだが，いまだに伝統的に使用されている．外傷の既往が多い（1/3）こと，急速に増大し，自然消退することなどは反応性病変の立場を擁護する．腫瘍性病変の立場からは，“小葉状毛細血管腫 lobular capillary hemangioma”とよばれる．

周皮細胞の腫瘍性疾患には，グロムス腫瘍と筋周皮腫 myopericytoma がある．正常のグロムス装置は，指，趾，爪下などで，毛細血管を介さない細動脈と細静脈の吻合血管で，熱を逃がす役割を担うシャント血管である．

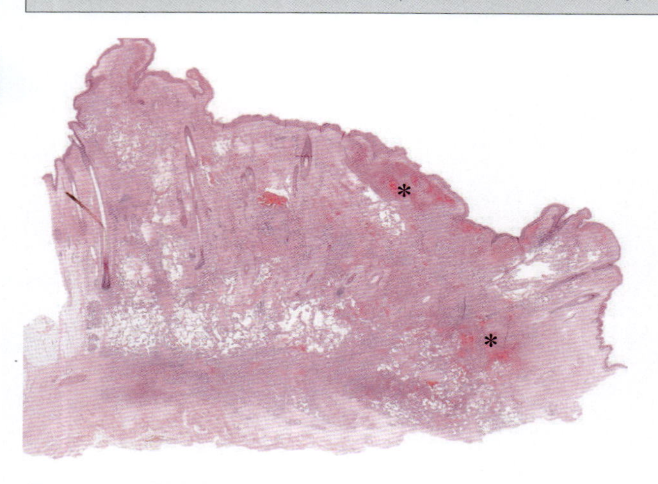

図 143　血管肉腫． 真皮・皮下脂肪組織の全層に，本来の分布とは異なる無数の不規則血管が増殖する．出血が目立つ（＊）．ルーペ

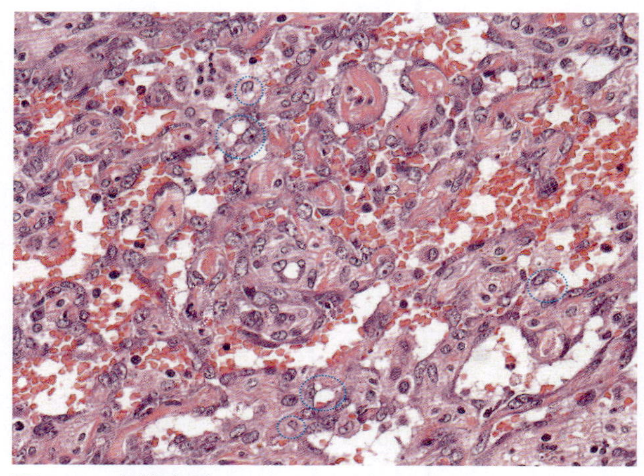

図 144　血管肉腫． 血管が不規則に分岐・吻合し，内皮細胞は大型でクロマチンの濃縮や核小体が目立つ．核分裂像がみられる（白点線）．細胞質内小空胞（青点線）は，内皮細胞の特徴である．強拡大

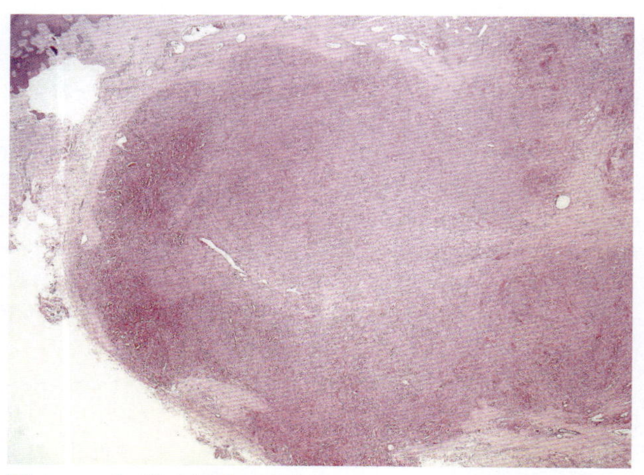

図 145　カポジ肉腫，結節期． 真皮内に，中央は充実性で，辺縁は血管腔が拡張する腫瘤を形成する．弱拡大

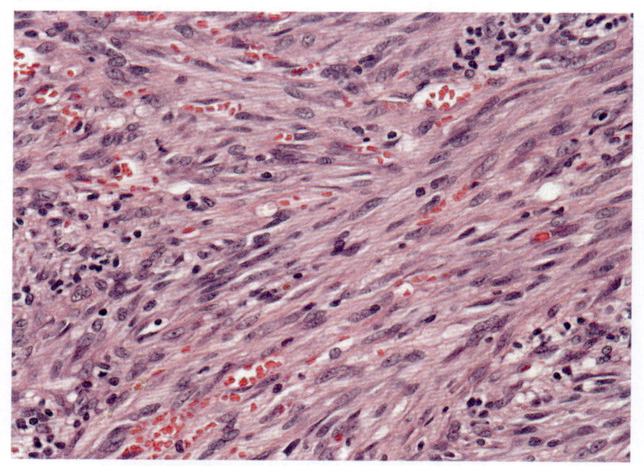

図 146　カポジ肉腫． 紡錘形の腫瘍細胞は，特徴的に異型性や多形性が乏しい．赤血球が裂隙内や周囲に漏出する．リンパ球，形質細胞が浸潤する．強拡大

血管肉腫　血管ないしリンパ管内皮細胞の悪性腫瘍で，高齢男性の頭皮に好発する．しばしば多発し境界が不明瞭なため完全に取り切れず，予後はきわめて不良である．組織学的には，①血管/リンパ管が，正常では存在しない部位に不規則に浸潤する（**図 143**）．②脈管腔を裏打ちする内皮細胞は，核異型やクロマチンの濃縮および明瞭な核小体を有し，③核は内腔に突出する．核分裂像が容易に散見される（**図 144**）．④内腔に赤血球を入れ，出血も目立つ．亜型の類上皮血管肉腫 epithelioid angiosarcoma は内皮細胞が上皮様に腫大し，充実性の胞巣を形成する．CD31，CD34，FLI-1（核に陽性），D2-40（リンパ管内皮細胞マーカー）で陽性である．

カポジ肉腫　ヒトヘルペスウィルス 8（human herpesvirus-8：HHV-8）/カポジ肉腫関連ヘルペスウィルス（kaposi's sarcoma-associated herpesvirus：KSHU）が感染する血管ないしリンパ管内皮細胞の中間悪性（局所破壊性だが遠隔転移はしない）腫瘍である．斑状期から隆起性局面期を経て，結節期へと進展する．組織学的に腫瘤は，①紡錘形細胞が中央部で充実性に，辺縁部で拡張性に増殖する（**図 145**）．②腫瘍細胞は核異型が軽度でクロマチンが淡く核小体は不明瞭で，均一に増生する（**図 146**）．③細胞間はスリット状に離開し，赤血球を入れる．早期には，真皮浅層の血管や付属器に接し，膠原線維が離開したような小管腔を形成する．炎症細胞として特徴的に形質細胞が浸潤する．免疫染色は血管肉腫と相同で，全例で HHV-8 が核に陽性を示す．

【鑑別診断】　血管肉腫は，良性の血管腫に比し，分葉状の増殖はない．正常血管の分布とは異なる血管の不規則な増殖は血管肉腫が疑われる．内皮細胞の重積や，核分裂像の存在は悪性が疑われる．カポジ肉腫は HHV-8 がすべての時期において陽性であるため，鑑別に有用である．

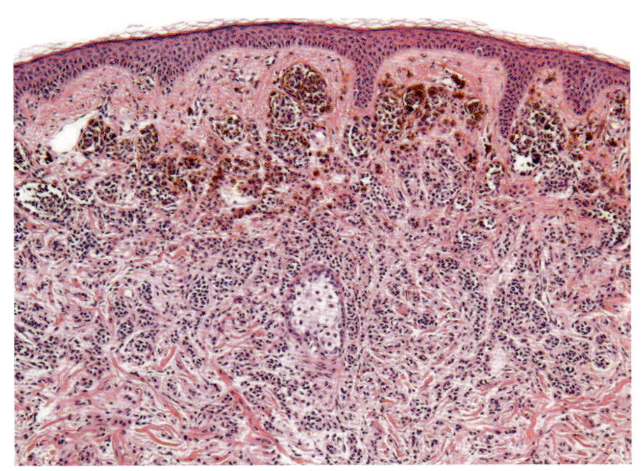

図 147 母斑細胞性母斑．母斑細胞は真皮浅層では類円形でメラニンを有する．深部に向かうにつれ小型で波状となり，細胞質内のメラニンの含有が乏しい神経細胞への“成熟（maturation)”を示す．中拡大

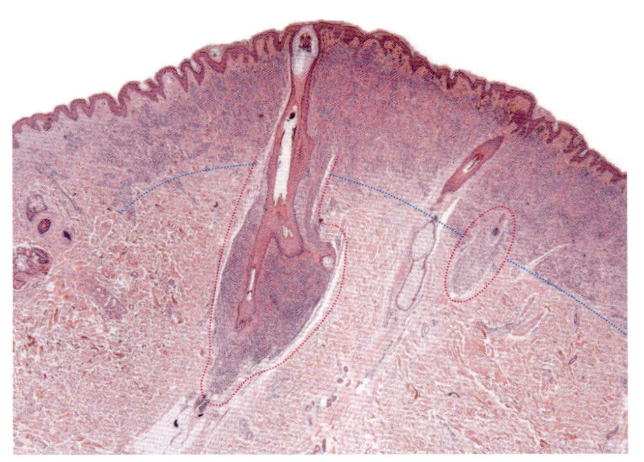

図 148 母斑細胞性母斑，先天性．先天性母斑は，真皮内で帯状（青点線より表層）ないし，毛包や汗管に沿うように（赤点線）増殖する．弱拡大

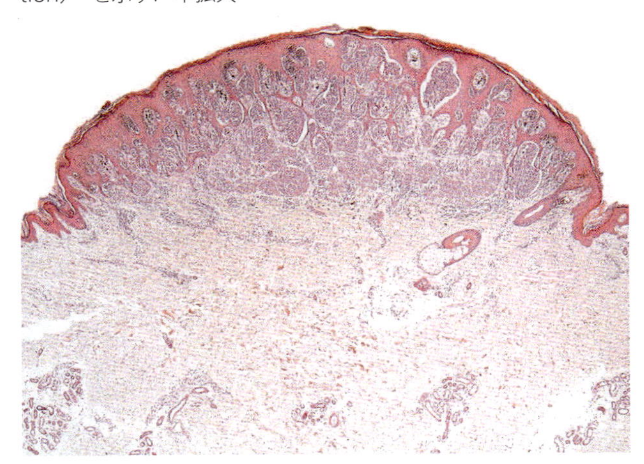

図 149 Spitz 母斑，複合型．ドーム状，左右対称，境界明瞭な隆起性病変で，表皮が肥厚している．表皮内でメラノサイトの胞巣は縦長に配列する．ルーペ

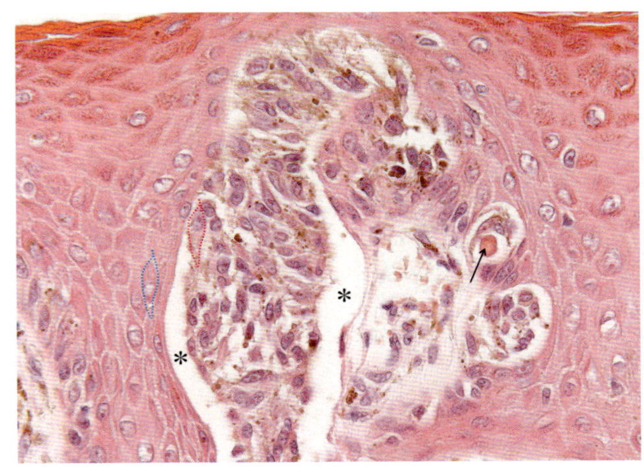

図 150 Spitz 母斑．メラノサイト（赤点線）は好酸性，多稜形で，角化細胞（青点線）に類似している．Kamino 小体（↑）や裂隙（＊）を形成する．強拡大

母斑細胞母斑（色素性母斑 pigmented nevus, melanocytic nevus）のうち先天性母斑は，胎生初期に神経堤に存在するメラノサイトの芽細胞（メラノブラスト melanoblasts）が，全身の体表に移動するために皮下脂肪組織および真皮を経て表皮基底層にたどり着く移動中に発生すると考えられ，皮下脂肪組織レベルで発症すると真皮全層を占め広範囲に広がるが，真皮内レベルでの発生ではその位置から表層に帯状に広がる．母斑細胞のみでなく，被覆表皮のメラノサイト，毛包，汗腺および血管などの増生や奇形を伴うことが多い．付属器や血管に沿う配列も先天性の特徴的である．後天性の母斑細胞母斑は，表皮内（境界母斑 junctional type）で発生し，20歳前後までに基底膜をすり抜け真皮内に移動し（複合母斑 compound type)，それ以降は真皮内に限局する（真皮内母斑 intradermal type)．メラノサイトは真皮深層に向かうにつれ神経細胞に“成熟”する（**図 147，148**)．

Spitz 母斑は，小児から若年成人に好発し，細胞形が“上皮様 epithelioid”ないし“紡錘形 spindle”を呈する母斑細胞母斑である．組織学的には，①左右対称性を示すドーム状の隆起性病変で，②特徴的な表皮の増生を伴う（**図 149**)．③母斑細胞は扁平上皮様の多稜形あるいは紡錘形で好酸性の細胞質と，腺上皮様の明瞭な核小体と粗いクロマチンを有している（**図 150**)．高度の ascent やパジェット様の分布を示し，核分裂像が2個/HPF まではみられる．

【鑑別診断】 悪性黒色腫と Spitz 母斑の鑑別は，核異型，核分裂像，ascent の程度などよりも，Spitz 母斑の左右対称性，境界の明瞭さ，表皮の肥厚など弱拡大による所見が重要である．

[参考事項] 「母斑 nevus」という言葉には，「奇形 hamartoma」という意味が包含されており，「腫瘤 tumor」/「結節 nodule」を形成するものの「腫瘍 neoplasm」性病変ではない．組織学的な「先天性母斑」という診断は，当該患者が生来からあると述べるか否かではなく，「先天性の母斑の際にしばしばみられる組織学的パターンを示す」という意味で使用される．

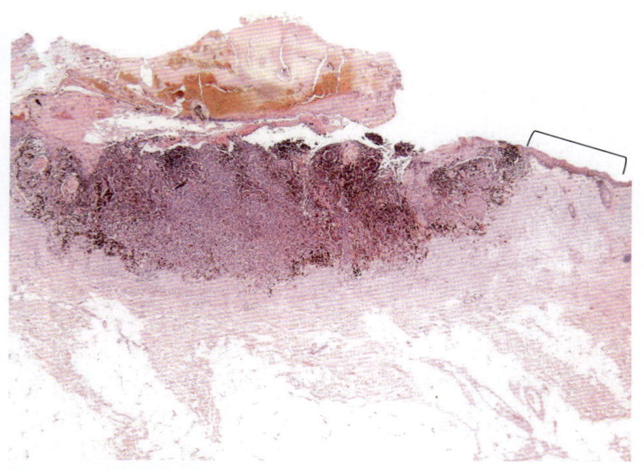

図 151 悪性黒子型黒色腫．異型メラノサイトが結節性に浸潤するが，周辺の表皮に悪性黒子を伴う（]）．ルーペ

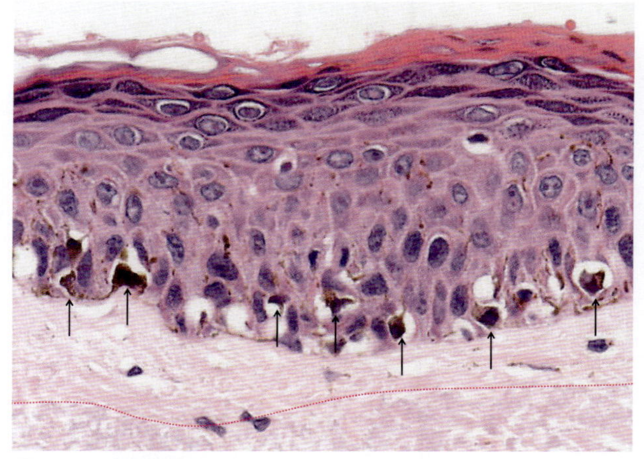

図 152 悪性黒子．異型メラノサイトは，メラニンを有する細胞質が縮み，淡明な部位とコントラストを示す（↑）．真皮には淡紫色で縮れた日光性弾性線維症が目立つ（点線より深部）．強拡大

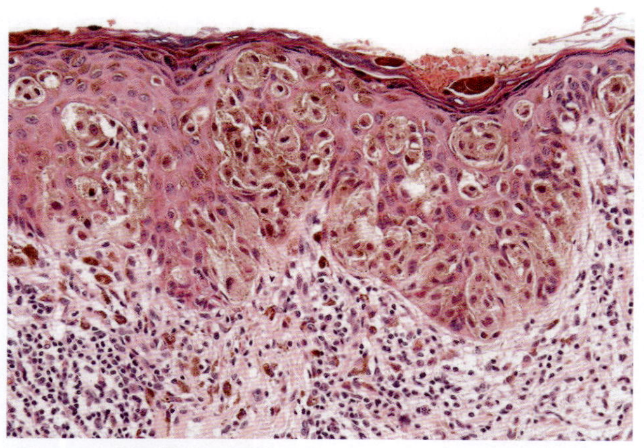

図 153 表層拡大型黒色腫．異型メラノサイトは細胞質にメラニンを豊富に有し，表皮全層性にパジェット様に分布する．中拡大

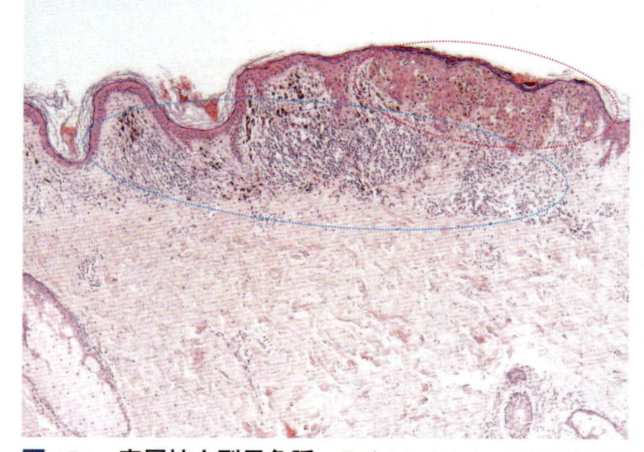

図 154 表層拡大型黒色腫．異型メラノサイトが表皮内に増殖する病変（赤点線）には，真皮内の線維化やリンパ球が帯状に浸潤する（青点線）消退部位を伴う．弱拡大

悪性黒子　悪性黒色腫のうち，*in situ* の病態で，長年日光に露出した高齢者の顔面に好発する．長く表皮内にとどまり（melanoma *in situ*），10〜20 年をかけて真皮内に浸潤をきたすと，悪性黒子型黒色腫 lentigo maligna melanoma（LMM）と疾患名を変える（**図 151**）．組織学的には，①長期間の日光曝露を表す表皮の萎縮や真皮の日光性弾性線維症 solar elastosis がある．②異型メラノサイトは基底層に沿い増殖（lentiginous spread）する．③メラニンを含有する細胞質はホルマリン固定の過程で縮んだ淡明な部位と残存するメラニンを含んだ細胞質とが混在する（**図 152**）．

表層拡大型黒色腫（SSM）　男性の体幹や女性の大腿に好発し，高頻度で自然消退をきたす．組織学的に，①表皮は軽度に肥厚し，異型メラノサイトが全層性に孤立性（pagetoid）ないし小胞巣形成性に増殖する（**図 153**）．自然消退は，真皮浅層のリンパ球浸潤，メラニンの滴落，血管の増生および線維化などから推測できる（**図 154**）．

【鑑別診断】　日光黒子 solar lentigo（老人性黒子 senile lentigines，老人性色素斑 senile freckle，シミ）は，表皮突起（角化細胞）が細索状に延長し，メラニンを豊富に含有する．メラノサイトの増加は軽度で異型性はない．長年の日光曝露による反応性のメラノサイトの増加との鑑別は，メラノサイトが連続性あるいは重積するほど増加すれば悪性黒子と判断される．

［参考事項］　すべての悪性黒色腫の予後は，組織学的深達度が最も関与する．顆粒層の最上部から腫瘍の最深部までを計測する Breslow の厚さ（mm）と，Clark のレベル分類（Ⅰ：表皮内 *in situ*，Ⅱ：真皮乳頭層，Ⅲ：真皮乳頭層を埋める，Ⅳ：真皮網状層，Ⅴ：皮下脂肪組織）がある．

悪性黒色腫の頻度は，本邦では ALM 42%，SSM 20%，NM 10%，LMM 8%，粘膜原発が 8%，脈絡膜原発が 1%，原発不明が 3%である．一方，米国では皮膚の MM のうち SSM 65%，NM 15-20%，LMM 13-15%，ALM は 1-3%に過ぎない．

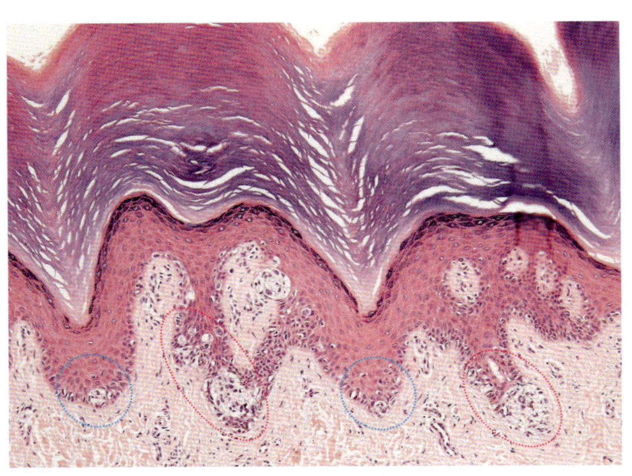

図 155　末端黒子型黒色腫（足底）．メラノサイトは皮溝部（青点線）より，皮丘部（赤点線）に優位に増殖する．基底層に沿う孤立性の増殖（lentiginous spread）も目立つ．弱拡大

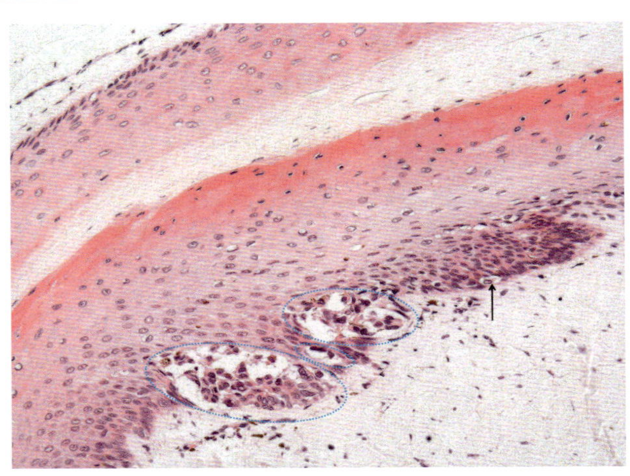

図 156　爪甲下悪性黒色腫．メラノサイトが胞巣形成性（点線）ないし，孤立性（↑）に増殖する．この時期は，異型性，ascent，核分裂像などはない．中拡大

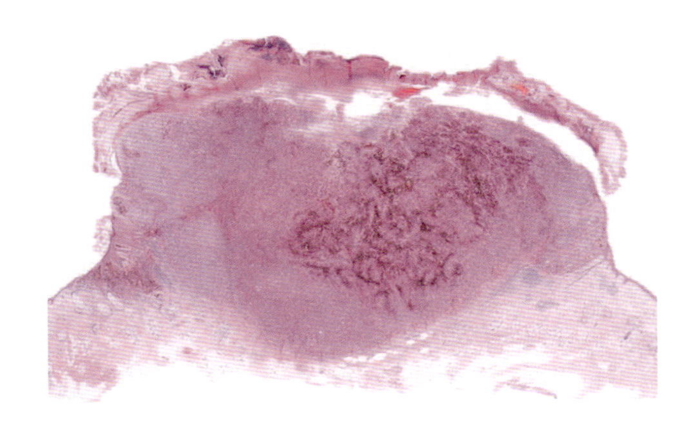

図 157　結節型黒色腫．表層に潰瘍をきたし，左右非対称性でメラニンが不規則に分布する．表皮内の側方進展はほとんどない．ルーペ

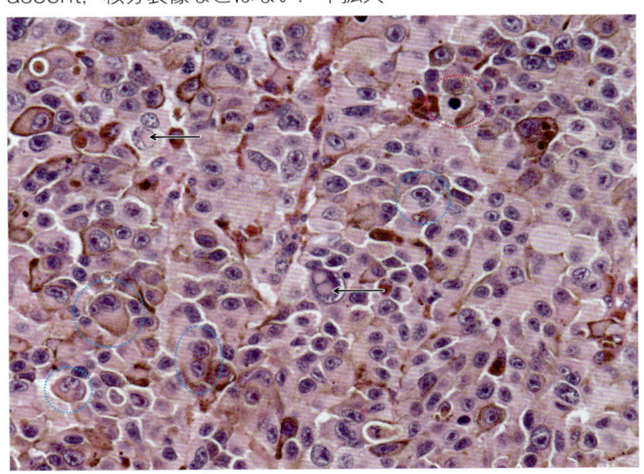

図 158　結節型黒色腫．異型細胞はメラニンを含有し，核小体が明瞭で，核内細胞質偽封入体（↑）や多核細胞が目立つ．クロマチンの濃縮や核分裂像（点線）がみられる．強拡大

末端黒子型黒色腫（ALM）　本邦で最も多いタイプで，①足底や趾に好発し，基底膜に沿い表皮内をlentiginousに広がる．掌蹠において悪性黒色腫（*in situ*）と診断するには，異型メラノサイトが，②皮丘部の下端に皮溝部のそれよりも優位に増殖することを，ダーモスコピーや組織学的に判断することが重要である（**図 155**）．爪甲下には正常ではメラノサイトがほとんど存在しないため，少しでも存在すれば悪性黒色腫が疑われる（**図 156**）．

結節型黒色腫（NM）　全身に発生し，予後が最も悪い．悪性黒色腫のすべての組織型の終末像ではなく，表皮内を広がる水平増殖期 radial growth phase が短く，すぐに真皮に浸潤（垂直増殖期 vertical growth phase）する増殖の早いタイプで，組織学的にはそれを反映し，表皮内病変が真皮内病変の外側3表皮突起以内にとどまり，真皮内に結節を形成する病態，と定義される（**図 157**）．ただし，この定義を厳密に適応すると，ほとんどの悪性黒色腫は表皮内病変が真皮内病変より3表皮突起以上の広がりを示しこのタイプから外れてしまうため，病型の決定には，臨床像や発育の速さなどを加味する必要がある．

【鑑別診断】　正常から悪性黒色腫まで，メラノサイトに特異性の高い所見として，明瞭な核小体，核内細胞質偽封入体および細胞質のメラニンの存在などがある（**図 158**）．細胞は小型，大型，紡錘形，形質細胞様，多核，樹枝状などあらゆる形態をとりうる．したがって，分化の方向が不明瞭な悪性疾患においては，常に悪性黒色腫を鑑別疾患に含めることが肝要で，免疫染色でMART-1/Melan-AやS-100蛋白を施行するとよい．

「2018年WHO分類による悪性黒色腫の考え方は，母斑細

表2　紫外線曝露量，発生部位および遺伝子異常に基づいた悪性黒色腫の新しい分類

紫外線の量	紫外線曝露部位の MM			紫外線曝露が乏しい部位あるいは関与が不明な MM（Low to no-CDS）					
新分類（Endpoint of pathway）	Low-CSD melanoma	High-CSD melanoma	Desmoplastic melanoma	Malignant Spitz tumor	Acral melanoma	Mucosal melanoma	Melanoma in congenital nevus	Melanoma in blue nevus	Uveal melanoma
従来の分類	表在拡大型 MM	悪性黒子型 MM	Desmoplastic melanoma		末端黒子型 MM	粘膜(外陰，口腔，副鼻腔等)	巨大獣皮様母斑から発生する MM	悪性青色母斑	眼球内の MM
Pathway	Pathway Ⅰ	Pathway Ⅱ	Pathway Ⅲ	Pathway Ⅳ	Pathway Ⅴ	Pathway Ⅵ	PathwayⅦ	Pathway Ⅷ	Pathway Ⅸ
主な遺伝子異常	BRAF (p.V600E) NRAS CDKN2A TP53 PTEN TERT	NRAS BRAF(non-p.V600E) KIT CDKN2A NF1 など	NF1 ERBB2 EGFR MET RB1	ALK ROS1 RET NTRK1 NTRK3 MET TERT PTEN など	KIT NRAS BRAF TERT CDK4 NF1 TP53 CDKN2A など	KIT NRAS など	NRAS (p.Q61) など	BAP1 EIF1AX SF3B1 など	GNA11 GNAQ BAP1 EIF1AX SF3B1 PLCB4 CYSLTR2 など

＊CSD：cumulative sun damage
＊＊従来の結節型 MM は，水平方向の進展 (radial growth phase) を経ずに垂直方向の進展 (vertical growth phase) をきたす上記いずれかの悪性黒色腫と捉えられており，この新分類には独立した概念として取り扱われていない．

胞性母斑，Spitz 母斑および青色母斑が遺伝子異常を獲得することにより悪性黒色腫が発生する（genomic landscape of melanoma）という Bastian B.C. を中心とする学派の考え方に立脚している．悪性黒色腫の分類は従来の悪性黒子型黒色腫，表層拡大型黒色腫，末端黒子型黒色腫および結節型の 4 型に代わり，紫外線暴露の程度と部位および遺伝子異常に基づいて 9 型に分けられた（**表 2**）．

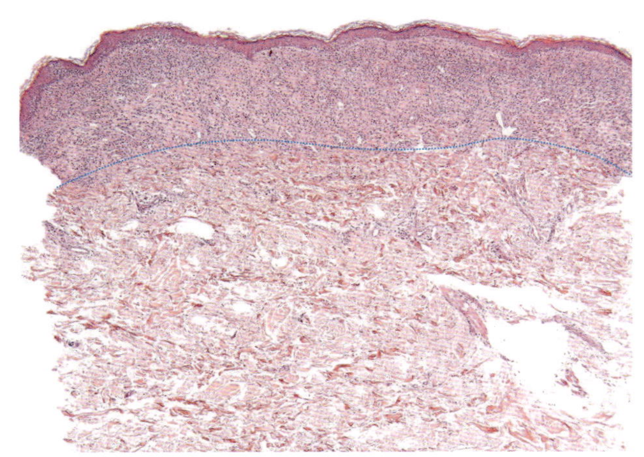

図 159　菌状息肉症. 浅層血管叢が拡張し，T リンパ球が真皮乳頭層を押し広げ帯状（点線）に浸潤している．弱拡大

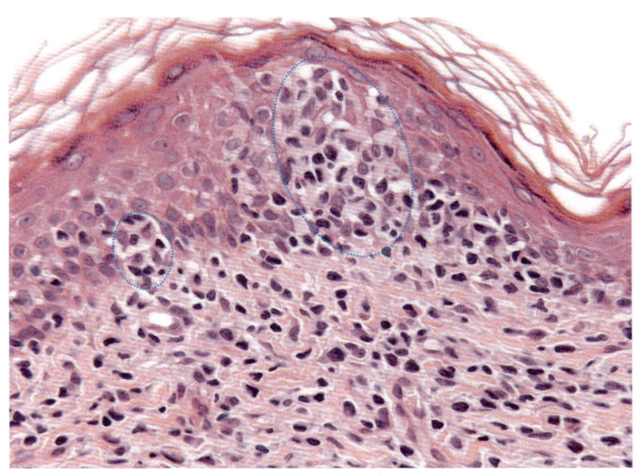

図 160　菌状息肉症. 異型リンパ球が表皮内で，ポートリエ微小膿瘍を形成する（点線）．真皮乳頭層に好酸性で波状の膠原線維（“wiry fibrosis”/“wire-like collagen”）が増生する．強拡大

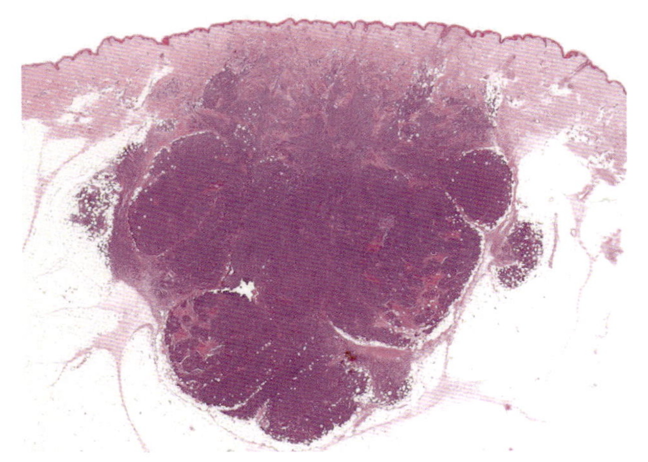

図 161　メルケル細胞癌. 真皮から皮下脂肪組織に，N/C 比の高い細胞がシート状に増殖する．壊死巣が散見される．ルーペ

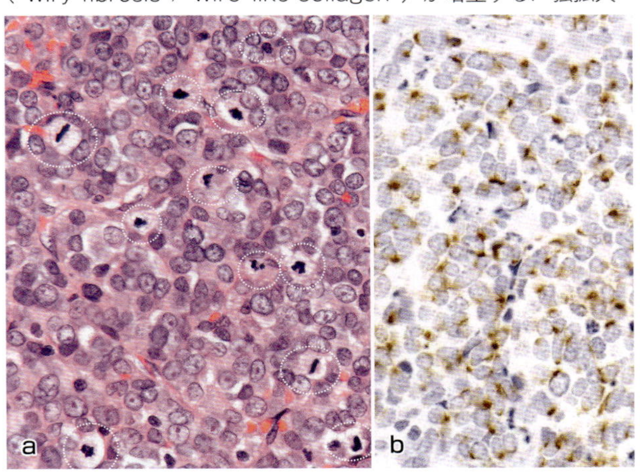

図 162　メルケル細胞癌. 腫瘍細胞は円形で N/C 比が高く，核クロマチンは微細顆粒状で，核分裂像（点線）が目立つ．すべての腫瘍細胞は均一に分布する．a：強拡大．b：CK20 で核に接するドット状の陽性像を示す．強拡大

菌状息肉症（MF）という疾患名は，歴史的に真菌症と誤認されていたためで，本質は T 細胞性の悪性リンパ腫であるが，病悩期が長く予後が比較的良いため他の悪性リンパ腫とは区別しこの名称が残っている．本邦の皮膚悪性リンパ腫の約半数を占める．紅斑期が長く，寛解と再燃を繰り返し，扁平浸潤期，腫瘍期と進行する．組織学的には，①CD4+/8-の T リンパ球が真皮乳頭層に浸潤し，さまざまな程度で表皮内へ侵入する（**図 159**）．②表皮内の小集簇巣は，好中球と誤認されていたため，“ポートリエ微小膿瘍” Pautrier microabscess の名称がある（**図 160**）．③真皮乳頭層は，長い病期を反映し，針金状の線維化をきたす．④腫瘍性のリンパ球は概して核異型が乏しく，表皮内に侵入すると異型性が明瞭になる．進行すると大型で異型性が増し，集簇性に浸潤する．CD30 陽性の大型細胞が出現することもある（large cell/blastic transformation）．

メルケル細胞癌（MCC）は，皮膚で唯一の神経内分泌系腫瘍で，2018 年 WHO では上皮系の悪性腫瘍に分類された．高齢者の顔面に好発し，HIV 感染や腎移植などの免疫不全患者の発症頻度が高い．紫外線とメルケル細胞ポリオーマウィルスが原因としてあげられる．組織学的には，①真皮ないし真皮～皮下脂肪組織に増殖する，N/C 比の高い小型円形細胞がシート状に増殖する（**図 161**）．②核クロマチンは特有の微細顆粒状（dusty nuclei/warty appearance）を示す．②無数の核分裂像がみられる．③上皮性マーカー（AE1/AE3，CK20，EMA など）や神経内分泌系マーカー（synaptophysin，CD56 など）で陽性となる．特に，CK20 による核に接するドット状の染色性は特異性が高い（**図 162**）．

【鑑別診断】　MF の紅斑期と表皮真皮境界部皮膚炎 interface dermatitis との鑑別は，リンパ球の異型性の有無というより，MF では表皮に浮腫がないこと，リンパ球の基底膜直下での 1 列の配列，真皮乳頭層の膠原線維の増加などが，診断的価値が高い．肺の小細胞癌の転移は CK20-/TTF-1+ で，MCC は CK20+/TTF-1-である．

［参考事項］　セザリー症候群 Sézary syndrome は，MF と皮診や組織像が相同であり，進行して血中に異型リンパ球が出現した（白血化）MF と位置づける考え方もあり，両者の区別は臨床経過が重視される．メルケル細胞癌の被覆表皮に，日光角化症，ボーエン病，基底細胞上皮腫（癌），扁平上皮癌などが併存することがある．

第13章

感覚器系

（1）眼球および付属器

概　説

1．結　膜 conjunctiva

結膜は，眼球結膜，眼瞼結膜，円蓋部結膜に分けられる．結膜上皮の特徴として扁平上皮内に粘液細胞（杯細胞 goblet cells）が存在することがあげられる．また，結膜には多種の腺が開口する（**図1**）．

2．眼　球 eyeball

眼球は径2.5 cm弱のほぼ球形を呈する器官であり，周囲組織を含め，**図1**に示すような構造をもつ．下記におもな構造物について解説する．

1）角　膜 cornea

眼球全面に位置する厚さ0.5～0.7 mmの透明な膜であり，血管を有さない．外方から上皮細胞 epithelium，基底層 basal lamina，ボーマン膜 Bowman membrane，実質 stroma（本来“stroma”は“間質”の意であるが，わが国では実質とよばれ

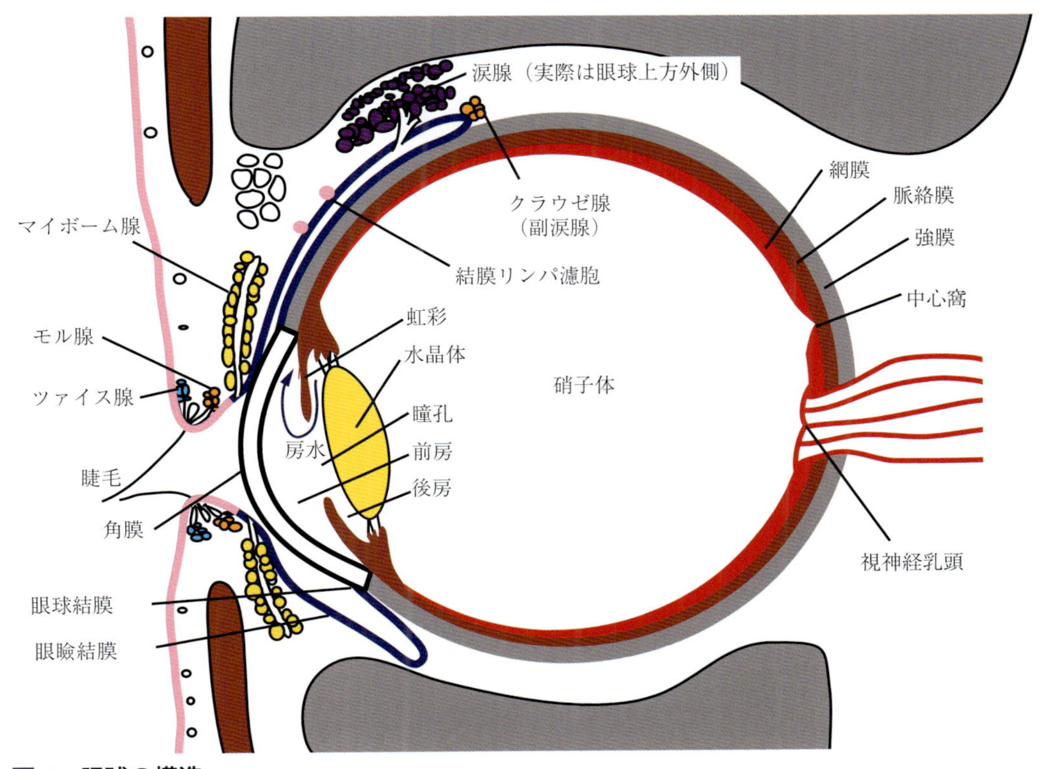

図1　眼球の構造

ることが多い），デスメ膜 Descemet membrane，内皮細胞 endothelium の6層構造からなる．上皮細胞は約5層の非角化扁平上皮である．

基底層は薄く，通常の HE 染色では観察できず，PAS 反応にて明瞭化する．その直下にある無構造な膜がボーマン膜である．実質は膠原線維主体の組織で，全体の90%の厚さを占める．デスメ膜は内皮細胞によって分泌されて形成される PAS 反応陽性の無構造な層である，内皮細胞は角膜の透明性維持に重要な役割を担っている．六角形の細胞がシート上に配列し，障害に対して再生能がなく，傷害の際には周囲の内皮細胞が拡大することによって傷害部位が覆われる．したがって，傷害が高度となると角膜ポンプ機能に障害を生じ，角膜の透明性が失われてしまう．この状態を水疱性角膜症 bullous keratopathy という．

2）強　膜 sclera

角膜以外の眼球の外郭を構成する膜であり，膠原線維が主体の組織である．上強膜 episclera，強膜固有層 scleral stroma，褐色板 lamina fusca の3層に分けられる．褐色板にはメラノサイトが存在する．

3）脈絡膜 choroid

眼球壁の強膜と網膜の間に存在し，後方の大部分を占める半球状の膜である．メラノサイトを多く含み，濃褐色調を呈する．虹彩，毛様体，脈絡膜を合わせてぶどう膜 uvea とよび，悪性黒色腫の発生母地として臨床的・病理学的に重要である．

4）網　膜 retina

光を受容する機能を司る組織であり，10層に区別される．中枢神経系の一部であり，桿体細胞，錐体細胞，水平細胞，双極細胞，無軸索細胞，神経節細胞などとともに，ミュラー細胞，星状膠細胞が支持細胞として存在する．網膜芽細胞腫の発生母地となる．

5）水晶体 crystalline lens

直径約1 cm のレンズの役割を果たす透明な組織である．年齢とともに透明度は下がる．濁りにより視力が低下する状態が白内障であり，加齢に伴う老人性が最も多い．そのほか，外傷，糖尿病，放射線などさまざまな原因が知られている．

6）虹彩 iris **およびその周囲**

虹彩は瞳孔を形作る膜様組織で，周辺部は毛様体に連なる．虹彩にはメラニン色素が存在するが，その多寡によって目の色が異なってくる．角膜と虹彩の間を前房隅角といい，ここの閉塞は緑内障の原因となる．

7）硝子体 vitreous body

眼球内膜は眼球内腔を占める無色透明なゲル状物質である．多くの水分とともに膠原線維を含み，眼球の形状の保持，網膜や水晶体の代謝にも関与している．

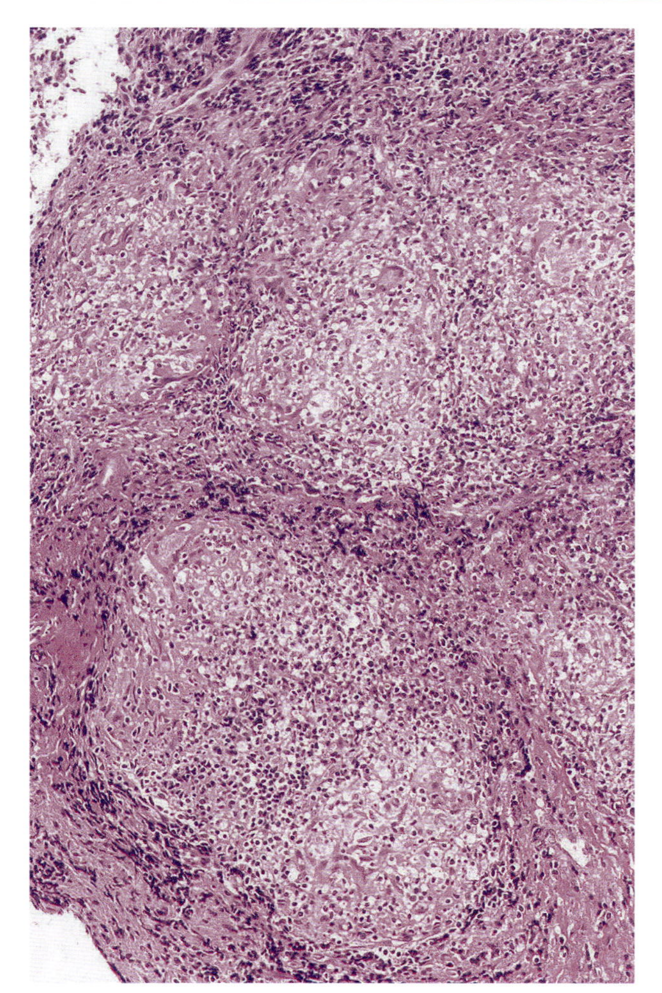

図2　サルコイドーシス．多数の類上皮肉芽腫の形成を認める．中拡大

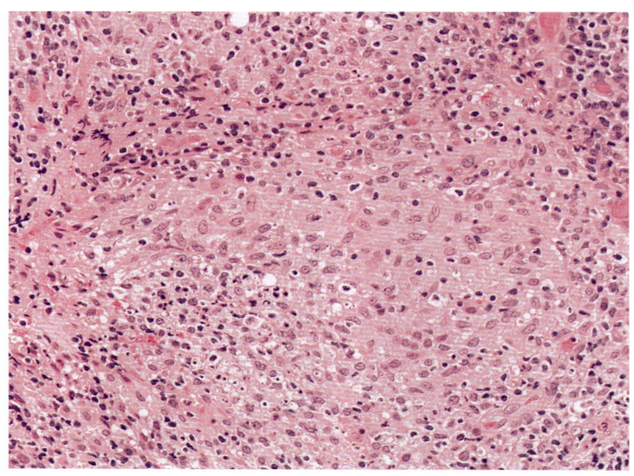

図3　霰粒腫．境界不明瞭な類上皮肉芽腫が形成されている．強拡大

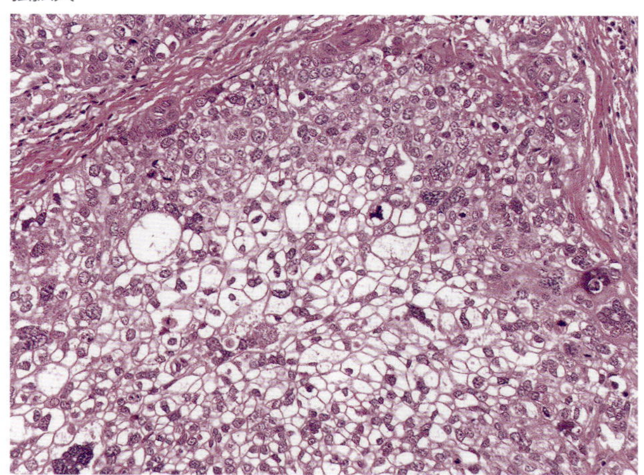

図4　脂腺癌．淡明な細胞，すなわち脂腺への分化を示す上皮性悪性腫瘍．強拡大

サルコイドーシス sarcoidosis　肺やリンパ節などに非乾酪性類上皮肉芽腫を形成する疾患であり，眼瞼に発生した場合は霰粒腫と鑑別が必要である．組織学的に，霰粒腫は境界不明瞭な，サルコイドーシスは境界明瞭かつ小さな肉芽腫を多数形成することが鑑別点である（**図2**）．また，基本的に乾酪壊死を伴わない点で結核症とは異なる．

霰粒腫 chalazion　眼瞼に発生する肉芽腫性炎症性疾患で，マイボーム腺の導管閉塞や感染に伴う炎症がその本態である．脂質が間質に漏出し，その反応として多核巨細胞を伴う類上皮肉芽腫を形成する（**図3**）．増大が続く症例では腫瘍との鑑別を要し，外科的に摘出されることがある．

麦粒腫 hordeolum　これにはツァイス腺やモル腺に生ずる内麦粒腫とマイボーム腺にできる外麦粒腫があり，球菌による急性化膿性炎症である（いわゆる“ものもらい”）．

脂腺癌　眼瞼にはさまざまな腫瘍が発生しうるが，上皮性腫瘍としては**脂腺癌**が重要である（**図4**）．脂腺癌はマイボーム腺やツァイス腺に発生することが多く，臨床的，病理学的に霰粒腫との鑑別が重要となる．特に，初期病変ではほぼ同様の臨床像を示すので注意を要する．組織学的には腫瘍細胞が胞巣状の増生を示し，胞巣中心に明るい皮脂腺への分化を示す細胞が観察される．

【鑑別疾患】　リンパ球に富む炎症性腫瘍は**リンパ腫** lymphoma との鑑別が問題となることがある．後述するように，眼瞼で最も多いリンパ腫はMALT型節外性辺縁帯B細胞リンパ腫（通称MALTリンパ腫）であり，必要に応じて免疫組織学的な検討を加えて鑑別する．

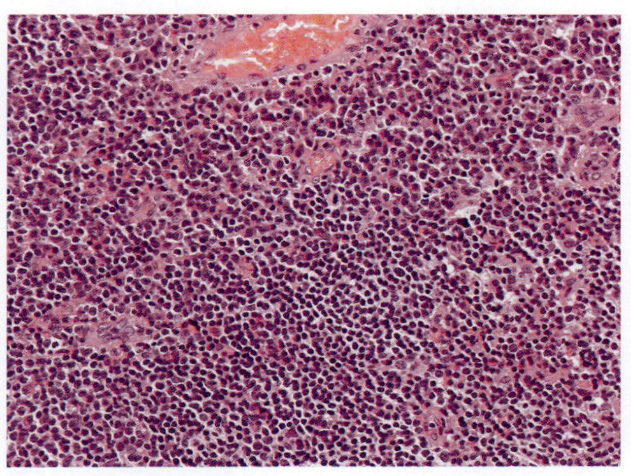

図5 MALT リンパ腫．びまん性の小型か中型のリンパ球浸潤．一部に形質細胞への分化を示している．弱拡大

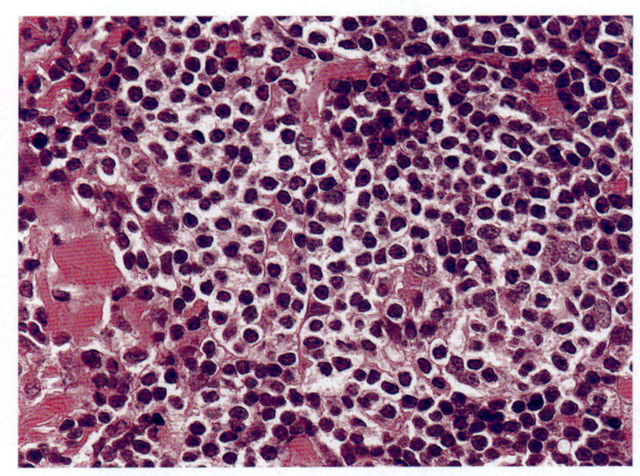

図6 同前．明るい胞体を有する monocytoid B cells．強拡大

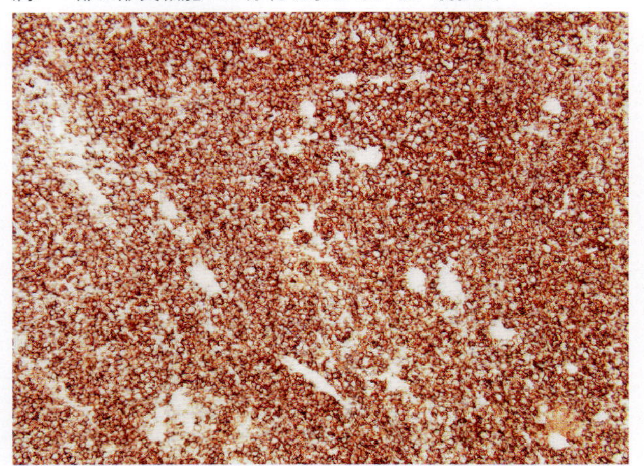

図7 同前．L26 の免疫染色でびまん性の陽性像が得られる．免疫染色．弱拡大

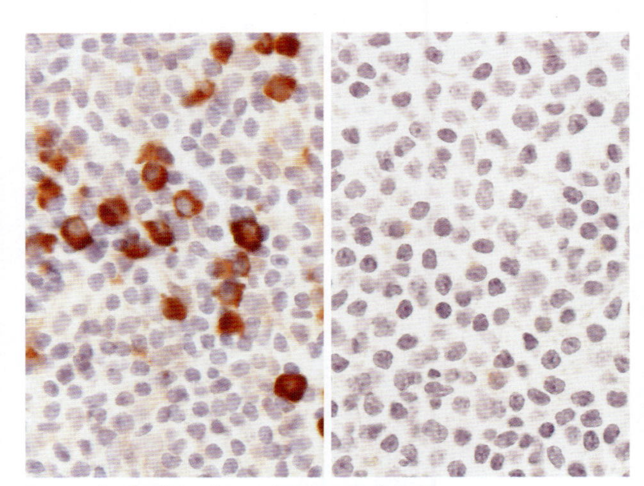

図8 免疫グロブリン軽鎖の免疫染色．この症例は κ 鎖のみ陽性で，単クローン性増殖であることを示唆する．強拡大

眼付属器では MALT 型節外性辺縁帯 B 細胞リンパ腫（**MALT リンパ腫**）extranodal marginal zone B-cell lymphoma of MALT（MALT lymphoma）が重要である．同リンパ腫は胃などの粘膜に発生することで有名であるが，結膜，涙腺，眼窩と周辺軟部も重要な好発部位である．非常に緩徐な増生を示す．組織学的にはびまん性の増生とともに反応性リンパ濾胞が混在することがあり，また形質細胞への分化や明るい胞体を有する monocytoid B cells とよばれる細胞の集団も特徴である（**図 5，6**）．免疫染色がその診断には重要であり，B 細胞マーカーの CD20（L26）がびまん性の陽性像を示すことで B 細胞性リンパ腫と診断され（**図 7**），そのほか $CD5^-$，$CD10^-$，$CD23^-$，$cyclinD1^-$ の免疫形質を確認することで，ほかの型のリンパ腫を除外する．免疫グロリンの染色も有用な場合がある（**図 8**）．診断が難しい場合は，IgH 遺伝子再構成などの補助的診断も有効である．治療は化学療法などの強い治療は不要であり，放射線療法などが主体である．

【鑑別診断】 最大の鑑別診断はほかの B 細胞性リンパ腫である．MALT リンパ腫はほかのタイプと比較して非常に悪性度が低いため，誤ってはならない．濾胞リンパ腫であれば CD10 が，小細胞リンパ腫であれば CD5，CD23 が，マントル細胞リンパ腫であれば CD5，cyclinD1 陽性である．また，より高悪性度のびまん性大細胞型 B 細胞リンパ腫などはより細胞が大型で異型が強い．さまざまな小円形細胞からなる肉腫とは，リンパ球系マーカーの発現の有無などで鑑別する．

［参考事項］ MALT lymphoma は炎症関連リンパ腫として知られ，胃では *Helicobacter pylori* 感染が発生に関与する．

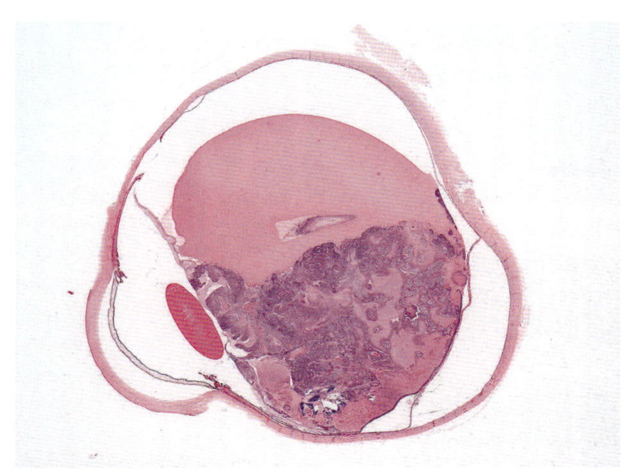

図 9　網膜芽細胞腫．網膜より内腔に増生（写真の空隙や変形は標本作製時人工変化影響）．ルーペ

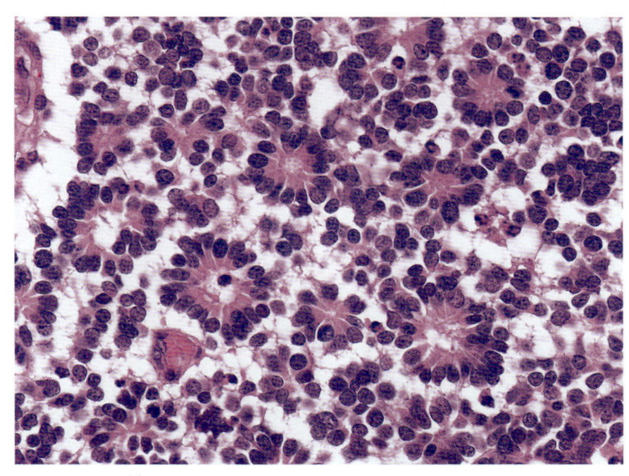

図 10　同前．明瞭なロゼット構造を示す腫瘍細胞．強拡大

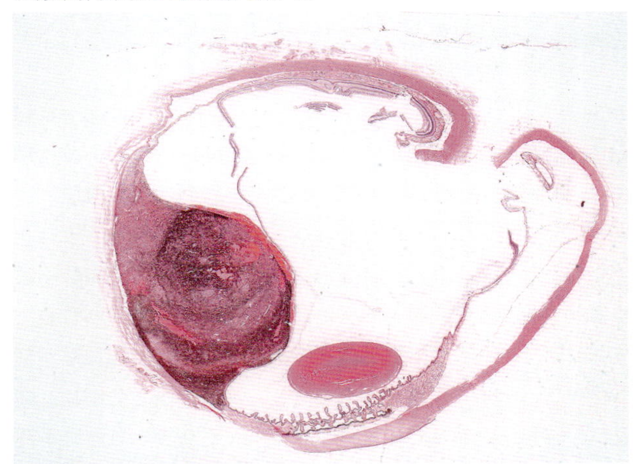

図 11　ぶどう膜悪性黒色腫．ぶどう膜から黒色調の腫瘍が発育している．ルーペ

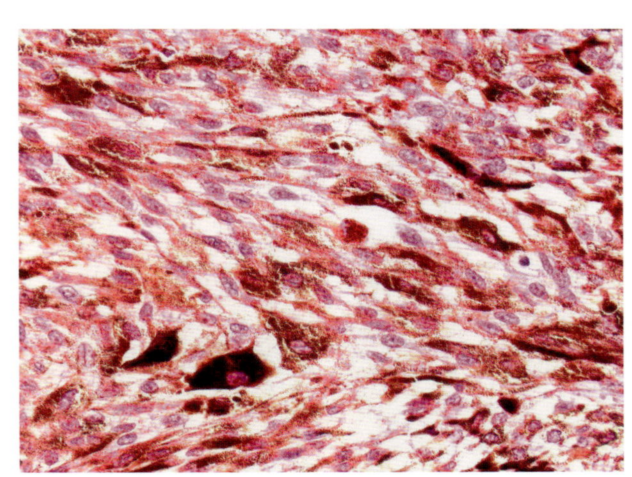

図 12　同前．核小体が目立つ紡錘形異型細胞が増生．褐色調のメラニン色素の産生が顕著である．強拡大

網膜芽細胞腫　ほとんどが小児の網膜に発生する悪性腫瘍である（**図 9**）．通常は生後 16 カ月から 2 歳の間に診断される．臨床所見として，瞳孔が白く光る白色瞳孔 leukocoria が有名である．約 40％は常染色体優生遺伝を示すが，残りの 60％程度は散発例である．1/3 程度は両側性で，特に家族性の場合の多くは両側性となる．組織学的にはいわゆる小円形細胞腫瘍の形態を示すものの 1 つで，N/C 比が高く，繊細なクロマチンに富む円形核を有する腫瘍細胞が密に増生し，花冠状配列 rosette formation を混在する（**図 10**）．分化型と未分化型に分けられ，前者には Flexner-Wintersteiner rosettes, fleurette，Homer-Wright rosettes などの構造が認められる．予後は分化型のほうが良好である．

［参考事項］　原因遺伝子として，13q14 にある Rb gene が有名で，Knudson の two-hit theory が提唱されている．

悪性黒色腫　皮膚の悪性腫瘍としてよく知られているが，眼科領域では眼瞼や結膜のほか，成人の眼内腫瘍としては最も頻度が高いものである（**図 11**）．白人のほうが頻度が高い．半数は眼底後極部に発生する．眼球ではぶどう膜の色素産生細胞を由来として発生する．組織学的には紡錘形細胞からなることが多く（**図 12**），小型で核小体の目立たない A 型紡錘形細胞 spindle A cells，より大型で核小体の目立つ B 型紡錘形細胞 spindle B cells，多形性の強い類上皮細胞 epithelioid cells の 3 種類に分類する（Callender 分類）．類上皮細胞の群が最も予後不良である．

第13章

感覚器系

（2）鼻・副鼻腔

概　説

1．鼻　腔 nasal cavity

呼吸部 regio respiratoria の粘膜は多列線毛上皮で覆われており，多数の杯細胞を有する．深部には鼻腺 nasal gland が認められる．また特徴的な豊富な血管網が認められ，腫脹体 erectile bodies ともよばれる．鼻腔はさまざまな刺激に直接接しており，正常においても軽度の炎症が認められる．嗅部 regio olfactoria には嗅細胞，支持細胞がみられる．前庭部 regio vestibularis から鼻道にかけては重層扁平上皮に覆われている．

2．副鼻腔 paranasal sinuses

鼻腔周囲の骨内には空気を含有する副鼻腔 paranasal sinuses があり，上顎洞 maxillary sinus，蝶形骨洞 sphenoid sinus，前頭洞 frontal sinus，篩骨洞 ethmoid sinus がある（図13）．上顎洞と前頭洞は中鼻道に，蝶形骨洞は上鼻道後方の蝶篩陥凹に開口する．篩骨洞は迷宮様の互いに交通した細かな腔を形成し，中鼻道や上鼻道に開口している．副鼻腔粘膜は基本的には鼻腔粘膜と同様で，多列線毛上皮で覆われる．鼻炎が副鼻腔に進展すると副鼻腔炎となり，特に開口部が粘膜浮腫などで閉塞すると本来鼻腔へと流出すべき分泌物，膿汁が貯留し，いわゆる**蓄膿症** empyema となる．急性の炎症は急性副鼻腔炎といい，これが8〜12週にわたって持続する状態を慢性副鼻腔炎とよぶ．上顎洞炎と篩骨洞炎が多い．

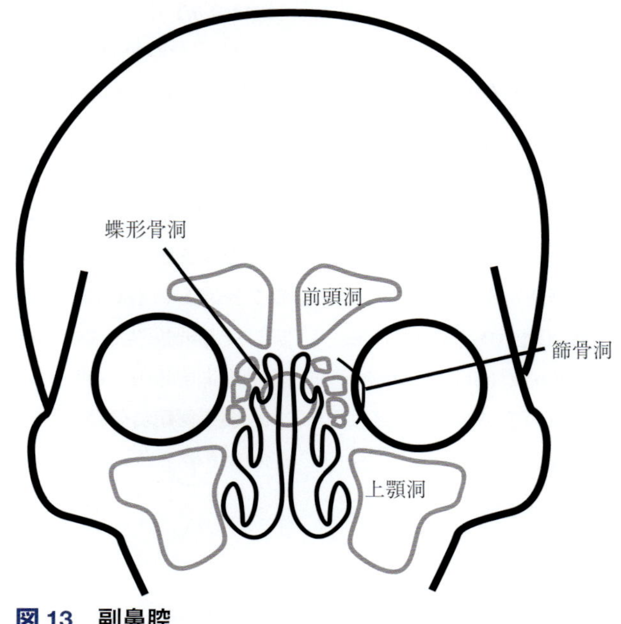

図13　副鼻腔

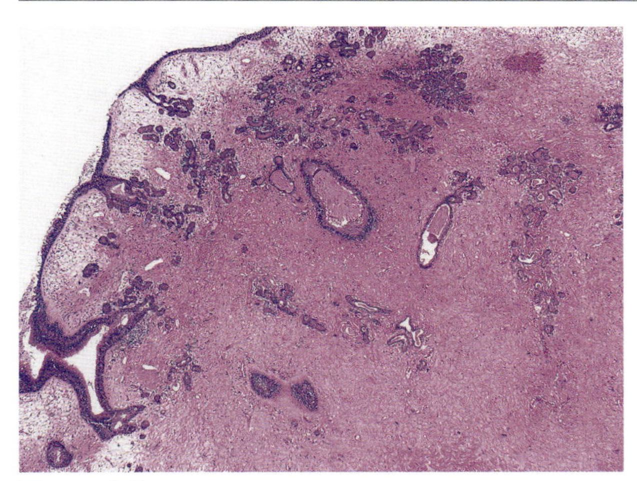

図 14　鼻茸．呼吸上皮に覆われ，広い間質をもつ．弱拡大

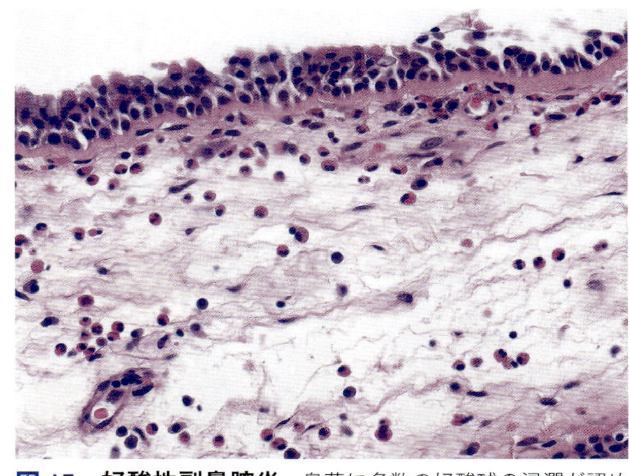

図 15　好酸性副鼻腔炎　鼻茸に多数の好酸球の浸潤が認められる．強拡大

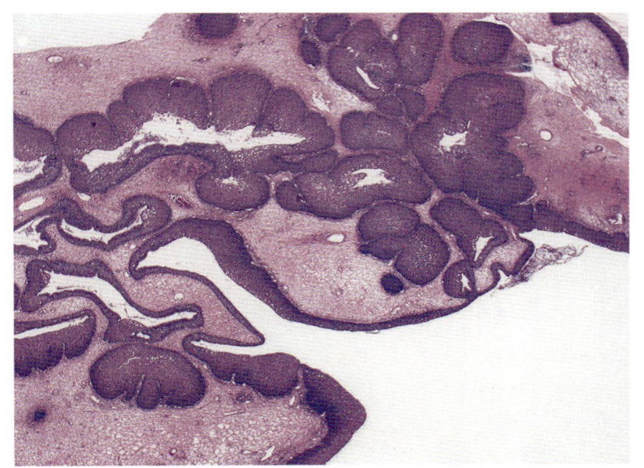

図 16　内反性乳頭腫．内部方向に折り込まれるような増生（inverted folding pattern）を示す上皮．弱拡大

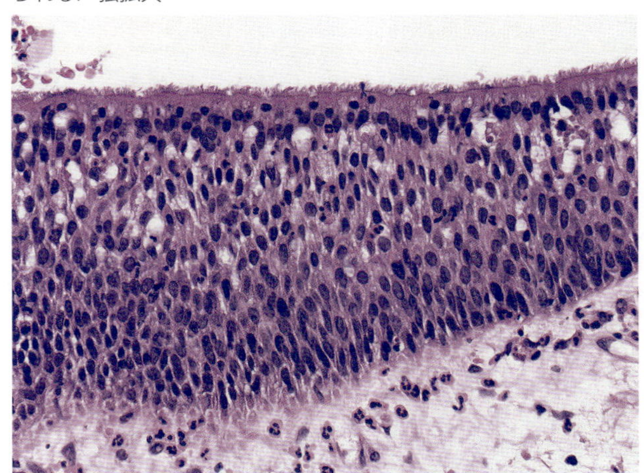

図 17　同前．上皮は移行上皮様で，最表層に腺上皮を残すこと，また上皮細胞間に炎症細胞浸潤をみることも特徴である．強拡大

鼻茸　非腫瘍性の隆起性病変であり，その本態は慢性炎症に伴う良性の病変である．多発し，鼻腔を充満するように増生することもある．肉眼的には黄白色調，浮腫状であり，表面は平滑である．組織学的には，異型のない多列線毛上皮に覆われ，内部は非常に浮腫の強い広い間質がみられる（**図 14**）．上皮はしばしば扁平上皮化生を伴う．さまざまな程度の炎症を伴う．

好酸球性副鼻腔炎 eosinophilic sinusitis　両側に強い好酸球浸潤を示す多数の鼻茸が発生し，手術による除去を行っても早期に再発する難治性の疾患である．喘息を合併することも多い．ステロイドによる治療を要する（**図 15**）．

鼻腔発生の乳頭腫　線毛呼吸上皮が増殖する良性腫瘍で，Schneiderian papillomas ともよばれる．外反性 exophytic，内反性 inverted，好酸細胞性 oncocytic の 3 種類あるが，最も重要であるのは**内反性乳頭腫** inverted papilloma（Schneiderian papilloma，inverted type）である．臨床的には鼻茸と比較的類似するが，しばしば上顎洞などの副鼻腔にも進展する．組織学的には，移行上皮に類似した多層性の上皮，あるいは扁平上皮が深部に向かって内反性の増生を示す（**図 16，17**）．上皮の最表層には線毛円柱上皮をみること，上皮の中に炎症細胞浸潤がみられることも特徴である．組織学的に良性であっても破壊性の増殖を示すことがあり，再発を繰り返すうちに癌化する例もある．

【鑑別診断】　扁平上皮癌　強い異型とともに癌真珠などの異常角化を示す．

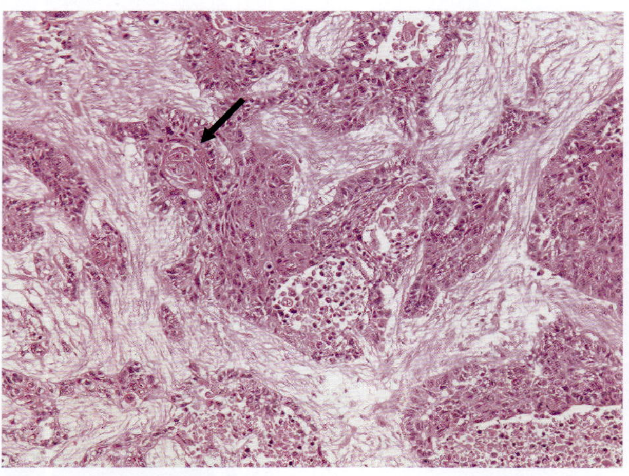

図 18　扁平上皮癌．敷石状の配列を示す異型上皮の浸潤性の増殖が観察される．一部に異常角化をみる（⬆）．弱拡大

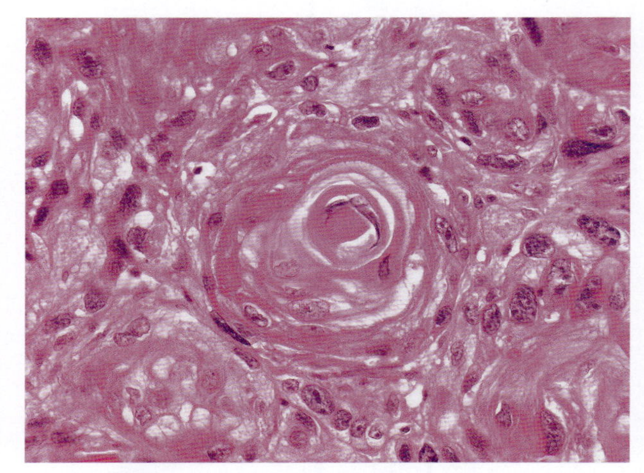

図 19　同前．同心円上の異常角化を示す（癌真珠）．強拡大

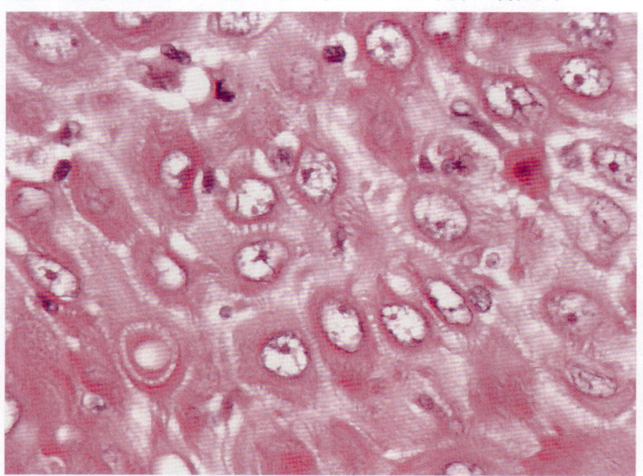

図 20　扁平上皮癌における細胞間橋．角化とともに扁平上皮への分化を示唆する重要な所見である．強拡大

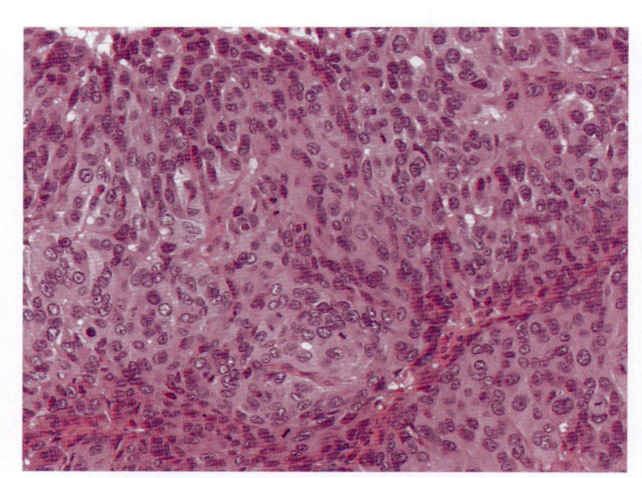

図 21　同前．低分化の腫瘍では，このようにほとんど角化を認めないことがあり，ほかの腫瘍との鑑別を要する．強拡大

頭頸部では最も多い悪性腫瘍である．わが国での発生頻度は欧米よりも高い．角化型 keratinizing type と非角化型 non-keratinizing type がある．

角化型は他部位の扁平上皮癌と同様のものである．層状，胞巣状の構築をとることが多く，細胞間橋とともに癌真珠 cancer pearl などの異常角化像をみる（**図 18〜20**）．角化像は腫瘍の分化の程度によってその量が異なり，一般に分化がよいほど角化像は明瞭で，低分化であるほど角化が乏しく，他種の腫瘍との鑑別が難しくなる（**図 20**）．

非角化型は鼻・副鼻腔に特徴的なものである．乳頭状の増生が強く，尿路の移行上皮癌に細胞形態が類似し，ほとんど角化をみない．また，粘液細胞を含有することもある．扁平上皮癌の発生母地としては前項で記載した乳頭腫が重要である．

【鑑別診断】　角化型のものは診断容易で，鑑別が問題となることは少ない．低分化のものは角化に乏しく，他系統の低分化な腫瘍との鑑別が難しいことがある．細胞間橋と角化像の発見が重要である．

非角化型は乳頭腫との鑑別が必要である．細胞異型の有無が重要である．次項で述べるリンパ上皮癌 lymphoepithelial carcinoma などとも鑑別を要する．

そのほか，鼻腔には腺癌，唾液腺型腫瘍，間葉系腫瘍なども発生する．

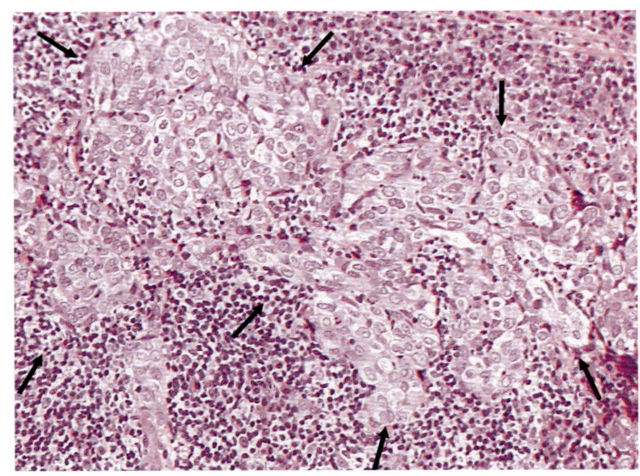

図 22　リンパ上皮．注意深く観察すれば，上皮性配列を示す腫瘍細胞（⬆）がみられる．弱拡大

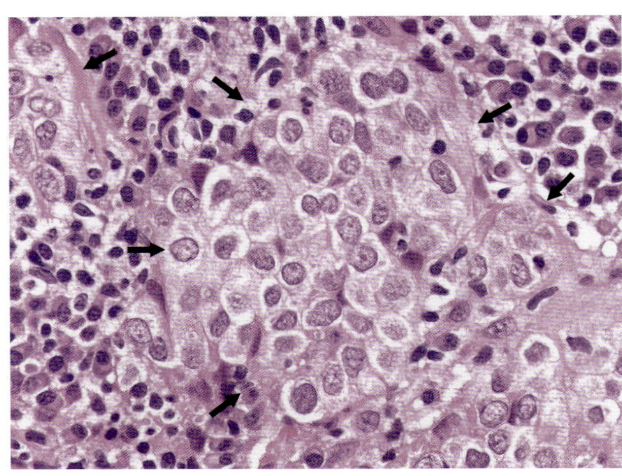

図 23　同前．リンパ球浸潤の中のやや不明瞭な大型細胞（⬆）で，角化はない．腫瘍細胞を見逃さず，リンパ腫などと誤らないことが重要．強拡大

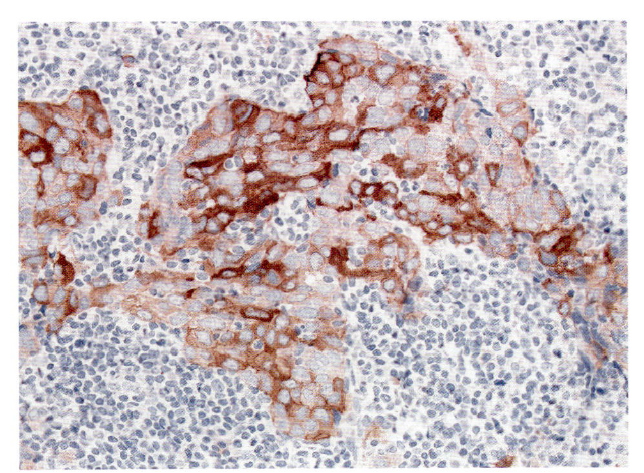

図 24　同前．上皮性マーカー（ケラチン）による免疫染色．腫瘍細胞が陽性となり，細胞の結合性も明らかである．強拡大

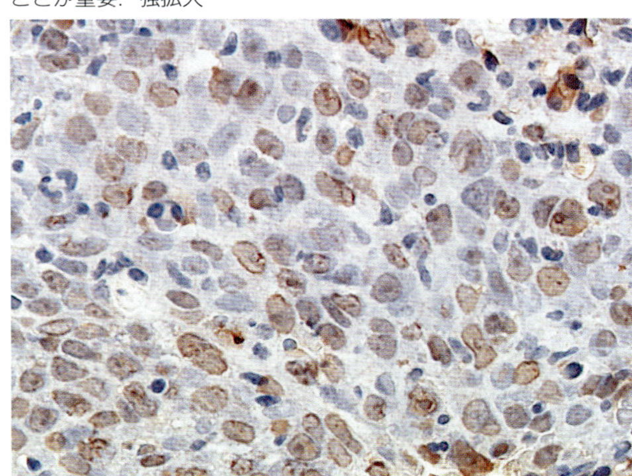

図 25　同前．EB ウイルスが腫瘍細胞の核に陽性．EBER *in situ* hybridization．強拡大

上咽頭に多い悪性腫瘍で，さまざまな名称でよばれることがある．EB ウイルスに関連した腫瘍で，わが国を含むアジア諸国で多く，特に香港や中国南部で高頻度である．角化を示さない大型の境界不明瞭な上皮細胞が密なリンパ球浸潤と密接に関連しながら増殖する．腫瘍細胞はリンパ球に隠れ不明瞭となり，リンパ腫との鑑別に注意が必要である（**図 22, 23**）．腫瘍細胞がケラチンなどの上皮性マーカーに陽性である（**図 24**）．また，EBER（Epstein-Barr encoding region）に対する *in situ* hybridization（EBER-ISH）で，EB ウイルスが核に陽性である（**図 25**）．鼻・副鼻腔でも比較的まれであるが，類似した腫瘍が発生しうる．

【鑑別診断】　リンパ腫：結合性を有さない異型なリンパ腫細胞の浸潤がみられる．免疫染色で，上皮性マーカーの陰性，リンパ球マーカーの陽性が鑑別点である．

悪性黒色腫：鼻腔にも悪性黒色腫が好発する．免疫染色で S-100 蛋白などが陽性である．上皮性マーカーは陰性である．

嗅神経芽細胞腫：上皮を思わせる配列を示すが，上皮性マーカーは陰性である．

［参考事項］ lymphoepithelial carcinoma は，その呼称に混乱がある．“lymphoepithelioma” ともよばれるが良性を思わせる診断名であまり的確な名称ではない．また，上咽頭における “nasopharyngeal carcinoma” という名称も通常の扁平上皮癌を含みうるため，あまり適当ではない．現行の上咽頭腫瘍 WHO 分類では nonkeratinizing nasopharyngeal carcinoma が本項で解説した腫瘍に相当する．

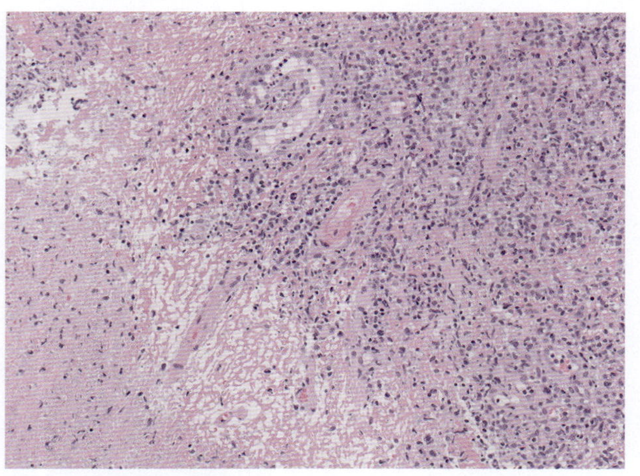

図 26　鼻 NK/T 細胞リンパ腫．壊死を伴った密なリンパ球浸潤．中拡大

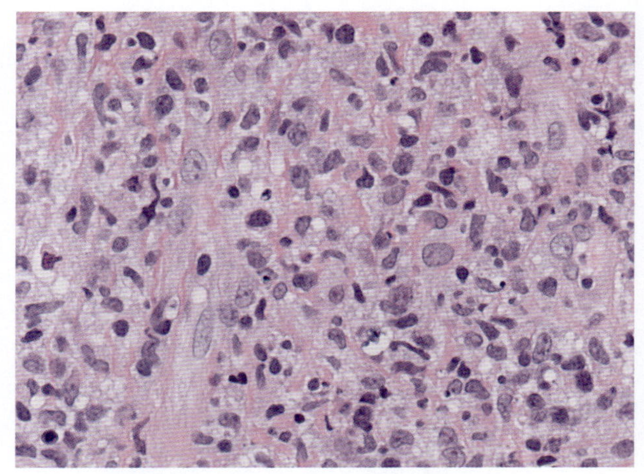

図 27　同前．リンパ球は不整な形態を示し，異型を示している．強拡大

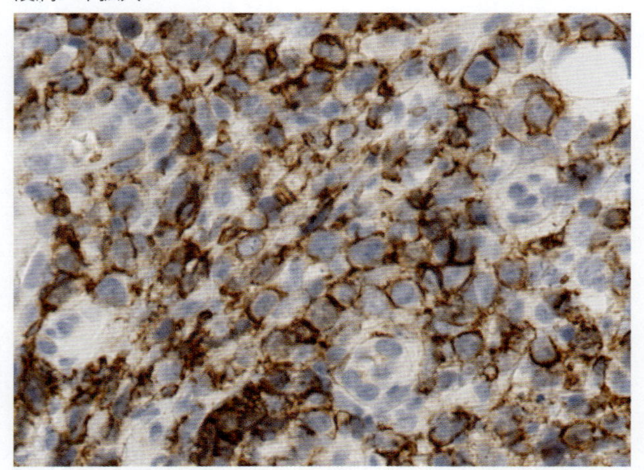

図 28　同前．CD56 の免疫染色にて，多数の陽性細胞が認められる．強拡大

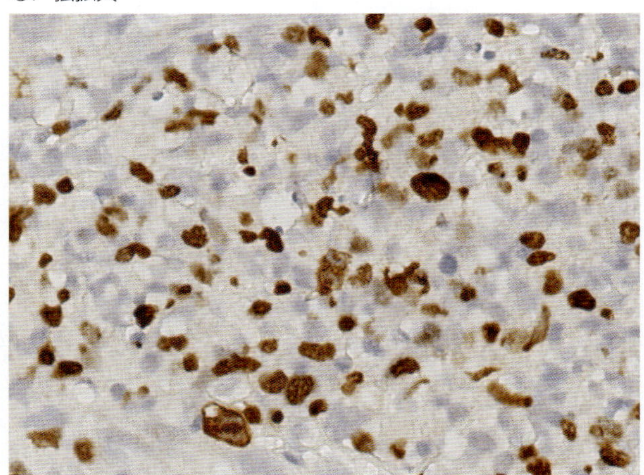

図 29　同前．腫瘍細胞には EB ウイルスが証明される．EBER *in situ* hybridization 法．強拡大

鼻腔における**リンパ腫**で頻度が高いものは鼻型 NK/T 細胞性リンパ腫 nasal NK/T cell lymphoma とびまん性大細胞 B 細胞性リンパ腫 diffuse large B-cell lymphoma である．

前者は EB ウイルスに関連したリンパ腫で，リンパ上皮癌と同様，東アジアに多い．さまざまな程度の壊死を示し（**図 26, 27**），また血管周囲性に増生する所見を示すこともある．CD3ε 陽性で，CD5 は陰性，特に NK 細胞マーカーである CD56 のびまん性陽性像が認められる（**図 28**）．細胞傷害性 T 細胞性マーカーである granzyme B や TIA-1 なども陽性となる．また，EB ウイルスの存在が EBER-ISH で証明される（**図 29**）．

びまん性大細胞 B 細胞性リンパ腫は大型の異型 B リンパ球のびまん性増殖を示し，B 細胞マーカー CD20（L26）に陽性を示す．

両者ともに高悪性度のリンパ腫である．

【鑑別診断】　多発血管炎性肉芽腫症 granulomatosis with polyangiitis（GPA）：以前はウェゲナー肉芽腫症とよばれていた疾患で，全身性に血管炎をきたすが，特に鼻腔に広範な壊死や血管炎をきたすため，NK/T 細胞性リンパ腫との鑑別が重要である．そのほか，多核巨細胞の出現や類上皮細胞が柵状に並ぶ肉芽腫の形成をみる．

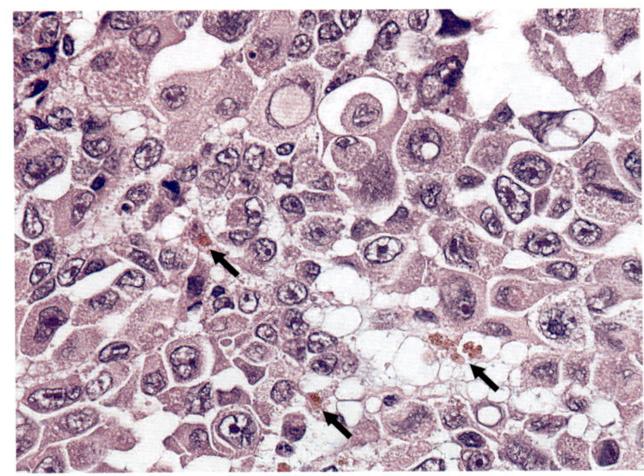

図 30　鼻悪性黒色腫. 大型の腫瘍細胞で，明瞭な核小体が観察される．数カ所にメラニンも認められる（⬆）．強拡大

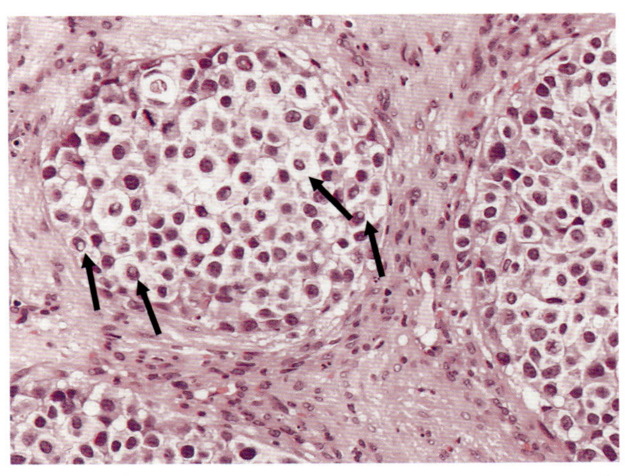

図 31　同前. 嗅神経芽腫などに似た胞巣状の形態を示すこともある．要鑑別．核内封入体（アピッツ小体）（⬆）は，悪性黒色腫の特徴．強拡大

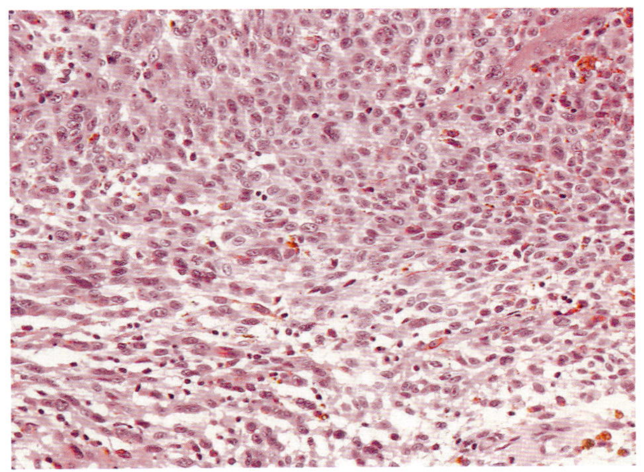

図 32　同前. 紡錘形細胞も認められる．悪性黒色腫の組織像の多彩性を示している．褐色の顆粒はメラニン色素．中拡大

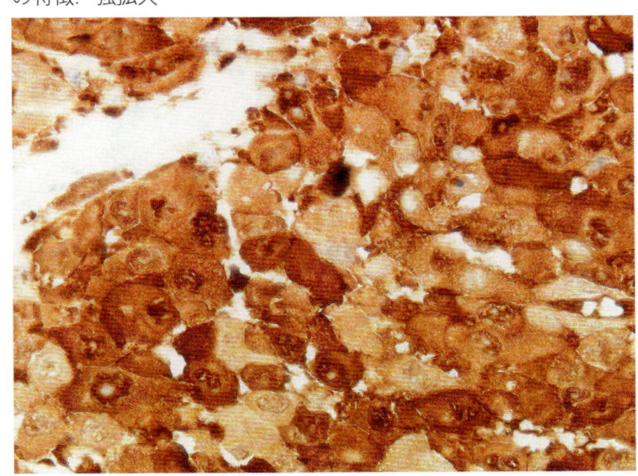

図 33　同前. S-100 蛋白の免疫染色で陽性を示す．強拡大

悪性黒色腫は皮膚に好発する腫瘍として有名であるが，粘膜に発生することもあり，頭頸部粘膜では鼻腔・副鼻腔が最も多い．鼻腔から，ときに頭蓋内に進展する．複数の副鼻腔に進展することもある．色調はメラニン色素の多寡によりさまざまである．メラニン色素が豊富であれば肉眼は黒色調を呈し特徴的となるが（**図 30**），鼻腔・副鼻腔ではメラニン色素を含まないものも比較的多く認められる．組織学的に，腫瘍細胞は上皮様，肉腫様など非常に多彩である．特徴的な大型の核小体が特徴的である（**図 31**）．組織学的にメラニン色素は褐色調の微細な顆粒で，腫瘍細胞内に確認されれば重要な診断根拠であるが，前述のように症例によってはきわめて微量であったり，またまったくみられないこともある．細胞像が多彩なため（**図 31，32**），癌腫や肉腫，リンパ腫などさまざまな腫瘍と類似する．メラニン顆粒は Fontana-Masson 染色で明瞭化することができる．免疫染色が診断に有用で，S-100 蛋白（**図 33**），HMB45，Melan A，Sox10 などが陽性となる．

【鑑別診断】 リンパ腫，悪性黒色腫，癌腫などの鑑別に関しては他項を参照．悪性黒色腫は，リンパ腫や嗅神経芽腫との鑑別が特に困難となることもある．

［参考事項］ メラノサイトは数的には多くないが上気道全体にわたって分布しており，悪性黒色腫の発生母地と考えられる．

近年，悪性黒色腫の治療に免疫チェックポイント阻害薬が注目されている．腫瘍が免疫を逃れる方法に，活性化 T 細胞の表面に発現する PD-1 と，腫瘍細胞の表面に発現するそのリガンド PD-L1/PD-L2 が結合することにより免疫応答を抑制ないし停止させる経路がある．免疫チェックポイント阻害薬はその結合をブロックすることにより，腫瘍に特異的な T 細胞の増殖や活性化，細胞傷害活性増強がもたらされ，腫瘍増殖を抑制する．悪性黒色腫ではニボルマブの利用がすでに開始され，抗 CTLA-4 モノクローナル抗体であるイピリムマブとともに大きな期待が寄せられている．

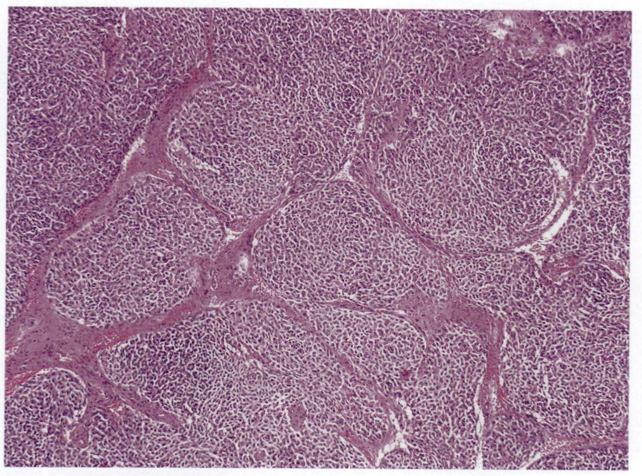

図 34　嗅神経芽腫．小葉状の増生を示す．弱拡大

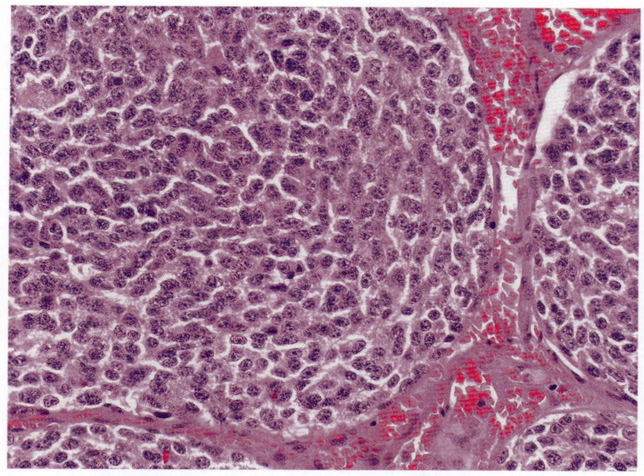

図 35　同前．細胞の核は類円形．扁平上皮癌や悪性黒色腫と鑑別を要する．強拡大

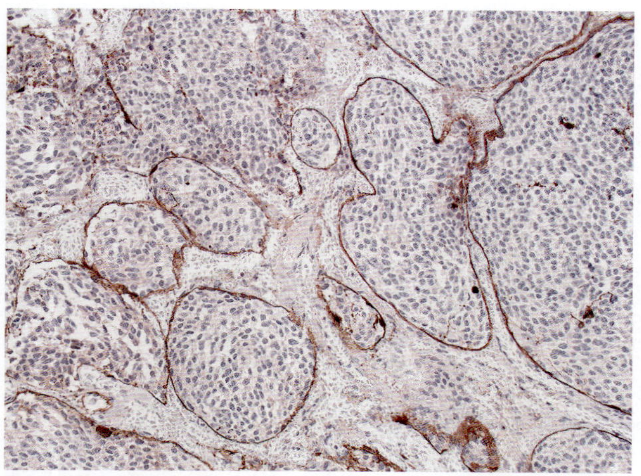

図 36　同前．S-100 蛋白の免疫染色で，腫瘍細胞を取り巻く支持細胞が陽性．腫瘍細胞には陰性である．中拡大

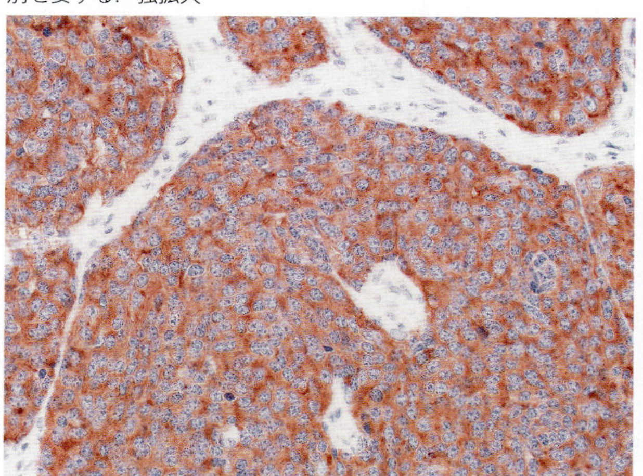

図 37　同前．synaptophysin 陽性．強拡大

嗅神経芽腫　鼻腔の嗅粘膜部に由来する悪性神経外胚葉性腫瘍である．感覚神経芽腫 esthesioneuroblastoma ともよばれる．鼻腔の上部に発生し，ときに頭蓋内にみられることもある．組織学的には血管に富む線維組織に隔てられた小葉状の構造を呈し，上皮性腫瘍との鑑別が必要である（**図 34**）．腫瘍細胞は均一で，胞体は比較的乏しい．核は粗いクロマチン構造を示すことが多く，核小体は不明瞭である（**図 35**）．ときに Homer-Wright 型や Flexner-Wintersteiner 型のロゼット構造をみることもある．免疫組織化学的には，腫瘍細胞は synaptophysin，neurofilament，CD56 などに陽性で，最も特徴的な所見としては S-100 蛋白で腫瘍の小葉を取り巻くように存在する支持細胞が陽性となることである．腫瘍細胞は陽性とならない（**図 36，37**）．

【鑑別診断】　上皮性悪性腫瘍：扁平上皮癌は通常角化や強い細胞異型の存在がみられ，S-100 陽性支持細胞は認められない．

悪性黒色腫 malignant melanoma：悪性黒色腫は S-100 蛋白陽性であるが，嗅神経芽腫の小葉を取り巻くような陽性像とは異なり，腫瘍細胞自体に陽性となる．ほかにも HMB45 などが陽性となれば，より悪性黒色腫の根拠となる．

リンパ腫：CD56 陽性であることから，鼻型 NK/T 細胞性リンパ腫が鑑別となる．形態的に鼻型 NK/T 細胞性リンパ腫は嗅神経芽腫にみられるような小葉構造は示さず，そのほか CD3 などのリンパ系マーカーが陽性である．

その他の肉腫など：横紋筋肉腫など鑑別となる疾患は多いが，年齢，部位，免疫染色など総合的に判断して鑑別を行う．

第13章

感覚器系

(3) 耳

概　説

1. 外　耳

耳介 auricle は弾性軟骨を皮膚と薄い皮下脂肪が覆っている．耳介周囲の先天異常が知られ，副耳 accessory ear は，耳と口角を結ぶ線上に好発する皮膚の小隆起で，中心にしばしば軟骨を有する．先天性耳瘻孔 congenital aural sinuses は耳前部，前耳輪部，輪脚基部に多く，皮膚付属器を備えた扁平上皮に覆われた瘻孔である．しばしば感染をきたし，治療の対象となる．また，鰓（裂）嚢胞 branchial（cleft）cysts の発生をみる場合もある．

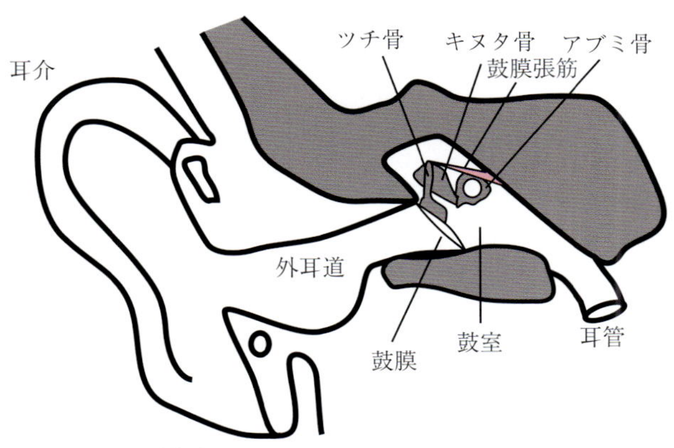

図 38　耳の構造

外耳道は耳珠から鼓膜までで，成人で約 3.5 cm 程度の長さを有する．外側 1/3 は軟骨性で毛嚢，皮脂腺，またアポクリン汗腺の一種である耳垢腺 ceruminal gland をみる．深部 2/3 は骨からなる壁を有する．比較的まれではあるが外耳道にも腫瘍が発生し，扁平上皮癌が多く，そのほか特殊なものとして耳垢腺を由来とする腫瘍も発生するが，耳下腺発生との鑑別が必要である．

2. 中　耳

鼓膜 membrana tympani は厚さ 0.1 mm の薄い膜であり，緊張部では皮膚層，固有層，粘膜層からなる．外耳道側は表皮で，中耳側は単層立方上皮である．中耳腔は単層立方上皮に覆われ，鼓室 cavum tympani は上鼓室，中鼓室，下鼓室が区別される．耳小骨 ossicula auditus にはツチ骨，キヌタ骨，アブミ骨が連なり，鼓膜の振動を前庭窓へ伝え，内耳へと伝達する．耳管 tuba auditiva は中耳と上咽頭とを連絡しているが，通常は閉鎖し，嚥下することによって内腔が開き，鼓膜内外の圧力調整が行われる．

3. 内　耳

蝸牛 cocholea，前庭 vesitubulum，半規管 ductus semicircularis（前，後，外側）の 3 部に分けられる．

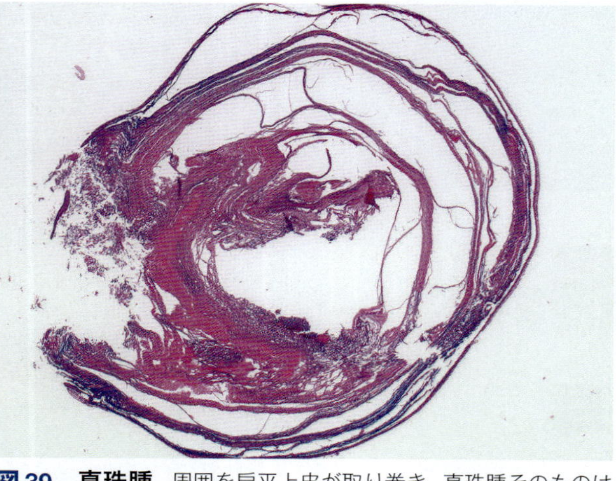

図 39　真珠腫．周囲を扁平上皮が取り巻き，真珠腫そのものは層状・同心円状の角化物である．ルーペ像

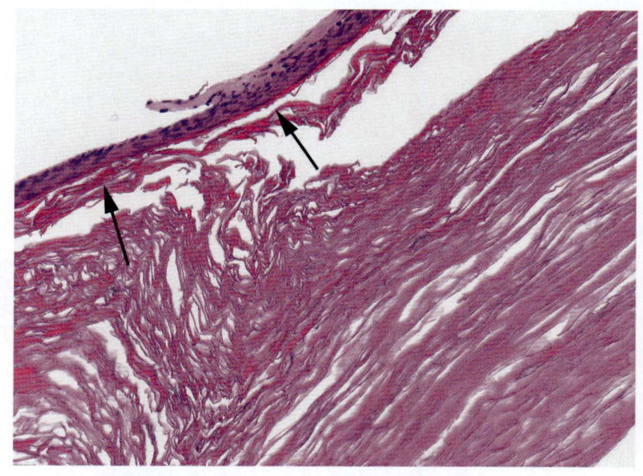

図 40　同前．角化物を取り巻く扁平上皮（⬆）と，層状の角化物が観察できる．強拡大

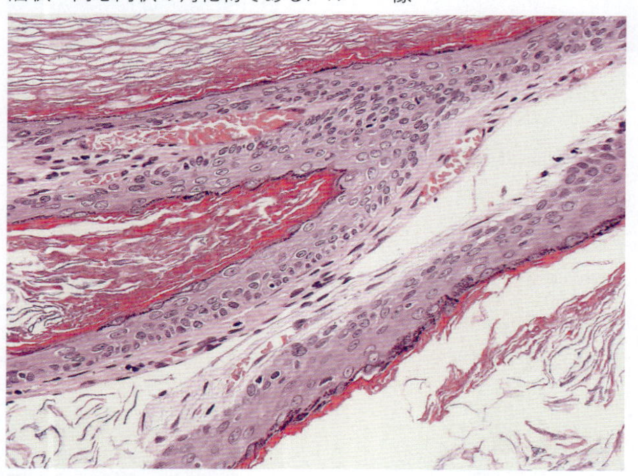

図 41　同前．扁平上皮に異型は認められない．強拡大

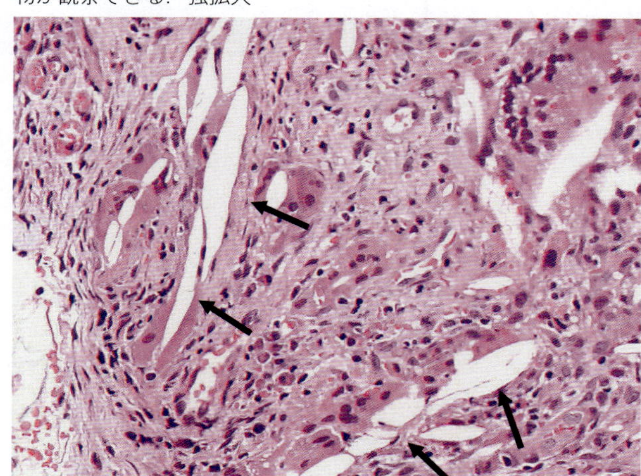

図 42　同前．裂隙を伴った異物巨細胞（⬆）の出現も特徴の 1 つである．強拡大

真珠腫は真の腫瘍ではなく，慢性中耳炎に伴って形成された角質からなる結節である．皮膚に頻発する表皮囊胞（いわゆる“アテローマ”）と同一のもので，中耳の粘膜扁平上皮が間質に嵌入し，内部に角化物が貯留したものである（**図 39〜41**）．肉眼的に光沢を有し，真珠に類似することが名称の由来である．囊胞が破れなければ組織反応は乏しいが，しばしば壁が破壊されて角化物が間質に触れ，生体は異物反応を起こし，多数の核と裂隙を伴った異物巨細胞の出現が認められる（**図 42**）．

【鑑別診断】　扁平上皮癌：真珠腫は異型のない扁平上皮に囲まれた囊胞であり，扁平上皮癌は異型扁平上皮の増殖である．

その他の中耳炎症性疾患：急性中耳炎は細菌による急性炎症で，滲出性中耳炎では滲出物が中耳に貯留を示す．癒着性中耳炎 adhesive otitis は慢性化した中耳炎により鼓膜が中耳内腔に癒着するものである．耳硬化症はアブミ骨周囲の靱帯が硬化することにより伝音性障害をきたす疾患である．

耳茸 aural polyp：穿孔性慢性中耳炎に続発し，外耳道に形成される炎症性のポリープである．腫瘍性ではなく，その本態は非腫瘍性の扁平上皮に被覆された炎症性肉芽組織である．

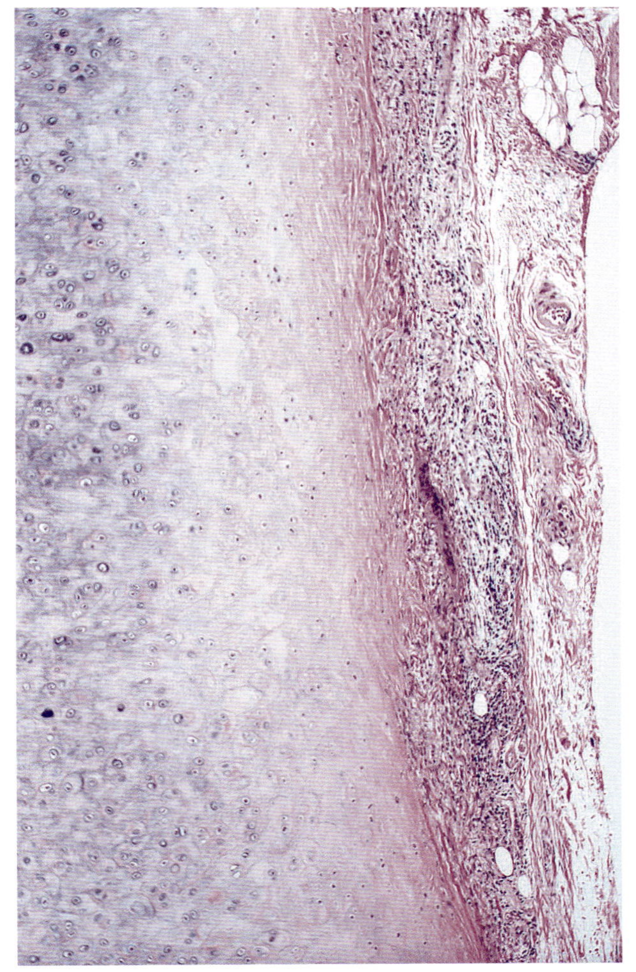

図 43　反復性多発性軟骨炎．軟骨の辺縁が不明瞭化し，破壊と細胞浸潤がみられる．弱拡大

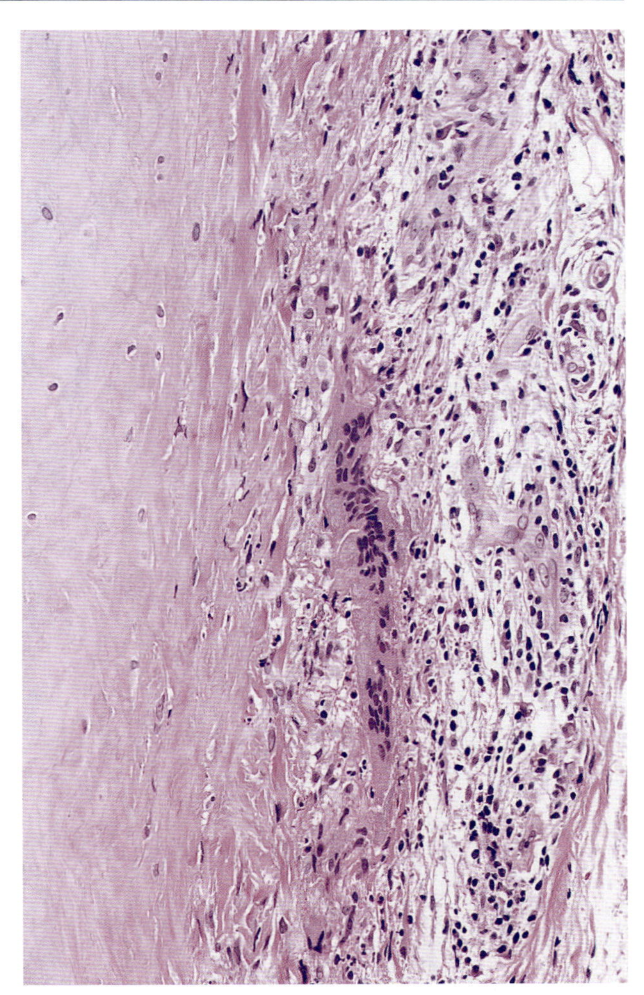

図 44　反復性多発性軟骨炎の軟骨辺縁部．リンパ球などの細胞浸潤が軽度みられる．異物巨細胞も伴っている．強拡大

反復性多発性軟骨炎は全身の進行性，かつ繰り返す軟骨破壊を示す疾患である．90%程度の患者が耳介の軟骨に病変を有する．そのほか，耳管軟骨，鼻中隔，喉頭，気管などの軟骨も高頻度に病変をきたす．眼や動脈などの非軟骨部位にも病変は起こりうる．通常は両側性で，有痛性の赤く腫脹した耳介を示し，進行した病変では，軟骨の形状が崩れ，耳はカリフラワー状 ‘cauliflower’ ears，鼻は鞍鼻 saddle nose となることがある．

組織学的には軟骨辺縁部の軟骨破壊がみられ，軟骨境界が不明瞭となる（**図 43**）．HE 染色では，軟骨の好塩基性染色が失われ，全体に赤みを増したようにみえる．辺縁では，軟骨の破壊，軟骨細胞の消失がみられ，線維増生に置き換わる．リンパ球，形質細胞，多核白血球などの浸潤をみることもあるが，概して軽度にとどまる（**図 44**）．

予後はさまざまであるが，ときに致死的となることがあり，注意を要する．

【鑑別診断】　柔道耳，力士耳：繰り返す耳介血腫とその器質化，さらに耳介軟骨の破壊・炎症によって耳介の変形をきたしたもの．

凍傷・凍瘡 pernio：耳介は凍傷の好発部位で，一般に「しもやけ」とよばれる．早期には耳介が蒼白となり，患部を暖めると掻痒感とともに発赤・腫脹をきたす．

［参考事項］　反復性多発性軟骨炎の原因ははっきりしないものの，自己免疫性と考えられる．また，ほかの自己免疫疾患を合併することがあり，たとえば全身性エリテマトーデス（SLE），強皮症，シェーグレン症候群，ライター症候群，糸球体腎炎，自己免疫性甲状腺疾患，潰瘍性大腸炎，悪性貧血，レイノー症候群などである．血清中のⅡ型コラーゲンに対する自己抗体が病態と関連するという報告や，免疫複合体が軟骨に付着しているという報告もなされている．

第14章

移植病理

同じ種の動物間（例：ヒトからヒト）で臓器を移植することを同種移植とよぶ．臨床的に最も広く利用されている同種移植は造血幹細胞移植（骨髄移植，臍帯血移植など）である．固形臓器移植では，腎臓移植，肝臓移植，心臓移植，肺移植，膵臓移植などが行われている．培養幹細胞（ES 細胞や iPS 細胞）を用いた臓器再生や組織・臓器の移植についての研究が進行中である．

固形臓器移植における共通かつ最大の障害は，臓器を受け取る個体（レシピエント）の免疫機構が，移植された組織（ドナー組織）を排除しようとすることである．これが拒絶反応である．そのため，同種移植をヒトの治療に応用するためには，レシピエントの感染症に対する免疫機構を保ちつつ，拒絶反応を抑える治療を併用する必要がある．

異なる動物間での移植（例：ブタからヒト）を異種移植とよぶ．現時点では，ヒトへの異種移植は制御困難なほど強い拒絶反応が起こるため臨床応用されていない．

1．移植抗原の認識機構

同種拒絶反応は，主として主要組織適合遺伝子複合体 major histocompatibility complex（MHC）分子に対する免疫応答である．ヒトの MHC 分子は，ヒト白血球抗原 human leukocyte antigen（HLA）とよばれる．HLA は多型性に富んでいて多くの対立遺伝子が存在している．一卵性双生児を除くと，異なるヒトが同一の HLA の組み合わせを示すことはほとんどない．この事実が，同種拒絶反応が起こる基盤となっている．

通常，T 細胞は自己の HLA と結合した抗原（ペプチド断片）を認識する．ただし，同種移植における拒絶反応では，直接認識とよばれる免疫応答が成立すると考えられている．直接認識では，レシピエントの T 細胞が，ドナー組織に発現している非自己の HLA を，結合しているペプチド断片の種類にかかわらず，あたかもすべて外来抗原と結合した自己 HLA であるかのように認識することで起こると考えられている．一方，ドナー組織由来の HLA や，その他のドナー由来抗原がレシピエントの抗原提示細胞に取り込まれ，レシピエントの T 細胞に抗原を提示する場合もある．これは微生物などほかの外来抗原を認識する過程と同じであり，この免疫応答を間接認識とよぶ．直接認識は強い免疫応答で，ドナー組織に抗原提示細胞が豊富にある移植の早期に起こりやすい．一方，ドナー組織に含まれている抗原提示細胞は，拒絶反応などにより大部分が移植早期に死滅する．そのため，移植後数カ月してから起こる拒絶反応はおもに間接認識によると考えられる．直接認識あるいは間接認識によって起こる拒絶反応を，細胞性拒絶反応，あるいは T 細胞関連型拒絶反応とよぶ．

移植抗原には，ドナーの HLA やドナー組織由来のペプチドだけでなく，ドナー由来の糖鎖が関与する場合もある．ABO 血液型を超えて臓器を移植する場合（ABO 血液型不適合移植），ドナー細胞に発現している糖鎖である A 抗原や B 抗原が，レシピエントの血中にある抗 A 抗体や抗 B 抗体に認識される結果，抗原抗体反応が起こり，ドナー組織が傷害される．このように抗ドナー抗体によって起こる拒絶反応を液性拒絶反応，あるいは抗体関連型拒絶反応とよぶ．異種移植では，糖鎖抗原に対する抗体関連型拒絶反応が臓器移植の障壁となっている．抗体関連型拒絶反応は，HLA に対しても起こる．ドナーの HLA に対する抗体はドナー特異的抗原 donor specific antigen（DSA）とよばれている．DSA による抗体関連拒絶反応は特に腎臓移植で問題となることが多い．

2．拒絶反応の種類

固形臓器移植の拒絶反応には，T 細胞関連型拒絶反応と，抗体関連型拒絶反応の両方が関与しうる．病理組織学的には，どちらか一方だけが組織学的に明らかになることも多い．ここでは，腎臓移植と肝臓移植を例にとって，それぞれの臓器障害の形態学的特徴を示す．

超急性拒絶反応 hyperacute rejection とよばれる拒絶反応は，移植後数時間以内に起こる．これは高度な抗体関連型拒絶反応で，過去の輸血などで感作されたレシピエントが，移植前から抗ドナー抗体をもっていることによって起こる．臓器移植が終了してドナー組織にレシピエントの血液が流れ込むと，ただちにレシピエントの血液中の抗体がドナー組織中

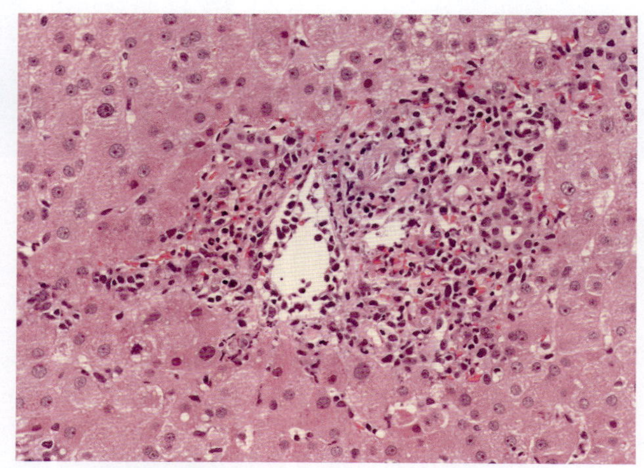

図1　肝臓の急性T細胞関連型拒絶反応. 門脈内皮の剝離を伴うリンパ球浸潤．中拡大

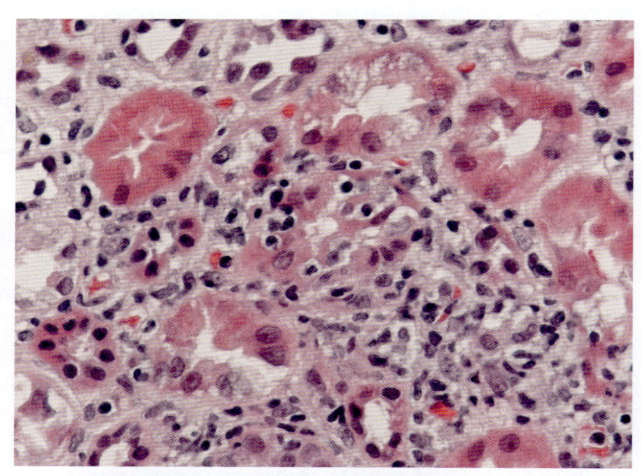

図2　腎臓の急性T細胞関連型拒絶反応. 尿細管の破壊を伴うリンパ球浸潤．強拡大

の血管内皮に結合し，補体を活性化してドナーの血管内皮を破壊する．その結果，広範囲にわたってドナー組織内で血管内血栓と血管炎が発生し，ドナー組織全体が虚血性壊死に陥る．グラフトは機能しないため，ただちに摘出する必要がある．抗ドナー抗体は術前にスクリーニングされるので，超急性拒絶反応を起こすような組み合わせの移植を事前に回避するか，術前の処置によって予防できるようになった．そのため，超急性拒絶反応を経験することは，ほぼなくなっている．

急性拒絶反応は，移植後数日以後から数カ月以内に起こる拒絶反応を指す．組織学的には線維化による構造変化を伴わない拒絶反応を指す．T細胞関連型拒絶反応と，抗体関連型拒絶反応の両方が起こりうる．

T細胞関連型拒絶反応 T-cell mediated rejection は，肝臓移植で最もしばしば経験される．臨床的には，通常移植後数カ月以内に起こる急性拒絶反応として認められる．肝臓移植においては，門脈域へのTリンパ球を主体とした炎症細胞浸潤が著しく，胆管上皮への炎症性傷害や門脈内皮の炎症性傷害をきたす（**図1**）．門脈域へのリンパ球浸潤は慢性肝炎などほかの肝障害と異なり，肝細胞への炎症細胞浸潤の波及（インターフェイス肝炎）は目立たないことが多い．腎臓移植の場合は，間質や尿細管上皮を主体とした炎症細胞浸潤が認められる（**図2**）．高度になると場合，動脈内膜炎を呈する．

抗体関連型拒絶反応 antibody-mediated rejection では，抗体が血管内皮に結合することによって補体の活性化，血栓形成が起こる．HE染色では，血管内皮の腫大，血管内腔での好中球やマクロファージの浸潤が認められる（**図3，4**）．また，血管壁で補体が活性化したことを反映して，血管壁において補体分解産物（C4d）の沈着が認められる（**図5**）．

慢性拒絶反応 chronic rejection は，臨床的に移植後数カ月から数年して出現するグラフト傷害として認められる．T細胞関連型と抗体関連型のいずれの結果としても出現する．共通しているのは，グラフト組織の線維化であり，非可逆的な変化と考えられる．肝臓では，臨床的に胆汁うっ滞による高ビリルビン血症が認められる．組織学的には胆管の消失や，中心静脈の線維性閉塞が特徴的である（**図6**）．腎臓では，腎機能障害，持続的なDSAの出現に加えて尿細管周囲毛細血管基底膜の肥厚（電子顕微鏡的には多層化）などが認められる．固形臓器移植に共通する慢性拒絶反応の終末像として，閉塞性動脈症がある．増殖した平滑筋，あるいは泡沫状組織球の浸潤により血管内腔の狭窄をきたす（**図7**）．心臓移植の場合，心臓への神経支配が切断されているため，慢性拒絶反応により冠動脈の狭窄が起こっても狭心症の症状がなく，突然死の原因となりうる．

3．鑑別診断

移植後の合併症には拒絶反応以外にさまざまな原因がある．拒絶反応の場合とそれ以外では治療法がまったく異なってくる．そのため拒絶反応とそれ以外のグラフト傷害の鑑別に移植臓器の針生検による病理診断が重要となる．腎臓移植の場合，免疫抑制薬による細動脈傷害やポリオーマウイルス感染症などが鑑別にあがる．肝臓移植では，感染症のほか，手術後の血管・胆管狭窄，脂肪性肝疾患などが鑑別にあがる．

4．造血幹細胞移植

造血幹細胞移植は，主としてレシピエントの造血不良を回復させることを目的に行われる．同種移植の場合は，ドナーのT細胞がレシピエントの組織を攻撃する免疫応答が起こり，これを移植片対宿主病 graft-versus-host disease（GVHD）

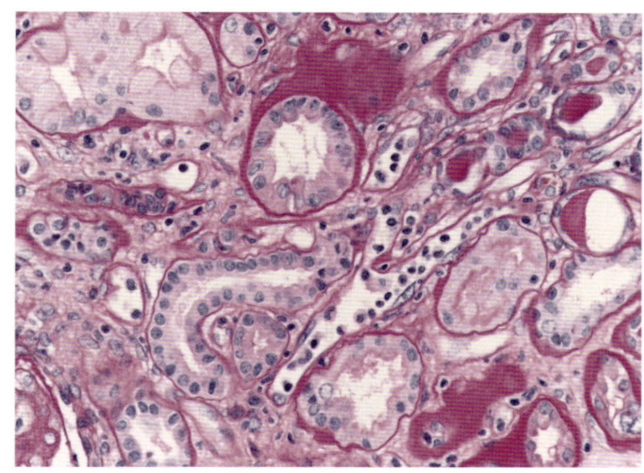

図3 腎臓の抗体関連型拒絶反応（抗 DSA 抗体による）．尿細管周囲の毛細血管内に炎症細胞浸潤を認める．強拡大

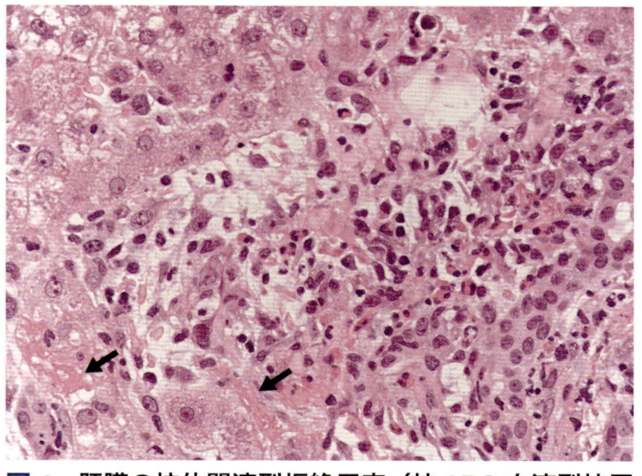

図4 肝臓の抗体関連型拒絶反応（抗 ABO 血液型抗原抗体による）．胆管周囲の好中球浸潤，血栓（⬆）を認める．強拡大

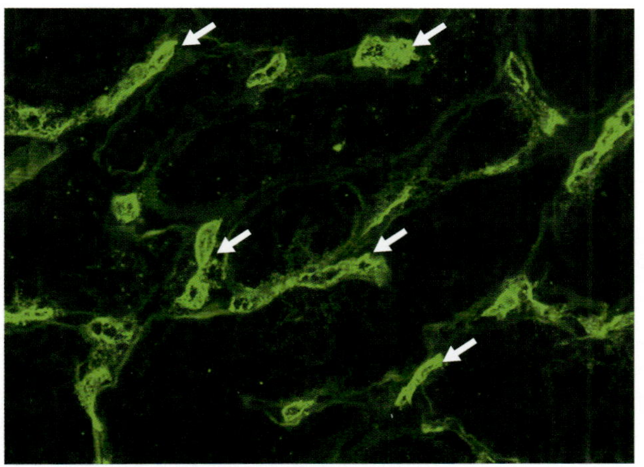

図5 腎臓の抗体関連型拒絶反応．尿細管周囲の毛細血管内皮に補体分解産物の沈着（⬆）を認める．C4d に対する免疫染色．強拡大

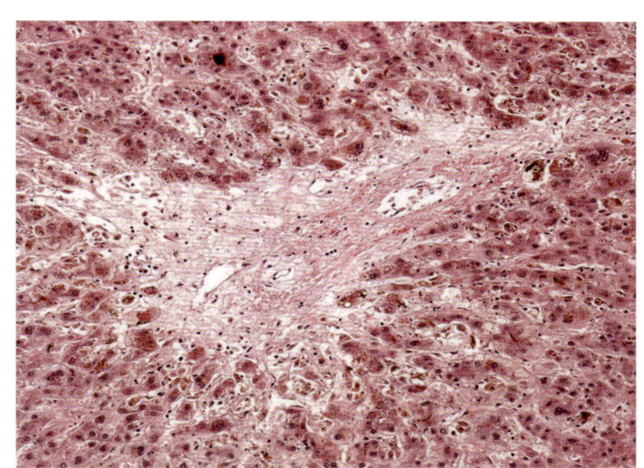

図6 肝臓の慢性拒絶反応．中心静脈の線維化と周囲肝細胞の脱落．中拡大

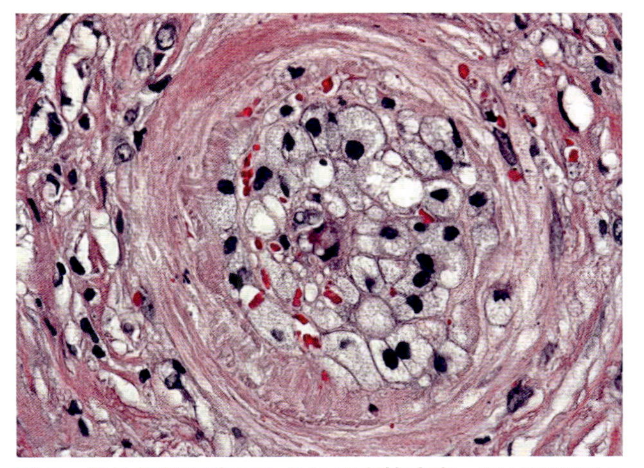

図7 慢性拒絶反応にみられる血管病変．泡沫状組織球の浸潤により動脈が閉塞している．強拡大

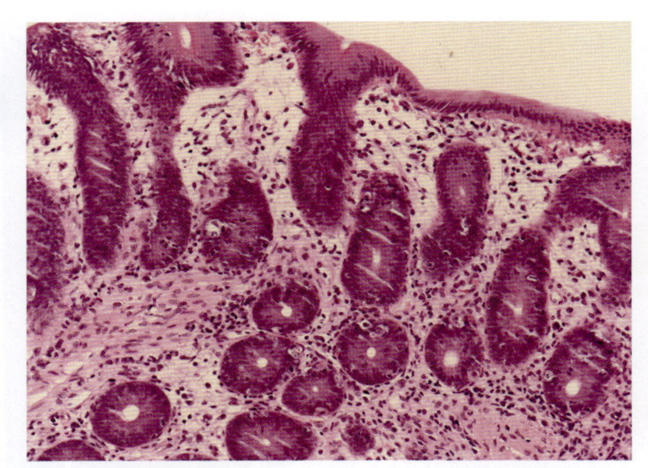

図8　腸管 GVHD．陰窩にアポトーシスがみられる．中拡大

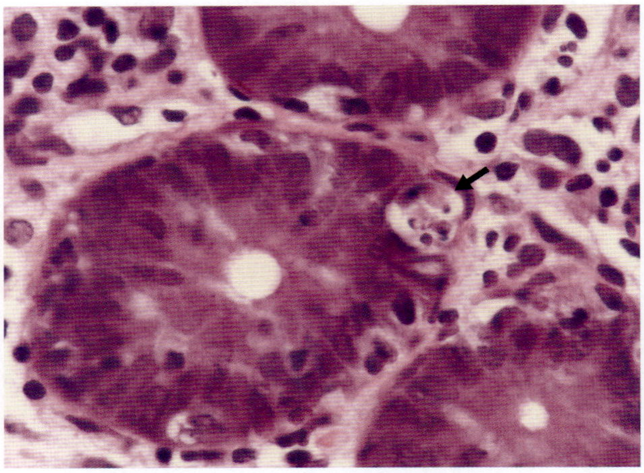

図9　同前．アポトーシス（⬆）の拡大像．強拡大

とよぶ．造血幹細胞移植では，できるだけドナーとレシピエントのHLAが適合した組み合わせを選ぶことによって，GVHDを回避する．固形臓器移植では，HLAの一致したドナーが得られることはほとんど期待できないため，適切な免疫抑制薬の使用などで拒絶反応を回避する．

原理的にはレシピエントのほとんどの細胞がGVHDによる攻撃対象となるが，臨床的には肝臓，皮膚，腸管，肺といった臓器傷害が特に問題となる．おおむね移植後100日以内の発症を急性GVHDとよび，数カ月にわたって遷延して臓器傷害をきたすものを慢性GVHDとよぶ．組織像は，それぞれの臓器におけるT細胞関連拒絶反応とほぼ同一で，細胞浸潤はより少ない傾向がある．GVHDは造血幹細胞移植だけでなく，まれには肝臓移植（臓器内にリンパ球を多く含んでいる）や，放射線照射を行っていない新鮮血を輸血した際にも起こることがある．

急性GVHDでは，皮膚においては表皮細胞の壊死により，全身性の発疹をきたす．腸管では，陰窩のアポトーシスが特徴的である（**図8，9**）．肝臓では，胆管の破壊による黄疸が出現する．

慢性GVHDでは，全身硬化症に類似した皮膚病変，シェーグレン Sjögren 症候群に類似した口腔内病変（唾液腺の破壊による）など自己免疫疾患に類似した症状が出現する．肝臓では，胆管消失による肝不全にいたることがある．また肺では細気管支の上皮が脱落して細気管支が閉塞した状態となり，閉塞性気管支炎 bronchiolitis obliterans（BO）にいたることがある．

急性GVHDでは，薬物性傷害のほか，ヒトヘルペスウイルス6型，サイトメガロウイルス，エプスタイン・バー（EB）ウイルスなどのウイルス感染症が鑑別にあがる．治療の決定には生検による組織診断に加えて，種々の感染症のモニタリングが欠かせない．

第15章

細胞診

概　説

1. 対象細胞の種類

細胞診の検体は大きく分けて，剥離細胞と新鮮細胞を対象としている．剥離細胞には，検体採取前にすでに生体組織から離れている細胞が含まれ，子宮頸腟部スメア，尿，胸・腹水，脳・脊髄液，喀痰，胆汁などがある．一方，新鮮細胞には，生体組織から直接採取された細胞が含まれ，唾液腺，甲状腺，乳腺，リンパ節，消化器，脳，軟部組織などの病変で行われる穿刺吸引材料，子宮頸部・体部，気管支，口腔などの病変で行われるブラシ擦過材料や，手術時の迅速診断などで併用される病変組織の捺印・圧挫標本などでみられる細胞がある．

これらの剥離細胞による細胞診では，変性や集塊の変形がみられることが多く，表層の剥離した細胞が採取される傾向があり，実際の構成比率とは異なることに注意する必要がある．また，表面に存在する細胞，剥離しやすい細胞ほど採取細胞量が多い．一方，新鮮細胞の細胞診では，変性が乏しく，細胞間の形態的な差が少ない特徴があるが，採取法による影響を受けやすい．

出現細胞の比率は実際の構成比率とほぼ同じ傾向があり，細胞集塊は組織構築をそのまま反映していることが多い．細胞診の検体は，薄切標本と違い，厚みのある細胞集塊を観察することが多いため，顕微鏡のピントを動かし，対象となる細胞や背景などにフォーカスを合わせ観察することが重要である（**図1**）．

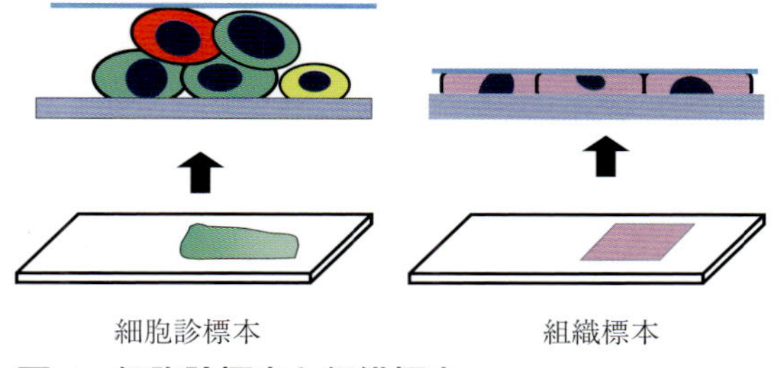

図1　細胞診標本と組織標本

2. 固定と染色

パパニコロウ（Pap）染色，PAS染色，免疫細胞化学的染色では湿固定標本を用いるために，95%エタノールで固定する．最近では，液状化検体細胞診 Liquid based cytology（LBC）も広く用いられ，特殊な保存液で固定し，全自動塗抹装置での標本作製も行われている．保存液中の細胞は遺伝子検査などにも応用が可能である．細胞が重積した細胞集塊の観察に適しており，核クロマチン分布の所見の観察に有用である．

細胞内骨格などの細胞質内物質が乏しい細胞は分子量の大きいライトグリーンに好染し，細胞質内物質の豊富な細胞や変性細胞は分子量の小さいオレンジGで染色される．角化変性細胞の目立つ角化型扁平上皮癌細胞はオレンジGで染色され，重厚感や光輝性を示し，腺癌細胞は細胞内粘液などのため核が偏在する傾向とともにライトグリーンに好染する．

メイ・ギムザ May-（Grünwald-）Giemsa（M-G）染色などでは乾燥固定を用い，リンパ腫や血液疾患などの診断に汎用される．M-G染色は核や細胞質内の顆粒の観察に適しており，核は紫～赤紫色，細胞質は青色，細胞質顆粒は肥満細胞で濃紫青色，好塩基球は濃青色，好酸球は橙赤色，アズール顆粒は淡橙色を示す．粘液基質，軟骨基質，基底膜物質などは本来のギムザ染色の色調の青色や紫青色ではなく，赤紫色を示すため異染性 metachromasia（メタクロマジー）と称される特徴的な所見を呈し，診断に有用である．

また，体腔液・尿などの液状検体は，遠心分離を行い細胞収集し，塗抹標本のほか寒天やセルロースなどで凝固後，上記の固定やホルマリンで固定し，細胞ブロック cell block を作製し，HE染色，ギムザ染色などで診断する（**図2，3，表**

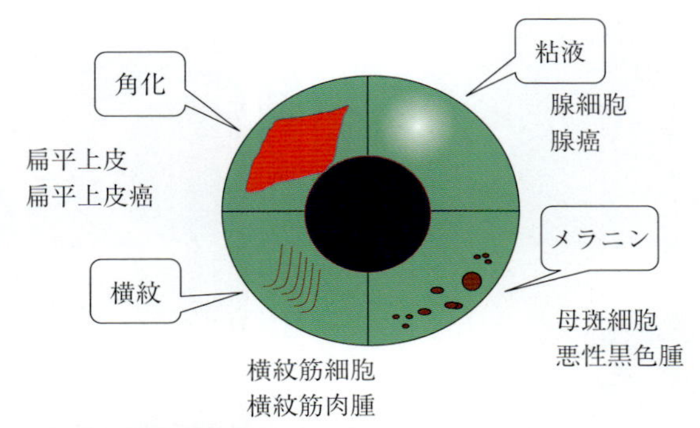

図2　細胞質はその細胞の分化を示す

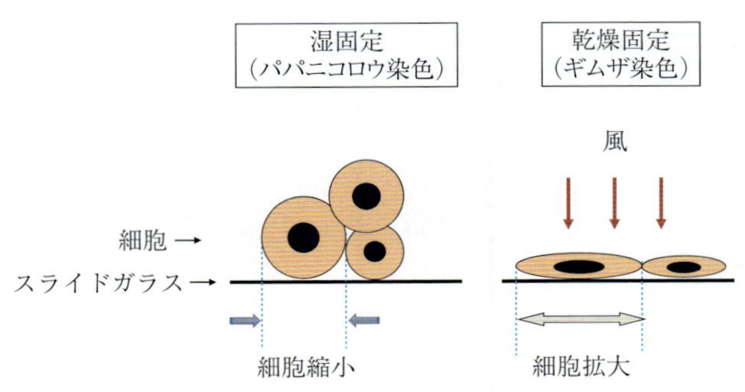

図3　固定による細胞の大きさの違い

表1　パパニコロウ染色とギムザ染色の違い

	パパニコロウ染色	ギムザ染色
固定	**湿固定**（95%エタノール）	**乾燥固定**
固定条件	均一	不均一
細胞剥離	多い	少ない
細胞の大きさ	**縮小**	**拡大**
細胞集塊	立体的，透明感あり	平面的
	内部構造観察可能	内部構造多少不明瞭
細胞質顆粒	観察困難	明瞭
異染性	なし	**優れている**
角化	**明瞭**	不明瞭
核クロマチン	**明瞭**	不明瞭
核小体	**明瞭**	不明瞭
核縁	**明瞭**	不明瞭
変性空胞	まれ	起こりやすい
血液細胞の同定	不適	**適している**
細胞外物質	不明瞭	明瞭

表2　乳腺の判定基準

●所見に関しては，判定した根拠を具体的に記述し，「検体不適正」についてはその判断理由を明記することとした
●また「乳癌取扱い規約」組織分類に基づき，可能な限り推定される組織型も記載することを推奨

検体不適正
　付記事項：本区分の占める割合は細胞診検査総数の10%以下が望ましい
検体適正
　正常あるいは良性
　鑑別困難
　　付記事項：本区分と占める割合は検体不適正症例の10%以下が望ましい
　悪性の疑い
　　付記事項：その後の組織学的検索で「悪性の疑い」の総数の90%以上が悪性であることが望ましい
　悪性

甲状腺領域などでもパパニコロウ分類に代わる新しい細胞診報告様式（甲状腺のBethesda system）が提唱されている．

1）．中皮腫を疑う場合では，塗抹標本や細胞ブロック標本を用いれば，診断や鑑別に必要な免疫細胞化学的染色にも応用可能である．

3．細胞判定と報告様式

細胞診の判定に関しては，わが国では長年にわたって細胞診の報告には1941年に発表されたパパニコロウのクラス分類が使われてきた．しかし，このパパニコロウ分類にはいくつかの問題点が指摘されてきた．たとえば，①細胞診は単なる分類ではなく，診断名であるべきである，②組織学的な診断名を反映していない，③非腫瘍性，炎症性疾患に対する診断名がない，④標本の適正評価に関する項目がない，⑤クラスIIIの再現性は低く，またその解釈は必ずしも一定ではない，などの問題点があった．

そこで，近年ではBethesda報告様式を基盤にした報告様式や判定，その他，欧米のパパニコロウ学会からの細胞病理に関するガイドラインなどを参考に，改善に向けての提起とともに，乳腺，甲状腺，肺などの穿刺吸引細胞診，尿や消化器領域では各種の癌取扱い規約などにも新たな細胞判定や報告様式が取り入れられてきた．

その内容は，①まず標本の評価を行う．そして，細胞判定できる場合，②組織学的診断名に対応する診断名（推定病変名）の記載，③精度管理の項目を有する，④所見の記載を十分にする，⑤良・悪性の鑑別困難な病変の判定，などからなり，細胞診の有用性とともに臨床的にも経過観察などの対応に則した内容となっている（**表2**）．

以下に，主要臓器の細胞診で重要な疾患について記載するが，組織像や臨床像を想定し，診断することが重要であり，それらについては，各疾患の項目の写真や内容を参考にしていただきたい．

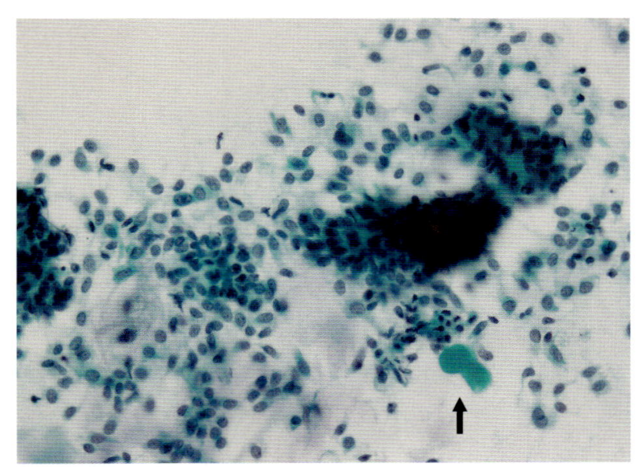

図4　多形腺腫．粘液間質を背景に，ライトグリーン好性の硝子様物質がみられる（⬆）．腫瘍性の筋上皮細胞が集塊状，散在性に認められる．核は小型で異型に乏しく，細胞質は淡明である．耳下腺穿刺吸引，Pap，強拡大

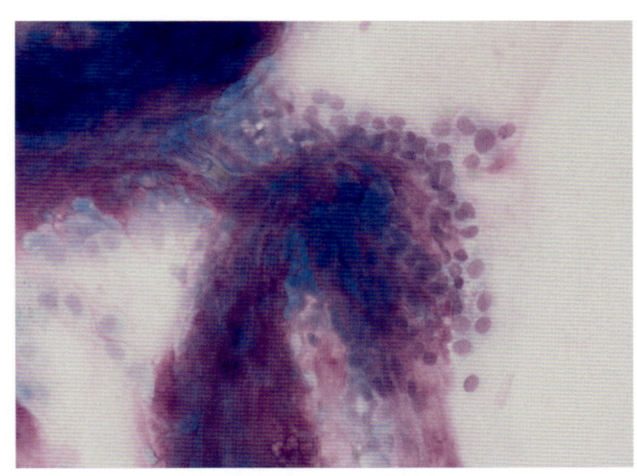

図5　同前．ギムザ染色で異染性を示す間質粘液を取り囲むように腺細胞がみられる．耳下腺穿刺吸引，ギムザ，強拡大

最も発生頻度の高い唾液腺腫瘍で，穿刺吸引細胞診の対象となることが多い．Pap染色では，透明感のあるライトグリーンの間質性粘液を背景に，紡錘形，星芒状，類上皮様，形質細胞様，リンパ球様，尾状，淡明などさまざまな形態を呈する筋上皮系細胞が粘液中に散在性，孤在性に認められる．上皮性集塊の腺管成分は上皮性集塊内の辺縁に，オレンジG陽性の無定形の分泌物を伴ってみられるが，この腺管成分の確認は困難なことも多い．

筋上皮細胞は，上皮細胞状，類円形，多辺形～紡錘形など多様な形態を示し，通常細胞質は淡明で核は小型で異型に乏しく，核クロマチンの増量はみられない．間質性粘液中に散在する多彩な筋上皮系細胞や軟骨成分が確認されれば，多形腺腫と診断可能である．形質細胞様の筋上皮細胞は，その特徴的な形態から筋上皮細胞の同定に有用である（**図4**）．軟骨成分は唾液腺腫瘍のなかでは多形腺腫に特異的であり，それが出現した場合は診断的価値が高い．その他，筋上皮細胞として，脂肪細胞様細胞や奇怪な大型細胞が存在することがある．ギムザ染色では，強い異染性を示す間質性粘液を伴い，緩い結合を示す上皮性細胞集塊がシート状，腺管状に出現し，診断に有用である．

多形腺腫の細胞診断は，その典型例においては比較的容易であるが，多様な組織像を反映して，ときにほかの腫瘍との鑑別が問題となる．多形腺腫の細胞診断にあたっては，細胞像の多彩性を念頭におくとともに，間質性粘液の検出に有用なギムザ染色を併用し，また腫瘍の複数箇所から穿刺検体を得ることが望ましい（**図5**）．

【細胞診の判定区分】　良性（良性腫瘍）

【鑑別診断】　間質成分が豊富な多形腺腫では，間質性粘液や基底膜様物質が粘液球・硝子球様構造として出現し，また類基底型細胞がみられることがあるため，腺様嚢胞癌や基底細胞腺腫との鑑別が重要である．

腺様嚢胞癌では核/細胞質（N/C）比大で，核クロマチンに富む類円形核を有する比較的均一な腫瘍細胞が，粘液球にまとわりつくように存在し，ときに核小体を認める．**基底細胞腺腫**でも硝子球が出現することがあるが，それは小型で少数である．基底細胞腺腫では，細胞のほつれが少なく，異染性を示す膜様の縁取りを伴った結合の強い上皮性集塊が特徴的である．

筋上皮腫でも筋上皮系細胞と間質性粘液が認められるため，多形腺腫との鑑別がしばしば困難であるが，筋上皮腫の定義が筋上皮細胞のみが出現する腫瘍であるため，細胞診のみでは本来診断困難であるが，比較的均一な筋上皮系細胞が多数出現する傾向がある．

また，明らかな異型細胞が出現する場合は，多形腺腫由来癌，癌肉腫，筋上皮癌などとの鑑別が必要である．

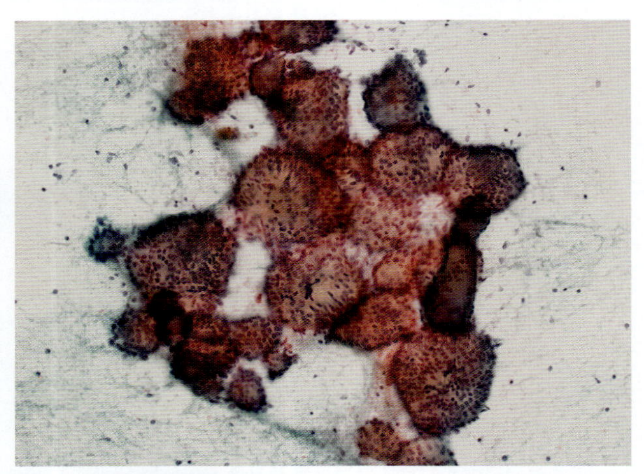

図 6　腺様囊胞癌（篩状型）．大小不同を示す粘液球を腫瘍細胞が取り囲み，篩状やボール状集塊で出現している．背景では裸核状の腫瘍細胞も認められる．耳下腺穿刺吸引，Pap，弱拡大

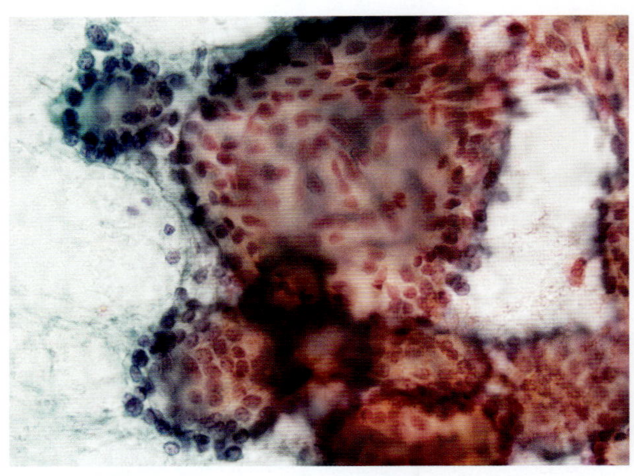

図 7　同前．異型に乏しい類円形の核を有した腫瘍細胞は，小型均一で，粘液球を取り囲んでいる．耳下腺穿刺吸引，Pap，強拡大

細胞診では，一般的に細胞量が多く，腫瘍性筋上皮細胞を主として，基底細胞，導管上皮細胞も採取される．これらの細胞が粘液性の背景に，細胞集塊と孤立散在性の裸核状腫瘍細胞として認められる．

腫瘍性筋上皮細胞は比較的小型で，増量した核クロマチンと少量の細胞質を有し，基底細胞に類似する．核は類円形～短紡錘形，均一で，大小不同や核形不整は目立たず，細胞異型に乏しい．ときに核小体を認める．これらの腫瘍細胞がギムザ染色で異染性を示す球状の粘液様物質（いわゆる粘液球または硝子球）を取り囲むよう，まとわりつくように配列している．これは篩状型の腺様囊胞癌にみられる偽囊胞を反映した細胞像であり，腺様囊胞癌にきわめて特徴的な所見である（**図 6，7**）．充実型ではシート状の細胞集塊を認め，背景に壊死を伴うことがある．また，臨床的には，耳下腺などに好発し，神経浸潤を認めることがある場合，痛みを伴い診断の有用な情報となる．

【細胞診の判定区分】　悪性

【鑑別診断】　基底細胞腺腫，多形腺腫，上皮筋上皮癌，基底細胞腺癌，多形低悪性度腺癌，筋上皮腫などの粘液球や硝子球が出現する腫瘍が鑑別にあがる．

多形腺腫では，結合性のよい腺管様配列を示す細胞と軟骨様の間葉系間質成分が出現する．**基底細胞腺腫**や**基底細胞腺癌**では，硝子球は一般に小型で，大きさも均一であり，細胞集塊辺縁の柵状配列が特徴的であるが，腺様囊胞癌とは細胞形態はよく類似しており，鑑別困難なことも多い．**多形低悪性度腺癌**では，豊富な細胞質を有する細胞や偽乳頭構造を示す集塊が出現する．また，多形低悪性度腺癌が大唾液腺に発生することはまずないので，臨床的情報が重要であり，細胞診では鑑別の難しいことが多い．**上皮筋上皮癌**の腫瘍細胞は概して腺様囊胞癌よりも大型で，この腫瘍では明瞭な二相性配列構造が認められる．**筋上皮腫**では細胞が紡錘形の形態を示すことが多い．

唾液腺導管癌も癌としては鑑別にあがるが，壊死とともに多形性のある大型類円形核を有する異型腫瘍細胞が出現し，粗顆粒状核クロマチンと明瞭な核小体を数個認めるため，概して鑑別可能である．**腺房細胞癌**では多彩な増殖パターンや細胞がみられ，正常の腺房-導管構造を呈さない均一な異型腺房型細胞と空胞化細胞を認めることが多い．**粘表皮癌**では粘液産生細胞，類表皮細胞，中間型細胞などが種々の割合で混在し，しばしば囊胞形成がみられるが出現細胞が異なり鑑別は可能である．

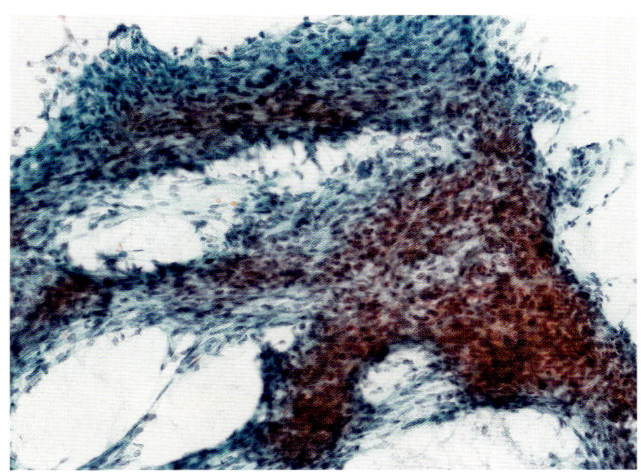

図 8　胃腸管間質腫瘍．紡錘形の腫瘍細胞は細胞量が豊富で，一部重積性を示す．束状，流れるように配列している．腫瘍擦過塗抹，Pap，弱拡大

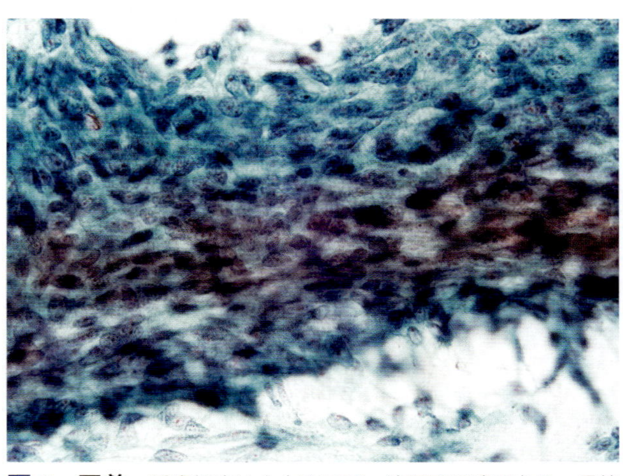

図 9　同前．腫瘍細胞は大小不同で，境界不明瞭である．長楕円形～類円形の核を有し，粗大濃染顆粒状の核クロマチンがみられる．核分裂像は目立たない．腫瘍擦過塗抹，Pap，強拡大

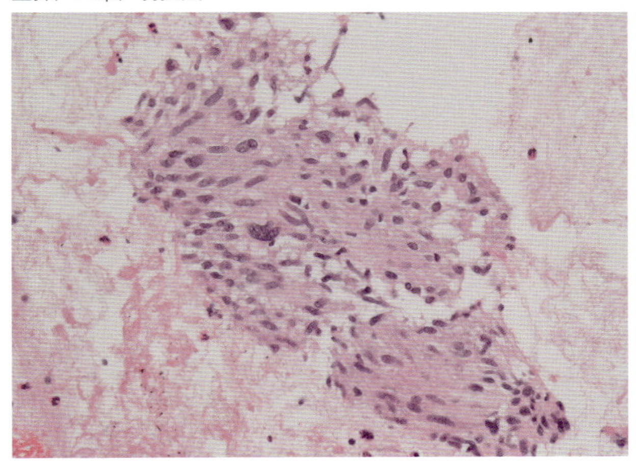

図 10　胃腸管間質腫瘍（別症例）．フィブリンを伴う血液成分とともに紡錘形細胞集塊がみられる．核異型は軽度で，核分裂像は目立たない．穿刺吸引（Fine needle aspiration：FNA），HE，強拡大

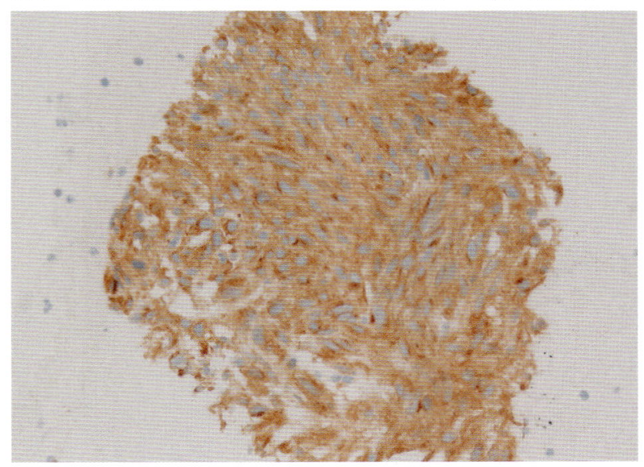

図 11　同前．腫瘍細胞は，びまん性に c-kit，DOG1，CD34 陽性であった．FNA，免疫染色（c-kit），強拡大

胃腸管間質腫瘍（GIST）では種々の結合性を示す紡錘形～多稜形の細胞集塊がみられ，多くの検体はきれいな背景で，炎症細胞や破壊物は少ない．細胞量の豊富な検体では腫瘍細胞がシート状や束状，流れるような配列，散在性でみられ，一部で重積性を示す．核は長楕円形～類円形，ねじれや切れ込み，大小不同，不整を認め，核縁は薄く極性はない．細胞質はライトグリーン淡染性で線維状，細胞境界は不明瞭で，粗大濃染顆粒状の核クロマチンがみられる（**図 8，9，10**）．細胞像のみから紡錘形細胞の由来を推定することは困難で，診断確定には免疫染色の併用が必要である．大型の核小体の出現や核の腫大，細胞の多形性が目立つ場合は，高リスク GIST やほかの肉腫との鑑別が必要となる．

【細胞診の判定区分】　鑑別困難から悪性

【鑑別診断】　紡錘形細胞型では平滑筋腫や神経鞘腫，solitary fibrous tumor，平滑筋肉腫などが鑑別にあげられるが，細胞診では，紡錘形細胞腫瘍，鑑別困難と判定し，所見を記載する．

類上皮型ではカルチノイド，低分化腺癌や癌肉腫，転移性病変などの腫瘍と鑑別が必要である．明らかな細胞内小腺腔などの腺癌としての分化傾向や高度の異型がみられる場合は低分化腺癌などとの判定が可能であるが，判定困難なことも多く，最終的には c-KIT，CD34，DOG-1，Ki-67 などの免疫染色での検討が必要である（**図 11**）．また，異所性膵が粘膜下腫瘍として穿刺されることがあるが，異型のない小さな核と顆粒状の細胞質を有した腺房細胞や導管細胞がみられ，鑑別可能である．

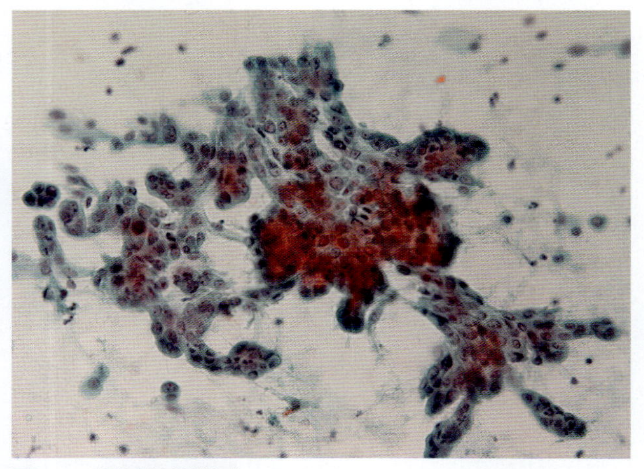

図 12　浸潤性膵管癌．壊死背景とともに核の重積性，細胞のシート状配列や不整な腺管様・乳頭状集塊がみられる．超音波内視鏡ガイド下穿刺吸引（EUS-FNA），Pap，中拡大

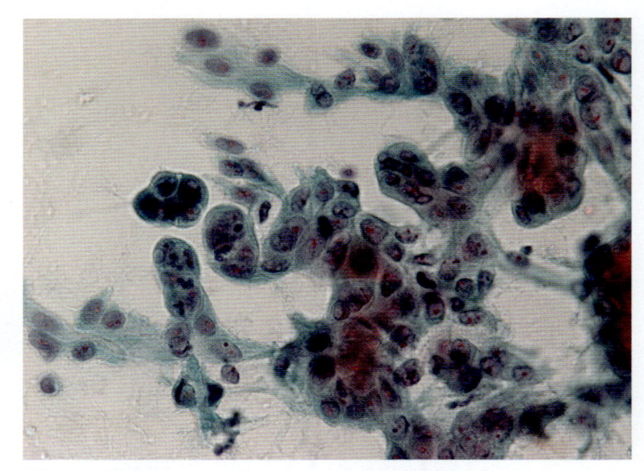

図 13　同前．核の大小不同，核間距離不整がみられる．EUS-FNA，Pap，強拡大

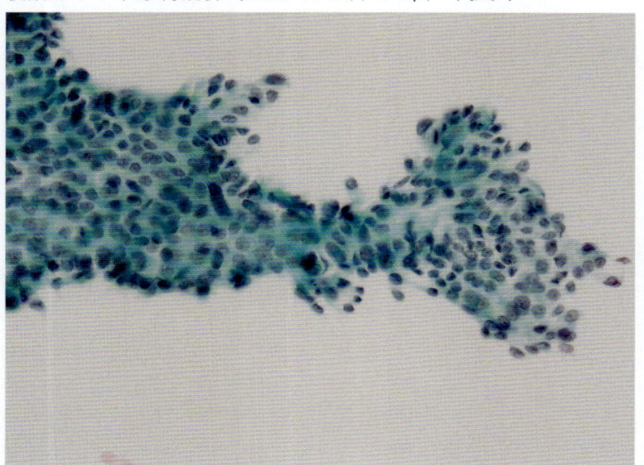

図 14　浸潤性膵管癌（高分化型）．辺縁が円滑でない細胞集塊を認める．集塊では柵状，一部花冠状の配列や核の突出がみられる．核は大小不同，核間距離不均等である．EUS-FNA，Pap，強拡大

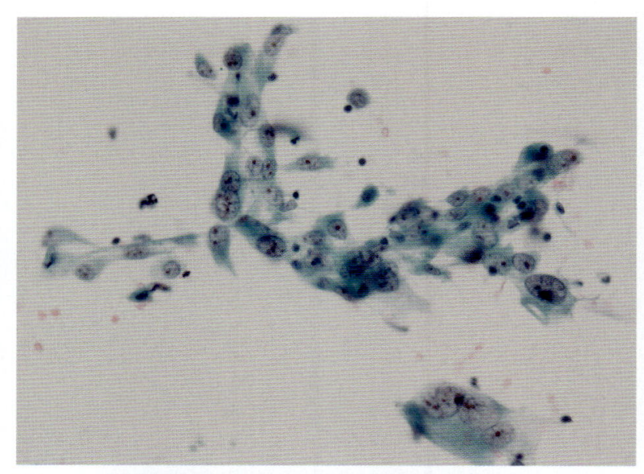

図 15　浸潤性膵管癌（中分化～低分化型）．結合が緩く，大小不同の核は核形不整で核小体の明瞭化もみられる．核クロマチンは，微細顆粒状である．EUS-FNA，Pap，強拡大

浸潤性膵管癌では高分化や中分化腺癌の頻度が高く，また，低倍率では一見，細胞異型が弱くみえるものが少なくない（**図 14**）．標本上では細胞異型が弱くみえる細胞集塊とともに細胞や核の重積性，シート状配列とともに不整な腺管様構築，核の大小不同，核間距離不整，核小体の明瞭化，核が細胞辺縁に突出する傾向や核クロマチンの粗造化など腺癌の特徴を示す細胞が同時に出現していることが多い（**図 12，13，15**）．これらの細胞集塊や異型性の移行所見に注意する必要がある．異型が高度の浸潤性膵管癌では，壊死性背景や炎症背景がみられる．また，膵管癌の variant には腺癌や扁平上皮癌の成分を伴う腺扁平上皮癌，粘液の中に腺癌細胞が浮遊する形態を呈する粘液癌 mucinous carcinoma や高度の大型異型癌細胞などが出現する退形成癌 anaplastic carcinoma などが含まれる．

【細胞診の判定区分】　陽性あるいは悪性

【鑑別診断】　浸潤性膵管癌の高分化腺癌がシート状に出現する場合，反応性上皮や軽度異型性の病変と診断されてしまうことがあり，高倍率での観察の必要性とともに，このような病変に関する注意や採取法の異なる標本の観察にも慣れておくことが重要である．

また，膵管癌と判定され，臨床的に膵管の拡張や十二指腸から粘液排出があるときや嚢胞性病変の場合には，intraductal papillary mucinous neoplasm（IPMN）や mucinous cystic neoplasm（MCN）由来病変の可能性を考慮する必要があるが，細胞診のみで通常型浸潤性膵管癌，IPMN 由来浸潤癌，MCN 由来浸潤癌を鑑別することは困難である．

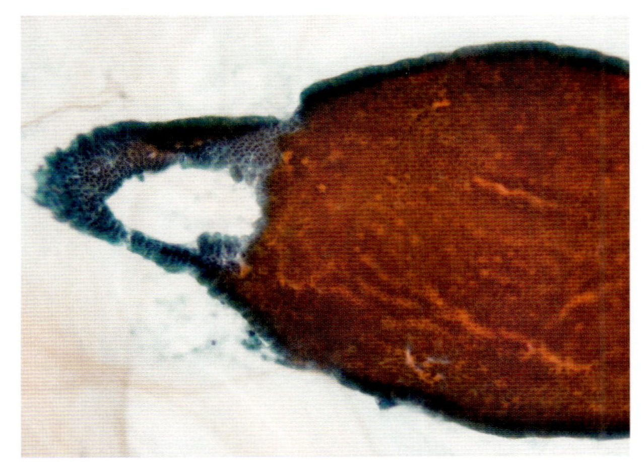

図 16　膵管内乳頭粘液性腫瘍（低異型度 IPMA）．粘液を背景に，胃の腺窩上皮に類似した細胞内に粘液を含む大型の乳頭状やシート状の細胞集塊がみられる．膵液，Pap，弱拡大

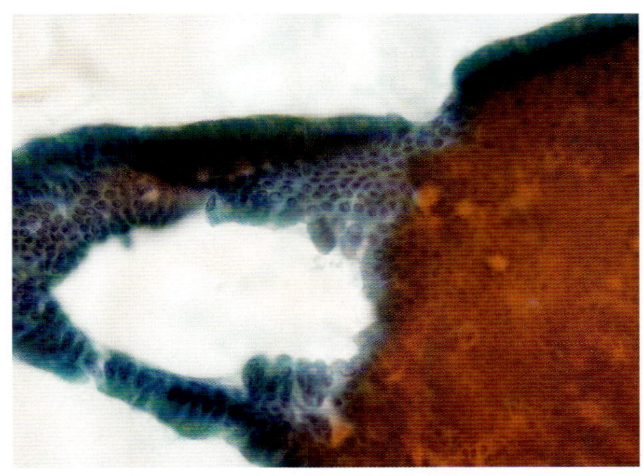

図 17　同前．細胞集塊の結合性は強く，核間距離は比較的均一で核は基底側に配列する傾向を示し，核の大小不同や核クロマチンの増量は軽度である．膵液，Pap，強拡大

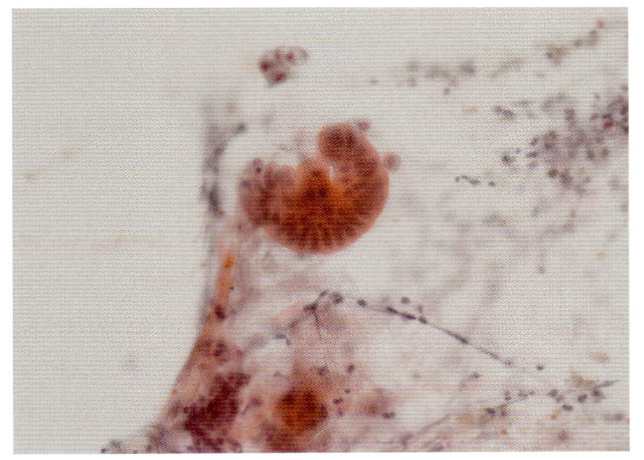

図 18　管内乳頭粘液性腫瘍（高異型度 IPMA または IPMC 相当）．粘液細胞は乏しく,小型細胞集塊で出現することが多い．PTCD 経肝的胆汁，Pap，弱拡大

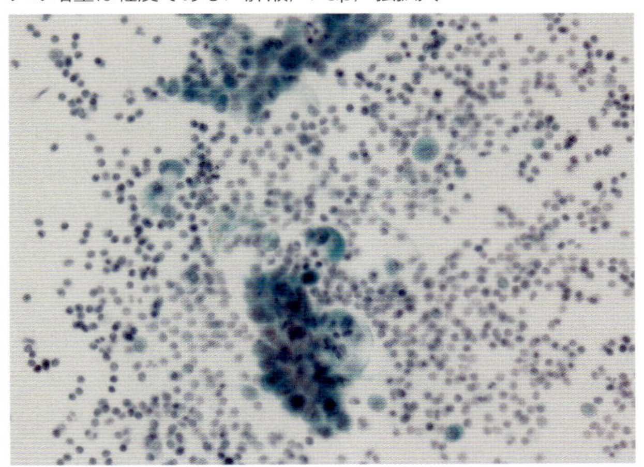

図 19　同前．細胞集塊辺縁からの核突出，核の重積性，大小不同，核形不整，核小体の明瞭化や核クロマチンの粗造化などがみられる．胸水，Pap，強拡大

膵管内乳頭粘液性腫瘍（IPMNs）では，膵管細胞は粘液性あるいは非粘液性高円柱状（胃型，腸型，肝胆型，好酸性型）を呈し，上皮の構造異型および細胞異型の程度により，腺腫 intraductal papillary mucinous adenoma（IPMA），腺癌 intraductal papillary mucinous carcinoma（IPMC）-非浸潤性や（IPMC）-浸潤性に分類する．

一般的に粘液を背景に，粘液を細胞内に有し異型性の乏しい大型の乳頭状細胞集塊からなる腺腫から核の重積性，核の大小不同，核形不整，核小体の明瞭化，核が細胞集塊辺縁に突出する傾向や核クロマチンの粗造化などを示す腺癌まで，種々の異型を呈する細胞が出現する．膵液細胞診では，出現している一番異型の強い細胞をもって，異型度を判定する．一般的に低異型度 IPMA では粘液産生は豊富で大型集塊が主体を占め，高異型度を示す IPMA や IPMC では粘液細胞は乏しく小型集塊が主体をなすことが多い（**図 18，19**）．低異型度 IPMA の多くは粘液細胞で構成される胃型が主体を占め（**図 16，17**），高異型度 IPMA や IPMC には胆膵型が多い．また，腸型 IPMN では，大腸腺腫のように紡錘形の核を有する高異型度病変を呈することが多く，IPMC-浸潤性病変では粘液癌の形態を示す．細胞質が好酸性顆粒状の好酸性型 IPMN もある．

【細胞診の判定区分】　陰性/良性（negative/benign）から陽性/悪性まで，細胞異型により判定される．

【鑑別診断】　IPMN の細胞診断で最も重要なことは，高異型度 IPMA や IPMC の細胞を見落とさないことである．癌の判定ができても，明らかな壊死などの浸潤を示唆する所見がない場合，IPMC-非浸潤性と浸潤性の鑑別は困難である．また，IPMN 由来癌と通常型膵管癌などを細胞診のみで判定することはできない．

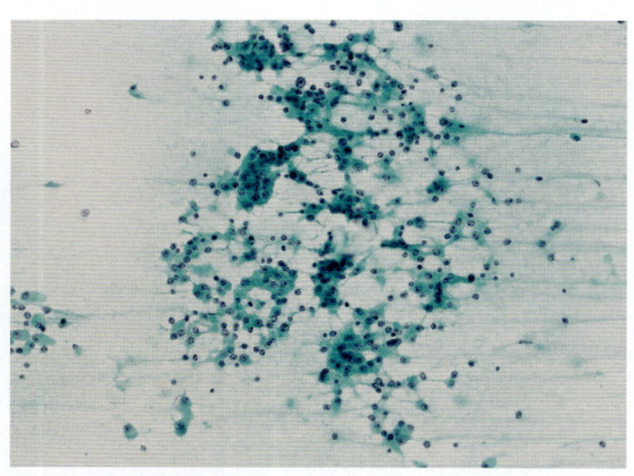

図 20　神経内分泌腫瘍（膵島腫瘍）．腫瘍細胞は小型～中型で一様．単調な類円形核を有する細胞が出現する．細胞質は比較的豊富で，微細顆粒状，ロゼット形成，索状配列や疎な結合性を示す．EUS-FNA，Pap，中拡大

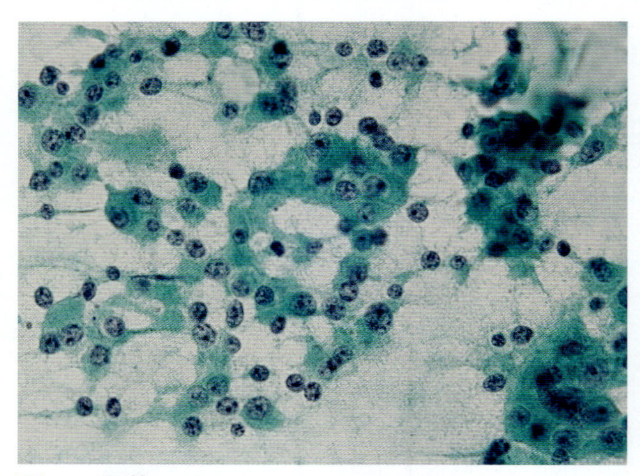

図 21　同前．核縁は平滑で，核クロマチンは凝集し，ゴマ塩状や粗顆粒状と表現される．形質細胞様の偏在性核を示す細胞や集塊周囲では，裸核状細胞もみられる．EUS-FNA，Pap，強拡大

神経内分泌腫瘍（NET）　細胞診の役割としては，NETの特徴を示す細胞形態かどうかの判定が重要となる．NETでは，腫瘍細胞は小型～中型で一様，単調な類円形核を有する細胞が血管間質とともに出現し，微細顆粒状の比較的豊富な細胞質が特徴である．疎な結合性を示すことが多く，ロゼット形成や索状，充実胞巣状配列，インディアンファイル状配列などの組織像を反映した多彩な細胞配列を示し，塗抹時には裸核状になりやすい．核縁は平滑で，組織像と同様のごま塩状とされる砂粒状，粗顆粒状の核クロマチンの凝集を認め，形質細胞様の偏在核を示すこともある（**図 20，21**）．多形性は種々の程度にみられるが悪性度との相関はなく，核小体の大きさもさまざまである．背景にアミロイドがみられる場合はインスリノーマの可能性があり，壊死や核分裂像が目立つ症例は**神経内分泌癌** neuroendocrine carcinoma（NEC）の可能性を考慮する必要がある．NECは非常に頻度が低く，細胞像は肺の小細胞癌，大細胞内分泌癌に類似する．

【細胞診の判定区分】　悪性の疑い/低悪性度以上

【鑑別診断】　典型的な細胞所見を示す**腺房細胞癌** acinar cell carcinomaでは，顆粒状の細胞質，異型の強い核や明瞭な核小体がみられ，腺房構造やロゼット様形態が特徴的である．また，**solid-pseudopapillary neoplasm**（SPN）は，血管間質とともに，核溝を有する類円形細胞やマクロファージの出現が特徴である．軽度の核クロマチン増量や軽度の異型性を呈する場合は，NETとの鑑別は可能であるが，細胞像のみではこれら類円形細胞からなる膵臓腫瘍の鑑別は困難なことも少なくない．そのため，塗抹標本や細胞ブロック cell blockなどを用いた各腫瘍に特異的なマーカーの免疫組織化学染色を行い，鑑別診断する必要がある．

NETの亜分類の診断は，組織標本上での増殖能に基づいた判定で分類されている．Ki-67標識率の評価を細胞診検体で実施することがあるが，手術検体での標識率とは一致しない場合も多い．細胞学的にNETとの鑑別困難なNECは悪性の疑い/低悪性度以上として報告し，異型が高度で壊死や分裂像が目立つなど細胞所見が明らかにNECの場合は，陽性/悪性（推定病変：NEC）とする．また，腺房細胞癌やSPNとの鑑別が難しい細胞像を呈することや，NETと腺房細胞癌が混在する症例もあり，細胞診では，悪性の疑い/低悪性度以上と判定し，年齢や性別などの臨床像とともに，免疫組織化学的染色や電顕的な検索を行う必要がある．

浸潤性乳管癌　組織構造により，乳頭腺管癌，充実腺管癌，硬癌の3型に分類される．

乳頭腺管癌：穿刺吸引細胞診像は，硬癌や充実腺管癌に比べ，病理組織像の組織亜型に由来する多彩な形態の細胞集塊がみられることが多い．乳頭腺管癌の面疱型では多量の壊死物質や石灰化を伴うことが特徴である．しかし，充実腺管癌や乳管内乳頭腫の一部にも壊死を伴うことがあり，注意が必要である．良性病変に比べ細胞結合性が弱いため，細胞集塊からのほつれを伴うこともあるが，孤立散在性となる腫瘍細胞はさほど多くはない．

乳頭腺管癌では組織型の多彩さに伴い，シート状，篩状，乳頭状，腺管状，低乳頭状，重積状，高円柱状配列など種々の形態で出現し，N/C比の増大，著明なクロマチン増量，大型核小体の出現など細胞異型が高度なことが多く，悪性の判定は容易である（**図 22**）．

充実腺管癌：細胞量が比較的多く，孤立散在性あるいは筋上皮細胞との二相性を欠く大小不同を示す不規則な重積性集

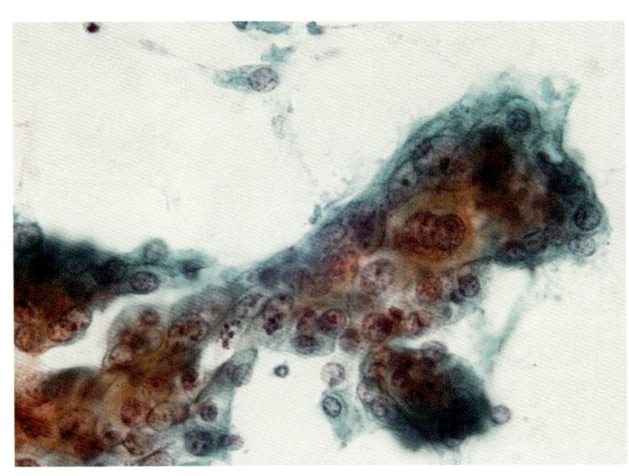

図 22 浸潤性乳管癌（乳頭腺管癌）．乳頭状，腺管状配列を示す重積性のある細胞集塊が出現する．N/C 比の増大，緊満感のある核は，核クロマチンが増量している．筋上皮細胞がみられない．FNA，Pap，強拡大

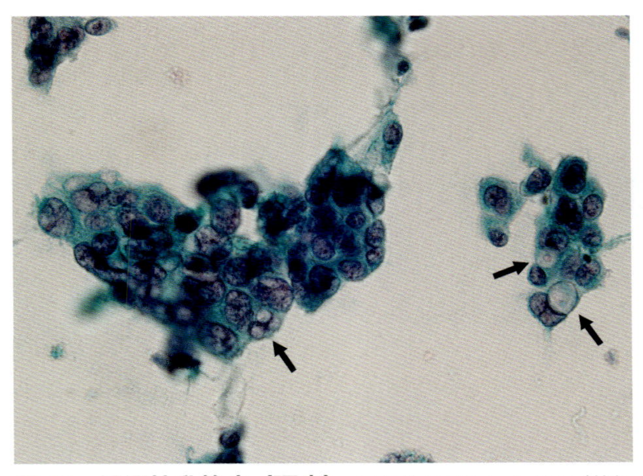

図 23 浸潤性乳管癌（硬癌）．二相性の消失したクサビ状細胞集塊がみられ，粗顆粒状の核クロマチンや細胞質内小腺腔（ICL）がみられることが多い（⬆）．FNA，Pap，強拡大

塊として出現する．壊死物質が出現する頻度は低い．大型の充実性癌胞巣が増殖の主体で間質結合組織が乏しい場合，結合性は疎となり不規則充実性の細胞集塊や孤立散在性の細胞が出現する．細胞質が豊富で核の偏在と明瞭な核小体を有する細胞や細胞質が乏しく裸核状の出現を示す場合や，核はN/C 比が高く円形～類円形を示し，核の大小不同や著明な核形不整がみられることがある．核クロマチンは顆粒状・密に増量し，大型の腫大した核小体を1～数個有することがある．

一般的に乳頭状，腺腔状細胞集塊辺縁のほつれ像とともに上皮細胞の二相性の消失，細胞異型などを手がかりとして悪性と判定するが，ductal carcinoma *in situ*（DCIS）では，二相性が保たれていることもあり，注意が必要である．また，乳管腺管癌のなかには，異型の乏しい小型腫瘍細胞で構成されるものがあり，診断に難渋することがあるが，このような症例ではN/C比増大，核クロマチン増量や核が突出する傾向などに着目することが大切である．

硬癌：組織像を反映し，細胞や核が周囲間質で圧排されるため癌細胞が1列に並ぶ線状配列（鋳型状），木目込み状，クサビ状（楔状（けつじょう））配列をすることが多い．粗網状～粗顆粒状の核クロマチンは増量し，N/C 比増大を示す腫瘍細胞の背景には間質成分がみられ，硬化性変化のため癌細胞の出現が乏しいことも特徴である（**図 23**）．乳頭腺管癌由来や充実腺管癌由来の硬癌では，それぞれの癌巣に特徴的な大小の細胞集塊とともに楔状構造や線状配列を認め，豊富な間質成分である膠原線維，脂肪成分を含む多彩な細胞像を示す．

【細胞診の判定区分】 悪性，鑑別困難と判定せざるをえない場合もある．

【鑑別診断】 乳頭腺管癌では，ほかの乳頭状構造を示す良性病変（乳管内乳頭腫，乳頭部腺腫など）との鑑別が特に重要である．**乳管内乳頭腫**では強い細胞結合性や血管性間質とともに腺上皮細胞と筋上皮細胞との二相性を認めることが特徴である．**乳頭部腺腫**では乳頭状集塊や腺管状集塊が混在し，二相性を認める．細胞増生が目立つ場合には，乳頭腺管癌が鑑別にあがることもあるが，乳頭あるいは乳輪下に生じる境界明瞭な腫瘤であるという臨床病理像を念頭におき，二相性を確認し判定することが重要である．乳管内乳頭腫などの良性病変でも，梗塞を伴うことがあり，その場合，壊死物質とともに変性した異型細胞が出現し，良・悪性の判定はきわめて困難となる．判定に足る確固たる異型細胞が確認できない場合には，「鑑別困難」とし，生検診断や画像所見と併せて評価することが必要である．

また，乳腺症に代表される**良性増殖性病変**は，多彩な細胞像を示し，しばしば硬癌との鑑別が必要となる．腺上皮細胞の異型の有無に加え，集塊周囲の筋上皮細胞の存在と二相性の観察が鑑別に有用である．

硬癌の重要な鑑別疾患として，**浸潤性小葉癌**があり腫瘍細胞の出現形式を観察することが重要である．硬癌の線状配列では，核が縦並びに配列し圧排された鋳型状所見がみられ，粗い核クロマチンがみられるが，浸潤性小葉癌では数珠状配列や孤立散在性の出現傾向や核小体を有した円形核，微細・繊細な核クロマチンが特徴的所見である．

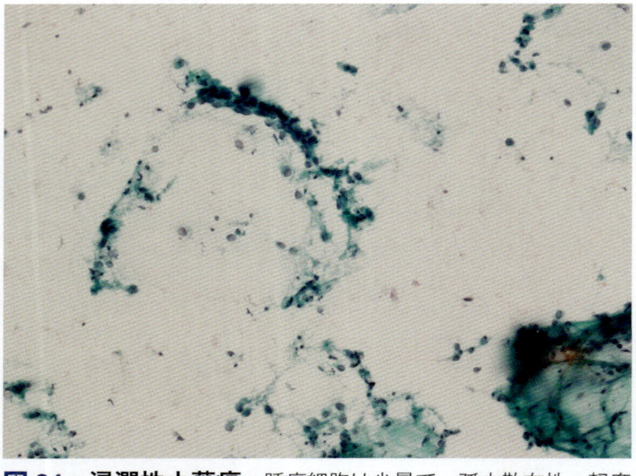

図 24　浸潤性小葉癌．腫瘍細胞は少量で，孤立散在性～軽度線状配列を示し，小型である．FNA，Pap，弱拡大

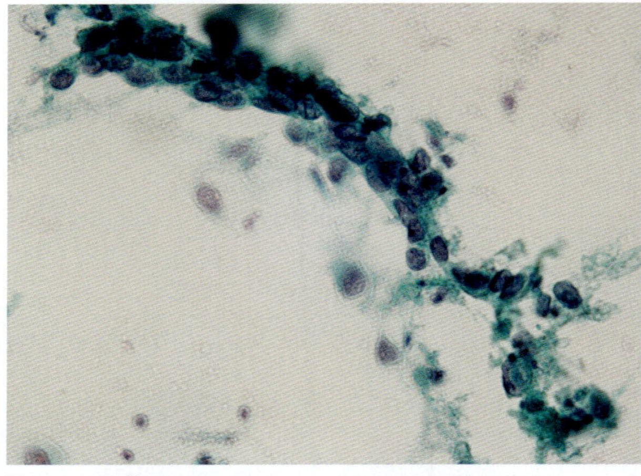

図 25　同前．N/C 比が高く，核の飛び出し像がみられる．細胞境界は不明瞭である．FNA，Pap，強拡大

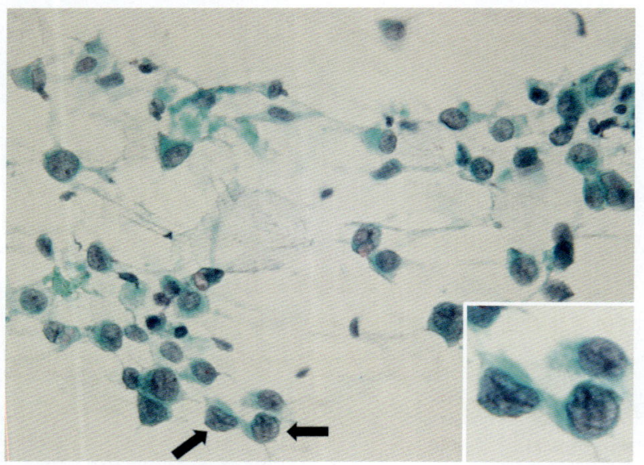

図 26　同前．腫瘍細胞は，核に切れ込みがみられる場合もある（⬆）．FNA，Pap，強拡大

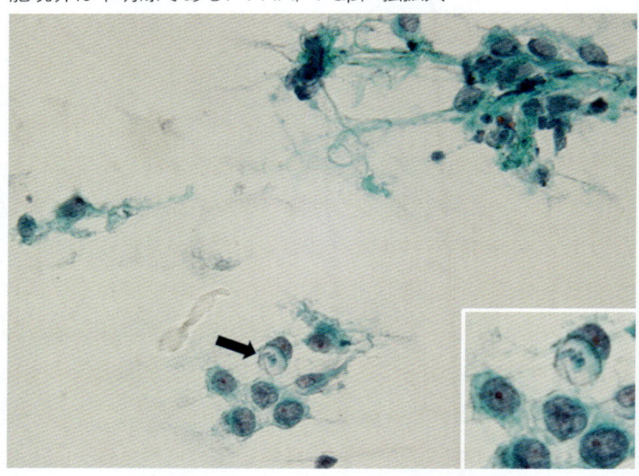

図 27　同前．核クロマチンは，微細・繊細で，細胞質内小腺腔［ICL（⬆）］がみられる場合もある．FNA，Pap，強拡大

浸潤性小葉癌では採取される細胞量が少なく，腫瘍細胞は小型で異型に乏しいことが多い．しかし，充実型や胞巣型の浸潤性小葉癌では，採取される細胞量が豊富なこともある．穿刺吸引細胞診標本では組織像を反映し，腫瘍細胞が孤立散在性～線状配列を示す．この線状配列を示す部分では，細胞の核間距離はほぼ均等で，細胞境界はやや不明瞭，連続する細胞辺縁が丸みを帯びた特徴的な数珠状配列がみられる．N/C 比の高い腫瘍細胞は小型円形～類円形を示し，切れ込みを有する場合もあり，核小体がみられる．細胞異型に乏しく，大小不同が目立たないこともあり，核の飛び出し像，微細・繊細な核クロマチンや細胞質内小腺腔（ICL）などの特徴的な所見は鑑別に有用である（**図 24～27**）．

【細胞診の判定区分】　悪性

【鑑別診断】　鑑別すべき組織型としては硬癌があるが，浸潤性乳管癌の鑑別診断にあげた配列や細胞の特徴に留意し，診断することが重要である．

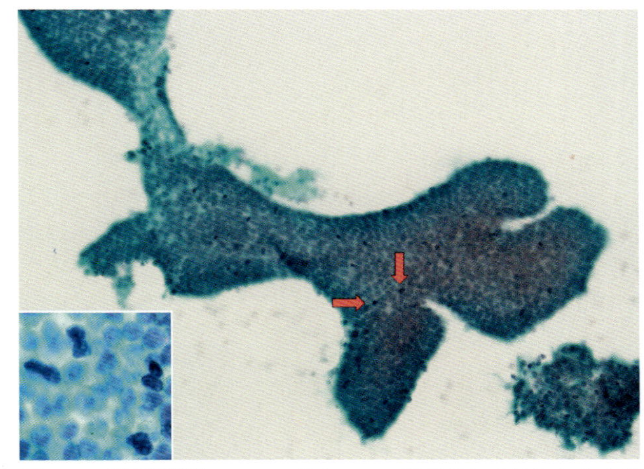

図 28　線維腺腫．シート状あるいは樹枝状に分岐した上皮細胞集塊とともに集塊内や集塊辺縁部には紡錘形で濃縮核の筋上皮細胞がみられる（⬆）．FNA，Pap，弱拡大

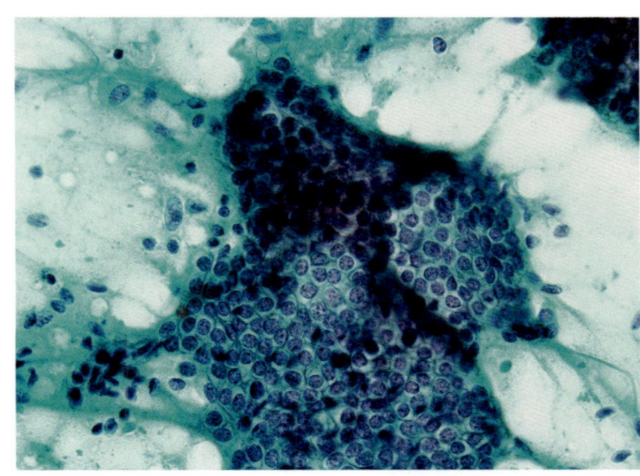

図 29　同前．シート状で出現する上皮細胞集塊は，細胞異型に乏しく均質で，核クロマチンの増加や凝集はみられない．FNA，Pap，強拡大

典型的な線維腺腫の穿刺吸引細胞診標本では，細胞量が多く採取され，シート状あるいは樹枝状に分岐した細胞集塊が出現する．上皮は細胞異型に乏しく均質で，核クロマチンの増加や凝集はみられない．また，集塊内や集塊辺縁部には濃縮核からなる紡錘形の筋上皮細胞の混在があり，集塊辺縁部や背景には多数の双極裸核細胞として出現する筋上皮細胞がみられ，上皮細胞との二相性を示すことが特徴である（**図28，29**）．穿刺物内に間質由来の粘液性基質を認めることがあり，ギムザ染色でメタクロマジーを示す．

【細胞診の判定区分】　正常あるいは良性

【鑑別診断】　乳腺症型では上皮過形成が強い症例があり，核や核小体が腫大した細胞密度の高い集塊が出現し，浸潤性乳管癌の**乳頭腺管癌**との鑑別が必要なことがある．しかし，このような場合も核クロマチン増量は乏しく，集塊には筋上皮細胞が混在し二相性は保持されており，集塊周囲に認められるほつれた細胞が筋上皮細胞からなる双極裸核細胞であることを見極めることが重要である．

葉状腫瘍は線維腺腫に類似するため，間質細胞の増生が目立つこと，異型を伴うことや泡沫細胞が混在するなどに注目し判定や推定診断を行うが，細胞診では両者の明確な鑑別は困難である．

乳腺症では，組織型の多彩さに伴い乳管上皮細胞のシート状配列，重積した集塊状の上皮細胞の出現やアポクリン化生細胞などがみられるが，出現する細胞には異型が乏しく，集塊内・辺縁や周囲に筋上皮細胞が混在する二相性を認めることで鑑別する．

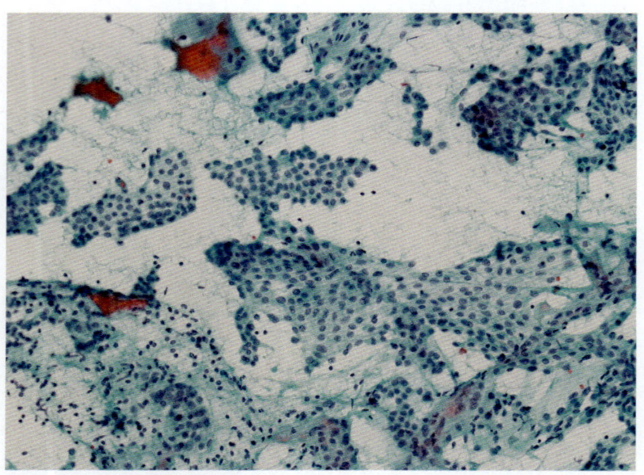

図 30　甲状腺乳頭癌．シート状や乳頭状集塊がみられ，背景には濃縮コロイドや間質成分も認める．FNA，Pap，弱拡大

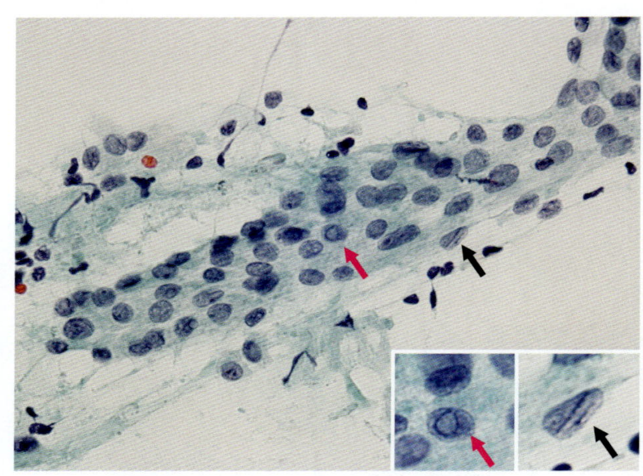

図 31　同前．核形不整，核溝（⬆）や核内細胞質封入体（⬆）を認め，特徴的なすりガラス状で微細顆粒状の核クロマチンと小さな核小体もみられる．FNA，Pap，強拡大

小集塊，乳頭状や樹枝状集塊として出現し，乳頭状構造の茎の部分にあたる線維性間質結合組織が細い線維束として集塊内に観察されることがある．種々の variant でも，基本的に腫瘍細胞はシート状や 1 層の集塊状を示し，腫大した核，核密度の増加，核形不整とともに，核溝や核内細胞質封入体など乳頭癌の特徴がみられる（**図 30，31**）．また，核クロマチンはすりガラス状と称される特徴的な微細顆粒状を呈し，均一で明るく，小さな核小体が認められる場合もある．細胞質はライトグリーン好染性で，扁平上皮細胞や好酸性細胞の特徴を有する場合もある．嚢胞を伴う場合には，背景に泡沫細胞，リンパ球，多核巨細胞などの炎症細胞を伴うこともある．

【細胞診の判定区分】　悪性

【鑑別診断】　**腺腫様甲状腺腫**や**橋本病**でも乳頭癌同様に乳頭状，シート状，濾胞状集塊が認められることがあるが，乳頭癌よりも結合性がよく，乳頭癌に特有の核所見が観察されるか否かで鑑別する．これらの疾患でも核内細胞質封入体や濾胞上皮に核溝が観察されることがあり，1 つの核所見だけではなく，背景やクロマチンパターンなどを総合的に判定することが重要である．

濾胞型乳頭癌を含む**濾胞性腫瘍**では，比較的均一で小型濾胞の集塊が認められることや，すりガラス状，クロマチン，核溝，核内細胞質封入体，核形不整といった核所見を重視し鑑別を行う．**硝子化索状腫瘍**でも核内細胞質封入体が多数認められるが，細胞が核・細胞質ともに紡錘形を示し，その他の核所見は乳頭癌と異なることで鑑別が可能である．

また，乳頭癌や濾胞性腫瘍の所見とともに，壊死や炎症細胞を背景とした高度の異型性を伴う大型で多彩な細胞が孤立散在性に出現する場合，**未分化癌**を考慮する必要がある．未分化癌では紡錘形や巨細胞を含む異型細胞の核は大型でクロマチンに富み，核小体が目立ち，核分裂像も散見されることが多い．

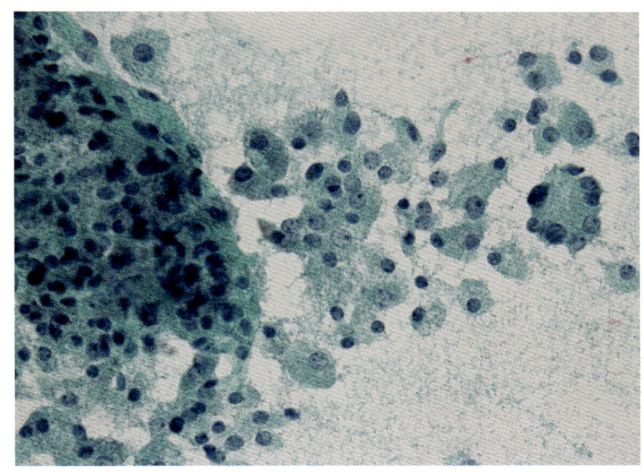

図 32　甲状腺濾胞性腫瘍（濾胞腺腫）．単一な細胞からなる立体的な小濾胞状細胞集塊がみられる．細胞質は，顆粒状で細胞境界は不明瞭である．乳頭癌を示唆する核溝や核内封入体はみられない．FNA，Pap，強拡大

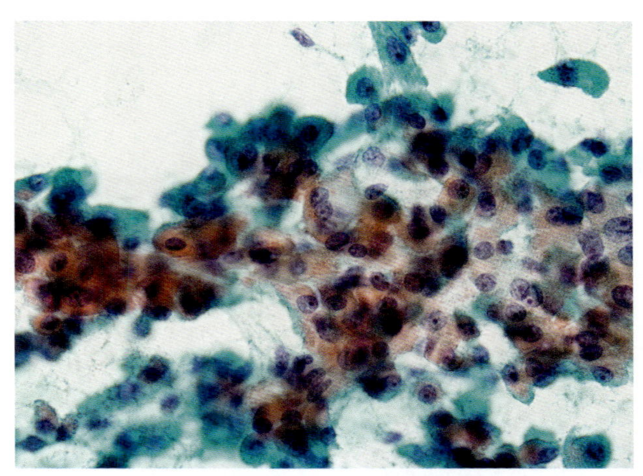

図 33　甲状腺濾胞性腫瘍（好酸性細胞型濾胞腺腫）．比較的豊富な細胞質は，好酸性顆粒状で，乳頭癌を示唆する核所見はみられない．FNA，Pap，強拡大

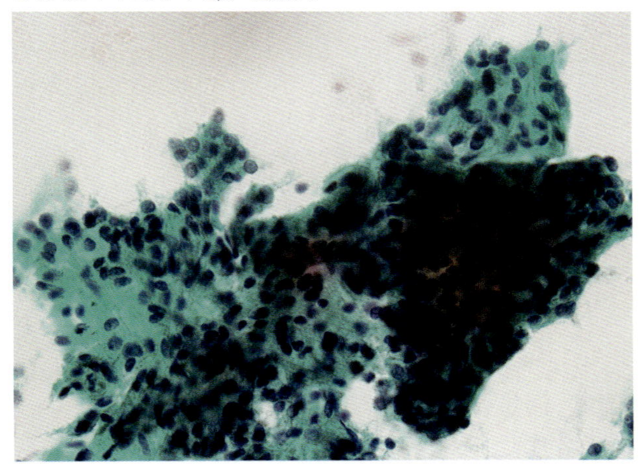

図 34　甲状腺濾胞性腫瘍（濾胞癌）．細胞密度が高く，重層化している．FNA，Pap，強拡大

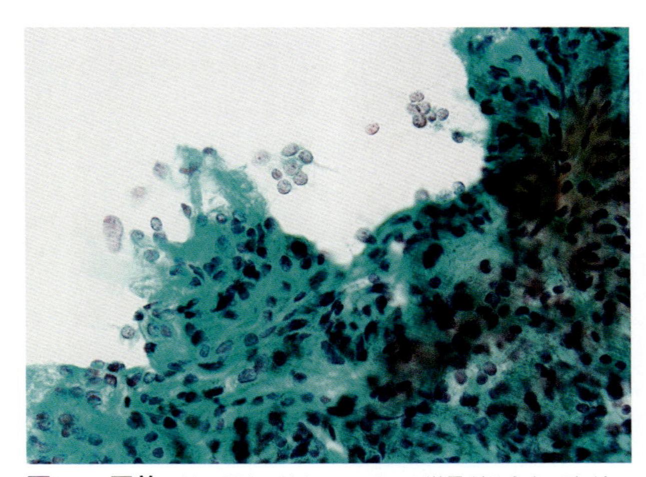

図 35　同前．核の腫大，核クロマチンの増量がみられており，悪性の可能性を考える．乳頭癌を示唆する核所見はみられない．FNA，Pap，強拡大

濾胞性腫瘍には濾胞腺腫と濾胞癌がある．組織学的に被膜浸潤，脈管浸潤，甲状腺外への転移があれば濾胞癌と診断するため，細胞診における増殖パターンや細胞異型では良・悪性の判定はできない．したがって，細胞診では濾胞腺腫と濾胞癌を一括して濾胞性腫瘍とする．

背景には出血を伴いやすい．出現する細胞は単調で，核は**腺腫様甲状腺腫**の濾胞上皮より大きく，N/C 比が高い．内部にコロイドを入れる小濾胞状の配列，ロゼット状，合胞状，索状などのパターンを示す．乳頭癌を示唆する核所見はみられないことが重要である．細胞質は比較的豊富である（**図 32**）．好酸性型の場合は顆粒状の細胞質を有し（**図 33**），明細胞型の場合は淡明な細胞質が観察される．立体的な小濾胞，索状配列，核腫大，高い濾胞密度，クロマチンの増量のうち 2 項目以上がみられる場合は悪性の可能性が高い（**図 34, 35**）．

【細胞診の判定区分】 濾胞性腫瘍

【鑑別診断】 小濾胞状構造が主体の場合，**濾胞型乳頭癌**が鑑別にあがる．乳頭癌を示唆する核所見が十分にあれば濾胞型乳頭癌とし，なければ濾胞性腫瘍とする．**腺腫様甲状腺腫**でも小濾胞状構造が出現するが，出現細胞は多彩で乳頭状構造や細胞の大小不同，濾胞の大小不同がみられる．**副甲状腺腺腫**でも均一な細胞の小集塊や小濾胞状構造を認める場合には濾胞性腫瘍との鑑別が必要である．副甲状腺腺腫では索状配列が目立ち，クロマチンがより粗大である．

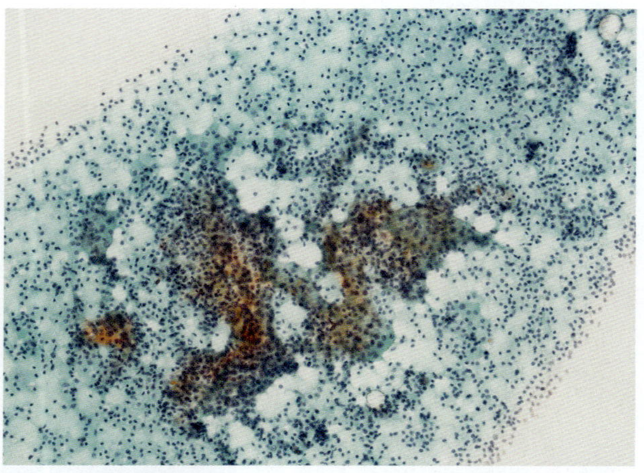

図 36　橋本病．コロイドを欠き，多数のリンパ球・形質細胞を主体とした炎症細胞を背景に，ライトグリーンに濃染する濾胞上皮細胞がシート状，小濾胞状にみられる．FNA，Pap，弱拡大

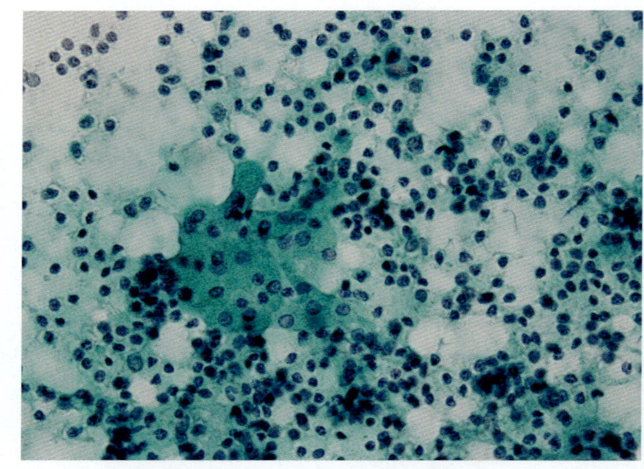

図 37　同前．細胞質に好酸性顆粒を有する濾胞上皮細胞が出現する．FNA，Pap，強拡大

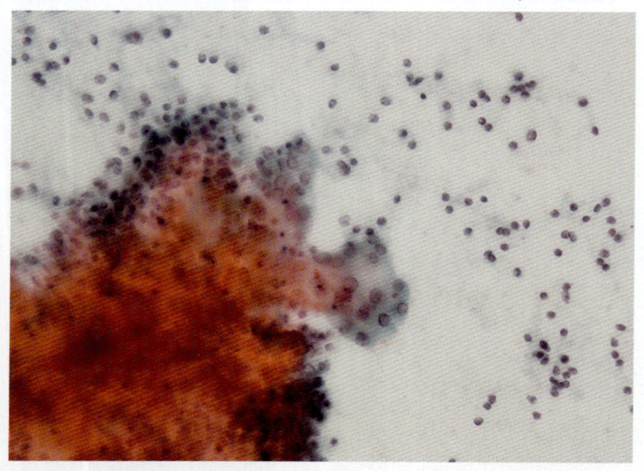

図 38　橋本病（別症例）．異型のないリンパ球を背景に大小不同を伴う濾胞上皮の集塊を認める．FNA，Pap，強拡大

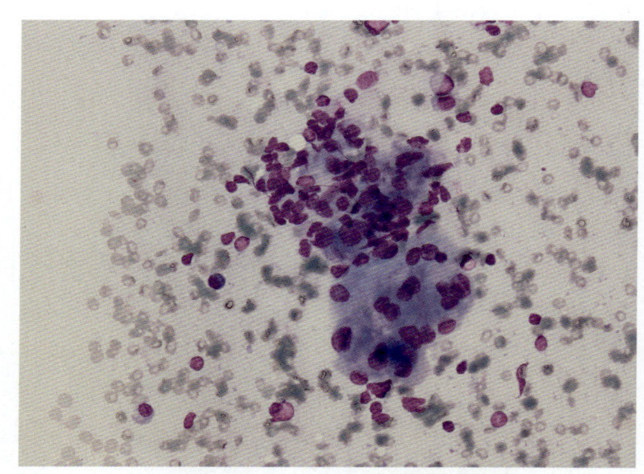

図 39　同前．リンパ球を背景に濾胞上皮細胞集塊がみられる．FNA，ギムザ，強拡大

背景には多数のリンパ球・形質細胞を主体とした炎症細胞がみられ，リンパ球は非腫瘍性・炎症性細胞浸潤に由来するため，多彩で成熟小型リンパ球から大型リンパ芽球，形質細胞，組織球などが出現する．これらのリンパ球とともに，ライトグリーンに濃染し，顆粒状の豊富な細胞質を有する好酸性の濾胞上皮細胞がシート状，小濾胞状にみられ，これらの濾胞上皮細胞では，核の大小不同，過染性，明瞭な核小体など認める．しかし，濾胞上皮細胞の N/C 比は低く，乳頭癌に特徴的な核所見はみられない（**図 36～39**）．

【細胞診の判定区分】　良性

【鑑別診断】　**乳頭癌**でも好酸性細胞やリンパ球が出現することがあり，弱拡大では橋本病に類似する．高倍率では N/C 比が高い顆粒状の好酸性細胞とともに，核内細胞質封入体や乳頭癌の核所見に注目し鑑別を行う．

リンパ球が豊富で濾胞上皮がみられない場合，リンパ腫との鑑別が必要となる．**びまん性大細胞型 B 細胞リンパ腫**では，核小体が明瞭な大型異型リンパ球の単調な出現がみられ，**MALT リンパ腫**では小型～中型異型リンパ球・形質細胞が主体で単調な場合には鑑別可能なこともあるが，フローサイトメトリーや遺伝子検索などによる確定診断が必要なことも多い．

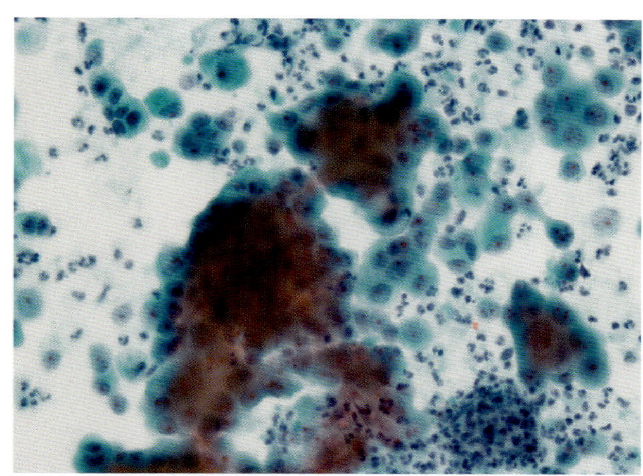

図 40　膀胱癌（尿路上皮癌）．炎症性背景に，細胞密度が高く，不規則重積性を示す大小の乳頭状細胞集塊がみられる．自然尿，Pap，強拡大

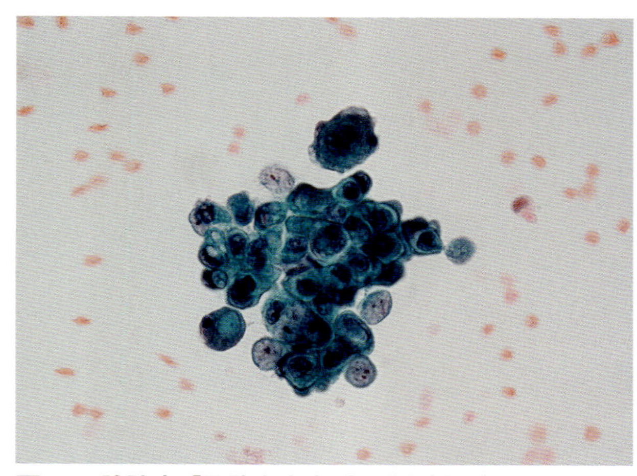

図 41　膀胱癌［尿路上皮癌（別症例）］．N/C 比の増大，核形不整，核クロマチンの増量がみられる．膀胱カテーテル尿，Pap，強拡大

尿細胞診では構造異型自体の正確な判定は困難であるが，多くの症例で構造異型と細胞異型は相関しているため，細胞異型の判定により，尿路上皮癌の異型度評価を行うことが可能である．特に上皮内癌および多くの浸潤性尿路上皮癌では，細胞学的に高異型度を示すことが多く，尿細胞診による異型度の判定が可能である．

全体として壊死などの背景の状況，細胞集塊のほつれや孤在性細胞の出現を観察する．核は N/C 比の増大，核腫大，多数（50％以上）の核偏在細胞，核縁不整，核クロマチン増量とともに，粗造や微細顆粒状の核クロマチンパターン，核の長径・短径比の減少，核小体の存在を観察する．細胞質では胞体の濃染傾向，細胞と細胞が相接する所見や細胞が異型細胞を取り巻くような形態を示す相互封入像・pair cell の存在などの所見を観察することが重要である．

一般的に高異型度病変では汚い壊死性背景や異型細胞の出現数が多い傾向にある（**図 40，41**）．一方，血管結合組織成分を有し低異型性の乳頭状細胞集塊が出現する場合には，低異型度病変と判定することは可能であるが，綺麗な背景で，かつ異型細胞の出現数が少なく，異型性も軽度な場合は判定に苦慮することが少なくない．自然尿では低異型度病変の細胞集塊を認めることはまれであるが，常に低異型度病変の存在に留意し判定する必要がある．

【細胞診の判定区分】　悪性

【鑑別診断】　低異型度病変では，反応性や良性病変との鑑別が重要であり，上記の異型細胞の出現に留意し判定を行う．泌尿器領域の腺癌や他臓器（前立腺や下部消化管など）からの腺癌が尿中に出現することがあり，明瞭な核小体や核偏在，核形不整や繊細な核クロマチン，腺房や乳頭状の形態などの観察が鑑別に有用である．また，大型類円形や紡錘状核を有し核クロマチン増量がない異型細胞が抗癌剤投与により出現することやポリオーマウイルス感染では，すりガラス状，均一な核クロマチンや核偏在，N/C 比大の大型核を有する異型細胞が出現することがあり，ただちに異型細胞＝悪性と判定しないことが重要である．

コイロサイトーシス/軽度異形成，軽度扁平上皮内病変 | Koilocytosis/Cervical intraepithelial neoplasia 1, Low-grade squamous intraepithelial lesion

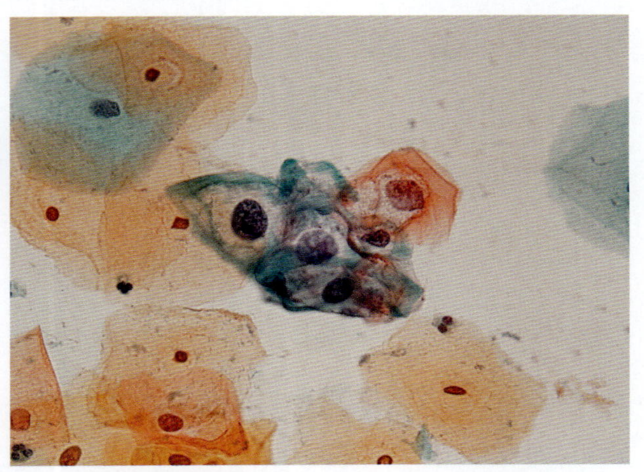

図 42 コイロサイトーシス/CIN1/LSIL. 核腫大や軽度の核形不整を伴う表層型～中層型の扁平上皮細胞が孤立性やシート状に出現し，核クロマチンは比較的均一で，核周囲の細胞質が淡明化している．綿棒擦過，Pap，強拡大

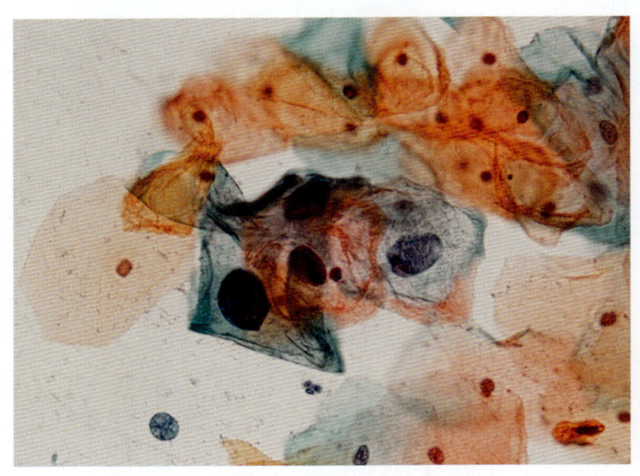

図 43 同前. 核クロマチンは比較的均一に分布するが，粗顆粒状あるいはスマッジ状を示すことがある．綿棒擦過，Pap，強拡大

きれいな背景に核腫大，軽度の核形不整，核クロマチン増量を伴う表層型～中層型の扁平上皮細胞が，孤在性またはシート状に出現する．N/C 比は低く，核クロマチンは比較的均一に分布するが，ときに粗顆粒状あるいはスマッジ状を呈し，核周囲の細胞質が淡明化している．核小体は不明瞭で，二核または多核の細胞がしばしば認められる．出現する細胞は表層型～中層型扁平上皮のため，オレンジ G 好染性や厚みのあるライトグリーンで染色される．これらの核所見を呈するコイロサイトーシスは軽度異形成（CIN1）に含まれる．

コンジローマと CIN1 は傍基底や基底細胞の異型の有無により組織学的に判定されるが，表層型～中層型細胞が主体の細胞診では鑑別が困難なため，併せて軽度扁平上皮内病変（LSIL）と判定される（**図 42, 43**）．傍基底型や中間細胞に特徴的なライトグリーン好染性の N/C 比大，核クロマチン増量を伴う核の張った細胞が認められる場合は，CIN2 以上の高度扁平上皮内病変 high-grade squamous intraepithelial lesion（HSIL）と判定する．

【細胞診の判定区分】 CIN1 or LSIL

【鑑別診断】 傍基底型や中間細胞に特徴的なライトグリーン好染性の N/C 比大，核クロマチン増量を伴う核の張った細胞が認められる場合は，CIN2 以上の HSIL と判定される．しかし，細胞量が判定に不十分，中間-傍基底や基底細胞の出現があり核腫大があるが核クロマチン増量が判定に不十分，炎症背景に軽度の核腫大，核クロマチン増量，核形不整を認める，ごく少量の HSIL を否定できない細胞の出現などにより判定の確定が困難な場合は，異型細胞の出現状態により atypical squamous cells-underdetermined significance（ASC-US）や ASC cannot exude HSIL（ASC-H）と判定される．

中等度異形成，高度異形成，高度扁平上皮内病変 | Cervical intraepithelial neoplasia 2–3，High-grade squamous intraepithelial lesion

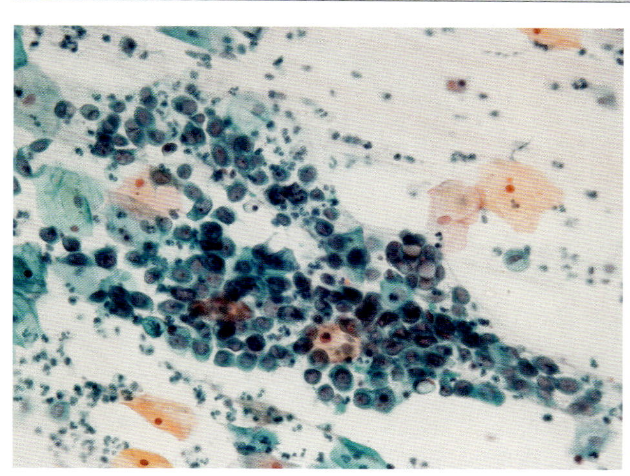

図 44　CIN3/CIS/HSIL. ライトグリーン好染性の傍基底型の異型扁平上皮細胞が，敷石状や集塊状に出現し，ほぼ均一な細胞所見を示すが，壊死はみられない．綿棒擦過，Pap，中拡大

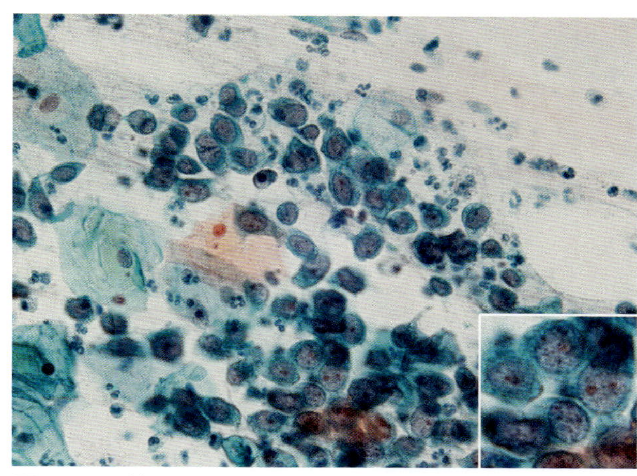

図 45　同前. 細胞の N/C 比は高く，核は緊満感があり，クロマチンは細顆粒状～顆粒状で密に充満する．綿棒擦過，Pap，強拡大

中等度異形成（CIN2）では，比較的多くの中層～傍基底型の厚みのあるライトグリーン好染性の異型扁平上皮細胞が出現し，核腫大，核の大小不同，核形不整，核クロマチンは細顆粒状～不均等で，核小体は目立たない．二核または多核の細胞がしばしば認められる．

高度異形成（CIN3）では，傍基底型の扁平上皮細胞に核腫大がみられ，核の細胞質に対する直径は大となり約 60～70% を占める．核縁は不整でしわがよるような形態や張りのある核が出現し，核クロマチンの増量や不均等分布を認めるが，核小体は目立たない．上皮内癌 carcinoma *in situ* では，傍基底型の異型扁平上皮細胞は，核の細胞質に対する直径が 80% を超え，さらに細胞質は乏しくなり，N/C 大は目立ち，核は高度に張った緊満した所見が特徴的にみられる．核クロマチンは細顆粒状～顆粒状で密に充満し，核小体を認めることがある．このような異型細胞はしばしば敷石状や集塊状に出現し，均一な細胞所見を呈する（**図 44，45**）．

【細胞診の判定区分】　CIN2–3，HSIL

【鑑別診断】　**未熟扁平上皮化生**では，しばしば中層型の細胞が出現し，特に炎症が背景にある場合，細胞質が厚くなり，軽度の核クロマチンの増量や異型核所見を呈することがある．しかし，中等度異形成，高度異形成や上皮内癌，HSIL でみられる異型細胞とは，核腫大，核の大小不同，核形不整，核クロマチンなどの所見が異なり鑑別は可能であるが，細胞の出現が少量の場合，判定に苦慮することも少なくない．このような場合には無理な判定を避け，ASC-H などとし，再検，ヒトパピローマウイルス（HPV）感染や HPV のタイプの情報や組織診断を参考にすることも重要である．

微小浸潤癌や**浸潤癌**では，上皮内癌の所見に加え，核小体明瞭化や核クロマチンの粗造化，多彩な異型細胞の出現，壊死や炎症背景などの浸潤に伴う所見がみられる．また，異型腺系細胞が混在することもあり，核腫大や繊細な核クロマチン増量，核偏在傾向や核小体明瞭化などに注意する必要がある．

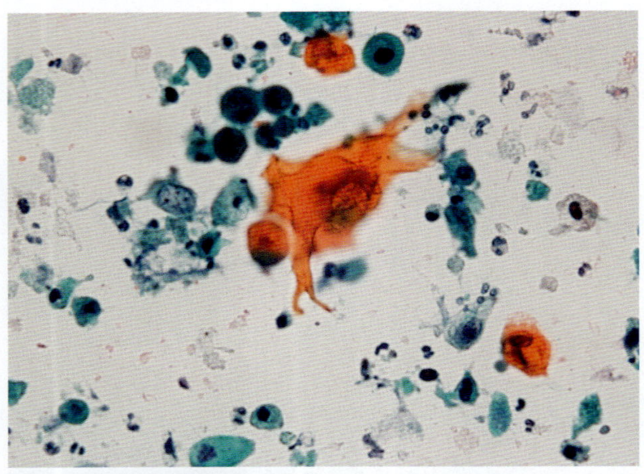

図 46　肺角化型扁平上皮癌．背景は壊死や炎症細胞で，ライトグリーン濃染の細胞やオレンジG濃染の多形性を示す異常角化細胞がみられる．腫瘍穿刺洗浄液，Pap，強拡大

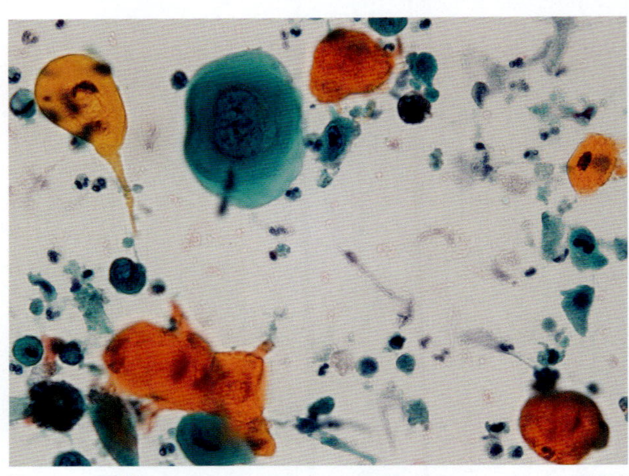

図 47　同前．腫瘍細胞の核は不整形で，核クロマチンが不規則に凝集し，濃染している．腫瘍穿刺洗浄液，Pap，強拡大

扁平上皮癌は角化型，非角化型で異なる細胞組織像を反映し，それぞれ異なる細胞所見を示すが，背景には壊死物質や炎症細胞なども認められることは共通した特徴である．

角化型扁平上皮癌では，ライトグリーン好染性の細胞質に厚みのある細胞や高輝度でオレンジG濃染性の奇怪なラケット状や多形性を示す異常角化細胞に悪性を示唆する核異型を認めれば，扁平上皮癌と判定できる（**図 46，47**）．しかし，核の悪性所見に乏しいことがしばしばあり，この場合，角化傾向の弱い細胞の核異型を観察することが重要である．角化型扁平上皮癌の核は，ほぼ中心に位置する傾向があり，N/C比はほかの腺癌などよりも小さく，かつ核は腫大し丸みの乏しい不整形を示す．核縁は粗造になり，核クロマチンは不規則に凝集や濃染してみえる特徴がある．また，腫瘍細胞がほかの細胞を貪食したようにみえる細胞相互封入像や腫瘍細胞が，幾重にも重なって丸い集塊になった癌真珠なども認められる．

非角化型扁平上皮癌では，オレンジG濃染性の異常角化細胞はみられず，ライトグリーン濃染性の類円形～多綾形細胞が出現し，核中心性で細顆粒状から粗顆粒状の核クロマチンを有する悪性細胞が，集塊から孤立散在性に認められる．細胞質の所見としては，淡明なものから肥厚したものまでみられるが，細胞配列としてシート状，楕円形核の悪性細胞が，一定方向に流れるように出現するのが特徴である．

【細胞診の判定区分】　悪性

【鑑別診断】　鑑別疾患として喀痰細胞診では，間質性肺炎で出現する異型扁平上皮化生細胞や異型扁平上皮細胞があるが，軽度異型細胞では，細胞質は均一淡染性で，N/C比は低く，核クロマチンの増量も軽度である．高度異型細胞では，細胞質は不均一過染性で，オレンジG好染性・輝度の高い異常角化細胞が出現し，N/C比は小～大と多彩になり，核クロマチンの増量も中等度から高度になる．しかし，扁平上皮癌では，壊死とともにオレンジG濃染性・輝度の高い多彩な異常角化細胞が出現し，核クロマチン増量が目立ち，特徴的で立体的な核形不整に注目し鑑別する．

気管支擦過細胞診では，上記の喀痰細胞診の特徴的な壊死背景，細胞質や核の特徴が目立たず，繊細な顆粒状核クロマチンや核小体を有するため，腺癌と誤ってしまうことがあり，立体的な核形不整や核クロマチンの不均等分布などに注目した鑑別が重要である．

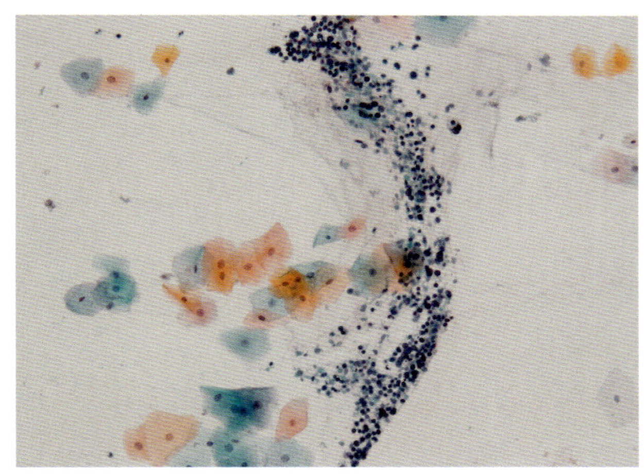

図 48　肺小細胞癌．喀痰では，炎症性背景に粘液に沿うように線状，数珠状，鋳型状で出現することが多い．結合性が乏しく，大小不同のある小型類円形や多角形の裸核状細胞がみられる．喀痰，Pap，弱拡大

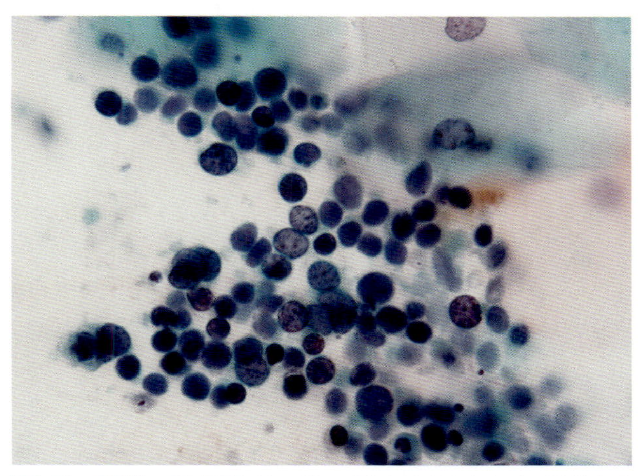

図 49　同前．腫瘍細胞は，リンパ球よりやや大きく，隣接する細胞が相互に鋳型状に接する所見を認める．核クロマチンは，微細顆粒状～粗顆粒状で，壊死の少ない部分から採取されると小さな核小体がみられる．喀痰，Pap，強拡大

喀痰細胞診では，粘液や炎症背景に，大小不同のある小型類円形や多角形の裸核状細胞がみられ，結合傾向に乏しく，ときにシート状，線状に配列する．腫瘍細胞の大きさはリンパ球より大きく，N/C 大で核が目立ち，隣接する細胞が相互に鋳型状や線状に接する所見がみられる（**図 48，49**）．

気管支擦過細胞診では，比較的形態が保たれた異型細胞が出現し，細胞集塊の中では鋳型状所見がよくみられる．小細胞癌では比較的均一で，繊細かつ高度に核クロマチンが増量した異型細胞がみられ，核クロマチンの凝集も認めるが，核小体は目立たない．また，核クロマチンが粗顆粒状で，小さな核小体を認める細胞が出現することがある．比較的均一で，繊細かつ高度に核クロマチンが増量した異型細胞は壊死部から採取され，核クロマチンが粗顆粒状で，小さな核小体を認める細胞が出現している場合は，壊死の少ない部分から採取されていると考えられる．細胞は壊れやすく核は脆いため，核が圧挫により変性し，線状となった核線を認めることが多い．

【細胞診の判定区分】　悪性

【鑑別診断】　鑑別疾患としてリンパ腫や大細胞神経内分泌癌があげられる．

日常遭遇することの多い**びまん性大細胞型B細胞リンパ腫**の核は，小型リンパ球の 2～3 倍以上の大きさを示し，大型の異型リンパ球が単調に出現する特徴がある．核は類円形からくびれを有するものや分葉状を呈するものまでみられ，核クロマチンは繊細～顆粒状で数個の核小体を認め，小細胞癌の核の所見とは異なる．

大細胞神経内分泌癌では，壊死背景にシート状やロゼット状配列，中等度から豊富な細胞質，粗顆粒状～細顆粒状の核クロマチンや核小体が明瞭であることなどから鑑別可能であるが，小細胞癌と大細胞神経内分泌癌の腫瘍細胞の形態には類似点も多く，また，大細胞神経内分泌癌では，多彩な細胞が出現するため鑑別が難しい症例も少なくない．最終的には，免疫組織化学染色やフローサイトメトリーなどで鑑別する必要があり，上皮性マーカー（AE1/AE3，CAM5.2 など），リンパ球系マーカー（CD20，CD79a など）や神経内分泌分化マーカー〔chromogranin A，Achaete-scute homolog-1（hASH1）など〕が有用である．

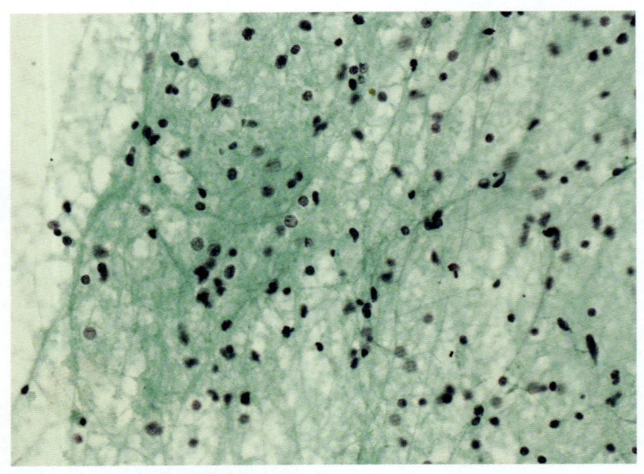

図 50　びまん性性細胞腫（Grade2）．背景にグリア線維が網目状にみられ，細長い突起を有する小型な核を示す腫瘍細胞が増生している．圧挫標本，Pap，弱拡大

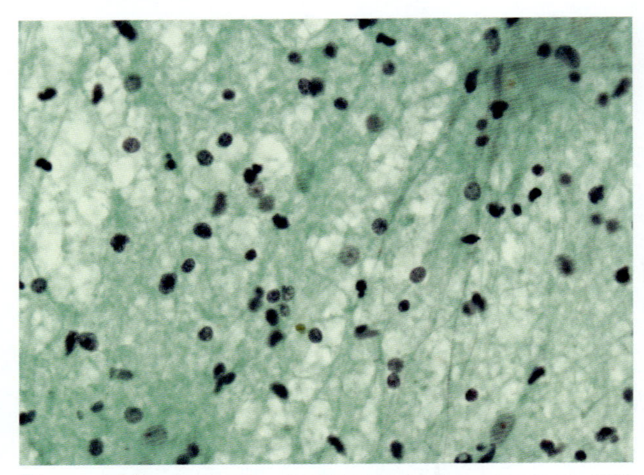

図 51　同前．核は円形～楕円形で核縁は薄く，クロマチンは微細顆粒状で，核小体は目立たない．圧挫標本，Pap，強拡大

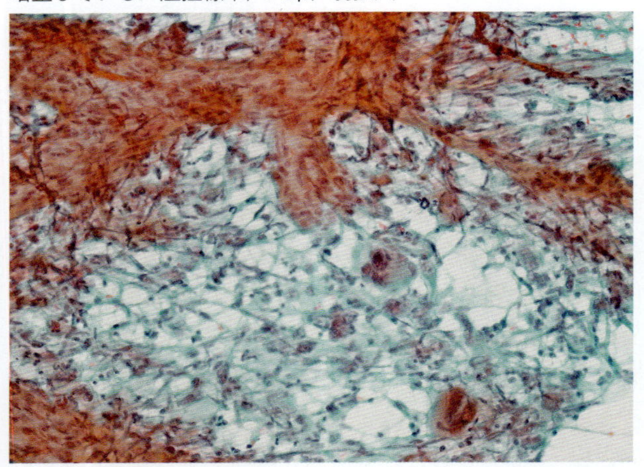

図 52　膠芽腫．壊死背景に，巨細胞，紡錘形や類円形を示す多彩な異型細胞がみられる．圧挫標本，Pap，弱拡大

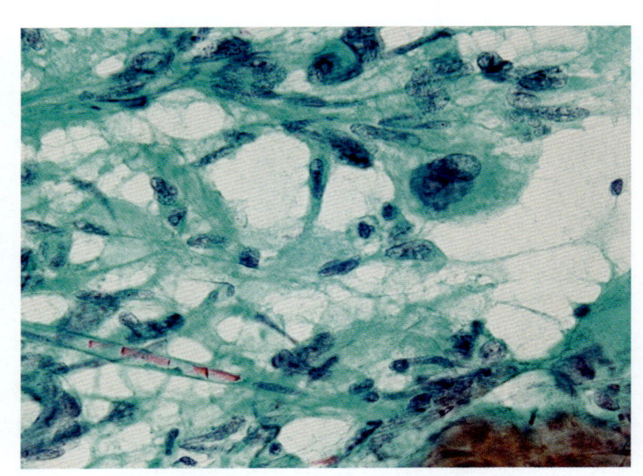

図 53　同前．異常血管からなる間質や巨細胞，紡錘形や類円形を示す多彩な異型細胞が出現し，核形不整，核クロマチン増量や明瞭な核小体も認める．圧挫標本，Pap，強拡大

毛様細胞性星細胞腫は，圧挫標本での特徴的な細胞像が診断にたいへん重要であり，弱拡大の観察で，両極に延びる毛髪状の細長い細胞質突起を有する細胞がみられる．細胞密度は比較的低いものから高いものまでさまざまである．核は比較的均一で小型類円形，軽度の大小不同を示し，軽度の核クロマチン増量がみられる．症例によっては核異型がやや目立ち，多核になることもある．背景は粘液性を伴う線維性細胞質で，ときにRosenthal線維や好酸性顆粒小体を認めることがある．

びまん性星細胞腫では線維状基質を背景に，比較的多い細胞量で，細胞突起が長い細胞質は比較的厚くみえ，軽度増量し均一に充満した繊細な核クロマチンと正常星細胞核の1.5～2倍程度大きな類円形核が特徴的にみられる（**図 50，51**）．

多形黄色星細胞腫では多形性が目立ち，ときに黄色腫様細胞（泡沫細胞）の出現があるが，壊死や分裂像はみられない．

膠芽腫では壊死背景とともに糸球体様の内皮細胞増生を示す異常血管，巨細胞など多彩な核異型や核クロマチン増量を伴う異型細胞が密にみられ，核分裂像を認めることがある（**図 52，53**）．

【細胞診の判定区分】　良性から悪性まで

【鑑別診断】　術中診断で臨床的に最も重要なのは，腫瘍性かどうかと，腫瘍がlow gradeかhigh gradeかの判定である．画像などの臨床情報と細胞像を加味して判定することが重要である．また，high grade星細胞腫では，画像的にリンパ腫や転移性腫瘍が類似し，かつ治療法がまったく異なるため細胞診の鑑別として重要である．

脳で多いリンパ腫である**びまん性大細胞型B細胞リンパ腫**では，N/C比大，核の切れ込み，明瞭な核小体を認め，比較的均一・単調で細胞密度の高い異型リンパ球が特徴的にみられる．細胞間には細胞質の破砕物であるlymphoglandular

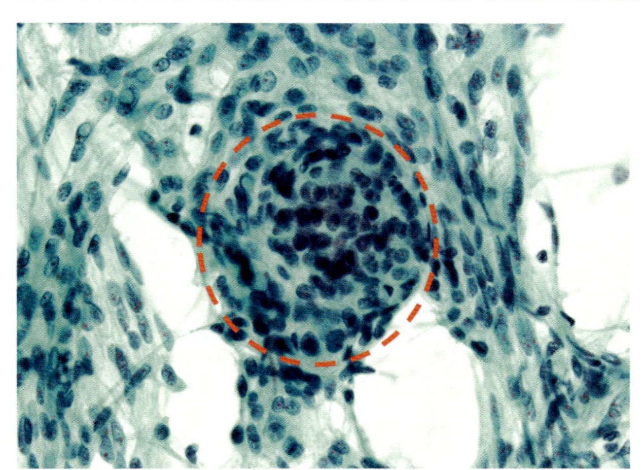

図 54　髄膜腫．結合性を有する渦巻き状 Whorl 構造（◌）をもつ細胞集塊がみられる．圧挫標本，Pap，強拡大

図 55　同前．髄膜皮細胞に類似し，核分裂像や核小体は目立たない．石灰化小体・砂粒体（⬆）を認める．圧挫標本，Pap，強拡大

body が出現し鑑別可能である．脳転移をきたしやすい転移性腫瘍には，肺癌，乳癌，悪性黒色腫などがあるが，原発の組織型に依存する細胞形態を示し，一般的に癌腫は細線維性背景を欠き，壊死を背景に腫瘍細胞は重積性や上皮性の結合を呈する．

髄膜腫の圧挫標本の弱拡大では，結合性を有する渦巻き状 whorl 構造をもつ大小の細胞集塊を認める（**図 54**）．また，ときに石灰化小体・砂粒体を認めることもある（**図 55**）．強拡大では，個々の細胞は髄膜皮細胞に類似し，核は中心性でクロマチンは微細顆粒状で均等分布，核縁は明瞭で核内細胞質封入体や核溝がみられることもある．細胞質は類円形・紡錘形や多稜形を示し，核周囲がやや厚くなった細胞質を認める．核分裂像や異型性は目立たないことが多い．異型が目立つときは，悪性や転移性腫瘍などを鑑別する必要がある．

【細胞診の判定区分】　良性から悪性まで

【鑑別診断】　**シュワン細胞腫**では細胞の結合性が強く，多数の Verocay body を伴うことがあり，腫瘍細胞の周囲に小集塊や孤立性出現を認めないことが多い．核は楕円形ないし紡錘形の核で両端が尖っている特徴を示し，核クロマチンは細顆粒状で，核の大小不同，核間距離の不均等がみられることが鑑別点である．ときに紡錘形核が横 1 列に柵状に並ぶ構造 nuclear palisading を認めることもある．特に髄膜腫の細胞では，結合性を有する渦巻き状 whorl 構造とともに明瞭な核縁，核内細胞質封入体や核溝を認めることが多く，診断に有用である．

その他，**星細胞腫**では，線維性髄膜腫との鑑別がしばしば問題となる．星細胞腫では結合性は弱く，腫瘍細胞は散在性に認められ，腫瘍性の星細胞の紡錘形細胞がみられる．背景に膠原線維は認めない．核クロマチンは髄膜腫に比してやや疎な傾向にあり，核形は円形～楕円形で線維が細いことが鑑別に有用である．

悪性髄膜腫では壊死性背景，細胞の多形性や異型性，分裂像や糸球体様の血管間質が特徴的にみられる膠芽腫や転移性腫瘍などと鑑別する必要がある．

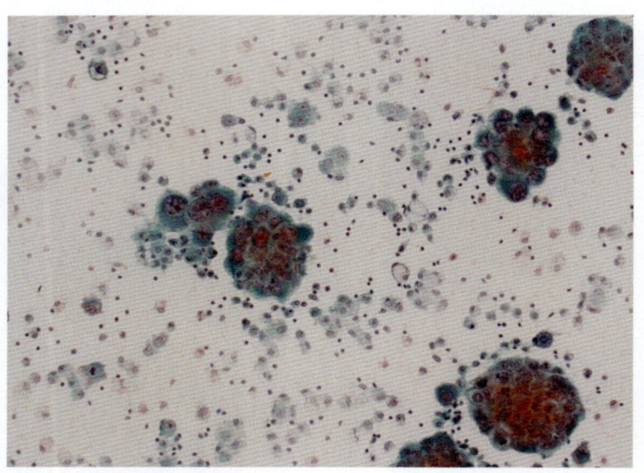

図 56　中皮腫. 炎症性背景に大小の乳頭状，マリモ状の細胞集塊が多数みられる．胸水，Pap，弱拡大

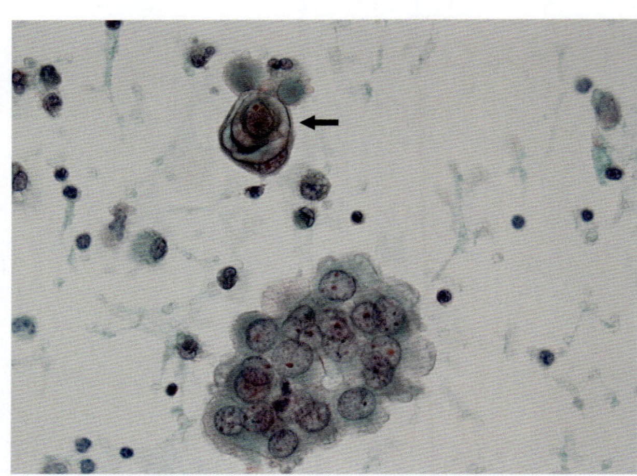

図 57　同前. 相互封入像（⬆）が出現し，繊細な微絨毛が細胞表面に分布するため，細胞辺縁は淡くみえる．胸水，Pap，強拡大

中皮腫　10個以上の中皮細胞で構成される球状および乳頭状様，マリモ状，ブドウ房状構造を呈する集塊が多数出現する場合，中皮腫を疑い検索する（**図 56**）．集塊の中心部にはライトグリーンやオレンジGに染色される基質成分のcollagenous stromaがみられることも多い．また集塊辺縁部では核突出像は認めず，細胞質の花弁状の配列やコブ状の突起のhump様細胞質突起が特徴的にみられる．集塊細胞の重積性も腺癌細胞集塊に比べると軽度のことが多く，比較的平面的に出現する．大きさがリンパ球の6倍以上（20〜50 μm程度）で多形性に乏しい中皮細胞が多く出現し，N/C比が小さく細胞質の重厚感がある場合，中皮腫を疑うが，豊富な中間径フィラメントにより重厚感を呈する細胞から，核周囲や細胞辺縁部の明瞭感を示す細胞までさまざまな形態を示すことがある．

Pap染色標本ではライトグリーン好染性，腫瘍細胞に混じて，変性したオレンジG好染性の細胞が出現することもある．ギムザ染色標本では好塩基性が強調される細胞が多くみられる．またグリコーゲン含量が豊富な中皮腫細胞は顆粒状にPAS陽性を示し，アルシアンブルー染色では背景や細胞辺縁が陽性である．また，無数の繊細な微絨毛が細胞表面に分布するため細胞辺縁は繊細で淡くみえる（**図 57**）．核は円形〜類円形で，細胞中心性〜やや偏在傾向を示すが，癌腫に比べると核形不整に乏しい例も多く，異型が強い場合は癌腫と，異型が弱い場合は反応性中皮との鑑別が重要となる．

また好酸性で明瞭な1ないし2個の核小体を有することが多く，核クロマチンは微細顆粒状〜細顆粒状，あるいは粗顆粒状を呈するものまで多彩であるものの，癌腫に比べると核クロマチン増量に乏しい特徴がある．中皮腫では二核以上の多核細胞の頻度が高く，ときに10核以上を呈する細胞も出現する．多核の核の大きさは比較的均一であり，二核細胞では特徴的な鏡面状（あるいは軸対称性）を呈する．その他，細胞が接着する細胞相接や窓window形成，相互封入像や相互貪食像は中皮細胞でよくみられ，集塊形成あるいは多核化に関係している．相互封入像（**図 57**）は反応性中皮や癌腫に比べると出現頻度は高く，またhump様細胞質突起を有する異型細胞が多く出現する場合，中皮腫を疑い検索を進める必要がある．

中皮腫診断では免疫組織化学染色やFISHが必須であり，また複数の抗体を用いて腺癌や反応性中皮との鑑別を行うため，細胞転写法や細胞ブロックを活用し反応性中皮細胞のマーカー（EMA，Desmin），中皮腫の陽性マーカー（calretinin，D2-40，WT-1）や陰性マーカー（CEA，MOC-31，Ber-EP4），腺癌や扁平上皮癌マーカー，さらにFISHによりp16遺伝子の欠失などを解析し，細胞形態像とともに鑑別を行う．

しかし，細胞診のみで浸潤の有無を推察することは困難であり，早期中皮腫や肉腫型などでは，胸腹水に腫瘍細胞が出現することはまれなため画像診断を含め組織診断とともに慎重に診断する必要がある．

【細胞診の判定区分】　悪性

【鑑別診断】　腺癌では乳頭状，腺腔形成，充実性，腺腔などの大小の重積性を示す細胞集塊や孤在性に出現し，細胞像は多彩である．集塊の細胞密度は高く，細胞配列の不規則性，集塊辺縁では核が細胞質に接している所見や核のとび出し像

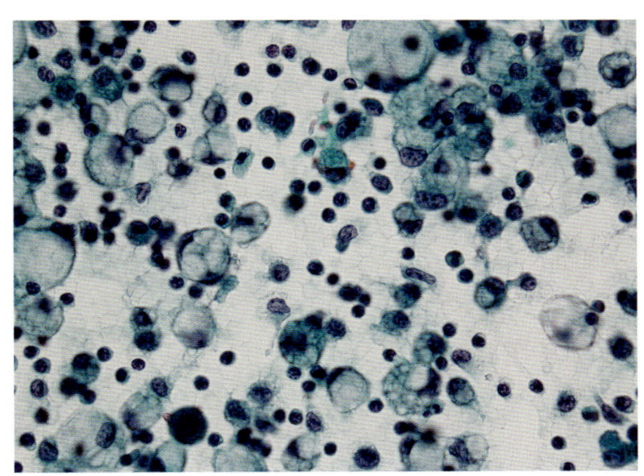

図 58　腺癌（印環細胞癌）．円形で大型の腫瘍細胞が孤立散在性および小集塊として認められる．細胞質は粘液を有し，ライトグリーン淡染性で明るく抜けた泡沫状を呈し，空胞をもつこともある．核は偏在し印環状を呈する細胞も多い．胸水，Pap，強拡大

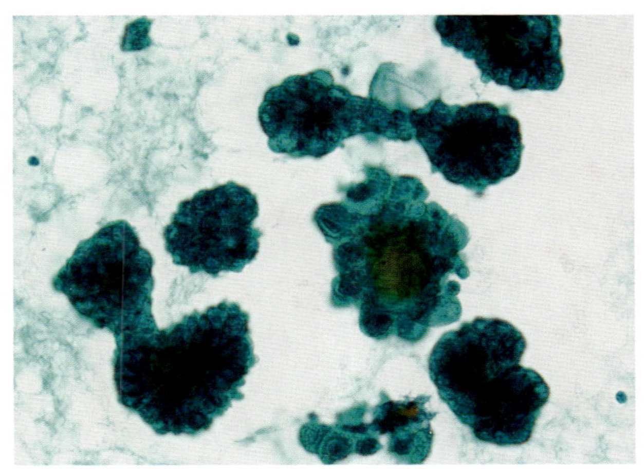

図 59　腺癌（肺癌）．乳頭状，球状，ミラーボール状など大小の重積性集塊や孤在性に出現するものまで多様である．腫瘍細胞は，大小不同，核形不整などがみられる．胸水，Pap，中拡大

などがみられ，核は偏在性で，反応性中皮に比して濃染性を示し，核の大小不同，核縁の切れ込みや皺などの不整が目立つ．1 個ないし複数個の腫大した核小体を有する．多核腺癌細胞もみられるが多核細胞が 20％を超える（目立つ）ことはまれである．細胞質はライトグリーン淡染性で，レース状，泡沫状，空胞状などさまざまで，細胞質内に粘液を認めることもある．ときに重厚な細胞質を呈することもあるが，全体的に細胞質の辺縁は明瞭である．

反応性中皮では，孤立散在性から小集塊状（30〜50 個程度）〜球状の集塊を認め，集塊は平面的で不規則な配列を示さない．反応性中皮細胞は類円形核を有し，小型の核小体を数個認め，N/C 比は軽度に高くなり，細胞質は厚みを示す．また，核クロマチンの増量も乏しく，大型の核小体，核の大小不同，多核細胞，腺癌様の細胞配列を示すことがあるため，悪性細胞との鑑別が必要になる．しかし，このような場合でも核クロマチンの増量や濃染はなく，核は中心性・類円形で悪性所見を満たすような不整はないことが判定や診断に重要である．判定や診断に悩む場合は，免疫組織化学的染色などで確定することが必要である．

腺癌　胸腹水にみられる癌で最も多いのは腺癌である．由来臓器としては肺，乳腺，胃腸管，胆道，膵，子宮，卵巣などであり，原発巣の推定も重要である．

胃の**印環細胞癌**では円形で大型の腫瘍細胞が孤立散在性および少集塊として認められ，細胞質は粘液を有するためライトグリーン淡染性で明るくぬけた泡沫状を呈する．粘液は PAS 染色やアルシアンブルー染色で証明される．核は粘液などで一方に圧排されて偏在し印環状にみえる細胞が特徴である．核クロマチンはやや濃染する（**図 58**）．

肺癌，乳癌，胆管癌あるいは大腸癌では印環細胞癌のような極端に核の偏在した泡沫状を呈さない腺癌もみられ（**図 59**），低分化型腺癌では粘液の産生が乏しい濃染した核クロマチンを有し，N/C 比大の腫瘍細胞が小集簇性，孤立散在性に出現する．体腔液に出現する腺癌細胞は，原発巣の組織・細胞像を反映する．たとえば，膵臓癌や大腸癌の高分化型腺癌では腫瘍細胞は管状構造あるいは乳頭状，索状に出現する（各臓器の原発癌巣組織像・細胞像参照）．

【細胞診の判定区分】　悪性

【鑑別診断】　中皮腫と各臓器の原発癌巣組織像・細胞像を参照．

リンパ腫（びまん性大細胞型 B 細胞リンパ腫）｜Lymphoma（Diffuse large B cell lymphoma）

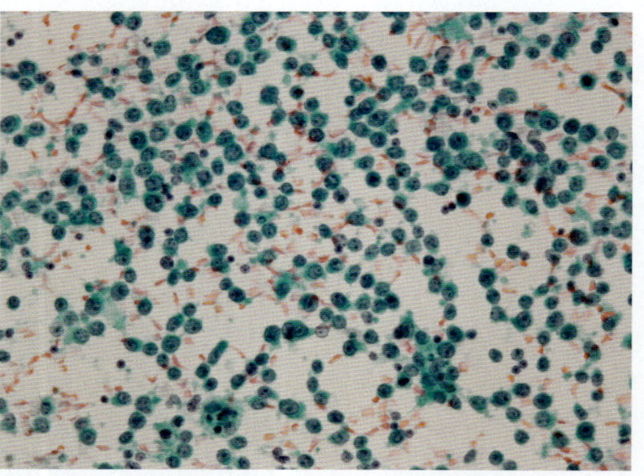

図 60　リンパ腫〔びまん性大細胞型 B 細胞リンパ腫（DLBCL）〕．大型の異型リンパ球が比較的単調に出現し，細胞の結合性はほとんど認められない．大脳術中捺印標本，Pap，弱拡大

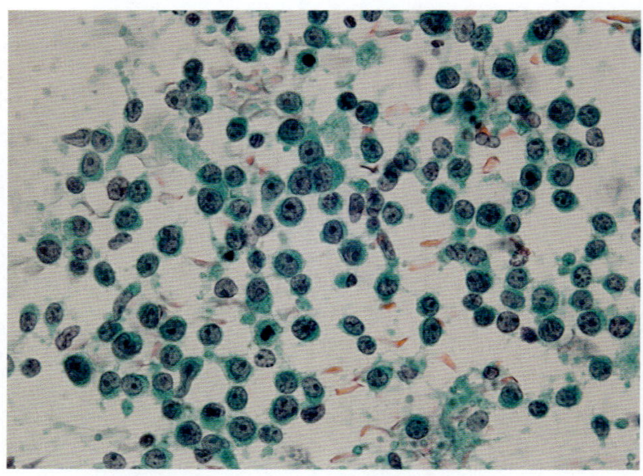

図 61　同前．小型リンパ球の 2～3 倍以上の大きさの異型リンパ球は，繊細～顆粒状の核クロマチンがみられる．類円形～くびれた核は，ほぼ中心に位置し，明瞭な数個の核小体を有する．大脳術中捺印標本，Pap，強拡大

リンパ腫〔びまん性大細胞型 B 細胞リンパ腫（DLBCL）〕は，リンパ腫のなかでは日常の診断業務で経験することが多く，大型の異型リンパ球が比較的単調に出現するため，細胞診でもその判定は可能なリンパ腫である．基本的にリンパ球の出現は孤立散在性で，細胞結合性はほとんど認められない．小型リンパ球の2～3倍以上の大きさの細胞は，繊細～顆粒状の核クロマチンを示し，核は細胞のほぼ中心にあり類円形～くびれている．細胞は明瞭な数個の核小体を有する（**図 60，61**）．リンパ腫のなかには核形不整の目立つ大型の細胞が出現し，奇怪な多形性核をもつ腫瘍細胞からなる亜型もあり，一見上皮性腫瘍と判定しがちなものもある．また，T細胞/組織球が豊富な亜型では大型の腫瘍細胞が認められるが，背景にT細胞性小型リンパ球や組織球が多数出現するため腫瘍細胞の同定が困難で，組織診断，フローサイトメトリーや遺伝子検索が必要なことがある．

【細胞診の判定区分】　悪性

【鑑別診断】　DLBCL では腫瘍細胞は通常孤立散在性に出現するが，特に融合性に出現することがあり，癌との鑑別が問題となる症例がある．両者の鑑別点としては，DLBCL では通常背景に壊死がみられないが，癌では壊死がみられることが多い．DLBCL では N/C 比が癌に比べ高く，核クロマチンや核異型がほぼ均一な細胞からなる．また，DLBCL では細胞結合性が基本的に認められない，などの点があるが，核形不整，核膜の陥凹・溝や核クロマチンに十分注意し，判定することが重要である．しかし，組織診断，フローサイトメトリーや遺伝子診断が必要なことも多く，無理をしない判定で所見などの記載を十分にする報告も必要である．

略語一覧

A

AAG autoimmune atrophic gastritis 自己免疫性萎縮性胃炎
ABC avidin biotin peroxidase complex アビジン・ビオチン・ペルオキシダーゼ複合体
ACE angiotensin converting enzyme アンジオテンシン変換酵素
ACTH adrenocorticotropic hormone 副腎皮質刺激ホルモン
AD alveolar duct 肺胞道
ADH antidiuretic hormone 抗利尿ホルモン
ADH atypical ductal hyperplasia 異型乳管上皮過形成
AFP α-fetoprotein αフェトプロテイン
AGA allergic granulomatous angiitis アレルギー性肉芽腫性動脈炎
AGML acute gastric mucosal lesion 急性胃粘膜病変
AIDS acquired immunodeficiency syndrome 後天性免疫不全症候群，エイズ
AILD angioimmunoblastic lymphadenopathy with dysproteinemia 血管免疫芽球性リンパ節症
AIP acute interstitial pneumonia 急性間質性肺炎
ALCL anaplastic large cell lymphoma 退形性大細胞型リンパ腫
ALP alkaline phosphatase アルカリホスファターゼ
ALS amyotrophic lateral sclerosis 筋萎縮性側索硬化症
ALT atypical lipomatous tumor 異型脂肪腫性腫瘍
AMA antimitochondrial antibody 抗ミトコンドリア抗体
AML acute myeloid leukemia 急性骨髄性白血病
AMP alveolar macrophage pneumonia 肺胞マクロファージ肺炎
ANCA antineutrophil cytoplasmic autoantibody 抗好中球細胞質自己抗体
APA aldosterone-producing adenoma アルドステロン産生腺腫
ARDS adult (acute) respiratory distress syndrome 成人(急性)呼吸窮迫症候群
AS alveolar sac 肺胞嚢
ASO antistreptolysin-O 抗ストレプトリジンO
ATL adult T cell leukemia 成人T細胞白血病

B

BALT bronchus-associated lymphoid tissue 気管支関連リンパ組織
BOOP bronchiolitis obliterans organizing pneumonia 器質化肺炎を伴う閉塞性細気管支炎

C

CABG coronary-aorta bypass graft 冠状動脈-大動脈バイパス手術
CAH chronic active hepatitis 慢性活動性肝炎
CCL細胞 centrocyte-like cell 胚中心細胞様細胞
CEA carcinoembryonic antigen 癌胎児性抗原
CFA cryptogenic fibrosing alveolitis 特発性線維化肺胞炎
CIN cervical intraepithelial neoplasia (子宮)頸部上皮内腫瘍様異型病変
CML chronic myeloid leukemia 慢性骨髄性白血病
CMMoL chronic myelomonocytic leukemia 慢性骨髄単球性白血病
CMV cytomegalovirus サイトメガロウイルス
CNSDC chronic nonsuppurative destructive cholangitis 慢性非化膿性破壊性胆管炎
COP cryptogenic organizing pneumonia 原因不明の器質化肺炎
CPH chronic persistent hepatitis 慢性持続性肝炎
CPPD calcium pyrophosphate crystal deposition disease ピロリン酸カルシウム結晶沈着症
CRP C-reactive protein C反応性蛋白
CSS Churg-Strauss syndrome チャーグ・ストラウス症候群

D

DAD diffuse alveolar damage びまん性肺胞傷害

DDD dense deposit disease 稠密沈着物疾患

DIA desmoplastic infantile astrocytoma 線維形成性乳児星細胞腫

DIC disseminated intravascular coagulation 播種性血管内凝固症候群

DIG desmoplastic infantile ganglioglioma 線維形成性乳児神経節膠腫

DIP desquamative interstitial pneumonia 剥離性間質性肺炎

DLE discoid lupus erythematosus 円板状エリテマトーデス

DNES dispersed (diffuse) neuroendocrine system 散在性(びまん性)神経内分泌系

DNT dysembryoplastic neuroepithelial tumor 胚芽異形成性神経上皮腫瘍

DOPA dihydroxyphenylalanine ドーパ

E

EBV Epstein-Barr virus EB ウイルス

EGFR epidermal growth factor receptor 上皮成長因子受容体

EMA epithelial membrane antigen 上皮膜抗原

F

FD fibrous dysplasia 線維性異形成症

FGS focal glomerulosclerosis 巣状糸球体硬化症

FHWA florid hyperplasia without atypia 異型を伴わない高度の上皮過形成

FITC fluorescein isothiocyanate イソチオシアン酸フルオレセイン

FSGS focal segmental glomerulosclerosis 巣状分節状糸球体硬化症

FSH follicle stimulating hormone 卵胞刺激ホルモン

G

GCG giant cell granuloma 巨細胞肉芽腫

G-CSF granulocyte-colony stimulating factor 顆粒球コロニー刺激因子

GFAP glial fibrillay acidic protein グリア細線維性酸性蛋白

GH growth hormone 成長ホルモン

GIMT gastrointestinal mesenchymal tumor 胃腸管間葉系腫瘍

GIP giant cell interstitial pneumonia 巨細胞性間質性肺炎

GIST gastrointestinal storomal tumor 消化管間質性腫瘍

GN glomerulonephritis 糸球体腎炎

GRP gastrin-releasing peptide ガストリン放出ペプチド

GVHR graft-versus-host-reaction 移植片対宿主反応

H

HAM human T-lymphotropic virus type Ⅰ-asociated myelopathy HTLV-Ⅰ関連脊髄症

HBe hepatitis Be B 型肝炎ウイルス, e 抗原

HBs hepatitis Bs B 型肝炎ウイルス, s 抗原

HBV hepatitis B virus B 型肝炎ウイルス

hCG human chorionic gonadotropin ヒト絨毛性性腺刺激ホルモン

HCV hepatitis C virus C 型肝炎ウイルス

HEV high endothelial venule 高内皮細静脈

HHV human herpesvirus ヒトヘルペスウイルス

HMB anti-melanoma antibody 抗ヒトメラノーマ抗体

HP *Helicobacter pylori* ヘリコバクター・ピロリ

HPV human papilloma virus ヒト乳頭腫ウイルス

HRCT high resolution computed tomography 高分解能 CT

HTLV-I human T-lymphotropic virus type Ⅰ 成人 T 細胞白血病ウイルス

HUS hemolytic uremic syndrome 溶血性尿毒症症候群

I

IBL immunoblastic lymphadenopathy 免疫芽球性リンパ節症

IDC	interdigitating reticulum cell 嵌合性指状細胞
IIP	idiopathic interstitial pneumonia 特発性間質性肺炎
IPF	idiopathic pulmonary fibrosis 特発性間質性肺炎
IPL	idiopathic plasmacytic lymphadenopathy with polyclonal hypergammaglobulinemia 多クローン性過グロブリン血症を伴った特異性形質細胞
IPN	infantile periarteritis nodosa 小児結節性動脈周囲炎
ITP	idiopathic thrombocytopenic purpura 特発性血小板減少性紫斑病

J

JG	juxtaglomerular 傍糸球体性
JGA	juxtaglomerular apparatus 傍糸球体装置

K

KSHV	Kaposi sarcoma-associated herpesvirus カポジ肉腫関連ヘルペスウイルス

L

LC	Langerhans cell ランゲルハンス細胞
LCA	leukocyte commom antigen 白血球共通抗原
LCA	leukocyte antigen 抗白血球抗体
LDH	lactate dehydrogenase 乳酸脱水素酵素
LEL	lymphoepithelial lesion リンパ上皮性病変
LH	luteinizing hormone 黄体化ホルモン
LIP	lymphoid interstitial pneumonia リンパ球性間質性肺炎
LSAB	labeled streptavidin biotin（method） 標識ストレプトアビジンビオチン（法）

M

MAG	multifocal atrophic gastritis 多発巣状性萎縮性胃炎
MALT	mucosa-associated lymphoid tissue 粘膜関連リンパ組織
MCD	multicentric Castleman disease 多中心性キャッスルマン病
MCLS	acute febrile mucocutaneous lymphnode syndrome 急性熱性皮膚粘膜リンパ節症候群
MCNS	minimal change nephrotic syndrome 微小変化ネフローゼ症候群
MDS	myelodysplastic syndrome 骨髄異形成症候群
MEN	multiple endocrine neoplasia 多発性内分泌腫瘍症
MFH	malignant fibrous histiocytoma 悪性線維性組織球腫
MHC	major histocompatibility complex 主要組織適合複合体
MPD	myeloproliferative disorder 骨髄増殖性疾患
MPGN	membranoproliferative glomerulonephritis 膜性増殖性糸球体腎炎
MPNST	malignant peripheral nerve sheath tumor 悪性末梢神経鞘腫瘍
MPO	myeloperoxidase 骨髄ペルオキシダーゼ

N

NAG	non-atrophic gastritis 非萎縮性胃炎
NASH	nonalcoholic steatohepatitis 非アルコール性脂肪肝炎
NEN	neuroendocrine neoplasm 神経内分泌腫瘍
NF	neurofibromatosis 神経腺維症
NSE	neuron specific enolase 神経細胞特異性エノラーゼ
NSG	necrotizing sarcoid granulomatosis 壊死性サルコイド肉芽腫症
NSIP	nonspecific interstitial pneumonia 非特異的間質性肺炎

O

OV	*Opisthorchis viverrini* オピストルキス・ビバリニイ（二生類吸虫の一種），タイ肝吸虫

P

PALS	periarteriolar lymphatic sheath 動脈周囲リンパ球鞘
PAND	primary adrenocortical nodular dysplasia

原発性副腎皮質結節性異形成

PAP peroxidase-antiperoxidase ペルオキシダーゼ・抗ペルオキシダーゼ

PAP prostatic acid phosphatase 前立腺性酸ホスファターゼ

PBC primary biliary cholangitis 原発性胆汁性胆管炎

PCD primary ciliary dyskinesia 原発性線毛異動症

PCR polymerase chain reaction ポリメラーゼ連鎖反応

PIN prostatic intraepithelial neoplasia 前立腺上皮内新生物

PN periarteritis nodosa 結節性動脈周囲炎

PNET primitive neuroectodermal tumor 原始(未分化) 神経外胚葉性腫瘍

PPO platelet peroxidase 血小板ペルオキシダーゼ

PRL prolactin プロラクチン

PSA prostate specific antigen 前立腺特異抗原

PSS progressive systemic sclerosis 進行性全身性硬化症

PSTT placental site trophoblastic tumor 胎盤着床部栄養膜細胞腫

PTCA percutaneous transluminal coronary angioplasty 経皮的内視鏡的冠状動脈形成術

PTH parathyroid hormone 副甲状腺ホルモン

R

RA rheumatoid arthritis 関節リウマチ

RAEB refractory anemia with excess of blast 芽球増加を伴う不応性貧血

RAEB-t refractory anemia with excess of blast in transformation 白血病化しつつある芽球増加を伴う不応性貧血

RARS refractory anemia with ringed sideroblast 鉄芽球性不応性貧血

RLC ribosome lamella complex 層板状リボソーム複合体

RPGN rapidly progressive glomerulonephritis 急速進行性糸球体腎炎

RS 細胞 Reed-Sternberg 細胞 リード・シュテルンベルグ細胞

RT-PCR reverse transcriptase-polymerase chain reaction 逆転写酵素 - ポリメラーゼ連鎖反応法

S

SCT-NOS steroid cell tumor, not otherwise specified ステロイド細胞腫瘍，他に特記事項なし

SLE systemic lupus erythematosus 全身性エリテマトーデス

STGC syncytiotrophoblastic giant cell 合胞体栄養細胞性巨細胞

T

TBr terminal bronchiole 終末細気管支

TCR T cell receptor T 細胞受容体

TDLU terminal duct lobular unit 終末乳管小葉単位

TdT terminal deoxnucleotidyl transferase 末端デオキシヌクレオチド転移酵素

TSH thyroid stimulating hormone 甲状腺刺激ホルモン

TTP thrombotic thrombocytopenic purpura 血栓性血小板減少性紫斑病

U

UIP usual interstitial pneumonia 通常型間質性肺炎

V

VOD veno occlusive disease 静脈閉塞性疾患

W

WDHAS watery diarrhea hypokalemia achlorhydria syndrome 水様下痢・低 K 血症・無酸症候群

文　献

プロローグ

1）坂本穆彦編．細胞診を学ぶ人のために．第3版．医学書院；1998．p.73-89．
2）向井　清．病理診断の流れとその運用．向井清，ほか編．外科病理学．第4版．文光堂；2006．p.1-20．
3）赤木忠厚．本書の有効な利用法．赤木忠厚，ほか編．カラーアトラス病理組織の見方と鑑別診断．第4版．医歯薬出版；2002．p.1-12．
4）Taylor CR. Tumors of unknown origin. Taylor CR, Cote RJ, eds. Immunomicroscopy. A Dignostic Tool for the Surgical Pathologist. 3rd ed. Saunders Elsevier；2006. p. 379-395.
5）町並陸生，秦　順一．病理組織診断における電子顕微鏡の有用．病理と臨床 1992；10（臨増）．
6）Dvorak AM, Monahan-Early RA. Diagnostic Ultrastructural Pathology. Ⅰ-Ⅲ. CRC Press；1992.

第1章　循環器系

（1）心臓

1）Aretz H, et al. Myocarditis：A histologic definition and classification. Am J Cardiovasc Pathol 1987；1：3-14.
2）Basso C, et al. Arrhythmogenic right ventricular cardiomyopathy. Dysplasia, dystrophy or myocarditis? Circulation 1996；94：983-991.
3）特集：循環器病理Ⅰ　1．心筋疾患（特集編集：植田初江，今中恭子）．病理と臨床 2021；39（10）．
4）松山高明，植田初江．心内膜心筋生検標本の診断と所見の記載方法．診断病理 2014；31：75-87.
5）国立循環器病研究センター病理部編．企画・構成　植田初江，松山高明．循環器診療に活かす　心臓血管解剖学．メジカルビュー社；2016.
6）心筋生検研究会編．診断モダリティとしての心筋病理．南江堂；2017.
7）Roberts R, Sigwart U. Current concepts of the pathogenesis and treatment of hypertrophic cardiomyopathy. Circulation 2005；112：293-296.
8）Nishida N, et al. Histopathological characterization of aortic intimal sarcoma with multiple tumor emboli. Pathology International 2000；50：923-927.
9）Sebenik M, et al. Undifferentiated intimal sarcoma of large systemic blood vessels. Report of 14 cases with immunohistochemical profile and review of the literature. Am J Surg Pathol 2005；29：1184-1193.
10）Billingham ME, et al. A working formulation for the standardization of nomenclature in the diagnosis of heart and lung rejection：Heart rejection study group. J Heart Transplant 1990；9：587-593.
11）Stewart S, et al. Revision of the 1990 working formulation for the standardization of nomenclature in the diagnosis of heart refection. J Heart Lung Transplantation 2005；24：1710-1720.
12）Honda S, et al. Trends in the clinical and pathological characteristics of cardiac rupture in patients with acute myocardial infarction over 35 years. J Am Heart Assoc 2014；3：e000984.
13）Otsuka F, et al. Pathology of coronary atherosclerosis and thrombosis. Cardiovasc Diagn Ther 2016；6：396-408.
14）Stary HC, et al. A definition of the intigma of human arteries and of its atherosclerosis-prone regions. A report from the committee on vascular lesions of the council on arteriosclerosis, American heart association. Circulation 1992；85：391-405.
15）Stary HC, et al. A definition of initial, fatty streak,and intermediate lesions of atherosclerosis. A report from the Committee on vascular legions of the council on arteriosclerosis, American heart association. Arterioscler Thromb Vasc Biol 1994；14：840-856.
16）Stary HC, et al. A definition of advanced types of atherosclerotic lesions and a histological classification of atherosclerosis：A report from the committee on vascular lesions of the council on arteriosclerosis, American heart association. Arterioscler Thromb Vasc Biol 1995；15：1512-1531.
17）Burke A, Virmani R. Tumors of the heart and great vessels. Armed Forces Institute of Pathology；1996.
18）心筋症診療ガイドライン（2018年改訂版）．https://www.j-circ.or.jp/old/guideline/pdf/JCS2018_tsutsui_kitaoka.pdf

（2）血管

1）Kumar V, et al. Chapter 11 Blood vessels. Robbins and Cotran Pathologic Basis of Disease. 8th ed. Saunders；2009. p.311-320.
2）Colvin RB. Vascular disease. Diagnostic Pathology：Kidney Diseases. Lippincott Williams & Wilkins；2011. p.1-61.
3）Jennette JC, et al. 2012 revised International Chapel Hill Consensus Conference Nomenclature of Vasculitides. Arthritis Rheum 2013；65：1-11.
4）Ross MH, Pawlina W. Cardiovascular system. Histology：A Text and Atlas with Correlated Cell and Molecular Biology. 5th ed. Lippincott Williams & Wilkins；2005. p.364-395.
5）Kerr JB．河田光博訳．循環器系　カラーアトラス機能組織学．原著第2版．エルゼビアジャパン；2013．p.189-206.
6）Vaideeswar P, Deshpande JR. Pathology of Takayasu arteritis：A brief review. Ann Pediatr Cardiol 2013；6：52-58.
7）Carlson JA. The histological assessment of cutaneous vasculitis. Histopathology 2010；56：3-23.
8）Berden AE, et al. Histopathologic classification of ANCA-associated glomerulonephritis. J Am Soc Nephrol 2010；21：1628-1636.
9）日本循環器学会．川崎病心臓血管後遺症の診断と治療に関するガイドライン（2013年改訂版）．
10）岡崎和一．IgG4関連疾患包括診断基準2011．日内会誌 2012；101：795-804.
11）「難治性血管腫・血管奇形・リンパ管腫・リンパ管腫症および関連疾患についての調査研究」班．血管腫・血管奇形・リン

パ管奇形　診療ガイドライン 2017.

第 2 章　血液（骨髄）

1）Swerdlow SH, et al. World Health Organization Classification of Tumors：Tumors of Haematopoietic and lymphoid tissues. International Agency for Research on Cancer（IARC）Press；2008.
2）谷脇雅史編．造血器腫瘍アトラス．第 5 版．日本医事新報社；2016.
3）赤木忠厚監修．カラーアトラス 病理組織の見方と鑑別診断．第 5 版．医歯薬出版；2017.

第 3 章　リンパ節・脾・胸腺

1）Swerdlow SH, et al, eds. WHO classification of Tumours（Reveised 4th ed）. IARC Press；2017.
2）Swerdlow SH, et al, eds. WHO classification of Tumours（4th ed）. IARC Press；2008.
3）吉野　正，中村栄男．リンパ節・脾・胸線．赤木忠厚監修，松原　修，真鍋俊明，吉野　正編．カラーアトラス 病理診断の見方と鑑別診断．第 5 版．医歯薬出版；2007.
4）吉野　正，赤木忠厚．リンパ節・脾・胸腺（分担）．赤木忠厚，大朏祐治，松原　修編．カラーアトラス 病理組織の見方と鑑別診断．第 4 版．医歯薬出版；2002.
5）長村義之，笹野　伸，澤井高志，高松哲郎，内藤　眞，八木橋操六編．NEW エッセンシャル病理学．第 6 版．医歯薬出版；2009.
6）Yoshino T, Jaffe E. Adult T-cell leukemia/lymphoma. Jaffe ES, et al, eds. Hematopathology. 2nd ed. Elsevier；2016.
7）通山　薫，張替秀郎編．血液細胞アトラス．第 6 版．文光堂；2018.
8）血液・造血器．坂本穆彦監修，北川昌伸，仁木利郎編集．標準病理学．第 5 版．医学書院；2015.
9）鈴木利光，中村栄男，深山正久，山川光徳，吉野　正監訳．カラールービン病理学．改訂版．西村書店；2017.
10）向井　清，真鍋俊明，深山正久編．外科病理学．文光堂；2006.

第 4 章　呼吸器系

（1）腫瘍

1）青笹克之総編集．解明病理学．第 3 版．医歯薬出版；2017.
2）日本肺癌学会編．肺癌取扱い規約．第 8 版．金原出版；2017.
3）WHO classification of Tumours of the Lung, Pleura, Thymus and Heart. IARC Press；2015.

（2）炎症など

1）藤田次郎，大朏祐治．呼吸器疾患：Clinical-Radiological-Pathological アプローチ．南江堂；2017.
2）特集 肺・非腫瘍性疾患（肺疾患の立体的理解に向けて）Ⅰ：総論および間質性肺炎．病理と臨床 2014；32（9）.
3）特集 肺・非腫瘍性疾患（肺疾患の立体的理解に向けて）Ⅱ：間質性肺炎以外の非腫瘍性肺疾患．病理と臨床 2014；32（10）.
4）びまん性肺疾患研究会．びまん性肺疾患の臨床—診断・管理・治療と症例．金芳堂；2012.
5）Zander DS, Farver CF. Pulmonary Pathology：A volume in the series：Foundations in Diagnostic Pathology. Elsevier；2017.
6）Katzenstein Anna-Luise A. Diagnostic Atlas of Non-neoplastic Lung Disease：A Practical Guide for Surgical Pathologists. demos MEDICAL；2016.
7）Churg A. Lung Disease Pathology：Pathology with High Resolution CT Correlations. LWW；2013.

第 5 章　消化器系

（1）口腔

1）高田　隆，ほか編．口腔病理アトラス．第 3 版．文光堂；2018.
2）下野正基，ほか編．新口腔病理学．第 2 版．医歯薬出版；2018.
3）森永正二郎，ほか編．腫瘍鑑別アトラス 頭頸部腫瘍 II．第 2 版．文光堂；2015.
4）Neville B, et al. Oral and Maxillofacial Pathology. 4th ed. Saunders；2015.
5）El-Naggar AK, et al, eds. WHO Classification of Head and Neck Tumors. 4th ed. IARC Press；2017.
6）Laskaris G. Color Atlas of Oral Disease, Diagnosis and Treatment. 4th ed. Thieme；2017.
7）Reichart PA, Philipsen HP. Color Atras of Dental Medicine-Oral Pathlogy. 1st ed. Thieme；2000.
8）Reichart PA, Philipsen HP. Odontogenic Tumors and Allied Lesions. Quintessence Publishing；2004.

（2）唾液腺

1）森永正二郎，ほか編．腫瘍病理鑑別診断アトラス 頭頸部腫瘍Ⅰ．文光堂；2015.
2）髙木　實監修，高田　隆・豊澤　悟編．口腔病理アトラス．第 3 版．文光堂；2018.

（3）食道・胃

1）Morson BC, et al. Morson and Dawson's Gastrointestinal Pathology. 3rd ed. Blackwell；1990.
2）Rosai J. Esophagus and stomach. Ackerman's Surgical Pathology. 8th ed. Mosby-Year Book；1996. p. 589-666.
3）Ming SC, et al, eds. Pathology of the Gastrointestinal Tract. 2nd ed. Williams & Wilkins；1998.
4）Fenoglio-Preiser CM, et al. Gastrointestinal Pathology：An Atlas and Text. 2nd ed. Lippincott-Raven；1999.
5）石黒信吾．食道．石川栄世，ほか編．外科病理学．文光堂；1999．p. 325-347.
6）加藤　洋，ほか．食道，胃．北川知行編．癌の病理組織アトラス．南江堂；1994．p. 43-70.
7）Miettinen M, et al. Esophageal stromal tumors. A clinicopathologic, immunohistochemical, and molecular genetic study of 17 cases and comparison with esophageal leiomyomas and leiomyosarcomas. Am J Surg Pathol 2000；24：211-222.
8）加藤　洋，ほか．胃炎．現代病理学大系 12-B．中山書店；1984．p. 3-59.
9）長与健夫．胃のびらん，潰瘍．現代病理学大系 12-A．中山書店；1984．p. 281-307.
10）嘉納　勇．胃ポリープ（腺腫，dysplasia を含む）．現代病理学大系 12-B．中山書店；1984．p. 61-78.
11）下田忠和．胃．石川栄世，遠城寺宗知編．外科病理学．文光堂；1999．p. 349-420.

12) Nakayama K, et al. Pathology and prognosis of gastric carcinoma. Findings in 10,000 patients who underwent primary gastrectomy. Cancer 1992；70：1030-1037.
13) 岩下明徳，ほか．胃のリンパ球浸潤性髄様癌の臨床病理学的検索．胃と腸 1991；26：1159-1166.
14) 岩下明徳，ほか．胃カルチノイドの臨床病理学的検索―特に Type I（A 型胃炎に合併）と Type III（sporadic）のリンパ節転移率について．胃と腸 2000；35：1365-1380.
15) Mori M, et al. Adenosquamous carcinoma of the stomach. A clinicopathologic analysis of 28 cases. Cancer 1986；57：333-339.
16) 岩下明徳，ほか．Gastrointestinal stromal tumor（GIST）の臨床病理―消化管間葉系腫瘍の概念の変遷と GIST の定義・臓器特異性を中心に．胃と腸 2001；36：1113-1127.
17) 紀藤　毅，ほか編．胃悪性リンパ腫．丸善；1991.
18) 小野伸高，ほか．粘膜関連リンパ組織型低悪性度 B リンパ腫．須知泰山，ほか編．新・悪性リンパ腫アトラス．文光堂；2000. p. 101-108.

（5）肝

1) Klatt EC. Robbins and Cotran Atlas of Pathology. 3rd ed. Saunders；2015.
2) Kumar V, et al. Robbins Basic Pathology. 10th ed. Elsevier；2017.
3) Kumar V, et al. Robbins and Cotran Pathologic Basis of Disease. 9th ed. Elsevier；2014.
4) 坂本穆彦監修．標準病理学．第 5 版．医学書院；2015.
5) 青笹克之総編集．解明病理学．第 3 版．医歯薬出版；2017.
6) Mills SE, ed. Histology for Pathologists. 4th ed. Wolter Kluwer；2012.

（6）膵臓

1) 日本膵臓学会編．膵癌取扱い規約．第 7 版．金原出版；2016.
2) 日本膵臓学会・厚生労働省難治性膵疾患に関する調査研究班．報告 自己免疫性膵炎臨床診断基準 2011．膵臓 2012；27：17-25.
3) Wada R, et al. Intercalated duct cell is starting point in development of pancreatic ductal carcinoma? J Carcinog 2005；4：9.
4) 和田　了，ほか．膵管内乳頭腺癌の病理組織学的検討．癌の臨床 1994；40：407-412.
5) Fukumura Y, et al. Clinicopathological features of intraductal papillary neoplasms of the bile duct：a comparison with intraductal papillary mucinous neoplasm of the pancreas with reference to subtypes. Virchows Archiv 2017；471：65-76.

第 6 章　腎尿路系

（2）腎腫瘍

1) Moch H, et al. WHO Classification of Tumours of Urinary System and Male Genital Organs. 4th ed. IARC Press；2016.
2) 日本泌尿器科学会，日本病理学会，日本放射線学会編．腎盂・尿管・膀胱癌取扱い規約．金原出版；2011.

第 7 章　生殖器系

（1）男性生殖器

1) Moch H, et al, eds. WHO classification of Tumours of the Urinary System and Male Genital Organs. IARC Press；2016.
2) Amin MB, et al, eds. Urological Pathology. Lippincott Williams & Wilkins；2014.

（2）女性生殖器

1) 日本産科婦人科学会，日本病理学会編．子宮頸癌取扱い規約 病理編．第 4 版．金原出版；2017.
2) 森谷卓也，柳井広之編．腫瘍病理鑑別診断アトラス　子宮体癌．文光堂；2014.
3) 日本産科婦人科学会，日本病理学会編．子宮体癌取扱い規約 病理編．第 4 版．金原出版；2017.
4) 日本産科婦人科学会，日本病理学会編．卵巣腫瘍・卵管癌・腹膜癌取扱い規約　病理編．第 1 版．金原出版；2016.
5) 清水道生編．婦人科病理診断トレーニング　What is your diagnosis?　医学書院；2010.
6) 婦人科がん（第 2 版）―最新の研究動向．日本臨牀 2018；76（増刊号 2）.
7) 安田政実，三上芳喜編．腫瘍病理鑑別診断アトラス　子宮頸癌．第 2 版．文光堂；2018.
8) 本山悌一，坂本穆彦編．腫瘍病理鑑別診断アトラス　卵巣腫瘍．文光堂；2012.
9) 青笹克之，本山悌一編．癌診療指針のための病理診断プラクティス　婦人科腫瘍．中山書店；2015.
10) 石倉　浩，ほか編．子宮腫瘍病理アトラス．文光堂；2007.
11) 森谷卓也，手島伸一編．卵巣・卵管腫瘍病理アトラス．改訂・改題第 2 版．文光堂；2016.

（3）乳腺

1) 森谷卓也，津田　均編．腫瘍病理鑑別診断アトラス　乳癌．第 2 版．文光堂；2016.

第 8 章　内分泌系

概説

1) Lloyd RV, Osamura RY, et al. WHO Classification of Tumours of Endocrine Organs, WHO/IARC Classification of Tumours, 4th Edition, Volume 10, 2017
2) Tanigawa M, et al. Insulinoma-associated Protein 1（INSM1）Is a Useful Marker for Pancreatic Neuroendocrine Tumor Med Mol Morphol 2018；51（1）：32-40.
3) 佐野壽昭：Diffuse neuroendocrine system の腫瘍病理．病理と臨床 1998；16：702-708.
4) Kovacs K and Horvath E. Tumors of the pituitary gland. Atlas of Tumor Pathology, 2nd series, Armed Forces Institute of Pathology, Washington DC, 1986.
5) Ohmoto A, et al. Pancreatic Neuroendocrine Neoplasms：Basic Biology, Current Treatment Strategies and Prospects for the Future. Int J Mol Sci 2017；18：143-158

（1）下垂体

1) Lloyd RV, Osamura RY, Klöppel G, Rosai J Editors. WHO Clas-

sification of Tumours of Endocrine Organs, WHO/IARC Classification of Tumours, 4th Edition, Volume 10, 2017
2）Shimatsu A, Oki Y, Fujisawa I, Sano T. Pituitary and stalk lesions（infundibulo-hypophysitis）associated with immunoglobulin G4-related systemic disease：an emerging clinical entity. Endocr J. 2009；56（9）：1033-41.
3）Nishioka H et al. Complementary Role of Transcription Factors in the Accurate Diagnosis of Clinically Nonfunctioning Pituitary Adenomas. Endocr Pathol. 2015；26（4）：349-55
4）Di leva A et al. Aggressive pituitary adenomas-diagnosis and emerging treatments. Nat Rev Endocrinol 2014；10：423-435
5）Agarwal SK, Ozawa A, Mateo CM, Marx SJ. The MEN1 gene and pituitary tumours. Horm Res. 2009；71 Suppl 2：131-8. Supple 2 131-8
6）Lim CT, Korbonits M：Update on the clinicopathology of pituitary adenomas. Endocr Paract 2018；24（5）：473-88.

（3）副腎ほか

1）Bisceglia M, et al. Adrenocortical oncocytic tumors：report of 10 cases and review of the literature. Int J Surg Pathol 2004；12：231-243.
2）Weiss LM. Comparative histologic study of 43 metastasizing and nonmetastasizing adrenocortical tumors. Am J Surg Pathol 1984；8：163-169.
3）Weiss LM, et al. Pathologic features of prognostic significance in adrenocortical carcinoma. Am J Surg Pathol 1989；13：202-206.

第 9 章　神経系

（1）腫瘍

1）Louis DN, et al, eds. WHO Classification of Tumours of the Central Nervous System. Updated 4th edition. International Agency for Research on Cancer；2016.

（2）変性・炎症

1）Gray F, et al, eds. Escourolle & Poirier, Manual of Basic Neuropathology. 5th ed. Butterworth-Heinemann；2013.
2）Love S, et al, eds. Greenfield's Neuropathology. 9th ed. Hodder Arnold；2015.

第 10 章　骨関節

1）Bullough PG. Orthopaedic Pathology. 5th ed. Mosby Elsevier；2010.
2）Klein MJ, et al. Non-neoplastic Diseases of Bones and Joints. AFIP；2011.
3）石田剛，今村哲夫. 非腫瘍性骨関節疾患の病理. 文光堂；2003.
4）石田剛. 骨腫瘍の病理. 文光堂；2012.
5）Fletcher CDM, et al, eds. WHO Classification of Tumours of Soft Tissue and Bone. IARC Press；2013.
6）Czerniak B. Dorfman and Czerniak's Bone Tumors. 2nd ed. Elsevier；2016.
7）Deyrup AT, Siegel GP. Practical Orthopedic Pathology. Elsevier；2016.
8）Nielsen GP, Rosenberg AE. Diagnostic Pathology Bone. 2nd ed. Elsevier；2017.

第 11 章　軟部組織

1）Fletcher CD. Pleomorphic malignant fibrous histiocytoma：fact or fiction? A critical reappraisal based on 159 tumors diagnosed as pleomorphic sarcoma. Am J Surg Pathol 1992；16：213-228.
2）Mentzel T, et al. Myxofibrosarcoma. Clinicopathologic analysis of 75 cases with emphasis on the low-grade variant. Am J Surg Pathol 1996；20：391-405.
3）Oda Y, et al. Pleomorphic leiomyosarcoma：clinicopathologic and immunohistochemical study with special emphasis on its distinction from ordinary leiomyosarcoma and malignant fibrous histiocytoma. Am J Surg Pathol 2001；25：1030-1038.
4）Binh MB, et al. MDM2 and CDK4 immunostainings are useful adjuncts in diagnosing well-differentiated and dedifferentiated liposarcoma subtypes：a comparative analysis of 559 soft tissue neoplasms with genetic data. Am J Surg Pathol 2005；29：1340-1347.
5）Iwasaki H, et al. Pathology of soft-tissue tumors：daily diagnosis, molecular cytogenetics and experimental approach. Pathol Int 2009；59：501-521.
6）長谷川匡，小田義直編．軟部腫瘍. 腫瘍病理鑑別診断アトラス．文光堂；2011.
7）Fletcher CDM, et al. WHO Classification of Tumours of Soft Tissue and Bone. IARC Press；2013.
8）小田義直，青笹克之編．骨・軟部腫瘍：がん診療方針のための病理診断プラクティス．中山書店；2013.
9）Goldblum JR, et al. Enzinger and Weiss's Soft Tissue Tumors. 6th ed. Elsevier Saunders；2014.
10）Doyle LA, et al. Nuclear expression of STAT6 distinguishes solitary fibrous tumor from histologic mimics. Mod Pathol 2014；27：390-395.
11）大塚隆信，ほか編．骨・軟部腫瘍：臨床・画像・病理．第 2 版．診断と治療社；2015.
12）Schaefer IM, et al. Loss of H3K27 trimethylation distinguishes malignant peripheral nerve sheath tumors from histologic mimics. Mod Pathol 2016；29：4-13.
13）Kohashi K, Oda Y. Oncogenic roles of SMARCB1/INI1 and its deficient tumors. Cancer Sci 2017；108：547-552.
14）Oda Y, et al. Soft tissue sarcomas：From a morphological to a molecular biological approach. Pathol Int 2017；67：435-446.
15）WHO Classification of Tumours Editorial Board. Soft tissue and bone tumours. Lyon France：International Agency for Research on Cancer；2020.

第 12 章　皮膚および皮膚付属器

1）Ackerman AB. Histologic Diagnosis of Inflammatory Skin Diseases：A Method by Pattern Analysis. Lea & Febiger；1978.
2）泉　美貴，檜垣祐子．みき先生とゆう子先生の皮膚病理診断 ABC ④炎症性病変．学研メディカル秀潤社；2013.

第 13 章　感覚器系

（1）眼球・付属器

1）沖坂重邦編．眼病理アトラス．文光堂；1992.
2）Mills SM. Histology for Pathologists. 4th ed. Lippincott Williams

& Wilkins；2012.
3）Fletcher CDM, et al. Diagnostic Histopathology for Tumors. 4th ed. Churchill Livingstone；2013.
4）Font RL, et al. Tumors of the Eye and Ocular Adnexa. AFIP, fourth series；2006.

（2）鼻・鼻腔

1）Barnes L, et al. World Health Organization Classification of Tumors, Pathology and Genetics of Head and Neck Tumors. 4th ed. IARC Press；2017.
2）Fletcher CDM, et al. Diagnostic Histopathology for Tumors. 4th ed. Churchill Livingstone；2013.
3）Mills SE, et al. Atlas of Tumor Pathology, Tumors of the Upper Aerodigestive Tract and Ear. AFIP, 4th series；2014.
4）Mills SM. Histology for Pathologists. 4th ed. Lippincott Williams & Wilkins；2012.

（3）耳

1）Mills SM. Histology for Pathologists. 3rd ed. Lippincott Williams & Wilkins；2006.
2）宮地　徹，斉藤　侑監．耳鼻咽喉科領域の病理．杏林書院；1992.

第 14 章　移植病理

1）Ruiz P. Transplantation Pathology. Cambridge University Press；2009.

第 15 章　細胞診

1）水口國雄監修．スタンダード 細胞診テキスト．第 3 版．医歯薬出版；2007.
2）坂本穆彦編．細胞診を学ぶ人のために．第 5 版．医学書院；2011.
3）清水道生編．読む・解く・学ぶ 細胞診 Quiz 50 ベーシック篇．診断と治療社；2014.
4）土屋眞一監修．ポケット細胞診アトラス．医療科学社；2013.
5）日本臨床細胞学会編．細胞診ガイドライン 1　婦人科・泌尿器 2015 年版．金原出版；2015.
6）日本臨床細胞学会編．細胞診ガイドライン 2　乳腺・皮膚・軟部骨 2015 年版．金原出版；2015.
7）日本臨床細胞学会編．細胞診ガイドライン 3　甲状腺・内分泌・神経系 2015 年版．金原出版；2015.
8）日本臨床細胞学会編．細胞診ガイドライン 4　呼吸器・胸腺・体腔液・リンパ節 2015 年版．金原出版；2015.
9）日本臨床細胞学会編．細胞診ガイドライン 5　消化器 2015 年版．金原出版；2015.

和文索引

あ

アスベスト曝露　136
アスペルギルス症　154
アスペルギローマ　154
アダマンチノーマ　564
アデノマトイド腫瘍　374, 406
アトピー性皮膚炎　622
アナフィラクトイド紫斑　628
アニサキス症　208
アポクリン癌　432
アポトーシス　18
アミロイド　115, 164
アミロイドーシス　35, 72, 73, 164, 254, 293, 330, 632
アミロイド沈着による手根管症候群　614
アミロイド変性　17
アメーバ赤痢　244, 249
アラジール症候群　267
アリアス・ステラ反応　391
アルコール性肝炎　269
アルコール性肝硬変　281
アルコール性肝疾患　269
アルコール性肝障害からの肝硬変　278
アルコール性肝線維症　269, 281
アルコール性脂肪肝　269
アルツハイマー病　520
アルドステロン産生副腎皮質腺腫　477
アルポート症候群　332
アレルギー性気管支肺アスペルギルス症　154
アンダーセン病　290
アンドロゲン不応症候群　375
亜急性甲状腺炎　463
亜広汎性肝壊死　262
亜広汎性・広汎性肝壊死　262
悪性 PEComa　610
悪性トライトン腫瘍　602
悪性ブレンナー腫瘍　413
悪性胸膜中皮腫　136
悪性腱鞘巨細胞腫　569
悪性黒子　660
悪性黒子型黒色腫　660
悪性黒色腫　669, 675
悪性骨巨細胞腫　561
悪性腎硬化症　334
悪性線維性組織球腫　610
悪性組織球症　112
悪性中皮腫　136
悪性貧血　67
悪性末梢神経鞘腫瘍　503, 602

い

イヌ糸状虫症　155
インスリノーマ　304
インターフェイス肝炎　263, 266
インターベンション後の病理　31
インフルエンザ脳症　511
胃ポリープ　210～212
胃リンパ球浸潤性髄様癌　214
胃の過形成性ポリープ　210
胃の非上皮性腫瘍　217
胃の扁平腺腫　211
胃潰瘍　209
胃癌　213～216
胃型腺腫　212
胃腸管間質腫瘍　689
胃底腺ポリープ　210
異形成　204
異型カルチノイド　129
異型ポリープ状腺筋腫　405
異型リンパ球　63
異型奇形腫様ラブドイド腫瘍　502
異型結節　284
異型子宮内膜症　411
異型脂肪腫様腫瘍/高分化型脂肪肉腫　579
異型上皮巣　211
異型髄膜腫　504
異型腺腫様過形成　122
異型軟骨性腫瘍　554
異型乳管過形成　428
異種移植　681
異所性胃粘膜　200
異所性皮脂腺　200
異常リンパ球　63
萎縮　18
萎縮性カンジダ症　173
萎縮性胃炎　207
移行型髄膜腫　504
移植抗原　681
移植心冠動脈病変　38
移植片対宿主病　682
遺伝性ヘモクロマトーシス　259
遺伝性歯肉増殖症　172
遺伝性腎疾患　332
遺伝性内分泌疾患　441
遺伝性脳小血管病　519
遺伝性皮質性小脳萎縮症　531
遺伝性非腺腫症性大腸癌　239
一次結核　151
一次性ヘモクロマトーシス　259
一次性変形性関節症　550, 552
印環細胞癌　87, 214, 235, 707
印環細胞様形態を示す腺癌　382
陰茎の腫瘍　383
陰茎癌　383

う

ウイルス以外の感染症　292
ウイルス性肝硬変　280
ウィルソン病　260
ウィルムス腫瘍　350
ウェゲナー肉芽腫症　55, 158
うっ血性脾腫　114

え

エーラース・ダンロス症候群　45
エナメル上皮癌　175
エナメル上皮腫　176
エナメル上皮線維歯牙腫　177
エナメル上皮線維腫　177
エナメル上皮線維肉腫　175
エプーリス　172
エプスタイン・バーウイルス感染　94
エリテマトーデス　624
エルシニアリンパ節炎　95
エルドハイム・チェスター病　566
壊死　18
壊死性サルコイド肉芽腫症　153
壊死性筋膜炎　613
壊死性血管炎　628
壊死性肉芽腫　55
栄養膜への分化を伴う浸潤性尿路上皮癌　359
液性拒絶反応　681
円形細胞肉腫　562
円柱腫　133
円柱上皮過形成　428
円板状エリテマトーデス　624
炎症　19
炎症性肝細胞腺腫　286
炎症性偽腫瘍　135
炎症性筋腺管ポリープ　230
炎症性筋線維芽細胞腫　135
炎症性筋線維芽細胞性腫瘍　588
炎症性線維状ポリープ　212
炎症性線維肉腫　588
炎症性腸疾患に合併した肺病変　163
遠位型類上皮肉腫　606

お

オートファジー　18
オリーブ橋小脳萎縮症（OPCA）　526

オンコサイト　191
オンコサイトーマ　345
黄色肉芽腫性腎盂腎炎　337
黄色肉芽腫性胆嚢炎　310
黄疸性ネフローゼ　335
横紋筋肉腫　37, 598

か

カポジ肉腫　592, 658
カルチノイド　236, 417
カルチノイド腫瘍　130, 214
カンジダ症　154, 513
ガードナー症候群　238
ガマ腫　174
ガムナ・ガンディー結節　114
ガラクトシアリドーシス　538
下垂体癌　456
下垂体腺腫　451
下垂体前葉壊死　448
下垂体前葉炎　450
下垂体前葉細胞　446
下垂体卒中　448
化生　18
化生癌　433
化膿性骨髄炎　566
化膿性脊椎炎　549
化膿性胆管炎　275
化膿性肉芽腫　656
仮骨　548
仮性動脈瘤　46
架橋性壊死型急性肝炎　262
家族性下垂体腺腫　457
家族性筋萎縮性側索硬化症（FALS）　528
家族性大腸腺腫症　238
家族性良性慢性天疱瘡　626
過角化症　169
過形成　18
過形成性ポリープ　210, 225
過誤腫　434
過誤腫性ポリープ　229
過敏性肺炎　163
顆粒球過形成　69
顆粒細胞腫　170, 602
海綿状血管腫　48, 170, 291
潰瘍性大腸炎　163, 242
壊血病　546
外傷性骨壊死　551
外傷性嚢胞　183
外毛根鞘嚢胞　640
角化型扁平上皮癌　128, 702
拡張型心筋症（DCM）　33
拡張相肥大型心筋症　33
核糖原　17, 258
褐色腫　547
滑膜軟骨腫症　570
滑膜肉腫　604
顎骨骨髄炎　186
川崎病　52
汗管腫　647
汗孔癌　645
汗孔腫　645
汗腺腫　649
肝アミロイドーシス　293
肝ペリオーシス　291
肝うっ血　272
肝炎ウイルス以外のウイルスによる肝炎　261
肝炎ウイルス健康キャリア　263
肝芽腫　289
肝海綿状血管腫　291
肝外胆管癌　311
肝吸虫症　292
肝吸虫症と肝内胆管癌　292
肝血管筋脂肪腫　282
肝血管肉腫　291
肝結核症　292
肝硬変（アルコール性および胆汁性）　281
肝硬変（ウイルス性肝炎性）（小結節性，大結節性）　280
肝硬変症　278
肝細胞の巨細胞化　267
肝細胞癌　282～284, 287
肝細胞癌の細胞異型度分類　283
肝細胞周囲性線維化　281
肝細胞腺腫　282, 285, 287
肝紫斑病　291
肝静脈閉塞性疾患　273
肝内胆管癌　283, 288
肝膿瘍　275
冠動脈バイパス静脈グラフト閉塞　31
冠動脈の粥状硬化　41
冠動脈血栓症　30
冠動脈硬化症　30
冠動脈粥腫破裂　30
間質性腎炎　336
間質性肺炎　149
間接認識　681
間葉型軟骨肉腫　557
間葉系腫瘍　135
感覚神経芽腫　676
感染性血管炎　53
感染性食道炎　201
感染性心内膜炎　29
感染性腸炎　244
感染性動脈瘤　45, 46
管状絨毛腺腫　223
管状腺癌　213
管内増殖性糸球体腎炎　322
関節リウマチ（RA）　163, 552
環状肉芽腫　630
含歯性嚢胞　181
眼瞼の炎症性疾患　667
癌骨転移　564
癌肉腫　204, 405
顔面播種状粟粒性狼瘡　629

き

キメラ遺伝子　575
キャッスルマン病　98
木村病　613
気管支肺炎　149
気道病変　152
奇形腫　372, 416
基底細胞癌　644
基底細胞様乳癌　430
基底細胞上皮腫　644
基底細胞腺癌　688
基底細胞腺腫　191, 687, 688
基底細胞母斑症候群　182
器質化肺炎　149, 161
偽ロゼット　497
偽関節　548
偽コイロサイトーシス　395
偽砂粒体　504
偽痛風　553, 614
偽膜性カンジダ症　173
偽膜性腸炎　247
菊池-藤本病　96
逆流性食道炎　201
急性 B 型ウイルス性肝炎　262
急性 C 型ウイルス性肝炎　261
急性 GVHD　684
急性ウイルス性肝炎（帯状壊死型，架橋性壊死型）　262
急性ウイルス性肝炎（古典的）　261
急性リンパ性白血病　75
急性びらん性胃炎　206
急性胃炎　206
急性胃潰瘍　209
急性胃粘膜病変　206
急性壊死性膵炎　297
急性炎症　20
急性肝うっ血　272
急性冠症候群　30
急性間質性腎炎　337
急性間質性膵炎　297
急性巨核芽球性白血病　78
急性拒絶反応　682
急性好酸球性肺炎　150
急性骨髄炎　549
急性骨髄性単球性白血病　78
急性骨髄性白血病　76
急性細胞性拒絶反応　38
急性出血性胃炎　206
急性出血性膵炎　297
急性心筋炎　32
急性腎盂腎炎　336
急性膵炎　297
急性前骨髄球性白血病　77
急性前立腺炎　377
急性胆汁うっ滞　274

急性胆嚢炎　309
急性尿細管壊死　335
急性肺うっ血　144
急性副鼻腔炎　670
急速破壊性股関節症　551
嗅神経芽腫　676
巨細胞癌　132
巨細胞膠芽腫　494
巨細胞修復性肉芽腫　567
巨細胞性エプーリス　172
巨細胞性甲状腺炎　463
巨細胞性動脈炎　50
巨細胞肉芽腫　185
巨細胞封入体性肺炎　155
巨赤芽球性貧血　67
巨大ミトコンドリア　258
巨肥大性胃炎　208
拒絶反応　681
虚血性腸炎　248
虚血性腸管壊死　248
鋸歯状腺腫　226
鋸歯状病変　225～228
胸腺癌　118
胸腺腫　118
胸膜肺線維弾性症　162
胸膜病変　152
強皮症　632
境界悪性ブレンナー腫瘍　413
橋外髄鞘崩壊　536
橋核神経細胞核内封入体　530
橋中心髄鞘崩壊　536
近位型類上皮肉腫　606
菌状息肉症　663
筋萎縮性側索硬化症　527
筋周皮腫　596
筋上皮腫　688
筋線維腫　596
筋肉内血管腫　592
筋肉内脂肪腫　577
筋肉内粘液腫　604

く

クッシング症候群を呈する副腎皮質過形成　475
クラインフェルター症候群　375
クリスタロイド　379
クリプトコッカス症　155
クリプトコッカス髄膜炎　513
クルケンベルグ腫瘍　417
クロイツフェルト・ヤコブ病　514
クローンカイト・カナダ症候群　240
クローン病　163, 244, 245
クローン病に伴う肺病変　163
グッドパスチャー症候群　159
グリオーシス　508
グレーブス病　462
グロムス血管腫　595, 657
グロムス腫瘍　595, 656, 657
くも膜下出血　517
くる病　546
空洞　151

け

ケラトアカントーマ　634
ケルバン甲状腺炎　463
ケルビズム　185
形質細胞腫　84
珪肺結節　156
珪肺症　157
軽度異形成　127, 700
軽度異形成/LSIL/CIN1　394
軽度扁平上皮内病変　700
頸部上皮内腫瘍（SIN）　394
頸部腺癌　396～398
劇症肝炎　262
血管炎　50
血管芽腫　505
血管外増殖性糸球体腎炎　323
血管拡張型骨肉腫　559, 567
血管奇形　48
血管筋脂肪腫　349
血管脂肪腫　577
血管腫　170, 592
血管腫性エプーリス　172
血管周囲性偽ロゼット　493, 497
血管中心性リンパ腫　108
血管内大細胞型 B 細胞リンパ腫　136
血管肉腫　37, 291, 658
血管平滑筋腫　596
血管免疫芽球型 T 細胞性リンパ腫　107
血球貪食症候群　70, 112
血色素症　259
血栓/塞栓物　58
血鉄症　74
結核　74
結核結節　93
結核性リンパ節炎　93
結核性胸膜炎　152
結核性精巣上体炎　376
結核性膿胸　152
結節型黒色腫　661
結節性サルコイドーシス　153
結節性過形成　378
結節性筋膜炎　581
結節性紅斑　633
結節性再生性過形成　280, 287
結節性多発（性）動脈炎　53, 331
結節性多発動脈炎　628
結節性動脈周囲炎　331
結節性痒疹　622
腱索断裂　28
腱鞘滑膜巨細胞腫　569
腱鞘巨細胞腫　569
腱鞘線維腫　569, 583
嫌色素性腎細胞癌　345
顕微鏡的多発性血管炎　331
限局性強皮症　632
限局性結節性過形成　287
限局性星細胞系腫瘍　492
原発性 HPS　70
原発性アミロイドーシス　35, 330
原発性アルドステロン症を伴う副腎皮質過形成　474
原発性硬化性胆管炎　275, 277, 307
原発性骨髄線維症　82
原発性骨内癌（NOS）　175
原発性心筋症　34
原発性胆汁性肝硬変　276
原発性胆汁性胆管炎　276

こ

コーデン病　202
コイロサイトーシス　383, 394, 700
コゴイ海綿状膿疱　621
コルチゾール産生副腎皮質腺腫　478
コレステロール結晶塞栓症　334
コレステロール塞栓　58
ゴーシェ細胞　117
ゴーシェ病　74, 117
ゴナドトロピン細胞腺腫　455
古典的アダマンチノーマ　564
古典的急性肝炎　261
呼吸細気管支炎　162
孤在性骨嚢胞　183
孤発性クロイツフェルト・ヤコブ病　514
孤立性線維性腫瘍　587
孤立性線維性腫瘍/血管周皮腫　505
誤嚥性肺炎　150
口腔カンジダ症　173
口腔上皮性異形成　169
口腔潜在的悪性疾患　169
口腔扁平苔癬　171
甲状腺ホルモン　436
甲状腺腫性カルチノイド　417
甲状腺腫瘍　460
甲状腺髄様癌　441
甲状腺乳頭癌　696
甲状腺未分化癌　468
甲状腺濾胞性腫瘍　697
広汎性肝壊死　262
好酸球性多発血管炎性肉芽腫症　56
好酸球性肺炎　150
好酸球性副鼻腔炎　671
好酸球増加症　69
好酸性肉芽腫　212
好中球増加　69
光線角化症　635
抗好中球細胞質抗体　55
抗好中球細胞質抗体関連腎炎　323
抗酸菌症　151
抗体関連型拒絶反応　682

拘束型心筋症（RCM） 34
後天性嚢胞腎随伴性腎細胞癌 348
紅板症 169
高悪性表在性骨肉腫 560
高異型度子宮内膜間質肉腫 404
高異型度漿液性癌 408
高異型度非浸潤性乳頭状尿路上皮癌 356
高血圧性脳出血 516
高血圧性脳小血管病 518
高度異形成 127, 395, 701
高度扁平上皮内病変 701
高分化型腺癌 233
硬化性血管腫 134
硬化性糸球体腎炎 326
硬化性上皮様線維肉腫 590
硬化性腺症 434
硬化性胆管炎 275, 307
硬化性乳頭腫 426
硬化性肺胞上皮腫 134
硬癌 693
硬結性紅斑/結節性血管炎 633
膠芽腫 494, 704
膠原病に合併した肺病変 163
膠原病肺 160
膠肉腫 495
膠様（コロイド）腺癌 126
膠様髄 71
骨パジェット病 547
骨の好酸球性肉芽腫 113
骨芽細胞腫 558
骨外性間葉性軟骨肉腫 600
骨外性骨肉腫 600
骨外性粘液型軟骨肉腫 609
骨・関節の感染症 549
骨・関節結核 549
骨巨細胞腫 555, 561
骨形成性エプーリス 172
骨腫瘍 549
骨髄異形成症候群 80
骨髄腫腎 335
骨髄増殖性腫瘍群 82
骨髄塞栓 144
骨折 548
骨線維性異形成 564
骨粗鬆症 545
骨軟化症 546
骨軟骨腫 554
骨軟骨腫症 554
骨肉腫 548, 559
骨嚢腫 567
骨膜性骨肉腫 560
骨膜性軟骨腫 554
骨膜性軟骨肉腫 556
根尖性歯周炎 186
混合型肝癌 289
混合型性索間質性腫瘍 414
混合型腺神経内分泌癌 312
混合塵肺 157
混合性上皮間質性腫瘍ファミリー 343

さ

サイトメガロウイルス肺炎 155
サゴ脾 115
サルコイドーシス 93, 153, 629, 667
サルコイド肉芽腫 629
砂粒腫性髄膜腫 504
砂粒体 504
再生性ポリープ 210
再生不良性貧血 71
細気管支病変 147
細菌性髄膜炎 510
細小動脈硝子化 44
細線維性糸球体腎炎 330
細胆管癌 289
細胞死 18
細胞死の分子機構 19
細胞性拒絶反応 681
細胞性上衣腫 497
細胞性線維腺腫 427
細葉性病変 152
最小偏倚腺癌 397
霰粒腫 667
残存嚢胞 181

し

シェーグレン症候群 189
シグナル伝達 21
シトルリン血症 267
シュワン細胞腫 503, 705
シュワン鞘腫 654
シリコン肉芽腫 613
子宮頸部ポリープ 393
子宮内膜異型増殖症 400
子宮内膜間質細胞由来の腫瘍 404
子宮内膜間質結節 404
子宮内膜癌 401
子宮内膜上皮内腫瘍 400
子宮内膜増殖症 400
子宮平滑筋系腫瘍 403
子宮平滑筋腫 403
糸球体腎炎 316
思春期後型奇形腫 372
思春期前型奇形腫 372
脂質蓄積性組織球症 74
脂腺癌 667
脂腺腫 651
脂腺腺腫 651
脂腺嚢腫 639
脂肪化 271
脂肪芽細胞腫 577
脂肪肝 258
脂肪腫 577
脂肪性肝炎 269
脂肪性肝疾患 258, 270
脂肪滴 258
脂肪肉芽腫 258
脂肪肉腫 579
脂肪変性 17
脂漏性角化症 641
視神経脊髄炎 535
歯牙腫 179
歯牙腫，集合型 179
歯牙腫，複雑型 179
歯原性角化嚢胞 182
歯原性線維腫 180
歯原性粘液腫 180
歯原性粘液線維腫 180
歯根嚢胞 181
歯状核赤核-淡蒼球ルイ体萎縮症 530
歯肉線維腫症 172
紫斑病性腎炎 321
嗜銀顆粒性認知症 524
嗜銀性封入体 521, 526
自己免疫性萎縮性胃炎 207
自己免疫性肝炎 266
自己免疫性甲状腺 464
自己免疫性膵炎 298
自己免疫性膵炎に合併したIgG4関連硬化性胆管炎 308
耳茸 678
色素性絨毛結節性滑膜炎 569
色素性隆起性皮膚線維肉腫 586
色素変性 17
湿疹 622
若年型顆粒膜細胞腫 414
若年性パーキンソニズム 525
若年性ポリープ 229, 240
若年性線維腺腫 427
若年性大腸ポリポーシス 239
手掌/足底線維腫症 584
主要組織適合遺伝子複合体 681
腫瘍性ポリープ 211
腫瘍性くる病/骨軟化症 546
腫瘤性石灰化症 553
収縮帯壊死 31
集合管癌 346
充実型腺癌 125
充実腺管癌 692
充実乳頭癌 429
住血吸虫症と肝硬変 292
重層型粘液産生上皮内腫瘍 397
絨毛癌 370
絨毛腺腫 223
粥腫 41
粥腫びらん 30
粥腫破綻 30
粥状硬化症 41
粥状動脈硬化性大動脈弁狭窄症 27
出血性梗塞 515
出血性骨嚢胞 183
術後性上顎嚢胞 183

純粋型間質性腫瘍　414
循環器原発性腫瘍（悪性）　37
初期無顆粒球症　69
女性化乳房症　434
小球性低色素性貧血　67
小結節性肝硬変　280
小細胞型骨肉腫　559
小細胞癌　87, 128
小細胞神経内分泌癌　399
小動脈硬化症　43
小児腎腫瘍　341
小脳の異形成性神経節細胞腫　500
小葉状毛細血管腫　657
小葉性病変　152
小葉中心性肺気腫　147
松果体芽腫　501
松果体細胞腫　501
松果体部腫瘍　501
松果体部乳頭状腫瘍　501
消化管間質性腫瘍　217
消化性食道炎　201
硝子化索状腫瘍　696
硝子化変性　403
硝子滴変性　335
硝子変性　17
漿液性癌　398, 401, 408
漿液性境界悪性腫瘍　407
漿液性子宮内膜上皮内癌　400
漿液性腫瘍　407
漿液性腺腫　407
漿液性嚢胞腫瘍　300
漿液性卵管上皮内癌　408
漿液粘液性癌　413
漿液粘液性境界悪性腫瘍　413
漿液粘液性腫瘍　413
漿液粘液性嚢胞腺腫　413
上衣ロゼット　497
上衣下腫　498
上衣系腫瘍　497
上衣下巨細胞性星細胞腫　492
上衣腫　497
上皮型中皮腫　136
上皮筋上皮癌　194, 688
上皮性過形成　169
上皮性・間葉性混合腫瘍　405
上皮内癌　127, 395
上皮内腺癌　122, 396
上皮様 MPNST　603
静脈奇形　48
静脈侵襲　358
静脈閉塞性疾患　272
静脈瘤　59
食道カンジダ症　201
食道のいわゆる癌肉腫　204
食道の異所形成　200
食道の非上皮性腫瘍　205
食道の良性上皮性腫瘍　202
食道炎　201
食道潰瘍　201
食道癌　203
食道上皮内癌　204
食道腺癌　203
食道平滑筋腫　205
食道扁平上皮癌　203
触診甲状腺炎　463
心アミロイドーシス　35
心筋炎　32
心筋梗塞　31
心筋細胞肥大　26
心筋症　33
心筋線維化　26
心原性脳梗塞　515
心臓サルコイドーシス　32
心臓移植後の拒絶反応　38
心臓原発性腫瘍（良性）　36
心臓肉腫　37
心臓粘液腫　36
心内膜疾患　29
心内膜線維弾性症　34
心膜悪性中皮腫　37
伸長細胞性上衣腫　498
神経核内封入体病　533
侵襲性アスペルギルス症　154
神経原線維変化　520
神経細胞系腫瘍　499
神経軸索スフェロイド形成を伴う遺伝性びまん性白質脳症　532
神経鞘腫　217, 601, 654
神経節膠腫　499
神経節細胞腫　499
神経線維腫　601, 655
神経線維腫症 1 型　601
神経線維腫症 2 型　601
神経内分泌マーカー　440
神経内分泌癌　399, 692
神経内分泌細胞　440
神経内分泌細胞腫瘍　236
神経内分泌腫瘍　128, 304, 692
浸潤癌　701
浸潤性小葉癌　431, 694
浸潤性膵管癌　300, 690
浸潤性腺癌　123
浸潤性乳管癌　430, 692
浸潤性尿路上皮癌　357, 359
浸潤性粘液性腺癌　125
浸潤性微小乳頭癌　432
真菌性髄膜炎　513
真珠腫　678
真性多血症　82
深在性エリテマトーデス　624
進行癌　215
進行性核上性麻痺　522
進行性多巣性白質脳症　512
新生児肝炎　267
新生児胆汁うっ滞性疾患　267
人工弁感染　29
人工弁不全　29
尋常性乾癬　621
尋常性天疱瘡　626
尋常性疣贅　620
腎アミロイドーシス　330
腎移植拒絶反応　337
腎盂腎炎　336
腎上皮性腫瘍　339
腎芽腫　350
腎原性腺腫（化生）　361
腎梗塞　334
腎硬化症　334
腎混合性腫瘍　341
腎細胞癌　339
腎細胞癌の肉腫様変化　346
腎髄質間質細胞腫瘍　349
腎性骨異栄養症　546
腎皮質壊死　335
腎非上皮性腫瘍　341
塵肺症　156

す

スティーブンス・ジョンソン症候群　623
ステロイドホルモン　435
ステント後再狭窄　31
すりガラス細胞癌　399
水腫状変性を伴う平滑筋腫　392
水腫様変性　335
水痘・帯状疱疹ウイルス　627
水疱性類天疱瘡　627
膵 NEN　303
膵管内乳頭粘液性腫瘍　302, 691
膵・消化管の神経内分泌腫瘍（MENs）　440
膵神経内分泌腫瘍　303
膵石症　298
膵胆管合流異常　313
膵内分泌腫瘍　444
髄芽腫　502
髄膜腫　504, 705
髄膜皮性髄膜腫　504
髄様癌　233, 432, 469

せ

セザリー症候群　469
セミノーマ　369
セメント芽細胞腫　180
セメント質骨形成線維腫　184
セメント質骨性異形成症　184
セルトリ・ライディッヒ細胞腫　414
セルトリ細胞腫　374, 414
正角化性歯原性嚢胞　182
正常細胞の分化過程　20
成熟奇形腫　416
成人 T 細胞性リンパ腫　106

索引

成人T細胞性白血病リンパ腫（ATLL） 86, 106
成人型顆粒膜細胞腫 414
成人型線維肉腫 589
性索間質性腫瘍 414
性腺芽腫 374
星細胞腫 704
精細管内セミノーマ 368
精子肉芽腫 376
精巣リンパ腫 373
精巣の発育異常 375
精巣腫瘍 374
精巣性女性化症候群 375
精巣胚細胞腫瘍 363
精母細胞性セミノーマ 369
精母細胞性腫瘍 369
脆弱性骨折 548
石綿小体 157
石綿肺 157, 160
赤芽球島 62
赤白血病 78
脊索細胞性腫瘍 563
脊索腫 563
切歯管嚢胞 183
石灰化腱膜線維腫 583
石灰化歯原性嚢胞 182
石灰化上皮腫 642
石灰化上皮性歯原性腫瘍 178
節外性NK/T細胞性リンパ腫, 鼻型 108
節外性辺縁帯B細胞性リンパ腫MALT型 103
先天性大動脈二尖弁の石灰化 27
先天性嚢胞性腺腫様奇形 166
先天性母斑 659
尖圭コンジローマ 383, 392, 620
腺異形成 396
腺癌 87, 122, 360, 707
腺筋腫 405
腺筋症 401
腺筋上皮腫 426
腺腫 134
腺腫様結節 461
腺腫様甲状腺腫 461, 697
腺腫様歯原性腫瘍 178
腺症 378, 434
腺上皮への分化を伴う浸潤性尿路上皮癌 359
腺上皮乳頭腫 134
腺性MPNST 604
腺肉腫 405
腺扁平上皮癌 131, 215, 399
腺房型腺癌 124
腺房細胞癌 192, 688, 692
腺様嚢胞癌 133, 193, 433, 688
線維化 271
線維形成結節性髄芽腫 502
線維形成性乳児神経節膠腫 500
線維形成性乳児星細胞腫 500
線維上皮性ポリープ 361
線維性エプーリス 172
線維性異形成 558
線維性異形成（症） 184, 560
線維性隔壁 263
線維性髄膜腫 504
線維腺腫 427, 695
線維腺症 114
線条体黒質変性症（SND） 526
全身性エリテマトーデス 624
全身性強皮症 632
全身性紅斑性狼瘡 624
全身性粟粒結核 74
全胞状奇胎 418
前舌腺嚢胞 174
前頭側頭葉変性症 521, 527
前立腺炎 377
前立腺癌 379〜382
前立腺導管癌 382
前立腺肥大 378

そ

組織球症X 71, 113
組織球性壊死性リンパ節炎 96
鼠径リンパ肉芽腫症 95
爪下外骨腫 554
早期肝細胞癌 284
早期癌 215, 235
巣状糸球体腎炎 318
巣状増殖性糸球体腎炎 321
巣状肺気腫 147
巣状分節性糸球体硬化症 320
僧帽弁の粘液腫様変性 28
僧帽弁逆流 28
僧帽弁病変 28
僧帽弁輪石灰化 28
造血幹細胞移植 682
象牙質形成性幻影細胞腫 179
増殖性毛包性嚢胞腫瘍 640
束状層細胞の萎縮 473
側頭動脈炎 50
側方進展型腫瘍 224
粟粒結核 74, 151
続発性アミロイドーシス 330
続発性アミロイド症（AA型） 115

た

ターコット症候群 238
ダリエー病 626
多形黄色星細胞腫 492, 704
多形型横紋筋肉腫 599
多形型脂肪肉腫 580
多形型平滑筋肉腫 597
多形癌 132
多形膠芽腫 494
多形滲出性紅斑 623
多形腺腫 190, 687
多形腺腫由来癌 195
多形低悪性度腺癌 688
多系統萎縮症 526
多型腺癌 195
多血性過形成結節 287
多層ロゼット性胎児性腫瘍 502
多嚢胞性腎異形成 333
多発血管炎性肉芽腫症 55, 158, 674
多発性硬化症 534
多発性骨髄腫 84
多発性脂腺嚢腫 639
多発性内分泌腫瘍症（MEN） 441
多発性嚢胞腎 333
多発巣状性萎縮性胃炎 207
多房嚢胞性腎細胞癌 343
唾液腺型腫瘍 133
唾液腺腫瘍 187
唾液腺導管癌 194, 688
唾液腺非腫瘍性病変 187
唾石症 189
体腔液 706
苔癬 625
苔癬化 625
苔癬型組織反応 625
胎芽性癌 415
胎児型横紋筋肉腫 598
胎児型腺癌 126
胎児性癌 370
胎児性脳腫瘍 502
退形成髄膜腫 504
退形成性上衣腫 497
退形成性神経節膠腫 499
退形成性星細胞腫 493
退形成性乏突起膠腫 496
退縮胚細胞腫瘍 372
帯状壊死型急性肝炎 262
大結節性肝硬変 280
大細胞癌 131
大細胞神経内分泌癌 128, 399, 703
大腿骨頭壊死症 551
大腸アミロイドーシス 254
大腸ポリープ 221〜224
大腸ポリポーシス 238〜240
大腸型腺腫 211
大腸管状腺腫 222
大腸癌 231〜235
大腸腺腫 222
大動脈解離 45, 46
大動脈弁病変 27
大動脈弁閉鎖不全 27
大脳皮質基底核症候群 523
大葉性肺炎 149
脱髄 534
脱分化型脂肪肉腫 579
脱分化型脊索腫 563
脱分化軟骨肉腫 556, 557

胆管炎性肝膿瘍　275
胆管消失症候群　274
胆管内上皮内腫瘍　288, 313
胆管内乳頭状腫瘍　288, 312
胆汁うっ滞　274
胆汁色素　259
胆汁性ネフローゼ　335
胆汁性肝硬変　281
胆汁栓　259
胆石症　309
胆道閉鎖症　267, 275, 310
胆嚢コレステローシス/コレステロールポリープ　310
胆嚢炎　309
胆嚢癌　311
胆嚢腺筋腫症　311
単純ヘルペス性食道炎　201
単純ヘルペス脳炎　511
単純型異型増殖症　400
単純性リンパ節炎　92
単純性胃炎　207
単純性潰瘍　250
単純性骨嚢胞　183
単純性脂肪肝　270
単純疱疹/水痘（みずぼうそう）・帯状疱疹　627
単相型線維性滑膜肉腫　605
単胚葉性奇形腫　416
蛋白質変性　17
淡明細胞型腎細胞癌　342
淡明細胞型軟骨肉腫　557
淡明細胞軟骨肉腫　557
淡明細胞乳頭状腎細胞癌　348
弾性線維腫　581

ち

チャーグ・ストラウス症候群　56
致死的正中線壊死症　108
置換型腺癌　124
置換型増殖　124
蓄膿症　670
腟上皮内腫瘍　392
中心に無細胞領域を伴う癌　430
中心性異型軟骨性腫瘍　556
中心性軟骨肉腫　556
中枢性神経細胞腫　499
中等度異形成　127, 701
中等度異形成/HSIL/CIN2　395
中皮腫　37, 137, 706
中分化型腺癌　233
超急性拒絶反応　681
超硬合金肺　157
腸間膜静脈硬化症　252
腸管ベーチェット病　250
腸管メラノーシス　253
腸結核　251
腸上皮化生　207
澄明細胞汗腺腫　649
直接認識　681

つ

通常型間質性肺炎　160
通常型骨肉腫　559
通常型軟骨肉腫　556
通常型乳管過形成　428
痛風　553, 614
痛風結節　553, 614, 631
蔦状線維性組織球腫　569

て

ディスプラジア結節　284
デスモイド型線維腫症　585
デスモイド腫瘍　585
デュビン・ジョンソン症候群　293
デュピュイトラン拘縮　584
低悪性線維粘液肉腫　590
低悪性中心性骨肉腫　560
低悪性度多房嚢胞性腎腫瘍　343
低悪性度乳頭状尿路上皮腫瘍　356
低異型度子宮内膜間質肉腫　404
低異型度漿液性癌　408
低異型度非浸潤性乳頭状尿路上皮癌　356
低分化型滑膜肉腫　605
低分化腺癌　213, 233
低補体性糸球体腎炎　325
定型カルチノイド　129
停留精巣　375
鉄欠乏性貧血　67
鉄症　157
鉄代謝と鉄過剰症　259
転移性エナメル上皮腫　176
転移性肝癌　283, 288, 290
転移性肝腫瘍　290
転移性腫瘍　87
転移性肉腫様癌　565
転移性骨腫瘍　568
伝染性単核球症　94

と

トーフス様偽痛風　553
トキソプラズマ症　94
トキソプラズマ性リンパ節炎　94
ドナー特異的抗原　681
透析アミロイドーシス　330
透析関連腎腫瘍　348
頭蓋咽頭腫　458
糖原性過形成　202
糖原性棘細胞症　202
糖原病　290
糖原病Ⅲa 型　290
糖原病Ⅳ型　290
糖原変性　17
糖尿病性糸球体硬化症　328
糖尿病性腎症　328
同種移植　681
同種拒絶反応　681
洞組織球症　92
動静脈奇形　48
動脈炎　50
動脈硬化　43
動脈瘤　45
動脈瘤様骨嚢腫　567
動脈瘤様骨嚢胞　185
銅顆粒の沈着　274
銅沈着　260
特殊グリア神経細胞成分　500
特殊型胃炎　208
特殊型胃癌　214
特殊心筋症　33
特発性間質性肺炎　160～162
特発性血小板減少性紫斑病　72
特発性歯肉増殖症　172
特発性大腿骨頭壊死　551
特発性腸間膜静脈硬化症　252
特発性肺動脈性肺高血圧症　145

な

ナルセル腫瘍　455
那須-ハコラ病　532
内軟骨腫　554
内軟骨腫症　554
内反性乳頭腫　671
内反性尿路上皮乳頭腫　362
内分泌細胞癌　215, 237
内膜肉腫　37
内膜肥厚　43
軟骨下脆弱性骨折　548
軟骨芽細胞腫　555, 561, 569
軟骨肉腫　556
軟骨粘液様線維腫　555
軟骨様脊索腫　563
軟部悪性黒色腫　608
軟部腫瘍　571
軟部明細胞肉腫　608
軟毛嚢腫　639

に

ニーマン・ピック細胞　117
ニーマン・ピック病　74, 117
ニコチン酸欠乏症　536
ニューモシスチス肺炎　155
二次結核　151
二次性硬化性胆管炎　275
二次性骨肉腫　560
二次性腫瘍　417
二次性心筋症　33
二次性変形性関節症　550
二次性末梢性異型軟骨性腫瘍　556
二次性末梢性軟骨肉腫　556
二相型滑膜肉腫　604
二相型中皮腫　137

索引

日本住血吸虫症　292
日光角化症　635
肉ずく肝　272
肉芽腫　629
肉芽腫性エプーリス　172
肉芽腫性甲状腺炎　463
肉芽腫性精巣炎　376
肉芽腫性前立腺炎　377
肉芽腫性多発血管炎　331
肉腫型中皮腫　137
肉腫様癌　568
肉腫成分過剰増殖を伴う腺肉腫　405
肉腫様癌　132
乳管腺腫　426
乳管内増殖性病変　428
乳管内乳頭癌　425
乳管内乳頭腫　425, 693
乳児線維肉腫　588
乳腺症　434, 695
乳腺線維症　434
乳頭型腺癌　124
乳頭癌　466
乳頭腫　134, 671
乳頭状汗管嚢胞腺腫　648
乳頭状汗腺腫　648
乳頭状腎細胞癌　344
乳頭状腺腫　344
乳頭状線維弾性腫　36
乳頭腺管癌　692
乳頭腺癌　213
乳頭腺腫　134
乳頭部腺腫　426, 693
乳房外パジェット病　392, 638
乳幼児指趾線維腫症　582
乳幼児線維性過誤腫　582
尿細管の変性　335
尿細管炎　336
尿細管間質性腎炎　336
尿膜管遺残　361
尿膜管癌　361
尿路腫瘍　351
尿路上皮癌　352, 359, 699
尿路上皮腫瘍　352
尿路上皮内癌　355
尿路上皮乳頭腫　362
妊娠関連病変　390
妊娠性エプーリス　172

ね

ネガティブフィードバック　437
ネクロプトーシス　18
猫ひっかき病　95
粘液/円形細胞型脂肪肉腫　580
粘液管状紡錘細胞癌　346
粘液癌　214, 233, 382, 431
粘液腫様変性　28
粘液性癌　397, 401, 409
粘液性境界悪性腫瘍　409
粘液性腫瘍　409
粘液性腺癌・内頸部型　397
粘液性腺腫　409
粘液性嚢胞性腫瘍　288
粘液線維肉腫　589
粘液貯留嚢胞　174
粘液乳頭状上衣腫　498
粘液変性　17
粘液瘤　189
粘表皮癌　133, 192, 688
粘膜関連リンパ組織リンパ腫　103

の

脳アミロイドアンギオパチー　516
脳幹グリオーマ　495
脳幹型レビー小体　525
脳梗塞　515
脳室外神経細胞腫　499
脳腫瘍　489
脳出血　516
脳小血管病　518
脳動静脈奇形　517
脳動脈瘤　517
膿原性肉芽腫　171
膿疱性乾癬　621
膿瘍形成性肉芽腫　95
膿瘍形成性肉芽腫性リンパ節炎　95
嚢状中膜壊死（変性）　45
嚢状動脈瘤　517
嚢胞性骨病変　567
嚢胞性腎腫瘍　343

は

ハシトキシコーシス　462
ハム脾　115
ハンチントン病　529
ハンド・シュラー・クリスチャン病　113
バーキットリンパ腫　104
バセドウ病　462
バレット食道　200
バンチ病　114
パーキンソン病　525
パジェット病　392, 433
パルボウイルス B19 感染　72
破砕骨軟骨片沈着性滑膜炎　551, 552, 570
播種性血管内凝固症候群　58
播種性 MAC 症　152
馬蹄腎　333
肺 MAC 症　152
肺ランゲルハンス細胞組織球症　165
肺リンパ脈管筋腫症　148
肺うっ血　144
肺の出血性梗塞および塞栓　144
肺炎　149
肺過誤腫　136
肺芽腫　132
肺気腫　147
肺結核症　151
肺高血圧症　145
肺小細胞癌　703
肺硝子化肉芽腫　164
肺上皮腫瘍　119
肺水腫　144
肺線維症　157
肺動脈血栓塞栓　145
肺動脈内膜肉腫　135
肺膿瘍　149
肺分画症　166
肺扁平上皮癌　702
肺胞性肺炎　149
肺胞蛋白症　159
肺胞微石症　147
胚芽異形成性神経上皮腫瘍　500
胚細胞腫瘍　415
胚細胞・性索間質性腫瘍　417
胚腫　501
白質脳症　533
白板症　169, 202
白血球破砕性血管炎　628
白血病浸潤　373
剥離性間質性肺炎　162
麦粒腫　667
橋本甲状腺炎　464
橋本病　464
発癌の分子機構　22
鼻型 NK/T 細胞性リンパ腫　674
鼻茸　671
反応性アストロサイトーシス　508
反応性リンパ節炎　92
反応性中皮細胞　137
反応性胚中心細胞　101
反復性多発性軟骨炎　679
半月体形成性糸球体腎炎　323
半月体性腎炎　323
汎下垂体炎　450
汎小葉中心性肺気腫　147
晩発性皮質性小脳萎縮症（LCCA）　531

ひ

ヒトパピローマウイルス感染症　620
ヒトヘルペスウイルス　627
ヒト白血球抗原　681
ヒドロキシアパタイト結晶沈着症　553
ヒルシュスプルング病　253
ビダール苔癬　622
ビュルガー病　57
ビンスワンガー病　518
ピック球　521
ピック小体　521
ピック嗜銀球　521
ピック病　521
ピリンガーリンパ節炎　94
ピロリン酸カルシウム結晶沈着症　614

索引

びまん性間質性肺線維症型　156
びまん性正中膠腫 H3 K27M 変異　495
びまん性星細胞腫　493, 704
びまん性大細胞型 B 細胞リンパ腫　104, 373, 674, 708
びまん性肺胞出血　159
びまん性肺胞傷害　161
びまん性汎細気管支炎　147
びまん大細胞性リンパ腫　86
びらん性食道炎　201
皮質型レビー小体　525
皮質基底核変性症　523
皮膚アミロイドーシス　632
皮膚筋炎　624
皮膚混合腫瘍　650
皮膚線維腫　591, 652
皮膚線維性組織球腫　582
皮膚病性リンパ節症　97
皮様嚢腫　639
皮様嚢腫に伴う体細胞型腫瘍　416
非アルコール性脂肪肝　270
非アルコール性脂肪肝炎　270
非アルコール性脂肪性肝疾患　270
非ホジキンリンパ腫　85, 100, 566
非萎縮性胃炎　207
非角化型扁平上皮癌　128, 704
非結核性抗酸菌症　152
非高血圧性脳出血　516
非骨化性線維腫　565
非細菌性血栓性心内膜炎　29
非浸潤性小葉癌　429
非浸潤性乳管癌　429
非浸潤性乳頭状尿路上皮癌　356
非浸潤性尿路上皮癌　355, 357
非浸潤性杯細胞腫瘍　367
非定型骨折　545
非特異性間質性肺炎　161
非特異性多発性小腸潰瘍症　246
肥大　18
肥大型心筋症（HCM）　33
被包乾酪巣　151
脾アミロイド症　115
脾の慢性うっ血　114
脾炎症性偽腫瘍　116
脾過誤腫　116
微小浸潤癌　396, 430, 701
微小腺管過形成　393
微小乳頭型腺癌　125
微小変化　321
微小変化ネフローゼ症候群（MCNS）　320
微少浸潤性腺癌　122
鼻口蓋管嚢胞　183
表層拡大型黒色腫　660
表層性胃炎　207
表皮真皮境界部皮膚炎　623
表皮嚢腫　639
病的骨折　548
貧血　67

ふ

ファブリ（ー）病　35, 332
ファンコニ貧血　71
フィブリノイド変性　17
ブドウ状肉腫　598
ブニナ小体　527
ブラ・ブレブ　147
ブランディン・ヌーン嚢胞　174
ブレンナー腫瘍　413
プランマー病　465
プログラム細胞死　18
ぶどう膜悪性黒色腫　669
不安定プラーク　41
不応性貧血（RA）　80
不整脈源性右心室心筋症（ARVC）　34
不妊男性の精巣　375
富巨細胞性骨肉腫　561
富細胞型筋肉内粘液腫　604
風船状腫大　258
封入体性線維腫症　582
封入体疣贅　620
副甲状腺機能亢進症　547
副甲状腺腺腫　697
副甲状腺病変　444
副腎アデノマトイド腫瘍　482
副腎褐色細胞腫　486
副腎偶発腫　480
副腎血管性嚢胞　482
副腎神経節腫　487
副腎白質ジストロフィー　539
副腎皮質過形成　474～476
副腎皮質癌　483～485
副腎皮質結節　472
副腎皮質好酸性腫瘍　481
副腎皮質骨髄脂肪腫　480
副腎皮質色素性腺腫　479
副腎皮質腺腫　477～479
副腎病変　444
副皮質（T 細胞領域）の拡大　92
腹腔内デスモイド　585
腹壁デスモイド　585
腹壁外デスモイド　585
腹膜インプラント　408
複雑型異型増殖症　400
吻合部ポリープ状肥厚性胃炎　208
粉瘤　639
分化型アダマンチノーマ　564
分化型の類内膜癌　401
分子標的薬　23
分節性動脈中膜融解症　47
分泌癌　194, 432
分泌性髄膜腫　504
分葉状頸管腺過形成　397
分類不能癌　133

へ

ヘイリー・ヘイリー病　626
ヘモクロマトーシス　34, 259
ヘモシデリン沈着性滑膜炎　569
ヘモジデローシス　259
ベドナー腫瘍　586
ペプチドホルモン　435
ペラグラ　536
平滑筋腫　205, 392, 403, 597
平滑筋肉腫　403, 597
平坦型上皮異型　428
閉塞性黄疸　274
閉塞性血栓血管炎　57
閉塞性腺症　434
変形性関節症　550
変形性脊椎症　550
変性　17
扁平上皮への分化を伴う浸潤性尿路上皮癌　359
扁平上皮化生　127, 393
扁平上皮癌　127, 168, 203, 215, 360, 396, 637, 672
扁平上皮内病変（SIL）　394
扁平上皮乳頭腫　134, 202
扁平腺腫　211
扁平苔癬　625
扁平苔癬様角化症　625
扁平疣贅　620

ほ

ホジキンリンパ腫　85, 86, 100, 110, 566
ホジキン細胞　110
ボーエン病　636
ポイツ・ジェガース型ポリープ　240
ポイツ・ジェガース型ポリープ　229
ポイツ・ジェガース症候群　239
ポートリエ微小膿瘍　636
ポリープ状嚢胞状胃炎　208
ポリグルタミン病　529
母斑細胞母斑　659
放線菌症　173
泡沫状脂肪肝　258
胞状奇胎　418
胞巣型横紋筋肉腫　598
胞巣状軟部肉腫　607
乏突起膠腫　496
乏突起星細胞腫　496
紡錘形細胞/多形性脂肪腫　577
紡錘形細胞型/硬化性横紋筋肉腫　599
紡錘形細胞扁平上皮癌　168
紡錘細胞癌　132
傍関節骨軟骨腫　570
傍骨性骨肉腫　560
膀胱癌　699
本態性血小板血症　82

ま

マシャド・ジョセフ病　530
マックーン・オルブライト症候群　184, 558
マルファン症候群　45
マントル細胞リンパ腫　102
膜性糸球体腎炎　319
膜性腎症　319
膜性増殖性糸球体腎炎　324
末期腎　326
末梢性 T 細胞性リンパ腫　105
末端黒子型黒色腫　661
慢性 B 型肝炎　265
慢性 C 型肝炎　259, 263, 265
慢性 GVHD　684
慢性ウイルス性肝炎　263～265
慢性ウイルス性肝炎からの肝硬変　278
慢性リンパ性甲状腺炎　698
慢性胃炎　207
慢性胃潰瘍　209
慢性壊死性肺アスペルギルス　154
慢性炎症　20
慢性過形成性カンジダ症　173
慢性過敏性肺炎　160
慢性活動性肝炎　264
慢性肝うっ血　272
慢性肝炎の急性増悪　262
慢性肝疾患　278
慢性肝疾患から肝硬変への進展　278
慢性間質性腎炎　337
慢性拒絶反応　682
慢性血栓塞栓性肺高血圧症　145
慢性好酸球性肺炎　150
慢性硬化性骨髄炎　186
慢性骨髄炎　549
慢性骨髄性白血病　82
慢性骨髄単球性白血病（CMMoL）　81
慢性自己免疫性萎縮性胃炎　207
慢性持続性肝炎　264
慢性出血性胃潰瘍　209
慢性腎盂腎炎　336
慢性膵炎　298
慢性前立腺炎　377
慢性多発巣状性萎縮性胃炎　207
慢性大動脈周囲炎　51
慢性単純性苔癬　622
慢性胆汁うっ滞　274
慢性胆嚢炎　309
慢性肺うっ血　144
慢性非萎縮性胃炎　207
慢性非化膿性破壊性胆管炎　276
慢性副鼻腔炎　670

み

ミトコンドリア脳筋症　537
ミルメシア　620
未熟奇形腫　416
未熟扁平上皮化生　701
未分化癌　215, 468, 696
未分化多形肉腫　559, 565
未分化大細胞型リンパ腫（ALCL）　86, 109
未分化肉腫　610
未分化胚細胞腫/ディスジャーミノーマ　415
未分類特発性間質性肺炎　162
脈管侵襲　358
脈絡叢癌　498
脈絡叢乳頭腫　498

む

ムコール症　154, 513
無顆粒球症　69

め

メサンギウム増殖性糸球体腎炎　321
メサンギウム増殖性腎炎　318
メネトリエ病　208
メラノサイト　675
メルケル細胞癌　675
メンケベルグ型中膜硬化症　43
明細胞型肝細胞癌　283
明細胞癌　195, 398, 401, 410
明細胞腫瘍　410
明細胞上衣腫　497
明細胞腺腫　410
明瞭な fibrous body を伴う GH 細胞腺腫　452
免疫チェックポイント阻害薬　675
免疫再構築症候群　512

も

モルラ　126
燃え尽き腫瘍　372
毛芽腫　643
毛細血管拡張性肉芽腫　657
毛細血管腫　170
毛巣洞　639
毛髪嚢腫　640
毛母腫　642
毛包上皮腫　643
毛包性角化症　626
毛様細胞性星細胞腫　492, 704
毛様粘液性星細胞腫　492
網膜芽細胞腫　669
門脈域浸潤　284

や

野兎病　95
薬剤関連性顎骨壊死　186
薬剤性リンパ節症　99
薬剤性肝炎　261
薬剤性肝障害(胆汁うっ滞型および肝炎型)　268
薬剤性胆汁うっ滞　274
薬物性歯肉増殖症　172

ゆ

ユーイング肉腫　562
ユーイング肉腫類似円形細胞肉腫　562
輸血，鉄剤投与に伴うヘモクロマトーシス　259
疣状胃炎　206
疣状癌　383
疣贅型黄色腫　171
疣贅状異角化腫　626
疣贅状癌　637
疣贅状扁平上皮癌　168
幽門腺化生　397

よ

葉状腫瘍　427, 695
溶連菌感染後糸球体腎炎　53

ら

ライディッヒ細胞腫　374
ラクナ梗塞　515
ラトケ嚢胞　458
ラブドイド腫瘍　609
ランゲルハンス細胞　165, 296
ランゲルハンス細胞組織球症　71, 113, 185, 566
らせん腺腫　650
卵黄嚢腫瘍　371, 415
卵巣腫瘍　389
卵巣性索腫瘍に類似した子宮腫瘍　404

り

リーデル甲状腺炎　464
リウマチ結節　552
リウマチ性僧帽弁変形　28
リウマチ性大動脈弁変性　27
リウマトイド結節　614, 631
リポイド肺炎　150
リポイド類壊死症　630
リポフスチン顆粒　259
リンチ症候群　239
リンパ管腫　170, 592
リンパ球浸潤性髄様癌　214
リンパ球性下垂体前葉炎　449
リンパ球性間質性肺炎　162
リンパ球性甲状腺炎　464
リンパ球性漏斗下垂体神経葉炎　449
リンパ腫　85, 100, 668, 674, 708
リンパ上皮癌　673
リンパ上皮腫様癌　133
リンパ上皮性嚢胞　174
リンパ組織球系腫瘍　136
リンパ濾胞　89
隆起性皮膚線維肉腫　586, 653
良性ブレンナー腫瘍　413

良性家族性血尿　332
良性上皮性過形成　202
良性腎硬化症　334
良性腎腫瘍　349
良性脊索細胞腫　563
良性線維組織球腫　591
良性前立腺肥大　378
良性増殖性病変　693
良性・中間悪性骨形成性腫瘍/腫瘍類似疾患　558
良性軟骨性腫瘍　554

る

ループス腎炎　327
類基底細胞型扁平上皮癌　128
類骨骨腫　558
類上皮血管内皮腫　291, 593
類上皮血管肉腫　594, 658
類上皮膠芽腫　494
類上皮肉腫　606
類臓器構造　582
類洞閉塞症候群　272
類内膜癌　398, 401, 411
類内膜境界悪性腫瘍　411
類内膜腫瘍　411
類白血病反応　69
類皮囊胞　174
類表皮囊腫　639
類表皮囊胞　174

れ

レッテラー・シーベ病　113
レナートリンパ腫　105
レビー小体　525
レビー小体型認知症　525
連鎖球菌感染後急性糸球体腎炎　322

ろ

ローサイ・ドーフマン病　92
ロイス・ディーツ症候群　45
ロゼット形成性グリア神経細胞腫瘍　500
濾胞型乳頭癌　466
濾胞癌　467
濾胞性リンパ腫　85, 101
濾胞性腫瘍　696
濾胞性胆囊炎　309
濾胞腺腫　465
濾胞（B 細胞領域）過形成　92
老人性アミロイド　35
老人性角化腫　635
老人性角化症　635
老人性石灰化弁　27
老人性疣贅　641
老人斑　520
漏斗神経下垂体炎　450

わ

ワルチン腫瘍　191

欧文索引

数字

1 型 AIP　298
1 型乳頭状腎細胞癌　344
2 型 AIP　299
2 型乳頭状腎細胞癌　344
3 リピートタウオパチー　521
4 リピートタウオパチー　522
I 型内膜癌　401
II 型内膜癌　401

A

AAG（autoimmune atrophic gastritis）　207
AAH（atypical adenomatous hyperplasia）　122
AA アミロイドーシス　164
AA 蛋白　35
abdominal desmoid　585
abnormal lymphocyte　63
acinar adenocarcinoma　124
acinar cell carcinoma　692
acinic cell carcinoma　192
acquired cystic kidney-related renal cell carcinoma　348
acral lentiginous melanoma　661
ACS（acute coronary syndrome）　30
ACTH independent macronodular adrenocortical hyperplasia（AIMAH）　475, 476
ACTH 細胞腺腫　454
ACTH 細胞　446
actinic keratosis　635
actinomycosis　173
acute coronary syndrome（ACS）　30
acute erosive gastritis　206
acute gastric mucosal lesion（AGML）　206
acute gastritis　206
acute hemorrhagic gastritis　206
acute hemorrhagic pancreatitis　297
acute interstitial pancreatitis　297
acute lymphocytic leukemia（ALL）　75
acute myelogenous leukemia（AML）　76
acute myelomonocytic leukemia　78
acute myocarditis　32
acute necrotic pancreatitis　297
acute osteomyelitis　549
acute pancreatitis　297
acute promyelocytic leukemia（APL）　77
acute prostatitis　377
acute tubular necrosis　335
acute viral hepatitis with zonal necrosis or bridging necrosis　262
acute viral hepatitis（classical type）　261
adamantinoma　564
adenocarcinoma　122, 203, 360, 707
adenocarcinoma *in situ*（AIS）　122, 396
adenoid cystic carcinoma　133, 193, 433, 688
adenoma of colonic type　211
adenoma of gastric type　212
adenoma-carcinoma sequence　231
adenomas　134
adenomatoid tumor　374, 406
adenomatoid tumor of the adrenal gland　482
adenomatous goiter　461
adenomyoepithelioma　426
adenomyoma　405
adenomyomatosis of gallbladder　310
adenosarcoma　405
adenosarcoma with sarcomatous overgrowth　405
adenosis　378
adenosis of the prostate　378
adenosquamous carcinoma　131, 399
ADH（atypical ductal hyperplasia）　428
ADH（atypical ductal hyperplasia）を伴う乳頭腫　425
adrenal adenomatoid tumor　482
adrenal incidentaloma　480
adrenal vascular cyst　482
adrenocortical adenoma　477
adrenocortical carcinoma　483
adrenocortical hyperplasia　474～476
adrenocortical myelolipoma　480
adrenocortical oncocytoma　481
adrenocortical pigmented adenoma　479
adrenoleukodystrophy（ALD）　539
adult fibrosarcoma　589
adult granulosa cell tumor　414
adult T-cell leukemia/lymphoma　106
advanced carcinoma　215
AGD（argyrophilic grain dementia）　524
Aggressive pituitary adenomas　456
AGML（acute gastric mucosal lesion）　206
agranulocytosis　69
AIH（autoimmune hepatitis）　266
AIMAH（ACTH independent macronodular adrenocortical hyperplasia）　475, 476
AIP（autoimmune pancreatitis）　298
AIS（adenocarcinoma *in situ*）　122
AITL（angioimmunoblastic T-cell lymphoma）　107
alagille syndrome　267
ALCL（anaplastic large cell lymphoma）　86, 109
alcoholic fatty liver　269
alcoholic liver cirrhosis　281
alcoholic liver disease　269
alcoholic liver fibrosis　269
alcoholic steatohepatitis　269
ALD（adrenoleukodystrophy）　539
aldosterone producing adrenocortical adenoma（APA）　477
ALK 転座型腎細胞癌　347
ALK 肺癌　122
ALL（acute lymphocytic leukemia）　75
ALS（amyotrophic lateral sclerosis）　527
alveolar microlithiasis　147
alveolar rhabdomyosarcoma　598
alveolar soft part sarcoma　607
Alzheimer disease　520
AL アミロイドーシス　164
AL 蛋白　35
ameloblastic carcinoma　175
ameloblastic fibroma　177
ameloblastic fibro-odontoma　177
ameloblastic fibrosarcoma　175
ameloblastoma　176
AML（acute myelogenous leukemia）　76
amoebic colitis　249
amyloidosis　35, 73, 164, 254, 293, 632
amyloidosis of spleen　115
amyotrophic lateral sclerosis（ALS）　527
anaphylactoid purpura　628
anaplastic astrocytoma　493
anaplastic ependymoma　497
anaplastic ganglioglioma　499
anaplastic large cell lymphoma（ALCL）　109
anaplastic meningioma　504
anaplastic oligodendroglioma　496
anaplastic thyroid carcinoma　468
ANCA（anti-neutrophil cytoplasmic antibody）　55
ANCA（anti-neutrophil cytoplasmic antibody）関連腎炎　323
ANCA 関連血管炎　56
androgen insensitivity syndrome　375
anemia　67
aneurysm　45
aneurysmal bone cyst　183, 185, 567
angiocentric lymphoma　108
angioimmunoblastic T-cell lymphoma

索引

（AITL） 107
angioleiomyoma 596
angiolipoma 577
angiomyolipoma 349
angiosarcoma 291, 658
anisakiasis 208
antibody-mediated rejection 682
anti-neutrophil cytoplasmic antibody（ANCA） 55
anti-neutrophil cytoplasmic antibody（ANCA）関連腎炎 323
Antoni A 型 503
Antoni B 型 503
aortic dissection 45
aortic valve diseases 27
aortic valve regurgitation 27
APA（aldosterone producing adrenocortical adenoma） 477
APAM（atypical polypoid adenomyoma） 405
apical periodontitis 186
APL（acute promyelocytic leukemia） 77
aplastic anemia 71
apocrine carcinoma 432
apocrine tubular（apocrine）adenoma 647
argyrophilic grain dementia（AGD） 524
Arias-Stella reaction 391
Arkin の病期分類 53
arteriolosclerosis 43
arteriovenous malformation 48, 517
ARVC（不整脈源性右心室心筋症） 34
aspergillosis 154
aspiration pneumonia 150
astrocytoma 704
AT/RT（atypical teratoid/rhabdoid tumor） 502
atheroma 639
atherosclerosis 41
atherosclerotic aortic stenosis 27
ATLL（成人 T 細胞性白血病リンパ腫） 86
atopic dermatitis 622
ATP（atypical epithelium） 211
ATTR 蛋白 35
atypical adenomatous hyperplasia（AAH） 122
atypical ductal hyperplasia（ADH） 428
atypical ductal hyperplasia（ADH）を伴う乳頭腫 425
atypical endometrial hyperplasia 400
atypical endometriosis 411
atypical epithelium（ATP） 211
atypical fracture 545
atypical lipomatous tumor/well differentiated liposarcoma 579
atypical lymphocyte 63
atypical meningioma 504
atypical polypoid adenomyoma（APAM） 405
atypical teratoid/rhabdoid tumor（AT/RT） 502
aural polyp 678
autoimmune atrophic gastritis（AAG） 207
autoimmune hepatitis（AIH） 266
autoimmune pancreatitis（AIP） 298

B

bacterial meningitis 510
ballooning 258, 270
Banti 病 114
Barrett esophagus 200
basal cell adenoma 191
basal cell carcinoma（BCC） 644
basal cell epithelioma 644
basal cell nevus syndrome 182
basaloid squamous cell carcinoma 128
Basedow disease 462
BCC（basal cell carcinoma） 644
BCOR 遺伝子変異を有する肉腫 562
Bednar 腫瘍 586
benign and intermediate osteoblastic tumor/tumor-like condition 558
benign Brenner tumor 413
benign cartilaginous tumor 554
benign epithelial hyperplasia 202
benign familial hematuria 332
benign fibrous histiocytoma 591
benign nephrosclerosis 334
benign notochordal cell tumor 563
benign prostatic hyperplasia（BPH） 378
benign renal tumors 349
biliary atresia 267, 275, 310
biliary intraepithelial neoplasia（neoplasm）（BilIN） 288, 313
biliary liver cirrhosis 281
biliary nephrosis 335
BilIN（biliary intraepithelial neoplasia〈neoplasm〉） 288, 313
Binswanger disease 518
Birt-Hogg-Dubé 症候群 345
bladder cancer 699
Blandin-Nuhn cyst 174
blue toe syndrome 334
body cavity fluid 706
bone and joint infectious diseases 549
borderline Brenner tumor 413
botryoid rhabdomyosarcoma 598
Bowen disease 636
BPH（benign prostatic hyperplasia） 378
brain hemorrhage 516
brain infarction 515
Brenner tumor 413
bronchopneumonia 149
Brooke-Spiegler 症候群 650
brown tumor 547
Buerger disease 57
bulla/bleb 147
bullous pemphigoid 627
Bunina body 527
burned-out tumor 372
B 型ウイルス性肝炎関連肝硬変 280

C

CAA（cerebral amyloid angiopathy） 516
CADASIL（cerebral autosomal dominant arteriopathy with subcortical infarcts and leukoencephalopathy） 519
calcifying aponeurotic fibroma 583
calcifying congenital bicuspid valve 27
calcifying epithelial odontogenic tumor 178
calcifying epithelioma 642
calcifying epithelioma of Malherbe 642
calcifying odontogenic cyst 182
calcium pyrophosphate dehydrate crystal deposition disease 614
callus 548
candidiasis 154
capillary hemangioma 170
CARASIL（cerebral autosomal recessive arteriopathy with subcortical infarcts and leukoencephalopathy） 519
carcinoid 236
carcinoid tumor 130, 417
carcinoma ex pleomorphic adenoma 195
carcinosarcoma 204, 405
cardiac allograft vasculopathy 38
cardiac myxoma 36
cardiac sarcoidosis 32
cardiac sarcoma 37
cardiac transplant rejection 38
cardiomyopathy 33
carpal tunnel syndrome caused by amyloid deposits 614
Castleman disease 98
cat scratch disease 95
cavernous hemangioma 170, 291
CBD（corticobasal degeneration） 523
CBN（contraction band necrosis） 31
CBS（corticobasal syndrome） 523
CCL 細胞（centrocyte-like cell） 103
cellular ependymoma 497
cellular intramuscular myxoma 604
cellular NSIP 161
cementoblastoma 180
cemento-osseous dysplasia 184
cemento-ossifying fibroma 184
central neurocytoma 499
central pontine myelinolysis 536
centroblastic lymphoma 104
centrocyte-like cell（CCL 細胞） 103
cerebral amyloid angiopathy（CAA） 516

cerebral autosomal dominant arteriopathy with subcortical infarcts and leukoencephalopathy（CADASIL） 519
cerebral autosomal recessive arteriopathy with subcortical infarcts and leukoencephalopathy（CARASIL） 519
cervical adenocarcinoma 396
cervical glandular intraepithelial neoplasia（CGIN） 397
cervical intraepithelial neoplasia 1（CIN1） 700
cervical intraepithelial neoplasia 2（CIN2） 701
cervical intraepithelial neoplasia 3（CIN3） 701
cervical polyp 393
CGIN（cervical glandular intraepithelial neoplasia） 397
chalazion 667
cherubism 185
chickenpox 627
cholangiolocellular carcinoma 289
cholangitic abscess 275
cholecystitis 309
cholelithiasis 309
cholesteatoma 678
cholesterin crystal thrombosis 334
cholesterosis/cholesterol polyp of gallbladder 310
chondroblastoma 555
chondroid chordoma 562
chondromyxoid fibroma 555
chondrosarcoma 556, 557
chordoma 562
choriocarcinoma 370
choroid plexus carcinoma 498
choroid plexus papilloma 498
chromophobe renal cell carcinoma 345
chronic active hepatitis 264
chronic congestion of spleen 114
chronic gastritis 207
chronic lymphocytic thyroiditis 698
chronic myelogenous leukemia（CML） 82
chronic nonsuppurative destructive cholangitis（CNSDC） 276
chronic osteomyelitis 549
chronic pancreatitis 298
chronic periaortitis 51
chronic persistent hepatitis 264
chronic prostatitis 377
chronic rejection 682
chronic viral hepatitis 263
Churg-Strauss syndrome 56
CIC 再構成肉腫 562
CIN1（cervical intraepithelial neoplasia 1） 700
CIN2（cervical intraepithelial neoplasia 2） 701
CIN3（cervical intraepithelial neoplasia 3） 701
circumscribed astrocytic tumor 492
CJD（Creutzfeldt-Jacob disease） 514
clear cell adenoma 410
clear cell carcinoma 195, 398, 401, 410
clear cell ependymoma 497
clear cell hidradenoma 649
clear cell papillary renal cell carcinoma 348
clear cell renal cell carcinoma 342
clear cell sarcoma 608
clear cell tumor 410
clonorchiasis 292
CML（chronic myelogenous leukemia） 82
CMMoL（慢性骨髄単球性白血病） 81
CMV 肺炎 155
CNSDC（chronic nonsuppurative destructive cholangitis） 276
collecting duct carcinoma 346
colloid adenocarcinoma 126
colorectal adenoma 222
colorectal cancer 231～235
colorectal polyp 221～224
colorectal polyposis 238
columnar cell hyperplasia 428
combined hepatocellular and cholangiocarcinoma 289
complete hydatidiform mole 418
condyloma acuminatum 383, 392, 620
congenital cystic adenomatoid malformation 166
congenital nevus 659
congestive liver 272
congestive splenomegaly 114
contraction band necrosis（CBN） 31
conventional adenoma 222
Cori 病 290
coronary atherosclerosis 30
corticobasal degeneration（CBD） 523
corticobasal syndrome（CBS） 523
Corticotroph adenoma 454
cortisol producing adrenocortical adenoma（CPA） 478
Cowden 病 202
Cowdry A 型封入体 627
CPA（cortisol producing adrenocortical adenoma） 478
crescentic glomerulonephritis 323
Creutzfeldt-Jacob disease（CJD） 514
Crohn disease 245
Cronkhite-Canada syndrome 240
Crooke hyalinization 448
Crooke 変性 448
cryptococcosis 155
cryptorchidism 375
Cushing syndrome を呈する副腎皮質過形成 475
cutaneous amyloidosis 632
cutaneous fibrous histiocytoma 591
cutaneous mixed tumor 650
cylindroma 133
cystic bone diseases 567
cystic medial necrosis（degeneration） 45
cystic renal tumor 343
cytomegalovirus pneumonia 155
C 型ウイルス性肝炎関連肝硬変 280

D

DAD（diffuse alveolar damage） 161
Darier disease 626
DCIS（ductal carcinoma *in situ*） 429
DCIS（ductal carcinoma *in situ*）を伴う乳頭腫 425
DCM（拡張型心筋症） 33
DDD（dense deposit disease） 324
de novo 型癌 232
dedifferentiated chordoma 562
dedifferentiated liposarcoma 579
degeneration of the renal tubules 335
dementia with Lewy bodies（DLB） 525
demyelination 534
dense deposit disease（DDD） 324
dentatorubral-pallidoluysian atrophy（DRPLA） 530
dentigerous cyst 181
dentinogenic ghost cell tumor 179
dermatofibroma 591
dermatofibroma（DF） 652
dermatofibrosarcoma protuberans（DFSP） 586, 653
dermatomyositis 624
dermatopathic lymphadenitis 97
dermoid cyst 174, 639
desmoid tumor 585
desmoid-type fibromatosis 585
desmoplastic infantile astrocytoma（DIA） 500
desmoplastic infantile ganglioglioma（DIG） 500
desmoplastic/nodular medulloblastoma 502
desquamative interstitial pneumonia（DIP） 162
detritic synovitis 551, 552, 570
developmental anomaly of the testis 375
DF（dermatofibroma） 652
DFSP（dermatofibrosarcoma protuberans） 586, 653
DH（diffuse hyperplasia） 474
dHCM（dilated phase of HCM） 33
DIA（desmoplastic infantile astrocytoma） 500
diabetic nephropathy 328

索引

dialysis-associated renal tumors 348
DIC（disseminated intravascular coagulation） 58
diffuse alveolar damage（DAD） 161
diffuse alveolar hemorrhage 159
diffuse astrocytic tumor 493
diffuse astrocytoma 493
diffuse hyperplasia（DH） 474
diffuse large B-cell lymphoma（DLBCL） 104, 373, 674, 708
diffuse midline glioma, H3 K27M mutant 495
diffuse panbronchiolitis 147
DIG（desmoplastic infantile ganglioglioma） 500
dilated phase of HCM（dHCM） 33
DIP（desquamative interstitial pneumonia） 162
dirofilariasis 155
discoid lupus erythematosus（DLE） 624
Dispersed neuroendocrine cells 440
disseminated intravascular coagulation（DIC） 58
DLB（dementia with Lewy bodies） 525
DLBCL（diffuse large B-cell lymphoma） 104, 373, 708
DLE（discoid lupus erythematosus） 624
DNT（dysembryoplastic neuroepithelial tumor） 500
donor specific antigen（DSA） 681
DRPLA（dentatorubral-pallidoluysian atrophy） 530
drug-induced cholestasis 268
drug-induced hepatitis 268
drug-induced lymphadenopathy 99
DSA（donor specific antigen） 681
Dubin-Johnson syndrome 293
ductal adenoma 426
ductal carcinoma 382
ductal carcinoma *in situ*（DCIS） 429
ductal carcinoma *in situ*（DCIS）を伴う乳頭腫 425
Dupuytern 拘縮 584
dust macule 156
dysembryoplastic neuroepithelial tumor（DNT） 500
dysplasia 204
dysplastic gangliocytoma of cerebellum 500

E

E（E）M〔erythema（exsudativum）multiforme〕 623
early carcinoma 215
EBV（Epstein-Barr ウイルス）感染 94, 94
eczema 622
EGPA（eosinophilic granulomatosis with polyangiitis） 56
Ehlers-Danlos 症候群 45
EIN（endometrioid intraepithelial neoplasia） 400
elastofibroma 581
embryonal brain tumors 502
embryonal carcinoma 370, 415
embryonal rhabdomyosarcoma 598
embryonal tumor with multilayered rosettes（ETMR） 502
emperipolesis 157
empyema 670
enchondroma 554
enchondromatosis 554
end stage kidney 326
endocapillary proliferative glomerulonephritis 322
endocardial diseases 29
endocardial fibroelastosis 34
endocervical-type mucinous and mixed epithelial carcinomas of müllerian type 413
endocrine cell carcinoma 215
endometrial cancer 401
endometrial hyperplasia 400
endometrial stromal nodule 404
endometrioid borderline tumor 411
endometrioid carcinoma 398, 411
endometrioid intraepithelial neoplasia（EIN） 400
endometrioid tumor 411
eosinophilia 69
eosinophilic granuloma of bone 113
eosinophilic granulomatosis with polyangiitis（EGPA） 56
eosinophilic pneumonia 150
eosinophilic sinusitis 671
ependymal rosette 497
ependymal tumors 497
ependymoma 497
epidermal cyst 639
epidermoid cyst 639
epithelial-myoepithelial carcinoma 194
epithelioid angiosarcoma 594, 658
epithelioid glioblastoma 494
epithelioid hemangioendothelioma 291, 593
epithelioid MPNST 603
epithelioid sarcoma 606
Epstein-Barr ウイルス（EBV）感染 94
epulis 172
Erdheim-Chester 病 566
erosive esophagitis 201
erythema induratum Bazin/nodular vasculitis 633
erythema nodosum 633
erythema（exsudativum）multiforme〔E（E）M〕 623
erythematosus 624
erythroblastic island 62
erythroleukemia 78
erythroplakia 169
esophageal benign epithelial tumors 202
esophageal cancer 203
esophageal heterotopia 200
esophagitis 201
essential thrombocythemia（ET） 82
esthesioneuroblastoma 676
ET（essential thrombocythemia） 82
ETMR（embryonal tumor with multilayered rosettes） 502
Evans tumor 590
Ewing sarcoma 562
EWSR1-non-ETS 癒合遺伝子を有する円形細胞肉腫 562
extra-abdominal desmoid 585
extraadrenal paraganglioma 486
extracapillary proliferative glomerulonephritis 323
extrahepatic bile duct cancer 311
extramammary Paget disease 392, 638
extranodal marginal zone B-cell lymphoma of MALT 668
extranodal marginal zone B-cell lymphoma of MALT type 103
extranodal NK/T-cell lymphoma, nasal type 108
extrapontine myelinolysis 536
extraskeletal mesenchymal chondrosarcoma 600
extraskeletal myxoid chondrosarcoma 609
extraskeletal osteosarcoma 600
extraventricular neurocytoma 499

F

Fabry disease 35, 332
FALS（familial ALS） 528
familial adenomatous polyposis（FAP） 238
familial ALS（FALS） 528
familial benign chronic pemphigus 626
Fanconi 貧血 71
FAP（familial adenomatous polyposis） 238
fatty liver disease 258, 270
feathery pattern 581
fetal adenocarcinoma 126
fibrin cap 328
fibroadenia 114
fibroadenoma 427, 695
fibroepithelial polyp 361
fibroma of tendon sheath 569, 583
fibrotic NSIP 161
fibrous disease 434
fibrous dysplasia 184, 558
fibrous hamartoma of infancy 582
fibrous histiocytoma 652

fibrous meningioma　504
flat adenoma　211
flat epithelial atypia　428
FNH（focal nodular hyperplasia）　287
focal glomerulonephritis　318
focal nodular hyperplasia（FNH）　287
focal segmental glomerulosclerosis（FSGS）　320
follicular adenoma　465
follicular cholecystitis　309
follicular colonization　103
follicular lymphoma　101
follicular thyroid carcinoma　467
follicular tumors　697
fracture　548
frontotemporal lobar degeneration（FTLD）　521, 527
FSGS（focal segmental glomerulosclerosis）　320
FTLD（frontotemporal lobar degeneration）　521, 527
fundic gland polyp　210
fungal meningitis　513

G

GAI（globular astrocytic inclusion）　524
galactosialidosis　538
gallbladder cancer　311
Gamna-Gandy 結節　114
gangliocytoma　499
ganglioglioma　499
Gardner syndrome　238
gastric carcinoma　213〜216
gastric polyp　210
gastric ulcer　209
gastritis verrucosa　206
gastrointestinal stromal tumor（GIST）　217, 241, 689
Gaucher disease　117
Gaucher 病　74
GCIs（glial cytoplasmic inclusions）　526
GCNIS（germ cell neoplasia *in situ*）　368
gelatinous marrow　71
germ cell neoplasia *in situ*（GCNIS）　368
germ cell tumor　415
germ cell-sex cord-stromal tumor　417
germinoma　501
GGT（globular glial tauopathy）　524
GH and PRL cell adenoma　453
GH 細胞腺腫　452
GH-PRL 細胞腺腫　453
GH 細胞　446
giant cell arteritis　50
giant cell carcinoma　132
giant cell glioblastoma　494
giant cell granuloma　185
giant cell interstitial pneumonia（GIP）パターン　157
giant cell thyroiditis　463
giant cell transformation　267
giant cell tumor of bone　561
giant cell tumor of tendon sheath　539
giant hypertrophic gastritis　208
giant mitochondria　258
GIP（giant cell interstitial pneumonia）パターン　157
GIST（gastrointestinal stromal tumor）　217, 241, 689
glandular dysplasia　396
glandular MPNST　602
glandular papilloma　134
glassy cell carcinoma　399
Gleason score　380
glial cytoplasmic inclusions（GCIs）　526
glioblastoma　494, 704
glioblastoma multiforme　494
gliosarcoma　495
gliosis　508
globular astrocytic inclusion（GAI）　524
globular glial tauopathy（GGT）　524
globular oligodendroglial inclusion（GOI）　524
glomangioma　595, 657
glomerular tip lesion　320
glomus tumor　595, 657
glycogen storage disease　290
glycogenic acanthosis　202
G_{M1}-ガングリオシドーシス　74
goblet cell rich variant HP（GRVHP）　225
GOI（globular oligodendroglial inclusion）　524
gonadoblastoma　374
Gonadotropin cell adenoma　455
Goodpasture 症候群　159
gout　553, 614, 631
gouty tophus　553, 614
GPA（granulomatosis with polyangiitis）　55, 158, 674
graft versus host disease（GVHD）　251, 682
granular cell tumor　170, 602
granuloma　629
granuloma annulare　630
granuloma telangiectaticum　657
granulomatosis with polyangiitis（GPA）　55, 158, 674
granulomatous orchitis　376
granulomatous prostatitis　377
granulomatous thyroiditis　463
Graves disease　462
GRVHP（goblet cell rich variant HP）　225
GVHD（graft versus host disease）　251, 682
gynecomastia　434

H

Hailey-Hailey disease　626
hamartoma　434
hamartomatous polyp　229
Hand-Schüller-Christian 病　113
hard metal lung disease　157
Hashimoto disease　464, 698
hashitoxicosis　462
HCA（hepatocellular adenoma）　285
HCM（肥大型心筋症）　33
HDLS（hereditary diffuse leukoencephalopathy with spheroids）　532
healthy carrier　263
hemangioblastoma　505
hemangioma　592
hemochromatosis　259
hemophagocytic syndrome（HPS）　70
hemorrhagic bone cyst　183
hemosiderosis　74, 259
hemosiderotic synovitis　569
hepatoblastoma　289
hepatocellular adenoma（HCA）　285, 287
hepatocellular carcinoma　282〜284, 287
hereditary cerebral small vessel disease　519
hereditary cortical cerebellar atrophy　531
hereditary diffuse leukoencephalopathy with spheroids（HDLS）　532
hereditary non-polyposis colorectal cancer（HNPCC）　239
hereditary renal diseases　332
Hermansky-Pudlak 症候群　160
herpes simplex encephalitis　511
herpes zoster　627
heterotopic gastric mucosa　200
heterotopic sebaceous gland　200
HGESS（high grade endometrial stromal sarcoma）　404
HGSC（high-grade serous carcinoma）　408
HHV（human herpes virus）　627
hidradenoma　649
hidradenoma papilliferum　648
high grade endometrial stromal sarcoma（HGESS）　404
high-grade serous carcinoma（HGSC）　408
high-grade SIL（HSIL）　394
high-grade squamous intraepithelial lesion　701
Hirschsprung disease　253
histiocytic medullary reticulosis　112
histiocytic necrotizing lymphadenitis　96
histiocytosis X　71, 113
HLA（human leukocyte antigen）　681
HNPCC（hereditary non-polyposis colorectal cancer）　239
Hodgkin lymphoma　110

Hodgkin-Reed-Sternberg 細胞　110
hordeolum　667
horse shoe kidney　333
HP（hyperplastic polyp）　225
HPS（hemophagocytic syndrome）　70
HPV 感染症　620
H-RS 細胞　110
HSIL（high-grade SIL）　394
human herpes virus（HHV）　627
human leukocyte antigen（HLA）　681
human papilloma virus infection　620
Huntington disease　529, 530
hyaline droplet degeneration　335
hyalinous degeneration　403
hydatidiform mole　418
hydropic degeneration　335
hydroxyapatite crystal deposition disease　553
hyperacute rejection　681
hyperparathyroidism　547
hyperplastic polyp（HP）　210, 225
hypersensitive pneumonia　163
hypertensive cerebral small vessel disease　518
hypocomplementemic glomerulonephritis　325

I

IC（ischemic colitis）　248
ID（interface dermatitis）　623
IDC（invasive ductal carcinoma）　430
idiopathic cardiomyopathy　33
idiopathic interstitial pneumonia　160
idiopathic mesenteric phlebosclerosis　252
idiopathic osteonecrosis　551
idiopathic thrombocytopenic purpura（ITP）　72
IgA glomerulonephritis（nephritis）　321
IgA vasculitis　628
IgA 血管炎　321, 628
IgA 腎症（炎）　321
IgG4 関連ロート下垂体炎　450
IgG4 関連下垂体炎　450
IgG4-related disease　51, 164, 275
IgG4-related infundibulo-hypophysitis　450
IgG4-related kidney disease（IgG4-RKD）　337
IgG4-related sclerosing cholangitis　275, 308
IgG4-related sialadenitis　189
IgG4 関連硬化性胆管炎　275, 308
IgG4 関連疾患　51, 164, 275, 298
IgG4 関連腎臓病　337
IgG4 関連唾液腺炎　189
IMGP（inflammatory myoglandular polyp）　230
immature teratoma　416
immune reconstruction inflammatory syndrome（IRIS）　512
immunoblastic lymphoma　104
immunotactoid glomerulopathy　330
incisive canal cyst　183
inclusion body fibromatosis　582
inclusion wart　620
infantile digital fibromatosis　582
infected aneurysm　45
infectious mononucleosis　94, 94
infective endocarditis　29
infective vasculitis　53
inflamed SK　641
inflammatory fibroid polyp　212
inflammatory fibrosarcoma　588
inflammatory lesions　667
inflammatory myofibroblastic tumor　135, 588
inflammatory myoglandular polyp（IMGP）　230
insufficiency fracture　548
insulinoma　304
Insulioma-associated protein1（INSM1）　440
interface dermatitis（ID）　623
interface hepatitis　263
intestinal Behçet disease　250
intestinal melanosis　253
intestinal metaplasia　207
intestinal tuberculosis　251
intra-abdominal desmoid　585
intraadrenal paraganglioma　486
intraductal papillary mucinous adenoma（IPMA）　303, 691
intraductal papillary mucinous carcinoma（IPMC）　303, 691
intraductal papillary mucinous neoplasms（IPMNs）　302, 691
intraductal papillary neoplasm of bile duct（IPNB）　288, 312
intraductal papilloma　425
intraductal proliferative lesions　428
intrahepatic cholangiocarcinoma　288
intramuscular lipoma　577
intramuscular myxoma　604
intratubular seminoma　368
intravascular large B-cell lymphoma（IVL）　136
invasive ductal carcinoma　300
invasive ductal carcinoma of breast　692
invasive ductal carcinoma（IDC）　430
invasive lobular carcinoma　431, 694
invasive micropapillary carcinoma　432
invasive mucinous adenocarcinoma　125
invasive pancreatic ductal carcinoma　690
invasive pilomatricoma　642
invasive urothelial carcinoma　357
invasive urothelial carcinoma with glandular differentiation　359
invasive urothelial carcinoma with squamous differentiation　359
invasive urothelial carcinoma with trophoblastic differentiation　359
inverted papilloma　362, 671
IPMA（intraductal papillary mucinous adenoma）　303, 691
IPMC（intraductal papillary mucinous carcinoma）　303, 691
IPMNs（intraductal papillary mucinous neoplasms）　302, 691
IPNB（intraductal papillary neoplasm of bile duct）　288, 312
IRIS（immune reconstruction inflammatory syndrome）　512
iron deficiency anemia　67
irritated SK　641
ischemic colitis（IC）　248
ischemic necrosis of the intestine　248
ITP（idiopathic thrombocytopenic purpura）　72
IVL（intravascular large B-cell lymphoma）　136

J

juvenile granulosa cell tumor　414
juvenile polyp　229
juvenile polyposis coli　239

K

Kaposi sarcoma　592, 658
Kawasaki disease　52
Kearns-Sayre 症候群（KSS）　537
keratinizing squamous cell carcinoma　128
keratoacanthoma　634
keratoma senile　635
keratosis follicularis　626
Ki-1 リンパ腫　109
kidney transplant rejection　337
Kikuchi-Fujimoto disease　96
Kimura disease　613
Klinefelter syndrome　375
Knosp の分類　456
koilocytosis　383, 394, 700
Krukenberg tumor　417
KSS（Kearns-Sayre 症候群）　537

L

Lactotroph adenoma　453
lacunar 細胞　110
LAM（lymphangiomyomatosis）　148
LAM 細胞　148
Langerhans cell histiocytosis　71, 113, 185, 566
Langerhans 細胞（LC）　113

large cell carcinoma　131
large cell neuroendocrine carcinoma　128
large cell neuroendocrine carcinoma（LCNEC）399
laterally spreading tumor（LST）224
LC（Langerhans 細胞）113
LCCA（晩発性皮質性小脳萎縮症）531
LCNEC（large cell neuroendocrine carcinoma）399
LC 組織球症　113
LEGH（lobular endocervical glandular hyperplasia）397
Leigh 脳症　537
leiomyoma　205, 392, 403, 597
leiomyosarcoma　597
LEL（lymphoepithelial lesion）103
Lennert リンパ腫　105
lentigo maligna　660
lentigo maligna melanoma　660
lepidic adenocarcinoma　123
lethal midline necrosis　108
Letterer-Siwe 病　113
leukemia　373
leukemoid reaction　69
leukocytoclastic vasculitis　628
leukoplakia　169, 202
Lewy body　525
Leydig cell tumor　374
LGESS（low grade endometrial stromal sarcoma）404
LGSC（low-grade serous carcinoma）408
Lhermitte-Duclos 病　500
lichen　625
lichen planus　625
lichen planus-like keratosis（LPLK）625
lichen simplex chronicus　622
lichen simplex chronicus Vidal　622
lichenification　625
lichenoid tissue reaction　622
LIP（lymphocytic interstitial pneumonia）162
lipid storage histiocytosis　74
lipoblastioma　578
lipofustin　259
lipogranuloma　258
lipoid pneumonia　150
lipoma　577
liposarcoma　579, 580
liver abscess　275
LMDF（lupus miliaris disseminates faciei）629
lobar pneumonia　149
lobular capillary hemangioma　657
lobular carcinoma *in situ*　429
lobular endocervical glandular hyperplasia（LEGH）397
localized scleroderma　632
Loeys-Dietz 症候群　45
low grade endometrial stromal sarcoma（LGESS）404
low-grade fibromyxoid sarcoma　590
low-grade serous carcinoma（LGSC）408
low-grade SIL（LSIL）394
low-grade squamous intraepithelial lesion　700
LPLK（lichen planus-like keratosis）625
LSIL（low-grade SIL）394
LST（laterally spreading tumor）224
lung disease in inflammatory bowel disease　163
lupus miliaris disseminates faciei（LMDF）629
lupus nephritis　327
LVI（lymphovascular invasion）358
lymphangioma　170, 592
lymphangiomyomatosis（LAM）148
lymphocytic adenohypophysitis　449
lymphocytic infundibuloneurohypophysitis　449
lymphocytic interstitial pneumonia（LIP）162
lymphoepithelial carcinoma　673
lymphoepithelial cyst　174
lymphoepithelial lesion（LEL）103
lymphoepithelioma-like carcinoma　133
lymphohistiocytic tumors　135
lymphoma　85, 100, 373, 668, 674, 708
lymphomatous polyposis　102
lymphovascular invasion（LVI）358
Lynch syndrome　239

M

MAC（*Mycobacterium avium-intercellulare* complex）152
Machado-Joseph disease（MJD）530
MAG（multifocal atrophic gastritis）207
major histocompatibility complex（MHC）681
malignant Brenner tumor　413
malignant fibrous histiocytoma（MFH）610
malignant histiocytosis　112
malignant melanoma　669, 675
malignant melanoma of soft parts　608
malignant nephrosclerosis　334
malignant peripheral nerve sheath tumor（MPNST）503, 602
malignant pleural mesothelioma　137
Mallory-Denk 体　270
MALT リンパ腫　103, 668
mammary Paget disease　638
MANEC〔mixed adenoneuroendocrine (cell) carcinoma〕236, 312
mantle cell lymphoma　102
Marfan 症候群　45
mastopathy　434
mature teratoma　416
Mazabraud 症候群　558
MCC（Merkel cell carcinoma）663
McCune-Albright 症候群　184, 558
MCD（multicentric Castleman disease）98, 164
MCN（mucinous cystic neoplasm）288
MCNS（微小変化ネフローゼ症候群）320
MDS（myelodysplastic syndromes）80
medication-related osteonecrosis of the jaw（MRONJ）186
medullary carcinoma　432
medullary carcinoma with lymphoid stroma　214
medullary thyroid carcinoma　469
medulloblastoma　502
megaloblastic anemia　67
MELAS（mitochondrial myopathy, encephalopathy, lactic acidosis, and stroke-like episodes）537
membranoproliferative glomerulonephritis（MPGN）324
membranous glomerulonephritis　319
membranous nephropathy　319
MEN1　457
Ménétrier 病　208
meningioma　504, 705
meningothelial meningioma　504
MENs　440
Merkel cell carcinoma（MCC）663
MERRF（myoclonus epilepsy associated with ragged-red fibers）537
mesangial proliferative glomerulonephritis　318
mesenchymal tumors　135
mesenteric phlebosclerosis　252
mesothelioma　37, 706
metaplastic carcinoma　433
metastasizing ameloblastoma　176
metastatic bone tumor　568
metastatic liver tumor　290
metastatic tumor　87
MF（mycosis fungoides）663
MFH（malignant fibrous histiocytoma）610
MHC（major histocompatibility complex）681
MIA（minimally invasive adenocarcinoma）122
microglandular hyperplasia　393
microinvasive carcinoma　396〜398
micropapillary adenocarcinoma　125
microscopic polyangiitis　331
microvesicular variant HP（MVHP）225
mild dysplasia/LSIL/CIN1　394

military tuberculosis 74
minimal deviation adenocarcinoma 397
minimally invasive adenocarcinoma（MIA） 122
MiT family translocation renal cell carcinoma 347
mitochondrial encephalomyopathy 537
mitochondrial myopathy, encephalopathy, lactic acidosis, and stroke-like episodes（MELAS） 537
mitral regurgitation 28
mitral ring calcification 28
mitral valve diseases 28
MiT ファミリー転座型腎細胞癌 347
mixed adenoneuroendocrine（cell） carcinoma（MANEC） 236, 312
mixed dust fibrosis 156
mixed dust pneumoconiosis 156, 157
mixed epithelial and mesenchymal tumor 405
mixed epithelial and stromal tumor family 343
mixed epithelial tumor of borderline malignancy 413
MJD（Machado-Joseph disease） 530
MMPH（multifocal micronodular pneumocyte hyperplasia） 148
moderate dysplasia/HSIL/CIN2 395
Mönckeberg medial calcific sclerosis 43
monodermal teratoma 416
MPGN（membranoproliferative glomerulonephritis） 324
MPN（myeloproliferative neoplasms） 82
MPNST（malignant peripheral nerve sheath tumor） 503, 602
MRONJ（medication-related osteonecrosis of the jaw） 186
MS（multiple sclerosis） 534
MSA（multiple system atrophy） 526
MSA-C 526
MSA-P 526
MTS（Muir-Torre 症候群） 651
mucinous adenocarcinoma・endocervical type 397
mucinous adenoma 409
mucinous borderline tumor 409
mucinous carcinoma 382, 401, 409, 431
mucinous cystic neoplasm（MCN） 288
mucinous tubular and spindle cell carcinoma 346
mucinous tumor 409
mucocele 189
mucoepidermoid carcinoma 133, 192
mucormycosis 154
mucous carcinoma 397
mucous retention cyst 174
Muir-Torre 症候群（MTS） 651
müllerian adenosarcoma 405
multicentric Castleman disease（MCD） 98, 164
multifocal atrophic gastritis（MAG） 207
multifocal micronodular pneumocyte hyperplasia（MMPH） 148
multilocular cystic renal tumor of low malignant potential 343
multiple endocrine neoplasia（MEN） 441
multiple myeloma 84
multiple sclerosis（MS） 534
multiple system atrophy（MSA） 526
MVHP（microvesicular variant HP） 225
mycobacterial infection 151
Mycobacterium avium-intercellulare complex（MAC） 152
mycosis fungoides（MF） 663
myelodysplastic syndromes（MDS） 80
myeloma kidney 335
myeloproliferative neoplasms（MPN） 82
myocardial fibrosis 26
myocardial hypertrophy 26
myocardial infarction 31
myocarditis 32
myoclonus epilepsy associated with ragged-red fibers（MERRF） 537
myopericytoma 596
myrmecia 620
myxofibrosarcoma 589
myxoid medial degeneration 45
myxoid/round cell liposarcoma 580
myxomatous degeneration 28
myxopapillary ependymoma 498

N

NAFL（nonalcoholic fatty liver） 270
NAFLD（nonalcoholic fatty liver disease） 270
nasal NK/T cell lymphoma 674
nasal polyp 671
NASH（nonalcoholic steatohepatitis） 270
nasopalatine duct cyst 183
Nasu-Hakola disease 532
NBTE（nonbacterial thrombotic endocarditis） 29
NEC〔neuroendocrine（cell） carcinoma〕 236, 692
necrobiosis lipoidica 630
necrotizing fasciitis 613
necrotizing vasculitis 628
neonatal cholestasis 267
neonatal hepatitis 267
neoplasms with perivascular epithelioid cell differentiation 610
nephroblastoma 350
nephrogenic adenoma（metaplasia） 361
nephrosclerosis 334
NET〔neuroendocrine（cell） tumor〕 236, 304, 692
neurilem（m）oma 217, 654
neurinoma 654
neuroendocrine（cell） carcinoma（NEC） 236, 399, 692
neuroendocrine（cell） tumor（NET） 236, 304, 692
neuroendocrine cell neoplasia 236
Neuroendocrine markers 440
Neuroendocrine neoplasms（MENs） 440
neurofibrillary tangle（NFT） 520
neurofibroma 601, 655
neurofibromatosis type 1（NF1） 601
neurofibromatosis type 2（NF2） 601
neuromyelitis optica（NMO） 535
neuronal intranuclear inclusion disease 533
neuronal tumors 499
nevocellular nevus 659
NF1（neurofibromatosis type 1） 601
NF2（neurofibromatosis type 2） 601
NFT（neurofibrillary tangle） 520
nicotinic acid deficiency 536
Niemann-Pick disease 74, 117
nipple adenoma 426
NMO（neuromyelitis optica） 535
nodular fasciitis 581
nodular hyperplasia 378
nodular melanoma 661
nodular regenerative hyperplasia 287
nodular regenerative hyperplasia（NRH） 280
nonalcoholic fatty liver disease（NAFLD） 270
nonalcoholic fatty liver（NAFL） 270
nonalcoholic steatohepatitis（NASH） 270
non-atrophic gastritis 207
nonbacterial thrombotic endocarditis（NBTE） 29
non-epithelial tumors of esophagus 205
non-epithelial tumors of stomach 217
non-invasive papillary urothelial carcinoma 356
non-invasive papillary urothelial carcinoma high-grade 356
non-invasive papillary urothelial carcinoma low-grade 356
non-invasive urothelial carcinoma 355
nonkeratinizing nasopharyngeal carcinoma 673
non-keratinizing squamous cell carcinoma 128
non-ossifying fibroma 565
nonspecific interstitial pneumonia（NSIP） 161
nontuberculous mycobacterial infection 152

non-viral infectious diseases 292
notochordal tumor 563
NRH（nodular regenerative hyperplasia） 280
NSIP（nonspecific interstitial pneumonia） 161
nuclear glycogen 258
Null cell adenoma 455
nutmeg liver 272

O

obstructive jaundice 274
odontogenic fibroma 180
odontogenic keratocyst 182
odontogenic myxofibroma 180
odontogenic myxoma 180
odontoma 179
olfactory neuroblastoma 676
oligoastrocytoma 496
oligodendroglioma 496
oncocytoma 345
oncogenic osteomalacia/rickets 546
OP（organizing pneumonia） 161
OPCA（オリーブ橋小脳萎縮症） 526
oral candidiasis 173
oral epithelial dysplasia 168
oral lichen planus 171
oral potentially malignant disorders 169
organizing pneumonia（OP） 149, 161
organoid pattern 582
orthokeratinized odontogenic cyst 182
osteitis deformans 547
osteoarthritis 550
osteoblastoma 558
osteochondroma 554
osteochondromatosis 554
osteofibrous dysplasia 564
osteoid osteoma 558
osteomalacia/rickets 546
osteomyelitis 186
osteoporosis 545
osteosarcoma 559
other and unclassified carcinoma 133
overhanging epidermal lip 634

P

PA（primary aldosteronism）を伴う副腎皮質過形成 474
Paget disease 392, 433
Paget disease of bone 547
Paget 様進展 638
pale island 502
palisading granuloma 158
palmar/planter fibromatosis 584
palpation thyroiditis 463
PAN（polyarteritis nodosa） 53
pancreatic neuroendocrine neoplasm 302
pancreaticobiliary maljunction 313
pancreatolithiasis 298
PAP（pulmonary alveolar proteinosis） 159
papillary adenocarcinoma 124
papillary adenoma 134, 344
papillary carcinoma of thyroid gland 696
papillary eccrine adenoma 647
papillary fibroelastoma 36
papillary renal cell carcinoma 344
papillary thyroid carcinoma 466
papillary tubular adenoma 647
papillary tumor of the pineal region 501
papillary urothelial neoplasm of low malignant potential（PUNLMP） 356
papilloma 134, 671
para-articular osteochondroma 570
paradoxical hyperplasia 477
Parkinson disease（PD） 525
parvovirus B19 infection 72
Pautrier microabscess 663
PBC（primary biliary cholangitis） 276
PBC（primary biliary cirrhosis） 276
PBC-AIH オーバーラップ症候群 266
PD（Parkinson disease） 525
PEComa 610
pellagra encephalopathy 536
pemphigus vulgaris 626
penile cancer 383
peptic esophagitis 201
periarteritis nodosa 331
pericellular fibrosis 281
periosteal chondroma 554
peripheral T-cell lymphoma 105
peritoneal implant 408
perivascular pseudorosette 493, 497
pernicious anemia 67
Peutz-Jeghers syndrome 239
Peutz-Jeghers type polyp 229
PG（pyogenic granuloma） 656
PGM（pyloric gland metaplasia） 398
pheochromocytoma 486
phosphaturic mesenchymal tumor 546
phyllodes tumor 427
Pick body 521
Pick disease 521
pigmented DFSP 586
pigmented villonodular synovitis 569
pillar cyst 640
pilocytic astrocytoma 492
pilomatricoma 642
Pindborg tumor 178
pineoblastoma 501
pineocytoma 501
Piringer lymphadenitis 94
Pituitary Apoplexy 448
Pituitary carcinoma 456
Pituitary necrosis 448
Piuitary adenomas 451
P-J 型ポリープ 229, 240
plasmacytoma 84
pleomorphic adenoma 190, 687
pleomorphic carcinoma 132
pleomorphic leiomyosarcoma 597
pleomorphic liposarcoma 580
pleomorphic rhabdomyosarcoma 599
pleomorphic xanthoastrocytoma 492
pleuropulmonary fibroelastosis（PPFE） 162
plexiform fibrohistiocytic tumor 569
PMC（pseudomembranous colitis） 247
PMF（primary myelofibrosis） 82
PML（progressive multifocal leukoencephalopathy） 512
PN（polyarteritis nodosa） 628
pneumoconiosis 156
pneumocystis pneumonia 155
polyarteritis nodosa（PAN） 53, 331, 628
polycystic kidney 333
polycystic renal dysplasia 333
polycythemia vera（PV） 82
polyglutamine disease 529
polymorphous adenocarcinoma 195
porocarcinoma 645
poroid hidradenoma 649
poroma 645
portal tracts invasion 284
post-intervention 31
postoperative maxillary cyst 183
postpubertal-type teratoma 372
poststreptococcal acute glomerulonephritis 322
PPFE（pleuropulmonary fibroelastosis） 162
PPNAD（primary pigmented nodular adrenocortical disease） 475, 476
pregnancy-associated lesion 390
prepubertal-type teratoma 372
primary aldosteronism（PA）を伴う副腎皮質過形成 474
primary biliary cholangitis（PBC） 276
primary biliary cirrhosis（PBC） 276
primary cardiac neoplasm 36
primary cardiac neoplasm, benign 36
primary intraosseous carcinoma, NOS 175
primary myelofibrosis（PMF） 82
primary neoplasm 37
primary neoplasm, malignant 37
primary pigmented nodular adrenocortical disease（PPNAD） 475, 476
primary sclerosing cholangitis（PSC） 275, 277, 307
PRL 細胞腺腫 453
progressive massive fibrosis 156
progressive multifocal leukoencephalopathy

(PML) 512
progressive supranuclear palsy (PSP) 522
(progressive) systemic sclerosis〔(P) SS〕 632
proliferating trichilemmal cyst/tumor 640
prostatic cancer 379〜382
prostatitis 377
prosthetic valve failure and endocarditis 29
prurigo nodularis 622
psammoma body 504
psammomatous meningioma 504
PSC (primary sclerosing cholangitis) 275, 277
pseudoaneurysm 46
pseudoarthrosis 548
pseudogout 553, 614
pseudomembranous colitis (PMC) 247
pseudopsammoma body 504
psoriasis vulgaris 621
PSP (progressive supranuclear palsy) 522
(P) SS〔(progressive) systemic sclerosis〕 632
pulmonary alveolar proteinosis (PAP) 159
pulmonary artery intimal sarcoma 135
pulmonary asbestosis 157
pulmonary blastoma 132
pulmonary congestion 144
pulmonary edema 144
pulmonary emphysema 147
pulmonary hamartoma 136
pulmonary hemorrhagic infarction and fat embolism 144
pulmonary hyalinizing granuloma 164
pulmonary hypertension 145
pulmonary Langerhans-cell histiocytosis 165
pulmonary sequestration 166
pulmonary thromboembolism 145
pulmonary tuberculosis 151
PUNLMP (papillary urothelial neoplasm of low malignant potential) 356
pure stromal tumor 414
purpura nephritis 321
pustular psoriasis 621
PV (polycythemia vera) 82
pyelonephritis 336
pyloric gland metaplasia (PGM) 398
pyogenic granuloma 171
pyogenic granuloma (PG) 656

Q

Quilty 効果 38

R

RA (関節リウマチ) 163, 552
RA (不応性貧血) 80
radicular cyst 181
RAEB (芽球増加を伴う不応性貧血) 81
RAEBt (白血病移行期の芽球増加を伴う不応性貧血) 81
ranula 174
rapidly destructive coxarthrosis 551
RARS (環状鉄芽球を伴う不応性貧血) 80
RB (respiratory bronchiolitis) 162
RCM (拘束型心筋症) 34
reactive astrocytosis 508
reactive lymphadenitis 92
Reed-Sternberg 細胞 110
reflux esophagitis 201
regressed germ cell tumor 372
relapsing polychondritis 679
renal amyloidosis 330
renal infarction 334
renal osteodystrophy 546
renomedullary interstitial cell tumor 349
residual cyst 181
respiratory bronchiolitis (RB) 162
retinoblastoma 669
rhabdoid tumor 609
rhabodomyosarcoma 598
rheumatic aortic valvular change 27
rheumatic valvular deformity 28
rheumatoid arthritis (RA) 552
rheumatoid nodule 552, 614, 631
Riedel thyroiditis 464
Rosai-Dorfman 病 92
Rosen triad 429
rosette-forming glioneuronal tumor 500
RS 細胞 110

S

salivary duct carcinoma 194
salivary gland-type tumors 133
Sanderson polster 461
SAPHO 症候群 549
sarcoidosis 93, 153, 629, 667
sarcomatoid carcinoma 132, 568
sarcomere disease 33
SCA (spinocerebellar ataxia) 530
SCC (squamous cell carcinoma) 637
Schiller-Duval body 371, 415
schistosomiasis japonica 292
schneiderian papilloma, inverted type 671
schwannoma 217, 503, 654
schwannomatosis 655
scleroderma 632
sclerosing cholangitis 275
sclerosing epithelioid fibrosarcoma 590
sclerosing glomerulonephritis 326
sclerosing pneumocytoma 134
SCNEC (small cell neuroendocrine carcinoma) 399
SCNs (serous cystic neoplasms) 300
scurvy 546
SE (systemic erythematosus) 624
sebaceoma 651
sebaceous adenoma 651
sebaceous carcinoma 667
seborrheic keratosis (SK) 641
secondary cardiomyopathy 35
secondary sclerosing cholangitis 275
secondary tumor 417
secretory carcinoma 194, 432
secretory meningioma 504
segmental arterial mediolysis 47
SEIC (serous endometrial intraepithelial carcinoma) 400
seminoma 369
senile aortic calcification 27
senile keratosis 635
senile plaque 520
seromucinous adenoma 413
seromucinous borderline tumor 413
seromucinous carcinoma 413
seromucinous tumor 413
serous adenoma 407
serous borderline tumor 407
serous carcinoma 398, 401, 408
serous cystic neoplasms (SCNs) 300
serous endometrial intraepithelial carcinoma (SEIC) 400
serous tubal intraepithelial carcinoma (STIC) 408
serous tumor 407
serrated lesion 225〜228
Sertoli cell tumor 374, 414
Sertoli-Leydig cell tumor 414
sessile serrated adenoma/polyp (SSA/P) 226
severe dysplasia/carcinoma *in situ* 395
sex cord-stromal tumor 414
Sézary syndrome 663
SF-1 系譜 455
SFT (solitary fibrous tumor)/HPC (hemangiopericytoma) 505
shadow plaque 534
sialolithiasis 189
siderosis 157
signet ring cell-like carcinoma 382
signet-ring cell carcinoma 87
SIL (squamous intraepithelial lesion)/CIN (cervical intraepithelial neoplasia) 394
silicone granuloma 613
silicosis 156, 157
silicotic nodule 156
simple bone cyst 183, 567
simple gastritis 207
simple steatosis 270
simple ulcer (SU) 250
sinusoidal obstruction syndrome (SOS)

272
Sjögren syndrome　189
SJS（Stevens-Johnson syndrome）　623
SK（seborrheic keratosis）　641
SLE（systemic lupus erythematosus）　624
small cell carcinoma　87, 128
small cell carcinoma of lung　703
small cell neuroendocrine carcinoma（SCNEC）　399
SMILE（stratified mucin-producing intraepithelial lesion）　397
SND（線条体黒質変性症）　526
solar keratosis　635
solid adenocarcinoma　125
solid papillary carcinoma　429
solid-pseudopapillary neoplasm（SPN）　692
solitary bone cyst　183
solitary fibrous tumor　587
solitary fibrous tumor（SFT）/hemangiopericytoma（HPC）　505
somatic-type tumors arising from dermoid cyst　416
Somatotroph adenoma Somatotroph adenoma Sparsely granulated type　452
Somatotroph adenoma（SA）　452
SOS（sinusoidal obstruction syndrome）　272
special type gastritis　208
specific cardiomyopathy　35
specific glioneuronal element　500
sperm granuloma　376
spermatocytic tumor　369
spindle cell carcinoma　132
spindle cell squamous cell carcinoma　168
spindle cell/pleomorphic lipoma　578
spindle cell/sclerosing rhabdomyosarcoma　599
spinocerebellar ataxia（SCA）　530
spiradenoma　650
Spitz 母斑　659
splenic hamartoma　116
splenic inflammatory pseudotumor　116
SPN（solid-pseudopapillary neoplasm）　692
spondylosis deformans　550
spongiform pustule of Kogoj　621
squamous cell carcinoma of lung　702
squamous cell carcinoma（SCC）　127, 168, 637, 360, 672, 396〜398
squamous cell papilloma　134, 202
squamous intraepithelial lesion（SIL）/cervical intraepithelial neoplasia（CIN）　394
squamous metaplasia　393
SSA/P with cytological dysplasia　226
SSA/P（sessile serrated adenoma/polyp）　226
SSM（superficial spreading melanoma）　660
steatocystoma　639
steatocystoma multiplex　639
Stevens-Johnson syndrome（SJS）　623
STIC（serous tubal intraepithelial carcinoma）　408
stomal polypoid hypertrophic gastritis　208
stratified mucin-producing intraepithelial lesion（SMILE）　397
strumal carcinoid　417
SU（simple ulcer）　250
subacute thyroiditis　463
subarachnoid hemorrhage　517
subchondral insufficiency fracture　548
subependymal giant cell astrocytoma　492
subependymoma　498
submassive or massive hepatic necrosis　262
superficial spreading melanoma（SSM）　660
suppurative cholangitis　275
symplastic glomus tumor　595
synovial chondromatosis　570
synovial sarcoma　604
syringocystadenoma papilliferum　648
syringoma　647
systemic erythematosus（SE）　624
systemic lupus erythematosus（SLE）　624

T

t（6；11）転座型腎細胞癌　347
tanycytic ependymoma　498
tenosynovial giant cell tumor　569
teratoma　372, 416
testicular feminization syndrome　375
testicular germ cell tumors　363
testicular tumors　374
thromboangiitis obliterans　57
thrombus/embolus　58
thymic carcinoma　118
thymoma　118
Thyrotroph adenoma　453
tophaceous pseudogout　553
Tpit 系譜　454
traditional serrated adenoma（TSA）　226
transitional meningioma　504
traumatic bone cyst　183
trichilemmal cyst　640
trichoblastoma　643
trichoepithelioma　643
TSA（traditional serrated adenoma）　226
TSH 細胞腺腫　453
tuberculosis　74, 292
tuberculosis of bone and joint　549
tuberculous epididymitis　376
tuberculous lymphadenitis　93
tubular adenoma　222, 647
tubulitis　336
tubulo-interstitial nephritis　336
tubulopapillary hidradenoma　647
tubulovillous adenoma（TVA）　223
tumoral calcinosis　553
tumors derived from endometrial stromal cells　404
tumors of the penis　383
tumors of the pineal region　501
Turcot syndrome　238
TVA（tubulovillous adenoma）　223
T 細胞関連型拒絶反応　682

U

UDH（usual ductal hyperplasia）　428
UIP（usual interstitial pneumonia）　160
ulcerative colitis　242
unclassifiable interstitial pneumonia　162
undifferentiated pleomorphic sarcoma　565
undifferentiated sarcoma　610
unit lesions of panbronchiolitis　147
urachal carcinoma　361
urinary tract tumor　351
urothelial carcinoma　359
urothelial carcinoma *in situ*　355
urothelial cell carcinoma　699
urothelial papilloma　362
usual ductal hyperplasia（UDH）　428
usual interstitial pneumonia（UIP）　160
uterine smooth muscle tumors　403
uterine tumor resembling ovarian sex cord tumor（UTROSCT）　404
UTROSCT（uterine tumor resembling ovarian sex cord tumor）　404

V

vaginal intraepithelial neoplasia（VaIN）　392
VaIN（vaginal intraepithelial neoplasia）　392
varicella　627
varicella-zoster virus（VZV）　627
varix　59
vascular malformation　48
vascular shrinkage　31
vellus hair cyst　639
veno-occlusive disease（VOD）　272, 273
venous malformation　48
verruca plana　620
verruca senilis　641
verruca vulgaris　620
verruciform xanthoma　171
verrucous carcinoma　383
verrucous squamous cell carcinoma　168, 637
villous adenoma　223
viral liver cirrhosis（micronodular type and macronodular type）　280
VOD（veno-occlusive disease）　273

von Recklinghausen disease of bone　547
VZV（varicella-zoster virus）　627

W

Warthin tumor　191
warty dyskeratoma/isolated dyskeratosis follicularis　626
Wegener granulomatosis　55, 158
Weiss の scoring system　483
Wilms tumor　350
Wilson disease　260

X

xanthogranulomatous cholecystitis　310
xanthogranulomatous pyelonephritis　337
Xp11 転座型腎細胞癌　342, 347

Y

yolk sac tumor　371, 415

カラーアトラス
病理組織の見方と鑑別診断/第7版 ISBN978-4-263-73197-0

1972年7月15日　第1版第1刷発行
1983年4月11日　第2版第1刷発行
1994年4月25日　第3版第1刷発行
2001年3月10日　第3版第6刷（増補）発行
2002年4月25日　第4版第1刷発行
2007年7月15日　第5版第1刷発行
2018年9月10日　第6版第1刷発行
2020年12月10日　第7版第1刷発行
2023年3月20日　第7版第2刷発行

編者　吉野　正
小田義直
坂元亨宇
森井英一

発行者　白石泰夫
発行所　**医歯薬出版株式会社**

〒113-8612 東京都文京区本駒込1-7-10
TEL.（03）5395―7640（編集）・7616（販売）
FAX.（03）5395―7624（編集）・8563（販売）
URL https://www.ishiyaku.co.jp/
郵便振替番号 00190-5-13816

乱丁，落丁の際はお取り替えいたします．　印刷・三報社印刷／製本・明光社